DODERER / DIE DÄMONEN

HEIMITO VON DODERER

DIE DÄMONEN

Nach der Chronik
des Sektionsrates Geyrenhoff

ROMAN

*Malignitati falsa species
libertatis inest.*

Tacitus, Hist. I, 1

BIEDERSTEIN VERLAG MÜNCHEN

ISBN 3 7642 0039 1

26.–28. Tausend der Gesamtauflage 1973.
Alle Rechte vorbehalten. © 1956 Biederstein Verlag, München
Druck der C. H. Beck'schen Buchdruckerei, Nördlingen
Einband von Prof. F. H. Ehmcke. Schutzumschlag von W. Rebhuhn

Ouvertüre

Seit Jahr und Tag wohne ich nun in Schlaggenbergs einstmaligem Zimmer.

Es ist eine Mansarde, jedoch darf man dabei an kein ärmliches Quartier denken. Er pflegte in der letzten Zeit, die er noch in Wien und in unserer Gartenvorstadt hier verlebte, seltsamerweise stets in Malerateliers zu hausen, und bewies in der Auffindung von reizenden Wohnungen dieser Art großes Geschick – erstmalig, als er, knapp bevor sein Lehrer Kyrill Scolander aus Südfrankreich wieder hierher kam, für jenen ein geeignetes Zimmer suchen mußte: das Ergebnis war das erste und vielleicht schönste von ‚Schlaggenbergs Ateliers‘ (wie wir's später nannten) – welche im übrigen seine einzige Beziehung zur Malerei darstellten, denn von dieser selbst hat er, wie mir schien, nie viel verstanden, oder sich darum ebensowenig bekümmert als etwa um das Theater. Bei Scolander indessen, dem damals zu Wien eine Professur angeboten worden war, gewann der Raum für die Berufsarbeit Bedeutung, wenngleich ihm ja auch der Staat nunmehr eine geeignete Werkstatt zur Verfügung stellen mußte. Las man übrigens Schlaggenbergs schon vordem in den Buchhandel gekommene Biographie seines Lehrers, so mußte man den falschen Eindruck gewinnen, daß jener sozusagen nur nebenher male: denn verglichen mit den Schriften Scolanders, welche mit einiger Ausführlichkeit dort betrachtet werden, erscheinen die malerischen Arbeiten fast nachlässig behandelt.

Es ist also das letzte von ‚Schlaggenbergs Ateliers‘, womit ich ihn gewissermaßen beerbt habe, das zuletzt von ihm bewohnte; der Raum ist kleiner als jener, den Scolander einst innehatte, jedoch scheint mir dafür diesem kleineren Raume mehr Behagen zu eignen.

Man sieht weit aus durch die schrägen Fenster. Das doppelt verglaste Oberlicht läßt einen Katarakt von Helligkeit herabstürzen. Man sitzt hoch wie auf dem Gefechtsstande eines Artilleriebeobachters oder in einem Leuchtturme. Man sitzt hoch über der Stadt und gerade gegenüber den Bergen der Landschaft, welche den Gesichtskreis wellig begrenzen. Nach rechts unten hin ist alles unbestimmt; hinter geschachtelten, oft in der Sonne einzelweis vorleuchtenden Häuserblocks liegt eine bunte und dunstige Tiefe: dort flieht die Ebene, nach Ungarn zu. Linker Hand endet das Gebirg', setzt steil ab, blickt gehöht ins Land.

Unter mir liegt unsere Gartenvorstadt: flach oder giebig gedächert, hier ins Grüne verstreut und zerflattert, dort wieder geschart um die Wucht einer romanischen Kirche, die mit ihren breiten Türmen zwei Torpfeiler vor die wolkengebauschte Himmelsweite stellt.

Hier also, in diesen unter meinem Aug' gebreiteten neuen und daneben wieder hundertjährigen Gassen hat sich ein wesentlicher Teil jener Begebenheiten vollzogen, deren Zeuge ich vielfach war, deren Chronist ich geworden bin, und das letztere oft fast gleichzeitig mit den Ereignissen. Denn sehr bald hatte ich den Entschluß gefaßt, meine gelegentlichen Aufzeichnungen mit größerer Genauigkeit zu machen und meine Notizen zu verarbeiten. An diesem Punkte hielt ich bereits im Frühling des Jahres 1927 (da ich's denn nicht liebe, daß Dinge und Menschen eines Berichts gleichsam in der Luft hängen, setze ich die Jahreszahl hierher).

Nicht lange danach widerfuhr mir übrigens in der Stadt dort drinnen eine in ihrer Art seltsame Begegnung, deren ich noch Erwähnung tun werde: diese beiden Punkte – der Beginn meiner Arbeit hier und das zufällige Zusammentreffen mit dem Kammerrat Levielle auf dem ‚Graben‘ – liegen so nahe beieinander, daß mir mit dem einen rückblickend auch das andere gleich in den Sinn kommt.

Ich begann also meine Aufzeichnungen mit Eifer zu betreiben. An Zeit gebrach es mir nicht. Ich war nicht lange vor dem früher angezogenen Jahre aus dem Staatsdienst geschieden, als Sektionsrat, und die hier naheliegende Frage, warum ich bei noch immerhin jüngeren Jahren die Laufbahn verließ, mich mit einer verhältnismäßig niederen Staffel begnügend, wo mir doch, aller Wahrscheinlichkeit nach, eine höhere noch wäre zugänglich gewesen – diese Frage beantworte ich geradeaus damit, daß in der nach dem Kriege entstandenen Republik mir das Leben und die Arbeit eines Staatsbeamten manches von ihrem Sinn verloren zu haben schienen, während im alten Reiche, in gewissen Arbeitsgebieten zumindest, der österreichische Verwaltungsbeamte vielfach etwas wie eine wirkliche Mission trug. Hinzu kam, daß während des Jahres 1926 meine Vermögensverhältnisse sich von Grund auf verändert hatten. Diese Änderung hing mit der Freigabe der im Kriege beschlagnahmten oder, wie man auch sagte, ‚sequestrierten‘ Wertpapiere und Bankguthaben österreichischer Staatsbürger in England zusammen. Ich hatte drüben Anteilscheine an pennsylvanischen Stahlwerken liegen gehabt. Der Sequester verwandelte diese Papiere 1914 in englische Kriegsanleihe. Früher hatte der so in vorläufigen Verlust gekommene Teil meines väterlichen Erbes innerhalb desselben eine überragende Stellung nicht eben eingenommen. Nun aber, freigeworden, und nach einem langwierigen Verfahren und großen, durch die Art der Manipulation eingetretenen Kursverlusten wieder für mich verfügbar, erwies dieses einzig wertbeständige Bruchstück meines einstmaligen Vermögens sich doch als gar sehr ins Gewicht fallend. Denn alles übrige war mit den alten Währungen zerronnen.

So mochte ich denn nicht mehr in einem Amte bleiben, das an Arbeit und Wirkungsmöglichkeit wenig mehr bot, sondern eben nur die platte Versorgung, die mir in einer nachgerade drückenden Weise auf Kosten meiner werkenden Mitbürger zu erfolgen schien. Der gar nicht absehbaren Vorteile einer Menschenklasse, welche, bei zwar vielfach kleinen, jedoch im ganzen gleichbleibenden und gesicherten ‚Bezügen‘ die schlimmsten Jahre und deren Not besser überdauerte als selbst der Tüchtigste – dieser Vorteile wollte ich mich eines Teiles begeben. Denn das mir verbleibende Ruhegehalt war bescheiden.

An Zeit gebrach es mir demnach nicht mehr, und ich war auch frei von allem, was man so gemeinhin Sorgen nennt; zudem Junggeselle. In Ermangelung von Sorgen schuf ich mir indessen welche, wie dies eben alle Menschen tun. Nur waren diese neuen Sorgen leichterer, ja fast möchte ich sagen, tändelnder Art, zumindest für den Anfang.

Ich begann also nicht weniger und nicht mehr als für eine ganze Gruppe von Menschen (und das sind vornehmlich jene, die ich späterhin kurz ‚die Unsrigen‘ nennen werde) ein Tagebuch zu führen. Jedoch nicht nur das Tagebuch einer Gemeinschaft – also ein Ding etwa wie ein Schiffstagebuch oder wie die

Aufzeichnungen einer Expedition unter wilde Völker – sondern ich tat's gewissermaßen für jeden von diesen einzelnen und behielt ihn unter den Augen. Darum entstanden meine Berichte hier vielfach gleichzeitig mit den Ereignissen, und schon damals pflegte mich Schlaggenberg zu ärgern, der, nachdem er mir bald hinter meine Schreibereien gekommen war, zu dem Wort ‚Berichte' stets das Adjektiv ‚romanhaft' setzte: ‚Ihre romanhaften Berichte, Herr G-ff.' Nicht lange danach gewann ich ihn schon zur Mitarbeit. Ganz ebenso auch den René von Stangeler, welchen wir den ‚Fähnrich' nannten (er war's im Krieg bei den Dragonern gewesen). Diese zwei beflissen sich ja damals des Schreibens berufsmäßig. Ich übertrug ihnen ganze Abschnitte und bezahlte sie anfänglich auch dafür (Schlaggenberg tat's später aus Liebe zur Sache umsonst). Damit nicht genug, breitete ich meine Pläne und Arbeiten zum Beispiel vor einer Frau Selma Steuermann aus, der die Sache Spaß bereitete und die mich nun gleichfalls unterstützte, mit der genauen Schilderung von Vorgängen, deren Zeuge ich nie hätte sein können, und welche ich so trotzdem in meine Aufzeichnungen hereinbekam. Die gute Selma hat für mich geradezu spioniert und vornehmlich eben in ihren, mir ja gar nicht ohne weiteres und auf vertrauliche Art zugänglichen Kreisen. Einige gab es auch, die mitarbeiteten, ohne es zu wissen, indem sie nämlich von mir ausgehorcht wurden, zum Beispiel das Fräulein Grete Siebenschein; aber derlei versteht sich ja fast von selbst, und das tun bekanntlich die Berufsschreiber auch.

Ich hatte noch andere Mitarbeiter – Frau Friederike Ruthmayr und Herr von Eulenfeld bleiben unvergessen! – aber es sei genug an den schon genannten. Schlaggenberg hatte ja gar einmal die Unverschämtheit, mich zu fragen, ob ich nicht den Kammerrat Levielle gleichfalls engagieren wollte?! Trotz all dieser reichen Kenntnisse – Schlaggenberg sagte ‚Tratschereien' – und der weitgehenden Zuträgerei, die sich bald aus meinem ganzen Betrieb entwickelte, blieb ich natürlicherweise bei währendem Geschehen in vielen, ja in den entscheidenden Punkten teilweise oder auch völlig unwissend, und wenn ich nun jetzt, hier und hintennach, in Schlaggenbergs ‚letztem Atelier' die Zusammenfassung und Überarbeitung des Ganzen vornehme, so würde es mir schwindelhaft erscheinen, wollte ich etwa davor zurückschrecken, mich zumindest in denjenigen Abschnitten, wo ich als Augenzeuge selbst erzähle und somit auch vorkomme, wollte ich also davor zurückschrecken, mich dort etwa als weniger dumm und unwissend darzustellen, als ich's eben war, wie wir's ja alle dem Leben gegenüber sind, das sich gerade vor uns abspielt und dessen Verlängerung und Fluchtlinie wir unmöglich noch erkennen können. Zwar in die Vorgänge nirgends eigentlich selbst verstrickt (das hätte mir gerade noch gefehlt!) stand ich doch vor der Notwendigkeit, mich da oder dort in einer Ecke gleichsam mit abzubilden, wie es manche von den alten Meistern der Malerei getan haben, da eben hier zum Ganzen auch der Chronist gehört: nur darf sein Gesichtsausdruck nicht gescheiter gemalt werden, als er im gegebenen Zeitpunkte wirklich war.

Heute freilich, ‚in Kenntnis des Ganzen' – bin ich auch einer von den nach rückwärts gekehrten Propheten!

Und dennoch, in der Tat gälte es nur, den Faden an einer beliebigen Stelle aus dem Geweb' des Lebens zu ziehen, und er liefe durchs Ganze, und in der nun breiteren offenen Bahn würden auch die anderen, sich ablösend, einzelweis sichtbar. Denn im kleinsten Ausschnitte jeder Lebensgeschichte ist deren Ganzes enthalten, ja man möchte sagen dürfen: in jedem einzelnen Augenblicke steckt es, sei's nun, daß Wollust, Verzweiflung, Langeweile oder Triumph den, gleichwie bei einem Bagger, herankommenden und vorübergleitenden Eimer der tickenden Sekunde füllen.

Solches trat mir neulich wiederum nahe, in der Stadt dort drinnen, nachdem ich den stillen weiten Raum hier verlassen hatte, vorher noch einmal durch meine schrägen Mansardenfenster einen geradezu erstaunten Blick in den weißglühenden Widerglanz des Abends werfend, der sich doch bei klarem Wetter alltäglich dort drüben in den verglasten Veranden des Hotels am Kahlengebirge fängt und lange darin liegt: es sieht aus wie ein Brand, besonders später, bei schon rötlichem Scheine. Eine Dreiviertelstunde danach ging ich über den belebten ‚Graben', und als um die bekannte Ecke gegenüber dem sogenannten ‚Stock im Eisen' der Turm von St. Stephan gleichsam mit einem einzigen Riesenschritte hervortrat, machte meine Erinnerung einen Sprung um achtundzwanzig Jahre zurück und eben in jene Zeit, da ich diese Aufzeichnungen recht eigentlich begonnen hatte.

Gerade an dieser Stelle hier war mir der Kammerrat Levielle begegnet, 1927 im Vorfrühling.

Als wär's gestern gewesen: der Abend spiegelte noch grünlich hinter dem Turme, und in das ermattete Tageslicht traten die ersten leuchtenden Kugeln, vor den Läden und über der Straße schwebend. Ein weit und langsam ausgeschwenkter Hut, der weiße Kopf darunter, das weiße Schnurrbartbürstchen – ich verhielt, nicht etwa weil ich ihn schon erkannte, sondern da mich die Tatsache seines Grüßens plötzlich aus meinen Gedanken riß – und so verloren wir beide den Schwung des Gehens, mit welchem wir ja ansonst unter zeremoniösem Salut aneinander vorbeizukommen pflegten, und standen nunmehr beisammen. Indessen war ich's bald zufrieden, ersah mir eine Unterhaltung dabei und begleitete den Alten sogar über den Graben zurück, an der schönen Pestsäule vorbei und weiter.

„Als Pensionist geht man bekanntlich gern und viel spazieren", sagte ich nach den ersten gegenseitigen Erkundigungen ums werte Befinden. Er wußte es aber schon, daß ich nicht mehr im Amte saß. Und die Art, wie er jetzt über meinen vorzeitigen Abschied sich äußerte, und zwar von zwei ganz verschiedenen Gesichtspunkten aus, wie man gleich sehen wird, diese Art brachte mich auf den Gedanken, daß es eigentlich mit den Verstellungskünsten des Herrn Levielle, die man ihm ja gelegentlich nachsagte, unmöglich so sehr weit her sein könne; oder es war ihm nur mir gegenüber nicht der Mühe wert, sie anzuwenden. „Aber Herr G-ff", sagte er, „Sie standen doch nicht mehr gar weit vom Ministerialrat?!" Der Ton war jedoch nicht der eines Bedauerns für mich und in meinem Interesse etwa, vielmehr schien mir Levielle geradezu ärgerlich, und als hätte ich mit meinem Abschiede von der Beamtenlaufbahn ihm eine Ungelegenheit bereitet oder ihn eines noch möglichen Vorteiles beraubt.

„Neulich erst hatte ich wieder in Ihrem Ministerium beruflich vorzusprechen, wegen einer Einfuhrbewilligung, und habe an höherer Stelle das lebhafteste Bedauern über Ihren Schritt gefunden, man stand nicht an, Sie für einen der aussichtsreichsten unter den Beamten Ihrer Rangsklasse zu halten." Es fehlte nur noch, daß er gesagt hätte: „Das sind mir Sachen! Ja, wo käme man denn hin, wenn alle im Staatsdienste stehenden Bekannten sich pensionieren ließen? Bis zum Ministerialrat hätten Sie schon noch aushalten können, mein Lieber!" Er sprach nämlich das, was er wirklich laut sagte, so sehr ohne jeden Bezug zum Hörer vor sich hin, daß es beinah wie ein ärgerliches Selbstgespräch herauskam. Bald danach meldete sich auch ein Ton von bereits eintretender leichter Geringschätzung, aber das dauerte nicht lange, denn jetzt kam der zweite Gesichtspunkt an die Reihe. „Du reste – c'est étonnant", sagte Levielle (denn er war ja Pariser, zumindest ein halber!), „mais passons. Das Vermögen, in dessen Wiederbesitz Sie vor etwa einem Jahr gelangt sind, ist immerhin ein für heutige Verhältnisse sehr bedeutendes" (er sprach die genaue Ziffer aus), „und es hätte um einiges mehr sein können, nämlich gerade um jenen Betrag, den Sie durch die Art der Behandlung dieser Fälle von seiten der zuständigen Abteilung in der österreichischen Handelskammer verloren haben, oder, anders ausgedrückt, den außerordentlich hohen Kursverlust. Sie verloren im ganzen pro Pfund . . . und somit . . ." (auch hier folgte wieder die Bezifferung).

„Sie sind erstaunlich gut unterrichtet, Herr Kammerrat", sagte ich, jedoch ohne jede Gereiztheit.

„Nachdem ich innerhalb der Handelskammer selbst eine ehrenamtliche Funktion versehe – wobei ich nicht unterlassen möchte, zu sagen, daß der von mir im allgemeinen geführte Titel sich keineswegs von diesem Ämtchen her, sondern von Paris herschreibt, wo ich eine etwas bedeutendere Stellung solcher Art bekleide – nachdem ich also in der Handelskammer sozusagen daheim bin, wie eben da oder dort, wohin man gerade berufen oder gewählt wird, so darf meine Kenntnis Ihres Falles Sie nicht wundernehmen. Dasjenige aber, was mich meinerseits dabei verwundert, ist, wie ein solcher Verlust von Ihnen hingenommen werden konnte, ohne jeden rechtzeitigen Versuch einer Abwehr."

„Ich wußte nicht, daß eine Abwehr im Bereiche des Möglichen war", sagte ich.

„Sie ist es fast immer in solchen Fällen."

„Was hätte ich also tun sollen?"

„Sie hätten sich an mich wenden müssen", sagte er, „nämlich rechtzeitig. Ich hatte eine ganz ähnliche Sache zu ordnen, nur handelte es sich dabei um ungleich höhere Summen. Der Verlust, den ich naturgemäß auch erlitt, ist aber verhältnismäßig mit dem von Ihnen getragenen gar nicht zu vergleichen. Nun, immerhin, ein beträchtliches Vermögen ist jetzt in Ihrer Hand, und bei Ihnen steht es, damit etwas anzufangen, um so eher, als Sie jetzt des unfruchtbaren Zeitversitzens im Amte ledig geworden sind. Haben Sie schon Pläne gefaßt?"

Er begann mir unangenehm zu werden und ich brachte die Worte: „Es tut mir sehr leid, um Ihre Hilfe nicht rechtzeitig nachgesucht zu haben, Herr Kammerrat" mit einiger Mühe heraus. Auf seine letzte Frage antwortete ich nicht. Ich wußte im übrigen genau, was es für ‚ungleich höhere Summen' waren, von denen er vorher gesprochen hatte.

Indem wandte ich plötzlich und mit einer beinahe erschrockenen Gebärde den Kopf nach einer jungen Frau, die eben an uns vorbeigekommen war.

„Nun? Eine Bekannte?" fragte Levielle.

„Nein", sagte ich. „Es schien mir nur einen Augenblick lang so . . ., 's ist auch merkwürdig."

„Was ist denn merkwürdig, Herr Sektionsrat?"

„Verzeihen Sie", sagte ich (unbefangen, wie ich's damals noch war), „Sie sprachen doch eben vor ein paar Augenblicken von einem großen in England seinerzeit beschlagnahmten Vermögen, das nun vor Jahr und Tag frei geworden ist, wobei es Ihnen dann gelang, diese Angelegenheit günstig zu ordnen . . ."

„Ja, und?!"

„Nun, welches Vermögen das war, ist ja leicht zu erraten, da Sie schon 1914 Testamentsvollstrecker des gefallenen Rittmeisters Ruthmayr wurden, der ja einen gewaltigen Effektenbesitz drüben hatte. Er hat mir das sogar selbst kurz vor dem Ausbruch des Krieges einmal gesagt. Wir sprachen also mittelbar von Ruthmayr."

„Gut, wir sprachen mittelbar von Ruthmayr – obwohl ich andere Angelegenheiten dieser Art auch noch führte und führe. Aber – was hat das mit jener Dame zu tun, die eben vorbeikam und in welcher Sie eine Bekannte zu erkennen glaubten?"

„Ich glaubte nämlich, es sei – Charlotte von Schlaggenberg, die Schwester meines alten Bekannten Kajetan von Schlaggenberg . . ."

„Wie? Was?!"

Er schrie mich geradezu an. Sein Gesicht kam mir durch einen Augenblick nahe, es war gerötet, und seit diesem Augenblicke weiß ich, daß Levielle niederer Abkunft gewesen sein muß und in Wirklichkeit sehr gewöhnlich aussah, sobald nämlich der sorgsam zurechtgelegte Faltenwurf dieses Antlitzes ‚à la englischer Lord' über dem weißen Schnurrbartbürstchen in Unordnung geriet.

„Ja, was hat denn diese kleine Schlaggenberg, diese ‚Quappe'
oder ‚Quapp', oder wie sie schon genannt wird, damit zu tun?!"
setzte er beinahe unwirsch hinzu.

„Sehen Sie, Herr Kammerrat", sagte ich, „es gibt bekanntlich seltsame Ähnlichkeiten zwischen im Leben ganz weit auseinanderstehenden Menschen, ja diese Menschen brauchen nicht
einmal gleichzeitig zu leben – und doch wird einem zumute, als
seien ihre Gesichter, ich möchte sagen, nach derselben Model
geformt oder vom Schöpfer aus der gleichen Schachtel genommen, wenn dieses Bild erlaubt ist; oder als würde mit solchen
Antlitzen ganz die gleiche Grundidee zum Ausdruck gebracht,
sozusagen eine physiognomische Grundidee. Hierher gehören
für mich unter anderem der selige Rittmeister Ruthmayr und
das Fräulein von Schlaggenberg, die einander niemals gekannt
haben. Ich kam erst vor einigen Wochen zufällig auf diesen
Sachverhalt, an einem Sonntagmorgen, und noch beinahe im
Halbschlafe. Zwischen Schlaf und Wachsein fallen dem Menschen oft die merkwürdigsten Dinge ein, und mitunter ist wohl
auch Wesentliches dabei. Seither nun ist mir diese seltsame Ähnlichkeit klar geworden. Übrigens sieht das Fräulein von Schlaggenberg nicht immer so aus, einmal mehr, einmal weniger und
mitunter auch ganz anders."

„Ich habe von dieser Ähnlichkeit wahrhaft nie etwas bemerkt",
sagte er und ging jetzt aufgeblasen neben mir her wie ein gereiz-
ter Truthahn. Ich mußte ihn offenbar geärgert haben, und zwar
bedeutend, nur konnte ich nicht begreifen wodurch.

„Übrigens wird sie uns bald begegnen, die gute Quapp", sagte
ich, „denn ich habe es oft beobachtet: man sieht eine Person
auf der Straße, die einem Bekannten ähnelt, dann kommt nach
einer Weile jemand, den man, zumindest auf ein paar Schritte
Entfernung noch, wirklich für den Betreffenden halten könnte
– und richtig, zwei Gassen weiter stolziert dieser dann selbst
ganz vergnügt auf uns zu, so daß man am liebsten sagen würde:
na also! da sind Sie ja endlich; ich erwarte Sie bereits die ganze
Zeit hindurch ... da ist sie!"

Levielle erschrak, ich bemerkte es deutlich. „Nein, sie ist's
doch nicht", sagte ich. Er war ersichtlich nervös und geärgert,
sagte aber lachend:

„Na – Sie haben auch seltsame Grillen, jetzt als ‚Pensionist'!
Übrigens, seit wann ist denn diese kleine Person wieder in Wien?"

„Sie kam nicht lange nach Neujahr."

„Und haust wieder mit dem Bruder auf einem gemeinsamen Zimmer?"

„Nein", sagte ich, etwas befremdet.

„Nun, das gab's nämlich auch schon. Mais laissons cela."

Wir waren indessen bei fortwährendem Weiterschreiten in das Viertel gekommen, wo die Bankpaläste liegen. Ich hatte ihn ein gutes Stück Weges begleitet. Die Dunkelheit war hereingebrochen, und die Straßen lagen schon in ihren schreienden Lichtern. Das Pflaster glänzte feucht. Beim Seiteneingang eines großen Gebäudes blieb Levielle stehen.

„So spät noch in Geschäften?" sagte ich.

Ein weit und langsam ausgeschwenkter Hut, der weiße Kopf darunter, das weiße Schnurrbartbürstchen – ich sah noch durch die Scheibe, wie ein betreßter Torwart aus seinem matt erleuchteten Raume vortrat und die Flügel einer Glastür vor einem Stiegenhause öffnete, wo alle großen Lichter schon ausgeschaltet waren: denn der öffentliche Arbeitstag dieser Bank und ihre allgemeinen Besuchsstunden hatten längst geendet.

Ja, in der Tat gälte es nur den Faden an einer beliebigen Stelle aus dem Geweb' des Lebens zu ziehen, und er liefe durchs Ganze: wie Wolken tritt das Vergangene gleichsam links und rechts der Stirne vor, und der Erinnerung scharfer und süßer Zahn setzt sich in die Herzgrube. Aus jenem Vergangenen aber schwankt wie aus Nebeln zusammen, was aus Wahrheit zusammen gehört, wir wußten's oft kaum, aber jetzt reicht das verwandte Gebild dem verwandten die Hand, und sie schlagen eine Brücke durch die Zeit, mögen sie auch sonst im Leben ganz weit auseinandergestanden haben, in verschiedenen Jahren, an verschiedenen Orten, zwischen denen eine recht eigentlich gangbare Verbindung der Umstände fehlt. Und so weiß ich freilich, daß jenes dunkelblonde Mädchen, welches im tief verschneiten Wald unterhalb des Kahlenbergs, rasch auf den Skiern dahinhuschend, schräg unsere Spur geschnitten hatte, daß dieses Mädchen die gleiche war, welche später im Haus ‚Zum blauen Einhorn' durch mehrere seltsame Tage gewohnt hat: denn dieser ihr Aufenthalt wurde mir von ihr selbst sehr genau geschildert; und hier taucht auch, rasch wieder an ihren naturgegebenen Ort zurücksinkend,

jene verlumpte Didi auf, die als Ausschenkerin in Freuds Branntweinschank (in diesem Falle räumlich gar nicht weit vom Haus
,Zum blauen Einhorn') so sehr über die Herren vom ,Allianz'-
Zeitungskonzern gelacht hat, welche dorthin gekommen waren,
um die ,Verbrecherwelt zu studieren' (für eine ,Reportage', wie
das genannt zu werden pflegt).

Nun aber, was jene dunkelblonde Renata angeht: es gibt Träume, die sozusagen auch im Leben gelten, also eigentlich keine
Träume mehr sind, sondern schon eher Kenntnisse; Kenntnisse,
die ganz schüchtern und doch seltsam durchdringend mit einer
blassen und gleichwohl starken Anwesenheit hinter die geordneten und mit dem Lichte der Gewißheit ausstaffierten sogenannten Tatsachen treten; steigend und sinkend wie der farbige
Fleck im Innern des geschlossenen Augenlides; ein unordentliches Gewirr – aber wir begreifen immer, was gemeint ist, selbst
wenn wir's nicht wollen. Wenn wir in einem hübschen Laden
für süße Sachen stehen und wir sehen plötzlich ein Kindergesicht, das draußen an der Scheibe sich ein wenig das Näschen
platt drückt: nicht näher tretend und nicht deutlicher ist der Anruf
solches unseres geheimsten Wissens, von dem und von jenem.

Es verlangt auch keine Nachprüfung. Man fragt und erkundet
hier nicht. Ich habe Renata, die ich doch, viel später, ein wenig
näher kennenlernte, niemals gefragt, ob sie etwa jene Person
gewesen sei, die man im Frühjahre 1927 am Beginn eines gemeinsamen Ausfluges der ,Unsrigen' neben Schlaggenberg auf
dem Hügelkamm gesehen hatte, so daß wir alle, die wir hinaufstiegen, glaubten, sie gehöre zu ihm und er hätte sie mitgebracht
(Kajetan erwartete uns dort oben). Aber das war nur ein Zufall
und eine Täuschung, sie war im Begriffe, an ihm vorbeizugehen,
stand auch nicht eigentlich neben Schlaggenberg, sondern gute
zwei Schritte hinter ihm – nur von ferne hatte das so ausgesehen –
und jetzt ging sie schon weiter, den Weg herab, den unsere
Gesellschaft hinaufstieg, und mitten durch uns hindurch, wobei
sie uns sozusagen in zwei Gruppen schied. . . .

Erst eine spätere Zeit hat's bewiesen, wie zutreffend für damals
diese Scheidung auf dem Spaziergange von Renata (denn für
mich war sie's und bleibt sie's) vollzogen worden ist, und daß
hier für vergehende Augenblicke getrennt ward, was aus Wahrheit nicht zusammengehörte, in dieser wenig glücklich und
doch nach dem Willen des Lebens gemischten Gesellschaft.

Aber da und dort glaub' ich es auch noch zu sehen, das Mädchen, in manchem verschwimmenden Gebild' glaub' ich Renata wiederzuerkennen, das sich an jener Wand aus Glas niederschlägt, die uns vom Vergangenen trennt und die Täuschung möglich werden läßt, es sei schier gegenwärtig; nur drücken sich die Konturen mit der Zeit ein wenig platt daran, wie das Näschen in dem Kindergesicht, von dem ich früher sprach.

Hier aber halten wir an dem Punkte, der den Chronisten Lügen straft, wenn dieser sagte, er sei in die Vorgänge nirgends eigentlich selbst verstrickt gewesen: in einem war er's gleichwohl, wenn auch in aller Verborgenheit; doch der Erinnerung scharfer und süßer Zahn trifft jetzt die wunde Stelle.

Sie wurde sichtbar an jenem Abende, da Schlaggenberg bei dem großen Empfang im Palais Ruthmayr neben mir aus der übermäßig erleuchteten Halle zu den oberen Räumen hinaufstieg über die breite Treppe, an deren Ausmündung Frau Friederike ihre Gäste empfing (links hinter ihr stand der Kammerrat). Kajetan sagte später, er habe, als er der Frau Ruthmayr ansichtig wurde, sofort den Wunsch empfunden, sich auf den Teppich vor ihren Füßen hinzusetzen und – so drückte er sich aus – sein ganzes bisheriges Leben in ihren Schoß zu legen und es ihr gewissermaßen vertrauensvoll zu übergeben. Er blieb damals etwas länger, als hierzulande gerade üblich ist, beim Kusse über ihre Hand gebeugt, so daß ich, der ich nach ihm an die Reihe kam, die Empfindung hatte, eine ganze Weile gewartet zu haben. Ich sah während des Wartens nicht zu Levielle hinüber. Jener gewisse Faden, von dem ich immer sage, man müsse ihn aus dem Geweb' des Lebens ziehen und dann liefe er schon von alleine durchs Ganze – ach, der stand damals sehr sichtbarlich daraus hervor, und die Geschichte glich bereits eher einer fallenden Masche in einem Strumpf.

Indessen ertappe ich mich dabei, warum ich hier gerade an einen Strumpf denke.

Ich habe nämlich während Schlaggenbergs etwas ausgedehntem Handkusse auf Frau Ruthmayrs Füße hinabgesehen, lieber als zu dem Kammerrat hinüber, auf zwei kleine feste, unendlich liebenswürdige Füße mit sehr schlank eingezogenen Fesseln unter dem Ansatz eines kräftigen Beines, das schon eher zu Frie-

derikes imposanter Erscheinung passen wollte als diese un-
schuldsvollen und wie aus einer Mädchenzeit übriggebliebenen
Pedale.

Und letzten Endes steht das wirkliche Leben auf sehr zarten
Füßen, und seine letzten Stütz- und Haltepunkte – räumt man nur
allen angeschwemmten und angeschwätzten Schutt hinweg – seine
Saugwurzeln, die es tief in den Boden einer uns im einzelnen
unbegreiflichen Wirklichkeit senkt, hätten, wollten wir sie ehrlich benennen – soweit wir das überhaupt könnten – recht seltsame, ja beinah einfältige, in gar keiner Weise aber hochtra-
bende oder feierliche Namen: der Nachklang einer Farbe im
dunklen inneren Augenlid, der Geruch des einstmals frischlak-
kierten Spieltischchens in unserer einstmaligen Kinderstube, die
fallende Masche an einem Strumpf, der sich um eine sehr schlank
eingezogene Fessel spannt.

Hier aber lehnt sich an jene unsichtbare Mauer, an jene gläserne Wand, die uns vom Vergangenen trennt und hinter der
die Bilder erscheinen, vielfach einander überschneidend und
eines durch das andere durchschlagend und durchtretend – hier
lehnt sich hinter der etwas zu grell erleuchteten Halle des Palais
Ruthmayr ein anderes Bild an die jetzt wellig erzitternde Fläche,
und es ist, als erzitterte zugleich der weit gespannte Bogen der
Jahre und als sollte das Heute noch ins Einst stürzen: ein rotes
Licht erscheint zunächst hinter den vielen sich hin und her bewegenden Gästen in Frau Friederikes schönem Hause, ein rot und
einsam und trüb weit draußen erglühendes Licht, jedoch durch
die hellen Räume und die vielfältige Gesellschaft allmählich deutlicher hindurchtretend. Die gläserne Mauer beschlägt sich jetzt
kalt und rauchig, und nun erkenne ich die riesige Halle des
Fernbahnhofes und weiß, daß dieses Licht zu einem Signalmast
gehört und draußen von der beginnenden gedehnten Strecke
her durch den hohen grauen Bogen hereinscheint, in die Ferne
hinausweisend, in den Nachthimmel, vor welchem es tief sitzt.
Daneben erscheinen bald andere, ferner und schwächer, aber
auch nahe, weiß und blau, in stillen Figuren, in leuchtender Ausgespanntheit. Aber die Halle ist voll Lärm, voll Bergen von trä-
gen Koffern, welche die Eile der Menschen ungern teilen, jedenn-
noch eifrig vorwärts geschoben werden auf den Wägelchen, mit
‚Achtung!‘, so daß man beiseite hüpft, denn die Koffer müssen
ja mit: es wird Zeit, die große Uhr rückt ihre Zeiger. Und wie-

der ist es nur ein kleiner und unerheblicher Stützpunkt, dessen die Wirklichkeit hier bedarf, um mich mit diesem Winterabende auf dem Bahnhof lebhaft zu verbinden, es ist ein klein wenig blondes Haar an der Schläfe der Frau Camy von Schlaggenberg, Kajetans Gattin, und die Art, wie das kleine Reisehütchen in ihre Stirn drückte, worunter sie etwas spitznäsig und augenscheinlich doch nicht ganz im seelischen Gleichgewichte hervorsah.

Sie stand klein und schlank auf dem Trittbrett des Wagens und reichte mir eine wohlbehandschuhte Hand, an welche ich mich seltsamerweise als an etwas sehr Trockenes erinnere.

Solches aber sind jene Kleinigkeiten, die jedermann bei sich herumträgt, die allein aber – Hand aufs Herz! – das Große des Lebens ganz enthalten, wenngleich ungestalt noch und keines Namens würdig. Solches sind die Besitztümer vieler einsamer Menschen, und wenn einer aus der Stadt dort drinnen entronnen ist und in sein stilles leeres Zimmer kommt, das sich, so lange allein gelassen, nach allen Seiten gestreckt und gleichsam erweitert hat – dann tritt sein Eigentum näher zu ihm, aber nicht anders wie das Kind draußen vor der Glasscheibe, von dem ich früher sprach. Oft stellt sich einer, wenn er das Licht eingeschaltet hat, für Augenblicke ans Fenster – ,nachdenklich‘, wie man zu sagen pflegt (aber er denkt in Wahrheit nicht das geringste). Sei der Ausblick nun eng oder weit: es sind immer die gleichen Lichter, die hier allabendlich erscheinen, in stillen Figuren, trüb oder scharf, oder in leuchtender Ausgespanntheit. Es ist jedermanns irdischer Sternhimmel voll kranker Erdensterne, die ebenso blinzeln und zucken wie die himmlischen; und verschieden für Tausende einsamer Augenpaare aus Tausenden von Fenstern und sicherlich jedermann genauestens angemessen. Wer an das Fenster tritt, der tritt hier unter sein Gestirn; und gewiß wäre auch diese ferne und glimmende Ansprache aus dem Dunkel zu deuten, wenn wir's nur vermöchten. Da habe ich die Lichter der Landstraße, die zwischen die Hügel hinausläuft: sie sind das ,Sternbild des Stabes‘. Dieses überstrahlend, gibt es noch mehrere nahe Sterne erster Größe. Dahinter rechts, fast unterm Horizonte, einen dichten Sternhaufen. Gerade gegenüber aber steht, in der Richtung, wo bei Tag ein großes Gebäude mit Turm zu sehen ist, meine ,Cassiopeia‘, das ,W‘ des Himmels; nein, hier das ,W‘ der Erde.

Furchtbares hat sich begeben in meinem Vaterlande und in dieser Stadt, meiner Heimat, zu einer Zeit, da die Geschichten, ernst und heiter, die ich hier erzählen will, längst geendet hatten. Und eines Namens wurde würdig, wahrhaft eines schrecklichen, was bei währenden Begebenheiten hier noch ungestalt lag und wie keimweis gefaltet beisammen: aber es trat hervor, und bluttriefend, und jetzt auch dem Auge, das vor so viel Geschehen nahezu blöde geworden, in seinen Anfängen kenntlich, gräßlich bescheiden und doch so sehr kenntlich.

Ja, bei Nacht oder bei Tage: man sieht weit aus durch die schrägen Fenster dieser Mansarde. Man sitzt hoch, wie auf dem Gefechtsstande eines Artilleriebeobachters oder auf einem Leuchtturme. Man sitzt hoch über der Stadt.

Mir aber erhebt sich, hinter dem Horizonte eines engen Lebens, welches beschränkt an den immer wiederkehrenden gleichen Dingen, Nöten, Fragen klebt – mir erhebt sich hinter dem Vordergrunde dieser Kram- und Trödelmasse und hinter dem anschließenden Ausblicke auf Dächer und Gärten des Stadtteiles, ja noch ein gewaltiges Stück weiter hinter den schweren Türmen der romanischen Kirche, welche bereits den leeren Himmel in Anspruch nehmen wollen, als einen ihrer würdigen Hintergrund – und dann erst, eine machtvoll aufgerissene, vor Ferne schon dünne und glitzernde Strecke hinter diesem Gotteshause mit dem ‚zum Himmel weisenden Finger' – nein! erst vor dem Randblau rückwärtiger Himmel erscheint mir dort eine riesenhafte Hand, eine Menschenhand, fern und doch ganz fleischhaft geründet, scharf und deutlich, daß jedes einzelne Äderchen wohl sichtbar wird: eine Menschenhand von Turm- oder Bergesgröße vor dem Blau, über den Zwergtürmchen der Kirche und dem Geschächtel und Spielzeug der Häuser und Gärten: und erst sie ist's, die über das lächerliche Gefäß eines einzelnen Lebens und über all diese Hülsen und Gefäße mich hinausweist mit einem gereckten Zeiger, dessen Ausgestrecktsein wie ein Schuss ist und wie ein Kanonenschlag durch alle meine Kammern rollt.

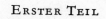

ERSTER TEIL

1

DRAUSSEN AM RANDE

Immerfort sprudelt der breite Bach, Schleier von Wasser fallen über glattgewaschene Steine. Herr Williams und Fräulein Drobil saßen mitten im Bachbett, jedoch durchaus im Trockenen, auf einer Art Insel, die von mehreren Blöcken gebildet war – man konnte hier bequem wie in einem Fauteuil lehnen – und vergrößert durch hinzugeschwemmten Sand, der sich rundum festgesetzt hatte. Williams lebte schon länger in Wien als die Emma, die erst vor sechs Wochen hier angekommen war; jedoch blieb die Stadt beiden noch fremd, wenn auch freundlichfremd; sie streckten die Hand nach ihr aus, wie nach einem unbekannten Gericht, das jedoch Vertrauen erweckt und Appetit macht. Die Lage hier war eine gute, für ihn, der aus Buffalo hierher geraten, für sie, die aus Prag zugereist war. Jetzt wurde dies von einander weit Entfernte hier auf einem und demselben Punkt zusammengezogen, am Bache im sogenannten Haltertal oberhalb Hütteldorf, das ein Vorort von Wien ist. Immerzu sprudelte und brodelte das Wasser ihnen in breiter Front entgegen, als wär's die unaufhörlich gehende und vergehende Zeit ihres Lebens, darin sie selbst aber jetzt paradoxer Weise ruhten. Der Blick konnte von hier durch das gerade Bachbett weit aufwärts gehen; dort bog es endlich, verschwand im Grün.

Wie ein Stab von kühlem Metall, die Wärme des Tages teilend, lag das lang gestreckte Bett des Bachs hier im Talgrund, in tiefster Ruhe bei munterer Bewegung. Was Williams und die Emma redeten, bleibe hier beiseite, wegen völliger Belanglosigkeit. Immerhin, selbst das flachste Zeug dringt mindestens in den, der es sagt, tief genug ein – und sei's nur durch den Schall in seiner Mundhöhle – daß es seinen eigentlichen Zustand dabei und die gerade diesem wesentlichen Vorstellungen hinabdrückt, gleichsam unter das Reden hinab, wie ein Kissen, das man irgendwo hineinstopft.

Wirklich waren zwei Lebensgeschichten in springenden Bildern unter allem anwesend.

Im Elternhause zu Buffalo mochte der kleine Dwight am meisten den Keller. Jede Flasche hatte in einer Wand von Beton ein waagrechtes, ihrem Querschnitt angemessenes Loch, darin sie gesondert lag. Man konnte sie am Halse packen und ein wenig herausziehen. Dann stand sie vor und ließ sich ebenso leicht wieder hineinschieben. Als höherer Schüler nannte er das dann ,die assyrische Bibliothek' und stellte sich vor, daß die auf Tonzylinder geschriebenen Bücher vielleicht ähnlich waren aufbewahrt worden. Die Keller, es waren ja mehrere, bildeten ein sehr geordnetes, gut gelüftetes und beleuchtetes System; es gab hier auch so etwas wie eine Klima-Anlage. Auch die Obstkammer zeichnete sich durch systematische Fächer aus, vom Dufte ganz zu schweigen. Die Konserven ihrerseits bildeten mehrere, im ganzen bunte und schöne pyramidenförmige Aufbauten. Dwight lief hinter der Mutter mit zwei Körben durch die Keller und trug hinauf, was sie ausgewählt hatte. Er trachtete, diese Amtshandlung nie zu versäumen und dafür stets bereit zu sein. Die Mama hatte sich daran gewöhnt. Sie pfiff durch den Garten und schon holte Dwight seine Körbe.

Das war also der Keller. Das ganze Haus hätte so sein müssen wie der Keller. Dies traf ja nun in Dwights Elternhause eigentlich zu; jedoch die Ordnung und Übersichtlichkeit des Kellers wurde nie erreicht. Der Keller war eine Sammlung. Die Zu- und Abgänge in der ,assyrischen Bibliothek' wurden stets vermerkt. Als Dwight sich durch eine saubere Handschrift auszuzeichnen begann – es war das erste, was an dem Knaben besonders auffiel – erlaubte ihm der Vater, das Kellerbuch zu führen.

Ein anderes waren die Schmetterlinge. Dwight lernte sie erst auf der Universität näher kennen; als Knabe hatte er sich nicht viel um sie gekümmert. Nach mehreren schon abgelegten Prüfungen in seinem Fache, der Zoologie, verfiel Dwight am Ende des zweiten Studienjahres auf die Schmetterlinge. Aus der Kindheit brachte er hiefür weder besondere Erlebnisse noch Vorkenntnisse mit. Die Schmetterlinge waren da im ganzen für ihn das ungefähre Gegenteil des Kellers gewesen. Sie flatterten dann und wann in ungeordneter Weise über den Büschen und Beeten des Gartens.

Aber es gab Schmetterlingsbücher, ganz ebenso, wie es einst ein Kellerbuch gegeben hatte. Das Studium einer Fachwissenschaft ist einer Brautschau ähnlich. Die gesamte Heilkunde oder die gesamte Zoologie oder die gesamte Altertumswissenschaft führen an sehr viele und verschiedene Objekte der Liebe heran, bis endlich ein aus fast unerforschlichen Wurzeln der Biographie heraufsteigender Eros sich auf eines oder einige derselben stürzt: die Karzinome, die Lepidoptera oder die Brakteaten. Es gehört dazu auch, daß normale Mitbürger nicht einmal wissen können, was das nun eigentlich sei. Wann der Sprung des spezialen Eros in Dwight sich vollzogen hatte, wußte er selbst nicht ganz genau, aber doch annähernd: es war entweder beim Nachschlagen in einem älteren Werk gewesen, und zwar in Scudder's ‚The Butterflies of the Eastern United States' (3 Bände), oder aber vor den Schaukästen der Sammlungen. Auch dies Leichte, Flatternde dort oben im Garten konnte also geordnet werden, ebenso fundamental wie der Keller. Dwight promovierte drei Jahre später auf Grund einer Abhandlung über den Saison-Dimorphismus; in unserer bürgerlichen Sprache bedeutet das den einigermaßen erstaunlichen Umstand, daß manche Schmetterlinge im Frühjahr, nachdem sie aus der Puppe gekrochen sind, gänzlich anders aussehen als im Sommer, so sehr, daß man sie einst für verschiedene Arten gehalten hat.

Den jungen Insektenforscher hatte sein Weg nach Brasilien geführt und auch auf ein gewisses Hochplateau im Urwald, das später einmal durch einen Roman des Sir Conan Doyle berühmt geworden ist. Aber eine persönliche Form nahm sein Leben erst während eines längeren Aufenthaltes in London an, wo er im Hause einer Madame Libesny wohnte, keine Engländerin, wie schon der böhmische Name zeigt; sie stammte denn auch aus Wien.

Der Bach kommt immerfort breit entgegen. Da und dort trommelt das Wasser in dumpfem Basse, hell rinnende und plätschernde Diskante liegen darüber. Der Wald greift links und rechts mit Baumkronen über den Bach, aber dieser selbst ist breit, er hält den Wald auseinander und über sich den Streifen Himmels offen, der die Kronen blau grundiert, und bis in's letzte einzelne Blatt. Der Bach geht in diesem Waldtal dahin seit vielen hunderten und vielleicht tausenden Jahren. Tal und Bach sind alt. Die Bäume vergleichsweise jung; das Haar der Erde; es fällt aus, es wächst nach. Rechts oben läuft die Straße. Von Zeit zu Zeit kommt eine Art rauschender Guss auf ihr, wenn ein Auto vorbeifährt.

Emma Drobils Vater war Redakteur im tschechoslowakischen Korrespondenzbüro gewesen; früher, zu den k. u. k. Zeiten, hatte er auch durch mehrere Jahre dem ‚Prager Tagblatt‘ angehört. Die Biographie der Emma, in ihrem Freundeskreise ‚La Drobile‘ genannt, war an dem Punkte, wo wir jetzt mit ihr halten – am Bach im Haltertale, Sommer 1926 – noch nicht sehr weit gediehen, denn ihr lächerliches Lebensalter war wenig über zwanzig. Da sie englisch, tschechisch und deutsch gleichermaßen zu stenographieren vermochte, die Handelskorrespondenz beherrschte und obendrein eine gescheite und sogar gebildete Person war (beispielsweise: passables Latein!), so zog das Auftauchen ihres hübschen Gesichtes bei einer sehr bekannten Transportfirma unweigerlich bald das Angebot einer vorteilhaften Stellung nach sich, ganz zu schweigen davon, daß die Drobila groß und gut gewachsen war und ihr hoher Busen in beträchtlicher Prozession wie ein Herold vor ihr herzog. Die Mama in Prag fand sich damit ab, daß dies tüchtige Kind sich in die Fremde und die Selbständigkeit und gerade nach Wien begab, denn das hatte die Emma immer schon wollen. Jetzt wohnte sie in der Hietzinger Hadikgasse, nicht übel, elegant und hell. Mit der Mutter wurden viele und zärtliche Briefe gewechselt.

Am Bache hatte sich – übrigens, wie gesagt, seit sehr langer Zeit schon – nichts geändert, über ihn ist kaum mehr etwas auszusagen. Williams aber dachte jetzt an die schon erwähnte Frau Libesny. War alles bisher bei ihm sozusagen plan gegangen – ‚kellermäßig‘ könnte man sagen – so erhielt hier diese Lebensgeschichte eine neue und dritte Dimension, geriet also aus der Planimetrie in die Stereometrie; allerdings blieb's doch immer noch euklidisch; wohl, aber für Dwight Williams war die Sache kompliziert genug. Es gibt nun zwar nicht nur Kellerbücher und Schmetterlingsbücher, sondern auch Psychologiebücher. Und wirklich versuchte Williams sich ihrer zu bedienen. Aber das führte zu nichts, zu keinem Ausgang, es führte aus der Sache nicht heraus.

Madame Libesny wohnte in Battersea nicht weit von der Albert-Brücke am Park, in welchen man über die Straße hinüber von ihren Fenstern blicken konnte; auch Dwights Zimmer sah dort hinaus. Es lag in günstiger Weise separiert von der übrigen Wohnung. Madame Libesny hatte diese allein inne; sie war Witwe oder geschieden, oder was es schon sein mochte; sie schien wohlhabend und ging keinem Erwerb nach. Einmal erwähnte sie ihren erwachsenen Sohn. Es gab hier auch da oder dort Bilder von ihm; ein hübscher, dunkelhaariger Mensch. Madame Libesny hatte auch zwei in Amerika verheiratete Töchter; zudem noch immer viele Verbindungen nach Wien. Darunter gab es eine Frau Mary („meine Freundin Mary'). Dwight sah ihr Bild. Sie erschien ihm sehr schön. Seine Hausfrau bemerkte dazu, daß diese Dame vor etwa einem Monat durch einen Straßen-Unfall das rechte Bein verloren habe. Ein entsetzliches Unglück. In Williams erzeugte diese Mitteilung einen kurzen und beinahe stechenden Schmerz.

Er war schmetterlingshalber in London. Nicht etwa, um hier Schmetterlinge zu fangen. Sondern Dwight war auf seine erste Spezialarbeit nach Jahren wieder zurückgekommen und zugleich auf einen englischen Gelehrten, der diesbezüglich einschlägige Sammlungen in seinem Privatbesitz hatte. Mit ihm arbeitete Dwight. Die Herren hatten sich für eine Publikation, die ihnen aufgetragen worden war, zusammengetan. Der Professor wohnte jenseits der Themse, in Chelsea. Dwight ging gern hin. Er liebte den Stadtteil mit den kleinen niederen Häusern und den Vortreppen.

Ein oder das andere Mal nahm Dr. Williams den Tee bei Madame Libesny in deren Wohnzimmer. Auch hier, wie überall bei ihr, schienen Grün und Weiß und eine gewisse atlasglänzende Blässe vorzuwiegen, wenn sich das auch gar nicht in allen Einzelheiten feststellen ließ; so etwa hatte sie mehrere dunkle Empire- und Biedermeier-Stücke unter ihren Möbeln. Das Stubenmädchen, welches den Tee brachte, hieß Anna und stammte gleichfalls aus Wien. Ihren Familiennamen wußte Dwight freilich nicht, und er hätte ihn zudem kaum aussprechen können. Anna Kakabsa unterhielt ebenfalls Briefwechsel und Beziehungen zur Heimat, wo ihre Mutter noch lebte und ihre Schwester Ludmilla in einem vornehmen Hause bedienstet war. Mit ihrem Bruder Leonhard jedoch, Arbeiter in einer Gurtweberei zu Wien, unterhielt sie keine Korrespondenz. Sie bekam nur von Ludmilla dann und wann Nachricht, daß es ihm gut gehe.

Das grün-weiße Licht in der Wohnung konnte schließlich durch die Weite des Himmels über den Wipfeln des Parks erklärt werden, der sich jenseits der Prince-Albert-Bridge-Road erstreckte. Vor solchem Hintergrunde nun zeigte sich ein von

Dwight bald beobachteter Dimorphismus, der sich jedoch nicht über ganze Jahreszeiten erstreckte, sondern innerhalb eines Tages, ja, weniger Stunden erlebt werden konnte (Horadimorphismus). Erlebt – so dachte Dwight, der als Gelehrter freilich dazu neigte, die Erscheinung zunächst als eine subjektive, also nur in seiner Vorstellung vorhandene, anzusehen, sie also nicht eigentlich als Wahrnehmung eines äußeren Phänomens zu werten.

Nun gut, aber es hatte Macht über ihn. Wenn Madame Libesny zu ihrem Stubenmädchen Anna sprach, sah sie gänzlich anders aus, als gleich danach, nun wieder in den blaßgrün bespannten Fauteuil zurückgelehnt. Madame Libesny redete in deutscher Sprache mit ihrem Mädchen, aber es war ein Deutsch, das Dwight schwer verstehen konnte, es hatte eine ihm neue Tonart und eine Wortstellung, die den Faden seines Verstehens immer wieder zerriß: ebenso auch, wenn Anna ihrer Herrin antwortete, was meist in längeren Sätzen und mit zahlreichen Wiederholungen geschah; dennoch vermochte Dwight ihr nicht zu folgen. Wenn das Mädchen im Zimmer war, wurde Madame Libesny's Gesicht schmäler, und es erschien gewissermaßen dachförmig um den Nasenrücken und die Mittelachse geknickt, so daß diese etwa wie ein Messer-Rücken vortrat. War das Mädchen gegangen und hatte Madame Libesny sich zurückgelehnt, dann sah sie augenblicksweise jener Frau Mary ähnlich, die kürzlich ein Bein verloren hatte. Das Porträt der Frau Mary, welches Dwight kannte, war von halbrechts aufgenommen, so, daß man dreiviertel des Antlitzes sehen konnte; dieses war weich, in der Art einer aufgebrochenen Frucht, dabei aber auch in irgendeiner Weise von einer feinen, klugen Schärfe durchzogen. Übrigens stand das Bild in einem glatten braunen Holzrahmen auf einem Wandtischchen neben dem großen und bis auf den letzten Winkel gefüllten Bücherschrank. Wenn Dwight bei diesem stehen blieb und das Bild der Frau Mary ansah, kehrte jedesmal etwas von dem stechenden Schmerz wieder, den er zuerst empfunden hatte, als er von dem Unfall dieser Dame erfahren. . . .

Aber jetzt, bei dem was eben jetzt – unter der Decke des immer fortgesetzten Geplauders mit der Drobila – heraufkam in Dwights Erinnerung, heraufschoss, wie ein Holz, das am Grunde eines Weihers irgendwie verklemmt war und freigekommen ist, und nun ein Stück noch über die Oberfläche emporspringt: bei diesem Heraufschießen jetzt zerlegte der Bach sein verworrenes

Gemisch von Stimmen, und plötzlich hörte Dwight nur mehr einen dumpf trommelnden Baß, und einen einzigen schrillen, klingelnden Diskant darüber.

In den Armen Madame Libesnys hatte er Mary gesucht: das Gelöste war Mary, die aufgebrochene Frucht, das zurückgesunkene Haupt, das dunkle Haar auf dem Kissen. Aber, auch die Schärfe kam aus Marys Bild, sie biß mit süßem Zahne; und sie war in manchen Augenblicken von einer trockenen, heißen Gewalt, von der ihre Eignerin offenbar wußte: dies obendrein noch: ein wild zuckender Körper – und dabei voll Verständigkeit, voll wissender Unterordnung dem eigenen Zustande gegenüber. So etwa. Dwight hätte es nicht ausdrücken können. Während er mit der Drobila über ein Revuetheater sprach, nahm sein Ohr nur mehr die schrillsten Diskante aus dem Wasser auf. Alle Bässe hatten gänzlich ausgesetzt.

Freilich, die Drobila merkte nichts; und doch war sie nicht von gestern; das muß endlich nachgetragen werden. Sie hatte das Obligatorische übrigens schon erledigt, kurz nach ihrem Abitur; kein Wunder, wenn man hinter der Gallionsfigur eines solchen Busens, wie ihn die Emma hatte, in See sticht. Da kann's nicht fehlen. Aber die Drobila hielt ihren Kurs. Sie stellte ganz bestimmte, sehr konkrete Anforderungen an Mannsbilder. So zum Beispiel wünschte sie, wenn sie schon einen Mann haben sollte – die Nachteile dieses Zustandes waren ganz klar vor ihren Augen – sich um nichts mehr kümmern zu müssen und geborgen zu sein. Aber einen Mann haben, und erst recht für's tägliche Brot arbeiten, das erschien ihr als widersinnig und sie lehnte es ab. Gar nicht dumm.

Sie hatten jetzt den Bach verlassen. Sein Rauschen verschwand hinter den Uferbäumen und dem dichten Gebüsch wie hinter einer zugeschlagenen Tür, als sie die Fahrstraße querten.

Dr. Williams und die Drobila erstiegen den Hang jenseits der Straße und hielten sich im ganzen in der Richtung gegen jenen Höhenzug, welchen man den ‚Kordon' nennt. Die Flanke war steil. Oben ging es wellig hin und fast eben. Es war Wald, Laubwald, richtiger, freier, ungezähmter Wald, hügel-auf, hügel-ab; und das kaum fünfzig Minuten vom Zentrum der Großstadt, wenn man die Stadtbahn bis Hütteldorf nahm.

Was die beiden eigentlich von einander, mit einander, für einander wollten, erscheint zunächst noch als undurchsichtig, als neutral und blaß, als kaum feststellbar. Sie gingen eben miteinander spazieren, punctum. Aber jedes wie immer geartete Faktum, wenn es zwei Personen verschiedenen Geschlechts zusammenbringt, wird tendenziös. Dwight kümmerte sich jedoch nicht darum. Er dachte jetzt an sein Zimmer in London, Albert-Straße. In der Ecke hatte es einen alten Schrank mit Einlege-Arbeit gegeben, Bilder aus der englischen Geschichte darstellend: unter anderem sah man den König Heinrich VIII., umgeben von seinen umgebrachten Frauen, jede in einem Medaillon. Das Ganze sah aus wie ein schlechter Witz, insbesondere die Physiognomie des Königs. Dwight mochte das Ding nicht. Es erschien ihm wie ein Knoten der eigenen inneren Verstrickung.

Dwight hatte die Drobil auf die denkbar simpelste Art kennen gelernt: dadurch, daß von ihrer Firma seine Bücherkiste aus London hierher spediert worden war.

Nun, hier gingen sie. Es gibt dort oben auf der Höhe, auf dem flachen Bergrücken, einen Aussichtsturm und daneben ein Wirtshaus.

Der Wienerwald ist eine nicht unbedenkliche Landschaft. Alles leichtgeschwungen und duftig enteilend. Aber dahinter lauert eine gewisse Schwere, die Schwere der Wehmut, eine Gefahr auch für sehr gesunde Menschen; ja, für die erst recht. Es ist eigentlich schon der Abschied von Berg und Hügel, von villenbesetzten Lehnen, die sich in die Waldtäler schieben; es ist der Abschied von all' dieser freundlich anheimelnden westlichen Detailliertheit und den kleineren Landmaßen; ja, es ist wie der Abschied von der Kleinheit Griechenlands, hart vor dem Eintritt in den Osten, den unmäßig hingedehnten: nicht weit von hier beginnt die Tiefebene und flieht dahin und enteilt; gegen Ungarn zu. Alles wird größer und weniger in's einzelne gehend, und mit dem wachsenden Landmaße wächst auch das Zeitmaß. Nicht jedes Leben hat da ein, wenn auch unsichtbares, so doch besonderes Gärtlein. Hier zogen einst nur Wandervölker. Heut' noch sieht man, in Rußland etwa, die Menschen ständig wandern: mit Bündeln, die getragen werden, mit hölzernen Koffern, die man auf Wägelchen oder Schlitten nachzieht. Sie wandern. Ja, sie müssen wandern. Man hetzt sie. Das Einzel-Leben lehnt sich nicht auf: es ist zu wenig davon vorhanden für eine Auflehnung. Eine Seele mischt sich mit der anderen wie Rauch. Daher sind die Menschen dort brüderlich. Hier noch, so weit der Westen geht, so weit Rom und Griechenland reichen (kurz gesagt), steht einer allein zwischen den gepflegten Beeten und dem kleinen Porticus des Hauses, daraus ihn nach Recht und Gesetz niemand soll vertreiben können. Er steht für sich allein, um ihn ist die blaue linde Luft, er steht allseitig frei, wie ein Standbild. Nur so kann er's machen, nur so kann er groß oder klein, krumm oder grad, gut oder schlecht sein. Nicht aber, wenn er sich demutsvoll fügt, sich hineinjagen und einreihen läßt in irgendeine wandernde Herde, und Leidenspille nach Leidenspille schluckt, und noch eine dazu und noch eine obendrauf, und dabei denkt, es müsse eben so sein.

Dwight und die Drobil hätten alle diese Sachen wissen können, und wußten sie vielleicht auch irgendwie und schulbildungsgemäß. Aber es war ihnen solcher Hintergrund, vor welchem sie lebten und privatim agierten, durchaus nicht gegenwärtig und bewußt: anders wär's ja ein Vordergrund geworden. Ihre Beziehung dazu war eine weit konkretere; denn sie wurden ja durch die angedeuteten Sachverhalte in ihrer privaten Existenz erst ermöglicht, in ihrer Lebensform als schwankende Nadeln, die sich da und dort hin wenden können, oft zuckend, statt zeigend, oft wirbelnd, statt weisend: jedenfalls aber am Ende voll haftbar für den eingeschlagenen Weg: als Figuren, um die man allerseits herumgehen kann, und um welche rundum denn auch schlichthin alle Möglichkeiten offen stehen, die Windrichtungen des Lebens: um endlich ihren letzten Streit und Widersatz, ihr Saugen und Ziehen da oder dort hin, in einem sozusagen freien Wettbewerbe drinnen im Kern der Figur auszutragen.

Ohne freie Dialektik gibt's kein Griechenland.

Nun, dies nur nebenbei. An jeder Lage ist am meisten bezeichnend dasjenige, was dabei als selbstverständlich gilt. Zugleich ist es am schwersten zu erfahren. Ethnologen in fernen Ländern und auf urtümlichen Inseln bekamen oft von gastfreundlichen und zutraulichen Wilden die größten Merkwürdigkeiten gezeigt: nur, was diesen Völkern als selbstverständlich galt in Brauch und Anschauung, dies ward freilich niemals auch nur gestreift. Und es hätte eben das, der Kern der Nation und ihre Absetzung von anderen, die Professoren sicherlich am meisten interessiert. Sie mußten es aber stets auf Umwegen und durch vorsichtiges Fragen allmählich herauskriegen.

Bei Dwight und der Drobil wär's uns ähnlich gegangen. Sie haben sich inzwischen unten beim Aussichtsturm niedergelassen, um Bier zu trinken; die Drobila war ja eine Böhmin, und die Amerikaner trinken ein gutes Bier auch recht gern. Freilich wär' unserer Emma ein echtes Pilsner noch willkommener gewesen; aber das gab es nur in der Stadt drinnen; und dies hier schmeckte auch nicht übel. Beiden war einigermaßen warm geworden, schon beim Anstiege zum Kamm. Der Himmel wölbte sich jetzt wolkenlos. Neben dem Aussichtsturm, in einem umzäunten Gärtchen, hüpfte ein junges Lämmlein herum. Es trug ein blaues Band um den Hals mit einer kleinen Schelle daran, die dann und wann leise klingelte. Ein Kind erschien an einem der Fenster des Hauses und rief „Tschapei! Tschapei!" herüber. Das war offenbar des Lämmleins Name. Es antwortete auch und sagte: bäh!

Dwight war schmetterlingshalber in Wien. Nicht etwa, um hier Schmetterlinge zu fangen; sondern er war interessiert daran, bei der Neuordnung der lepidopterologischen Sammlungen des naturhistorischen Museums mitzuwirken, weil ihm dabei ein für seine Arbeiten erforderliches Material vollständig unter die Augen kommen mußte; und so hatte er sich denn hierher schikken oder eigentlich rufen lassen. Das Museum aber bildete nur den einen Pol seiner Anwesenheit in Wien, einen festen, der so schwer dalag, wie drüben, wenn man aus dem hohen Bogenfenster des Arbeitszimmers sah, das kunsthistorische Museum sich erstreckte, dem Gebäude, worin man sich befand, äußerlich vollends gleichartig: ein auf der anderen Seite grüner Anlagen stehendes Spiegelbild. Darüber viel Himmel. Darunter das hohe Standbild oder eigentlich Sitzbild der Kaiserin, mit ihren berittenen Paladinen am Sockel. Es markierte einen Bezugspunkt, es nabelte, was man hier sah, in ein Zentrum zusammen.

Den anderen Pol bildete Frau Mary.

Sie war jedoch nicht lokalisierbar, daher in diffuser Weise fast überall anwesend.

Es war in der Albert-Straße zuletzt einfach unmöglich geworden, Madame Libesny noch um Frau Mary's Familiennamen und Wiener Anschrift zu bitten. Wenn Dwight etwas länger neben dem Bücherkasten stehen blieb und auf das Bild sah, trat Dimorphismus ein.

Dabei hatte Madame Libesny zwei außerordentlich schöne Beine.

Frau Mary K. lebte im Sommer 1926 nicht in Wien. Sie hielt sich in München auf, Monat für Monat, schließlich weit über ein halbes Jahr. Zu München wirkte damals ein berühmter Orthopäde, der Professor Habermann. Außer seiner Klinik umgab ihn ein kleiner Kreis sozusagen eisern entschlossener Patienten, die es fertig brachten, sich von dem Umstande, daß sie irgendwann und irgendwie zwischen die Mechanik des Lebens geraten waren, nicht niederdrücken zu lassen; ja, bei einigen von ihnen sind ihre besten Kräfte erst recht provoziert worden dadurch, daß ihnen ein Schicksal, ähnlich dem der Frau Mary K., zuteil geworden war. Solche Mobilmachungen des kämpfenden Ich aber wurden von dem Professor Habermann nicht nur nach neuesten orthopädischen Methoden, sondern auch psychologisch auf's trefflichste gefördert.

Frau Mary wohnte in einem bekannten Münchener Hotel, nicht weit vom Hauptbahnhof, und war gut aufgehoben. Ihr geräumiges Zimmer lag an der Ecke des Hauses und hatte daher Fenster nach zwei Seiten, in zwei verschiedene Straßen.

Hier oblag sie durch viele Monate dem ihr aufgetragenen Werk mit Überwindung und Festigkeit. Um von Stelzfuß und Krücken wegzukommen, verlangte Habermann bald tägliche Übungen im Gehen mit der neuen Prothese; er verlangte, daß der Patient nicht ablasse, daß er die Zähne zusammenbeiße und übe, als hinge das Leben daran (und es hing ja daran!); er verlangte, daß die immer wieder neu erscheinenden Druckstellen und Empfindlichkeiten da und dort – der Stumpf, bei Mary also nur der Oberschenkel, stak in einer Art Hülse oder Düte – für den Patienten kein Grund sein sollten, vom Üben abzulassen: dieses war freilich im einzelnen geregelt und in seiner Abfolge vorgeschrieben. Häufig geschieht es in solchen Fällen, daß kleine Wunden entstehen, daß die verheilten Teile da oder dort ein wenig aufbrechen; derartiges mußte behandelt werden, im Üben aber sollte es, wenn irgend möglich, dabei zu keiner Unterbrechung kommen. Der ganze Vorgang ließe sich, allerdings sehr entfernt und im bis zur Harmlosigkeit verkleinerten Maßstabe, subjektiv mit jenem vergleichen, der statthat, wenn einer sich an das Tragen einer Zahnprothese gewöhnen muß: auch hier gibt es anfangs oft empfindlich gewordene Stellen, wodurch der Aufbiß gehindert wird, so wie dort der Auftritt mit dem Ersatzgliede unerträglich erscheint, das übrigens, einem echten täuschend nachgebildet, auch dessen Strumpf und Schuhwerk trägt.

Hier also, in diesem Eckzimmer des ,Hotel Feldhütter' zu München, bestand Frau Mary ihre ,Aristeia', wie Homer in der Ilias die großartigsten und preiswürdigsten Kämpfe seiner Helden nennt. Denn sehr bald ordnete der Professor Habermann an, daß, nach hinreichender Unterweisung, auch allein und daheim täglich regelmäßig geübt und mit den Gehversuchen nicht nachgelassen werde. So trug Frau Mary ihre Aufgabe und die Last des so unbehilflich gewordenen Körpers mit leicht verzogenem Munde, und auf einen Spazierstock aus Ebenholz gestützt, von der einen Fensterseite des Zimmers zur anderen, schräg durch den Raum. Ein dumpfer Druck rumorte. Schon wieder stach ein kleiner Schmerz. Die Prothese hing so tot am Körper, wie sie ja wirklich war. Jedoch, sie sollte gleichsam einbezogen werden in den Leib, und an ihn angegliedert.

Mary hielt im Humpeln inne und sah auf.

Sie muß sehr schön gewesen sein in diesen Augenblicken. Das Licht, wenn auch ohne Sonnenschein, fiel durch's hohe breite Fenster direkt auf sie. Ein kluges, wahrhaft wohlgeratenes Weib, die jetzt fast ehrwürdig wirkenden Züge uralter Rasse, das kupfrig leuchtende Haar um die Schläfen, deren Haut schimmerte wie das Innere einer Perlmuschel: und dies alles schwer getroffen mitten im Anstiege zur wahren fraulichen Pracht der vierzig und fünfzig; ihr war jetzt so, als hätt' ihr das Unglück nicht nur ein Bein über dem Knie, sondern alle beide weggerissen, und die Arme dazu, einen sinnlosen, unbeweglichen Klumpen übrig lassend.

Ihre weißen Zähnchen gruben sich in die Unterlippe. Das Netz zarter Striche, welches eine lange Leidenszeit über dieses Antlitz geworfen – darin seit jeher eine feine Schärfe nicht gefehlt hatte – zog sich enger zusammen. Sie senkte den Kopf tief herab. Um die Augen erglühte ein Ring, jetzt schlossen sie sich, die zurückgepreßten Tränen fielen zu Boden: eine, noch eine.

Und doch, während sie ganz kurz auf einem Tiefpunkt verweilte, der dem Verzweifeln so nahe zu liegen schien, war, wie ein zweiter Boden darunter, die Gewißheit in ihr anwesend, das Schwerste schon hinter sich zu haben: das Schwerste nicht in bezug auf ihre gegenwärtige Aufgabe bei Professor Habermann und hier in diesem Zimmer. Vielmehr das überhaupt Schwerste, das sich auf sie gleichsam herabgesenkt hatte, während sie noch im Unfallkrankenhaus zu Wien gelegen war: diese Katastrophe nämlich in die Dauer aufzulösen, aus einem Ereignis von Sekunden nunmehr eine Einrichtung von Jahren zu machen; nicht zurückzutasten in die Zeit vor dem Unglück, in die letzten, ahnungslosen Stunden etwa knapp vorher; nicht sich zu fragen ,wie war denn das möglich?', sondern sich zu sagen, daß es nun eben bereits so sei. Das Schreckliche galt es, in die Dauer gestreckt und in kleinen Portionen zu konsumieren, es sich zu assimilieren, um es schließlich schon zu praktizieren – wie eben hier und jetzt.

Aber, bis sie so weit gelangte!

Als sie ausgefahren war in dem Rollstuhl, den man hatte anschaffen müssen – welch ein Umstand im Lift! die beiden erwachsenen Kinder oder der Portier halfen jedesmal der treuen Marie – hatte sie, am Schaufenster eines Schuhgeschäftes vorbeigleitend, gleichsam ihre eigenen beiden heilen Füße vervielfacht hinter der Glasscheibe stehen sehn. Vervielfacht. Ja, es war zu viel gewesen. Umwenden, nach Hause.

An diesem Abend trat die Krise ein. Sie hatte Marie hinausgeschickt und saß im Nachthemd auf dem Bettrand. Sie lüftete das Hemd und sah jetzt den Stumpf, narbig, braun verfärbt. Im Augenblicke wurde sie selbst zu einem klumpigen, stumpigen Klotz, einem Knollengewächs, einem Gnomen.

Ihr Auge blieb trocken. Es war kein Elend mehr. Sie erfaßte plötzlich die Größe ihrer Lage, und damit ihre Stunde: und so wurde sie fähig, deren Befehl zu empfangen. Ihre Augen blitzten auf. „Mary!" sagte sie laut. Sie sprach sich selbst an. Das Mädchen erschien. Sie vermeinte, gerufen worden zu sein. Aber die Gnädige hatte nur hier und jetzt und im voraus einen kleinen Tigersprung nach München gemacht zu Professor Habermann.

Mehrmals, in der ersten Zeit, war die Marie von ihrer auf Krücken tappenden Herrin – die man also von weither durch die Zimmer herankommen hörte – mit bitterlich rotverweinten Augen angetroffen worden. Auch die beiden Kinder hatten es nicht leicht, der begabte Bub, der eben in's Obergymnasium trat, und seine ältere Schwester, rotblond und milchhäutig, schlank, und mit einer kleinen Stumpfnase; das Mädchen schlief neben ihrer Mutter in dem zweiten Ehebett, ein Brauch, der schon seit dem Ableben des Herrn Oskar K. – im Februar 1924 – von der

Tochter in aller Stille und Selbstverständlichkeit war eingeführt worden, trosthalber für die Mama, welche auf diese Weise vor dem gähnenden Rachen eines erstorbenen ehelichen Schlafgemaches geschützt wurde; und nun vor dem nächtlichen Alleinsein und der eigenen Unbehilflichkeit, die insbesondere während der ersten Zeit helfender Hände bei vielen kleinen und alltäglichen Dingen bedurfte.

Schon während dieser ersten Zeit ist Mary von dem Gedanken berührt worden, daß eine Art fast glücklich zu nennender Fügung ihrem verstorbenen Mann das Miterleben des jetzigen Zustandes erspart habe. Sie besaß genug Vorstellungskraft im einzelnen, um annähernd zu ermessen, welche Fülle hochempfindlicher Situationen damit unterblieb. Freilich, das war kein Trost; aber es war eine Linderung.

Marys Tochter – Trix gerufen, weil sie Beatrix hieß – hielt sich immer gleichmäßig hilfsbereit neben der Mutter. Man hätte das Mädchen nahezu für kühl erachten können. Ihr Wesen schien von der Außenhaut einer leichthin abwehrenden Heiterkeit undurchsichtig umgeben: auch jetzt. Für Mary war dieser Umstand von höchstem Wert, ja, er bildete in der ersten Zeit nach dem Unfall ihre geradezu wesentlichste Stütze.

Aber das Besondere in dem Antlitz dieses kaum sechzehnjährigen, durchaus weiblichen und längst erwachsenen Menschen, das dunkle Auge – bei so viel Rotblondheit und einer Haut wie Milchglas! – verriet zugleich die tiefere Schicht der Seele, und daß diese heftigen Bewegungen ausgesetzt blieb. Fast immer, wenn ihre Mutter sie ansprach, etwa vom benachbarten Bette aus das oder jenes erbittend, war die ruhige und sichere Hantierung der Tochter begleitet von einem fast leidenschaftlichen Erdunkeln des Blickes, das einen Wirbelsturm von Zärtlichkeit und von sorgsam verborgen gehaltenem Mitleide ahnen ließ. War dies Verhältnis zwischen Mutter und Tochter schon vordem jenem ähnlich geworden, das zwischen vertrauten Freundinnen besteht, so wurde es jetzt zu einer Gemeinschaft, die inniger schwerlich gedacht werden kann: denn die Mutter war zum vielfach hilflosen Kinde geworden.

Marie hatte nicht nach München mitfahren dürfen. Für die Reise ward eine Krankenschwester aufgenommen. So blieb in Wien der Haushalt unter treuer Hut zurück. Auch hatte eine befreundete Familie – die Küffers in Döbling, Besitzer der gleich-

namigen Bierbrauereien – sozusagen das Patronat über Marys Heim
für die Zeit von deren Abwesenheit übernommen. Die Kinder
Marys verkehrten viel mit der jüngsten Küfferschen Generation.
Hatte Mary zu Wien in der letzten Zeit schon ein gewohn-
heitsmäßiges Vermeiden gelernt, in bezug auf alle Gedanken,
welche den Unfall selbst betrafen, und auch die letzten Stunden
vorher – die letzten heilen und gesunden, sozusagen kompletten
Stunden ihres Lebens am 21. September 1925 nachmittags, es
war ein Montag gewesen – so lockerte sich diese ängstliche
Strenge hier in München. Mary fühlte sich überhaupt sicherer,
gleichsam am Geländer ihrer täglichen mühevollen und schmerz-
haften Tätigkeit.
Sie hatte heute gut geübt. Schon saß eine organische Ahnung
in ihren Gliedern, wie dies einmal sein würde, mit dieser Prothese da: sein mußte. Mary zog einen Briefblock und ihre Füllfeder heran und begann mit ihrer kräftigen Schrift einen Bericht
vom Stande der Dinge an ihre Freundin Grete Siebenschein, die
ältere Tochter des Rechtsanwaltes Doktor Ferry Siebenschein,
der im gleichen Hause wie sie wohnte, ein Stockwerk tiefer. Und
sie leitete ihren Bericht mit einem innigen Dank an Grete ein,
für die große Stütze, welche sie ihr in den ersten Monaten nach
dem Unglück in jeder Hinsicht geboten habe, keine geringere
als die eigene Tochter. Und es sei gut und lieb von ihr, daß sie
ein wenig um die beiden Kinder sich kümmern wolle, während Mary's Abwesenheit. Aber jene erste Zeit sei nun vorbei,
und bald würde sie, Mary, ‚wieder auf eigenen Füßen stehen‘
und sich vor Schuhgeschäften nicht mehr fürchten.

Dwight und Emma hatten das Wirtshaus am Aussichtsturm
verlassen und wanderten wieder über den Kamm. Der Wald
stand weithin licht und offen, zwischen den Buchenstämmen
bedeckte das fette Grün des wilden Knoblauchs mit schon breiteren Blättern den Boden. Da und dort warf die Ferne eine ihrer
Kulissen herein, spannte das graugrüne Tuch eines absinkenden Berghangs, dessen Kontur doch aufgekraust erschien vor
dem Himmelsblau durch das Gewölk und Gekuppel der zahllosen Baumkronen.
Ja, es ist noch unmöglich zu sagen, ob die beiden was von
einander, mit einander, für einander wollten. Sie waren einander

nicht unangenehm, das ist wohl alles. Sie wateten in das Wässer-
lein dieses gemeinsamen Spazierganges nicht tiefer hinein – und
es gab vielleicht gar keine größere Tiefe darin; obgleich so was
fast gelogen scheint; es gibt sie immer. Aber hier ging's nicht
einmal bis zu den Knöcheln. Man konnte den Fuß zurücksetzen
und sagen, man habe – mit Dr. Williams, mit Fräulein Drobil –
einen Spaziergang gemacht.

Die Drobil aber dachte nichts von alledem. Bei dem ganzen
Geschäft zwischen den Geschlechtern sind es immer zuerst die
Mannsbilder, welche ihre Unbefangenheit verlieren, weil's ihnen
nicht erste Natur ist, dies Geschäft, sondern zweite, und also
eine Sache, von der man einen unglücklich bemessenen Abstand
hat: zu weit, um mit ihr eins zu werden, jedoch auch zu nah, als
daß es einen nicht trillte. Anders: der Dr. Williams geriet als
erster in die Hintergründigkeiten der Lage, und blieb dabei allein.
Denn der Drobil schien's noch völlig gleichgültig.

Diese sollte erst später zum Brutzeln kommen. Deshalb nahm
sie nach dem Ausfluge auch seelenruhig in Gesellschaft Dwight's
den Tee in ihrem Zimmer in Hietzing, Hadikgasse. Einfach,
weil sie augenblicklich keine Lust zum Alleinsein fühlte. Und
er ebenso.

In dieser Gegend hatte Camy Schlaggenberg, die Tochter des
Medizinalrates Schedik, ihre erste Jugend verbracht, und das
paßte ebenso zu ihr wie der Eigenname ,Camilla' (zur Drobil
paßte die Gegend in keiner Weise, aber sie nomadisierte hier ja
nur). Es trennt das tiefe und breite gemauerte Bett des Wien-
flusses – der unten, außer frühjahrs, als ein Bach rinnt – im
ganzen zwei ihrem Wesen nach verschiedene Stadtteile. Das
,neue' Hietzing, mit seinen Villen und Gärten, welches
rechts drüben liegt, wenn man in der Flußrichtung blickt,
hat aber mit seiner cottage-haften Fürnehmheit auch auf das
andere Ufer ein wenig ausgestrahlt, wenngleich dort die Häuser
eines an das andere gebaut sind und keine Respektsdistanz mit
Gärten voneinander halten, wie bei den reichen Leuten; immerhin gibt es Vorgärten; eigentlich nur eine Art Anstands-Streifen,
die das Haus vom Bürgersteige scheiden. Hinter der ersten Häu-
serzeile am Bett der Wien beginnt dann gleich der alte Stadt-
teil Penzing.

Nun, dieses breite, gemauerte Bett, gradaus hinlaufend, spaltet die ganze Stadtlandschaft weithin auf. In allen höher gelege-

nen Stockwerken der Hadikgasse ist es überaus hell. Hier hatte der Medizinalrat seine Aquarien gehabt, ihrer drei oder vier; und seine Pflanzen, mit denen er experimentierte; das heißt, er ließ von allen ‚Gelenks-Übungen' ausführen, indem sie, vom Sonnenlichte weggedreht, ja gegen dieses geradezu abgeschirmt, immer neu ihre überraschende Fähigkeit zeigen mußten, dem Lichte sich entgegen zu wenden, ja, über zwei und drei Ecken zu wachsen, um es zu erreichen. . . .

Es war eine gar saubere Gegend, man sah hinüber in's Grün der Villengärten. Hier hatte Camilla mit ihrem Vater gelebt (er war Witwer und sie sein einziges Kind). Es war eine gar saubere Gegend und eine saubere, friedsame Jugend, über deren reine und klare Konturen Camilla später in's Leben schaute wie über ein Visier, wobei sich alles ein wenig Krumme gleich als sehr krumm abhob.

Zum Beispiel der Kajetan.

Viel später begleitete Camy oft noch das Steingrau vom Bette des Wienflusses unten, das man weithin, auf und ab, entlang sehen konnte; im Frühling und besonders im Herbste war's blaugrau überhaucht vom Dunst. Als sie längst mit ihrem Vater in der Inneren Stadt wohnte, dachte sie nicht selten daran, besonders des Morgens, unmittelbar vor dem Aufstehen. Freilich, der Medizinalrat hatte näher der Stadtmitte sich niederlassen müssen; und in repräsentativer Art; der Patientenkreis erweiterte sich mehr und mehr . . . und dann, was waren das für Patienten? Der Arzt selbst behauptete, daß ihnen überhaupt nichts fehle. Sie wollten nur behandelt sein. Sie wurden auch fast immer geheilt. Anfang 1927 trat sogar Frau Irma Siebenschein, Grete's Mutter, als Patientin in Erscheinung; sie soll damals jährlich mehrere hundert Krankheiten gehabt haben. Der Doktor Ferry Siebenschein ertrug das sozusagen in dickflüssiger Manier. Auch Frau Siebenschein genas von allen Krankheiten; und das ohne Kur und Rezeptur, nur auf Grund rein psychologischer Methoden. Die Medikamente, die gereicht wurden, waren harmlos. Der Doktor Schedik aber war ein außerordentlicher Arzt, und ein Philosoph und Menschenfreund dazu.

Dwight starrte in das tiefe Goldbraun des Tee's in der halbvollen Tasse und kramte ein Päckchen englischer Zigaretten hervor, die noch von London her stammten; die Drobila mochte sie nicht; aber für Dwight waren sie voll des Erinnerns: an die Albert-Straße, das Grün-Weiß des ‚drawing-room', das Bild neben dem Bücherschrank.

Er sah auf. Vor den Fenstern lief noch ein schmaler Balkon, die Tür stand offen. Der Himmel war rein wie Lack. Die Stille außerordentlich. Aber, trotz aller Reinheit und Klarheit, draußen im Abend, herinnen in diesem lichten großen Zimmer: ein diffuser Schleier war es, der ihn davon trennte, nicht zuletzt von dem schönen und klugen Mädchen hier.

„What's the matter with you, doctor?" fragte die Drobil, da er so regungslos verharrte, die Teetasse in der einen, das Zigarettenpäckchen in der anderen Hand.

„I'd better tell you all", sagte er, immer in der gleichen unbehilflichen Stellung, „about some difficulties I had in London, real serious ones."

„And is it all over now?" fragte sie.

„No", sagte Dwight. Und schwieg.

Freilich, sie kamen auch darauf einmal zurück. Aber bei Williams gab es hier eine seltsame Art von Eingefrorenheit, die sehr allmählich nur taute. So löste sich bei ihm ganz anderes anekdotisches Material aus anderen Bezirken des Lebens einzelweis los, in nicht unebenen mündlichen Erzählungen – das konnt' er gut und machte sich's dabei sozusagen bequem – und so erzählte er, quer durch den Duft seiner Restbestände an englischen Zigaretten – die er auch über einen zwischenliegenden Heimat-Aufenthalt bewahrt und gespart hatte, nämlich in der Londoner Bücherkiste – so manches, etwa vom brasilianischen Urwald, dessen Lästigkeit sehr groß gewesen sein mußte, so daß Williams stets mehr oder weniger schimpfend der mitgemachten Expeditionen gedachte. Übrigens brachte er der Drobil eines Tages ein luftdicht verschlossenes Glas-Kästchen, darin ein von ihm selbst erbeuteter ungeheurer Schmetterling ausgebreitet saß, so groß wie zwei Handflächen und von buchstäblich blitzblauer Farbe, elektrisch-blau, es sah aus wie Metall. ‚Morpho Menelaus' hieß das Tier; dieser lateinische oder eigentlich griechische Name stand auf einer rückwärts angebrachten kleinen Etikette, zusammen mit Datum und Ort des Fanges. ‚Morpho' war ganz erstklassig erhalten, und die Drobila freute sich sehr dieses Geschenkes, das in ihrem Zimmer einen wirklich prachtvollen Wandschmuck bildete, ein blauer Blick, ein Blitz, ein gleißender Reflex, wenn man hinsah. Der Doktor äußerte übrigens bei dieser Gelegenheit, daß seines Erachtens nicht nur dieses unbeschreiblich luxuriöse Geschöpf, sondern die ganze Schöpfung überhaupt ein reines l'art pour l'art sei (und eben das mache sie so edel), worauf die Drobila ihn mit erstaunter böhmischer Vernünftigkeit ansah. Jedoch empfand sie dabei erhebliche Attraktion. Williams erzählte auch viel näherliegendes, zum Beispiel aus Bayern (dort war er also auch schon gewesen!), wo ihm einige saftige Wirtshausraufereien – doch wohl nur als Zuschauer? – besonderes Vergnügen bereitet zu haben schienen, ebenso ein landesübliches pantagruelisches Fressen und Saufen (dieses hatte gar er selbst geübt?). Im Zusammenhange damit berichtete er von einem höchst eigentümlichen Kerlchen, das er einst zu Murnau gesehen hatte, und von welchem geradezu fürchterliche Wirkungen ausgegangen waren. Der kleine Mann sei landfremd gewesen, nach eigener Aussage, kein Bayer, sondern ein Österreicher, und zwar von hier, von Wien. Zu Murnau im Wirtshaus am Sonntag – Williams schilderte sehr anmutig den leicht bewegten Wald von weißem Flaum auf den Hüten, die alle Einheimischen am Kopfe behielten – im Wirtshaus habe es irgendwas gegeben, einen Streit oder eine Rempelei, und dabei sei ihm der kleine Kerl aus Wien aufgefallen, gegen welchen sich eben ein Unwillen mehrerer von den starken und nicht unhübschen oberbayerischen Bauernburschen zusammenzog. Der Kleine habe ganz unglaublich ausgesehen, eigentlich wie ein nackthalsiger Geier, mit einer riesigen Hakennase, der ein ebensolches Kinn fast entgegen zu wachsen schien: ein ungemein scheußliches und darüber hinaus noch in schwer zu deutender Weise geradezu furchtbares Gesicht. Plötzlich ward man handgemein. Die im ganzen eher gutmütigen Riesen-Kerle, es waren ihrer gleich vier oder fünf, mit denen der Kleine anband, nahmen diese Sache vielleicht nicht ernst genug und griffen also nicht recht durch: sie packten den Geier-Schnabel nur bei den Armen, um ihn aus der Stube hinauszubefördern. Jetzt geschah das kaum glaubliche und alles wie in einer einzigen Sekunde: schon lagen zwei am Boden, von denen einer stöhnte, einem dritten quoll das Blut aus Mund und Nase; das unheimliche Monstrum aber war gleichsam mit demselben Schwunge durch's sommerlich offene Fenster gesprungen und verschwunden. Und das blieb so, trotzdem alle sofort Jagd auf ihn machten, auch in der Umgebung des Ortes, was sich bis in den Nachmittag hinzog: von jenem Schnabel-Geier fand sich keine Spur mehr. Ihm, Williams, sei damals der Unterschied zwischen ländlicher Urkraft und jener ‚nervösen Kraft' – wie Guy de Maupassant es einmal nennt – klar geworden, die in den großen Städten daheim ist, verbunden mit einer, man möchte sagen, vollends abgefeimten Roheit, die sofort zur Hand sei, ohne jene Hemmung, welche dem an sich weit stärkeren Bauern noch immer aus seiner natürlichen Gutmütigkeit erwachse.

Die Drobil hörte ihm gerne zu, dem Doktor Williams. Sie genoß nicht nur die Art seines Erzählens – er verfiel nie seinem Gegenstande, die Sprache wuchs ihm nie daran fest, möchte man sagen, eine Tugend, die allerdings dem Englischen überhaupt innewohnt, das mehr Sprech-Sprache ist, als alle anderen – sie folgte nicht nur seinen so verschiedenartigen Berichten mit Vergnügen, sondern sie empfand ein solches auch durch sein Aussehen dabei. Er pflegte sich beim Erzählen gerne bequem zurückzulehnen, die Hände in den Taschen, und die Beine von sich zu strecken. Sie fühlte überdies deutlich, daß ihm am Erzählen nicht viel lag, an und für sich, daß er dabei weder was anbringen noch sich selbst darstellen, sondern nur seine Zuhörerin unterhalten wollte. Oft brach er mitten darin ab, und die Drobil mußte ihn daran erinnern, seine Geschichte zu beenden. Auf jeden Einwurf von ihr ging er gleich bereitwillig ein.

Es ist möglich, daß die allmählich stärker werdende Anziehung, welche diese beiden gesunden und wohl auch tüchtigen Menschen mit der Zeit auf einander wirkten, ganz allgemeine Wurzeln schon in ihrer volksmäßigen Ausgeprägtheit und also Gegensätzlichkeit hatte. Sicher wirkte auf unsere Emmy in solchem Sinne das germanische oder angelsächsische bei Dwight, jener schlaksige und lockere Charme einer ganz ungenierten aber durchaus sauberen Lebensart von im Grunde sehr männlichem Wesen. Und was anderseits die Drobil betraf, so muß man diese, nach allem, was wir schon von ihr wissen, mindestens als eine kernige Person bezeichnen, ganz abgesehen davon, daß sie beachtlich hübsch war, zu schweigen von verschiedenen Beachtlichkeiten im einzelnen. Für den Amerikaner war das schöne schwarzhaarige Mädchen eine Art Quintessenz der österreichischen Umgebung, in welcher er jetzt lebte; und weil er nicht selten Frauen und Mädchen von dieser Art und Statur zu Wien in den Straßen sah, erblickte er in der Drobila eine typische Vertreterin dieser Stadt und des Landes hier, was vielleicht ethnographisch etwas danebengeraten war, im wesentlichen jedoch zweifellos zutraf.

Sie lebten gleichwohl alle zwei als Fremde in Wien, an der Oberfläche der Stadt, getragen auch von der Oberflächen-Spannung ihrer beiderseits doch recht intensiven und nicht selten auch sehr anstrengenden Tätigkeit. Der alltägliche morgendliche Gang über die Ringstraße, vom Stadtpark an, in dessen Nähe Doktor Williams wohnte – er machte seinen Weg stets zu Fuß – bis zum Naturhistorischen Museum, brachte, begleitet vom Rasseln und Klingeln mäßigen Verkehres, im gemächlichen Dahinschlendern bei Dwight nach und nach einen wiederkehrenden Anflug von Staunen herauf, und nach einiger Zeit kehrte das täglich auf dem Morgengange wieder, begann an der Ecke der Weihburggasse, und endete erst, wenn das hohe Monument der Kaiserin MariaTheresia in's Blickfeld trat, und das dahinterliegende Museumsgebäude. Ein Staunen, über Frau Mary's Stadt vor allem, wo sie lebte, und doch auch wieder nicht, und als hätte nur er sie aus der Prince-Albert-Bridge-Road in Battersea hierher mitgebracht, als einen Import gleichsam, etwas Neues, was vordem gar nicht in Wien gewesen war.

Ja, so ging es in den Herbst dieses Jahres 1926. Und mit der schönen Emmy wurde noch mancher Spaziergang gemacht. Schon fiel da und dort das Laub in den Wäldern, der Geruch war süß und irgendwie weiträumig, und man empfand ihn noch mehr in dieser Weise, wenn der Blick jetzt oft mitten aus dem Walde zwischen kahleren Kronen ausfallen konnte in eine tatsächliche Ferne, wo eine schon ganz weggewandte Kuppe stand, die bereits unter einen anderen Himmel gehörte. Wenn abends die Straßenbeleuchtung eingeschaltet wurde, was jetzt immer zeitiger geschah, klang das Rasseln des Verkehrs lauter (in London, King's Road etwa, hatte Dwight das eigentlich nie empfunden, wenn er von Chelsea gegen den Sloane-Square ging, aber dort war der Lärm überhaupt voluminöser gewesen, und solche Nuancen waren nicht fühlbar geworden). Zweifellos erweiterte sich jedoch die Stadt im Herbst. Man sah vielfach durch die großen Gärten und Parks durch. Jeder, der da ging, und zum Teil schon im wärmeren Überrock, ging in den Winter, ging dem Winter entgegen, er allein und für sich, nicht nur mit allen anderen. Jahrzeitwechsel sind kein kollektives Erlebnis – wie es dem gemeinen Verstande für's erste scheinen möchte – sie bilden vielmehr einen für jeden und jedesmal ganz anders gestalteten Baustein in jeder Biographie.

Die Entstehung einer Kolonie I

Ich war 1926 noch lange vor Einbruch der kalten Jahreszeit in die Gartenvorstadt übersiedelt; weit davon entfernt übrigens, den XIX. Stadtbezirk Döbling für eine Art Pensionopolis zu nehmen. Ich blieb ohne Programm und statuierte da nicht etwa einen neuen Lebensabschnitt; selbst mein Ausscheiden aus dem aktiven Staatsdienste hatte mir einen solchen nicht bedeutet. Immerhin, auch ganz erwachsene Menschen halten im Grunde zäh an dem Aberglauben fest, daß ein äußerer Akzent des Lebens, etwa ein Wohnungswechsel oder eine Ortsveränderung, auch die Person ganz zu durchdringen vermöge; und vielleicht fühlt man dabei, daß dem eigentlich so sein sollte: aber es verhält sich auf solche Art nur im umgekehrten Falle, wenn nämlich innerer Wandel den äußeren früher oder später nach sich zieht. Die Veränderungen, die der heutige Mensch an seinen Umständen vornimmt, sind fast ausnahmslos Veranstaltungen zweckhafter Art. Sind sie vollzogen, kann eine leichte Depression eintreten: weil man sich etwa zwischen neuen weißen oder gar strahlenden Wänden, und allerlei hinzugekommener Frischlackiertheit und bisher nicht gehabter praktischer Bequemlichkeit, als den alten Esel antrifft, der, wäre er eine Kuh, vor der ganzen Pracht stünde, wie eben dieses Tier vor dem bekannten Scheunentore zu stehen pflegt. So indessen bewegt es leicht die langen Ohren.

Mir blieb das damals erspart. Ich erwartete keine neue Periode. Ich war schließlich schon bei reifen Jahren. ‚Reife besteht darin, daß einer nicht mehr auf sich selbst hereinfällt.' Danach hatte ich mich also wie ein reifer Mensch verhalten. Das eben zitierte Sprüchel war eine gelegentliche Äußerung Kajetan's von Schlaggenberg gewesen.

Ihn sah ich am 20. November 1926 nach sehr langer Zeit zum ersten Male wieder, wenn auch nur für etwa sechs oder sieben Sekunden. Wie, wird man noch hören. Es war eigentlich nicht mehr als ein Wieder-Erblicken.

Meine erste Wohnung draußen lag in der Scheibengasse, bei der Hofrätin Trabert, einer alten Dame, die ich selten zu Gesicht bekam; ihr verstorbener Mann war einmal Direktor der Meteorologischen Zentralanstalt gewesen, die ja dort in der Nähe sich befindet. Ich hatte zwei Zimmer, das eine davon sehr groß. Die Wohnung war im ersten Stockwerk; man konnte bequem mit jemand sprechen, der unten auf dem Gehsteig am Gitter des Vorgärtleins stand. Es gefiel mir hier. Ich war auch ausgezeichnet bedient, durch Maruschka, ein ganz junges und putziges böhmisches Stubenmädchen, von der Hofrätin gut erzogen. Meistens sprach ich Maruschka böhmisch an; tat ich's auf deutsch, dann antwortete sie ebenfalls deutsch, und das war noch weit schöner; Maruschka's Deutsch wurde für meine Freunde und Bekannten eine beliebte Beigabe jedes Besuches bei mir; auch am Telephon hörte man sie gern. Man verwöhnte sie übrigens zu sehr mit Trinkgeldern. Sie war ein gutes Kind.

In der zweiten Hälfte des November wurde es damals schon recht kalt. Bei mir war schön warm eingeheizt.

Ich sollte aber jetzt in die Stadt fahren, um in der Nähe der Universität den René Stangeler zu treffen.

Um sechs Uhr mußte ich bereits zurückgekehrt sein. Ein ehemaliger Amtskollege aus dem Ministerium plagte sich noch immer bös mit einem Akt, den ich ihm hinterlassen hatte; er bedurfte meines Rates oder hatte mindestens den Wunsch, die Sache einmal gründlich durchzusprechen; da er hier heraußen wohnte, war mein Vorschlag, mich nach dem Amt, wenn er aus der Stadt käme, zu besuchen, gerne angenommen worden. Ich mußte also von sechs Uhr an daheim sein, ich konnte ihn wohl nicht warten lassen.

Es ist übrigens merkwürdig, daß diese Angelegenheit später, lange nach ihrer gänzlichen Erledigung, von mir als Ausrede gebraucht worden ist, um nicht an einer Geselligkeit teilnehmen zu müssen – oder eigentlich, um erst gegen Ende derselben zu erscheinen – die im folgenden Jahre 1927, am 14. Mai, bei Frau Irma Siebenschein stattgefunden hat: als ich dieser die Geschichte auftischte vom ehemaligen Ministerialkollegen, dem ich helfen müßte, war alles freilich glatt erlogen.

Ich wollte gleich in der Stadt zu Mittag essen, um dann den René zu treffen.

Jetzt, im Rückblicke (nach bald achtundzwanzig Jahren) sehe ich doch – zum Beispiel an der Sache mit dem Ministerialkollegen, der echten nämlich vom November 1926, nicht der erlogenen – daß ich damals noch vielfach mit meinem bisherigen Lebenskreise zusammenhing. Das war wenige Monate später schon nicht mehr der Fall. Gegen Ende des Jahres 1926 aber verkehrte ich im großen und ganzen mit denselben Menschen wie bisher, als ich noch im III. Bezirk und in der Dapontegasse gewohnt hatte. Ich machte auch Besuche, sogar hier in der Gegend der ‚Hohen Warte‘, die mir ja nunmehr ganz nahe lag, und nahm im Winter noch an Geselligkeiten teil, die in einer oder der anderen der schönen großen Villen stattfanden, welche es da gibt. Ich freute mich nachher immer über den bequemen kurzen Heimweg im Vergleich zu früher.

Meinen Zusammenhang mit dem jungen Herrn von Stangeler – nun, er hatte jetzt auch schon dreißig, eine Tatsache, welche mir im Umgange mit ihm sozusagen dauernd entfiel! – aber zählte ich von vornherein niemals meinem ‚bisherigen Lebenskreise‘ zu, obwohl das doch im Tatsächlichen ganz und gar zutraf. Schon vor dem ersten Weltkriege, als junger Präsidialist, verkehrte ich in René's Elternhaus und war auch sehr oft sommers auf der Stangeler-Villa im Raxgebiet gewesen: von daher stammte meine Bekanntschaft mit ihm, der damals ein Gymnasiast, heute längst ein Doktor der Philosophie und sogar Absolvent des Institutes für Österreichische Geschichtsforschung war, wo er denn auch zur Zeit arbeitete – ein durch die historischen Ereignisse, und obendrein vier Jahre russische Kriegsgefangenschaft, in jedem Sinne verspäteter junger Historiker ... Für mich gehörte er nicht zu meiner ‚ehemaligen Welt‘. Er gliederte sich dort nicht ein. Er stand in meiner Vorstellung stets abseits davon: und auch von seiner Familie, die doch für mich so ganz ein Teil jenes Ehemals geworden war, fast ein repräsentativer Teil; mit ihr hatte ich den Kontakt verloren. Ich kam nicht mehr dorthin. Mit René war ich wieder in Berührung gekommen, im Herbst 1925 mag es etwa gewesen sein: ich hatte einen Aufsatz von ihm (über Gilles de Rais) in der Zeitung gelesen, und obendrein begegneten wir einander gerade damals zufällig bei einer Promotionsfeier. Natürlich dachte ich daran, auch den Verkehr mit seinen Eltern und Geschwistern wieder aufzunehmen, nach welchen ich ihn sogleich gefragt hatte; da verhielt er sich merkwürdig: er gab kaum Auskunft, er wußte kaum Antwort; später kam ich einmal zufällig dahinter – als ich nämlich seine Lieblings-Schwester, die Frau Baurat Haupt, auf der Straße traf – daß er auch nicht ein einziges Mal meine Grüße bestellt hatte. Frau Asta schien erstaunt, als sie von meinem Umgange mit René erfuhr, sehr erstaunt sogar, ja, mehr als erstaunt: fast als sei das, ihrer Meinung nach, kein Umgang für mich, oder aber . . . für ihn? Sie schien uns für sehr wenig zusammenpassende Menschen zu halten, und damit hatte sie ja auch zweifelsohne recht. Ich bekam mit der Familie Stangeler keinen Kontakt mehr. Heute weiß ich, daß René es geradezu verhindert hat.

Nein, er gehörte jenem Lebenskreise nicht an, den ich zur Zeit meiner Übersiedlung nach Döbling tatsächlich zu verlassen im Begriffe war, wie ich heute wohl weiß, sondern einem ganz anderen, in welchen ich bald eintreten sollte: und hier hatte er immerhin seinen Ort und nicht nur ein im Grunde beziehungsloses und trübsäliges Daneben-Stehen; denn viel mehr schien er in der angestammten Schicht und im Elternhause nicht gefunden zu haben. Ich möchte sagen: er hatte sich in diesem Materiale als unfähig erwiesen.

Womit nicht gesagt ist, daß er sich etwa in der Familie Siebenschein sehr fähig zeigte: in dieses gänzlich andersartige Material war René ein Jahr nach seiner Rückkehr aus Asien geraten; und jetzt bereits mit einer Charge belastet, die er weder hier noch in seinem Elternhause ernstlich vertreten konnte: nämlich der eines angehenden Bräutigams.

Genug davon. Wir sprachen zuletzt auch über diese Dinge in einem Café nahe bei der Universität, wo wir einander nach Tische getroffen hatten. Wir sprachen zu lange darüber, bis zwanzig Minuten vor sechs. Ich war dann gezwungen, mir ein Taxi zu nehmen, um rechtzeitig hier draußen zu sein.

Die Straßen lagen schon in ihren vielen Lichtern bei längst eingebrochener Dunkelheit, der Verkehr war dicht, wie eben immer in der Großstadt um diese Tageszeit. Wir fuhren sehr rasch dahin; ich hatte zufällig einen verhältnismäßig neuen Wagen bekommen, obendrein mit einem jungen Chauffeur. An der Währinger Kreuzung hat es schon unter den damaligen, von heute aus gesehen, harmlosen Verkehrsverhältnissen, nicht selten Stockungen gegeben: sieben Straßenbahnlinien, eine

Autobuslinie, und nun erst alles übrige dazu . . . Ich sah einen jüngeren Mann, einen Herrn eigentlich, der plötzlich schwankte und dabei einen merkwürdigen und beinahe lächerlichen Griff mit beiden Händen tat, bei den Hüften am Wintermantel hinunter tastend, als würde er etwas verlieren und wollte es festhalten. Es schien fast so, als seien ihm die Hosenträger gerissen oder der Leibriemen, und als befürchte er, daß seine Beinkleider herabfallen könnten . . . Im selben Augenblicke trat er, wieder schwankend, mit dem einen Fuße von der Verkehrs-Insel. Das nächste Automobil konnte ihn nur um wenige Zentimeter vermeiden. Es war der Wagen, worin ich saß. Schon ging's dahin. Ich hatte Schlaggenberg zuletzt unzweifelhaft erkannt. Ich ließ nicht anhalten, ich fuhr weiter; dies muß ich heute ausdrücklich feststellen.

Weder hatte ich ihn während des letzten halben Jahres jemals zu Gesicht bekommen, noch wußte ich, wo er jetzt eigentlich wohnte; und doch wußte ich alles; auch was sein Schwanken von vorhin bedeutete. Ich hatte im Vorbeifahren sozusagen einen Blick auf das Zifferblatt seiner Lebensuhr geworfen.

Ich zweifelte gar nicht im geringsten daran, daß sein offenbar elender Zustand mit dem endgültigen Ende seiner Ehe zusammenhing.

Noch dazu hatte ich acht Tage vorher seine Frau besucht. Ich war mit ihr im Verkehr verblieben.

Nun also, ich bin weitergefahren, und war schon zehn Minuten vor dem Erscheinen meines Ministerialkollegen daheim.

Im Grunde begann doch der neue Abschnitt, der Übertritt, möchte ich sagen, schon damals bei mir. So deutete mein jetzt häufigerer Umgang mit René keineswegs auf die Vergangenheit. Jener war ein vorweggenommener Punkt des Kommenden. So auch ahnte mir damals schon die Unlöslichkeit meiner Verbindung mit ihm, ob ich nun mich an ihm ärgerte oder Kenntnisse von ihm bezog oder schwere Vorwürfe gegen ihn erhob oder ihm gar die Schuld an allem und jedem gab. Im Mai des Jahres 1927 verfolgte ich innerlich geradezu den armen Kerl (der heut längst kein armer Kerl mehr ist), und es war damals wirklich eine Art Formel bei mir in Kraft, die nicht anders lautete als: „Stangeler ist an allem schuld." Und in der Tat, er versetzte mich dauernd in Unruhe; durch seine Unbegreiflichkeit überhaupt; durch das, was ich den Sprung in seinem Wesen nannte und lieber gleich eine tiefe Kluft hätte nennen sollen; durch seine häufige Nicht-Antreffbarkeit, wobei man ihn schütteln konnte wie man wollte, er aber immer, viel sprechend, denselben tauben Schotter daherbrachte, fahrig, verkrampft, wie seiner eigentlichen Fähigkeiten ganz beraubt. Und doch spürte man's fast in jedem seiner Augenblicke, auch in seinen schlechtesten: daß er rang. Daß er in zwei Leben zerschlagen war, möchte ich fast sagen, in ein erstes und ein zweites, und von diesem in jenes wollte, und es ebensowohl oft in einer Art maulwurfsblinder Leidenschaft durchaus nicht wollte und um keinen Preis.

Doch ich weiß heute noch viel mehr. Ich weiß, daß René mich nicht nur von seiner Familie fernhielt, sondern daß er es war – ich sagte einmal böse von ihm, er lebe ‚wie in Fetzen zerrissen'! – der mich, nachdem ich in den Besitz meines Vermögens gekommen und aus dem Staatsdienste geschieden war, daran verhinderte, ein soignierter alter Herr zu werden. Nichts geringeres als das wirkte er. Und schon gar nach meiner Übersiedlung. „Jetzt können Sie ein Döblinger Kultur-Hofrat werden. Schade, daß Sie nicht gleich in die Sternwarte-Straße oder die Anastasius-Grün-Gasse gezogen sind. Dort wohnen lauter so feine, hochkultivierte und durchgeistigte Leute mit schönen Bibliotheken. Bemerkenswert, daß niemand den Geist so meidet, wie gerade die. Wo er ihnen spürbar wird: schon sind sie contra." Er konnte von schärfster Gehässigkeit sein. Nicht so sehr gegen irgendwen oder gegen irgendwas. Er haßte im Grunde nur Mächte und deren Exponenten und witterte sie überall, auch wo sie gar nicht vorhanden waren. Guter Wind für Siebenschein.

Mir war gerade nach meinem letzten Beisammensein mit ihm, in den wenigen Minuten der Fahrt vom Ring bis zur Währinger Kreuzung – von da an blieben meine Gedanken freilich bei Schlaggenberg – sogar das oder jenes vom eben Gesagten schon ahnungsweise aufgestiegen: durch die Nase. Man pardoniere für diesmal einen Gedankenhopser, und man wird mich besser verstehen. Ich habe einst – im Sommer 1911 – mit dem Gymnasiasten René ein Gespräch geführt, draußen auf der Villa. Weil er dabei plötzlich gesagt hatte „Sie riechen gut" (was ich sehr nett und natürlich fand), ließ ich ihm eine Flasche des von

mir benützten Lavande schicken. Er hat mir in einem sauber geschriebenen Brieflein gedankt. Darin stand am Ende, daß er dies
‚als den Beginn von etwas Neuem' betrachte. Ich gestehe, daß
mir diese Wendung nicht ganz verständlich war. Man muß eben
alles er-leben, durch's Leben erreichen, so lange leben, bis man
es erreicht. Auch mir sollte noch klar werden, was es bedeutet:
der Duft eines neuen Lebens-Abschnittes.

Aber: Stangeler hatte den Gebrauch jenes Lavendelwassers
– eine große Parfümerie am Graben erzeugt es – beibehalten,
und bis auf den heutigen Tag. So standen wir denn beide seit
1911 im gleichen Geruche, wörtlich genommen, und so auch
waren wir heute im gleichen Geruche gesessen, ich hatte es wohl
gespürt. Nichts ist kennzeichnender für die Festigkeit, ja Zähigkeit meiner Beziehung zu René, als daß ich jetzt und in der
Folgezeit, sechzehn Jahre danach, mehrmals, wenn ich an René
mich geärgert hatte, ernstlich daran dachte, nunmehr ein anderes Toilette-Wasser zu verwenden. So sieht's aus mit den Beziehungen zwischen Menschen.

Was nun kommt, ist kitzlich, und steckt tiefer als selbst die
Nase reicht, dies ahndungsvollste Organ, sei's die äußere oder
die innere. Es war kurz nach jenem Tage, da ich Schlaggenberg
auf der Verkehrs-Insel gesehen und beinah überfahren hatte,
vielleicht schon am folgenden. Jedenfalls war es sonnig und
am Vormittag. Mein Zimmer war bereits aufgeräumt und lag
hell, warm und weit. Ich beschäftigte mich mit dem Ordnen
einer Reihe von Notizen-Sammlungen über verschiedene Gegenstände. Es waren richtige Aktenmappen (jedoch nicht aus dem
Ministerium). Ich saß am Schreibtisch. Heute erblicke ich – und
wahrscheinlich richtig – in diesem sonnigen Vormittage schon
den eigentlichen Start meiner Chronisterei (wohin hat mich die
dann geführt!, primum scribere deinde vivere, ja, ja!). Unter
den Notizen-Sammlungen befand sich auch eine, die René
Stangeler für mich angelegt hatte: über ungarische Geschichte
im späteren Mittelalter.

Ich fühlte mich, mitten unter diesen Sachen, und eben vorhin
noch bei bestem Wohlbefinden, plötzlich in unangenehmer
Weise angeschienen, ja, fast möchte ich sagen, angeschaut; und
eben noch innerlich mir zurufend: ‚Unsinn – was ist denn los?!'

(auf solche Art unterdrückt man immer etwas Unerledigtes, man drückt es zusammen, komprimiert und verstärkt es also) hielt ich es doch nicht aus, verließ mit Schwung den Schreibtisch, ging bis in die Mitte des Zimmers und hob wie von ungefähr den Blick, also über das Nächststehende und das Zimmer als solches eigentlich hinweg, in die obere Kahlheit des Raumes, wohin man ja nicht eben häufig schaut, dort wo Zimmerdecke und Wand zusammenstoßen: von daher kam es nämlich, von dort oben. Dort saß es. Als befände sich da an der doch leeren Wand ein ganz hochgehängtes Bild, das einer Frau, einer schönen sogar, mit dunklen Haarflechten, deren Antlitz voll Hohn, Geringschätzung und grenzenloser dummer Anmaßung in mein Zimmer, in mein Leben und Treiben, in meine Notizen, in meinen Umgang, ja, in die ganze belebte Höhlung meines derzeitigen Daseins überhaupt hereinsah, so daß mir alles knochenhaft erbleichte und geradezu in Lächerlichkeit abstarb, alles: Döbling, die Scheibengasse, René, Camy von Schlaggenberg und Kajetan selbst. Von den ersten Ansätzen zur Chronisterei ganz zu schweigen.

Schon war's weg. Ich hatte keinen Namen gedacht, keine Person, sondern nur deren Essenz sozusagen (etwa derart, wie der Maler vor einem sogenannten Still-Leben auf den konkreten Zweck der am Modelltisch liegenden Gegenstände gänzlich vergißt, in ihnen nur Farben-, Krümmungs- und Flächen-Ereignisse sehend, angesichts einer Pfeife durchaus nicht mehr wissend, daß daraus geraucht werden kann – nur auf solche Art können Bilder entstehen, die Kultur-Hofräten mißfallen). Die Verbindung in die Sagbarkeit hinüber blieb unvollzogen. Erst nach meinem schon beschriebenen Spaziergange mit dem Kammerrat Levielle auf dem ‚Graben‘, am 25. März 1927, zu Mariä Verkündigung, wo ich immerhin einen Anlaß hatte, eine Gedankenverbindung, einen Pfad hinüber zu der Baronesse Claire Neudegg, spätere Gräfin Charagiel, wußte ich, daß ich auch an jenem Tage im November schon an sie gedacht hatte, und damit weit zurück in meine Jugend, bis in mein sechzehntes Lebensjahr.

Nun, die unerfreuliche Gräfin wird uns noch genug begegnen. Zunächst vergaß ich sie, die ja sozusagen nur einen anonymen Fühler vorgestreckt hatte.

Noch wurde kein Winter. Ich ging viel spazieren, mit Genuß, und eroberte gleichsam meine neue Wohngegend. Die Scheibengasse führt bergan, und damals ging man noch eine leere große Wiese entlang; jetzt lag sie mit ihren verschiedenen Buckeln und Senkungen in der kaum grün mehr zu nennenden Farbe des welk gewordenen Grases, ähnlich jener gegenüber meinen Fenstern. Es leitete der Weg bald auf die Höhe. Oben ging's ein Stück eben, und wenn man sich dann um die Ecke wandte, so kam man durch eine Gasse, an einigen Villen vorbei, noch weiter hinauf und nach ein paar Schritten zu einem überraschenden und vollkommen freien Ausblicke.

Wie eine in den Himmel wehende Fahne lagen die graubraunen Höhen, vom Kahlenberge links in flachen Wellen; der Nußberg vorn in gradem Striche schräg nach rechts absinkend; die schon winterlich entlaubten Wälder grau-blau, eine Art Flaum oder Haar, und darunter die leeren Weinberge von lehmiger Farbe; ein sanft verschlossenes Bild unterm bedeckten Himmel; und, trotz der Weichheit dahinfliehender Kimmung, nicht ohne eine gewisse Strenge.

Vor mir senkte sich der Weg gradaus zur Straße hinab, die nach Grinzing führt. Ich wandte mich zurück und ging vom Ende der Gasse nach rechts weiter, am Haubenbigl, wie es hier heißt, auf einem nur dann und wann ein wenig sich wendenden Wege flach am Hang zwischen den Weinbergen hin.

Eben diesen Weg liebte ich besonders während der ersten Zeit meines befreiten Lebens und Wohnens hier heraußen. Gleich dort, wo der Weg beginnt, gibt es ein größeres ganz vereinzelt stehendes Haus, dessen Balkone geradezu ein Unmaß von Fernsicht bieten müßten; einer solchen genoß ich von der Scheibengasse nicht.

Erst so, dacht' ich, wäre man ganz hier.

Erst so hätte man ihn ganz, den rätselhaften Reiz dieses Stadtrandes.

Jetzt aber: selbst wenn ich auf die große romanische Kirche schaue, muß mein Blick absinken, und wenn ich über sie hinwegsehen will, muß ich ihn nicht erheben. Aber es hat eben achtundzwanzig Jahre gedauert bis hierher; und daß ich heute ein alter Mann bin, hat der Leser (sofern ich mir einen denken darf) vielleicht nicht nur aus meinen Zeit-Angaben entnommen.

Wie nun das Folgende gerade hierher kam, so daß es mich ein oder das andere Mal obstinat begleitete, wenn ich meinen neuen Stadt-Teil herumstrolchend entdeckte, ja, im Grunde eigentlich eine neue Stadt – ich weiß es nicht. Damals ging das so still mit drein, wenn ich in die weiten Perspektiven sah – etwa von der Höhe des Hartäcker-Parkes in's Krottenbachtal hinab und gegen Neustift am Walde zu – plötzlich dachte ich da an ein Café am Franz-Josephs-Kai, ein großes, ja, enormes Lokal, das drei Fronten einnahm, diejenige gegen den Donaukanal ganz, und die seitlichen zum Teil: alles bamstig und altmodisch luxuriös, noch dazu in zwei Stockwerken ... breite, tiefe, samtgepolsterte Sitzlogen, Türme von Zeitungen, rennende Kellner mit Tabletts, auf diesen viele Türmchen, aber von Schlagobers; die Damen streckten den kleinen Finger der rechten Hand weg, wenn sie das löffelten, denn sie waren halt gar so fein; aber sie wurden von dem vielen Schlagobers trotz solchen die Genußsucht gleichsam distanzierenden Gebarens doch alle immer dicker.

Rückwärts waren die Spielzimmer, war die Bridge-Stube.

Heute – wo übrigens dort längst kein Stein mehr auf dem anderen geblieben ist – weiß ich, daß diese Welt (um eine solche handelt es sich hier, sogar um eine sehr fest in sich beruhende!) weder meinem einstmaligen Lebenskreise angehörte, noch jenem, welchen unmerklich zu betreten ich jetzt im Begriffe war. Es bildete die Bridge-Stube auch keineswegs eine Verbindung zwischen beiden. Sie verband nichts. Sie führte nirgendwohin. Sie war einfach da, sie existierte höchst konkret, patzig-konkret fast. Was sie mit Döbling zu tun hat, weiß ich nicht. Daß ich einer von den Damen – der gescheiten und feschen Frau Dr. Wolf, Gattin eines Arztes – einmal hier in einer Döblinger Gasse begegnete, kann keine Erklärung bilden; denn so etwas macht schließlich noch keinen Bezug aus. Lea Wolf fragte mich übrigens genau das gleiche, was mich viel später, am 23. Juni, auf dem großen Empfang bei Friederike Ruthmayr, die Frau des Bankdirektors Edouard Altschul gefragt hat: warum ich denn nie mehr in's Café und zum Bridge käme? Ich wußte ihr keine Antwort, so wenig wie ich später der Frau Rosi Altschul eine zu geben vermochte, was diesfalls kein Malheur gewesen ist, denn Frau Rosi pflegte viel zu fragen, dann aber sogleich schnell weiterzusprechen, von etwas ganz anderem freilich, so daß man einer Antwort auf jeden Fall und in jedem Falle überhoben war.

Es gibt in unserem Vergangenheits-Geflecht immer wieder eine unbegreifliche Strähne; wo wir die antreffen, wo sie hervorkommt, gerade dort ist unsere wahre Vergangenheit. Niemals hängt jener Strang aus Zusammenhängen heraus, die uns einst wichtig gewesen sind, die offenbare tragende Teile unserer Lebensgeschichte ausmachen. Die wahre Vergangenheit ist sozusagen von peripherer – ich möchte sagen ,randlicher' – Natur. Sie wird draußen am Rande angetroffen. Sie erweist sich – und damit auch was wir wirklich waren – an Personen etwa, die wir nur durch eine kleine Zeit hin und wieder, oder gar nur ein einziges Mal im Leben gesehen, und an Örtern und Gegenden, die wir nachmals nie mehr betreten haben. Man könnte zu Zeiten meinen, daß man eine zweite und sozusagen rückwärtige Biographie habe.

Freilich, man kann schon seine paar Sacherln herauskramen aus dem Bauche der Vergangenheit: aber es erweist sich dieser dabei als ein viel weiträumigeres Depot.

Ich war, etwa ein Jahr vor meiner Übersiedlung nach Döbling, durch den Rechtsanwalt Doktor Ferry Siebenschein in jenes Café und in die Bridge-Stube gekommen, obgleich der Doktor (Vater von Stangelers Geliebter!) weder Bridge zu spielen noch jemals im Café sich niederzulassen pflegte. Es hätte auch wenig zu ihm gepaßt. Er holte nur seine Frau ab, die dort mit mehreren Damen einen Tratsch gehabt hatte; übrigens kam Frau Irma Siebenschein keineswegs regelmäßig dorthin, ja, sogar selten, mindestens in großen Abständen.

Im Kreise der meist reiferen Damen fand ich eine Art von Charme und lustiger Intelligenz, die mir neu waren: dies zog mich an. Einige Frauen waren hübsch, alle sehr soigniert. Frau Selma Steuermann war schön. Sie hat sich übrigens, wie sie mir später einmal sagte, dann vor dem Frühjahr 1927 noch ganz aus dem Café und auch von der Bridge-Runde zurückgezogen, weil es ihr ,zu dumm' wurde (wie und warum wird man noch hören). Dieser Rückzug war folgenreich. Nicht für mich.

Dr. Siebenschein – einer der integersten Menschen, die ich je kannte – hat seinerzeit die Abwicklung der Verlassenschaft nach meinem Vater geführt; auch bei der Transferierung meiner in England sequestrierten Vermögensteile, die ja für mich von so großer Bedeutung geworden ist, hat er mich beraten (zur Unzufriedenheit des Herrn Levielle, wie man weiß), mindestens aber mich auf die Termine rechtzeitig hingewiesen. Diese Sachen nahmen ja von der Bank aus ihren Weg über das Österreichische Abrechnungs-Amt im Gebäude der Handelskammer am Stubenring.

Den Dr. Siebenschein kannte ich also schon länger, aus einem sachlichen Anlasse; seine Frau ganz flüchtig, aus jenem Café; und die Töchter gar nicht. Als ich mit Stangeler am 20. November über seine Beziehung zu Grete Siebenschein sprach, hatte ich diese noch nie gesehen. Ich wurde erst um Weihnachten in die Familie eingeführt, und zwar brachte mich Camy von Schlaggenberg dorthin, Kajetan's gewesene Frau.

Keineswegs durch Stangeler also bin ich mit Siebenscheins bekannt geworden. Frau Irma war ein zäher Bissen, man mußte ihn zu schlucken verstehen – nein, er ging doch nicht hinunter. Die bewegliche intelligente kleine schlanke Dame war eine fertige Klavier-Virtuosin, las vorwiegend Memoiren- und Brief-Literatur, von Schriftstellern jedoch mit besonderer Vorliebe den Fritz Reuter, und zwar im plattdeutschen Original. Es gibt chaotische Zusammenstöße, besonders im heutigen Leben, wo nichts mehr niet- und nagelfest ist, vielmehr alles durcheinander scheppert. So etwa kannte Frau Irma Siebenschein den ,Dörchläuchting' stellenweise auswendig. Aber schließlich gibt es auch Fabrik-Schornsteine in Alpendörfern oder Rendezvous von Liebespaaren im strengsten Winter in einer Schwimmschule, die eine offene Türe hat, wenn's anders schon gar nicht geht, und weil man vielleicht hier am sichersten ist. Ich kannte einen, der seine Freuden nachts im Konferenz-Zimmer einer Bürgerschule genoß. Er hatte ein Verhältnis mit der Tochter des Schuldieners.

Nun, ich für mein Teil ging in Döbling herum, eroberte meinen neuen Wohnbezirk, wurde von seinem ganz anders gearteten Lichte durchdrungen und von einem Himmel, wie er anderswo nicht über Wien hängt, sah hinaus in den heranbrandenden Schwung der Hügel, oder wandte mich zurück zum aufgelöst vordringenden Rande der Stadt, über einen Weingarten blickend, der mit endlosen Reihen kahler Rebstöcke – jeder wie eine verkrüppelte Schlange des Äskulap um den Stab gewunden – hinter mir gegen den Himmelsrand stachelte und davonzog: und ich dachte dabei an eine Bridge-Stube. Gründlichsten Unterricht im Nil admirari nimmt man immer bei sich selbst. Im übrigen, da ich ja auch andere Städte Europas kannte, wurde mir damals klar, daß eine so profunde Form des Übersiedelns nicht innerhalb jeder von ihnen wäre möglich gewesen. In manchen Städten sind die ‚Bezirke' nur postalische Nummern, in Deutschland ist es vielfach so, sogar in München. In Paris ist's halb so und halb so, halb abstrakt und halb konkret, möchte ich sagen. Immerhin ist Paris VIIme noch kein eigentliches Individuum, wie Döbling oder Wieden und Chelsea oder Battersea; man geht da nur über die Prinz-Albert-Brücke; aber in eine Gegend hinein, wo man etwas dem Cheyne Walk ähnliches bestimmt nicht finden wird.

Um diese Zeit begegnete mir Schlaggenberg hier in der Gartenvorstadt zwischen den kahlen Weinbergen auf einem Spaziergange, überraschend, denn ich hatte ihn jetzt – wenn man von jenen paar Augenblicken am 20. November absieht – bald ein dreiviertel Jahr nicht zu Gesicht bekommen. Während der letzten und schlimmsten Zeit seiner endenden Ehe war Kajetan auch an jenen vereinzelten Punkten, wo sich unser beider damalige Bekanntenkreise berührten, nicht aufgetaucht, schien vielmehr wie in einer Versenkung verschwunden. Nun erfuhr ich, daß er vor acht Tagen sozusagen in aller Stille mein Nachbar geworden war. Er wohnte unweit von mir, jenseits eines Hügels, an dessen Flanke sich die hier von Häusern schon nicht mehr gesäumte Straße mit einer Biegung zu freier Aussicht erhob. Jetzt, neben mir auf dem Wege zwischen den kahl und gereiht wandernden Weinstöcken stehend, deutete er diesen Punkt mit ausgestrecktem Arm in dem unter uns liegenden Gewirr und Geschachtel von letzten geschlossenen Straßenzeilen, davor verstreuten Villen und Wirtschaftshöfen, Häuschen, Scheunen und Gartenhäuschen, Zäunen und Bretterbuden, wie eben der aufgelöste Stadtrand gegen die ersten Weinberge, Wiesen und Äcker in unregelmäßigen Kolonnen und mit zerrissener Front herandrang, da und dort wieder zurückgeschoben und aufgespalten durch eine weit hineinreichende Zunge noch unverbauten Bodens. Weiterhin aber staffelten die zackig auf und ab kantenden Umrisse der Häuser immer dichter hintereinander, im ganzen schon unter jener bläulich grauen Farbe liegend, welche die rückwärts bis an den Rand des Gesichts im Dunst begrabene Stadtmasse beherrschte.

Es war ein kalter trockener Wintertag, noch im alten Jahr, das bisher keinen Schnee gebracht hatte.

Wir fanden uns, wenn wir einander auch lange nicht gesehen hatten, durch das unerwartete Zusammentreffen doch nicht in jene Verlegenheit versetzt, welche in solchen Fällen zwischen Leuten aufzutreten pflegt, die im Grunde nie etwas Gemeinsames besessen, jedoch die äußerlichen Brücken nicht abgebrochen haben: man versucht dann vielleicht gar einen fremden Menschen in einer ihm gewissermaßen fremden Sprache auf's laufende zu bringen und in's Bild zu setzen, das ja nie eines werden kann. Allerdings, auch ihm stockte wohl anfänglich das Viele, was er mir zu sagen hatte, im Munde; aber er wußte doch, daß es mir gesagt werden konnte, und ohne Mühe. Zudem, er war schon darüber hinaus, bezüglich der Figur, die er machte, oder des Bildes, das er jeweils abgab, allzu ängstlich besorgt zu sein, und ließ, wenn auch selbst keineswegs uneitel, doch den anderen denken, was der eben denken mochte. Ja, es gibt selbst bei der Eitelkeit endlich eine Art Ermüdung, die mit vorschreitendem Leben eintritt, und man erspart sich dann mancherlei Anstrengung . . . Was mich betrifft: hier gab's nichts Neues. In mir und in meinen Dingen herrschte Ordnung, und, daß ich's nur frei gestehe, zu jener Zeit auch einige Leere.

„Sie sind – allein?" sagte ich, denn so viel wußte ich ja schon.

„Ja, allein!" antwortete er in einem Tone, als teilte er ein glücklich Vollbrachtes mit, und sah sich dabei mit einem zustimmenden Kopfnicken in der vor uns gelagerten Landschaft um. Ich hatte es mir längst abgewöhnt, in den Liebessachen meiner Mitmenschen irgendwelche Äußerungen – die ja oft sehr entschieden getan werden – für bare Münze zu nehmen. Und zudem – wie oft waren Kajetan und Camy nicht schon getrennt gewesen!

Aus den Wolken im Westen brach ein dickes Strahlenbündel und in einer gluterfüllten Pforte wurde der jetzt schon am Nachmittage sinkende Sonnenball zur Hälfte sichtbar. Wir gingen bergab. Ich fragte ihn, ob er bei mir Tee trinken wolle, und wir traten ein.

Das Gespräch, welches wir an diesem Abende führten, habe ich aufgeschrieben und dazu dreiunddreißig Seiten und fast eine Woche benötigt. Es ist dies keineswegs eine fiktive Angabe nach literarischem Brauch. Ich besitze den Text, auch andere haben ihn gesehen. Er bildete den Anfang meiner Chronik. Als Unterlage für das folgende ist er fast wertlos, und zwar in ähnlicher Weise wertlos, wie Photographien aus jener Zeit es wären. Ich hätte damals schon zu einer Theorie des Tagebuches gelangen können. Ein solches hatte ich immer geführt. Nun erweiterte es sich. Ich schrieb im großen und ganzen gleichzeitig mit den Ereignissen. Das hätte, wäre ich konsequent gewesen, infolge der Unmöglichkeit, das Wesentliche vom Unwesentlichen bei fehlendem Abstande zu unterscheiden, einer Schreibfläche von der Größe des mir überschaubaren Lebens-Ausschnittes bedurft, einer Totalität des Aufschreibens also: aber weil ich nicht konsequent war, kam ich auch zu einer solchen Einsicht nicht, führte mich nicht gleich jetzt ad absurdum, sondern scheiterte erst später.

Ich sah wohl ein, daß Schlaggenberg dem Packen, welchen er jetzt zu tragen hatte – nämlich der offenbar endgültigen Trennung von seiner Frau – irgendeine Form geben, ihn zusammenfassen, ja, ich möchte sagen, ihn handlich machen mußte. Es schien ihm auch wirklich gelungen zu sein, für seine jetzige Lebenslage eine Art Formel gefunden zu haben (,ja, allein!' und ,ein neues Leben!' oder sonstwie auf diese Art), und eine solche, die es ihm möglich machte, dieser Lage Geschmack abzugewinnen, an ihr fruchtbar zu werden. Er sah auch jetzt frisch und gut aus (wahrlich anders wie am 20. November!) und seine Arbeiten gingen vorwärts, wie er mir sagte.

Indessen aber, als ich bemerkte, daß er aus gewissen Einzelheiten – ich komme gleich auf diese – sich eine polemische Konstruktion zusammengebastelt hatte, noch dazu eine mit verbogener, weil verlogener Spitze, nahm ich keine weitere Rücksicht auf sein wertes Wohlbefinden und jene glücklich gefundene Form dafür, sondern trieb ihn sozusagen in die Ecke und zwang ihn, sich der Wahrheit zu stellen; es schien mir das seiner mehr würdig zu sein, und er konnte sie, meines Erachtens, recht gut vertragen, und ohne Schädigung seiner Gesundheit, dieser Lackel, der nie im Leben krank gewesen war.

Dabei nun verhielt er sich in sehr bemerkenswerter Weise. Er ,ebbte' (so nannte ich diese Manier bei ihm). Er hörte zu. Er fiel mir nicht in's Wort. Wenn ich endete und schwieg, wartete er, und einmal, als ich wirklich nichts weiter hinzufügte, sagte er: „Sprechen Sie doch weiter, sprechen Sie doch weiter", und sah mich mit erwartungsvollen, ja, mit fordernden Augen an, als hätte er mich hier für's Reden bezahlt (so wie ich ihn später für's Schreiben). „Das ist doch wichtig, sehr wichtig . . ."

„Für Sie wohl möglich", sagte ich, plötzlich leicht geärgert, während mir, hauchzart und schnell, zugleich der Gedanke kam, daß eigentlich, seit ich ihn kannte, die Ebbe-Zustände bei Gesprächen mit Kajetan allmählich das Fluten – denn dieses äußerste Gegenteil gab es auch! – ein wenig zu überwiegen begonnen hatten . . .

Aber er ließ mich jetzt keineswegs in Ruhe.

„Da es sich denn hier nun einmal um mich handelt . . .", sagte er, und dann:

„Sie wirken wohltuend. Sie sind – geordnet. Sie können – zuhören." (Ich hörte gar nicht zu. Ich hatte viel gesprochen.) „Sie leben gewissermaßen nicht selbst – es sollte von Amts wegen solche Menschen geben . . ."

Er nagelte mit diesen Worten meinen Zustand wirklich in der naivsten Art an! Und noch dazu: von Amts wegen! (Seine Schwester Charlotte, genannt Quapp, formulierte das später einmal weit besser in folgender Weise: ‚Jeder sein eigener Sektionsrat!' – aber vielleicht stammte auch dieses dictum von Kajetan.)

„Was haben S' denn damals auf der Verkehrs-Insel nur gemacht? Ausgeschaut haben Sie, als ob Sie die Hosen verlieren würden", sagte ich (vielleicht etwas rachsüchtig).

„Hosen nicht", antwortete er. „Aber mir ist damals sozusagen der untere Deckel herausgefallen. Zwanzig Minuten vorher hab' ich Camy zum letzten Mal gesehen."

Seine ganze Ehe-Sache war eigentlich einfach wie ein paar Ohrfeigen – nur er camouflierte sie. Kajetan hatte für seine Frau nie das geringste leisten können. Sie lebte bei ihrem Vater, dem Medizinalrat (den er im übrigen sehr verehrte, was verständlich erscheint: der Alte war großartig). Camy war für's Heiraten, die Beziehung dauerte, moderat gesprochen, schon etwas gar lange. Kajetan hätte sich trotzdem nie dazu bewegen lassen dürfen. Es fehlte ihm jede Berechtigung zum Heiraten, seine Existenz blieb ganz unsicher (außerdem war er meines Erachtens innerlich dazu total unbegabt, meinetwegen soll's bindungs-unfähig heißen – man kann jedoch auch sagen: er war im Grunde einer Ergänzung gar nicht bedürftig). Die Lage scheint merkwürdigerweise von ihm dem alten Herrn gegenüber als weit peinlicher empfunden worden zu sein, wie in bezug auf Camy; das war auffallend – er hat dann, möchte ich sagen, beinahe mehr den Schwiegervater erheiratet als sie. Nun, sie hatte natürlich die in solchen Fällen üblichen Argumente und Beruhigungspillen in Gebrauch: es ändere sich ja nichts durch die Heirat, man habe es nur ‚bequemer‘ und vermeide peinliche Situationen, und da er ja ‚andere Ziele‘ habe (sie meinte seine literarischen) und also ‚keine Hand frei‘, müsse eben sie für ihr Teil ‚das praktische Leben meistern‘, und so weiter, und so fort. Als er ihr aber jetzt und hier aus ihren dann doch erhobenen Forderungen so etwas wie einen ‚Verrat‘ konstruieren wollte – sogar mit einem gewissen Pathos! – trat ich ihm gleich scharf entgegen und verbat mir derartige Dummheiten, da er doch wohl hätte wissen müssen, was von den Reden einer Frau zu halten sei, die auf's Heiraten losgehe. Lustig war seine Ausdrucksweise in bezug auf ‚andere Ziele‘ und ‚keine Hand frei‘; er sagte: „Sie sehen, Herr Sektionsrat, daß auch die Terminologie dazumal eine bessere war – später hieß es dann einfach ‚gänzliche Unfähigkeit‘."

Unfähigkeit etwa, eine Ärzte-Rechnung zu bezahlen (die mir verdächtig war).

Gerade mit diesem geriet die Sache auf den letzten Rutsch. Man muß hier wissen, daß nicht ganz ein Jahr vorher Kajetans Vater, Herr Eustach von Schlaggenberg, auf seinem Herrengute in der Südsteiermark gestorben war. Die Lage, welche er zurückließ, war ungünstig. Das Gut – vornehmlich Waldwirtschaft – war schwer belastet. Erben waren – von der Witwe, also von Schlaggenbergs Mutter abgesehen – selbstverständlich Kajetan und seine Schwester Charlotte. Jedoch hatte Herr Eustach die Kinder nur als Nach-Erben eingesetzt, alles blieb vorläufig beisammen und sowohl Verfügungsrecht wie Fruchtgenuß bei der Mutter. Von ihr erhielt Charlotte das zum Leben Nötige, und Kajetan leider auch noch immer, mindestens zum Teil. Jene Verfügung des alten Herrn war richtig; durch sie konnte das Effekten-Vermögen als geschlossener Block bestehen bleiben und damit auch das Waldgut, dessen belastender hypothekarischer Zinsendienst nur unter Zuhilfenahme der aus den Papieren fließenden Gewinne ordnungsgemäß aufrechterhalten werden konnte. Frau von Schlaggenberg wirtschaftete nicht selbst nach dem Tode ihres Mannes. Ein redlicher Wiener Rechtsanwalt und alter Freund der Familie hatte einen sehr guten Pachtvertrag zustande gebracht. So wurde denn zunächst wenigstens die Erfüllung aller Verbindlichkeiten möglich. Zu jenem guten und regelmäßigen Pachtschilling ist dann im Frühsommer 1927 noch die enorme Kurs-Steigerung einer Gruppe von Wertpapieren getreten, deren Frau von Schlaggenberg einen erheblichen Posten besaß. Die mühsam ausbalancierte Lage gewann damit ein Übergewicht in's Positive. Jedoch änderten sich damals die materiellen Verhältnisse der Mama Schlaggenberg und ihrer Kinder ohnehin zum Besseren, und aus gänzlich anderen Ursachen. Alle jene Einzelheiten, die durch den Tod seines Vaters geschaffene Situation betreffenden nämlich, brachte ich damals bei wiederholten Befragungen mit einiger Mühe aus Kajetan heraus, der sehr schwer bei solchem Thema zu halten war, und, so genau, ja haarspalterisch er sonst sein mochte, hier in diesen ernsten Sachen oft einen Mangel gründlicher Kenntnis zeigte und nur flüchtige Antworten gab. Vorwegnehmend sei gleich gesagt, daß die Kalamitäten, welche Herr Eustach hinterließ, ihren Ausgang von seiner Zusammenarbeit mit der ‚Österreichischen Holzbank' genommen hatten.

All dies konnte Frau Camy wissen – Kajetan war aber sicher auch ihr gegenüber flüchtig und ungenau in seinen Darlegungen! – sie konnte es hören und glauben, oder auch nicht. Daß die Tochter eines Arztes Schwierigkeiten mit einer Ärzte-Rechnung hatte, weist allein schon auf einen besonderen Sachverhalt. Kajetan bewies seine ‚gänzliche Unfähigkeit'. Camy mobilisierte nun ihren Vater, schickte ihn gewissermaßen vor, etwa unter der Parole: ‚Es handelt sich hier nur und ausschließlich um das Geld; um ganz konkrete Sachen; von irgendwelchen seelischen oder geistigen Schwierigkeiten, die etwa zwischen Kajetan und mir bestehen, darf überhaupt kein Wort gesprochen werden.' Das Ganze war dumm und ungeschickt, es war einfach ein Über-den-Rand-Fahren Frau Camy's, in der Verzweiflung wegen ‚Kajetans gänzlichem Versagen, wegen seiner Unfähigkeit oder – seinem Mangel an jedem guten Willen' (so sagte sie mir wörtlich). Der Alte, der sicher seinem geliebten Kinde zeigen wollte, daß er alles, was es wünsche, zu tun bereit sei (natürlich wäre er auch bereit gewesen, geschwind jene Honorarnote zu bezahlen, aber gerade das wollte sie durchaus nicht!), muß sich selbst einen ganz gewaltigen Ruck gegeben, ja einen richtigen Anlauf genommen haben – denn diese Angelegenheit und ein derartiger Auftritt, wie er nun erfolgen sollte, das paßte zu ihm wie eine Faust auf's Auge. Aber die Sache lief hochseriös vom Stapel, die Geschichte ging in Szene. ‚Diesmal war Papa wirklich fabelhaft und wich nicht zurück, wie er's sonst allen Menschen gegenüber in seiner Gutmütigkeit immer tut, er duldete Kajetans Abschweifungen nicht und blieb fest bei dem einen Gegenstande.' Der Alte hatte also wirklich Schlaggenberg gegenüber den (wie mir scheint) schweren Fehler begangen, jedes wesentlichere Thema von der Unterredung gebieterisch auszuschließen und (sozusagen auftragsgemäß) immer wieder zu sagen, ‚es handelt sich hier um das Geld, nur um das Geld'. Schlaggenberg wurde also unaufhörlich von seiner schwächsten und hilflosesten Seite her angegriffen. Der Facharzt, in dessen Behandlung Camy gewesen war, hatte vordem schon geklagt (als ich dies zum erstenmal von Camy und jetzt wieder von Kajetan hörte, verwunderte ich mich – wenn es tunlich gewesen war, den Betrag einzuklagen, dann mußte diese Nota doch irgendwie medizinisch-offiziell legitimiert sein; Kajetan sprach zudem von einer Injektionskur gegen rheumatische Beschwerden; es ist mir begreiflicherweise nie gelungen, hier ganz klar zu sehen). Die Klage war gekommen, als Schlaggenberg einer mit dem Arzte getroffenen Raten-Vereinbarung nicht mehr hatte entsprechen können. Letzter Rutsch! Um Ruhe zu kriegen, blieb für ihn nur mehr ein sogenannter Offenbarungs-Eid. Den hätte er ruhig leisten können: er besaß nichts, verfügte über nichts. Aber natürlich und begreiflich: er scheute davor zurück. Ich möchte keineswegs behaupten, daß die Sache von Frau Camy schon ursprünglich so angelegt war, um auf diesen Punkt getrieben werden zu können. Bemerkenswert bleibt doch, daß sie unter keinen Umständen ein finanzielles Einspringen des Alten zuließ! Bei dem großen Auftritt, bei der Haupt- und Staatsaktion, sagte sie schließlich: „Da du dich so sehr gegen das Leisten des Offenbarungseides sträubst, muß ich annehmen, daß du etwas besitzest, was du vor mir zu verheimlichen wünschest." Nun, mehr brauchte sie natürlich nicht. Kajetan begann sofort zu toben, ungeachtet der Anwesenheit des Vaters („ich wurde vollends desperat und tollwütig und dann auch maßlos verletzend"), er schmiß sozusagen alles hin, bestand auf einer sofortigen Trennung und Ehescheidung, und rannte zuletzt, alle Türen mit Krach hinter sich in's Schloß werfend, aus der Wohnung und aus dem Hause (damals schon nicht mehr Hietzing und Hadikgasse, sondern am Schmerlingplatz). Kurz danach fiel ihm, 20. November, ein Viertel vor sechs Uhr, auf der Währinger Kreuzung ‚der untere Deckel heraus'. Dessen war ich ja Zeuge gewesen. (Zu mir sagte er jetzt: „Wissen Sie, daß ich erst hintnach, allerdings noch am gleichen Abende, als ich wieder allein zu Hause saß, die grenzenlose Schweinerei, welche in Camy's Worten gelegen war, in ihrer ganzen, ich möchte sagen ‚Ausdehnung' erfaßte?")

Arme Camy! Das Schlimmste für sie war sicher, daß auch ihr Vater jene Äußerung scharf verurteilte, und seiner ganzen Natur nach konnt' er wohl gar nicht anders.

‚Zuhause' also saß er, der Kajetan. Er hatte nie bei seiner Frau gewohnt: es war dazu gar nicht gekommen.

Arme Camy! Es fehlte ihr jede Fähigkeit, über ihr gebildetes ‚Hausgärtlein von Horizont' (Scolander) hinweg zu sehen; dieses bestand in einer Art vernünftigem Idyll, oder in ihrem Wunsche danach. Das schloß jede Großherzigkeit aus. Zudem war sie schwach, will sagen ohne Robustheit, und ihre Stellung war auch schwach. Camy war gefährdet. Wer gefährdet wird, hat ein Recht, sich zu verteidigen: mit seinen Mitteln eben. Sie war im ganzen etwas sehr – Trockenes. Vielleicht hat gerade das den einigermaßen saftigen Kajetan zu einem Einbruche in dieses Material gereizt? – in einen guten, in sich abgeschlossenen harmonischen Charakter: dessen elastische Rückschnellung nach jeder tiefen Störung kann dann einfach grausam, oder nur schlichthin – grauslich sein. Vielleicht wollte sie sogar gerade das, und gar nichts anderes. Vielleicht wollte sie einen wirklich trennenden Akt setzen. Ihre Entschlossenheit stand für mich außer Zweifel. Sie wollte von ihm los – und er von ihr, im Grunde. Nur vermochte sie es eher: und zwar durch die Kraft ihrer Phantasielosigkeit. Ich glaube, sie hat im Dezember nicht mehr gewußt, wie Kajetan eigentlich ausgesehen hat. Da war er schlimmer dran.

Ich trat ihm nicht mehr scharf entgegen, obwohl ich ursprünglich willens gewesen war, den ganzen mit Selbst-Täuschungen bebänderten Maibaum, den er auf das jetzt errichtete Gebäude seines ‚neuen Lebens' gepflanzt hatte, gründlich abzuräumen. Sollte er sie doch haben, diese ‚tödliche Beleidigung' (‚grenzenlose Schweinerei', wie er gesagt hatte), und meinetwegen auch den ‚Verrat'! Er war dessen hochbedürftig – oder, um einen Vergleich mehr technischer Art zu gebrauchen: er bedurfte solcher Treibladung, um überhaupt aus der Anziehungs-Sphäre Camy's zu kommen. Davon hing jetzt alles ab.

Die Spitzen, welche wir unserem Leben dann und wann angeschliffen haben, waren vielleicht wirklich notwendig; wenn sie dann wieder weggebrochen sind, wirken sie freilich alle unverständlich, ja lächerlich.

Also ließ ich ihn ruhig an seinem tödlichen Beleidigtsein herumhämmern und klempnern (was er ziemlich laut tat) und sagte nur:

„Wissen Sie, was ich glaube, Kajetan? Daß Ihnen das alles jetzt nur hintennach einfällt. So wie in Ihrem Zimmer am gleichen Abend."

„Und deswegen soll es zur Erkenntnis der Sachen nichts bedeuten!?" entgegnete er prompt. Sodann kam er auf die jüdische Abkunft seiner Frau zu sprechen. Auch das erkannte ich als Vehikel der Flucht. Ihre völlige geistige Fremdheit! Nun gut – ich sagte es nicht – dann kann's ja gar keine tödliche Beleidigung geben . . . zudem: eine größere Fremdheit als zwischen den verschiedenen Geschlechtern wird man wohl schwerlich finden, und alles übrige kann da nur eine Beigabe sein. Auch das behielt ich für mich. Jetzt erzählte er mir, daß Camy in Gesellschaft, und wenn er je einmal bei einer Debatte das Wort genommen und mit seinem Standpunkte hervorgetreten sei, jedesmal ihn heftig angegriffen – gleichsam unter dem Schutze der Anwesenden – mindestens aber der Meinung seines Gegenredners, sei die nun gewesen wie immer, mit starker Betonung sich angeschlossen habe. Überhaupt habe er vor ihr geradezu sein Gesicht verbergen müssen, wenn er nicht ihre sofort hervorbrechende Feindschaft sich zuziehen wollte. . . .

Nun, zum ersten Punkt dachte ich mir schon mein Teil: nämlich, daß die Frauen leicht frech werden, wenn die Situation den Mann dazu zwingt, nicht gegen die Galanterie zu verstoßen (was die Kerle ihrerseits recht gerne tun).

Ansonst aber empfand ich doch – endlich! – auch Mitleid mit Schlaggenberg. Durch Augenblicke erschien mir das Ganze etwa so, als sei da um irgendeinen kleinen, harten Kiesel ein ganzer Zyklon organischen Lebens entfesselt worden, das sich hier wie toll um eine Art Jenseits im Diesseits drehte, dessen unergründliches Geheimnis in nichts anderem bestand als in seiner Unfruchtbarkeit.

Aber womit ich zunächst nichts anzufangen wußte, hier war es: sein eben jetzt erst sichtbar gewordenes letztes Fluchtvehikel, die von ihm erwähnte Abstammung seiner Frau. Hier endete der Boden vor meinen Füßen, fehlte mir die Kenntnis, die Erfahrung, ging mir jedwedes Erlebnis ab. Um ihm zu folgen, ihm entgegen zu treten, ihm beifallen zu können, hätte es irgendeiner Berührung mit dieser Sache bedurft. Ich begann in mir herumzusuchen. Stangeler? Mit ihm hatte ich ja gerade an jenem kritischen 20. November viel über seine Beziehung zu Grete Siebenschein und die Möglichkeiten seiner Zukunft gesprochen: aber von jener jetzt durch Schlaggenberg gestreiften Seite der Sache waren wir an diesen Gegenstand nicht herangetreten. Endlich kam ich auf meine armselige Bridge-Stube: um nur irgend etwas beizubringen, zum Thema beizutragen, erzählte ich Kajetan von den Damen dort, schilderte die schöne Frau Steuermann, die Frau Direktor Altschul und Frau Clarisse Markbreiter – die letztere von ihrer Schwester Irma Siebenschein in kaum glaublicher, ja, geradezu absurder Weise verschieden . . . (aber, was in aller Welt hatte das noch mit Frau Camy zu tun?!).

Die Wirkung, welche meine Erzählung auf Kajetan machte, war derart, daß ich durch eine Sekunde ernstlich glaubte, er habe den Verstand verloren (nun ja, es sind schon Bessere als der Herr Kajetan infolge von unglücklicher Liebe übergeschnappt).

Er hatte, während ich noch sprach, sich entspannt, und hörte mir, nachlässig im Sessel liegend und mit einem langen Zigarettenspitz spielend, zu. Jedoch plötzlich blieben seine Hände still, er sah schräg an mir vorbei in die Ecke des Zimmers, und sein Gesicht gewann dabei einen ähnlichen Ausdruck wie früher, es verengte sich gleichsam, es zeigte deutlich an, daß Kajetan sich wieder in irgend eine Einzelheit ganz verrannte. Nur schien er diesmal in keiner Weise verdüstert, sondern lediglich – ich komme um das starke Wort hier nicht herum! – leicht verblödet. Der Wechsel seiner Miene aber war so deutlich und überraschend gewesen, daß ich unwillkürlich meine Rede unterbrochen hatte. Es blieb still.

„Sind diese Personen dick?" sagte er endlich, noch immer in die Ecke starrend.

„Wie?!"

„Ich meine", setzte er hinzu, ohne seine Miene im mindesten zu verändern oder etwa gar zu lächeln, vielmehr sprach er ganz sachlich und stierte dabei immer noch in seine Ecke, „ich meine: korpulent, wohlbeleibt, von starker Fülle." Und als hätte er mir's nun genügend verdeutlicht, schwieg er.

„Zufällig stimmt das", antwortete ich, durch diesen unvermuteten Bocksprung aus jeglichem Konzepte gebracht, „besonders Frau Steuermann. . . ."

„So?!" rief er nun interessiert und blickte auf. „Sagen Sie: fett?! wahrhaft – üppig?!!"

„Ja!" rief ich laut, „fett! wahrhaft üppig! korpulent! wohlbeleibt! von starker Fülle! Aber, zum Henker, was soll's denn? Was wollen Sie denn eigentlich?"

Er indessen war wieder in sich zusammengesunken, lag nachlässig in seinem Sessel, stierte in die Ecke, spielte mit dem Spitz und ließ sich – während ich ihn noch immer entgeistert ansah – erst nach einem Weilchen zu der beiläufigen Äußerung herab:

„Es ist da eine Möglichkeit", sagte er, in einer Weise vor sich hinsprechend, als würde er nur laut denken, stockend, mit nachlässig abgerissenen Worten und Sätzen, „ich sehe da sozusagen Licht. Wirkliche Korpulenz vorausgesetzt nämlich. Etwa zwischen achtzig – und neunzig Kilo . . . nun ja . . . ich war neulich in der Oper, wissen Sie, na, dritte Galerie, nun gut. Hatte nachher Hunger und ging in den Bierkeller dort in der Nähe. Daneben ist ein, wie man hier sagt, ,nobles' Restaurant, Sie kennen's ja. Der Opern-Dreher. Stehen immer Automobile davor. Im Vorbeigehen sah ich in das Vestibül hinein, wo die Gäste ihre Überkleider ablegen, nur einen Augenblick lang . . . im Vorbeigehen, wie gesagt . . . und jetzt, hintennach erst, ich mußte ein paar Male daran denken . . . ich hatte da eine Frau gesehen – Dame in braunem Abendkleid, sehr stark, breit . . . ein braunes Seidenkleid etwa war es, etwas von dieser Art. Ja, braunes Seidenkleid. Ja, ja. Aber bitte, lieber Sektionsrat, jetzt sprechen Sie doch weiter, ich hatte Sie unterbrochen, wie mir scheint. . . ."

„Das kann man wohl sagen", antwortete ich und ging entschlossen über das Ganze seiner verworrenen Auslassungen hinweg, weil ich damit nichts anzufangen wußte.

Gegen acht Uhr verließ er mich. Man muß das Nil admirari, welches man freilich bei sich selbst gelernt hat, auch auf andere Menschen anzuwenden verstehen. Dazu ermahnte ich mich jetzt. Maruschka klopfte, trat ein, knixte, rollte den Teewagen hinaus, lüftete ein wenig (wir hatten stark geraucht), rüttelte den Ofen durch, fragte „derf ich den Bett machen?" und verschwand nach nebenan.

Ich fand mich unlustig, den Abend daheim zu verbringen, hier zu essen, und dann irgend etwas vorzunehmen. Jetzt, nachdem Schlaggenberg gegangen war, sah ich seine ganze kümmerliche Tragödie mehr auf dem Hintergrunde der Ehe-Unlust aller Mannsbilder schlechthin, die eben bei ihm einen besonderen Grad gehabt haben mochte, den der Unmöglichkeit jeder festen Zweisamkeit überhaupt. Und doch war er da hineinmanövriert worden! Bei Stangeler verhielt sich's wahrscheinlich ähnlich; immerhin mochte er hierin weniger unbegabt sein. Der ganze Freiheits-Fanatismus der Männer erschien mir nun als nichts anderes denn ein Möglichkeits-Anspruch auf alle Weiber, die man noch nicht besessen hat; und ein Entrinnen-Wollen dem jeweils einen gegebenen Beispiel, das da unerbittlich lehrt, in die Unzahl von Beispielen, welche den wahren Sachverhalt verdunkeln (variatio et per spem delectans, hätte der Rittmeister von Eulenfeld gesagt, weil das Lateinische bei ihm stets in Übung war – ,denn ein alter Husar ist kein Hund').

Jedoch ahnte mir, daß dies alles für mich nicht zutraf.

Ich war aus irgendwelchen anderen Gründen so lange Junggeselle geblieben.

Sie sollten mir später noch bekannt werden.

Ich ging aus. Zunächst, um in einem Beisl zu essen, obgleich ich sonst diese kleinen Wirtshäuser nicht in der Gewohnheit hatte. Es gab ein solches beim Einschnitte der Gürtelbahn, dort, wo diese von der Döblinger Hauptstraße überbrückt wird; von da ab heißt's dann ,Hohe Warte'. Was bestellt man schon in einem Beisl? Gulasch und Bier (sicher ist sicher – gerade das Gulasch ist nur in Beisln wirklich gut). Der Wirt kannte mich schon (Maruschka holte immer von hier das Sodawasser). Als ich am Schanktische vorbeikam, nahm er für einen kleinen Augenblick Haltung an: er war im Krieg Korporal bei den Ulanen gewesen und wußte, daß ich der Reiterwaffe als Reserveoffizier angehört hatte; er war ein fescher stattlicher Mann, hatte aber nur mehr ein Bein. Dennoch fürchtete er sich vor nichts und vor niemandem. Ich war einmal Zeuge gewesen, wie er drei besoffenen Rowdies – in diesem Teile von Döbling so selten wie der Flußkrebs im Ziergewässer eines Parks – die Ausfolgung von Spielkarten glatt verweigerte, worauf sich die drei hier befremdlichen Strotter trollten. Aber es kommt schließlich alles überallhin, wenn auch vielleicht nur ein einziges Mal. Ich habe in der Daponte-Gasse sogar einen kleinen Skorpion im Badezimmer gefunden, wohl erhalten und quicklebendig. Ich begrüßte ihn als einen Boten des Südens und der klassischen Länder, bugsierte ihn vorsichtig in eine Schachtel mit Luftlöchern und habe ihn dann an einer einsamen Stelle in den Prater-Auen ausgesetzt. Übrigens kommt zum Beispiel die ,Gottesanbeterin' (Mantis religiosa L.), ein abenteuerliches großes Insekt des südlichen Europa, ausgerechnet auch in der Umgebung von – Frankfurt am Main vor. . . .

Man sieht, was einem für diffuses Plankton durch's Hirn schwappen kann, wenn man allein in einem Beisl sitzt, ein Gulasch ißt und Bier trinkt. Aber die Schnürlzieherei der Assoziationen (ultima ratio aller Psychologisten) trat nun zurück und ordnete sich nur seitwärts an, und gleichsam rahmenweis um ein Diktum Schlaggenbergs:

,,Diese nächste, dichte Nähe des gänzlich Fremden wurde mir einmal durch Camy in einer Weise klargemacht, die ich für sehr bemerkenswert halte, mit wenigen Worten, doch so, daß mir's unvergeßlich blieb. Wir gingen des Sommers in einem kleinen Kurorte spazieren, unweit von Wien; aus welchem Zusammenhange unseres Gesprächs wir dahin kamen, beide nicht weniger als unser innerstes und intimstes Lebensgefühl redend zu beschreiben, jeder das seine, dies weiß ich nicht mehr. Derlei war bei uns eben jederzeit möglich. Wir hatten uns bis zu diesem Grade schon an einander aufgerieben, möchte ich sagen. Ich äußerte, was für Sie und mich wohl selbstverständlich ist, daß ich die eigene Seele oder das eigene Innere wie einen Brunnenschacht von unbegrenzter Tiefe fühle, jedenfalls aber als einen Raum, der nach irgendeiner Seite hin mit Notwendigkeit als nicht abgeschlossen gedacht werden müsse, von welcher Seite denn auch immer noch Unbekanntes und von mir noch nie Erlebtes auftauchen könne. Camy blieb stehen, offenbar höchlich erstaunt, sah zu Boden, dachte ein Weilchen nach und teilte mir in ihrer genauen und gescheiten Sprechweise mit, daß ihr etwas derartiges ganz unbegreiflich sei; denn sie fühle ihr eigenes Wesen als einen allseits abgeschlossenen, wohlvertrauten Hohlraum, aus welchem unmöglich irgend etwas ihr selbst noch Unverständliches, also etwas geradezu Neues, kommen und sie antreten könne. Was sagen Sie nun hiezu?!"

Ich hatte nichts darauf geantwortet. Jetzt aber schien mir außer Zweifel – wenn es nämlich sich so verhielt, wie Frau Camy gesagt hatte – daß hier die bessere, vernünftigere, und wohl auch leichtere Art zu leben lag. Kein Zweifel: man mußte sich einfach bemühen, selbst so zu werden: dann konnte es keine Beängstigungen mehr geben wegen einer von der oberen Kahlheit des Raumes her, wo Wand und Zimmerdecke zusammenstoßen (und wohin man sonst selten schaut), herabdringenden Welle der Kälte und Depression; und vielleicht auch kein so starkes Gefühl der Unlust, daß es unmöglich wurde, daheim zu bleiben . . . ‚Das kann jedem passieren', dachte ich jetzt, und hatte damit auch schon den vermeintlichen oder wirklichen Faden verloren. Es wurde mir zu dumm. Ich zahlte und ging: keineswegs nach Hause. Freilich ahnte mir nichts davon, daß ich bald auf eine Persönlichkeit stoßen sollte, der es gleichfalls schon beinah zu dumm wurde. . . . Ich ging über die Brücke, und den Einschnitt der Gürtelbahn entlang. Ich ging wie durch ein kühles und befremdliches Seitental meines Lebens.

An der Ecke Billrothstraße-Chimanigasse befindet sich (heute noch) das Café ‚Döblingerhof'. Das ist ein ordentliches Stück von meiner damaligen Wohnung entfernt. So weit war ich gegangen.

Jetzt also betrat ich das ebenfalls etwas bamstige Lokal (hier: zahlreiche Klub-Fauteuils). Die Farben der Ausstattung waren im ganzen Schwarz und Grün; das mußte im Sommer mit den Bäumen und Gärten der Chimanigasse, dem scharfen Sonnenlicht und den dunklen Schlagschatten, gut übereinstimmen, was alles ja durch die breiten und hohen Scheiben einfallen konnte, wenn sie nicht überhaupt versenkt wurden. So dachte ich, langsam durch das zu zwei Dritteln leere Café schreitend. Nun, jetzt war Winter. Man merkte allerdings noch nicht viel davon, außer diesem, daß hier etwas zu stark geheizt war.

Aus solchen müßigen Gedanken im Gehen (bei mir war heut' einmal wahrlich das ‚Plankton' in's Schwappen gekommen!), sah ich, noch drei oder vier Tische weiter, eine auffallend schöne Person sitzen, ja, mehr als das, sie sah anmutig und gütig aus, und jetzt lächelte sie mir sogar zu, und dann war es die Frau Kommerzialrat Steuermann.

Also hatte ich mir am Ende mit der Geduld und der ausgestandenen Malaise dieses Abends eine wirklich entzückende Belohnung verdient. Ich durfte mich zu ihr setzen, ja, sie schien erfreut und geradezu ermuntert, als ich's tat.

Sie fragte mich keineswegs, warum ich nicht mehr zum Bridge käme (erste Frage der Frau Lea Wolf); und hierin schien mir ein bemerkenswerter Unterschied zu liegen. Ich selbst war es dann, der das Gespräch darauf brachte: ob sie denn noch in jenes Café am Donaukanal gehe, oder öfter und lieber hierher? Ich sei vordem noch nie im ‚Döblingerhof' gewesen. Jetzt bemerkte ich erst, daß sie nicht in einem Fauteuil Platz genommen hatte, sondern auf einem schwarzlackierten Sesselchen saß, wie es solche hier auch gab. Mir ahnte, warum. Die Fauteuils waren schmal und verhältnismäßig tief; es hätte für sie vielleicht ein zu mühevolles Aufstehen gegeben. Vor Frau Selma stand ein halbgeleertes Gläschen mit Eiercognac auf der Marmorplatte des Tisches; ich hatte mir dergleichen inzwischen auch bringen lassen.

„Ja, ja", antwortete sie auf meine Frage, „ich geh' noch hin. Aber mich freut's nicht mehr recht. Ich hab' so das Gefühl, daß ich eines Tages ganz ausbleiben werde. Weil es mir zu dumm wird. Schaun Sie, Herr Sektionsrat, was tun diese Frauen, wenn man vom Kartenspielen absieht? Eine paßt auf die andere auf, ob die, gottbehüte, schon wieder Glück gehabt hat mit dem Abnehmen und wieder ein halbes Kilo herunten ist – dabei ist ja das alles zum Lachen, wer von uns, in unserem Alter mein' ich, wird's denn da noch zu einer modernen Figur bringen? Und was ist das zweite? Ob eine was neues trägt, und was es kostet, und so in der Manier halt. Eigentlich sind sie alle auf einander bös' wie die Spinnen. Und das soll dann ein gemütliches Beisammensein vorstellen. Ich spiel' jetzt manchmal hier Bridge. Es ist hier eigentlich auch nicht viel anders. Drinnen sitzen sie noch im Spielzimmer. Einen Rubber nach dem anderen. Ich hab' schon genug. Wollt' noch bissel die Journale anschauen, aber am End' war mir das auch fad. Zum Trost hab' ich jetzt eine liebe Gesellschaft." Sie lachte, und sah dabei aus wie ein Baby.

Man hätte von ihr eigentlich nicht sagen können, daß sie eine intelligente Frau sei, in der Art Frau Mary K.'s etwa (welche ich allerdings erst nach Ablauf aller hier geschilderten Ereignisse kennen lernte). An Frau Selma Steuermann's bewußte Denktätigkeit wären keine Anforderungen zu stellen gewesen. Aber sie war wohlwollend und zugänglich und immer noch zu gescheit, um der Eindrucksfähigkeit zu ermangeln, und damit auch das Herz schwerhörig zu machen. Anders: sie war keineswegs töricht. Sie wandelte als ein großes dickes Herz auf zwei sehr kleinen Füßen, und außerdem hatte dieses Herz noch etwas kurze Arme mit kleinen weißen Händen und überhaupt alles, was dazu gehört, eine milchzarte Haut, und in das gute Gesichtel schattete ihr schweres Haar wie Ebenholz. Ich fühlte so sehr ihre Ansprechbarkeit und Harmlosigkeit; beides wohl möglich auch ein Verdienst ihres verstorbenen Mannes (er war Direktor einer großen Seidenweberei in Meidling gewesen). Sie war sicher nie gekränkt worden: schönstes Erbe einer Witwe. Alles in allem: sie war ein Schatz, wie sie da saß.

Ich begleitete Frau Selma dann bis an ihr Haustor in der Chimanigasse. Ich bin mir bewußt, daß ich – noch im Café – nicht weit davon entfernt war, ihr von Schlaggenberg zu sprechen, und von seinem ganzen Fall. Ich möchte sagen, ihr Wesen lud dazu ein, ihr von allem und jedem zu erzählen, und doch hätte das in sublimer Weise fast einen Mißbrauch ihrer Unschuld bedeutet. Späterhin hörte sie doch einiges, ja vieles von mir, freilich ohne Nennung von Namen. Es bildete dieser Abend mit der Frau Kommerzialrat Steuermann im Café ‚Döblingerhof' ja eigentlich den Beginn ihrer Mitarbeit an meiner Chronik. Ihre Meinung über Kajetan und seine Sache war dann irgendwie niederschmetternd für mich: „Wundert Sie das Ganze, Herr Sektionsrat?" sagte sie. „Mich gar nicht. Alle haben sich total falsch benommen. Auch der Vater. Es hat nicht anders können kommen. Glauben Sie mir: über diese Unterschiede soll man nicht hinweg gehen."

Ich schritt langsam meinen Heimweg dahin, es war gegen zehn Uhr; am Einschnitte der Gürtelbahn entlang; wieder wie durch ein kühles und befremdliches Seitental meines Lebens. In ihm leuchtete tief rückwärts am Hange, wie gegen eine Anhöhe zu, eine Möglichkeit auf. Es war eine von jenen, die nur kurz uns angeschienen haben und dadurch unsere reizendsten geblieben sind.

Schlaggenberg bekam ich erst im neuen Jahre wieder zu sehen, am Samstag nach Dreikönig, das war damals der 8. Jänner: und nur für wenige Minuten, bei Nacht, ganz zwischendurch. An diesem Samstagabend erfolgte wieder einmal einer der großen Auftriebe oder Massen-Umtrünke des Rittmeisters Freiherrn von Eulenfeld, zu welchen man die Menschen von allen Seiten zusammenbestellte und sogar in Automobilen herbeibrachte, solche jedoch, deren man unbedingt habhaft werden wollte, in ihren Wohnungen überfiel, aushob und verschleppte (so Schlaggenberg), andere wieder aus Caféhäusern herausholte, oder gar, wenn man sie zufällig auf der Straße attrapierte, augenblicklich festnahm und in einen der zahlreichen hintereinander fahrenden Wagen stopfte (so Stangeler). Ohne diese Wagen ging's nie ab. Voran fuhr des Rittmeisters rotes Sportfahrzeug, und nicht eben langsam. Es war ein entsetzlicher Unfug, der durch kleine Bars und Cafés der Innenstadt ebenso wie durch Vorstadtwirtshäuser führte, und schließlich endete das Ganze, nach einem unzählbar häufigen Tapetenwechsel, nach Cafés, Beisln, Privatwohnungen, Ateliers, Kabaretts und Nachtlokalen aller Art, in einem jener perfekten Eulenfeld'schen Nebelflecke, die, wohl auch infolge der ,Besäufnis' (so nannt' es der Rittmeister) oft hintennach gar nicht mehr als lokalisierbar erschienen. Man wunderte sich dann nur noch, wie und daß man überhaupt zuletzt wieder nach Hause gelangt war.

Zu den charmanten Eigentümlichkeiten des Rittmeisters gehörte es, daß bei ihm zuletzt, wenn überhöhte Zustände einrissen, stets das Monokel auftauchte, zugleich mit einer Steigerung des Chevaleresken und Korrekten seiner umständlichen Umgangsformen.

Der Nebelfleck des 8. oder eigentlich schon 9. Januar aber war, wie man später noch sehen wird, ein astronomisches Ereignis von einmaliger Art. In ihm nämlich erschien eine Nova, ein Stern.

Ein alter Husar ist kein Hund. Nun, dieser da hatte es wirklich bewiesen. Der Weg ist ziemlich weit von einem Rittmeister des 14. deutschen Husarenregimentes – Garnison Kassel – bis zu einer leitenden Stellung bei der Wiener Niederlassung von C.C. Wakefield & Co. Ltd. Auch war dieser Weg etwas gewunden gewesen, nun, sagen wir einmal: mit einigen eher dunklen Windungen. ... Gleichwohl, der gerettete Kahn des alten Husaren war aller Ehren wert; ihn zu zimmern und festzuhalten und sich selbst darin – das mochte nicht weniger gekostet haben als die gesammelten Rest-Energien eines ganzen Lebens. Freilich, von Zeit zu Zeit quoll und schwoll der alte Saus und Braus empor wie ein geöffnetes Kracherl. So hatten denn auch die Nebelflecke eine Art von Umlaufszeit wie Kometen, nach welcher sie wiederkehren.

Was die ganze Bande betraf, so übte Eulenfeld auf diese zweifellos eine Art Faszination aus. Sie zogen hinter ihm her, wirklich wie ein Kometenschweif, Männlein und Weiblein. Es bestand bei Eulenfeld etwas wie eine Überlegenheit ab ovo. Derartiges gibt es bei Menschen von sehr eleganter Rasse. Es war Charme und Sicherheit zugleich; besonders das erstere schätzt man hierzuland, ja, es kann einer geradezu daraufhin sündigen: viel wird ihm verziehen. Als hätten die Götter genickt. Niemand will ihnen zuwider sein. Es ist ein Geheimnis um solche früh fertigen Früchte; sie werden verliehen, kaum daß einer recht aus den Augen geschaut hat; aber der leichthin geworfene Blick bändigt die Umwelt, ja, diese will ihm gefällig sein. ... Es gründete die Überlegenheit Eulenfelds keineswegs nur auf seinem Stande; es gab zum Beispiel unter seiner Nebel-Bande Personen von weit höherem und älterem Adel (den Grafen Langingen sah ich übrigens am 8. Jänner nicht mit dabei, ebensowenig erschien diesmal Frau Titi Lasch – zum Glück für Stangeler – denn diese war die Schwester seiner Grete: weit reichten des Rittmeisters Kreise!). „Der Rittmeister will es so." „Denn er ist der Rittmeister." Derartiges konnte man hören. Sie nannten sich auch ‚die Düsseldorfer', und ihn den ‚Big Chief'. Das erstere stammte daher, daß Eulenfeld einmal erwähnt hatte, es sei für einen einsam reisenden Husaren gar nicht so leicht gewesen, von Westdeutschland unbesoffen nach Berlin zu kommen; denn ab Düsseldorf bis Berlin wäre die Strecke ‚total verseucht' gewesen, durch den Urlauber-Verkehr eines dortigen Ulanen-Regimentes; man sei unweigerlich in irgendein Abteil hinein verschleppt worden. ... Und so weiter, und so fort. Die Bande führte auch als Titel das französische Wort für Herde: troupeau.

Kajetan behauptete, der Rittmeister habe einmal seine ganzen Schulden auf einen Berliner Wucherer namens A. Mandhus konzentriert; als dieser endlich den Schuldschein bei dem alten Freiherrn von Eulenfeld präsentieren wollte und also heran reiste, sei ein Eisenbahnunglück geschehen, und der liebenswerte A. Mandhus sei samt dem drohenden Papiere verbrannt. Es gab also schon die ersten Ansätze zur Legendenbildung um den Rittmeister: da sei der nun gewesen wie er wolle – solches widerfährt nicht jedem.

Ich kam am späteren Abend in Eulenfelds Wohnung. Er war nicht daheim, sondern schon seit etwa sechs Uhr unterwegs, auf Menschenjagd, könnte man sagen: es seien unter anderem fünf Aushebungen geplant gewesen, davon zwei in Döbling, sowie Überfälle auf mehrere Stammcafés. So erfuhr ich. Der Auftrieb schien diesmal groß angelegt zu sein (das Resultat war denn auch am Ende ein würdiges). In des Rittmeisters Wohnung befanden sich etwa fünfzehn Personen, die sich's rund um die vorhandenen flüssigen Vorräte bequem gemacht hatten. Doch war niemand betrunken. Ich bemerkte die Tochter eines Anatomieprofessors von der Universität, Dolly Storch, ein sehr schönes, wenn auch etwas gar dickliches Mädchen, und neben ihr einen totschlächtigen Kerl mit Negerlippen, der Oskar oder Oki Leucht hieß, wie man mir sagte. Bill Frühwald, den Sohn eines bekannten Wiener Architekten, kannte ich; er war ein hervorragender Improvisator leichter Sachen am Klavier, eigentlich ein perfekter Bar-Pianist; jedoch gab es hier kein Instrument. Jemand hatte ein Grammophon mitgebracht. Im Nebenzimmer tanzte man ganz ernsthaft.

Der Lärm blieb gering, schwoll jedoch stark an, als die Wagenkolonne vorgefahren war und Eulenfeld erschien, in Begleitung nur weniger; unter ihnen befand sich Schlaggenberg, vom Rittmeister gleich in sein rotes Sportfahrzeug hereingenommen, dessen zweiter Sitz vorsorglich für Kajetan reserviert gewesen war. Das Gros blieb unten in den Vehikeln; auch Stangeler war schon dabei, nur sah ich ihn freilich nicht, er saß in einem geschlossenen Wagen, rasch zu anderen Leuten gestopft, nachdem man ihn einmal gefaßt hatte; dies war in der Nähe jenes großen Cafés geschehen, wo ich einst mit den Damen Markbreiter und Wolf

Bridge zu spielen pflegte. Er soll ,vollends traumverloren auf dem Gehsteige' (Rittmeister) angetroffen worden sein. Warum er sich dort herumtrieb, erfuhr ich erst später. René befand sich zum ersten Male beim ,Troupeau' und mit dem Rittmeister keineswegs in häufigem Verkehr; doch kannten sie einander schon lange, vom Kriege her. Der Wirbel wuchs hier, es kamen nun doch mehr ,Troupisten' herauf, die aus ihren Wagen geklettert waren, man hörte Gegacker von Frauenstimmen, das Stiegenhaus hallte von in der Senkrechten geführten Gesprächen. Ich sah den damals sehr bekannten Karikaturisten Imre von Gyurkicz und den Theaterkritiker Holder, bescheiden und still (im Gegensatz zu jenem); irgendwie hatte der ganze Kreis auch mit Literatur zu tun oder mit den Zeitungen, doch in sehr unbestimmter Weise. Im rückwärtigen Zimmer Eulenfelds tanzte man noch immer ernsthaft weiter. Nun ward schon mobil gemacht, zur Eile getrieben, über das nächste Ziel debattiert.

Später hat mir Kajetan einmal seine ,Aushebung' geschildert, bei der's ganz ähnlich zugegangen sein mochte wie hier; nur war er ja allein zu Hause gewesen, und der Schwarm ergoß sich also brausend in die dichte Stille seines Arbeitszimmers dort draußen in Döbling, jenseits eines Hügels, an dessen Flanke sich die hier von Häusern schon nicht mehr gesäumte Straße mit einer Biegung zu freier Aussicht erhob. . . . .

Er war dann mit Eulenfeld in das kleine zweisitzige Gefährt gestiegen, dessen Motor der Rittmeister sofort hatte anspringen lassen: jedoch da entstand ein ungeheures Geschrei. Niemand war mit irgendwem darin einig, wohin man eigentlich fahren wollte. Dabei knatterten einige schon los, denen man nachbrüllte, die zurückschrien, und, soweit sie in offenen Automobilen saßen, wild mit den Armen nach rückwärts fuchtelten.

Dann verhallte der Lärm und es schloß sich da und dort ein Fenster, aus dem nachgesehen worden war, was denn eigentlich los sei?! Kajetan hatte sich herumgewandt. Schon lag die Gasse wieder leer hinter der Wagenkolonne. Die Dunkelheit war längst herabgesunken, jedoch das Schneelicht hellte sie etwas auf. Man konnte am Ende dieser Gasse, die eigentlich nur aus einzelnen und verstreuten Häusern bestand, Telegraphenstangen in ein schon offenes Gelände hinauswandern sehen und gegen den Himmel steh'n, der beunruhigt und entzündet war vom rötlichen Widerscheine der Großstadt.

Auch mit uns ging's jetzt dahin, aber gemachsamer; denn draußen waren sie – nach Schlaggenbergs Erzählung – als ein unheildrohender Schwarm über die Grinzinger Allee gebraust, freilich nur bis zur Sieveringer Kreuzung; denn dort gab's die Polizei.

Man behält wenig aus solchen Nächten, fast nichts. Ich gedenke heute eines sehr großen, ja geradezu weiträumigen Maler-Ateliers, in welchem es, die Rückseite entlang, eine Art von ‚Logen' gegeben hat, aus aufgestellten sogenannten ‚Rollwänden' gebildet. Die Mitte der weiten Bodenfläche war ganz von tanzenden Paaren erfüllt, die sich sehr ruhig bewegten, Slow-Fox und Tango Milonga. Im ersten Augenblicke hatte ich vermeint, daß hier eine kleine Kapelle spiele, eine Art Mandolinen-Orchester mit Banjo; jedoch das polyphone Getön wurde von einem einzigen jungen Herrn erzeugt, der mit geradezu stupender Meisterschaft eine große Doppel-Guitarre handhabte; obendrein sang er dann und wann zu seinem Saitenspiele, spanische und englische Texte. Hinter den Tanzenden und den Zuschauern gab es die enorme Stirnwand von Glas, die schräg und dunkel sich erhob und bis zum Boden herabreichte; ihre mächtigen Vorhänge sahen aus wie gebauschte Segel; sie waren nach links und rechts zum Teil beiseite geschoben. Ich wußte weder, wo wir uns befanden, noch bei wem, nicht einmal, in welchem Stadt-Teil; zuletzt war ich in einem geschlossenen Automobil mitgefahren. Mit meinem Glase in der Hand – man trank hier Cognac und Soda – ging ich um die Tanzenden herum (sie wurden immer zahlreicher) und trat an das Atelierfenster. Zu meiner Überraschung fiel mein Blick viele Kilometer weit in die Dunkelheit hinaus und hinab, die große Entfernung ließ sich an zahlreichen Lichtern der Stadt ermessen, die bis an den Horizont in schweigenden Figuren standen, zuckten und blinzelten, in leuchtender Ausgespanntheit; ich sah solche Lichter auch grad gegenüber, etwas erhoben, wie auf Hügeln. Es konnte Salmannsdorf ebensowohl wie Ober-St.-Veit sein. Döbling war's doch kaum. Ich fand keinen Anhaltspunkt, um mich zu orientieren, und fragen wollte ich nicht; die paar vertrauten Gesichter waren mir abhanden gekommen; jetzt sah ich niemand mehr, den ich kannte. Zuletzt waren es noch Schlaggenberg und René Stangeler gewesen, am Rande der Tanzfläche stehend; sie sprachen miteinander, Kajetan hatte den Arm um René's Schultern gelegt. Spä-

ter streifte er an mir vorbei und sagte: „Kennen Sie den?" „Ja",
sagte ich. „Ich hab' diesem Stangeler gesagt, er soll mich unbedingt anrufen, und ihm meine Nummer gegeben. Hoffentlich
tut er's." Damit verschwand er im Wirbel. Auch der Rittmeister
(bereits mit Monokel!) war jetzt unsichtbar geworden. Wir alle
begegneten einander erst wieder beim letzten Durchbruch, im
Kern des Nebelfleckes sozusagen; und es bleibt merkwürdig
genug, daß es uns grad da wieder zusammengeweht hatte.

So belanglos das alles schien: doch bildete es einen Teilstrich
in der Zeit; und danach erst schoss eine neue Konstellation zu
Kristall, die in mir, so fühlt' ich's, in einer Art Bereitschaft gelegen war, und nun äußerlich wurde, nach außen sich um-
klappte. Näher gegen das Frühjahr zu kam auch die Niederschrift
meiner Chronik lebhafter in Gang. Provozierte ich das Leben?
Primum scribere, deinde vivere.

Selten auch sind Exzesse ein reiner Schlag in's Wasser, das
zur früheren Glätte dann wieder sich beruhigt. Meist ist da
irgendeine neue Strömung hineingebracht worden, die bald fühlbar wird, wenn nur der Kater sich davongeschlichen hat, der
uns zunächst, und mit physiologischem Trug, beherrschte. Auch
er bleibt manchmal aus. Ja, mitunter wird der neue Impuls so
gar bei noch hochgehenden Wogen geboren (so war es übrigens
Stangeler diesmal ergangen), und die spülen ihre Beute des
Sturms gleich frisch auf den glatten Sand des folgenden Tags.
Doch auch, wenn's einer allzu weit treibt und es ihn gleichsam
erwischt und der geschlagene Schaum und die Wellen urplötzlich erstarren, in einer überraschenden, nicht gewußten, nicht
erwünschten Form, wie Salz oder Eis: auch in dieser Weise
haben sie ein Neues gebracht. Nach Ausschweifungen fühlt man
sich einsamer, sagt Charles Baudelaire einmal. Ist das etwa kein
Resultat? Ein wertvolles sogar, scheint mir.

Zwei Tage nach unserem Saus und Braus traf Kajetans Schwester Charlotte in Wien ein. Nicht lange danach, am 1. Februar,
zog sie schon nach Döbling. Im Lauf dieses Monates noch folgte
der Rittmeister uns nach (hatte dieser von seinem ‚Troupeau'
für längere Zeit genug bekommen?). Sodann Gyurkicz: auch
er übersiedelte in die Gartenvorstadt. Weiterhin erschienen zwei
brauchbare Verwandte von mir in Wien – brauchbar: also es

gab schon einen Maßstab, der von diesem ,Döblinger Montmartre' (Grete Siebenschein) ausging! Stangeler trieb sich bereits andauernd hier bei uns herum; ,bei uns', sagt' ich. Bei den ,Unsrigen'! René war schon zu einer Art Gewohnheit von mir geworden; eine üble, glaubt' ich damals fast.

Frau Mary K., in deren Hause es einmal während ihrer Abwesenheit – eben als sie zu München sich heldenhaft wieder ihre Beweglichkeit errang – zu einer ebenfalls vorübergehenden Agglomeration (Knödelbildung) von allerdings weit jugendlicheren Elementen gekommen war, äußerte einst in bezug auf einige dabei entstandene Komplikationen: man dürfe das nicht auf die Waage legen, es gehöre einfach dazu; und jede Gesellschaft von jungen oder nur jüngeren Leuten krieche oft durcheinander wie kleine Katzen im Korbe. So etwa. Ein wahres Wort. Auch mich läßt es hintnach manches entlasteter sehen; es nimmt den Sachen ihr Gewicht, reduziert sie auf's richtige Maß. Die Zauberkraft der Sprache macht eben das Leben im Handumdrehen zu einem leichten Joch, das uns sanftgeschwungen aufliegt. Das kann man bei jedem Bonmot empfinden, ja, schon bei irgendeinem treffenden Vergleich.

3

TOPFENKUCHEN

Das Telephon war, wie jeden Morgen, von dem Stubenmädchen lautlos hereingetragen und durch einen Stecker neben dem Bette angebracht worden. Als der Apparat klingelte, langte Frau Clarisse Markbreiter sozusagen geradewegs aus dem Schlafe nach dem Hörer:

„Ja, ich bin's, mein Kind, ja, hier die Mama. – Was sagst du? – Topfenkuchen? Von Hefeteig? – Na ja, wenn er gut aufgeht . . . wie soll ich dir das sagen – wie ein Busen, ungefähr, so fest – meiner? hahaha, nein, mein Kind, schon besser wie deiner. Ist der Egon schon im Büro? Was macht ihr? Ich meine – geht alles gut? Ja?! So, so, na ich gratuliere – na denke nur an das, was ich dir einmal gesagt habe, das ist so bei den Männern. Na, wenn er brav ist, dann ist schon gut, dann habe ich ihn auch gern – ich küsse dich, mein Kind – rufst du mich an – oder soll ich dich anrufen? – nach vier Uhr im Caféhaus – ich ruf' dich noch an."

Sie hängte ab. Das Bett neben ihr, jetzt leer, war zerwühlt. Ihr Mann hatte heute nacht schlecht geschlafen. Sie betrachtete nachdenklich den verwischten Abdruck seines Körpers. Während sie so auf das Bett schaute, sah sie um zehn Jahre älter aus, nicht wie fünfundvierzig, sondern wie fünfundfünfzig Jahre alt. Ihr Kinn, auf die Brust gepreßt, quetschte die Fettwülste heraus. Sie langte hinüber, streichelte dort ein wenig das in der Mitte eingedrückte Kopfkissen, an Stelle des Kopfes, der jetzt im Geschäft seit acht Uhr früh für die Familie arbeitete. Hatte er Sorgen? Der Geschäftsgang war jetzt allgemein schlecht, die großen guten Jahre schienen vorbei. Jedoch von ihrem Manne hörte Clarisse niemals etwas derartiges. „Kümmere dich nicht, mein Kind, mache dir keine Sorgen. Geh' heute in die Stadt und kaufe dir endlich einmal wieder etwas, was dich freut. Das Geschäft ist meine Sache." So sagte er immer. Seit sechsundzwanzig Jahren schlief nun Markbreiter jede Nacht neben ihr in diesem Bett.

2

Was wußte sie eigentlich von dem kleinen, dunklen, rundlichen Mann? Daß er gut war und tüchtig, und der beste Vater und Gatte, den es geben konnte. Sie sah jetzt wieder jünger aus, ihrem wahren Alter entsprechend. Das Telephon klingelte. „Grüß dich Gott, Irma – was!? Die Grete? Was ist denn schon wieder? Wann? Um vier Uhr früh? Mein Gott, was treibt das Mädel! – Wer? – Der?! – Ja, zwei oder drei Mal hab' ich ihn flüchtig bei dir im Vorzimmer gesehen. – So? Ja? Weg will sie von zuhause? Die Mädeln sind heute alle verrückt. Na, weine doch nicht mein Kind! Warte, wir treffen uns heute. Weiß es der Ferry...?"

Nachdem sie aufgelegt hatte, setzte sie nun ihrerseits den Apparat in Tätigkeit:

„Hallo, ja, hier Clarisse, Minna, was sagst du zu diesem Fratzen von einer Grete...."

Man hörte schon seit einiger Zeit das sanfte Gurgeln einer voller werdenden Badewanne. Nun erschien das Mädchen.

„Warten Sie. Ich muß noch mit meinem Mann sprechen."

Auf ihre vielen raschen Worte antwortete nun aus der Muschel des Apparates eine sonore Stimme, eine Stimme, die den Eindruck machte, als sei sie durch nichts in der Welt, nicht durch die größte Elementar-Katastrophe, ja nicht einmal durch die Brandnachrichten über die Nichte der Frau, aus dem Gleichgewicht zu bringen.

„Aber mein Kind, du nimmst dir das viel zu sehr zu Herzen. Laß dir das Mädel einmal kommen und wasch' ihr tüchtig den Kopf. Auf dich hört sie ja, weil sie dich gern hat, weil du gut zu ihr bist. Ich glaube nicht, daß die Irma mit dem Kind richtig umgeht. Heute ist das alles ganz anders geworden. Was ist er? Wo? Am Institut? Was? Für Geschichtsforschung? Auch ein Beruf! Naja, also das ist natürlich Unsinn. Also beruhige dich, mein Süßes. Wir werden schon machen. Wir lassen uns das Kind einfach kommen."

„Das Bad, gnädige Frau", sagte das wartende Mädchen.

„Ja, Cilli. Wenn ich drinnen bin, rufen Sie dann die Modistin an, ich komme heute vormittag, sagen Sie ihr. Einen Moment, ich muß noch einmal mit meinem Mann sprechen."

Wieder antwortete die sonore, weise, begütigende Stimme. Clarisse hatte sich im Laufe der letzten zwei Jahrzehnte daran gewöhnt, daß diese Stimme allein schon alles Üble für sie aus der Welt schaffte, wenigstens schien ihr das so, wenn sie Markbreiter reden hörte.

„Gott ich bin glücklich", rief sie in den Apparat, „ja, mein guter gescheiter Purzel, komm nach dem Büro, wenn du kannst, in's Café. Du, die Lily kommt auch, grade vorhin hab' ich mit ihr gesprochen, sie wird sich freuen, wenn du kommst, ich sag' ihr aber nichts davon. Denk dir, heute früh ruft sie mich an, wegen einem Kochrezept, weißt du, ja, ein Kuchen – ich hab' nicht gleich gewußt, wie ich ihr das rasch sagen soll – na, das erzähl' ich dir später – so herzig sind die Kinder mit ihrer Wirtschaft – ja – ein gutes Pussi, Purzel."

Sie warf die Decke ab und stieg heraus. Könnte der Leser sie dabei sehen, er würde überrascht werden. Im Bette sah die Frau geradezu mächtig aus, durch die starken Arme, den gewaltigen Busen unter dem dünnen Nachthemd, die fettgepolsterte Kehle, das runde Gesicht. Und jetzt ist sie klein, wie sie da vor dem Bett steht. Keine auseinandergezogene Querfalte im Hemd verrät irgendwelche Kraft der Hüften, dieses lange Hemd fällt vielmehr rückwärts und seitwärts glatt herunter, nur vorne bergig gehoben. Ein Unterkörper, wie man ihn nach dem Anblick der oberen Stockwerke dieser Persönlichkeit vielleicht erwartet hat, ist keineswegs vorhanden. Die ganze Frau hat etwa umgekehrte Tropfenform, der Schwerpunkt liegt oben. Als sie aus dem Bette stieg, enthüllte das zurückgleitende Nachthemd über einem winzig kleinen gepolsterten Fuß ein überaus schlankes und wohlgeformtes Bein, das der Stolz jedes jungen Mädchens hätte sein können.

Das Badezimmer bei Markbreiter stand auf der Höhe der Zeit. Es bildete auch, nebst dem Salon, das Juwel der sonst bescheiden eingerichteten Wohnung.

Frau Clarisse schlüpfte aus dem Nachthemd, stieg in die gekachelte Wanne und ließ sich langsam nieder. Im vorsichtigen Eintauchen und Zurücklegen fühlte sie den Wasserspiegel an ihrer Haut emporsteigen, bis schließlich der ganze Leib unter der Oberfläche in der Hitze lag. Sie betrachtete ihren Körper in jener geistesabwesenden Art, wie das eben jemand tut, der bequem in der Wanne liegt. Dabei wunderte sie sich, daß sie ihrem Gatten nicht schon langweilig sei. Sie wunderte sich häufig darüber. Immerhin waren es bald sechsundzwanzig Jahre. Jedoch das Gegenteil schien offenbar der Fall zu sein. Mit einer gewissen

Geringschätzung stellte sie fest, daß sie nie geheiratet hätte, wäre sie als Mann auf die Welt gekommen. Ein Mann! Hat denn der das nötig? Na, sie hätte es den Weibern schon gezeigt!

Der Leser denkt vielleicht, diese Frau hat sehr viel Zeit, führt ein träges Leben und es ist schon zehn Uhr vormittags oder noch später. Das wäre ein Irrtum. Als Frau Markbreiter aus der Wanne stieg und in einem großen gelben Bademantel verschwand, war es erst halb neun. Um halb acht hatte der Gatte das Haus verlassen, um acht Uhr die Frau das Bett, nach den in diesen Kreisen üblichen Telephonaden. So gehörte es sich ungefähr. Markbreiter allerdings hätte gewünscht, daß seine Frau länger schlafe, er war auch beim Aufstehen immer leise wie eine Maus. Jetzt aber brauchte Frau Clarisse etwa eine Viertelstunde, um sich einzuknöpfen. Zunächst den Unterkörper. Er mußte dünner werden, und wohin der Bauch dabei kam, blieb gleichgültig. Der hiezu dienende Apparat war eine Art Röhre von ziemlicher Länge, rosaseiden überzogen und seitwärts mit etwa dreißig Knöpfen zu schließen. Es ging von Knopf zu Knopf. Als Frau Clarisse sich aufrichtete und vorsichtig aufatmete, hatte sie nicht nur verhältnismäßig schmale Hüften, sondern sie machte im Spiegel geradezu einen schlanken Eindruck. Sie ergriff nunmehr eine Art doppelter Hängematte und läutete dem Mädchen.

Denn hier lag die untere Grenze ihres Bedürfnisses nach Bequemlichkeit: den Büstenhalter wenigstens ließ sie sich vom Stubenmädchen rückwärts zuknöpfen, obwohl sie es zur Not auch selbst fertiggebracht hätte, wenn auch mit der größten Mühe wegen ihrer kurzen Ärmchen. Aber wozu hatte man denn die Person? (Den Rücken wusch man sich ohnehin selbst, mit einer langen Stielbürste.) Es waren neun Knöpfe.

Während das Mädchen knöpfte, dachte Frau Markbreiter, daß heute in gewisser Hinsicht ein angenehmer und guter Tag sei, trotz der Geschichte mit Grete. Denn heute gab es, ihrer Wocheneinteilung gemäß, weder Masseuse noch Gymnastik, und auch kein Dampfbad, das so schrecklich viel Zeit kostete – vor allem aber war heute, Samstag den 8. Jänner, kein Wiegetag. Da stand hier die Präzisions-Personenwaage in der Ecke des Badezimmers, mit ihrer langen weißlackierten Stange, wie eine dürre gouvernantenhafte Person, die der armen Frau Clarisse jeden Abend vor dem Schlafengehen noch einen funkelnden Metallblick zuwarf, der tief in ein schlechtes Gewissen traf, besonders wenn dieses mit Schlagobers-Schokolade und den guten süßen Mehlspeisen belastet war. Diese Blicke waren Montags am ungefährlichsten, wurden aber mit vorschreitender Woche immer ärger und penetranter. Denn der Wiegetag war Freitag. Dies war ein Gesetz, das sich Frau Clarisse selbst gegeben hatte, und sie hatte es noch niemals gebrochen, gar kein einziges Mal durch viele Jahre, was für sie als bezeichnend gelten kann. Nun, heute wurde also nicht gewogen. Nach Tische hieß es nur zum Friseur gehen. Allerdings, das Essen war heute eine langweilige, ja fast trübsälige Sache. Denn Purzel konnte nicht zu Tische kommen, da er diesmal mittags beschäftigt war.

Sie kleidete sich fertig und zum Ausgange an, nahm zwischendurch eine Tasse leeren bitteren Tee und ein trockenes Stück Zwieback und musterte den Haushalt. Die Köchin schlug irgendwas vor und sie sagte ja. Dagegen für den Abend war schon gestern alles genau festgelegt worden. Es war ja doch im Lauf der langen Jahre gelungen, allmählich herauszubringen, was der bescheidene Markbreiter gerne aß, obwohl er sich über diese Dinge nie äußerte und alles lobte, was auf den Tisch kam.

Während sie nun mit den Dienstboten sprach, hätte man wieder eine bemerkenswerte Veränderung ihres Gesichtes beobachten können, ebenso tiefgreifend wie am Morgen, als sie auf Markbreiters Bett hinübergestarrt und dabei um zehn Jahre älter ausgesehen hatte. Das Gesicht verlor sozusagen seine fraulich-mütterliche Breite und verwandelte sich ganz in ein durch die Nase vorgetriebenes Profil, wurde gewissermaßen hager und von einer befremdlichen und hastigen Lebhaftigkeit wie besessen. So sah sie aus, während sie den Mädchen ihre kleinen Rapporte über getane und noch zu verrichtende häusliche Arbeiten abhörte, häufig mit raschen Fragen nachdrängend. Die beiden Dienerinnen schien dies tägliche Gespräch sehr anzustrengen, obwohl sie es doch gewohnt waren, und unbewußt immer ein wenig zu beunruhigen und zu verwundern, mochten sie auch bezüglich ihrer Obliegenheiten ein gutes Gewissen haben. Sie drückten sich möglichst deutlich aus, als fürchteten sie, nicht recht verstanden zu werden. Frau Markbreiters Mädchen mußte man übrigens insoferne trefflich nennen, als sie weder arbeitsscheu, noch verludert, sondern so halbwegs brav waren, und sich auch artig betrugen. Dafür wurden sie gut bezahlt und erhielten zu Weihnacht und Neujahr ausgiebige Geschenke.

Und nun zog Frau Clarisse den großen schwarzen Pelz an – der Hut war schon während des Gespräches mit den Mädchen auf dem Kopfe montiert worden – und ging. Jedoch kehrte sie gleich noch einmal aus dem Vorzimmer zurück, um zwei Telephongespräche zu führen.

Dann ging sie wirklich und blieb bis halb zwei Uhr verschwunden, während des Vormittages nur durch drei telephonische Anrufe an die Mädchen von ihrem Vorhandensein Kenntnis gebend; so erteilte sie noch einige Anordnungen, die ihr verspätet eingefallen waren.

In dem Café, wo Clarisse schon um vier Uhr mit der von ihr selbst recht verschiedenen Schwester Minna beisammen saß, um die arme Irma zu erwarten, weiterhin aber auch Lily und schließlich Herrn Siegfried Markbreiter – in diesem sehr großen Caféhause, das die ganze Langseite eines weiten Platzes am Donaukanal einnahm und noch dazu zwei Stockwerke: gerade hier bekam man, und zwar durch das Übertriebene des Zustandes, im ersten Augenblicke nach dem Eintreten ein richtiges Bild von der eigentlichen Natur des Beisammenseins heutiger Menschen, ein Bild von visionärer Klarheit. Denn das Stimmengewirre war so überaus gewaltig, daß der zwingende Eindruck entstand, hier rede jeder und höre keiner zu. Noch überraschender aber wirkte es, später festzustellen, daß dem beinahe wirklich so war; was sich zur Evidenz daraus erwies, daß man alle Munde und Hände, die das Auge in der näheren und weiteren Umgebung erfassen konnte, in unaufhörlicher redender Bewegung sah.

Vier Fünftel der Gäste waren um diese Zeit, da die Büros noch arbeiteten, Frauen. Ihre Männer kamen, wenn überhaupt hierher, erst gegen sechs. Diese Hunderte von Frauen, die mit ihrem Geschrei die Luft erfüllten, daß es wie ein Sieden in den Ohren lag, wiesen alle nur denkbaren Zustands- und Altersstufen ihres Geschlechtes auf, von den jungen Mädchen, die, wenn sie durch das Lokal gingen, von rückwärts aussahen wie Stöcke, auf die man einen Strohwisch gebunden hat, bis zu mächtig aufgebauten Persönlichkeiten, wie etwa Clarisse Markbreiter eine war (aber nur, wenn sie hinter einem Tisch saß), oder gar die Frau Selma Steuermann, die uns übrigens auch eine hübsche Überraschung bieten würde, wenn wir ihr beim Aus-dem-Bett-Steigen zusehen könnten – aber eine Überraschung gerade im umgekehrten Sinne, als dies bei Frau Markbreiter der Fall gewesen ist.

Dem Beobachter, der den ersten Schwall von Eindrücken hinter sich hatte – darunter auch vorbeistürzende Kellner mit hocherhobenen Tabletts, auf denen irgendwelche aus Schlagobers erbaute große architektonische Gebilde standen – einem solchen Beobachter mußte sich bald die Tatsache einer gewissen Gliederung dieser ganzen Masse von Frauen offenbaren. Und zwar schien diese Gliederung im allgemeinen dem Körpergewichte zu folgen. Um es kurz zu machen: die Gewaltigsten, Dicksten, Schwersten saßen auf den breiten Polsterbänken der sogenannten ‚Logen‘, die entlang der Wände je um einen Tisch gebaut waren, an der Fensterwand ebenso wie an der Rückwand. Hier hatten sie ihre Konventikel, jedes für sich um einen Tisch. Auch die wenigen alten Damen fanden sich da. Jedoch das meiste, was hier den Raum verdrängte, war um die fünfundvierzig oder nur um ein Geringes darüber und überwiegenden Teiles recht nett zum Ansehen, mitunter aber geradezu sehr nett (an einem solchen Tisch saß auch Clarisse). Gegen die Mitte der Lokalitäten zu aber, wo einfache schmale ungepolsterte Sessel um die Marmortische standen, nahm der Gewichtsdurchschnitt der Bevölkerung in steiler Kurve ab, um schließlich in einigen jungen Mädchen modernen Geschmackes, die da von Tisch zu Tisch und von Tante Ilse zu Tante Ria auf einen kleinen Caféhausbesuch gingen, sozusagen in nichts zu zerflattern.

Freilich, nicht alle ohne jede Ausnahme redeten. Dieser erste, übertriebene (aber im wesentlichen sicher richtige) Eindruck ist uns doch schon verflogen. Manche lesen. Manche aber können nicht reden, weil gerade eine andere Frau mit einer Geläufigkeit spricht, die es unmöglich macht. Da sitzen Fünfe, und vier davon befinden sich wie unter den Deckel eines Topfes gezwängt, den sie bei jeder winzigsten Pause der Redenden zu lüften versuchen. Aber – schwapp! da wird er wieder niedergedrückt, denn sie spricht weiter. Und die Vier hören überhaupt nicht zu, obwohl sie wie gebannt auf die Sprechende hinsehen, denn sie lauern nur auf dieses eine: die Pause. Jetzt könnte sie kommen! Und man liegt im Anschlag. Man kann etwas ähnliches in Männergesellschaften beobachten, wenn Witze und ganz besonders wenn Kriegserlebnisse erzählt werden.

Manche lesen auch, wie gesagt. Alle vorhandenen Zeitungen. Alle vorhandenen Zeitschriften. Türme von Papier, Druckzeilen, Bildern. Eine wurde von mir beobachtet – ein sehr gutes, harmloses Geschöpf, Mittelschwergewicht – die nach etwa vier, fünf Zeilen immer unterbrach, herumschaute, weiterlas, fünf Stunden lang im gleichen Wechsel. Sie erwartete nicht etwa jemanden. Sie tat das so jeden Nachmittag. Denn wenn sie las, wollte sie doch auch wieder wissen, was los sei, ob etwa Frau Thea Rosen schon wieder was Neues trage, oder jener merkwürdige junge Mann heute schon da sei, der immer so zu Frau Rosen hinübersah. Und auch abgesehen von irgend etwas Bestimmtem – einfach nur so, überhaupt. Und wenn nichts los war, wollte sie doch wieder lesen. Inzwischen aber konnte doch etwas los sein. Diese Frau hätte man sich als Höllenstrafe für einen verdammten Schriftsteller denken können: der ihr in alle Ewigkeit zusehen muß, wie sie sein schwierigstes und kompliziertestes Buch liest. Ohne sie erschlagen zu dürfen, versteht sich.

Im Verhältnis zur Anzahl der Gäste hätte das Café eigentlich etwa fünfhundert bis siebenhundert Telephonzellen haben müssen. Denn was diesen Bedarf anging, waren die anwesenden Damen alle der Frau Markbreiter sehr ähnlich, das wollen wir gleich verraten. Jedoch bewahrte ein Umstand den Cafétier vor solchem Ruin. Es war ja doch höchst unbequem, sich aus so einer Loge zu schieben, an so einem Tisch sich vorbeizuzwängen, durch so viele Tische sich durchzudrehen. Man saß würdevoll aufgebaut, man saß günstig. Das war eine starke Hemmung. Der heftige Drang nach außen aber, das unabweisbare Bedürfnis, etwas zu tun, zu fragen, zu sagen, zu erfahren, zu unternehmen – dieser Drang ergoß sich einfach in's Gespräch. So erhielt dieses durch die Unmöglichkeit, jeden Augenblick zum Telephon greifen zu können, eine besondere Quelle der Kraft. Oder jene Dame etwa, die – im Rhythmus eines Morse-Tasters – jetzt las, jetzt wieder um sich schaute: es ist zu wetten, daß sie bei jeder dritten oder vierten Unterbrechung ihrer Lektüre irgend jemand von ihren Verwandten oder Bekannten angeklingelt hätte (um zu erfahren, ob etwas los sei), wenn ein Telephon in ihrer nächsten Nähe montiert gewesen wäre. Wie aber hier die Dinge standen, nämlich eng, nämlich die Tische, Logen und Sessel, blieben die acht vorhandenen Telephonzellen von einem bedrohlichen Andrange frei, und hauptsächlich nur von den Schwärmen und Gruppen der stangendünnen Mädchen umlagert, die ihren kleinen Kaffeehausbesuch bei Tante Ria oder Lia gemacht hatten, und nun ihre Bobbys oder Teddys anriefen. Nach sechs Uhr allerdings ertönten hier auch sonore und bedächtige Männerstimmen.

Das wogende Geschnatter, welches uns beim Eintritte empfing, herrschte in jenen drei oder vier Cafèhäusern der ‚Inneren Stadt‘, die vorwiegend von Frauen aus der Schichte Clarissens besucht wurden, sozusagen als feststehende Einrichtung, von etwa vier Uhr nachmittags an bis gegen Abend. Von diesem Lärm umgeben, saß auch unser Konventikel hier: Minna Glaser (so hieß Frau Markbreiters jüngere Schwester), ferner eine sehr jung erhaltene, sehr rosige, appetitliche, gepflegte und hübsche Frau, Gattin eines hohen Bankbeamten; sie hieß Rosi Altschul und war rotblond, klein, jedoch buchtig gebaut. Frau Selma Steuermann war inzwischen auch gekommen. Und endlich saß ja hier noch Frau Markbreiter. So erwartete man Irma, die ältere Schwester.

Die Damen unterhielten sich inzwischen gut. Das hatten sie der Frau Glaser zu danken, welche, als die einzige von den Frauen hier am Tische, einen Beruf ausübte. Darum erschien sie auch nur sehr ausnahmsweise im Café. Sie war Leiterin – man sagt auch ‚Directrice‘ – des Büros eines der vornehmsten Wiener Hotels mit internationalem Publikum. Nun, man kann sich leicht denken, welch’ eine Quelle von Anekdoten und Geschichten hier entsprang. Zudem tat es sehr wohl, von Menschen zu sprechen und sprechen zu hören, die vermögend, ja verläßlich reich und zudem mitunter sogar berühmt waren.

Die Damen hier hörten ihr wirklich zu, und zwar mit dem größten Vergnügen. Besonders eine alte Amerikanerin erweckte große Heiterkeit, Mitleid und sanfte Entrüstung. Von dieser Amerikanerin, die gute achtundfünfzig Jahre hatte und schon als Mädchen keine Schönheit gewesen sein dürfte, erzählte Frau Glaser jetzt, und sie wurde dabei auch von ihrem eigenen häufigen Lachen unterbrochen. Ein Lausejunge aus sehr guter Familie und sehr jugendlichen Alters hatte nämlich eines Tages sich daran gemacht, dieses überseeische Schaf zu scheren, indem er die Dame heiratete. Das Ehepaar wohnte nun zusammen im Hotel. Es versteht sich fast von selbst, daß der Jüngling auf seinen sonstigen Lebenswandel keineswegs verzichtete – vielmehr quartierte er eine seiner Freundinnen im Hotel ein, einen Stock tiefer. Der Unterschied gegen früher lag hauptsächlich darin, daß nunmehr in eindrucksvoller Weise mit dem Geld der betagten Flitterwöchnerin herumgeworfen wurde. Alle Kellner und Stubenmädchen waren einträchtig auf seiten des jungen Gatten, als dem noch immer annehmbareren Teil dieses Paares. Ihre sonstige Meinung über ihn behielten sie für sich im Busen und seine saftigen Trinkgelder in den Taschen. Die Frau aber lebte in völliger, sei es wirklicher, sei es gewollter Ahnungslosigkeit. Wenn ihr Mann abends über große Müdigkeit klagte, brachte sie ihn sehr besorgt in seinem Zimmer zu Bette, löschte das Licht, ging durch den zwischenliegenden Salon in ihr Schlafzimmer und war eine Stunde später eingeschlummert. Nach einer weiteren Stunde war das Zimmer ihres Gatten leer. Vielleicht hing es auch mit diesen seinen sehr häufigen und sehr großen Müdigkeiten zusammen, daß die Dame einmal sich veranlaßt sah, ihre goldenen Brillen zu verlieren –?

Frau Glaser erzählte lebhaft, eindringlich, mit einer gewissen Ausschließlichkeit für das, was sie sagte. Ihre Augen standen sehr weit auseinander. Das macht ein Gesicht sonst ruhig. Bei ihr war das Gegenteil der Fall. Diese Augen drängten sozusagen ständig nach seitwärts davon, sie wandte auch während des Sprechens immer den Kopf und den Blick in kleinen Rucken nach links und rechts in das Lokal, und so erhielt ihre Art zu sein etwas von einem leicht scheuenden Pferd.

Die Amerikanerin also verlor ihre goldenen Brillen und erhob deshalb ein ungeheures Geschrei im Hotel, lamentierte über den angeblichen Diebstahl und verlangte nach der Polizei. Des Lärmens und Zeterns war kein Ende, das ganze Haus nahm schließlich an der Sache teil. In der Halle unten sprach man von nichts als von den Brillen und von diesem lächerlichen Ehepaar.

Frau Glaser aber, die schließlich auch hinaufgegangen war, kam nun gerade dazu, als die Brillen, in Anwesenheit des gesamten Stockwerks-Personales, gefunden wurden: nämlich im Bett des jungen Ehemannes.

„Das war ihr sicher sehr recht, der Alten", sagte Rosi Altschul, die für ihr rasches Denken schon bekannt war.

Alles lachte. „Was heißt, ‚recht'?!" sagte Frau Glaser. „Natürlich hat sie das ganze arrangiert – Momenterl!" unterbrach sie sich plötzlich, verließ den Tisch und eilte in der Richtung der Telephonzellen durch das Lokal. Sie konnte sich's leisten. Sie war hoch gewachsen, schlank und weit jünger als alle anderen. Die sahen ihr jetzt nach. Als sie wieder kam, sagte sie: „– Momenterl! –" fing den vorbeiwandelnden Oberkellner ab, bezahlte und empfahl sich freundlich und rasch.

Natürlich hatte sie seit heute morgen Wind von der Sache, die hier bevorstand. Tatsächlich erfolgte auch sehr bald das Auftreten der Frau Irma Siebenschein. Diese, nicht älter aussehend als Frau Clarisse – sie war der Schwester um kaum zwei Jahre voraus – ließ sich auf die Polsterbank fallen, während der Chor unter Führung der Frau Markbreiter sehr gut das Mitgefühl, die Bestürzung, die Besorgnis zum Ausdruck brachte.

Sie ließ sich also fallen und ließ sich dann eine Schokolade mit Schlagobers geben: besten Gewissens, denn Frau Irma war ja schlank.

Der Chor beruhigte sich. Zuerst derjenige Teil, der sich auch am wenigsten bewegt hatte. Das war Frau Steuermann, die bald wieder schwer in ihren Fundamenten ruhte. Zuletzt Frau Rosi Altschul, die sich bei allem, was von der Außenwelt her auf sie eindrang, sogleich in kindlicher Weise aufzulösen pflegte, mit schwimmenden Augen und einer fasziniert neugierigen Nase. Frau Steuermann sah nun wieder so melancholisch drein wie früher, bevor Minna Glaser ihre lustigen Geschichten erzählt hatte. Und auch da hatte die Heiterkeit gleichsam nur an der Oberfläche ihrer imposanten Person kleine Wellen geschlagen. Ja, es tat ihr nicht gut, der Frau Steuermann, soviel in diesen Bilderzeitschriften und besonders in diesen Magazin-Heften zu blättern. Es ermüdete sie, es ärgerte sie, es machte sie melancholisch und am Ende verbittert. Denn man sah da immer wieder dasselbe in tausend Veränderungen und Spielarten, jenes immer gleiche Ideal der Zeit, das schlanke Sportgirl, am Volant, am Badestrand, mit Skiern, beim Turnen, oder in was sonst immer für einer Umgebung oder Beschäftigung. Und sie hatten immer dasselbe Gesicht und immer dasselbe Lachen, diese Frauen, und man fand das alles eigentlich schon abgeschmackt und schon geradezu fade, aber anderseits hatte man dazu gar kein Recht, zu einem solchen Urteil, denn, war das nicht einfach nur der Neid? Und man war vierundvierzig Jahre alt und seit zwölf Jahren Witwe, und eigentlich eine hübsche Frau, das wußte man doch. Vor etwa sechs oder sieben Jahren aber war alles plötzlich aus gewesen, nicht lange nach dem Kriege war das so gekommen, da war man sozusagen über Nacht zu einer älteren, dicken Dame ernannt worden . . .? Ja, so war es. Eine Leere hatte sich rundherum plötzlich fühlbar gemacht. Und die gleichaltrigen und sogar die älteren Männer waren in diese Revuen gelaufen und hatten angefangen, ganz begeistert zu tun von solchen fleischlosen und herzlosen Tänzerinnen und dergleichen Puppen, und manche von ihnen hatten ihre Knochen zusammengeklaubt und sogar noch Skilaufen oder weiß Gott was gelernt (von den jungen Leuten gar nicht zu reden), und jetzt zogen sie auch mit dieser Jugend von heute zum Wochenende hinaus. Es war schon anödend, immer dasselbe, und dieselben Gespräche, und alle waren vom gleichen begeistert: und immer war es irgendein Filmstar oder eine Tänzerin oder eine Eislaufmeisterin.

Und immer war es irgendeine zaundürre Person.

Und man selbst saß jetzt da mit diesen Weibern im Caféhaus.

Hatte sich die Aufmerksamkeit der Frau Steuermann sozusagen nach innen und auf sie selbst zurückgewandt, so ist bei Frau Rosi Altschul jetzt das Gegenteil festzustellen, entsprechend ihrer Veranlagung. Wir bemerkten schon einmal, daß sich Frau Thea Rosen eines gewissen Interesses von seiten ihrer Mitschwestern erfreut. Sie wirkt nämlich aufreizend. Sie ist, ebenso wie Frau Steuermann, Witwe, aber sie übertreibt das, sie macht aus ihrer Witwenschaft einen Beruf, und von den Männern hat sie wiederholt geäußert, daß diese – seit dem Hinscheiden ihres Seligen – für sie nicht mehr existierten. Vielmehr wolle sie allein bleiben – ,entsagen und allein bleiben, wie ich es mir einst gelobte‘ – diesen etwas gewagten Satz hatte Frau Rosen unvorsichtigerweise ausgesprochen. Dabei war sie erst fünfunddreißig. Und nun wurde sie beobachtet.

Und Frau Altschul hatte ihr im stillen den Spitznamen ,die Madonna‘ gegeben. Das Gesichtchen sah wirklich so aus. Sie saß auf einem sehr breiten Fundament. Jener junge Mann nun, um den es sich hier im Falle der Frau Rosen handelt, wie wir schon bemerkten, hatte sich bisher ganz unverdächtig benommen. Daß er immer hinsah, war vielleicht nur eine Einbildung, die auf Rechnung einer durch vieles (und stets unterbrochenes) Lesen überhitzten Phantasie zu setzen sein könnte. Frau Altschul hatte bisher dergleichen nicht bemerkt, genau genommen. Eher das Gegenteil. Woher aber wußte sie um einen Zusammenhang? Jener junge Mann saß doch weit weg. Dennoch glaubte Frau Altschul an diesen Zusammenhang. Sie hätte nichts begründen können. Aber ihr eignete Intuition in solchen Sachen. Ein Genie kann man nicht kontrollieren. Es fördert seine Entdeckungen ganz plötzlich und rein schöpferisch zutage. Auch Frau Altschul können wir nicht kontrollieren. Sie hätte wirklich keine Gründe angeben können. Sie hatte keine angebbaren Gründe.

Und doch reifte der Entschluß in ihr, dieser Sache einmal nachzugehen. Vielleicht heute noch.

Inzwischen war der Fall des Fräulein Grete Siebenschein, unter dem Vorsitz ihrer Mutter, die ihre Schokolade ausgetrunken hatte, schon des langen und breiten verhandelt worden. Frau Selma Steuermann war entschieden für eine nachsichtige Beurteilung dieser Sache und begründete ihre Anschauungsweise mit den Worten: „Sollen sie doch ihre Jugend genießen, die jungen Leute. Möchte wissen, was man schon später hat!" Rosi Altschul konnte sich eine solche Stellungnahme nicht leisten, die ihrige mußte heftiger, mitfühlender, beteiligter sein oder diesen Eindruck erwecken, eben deshalb, weil sie ja in Wirklichkeit gar nicht bei der Sache, vielmehr ganz bei Frau Rosen war. Da fiel ihr glücklicherweise das Wörtchen ‚unerhört' ein. Sie sagte es also jedesmal, wenn sich Frau Irma wieder einmal mit „um vier Uhr früh . . .!" vernehmen ließ. „Unerhört – ein Mädel aus einer so feinen Familie!" Frau Clarisse fand im stillen das Ganze bereits albern. „Jetzt wird sie zweiunddreißig!" sagte Frau Siebenschein mit feuchten Augen, „wo soll das hin!?" „Nimm es doch nicht so tragisch", bemerkte die Schwester, und vielleicht war ihr ein ganz leichter Ton von Ungeduld in die Rede geraten, denn plötzlich wurde Frau Irma gereizt. „Du hast leicht reden", sagte sie einigermaßen heftig, „deine ist noch keine dreiundzwanzig und schon hast du sie angebracht –" „Aber ich bitte dich, Irma, wie drückst du dich aus", sagte Clarisse ruhig und etwas resigniert, „es ist meinem Mann und mir schwer genug gefallen, das Kind so früh zu verlieren, sie fehlt uns vom Morgen bis zum Abend jede Stunde. Da täuschst du dich sehr." „Geh, ich bitte dich, schwer gefallen, ein Stein ist euch vom Herzen gefallen, das glaub' ich schon eher –" Frau Altschul ließ ihre Aufmerksamkeit wieder zum Tisch zurückkehren, durch das etwas heftige Gerede angezogen, sie bekam auch gleich einen kindlich aufgelösten Blick, während ihre Nase entsprechend vorstrebte. „Aber schau'n Sie, Frau Doktor", meinte sie begütigend, „sagen Sie, ist denn da keine Aussicht, ich meine, Sie haben doch selbst vorhin gesagt, daß er aus einer wirklich guten Familie ist –" „Ich bitt' Sie, hören Sie mir auf mit der Familie, von der sieht und hört man nichts, wie das schon ist bei diesen Leuten, keiner kümmert sich um den anderen. Sicher sind sie alle dagegen. Und überhaupt, ich bitte Sie, ein Mensch ohne ordentlichen Beruf!"

Die Ankunft, oder eigentlich das Heranflattern, der noch nicht dreiundzwanzigjährigen Frau Lily Kries, die erschien, als sei sie zitiert worden, unterbrach diese unangenehmen Erörterungen mit einem Schwall der Begrüßung. Noch bevor dieser abgeschäumt war, erschienen die Herren Markbreiter und Altschul (es war sechs Uhr geworden), die sich gerade unter der Türe im Windfang getroffen hatten. „Alle kommen auf einmal", stellte Frau Rosi kindlich erfreut fest, denn jetzt war ja ihr lieber Mann da, den sie ungeheuer gerne mochte und auf den sie sehr stolz war. Zweifellos war er unter den Männern ihrer Freundinnen der hübscheste, eleganteste und außerdem weit gebildeter als alle anderen. Altschul stammte aus Frankfurt – er war auch jetzt noch mit der ehrwürdigen Vaterstadt in häufiger Verbindung – und sah tatsächlich sehr gut aus, nicht nur in den Augen seiner Gattin; ein großer Mann mit einem gescheiten Gesicht, überaus gepflegt und durchaus weltmännisch.

Auch die Markbreiters begrüßten einander innig, und wer das etwa bei Vater und Tochter beobachtet hätte, dem wäre vielleicht eine ernstliche Rührung nicht ferngeblieben. Der bescheidene Mann sah diese junge elegante Frau an wie ein kleines Götzenbild, dessen begeisterter Diener und Priester er zu sein das Glück hatte. Dann saß das Ehepaar nebeneinander, gegenüber hatten sie das Kind, und unter dem Tische hatten sie Hand in Hand gelegt.

Das neue Publikum brachte eine neuerliche Aufrollung des ganzen Falles der Grete Siebenschein mit sich. Die Sache wurde nun den Männern vorgelegt. Und da erlebte denn Frau Irma den Ärger, einer geradezu sträflich milden Auffassung zu begegnen. Sie sagten gar nicht viel, die Männer. Markbreiter gab den ausdrücklichen Rat, das Mädchen in keiner Weise in die Enge zu treiben. Das mit dem Wegziehen von daheim sei wohl nicht so ernst. Aber es geschähe überhaupt mancher Unsinn in der Welt gar nicht um seiner selbst willen, sondern nur aus Trotz.

Lily Kries fühlte sich bemerkenswerterweise dadurch gehoben, daß man diese ganze Sache in Gegenwart von Fremden offen vor ihr erörterte – was vor einem halben Jahre, vor ihrer Heirat nämlich, ganz ausgeschlossen gewesen wäre. Und zudem, wie kamen die Vorzüge ihres Lebens dabei vorteilhaft zur Geltung! Man fragte sie übrigens sogar um ihre Meinung. Sie äußerte keine, aber innerlich, in ihren Gedanken, ließ sie zwei Wörter fallen, die jetzt und hier sozusagen ihr ganzes Glück ausdrückten; und diese zwei Wörter, die sie langsam und nachlässig dachte, waren: ‚armes Geschöpf!‘ – Inzwischen hatte der Ober sich zu Altschul herabgebeugt und gesagt: „Herr Direktor werden am Telephon verlangt. Von der Bank." Als Altschul wiederkam, merkte man ihm deutlich an, daß er sich ärgerte. „Ich muß heute noch einmal 'rauf in's Büro, Rosa", sagte er. „Aber!?" meinte Markbreiter, „soviel zu tun? Na, wenn nur die Geschäfte gehen, da nimmt man's gern auf sich, die Arbeit, nicht wahr, Herr Direktor?" „Rosa", sagte Altschul, „ich bitte dich, rufe mich in einer halben Stunde im Büro an, vielleicht sind wir dann schon fertig, und du bist so lieb und kommst mich abholen. Ja?" „Ja", sagte sie und nickte ihm lächelnd zu und sah ebenso verliebt wie stolz aus. Er ging und schien offenbar nachdenklich.

Frau Siebenschein konnte das Thema nicht fallen lassen. Ihre ganze Person atmete Unruhe und Gereiztheit. Zudem erwartete sie seit einer halben Stunde vergebens ihre Tochter Grete, die sie hierherbestellt hatte, vielleicht im Wunsche, daß dem Mädchen von den Anwesenden ein vernünftiges Wort gesagt werde. Aber diese Anwesenden blieben nicht bei der Stange. Frau Steuermann träumte mit offenen großen dunklen Augen vor sich hin, die Markbreiters fingen an Unfug zu treiben, zu tuscheln und sich mit Lily über den Tisch durch irgendwelche Zeichen zu verständigen. Und gar Frau Altschul!

Diese erlebte jetzt einen kleinen Schreck. Der junge Mann war verschwunden. Wie lange wohl schon? Und siehe da, Frau Rosen rief den Ober, um zu zahlen. Da faßte Rosi Altschul tiefinnerlich einen Entschluß und winkte sich auch den ‚Herrn Max' herbei. Es war ohnehin bald Zeit, zu ihrem Manne zu gehen. Jedoch hieß es noch telephonieren. Wenn ihr die Rosen jetzt nur nicht entkam! Heute mußte es sein, sie wollte endlich etwas Bestimmtes wissen. Frau Thea allerdings ließ sich sehr langsam und nachlässig an, als ob sie durchaus keine Eile hätte. Aber diese Art schien erst recht verdächtig. Als die kindliche Rosi vom Telephon zurückkam, schob sich Frau Rosen bereits aus der ‚Loge', in der sie gesessen hatte.

Und nun empfahl sich auch Frau Altschul. Sie müsse ihren Mann abholen.

Als sie aus der Drehtür auf die Straße hinauskam, schien ihr wiederum alles vergebens gewesen zu sein: denn es war hier teils sehr dunkel, teils blendeten die Lichter und sie konnte Frau Rosen nirgends entdecken. Vielleicht war sie schon im Strom des Verkehrs verschwunden. Aber – dort ging sie ja! Abseits, allein über einen leeren großen Platz. Jetzt in eine Gasse. Und jetzt spähte Rosi. Und jetzt sah sie, daß Frau Thea schon zu zweit ging. Und jetzt wurde sie ganz kühn und ging dem Paare ein Stückchen nach und stellte einwandfrei fest, daß es eben jener junge Mann sei. Mit Herzklopfen blieb sie hinter einer Ecke stehen, und rannte dann fast in einen Menschen hinein, den sie früher gar nicht bemerkt hatte, und der völlig regungslos auf dem Gehsteig stand und vor sich hinstarrte. Auf dem Wege zum Bankgebäude erzählte sie die ganze Geschichte von Frau Rosen und ihrem Verehrer fünfmal ihrem Gatten, noch bevor sie bei ihm angelangt war. Es war doch unerhört! Man würde ja gar nichts sagen – aber diese Heuchelei!

Nun endlich, unmittelbar nach dem Weggange der Frau Altschul, erschien das Fräulein Grete Siebenschein im Café. In diesem Augenblicke wenigstens hätte Frau Irma Ernst und Sammlung auf den Gesichtern zu sehen gewünscht. Und vor allem auf den Gesichtern der Familie Markbreiter, die ja hier gewissermaßen als Assistenz bei diesem ganzen Unglück erschienen war. Jedoch, es kam anders.

Das ‚arme Geschöpf' war eine überaus elegant und distinguiert aussehende junge Dame. Mit ihrer Mutter hatte sie fast gar keine Ähnlichkeit. Sie gehörte einem anderen Gesichtstypus an. Nämlich dem der Frau Clarisse, und zwar der mit ihren Dienstboten redenden Clarisse Markbreiter. Also viel Profil

– ein solches mit einer ganz geraden, sehr edel geformten Nase –
viel Schärfe, aber keine frauliche mütterliche Breite. Vielleicht
sah sie auch nur zeitweilig so aus, ebenso wie ihre Tante. Aber
in ihrem Gesicht schien dieser Ausdruck doch tiefer eingefahren
und weniger ausnahmenhaft zu sein. Immerhin, sie hatte eben
wieder eine heftige Auseinandersetzung mit ihrem Geliebten
gehabt, und vielleicht war das nicht ohne Einfluß auf ihre
Physiognomie. Dieser Geliebte (der René Stangeler) stand
draußen in der Nähe des Caféhauses und wartete auf jeden
Fall, da Grete versprochen hatte, sich möglicherweise wieder
allein zu drücken und bald zurückzukommen. Also hoffte er,
sie noch sehen zu können. An ihn war Frau Rosi Altschul vorhin angerannt.

Grete Siebenschein trat drinnen an den Tisch. Zunächst kam
ihr da fast etwas wie eine Wolke weiblicher Solidarität entgegen, und besonders Frau Steuermann schien derartiges aus-
zuhauchen. Man wäre nun als Beobachter freilich leicht verwirrt
worden, denn dieses Fräulein Grete war schon etwas ganz
anderes als zum Beispiel Lily Kries. Man wäre versucht gewesen
zu sagen, sie sei weit ‚höherstehend‘.

Ihre Mutter trachtete, die ganze Angelegenheit zum dritten
Male aufzurollen, und es gelang ihr, wenn auch nicht so, wie
sie wünschte. Immerhin empfand ja Grete einen heftigen Widerwillen gegen diese Verwandtenkonferenz.

„Schau, mein Kind“, sagte Herr Siegfried Markbreiter jetzt,
und bat Frau Irma mit einem gütigen und geradezu weisen
Klappen seiner Augenlider um Schweigen für ein paar Sekunden, „wir alle haben nicht das geringste gegen den Herrn
Stangeler, gar nichts haben wir gegen ihn. Er soll ja ein sehr
feiner Mensch sein. Aber uns ist es doch vor allem um dich zu
tun, um dich und dein Lebensglück, deine Zukunft. Glaube
mir, deine Verwandten sind deine allerbesten Freunde. Wenn
dich dieser junge Mann wirklich liebt – gut, dann ist er auch
unser Freund. Aber er muß es dann auch durch die Tat beweisen.
Du hast uns erzählt, daß er sich absolut weigert, auf irgendeine
– wie soll ich sagen – wirkliche Bindung einzugehen . . .“ Jetzt
zeigte das Gesicht des Fräulein Grete jene durch Artigkeit ge-
zügelte Ungeduld, die ein jüngerer Mensch empfindet, wenn
ein älterer Mensch am Gegenstande vorbeiredet. Sie war in
diesem Augenblick vielleicht wirklich Stangelers Geliebte, viel-

leicht ganz und gar. „Du hast uns doch selbst gesagt", fuhr Markbreiter geduldig und gütig fort, „daß er förmlich wütend wird, wenn du davon nur sprichst, so als hättest du ihn beleidigt." „Eigentlich hat er dabei recht", ließ sich Frau Steuermann plötzlich vernehmen. Da blieb allen die Luft weg. Sie aber sagte nichts mehr und träumte weiter. „Nein, ihr versteht das nicht . . .", wollte Grete entgegnen, aber sie schwieg und blickte jetzt betroffen auf Frau Selma, die aber weiter dem Gespräch keine Beachung schenkte. „Also bitte", fuhr Markbreiter fort, „lassen wir diesen Punkt. Die Ansichten sind eben geteilt." „Gar nicht!" rief Frau Irma, „wieso geteilt?! Da gibt es doch einfach nichts!" Jedoch Siegfried Markbreiters Augendeckel baten bescheiden und zugleich unwiderstehlich um Schweigen. „Ich möchte von etwas anderem noch mit der Gretl sprechen" (seine Art hatte wirklich etwas Einschmeichelndes!). „Ich habe gemeint, der junge Mann soll uns zeigen, daß er dich wirklich lieb hat. Wenn nicht auf die eine Art, dann vielleicht auf eine andere. Schau, der Mensch muß einen Beruf haben, einen wirklichen, der ihn erhält, bei dem er sein Brot verdienen kann, und eventuell auch das Brot für eine Familie. Daneben kann man immer noch alle möglichen Interessen für die geistigen Fragen haben. Es hat berühmte Männer gegeben, die anerkannt Großes auf dem geistigen Gebiet geleistet haben und dabei einen praktischen Beruf ausgeübt haben –" In den Zügen des Fräulein Grete zeigte sich wieder etwas von der früheren artigen Ungeduld. Jedoch war dieser Ausdruck jetzt ein wenig weicher und verwischter. „Schau Gretl", redete Markbreiter sänftiglich weiter, „ich möchte dir ja einen praktischen Vorschlag machen, der zu euer beider Glück dienen soll. Ich möchte so gerne mit Herrn Stangeler einmal sprechen. Und ich möchte so gerne ernstlich etwas für ihn tun. Ich hätte gerade jetzt die Möglichkeit dazu. Es ist ein glücklicher Zufall. Eine wirkliche fixe Stellung, wo man gerade jemand wie ihn am ehesten brauchen könnte, einen Menschen aus guter Familie, gewesener Offizier, und so weiter, eine Vertrauensstellung für einen anständigen jungen Mann. Daneben kann er, wenn es ihm Ernst ist, noch immer Zeit für seine geistigen Interessen erübrigen, wär' nicht schlecht, man hat doch die Abende frei. In der ersten Zeit wird's vielleicht schwerer sein, aber später – jedenfalls hätt' er dort einen Weg vor sich. Und man wär' die Sorge um euch los.

Während jetzt – ich sage ja nur, er soll uns zeigen, daß er dich lieb hat. Und was braucht er denn schon wirklich Großes zu tun? Man verlangt doch nichts Unmögliches. Einfach nur anzunehmen, was man ihm bietet, braucht er. Ich kann mir übrigens gar nicht vorstellen, daß er es nicht tun würde. Denn dann – da müßte ich wirklich selbst anfangen zu zweifeln –"

Vielleicht – mit Sicherheit können wir das freilich nicht wissen und sagen – vielleicht wäre Fräulein Grete Siebenschein jetzt sogar allmählich geneigt gewesen, wenigstens ihre Ohren zu öffnen für die sanfte Sprache von Clarissens Gatten; denn bisher hatte sie ihm noch nicht einmal ernstlich zugehört (vor allem, weil sie Stangeler besser kannte als jener). Jedoch, da fuhr nun Frau Irma höchst unzweckmäßig drein.

„Garantieren kann ich dir dafür, du würdest zu zweifeln anfangen. Ich für mein Teil habe sogar schon zu zweifeln aufgehört und zu verzweifeln angefangen. Vielleicht noch einen Ministerposten dem Herrn auf dem Präsentierbrett bringen?! Und weißt du, was er dir sagen würde? Irgend etwas, was kein vernünftiger Mensch versteht und – weg wär' er. Der ist ja verrückt. Ein Fanatiker, ein Mensch mit einer fixen Idee, so etwas Düsteres hat er, niemand weiß warum, bei so einem jungen Burschen. Weiß ich, was der im Kopf hat?! Wahrscheinlich verrückt!"

Da zogen sich denn die Markbreiters mit Recht zurück. Herr Siegfried hatte doch seinen guten Willen ernstlich und deutlich genug gezeigt. Aber mit dieser exaltierten Irma konnte man eben – und besonders damals! – überhaupt nicht reden. Sie zogen sich also zurück, und zwar in der Form, daß sie ihr früheres Getuschel, samt Zeichensprache über den Tisch zu der Tochter hinüber, allmählich wieder aufnahmen. Das heißt, von Frau Irma aus gesehen: sie begannen neuerlich Allotria zu treiben.

Frau Irma aber perorierte weiter, wobei sie jetzt als eigentliche Zuhörer allerdings nur mehr ihre schon ermüdete und indignierte Tochter sowie die verträumte Frau Steuermann hatte. Jedoch wurde diese letztere ganz plötzlich lebendig und hielt die folgende, völlig unwahrscheinliche Rede, ohne sich dabei im geringsten unterbrechen zu lassen; und wenn die arme Grete Siebenschein bei vorschreitender milder Darlegung des Onkels möglicherweise schon begonnen hatte, in ihrer Vorstellung irgendeine verschwommene Zukunfts-Perspektive in Markbreiters Sinne zu bauen – jetzt wurde sie wahrhaft wieder wo ganz anders hingerissen!

„Ich weiß nicht, aber ihr könnt euch ja schließlich auch irren: wer ist denn schon fehlerfrei? Was hat sie denn von ihrer Jugend, wenn sie immer hinter dem Burschen her sein muß mit Heiraten und Stellung und so. Am Ende verliert sie ihn ja gerade dadurch und wenn sie dann auch schon zehnmal mit ihm verheiratet ist. Und dann – es kann ja wirklich was hinter ihm stecken. Was wissen denn schon wir. Und vielleicht ist es gerade das Richtige, sie läßt ihn ganz in Ruh, und so seinen Weg gehen. Wenn was aus ihm wird – da wird er ihr dafür unendlich dankbar sein, daß es so gewesen ist, ohne diese Sachen immer wieder von Zeit zu Zeit, so wie jetzt. Diese Nadelstiche. Alle Menschen sind doch nicht gemein. Ich glaube, er wird sie erst recht nie stehen lassen, wenn sie jetzt gar nichts verlangt. Und anders sicher. Das glaube ich. Bitte, das ist ja nur meine Privatmeinung. Und ich wär' als Mädel froh gewesen, einmal einen Menschen zu finden, der – irgendwie anders ist, nicht immer dasselbe nur. Das sind eben andere Menschen, wie soll ich sagen, bedeutende Menschen. Die brauchen eine Kameradin, eine Freundin, eine mütterliche Frau – nicht so ein Mädchen, das von Zeit zu Zeit mit dem Heiraten und dem Verdienen daherkommt. Eigentlich ist es ja ein Glück. Heute, wo die jungen Männer alle so blöd sind und affektiert, und für nichts Ernstes haben sie einen Kopf ...“

Da endlich war der Frau Irma die bis jetzt weggebliebene Luft wiedergekommen und sie unterbrach gewaltsam und energisch, es war schon nahe daran, daß ihre Gereiztheit zu einem heftigen Ausbruche gelangt wäre:

„Ich verstehe Sie nicht, Frau Kommerzialrat, wie Sie so reden können, notabene, Sie haben doch ganz anders geheiratet", (Frau Steuermanns Gesicht versank rasch und tief in Resignation) „ich muß rein glauben, daß Sie zu viel Romane lesen. Hören Sie, wie können Sie einem Mädchen so etwas sagen!? Überhaupt, da kommt man hierher zu euch erwachsenen Menschen", (sie hätte wahrhaft lieber gesagt ‚zu euch alten Kühen'!) „und was man zu hören bekommt, ist aber gar nicht danach. Was ist denn los?!" unterbrach sie sich, unwillig über irgendeine Störung, „was schaust du denn, Grete –?"

Die Markbreiters waren schon seit einer Weile bemüht, ihr immer häufigeres Lachen und Glucksen zu unterdrücken. Clarisse erzählte ihrem Gatten irgend etwas in's Ohr, und Lily, gegenüber, wollte offenbar durchaus wissen, was es sei. Jetzt trennte Frau Clarisse ein Eckchen von einer Zeitung und schrieb mit dem silbernen Crayon ein Wort darauf. Eben als Frau Irma sich unterbrach, wurde dieses kleine Fetzchen Papier von der Mutter zur Tochter über den Tisch hinübergeschoben. Jedoch, da geschah etwas Überraschendes:

„Mit euch soll man reden!" stieß Frau Irma heftig hervor, griff zu, fing das Zettelchen ab, warf es aber zusammengeknüllt wieder auf die Tischplatte. „Zu euch soll man kommen, wenn einen etwas drückt! Eure Witze sind euch hundertmal wichtiger! Natürlich!"

Und dann gab es einen peinlichen, verstimmten und überstürzten Aufbruch und Abschied von seiten der Frau Irma Siebenschein, einen richtigen Irma-Abschied, wie man ihrer schon sattsam genug im Familienkreise erlebt hatte, und zwar aus allen erdenklichen Anlässen. Sie schleppte ihre Tochter geradezu mit sich fort.

„Was ist denn eigentlich mit ihr?" sagte Frau Steuermann höchst gelassen, „das verstehe ich nicht." Siegfried Markbreiter aber lächelte. Er nahm den verknüllten kleinen Zettel vom Tisch auf und entfaltete ihn zerstreut. Darauf stand ein einziges Wort, das Thema bezeichnend, worüber er sich mit seiner Frau so belustigt unterhalten hatte, nämlich ‚Topfenkuchen'.

Sie trug diesmal kein braunes Seidenkleid, das um ihre Hüften spannte, sondern eine andere Abendtoilette, und sie saß an der Brüstung ihrer Loge in der Staatsoper. Das gefüllte Parkett unter ihr hauchte dunkel und voll angehaltener Bewegung herauf, während der emporgehende Vorhang jenen bekannten kühlen und staubigen Bühnengeruch in den Zuschauerraum einströmen ließ, der sich hier mit der präsentablen Atmosphäre der Logenränge und Parkettreihen mischte, eine Atmosphäre von totem Samtgeruch mit hängengebliebenem Parfum aus fünfzig Jahren. Friederike Ruthmayr fühlte sich davon beängstigt. Der tiefe Rückenausschnitt kühlte sie feierlich von rückwärts, und dort hinter ihr, auf dem Bänkchen, saß der Kammerrat Levielle, von dem sie wußte, daß er augenblicklich ihren Rücken diskret betrachtete. Das Orchester untermalte mit seinen ganz unwahrscheinlichen und komplizierten Klangfarben die zunächst einsam und wie im leeren Raum erschallenden Stimmen, denen es mit vorschreitender Zeit erst gelang, die Wärme dramatischen Geschehens über die Bühne hinaus und auch im Parkette ringweis auszubreiten. Friederike Ruthmayr fühlte sich durch den toten Parfumgeruch im welken Samt beängstigt, und zwar empfand sie solche Beängstigungen beim Besuch ihrer Opernloge schon den ganzen Winter hindurch. Früher hatte es dergleichen bei ihr nicht gegeben. Dies erkannte sie etwa im halben ersten Akt. Sie wußte außerdem, daß der Kammerrat zwar nicht immerfort ihren Rücken betrachtete, daß er aber auch nicht zuhörte, sondern nur mit milder Freude an ihrem Zuhören und mit größter Hochachtung vor ,dem Kunstsinn und überhaupt den vielfältigen geistigen Interessen der über alles verehrten Frau' hinter ihr sich geduldete. Er hatte sogar den ,Parsifal' sowohl hier als auch in Bayreuth in dieser Weise ausgehalten, und es war für Frau Ruthmayr schon nicht mehr ärgerlich, sondern geradezu überaus merkwürdig, daß ein Mensch ˙

imstande sein konnte, auf eine so gänzlich stille Art einen anderen sehr erfolgreich beim Hören zu behindern. Auch heute gelang ihm dies. Es fiel ihr unter anderem ein, sich zu fragen, wie er wohl früher einmal geheißen haben mochte. Vor irgendeiner Vergangenheit hing da als Vorhang eine altmodisch tuende Bonhommie und Galanterie wie ein gepflegter Vollbart vor einem unbekannten Mund und Kinn. Diese beiden allerdings verbarg der Herr Kammerrat für sein Teil nicht. Er trug nur ein weißes englisches Bürstchen auf der Oberlippe.

Und heuer nach Ostern – wer würde sie in Paris am Bahnhof erwarten? Er. Und sorglich. Und wie sorglich. Wer küßte nur zart die Fingerspitzen? Er. Wer fragte auf Reisen seit jeher morgens in der Halle des Hotels bei der ersten Begrüßung ,Haben Sie wohl geruht, verehrteste gnädige Frau?' – der Herr Kammerrat. Wer wird sie im Herbst nach Meran bringen und im Winter nach St. Moritz? Er. Wer war eine seltsame und unerforschliche Mischung zwischen Getreidehändler mit diplomatischer Mission und Diplomat mit cerealen Neben-Reisezielen, ein mittleres Maß zwischen den drei Größen: Österreicher, Pariser, plus irgend einem unbekannten X? Wer sagte von Georg Ruthmayr, der als Reserverittmeister in einer der Reiterschlachten in Galizien gleich zu Anfang des Krieges erschlagen worden war, nie anders als ,unser lieber toter Freund'? Und wer hatte Ruthmayrs gewaltiges Vermögen fast unvermindert aus dem Zusammenbruche der Währungen für die Witwe des toten Freundes gerettet und erhalten und unendlich klug verwaltet? Und wer war es, dem man in jeder Weise Dank schuldig war? Dessen stille aber zähe Verehrung, die immer zugleich schon Werbung war, sich nie so weit vorwagte, daß dieser ganze schwebende Zustand ernstlich in Frage gestellt werden konnte?

Der Herr Kammerrat Levielle.

Das alles aber bedeutete nichts weiter, als daß Frau Friederike heute abend einen ihrer Durchbrüche erlebte, die in langen Pausen periodisch wiederzukehren pflegten. Gerade bei solchen Durchbrüchen aber erkannte sie eigentlich viel klarer als sonst, daß ein Leben ohne diesen penetrant-diskreten, zurückhaltenden, stillen Freund für sie schon kaum mehr vorstellbar geworden war. Was jedoch den heutigen Opernabend betraf, so wußte sie plötzlich, daß ihr daran zweifellos das Unangenehmste jener Besuch war, den die beiden Söhne des gleichfalls verwitweten

Freundes bei ihr rückwärts in der Loge während des Zwischen-
aktes abzustatten pflegten. Und nach der Vorstellung ging man
dann zu viert soupieren, wie jeden Samstag, soferne man in
Wien war. Diese Söhne waren in ihrem Wesen etwa so wie der
Geruch des Samtes hier oder jener kühle und leere Hauch, der
beim Aufgehen des großen Vorhanges von der Bühne wehte.
Sie waren beide blond. Sie befanden sich beide in guten Stellungen bei der Devisenzentrale. Sie waren ganz vortreffliche junge
Leute. Sie sprachen voll tiefstem Respekte mit Friederike.

Die Trompeten im Orchester bliesen einen scharfen Stoß.
Frau Ruthmayr atmete tief, die Seide knisterte und krachte leise
um ihre mächtige Büste. Der Vorhang fiel, es wurde hell, und
richtig, bald nachdem sie sich mit dem Rat aus dem Vordergrunde der Loge zurückgezogen hatte, öffnete sich rückwärts,
nach artigem Klopfen, die rote Türe.

Durch diese trat ein ihr unbekannter junger Mann ein. „Herr
Doktor Neuberg." So stellte ihn Levielle vor, der jenen doch
offenbar erwartet hatte, ihn aber gleichwohl mit einer gewissen
angenehmen Überraschung begrüßte, die zum Ausdruck brachte,
daß er inzwischen natürlich dieses bevorstehenden unbedeutenden Besuches längst vergessen habe und sich jetzt erst wieder,
wenn auch sehr erfreut, darauf besinne. „Meine Söhne werden
außerordentlich bedauern", sagte er, „aber sie konnten nicht in
die Oper kommen. Heute findet nämlich der Ball bei Baron Frigori statt. Es würde mich aber sehr freuen, wenn Sie gleichwohl
– Herr Neuberg darf Ihnen wohl, gnädige Frau, nach der Vorstellung zusammen mit meiner Wenigkeit beim Souper Gesellschaft leisten?" Sie war im Grunde höchst angenehm enttäuscht.
„Ein hoffnungsvoller junger Gelehrter!" erläuterte der Kammerrat. „Wie geht es Ihrem Lehrer, dem Herrn Hofrat von Rottenbach?" „Sie sind Historiker?" fragte Frau Ruthmayr, der
jener Hofrat dem Rufe nach bekannt war. „Ein überaus feinsin-
niger Gelehrter, eine bedeutende Persönlichkeit!" bemerkte der
Rat, „nicht wahr, Herr Neuberg?" Die Jugend begeht mitunter
den Fehler, in den glatten, geölten Ablauf der Phrasen störend
einzugreifen, weil sie es noch immer für wichtiger hält zu widersprechen, als darauf zu sehen, daß äußerlich alles hübsch klappe,
damit man innerlich ungestört bleibe, was das eigentlich Wichtige ist. So auch der Herr Neuberg. Er schätzte seinen Lehrer
sehr hoch, als Fachlehrer eben und als erstrangigen Fachgelehr-

ten, aber von einer umfassenden, schöpferischen Persönlichkeit war bei dem ehrwürdigen Senior wirklich nichts zu bemerken. Herr Neuberg hätte jetzt einfach zu sagen gehabt: „Er ist der beste Lehrer, den ich mir denken kann!" Dabei hätte er nicht gelogen. Er sagte auch ungefähr so etwas. Jedoch nicht im Tone einer Ergänzung zu des Kammerrates Lobgesang, dem er so noch ein Lob hinzugefügt hätte, sondern im Tone einer vernünftigen Einschränkung, die das Nebelhafte der Phrasen auf den eigentlich wahren Kern zurückführte. Levielle, der vor Friederike breit und prächtig dahergefahren war mit seiner Teilnahme am geistigen Leben, fühlte sich gestört und aufgehalten. Jedoch zeigte sich dies nur darin, daß er den Gegenstand des Gespräches rasch wechselte. „Wie gefällt Ihnen die heutige Aufführung?" fragte er.

Friederike Ruthmayr jedoch war gerade an dieser Bruchstelle der Unterhaltung aufmerksam geworden und faßte den Herrn Neuberg jetzt schärfer in's Auge. Der Bursche war groß, stark, rundlich und weißblond, mit einem breit auseinandertretenden, der Bauart nach eigentlich offenen Antlitz, aus welchem offenen Tor aber mitunter eine leicht aufgestülpte etwas fette Frechheit herausschaute. Er sah sehr klug aus. Frauen vermögen bekanntlich weit mehr als Männer mit einem unbeirrten Ahnungsvermögen hinter die fremde Front zu tasten. Neuberg gefiel Frau Friederike durchaus nicht, ja, man kann fast sagen, daß er ihr in unbestimmter Weise widerwärtig erschien. Aber sie witterte hier eine benachbarte und wirkliche Freiheit und eine weniger mittelbare Berührung mit dem Leben, wonach sie an solchen Abenden, wie es der heutige war, immer sich sehnte. Ihr bot man alles geglättet und geordnet und in den gehörigen Abstand gerückt, wie eben jetzt auf der Bühne. Und so lebte man denn in den Nachwehen eines Duftes von ehemals, der in allen Falten hing, die kein Wind auseinanderzog. Man wurde auch hier von einem fremden jungen Manne hauptsächlich mittels eines guten Abendanzuges und korrekt gebürsteter Haare abgefertigt, mehr wurde wohl nicht für nötig gehalten. Natürlich hatte man da drüben eigentlich andere Sorgen, alle Welt hatte heutzutage wesentlich andere Sorgen. Jedoch für eine ältere dicke Dame genügte Obiges.

Die Klingel kündigte den Schluß der Pause an. Was auf der Ebene des Alltages für unmöglich gegolten hätte, war auf den Brettern gesellschaftsfähig. Man spielte Straußens ‚Rosenkavalier'.

„Morgen reise ich, gnädige Frau", antwortete Levielle auf die Frage der Frau Ruthmayr, während er ihr nach dem Schlusse des letzten Aktes in den fließenden Abendmantel half. Von zwei Seiten wallten die Gruppen der Logenbesucher langsam die große Mitteltreppe herab, während draußen an der Auffahrt schon die Motoren knatterten. Aus Frau Ruthmayr's tiefschwarzem Haar sprühten die Brillanten farbiges Feuer. Sie stieg die Stufen hinab und wie in ein Bad von Geräusch und Bewegung hinein, wozu hier bereits der Lärm der Straßen durch die schwingenden Klapptüren der Vorhalle kam. Ein Gefühl der Ergebenheit besänftigte Frau Friederike. Sie stieg in diese Brandung, die doch nur letzter Ausläufer einer größeren war, nämlich der einer ganzen nächtlichen Stadt, aber sie hatte einen schmalen vorgezeichneten Weg vor sich, nur mehr wenige Schritte trennten sie von ihrem schweren, lautlos gleitenden Wagen, der sie von alledem abschließen würde und der jetzt eben anrollen mochte. Auf halber Höhe kam ihr Neuberg grüßend in Hut und Mantel entgegen.

Sie fuhren ab und, wie jeden Samstag nach der Oper, wenn Frau Ruthmayr in Wien war, in das gleiche Restaurant – nur ein paar Schritte weit, dann hielt der Wagen wieder – wo für Friederike und den Kammerrat in einem kleinen Raum stets der gleiche Tisch vorbehalten blieb. Das klappte alles ganz ohne Worte. Und auch der Empfang, der den Herrschaften bereitet wurde, war derart, daß sich Neuberg hier durchaus als ein Hinzugekommener empfand, ja wie ein Gast, der ein geordnetes Hauswesen betritt, in welchem feste Gewohnheiten herrschen und wo alles wie am Schnürchen geht. Der Rat bestellte ein erhebliches Souper für alle Drei und wußte in väterlicher Weise die Worte „junger Freund, Sie erlauben wohl, daß ich Sie als meinen Gast betrachte", eben in dem Augenblicke fallen zu lassen, als der Historiker einige Beklemmung in der Gegend seiner Brieftasche zu fühlen begann. Hier hatte der Alte starkes Oberwasser. Aber einem gutgearteten jungen Manne imponiert man mit so etwas nur höchst vorübergehend. Und zudem wandte sich jetzt Frau Ruthmayr sehr freundlich an ihn.

Sie war nicht sein Fall, bei weitem nicht, da würde man fehlschießen. Aber er wußte doch, obgleich er sie zum ersten Male sah, wen er da vor sich hatte. Dem Herrn Neuberg war nun allerdings jene abgründige Verachtung eigen, die manche gelehrte Kopfarbeiter für den Gesellschaftsmenschen haben, und bei sehr jungen Männern von solcher Art erstreckt sich diese Verachtung ungerechterweise mitunter auch auf die Frauen. Immerhin beantwortete Herr Neuberg eine eben getane Frage der Frau Ruthmayr nicht beiläufig, sondern genau:

Er sagte, daß er nie den Wunsch gehabt habe, ‚in einer anderen Zeit zu leben‘, etwa im Altertum oder in der sogenannten ‚Renaissance‘, nein. Und daß jede wirkliche und richtige Befassung mit Geschichte gar nirgends anders hintreffen könne, als ‚in's Schwarze der Gegenwart‘ (‚wie ein großer Schriftsteller gesagt hat‘) und immer wieder nur in diese führe. Dies sei auch der einzige Sinn historischer Studien: daß sie der Gegenwart eine noch höhere Wirklichkeit verliehen.

„Ich dachte nur“, sagte Frau Ruthmayr, „wenn man diese fernen Zeiten so genau kennt wie Sie, Herr Neuberg, daß man sich mitunter sozusagen da hinein sehnen kann …“

„Ich glaube, bei der gnädigen Frau spielt hier wohl das künstlerische die Hauptrolle“, erläuterte der Kammerrat respektvoll, „ihr großer künstlerischer Sinn läßt beispielsweise den Wunsch in ihr entstehen, sagen wir etwa – zu Zeiten Raffaels gelebt zu haben!“

„Nein, nein – ich verstehe Herrn Neuberg schon richtig“, meinte Frau Ruthmayr und schob damit gleichsam Levielle zur Seite, der sich, ohne in den eigentlichen Zusammenhang des Gespräches einzugehen, mit seiner courtoisen Bemerkung zwischen sie und ihr Gegenüber gestellt hatte, „mein Einwurf war ein sozusagen rein gefühlsmäßiger und vielleicht romantischer. Aber ich möchte fast glauben, daß man demnach Geschichte so zu sehen hätte, wie die eigene Vergangenheit, in derselben Art und Weise, und da erhält doch das Ganze seinen Sinn nur von der Gegenwart aus!“

„Sehr richtig!“ sagte Neuberg erfreut und überrascht. Seine Augen waren blank geworden und eine frische Farbe erschien auf seinen Wangen. (Sein Gesicht hatte sich seit seinem Erscheinen in der Loge überhaupt stark verändert und jetzt wurde das von Frau Ruthmayr auch bemerkt.) „Ganz so müssen Sie Geschichte sehen, wie eine erweiterte eigene Vergangenheit. Diese eigene Vergangenheit ist Ihnen aber mit ihren einzelnen Teilen auch näher oder ferner, je nachdem, und dabei muß keineswegs immer das Jüngere gerade auch das Nähere sein – ich meine, wenn Sie durch Ihre eigenen Jahre zurückblicken, so gibt es da sicher Zeiten, die Ihnen heute ganz fremd und gleichgültig sind, während irgend eine andere Zeit, die vielleicht noch viel weiter zurückliegt, in hohem Grade Ihr Interesse erweckt. In einem Jahre etwa oder früher oder später hat sich das vielleicht wieder verändert, und Sie haben wieder zu einem anderen Teile Ihrer eigenen Vergangenheit eine lebendigere Beziehung gewonnen, und andere Teile sind jetzt wieder gleichgültig geworden. Es gibt sicher Zeiten, die wir sehr nahe an unserer Kindheit verbringen oder auch an irgend einem anderen gewesenen Abschnitte unseres Lebens, dessen innere Haltung wir jetzt ganz ähnlich wieder einnehmen, an dessen Worte, Bilder, Gerüche und andere Eindrücke wir auf Schritt und Tritt von innen her erinnert werden; ja, in manchen Augenblicken ist es uns, als trennte uns nur eine ganz dünne Wand mehr vom Gewesenen, eine Wand, die wir leicht durchbrechen könnten. Und wir fühlen etwa so, als seien ‚Zeit‘ und ‚Vergangenheit‘ nur eine Art Einbildung, der wir unterliegen. . . . So aber ist es auch im großen und ganzen der Menschheit. Jedes Zeitalter hat seine Vorlieben unter den vorhergegangenen Perioden, und das nennt man dann Renaissance oder Romantik oder Klassizismus oder sonstwie . . . an solchen Kehren leben ganze Völker und Kulturkreise dicht an irgend einem früheren Abschnitte, ja tatsächlich viel näher als etwa am Jüngstvergangenen. Gebärden und Fühlweisen und Denkweisen kehren wieder und selbst die Landschaft wird in der wiedererwachenden Art von ehemals gesehen: jedoch auch diesmal ist's ja etwas gänzlich Neues, Frisches – und so wird es auch erlebt! – denn eigentliche Wiederholungen gibt es nicht. Jedesmal aber muß die ganze Vergangenheit neu geordnet und gesichtet werden, da ja jedesmal ihr Schwerpunkt, nach welchem sich alles richten muß, anderswohin verschoben ist: nämlich in eine andere Gegenwart und das heißt aber zugleich auch in einen anderen jetzt tiefinnerlich verwandten und höchst gegenwärtigen Teil der Vergangenheit. Deshalb ist jede echte Geschichtsschreibung, (‚wie ein großer Denker gesagt hat‘) Geschichte der Gegenwart, mag sie auch jeweils mit Römerzeiten oder dem hohen Mittelalter oder irgendeiner anderen Zeitspanne sich befassen. Nein, die Vergangenheit ist nichts

Festliegendes, wir gestalten sie immer neu. Die ungeheuren Massen ihrer Tatsachen sind nichts, unsere Auffassung davon aber ist alles. Darum muß jede Zeit von neuem Geschichte schreiben; und dabei wird sie immer die toten Tatsachen gerade jener Perioden wieder erwecken und zum Leben durchglühen, deren wiederkehrende Gebärden ihr das verwandt anklingende Innere bewegen. Und nun entschuldigen Sie, gnädige Frau, diese lange Rede", schloß Neuberg warm und eindringlich, „aber es war mir sehr darum zu tun, Ihnen möglichst genau und vollständig zu antworten."

„Ich danke Ihnen", sagte Frau Ruthmayr und streckte Neuberg über den Tisch impulsiv die Hand entgegen, die jener küßte. Dem Kammerrat schien es an der Zeit, das Thema zu wechseln. „Wie geht es Ihrer Braut?" fragte er. „Sie sind verlobt?" sagte Frau Ruthmayr leicht erstaunt. „Ja, doch!" antwortete Neuberg munter. Er hatte es sonst gerne, wenn man ihn nach Angelika fragte, aber diesmal berührte es ihn von seiten Levielles unangenehm. „Es geht ihr ausgezeichnet", sagte er, und „Montag abends werde ich bei ihren Eltern zu Tische sein."

Das Stubenmädchen Ludmilla Kakabsa schloß hinter ihrer Herrin Gartengitter und Haustor. Man hörte draußen den schweren Wagen leise schnurren und wieder anfahren. Friederike Ruthmayr ging durch die Halle ihres Hauses. Sie schickte Ludmilla schlafen.

Im Schreibzimmer ihres Mannes, das ganz unverändert, wie zu seinen Lebzeiten, sich darbot, hielt sie an. Der Raum war, wie stets, geheizt, er bildete ihren liebsten Aufenthalt. Man könnte danach etwa meinen, daß sie es liebte, sich hier in Erinnerungen an vergangenes Glück zu versenken; aber man würde sich da irren. Denn erstens war dieses Glück nicht so sehr groß gewesen. Zum zweiten aber lag es nicht im Wesen der Frau Ruthmayr, die Vergangenheit als Rauschgift zu benutzen. Daß hier sozusagen noch die Atmosphäre ihres Mannes herrschte, war ihr schon recht, und sie wurde gerne an Ruthmayr erinnert durch die Bilder des Gutshofes, auf dem sie mit ihm gelebt hatte, und der nun hier in mehreren Aquarellen von den Wänden sah; und durch die sportlichen Photos seiner Lieblingspferde; und durch das oder jenes zur Erinnerung aufbewahrte Hufeisen irgend eines solchen braven Tieres; und durch eine ganze Sammlung von Reitstöcken; und eine ganze Sammlung von erzählenden Schriftstellern der englischen Literatur, allen voran Dickens und Hardy; und weiter, durch die vielen kleinen Gegenstände, wie sie ein Mann vom Stande Ruthmayrs eben auch bei sich gehabt hatte, von den Zigarettendosen und Zigarettentaschen bis zu den schweren Aschenschalen und einer Schar englischer Pfeifen; ja, und durch diese ganze Atmosphäre eines Herrn überhaupt, innerhalb welchen Akkordes der Geruch vom Leder der Fauteuils als ein besonderer Ton hervortrat – dies alles tat Frau Friederike recht wohl. Aber nicht so sehr um der persönlichen Erinnerung willen.

Sondern es verlieh ihr merkwürdigerweise eine Art von Halt, und sie vermochte sich hier eher als ein sozusagen selbständiges und freies Einzelwesen zu fühlen, was ihr ansonst mitunter schon schwer fiel. Jedoch von hier aus, von diesem Männergemach aus, da schien es ihr möglich, den Schritt in jede beliebige Richtung zu lenken, sei es auch über ihre sämtlichen Verwandten, ja sogar über den Kammerrat hinweg. Ja, solche Gedanken konnten hier gefaßt werden. Nicht aber draußen (sagen wir auf der Treppe des Opernhauses), wo zahlreiche Blicke auf ihr lagen und sie die Fülle ihrer recht deutlichen Weiblichkeit zwischen diesen Blicken hindurchtragen mußte, ein Weib, ohne Zweifel, im höchsten Grade ein Weib, aber bekleidet mit dem seltsamen Rang der ‚Dame‘, ein Rang, dessen eigentliche Bedingungen niemand genau anzugeben vermag. Jedenfalls aber umgürtet mit allen stumpfen und schneidenden Waffen strengster gesellschaftlicher Etikette.

Ja, und seltsamerweise fühlte sie sich in ihrem weiblichen Schlafgemach oft ganz ebenso beengt, in diesem duftigen Raum, in welchem es viele lichte Farben gab und kaum eine einzige strenge Linie und Kante. Hierher, so fühlte sie es, wenn sie des Abends heimkam, hierher wurde sie von der Welt verwiesen, wenn man ihr vor dem Gartengitter die Hand geküßt hatte (um dann in der Straße mit hallenden Männerschritten davonzugehen, wohin?), hier hatte sie dann ordnungsgemäß zu sein, zwischen diesen fließenden Musselinvorhängen und duftenden Wäscheschränken und zartgliedrigen Gegenständen aus Glas, Silber und Porzellan. Hierher schob man sie gleichsam ab, hierher drückte man sie zurück aus der Welt, das gönnte man ihr in allen Ehren, dieses Boudoir hielt man ihr angemessen.

Und deshalb setzte sie sich in des toten Rittmeisters Herrenzimmer.

Freilich, von mancher Erinnerung an diesen wurde sie auch besucht, und es war seine Stimme, die hier des öfteren zu ihr sprach und etwa sagte: ‚Fritzi, das kann ich beim besten Willen nicht verstehen, wie du daherlebst durch die Jahre! Von mir hast du das gewiß nicht gelernt‘ (und jetzt lachte er wie ein Schulbub) – ‚das hätte ich mir nie träumen lassen.‘

Oder: ‚Aber er ist doch ein alter blöder Trottel. Ich tät' mir schon einen anderen Umgang suchen an deiner Stelle. Gut, Dankbarkeit, alles recht schön. Jedoch er wird sich dabei auch nicht geschadet haben, gewiß nicht, da würdest du ihn schlecht kennen, wenn du das glaubtest.‘

Ja, solcherlei Dinge sagte der lustige Ruthmayr gerne, der sich bei seinen Lebzeiten nichts hatte abgehen lassen. Aber im Geiste ihres Gatten führte Frau Friederike ihr Leben durchaus nicht. Sie war ängstlich geworden, ihre Ängstlichkeit hatte ein Netz um sie gesponnen (oder hatte es Levielle eifrig aus dem Stoffe dieser Ängstlichkeit gewoben?), und nun war sie in den Maschen dieses Netzes wie gefangen.

Das Seltsamste aber war, daß sie dies (erstens) sehr genau wußte und sich (zweitens) darüber heftig erboste, von Zeit zu Zeit wenigstens, und bis zur Selbstverachtung.

5

DER GROSSE NEBELFLECK

ODER

VORBEI AN FRIEDERIKE RUTHMAYR

Der Abend legt sich dick goldrot an die Wand, der Blick in seine eröffnete, hier übermäßig klare, dort verwobene Ferne, ist so überraschend wie nur je, von diesem hochgelegenen Heime aus. Die schiefen Balken und das schräge große Glasfenster überdachen mich licht, und draußen, unter mir hinfliehend, sitzen im dichten Gekuppel der Bäume die Dächer von abendsonnig oder noch kalkweiß leuchtenden Häusern und Villen bis an den Hügelschwung und Himmelsrand drüben, wo der Horizont schwer dunstet, denn nun ist es schon Sommer geworden. Eine gewittrige graue Wolkenburg ist hinter den Türmen der romanischen Kirche aufgestanden.

Ich überlese diese Dinge hier. Es gibt, wie der Herr Dr. Neuberg zutreffend bei jenem Souper mit dem Kammerrat und Frau Friederike auseinandergesetzt hat, jeweils für uns nähere und fernere Teile unserer persönlichen Vergangenheit; und die letzten Jahre müssen nicht immer die nächsten sein; nur in einem gröbern und äußerlichen Sinne sind sie's. Nah-schwebend aber bewohnt uns oft viel Ferneres. Mitunter ist's ein Gesicht, das wir gekannt haben.

Ich hatte eine Baronesse Neudegg gekannt, in der Zeit vor dem ersten Weltkrieg, man sah sie um 1900 herum da und dort, und dann war sie plötzlich verschwunden. Später einmal hieß es, sie habe einen Grafen Charagiel geheiratet und lebe in Morgins, das ist in der Schweiz. Seit mir der Kammerrat Levielle auf dem Graben begegnet war – also zu Mariä Verkündigung 1927 – bewohnte mich auf einmal diese Gräfin Charagiel, geborene Neudegg. Ich kam auch dahinter, warum. Sie ist mir damals, ich war ja noch ein ganz junger Bursche um 1900, eigentlich noch ein Bub, im Hause meiner Mutter zum ersten Mal begegnet; ich mußte mit ihr hinabgehen und die Gartentür aufschließen; auf der Straße stand ihr Wagen. Während ich sie hinab geleitete, erschien sie mir erst maßlos schön. Sie duftete auch herrlich: es zog hinter ihr drein. Beim Wagen wandte sie sich um und gab mir die Hand. Ihr Gesichtsausdruck war dabei von einer ganz unnachahmlichen Anmaßung und grenzenlos dummen Frechheit erfüllt (zu welcher einem untertänigen Obergymnasiasten gegenüber nicht der geringste Grund und Anlaß bestand – denn wem wollte sie da imponieren?). Mir fuhr diese sinnlose Abscheulichkeit derart in die Knochen, daß ich damals durch Tage davon eine Art Nachgeschmack hatte, als läge mir was Verdorbenes im Magen: und genau die gleiche Nachempfindung hatte ich nach meinem Gang mit Levielle über den Graben, obwohl ich mir doch zuerst eine Unterhaltung dabei ersehen und den Kammerrat sogar noch ein Stück zurück begleitet hatte, bis zu dem Bankhaus, wie man sich vielleicht erinnert. Aber hintennach kam ich erst recht auf seine geradezu rätselhafte Arroganz, obwohl ich diese ja gleich am Beginn des Gespräches verspürt hatte. Woher nehmen diese Leute das nur? fragte ich mich; und als Gymnasiast hab' ich mich in den Tagen nach dem Besuch der Baronesse Neudegg eigentlich ganz genau das gleiche gefragt. Aber ich habe bis heute keine Antwort auf diese Frage gefunden.

Später, nach dem Krieg, ist sie mir irgendwo wieder begegnet, die Claire Neudegg, nun Gräfin Charagiel. Aber ich kann heute und jetzt nicht herausbringen, wo und wann das war. Am ehesten glaube ich: im Hotel de l'Europe in Salzburg, erst am Gang zwischen den Zimmern, und dann im Speisesaal. Einen Herrn hab' ich in ihrer Gesellschaft nicht gesehen; vielleicht war dieser Graf schon tot. Man hörte so. Ich grüßte sie ordnungsgemäß. Sie dankte mir in genau derselben Art, wie sie einst dem Gymnasiasten gedankt hatte. Die Zeit schien in jedem Sinne spurlos an ihr vorübergegangen zu sein. Sie war eine schöne Frau. Aber ich war kein bewundernder untertäniger Gymnasiast mehr. Dennoch: sie drückte mich zurück bis in's sechzehnte Lebensjahr, sie bracht' es fertig. Und so schien auch an mir – für Sekunden mindest – die Zeit spurlos vorübergegangen.

Genug; man wird nun beim Folgenden möglicherweise anmerken, daß ich Unwahrscheinliches vorbrächte. Aber ist nicht Zufall eben das, was einem Menschen zu-fällt, wie einer der besten lebenden Dichter einmal sagte? Und zudem bitte ich, daran erinnern zu dürfen, daß ich hier einen – Bericht gebe.

‚Jedoch romanhaft!' wird eine gewisse Person einwenden. Immerhin, aber das Folgende ist nicht nur wahr – in irgend einem ‚höheren' Sinne, ‚oder wie sie da schon sagen', um in der Ausdrucksweise Stangelers zu reden – sondern Wort für Wort auch im einzelnen richtig. So und nicht anders hat sich's begeben: Frau Friederike Ruthmayr hat ein paar Stunden im Herrenzimmer verbracht. Sie hätte gewünscht, mit Neuberg weitersprechen zu können. Das wäre ihr geradezu ein Bedürfnis gewesen. So indessen – hat sie Benedetto Croce gelesen. Sie fand ein Buch von ihm (später sagte sie mir einmal, es wäre ‚eine Schrift über das Wesen der Geschichtsschreibung' gewesen) in der kleinen Bibliothek ihres verstorbenen Mannes.

Sie fand also dieses Buch.

Schlaggenberg, Stangeler, Eulenfeld und Gyurkicz – sie waren wirklich maßlos, man könnte schon sagen, namenlos betrunken. Was weiterhin geschah – ‚weiterhin' von jenem Atelier aus, und jenem Fandango oder Tango auf der Guitarre – ist im einzelnen nicht mehr festzustellen: Zimmer, fremde Zimmer, fremde Weiber, Wirtshaus, noch ein Wirtshaus und Caféhaus – kurz: da war ein Gartengitter, da sah man oben Licht.

Sie stiegen hinüber. Schlaggenberg und der Rittmeister konnten nicht mehr mit. Für sie war diese Leistung des Hinübersteigens sozusagen erledigend. Sie blieben – angelehnt an jenes Gitter. Aber Gyurkicz machte es, und auch der Tango-Spieler samt Instrument (Beppo Draxler hieß er übrigens).

Oh, wie schön spielte der!

Es geschahen nunmehr zwei ganz unwahrscheinliche Dinge: Die Ruthmayrin kam an's Fenster, und zwar an jenes, das sich gegen die Terrasse zu öffnen ließ. Das ist das eine. Und sie erschrak gar nicht besonders. Das aber ist das Zweite. Und man könnte noch, als Drittes, erwähnen, daß ihr eine halbvolle Cognacflasche entgegengeschwungen wurde.

Aus der sie trank.

Aus der sie trank!!! (Oder wenigstens so tat, als ob sie trinke.) Man kann hier gar nicht genug Ausrufungszeichen hersetzen. Schlaggenberg war eben leider nicht dabei, aus Talentlosigkeit, aus ‚Schicksal' (‚oder wie sie da schon sagen!'), aus Besoffenheit. Ebenso Stangeler. Sie lehnten unten am Gitter, der Rittmeister auch: wohl vorzüglich aus Besoffenheit. Aber Gyurkicz! – – na, wir sagten es schon.

Plötzlich war alles weg. Friederike hörte ein Automobil anfahren (es entführte die letzten, abgesplitterten, versprengten Reste des Eulenfeld'schen ‚Troupeau‘).
Wahrhaft, sie glaubte geträumt zu haben.
Und die anderen wohl ebenso.

Die Zofe der Frau Friederike Ruthmayr, Ludmilla Kakabsa, hatte zwei Geschwister: Anna, die in London bei einer Frau Libesny diente, und Leonhard, Arbeiter in einer Wiener Gurtweberei.

Mit Anna wechselte sie häufige und im ganzen törichte Briefe. Denn beide, Mila, wie sie genannt wurde, ebenso wie Anna, schrieben einander eigentlich nichts anderes, als daß ihre Damen, bei denen sie dienten, sehr feine Damen seien, und der Haushalt ein durchaus vornehmer. Mila befand sich da ein wenig im Vorsprung, weil ihr Haus ganz offenbar das reichere war. Mit einem Auto und Chauffeur, mit einem Hausdiener (‚Butler‘ schrieb Mila) hatte die Gnädige der Schwester nicht aufzuwarten. Dafür schrieb einmal Anna aus London: „Wir haben jetzt einen weltberühmten Professor der Tierkunde zu Gast, er bewohnt in der gegen den Park gelegenen Zimmerfront" (sic! Die Häuser gleich nach der Prinz-Albert-Brücke und der Mauer des Fabrikhofes, rechter Hand, wenn man von Chelsea herüberkommt, sind eher klein!) „einen großen Raum. Er heißt Williams und war in der ganzen Welt, auch in Brasilien." Dafür schrieb dann Mila im nächsten Brief: „Gestern ist unser Vermögens-Verwalter, der Kammerrat Levielle aus Paris, hier vorgefahren, und hat sich bei der Gnädigen melden lassen."

Am Schlusse hieß es meistens: „Leonhard geht es gut, er ist zufrieden. Leider sehe ich ihn selten."

Dieser Leonhard, der uns weiterhin noch in der angenehmsten Weise auffallen wird, unterschied sich ganz wesentlich von den beiden Gänsen.

Er lebte allein. Den Vater, einen Werkmeister der Eisenkonstruktionsanstalt Wahlberg & Co., hatte der erste Weltkrieg hinweggenommen, eben als Leonhard in die Lehre kam. Die Mutter – eine sehr hübsche, dunkle, dralle, lustige Frau – war danach in eine zweite Ehe getreten, die noch mehrere Kinder brachte. Und obwohl Ludmilla und Anna bereits in ihren Stellungen

116

waren und sich Leonhard mit seinem Stiefvater – einem Briefträger – gut vertrug, wurde ihm doch dieser häusliche Stall zu eng. Man konnte unmöglich mehr daheim sein, ohne mit den Aufsichtspflichten über zwei bis drei herumtobende Mädel und Buben betraut zu werden.

Jetzt bewohnte er ein sauberes Kabinett in der Brigittenau, aber nicht weit drinnen, sondern nah beim Donaukanal, Treustraße.

Es wäre unseres Leonhard Biographie zum Teil wohl jedermanns Biographie: man schiebt sich mit den Vorstellungen, die man gemäß seinen Erlebnissen hat, von der Nenn-Seite her in die außenwelts eben gebotenen Rahmen. Es sollte nicht wundernehmen, wenn man dann irgendwo drinsitzt, wohin man gar nicht gehört; und es ist auch in schweren Fällen kaum mehr rückgängig zu machen.

Solche schwere Fälle aber traten bei unserem Leonhard nicht ein, keineswegs nur weil er noch jung war, wobei ja das Leben immer einigen befristeten Spielraum für Maßlosigkeiten und Dummheiten, ja sogar für Lug und Trug gewährt, ohne uns gleich endgültig auf derlei festzulegen; sondern weil dem Leonhard ein seltsamer und offenbar tief eingewurzelter Tick eignete, der ihn jede Verstrickung, jede Verwicklung, jedes Sich-Einlassen, das zu irgendeiner Festgefahrenheit führen konnte, scheuen und vermeiden ließ, sei's auf welchem Gebiete immer. Er schien in dieser Hinsicht beinah eine Art Vogel zu haben. Das führte zum Beispiel dahin, daß er mit vierundzwanzig Jahren noch kein festes Verhältnis zu einer Frauensperson, keine Geliebte oder Braut gefunden hatte; weiterhin, daß er etwa ein Sozialdemokrat von recht mittlerer Güte war: mit der Bindung an eine politische Partei und ihre Grundsätze haperte es also auch bei ihm, und vielleicht mit dem Klassenbewußtsein überhaupt. Was seinen Weggang von daheim betrifft aus dem Haushalte des Briefträgers, so scheint da auch irgendein Distanz-Bedürfnis im Spiel gewesen zu sein, und ein an Widerwillen grenzendes Gefühl der Abneigung gegen kompliziertere Lebensverhältnisse, wie sie eben durch Ehe und Kinderaufzucht mit dem ganzen Drum und Dran eines familiären Haushaltes und mit all seinen Besorgungen und Angelegenheiten entstehen. Jedoch, auch Leonhards Einzug in eine neue, eigene Häuslichkeit zeigt, daß die Scheu vor Verstrickung und Festgelegtsein ihn immerzu leitete. Denn obwohl er als anständiger und sauberer Bursch, der er war, einen erwünschten Mieter hätte abgeben können bei mancher stattlichen Wittfrau oder noch rüstigen Pensionistin von durchaus erfreulichem Äußeren: so ließ er doch derlei Fälle allsogleich aus der Wahl, und zog in sein Kabinett in der Treustraße, welches zur Wohnung einer über siebzig Jahre alten Frau gehörte, der Witwe eines Magazineurs bei der Donau-Dampfschiffahrts-Gesellschaft.

Die Gelegenheit und Verbindung für diese Zimmerwahl stammte denn auch noch aus jener Zeit, da er, infolge einer vorübergehenden Arbeitslosigkeit in seinem Berufe, auf Donauschleppern gefahren war.

Es reichte diese Zeit – an welche er, aus einem noch zu erwähnenden Grunde, gar nicht gern bewußt dachte – in seine Gegenwart, und zwischen seine nun seit Jahr und Tag wieder vor und hinter ihm ratternden Webstühle, in der Weise einer Fülle oder eines Zapfens oder einer Seele inwärts hinein, mit obstinater und profunder Anwesenheit, die sich selten ganz verscheuchen oder nur vergessen ließ.

Der Stadt-Teil ist da und dort dem Strome nah, doch nicht in allen seinen Straßen und Gassen; dennoch scheint's, als beziehe sich mehr oder weniger alles in irgendeiner Weise auf den Strom, auf sein die Landschaft auseinander legendes Wesen, hier um so wirksamer, als er schon zwischen flachen Ufern dahingeht: Kahlenberg und Bisamberg oberhalb der Stadt waren die letzten Erhebungen, welche sanft gegen seinen Lauf zu drängen schienen, der eine nah an's Wasser tretend, der andere aber schon wie fliehend hinweg gewölbt davon in rückwärtige Himmel. Und ab da beginnt der ebene Osten. Die Schlote der Rad-Dampfer wandern langsam, man sieht sie sehr weit, man hört auch das dumpfe mahlende Geräusch bei der Bergfahrt. Wenn der Wind den Weiden die Röcke lüpft, wird die silberne Unterseite der Blätter sichtbar. Am Himmelsrand dampfige Wolken: das Marchfeld drüben; nicht weit nach Ungarn.

Der Stadt-Teil liegt auf einer großen Insel, die im ganzen wie ein Schiff geformt ist, ein Riesenschiff, das einst den noch riesigen Strom heraufgefahren war und dann hier festgemacht hat. Nun kann es schon lang nicht mehr weiter, bei verkleinertem Gewässer. Im Vorschiff hat die Brigittenau sich breitgemacht, mittschiffs lagert die Leopoldstadt, daran schließt der Prater, und ganz achtern macht man Pferderennen in der Freudenau.

Leonhard fühlte den Strom. Er fühlte ihn, wenn er abends in seinem Kabinett auf dem glatten Lederdiwan am Rücken lag. Der Strom roch. Der Strom war verunreinigt. Dies etwa bildete den innersten, den intimsten Kern jener Seele oder Fülle, jenes Zapfens, mit dem seine Vergangenheit auf dem Wasser in Leonhards Gegenwart hineinreichte und sie bewohnte. Nicht, daß des Stromes Wasser etwa gerochen hätte, es floß ja rasch, im Hauptbett mindest. Aber das Leben auf den Schleppern, von Budapest herauf, an der hohen Bergesschulter von Gran unten vorbei, über Komorn, das langsame Leben auf den Schleppern war stets von Gerüchen begleitet, welche solchermaßen in diesen breiten Nachen durch die Aulandschaft gezogen wurden und sie beleidigten und verunreinigten: Küche und Schlafraum, die Weiber und Kinder, die auf derartigen Fahrzeugen sich auch oft befanden, auf Schiffen, die von außen stattlich und sauber aussahen, groß wie Seeschiffe, schwarz geteert. Nicht der Teer störte Leonhards Nase: den mochte er gern. Auch der Qualm aus den Schloten des schleppenden Dampfers vorn, wenn einmal die Windrichtung ihn über den Zug der Schleppschiffe legte, belästigte Leonhard weniger, obwohl man dann an Bord gern darüber schimpfte. Sondern die stockige Dumpfheit und Unreinlichkeit, welche da den Strom herauf fuhr, machte ihm tiefe Unruhe.

Nun, schlechte Gerüche haben immer eine gewisse Verwandtschaft mit schlechtem Gewissen, und ein empfindlicherer Mensch kann jene fast wie ein solches empfinden, das er hat, ganz einfach deshalb, weil er in einer übelriechenden Umgebung lebt, in einem schlechten Geruche steht.

Die Gurtweberei aber ist ein sauberes Geschäft. Es bedient immer ein Arbeiter oder eine Arbeiterin (es müssen wohlgelernte Leute sein) zwei mechanische Webstühle, zwischen welchen sie auf einem Laufbrette sich bewegen. Die Tätigkeit ihrer Hände ist keineswegs eine ununterbrochene, vielmehr haben sie vor allem bei Störungen einzugreifen, und zwar mit Sachkenntnis.

Die Helligkeit in Leonhards Betrieb war groß, was aber nicht allein daran zu liegen schien, daß dieses Werk überwiegenden Teils aus neueren und neuesten Zubauten bestand: nein, das Material, in welchem man hier arbeitete, war von heller Art, der Geruch rein und bitter, dem einer Sattler- oder Seilerwerkstatt verwandt; in saubere Holzkisten lief hinter den Bandstühlen das fertige Produkt mit trockenen, reptilischen Schlingen: Rouleaux-schnüre, Traggurten, Zuggurten, Meter auf Meter, blaue oder rote Faden in die Sandfarbe von Jute, Hanf oder Flachs gewebt. Kein Schiffchen schlug. Der Lärm war verhältnismäßig geringer als etwa in einer Tuchfabrik, man konnte sich zwischen den Stühlen mühelos verständigen. Ein gleichmäßiges Rattern und Rasseln war's, was diese Säle erfüllte. Reihenweis schwangen exzentrisch die Knäppen, ruhten die Trommeln von Holz oder Aluminium wie Rundschilde an den Stühlen.

Diese ihm durchaus genehme Atmosphäre – der Geruch eines guten Gewissens, möchte man fast sagen – setzte sich in Leonhard nicht nur gegen die Zeit auf den Donauschleppern ab, sondern noch gegen die Machtsphäre einer ganz anderen Geruchswelt: nämlich diejenige der Schule, in welche er gegangen war.

Im Vorhaus lag eine Schichte von Sägespänen, gleich hinter der Türe, und man hatte immer irgendein Desinfektionsmittel im Gebrauch, dessen Anhauch traurig und armselig war. In den Klassenzimmern war der Boden stets geölt gewesen, was zwar die Staubentwicklung verhinderte, dafür aber die ganze Schulzeit mit Gedrücktheit erfüllte, ja, mit der Einbildung, man sei hier jedesmal gleich nach dem Eintritte von allem und jedem getrennt, was man an Fähigkeiten und Begabungen, an Tapferkeit oder Lust besaß: und nur auf dasjenige angewiesen, was man sich, mitunter auch mangelhaft, eingelernt hatte (übrigens hatte der Vater Kakabsa eine tüchtige Schulbildung besessen und den Kindern, mit viel Geduld und liebevoller Zärtlichkeit, stets Nachhilfe-Unterricht erteilt – sowohl Mila wie Anna als auch Leonhard schrieben eine saubere Hand). Auf den Gängen des Schulgebäudes aber, während der Unterrichtspausen, war jenem seltsamen Abgeschaltet-Sein von den eigenen Fähigkeiten auch nicht zu entrinnen gewesen. Man roch hier oft die lange Pfeife des (gutmütigen und etwas versoffenen) Schuldieners, der einen recht bäuerlichen Knaster rauchte: ‚Landtabak' nennt man das in Österreich. Solcher Geruch mischte sich mit dem des verwendeten Desinfektionsmittels; sowie mit dem Aushauch von Kalk oder Tünche; ganz rückwärts im Gange spürte man auch schwach das Pissoir, dessen Tür während der Pausen häufig aufgerissen wurde; mitunter schlug sie gegen die Wand, weshalb dort eine Schutzvorrichtung angebracht war.

Der Schulgeruch begegnete Leonhard später wieder, da oder dort im Leben, er konnte durch Vergleiche relativiert oder beinahe entmachtet werden. Aber ganz harmlos wurde er nie, ob man ihn nun auf dem Gemeindehaus antraf oder in einem gewerkschaftlichen Lokal. Er schien auch konzentriert vorzuliegen in den oder jenen Broschüren, die man gelegentlich erhielt. Und obwohl Leonhard solchen Unsinn nicht geradezu dachte: so war's doch dieser Kern der Sache, der ihn bewohnte.

Er lag auf dem Ledersofa, mit zurückgebogenem Kopf. Die Donau reichte von weit her, von Komorn oder von der großen Schütt-Insel, in ihn hinein; er war hier heraufgefahren. Er war hier gelandet. Es war still. Die Gerüche besuchten ihn. Plötzlich verdichtete sich jener aus dem Schlafraum des Schleppschiffes geradezu über Gebühr. Er sprang auf, saß am Rand des Diwans und sagte laut:

„Bin ich denn zum Riechen auf der Welt?" (Leonhard sprach freilich im Dialekt: „Bin i denn zan Riachn auf d'r Wölt?!").

Was jetzt geschah, war seltsam. Er blickte auf das etwas klapprige Messingbett hinüber, das in seinem Raume stand, und welches die Hausfrau für ein Luxusobjekt hielt, auf das sie gelegentlich hinwies, um den Zimmerpreis zu rechtfertigen. Über dem Messingbett – es war nicht mehr ganz blank zu kriegen, es hatte eine Art dunklen Glanz – über dem Messingbett in der Mitte, über der weinroten Decke, schwebte die glatte Antwort: ,Ja.'

Denn durch das Riechen mußte alles klar werden. Das Riechen war eine Kraft. Vor allem anderen kam das Riechen. Es gab keinen Zweifel an seiner Wahrhaftigkeit.

Es gab hier, wie überall, eine nähere Umgebung, deren Gefährlichkeit – von seinem Standpunkte gesehen – Leonhard jedoch bald erkannte, was dann mit der Flucht auf den Lederdiwan zunächst geendet hatte. Ein sehr entscheidendes Moment der Verbindung und des Klebenbleibens fehlte zudem: Leonhard trank nicht gerne Bier oder Wein. Eine aus diesen Stoffen leicht fühlbar werdende Säure, besonders wenn sie verschüttet sind oder in Neigen stehn, hielt ihn davon ab und hatte sich, bei irgendeinem gelegentlichen Anlaß – es war in der kleinen, seinem Wohnhause schräg gegenüber liegenden Weinstube gewesen – einigermaßen tief als Ekel in Leonhard angesiedelt. Schnaps hätte er getrunken. Aber es war einfach nicht üblich.

Man ging als sauberer Bursch nicht zum ‚Branntweiner'. Kaum einer seiner Kameraden tat das. Leonhard war weit davon entfernt, ein Abstinenzler zu sein: weil ihm das Trinken nichts bedeutete. Es kam vor, daß er in einem Geschäft eine Flasche kaufte; selten genug. Auch hatten sich während der ersten Zeit seines Lebens in der Treustraße weder Kaffee noch Zigaretten bei ihm einen Platz erobert. Er rauchte nur gelegentlich.

Jene nähere Umgebung aber zeigte ihm bald die Zähne – zwischen die er den Finger dann keineswegs steckte – durch ihr unerschütterlich Gleichbleibendes: worin sie nicht gestört zu werden wünschte.

Dies Völkchen lebte, wie es eben lebte, seit den neuen Zeiten, seit 1918 insbesondere.

Auf dem Gehsteig kamen etwa die Angestellten der städtischen Gaswerke in Reihen zu vieren und fünfen daher in ihren blauen Arbeitsmonturen und mit umgehängten Werkzeugkästen, die Gaskassiere oder Ableser der Verbrauchs-Uhren und die Kontrollorgane für Wohnungs-Gasometer und deren Wasserstand: sie versperrten den Weg gänzlich, wichen niemandem aus, redeten laut und trugen auch erhebliche Bäuche vor sich her: wirklich, in ihnen hatte das Zeitalter seine Höhe erreicht, und offenbar nur, damit sie sich hinaufsetzten. Der Doktor Catona, ein Arzt dort in der Gegend, wich einmal nicht aus, ließ einen Bauch glatt gegen sich anrennen und erregte dadurch heftigste Empörung. Die meisten Menschen aber gaben jener Phalanx der ‚Gaserer', wie sie genannt wurden, in scheuer Weise Raum. Wer ein Antlitz wies, daraus Intelligenz hervorschaute, konnte eines verachtungsvollen und provozierenden Blickes gewiß sein.

Denn diese Intelligenz war es im Grunde, welche die Instinkte erregte, und keineswegs eine wirtschaftliche Besserstellung, die mit der Intelligenz damals gar nicht mehr verbunden war: sehr im Gegenteile.

Denn diese Intelligenz war es – und hier lag der eigentliche Kern, der bittere, die wahre Wurzel der Bitternis – welche versagt hatte, welche den Weltkrieg nicht hatte zu verhüten vermocht, und nicht seinen unglücklichen Ausgang. Diese Intelligenz war es, welche gesprochen hatte mit der ihr verliehenen Sprache, für das mundlose Volk. Und sie hatte übel gesprochen und Wahnsinn gepredigt. Ein allgemeiner Haß gegen Autoritäten jeder Art brach aus, und wo sich derlei zeigte, muckte man nicht nur auf, sondern eine Art demonstrativer Lümmelei trat unverzüglich in Erscheinung. Einem berühmten Chirurgen machte im Krankenhause ein sehr klassenbewußter, wenn auch sozialistisch wenig gebildeter Patient in entsprechender Weise den Standpunkt unzweideutig klar, und sagte ihm, daß einem Professor keineswegs höhere Bezahlung gebühre als dem Heizer im Hause. Beide seien Arbeiter, der eine nicht wichtiger oder mehr wert als der andere. „Nun sind Sie aber bald still, mein Lieber", entgegnete der Gelehrte lachend, „sonst lasse ich Sie morgen vom Heizer operieren."

So steckte alles voll Forderung und großem Selbstbewußtsein. In den Weinstuben redete jeder nur von sich selbst. „Bei mir gibt's das nicht." „Ich bin ein Mensch, der sich solche Sachen nie hat gefallen lassen." „Ich bin immer ein entgegenkommender Mensch gewesen." „Ich hab' mir in meinem Leben von niemand etwas schenken lassen." „Mein Standpunkt war immer ein ganz klarer." So lauteten die meisten Äußerungen. Die gewaltigsten Zechen machten die ‚Gaserer'.

Leonhard sagte einmal (in der Weinstube), daß er zufrieden sei. Das hätte er auf keinen Fall sagen dürfen. Man jagte ihn sogleich in sich selbst zurück. „Sie haben leicht reden. Keine Frau, keine Kinder. Was wollen denn Sie überhaupt? Zufrieden!" Man fiel sozusagen mit Weibern und Kindern über ihn her.

„Die Zufriedenen, die haben wir schon gern!" tönte eine Stimme vom Nachbartisch.

Die Lage knisterte. Leonhard fühlte ein eigentümliches inneres Bedürfnis: nämlich gerecht zu bleiben, loyal. Einen Augenblick hindurch erschien in seinem Innern so etwas wie eine geometrische Figur; oder es war nur eine Gerade auf hellerem Grund.

„Die Herren haben schon recht", sagte er. „Aber man kann doch auch unzufrieden sein – mit sich selbst, zum Beispiel."

Jetzt gerann die Gereiztheit zum Grinsen. Man zuckte die Achseln.

„Wer weiß, was Sie für Anlaß dazu haben. Das geht uns nix an."

Das gewollte Mißverständnis mauerte rasch ein. Aber dann kam die sehr ruhige und geradezu wohlwollende Stimme eines älteren Mannes in blauer Bluse:

„Meine Herren, tut's dem jungen Mann nicht Unrecht. Er meint halt, wenn ich ihn richtig versteh', daß er noch was lernen möcht', daß er weiterkommen möcht', und nicht in seinen jetzigen Verhältnissen stecken bleiben. Junge Leut' dürfen nicht mit sich zufrieden sein, sonst wird nix."

Er trank Leonhard zu. Die Mauer des Mißverständnisses war nun aus gefälligerem Stoffe errichtet. Das Grinsen zerlief da und dort; zwar wurden noch Achseln gezuckt; aber man trank schließlich rundum, auch mit Leonhard. Dieser aber wußt' es deutlich – in derselben Art, wie früher jene geometrische Linie vor seinem inneren Aug' erschienen war – daß man sich mit ihm nicht verglichen hatte, daß kein Schritt getan worden war, daß alles auf der Stelle blieb, nämlich in der Bequemlichkeit, in welche er schließlich selbst zurückfiel. Er roch das Säuerliche des Weins. Auf der Tischplatte war einiges verschüttet.

Eigentlich endete immer alles damit, daß etwas verschüttet wurde, und daß es dann eben verschüttet war, in einem unangenehmen doppelten oder dreifachen Sinne des Wortes: verschüttet, zugeschüttet und vertan.

Leonhard fühlte sich zeitweis wie von einer Welt von Feinden umgeben, worin er sich vollends täuschte. Er war all jenen Leuten nur grenzenlos gleichgültig, auch seinen Altersgenossen, den jungen Burschen, denn er trat nicht als Bewerber und Wettbewerber in Erscheinung. Aber (und das erfaßte Leonhard nicht oder nur ganz ungenügend): von einem Menschen, der uns völlig gleichgültig ist, werden wir uns kaum gerne in der Bequemlichkeit stören lassen, und wir werden weit davon entfernt sein, ihm diese etwa gar zum Opfer zu bringen. Da müßte schon weit mehr daherkommen als ein Leonhard Kakabsa. Und auch das käme und geschähe sehr wahrscheinlich vergebens.

Es gab, außer den verschiedenen Beiseln und kleinen oder größeren Café's – denen eine nur zum Teil gemeinsame Fauna eignete – noch ein sehr merkwürdiges Lokal, welches nach einem berühmten theresianischen Staatsmann sich benannte, das ‚Café Kaunitz'. Es lag schon jenseits des Flusses, also nicht mehr in der Brigittenau und im Arbeiterbezirk.

Das ‚Café Kaunitz' hatte einen besonderen Fahrplan, wenn man so sagen darf. Bei Tage war es still, ein Ort der Sammlung, wie eben ein rechtes Wiener Café, wo der eintretende Gast sich so weit entfernt wie möglich von jedem anderen niederläßt, durchaus inselbildend, dem Gäste-Kollektiv abgeneigt. Gleichwohl aber belästigen alle Inseln einander unausgesetzt wegen der Zeitungen und Zeitschriften, und sie wandern zu diesem Zweck auch in obstinater und ruheloser Weise von Zeit zu Zeit suchenden Blicks umher. Je mehr unnötiges Zeug gedruckt wird, desto mehr muß man eben lesen (oder?!). Im ‚Café Kaunitz‘ jedoch wurde weniger gelesen als gebüffelt: es war aus für's erste nicht recht erfindlichen Gründen ein Studentencafé geworden, denn es lag abseits von jedweder Hochschule. Nicht allzu weit vom ‚Café Kaunitz‘ allerdings gab es ein großes Studenten-Heim. Aus diesem waren denn hier alle Fakultäten vertreten. Man kam wohl auch, wenn man einzeln wohnte, im Winter hierher, um die Heizung für das Zimmer zu sparen; dann blieb's im Sommer und Herbst auch dabei; und manch einer lernte schon leichter im Café, wo vielfaches Beispiel Aneiferung spendete, nicht nur der Ofen die Wärme.

Die Sache kostete damals ein paar Groschen für einen respektabel guten Mocca, der, nach humaner Wiener Caféhaus-Sitte, das Recht zu unbegrenzt langem Aufenthalte gab.

Mit alledem aber sind die ‚Mirabilia‘ des ‚Café Kaunitz‘ noch in keinem Stücke auch nur erwähnt:

Zu ihnen gehörte zunächst die Eigentümerin, die Wirtin, die ‚Kaffeesiederin‘ also, wie es zu Wien heißt, wo man sogar den Inhaber eines großen und eleganten Lokales in ebenso despektierlicher Weise als ‚Kaffeesieder‘ bezeichnen würde.

Groß war das ‚Café Kaunitz‘ wohl, jedoch es als elegant zu bezeichnen, hätte nur jemand aus Kikeritzpatschen oder Mistelbach einfallen können. Immerhin, die räumliche Ausdehnung war erheblich, das Lokal nahm beide Längen eines Eckhauses zur Gänze ein, und in den senkrecht zueinander stehenden Flügeln wanderte weithin ein Volk von Marmortischlein und Sesseln an den gepolsterten Logen entlang, zur linken wie zur rechten: der Eingang war an der Ecke; ihm gegenüber die traditionelle Sitzkasse; rechts davon ein Pianino. Dem Kundigen sagte das schon alles (sapienti sat): nämlich daß dieses ‚Café Kaunitz‘ kein eigentlich solides Caféhaus sei. In solchen werden zu Wien Pianinos nicht geduldet. Dies roch nach Nachtlokal, mochten auch tagsüber die schwarzen Kinnladen fest geschlossen aufeinander bleiben (schon wegen des Studiums).

Die Sitzkasse war mit Glas und Metall aufgebaut, aber leer. Es gab keine ‚Sitzkassierin'. Auch die Chefin nahm nicht Platz hinter dem erhöhten polierten Halbrund mit Marmorplatten, mit den pyramidenförmigen Gestellchen links und rechts, und den Spiegelschränkchen an der Rückwand.

Ihre Vorgängerin, von der sie einst das Lokal übernommen hatte, pflegte jedoch hier zu thronen, sehr zur Zierde des Raums, denn sie war eine schöne Frau, namens Risa Weinmann: man konnte sie dann und wann noch hier im Lokale als Gast sehen. Sie saß dann stets an dem Tische der Chefin.

Beide Frauen, die jetzige und die einstige Inhaberin des ‚Café Kaunitz', zeigten eine fühlbare Wesens-Verwandtschaft und doch wieder an einem schwer zu bestimmenden Punkte eine scharfe Verschiedenheit, wo sie rechtwinklig voneinander abbogen. Vielleicht war es nur sozusagen ein I-Pünktchen, was die beiden trennte. Doch blieb's für jeden Empfindlichen entscheidend.

Die Weinmann sah aus wie ein in die Märchen von Tausendund-eine-Nacht und somit auch in die orientalische Üppigkeit verschlagenes Schneewittchen: Milch und Blut, drall und gut, um und um, und all das um die fünfzig herum, oder schon drüber. Sie war immer sehr wach, es schien unglaubhaft oder schwer vorstellbar, daß sie auch schlafe. Beim Schlafen wird man warm. Derartige Benommenheiten aber konnte es bei Frau Risa gar nicht geben.

Wenn sie des Morgens erwachte (denn sie schlief ja eben doch), wenn sie ihre Umgebung wieder auffaßte, wenn ihre Vorstellungen und Gedanken wieder sprangen und sich gegenseitig ergriffen und miteinander plänkelten oder rangen: das erste, was sie bei alledem genau ausmachte und alsbald wie mit Zangen festhielt, war der Punkt, wo der Profit saß. Das ist die Optik aller Menschen, wird man sagen, aber bei der Weinmann war's schon in's Geniale übersteigert. Der zweite Blick galt dann denjenigen, die ihr solchen Profit etwa würden streitig machen und sie daran hindern wollen. Solche gab es immer. Wußte sie im einzelnen Fall einmal nicht sogleich, wer das sein könnte: dann nahm sie das Vorhandensein des Feindes oder der Feinde doch als sicher an, sie supponierte diesen Feind und ging ihn dann suchen. Freilich fand sie ihn auch. Das Denken der Weinmann war etwa so wie ihre Zähne beschaffen: perlweiß und scharf. Sie war ihrer Abstammung nach eine Balkaneserin, wie man zu Wien sagt; Paradentose und Zahnkaries haben diese Völker am allerwenigsten ergriffen: sie fletschen nur so.

Auch die Weinmann! Sie konnte die Zähne zeigen; und das Weiße ihrer Augen dazu; wie ein zentralafrikanischer Krieger. Damit hing es zusammen, daß sie ihr ‚Café Kaunitz', wo solche Fähigkeiten nicht eigentlich verwertbar waren, mit einem kleineren Lokal vertauscht hatte, den erheblichen Geld-Überschuss einstreichend. Das kleinere Glücks-Schweinchen warf zudem, wie die Weinman vorausgesehen, unter ihrer Leitung bald weit mehr ab, als der bisher geführte Betrieb, dessen Kundenkreis und Gepflogenheiten der Frau Risa, sehr zum Unterschied von ihrer Nachfolgerin, gar nicht recht gepaßt hatten (die Studenten hätte sie am liebsten überhaupt hinausgeworfen). Jetzt hielt sie weit draußen in der Vorstadt ein Café mit nur drei Fenstern Front; pünktlich zur Polizeistunde senkten sich die Rolladen, alles war dicht, und man ließ sich drinnen nicht stören. Wie Mephisto konnte Frau Risa sagen, sie wisse mit der Polizei sich trefflich abzufinden; und mit allen anderen Gewalten des Lebens überhaupt, angefangen vom Hausmeister. Waren die Rollladen herab, ließ dieser in gewissen Fällen durch's Haustor ein, wen die Weinmann bei ihm akkreditiert hatte. Daraus zog er Vorteil, doppelten sogar, einmal vom eintretenden späten Gaste, zum zweiten von der Wirtin; in solchen Sachen war sie großzügig.

Sie bestand ihre ersten Proben dort draußen trefflich. Sie setzte zur richtigen Zeit dem richtigen Mann – mochte der auch groß und stark sein – die Faust in's Gesicht. Zur richtigen Zeit: als nämlich (bei geschlossenen Rolladen) eine genügende Zahl von verläßlichen Gästen anwesend war. Dem richtigen Mann: er stand da wie ein fauler Bulle, schwarz unter den Augen, und schluckte an seinem Grimm, die Hände in den Hosentaschen festhaltend, daß ihm keine auskäme. Denn die Weinmann wußte zu viel. Und er wußte, daß sie wußte. Und sie wußte, daß er wußte, daß sie wußte. Und er ging. Und er hinterließ die Weinmann in der Aureole bedeutenden Respektes. Ein anderer, am frühen Abend, saß nur da, weiter nichts. Er wartete, und die Weinmann wußte auf wen; sie kannte nicht nur die eigenen

Feinde, auch die der anderen. Dieser Mann hier wurde von der Polizei zur Zeit nicht gesucht; in solchen Sachen war die Frau Risa stets informiert; er wäre sonst auch kaum hier gesessen. Weil sie aber annahm, daß sein Messer wahrscheinlich eine um einiges längere griff-feste Klinge hatte, als das österreichische Waffenpatent noch erlaubte, ging sie gleich hinten hinaus und erreichte, daß man eine Razzia in ihrem Café vornahm und die Gäste ‚perlustrierte'. Es stimmte mit dem Messer, wie sich zeigte. Weiter war nichts; man hielt niemanden an. Während der Amtshandlung kam der Erwartete, und drehte vor der Türe um; Risa sah ihn wohl; sie schwieg. Aber da auch bei ihm ein um einige Zentimeter über das Erlaubte hinausgehender Sachverhalt bezüglich des Messers angenommen werden mußte, so bestand kein Zweifel, daß eine erheblichere Stecherei hier im Lokal doch glücklich war vermieden worden.

Derartiges hätte die neue Chefin des ‚Café Kaunitz' nie gemeistert; Risa aber vermocht' es ganz nebenher.

Sie führte als Gatten, außerhalb des Geschäfts, dann und wann, ein kleines Wesen mit sich, welches den Eindruck erweckte, daß es auf ihrer mächtigen Leiblichkeit gewissermaßen parasitiere. Dieser Gatte stellte einen Kanzleibeamten mittleren Ranges vor. In der Zeit nach dem ersten Weltkriege war die Weinmann durch Schleichhandel groß geworden; und hierin deckte sich ihre Biographie ganz mit der ihrer Kollegin, welche jetzt das ‚Café Kaunitz' hielt. Der kleine parasitäre Ehemann war zu jener Zeit vielfach als Inkassant von Beträgen und Zusteller von Waren korrekt (im Inkorrekten) tätig gewesen.

Dann aber, als der Schleichhandel mit Lebensmitteln erstorben war und die Weinmann ihr kleines Café in Ottakring übernommen hatte, zeigte sich die schon erwähnte Verschiedenheit beider Frauen erst ganz.

Die ‚Kaunitz'-Chefin hätte jedermann ohne weiteres auf den ersten Blick für eine Puffmutter gehalten; tatsächlich aber war sie die Witwe eines Arztes aus Troppau. Sie stand im gleichen Alter wie die Weinmann, war auch noch ebenso hübsch und glatt: blonder Puppenkopf; weiches Rundgesicht; kleine gerade Stumpfnase. Der Augenaufschlag war sehr anmutig; die grauen Augen sahen einen lieb an; drängte man den eigenen Blickstrahl gegen jenes weiche Schauen tiefer in die hübschen Augen hinein, dann ging's einem etwa so wie jemand, der in eine nur an der Oberfläche glatt und grau gefrorene Pfütze tritt: die schwache Decke bricht, das eiskalte Wasser läuft in den Schuh. So verhielt es sich mit den Augen der Frau Schoschi, wie sie genannt wurde. Jedoch hätte es dieses Augen-Experimentes gar nicht bedurft, bei welchem man nur fand, was schon zu vermuten gewesen war. Denn dieses Antlitz wies eine Bresche, eine Lücke in seiner Hübschheit. Die Oberlippe war häufig hinaufgezogen, wobei nur mäßig gute und sogar schon da und dort technisch nachgebesserte Schneidezähne sichtbar wurden. Allerdings stand der kleine goldne Blitz der Blondine wohl an. Aber diese geschürzte Lefze gab dem Gesicht etwas Nagerhaftes, und das war es wohl, was den so eindeutig puffmütterlichen Zug in dieses hübsche Antlitz brachte, zusammen mit dem kalten Tümpel hinter den Augen. Sie zog häufig ihre Oberlippe hoch, die Frau Schoschi – besonders beim Kartenspielen oder eigentlich nur Kiebitzen – manchmal aber noch die Nase dazu; man hatte fast den Eindruck, als störe sie irgend etwas, als beiße oder schmerze ihre Nase und sie fühle sich dadurch belästigt.

Vielleicht – unmöglich ist es, hier mit Sicherheit etwas auszusagen – hing dieses Nasen-Unbehagen mit einem biographischen Knotenpunkt der Frau Schoschi zusammen, hatte also wesentliche Bedeutung. Dieser Knotenpunkt war markiert durch das Aufhören der großen Gewinne im Schleichhandel mit Lebensmitteln während des ersten Weltkrieges und nach demselben, wodurch Frau Schoschi ebenso wie die Risa Weinmann groß geworden war; jedoch diese ging andere Wege, in Ottakring draußen. Frau Schoschi aber handelte weiter, allerdings sehr wahrscheinlich mit einer anderen Ware, mit der sie vielleicht auch schon früher zu tun gehabt hatte. Es ist ein weißes Pulver. Es bekommt dem Menschen allzu gut, allzu schlimm. Es soll, wie ernst zu nehmende Autoren versichern, auch die Nasenscheidewand mit der Zeit angreifen. Es wird geschnupft. (Die Weinmann hätte jeden Rauschgifthändler im Bogen aus ihrem Lokal hinausgeworfen, aber schon ganz ohne Polizei, durchaus im eigenen Wirkungskreis!)

Nun bleibt das alles freilich Vermutung; eine etwas weitgehende Vermutung, wird man sagen; denn der puffmütterliche Nagetierzug bei der Schoschi war vielleicht gar nicht erworben, sondern das war einfach sie selbst. Fest steht dagegen, daß eine Prostituierte, namens Anny Gräven, im

‚Café Kaunitz' ihren ‚Coks' (wie's genannt wurde) erhalten hat: ob von der Schoschi oder von sonst jemand, bleibt offen. Diese Gräven lebte bis zu ihrem vierunddreißigsten Jahre als Frau eines Zahntechnikers. Der Mann war süchtig geworden. Wenn auch nicht Arzt, hatte er doch zu dem Stoff einen leichteren Zugang, etwa durch Zahnärzte, für die er beschäftigt war. Seine Frau riß er naturgemäß mit in die Sucht und in die zunehmende Verkommenheit hinein; die dritte oder vierte Entziehungskur überlebte Gräven nicht mehr. Anny, seine Frau, überlebte sie jedoch, und damit auch ihren Mann. Sie fühlte sich zu keiner Arbeit mehr befähigt und ging ordnungsgemäß kontrolliert auf die Straße. Sie wurde nicht mehr rückfällig, was nahezu unbegreiflich erscheint. Sie wird uns noch mit Leonhard Kakabsa begegnen, in dessen Jugendjahren sie eine höchst bescheidene und doch nicht zu unterschätzende Hilfsrolle spielte . . .

Ja . . . spielte, spielen – – ja, das ist's, was wir sagen wollten: sie spielte nie Karten, die Schoschi. Davon hielt sie sich zurück. Wahrscheinlich hätte sie sonst bald ihr ‚Café Kaunitz' verspielt gehabt. Jedoch sie vermochte es, stundenlang voll Gier in das Spiel ihrer Gäste zu starren, etwa wenn eine Partie ‚Schnapsen' (auch ‚Sechsundsechzig' genannt) im Gange war. Dieses ist keineswegs ein sogenanntes Glücksspiel; es erfordert Konzentration, Überblick und ein scharfes Auge für den Punkt, wo der Profit sitzt; wie eben jedes wirkliche Kartenspiel, das ja ein Abbild des bürgerlichen Lebens ist – ein Spiel im doppelten Sinne – und also der Gesinnung des Bürgers von allen Vergnügungen am allernächsten liegen muß. Denn hier wird das Leitende seines Lebens (ein stoischer Philosoph, etwa der Kaiser Marc Aurel zu Wien, hätte vielleicht gesagt: sein ἡγεμονικόν [Hegemonikón]) auch außerhalb der Geschäftszeit im Flusse gehalten; und geriete es aus solchem Flusse, wo geriete es dann hin?

Der Malermeister Ederl war im ‚Schnapsen' Meister. Im Malen hatte er die Meisterprüfung eigentlich gar nie gemacht.

Zurück zum Vergleich mit der Weinmann: diese war ein kräftiges Zugtier der Unterwelt; Frau Schoschi aber eine Art Kanalschnecke, jedoch unzertretbar, weil sie seit der früher angedeuteten Wende ihres Lebens nur mehr auf weichem Grunde, auf feinstem Schlamme kroch. Ihr eignete die List der Kranken; das ist die feinste List, die es gibt.

Es gehört immerhin hierher, daß beide Frauen, die Weinmann und die Schoschi, mit Gyurkicz und dem Rittmeister von Eulenfeld bekannt waren, obwohl diese Herren, sowie des Rittmeisters ‚Troupeau‘, nicht zu ihren Gästen gehörten; wenigstens nicht zu jenen, die stets von Zeit zu Zeit wieder erschienen. Die Bekanntschaft war durch einen gewissen Oki Leucht gemacht worden, den Geliebten einer Professorstochter, namens Dolly Storch: diese Familie wohnte im selben Stockwerke wie Siebenscheins. Leucht erschien dann und wann in dem Ottakringer Etablissement der Weinmann, was er sich bei seiner ansehnlichen Körperbeschaffenheit leisten konnte: ein Schlagetot von einem Meter und fünfundachtzig. Er pflegte am Stammtische des Stemmklubs ‚Eisen‘ Platz zu nehmen, eine Vereinigung starker Männer, wie sich von selbst versteht. Sie tagten hier alle zwei Wochen einmal. Leucht war nicht Mitglied und kein Stemmer, jedoch in diesem Kreise befreundet.

Zurück zu Fahrplan und Fauna des ‚Café Kaunitz‘.

Das Studium pflegte hier bis in den späten Abend fortgesetzt zu werden. Zwischen zehn und halb elf Uhr verschwanden dann die Scholaren, während da oder dort ein Liebespaar einsickerte. Dünne Mädchen, ein kleiner Mocca, ein Angestellten-Jüngling: wie ein magerer Blumenstrauß war das, in eine oder die andere der Logen gesteckt, denn diese wurden freilich bevorzugt. Vielleicht hätten die Paare im Dunklen bescheiden geleuchtet, wie Glühwürmchen. Aber die ganze Beleuchtung blieb eingeschaltet, in beiden Flügeln des Café's, das Volk der Marmortischlein und der Stühle wanderte weithin, schwach glänzend. Allmählich breitete sich hier eine fast vollkommene Stille aus. Das Lokal lag mit seinen beiden Fronten an den erstorbenen Straßen hell und leer da, und in tiefer Mitternacht schon wie verwunschen: aber es wurde nicht geschlossen. Es stand offen, für jedermann. Doch kam kaum mehr ein Passant vorbei. Es wurde ein Viertel nach zwölf, es wurde halb eins.

Um sieben Uhr abends schon war die Chefin schlafen gegangen. Der Kellner ging täglich um elf. Aufsicht und Bedienung oblagen nunmehr einer gewöhnlich und dumm aussehenden, sehr unhübschen blonden Person, von der kaum jemand wußte, daß sie die jüngere Schwester der Frau Schoschi sei. Sie war sogar mehr. Es war Frau Schoschi selbst, aus den Zufälligkeiten gefälligen Fleisches hervorgezogen wie eine bleiche Rübe aus dem Erdreich. Eine Mitternachts-Rübe, ein Alraun, die nackte Wahrheit bei Nacht.

Nicht lange nach ein Uhr belebte sich innerhalb weniger Minuten die Straße vor dem ‚Café Kaunitz' mit Eintreffenden von allen Seiten: dies war der Ausstoß aus Beiseln, Weinhallen und Wirtshäusern, und aus solchen Café's, die um ein Uhr geschlossen hatten. Es trafen immer diejenigen um diese Zeit hier ein, welche im Laufe des Abends in eine Rinne geraten waren (oder den Abend schon in ihr angebrochen hatten), aus welcher man nur durch einen, jetzt nicht mehr zu vollbringenden Ruck heraus und in den Heimweg finden kann. Dieser unterblieb also. Die Drehtüre des ‚Café Kaunitz' hingegen blieb nunmehr durch etwa zwanzig Minuten in unaufhörlicher Bewegung, wie der Quirl im Topf, oder gleichsam vom Einstrome getrieben wie eine Turbine vom Wasser. Um halb zwei war das Lokal zum großen Teil vollgelaufen, die Schwester der Frau Schoschi rannte mit Literflaschen offenen Weines und mit breiten Servierplatten, auf denen die Schnapsgläser gereiht standen. Jetzt auch öffnete das Pianino seine Kinnbacken und wies die weißen Zähne, ein Musikus hatte davor Platz genommen, und neben ihm stand eine sehr dünne, fast ausgeronnene, sehr schwarzhaarige Person mit tiefen Ringen unter den Augen. Er schlug an, jetzt sang sie (ein boshafter Stammgast hatte sie, wegen ihres habitus phtisicus, einmal den ‚singenden Lungenwurm' genannt – sie war ebenfalls eine Verwandte der Frau Schoschi, die also, wie man sieht, für ihre Angehörigen was tat). Bald wurde mitgesungen.

Endlich erschien die Chefin: erfrischt, wie aus dem Bade kommend, mit glänzenden Augen; zudem war sie nicht ohne Geschmack gekleidet. Meist trug sie Schwarz. Es läßt sich gut an, bei Blondinen; auch paßte es irgendwie zu den goldenen Plomben im Munde. Der Tisch der Chefin war in wenigen Minuten von bevorzugten Gästen dicht besetzt und umlagert, von kalten, beschlagenen Literflaschen und den gelben Tupfen der mit Eiercognac gefüllten Gläser belebt.

Die hier und um diese Nachtzeit nun vorkommende Fauna mußte ja ihrer Herkunft nach eine Durchdringung verschiedener Kreise und Provenienzen darstellen. Wie die angeschnittene Leberwurst dem umhüllenden Darme, so entquoll diese unterschiedliche Fauna den um ein Uhr schließenden, ebenfalls sehr unterschiedlichen Gaststätten, um, annoch getrennt, das ‚Café Kaunitz' anzumarschieren, hier aber, vereint, einen noch größeren Lärm zu schlagen, als im bisher verstrichenen Teile der Nacht. Bald mischte sich das fette Gelächter von Alsergrunder und Währinger Geschäftsleuten mit dem dumpfer ertönenden Gebrüll der Werktätigen – die auch hier, wie eben überall, in imperialistisch-monopolkapitalistischer Weise ausgebeutet wurden, diesfalls von Frau Schoschi – und hinein in dieses Gemenge ertönten, außer den Pfiffen des singenden Lungenwurmes, die breiten und selbstbewußten Trompetentöne einiger ‚Gaserer', die im Hintergrunde des Lokales saßen, von Zeit zu Zeit auf die Marmortische hieben und eigentlich nur aussagten, daß es bei ihnen das oder jenes ganz einfach nicht gebe, das wär' noch schöner, und da würden sie jedermann den Standpunkt klar machen. Der Lärm anderer Bevölkerungsteile hier war ebenfalls erheblich, wenn auch nicht so pastos aufgetragen, wie jener der ‚Gaserer'. Vielfaches Quarren der Weiber nehme man hinzu: es bildete eine tonal näherliegende Grundierung zu den Pfiffen des Lungenwurmes, während die ‚Gaserer' ja gewissermaßen die Batterie dieses ganzen Orchesters darstellten.

Der Malermeister Ederl saß schon in einer Fensternische an seinem Marmortischlein, und zwar allein.

Er schlief halb. Sein großes, rundes, brotlaibartiges Angesicht war von Betrunkenheit etwas aufgeweicht. Sonst eignete ihm ein frisches Wesen. Aber nun hatte er seit fünf Uhr nachmittags in drei verschiedenen Gastwirtschaften Karten gespielt – und einige Hundert gewonnen, denn so hoch ging's her! – dabei mehrmals auch um einen oder den anderen Doppel-Liter, den der Verlierer hatte bezahlen müssen. Ederl war nicht der Verlierer gewesen. Ihm eignete die Fähigkeit, auch im angetrunkenen Zustande das Spiel stets vollständig zu überblicken. Noch nie aber hatte er jemanden zum Kartenspiel aufgefordert: sondern er wurde von seinen Partnern geradezu verfolgt. Daß es bei ihm vollends ehrlich herging, wußte jedermann. Um so mehr wollte sich die Kunst der andern an ihm messen. Ederl einen Hunderter oder mehrere Liter abgewonnen zu haben, wäre ein triumphaler, ja selbst bei den ‚Gaserern' respekt-setzender Erfolg gewesen. Aber er trat nicht ein. Immer wieder forderte man bei Verlusten die ‚Revanche-Partie' von dem schon ermüdeten Meister; und er gab und gewann sie. Die

Partner verfolgten ihn von einem Wirtshaus zum anderen. Er zog sie nach. Er brauchte sich nur irgendwo niederzulassen: sie kamen. Sie kamen zudem neuerlich, wenn sie verloren hatten: sie holten noch Geld von daheim. Hatte Ederl im Laufe eines Abends Dreien oder Vieren Verluste beigebracht – man möchte fast sagen: sie gut an-gespielt – dann erschienen diese Verlierer verläßlich zu guter oder eigentlich übler Letzt im ‚Café Kaunitz‘, um ihre ‚Revanche‘ zu fordern. Ederl saß schon da. Eine Spinne, die ihr Netz wider Willen wob, darin das schon gar nicht mehr Erwünschte sich fing: neuerlich ein Doppel-Liter, neuerlich ein Hunderter. Ederl gewann ihn: eine vollgesoffene Spinne. Man hatte ihn zu dieser Partie wirklich aufwecken müssen. Die Chefin kam von ihrem Tisch herüber; man mußte dort auf sie verzichten; es war mit ihr nichts mehr zu wollen, wenn die Karten gemischt wurden, sie war nicht mehr zu halten. Jetzt kiebitzte sie zwei Stunden bei Ederl, in vollkommenem Schweigen, ohne nur ein halbes Wörtchen zu sagen. Der kalte Tümpel rann ihr aus den Augen.

Inzwischen war es zwei Uhr geworden. Um diese Zeit pflegte das ‚Café Kaunitz‘ die zweite Lärmstufe zu erreichen. Oft redeten drei bis fünf nebeneinander Sitzende gleichzeitig und unaufhörlich. Von der Batterie im Hintergrunde kam dumpfer Donner.

Der Buchbindermeister Hirschkron war als stumme Figur erschienen: es hatte ihn erst jetzt hereingeweht. Er stand, das Weinglas in der Hand, hinter Ederls Partner. Er setzte sich selten. Er zirkulierte um die Tische wie eine arme Seele um die Gräber. Im Winter behielt er den Überrock stets an, mit aufgeklapptem Kragen. Er konnte beim Kartenspiel stundenlang zusehen, ohne Platz zu nehmen. Er gehörte zu keinem Tisch, er gehörte zu allen. Man hatte sich an seine Art zu sein längst gewöhnt, sie störte niemand mehr.

Hirschkron stellte, wohl ohne das zu wissen, innerhalb der hier vorkommenden gemischten Gesamt-Fauna eine absolut höhere Klasse dar. Seinem Zirkulieren zwischen den Tischen wohnte daher ein von ihm nicht geahnter Wahrheitswert inne. Er gehörte wirklich an keinen dieser Tische, sondern immer in den Zwischenraum, wo man steht, wenn man einen verlassen hat. Hirschkron setzte sich gleich gar nicht hin. Das gutartige Angesicht dieses Menschen, der eben die Mitte der Vierzig überschritt, zeigte – für den, der Augen hatte zu sehen – die zweifellos vorhandene Möglichkeit zum Geiste: es war kein unbedeutendes Antlitz; es neigte zur Zerrissenheit, ja zu einem Auseinanderweichen, zu einer Bereitschaft für die Auffassung auch von Neuem, Andersartigem, Unerhörtem und vielleicht Größerem. Aber die Tangente, welche dies bedeuten mußte, konnte von dem Kreise, in welchem sich Hirschkron bewegte, nicht wegführen in eine Richtung, die das Antlitz – mitunter sogar mit einer gewissen Kühnheit! – wies: es war dieser Kreis eben ein unendlicher gekrümmter Raum; und so erwies sich die Tangente am Ende auch als eine krumme Linie; sie leitete unweigerlich in die gekrümmte Unendlichkeit dieses Raums und in die Unendlichkeit der innerhalb desselben gespielten Partien ‚Sechsundsechzig‘ zurück.

Alle mochten Hirschkron gern. Man sieht schon, daß es aus demselben Grunde der Fall war, aus dem heraus Leonhard Anstoß erregte: denn die Gaben des Geistes an sich werden nicht gehaßt. Aber hervorstehende Tangenten – wie bei Kakabsa – wirken monströs, sie machen unbeliebt, sie sind die Demonstration einer Gegen-Gesinnung. Und Gesinnungen hat jeder: mit ihnen und dem Charakter wird sogar herumgeprotzt. Dies ist selbstverständlich. Es bringt einen Menschen unter die Leute. Aber es macht an sich nicht beliebt. Die Gaben des Geistes müssen aus solcher Gesinnungslosigkeit gereicht werden, wie sie Hirschkron eignete. Kakabsa, zum Beispiel, bangte vor jeder Verstrickung. Hirschkron war längst über und über verstrickt, ihm hatten die Lianengestrüppe des Lebens jedes Glied schon umwickelt und fixiert. Daheim saß ihm eine Frau, die er aus Anständigkeit geheiratet hatte, weil sie von ihm schwanger gewesen war, und die er nun wegen ihrer zunehmenden Trampelhaftigkeit kaum mehr zu ertragen vermochte; seine Kinder waren ganz nach ihr geraten. Er hatte kein Heim mehr. Er trieb herum zwischen den Tischen, das halbvolle Weinglas in der Hand; es war immer halb voll, und es war immer derselbe, längst warm gewordene Wein; am Ende ließ er ihn überhaupt stehen: ein pro-forma-Trinker. Wenn er kiebitzte und hinter ihm ein leerer Tisch stand, stellte er das Glas dort ab und wurde es auf diese Weise los. Er hätte ein wenig trinken sollen, es wäre für ihn besser gewesen, es hätte seine Arbeitskraft noch lange nicht untergraben. Aber er vertrug es nicht, aus irgendeinem

Grunde, es fügte sich seiner Konstitution nicht ein. Hirschkron war übrigens in seinem Fache durchaus tüchtig, und das, obwohl eine Schußverletzung im Kriege seine Finger etwas verkrüppelt hatte.

So brachte er sich freilich mühsamer durch. Der Malermeister Ederl hingegen verstand nicht nur das Kartenspiel und das Anstreichergewerbe, sondern beispielsweise auch den Weinhandel. Unter den Schankwirten der Gegend war einer, dem jener rustikale Beischuß fehlte, dessen der Wirt in einem Weinlande bedarf: um ein trefflicher Einkäufer zu sein nämlich und etwa in Niederösterreich draußen oder bei den burgenländischen Weinbauern, zu Rust und zu Oggau und andern Orts, das rechte Wort mit dem rechten Maul zu reden, mit ebendemselben die zahlreichen Proben zu kosten, einen Rausch nicht zu scheuen und ihn magenmäßig gut zu vertragen: auch da und immer den Vorteil wie mit Zangen festhaltend. Jener Wirt nun war ein Städter, durch und durch, bebrillt und etwas zaudrisch. Ihm kaufte Ederl die Weine ein, und sein Brotlaib-Antlitz brauchte kein bäurisches Maß zu scheuen. Spielte er betrunken vorzüglich Karten, so brachte er, im gleichen Zustande, auch einen Handel gut zu Wege. Er besoff sich denn einerseits draußen ohne Grenzen, und die Abschlüsse, die er heimbrachte, waren anderseits annehmbare. Johann Peter Hebel würde hier freilich sagen: ‚Merke: er wird's nicht umsonst getan haben.‘ Ein andres Kapitelchen waren die vielfachen Wünsche, welche die ausländischen Militär-Missionen nach dem ersten Weltkriege bezüglich der inneren Ausstattung ihrer Räume hatten. Hier mußten denn zahlreiche Handwerker her. Ederl war unter ihnen gewesen. Das Entgelt für die Arbeiten wurde im hochwertigen Gelde der siegreichen Staaten berechnet, und nicht knapp, sondern recht großzügig. Die Büro's aber erteilten einer österreichischen Steuerbehörde keine Auskünfte über die von ihnen geleisteten Zahlungen. Alles in allem: Ederl wurde saufend allmählich ein reicher Mann, und Hirschkron blieb nüchtern arm, so daß man versucht wäre, den Namen im Titel jenes berühmten Romans des Marquis de Sade zwecks Adaptierung hier zu ändern, und also schreiben möchte: ‚Ederl, ou la prospérité du vice.‘

Gegen drei Uhr näherte man sich der dritten Lärmstufe. Der von der Chefin verlassene Tisch hatte sich durch Anschieben kleiner Marmortischlein verlängert, und im gleichen Maße auch die Reihe der Literflaschen. Hier redeten mehr als ein Dutzend Personen mit absoluter Gleichzeitigkeit und ohne jede Unter- brechung. Schon blieb da und dort der Wein unberührt, wä- rend der schwarze Kaffee in langen Hilfszügen eilends ge- bracht wurde; dies besorgte der Chefin reizende Schwester, während dem übrigen Lokal der um ein Uhr erschienene Nacht- kellner Genüge tat. Er verständigte sich oft über den Raum hin- weg mit den Gästen im brüllenden Tone, teils wegen der Musik – immer wieder pfiff von Zeit zu Zeit der Lungenwurm – teils, und das besonders in der Nähe der Batterie, wegen der von dort dann und wann noch hörbaren Detonationen.

Bei Annäherung an die Lärmstufe III pflegte der Schneider- meister Jirasek mit dem Gesange zu beginnen. Er kam nur alle vier Wochen hierher, dann aber gleich mehrere Tage hinter- einander. Es hing dieser Turnus, wie er dem jeweiligen und zu- fälligen Nachbarn am Tische der Chefin stets offenherzig dar- legte, mit den biologischen Notwendigkeiten der Frau Jirasek zusammen. Gegen drei Uhr also pflegte er, wehmütig gröhlend, anzustimmen. Es gab ein merkwürdiges Vorsignal, an welchem man erkennen konnte, daß Jirasek nun bald singen würde: wenn er sich nämlich in seinem Rausch für einen Arzt auszu- geben begann und immer wieder versicherte, ganz beiläufig und von oben herab, es koste ihn nur einen telephonischen An- ruf, um jedermann hier auf die ‚Polizei-Prosektur‘ (??!) brin- gen und dort auf der Stelle ‚psychiatrieren‘ zu lassen. Ohnehin wären hier alle komplett verrückt. Dabei blieb's fest und hart- näckig bis zum Gesange. Es sei nicht verschwiegen, daß Jirasek stets nach der Sperrstunde des ‚Café Kaunitz‘ um vier Uhr mehrere fremde Männer und Frauen mit in seine Wohnung zu nehmen pflegte. Was die Frau Jirasek dann dazu meinte, ist nicht bekannt (vielleicht geschah es auch in ihrem Auftrag), denn glücklicherweise sind die Vorgänge in der Wohnung des Schneidermeisters unserer Sicht entzogen. Zu erwähnen wäre nur noch, daß Jirasek damals sechzig Jahre alt war und im be- trunkenen Zustande an den Schläfen vor Schwäche schwitzte.

Bei Erreichung der Lärmstufe III mochte man wirklich glau- ben, man wäre schon ‚an einem andern Ort‘, wie es bei Johann Peter Hebel in der ‚Merkwürdigen Gespenstergeschichte‘ so unheimlich heißt. Einzelne Paare tanzten ganz anständig zwischen den Tischen (eine eigentliche Tanzfläche gab es hier nicht): aber plötzlich setzten sich zwei Unbekannte behend links und rechts neben den Klavierspieler und begannen mit beiden Händen in völlig unartikulierter Weise die Tasten zu bearbeiten. Alsbald erscholl und schwoll Zetern und Schimpfen der beim Tanze Gestörten, der im Gehör Beleidigten; an den Rockkragen wurden die Tremmler vom Klaviere hinweg und wieder zu ihren Plätzen gezerrt. Jetzt erklang das Instrument neuerlich. Zwar hatte der Lungenwurm ausgepfiffen. Doch nunmehr sang, nach geendeter Kartenpartie, nach von seiten Ederls gewonnenen zwei weiteren Hundertern – die Chefin selbst, unter allgemeiner Akklamation. Jirasek indessen konnte nicht zum Schweigen gebracht werden: er hatte vor drei Uhr schon das Stadium der ,Polizei-Prosektur' überschritten; und nun gröhlte und brabbelte dieser Schneidermeister mit dem entnervenden Eigensinn der Betrunkenen vor sich hin. Er wurde ergriffen und auf die Toilette hinausgezerrt, wo man sich wahrscheinlich den Spaß machte, ihn bei dieser Gelegenheit zu verprügeln. Der Gesang der Chefin ward merkwürdig rasch und spurlos vom Lärme verschluckt; niemand kümmerte sich mehr darum. Um etwa halb vier war es schon durchaus die Hölle selbst, man konnte gar nicht mehr daran zweifeln, sich ,an einem anderen Orte' zu befinden. Aber, wissend, daß die Chefin jedesmal punkt vier Uhr im Vereine mit ihrer Schwester, dem Klavierspieler, dem Nachtkellner und dem für diese Leistung eigens bezahlten Hausmeister in völlig rücksichtsloser und unverblümter Art das Lokal zu räumen pflegte, torkelten einige jetzt schon ab; und wie um ein Uhr durch den Einstrom, so ward jetzt die Drehtüre durch den Ausstoß bald ständig in Bewegung gehalten, die schließlich rasch, quirlend, ja konvulsivisch wurde: das Lokal erbrach sich. Das Erbrochene fleckte noch für ein Kurzes da und dort dunkel die dunkle Straße.

Die Grenze, wo die nähere persönliche Umgebung eines Menschen aufhört und sozusagen sein Zeitalter schlechthin beginnt, läßt sich nicht genau und generell angeben. Aber es braucht einer nur aus Widerwillen gegen das allzu Gewohnte sein Wirtshaus meiden und weiter weggehen in ein anderes: so hat er zweifellos schon jene Grenze überschritten.

Jedoch ist das auch auf einem Ledersofa möglich.

An jenem Abend, da ihm klar geworden war, daß er zum Riechen auf der Welt sei – und diese Erkenntnis hielt er jetzt fest, dagegen gab es keinerlei Einwand mehr bei ihm – an jenem Abende verließ er das Ledersofa, um auszugehen. Er trat in's Vorzimmer, und mit ihm gleichzeitig seine Hausfrau, die alte Magazineurs-Witwe.

„Gehn S' morgen in die Kirchen, Herr Kakabsa?"

„Warum denn? – ich geh' doch nie in die Kirche."

„Na, ich mein' halt. Na is' gut. I' bet' für Ihna."

Dieses Gespräch wiederholte sich an Samstag-Abenden ganz gleichbleibend in Abständen von drei bis vier Wochen. Manchmal fand es auch am Sonntagmorgen statt. Leonhard schüttelte nicht einmal mehr den Kopf, während er die Treppen hinabging. Er war an den kleinen Dialog schon gewöhnt.

An der Ecke der Treustraße wandte er sich nach rechts, also vom ‚Donaukanal' ab, und ging die breite Wallensteinstraße entlang.

Es begann eben erst dunkel zu werden. Der Samstag belebte die Straße. Die Luft war mild, die Wärme war plötzlich da, der Vorfrühling. An der Straße entlang das Lichtband der teilweise noch offenen Geschäfte. Am Fahrdamm lag blaugrauer Dunst, darin ratterte und rollte der Verkehr. Leonhard bemerkte, daß ein leichter Nebel eingefallen war. Vom Strome.

Bei der Fiedlerschen Buchhandlung stand die große Glasscheibe des Schaufensters quer über den Gehsteig, unterstützt von einer kleinen eisernen Standsäule, einem Gerät, welches an jenes erinnern konnte, welches man bei Reifendefekten zum Heben des Wagens benutzt. Ein Lehrling war auf Posten, damit niemand in die Scheibe hineinrenne. Man baute offenbar jetzt am Samstag-Abend das Schaufenster neu auf. Ein Mädchen kniete darin. Jetzt erhob sie sich, trat auf den Gehsteig und musterte die Auslage, einige Bücher im Arm. Es wirkte ein klein wenig befremdlich, daß sie dabei eine Zigarette im Mundwinkel hielt. Die Rauchbänder stiegen schräg aufwärts an ihrem Gesicht vorbei. Das sah Kakabsa deutlich, gerade in dem Augenblick, als ihr die Bücher, welche sie hielt, entglitten und auf den Gehsteig purzeln wollten, der von leichter, schleimiger Feuchtigkeit überzogen war. Leonhard griff zu – der Lehrling an der Scheibe erfaßte die Sachlage gar nicht – und verhinderte den Absturz der Bücher. Nun standen sie ganz dicht aneinander, Leonhard und das Mädchen, beide die Bücher unterstützend, die zwischen ihnen eingeklemmt steckten. Das dauerte mehrere Sekunden. Ein dankbarer Blick aus zwei grünen Augen in einem Katzengesicht traf Leonhard. Aber dies trat nur hinzu, es kam nur obendrein noch: denn durch diese Augenblicke spürte Leonhard mit einer kaum glaublichen Plastik den Körper seiner Partnerin, an die er ja dicht gedrängt stand. Er empfand ganz unzweideutig ihre Fülle, ja, die Wölbung ihres Bauches.

Sie sicherten die Bücher und legten sie ins Schaufenster; jetzt war freilich auch der Lehrling bei der Hand.

„Das kommt vom Zigaretten-Rauchen bei der Arbeit", sagte Malva Fiedler sanft. „Mir ist Rauch in's Auge gekommen. Ich danke Ihnen, mein Herr." Sie sah ihn wieder so an wie vorher, Katzengesicht, Katzenaugen, weiche Fülle. Er wäre kein Mann gewesen, hätte er nicht jetzt bereits ihre breiten Hüften, ihre hohe Brust bemerkt gehabt.

Sofort grüßte Leonhard und ging davon; und immer weiter, ohne anzuhalten. Merkwürdig ist, daß er sich selbst zugleich für völlig blöde hielt, wegen dieses Davonlaufens, ohne den kleinsten Versuch einer Anknüpfung; jetzt aber schoss bereits bei ihm die Vorstellung ein, daß ja jenes Mädchen, als eine in der Buchhandlung beschäftigte Person, wohl wieder zu finden sei, und nicht untergetaucht auf Nimmerwiedersehen wie irgendeine Fremde auf der Straße, die etwa seinen Blick auf sich gezogen hatte; aber nicht zu halten, nicht zu fassen, in kürzester Zeit schon weit weg (solche Sachverhalte hatten Leonhard seit jeher in Unruhe versetzt). Der Gegenstoß in ihm erfolgte gerade vor der Halle des einstmaligen Nordwest-Bahnhofes, die jetzt nicht mehr in Benützung für den Personenverkehr stand: ein blind gewordenes, verschlossenes Fenster der Ferne, groß und grau und tot . . .

Der Gegenstoß war: daß er hing. Oder, daß etwas an ihm hing; eben dadurch, daß die Buchhandlung in der Wallenstein-straße ja hinter ihm nicht versunken war, sondern sich leicht wieder finden ließ . . . Er sah an sich herab, als müßte ein Geschoss aus ihm hervorstehen, das ihn getroffen hatte.

Es saß. Das erkannt' er jetzt erst. Bis hierher noch war ihm Distanz geschenkt geblieben vom doch bereits Geschehenen, von dem, was ihn da angeflogen hatte. Nun durchsetzte es sich schon mit seiner eigenen Wärme. Nun war es sein. Nun war es erst geschehen.

Und der letzte Teil des Ereignis-Zuges lief jetzt erst bei ihm ein, wie der Knall lang nach dem Blitz des in der Entfernung gefallenen Schusses gehört wird . . . Der letzte Teil kam nach, ja, mit ihm eigentlich erst das Ganze: ein Geruch. Er hatte ihn, dem Mädchen nahe, nicht empfunden. Jetzt, hintnach, spürte er ihn, etwa in dieser Weise: so, und nicht anders, mußte sie riechen. Es war etwas von Honig dabei, durch den Schärfe drang. Wie eine dunkle Honigscheibe, durch die man einen Rosendorn stieß . . . Leonhard erschrak nicht über die Verwirrung in seinen Vorstellungen. Er versuchte auch nicht, die ganze Sache einfach wegzuwerfen, aufmuckend in entlehnter Burschikosität, mit einer heftigen und geringschätzig gemeinten Armbewegung nach rückwärts. Er konnte, nach allem, dazu nicht mehr eingebildet genug sein. Er war aufgeklärt worden. Zwar nicht in die Breite, im Geiste des Fortschritts. Wohl aber in die Tiefe. Er hatte eingeräumt, daß er zum Riechen auf der Welt sei; und er hielt daran fest. Er hatte Weisheit gewonnen. Diese kann man mit der Macht nicht verwechseln, wie es beim bloßen Wissen ja geschehen ist, sobald es nur einmal im trüben Aufklärichte schwamm.

Weitergehend vom Nordwestbahnhof wurde er nach einiger Zeit dessen inne, daß er sich auf dem Wege zu Anny Gräven befand, die in der Franzensbrückenstraße wohnte, also am Prater, und dort in einem oder dem anderen Lokale wohl anzutreffen war.

Sie erschien ihm jetzt als vertrauenswürdig, gutartig und beruhigend, im Vergleiche zu dem Mädchen von der Buchhandlung, mochte auch Anny's Lebenshintergrund – ihr Nährboden, ihr Myzelium, ihr Topf, aus dem sie wuchs – nicht gerade danach angetan sein, Vertrauen zu erwecken. Es war jedoch die Gräven ohne Arg, weil ohne Lüge, mochte gleich ihr Mund viel erfundenes Zeug gelegentlich plappern. Bei ihr lag das Fernsein von jeder Moralität offen zutage, etwa so, wie eine Kuppe ohne Strauch und Baum sich dem hohen Himmel bietet: die Gräven war gewissermaßen abgeräumt; freigeräumt von allen Ober- und Überbauten, die von den Mannsbildern den

Weibern aufgezwungen und oft gänzlich verdeckend über jenem so ganz fremdartigen Baugrund errichtet worden sind. Freilich, dieser bleibt drunter liegen. Bei der Gräven hätte er sozusagen im Tagbau exploitiert werden können. Aber sie gab dazu keine Gelegenheit. Sie belastete sich nie mit Zuhältern. Es mochte bei ihr daher kommen, daß sie erst in reiferen Jahren zu ihrem Gewerbe gelangt war.

Leonhard, indem er dahinging, gedachte ihrer Einzelheiten: ihres mageren Gesichtchens, das freundlich-spitzmäusig dreinsah, des Körpers, der, im Gegensatze zu dem kleinen Antlitz, zwar schlank, aber doch rundlich-zart war, an den eines kleinen Kindes gemahnend. Ihr gutmütig-leichtsinniger Ausdruck, wenn sie trank, die Gräven! Sie trank zu viel. Wer dem Rauschgift entrinnt, behält allermindestens diese Neigung zurück, als eine Art schwachen Ersatz. Anny spielte auch. Damals, in den zwanziger Jahren, war es das ,Bucki-Domino', das viele Cafés beherrschte. Man konnte dabei spielend um sein Geld kommen. Die Gräven verlor viel. (Richtig Kartenspielen konnte sie gar nicht, es mußte ein reines Glücksspiel sein. ,,Ich hab' ja nur ein Achtel Hirn", pflegte Anny zu sagen.)

Leonhard hatte die Gräven in einem ganz einfachen Lokal kennengelernt, am Biertisch.

Seitdem ging er manchmal zu ihr. Sie war in einem von den Cafés der Praterstraße nachmittags meist telephonisch erreichbar.

Dann verabredeten sie sich. Sie verlangte gar nichts von ihm. Was er ihr gab, nahm sie mit Dank.

Es war das Haus, darin die Gräven wohnte, weitläufig, uralt und verwinkelt, mit Spindeltreppen und langen schmalen Gängen. Ein Teil des Gebäudes gehörte zu einem Hotel, das hier seit bald hundert Jahren bestand; der andere Flügel, gegen die Franzensbrückenstraße, war abgetrennt, als Mietshaus mit Dauerwohnungen. Man konnte auch durch das Hotel zu Anny gelangen. Leonhard aber hätte allein nie zu ihrer Türe gefunden. Die Gänge waren kaum beleuchtet. Er pflegte sich mit Anny in einer kleinen Schank zu treffen; sie nahm ihn dann mit nach Hause. Des alten Gebäudes Mauern waren dick, und man ging sehr tief und lang hinein: und wie aus der Welt hinaus. Wie durch einen dicken Vorhang, durch eine Courtine hindurch. Bei Anny war es nicht übel, sie war gut eingerichtet. Sie verdiente viel. Leonhard ermahnte sie, nicht mehr zu spielen und sich was zu ersparen. Sie lachte. Sie hatte eben beim Domino ein paar Hunderter verloren. Er gedachte jetzt ihrer, und in freundlicher Gesinnung; kam an den Beginn der Praterstraße, wandte sich kurz um und ging den Weg zurück, heimwärts. Bevor er wieder in seine Gegend gelangte, trank er Bier in einem fremden Wirtshaus.

Ein Arbeiter sieht im allgemeinen eine Buchhandlung nicht offen: wir bitten, daran erinnern zu dürfen. Er geht morgens an den geschlossenen Rolladen vorbei, und abends ganz ebenso.

Die Gewalt der Dinge (‚la puissance des choses‘), wie der alte Metternich gesagt hat, ebnete also jene Wölbung, jenen Tumor wieder etwas ein, den Malva Fiedler's Bäuchlein in Leonhards Vorstellungen gebildet hatte.

Am Tage, nachdem es in jene eingedrungen war, also Sonntags, saß Leonhard gegen drei Uhr bei seiner Schwester Mila in der oberen Küche des Palais Ruthmayr, in der Tee- oder Frühstücks-Küche, wie sie genannt wurde, weil sie im gleichen Stockwerke wie die Schlafzimmer lag und man hier niemals Speisen zubereitete, es sei denn weiche Eier, Haferflocken, und was sonst auf ein morgendliches Tablett gehört.

Man sah von hier in den Garten hinab – in den rückwärtigen, nicht in jenen an der Straße, über dessen Gitter dereinst (genauer: kein ganzes Jahr später) Eulenfelds ‚Troupeau‘ unter Gesang und Lautenspiel klettern sollte.

Dieser Garten hinter dem schönen Hause war schon beinahe ein Park zu nennen.

Das Licht des Vorfrühlings, ohne Sonne, an einem bedeckten Tage, ließ alles wie erstarrt in der Stille erscheinen, die nicht als ein tiefes, weiches Kissen hinter den Dingen lag, sondern wie ein Glasfluß sie umschloss: so die leeren Baumwipfel und einen Laubengang, dessen Holzgitter kahl standen, noch nicht umschlungen und umschattet vom Gewächs. Im Raume duftete stark der Kaffee. Mila schenkte ihn ein. Schwieg man (und man schwieg eben jetzt), dann herrschte hier fast völlige Lautlosigkeit, die mit dem Geklapper des Kaffeelöffels zu ritzen für Leonhard beinahe quälend war. Ein hübsches Mädchen, die Mila. Milch und Blut. Ein wenig allzu weiß, allzu blaß. Ein schönes

Kind. Der Vater hätte sich gefreut. Sie sah ihm ähnlich. Wird sie nicht ausgehen wollen an ihrem freien Sonntag-Nachmittag? Sie muß doch einen Verehrer haben, wenn sie schon so herzig und sauber aussieht.

Sie benützte Leonhard's seltene Anwesenheiten hier fast immer, um irgend etwas für ihre ‚Gnädige' richten zu lassen, insbesondere Sachen, auf die jene viel hielt, und die mit Sorgfalt gemacht sein wollten, welche vielleicht bei derlei nebensächlichen Kleinigkeiten von einem Professionisten nicht immer aufgewendet wurde. Leonhard fand sich dann stets gerne bereit zu solchen Arbeiten, denn er langweilte sich auf's äußerste mit Mila (die er doch gern mochte), hätte es aber als unschicklich empfunden, allzu bald nach dem Kaffee wieder fortzugehen. Bei Mila war es die kindische, ja, man dürfte hier fast sagen kindliche Freude, der ‚Gnädigen' einen kleinen Wunsch, den sie bemerkt oder erraten hatte, überraschend erfüllen zu können; dies veranlaßte sie, Leonhard zu beanspruchen. In Heimlichkeit ward dann alles fertiggestellt. Leonhard war ein bei derlei Arbeiten sehr geschickter Bursche.

Auch diesmal lag Mila etwas am Herzen. Der Laubengang im Garten war da und dort morsch und wacklig geworden und fiel an einer Stelle fast zusammen. Wiederholt hatte Mila den Portier und Hausdiener darauf hingewiesen. Jedoch der dicke Mann zeigte wenig Neigung zu solchen Verrichtungen, der Tischler aber, an den er sich gewandt, blieb aus. Und nun sollten ja bald die grünen Blätter kommen. So hatte Mila sich die erforderlichen Holzleisten beschafft, Werkzeug, Schrauben und Nägel bereitgelegt und Leonhard mittels einer Postkarte für Sonntag zum Kaffee eingeladen.

Sie gingen hinab.

Sie querten den Treppenabsatz, die dämpfenden gelben Teppiche beschreitend (an Frau Friederikes Schlafzimmer vorbei), und trappelten jetzt rasch eine Wendeltreppe hinab, die in den Park mündete. Noch klang in Leonhard der Gang über den Treppenabsatz nach, die stille, die reine, fast duftige Luft. Da war nun der Kies, der Laubengang. Einige entfernte Häuser wiesen fensterlose Rückwände, als bleiche Zacken gegen den bedeckten Himmel stehend. Mila war zu einer am Garten liegenden Kammer gelaufen, um das nötige Zeug zu holen. Jetzt sah Leonhard den Laubengang an, und was hier zu tun sein mochte.

Er rüttelte ein wenig da und dort, erfaßte die Art, in der das Ding aufgestellt war, und die ebenso simple Möglichkeit, es wieder zu ergänzen. Die kurzen Pfosten im Boden, welche das Gestell hielten, waren noch fest und unzermorscht; es genügte, eine Längsleiste zu ersetzen und zwei in der Quere. Mila kam. Er entfernte die zerfallenden Teile und die Nagelreste, und maß aus. Mila half ihm, beim Durchsägen die neuen Leisten zu halten. In einer Stunde etwa stand der Laubengang wieder starr und windfest. Leonhard hatte nichts genagelt, sondern alles mit Schrauben fixiert, die er jedesmal ganz in's Holz versenkte; man konnte mit der Hand drüberfahren, ohne hängen zu bleiben. Am Ende sah er den ganzen Laubengang leicht rüttelnd durch und brachte noch an einer Stelle zwei weitere neue Leisten an. Das Ding war nun vollends fertig.

„Du mußt die neuen Leisten auch grün streichen, wie das übrige", bemerkte Leonhard.

„Das machen wir gleich, ich hol' die Farbe!" sagte sie begeistert.

Sie brachte die Blechbüchse und zwei Pinsel aus der Werkzeugkammer.

Während Leonhard die Büchse vorsichtig öffnete, wurde ein Automobil hörbar, das an der Straßenfront hielt. Mila beachtete das nicht weiter. Sie hatte das Zurückkehren des leeren Wagens erwartet. Frau Friederike war nach Tisch zu einer Freundin gefahren, wohl um dort den Nachmittag über zu bleiben. Sie ließ ungern den Chauffeur lange warten und schickte ihren Wagen lieber heim, um ihn zur Rückfahrt noch einmal kommen zu lassen.

Leonhard rührte mit einem Stückchen Holz die Farbe.

Auf der kleinen Terrasse, die der Halle gegen den Park zu vorgelagert war, erschien jetzt Friederike Ruthmayr, gefolgt von dem Kammerrat Levielle. Sie stiegen herab. Mila eilte ihrer ,Gnädigen' entgegen.

„Ja, Miluschka", rief diese, „ich hab' gemeint, du bist ausgegangen?"

„Der Leonhard ist da", sagte Mila strahlend und küßte Friederike die Hand. „Er hat das Staket gerichtet. Wir wollten grad streichen."

Friederike ging weiter, in den kahlen Laubengang hinein. Der Kammerrat war stehengeblieben. Seine Gestalt wurde von der hellen Rückfront des Palais' grundiert. Kakabsa stellte den Farbtopf ab und warf einen Blick auf seine Hände. Sie waren von der Farbe nicht bekleckst. Er ging Frau Ruthmayr entgegen und verbeugte sich.

„Grüß Sie Gott, Leonhard", sagte Friederike und reichte ihm die Hand, „ich danke Ihnen recht sehr, daß Sie am Sonntag sich solch' eine Arbeit antun! Aber Sie kommen selten zu Ihrem Schwesterl. Sie hat sich schon beklagt."

Leonhard hatte Friederike bisher nur dann und wann durch wenige Augenblicke gesehen; einmal, vor Jahr und Tag, als er gekommen war, um Mila zu einem Spaziergange abzuholen, hatte die Schwester ihn der ‚Gnädigen' präsentiert, die zufällig auf der Treppe erschien. Nun aber stand er Frau Ruthmayr im blassen und doch hellen Licht dieses Vorfrühlings-Tages gegenüber: und ihre Wirkung auf ihn war eine ganz außerordentliche. Er vermochte sie ruhig und ohne jede Befangenheit zu betrachten. Aber das war nicht eine Fähigkeit von ihm, sondern es ging von ihr aus. Alles schien Tiefe zu gewinnen hinter ihrem Antlitz, eine Tiefe, die jedweder störenden Nervenspannung, allem Linkischen, aller Nervosität, wie man's gemeinhin nennt, vollends enthob. Jetzt noch klang ihr Herankommen in Leonhard nach, wie sie durch den kahlen Laubengang sich ihm genähert hatte: wie heran-schwebend, schwimmend, wie ein schöner Zierfisch gegen die Glaswand eines Aquariums herankommt. Ja, sie hatte etwas Fischiges. Die sehr großen dunklen Augen standen vielleicht ganz leicht schräge ... Ja, sie sah stumm aus, und einsam. Ein absurdes Mitleid erfaßte Leonhard, und eine Sehnsucht nach diesem unbekannten Leide, dem er sich gesellen wollte. Er fühlt' es, wie die Empfindung ihn über alles hinaushob, was sonst sein Leben erfüllte, sogar über die Erinnerung an die Donauschlepper hinaus, und über das Mädchen von der Buchhandlung, und über Anny Gräven: weit hinaus. Und über den Donaukanal. Einen Atemzug lang stand er jetzt in Gedanken auf dem Platz vor dem Franz-Josephs-Bahnhof, mit dem Rücken gegen das altmodische Bahngebäude, und sah auf die Häuser hinüber, auf eines dort besonders, an der Ecke ... Was sollte das nun, was sollte das hier? Durch Sekunden war Leonhard durchaus von Unbegreiflichem erfüllt, angesichts dieser unbegreiflichen Frau im Garten hier, einem fremden Garten, und mit einem fremden Mann im Hintergrunde, der da regungslos in Abstand sich hielt, einen grauen Anzug trug und weiße Gamaschen. Warum weiße Gamaschen? Leonhard war jetzt vollends verwirrt, aber gar nicht verlegen. Er sagte:

„Ja, gnädige Frau, sie hat schon recht die Mila. Ich hab' ein paar verheiratete Kollegen, denen muß ich auch oft bei verschiedenen Sachen helfen . . ."

„Das ist recht. Aber kommen Sie nur öfter zu Mila. Und ich dank' Ihnen noch einmal recht schön."

Sie sah ihn an, unergründlich, wie ein einsam an der Glasscheibe stehender Fisch aus dem Aquarium blickt, wandte sich, und ging das Staket entlang und auf den im Hintergrunde stehenden Herrn mit den weißen Gamaschen zu.

„Darf ich den Herrschaften noch den Tee servieren?" fragte Mila halblaut, als Friederike an ihr vorbeikam.

„Halt' dich nicht auf, Miluschka, das wird der Johann schon machen, du hast doch heut' deinen Ausgang", sagte Frau Ruthmayr. Aber das Mädchen lief schnell und leichtfüßig zum Eingang jener Wendeltreppe, über welche sie mit Leonhard in den Garten gekommen war. Er sah ihr nach. Ihr Lauf war hübsch. Die schlanken Beine flogen. Ein liebes Kind. Der Vater hätte sich gefreut. Warum hatte er das mit den ‚verheirateten Kollegen' jetzt erfunden? Es war das Pünktchen auf dem i von all dem Unbegreiflichen. Gut, der Zilcher Karl war verheiratet, aber hatte er sich je um ihn gekümmert, um seine Familien-Verhältnisse? Bei Zilchers gab es übrigens augenblicklich eine große Schwierigkeit; sie hatten irgendwas plötzlich bezahlen müssen, und obendrein schon vorher zu viel Geld ausgegeben . . . es hatte am Samstag nicht für den Greisler (so nennt man den kleinen Gemischtwarenhändler in Wien) gelangt.

Leonhard sah jetzt Friederike mit ihrem Begleiter die Stufen der Terrasse emporsteigen. Sie verschwanden in der Halle.

Da war er nun allein im Garten, Leonhard.

Er nahm die Blechbüchse mit der Farbe und einen Pinsel auf, überlegte aber dann einen Augenblick und ging erst noch zu jener Werkzeug-Kammer, woher Mila die Sachen geholt hatte: und richtig, hier fand sich, was er suchte; ein großes Stück Sackleinwand, Teil eines einstmaligen Kartoffelsackes vielleicht. Leonhard zog seinen guten Rock aus, krempelte die Hemdärmel hoch und schützte das Beinkleid des Sonntagsanzuges gegen

Farbspritzer, indem er die gefundene Sackleinwand mit Hilfe seines Hosenriemens vorband.

Dann strich er die neuen Leisten und verbesserte da und dort noch den Anstrich. Wieder goß die Stille alles in Glas. Das wenige Geräusch, welches Leonhard erzeugte, wurde ihm fast zu viel.

Der Garten hatte weiter rückwärts Bäume, ein ganzes Wäldchen.

Ein Steinrund ließ sich sehen, wie von einem Teich.

Mila kam.

Nun war alles fertig. Sie räumten die Werkzeuge ein. Sie gingen hinauf, um Leonhards Hut und Mantel zu holen. Es war fast zu warm für den Mantel. Der Fremde im Garten hatte keinen Mantel gehabt; vielleicht im Wagen gelassen, oder in der Vorhalle abgelegt. „Der Herr Kammerrat Levielle, unser Vermögensverwalter", sagte Mila, auf Leonhards Frage hin. Sie war anders angezogen als vorhin, zum Ausgehen, ohne Schürze. Er hatte in der Küche die Hände gewaschen. Sie reichte ihm eine flache Zigarettenschachtel. „Von der gnädigen Frau." Leonhard rauchte selten. Er dankte und steckte die Schachtel in die linke Rocktasche. Sie hat sich schön gemacht; also ist sie verabredet. Sonst würde sie vielleicht fragen, warum ich schon gehe, dachte Leonhard. Die Geschwister küßten einander zum Abschied.

Er verließ dieses stille Haus, an dem wohlwollend aus seinem Flurfenster grüßenden Torwart und Hausdiener Johann vorbei . . . Der Garten! Er wäre am liebsten noch einmal in diesen zurückgekehrt. Es gab außen auch noch Garten. Leonhard ging daran entlang. Nun bog er schon in eine andere Straße.

Zu Fuß weiter, allein in dem nur mäßig belebten trüben Sonntag-Nachmittag. Der Mantel war zu warm. Leonhard zog ihn aus, freilich mußte er ihn über dem Arm tragen. Er ging keinen kürzesten Weg, nur ungefähr in der Richtung auf den Bezirk zu, wo er wohnte. Er dachte noch einmal an die ‚verheirateten Kollegen'. Man konnte also etwas sagen, was man nie im entferntesten gedacht, was man sich niemals hatte einfallen lassen. (Später einmal kam Leonhard auch dahinter, wie widersinnig der Ausdruck ‚Kollegen' für Menschen ist, die nebeneinander mit der Hand arbeiten – aber das hing dann doch irgendwie mit Malva Fiedler zusammen, und gehört nicht hierher.) Der Großstädter kann in seiner Heimat durch unbekannte

Gassen und Gegenden gehen. So auch Leonhard. Jetzt: ein kleiner dreieckiger Platz, eine kahle Garten-Anlage in der Mitte, mit wenigen Bänken. Leonhard saß auf eine Bank nieder und nahm den Mantel um die Schultern. Nun spürte er die Zigarettenschachtel in der linken Rocktasche und zog sie hervor. Es war eine ausländische Sorte, mit schönen Buchstaben in Gold beschriftet und mit einem Halbmond verziert. Er hätte jetzt gern eine solche Zigarette genossen, trug aber, als nicht gewohnheitsmäßiger Raucher, keine Zündhölzer bei sich. Die Schachtel war nicht verschlossen, wie sich zeigte, sondern an der Seite aufgeritzt. Vielleicht war die Packung nicht mehr voll. Doch, sie war's. Unter dem Staniol und über den Zigaretten lag eine größere Banknote. Deshalb offenbar war die Zigarettenschachtel aufgerissen worden.

Man konnte also auch eine sinnlose Äußerung, die einem entkommen war, wieder einholen, unter Umständen: das war nun Leonhards eigenste Erfindung hier in dem öden Gärtchen. Er machte alsbald sich auf den Weg zu Karl Zilcher und strebte zur Straßenbahn. Während der Fahrt fiel ihm ein – oder eigentlich: es fiel ihm auf, und zwar zum ersten Male – daß er in der letzten Zeit immer besser und besser mit seinem verdienten Gelde das Auslangen gefunden hatte. Ersparnisse. Ein Kapitalist. Seit dem Rückzug auf das Ledersofa.

In der Küche bei Zilchers waren mehrere Personen anwesend, außer dem Ehepaar noch eine dicke alte Frau mit einem kleinen grauhaarigen Mann (diese brave Person hatte übrigens Kaffee mitgebracht, die Tassen standen umher). Die Zilcherin harnischte sich sogleich, als sie den jungen Mann erblickte, den Karl als ‚Arbeitskollegen‘ bekannt machte, denn sie nahm nichts anderes an, als daß er ihren Gatten in's Wirtshaus verschleppen wolle; und die augenblicklichen Verhältnisse waren wahrlich nicht danach! Aber die Alte schenkte Leonhard Kaffee ein. Zwei Kinder liefen zwischen der Küche und den beiden Zimmern hin und her. Kakabsa wollte gar keinen Kaffee, fühlte sich obendrein hier fehl am Ort und sozusagen gestrandet; auch war Frau Zilchers Haltung für ihn fühlbar. Eine kleine und untersetzte knollige Person: sie verfinsterte sich zusehends. Leonhard hielt es jetzt für einen entschiedenen Fehler, hierher gegangen zu sein. Die Banknote hätte er Karl ebensogut am Montag im Betriebe geben können. Dabei hieß es hier erst, ihn loszueisen. Aber das gelang nicht. Karl protestierte. Also hieß es Kaffee trinken. Der Kaffee war in einer Hinsicht für Leonhard von Vorteil. Nicht durch die Wirkung des Genusses, sondern durch den Geruch, der die Küche erfüllte und alle hier sonst wohl möglichen, ja wahrscheinlichen Gerüche zudeckte. Merkwürdigerweise wurde dies Leonhard ganz klar bewußt. Endlich konnte er sich doch losmachen. Er zupfte Karl verborgen am Ärmel und bedeutete ihm durch einen Blick, er möge mit ihm auf den Gang hinaus treten; jedoch er bemerkte freilich, daß Frau Zilcher diesen Wink ebenfalls auffaßte. Alles ging hier schief. Er hätte hierher nicht gehen dürfen. Auf dem mäßig erleuchteten Gange reichte er Karl die Banknote und eine Handvoll Zigaretten aus der Schachtel. Zilcher war durch einen Augenblick völlig verdutzt. „Ja, wann soll ich's dir denn wiedergeben, Leonhard?" „Meinetwegen in einem Jahr, oder wann . . . ich brauch's nicht." „Anna!" rief Zilcher hinein: aber da war sie schon. Sie stürmte heraus, um dem Gewisper am Gang ein Ende zu machen. „Da, das hat uns der Leonhard gebracht", sagte Karl, und reichte ihr das Geld. Aber die Frau fand aus der Erbosung und Angriffslust, welche sie in ihr Gesicht gebracht hatte, nicht mehr zurück; das Antlitz blieb darin verstockt, es zog gleichsam die Eignerin jetzt hinter sich her: sie war zu plump, um in die neue Lage zu münden. „Wieso??!" pfauchte sie Kakabsa an, böse und knollig. „Ich danke dir", sagte Karl, nahm die Zigaretten sorgfältig in die linke Hand herüber und schüttelte Leonhard die Rechte; als dieser nun davonging, war Frau Zilcher inzwischen doch so weit gekommen, ihm ‚Danke' nachzurufen; aber es kam noch immer ganz kurz und hart und unfreundlich heraus. Karl Zilcher beachtete seine Frau nicht. Er sah noch immer zur Mündung der Treppe, von wo Kakabsa längst verschwunden war, man hörte auch seine Schritte nicht mehr.

Es war inzwischen dunkel geworden. Leonhard kam an die Ecke der Hannovergasse (wo die Zilchers wohnten), kreuzte die Wallensteinstraße, wandte sich gegen den Donaukanal und heim. Als er aufschloß, ließen sich aus den Zimmern der Magazineurs-Witwe einige Altweiber-Stimmen hören, halblaut.

Da war nun das Ledersofa.

Er hatte heute wohl einige Fehler gemacht.

Erst den Fehler mit den ‚verheirateten Kollegen'. Dann die ebenso fehlerhafte Verbesserung dieses Fehlers: der Besuch bei Zilcher war völlig überflüssig gewesen. Fast eine dreiviertel Stunde hatte er dort sitzen müssen. Die abscheuliche Frau. Der Lärm von den Kindern. Wozu das alles? Sein Nachmittag verloren. Es hätte allerdings noch unangenehmer riechen können, ohne den Kaffee.

Er lag auf dem Ledersofa, mit zurückgelegtem Kopf. Die Donau reichte von weit her, von Komorn oder von der großen Schütt-Insel, in ihn hinein. Er war hier heraufgefahren. Er war bei Zilchers gestrandet. Wie war es hier still! Auch auf den Schleppern hatte der Kaffee- oder Tabaks-Geruch üble Dünste geschnitten wie eine Klinge. Der Tag brachte jetzt seine eigentliche ausgereifte Frucht wie auf einem Teller: Leonhard fühlte ganz klar, und derart wohl zum ersten Mal im Leben, daß er allein sei, vollständig und glatt allein. Auch wenn er am vorigen Sonntag die Mutter und den Stiefvater besucht hatte und heute nachmittag Mila (von Zilcher gar nicht zu reden). Er war allein, da half nichts, da half kein Strampeln. Besser ganz ruhig liegen auf dem Ledersofa.

Riechen.

Langsam, mit mahlenden Maschinen, kam die Vergangenheit den Strom herauf, das Zugschiff voran, die lange Rauchfahne über den Schleppern liegend, über dem silbergrauen Schaum der Auwälder verwölkend.

Nicht lange nach diesem Sonntag-Nachmittag, den Leonhard zum Teil im Garten des Palais Ruthmayr verbracht hatte, ergab sich eine Änderung seiner Arbeitszeit. Die damals gute Konjunktur brachte einen Stau von Aufträgen, so daß man zu Nachtschichten überging. Der Werkmeister befragte gelegentlich die schon bisher im Betriebe tätigen Kräfte, ob sie an solchen sich zu beteiligen wünschten, um dann tagsüber frei zu sein. Er fand bei den verheirateten Leuten damit weniger Anklang, wohl aber bei Leonhard, dem die Zeit reif schien für irgendeine Veränderung. Sie blieb denn auch nicht aus, das kann man wohl sagen!

Kurz, es trat einer jener Fälle ein, in welchen auch ein Arbeiter an einer offenen Buchhandlung vorbeikommt.

Wer bei Tag schläft, schläft kürzer, wenn auch mitunter sogar tiefer als bei Nacht. Leonhard kam jetzt um ein halb sechs Uhr morgens aus dem Betrieb. Die Magazineurs-Witwe („I' bet' für Ihna') kochte für ihn mit, da er ja nun mittags nicht in der Werks-Kantine aß. Um ein Uhr war Leonhard schon munter und bei Tische, allein in seinem Zimmer, versteht sich.

Er kam also an der offenen Buchhandlung vorbei, einmal (Malva Fiedler stand unweit der Türe, gut und ganz sichtbar), ein zweites Mal (sie war nicht zu sehen), ein drittes Mal (sie war halb verdeckt vom Ladentisch). Hier begann sich sozusagen ein Rad schneller und schneller zu drehen.

Nach dem dritten Mal blieb Leonhard vor dem Schaufenster stehen.

Er sah lange hinein. Es gab hier neue sowohl wie antiquarische Bücher.

Er las manchen Titel. Wenn auch etwas abwesend. Aber gerade das ist jene Verfassung, in welcher die Projektile des Lebens am besten in uns haften. Es ist doch bemerkenswert, daß Leonhard sich viel später einmal genau erinnerte, in der Fiedlerschen Auslage damals einen Roman des Kajetan Schlaggenberg (alias Dr. Döblinger) gesehen zu haben.

Zu sehr billigem Preise gab es eine lateinische Schulgrammatik – es war die Scheindlerische, also die beste, freilich wußte Leonhard das nicht – die wohl ein erlöster Abiturient samt dem ganzen Pennälertum hinter sich geworfen hatte.

Es geschah nun etwas, dem eine gewisse innere Verwandtschaft eignete zu den ‚verheirateten Kollegen‘, die Leonhard der Frau Ruthmayr gegenüber ausgespielt hatte, wie eine ihm selbst bisher unbekannte Karte, die sich aber nun eben doch in seinem Blatte befand.

Er betrat die Buchhandlung.

Geht man in ein Geschäft hinein, ist's, wie wenn man in ein Vehikel steigt. Die ganze Sache kommt in Fahrt. So war es denn auch hier.

Leonhard verlangte die lateinische Grammatik. Nicht von Malva; die stand rechts abseits. Sondern von einem kleinen bebrillten Herrn hinter dem Pulte (der war ihr Vater). Malva holte das Buch aus dem Schaufenster, von innen her. Sie bückte sich dabei. Leonhard sah es, obwohl er nicht hinsah, er stellte es sich mehr vor. Jetzt war sie mit dem Buch herangetreten. „Laß' sehen", sagte der Buchhändler. „Ja", setzte er hinzu, „die Auflage ist noch im Schulgebrauch. In welcher Klasse ist denn der Schüler?"

„Das Buch ist für mich selbst", entgegnete Leonhard, während er seine Geldbörse hervorzog. Nun blickte er auf und Malva voll in's Gesicht. Ihm schien, er könne dieses heute besser sehen, da kein Zigarettenrauch drüberwölkte. Sie war jetzt, in ruhiger Haltung, weit schöner als damals, mit den herabgleitenden Büchern im Arm. Die grünen Augen standen schräg. Der Mund war groß. Die Brust war die Ahnung einer Explosion.

Leonhard spürte zugleich unaufhörlich den reinen und sterilen Geruch der vielen Bücher im Raume.

Die Lage spannte sich wie ein Trommelfell, wie zwischen fühlbaren Gegensätzen auseinandergezerrt.

„Wir kennen uns doch", sagte Malva. „Das ist der Herr, der mir neulich die Bücher gerettet hat, ich hab' dir davon erzählt, Vater."

„Da muß ich Ihnen noch vielmals danken, mein Herr", sagte Fiedler lachend. „Weil das Mädel auch immer rauchen muß, bei den unpassendsten Gelegenheiten, im Geschäft, und überhaupt! Da ist ihr natürlich der Rauch in die Augen gekommen." Aber er legte bei seinen Tadelworten, die in sanft klagendem Tone gesprochen wurden, zärtlich den Arm um die Schultern der Tochter. Es war ganz und gar anschaulich, daß diese Tochter sein Glück bedeutete, vielleicht den ganzen Inhalt seines Lebens. Leonhard empfand das deutlich. Malva und er hatten einander die Hand gereicht, und Leonhard hatte sich leicht verbeugt.

„Sie beschäftigen sich mit der lateinischen Sprache?" fragte der Buchhändler.

„Bisher nicht. Aber ich möchte es tun."

„Zu einem Fortbildungszweck?"

In Leonhard öffnete sich eine Grube der Ratlosigkeit bei dieser Frage. Er versuchte gar nicht zu antworten. Glücklicherweise sagte Herr Fiedler gleich noch etwas:

„Leider hab' ich grad' gestern das lateinische Übungsbuch verkauft, auch antiquarisch, zu dem gleichen niederen Preis. Es gehört wohl dazu. Aber jetzt hab' ich kein Exemplar, auch kein neues. Vielleicht kommen Sie wieder einmal vorbei, in ein paar Tagen?"

„Sicher", sagte Leonhard. Zum zweiten Male blickte er voll auf Malva. Er hatte ihr Auge andauernd auf sich ruhen gefühlt. Jetzt stand die Blick-Brücke steif und starr zwischen ihnen durch Sekunden, sie ließ sich kaum abbrechen – endlich stürzte sie ein.

Leonhard reichte Herrn Fiedler und Malva die Hand und ging mit seiner lateinischen Grammatik davon.

Den tatsächlichen Sachverhalt konnte er nicht erfassen, denn Leonhard war kein Routinier mit einem stets griffbereiten Selbstbewußtsein.

Aber, der Wahrheit die Ehre: auf Malva hatte er geradezu faszinierend gewirkt. Die Frauen sind keine Dilettanten der Liebe; sie fragte sich also glatt: „warum?!" Sie sagte sich: „Ein ganz einfacher Bursch." Damit suchte sie ihn auf erborgte Weise einzureihen. Jedoch in Wahrheit war er ganz genau eben das, was Malva Fiedler sich unter einem Mann vorstellte.

Als sie abends aus dem Geschäft ging, kam ihr, beim Anblick des Gehsteiges vor der Buchhandlung und des Schaufensters, sofort die Erinnerung an ihr erstes Zusammentreffen mit Leonhard (wie sehr oft schon seither), dieses Zusammentreffen in des Wortes eigentlichster Bedeutung. Leib an Leib, mit den Büchern dazwischen. Sie hatte Leonhard damals gespürt. Oder hatte sie ihn nur zu spüren vermeint? Dieser Frage war sie sogar schon nachgegangen, mit geschlossenen Augen, abends im Bett, vor dem Einschlafen.

Der Buchhändler wohnte nicht in dem Hause, wo sich sein Geschäft befand, sondern jenseits und unweit des ‚Donaukanales', auf welchen auch die Fenster der Wohnung hinaussahen.

Die Mutter war früh gestorben. Malva bewahrte an sie (der sie angeblich immer ähnlicher wurde) eine Art jenseitiger Erinnerung, aus einer sozusagen rückwärtigen Biographie, die beinahe nicht mehr ihre eigene war: auf dem, was man ihr von der Mutter erzählt hatte, saßen vereinzelte bunte Punkte selbständigen Erinnerns.

Sie dachte nie recht eigentlich bewußt an derlei.

Dem Vater bedeutete sie alles und wußt' es. Dem kleinen alternden Mann gehörte ihre Zärtlichkeit (mehr nicht), sie umhegte ihn, sie respektierte seine Liebhabereien, zu welchen die klassischen Sprachen gehörten, und eine seltsame Vorliebe für die Waffenkunde des griechisch-römischen Altertums, obgleich doch Herr Fiedler kaum imstande gewesen wäre, ein solches Schwert zu schwingen, einen solchen Bogen zu spannen, eine solche Lanze zu werfen. Malva hatte das Gymnasium absolvieren und ihre Lehrzeit (bei einem anderen Buchhändler) ordnungsgemäß durchmachen müssen. Sie war längst ausgelernt und fertig. Sie war siebenundzwanzig Jahre alt. Sie war Jungfrau.

Wir erwähnen den letzten Umstand deswegen, weil wir damit den Malva Fiedlerischen Charakter anschneiden: der war im Grund kalt; oft aber von rasch sich wieder legenden Stürmen aufgewirbelt: dann verfinsterte wirklich der Staub die Sonne. In ihrem Innern ging es manchmal zu, wie es vielleicht auf der Oberfläche des Mondes zugehen mag. Die grüne Farbe ihrer Augen lag an der ungenauen Grenze zwischen Eis und Wasser: solchermaßen schaute das Unterfutter des Malva Fiedlerischen Charakters beim Fenster heraus.

Sie war an dem Abend nach Leonhards Erscheinen in der Buchhandlung allein zu Hause, der Vater hatte nach dem Essen noch einen Gang zu tun. Malva's Zimmer muß nach allen Seiten für einige Sekunden sozusagen erschreckt vor ihr zurückgewichen sein. Es schauten ihr da mehrere Katzen aus den Augen. Das Kreuz wurde hohl. Das Kleid spannte sich um den Busen, der zwei Fußbällen gleich sich vordrängte.

Leonhard war in ein Pulver-Magazin getreten. Der Latein-Beflissene! Eine fromme Kerze in der Hand.

Es ging ein Wind draußen. Malva sah die Lichter von jenseits des Donaukanales.

Sie riß plötzlich ab. Es hob sich, es flatterte jetzt von ihr weg wie ein Fahnentuch, das sich zuckend platt an die Mauer gepreßt hat und nun wieder sich bauscht und steigt und sich geruhig baucht. Sie ging in's Wohnzimmer hinüber, setzte sich an den großen leeren Tisch und beendete die Aufstellung einer Liste von Remittenden.

Das Übungsbuch ließ auf sich warten. Der alte Fiedler wollte Leonhard wohl auch ein antiquarisches Exemplar verschaffen, der Ersparnis wegen. So kam es zu zwei oder drei Besuchen mit Plauderei in der Buchhandlung. Einmal wölkte Zigarettenrauch über Malva's Gesicht . . . wie damals. „Sie können derweil mit der Grammatik anfangen", sagte Fiedler, Freund alter Sprachen. „Wie sind Sie übrigens gerade auf Latein verfallen?" fragte er dann interessiert. Leonhard hätte da wohl schwerlich antworten können: „Wegen der verheirateten Kollegen" – obwohl er beinahe in der Lage gewesen wäre, so zu antworten; denn der Zusammenhang wurde von ihm mit einer gewissen Deutlichkeit schon erkannt. Erst erfand man ‚verheiratete Kollegen', oder etwa, vor einem Schaufenster stehend, den Wunsch nach einem billigen Buch: dann hieß es, dem gerecht werden, dem nachkommen, die Folgen tragen. Leonhard verfiel in jenen Tagen auf den eigenartigen Gedanken, daß er selbst ja auch nicht vorsätzlich auf die Welt gekommen sei, sondern ganz ebenso unversehens, wie jene ‚verheirateten Kollegen' oder jene Schulgrammatik bei ihm aufgetaucht waren. Das änderte aber gar nichts, man mußte da B sagen, obwohl man nie A gesagt hatte. Auf jeden Fall hieß es Grammatik lernen. Dies, obwohl er dem alten Fiedler nicht auf seine Frage zu antworten vermocht hatte, oder eben drum und erst recht. Fiedler hatte noch hinzugefügt: „Die lateinische Grammatik ist nicht nur die Grundlage der Grammatik aller anderen europäischen Sprachen, sondern die Grundlage von allem, was Bildung genannt werden kann. Während man die lateinische Grammatik sich einlernt, löffelt man so nebenhin Logik, Prosodik und Rhetorik in sich hinein." Was Prosodik bedeuten könnte, wußte Leonhard nicht. Also fragte er. (Damals begann seine Fragerei. Wie der Neubeginn eines Kindesalters. Eine geistige Entwicklung kann zunächst sehr wohl mit einer Zunahme der Unwissenheit verbunden sein.) Fiedler sagte: „Das Wort kommt aus dem Griechischen und bedeutet, genau genommen, die Kunst des Vorsingens, des Vortrags also. Wer etwas weiß und hat, muß es auch sagen können. Glauben Sie niemals jenen, die vorgeben möchten, vor lauter Tiefsinn des rechten Wortes zu entbehren." Kurz, er war ein Römer, dieser Buchhändler, wenn auch nicht leiblich. Die Tragweite der letzten Fiedlerischen Auslassung wurde von Leonhard nicht erfaßt.

Aber, so wie er bei Zilchers oben trotz aller Hindernisse seinen Vorsatz doch am Ende hartnäckig durchgeführt hatte, so stellte er sich jetzt an die Grammatik, wie an einen neuartigen Webstuhl, an welchem man sich einarbeiten mußte, und etwa acht Wochen später rasselten schon die Deklinationen und Konjugationen recht respektabel. Es kam daher, daß Leonhard jetzt jeden Nachmittag lernte; als es wärmer wurde, draußen am Donaukanal auf der Böschung sitzend. Eigentlich war es eine Art Sucht. Er ging vierzehn Tage nicht zu Malva. Nach dieser Zeit holte er sich ein antiquarisches Übungsbuch ab. Aber er ließ es zunächst beiseite (die Folgen davon sollten sich später zeigen), und arbeitete an der neuen Maschine weiter. Sie funktionierte immer glatter, obwohl, wie man sieht, der ganze Betrieb nicht völlig systematisch war.

Es mag sein, daß der alte Fiedler zu Leonhard eine Sympathie gefaßt hatte, vielleicht beobachtete er auch seine Tochter schärfer, als ihm für's erste zugetraut werden möchte (die Liebe macht sehend); kurz, man lud den jungen Mann für Samstag nachmittag zum Kaffee ein, und zwar geschah dies im Hinblick auf die Wissenschaften. Fiedler versprach Leonhard, ihm verschiedenerlei auf das tatsächliche Leben des griechisch-römischen Altertums bezügliches zu zeigen.

Leonhard fand sich pünktlich und mit doppelter Begier in der kleinen Wohnung am Donaukanal ein. Wir wollen nicht entscheiden, welche Begier im Augenblicke jeweils die stärkere war; beide deckten einander, wechselweis.

Aber, als er am Wasser entlang dorthin ging, war doch in Leonhard eine deutliche Empfindung davon vorhanden, daß dies alles etwas – bedeutete: daher auch wurde es ihm deutlich . . . Hier geschah nichts Beiläufiges. Hier war sozusagen alles scharf geladen. Hier ging's irgendwo hinein, hier trat man ein, hier war Verstrickung. Und eben davor scheute er zurück, seiner Art nach. Jedoch, selbst eine solche Artung wird dann, wenn's einmal wirklich darauf ankommt, den Versuch zulassen, die tieferen Aussagen einzuschläfern und zum Schweigen zu bringen. Was war dabei? Er ging sich Bücher ansehen und freute sich wirklich darauf. Ja, das Mädchen gefiel ihm sehr, zugegeben . . .

Der Geist ist schwach, aber auch frei, wenn man so will, aber der Körper ist enger an die Wahrheit gekettet. Leonhards Schritte wurden langsamer. Jetzt blieb er auf der Uferstraße stehen und sah über den Fluß.

Die Umgebung schwieg vornehm, wie eben alle Umgebungen. Sie erteilte keine Antwort auf Fragen, die gegen sie geworfen wurden, wie ein Ball gegen die Wand.

Der Ball sprang zurück, Leonhard ging weiter, kam vor das Haus und auf die Treppe.

Es war hier klein, schachtlig-behaglich, viele Bücher, das Wohnzimmer jetzt die Zelebrations-Stätte einer Wiener ‚Jause‘, samt ‚Guglhupf‘ und allen Beigaben – Leonhard war der Geduld bedürftig, das heißt, er hatte davon nicht genug! – und endlich gelangte man in Fiedlers Studierstube: das war nun ein Raum, der Macht hatte über Leonhard, der sich bezwingend um ihn schloß, der ihn ein-nahm und verschluckte. Vom breiten Schreibtisch sah man über den Fluß. Davor der Sessel, eigentümlich einfach-antikischer Machart, ein Sitzleder in den Rahmen gespannt und sichtbar im Zick-Zack mit Riemen dran geschnürt. Rückenlehne und Armstützen kurz und glatt. Es gab alte Folio-Bände hier, deren verschabtes Kalbleder sanft leuchtete, wie manches Moos im Walde.

Ein klassizistischer Kupferstich an der Wand (wohl aus dem späteren achtzehnten Jahrhundert) zeigte ein junges Paar in antikischer Aufmachung, die Frau mit fast enthüllten strotzenden Brüsten, der Mann mit musterhafter Muskulatur des Arms. Er hielt die rechte Hand auf ihre beiden Hände gelegt, mit einer Geste der Besitz-Ergreifung, und sah seine Gattin dabei an. Unten am Bilde saß eine Schildkröte neben der Sentenz: Sortes cadunt.

„Es ist das Symbol der Fruchtbarkeit“, sagte der Buchhändler, und lächelte. (Daß er bei diesen Worten lächelte, machte Leonhard durch Augenblicke geradezu ängstlich.)

„Und: Sortes cadunt?“

„‚Die Lose fallen‘. Wer zeugt, beteiligt sich an einer Lotterie. Er kann ein Genie in die Welt setzen, einen braven Durchschnitts-Menschen, einen Verbrecher oder Cretin.“

Leonhard stand augenblicklich wie auf Watte oder Wolken. Ein leerer Raum wurde ihm fühlbar.

Übrigens war Malva mit eingetreten.

Sie saßen dann an des Buchhändlers Schreibtisch. Fiedler entwarf auf seine Art einen Abriß oder ein Skelett der alten Welt, ein Gestell, recht geeignet für Leonhard, darin zunächst eine bescheidene Wissens-Garderobe da und dort aufzuhängen, und doch nicht in den Irrtum zu verfallen, es bestehe die sogenannte

Weltgeschichte aus einer Reihe von revue-artig aufeinander folgenden Kostümwechseln. Fiedler sagte ihm, daß diese ,Weltgeschichte' freilich nur die Geschichte Europa's sei. Aber, wo man zu stehen genötigt wäre, von dort aus sei man auch gehalten, zu sehen. Wollte man das nicht, so geriete man in's Unanschauliche. Aus chinesischen Augen zu schauen, sei eine andere Sache. Und zunächst müsse man lernen, die eigene Optik zu gebrauchen. Jeder geistige Akt habe seinen soliden irdischen Ort.

Er sagte ihm auch, die Schlacht von Marathon habe darüber entschieden, daß Europa sein sollte: bald auch würde es in konzentrierter Form, aber durchaus vollständig, erstellt auf der kleinen Halbinsel im Südosten der großen. Die philosophische Methode der absolut freien Dialektik verlangte die Freiheit der standpunkt-nehmenden Person, die demokratische Freiheit, den Bürger. Dieses Maß sollte niemals mehr ganz und gar verloren gehen, es lebte fort, oft überwildert von völlig anderen Zuständen, bis auf den heutigen Tag.

Leonhard fragte, wie denn angesichts des vorhin geschilderten Kräfteverhältnisses die Schlacht bei Marathon überhaupt habe gewonnen werden können?

„Durch die Überlegenheit der körperlichen Ausbildung bei den Hellenen. Sie waren imstande, eine verhältnismäßig große Strecke mit voller erzener Ausrüstung im Sturmangriff laufend zurückzulegen, ohne Ordnung und Atem zu verlieren. Das mochten die körperlich weicheren Asiaten nicht für möglich gehalten haben. Aber schon war der Feind mitten unter ihnen und hieb ein. Wahrscheinlich ist Athene parthenos – Schutzpatronin geordneter Kampfesweise – riesengroß hinter den griechischen Reihen erschienen, brüllend, antreibend. Es ging um das, was wir Europa nennen. Freilich wußte das damals nur die Göttin, die Männer wußten es nicht. Übrigens waren die Verluste bei Marathon auf hellenischer Seite gering. Für die damals gewählte Art des Angriffs gibt es im Griechischen einen eigenen Ausdruck . . . er fällt mir jetzt nicht ein . . ."

„Δρόμῳ, beziehungsweise δρόμον θεῖν (drómon tein)", sagte Malva.

Leonhard war so sehr verwundert, daß es ihn sozusagen aus den Angeln hob. Obendrein schien der Buchhändler zu glauben, daß es diese alten Götter wirklich gegeben habe: daß sie gewirkt hatten, mindestens. Wenn sie aber gewirkt hatten, dann waren sie wirklich gewesen. Es wurde Leonhard allerdings nicht bewußt, daß er vor den Toren des Geistes auf Wörtern herumritt: also bereits auf den einzigen und richtigen Vehikeln, mittels deren man jene Tore passieren kann.

Aber ein anderes wurde ihm klar (während Fiedler, immer im Plauderton, fortsetzte). Hier saß Malva, die sogar Griechisch konnte: sie brüstelte, sie katz-äugelte, sie ließ auch Unterfutter sehen, gleich vorne bei den Augen heraus. Indessen plötzlich fühlte es Leonhard eindeutig und tief, daß es hier irgend so etwas wie schnelle und kalte Stürme geben müsse.

Es kroch ihm über die Haut.

Und doch wußt' er sich jetzt sicherer.

Mochte da auch alles scharf geladen sein.

Während der folgenden Wochen kam Leonhard nur zwei- oder dreimal in die Buchhandlung. Herr Fiedler hatte für ihn etwas beiseite gelegt: eine Realienkunde des klassischen Altertums, ein Hilfsbuch zur Ergänzung des Gymnasial-Unterrichts. Er ließ es Leonhard für ein paar Groschen ab, eigentlich umsonst.

Malva war freilich anwesend. Sie schien Leonhard nun gleichsam körperlicher geworden. Sie stand ihm gegenüber, sie umwehte ihn nicht wie ein heftiger Wind und in einer umfassenden Art, wie es zuerst gewesen war.

Nicht lange danach aber begegnete ihm der Buchhändler, als Leonhard längs des Donaukanales spazieren ging; Fiedler tat ein gleiches, und zwar allein. Wo blieb Malva? Wo war sie, wo ging sie? Ihr Fehlen erregte Unruhe bei Leonhard. Er hatte sich bereits daran gewöhnt, sie immer mit dem Vater zu sehen; daß sie auch irgendwo sich allein umher bewegen könne, erschien ihm jetzt als neu. Es war unsinnig.

Alles war grün. Während Leonhard in sich selbst hinein gebeugt gelebt hatte (fester schon umschlossen, als er vermeinte), erreichte das Jahr rasch seine Höhe, seine Fülle, begannen die weißen Blüten der Kastanien da und dort bereits zu fallen, verschwanden diese festlich aufgesteckten Zeichen, schneite es im hohen, im endenden Frühling. Lautlos schob sich des Sommers Hitze herein, des Sommers Ernst, seine Beängstigung und Einsamkeit.

Hier an der Lände nun kam es zu einem jener Gespräche mit dem Buchhändler, bei welchen Leonhard keine Antworten wußte: der Zustand war ihm bereits bekannt.

„Sie wollen doch wahrscheinlich früher oder später Ihren Beruf wechseln, Herr Kakabsa?"

– – –

„Ich nehme das an, weil Sie gewissermaßen auf ein Studium sich vorbereiten."

– – –

„Eine Fortbildung ist jedenfalls immer von Vorteil."

– – –

„Es gäbe doch dann für Sie Möglichkeiten im städtischen Kultur-Amt, sagen wir einmal. Sind Sie sozialdemokratisch organisiert?"

„Ja."

„Nun, also. Oder, mein eigener Beruf. Was die Lehrjahre betrifft, ließe sich das wohl irgendwie machen."

Schon ahnte dem Leonhard, daß hier früher oder später würde scharf geschossen werden. (Ein durchaus subjektiver Sachverhalt. Ein kleines Verfolgungs-Wähnchen in bezug auf Verstrickung und Festgelegt-Werden. Ein Tick.)

„Ich bin in meinem Berufe vollständig zufrieden und halte ihn für notwendig."

„Gewiß ist er notwendig", antwortete der Buchhändler beflissen.

„Ich meine für mich. Für mich ist er notwendig. Ich bin in meinem Berufe glücklich. Ich hab' die Gurtweberei sehr gerne. Es ist zu beweisen, daß..." (Bauch-Aufschwung in die deutsche Grammatik!! Nein, es gelang nicht.) „Es muß bewiesen werden, daß ein Arbeiter nicht ein unglücklicher, hoffnungsloser Mensch ist, der halt warten muß, bis sich die Verhältnisse auf der Welt bessern, und bis dahin gibt's für ihn nur Familie, Kino und Wirtshaus ... Es ist zu beweisen, daß dem Arbeiter jetzt schon alles offen steht, jetzt, sofort, auf der Stelle, ohne Klassenkampf, oder wie das alles heißt. Es ist zu beweisen, daß er seine Arbeit braucht, nicht nur, um sich zu erhalten, sein Leben zu fristen, sondern geradezu als Gegengewicht für das andere, damit es nur ja ganz sicher echt ist: das ist zu beweisen." (Am Ende gelang der Bauchaufschwung beinahe.)

Immer wieder war Leonhard dieser letzte Satz „es ist zu beweisen" in den Mund gekommen ... Er fühlte sich nun gänzlich erschöpft. Am Rande: bei allem hatte natürlich der Dialekt seiner Vorstadt durchgeklungen. Aber er hatte zum erstenmal im Leben gesprochen. Allerdings ohne sich dieses biographischen Abschnittes bewußt zu sein.

„Sie haben es bereits bewiesen", sagte der Buchhändler. Sein Zuhören war sehr aufmerksam gewesen, spitznäsig durch die Brillen lugend. Vielleicht war er ein zäher und geduldiger Mann. Vielleicht auch nicht ohne Güte. Jedenfalls gefiel ihm Leonhard Kakabsa sehr.

Bei vorgeschrittenem Sommer des Jahres 1926 änderte sich Leonhards Arbeitszeit wieder, die Nachtschichten hörten auf. Er trabte morgens und abends an der geschlossenen Buchhandlung vorbei. Nach acht Tagen bemerkte er am Rolladen ein sauberes Schildchen, darauf stand: Wegen Urlaubes bis 1. September gesperrt. Es war inzwischen August geworden.

Auch Leonhard erhielt um diese Zeit seinen ihm zustehenden Urlaub. Das Werk besaß ein Erholungsheim für seine Angestellten und Arbeiter, zwei Stunden von Wien, im Gebirge.

Diese Umgebung wirkte auf Leonhard zunächst die Neugier erregend. Er sah sich um. Er sah sich nicht nach den Menschen um, nicht nach den ‚Kolleginnen'. Sie streckten sich auf einer Terrasse in Liegestühlen und zeigten ihre Beine. Das Heim lag in einem verwilderten großen Park. Der Springbrunnen schwieg. Das Teichrund war ausgetrocknet. Es war einst ein großer Privatbesitz gewesen.

Leonhard sah sich in diesem Park um, der in seinem von der Dorfstraße abgekehrten rückwärtigen Teil, gegen die Hochwälder zu, stark anstieg. Es gab eine Pforte in den Wald hinaus. Leonhard hatte heute sein Latein-Buch nicht bei sich, mit dem er im Park zu sitzen pflegte.

Er verließ diesen durch die rückwärtige Pforte und trat in den Wald. Es war nicht so sehr ein Austritt aus dem ja auch nur wenig belebten Park in die Stille des Waldes, als vielmehr der Eintritt in eine wesentlich andere Sphäre der Befangenheit. Am steilen Hang bald ein ebenhin querender Weg. Links aufwärts, war's gleich ein sonniger Tag, verlor sich der Wald in's Finstre, aus dem jedoch eine Vogelstimme tönte, gleichmäßig dasselbe Motiv mit gleichbleibenden Pausen wiederholend. Rechts voraus am Wege Helligkeit, des Waldes Ende und Auflösung, Gebüsch, hohe Einzelbäume. In der Ferne dunstete Fels. Es gab nicht nur den dunklen Nadelwald hier, der Blick ging auch über rundliche Laubkronen. Gewaltig der Duft vom vielen Gewächs, Würze über Würze. Der Vogel rückwärts schwieg. Es war jetzt vollkommen still.

6

Ein Winter mit Quapp

Am späten Vormittage nach jener Nacht, die in so merkwürdiger Weise im Garten des Ruthmayr'schen Palais geendet hatte, erwachte Schlaggenberg bei verhältnismäßig gutem Befinden. Er fühlte sich innerlich wie durchgelüftet und erfrischt. Da er vorwiegend Cognac getrunken hatte, den er magenmäßig eher vertrug, fehlte ein schwerer Kater. Auf dem Tischchen beim Bett lag ein Telegramm. Das Mädchen mußte also schon im Zimmer gewesen sein. Sie hatte wohl vergeblich versucht, ihn zu wecken. Schlaggenberg riß die Verschlußmarke ab und las.

Er sprang mit einem einzigen Satze aus dem Bett bis in die Mitte des Zimmers, stand hier und sah mit erweiterten Augen in den Schnee hinaus. Im Telegramm stand: ,,Ankomme Montag vier Uhr. Quapp."

In den allerersten Augenblicken, als die Schwester seine Vorstellung betrat, und damit, wenn auch nur als eine Angekündigte, dieses helle Zimmer, waren es zunächst zwei verschiedene, ja sehr entgegengesetzte Bilder ihres Antlitzes und Wesens, die in Kajetan schwebten, und erst allmählich einander sich näherten, gleichsam Flügel einer sich langsam schließenden Tür. Und endlich schob sich das eine Bild mehr vor das andere, das aber noch etwas durchschlug, wie bei übereinander kopierten Photographien.

Und dann war es eigentlich erst Charlotte von Schlaggenberg, ,Quapp' genannt.

Der Vorgang war Kajetan seit jeher vertraut, und bedeutete eine kleine Qual, jedesmal, wenn er nach längerer Trennung Charlotte wiedersah, oder auch nur eine Nachricht von ihr empfing.

Sie war um vieles jünger als er.

Die beiden hatten einander vor wenigen Jahren erst kennengelernt. Man darf sich wohl so ausdrücken, denn Schlaggenberg fand sie 1918, nach dem Kriege, noch als halbes Kind vor – das war sie wirklich, trotz ihrer siebzehn – und kümmerte sich nicht viel um sie. Gleichwohl steckte gerade in der gar nicht langen Zeit, die Kajetan damals bei seinen Eltern in der südlichen Steiermark verbracht hatte, irgendwo die Wurzel für die Doppelgesichtigkeit, welche Quapp seit jenen Monaten immer für ihn hatte – bei jedem Wiedersehen, ja, oft auch beim bloßen Wieder-an-sie-Denken! – ohne daß er den Punkt des Ursprungs ganz zu ergraben vermochte: so wichtig ihm das auch erschien. Es gelang nicht. Ein Zusammenhang bestand zweifellos zwischen der Erscheinung in Quapps Antlitz und einer alten englischen Gouvernante, die danach, als die Kinder herangewachsen waren, im Hause verblieb, und auch jetzt noch als Gesellschafterin und Wirtschafterin bei der verwitweten Mama Schlaggenberg auf dem Gut lebte. Kurz nach dem Kriege war es zwischen der immerhin schon bald fünfzigjährigen Miß Rugley und Quapp zu irgendeinem Konflikt gekommen. (Wo war's gewesen? Vielleicht vor oder in dem großen Gartensaal? – mit der grünen Riesenbowle am Büffet und den zahllosen zu ihr gehörenden, ähnlich wie sie geformten Gläsern, als hätte sie sich vermehrt!) Dies also: bei Quapp war da ein Gesichtsausdruck aufgetreten und eine Art, die alte Rugley abzuweisen und abzufertigen: wahrhaft, als schütte sie die Engländerin mit kaltem Wasser an: eine plötzliche ganz sinnlose Anmaßung hob Quapp's Antlitz geradezu aus den bekannten und vertrauten Fundamenten . . .

Auch heute noch, nach dem Lesen des Telegrammes.

Kajetan blieb jahrelang von daheim weg, und dann stand eines Tages ein junger, der Kleidung nach weiblicher Mensch in seinem damaligen Zimmer hier in Wien und sagte ‚Bruder‘ zu ihm. Bald sagte er ebenso zu ihr, denn so empfand er sie. Später kam dann die Bezeichnung ‚Quapp‘ in Gebrauch (eine Abkürzung für ‚Kaulquappe‘), teils weil Charlotte mit ihrem breiten Gesicht nach Schlaggenbergs Meinung so aussah – andere fanden diese Bezeichnung für das hübsche Mädchen unerhört – teils weil dieser Name eben ein Wesen im Entwicklungs-Zustand oder in einem Vor-Stadium andeutet.

Ein solches war sie allerdings, ja man könnte sagen, allzu bewußt und im höchsten Grade. Das Zusammentreffen mit dem Bruder brachte diesen Zustand in eine plötzliche und heftig einsetzende Bewegung, und sie lief in der Großstadt, die ihr jetzt die Welt bedeuten mußte, herum als ein immer wieder Staunender, in einer Welt, die über Nacht ungeheure Tiefe und Bedeutsamkeit gewonnen zu haben schien. In den Jahren vor Kajetans kurzer Ehe wohnte sie zeitweise auch mit diesem zusammen, ja einmal sogar vorübergehend in einem einzigen gemeinsamen Zimmer, wozu die Knappheit des Geldes das seltsame ‚Brüderpaar‘ zwang. Denn das elterliche Herrengut in Südsteiermark hatte einen schweren wirtschaftlichen Stand, insbesondere seit dem Abstieg und Zusammenbruch der ‚Österreichischen Holzbank‘ in den Jahren 1924 und 1925, mit welchem Institut Herr Eustach von Schlaggenberg durch den Kammerrat Levielle in Verbindung gebracht worden war, und zugleich mit einem großen Teil seiner Waldungen auf den Holz-Weg. Kajetan aber blieb, selbst als er schon die Universität nach ordnungsgemäßem Abschluss verlassen hatte, infolge der Zufälligkeiten des von ihm erwählten literarischen Berufes, durch viele Jahre immer noch von der elterlichen Unterstützung abhängig. Und als nun Quapp ihrerseits nach der Stadt und dem Beginnen eines Studiums zu drängen anfing, konnte das wieder nur durch schwere Opfer von seiten der Eltern überhaupt ermöglicht werden. Diese taten in ihrer Liebe das äußerste. Gleichwohl war es ihnen oft gar nicht möglich, ihrer Hilfe für die Tochter eine gewisse Regelmäßigkeit zu geben. Jene wieder vermochte es in mancher Notlage kaum über sich, in einen ihrer Briefe eine Bitte einzuflechten. Und außer ihrer Verehrung und Liebe für die Eltern und der Kenntnis von deren ungünstiger Lage, hinderte sie noch ein Umstand, ihren oft peinigenden Mangel offen darzulegen: daß nämlich die ja eigentlich ständig auf der Hand liegende Notwendigkeit, dieses Leben in der Stadt ohne gesicherten Erwerb abzubrechen, völlig unabweisbar hervortreten könnte. Und das hätte zugleich bedeutet, sich wieder auf dem einsamen Gutshofe vergraben zu müssen. Dieses Letzte und Äußerste aber lag doch schon außerhalb des Denkbaren für Charlotte, so klar sich eine solche Rückkehr mitunter darbieten, ja geradezu aufzwingen wollte. Freilich mußte nun unser Mädchen sozusagen ständig in einer Art von Trance-Zustand bleiben; denn nur auf diese Weise war es ihr möglich, den immer klaffenden Abgrund der Wirklichkeit zu überbrücken, und sogar in ihren guten Tagen und Stunden zu übersehen, ja davon einfach keine Kenntnis zu nehmen. In Zeiten großer Schwäche aber erhob sich auch in ihrem Innern ein Anwalt praktischer Gesichtspunkte, der ihr dann das Leben noch viel schwerer machte, als es an und für sich schon war. Jedoch geschah dies selten. Meist hatte sie ihre Ziele, und das waren doch zunächst noch vorwiegend innere, vor Augen, ja selbst in solchen Zeiträumen, die von nichts anderem beherrscht wurden als von ihrer nicht geringen Faulheit und deren Spiegelbild, dem schlechten, sogar elenden Gewissen. Solche innere Ziele aber sind eine zarte und heikle Sache, ein Feuer, das nur wärmt, wenn es wirklich sehr hell brennt, und das ganz gehörig brennen muß, um auch über die Wüstenei eines desolaten äußeren Lebens seinen stärkenden Schein verbreiten zu können. Dies alles war noch weit schwieriger als die praktischen und handwerklichen Aufgaben ihres Musikstudiums, das doch mit seinem ganzen Erfolge letzten Endes wieder von der mehr oder weniger gehobenen Verfassung ihrer Persönlichkeit abhing – kurz, sie litt auch zeitweise unter sehr niedergedrückten Zuständen, was man nach alledem wohl begreiflich finden wird. Und überdies besteht ja der Mensch nicht nur aus einem Magen und aus dem Bewußtsein von einer Aufgabe, sondern es gibt da etwa noch das sogenannte Gefühlsleben, welches mitunter bis zur Liebe ausarten kann. Bei jungen Frauenzimmern bevorzugt es zudem diese Form des Auftretens. Das Fräulein von Schlaggenberg hatte natürlich auch ein derartiges Kapitel in der Stadt durchnehmen, ja sogar repetieren müssen, und mit großer Heftigkeit, sowohl hinsichtlich der Gefühle wie auch deren Verneinung, ja Verachtung. Denn diese Gefühle und die durch ihre Wirren verloren gehende viele Zeit schienen ihr von Anfang an Raub an ihrer besseren Sache und zugleich wie vom kargen Brote ihrer Eltern gebrochen zu sein. Außerdem wurde merkwürdigerweise gerade bei solchen Anlässen die Wirklichkeit ihrer Lebensverhältnisse besonders peinlich sichtbar, was zur Stärkung ihrer Gewissenszweifel wiederum auf besondere Weise beitrug – kurz, der Quellen des Unglücks und zeitweiligen Trübsinnes waren nicht wenige.

Als sie das letzte Mal – es war dies schon nach Ableben ihres Vaters, des alten Herrn Eustach von Schlaggenberg – bei schwer hereinbrechendem Stadtsommer wieder auf das elterliche Gut gekommen war, um die Monate bis zum späten Herbste, wie alljährlich, in der Heimat zu verbringen, da trug sie den Entschluß bei sich, eine solche Quelle der qualvollen Bummelei endgültig·

zu verstopfen. Ein Abschied war genommen worden, nach außen; nun galt es, diesem Abschiede auch innerlich nachzukommen, was schwerer hielt, und schon gar in der ländlichen Einsamkeit und bei ihrer trauernden Mutter, welcher sie nichts mitteilen konnte. Zum ersten Male aber fürchtete sie zugleich die herbstliche Rückkehr an die Stätte ihrer Kämpfe und Niederlagen, und sie schrieb sich vor, diese nicht eher in's Werk zu setzen, als bis die Wunde ihres Herzens gehörig geheilt, überdies aber auch ihre angespannten Nerven und ihr Körper durch das Landleben wieder in's Geleise gebracht wären. Dieser Körper jedoch, der eines fünfundzwanzigjährigen jungen Weibes – ihr Mädchentum war bald auf der Strecke geblieben – dieser Körper begann nun seine besonderen Angriffe auf ihren Vorsatz; und wie ein aufgebrochener Acker seinen Dunst aushaucht, so sickerte ihr von daher die gewaltige Sehnsucht in's Hirn, das sich verzweifelt mühte, Klarheit und Oberhand zu behalten. Es war ein grauenvoller Sommer. Und als die Felder unter Stoppeln lagen, war sie nicht weiter als zur Kornblumenzeit. Der Schnee kam. Kajetan wußte damals genau, was ihr Ausbleiben zu bedeuten hatte.

Aber ihrem Eintreffen wagte er jetzt nicht eine ebenso klare Bedeutung zu unterlegen. War sie ,durch'? Der Briefwechsel zwischen ihm und Quapp war schon kurz nach ihrer Abreise durch seine Schuld versiegt. Denn bei ihm hatte damals das Üble dieses Sommers angehoben, und sie ihrerseits war in einer ähnlichen Verengung des Lebens steckengeblieben. Aber Quapp hatte nach ihm gerufen, im Herbst und im ersten Teile des Winters. Jedoch ohne jemals von Kajetan eine Antwort auf ihre Briefe zu erhalten, so dringlich sie auch um eine solche bitten mochte. Quapp, in ihrem übermäßigen Respekte vor dem fanatisch geliebten Bruder, nahm sein Schweigen am Ende als eine Art von pädagogischer Maßregel hin: offenbar wollte er, daß sie ihren schweren Weg bis zum Ende allein und ohne Hilfe und Anlehnung gehe. Und sie erkannte diesen Entschluß ihres Bruders und sein daraus folgendes Verhalten sogleich rückhaltlos an.

Er aber hatte ein schlechtes Gewissen gehabt. Und auch jetzt rührte sich dieses, gleich nach der ersten Freude, während er noch mit dem Telegramm in der Hand inmitten des Zimmers stand und in den Schnee hinaussah. Dieses schlechte Gewissen allein könnte uns schon darüber belehren, daß es hier mit den pädagogischen Maßnahmen nicht so ganz seine Richtigkeit hatte. Und zudem, wir wissen es ja, in welchem Zustande der gute Kajetan sich noch bis vor ein paar Monaten befand . . . Es liegt nahe zu glauben, daß er sich seiner Schwester in solcher tiefster Schwäche nicht zeigen wollte, sei es auch nur brieflich; also eine Form der Eitelkeit. Jedoch von dieser kann man in fast allen menschlichen Handlungen oder Unterlassungen ein Korn finden (wenn man das durchaus will). Es mochte sein, daß ein gewisses Verantwortungsgefühl der Schwester gegenüber hier eine Rolle spielte. Denn er vermied es, auch wenn sie in der Stadt lebte, stets sorgfältig, mit ihr in Berührung zu kommen, sobald er Grund zur Unzufriedenheit mit sich selbst hatte. Bei solchen Anlässen ging er geradezu listig zu Werke und hatte die knifflichsten Ausreden rasch bei der Hand – und im übrigen war's nicht schwer, denn Quapp respektierte alles und jedes, was von Kajetan kam. Dieser aber wußte aus mancher Erfahrung (und nicht zuletzt aus seiner blitzartig kurzen Ehe und deren langer Vorgeschichte), wie stark das Üble in ihm auf andere Menschen stets dann einwirkte, wenn er sich nicht in der Hand behielt. . . .

Am nächsten Tage fuhr er zum Bahnhof. Es dämmerte schon, in den grauen Straßen rollte der laute Verkehr und die ersten Lichter sammelten die kommende Dunkelheit um sich. Auf dem Bahnsteig war fast niemand. Ein kühler rußiger Hauch lag hier in der Halle, wo die von der Strecke entlang der Schienenbänder hereinströmende Weite sich gewissermaßen staute. Draußen veränderten sich grüne und rote Zeichen. Von dort draußen also kam Quapp.

Wie es immer geht in solchen Fällen: der verspätete Zug glitt gerade dann in die Halle, als Schlaggenberg, nach der langen Anspannung des Wartens, für einige Augenblicke unaufmerksam geworden war. Die aussteigende Menge ergoß sich auf den Bahnsteig, und plötzlich war da ihr Gesicht, welches die bisher vor seinem inneren Auge gestandenen Vorstellungsbilder davon mit dem Zauber der Wirklichkeit restlos wegwischte: das eingangs dieses Kapitels beschriebene Unbehagen hatte er diesmal vorwegnehmend hinter sich gebracht.

Sie lagen einander in den Armen. Er spürte ihre schmalen Schultern. Ihr Gesicht schien ihm klein wie eine Faust, so zer-

arbeitet war es. Aber aus den weit von einander gestellten mandelförmigen Augen, die übermäßig groß wirkten und so dem
Kopf etwas insektenhaftes gaben, brach jetzt ein erlöster Strahl.
Nur ein begabteres Auge hätte die beiden für Geschwister
geschätzt. Denn ihre Ähnlichkeit war sozusagen keine fleisch-
liche, und keine in den Einzelheiten; man hätte bei einer genaueren Betrachtung dieser Erscheinungen wohl nur verschiedene Merkmale gefunden. Bezeichnenderweise sahen die
beiden einander auf Photographien nicht im geringsten ähnlich. Aber wenn sie sprachen, wurde wirklich etwas wie ‚Verwandtschaft' sichtbar, nicht zuletzt durch die Art und Weise,
wie sie sich ausdrückten. Freilich, man sagte wohl auch, daß
Quapp ihren Bruder einfach imitiere.

Jetzt antwortete Quapp auf eine nur halb ausgesprochene
Frage Schlaggenbergs mit einem beruhigenden Kopfnicken.
„Ja", sagte sie, und dann vorsichtig einschränkend, „ich glaube
wenigstens. Es ist wohl vorbei. – Und du?!" fragte sie plötzlich und riß die Augen auf, als sei ihr nun das eigentlich Wichtige erst eingefallen. „Ebenfalls", antwortete er und sah durch
die hohen kahlen Fenster der Halle hinaus, wo sich die Lichter
der Stadt weithin erstreckten, bunte und scharfe, von den Reklamen, und kleinere, trübe. In diesem Augenblicke spürte er
dort draußen, am Rande seines Gesichtskreises gleichsam, noch
einen vereinsamten Schmerz liegen, wie man von weitem ein
rotes Licht glimmen sieht. Sein Gesicht mochte sich leicht ver-
zogen haben. Quapp legte die Hand auf seinen Arm. Indessen
schloß sich, eigentlich qualvoll zögernd, eine leere Stelle wieder
in ihm. Er erschrak. Es war ganz deutlich Angst, was sich jetzt
in ihm rührte. Nun sprang er rasch auf etwas anderes über;
nämlich auf die vorgestrige Nacht mit Eulenfeld (den auch
Quapp gut kannte) und mit den anderen. „Ich habe kaum den
vierten Teil dieser Menschen je vorher gesehen. Es war unbeschreiblich. Ich traute meinen Augen nicht, als ich die Leute
wirklich dort hinüberklettern und hinaufsteigen sah auf die Terrasse – oben war Licht" (er schilderte die Vorgänge im Garten
des Ruthmayr'schen Palais). „Diesen Ungarn mußt du übrigens
kennen lernen ..." Schlaggenberg brach ab und schien jetzt
einem Gedanken nachzuhängen.

Quapp, die unmäßig gelacht hatte, wobei ihr breiter Mund
von einem Ohre bis zum anderen klaffte, und eben noch

vor Vergnügen laut das Wort „famos" trompetete, hielt plötzlich inne und blickte Schlaggenberg an. „Woran denkst du, Bruder?" „Ach nichts", sagte er, jetzt wieder lachend, „weißt du, dieser Bursche hat das ganz famos gemacht. Sie behaupten außerdem, daß die Dame oben aus jener Cognacflasche sogar getrunken hätte . . . na, mag das sein wie immer. Übrigens – und das ist wohl das Schönste – vermochte sich von den Kerlen angeblich niemand zu erinnern, wo wir eigentlich gewesen waren. Vielleicht ist das nur Spaß. Aber ich, für mein Teil, weiß es nämlich wirklich nicht. Man hat dem Chauffeur – daran erinnere ich mich noch – beim Einsteigen gesagt, er möge nur drauflosfahren, wohin, sei gleichgültig, dafür aber recht schnell. Wir kugelten in dem sehr großen, finsteren und überfüllten geschlossenen Wagen alle durcheinander, auch der Rittmeister, dessen eigenes Sportfahrzeug merkwürdigerweise irgendwie verschwunden war im Laufe der Nacht: aber das fiel damals weder ihm noch sonst jemandem auf. Ein Bekannter war mit dem Ding unverschämter Weise einfach davongefahren und brachte es ihm dann am Sonntag nachmittag . . ."

Quapp schrie vor Vergnügen und schnappte nach Luft.

„Ich bin übersiedelt", sagte Schlaggenberg mitten darin und mit einem gewissen Nachdruck, „ich wohne jetzt . . ." Ihr Gesicht, das vor Lachen ganz klein und faltig geworden war, wie das eines neugeborenen Kindes, blieb sozusagen stecken:

„Aber –!" rief sie. „Nein! – und ich hab' mich noch so bemüht, mein ehemaliges Zimmer wiederzubekommen, drei Briefe hab' ich dieser Vermieterin nach Wien geschrieben und auch eine Anzahlung gegeben. Ich muß ja in deiner Nähe wohnen!"

„Ich mußte übersiedeln", sagte er. „Es kam da eine andere Zeit. . . ."

„Aber ich verstehe doch alles, Bruder", fiel sie sofort ein. „Verzeih meine Meuterei. Natürlich mußtest du übersiedeln. Ich bin glücklich, dich da draußen zu wissen. Übrigens könnte ich ja auch hinausziehen . . .?"

„Ja! Großartig!" rief Schlaggenberg. „Das wird was! Es sind genug Zimmer draußen zu haben. Ich werde morgen sofort suchen, und du kündigst deine jetzige Wohnung für den ersten Februar auf."

Sie schwieg, wurde nachdenklich und auf ihrer kleinen Stirne bildeten sich Fältchen: „Ich weiß allerdings nicht", meinte sie endlich, „ob ich eigentlich schon – ein Recht darauf hätte, dort hinaus zu ziehen. Ich würde dir das sozusagen einfach nachmachen, aber nur – äußerlich. Bin ich denn heute schon so weit wie du . . .?"

Er wehrte ab. Auf seinem Gesicht erschien jener rasch wieder verschwindende gequälte Zug wie früher, oben in der Halle noch. „Ich bin gar nicht weit", sagte er, „aber ich muß . . . im übrigen würde es dir nur nützen, die Umgebung zu wechseln."

„Ja?! Glaubst du das?!" rief sie, in kindischer Freude darüber, daß er ihre Bedenken aus dem Wege geräumt und ihr einen Vorwand geschaffen hatte, das zu tun, was sie so gerne tun wollte. „Du hast schon recht", sagte sie dann. „Wozu sich wieder zwischen diese selben vier Wände sperren, wo man so Entsetzliches durchgemacht hat. . . ."

„Ja", sagte er. Dann schwiegen sie, vor dem Bahnhofe stehend und auf das nächste freie Taxi wartend.

Quapps Zimmer war freundlich. Ein weißlackiertes Metallbett stand da, das wie ein Kinderbett aussah, daneben ein Geigenpult. Hier war Schlaggenberg oft gewesen. Er blieb im Überrock in der Mitte des Raumes stehen, eine Zigarette im Mundwinkel und drehte sich langsam herum und allen Erinnerungen zu. Derweil packte sie ein wenig aus, brachte Bürsten und Seifen in's Badezimmer, und untersuchte vor allem sorgfältig ihre Geige, die in einem überzogenen Kasten mitgeführt worden war. Mit dieser Geige – es war eine echte alte Italienerin – hatte es eine schmerzhafte Bewandtnis. Sie stellte das größte Geldopfer dar, das die Eltern Schlaggenberg bisher um ihrer Tochter willen gebracht hatten.

Der Ofen knisterte. Wie eh und je, in Leiden und in Freuden, wie vor Jahr und Tag so auch heute, saß dieses seltsame Paar am Ende beim Tee. Es gab in dem reichlich gerüttelten Leben dieser beiden vielleicht kaum einen der möglichen Zustände eines durchschnittlichen jungen Menschen, den sie nicht schon durchlaufen hatten, ganz bestimmt aber keinen, in dessen Verlauf sie nicht früher oder später miteinander Tee getrunken hätten.

„Hörst du irgend etwas von Camy?" fragte Quapp plötzlich. „Nein", sagte er. „Und wie steht's mit der Scheidung?" fragte sie weiter, „ich weiß nämlich die Dinge nur so beiläufig von der Mutter." „Quapp!" sagte Kajetan sehr eindringlich, „ich habe dich um Verzeihung zu bitten. Ich habe dir nicht geschrieben. Ich bitte dich, mir dieses zu verzeihen, hörst du?!" „Aber Bruder!" rief sie, „ich wußte doch, daß du sicher gute Gründe haben mußtest –" „Nein, Quapp", wehrte er ab, „ich hatte gar keine Gründe, oder jedenfalls keine guten. Ich war elend, verzweifelt, halb wahnsinnig, ein selbstsüchtiges, enges Untier. Das ist es. Von Camy aber habe ich nichts mehr gehört. Juristisch wurde weder von meiner noch von ihrer Seite irgendein Schritt unternommen. Ich rühre mich nicht, und von ihr aus rührt sich auch nichts. Das ist alles." Sie schwiegen.

„Aber wäre es nicht gut, doch auch das Formelle hier zu erledigen?" sagte sie nach einer Weile. „Dann hättest du wirklich ganz die Freiheit. . . ."

„Ich weiß es nicht, Quapp", sagte er langsam. „Wesentlich ist: es geht mir so, wie die Dinge jetzt liegen, sehr gut, und ich erreiche eine halbwegs zufriedenstellende Arbeitsleistung."

„Ach –" stöhnte sie. „Da komme ich hierher und finde dich in bester Form – nach allem! Und ich . . . ."

„Wärest du im Herbst gekommen, dann würdest du anders sprechen", sagte er. „Unsere Rettungen geschehen übrigens immer in aller Stille und lange bevor wir moralisch Lärm schlagen, um dann wieder ‚in bester Form' zu sein; das Wesentliche unserer Rettungen nämlich."

„Aber wie erkennt man es?"

Schlaggenberg schwieg eine Weile und rührte sich nicht. Sie sah ihn verwundert an und kam auf den Gedanken, er sei vielleicht eingeschlafen, denn seine Augen waren geschlossen. Aber plötzlich antwortete er:

„Auf die roten Lichter soll man achten."

Er sprach das fast wie aus dem Schlaf heraus.

„Was?! Wie?" rief Quapp.

„Ja", sagte er, „das ist so wie auf der Eisenbahn."

Ihr Mund blieb ein wenig offen stehen. Kajetan erhob sich lachend. „Ein andermal, Quapp", sagte er und nahm sie bei den Schultern. „Höre zu jetzt: es ist von größter Wichtigkeit, daß du sofort morgen früh mit der geregelten Arbeit einsetzest. Morgen früh! Verstanden? Laß' dir bald dein Abendessen geben und geh' schlafen. Ich tue das gleiche." Er schüttelte ihre Hand und ging.

Quapp gehorchte diesmal wie ein Soldat. Am nächsten Morgen erwachte sie übrigens von selbst ungewohnt zeitig, nahm diesen Umstand sofort als ein gutes Zeichen und sprang aus dem Bette.

Als sie, eine Stunde später, die Geige am Kinn, vor das Notenpult trat, kehrte zwar nicht das gleiche Elend wieder, unter welchem sie in diesem Sommer bis zum äußersten gelitten hatte; jedoch sie fühlte sofort eine derartige Gleichgültigkeit und Kälte, daß ihr allein das Heben des Bogens schon über ihre Kraft zu gehen schien. Von der Straße hörte man die Glocke eines Radfahrers. Draußen im Vorzimmer sprach die Hausfrau halblaut mit irgendeiner Frauensperson. Quapp war nahe daran, sich auf einen Stuhl niederzulassen und vor sich hinzudösen. Da wäre es aber wohl noch besser gewesen, in's Freie zu gehen, auf die Straße, in die frische Luft und spazieren, soweit es in der Großstadt eben eine solche frische Luft überhaupt gibt, und wenn ein Spaziergang in solcher Gegend mit ihren vollkommen verbauten, endlosen grauen Vorstadtgassen überhaupt locken kann. In diesen Augenblicken brach eine kleine Verzweiflung in Quapp aus, während welcher sie, gänzlich ungesammelt und eigentlich stumpfsinnig, Fingerübungen zu spielen begann. Es war jämmerlich. Sie wußte auch nicht im entferntesten, warum sie eigentlich hier stand und sozusagen Fingerübungen spielte. Einen Augenblick lang dachte sie daran – denn es war wirklich ein äußerster Schrecken, was sie da erlitt – ihren Bruder anzurufen, um Hilfe zu rufen, als sei ihr etwas zugestoßen. Aber sie erkannte gleich danach, daß dieser Einfall nur einen Vorwand bildete, um auf jeden Fall einmal von der Geige wegzukommen, sei es auch nur in's Vorzimmer und bis zum Telephon. Also geigte sie weiter, wenn man das so nennen kann.

Allmählich beruhigte sie sich, ja man könnte fast sagen, sie erholte sich von ihrem Schreck und das Blut trat ihr wieder zum Herzen. Während sie spielte, hörte sie durch die Mauern ein langsam ansteigendes und wieder fallendes Summen, etwa das Geräusch eines in Gang befindlichen Elektromotors, den unten im Hause wohl ein Gewerbetreibender in seiner Werkstatt benutzte. Quapp hatte plötzlich die undeutliche Vorstellung solcher Werkstätten, und im nächsten Augenblick war sie sehr froh darüber, sich vorhin nicht auf den Stuhl niedergelassen zu haben, um über die Sinnlosigkeit ihrer Anwesenheit in dieser Stadt hier nachzudenken, Sinnlosigkeit, weil es mit der Arbeit nicht klappte. Daß sie damit gleich nach dem ersten Versuche schon die Hände hätte mutlos sinken lassen, das bedachte sie jetzt nicht, und ebensowenig, daß sie ja anderseits auf diesem lockenden Stuhl nicht dauernd untätig sitzen geblieben wäre; sondern ihr schien das jetzt so, als hätte sie durch dieses vorhin noch mögliche Ablassen einen durchaus und nie mehr wieder gutzumachenden Fehler begehen können (und wagen wir es etwa, ganz zu leugnen, daß diese ihre Denkungsart doch das Wesentliche an der Sache recht treffend erfaßte? Nein, das wagen wir nicht). Quapp hörte also diesen Elektromotor summen, und sie freute sich (mit einer etwas resignierten Freude) wenigstens hier zur Not noch dazugehören zu dürfen. Sie war immerhin rechtzeitig aufgestanden, um jetzt, neun Uhr morgens, irgendeine – beliebige – mechanische und gleichmäßige Tätigkeit auf sich zu nehmen und auszuüben; wenn es auch außer Zweifel stand, daß die Beschäftigung dieser Leute an ihrem Elektromotor dort unten weit zweckmäßiger und sinnvoller war, als jene Art von Geigenstudium, die sie hier betrieb.

Sie stellte nach einer Weile die Fingerübungen ein, um an das zunächst Wichtigere heranzugehen, nämlich um die rechte Hand, die den Bogen führt, vorzunehmen und die Strichtechnik, wie die Geiger das nennen, zu bilden. Während sie einen Augenblick durch's Fenster auf die Front des gegenüberliegenden Hauses sah (jetzt, bei Tage, lag diese Front schlicht-schäbig da, nicht wie gestern, im starren Bogenlicht, als ein weißer Termitenbau mit Schlupflöchern), während sie also hinaussah, trat plötzlich ihr Zimmer daheim im elterlichen Herrenhause in ihre Vorstellung, und gleich darauf der Gang, über den man gehen mußte, um zu jenem Zimmer zu gelangen. Das Bild war schwach und schwankend. Aber in dieser Verschwommenheit glänzte etwas auf wie ein kleines Metallstück, merkwürdigerweise erst auf dem halbdunklen Gange und dann wieder im Zimmer. Plötzlich erkannte sie, daß hier etwas für sie Wichtiges sein müsse, in dieser Erinnerung. Und nun stieß sie einen kleinen Laut aus. Das war's:

Dieses Metallstück war die kleine vernickelte sechseckige Schraubenmutter am Frosch ihres Bogens. An diesen Bogen hatte sie mit großer Heftigkeit gedacht, während sie durch den halbdunklen Gang und in ihr Zimmer geeilt war (etwa im August war das gewesen, jetzt wußte sie es). Sie war aus dem Garten rasch hinaufgegangen, denn in dieser ganzen Dumpfheit ihres damaligen Lebens (man konnte es ja kaum mehr Leben nennen, nur tierisches Leiden der Sehnsucht!) gab es dann und wann klare Augenblicke, und einer dieser Augenblicke war winkend voll lauter Rettung gewesen: es fielen ihr einige Ausführungen ihres Lehrers über die Strichtechnik ein, plötzlich schien ihr, als verstehe sie das Gesagte jetzt zum ersten Male richtig, auf's äußerste befeuert eilte sie damals zu ihrem Handwerkszeug, um diese ihre Klarheit jetzt sogleich zu erproben. Und wenige Minuten später war ihr Zimmer bis in die letzte Ecke erfüllt gewesen von einem Ton, wie sie ihn vorher kaum jemals hatte ziehen können (und seither überhaupt nicht mehr; nach Tische schon war alles wieder verschwunden gewesen, nur die verkrümmende Qual im Herzen war bei ihr geblieben, die sich unter der linken Brust schon eine gewissermaßen dauernde Wohnstätte in Form von durchaus körperlichen Schmerzen eingerichtet hatte, welche überhaupt nicht mehr verschwanden).

Dieser Ton von damals erfüllte jetzt ihr Ohr, nicht aber belebte er ihre Hand. Wenn sie das wiederhaben könnte! Alles wäre neben solchem Glücke rein lächerlich.

Sie schloß die Augen und peitschte ihr Erinnerungsvermögen plötzlich wild an, um jenen vergangenen Augenblick in ihrem Innern neu zu beleben: jedoch da war nur die ihr bekannte Tatsache dieses Erlebnisses in ihrem Denken, aber ihrer Hand war von diesem Erlebnis nichts mehr geblieben, die war tot. Damals hatte sich das mit einer einzigen Blutwelle bis in die Fingerspitzen ergossen, jedoch diese Welle war bald wieder zurückgeflutet. Und nun ...

Quapp wandte sich vorsichtig dem Geigenpult wieder zu, sie trat leise auf, als schliefe jemand im Zimmer, und begann nun ebenso mechanisch, wie vorhin die linke Hand, jetzt die rechte zu behandeln. Es war im Grunde ganz das gleiche, vielleicht etwas weniger trübsälig. Wieder hörte sie den Elektromotor von vorhin surren. Etwa durch zwanzig Minuten führte Quapp gleichmäßig die vorgeschriebenen Übungen durch.

Plötzlich aber schürzte sich ihr Mund, die entblößten oberen Schneidezähne setzten sich scharf auf die Unterlippe, und zugleich zogen sich die weit auseinanderstehenden Mandelaugen zu einem schmalen Spalt zusammen.

Ein Ton erfüllte das Zimmer, der jeden geigerisch gewitzten Musikanten hätte aufhorchen machen. Die Italienerin, endlich an der richtigen und innersten Stelle ihres Wesens berührt und getroffen, jauchzte auf und strömte ihr geheimnisvolles Leben in Fülle aus.

Quapp ging durch die Stricharten und Lagen. Das dauerte so den ganzen Vormittag, etwa drei Stunden mit geringen Unterbrechungen. Ihr Gesicht war eigentlich finster, die kleine Stirn über der Nasenwurzel von scharfen Falten zerrissen.

Sie setzte ein wenig aus: es war vollkommen still. Auch das Summen des Motors ließ sich nicht mehr hören.

Um ein Uhr mittags etwa stellte Quapp die Arbeit ein.

Jetzt saß sie stumpfsinnig in einem Armsessel. Man brachte das Essen. Sie war ohne Hunger. Aber als sie ein paar Löffel Suppe genommen hatte, fühlte sie eine prickelnde Belebung durch den ganzen Körper rinnen, und dann aß sie mit einem für eine junge Dame ganz beträchtlichen Appetit alles bis auf den letzten Rest auf. Als der Kaffee kam, ging sie bereits lebhaft im Zimmer umher, fühlte große Kraft, Lust und einen Drang nach äußerer Entfaltung, vor allem aber nach Mitteilung. Schon trat sie an den Fernsprecher, um Kajetan anzurufen, und ihm zu sagen . . .

Merkwürdig war's, daß sie in solchen Lagen immer, und auch heute, hier und in diesen Augenblicken, eine Veränderung im Gesicht spürte: als überwüchse dieses eine Maske.

Es war, als würde das Antlitz starr und leblos.

Die Züge unbeweglich, wie unter dem hart werdenden Gusse irgendeiner Masse liegend, etwa Paraffin, oder dergleichen; sie kannte das gut, von der Behandlung ihrer Skier her.

Ein langsames, ein lahmes, ein pappiges Gesicht.

Da sanken plötzlich ihre Hände herab. Ein Angstgefühl packte sie, als würde die Luft dünn und alles wieder arm und tot: zu oft hatte sie, in ihrem Glück bei solchen ‚Durchbrüchen' wie heute vormittags, die ja eigentlich das Normale ihres Werktages hätten bilden sollen, vor Freude gleich über die Stränge geschlagen, mit einem allzuguten Gewissen, und sich etwa durch freie Nachmittage oder irgendwelche Zerstreuungen belohnt – nach Hause kommend aber das ihr zu teil gewordene Gnadengeschenk gar nicht mehr vorgefunden. Der nächste Vormittag wurde dann unweigerlich zur Hölle, man tat Sinnloses, lief Dummheiten nach, unter dem Vorwande, daß sie eben nötig seien, aber in Wahrheit nur, um jetzt nicht geigen zu müssen. Man war zu jedem Mißverständnis, zu jedem Streit sogleich bereit, in jener dumpf bohrenden Gereiztheit, die von der Schuld herkommt.

Ihre Hände sanken also herab, auch ihr Kinn fiel auf die Brust, aber auf ihr wieder verfinstertes Gesicht war ein Ausdruck eines besonderen Wach- und Wachsam-Seins getreten. Sie erlebte so fast einen gleichen und vielleicht ebenso entscheidenden Augenblick wie heute morgens, als sie auf den Stuhl sich hatte niederlassen wollen, um zu dösen und zu grübeln. Noch im Vorzimmer vor dem Fernsprecher stehend, hörte sie wieder den Elektromotor im Unterstock summend anspringen. Eine Minute später nahm sie die Geige schon zur Hand; das Instrument wog ihr seltsam schwer, und ein kühles Gefühl in den Armen jagte ihr leichten Schreck ein.

Auch jetzt gab es, wie am Morgen, eine böse Viertelstunde. Aber als diese vorbei war, kam (unmerklich, von wann an eigentlich, sie war nun eben da!) die wahre Stimme der Italienerin wieder aus dem hohlen Leib des Instrumentes. Auf Quapps Antlitz erschien ein Ausdruck, den man nicht anders nennen kann als ein Lächeln des tiefsten Einverständnisses. Sie sandte einen Blick voll innigster Dankbarkeit durch das Fenster zum grauen Stadthimmel empor.

Zwei Stunden später schloß Quapp, mit bewußter Absicht, für heute die Arbeit. Jetzt mußte sie sich geradezu losreißen. Aber sie erkannte, daß es für heute genug sei. Nach der ersten Erschöpfung regte sich ein übermäßiger Drang nach Mitteilung. Wieder wollte sie Kajetan anrufen. Aber sie blieb, geradezu zitternd vor Anstrengung und Bangnis, bei ihrer Teetasse sitzen.

Fünf Minuten später trat Schlaggenberg in's Zimmer.

An diesem Abend, als Quapp mit ihrem Bruder beisammen saß, erlebte sie eine seltsame Qual bei der innerlichen Rückschau über die letzten Monate. Sie sprach auch davon, sogar ausführlich. Hintennach nämlich erschien ihr die Leistung des heutigen Tages als eine Selbstverständlichkeit, die es längst hätte sein sollen; und sie wurde sich auch sehr wohl dessen bewußt, daß jene Verfassung, innerhalb deren sie sich jetzt befand, sozusagen nur das alltägliche Mindestmaß darstellte, eine Voraussetzung und einen bloßen Ausgangspunkt für jede wirkliche Entwirrung. Dabei wiederum schien ihr jetzt, daß es doch gar nicht so schwer gewesen sei, dies zu erreichen: zwei kleine Rucke sozusagen, das war alles gewesen! Das müßte man doch im richtigen Augenblick immer können, und hätte man immer können sollen – so zum Beispiel in diesem jüngst verwichenen Sommer. Das wäre doch ohne weiteres möglich gewesen! (Quapp wußte durchaus nicht, in welche Gefahrenzone der Selbsttäuschung sie bereits eintrat.) Sie ärgerte sich jetzt maßlos, nicht schon einige Monate solcher Arbeit hinter sich zu haben, und sah die Ursache dieses Versäumnisses beinahe nur mehr in einer winzigen, fast äußeren Unterlassung ... nämlich in dem Fehlen jenes kleinen Anhubes, dem sie heute alles zu verdanken glaubte.

Vielleicht war es ja auch wirklich so. Ihren Bruder überraschte sie jedenfalls durch die plötzliche Äußerung:

„Ich weiß schon, Bruder, was die ‚roten Lichter‘ bedeuten."

„Nun –?" fragte er lachend.

„Dasselbe wie: man muß unter Umständen rechtzeitig von einem Stuhl aufstehen können."

„Das kann schon stimmen", meinte er.

Erfreulicherweise läßt sich berichten, daß Quapp sich in den neuen gedeihlichen Lebensgewohnheiten während der nächsten Tage festsetzte, ohne geradezu in Übermut zu verfallen oder zu vergessen, daß sie sich damit noch immer auf der Ebene bloßer Voraussetzungen bewegte. Denn, in Ansehung der Sache allein gesprochen, hielt sich eben ihr Werktag zur Not gerade noch innerhalb dessen, was bei jeder sogenannten ‚künstlerischen‘ Arbeit ein gesetzliches Minimum darstellt. Es gab auch Tage, wo sie nicht einmal dieses ganz erfüllte. Jedoch ist zu sagen, daß Quapp sich auch während der folgenden Wochen durchaus dessen bewußt blieb, in einer Übergangszeit zu leben. Ein rechter Kindskopf war sie auch, und so wurde von ihr eine Art Kalender angefertigt, auf welchem jeder Tag mit Wonne abends ausgestrichen werden konnte: denn für den nächsten Monatsersten hatte sich Quapp die Erlaubnis erteilt, in die Gartenvorstadt zu übersiedeln, wo, in nächster Nähe von Kajetans Behausung, schon ein Zimmer gesichert worden war: nicht leicht, denn unsere Quapp hatte bei der Wohnungssuche stets

bedeutende Schwierigkeiten zu besiegen. Hausfrauen, die ganz-
tägiges Geigenspiel ohne allzu häufige Tobsuchtsanfälle ertragen, sind noch nicht bekannt geworden. Es mußten diese Hausfrauen also derart konstruiert sein, daß sie entweder den ganzen
Tag, etwa beruflich, sich auswärts aufhielten oder taub waren
(was wieder andere Nachteile mit sich brachte). Zudem bedurfte
Quapp eines gehörig abgetrennten und abgelegenen Raumes.
Was von der Art ihres Studierens bisher mitgeteilt wurde, dürfte
wohl genügen, um einzusehen, daß sie gegen Störungen sehr
empfindlich sein mußte.

Am ersten Februar also kam es endlich so weit: Quapp verließ diese Stätte ihrer Kämpfe und Niederlagen, die aber schließlich auch zur Stätte eines miniaturen Triumphes geworden war.

7

Streitereien

Stangeler verkehrte seit einiger Zeit wieder häufiger im Hause Siebenschein, wurde dort empfangen, ging ein und aus. Diese neue Epoche fand weiterhin, und seltsamerweise, noch ihre Befestigung in der Folge jenes 8. Jänner 1927, der Grete Siebenschein vor den Rat ihrer Verwandten gebracht und den René Stangeler in Eulenfeld's ,Troupeau' verschlagen hatte.

Welche Gründe das Mädchen damals bewogen, dergleichen nun neuerlich anzubahnen, ist nicht leicht im einzelnen zu erkennen, wegen der Verschwommenheit dieser ganzen Sache. Vielleicht gab ihr die Anwesenheit des Geliebten im Elternhause so etwas wie das Gefühl oder den Schein einer nunmehr legalen und geoffenbarten Beziehung, etwa einer Verlobung; nach dergleichen aber trug sie freilich zuinnerst ein starkes und wohl begreifliches Verlangen. Stangelers Forderung, sie möge, und nicht nur in Ansehung seiner äußeren Lage, alles Derartige in sich entschlossen überwinden – das alles war einem Mädchen, und gar einer Grete Siebenschein gegenüber, freilich bloße Narretei. Da ihr nun aber dieses närrisch-unerbittliche Maß immer wieder vor die Nase gestellt wurde, so kam sie, im Kreuzfeuer zwischen ihrem Geliebten und ihrer Familie (mit der sie sich innerlich doch eins fühlte), auf eine Menge kleiner Mittel, sowohl um ihn, als auch um ihre Leute zu beruhigen und erträglich zu machen. Ihre Leute nämlich zu beruhigen etwa durch den Hinweis auf die doch früher oder später außer Zweifel stehenden Heirats-Chancen. Ihn wiederum zu beruhigen durch die Versicherung, daß ihr daran schon längst nichts mehr liege. Es war nichts weiter, als eine recht eigentlich weibliche Art des Verhaltens: nicht ein Ganzes von Gegensätzen unverwischt beisammen zu lassen und zur Entscheidung zu treiben, sondern es vielmehr in jedem einzelnen Falle durch Klugheit und Versöhnlichkeit einfach – am Erscheinen, am Sichtbarwerden zu verhindern. Darum hörte sie immer mit ernsthafter Miene an, was Stangeler sprach. Darum wich sie ihrer Mutter meistens sehr geschickt aus.

Es gab wohl noch gewisse einzelne Gründe, durch die sich Grete bewogen fühlte, ihren ‚Totenkopf' (so nannten die Siebenscheins den Stangeler wegen seiner tiefliegenden Augen) in die Familie einzuführen. Es gab auch Gründe für Frau Irma, daß sie es duldete, ja sogar guthieß. So etwa schien es dieser begrüßenswert, daß man nunmehr ‚die Kinder' (in der Tat nannte sie die Zwei ganz bei sich oft schon mit diesem Wort) mehr unter den Augen habe ... nun, wir wissen ja, daß unsere Frau Irma unmöglich in der Einbildung leben konnte, die Beziehungen zwischen Grete und René Stangeler seien solche innerhalb der Grenzen des ‚Erlaubten'. Dennoch, die Sache nahm sich so reputierlicher aus, nicht etwa nur vor den anderen Menschen, nein auch vor der Frau Irma Siebenschein selbst; das roch doch irgendwie nach ‚Verlobung' oder so etwas. Wir wollen aber hier die Gleichartigkeiten zwischen Mutter und Tochter keineswegs überschätzen. Es ist nur wichtig, zu wissen, daß solche eben in der und jener Ecke des Wesens doch vorhanden waren.

Durch diese neue Einrichtung der Dinge war Grete nun freilich weit häufiger zuhause, denn bis dahin hatte sich das gemeinsame Leben mit dem Geliebten eben in Café's, öffentlichen Gärten (so lange es noch warm war) und in ähnlichen, zum Treffpunkt geeigneten Umgebungen abgespielt; nicht selten auch in irgendeinem mehr oder weniger unmöglichen gemieteten Zimmer.

Grete Siebenschein hatte ein Auge auf René hinsichtlich des Eindruckes, den dieser auf ihre Leute machte. Sie wußte recht gut, daß der junge Mann eigentlich sehr wohl die Voraussetzungen besaß, um immer ein ausgezeichnetes Bild zu geben. Und es schmerzte sie heftig – auch, weil ja ihre familiären Absichten dabei durchkreuzt wurden – daß dieses keineswegs immer der Fall war. Denn Stangeler's Art war zu jener Zeit recht wunderlich; er verzerrte sich sozusagen selbst durch das Krampfhafte und Gescheuchte seines Wesens, durch das oft maßlos Übertriebene seiner Äußerungen, seines Mienenspieles, seiner Gebärden – wobei er ein peinlich durchsichtiges Bestreben zeigte, sowohl sich selbst als auch anderen etwas vorzumachen. Gleichwohl, der Bursche nahm sich trotz alledem vielfach nicht so übel aus, und in solchen Augenblicken, da Frau Irma für sich im stillen den Ausdruck ‚die Kinder' gebrauchte, hegte sie zugleich durchaus die Hoffnung, daß er ‚schon mit der Zeit Vernunft annehmen' würde. Davon umgab ihn ja hier allerdings ein reichlicher Vorrat, der auch bei Grete nie ganz ausging (das war im Grunde ihr tiefstes Unglück), trotz ihrer durch die Liebe gesteigerten und auch verschleierten Persönlichkeit.

‚Ein hübscher Bursche eigentlich', dachte Frau Irma dann und wann, ‚wenn er sich natürlich benimmt. Man könnte ihm manchmal fast gut sein.'

Wir dürfen nun freilich nicht ganz beiseite lassen, daß für diese Siebenscheins auch die Herkunft des Herrn René eine gewisse Rolle spielte. Am 2. November, den man ‚Allerseelen-Tag' nennt, war Frau Irma mit ihrem Gatten Ferry am Friedhofe gewesen, um ein Grab zu besuchen. Der Zufall wollte es, daß sie, durch einen breiten Parkweg zwischen einzelnen vornehmen Familiengrüften spazierend, den Namen ihres ‚Totenkopfes' auf einer dieser funebren Marmorkonfektionen lasen. Sie betrachteten nun des längeren die letzte Ruhestätte der Herren von Stangeler und tauschten interessierte Vermutungen darüber aus, ob jener Nagel zu ihrem künftigen Sarge (genannt René), ob also dieser störrische, finstere, ungehobelte Bursche am Ende doch aus dieser Familie stamme. Frau Irma zeigte größtes Interesse dafür, ihren Gatten schien das allerdings weit weniger zu berühren. Doktor Ferry Siebenschein, Rechtsanwalt, war ein fetter aber dabei bleicher Mann mit einem großen, schwammigen Gesicht, der die Last seines Berufes noch durch eine beinahe zu weit gehende Redlichkeit vermehrte und die zurechtweisenden Ansprachen seiner ‚Weiber' (so bezeichnete er bei sich aber nur die Gattin und Grete's jüngere Schwester Edith, genannt ‚Titi', denn diese gab es ja auch noch, wenn schon, gottlob!, verheiratet), der also dieses laufende Band von Korrekturen seiner Stiefel, Krawatten, zigarettenbraunen Finger und dergleichen mit demselben dickflüssigen Mißmut ertrug, wie die zweitausenddreihundertachtundfünfzig Krankheiten, die seine Frau jährlich hatte oder zu haben glaubte; entschädigend war für das alles die Liebe und Verehrung seiner Grete, von welcher er ohne weiters anzuerkennen bereit war, daß sie eben ein ‚höherstehendes' Mädchen sei.

Man befragte – mit ‚man' meine ich natürlich Frau Irma! – den René Stangeler von wegen der Gruft und der Familie und der Baronie (?!). Er knurrte Bejahung und schoss plötzlich wütend aus dem Zimmer.

Denn dieser Jüngling befand sich noch in jenem durchaus normalen und für jeden werdenden Geist fast unerläßlichen Entwicklungs-Stadium, da man von der Familie sich losreißt und lossagt, da der Name eines berühmten Vaters oder sonst bedeutender Ahnen wie ein Sargdeckel auf dem zu sich selbst erwachenden Ich liegt, ein Zustand, der jeden Menschen als bösen Feind erscheinen läßt, der es wagen würde, die in noch recht nebelhaftem Entstehen begriffene Eigenpersönlichkeit mit der breiten und alten Sippe in einen Atem zu bringen; weil dies ja der vorläufigen Zielrichtung eines solchen, vorläufig und notwendig auf's eigene Ich versessenen, Lebens geradezu in's Gesicht schlägt – wenngleich hier die Betonung der Familienzugehörigkeit vielfach der Wirklichkeit noch durchaus gerecht wird: denn da muß einer schon einen recht tüchtigen Weg hinter sich haben, damit es gleichgültig werde, woher er kommt, und viel bedeutender, wo er jetzt steht und wohin er seine Schritte lenkt. Bei solchen Leuten aber pflegt man meist, geradezu umgekehrt, andere Sippen-Mitglieder zu befragen: ‚Sind Sie etwa verwandt mit. . .?'

Nicht aber ist es so bei jungen Delinquenten mit völlig leeren Taschen vor dem Heirats-Schafott. Zudem spürte unser Delinquent bei der interessierten und gespannten Frage der guten Frau Irma sozusagen schon den Scharfrichter das lange Messer wetzen.

Und überdies war er doch eitel, der arme Teufel; und da stempelte ihn jetzt diese böse Sieben einfach ab als einen, der den Namen ‚Stangeler' trug, und nichts weiter. Von ihm selbst nahm sie sozusagen gar keine Notiz!

Hätte man nun aber den Siebenschein's diesen ganzen Sachverhalt etwa erklären wollen – es ist zu wetten, daß ihnen auch der leiseste Schimmer von Verständnis ferngeblieben wäre. Unsere Frau Irma hätte einfach gesagt: ‚Der ist ja schon wieder total verrückt! Was braucht er sich zu schämen, weil er aus einer guten Familie ist? Aber benehmen könnte er sich dafür schon etwas besser – und überhaupt!'

Und überhaupt. Er saß beispielsweise bei ihr am Bett (sie litt eben an der achtzehnhundertundsechsundsiebzigsten Krankheit heurigen Jahres), und sie redete über irgend einen Gegenstand, und zwar ging es ihn an, was sie da redete, wenigstens war es so gemeint von seiten der Frau Doktor. René Stangeler pflegte manchmal den tiefsinnig Geistesabwesenden zu spielen, manchmal aber war er das auch wirklich und sogar in einer sehr unbewußten Form. Wenn er spielte, geriet seine Grete sofort in einen Zustand maßloser Gereiztheit, wenn er aber echt zerstreut war – eigentlich sollte man ja sagen ‚gesammelt‘ – dann liebte sie sein Gesicht über die Maßen. Wir werden gleich beobachten können, mit welcher Sicherheit sie meist (wenn auch nicht immer) die beiden sehr verschiedenen inneren Zustände ihres Geliebten zu unterscheiden befähigt war.

Und überhaupt! „Sie! hören Sie mir gefälligst zu, wenn ich zu Ihnen spreche!" platzte Frau Irma endlich heraus. Sie hatte erst mit Verwunderung, dann aber mit steigendem Ärger jene ‚schmelzende Veränderung‘ in Stangelers Zügen bemerkt, die ihr gänzlich wesensfremd und daher für sie doppelt aufreizend war. Stangeler aber hatte diesmal ein gutes Gewissen. Deshalb geriet er nicht in Wut (was sonst gleich der Fall gewesen wäre), sondern erwachte aus seinem versunkenen Zustande nur zu einem halben Erstaunen, das von einem verbindlichen und gleichsam entschuldigenden Lächeln begleitet war. Frau Siebenschein hatte sich ein wenig im Bette aufgerichtet, ihr intelligentes Gesicht sprang höchst interessiert vor. Sie sah jetzt aus, wie ein kluges kleines Tier, etwa ein Marder oder auch eine Ratte, über eine Mauerkante in einen unbekannten Raum spähend, vor welchem der gangbare Boden ein Ende hat und abbricht. Ja, sie stand hier wirklich an den Grenzen ihrer nicht geringen Klugheit.

Von ihrer Tochter Grete läßt sich nicht dasselbe sagen. Man muß sich hier poetischer ausdrücken. Es waren wirklich die Flügel der Liebe, welche unser Mädchen über einen – an sich, wohl möglich, für sie ebenso leeren Raum trugen. Sie bewies jedenfalls in diesem Augenblicke bemerkenswerte Eingebung. Ihre Augen leuchteten in einem Strahle von zuinnerst entzündeter Herzensgüte auf, sie neigte sich wie schützend über Stangeler, strich mit einer überaus zärtlich-fraulichen Bewegung über sein Haar und küßte ihn, sich rasch niederbeugend, auf die Stirn.

Frau Irma sah zunächst böse drein (nun, sie war ja an und für sich schon keine Augenweide, in ihrer Bettjacke!), dann spöttisch, und endlich nur mehr leicht säuerlich.

Gleichwohl, Grete's Heim und Leben im Elternhause bestand nicht nur aus der Mutter und deren teils pathologischen, teils allzu normalen Begleiterscheinungen. Es gab da ein Zimmer, in welchem Grete sozusagen als alleinige Herrin wohnte, man könnte auch sagen ‚dichtete und trachtete'. Sie hatte schöne, alte Sachen, viel Kleinkram, der aber durchaus guten Geschmack bewies, und einen breiten, gestickten Klingelzug an der Wand, der aber keine Klingel in Bewegung setzen konnte (denn diese waren selbstverständlich elektrisch), vielmehr nur als Antiquität und zur Verzierung da hing. Es ist sehr merkwürdig, und sicher keine bloße Einbildung von seiten des Verfassers dieser Berichte, daß man derlei alte Dinge – als auch pausbäckige Barock-Madonnen, Biedermeier-Standuhren, oder, bei den Wohlhabenden, gar ‚gotische' Angelegenheiten – immer in den Wohnräumen der ‚höherstehenden' Mädchen von Grete Siebenschein's Art findet. Sie haben einen Hang in dieser Richtung und kaufen diese Dinge beim Antiquitätenhändler. Auch etwa alte Engelsköpfchen auf kleinen Wandkonsolen oder Advent-Engelchen, die kniend Kerzen tragen. Für Stangeler war das neu, wie überhaupt manches Spielerische und Unbeschwerte hier, und gerade das Unbeschwerte spielte für ihn seine besondere Rolle dabei. Man darf keineswegs glauben, daß dieser René sich im Hause Siebenschein immer nur bedrückt und unbehaglich gefühlt hat. Sogar seine eigenen Aussagen, die doch mitunter von parteilicher Gehässigkeit gegen alles, was mit Siebenschein zusammenhing, nicht frei waren, sprechen dagegen.

Die ziemlich weitläufige Wohnung der Familie Siebenschein lag in einer Gegend der Stadt, die für Stangeler immer und schon vor seinem Erlebnis mit Grete einen eigentümlichen Reiz gehabt hatte. Das Haus – einer jener schrecklichen, überladenen Kasten der Gründerzeit, mit Einfahrtsgitter, Kandelabern und einem durch Schnüre und Quasten und sinnlose Spiegel gezierten Stiegenhause, in dessen enge Spindel man später einen Lift eingebaut hatte – dieses Haus also, wo die Siebenschein's im zweiten Stockwerk auf Türnummer 14 wohnten, lag am weiten Platze gegenüber einem der großen Fernbahnhöfe. Die Wohnung war überaus hell, wenn auch nicht sonnig. Das stand in einem gewissen Gegensatze sowohl zu dem Hause, als auch zu dem Mobiliar hier im besonderen. Denn das waren noch die richtigen ‚altdeutschen' Ungetüme, Spiegel mit Holzarchitekturen obendran, zu deren Transport man vier Männer gebraucht hätte, und eine Anrichte, deren Fortschaffung kaum mehr vorstellbar schien, ein ganzes Haus mit Stockwerken und Fächern und geschnitzten Muscheln und Satyrn (und überhaupt, um mit Frau Irma zu reden). Die Wohnung war also, wie wir schon sagten, hell. Dieser Umstand wurde für Stangeler sehr wichtig. Denn daheim, in den tiefen und weiten Räumen seiner Eltern – diese lebten im eigenen, seltsam düsteren Hause – war es fast immer dunkel, auch im Frühling und Sommer. Bei Siebenscheins hatte zudem ein beweglicherer Geschmack sich da und dort mitten zwischen den pompösen Träumen vergangener Möbeltischler ganz keck breitgemacht: da hing mitten drin an der Wand ein wirklich gutes modernes Bild im glatten Leistenrahmen, da stand ein Sessel von heute, sah aus wie ein Block und war ebenso unbequem wie die Sesselchen von früher, nur kam man hier erst dahinter, wenn man sich in das Ding hineinsetzte.

Derartige Breschen in einer nicht vorhandenen Tradition wies auch das Speisezimmer auf, wo sich in der Hauptsache das familiäre Leben abspielte, während das nebenan gelegene Musikzimmer (Frau Irma war Pianistin gewesen und Absolventin der Akademie) mehr der geistigen Erhebung diente. Im Speisezimmer ging es aber deshalb noch lange nicht dumm zu, vielmehr stießen hier oft die Geister mit offenem Visier scharf aufeinander. Dieses offene Visier war es, was Stangeler in den ersten Zeiten hier verblüffte und zugleich heftig anzog. Die Leute redeten miteinander. Sogar die Kinder mit den Eltern. Und wie! Es wurde ja bereits angedeutet, daß die Frauen der Familie – Grete ausgenommen – beispielsweise mit dem Vater Siebenschein nicht gerade viel Geschichten machten.

An einem Winternachmittag, als René Stangeler um die Ecke bog und auf den Platz vor dem Bahnhof hinaustrat, lagen die fernen Hügel, die Lichter am Donaukanal und die durch ihn bogenförmig aufgespaltene Tiefe der Stadt in rauchigen Nebel und hereinbrechende Dunkelheit versunken. Seit der denkwürdigen Nacht, die vor dem Ruthmayr'schen Palais geendet hatte, waren nun schon zwei Tage vergangen – man erinnert sich vielleicht, daß jenes Gelage des Rittmeisters von Eulenfeld an einem Samstag abgehalten worden war: und inzwischen ist es Montag geworden (eben jetzt holt Schlaggenberg seine Schwester von der Bahn ab). Stangeler hatte sich am gestrigen Sonntag unter irgendwelchen Vorwänden, die er telephonisch bei seiner Grete anbrachte, vom Hause Siebenschein ferngehalten. Nicht gerade zur Freude der Geliebten, die den einzigen ganz freien Tag ihrer Woche begreiflicherweise gerne mit René verbracht hätte (Grete arbeitete zeitweise in der Kanzlei ihres Vaters). Aber Stangeler hatte am Sonntag auch nach zwölf Uhr mittags – um diese Zeit war er zum ersten Male erwacht – nur ein einziges Bedürfnis gehabt: nämlich zu schlafen . . . (denn das Mittagessen in seinem Elternhause und bei sonntäglich versammelter engerer und weiterer Familie war anstrengend genug, und die Siebenscheins hätten ihm da gerade noch gefehlt).

Die Nachwirkung jener Nacht war im übrigen eine äußerst wohltätige. Stangeler befand sich geradezu in Schwung. Es genügt zu sagen, daß René am Sonntagabend sich trotz seines Katers mit Freude noch zu seinen Büchern setzte und mit wirklichem Vergnügen seine Studien und Arbeiten vornahm. Wir dürfen also feststellen, daß Stangeler, wenn er in seinen sonntäglichen Telephongesprächen mit Grete Siebenschein das Wort ‚Arbeit‘ gebrauchte, nicht geradezu log. Fräulein Siebenschein klingelte übrigens um zehn Uhr abends noch einmal an und überzeugte sich, während sie mit warmer Glockenstimme nach seinem Befinden fragte, davon, daß ihr René tatsächlich daheim saß.

Trotzdem, am Montag empfing ihn ein saures Gesicht, als er, fröhlich befeuert, in das Vorzimmer der Siebenschein'schen Wohnung trat. Er freute sich in hohem Grade auf das Beisammensein mit Grete und empfand das dringende und unabweisbare Bedürfnis, ihr von allem zu erzählen: von jener seltsamen Nacht und der glücklichen Einwirkung dieser ganzen Erlebnisse auf ihn; von dem angenehm verschlafenen Sonntag und der herrlich freudigen Arbeit am Abend, und, kurz und gut (dieses aber war die Hauptsache), davon, daß Welt und Leben eine wunderbare, weite und breite Sache seien.

Er wollte gleich mit Grete in ihr Zimmer eilen. Sie aber vertrat ihm den Weg und sagte mit einer, wie ihm schien, unangemessenen Strenge: „Wir müssen da hinein", (sie meinte das Speisezimmer) „es sind Leute da, die Titi, ihr Mann, der Onkel Siegfried, wir müssen uns dazusetzen."

„Was hast du denn?" sagte er, gereizt und in seinem Schwunge gebremst. „Was hab' ich dir denn schon wieder getan?"

„Das ist unerhört!" sagte sie mit unterdrückter Stimme. „Was war am Samstag? Ich habe die Mutter sekkiert, sich zu beeilen, weil ich wußte, daß du draußen vor dem Caféhaus wartest. Du warst verschwunden. Ich habe bei dir angerufen. Du warst nicht zu Hause. Ich habe mich schrecklich aufgeregt an diesem Abend, zweimal mich übergeben im Badezimmer, Herzbeschwerden gehabt, natürlich haben es die Eltern bemerkt ..."

„Aber gestern am Telephon ...", wagte er einzuwenden.

„Natürlich, du bist immer gleich beruhigt", sagte sie empört. „Aber an den anderen Menschen einmal zu denken, das ist bei euch Stangelers gänzlich unbekannt ...", in ihr Gesicht trat ein harter, bitterer, ja, verzweifelter Zug. „Also komm schon!" schloß sie ab. „Warte, richt' dir die Haare, hier, komm' in's Badezimmer."

Sie zupfte dort ein wenig an ihm herum. Dann hieß es in das Speisezimmer eintreten.

Stangeler verbeugte sich etwas hölzern. Dies entsprach seiner Verfassung: er fühlte sich innerlich jetzt wie abgebrochen und zugleich stieg ein heftiger Grimm in ihm hoch, den er nur mühsam und unter leichter Verzerrung seines Gesichtes beherrschen konnte. Hätte man ihn jetzt befragen können, weshalb er eigentlich in solche Wut gerate, dann hätte man von René zweifellos die etwas ausschweifende Antwort erhalten: weil sie (Grete) immer das Gute in ihm bekämpfe. Das treffe sie immer: ihn aus dem Schwung zu werfen, ihn abzuknicken, ihn zu veröden, eine graue Sauce in ihn hineinzugießen ... Nun, man hätte ihm da füglich entgegenhalten können, daß seine Grete ja immerhin auch im Rechte sei, wegen Samstag und Sonntag ... ,Nein!' hätte Stangeler gebrüllt (bereits gebrüllt), ,darauf kommt es ja gar nicht an! Sie kann und soll ja Recht haben! Diesmal hat sie übrigens Recht! Aber es ist geradezu geheimnisvoll: ich brauche nur einmal voll und froh dahergesegelt zu kommen und mich auf sie zu freuen, da kommt dann immer so etwas: Verwandte sind da, oder es war eben ein Krach mit der Mama, oder die Mama ist wieder furchtbar krank, oder sie selbst hat entsetzliche Kopfschmerzen und hat sich eben wegen der Titi aufgeregt und sich eben im Badezimmer übergeben; oder es ist die Hausschneiderin da, sitzt mit der Nähmaschine in Grete's Zimmer, so daß wir ins Speisezimmer müssen, und man wieder nicht allein sprechen kann; oder aber: es läutet alle drei Minuten das Telephon . . .'

Und dabei hätte René fuchtelnde Handbewegungen gemacht, als würfe er noch ganze Haufen solcher Beispiele hinzu.

Ein hoffnungsvolles Paar. Insbesondere bei Stangelers damaligem Zustand. Und nicht zuletzt: in dieser Umgebung.

Indessen begrüßte man einander. Der Vater Siebenschein tat dies Stangeler gegenüber immer mit einer gewissen Herzlichkeit, die einen schwer deutbaren Hintergrund hatte, etwa wie ein stilles Einverständnis, und als erblicke er in diesem Herrn René eine Art Leidensgenossen und spräche innerlich zu ihm: na ja, junger Mann, jetzt lernen Sie's wohl allmählich auch, was ich schon mein halbes Leben mit diesen Weibern durchmache... (mit den ‚Weibern' meinte er freilich nur seine Frau und die jüngere Tochter Titi). Siegfried Markbreiter betrachtete René aufmerksam, er schien ihn zu studieren. Frau Irma war besonders liebenswürdig, was Stangeler etwas beruhigte, denn er dachte an die Herzbeschwerden und das Badezimmer und daran, daß es natürlich die Eltern bemerkt hatten . . .

Titi war dünn wie ein Span, hatte also, nach den modischen Begriffen, eine herrliche Gestalt; und gerade damals, als sich die Geschehnisse abspielten, von welchen wir hier berichten, stand diese Anschauungsweise über Frauenschönheit auf ihrem Höhepunkte und war allgemein in Kraft.

Den Schwerpunkt der Gesellschaft aber bildete Titi's Gatte. Als Stangeler diesen Herrn Cornel Lasch erblickte, fiel ihm erst ein, daß er ja unten das große Automobil etwas abseits des Haustores hatte stehen gesehen. Herr Lasch erhob sich bei der Begrüßung nur halb und fuhr sogleich im Gespräche fort. Ihn umgaben alle Siebenscheins, ihn umgaben alle Markbreiters mit jener aus freudigem Stolze und kleinbürgerlicher Trotzdem-Zurückhaltung (damit man nicht etwa glaube . . .) fein gemischten Achtung, die ihm gebührte, als einem der Ihren zwar, aber eben als einem Helden, einem ihnen verständlichen Helden: denn seine Taten waren aus dem Stoff ihrer Wünsche gemacht.

„Levielle ist begabt", sagte er eben nachlässig, er ließ dabei die Worte gleichsam abtropfen, wie ein Esser das Fett. Dann legte er die schweren Kinnbacken wieder aufeinander. Alles

schwieg und sah ihn erwartungsvoll an; besonders der Vater
Siebenschein, der sich mit dem Geldverdienen immer böse geplagt hatte, schien geradezu verliebt in die Leichtigkeit zu sein,
mit der hier sein bitterstes Thema gemeistert und behandelt
wurde. „Aber Altschul ist schwerfällig. Verläßlich, ja. So kann
man heute nicht arbeiten."

Kein Mensch verstand hier von diesen Dingen etwas (nicht
einmal Markbreiter, denn dieser war ja auch das, was man einen
anständigen Menschen zu nennen pflegt). Sie schwiegen betreten. Das Automobil stand unten. Er hatte die Tochter genommen. Man hatte ihn wirklich gerne. Aber seinem Gedanken-
flug folgen, das konnte man eben nicht immer . . .

„Hören Sie, Herr von Stangeler, das müßten Sie einmal
schreiben: ‚Der moderne Condottieri'. Früher haben die Leute
mit dem Schwert herumgefuchtelt . . ." (Stangeler beobachtete
den Vater Siebenschein mit Mißgunst bei solchen historischen
Improvisationen), „früher also . . . und diese Leute hat man
Helden genannt. Und heutzutage macht das einer" (er wies auf
seinen Schwiegersohn) „mit einem einzigen Telephongespräch
Wien–London. Das heiß' ich Geschichte machen! Wie? Erlauben Sie, ich verstehe vielleicht nichts von der Wissenschaft;
aber wenn ich mir denke, daß jemand das so schreiben würde,
wie man früher diese Heldengeschichten geschrieben hat . . .
wie?!"

Die steile, böse Falte, die nunmehr zwischen Stangelers
Brauen erschien – seine schiefen Augen waren dabei zum Spalte
gekniffen – bezog sich nicht so sehr auf das Gesagte, als vielmehr auf einen ganz anderen Umstand: seine Geliebte nämlich
sah ihn erwartungsvoll von seitwärts an. Offenbar sollte er sich
wieder einmal bewähren und zeigen, offenbar sollte er wieder
einmal einen guten Eindruck machen, das Thema ergreifen, auf
den Gedankengang des anderen liebenswürdig eingehen, seinen
Geist beweisen, dem Vater und der Mutter Freude bereiten (es
wär' übrigens gar nicht schwer gewesen).

Getrost: er machte den denkbar schlechtesten Eindruck.

„Da bin ich aber verdammt anderer Meinung", stieß er
gehässig hervor, und schwieg. Über Grete's Gesicht flog eine
Wolke und es erschien ein bitterer, säuerlich-enttäuschter Zug
darin, und endlich ein maliziöses Lächeln. Und ganz im gleichen
Augenblicke stand fast das gleiche Lächeln auf dem breiten

Gesicht des Herrn Cornel Lasch. Stangeler erkannte das, und diese Erkenntnis berührte ihn geradezu wie eine Eingebung.

Die Harmlosigkeit des Vaters Siebenschein aber war unverkennbar, selbst für Stangeler in seiner Verbissenheit; und nun hatte er dem guten Alten höchst ungezogen geantwortet, und wußte das und hatte auch schon, im gleichen Augenblick, ein schlechtes Gewissen deswegen; und war wieder einmal ins Unrecht gesetzt. Seine Blicke suchten jetzt Grete. Aber diese wandte sich indigniert und hochmütig ab (wie herrlich lagen ihre schlichten blauschwarzen Haare um die feine Stirn!), erhob sich und ging an die Anrichte, um für Cornel Kaffee nachzuschenken. „Willst du auch noch?" fragte sie René kurz und kühl. Freilich antwortete er mit: „Nein."

Als sie an Herrn Lasch vorbeikam, legte dieser freundschaftlich den Arm um ihre Hüften. Sie lachte und setzte sich sogar für ein paar Augenblicke auf seine Knie.

‚Es war besser', dachte Stangeler in wilder Verzweiflung, ‚es war doch besser und appetitlicher. Trotz Läuse-Bissen und Schrapnells. Aber es war immer noch appetitlicher.'

„Sag, Cornel, wie war das eigentlich damals", nahm jetzt Onkel Siegfried den Faden des Gespräches wieder auf, „du warst doch nur Einjährig-Freiwilliger ohne Charge, oder Zugsführer oder so etwas, und hättest doch an die Front abgehen sollen. Und dann auf einmal . . . wie hast du das nur gemacht?" Siegfried Markbreiter zeigte für diese Sache ein so gegenständliches Interesse, als sollte bald wieder ein Krieg ausbrechen, und als müßte er, alter Kaufmann, noch geschwinde die Kunst der Drückebergerei erlernen.

Der Punkt, den er hier berührte, war übrigens wichtig, nämlich als Ausgangspunkt der Laufbahn des Cornel Lasch. Der alte Kaiserstaat hatte merkwürdigerweise die Dienste von Leuten solchen Schlages nicht immer verschmäht. Es mag sein, daß diese Leute sich sogar als brauchbar erwiesen . . . jedenfalls so lange, bis ihre Stellung so weit befestigt war, daß sie daran gehen konnten, das Schaf (den Staat) zu scheren. So auch Lasch. Sein besonderes Glück war der Zusammenbruch nach dem Weltkriege; denn einmal wurde er dadurch nicht erwischt und zur Verantwortung gezogen (was sonst ja doch früher oder später hätte kommen müssen), zum andern aber hatte ja jene geschichtliche Umwälzung bekanntlich einen Zustand in der

Öffentlichkeit zur Folge, der für Lasch und alle seinesgleichen sich als besonders fruchtbar erwies.

Die Hauptsache aber war seinerzeit doch das Loskommen von der Masse, von der Truppe also, gewesen, wo freilich Leute vom Schlage unseres Lasch nichts galten und nur angebrüllt und geschunden wurden. Der Fisch mußte durch die, je nach der vorhandenen Protektion, engen oder weiten Maschen des Militärgesetzes schlüpfen, um schließlich mit einem kräftigen Schlag in's freie Wasser zu gelangen, wo er alsbald als ein richtiger Haifisch davonschwamm und dabei sogleich ein bedenkliches Wachstum zeigte. Das war ungefähr der Weg vom Einjährig-Freiwilligen Lasch zum Herrn Landsturmleutnant gleichen Namens gewesen, der am Ende in leitender Stellung bei einer jener staatlichen Zentralen sich befand, die vom Kriegsministerium aus die Verteilung der Rohstoffe und Aufträge an die wichtigsten Kriegs-Industrien besorgten.

Man kann sich leicht vorstellen, daß für unseren Lasch hier allerlei zu machen war. Und er machte.

Markbreiter aber hatte mit seiner Frage sozusagen den wendenden Punkt in diesem Schicksal berührt. Das Gesicht des Cornel Lasch glänzte auf; bestandener Fährlichkeiten zu gedenken ist süß.

„Den Weg hat mir Levielle gezeigt", sagte er lächelnd. „Freilich war die Sache nur durch seinen Bruder, den Generalstabsarzt, möglich. Der untersuchte mich zum soundsovielten Male von unten nach oben und fand – nichts. Gottlob bin ich heute noch so gesund wie damals!" Alle lachten auf und Vater Siebenschein klopfte dem Schwiegersohn leicht und gewissermaßen respektvoll auf die Schulter (nur Stangeler lachte nicht). „Am Ende wurde eine Krankheit gefunden . . . ich glaube ich bin der erste Mensch, der sie gehabt hat: man kann sie nämlich nicht feststellen . . ."

„Wie hat man sie dann gefunden?" fragte der Schwiegervater unter neuem Gelächter.

„Unterbrich ihn doch nicht, Papa!" warf Grete dazwischen, die mit augenscheinlich übertriebenem Interesse ihrem Schwager zuhörte. Sie hatte sich vorgebeugt und sah Lasch von unten her in's Gesicht.

„Warte einmal –", sagte dieser, „jetzt weiß ich sogar den lateinischen Namen wieder! ,Endiocarditis obsoleta'. Das ist so etwas wie ein verborgener Herzfehler. So ein armer Mensch, der das in sich hat, er braucht es gar nicht zu wissen – eines Tages, bei irgendeiner Anstrengung, kann er umfallen und plötzlich tot sein."

„Aber um Gotteswillen!" rief Frau Irma, „vielleicht ist da wirklich ... hast du einmal später auch mit einem anderen Arzt darüber gesprochen!?"

Lasch winkte mit beiden Händen ab und gab beim Lachen tiefe, glucksende Töne von sich. Jetzt fielen auch die übrigen ein, bis auf den Onkel Siegfried, der die Sache offenbar für gar nicht lächerlich, sondern für sehr lehrreich und beherzigenswert hielt (worin wir mit ihm durchaus einer Meinung sind).

Auch Stangeler fand nichts Lächerliches in alledem. Aber hätte er nur, was er da hörte und sah, ernsthaft angesehen und auch beherzigt! Aber nein. Er überließ sich seinen innerlichen Wutausbrüchen. Seine Zähne rieben aufeinander. Zwischen ihm und Grete stand ein straffer Bogen der Spannung; derart sah jetzt die Beziehung zwischen den beiden Liebenden aus. Jedoch man glaube nicht etwa, daß hier schlechthin zwei verschiedene Lager gegeneinander standen. Das hieße den Fall ungebührlich vereinfachen. Weder erschienen der Grete diese ganzen Laschereien als gut und bejahenswert, noch erschien dem Stangeler die Schweinerei lediglich als das, was sie war: sondern ihn drückte furchtbar das Gefühl seiner Ohnmacht dem äußeren Leben gegenüber, während er hier die Macht durch ein Gesicht repräsentiert sah, das ihm den Magen umstülpte. Solche Ohnmacht hätte ihn vielleicht ansonst und früher einmal wenig bekümmert, als eine vorläufige und vorübergehende: durch seine Liebe aber fand er sich darin gleichsam festgenagelt und durch die vorhandene Bindung dermaßen belastet, daß an ein Vorwärtskommen und Entrinnen kaum mehr zu denken war.

Es sei denn, man machte sich frei von alledem überhaupt, um sich zu retten.

In dieser Richtung bohrten und stocherten jetzt seine Gedanken. Seit langem schon führte jede qualvolle Unstimmigkeit alsogleich bis an diesen Rand.

Der Leser versteht wohl, daß an diesem Punkte das Telephon läuten muß.

Wir benützen die Gelegenheit solcher Unterbrechung zu einem Wort über den Generalstabsarzt – das war er wirklich im

Ersten Weltkriege gewesen – Doktor Levielle, späteren Chefarzt einer Wiener Privatklinik. Er galt bei vielen als Zwillingsbruder des Kammerrates, in völlig unzutreffender Weise, denn der Arzt war gut fünf Jahre jünger als der Financier. Gleichwohl, sie wurden mehrfach verwechselt: dabei war die äußere Ähnlichkeit gar nicht so groß, um dies erklärlich zu machen. Es lag an der Identität des Auftretens der beiden. Es gibt Menschen, die bei allen Gelegenheiten, wann immer man auf sie trifft, eine geradezu sinnlose Anmaßung und Arroganz zur Schau tragen: und oft sind das auch solche, deren berufliche oder gesellschaftliche Stellung ihnen dazu eigentlich wenig Veranlassung gibt. Fast bei allen diesen Individuen – sieht man näher zu – zeigt sich die Erscheinung sogar schon in ihren jungen Jahren. Werden sie später irgendwas: nun dann erst recht. Aber wesentlich ist's davon unabhängig. Sie brauchen es im Haushalt der Seele. Und für andere kann's geradezu ein quälendes Rätsel bilden. Die Brüder Levielle waren wirklich identisch in der vornehm-ordinären Grundidee ihres Wesens, ihres Einherkommens, Einherschreitens auf der Straße etwa: mit hochgezogenen Brauen jedes Phänomen ins Auge fassend, dem die Unverschämtheit eignete, in ihrer Nähe überhaupt zu erscheinen – freilich bekommt es nur einen flüchtigen, indignierten Blick, es wird kurz abgewiesen und eines weiteren keineswegs für wert befunden . . .

Grete ging zum Apparat. Ihre Stimme klang glockenrein und fröhlich, als sie antwortend hineinsprach: liebenswürdige Worte und Scherzhaftes. Stangeler war unangenehm berührt von der rasch geänderten Verfassung ihrer Person, es schien fast unheimlich, wie zuckersüß sie da plötzlich sein konnte.

„Wer denn?" fragte Titi, als Grete den Hörer abgelegt hatte. „Der Beppo Draxler", sagte diese, und dann, erklärend zu Lasch: „Ein alter Freund." Lasch nickte zerstreut. In Stangeler tobte jetzt bereits ohne Hemmung bitterster Zorn. Man glaube aber nicht, daß er nun etwa eifersüchtig wurde. Der Bursche war sich im Grunde sehr wohl dessen bewußt, daß es für seine Grete neben ihm nichts auf der Welt gab, und daß er von diesen ‚alten Freunden' keinen auch nur im entferntesten zu fürchten hatte. Jedoch bildeten diese ‚Freunde' in anderer Weise einen Gegenstand des Ärgers für Stangeler. Es waren ausnahmslos anständige und mehr oder weniger harmlose und durchschnittliche jüngere und ältere Leute, die aber für unseren von sich selbst besessenen René aus zwei Gründen als hassenswert erschienen: erstens glaubte er bestimmt zu wissen, daß die Geliebte sich mit diesen ,Freunden' stets besser verstand und verständigte als mit ihm (wundert das den Leser vielleicht? uns gewiß nicht), zweitens aber schien ihm, daß seine Grete jenes Maß oder Mäßchen, mit welchem sie ihn zu messen pflegte, gerade von dorther bezog, und daß sie von dorther darin bestärkt wurde, wahrscheinlich auf eine viel gefährlichere Art als von seiten ihrer Familie.

Genug, es kam zu einem überstürzten Aufbruche Stangelers. Wir bemerken hier mit Verwunderung seine – wohl einzige – Ähnlichkeit mit Frau Irma Siebenschein: die Neigung nämlich zu plötzlichen, peinlichen, verstimmten und verstimmenden Aufbrüchen und Abschieden, ganz so wie die richtigen Irma-Abschiede, deren man schon sattsam genug im Familienkreise erlebt hatte und zwar aus allen erdenklichen Anlässen (auch wir hatten bereits das Mißvergnügen, derlei mitanzusehen).

Stangeler erhob sich also, murmelte mit Anstrengung etwas wie „ich muß jetzt gehen", beantwortete Frau Irma's verwunderte Frage, ob er denn nicht zum Abendessen bleibe, mit einem bis in's Grinsen mißlungenen Lächeln und undeutlichen Worten wie „Arbeit", „Institut", oder etwas von dieser Art – und riß schließlich der Grete, die in solchen Augenblicken immer noch gut und versöhnlich werden konnte, mit einer heftigen kleinen Bewegung seine Hand weg . . . Er ging. Sie folgte ihm hinaus und fühlte dabei voll Pein die Blicke aller im Zimmer Anwesenden auf ihrem Rücken, und sie empfand, wie sehr sie wieder einmal von ihrem ,Totenkopf' bloßgestellt worden war.

Während René im Vorzimmer mit heftigen Rucken in die Ärmel seines Wintermantels fuhr, stand Grete ihm gegenüber, kaum zwei Schritte von ihm entfernt; und da sahen sie einander zum ersten Mal an diesem Abend in die Augen. Ihr Gesicht zeigte eine ganz seltsame Härte, wohl möglich die Kehrseite ihrer augenblicklichen Verzweiflung.

„Wo warst du am Samstag abend?!" stieß sie hervor.

Dieser Augenblick war wohl der am wenigsten geeignete, um Stangeler zur Rechenschaft zu ziehen und ihn zum Einräumen seines Unrechtes zu bewegen. Er war, wie er vermeinte, hier in einem tieferen Sinne durchaus im Recht, und er glaubte an dieses Recht mit einer außerordentlichen Kraft der Überzeugung, die ihn jetzt nicht weniger beherrschte, als der Schmerz das so oft verwundete und beleidigte Gemüt seiner Freundin.

Seine schräg gestellten Augen wurden schmal und funkelten. Er hielt in der Bewegung an und stand mit halb nach rückwärts gebogenen Armen, von dem noch nicht ganz hinaufgezogenen Mantel gleichsam gefesselt. Er schwieg. Aber dieses Schweigen war kein um eine Anwort verlegenes, sondern ein letztes und äußerstes Sammeln und Verdichten von Haß und Groll, ein Ringen nach dem treffendsten Ausdruck, der nämlich am sichersten jetzt dem Gegenüber in's Herz treffen mußte, also nach dem verletzendsten Ausdrucke. Es war ein Zurückziehen der Bogensehne bis auf's äußerste, um dem zu schnellenden Pfeil die größte Durchschlagskraft zu geben.

„Am Samstag abend? Jedenfalls in weit besserer Gesellschaft als eben jetzt", und dabei deutete er mit dem Kopfe gegen die Flügeltüre des Speisezimmers, von wo man die Stimmen der Familie, Lachen und Gegenrede, bis hier heraus vernehmen konnte.

Sie ließ den Hieb bereits unpariert, so wie ein Kämpfender, der schon aus vielen Wunden blutet, einer weiteren Verletzung kaum mehr achtet.

„Wo warst du", sagte sie, und nicht mehr im Tone einer Frage, sondern es klang wie eine äußerst entschlossene Mitteilung. Sie flüchtete nun vor ihrem eigenen Schmerz, der unter Stangelers haßerfülltem Blick auf's höchste stieg, krampfhaft in einen Starrsinn, welcher ansonst ihrem Wesen gar nicht eignete. Zudem erwachte jetzt noch die Eifersucht in ihr.

„Wo warst du", wiederholte sie eintönig.

Er hatte den Mantel endlich ganz angezogen. „Mit dem Rittmeister", antwortete er, sogar freudig. „Ich bin endlos vor dem Café gestanden, wo du da mit deinen Leuten . . .", und wieder folgte eine wegwerfende Bewegung des Kopfes gegen die Türe. „Da kam er mit seinem kleinen Auto, und noch viele andere Leute auch in Autos hinterher, seine Freunde . . . ich wurde einfach vom Fleck weg mitgenommen, in irgendeinen von den Wagen hineingestopft . . . ich war glücklich! verstehst du?! Ja, glücklich! Wenn man da so stehen gelassen wird, wie der letzte Dreck!" (Dieses hübsche Wort stieß er mit besonderer Heftigkeit hervor.) „Mir war schon elend kalt. Eine halbe Stunde vorher kommt so eine von diesen Figuren aus euerem

Café da herausgesaust, so eine Dicke, die hat mich beinah umgerannt, das hat auch gut dazu gepaßt. Wie einen Dummen läßt man mich da herumstehen! Wer seid denn ihr alle überhaupt schon? Was?!" Die letzten Worte waren bereits ganz brutal herausgebellt.

Da sie ihn jedoch nicht recht begriff (wir erinnern uns aber ganz gut, wie Frau Rosi hinter Frau Rosen her war und René Stangeler ihr dabei im Wege herumstand!) – da sie also nicht im Bilde war, wurde sie für ein paar Augenblicke von ihrem Schmerz und Groll abgelenkt. Und dazu kam noch die Vorstellung, es gäbe vielleicht einen ihr unbekannten Entschuldigungsgrund für René, und sie tue ihm etwa Unrecht . . .

Jedoch eben nur für Augenblicke. Gleich danach erstarrten ihre Züge ganz und gar. „Mit dem Rittmeister . . .", wiederholte sie etwas gedehnt, während ihre tiefe Erbitterung sich in einer leichten verächtlichen Verzerrung des Mundes und einem eben solchen Kopfnicken ausdrücken wollte. „Also das ist deine gute Gesellschaft! Wie? Saufen und Weiber und . . . pfui Teufel. Dieser alte Lump. Natürlich! Die anderen werden ja auch danach gewesen sein! Pfui!" Sie stampfte mit dem Fuß auf. „Dazu bin ich mir doch zu gut! Verkommen bist du!" Ihre Zähne rieben aufeinander. Das Gesicht war eingefroren in kalter Empörung. Die überaus gerade und feine Nase, nächst den veilchenblauen Augen vielleicht die größte Schönheit in diesem Antlitz, war jetzt blutlos und schneeweiß, es sah ganz wie eine beginnende Erfrierung aus, und der schmale Rücken, ja fast könnte man sagen die Kante oder Schneide dieser Nase, trat scharf gezogen hervor.

„Das ist eine Frechheit!" zischte Stangeler. „Was weißt denn du, mit deiner Dreckbande da", (dritte Kopfbewegung gegen die Türe des Speisezimmers) „was wißt denn ihr überhaupt, wer ehrenhaft und anständig ist! Der Herr Lasch vielleicht, ja!? was?! Das sind eure Maßstäbe, da kann man ,pfui Teufel' sagen, ja . . ."

„Genug! Geh!" fuhr sie auf.

„Nein, jetzt bleibe ich", pfauchte er, bereits in hemmungsloser Wut. „Du wirst es nicht mehr wagen, den Rittmeister, mit dem ich an der Front war, zu beschimpfen . . ."

„Jetzt kommt die Offiziersehre", sagte sie mit kaltem Spotte. „Ja, ja, ich weiß schon, Kameradschaft und so, ein Lump läßt auf den anderen nichts kommen . . ."

Wer Stangeler nun hätte beobachten können, dem wäre ein plötzlicher kleiner Vorgang nicht entgangen: eine ersichtliche Anstrengung nämlich, sich zu sammeln, die ganz offenbar durch eine Art Schreck ausgelöst wurde. Er mochte in einem Sekundenbruchteil die hohe Gefährlichkeit der Verfassung erkannt haben, in welche er hier bereits geraten war, er mochte das Verderbliche gefühlt haben, das sich ihm jetzt – wie so oft schon – wieder näherte, so daß er voll Grauen am Rande äußerster Brutalitäten anlangte. Daher der Versuch jetzt im letzten Augenblicke gleichsam abzubremsen, ermuntert vielleicht durch eine ihn rasch und zart anwehende Erinnerung an jenen glücklichen Zustand, in welchem er vor bald zwei Stunden hier in diesen Vorraum eingetreten war . . .

„Es waren noch andere Leute auch dabei", sagte er jetzt, äußerlich ruhiger. „Unter anderem Kajetan von Schlaggenberg, der Schriftsteller. Dieser Mann ist unerhört, der würde mich sehr, sehr interessieren. Wir haben ihn von da draußen irgendwo abgeholt, wo er wohnt . . ."

Er brach ab. Ihre Augen waren plötzlich weit aufgerissen, starr und drohend geworden.

„So", sagte sie zwischen den Zähnen, und jetzt wirklich in jenem rasenden Zorne, der sich nur mit äußerster Mühe so weit bemeistert, um gerade das Sprechen noch zu ermöglichen – „der Herr Schlaggenberg! Jetzt bist du, wo du hingehörst! Weißt du, daß der ein ganz, ganz niedriger Mensch ist?! Das Gemeinste, das Letzte vom Letzten? Weißt du, daß dieser Herr Schlaggenberg seine Frau, die Camy Schlaggenberg, einen wunderbaren feinen Menschen, eine gute, liebe Frau, einfach brutal stehengelassen hat, nachdem sie neun oder mehr Jahre ihres Lebens und ihre beste Zeit für ihn geopfert hat . . . im zehnten Jahr hat er dann endlich die Gnade gehabt, sie zu heiraten! Und heuer im November, auf die brutalste Art und Weise . . . Also das sind deine Vorbilder! Wenn du aber glaubst, daß es mir auch so gehen wird, da irrst du dich, da irrst du dich wirklich, das lasse dir gesagt sein . . ." (ihre Stimme wurde jetzt bereits laut), „ich will einen anständigen Mann haben, dessen ich mich nicht zu schämen brauche, keinen brutalen, egoistischen Lumpen –!" (sie stampfte mit dem Fuße und gleichzeitig begann sie zu weinen). „Du machst dich überhaupt lächerlich", (jetzt erfolgte ihrerseits eine Kopfbewegung gegen die Speisezimmer-

türe) „jeder Mensch lacht schon über dich und deine verrückte
Art..."

Mit Stangeler ging indessen eine geradezu fürchterliche Veränderung vor. Er verschwand sozusagen mit seiner ganzen Person hinter einer maßlosen Verzerrung. Denn was da von seinem Gesicht übrigblieb, war nichts als ein kontrakter harter
Knoten mit zwei schiefen Augenschlitzen. Aus seiner Brust kam
ein dumpfer, knurrender Ton, und von seinen zusammen-
gebissenen Zähnen schürzten sich die Lippen zurück. Er fuhr
plötzlich auf Grete los und schüttelte ununterbrochen die Fäuste
vor ihrem Gesicht, während er stoßweise einzelne Bruchstücke
von Sätzen hervorkeuchte:

„Dreck! Dreckbande! ... Ich mache mich lächerlich?! ...
Wer seid ihr denn schon? ... Siebenschein ... großartig! Der
Herr Lasch! Das sind deine Leute! Ja. Und du hast denselben
elenden kleinen Schmutz in deinem beschissenen Hirn ... Feind!
Du Feind! Feind! ... Alles Schlechte, immer gegen mich ..."

Er gab einen unterdrückten Laut der Wut von sich, fletschte
noch einmal die Zähne gegen ihr Gesicht, riß sich jetzt aber
ganz plötzlich zurück, wandte sich, stürzte davon und warf
hinter sich die Wohnungstüre zu.

Es war nunmehr schrecklich still, trotz des Sprechens von
drinnen, und obwohl sie draußen die Schritte über die Treppen
trampeln hörte. Die Stimmen aus dem Speisezimmer waren die
letzten Minuten hindurch, glücklicherweise!, sehr laut gewesen,
ebenso wie jetzt; und doch klangen sie zugleich gedämpft für
Grete, als trüge sie Wattepfropfen in den Ohren. Sie hatte sich
gegen die Wand gelehnt. Das Blut flatterte in einer für ihren
kleinen Körper viel zu großen Welle vom Herzen herauf, verdunkelte den Kopf und trübte den kreisenden Blick, fand nirgends einen Ausweg, riß den Magen mit und empor, und dann
setzte das Herz aus. Mit ihm der Atem. Jedoch der hoch-
getriebene Druck in den Schläfen blieb.

Sie tastete in's Badezimmer und erbrach sich. Es war Gallen-
schleim, was von ihr ging.

Man sollte glauben, daß Stangeler, als er auf die Straße trat,
sich gleichfalls im Zustande einer völligen Zerstörung und Zer-
rüttung befand, wenn auch dieser Zustand den Körper nicht so

weitgehend mitreißen konnte, wegen der größeren Robustheit dieses Körpers. Und tatsächlich war auch bei ihm bisher, nach jedem derartigen Zusammenstoß mit Grete, unweigerlich eine völlige Lähmung aller werbenden und treibenden Lebenskräfte eingetreten.

Jedoch diesmal verhielt es sich anders.

Er fühlte sich befreit und stürmte dahin, ohne daran zu denken, was er zurückließ, und was etwa hinter ihm nun vorgehen mochte.

Die Stadt gehörte wieder ihm, ihre Lichter und ihre weithin an den Lichterketten entlang sich eröffnenden Durchblicke. Sein Leben gehörte ihm und er war er selbst wieder im höchsten Grade und durfte es sein, und hing nicht an dem Haken einer in absehbarer Zeit unerfüllbaren und auf jeden Fall drückenden Verpflichtung fest (wie recht hat Frau Steuermann gehabt!), die dort oben in der Siebenschein'schen Wohnung aus jedem säuerlichen Küchengeruch im Vorzimmer und aus jedem Mundfältchen der Frau Irma ihn ansprach, falls sie ihm nicht in noch viel deutlicherer Weise in Erinnerung gebracht wurde.

Denn nun war doch sozusagen ein Bruch zwischen ihm und Grete geschehen.

Denn nun war er doch mit Grete nicht mehr verbunden, oder er durfte sich zumindest mit einiger Berechtigung als nicht mehr verbunden betrachten.

Denn nun lag der Horizont wieder frei.

Hier schlug ein Egoismus wie rasend um sich, der gleichsam unterhalb seiner selbst einen archimedischen Punkt suchte, um sich aufzuheben. Bis dahin freilich mußten alle ständig angetragenen altruistischen Kurzschlüsse abgewehrt werden, unbrauchbar nicht nur für das Ich, untauglich zuletzt sogar für das Du. Auch das wußte der René, mindestens hatte er's als dunkle Geschwulst im Gewissen (die bringt uns oft weiter als der klarste Gedanke). Jedoch, was auf solchem Wege so ganz nebenhin alles passieren muß (leider erweist sich dieses Nebenher später als sehr hauptsächlich), das läßt sich kaum ermessen. Ein schon gegebenes Pröbchen genüge. ‚Exemplum docet, exempla obscurant‘, sagte einst der Prinz Alfons Croix, den wir noch kennenlernen werden.

In einem Café, wo er eintrat, um die konvulsivischen Bewegungen der letzten halben Stunde zu beruhigen (und sich durch

Händewaschen und Kaffee zu erfrischen) – hier bereits stellte ihm die eigene psychische Mechanik ein Bein, zusammen mit dem sofort einschnappenden äußeren Leben. Die ‚Freiheit' wedelte ihm vor der Nase herum, und daß es eine recht maligne Freiheit war, dies wurde dem Herrn René nicht sichtig, heißhungrig nach Gegensätzen, wie er eben lebte, mittels deren man dann erfolgreich und für immer vom Ufer irgendwelcher drohender ‚Mächte', welche die ‚Freiheit' verschlingen wollten, abzustoßen fähig wurde . . .

Das böse Ufer hieß diesfalls Siebenschein, die erstrebte Küste wurde jetzt und hier durch – einige ‚Troupisten' und ‚Troupistinnen' dargestellt, die rückwärts um einen Billardtisch standen.

Ein schöner Gruß! Genug, er konnte hier ermunternd wirken, wie etwa eine Flaschenscherbe auf einem Schotterhaufen in der Sonne weißglühend blitzen kann.

Die praktische Wirkung dieser Scherbe aus einer brausenden Nacht war groß; an René'schen Größenverhältnissen gemessen nämlich. Solch letzter Akzent machte alles komplett. Hatte er sonst nach schweren Kontroversen mit Grete oft Tage gebraucht, um wieder in seine Sachen zu finden: heute saß er, kaum eine Stunde nach jenen Minuten im Siebenschein'schen Vorzimmer, schon im Handschriften-Lesesaale der Nationalbibliothek und transponierte einen Codex aus dem 15. Jahrhundert, und dabei puffte ihm geradezu die Freiheit aus den Nasenlöchern, wie die Kohlensäure bei jemandem, der im Durst ein Kracherl zu gierig hinuntergetrunken hat.

Rasch war er aus dem Café aufgebrochen.

Heute noch konnte er ein Stück vorwärtskommen. Damals hielt man jenen Lesesaal bis neun Uhr abends offen.

Er benützte die Straßenbahn und mußte bis zum Josefsplatz noch ein Stück zu Fuß gehen. Wohltuend streifte ihn Erleichterung, weil es heute kaum mehr der Mühe wert und vernünftig gewesen wäre, das Institut für Österreichische Geschichtsforschung aufzusuchen, welches um sieben Uhr seine Pforten schloß.

Auch eine von den ‚Mächten'. Er fühlte die Nationalbibliothek voraus, den reinen strengen Duft der Bücher-Repositorien, dies altgewachsene Haus überhaupt mit den klösterlichen Steinfliesen seiner Gänge; das klare Licht über den Lesetischen; das leise Rascheln bewegter Blätter. Hier reichten die geordneten und vollends ausgekühlten Schichten der Vergangenheit zurück durch Jahrhunderte, wie durch die Zimmerfluchten der Hofburg selbst. Hier war man aus allem anderen entlassen, ja, man mußte es sein, um da überhaupt arbeiten zu können: ein ruhiger Kopf bis zum Kragenknopf und zwei gewaschene Hände, die kostbaren Blätter zu berühren. Sonst nichts. Kein Gedärm. Auch die Nationalbibliothek war eine Macht, wie das Institut. Dort roch es stets nach geöltem Fußboden. Diese grausliche Fettigkeit war dem gewöhnlichen Leben ('Gedärm') weit näher. Näher auch der hier lebenden überraschend einheitlichen und doch zuletzt unbegreiflichen Menschenart.

Auch sie war eine Macht und beruhte in sich selbst und wurde ja dadurch erst eine solche. Noch begriff René nicht, daß ein Individuum wie er, das sozusagen aus dem eigenen Stallgeruche herausgeraten war, das diese Aura durchstoßen hatte, nie mehr eine solche bekommen kann, da gefiele ihm nun die oder jene noch so gut, sei's die kulturhofrätliche der Nationalbibliothek, sei's die maligne Freiheit des Troupeaus, sei's die leichte Luft bei Siebenscheins (auch die hatte er zeitweis recht gern geatmet!), sei's die ölige am Institut: jede wäre ihm recht gewesen, hätte er nur ganz in sie eingehen können, mit Ausnahme derjenigen, die er verlassen; aber die hinter ihm einmal zugefallene Tür verschloß ihm zugleich alle anderen. Sie standen und lasteten heran, die 'Mächte', eine immer in bezug auf die andere ein Jenseits im Diesseits, jede in sich beruhend (und natürlich ohne irgendeinen archimedischen Punkt der Selbstkritik, und eben das machte sie so furchtbar stark), ganz gleich, ob die Troupisten, das Elternhaus oder jene tüchtigen, schlauen und biederen Leute aus Oberösterreich oder Tirol, welche in einer öligen Atmosphäre die Probleme der diversen Landesgeschichten urkundlich bearbeiteten, untereinander einig, und mit scharfen Sinnen jeden witternd, der Reste eines fremden Stallgeruches an sich trug, und nicht den eigenen, der allein das Vertrauen zu erwecken vermochte. Es half nichts, daß René schon wußte – und vor ein paar Jahren hatte er nicht einmal das noch geahnt – wie geringen Umgang die geisteswissenschaftlichen Sektoren einer modernen Universität mit den einen ganzen Menschen belastenden Kräften des Geistes haben. Dieser reicht da in fachmännischer Weise nur bis zum Kragenknopf, und der

Altphilologe ist genau so ein Ingenieur wie der Neu-Historiker. Auf die Landeshistoriker warteten die Posten in der Provinz, und meistens wartete auch eine dortige Braut. Ihnen konnte nichts anderes einen Eindruck machen, kein Jenseits im Diesseits, nicht einmal der Frühling in Wien, wenn er allabendlich in allen Straßen mit Anmut und Gelassenheit in ein phantastisches Stachelbett greller Lichter aller Größen und Farben sank.

Aber jenseits, was ist's, während er geht, schon die Augustinerstraße entlang, immer aber wie in einer Wirklichkeit mindern Grades und auf einem doppelten Boden, dazwischen die eigentlich aufzubrechenden Räume lagen, daß man endlich durchfallen könne bis auf den eigenen gültigen Grund – jenseits, was ist's?! Was will der Fähnrich Preyda jetzt und hier, längst tot, 1916 im Juni bei einem Gegenangriffe gefallen (und vorher hatten sie vier Monate im vorderen Graben zusammen gehaust)?

Weg war's. Durch Sekunden wohl hatte er sich fast des Druckes von allen Seiten enthoben gefühlt. Schon aber galt es wieder, sich zu wehren: gegen Siebenscheins. Gegen ihre Unbegreiflichkeit, die nicht geringer war als jene der Landeshistoriker. Es ging immer bei René gegen Institutionen los, die ihn nicht – einließen. Auch das Elternhaus war im Grunde nichts als eine solche gewesen. Ja, als vermöchte er anders gar nicht zu stehen, so hielt er sich durch Ausfälle nach allen Seiten aufrecht.

Es bleibt immerhin bemerkenswert, daß Stangeler hier im Handschriften-Lesesaale spätmittelalterliche, dort am Institut aber merowingische Sachen bearbeitete. Beiden so weit auseinanderliegenden Zeiträumen ist doch eines gemeinsam: die Verwilderung (freilich auch des Schriftwesens).

Als er nach Schluß in's Vestibül ging, traf er auf den Doktor Neuberg. Im Lesesaal hatte er ihn gar nicht bemerkt.

Sie stiegen zusammen die vielen Stockwerke von der Handschriften-Abteilung hinab, und als sie den Josephs-Platz in der Richtung gegen das Palais Pallavicini querten, sagte Neuberg:

„Ich hab' ein Plagiat an Ihnen begangen, Herr Kollege."

„Wüßte nicht, wie man das bei mir machen sollte."

„Doch, doch", entgegnete Neuberg und erzählte lebhaft von Frau Friederike Ruthmayr („großartige Frau, ungehobener

Schatz'); dann, was er ihr über das Wesen der Geschichtsschreibung gesagt habe. „Ich folgte Ihnen fast wörtlich, beziehungsweise ich sprach ganz von jenem Gesichtspunkte aus,
den Sie einmal eingenommen haben, unten in den Arkaden
war's, wir gingen auf und ab – auch das sagte ich genau, was
Sie über die Fühlungnahme mit weit zurückliegenden Teilen
der eigenen Vergangenheit äußerten."

„Ja", erwiderte Stangeler. „Ich denke heute anders über diese
Sachen. Aber ‚Fühlungnahme' ist schlimm, auch ‚beziehungsweise' ist arg, am schrecklichsten jedoch ‚Gesichtspunkte' – hören Sie, das sollten Sie alles wirklich nicht tun. Ich glaub', das
geht vom Historischen Seminar aus, wo die Leute sich für ihre
Seminararbeit sprachlich zurecht setzen, der ganze breite Gang
dort kommt mir schon wie verpestet vor . . . und überhaupt!"
(Mich aber verpestet die alte Siebenschein, dachte er ingrimmig.)

Sie gingen zusammen weiter (Stangeler war ja ohne Ziel),
durch die Schauflergasse, und die Löwelbastei hinaus zum Ring.
René fragte Neuberg nach seinen Absichten für die Zukunft –
das war ein rein konventionelles Füllsel, denn Stangeler besaß
überhaupt kein Organ für solche Pläne und keinen Blick für
die Perspektiven einer Karriere – und der Doktor Neuberg erklärte sofort sehr temperamentvoll, daß er auf keinen Fall eine
Lehramtsprüfung machen und Mittelschulprofessor werden
wolle (‚das hieße ja kapitulieren!'). Aber die Dozentur gedachte er anzustreben (‚ich behalte sie jedenfalls im Auge' –
auch diese Ausdrucksweise schien dem Herrn René nicht recht
zu gefallen, seine schrägen Augenschlitze wurden sogleich etwas
schmäler). Wohin er eigentlich jetzt gehe? fragte Stangeler,
dem vielleicht eben bewußt wurde, daß Neuberg ihn mit sich
zog, daß er sozusagen mitlief. Er werde bei seinen künftigen
Schwiegereltern essen, sagte der Dr. Neuberg, man habe ihm
erlaubt, bis neun Uhr in der Nationalbibliothek zu arbeiten
und erst um halb zehn Uhr zu kommen. (‚Man habe ihm erlaubt' . . . schon wieder einer, der mit den ‚Mächten' gut steht
und gar nichts dabei findet!) „Sie werden schon noch Professor
an der Universität", sagte René. „Vielleicht wirklich einmal, ich
hoff' es halt." „Und dann werden Sie heiraten." „Na, hoffentlich schon früher", rief Neuberg lachend.

Bei dieser Gelegenheit fiel dann ein später viel zitiertes Diktum Stangelers, nämlich jenes ‚Professor sein und verheiratet,

das ist für mich eine geradezu grausliche Vorstellung'; zweifellos ist es von Neuberg – der damals schon, und gleich danach, herzlich darüber gelacht hat – in Umlauf gesetzt worden. „Sie sind doch auch verlobt, Herr von Stangeler, so viel ich weiß?!" entgegnete er dem René.

Plötzlich sprang Stangeler vom Thema ab, schilderte die Nacht vom Samstag auf den Sonntag (den Namen des Rittmeisters übrigens hatte Neuberg schon einmal bei seinen Schwiegereltern in spe gehört!), den letzten Durchbruch der Reste des ‚Troupeau', den Nebelfleck, und die darin erschienene ‚Nova'.

Sie standen unter den dunklen Bäumen auf der Ringstraße.

„Und sie war schön?" fragte Neuberg.

„Ja, sehr, sehr schön. Das Licht fiel auf die Terrasse heraus. Sie hob die Flasche."

Warum er denn nicht hinübergestiegen sei, über das Gitter?! „Ich war zu betrunken", sagte René. „Und wo das war und wer, das hat keiner gewußt?" „Nein, ich glaube kaum. Ich jedenfalls nicht."

„Na, Sie scheinen allerdings ein geborener Junggeselle zu sein!" rief Neuberg. „Das sind mir Abenteuer! Sieht Ihnen ähnlich ... So was möcht' ich auch wieder einmal erleben!" Es erschien jetzt ein rasches kleines Stirnrunzeln bei ihm, eine nur Sekunden dauernde Abwesenheit, eine solche jedoch von einiger Tiefe.

Sie trennten sich dann, und mit Herzlichkeit.

René nahm ungefähr den gleichen Weg, den sie gekommen waren, jetzt von der Ringstraße in die Innere Stadt zurück, ohne Ziel. Vorm noch erleuchteten Fenster einer Buchhandlung blieb er stehen. Sein Blick wanderte durch lange Reihen von Geistesprodukten unserer vorwiegend historisierenden Zeit (und gerade damals war derlei im höchsten Schwange!), die aus den flüchtig durchstöberten Schubfächern einer als Kette von Kostümwechseln revueartig aufgefaßten Weltgeschichte denjenigen Kram auswählt und in ein gefälliges Arrangement bringt, von dem etwa ein buchhändlerischer Erfolg sich voraussehen läßt, ja, mit einiger Sicherheit: seien's nun die Freimaurer, die Jesuiten, die Skandalgeschichten irgendeiner großen Dame oder die Memoiren der schönen Helena (wenn es die doch gäbe!). Kurz, da war wenig, was Stangeler anzog. Dann las er plötzlich den Namen Kajetan von Schlaggenbergs über dem Titel eines Romanes. Und empfand neuerlich Wiederkehr und Anruf, wie heute schon einmal dort im Café, beim Erblicken der ,Troupisten'. Er wandte sich ab, hob den Kopf und sah über die Länge der von Licht, Bewegung und Hupentönen erfüllten Straße bis zu dem Dach eines fernen Hauses hinüber, wo tiefrot und etwas trüb eine Lichtreklame glühte. Nun verschwamm das vorhin Gesehene mit dem, was eben jetzt im Blickfelde lag, und während eines winzigen Zeitteilchens erschien der Titel des Buches mit Schlaggenbergs Namen dort drüben, und es war, als sitze das rote Licht obendrauf und beleuchte die Buchstaben der Druckschrift.

Als Neuberg durch das teppichbelegte und behaglich erwärmte Stiegenhaus zu Angelika's elterlicher Wohnung hinaufstieg, war es schon nahe an halb zehn geworden. Ein Diener öffnete ihm, und hinter diesem erschien alsbald das freundlich lächelnde Gesicht eines Stubenmädchens, das mitteilte, daß die Herrschaften noch im Speisezimmer säßen. Neuberg ging hinter dem Mädchen her durch einige große und kleinere Zimmer, in welchen die Vorauseilende beim Betreten jedesmal das Licht einschaltete. Dann öffnete sie vor ihm die eine Hälfte einer Flügeltüre und trat zurück.

Hier saß die Familie Trapp um den Abendtisch. Dieser Tisch in der Mitte war sehr klein oder schien klein durch die außerordentliche Größe des quadratischen Raumes, dessen Grenzen vom Licht der über dem weißen Tafeltuch schwebenden schirmgedämpften Lampe nicht mehr erreicht wurden. Der Hintergrund blieb also rundum im Halbdunkel. Doktor Trapp lehnte sich im Sessel zurück, nahm die Zigarre aus dem Mund und bot Neuberg, nachdem dieser die Hausfrau begrüßt hatte, sozusagen nebenbei auch die Hand. Dann erst kam Angelika an die Reihe, deren etwas unnatürlich gerade Haltung beim Sitzen dem Bräutigam sofort bei seinem Eintritt aufgefallen war und ihn leicht beunruhigt hatte. Auch die Art, wie sie ihn begrüßte, war eher kühl.

Es war so recht die Wohnung eines Wiener Hausherrn, die Neuberg nun betreten hatte. Denn dieses ganze Haus war Eigentum des Rechtsanwaltes Dr. Trapp und ihm untertan, der, zum

Unterschied von seinen zwar durchaus wohlhabenden, aber eben doch sozusagen nomadisierenden Mietern, hier auf eigenem Grund und Boden saß und zuinnerst darauf beruhte. Es konnte nicht fehlen, daß derlei auf unseren Neuberg aufreizend wirkte, und vielleicht an diesem heutigen Abend erst recht. Um über solche Gefühle hinwegzukommen – die meistens das Initial seiner Besuche hier bildeten – erkundigte er sich sehr lebhaft nach der Überlandfahrt, welche die Herrschaften gestern, am Sonntag, in ihrem Automobil schon frühmorgens angetreten hatten (Neuberg war dazu nicht eingeladen worden). Und während Vater Trapp sich über Fahrzeiten, Straßenbeschaffenheiten und Ortschaften ausließ, fühlte Neuberg, der von alledem keine Ahnung hatte, aber so tat, als interessiere es ihn lebhaft, daß seine Braut ihn ansah und daß es Zeit sei, ihrem Blick endlich zu begegnen. Aber er vertiefte sich krampfhaft in die Unterhaltung mit dem künftigen Schwiegervater, ja es war, als hielte ein fast körperhafter Druck sein Gesicht in die Richtung gewendet. Inzwischen hatte der Diener begonnen, dem jungen Herrn das Abendessen nachzuservieren, das von der Familie ja längst beendet worden war. Dieser Kerl, der die ganze Zeit über im Zimmer und neben der Anrichte hinter Neubergs Rücken im Halbdunkel stehen blieb, machte ihn bedeutend nervös. Er beschleunigte das Essen, um jenen los zu werden.

„Ich war vorgestern in der Oper", sagte er zwischendurch unvermittelt.

„Auch wir sind am Samstag abend ausgegangen, oder eigentlich ausgefahren, wir waren draußen eingeladen in der Gartenvorstadt oder im Cottage, wie man das jetzt nennt. Meine Frau und ich nämlich, Angelika blieb daheim und studierte . . ."

„Was wurde am Samstag in der Oper gegeben, Herr Doktor?" fragte jetzt die Mutter und griff das von dem künftigen Schwiegersohn angeschlagene, vom Gatten aber gleich übergangene Thema auf.

„Der Rosenkavalier", sagte Neuberg.

Gerade jetzt trafen sich seine und Angelika's Blicke. Sie sah ihn fest an, der, wie die Männer eben immer, ganz genau wußte, was er auf dem Kerbholz hatte, aber entschlossen schien, sich so lange wie möglich dumm zu stellen.

„Der Rosenkavalier . . .", wiederholte Frau Trapp und sah mit verschwimmendem Blick gleichsam den Bildern nach, die bei diesem Wort vor ihrem inneren Auge nebelten. Diese Oper war ihr besonders lieb. Sie erkannte wohl nicht, daß hier vor allem das Unerlaubte sie anzog, welches durch die ‚Kunst' legitimiert erschien (und gleich im ersten Akt), ganz öffentlich und vor vollem Hause. Frau Trapp, groß, blond mit grauen Strähnen, im Gesicht sozusagen verwittert und auch sonst aus dem Leim gegangen, sah bei derartigen Gefühlsfällen immer wie ein zergehender Edamer Käse aus.

Neuberg wußte natürlich genau, was los war. Er hätte am Samstag nach der Oper Angelika anrufen sollen, die sich allein zu Hause befand, mit der unerfreulichen Aussicht, am nächsten Tage frühmorgens von den Eltern auf eine ganztägige Autotour verschleppt zu werden, und zwar, dies aber war ja das Wesentliche, ohne ihren Hans: den sie auf diese Weise vor Montag nicht mehr sehen konnte. Dem Dr. Trapp nämlich war es wichtiger gewesen, einen neuen und für ihn sehr bedeutenden Klienten zu dem Ausflug einzuladen, um jenen so mit seiner Frau, besonders aber mit seiner Tochter Angelika bekannt zu machen. Man begreift, daß diese am Samstag abend, nach dem Schluß der Oper, dessen Stunde sich ja aus der Zeitung genau entnehmen ließ, mit einiger Spannung in der Nähe des Telephonapparates geblieben war: vergebens. Das schwarze Ding hatte beharrlich geschwiegen und kein elektrisierendes Klingelzeichen von sich gegeben ...

Derlei tut nie gut.

Frau Trapp fragte jetzt, in welcher Besetzung ‚Der Rosenkavalier' gegeben worden sei, und Neuberg, der für solche Theaterfragen niemals Interesse gehabt hatte, kramte etwas zerfahren in seinem Gedächtnis herum, nur so ganz nebenbei, wie man, mit anderen Gedanken beschäftigt, derweil etwa die Streichhölzer in der Hosentasche sucht. Er brachte immerhin einige Antworten fertig. Zugleich ärgerte ihn das ganze Getue mächtig. Denn eigentlich hätte ja am Samstag Angelika mit ihm in die Oper gehen sollen: aber die Trapps hatten solchen öffentlichen Ausgang des (übrigens noch nicht offiziellen) Brautpaares ohne Begleitung diesmal (ganz plötzlich) für unpassend befunden.

Mit jener breitspurigen Ungezogenheit und Selbstherrlichkeit, wie sie Leuten vom Schlage des alten Trapp eigen ist, unterbrach dieser jetzt das musikalische Geplauder zwischen seiner Gattin und Neuberg, ging darüber hinweg und knüpfte gleich an sein früheres Thema an:

„Bei dieser Gelegenheit, als wir da Samstag abend in's Villenviertel hinausfuhren, habe ich wieder gesehen, wie wenig die Polizei sich noch immer um eine gewisse Art von Unfug kümmert, ich meine die Autoraserei. Es gibt heutzutage eine Art von Auto-Rowdies, die ich als Verbrecher abstrafen lassen würde! Also: ich sitze wie gewöhnlich selbst am Steuer, der Chauffeur neben mir ... kommt da plötzlich, wir waren schon weit draußen, durch die große Allee eine wahre wilde Jagd daher. Vorne ein kleiner Sportwagen, dahinter vier oder fünf Taxis, aber ganz auf einem Haufen beisammen, und nicht etwa hintereinander, nein, nebeneinander fast über die ganze Breite der Straße, geradezu ein Wettrennen war das, und hinterher noch zwei Privat-Fahrzeuge. Die ganze Bande laut untereinander schreiend ... natürlich weit und breit kein Wachmann ...“

Angelika lachte. „Und das muß dir passieren, Vater ...“ (es war nämlich bekannt, daß Vater Trapp noch nie eine Geschwindigkeit von sechzig Stundenkilometern überschritten hatte und dies auch dem Chauffeur nicht erlaubte, nicht einmal auf offener gerader Landstraße, was seine Damen langweilig fanden). Neuberg sah jetzt wieder zu Angelika hinüber, aber sie wich seinem Blick aus.

„Wenn alle so fahren würden, wie ich, gäb's niemals ein Unglück“, sagte der Alte mit unterstrichener Betonung und leicht gereizt. Freilich, dagegen ließ sich weiter nichts einwenden ... Doktor Trapp verbreitete sich nun in etwas lehrhafter Weise des längeren über den Gegenstand.

Neuberg hörte nicht zu. Was ihn jetzt berührte, da seine Braut wieder (und vielleicht ganz so beharrlich, wie er selbst eben vorhin) die Augen von ihm abgewandt hielt, war zunächst ein heftiger Ärger. Er sah dem Diener, der eben mit einem Tablett hinauszugehen sich anschickte, auf den Rücken der dunkelgrünen Livree. Der schwache blaue Blitz von elektrischen Funken der Straßenbahnleitung stand eine Sekunde lang in den Fenstern, und man hörte das mit einem jaulenden Ton ansteigende Rollen des Zuges. Neuberg sah plötzlich Stangeler in seiner Vorstellung, hörte ihn sprechen, erinnerte lebhaft seine Gesten – und gleich danach wieder erfaßte ihn ein geradezu übermächtiges Staunen: hatte man denn das alles (er warf bei dieser blitzschnellen Denkoperation Vater und Mutter Trapp, seine Braut, den Diener und die ganze Umgebung hier sozusagen in einen Topf) – hatte man das alles nötig? Und woher kam es? Und wie war man nur da hinein geraten? Ihm schien in diesen Augenblicken, als sei bis jetzt nur der kleinste Teil von dem, was er bisher erlebt hatte – sein Eigen geworden! ‚Das kommt so daher‘, dachte er, ‚auf einmal ist man mitten darin. Und jetzt sitzen sie da um mich herum. Und ich muß mich irgendwie verantworten wegen eines nicht getanen telephonischen Anrufes. Lächerlich. Stangeler hat recht.‘

Indessen hatte Angelika zu sprechen begonnen, leichthin und im Plauderton: „Der Direktor Dulnik wäre ja gestern gerne schneller gefahren, aber du hast ihm gleich so eine Standrede gehalten, daß er sich über die sechzig beileibe nicht hinausgetraut hat. Ich habe lachen müssen, wie ängstlich er immer von Zeit zu Zeit auf den Geschwindigkeitsmesser geschaut hat . . .“

„Na, erlaube einmal!“ sagte der Vater, „wenn ich jemanden als Gast auf eine Autotour mitnehme und ihm, weil es ihm gerade Spaß macht, selbst zu fahren, meinen Wagen anvertraue, dann darf ich wohl verlangen, daß er sich an eine gewisse obere Grenze im Tempo hält. Übrigens weiß ich natürlich, daß Dulnik ausgezeichnet fährt. Aber deshalb gehe ich von meinem Prinzip noch lange nicht ab.“

Neuberg war aufmerksam geworden (oder erwacht, wenn man es so nennen will) und sah möglicherweise etwas fragend drein. Frau Trapp genügte nur der gesellschaftlichen Form, als sie ihm freundlich erklärte:

„Dieser Herr war gestern mit uns, Direktor Dulnik, ein Klient meines Mannes.“

„Übrigens ein sehr sympathischer Mensch“, sagte Angelika, zu ihrem Vater gewendet, „er hat so etwas Ruhiges an sich, etwas Vertrauenerweckendes . . .“

„Ein Mordskerl!“ unterbrach sie der Alte. „Hat nicht nur gute Ideen, sondern auch das Geld, um sie durchzuführen. Ausgezeichneter Arbeitsmensch, bei allem.“

„Du sagst, er hat eine Erfindung gemacht? Was hat er eigentlich erfunden?“ fragte die Tochter.

„Verschiedenerlei. Aber zuletzt etwas, na, aber das gehört nicht hierher.“ Trapp begann laut zu lachen. Die anderen sahen verwundert drein. Der Alte winkte mit der Hand ab. „Kann man jetzt unmöglich erzählen, darf man auch nicht ...", er lachte wieder und verschluckte sich ein wenig mit dem Zigarrenrauch.

Während Doktor Trapp noch hustete, erreichte der Ärger bei unserem wieder erwachten Neuberg einen so hohen Grad, daß er die Fassung und den richtigen Blickpunkt für seine eigene Lage verlor, sich ganz in seine Rachsucht verwickelte und die große Unbesonnenheit beging – nachdem der Alte zu tosen aufgehört hatte – von dem gemeinsamen Souper mit Frau Ruthmayr und dem Kammerrat Levielle nach der Oper am Samstag abend zu erzählen. Es mag schon sein, daß er dabei von Frau Friederike in weitaus höheren Tönen sprach, als sie vorgestern wirklich in ihm hervorgerufen; zumindest aber so, daß deutlich wurde, warum er auf's Telephonieren vergessen hatte.

Jedoch, während er noch aus Trotz in dieser Weise weiterredete, fuhr ihm bereits der Schrecken in die Glieder, so daß er unwillkürlich seine Worte wieder abzuschwächen suchte. Denn die Wirkung auf Angelika war eine unerwartet starke (Neuberg kannte sie doch gut!). Sie wurde ein wenig bleich, besonders in der Schläfengegend – bei ihr ein sehr übles Zeichen – dann wieder rot, und jetzt mußt sie schon ganz nahe am Weinen sein. Neuberg blieb die Luft weg. Er befürchtete ernstlich eine Szene, einen Skandal. Und er war dem alten Trapp wirklich dankbar, der, natürlich ohne an diesem geschilderten Souper irgendwelchen Anstoß zu nehmen, und auch ganz ohne Augen für die Veränderung, welche mit Angelika vor sich gegangen war, nunmehr den Namen des Kammerrates Levielle aufgriff:

„Also der! Eine gute Nummer. Versteht man diese Frau? Sie waren in der Loge oben, Neuberg? Sollten Sie nicht tun, übrigens. Möchte ich nicht haben – na, na, ist keineswegs wichtig. Sie wissen ja auch nichts näheres über den Mann. Wer weiß denn schon etwas! Außer ein paar Leuten, so ganz clandestin. Du erinnerst dich doch an die Friedl Ruthmayr?" wandte er sich zu seiner Frau.

„Aber selbstverständlich!" sagte diese und nickte langsam. „Wir waren doch als Kinder ..."

„Sagen Sie", (Trapp pflegte seine Frau fast immer zu unterbrechen, wenn sie einmal sprach) „was macht denn dieser alte Knasterbart? Haben Sie nichts gehört. ...?"

Neuberg hatte sich in dieser Wendung der Dinge noch gar nicht zurechtgefunden. Seine Bekanntschaft mit dem Kammerrat war eine höchst oberflächliche und seine Beziehungen zu diesem von ganz einfacher und eindeutiger Art. Levielle war ein Bursche, der, seitdem er eben einmal irgendwo ausgekrochen und bis an die sonnige Oberfläche des Lebens gelangt war (wo er eigentlich ausgekrochen, ist nicht einmal dem Verfasser dieser Berichte bekannt geworden), sich nunmehr auch zu den entsprechenden Gesten für verpflichtet hielt. So etwa dem ‚Geistigen' gegenüber, oder was er schon darunter verstand. Levielle hatte einige Hochschulstiftungen gemacht, Stipendien, wie sie das nennen. Und er pflegte auch in gewissen einzelnen Fällen wissenschaftliche Unternehmungen zu unterstützen, schickte junge Leute, welche ihm von autoritärer Seite empfohlen waren (darauf freilich hielt er was), auf Studienreisen und dergleichen mehr. Sehr lobenswert, wird man sagen. – Nun, dieser Knasterbart, wie ihn Doktor Trapp wenig achtungsvoll zu nennen pflegte (warum eigentlich, weiß ich nicht, denn ich habe Levielle nie anders als mit kleiner Bürste und ansonst glattrasiert gesehen, aber er hatte allerdings so eine gewissermaßen bärtige Würde), dieser nur innerlich knasternde Pseudo-Bart also hatte auch unseren Neuberg einmal auf vier Wochen nach Italien geschickt. Jener Hofrat von Rottenbach, den sie damals bei ihrem Gespräch in der Opernloge der Frau Ruthmayr erwähnten, hatte Neuberg empfohlen und die Sache für ihn zustande gebracht. Im Zuge dieser Aktion war der junge Doktor auch seinem Gönner einmal vorgestellt worden. Daher die Bekanntschaft. Und das war alles.

„Ich kenne ihn ja kaum", sagte Neuberg also, und erinnerte an die Art seiner Beziehung zu jenem. Zugleich bot sich ihm hier ein Rettungsanker. Denn Angelika war durch die Äußerungen ihres Vaters, die ihr unverständlich sein mußten (sie kannte Levielle nur dem Namen nach, durch gelegentliche Erwähnungen von seiten ihres Bräutigams), auch etwas überrascht, und sie hatte sich also für einige Augenblicke von ihrer Gekränktheit gewissermaßen losgelöst. Dies benutzte Neuberg nun, um seine frühere Bosheit dahin abzuschwächen, daß jene aus der zufälligen Begegnung in der Oper sich ergebende Einladung des Kammerrates für ihn eben einen Zwang bedeutet hätte, da er dem alten Herrn doch verpflichtet sei; und so wäre auch der Besuch in der Loge nicht zu vermeiden gewesen (so sagte er, zu Doktor Trapp gewandt), nachdem er vor Beginn der Vorstellung Levielle im Foyer getroffen und von ihm aufgefordert worden war, in der Pause hinaufzukommen. . . . Immerhin sei doch Levielle für ihn beruflich wichtig, für seine Laufbahn und vielleicht auch in der Zukunft. Auch hätte er vermeiden wollen, durch irgend eine Ungezogenheit gegen den Kammerrat etwa seinen Lehrer, den Hofrat von Rottenbach, zu verstimmen. . . .

Wir müssen schon sagen, wenn dieser alte Trapp von dem Kammerrat eine so geringe Meinung hatte, oder über den Mann aus irgendwelchen Quellen ganz anders und vielleicht besser unterrichtet war als Neuberg (und gerade das scheint ja schon damals der Fall gewesen zu sein), dann wäre jetzt ein rechtes Wort von seiten des Herrn Rechtsanwaltes, Hausbesitzers und künftigen Schwiegervaters zu erwarten gewesen, etwa: mein lieber Neuberg, Sie werden den alten Levielle nicht mehr nötig haben, das lassen Sie meine Sache sein. Sie sollen natürlich niemanden kränken oder verstimmen – aber für Ihre wissenschaftliche Zukunft brauchen Sie, als mein Schwiegersohn, nicht mehr auf die Großmut und die geistigen Interessen dieses Herrn Kammerrates zu bauen. – Aber weit gefehlt!! Als die Sache bei dieser Tür hinaus wollte, verlor Doktor Trapp sichtlich das Interesse an ihr und maß ihr keinerlei Wichtigkeit mehr bei. „Natürlich, natürlich", sagte er „da haben Sie ganz recht, Neuberg. Ich meinte das auch vorhin nicht etwa irgendwie rigoros. . . . Wenn der Mann für Sie wichtig ist, allein schon durch die Verbindung mit Ihrem Lehrer, dann müssen Sie sich eben mit ihm passabel stellen. Das ist sehr klug von Ihnen und Sie tun daran ganz recht. Man soll niemand so weit weg stellen, daß man ihn nicht gelegentlich wieder heranholen könnte . . .", und mit dieser schönen Sentenz ergriff er eine auf dem Tische liegende Zeitung, verschwand dahinter und nahm nur mehr durch gelegentliche Bemerkungen am Gespräche teil.

Wenn man nun aber glaubt, die Fehde zwischen unserem Brautpaar sei durch dieses Zwischenspiel abgeschwächt, unterbrochen oder gar beendet worden, so täuscht man sich gleichfalls. In Neuberg hatte sich jetzt schon ein heftiger Drang nach Aussprache mit Angelika erhoben. Das hatte nun im Hause Trapp freilich seine Schwierigkeiten. Denn man pflegte das Brautpaar niemals allein zu lassen, oder höchstens in einem Nachbarzimmer bei geöffneten Türen, wenn sich das gerade einmal in schicklicher Weise ergab. Zu solcher Absonderung aber fehlte jetzt ein richtiger und gefälliger Anlaß (meistens geschah es unter dem Vorwande, daß Neuberg seiner Braut bei ihren Arbeiten für die Universität ein wenig nachhalf). Diese Gepflogenheiten waren eigentlich seltsame, nämlich angesichts der Tatsache – die doch den Trapps zweifelsohne bekannt sein mußte – daß die beiden jungen Leute sowohl auf der Universität als außerhalb derselben, in der Stadt und draußen im Freien bei sportlichen Anlässen, vielfach allein zusammentrafen.

Neuberg also hatte den Wunsch, seine Angelika auf irgend eine Weise vom Tische weg und für einige Augenblicke wenigstens aus dem Zimmer zu locken, zumindest aber in den Hintergrund des Raumes, wo ein paar Klubsessel standen. Ja, wir können sagen, er war schon gar nicht mehr kriegerisch und nicht einmal mehr ein bißchen boshaft gestimmt. Seine Braut aber setzte diesen seinen Absonderungsbestrebungen, die sie spürte, noch bevor er anfing, sie ihr durch kleine Zeichen deutlich zu machen, einen untätigen und beharrlichen Widerstand entgegen, und, wenn er sich früher dumm gestellt hatte, so tat jetzt sie es.

Hiedurch freilich wurde bei Neuberg wieder neue Gereiztheit erzeugt. ,,Wollen wir nicht eine Patience legen?‘‘ fragte jetzt die Mama Trapp. Als Angelika sich erhob, um die Karten zu holen, die rückwärts bei den Klubsesseln im Spieltische sich befanden, sprang Neuberg sofort auf, wie um ihr dienstbeflissen zuvorzukommen. Schließlich gingen sie auch beide nach rückwärts. Schon wollte Neuberg seiner Braut etwas zutuscheln und suchte dabei den Aufenthalt am Spieltisch hinauszuziehen, indem er unnötigerweise in den Laden herumsuchte. Sie aber nahm mit dem ersten Griff die kleinen Patience-Karten aus der linken vorderen Ecke der Lade und kehrte sofort und vielleicht etwas allzurasch zum Tische zurück. Auch ihm blieb also nichts anderes übrig, als sich gleichfalls wieder unter der Lampe niederzulassen.

Der alte Trapp raschelte mit der Zeitung, Mutter und Tochter legten in Reihen die Karten auf. Neuberg seinerseits saß recht dumm da und sah auf das Tischtuch, wo neben dem Brotkorb zwei Servietten-Ringe lagen. Er fühlte sich wirklich ermattet. Eine peinvolle Leere und Schwere senkte sich in diesem Zimmer herab.

Endlich gähnte der Hausvater.

So war es denn Zeit sich zu empfehlen. Neuberg tat dies mit einer besonderen, eigentlich übertriebenen und ganz grund losen Herzlichkeit der Mutter gegenüber. Vater Trapp reichte wieder in seiner beiläufigen Art, so nebenbei, die Hand, während er die andere vor seinen neuerlich und noch ausgiebiger gähnenden Mund hielt. Dann ging es an Angelika. Sie warf mit der linken Hand leichthin die ausgelegte Patience durcheinander und zusammen, als wäre es jetzt nicht mehr der Mühe wert, hier sitzenzubleiben und dieses Geduldspiel zu beenden. Nachdem ihr Neuberg die Rechte geküßt hatte, sah sie ihm munter und sehr warm in die Augen und sagte: „Morgen um elf Uhr im Kolleg, ja?" Sie schien jetzt alles vergessen zu haben. „Ja, freilich", sagte er und vergaß im Augenblicke wirklich alles, und auch dies, daß er eine Aussprache für unumgänglich notwendig gehalten hatte. Das inzwischen herbeigeklingelte Stubenmädchen ging vor Neuberg wieder durch die Zimmerflucht und schaltete dabei die Lichter ein. In dem geräumigen spiegelglatten Vorraum wartete der Diener und hielt Neuberg's Mantel auseinandergebreitet zum Hineinschlüpfen.

Stangeler, von den Genien der Freiheit umflattert, war inzwischen wieder in einem Café gelandet. Denn die Straße war kalt und der Winter setzte dem Bummeln engere Grenzen. Der Gedanke, nachhause zu gehen, wurde jedoch von René entschieden abgelehnt.

Er begann, sich wirklich wohl zu fühlen. Unangenehm war einzig, daß er mit Grete zerstritten war und wegen des wüsten Auftrittes ein schlechtes Gewissen hatte. Sonst war die Freiheit schön. Wäre sie bei bestem Einvernehmen mit Grete Siebenschein möglich gewesen, so hätte das geradezu Vollkommenheit bedeutet. Ein klein wenig fühlte er sich doch bedrückt, und jetzt mehr und mehr. Hier nun wird für uns freilich wieder die Grundlage sichtbar, auf welcher diese Grete einzig und allein eine gefestigte Beziehung zu ihrem halbwilden Geliebten hätte erreichen können: seine Freiheit, oder was er schon darunter verstand, hätte gänzlich unangetastet bleiben müssen während dieser entscheidenden Jahre; und das wäre zugleich die festeste Bindung für ihn geworden, so fest, wie eine Grete Siebenschein es nur immer hätte wünschen können. Aber freilich, diesen schon unlängst von Frau Steuermann angedeuteten Punkt erreichte sie wohl nie.

Es bestand für ihn die Möglichkeit, hier vom Café aus telephonisch anzurufen und sie um Verzeihung zu bitten, um so ein
klein wenig nur aus dem Unrechte herauszugelangen, in welches
er sich wieder einmal gesetzt hatte. Aber um diesen Entschluß
herum blätterte er eine Stunde lang in Zeitungen und Zeitschriften. Die Meinung anderer Menschen über ihn und das Bild, das
er anderen Menschen von seiner Person darbot, waren dem
René Stangeler damals offenbar noch sehr wichtig: und nun gab
es hier diesen verdammt schlechten Abgang aus dem Siebenschein'schen Speisezimmer.

Man mußte das – in Ordnung bringen. Wirklich! Ordnung
hätte ihm genügt, eine oberflächliche, für ihn zuinnerst unver-
bindliche Versöhnung, ein paar gewechselte freundliche Worte.
Das war es, was er nun eigentlich noch vor dem Schlafengehen
wünschte, in seiner tollen und kindlichen Selbstsucht. Aber er
entschloß sich noch immer nicht, zum Fernsprecher zu gehen;
wurde indessen mehr und mehr abgespannt und schläfrig.

Endlich, und zu spät, schritt er plötzlich zwischen den nur da
und dort besetzten weißen Marmortischen durch die ganze Länge
des Raumes auf die Telephonzelle zu.

Das Signal sprang an, es summte dazwischen fern in den
Drähten von tausend anderen Leben, aus diesem trat dann deutlich und einzeln die Stimme der Frau Irma Siebenschein hervor.

Stangeler hatte schon die Muschel wieder abhängen wollen.
Eine sehr spürbare Ödigkeit und Schwäche bemächtigten sich
seiner, lähmten fast die Zunge, beraubten ihn seiner sonst sehr
durchdringenden Fähigkeit zur Überredung, seiner Wärme, seines Schwunges. Er meldete sich jedoch (sozusagen kopfüber in
diese Sache hineinspringend) bei Frau Irma mit seinem Namen,
durchaus Übles erwartend, andeutungsweise Vorwürfe, wenn
nicht gar scharfe Worte. Nichts von alledem kam. Als er Grete
zu sprechen verlangte, sagte die Alte nur mit ihrer, für eine Frau
unappetitlich tiefen, dabei jedoch durchaus kalten Stimme, er
möge einen Augenblick warten. . . . ,,Grete! Zum Telephon!"
hörte er sie dann laut rufen, und nun kamen die Schritte.

Grete schien nicht zu wissen, wer da anklingelte, die Mutter
hatte ihr wohl nichts weiter gesagt. ,,Hallo?!" rief sie, in einem
frischen und freundlichen Ton, der René sehr ermutigte.

Er sagte ihr also allerlei, welches im ganzen auf eine Bitte um
Verzeihung hinauslief; jedoch war jedes Wort spröde in seinem

Mund, sträubte sich förmlich gegen das Ausgesprochenwerden, und die meisten Worte, und gerade auch jene, die er eigentlich hätte sagen wollen, ließen sich gar nicht finden. Merkwürdig war die gänzlich veränderte Stimme, mit der sie nun antwortete. War ihr Ton zuerst beruhigend gewesen durch seine Frische, und weit entfernt von dem eines Menschen im Zustande der Aufregung oder der seelischen Gequältheit, so sank ihre Stimmlage jetzt sozusagen gleich um ein paar Oktaven und wurde dem Organ der Mutter ganz überraschend ähnlich:

„Nein", sagte sie sehr langsam. „Es hat keinen Sinn. Ich komme nicht hinunter", (er hatte sie, in steigender Aufregung, darum gebeten, wenigstens für fünf Minuten vor das Haustor zu kommen) „nein. Bitte hänge ab. Ich will schlafen gehen." Dann schwieg sie. Er schwieg auch. Zwischen ihnen summte es in den Drähten und die Spannung war unerträglich. „Grete . . .", sagte er. „Das hat alles keinen Sinn mehr", sagte sie ruhig, „gute Nacht." Es knackte. Sie hatte den Hörer aufgelegt.

8

Die Entstehung einer Kolonie II

Am Dienstag nach dem Massen-Umtrunk des Rittmeisters traf ich Stangeler auf der Straße, und, wie mir schien, in einer elenden Verfassung. Als ich ihn fragte, ob er denn noch immer verkatert sei, tat ich dies nur, um ihn zu reizen: alsbald erfuhr ich denn auch, was bei Siebenscheins am Montag abend vorgegangen war, ja es wurde mir dies in reichlich explosiver Form mitgeteilt, ich erinnere mich, daß damals eine dicke Frau, die uns entgegenkam, auf dem Gehsteig stehen blieb, sich umwandte und uns lange nachstarrte: und hintennach, als es zum Grüßen schon zu spät war, erkannte ich in ihr Frau Clarisse Markbreiter.

Mit der üblen Verfassung, in welcher sich Stangeler während der nächsten Wochen befunden haben mag, wird es wohl im Zusammenhange gewesen sein, daß er sich bei Schlaggenberg während dieser Zeit nicht meldete, obwohl ihn jener aufgefordert hatte, anzurufen. Damals auf der Straße fragte ich Stangeler zudem, ob er Herrn von Schlaggenberg bald besuchen werde, erhielt aber keine Antwort.

Der Schnee, welcher im Februar reichlich gekommen war, veranlaßte Quapp und ihren Bruder zu Ausflügen in die Umgebung der Stadt. Diese Landschaft, mit ihrem maßvollen Berg- und Hügelgelände, eignet sich zu einer Art Bummlerei auf Skiern außerordentlich gut, und ein besonderer Reiz liegt für den am Rande der Großstadt Wohnenden in dem Betreten der freien verschneiten Fluren ohne die Nötigung, auch nur irgendein Verkehrsmittel zu gebrauchen. Ein paar hundert Schritte von der Haustüre werden schon die Bretter angeschnallt, und man zieht den weißgezuckerten Bergen entgegen, die von jedem Gassenende her zwischen die Häuser hereinsehen. Von der Höhe des Kahlengebirges aber erblickt man ausschnittweise zwischen den schneeverzierten Bäumen Teile der Stadt – wie einen dunklen See dort unten liegend – die bei bequemer Rückkehr mit den ersten aufzuckenden Lichtern grüßt.

Der Herr René aber kreuzte die Spur des Geschwisterpaares an einem von der Stadt abgekehrten waldigen Hange. Sie kamen von links oben und er glitt von rechts schräg herab; unverzüglich erkannten Kajetan und René einander, was mir immerhin bemerkenswert scheint, angesichts der gänzlich veränderten Umstände und auch der anderen Kleidung bei ihrem ersten Wiedersehen. Beide bremsten mit einem Schwung, und der Auslauf dieser Bewegung trug sie ganz nah zu einander hin. Quapp folgte in Kajetans Spur. „Das ist Stangeler", sagte er zu ihr, „er war auch dabei, damals in der Nacht, na, du weißt schon." Man zog die Fäustlinge ab und schüttelte die Hände.

Dieser Ausflug wurde gemeinsam fortgesetzt und endete mit Teetrinken bei Schlaggenberg. Der Winkel, in welchem Quapp und Stangeler aufeinander trafen, war durch die beiderseitigen Umstände ebenso präzise festgelegt, wie jener, unter dem René's und Kajetans' Bahnen einander nun schnitten. Sie hat von allem Anfange an in Stangeler eine Art Vorspann gesehen auf ihrem geistigen Wege und dem der Geigerei: was beides sie damals für ein und dasselbe hielt; Stangeler hat später in abwegiger Weise den zweiten Irrtum bei Quapp noch bestärkt. Vor allem aber schnappte hier sogleich eine Art Gelenk ein, an welchem dann bei Quapp die zähe Überzeugung allezeit sich bewegen konnte, dieser René sei der rechte und einzige Schrittmacher auf einer Bahn, die weit weg führen mußte von ihren Verstrickungen hier zu Wien während des letzten Winters, und von allen derartigen Verstrickungen überhaupt, und tief hinein in ihre Kunst, welche sie ohne weiteres für ein genaues Gegenteil solcher Sachen nahm: dieses Gelenk im Mechanismus der Situation wurde (wie eben derartige Gelenke fast immer) von einem ganz trivialen Zufalle gebildet: daß nämlich der Herr von und zu René, welcher sich freilich keinen Ski-Anzug leisten konnte, zu ein paar alten Reithosen seine einstmalige Uniform-Bluse trug, eine dunkelblaue, wie die Kavallerie-Offiziere im alten österreichischen Heer sie getragen hatten. Es sah so weit ganz gut aus. Den Kajetan aber veranlaßte eben diese Tracht zu einigen Fragen, unter anderem auch danach, ob René im Kriege noch Gelegenheit gehabt habe, ein Reitergefecht mitzumachen. Stangeler, der eine solche altertümliche Kampfhandlung, wenn auch kleinsten Umfanges, erlebt hatte, berichtete davon, sprang dann auf einmal ab und sagte:

„Aber ich habe es gar nicht so erlebt."

„Ich verstehe Sie nicht ganz", sagte Schlaggenberg halblaut (begreiflich!).

Nun kam, statt dem Ende jenes unterbrochenen Gefechtsberichtes, erst der, nach Stangelers Meinung, wesentliche Bericht über das Erlebnis: dieses, so betonte er, habe für ihn eigentlich nur darin bestanden, daß ihm damals die Vielfältigkeit des Nebeneinanders im Leben schlagartig aufgegangen sei, während des Galopps über eine sanftgeneigte Wiese hinab, und vorbei an einer Art ganz kleinem Brunnenhäuslein, nur ein winziges Dächlein, darunter der blinkende Faden Wassers hervorsickerte, ein Dächlein über dem zu ahnenden kühlen und schattigen Ursprung . . . Und daneben die schnaubenden Pferde, die blanken Klingen. „Wenn ich so etwas höre wie ‚Breite des Lebens' oder ‚Empirische Breite' oder ‚Weite Welt', oder wie sie da schon sagen, so ist es für mich seitdem vertreten und voll ausgedrückt durch eine geradezu astronomische Entfernung, welche sich damals in mir zum ersten Mal spannte, von meinem bewegten Sattel bis zum ruhigen Silberblick des Wassers."

‚Wie sie da schon sagen' – die Wendung berührte Kajetan eigentümlich (das hat er später mir gegenüber bemerkt). Wer waren diese ‚sie'? Offenbar irgendwelche Leute, die sich geläufiger und geschickter, wahrscheinlich auch konventioneller auszudrücken wußten als René Stangeler: der sie gerade deshalb nicht eben zu lieben schien; vielleicht, weil sie's hierin oder überhaupt leichter hatten?

Nun schnappte das ‚Gelenk' ein.

„Ja!" rief Quapp (man könnte schon sagen, daß sie schrie). „So ist es! Alles hat verkehrte und großartige Namen. Kavallerie-Attacke, Weltkrieg. Ich habe auch ein derartiges Erlebnis gehabt, natürlich lange nicht von dieser Klarheit, oder so umfassend, wie dasjenige Stangelers . . ." (Schlaggenberg merkte es dem Herrn René an, daß dieser sich innerlich zu winden begann). „Ich habe einmal, vor langer Zeit, im Sommer, erkannt, was Geigenspielen heißt, welche Aufgabe es bedeutet, und was ein richtiger Ton ist. Und zwar erkannte ich das – aus der vernickelten Schraube am Frosch meines Bogens. Ich lief sofort in mein Zimmer . . . es war daheim, bei uns dort unten . . ."

Damals also wurden sie geboren, die ‚Brunnenhäuschen‘ und ‚Bogenfrösche‘ mit ihrer unverständlichen Überdeutlichkeit, eine Art Rotwelsch, das weiterhin dem oder jenem von den ‚Unsrigen‘ schon zum Ärger gereichte. Man sieht im ganzen: das erste Gespräch zwischen den Dreien verlief recht lebhaft; und in der zweiten Hälfte etwa dieses ersten Gespräches begann man einander ohne weiteres – fast ohne jeden Übergang, wie mir Kajetan sagte – zu duzen.

Am Rande bemerkt – weil's mir eben einfällt – mit dem Rittmeister, der doch kein Landsmann war, duzte ich mich von allem Anfang an. Mit Kajetan niemals. Derartige Dinge entscheiden sich meistens gleich ab ovo, und dann bleibt's dabei.

Nun gut. Rückblickend indessen beginnt für mich in der seltsamen Beziehung Quapps zu Stangeler – den sie zeitweise dann geradezu einnahm wie eine Droge gegen alle anwandelnden Schwächen, oder was sie eben für bloße ‚Schwächen‘ hielt – hier also beginnt für mich hintnach bereits Quapps besondere Zwie-Gesichtigkeit erkennbar zu werden. Denn jene andere Provinz ihres Lebens, die ihr schon im vorigen Winter und tief in den Sommer hinein so viel Pein gemacht hatte, sie war ja nicht aus der Welt geschafft und versunken damit, daß Quapp jetzt ihren Bogenfrosch oder sonst etwas von dieser Art in's Auge faßte, sei's auch noch so fest. . . . So sollte denn bei ihr bald eine Verbindung entstehen, die weitab führte von dem Herrn René und von allem, was ihr allein jetzt gültig schien, und was sie auch dann nie ganz hat fahren lassen wollen. Ich habe, bei aller Sympathie, die ich stets für Quapp fühlte, ihr Doppelleben zu dieser Zeit als im Grunde barbarisch empfunden.

Stangeler – in Schmerzen wegen seiner Grete, die so schnell diesmal sich nicht versöhnen ließ – scheint Quapp von Anfang an übersehen zu haben, schon bei jenem ersten Teetrinken. Ich fragte ihn, wie sie ihm denn gefalle?! „Hochbegabt. Hat zweifelsohne Fähigkeiten zu irgendeinem Durchbruch“, antwortete er mir. Als ich dann etwas deutlicher wurde, sagte er: „Ja, hübsch, schon möglich. Ein liebes Tramperl. Sitzt manchmal da wie ein Maurer in der Mittagspause, die Arme hängen zwischen die Knie hinein.“

Am nächsten Sonntagmorgen nach der Begegnung im Schnee gelangte Schlaggenberg in meiner Wohnung zum Durchbruch.

Anders ist sein damaliges Erscheinen gar nicht zu bezeichnen. Ich lag noch im Bett. Er zog, unter der Türe stehend (hinter ihm die verwunderte Maruschka), den Mantel ab und warf diesen über die Breite des Zimmers auf das Kanapee. Der Hut folgte nach. „Sie kennen also diesen René Stangeler schon sehr lange, wie ich gestern erfahren habe!" sagte er, setzte sich ohne weiteres auf mein Bett, sah mich inquisitorisch an und nickte mehrmals langsam mit dem Kopf, in einer Weise, als hätte er mich bei einem schlimmen Streich ertappt, den er lange vorausgesehen, ja fast als wollte er damit ausdrücken, ‚ich habe Sie immer für einen Gauner gehalten – und da haben wir also jetzt die Bescherung.'

„Wollen Sie Tee!?" fragte ich.

„Natürlich will ich Tee", sagte er, „was denn. Unterlassen Sie, bitte, solche überflüssige Zwischenfragen. Sie geben also zu, den René Stangeler schon lange zu kennen. Sehen Sie ihn oft?"

„Nein" (log ich). „Woher wissen Sie denn überhaupt von meiner alten Bekanntschaft mit Stangeler?"

„Von dem Rittmeister. Ich habe gestern abend mit ihm gesoffen, wir waren allein und ungestört, auf seiner Bude oben, und da erzählte ich ihm –"

„Sie haben den gestrigen Abend mit dem Rittmeister verbracht? Und da sind Sie jetzt, am Sonntagmorgen, um neun Uhr schon bei mir? Was ist denn los?"

„Ich finde, daß es Sie wirklich nichts angeht, ob ich mich ausschlafe oder nicht. Ich erzählte also dem Rittmeister . . . nun, das müssen Sie auch hören, damit Sie im Bilde sind, und noch einiges. . . ."

Inzwischen war der Tee gekommen. Schlaggenberg legte alsbald los, beschrieb das Zusammentreffen draußen im Schnee. . . Wir tranken eine halbe Stunde lang Tee, und diese Zeit wurde ganz von seinem Bericht ausgefüllt. „Ich kann also Eulenfeld diesbezüglich keinen Vorwurf machen, er hat Stangeler vor der Sauferei im Januar mindestens ein halbes Jahr nicht mehr gesehen", so schloß er. „Aber nun kommen Sie an die Reihe. Sind das übrigens Ihre sämtlichen Zigaretten? Damit werden wir schwerlich auskommen. . . . ach so, danke, da ist ja noch eine Schachtel. Ich kann übrigens welche holen gehen? Nun, wenn Sie genug haben . . . schon gut. Beantworten Sie jetzt meine Fragen. Kennen Sie Leute, welche Siebenschein heißen?"

„Ja. Aber nicht durch Stangeler."

„Woher also? Sie pflegten doch sonst, soviel ich weiß, in anderen Kreisen zu verkehren? . . . aber richtig! Jetzt fällt mir's ein! Ihre Bridge-Bekannten! Dicke Personen! Von starker Fülle, wie?! was?! Frau Starkbreiter, ja? Durch diese Kreise führt wohl der Weg zu Siebenscheins?! Sehr interessant, außerordentlich wichtig. Frau Starkbreiter. . . .!"

Ich muß gestehen, daß ich erst an dieser Stelle des Gespräches wirklich wach und mir zugleich auch, fast möchte ich sagen, einer Gefahr bewußt wurde, die ich jedoch nicht klar sehen konnte. Mich ging doch das alles (und es schien sich da etwas vorzubereiten, das fühlte ich wohl) im Grunde nichts an, konnte mich gar nichts angehen. . . . Merkwürdig ist, daß ich sofort befürchtete, Schlaggenberg könnte in diesem Zusammenhang einen Skandal provozieren. In meinem sozusagen noch vom Schlafe überschatteten Innern aber erlebte ich eben damals noch etwas sehr Wesentliches (wenigstens weiß ich heute, daß es wesentlich war). Während Schlaggenberg weitersprach, ohne meine Antwort abzuwarten, und erzählte, was er von dem Rittmeister erfahren hatte (zum Teil mir bekannte Umstände, nur eben in Eulenfeld'scher Beleuchtung), fiel mir plötzlich die besondere Art von Ähnlichkeit und Unähnlichkeit auf, die zwischen Schlaggenberg und seiner Schwester bestand, und da berührte es mich wie eine Eingebung, daß Stangeler, trotz seiner schiefgeschnittenen Augen und seines so ganz anderen Aussehens, doch sozusagen zu derselben Sorte von Gesichtern gehörte, wie jene beiden. Während ich das erfaßte, wurde mir auch ganz besonders deutlich, daß Kajetan und Quapp in ihren Antlitzen jeden gemeinsamen Familienzug gänzlich vermissen ließen, während . . . hier störte mich Schlaggenbergs Perorieren:

„Sie wissen ja, wie er redet", (er meinte den Rittmeister, und nun kopierte er ihn) „. . ., scheint sich da vor Anker gelegt zu haben, der Fähnrich. Halte das für recht überflüssig. Eine kohlensaure Angelegenheit. Womit nichts gegen das Mädchen gesagt sein soll . . .' Woher weißt du denn das alles? frage ich ihn; und er sagte dann irgend etwas von zwei Mädeln aus seinem ‚Troupeau', na Sie wissen ja, diese Bande, mit der wir kurz nach Neujahr beisammen waren; diese zwei Mädeln also sind mit jener Familie bekannt, das heißt eigentlich mit der Schwester von Stangelers Angebeteter, Matsch oder Latsch heißt sie –"

„Lasch", sagte ich.

„Meinetwegen Lasch. Eulenfeld kennt nur diese Lasch, weiß aber alles über Stangeler nicht von ihr sondern von den Mädeln . . . und nun sagen Sie mir gefälligst, wie S i e eigentlich zu diesen Siebenscheins kommen!? Steuerschul? Altwolf? Starkbreiter?!"

„Sie verdrehen bereits die Namen in der Richtung Ihrer Wünsche", bemerkte ich, wollte weiter nichts sagen und schwieg. Denn während seines Redens noch war mir endlich klar geworden, was ich die ganze Zeit hindurch eigentlich gesucht hatte . . . ein Gesicht tauchte vor mir auf, vor vielen Jahren gesehen, und es gehörte einem Menschen, der nicht einmal mehr lebte, und den ich zudem nur flüchtig gekannt hatte; und dieser Mensch war niemand anderer als – Ruthmayr, Gatte der Frau Friederike Ruthmayr, Gutsbesitzer und Reserverittmeister, 1914 in Galizien gefallen. Hier war eine wirkliche Ähnlichkeit, nämlich zwischen ihm und Quapp, eine ganz ausgesprochene Verwandtschaft der Physiognomien! Und nun mußte ich plötzlich laut lachen. Denn mir fiel zudem ein, daß noch immer ich der einzige Mensch war, der wußte, wo wir uns am Ende jener denkwürdigen Nacht befunden hatten, weil ich doch das Ruthmayr'sche Palais kannte. In der Folgezeit war aber von mir nichts dergleichen getan worden, obwohl man im Bekanntenkreise oft genug von dieser Sache sprach. Jedoch hatte ich es anfänglich wirklich nicht glauben können, daß niemand von den Beteiligten fähig sein sollte, den Ort wiederzufinden. Als sich aber herausstellte, daß ich ihre Betrunkenheit denn doch unterschätzt zu haben schien, und daß sie die Wahrheit sprachen, hielt ich erst recht den Mund. Aus welchen Gründen eigentlich? Vielleicht aus einer Art von Diskretion Frau Friederike Ruthmayr gegenüber?

„Wollen Sie mir nicht gütigst und endlich zu sagen geruhen, woher Sie diese Familie Siebenschein kennen?" sagte Schlaggenberg endlich maliziös und blies mir den Zigarettenrauch in ungezogener Weise entgegen.

„Müssen Sie das unbedingt wissen?"

„Ja."

Ich war durch die ganze Art seines Benehmens schon ärgerlich geworden und sagte daher kurz und rücksichtslos:

„Durch Ihre Frau. Sie ist um Mitte Dezember in Kitzbühel mit Siebenscheins bekannt geworden und hat mich nach Weihnachten einmal hinaufgebracht. Den Rechtsanwalt kannte ich schon vorher. Frau Irma Siebenschein ist übrigens jetzt Patientin Ihres Schwiegervaters."

„Wenn Camy bei den Siebenscheins verkehrt, dann wundert es mich, daß Stangeler sie nicht kennt."

„Sehr einfach zu erklären. Ihre Frau ist seit über einem Monat nicht mehr in Wien. Bleibt also für ihren Verkehr – wenn Sie das schon so nennen wollen – im Hause Siebenschein nur die Zeit etwas vor Weihnachten bis nicht lange nach Neujahr."

„Wo ist Camy?" fragte er.

„In England", erwiderte ich und beobachtete ihn genau. Daß ihn meine Mitteilung bewegte, war unschwer zu erkennen; jedoch konnte ich in gar keiner Weise ausnehmen, ob es nun Erleichterung war, was er empfand, oder vielleicht eine entfernt mit Sehnsucht verwandte Bedrücktheit.

Er dürfte jedoch rasch und genau überlegt haben, denn plötzlich rief er aus:

„Dann ist sie ja ungefähr um die Zeit weggefahren, als damals diese verrückte Sache mit Eulenfeld losging, bei der ich weiterhin Stangeler kennen lernte. . . .?"

„Nicht nur ungefähr. Sondern genau: in derselben Nacht. Sie reiste am Abend. Ich habe sie selbst auf die Bahn gebracht und ging dann in Eulenfeld's Wohnung – dem Rittmeister zuliebe mußte ich einmal mittun – wo sich ja ein Teil jenes ‚Troupeau' versammelte. Dort haben Sie mich gesehen, wenn auch nur durch ein paar Augenblicke. Ich geriet weiterhin in irgend einen Wagen mit mir gänzlich unbekannten Leuten, und in der ersten Bar schon wurde ich in eine – der Logen verschlagen, so daß ich Sie eigentlich erst in jenem ‚Atelier', oder was es schon war, unter den vielen Menschen wieder zu Gesicht bekam."

„Und da hielten Sie es damals oder etwa an einem der folgenden Tage nicht für notwendig. . . .?"

„Nein. Für überflüssig."

„Nun gut, gut. Aber wissen Sie" (jetzt brach er wieder los) „es ist doch zu widerwärtig! Neue Aquisition – wie heißt sie? – Siebenschein! Natürlich. Das hält alles zusammen. Gegen Stangeler natürlich auch, kann mir das gut vorstellen –"

„Hören Sie, Schlaggenberg", unterbrach ich diesen neuerlichen Ansatz zu den bei ihm so häufigen Übertreibungen, „Sie scheinen ja in der Vorstellung zu leben, daß alle Leute, die irgendwie anders geartet oder eingestellt sind, als der Herr Kajetan von Schlaggenberg, nichts wichtigeres zu tun und keinerlei andere Sorgen haben, als sogleich untereinander vor allem eine ‚Anti-Schlaggenberg-Liga' zu gründen, sozusagen als ihren vornehmsten Lebenszweck ... etwas egozentrisch gedacht, scheint mir."

„Aber richtig gedacht", sagte er, fest und übrigens in gar keiner Weise gekränkt. „Wenn Sie sagen: übertrieben und egozentrisch, so haben Sie damit, dem Tatbestande nach, schon recht. Nicht aber – biologisch, wenn ich so sagen darf. Auf dieser Übertreibung reite ich, wie auf einer Woge, die mich hoch emporhebt, so daß ich unter Umständen das für mich und mein Leben Wesentliche früher und deutlicher ausnehmen kann, noch bevor es in den normalen Horizont objektiver Spiegelglätte eintritt. Nach allem aber, was Sie sagen, scheint ja das Terrain, auf welchem Stangeler sich bewegt, für mich sozusagen ungangbar zu sein. Wenn ich von Camy absehe – übrigens, wie lange gedenkt sie im Ausland zu bleiben?"

„Was geht Sie das an?"

„Sie scheinen ja meine gewesene Frau ‚gepachtet' zu haben, wie man in solchen Fällen sagt."

„Ihre Frau gedenkt frühestens im Herbst zurückzukehren. ‚Gepachtet' aber habe ich Frau Camy keineswegs. Sie wissen übrigens ganz genau, daß ich in dieser Sache ganz und gar auf Ihrer Seite stehe, vielleicht gerade deswegen, weil die Schuld klar und offen bei Ihnen liegt und Ihre Handlungsweise eine solche war, die jedermann Gelegenheit zu billiger Entrüstung bot und noch bietet. Da ich aber denn doch etwas mehr weiß, als jedermann ... nun, genug. Von einem Sympathisieren mit Ihrer gewesenen Frau kann wohl bei mir kaum die Rede sein."

„Was veranlaßte Sie eigentlich zu einem – Umgang mit ihr? Ich meine, zur Aufrechterhaltung oder Fortsetzung dieses Umganges?"

„Erstens Ihr Interesse, mein Lieber. Damit nicht noch mehr Terrain für Sie ungangbar werde, oder, anders ausgedrückt, damit der Verschlechterung Ihres Rufes an der oder jener Stelle gleich erfolgreich entgegengetreten werden könne. Zweitens aber wäre es ja geradezu unanständig gewesen, Frau Camy glatt fallen zu lassen, nach jenem rapiden Vorgehen von Ihrer Seite."

„Stimmt. Also – das mit dem Ruf ist wirklich so schlimm?"

„Einigermaßen. Bedenken Sie! Eine tiefgekränkte Frau. Und dann: die Gegenpartei treibt es hier sicher noch weiter, als selbst Ihrer Frau recht sein kann."

„Sie sprechen also auch von einer ‚Gegenpartei'. Seltsam. Scheint doch nicht so übertrieben zu sein, meine Anschauungsweise."

„Vielleicht gibt es hier wirklich so etwas wie zwei Parteien", sagte ich endlich halblaut, und wie im Selbstgespräche vor mich hin, „deren Mitglieder sich gleichsam auf den ersten Blick erkennen. Übrigens, alles Unsinn (ich nahm mich zusammen), wer sagt denn, daß Sie, um mit Stangeler zu verkehren, unbedingt den Siebenscheins in's Gehege kommen müssen? Lassen Sie doch, zum Teufel, diese Leute links liegen. Stangeler hat genug Freunde und Kameraden, die mit Siebenscheins gar nicht bekannt sind! Alles Unsinn!" (wiederholte ich bekräftigend). „Ich bitte Sie –"

Er lachte mir breit in's Gesicht. „Sie scheinen mich ja für einen dummen Buben zu halten", sagte er. „Lassen Sie Ihre Besänftigungs- und Sonntagspredigten und teilen Sie mir, bitte, ohne Umschweife mit, ob Ihres Erachtens mein übler Ruf sich in bereits vorgeschrittener Weise bei diesen Siebenscheins ausgebreitet hat. Das ist alles, was mich im Augenblicke interessiert."

So sagte ich denn ruhig: „Ja. Meines Erachtens schon."

„Haben Sie dafür feste Anhaltspunkte?"

„Ja."

„Welche?"

„Fräulein Grete Siebenschein hält Sie für ein ganz letztklassiges Individuum." (Ich sah wirklich keinen Grund, hinter dem Berge zu halten oder Schlaggenberg im unklaren zu lassen. Vielleicht konnte die Wahrheit hier Gutes wirken oder wenigstens Übles verhüten . . .) „Das sagte sie mir glatt in's Gesicht", fügte ich hinzu.

„Und Sie haben natürlich in gar keiner Weise widersprochen", meinte er lachend.

„Gewiß nicht", ging ich auf seinen Ton ein.

Er stand auf und begann mit langen Schritten schweigend im Zimmer hin und her zu laufen. Ich bemerkte schon wieder einen sozusagen kriegerischen Zug in seinem Gesicht. Plötzlich fuchtelte er mit den Armen und schrie: „Hier muß eingegriffen werden! Jawohl! Sie können mir gestohlen werden mit Ihrer Nicht-Interventions-Politik! Mag im allgemeinen richtig sein. Mag gelten. Interventionen sind in fast allen Fällen nicht der Mühe wert, und zwecklos. Gut. Zudem verzerren sie das Bild der Welt, sozusagen. Man sieht auch einen Menschen nicht mehr klar, sobald man an ihn Forderungen zu stellen beginnt, weil man ihn und sein Leben ändern möchte. Und doch kann sich auch hier einmal eine Aufgabe stellen. Eine ernstlich zu erwägende Aufgabe . . . bei aller Bequemlichkeit. Diese Sache hat mehr Hintergrund, als Sie glauben. Werden noch einmal darauf zurückkommen, jawohl", (er war während der letzten Worte in seinen Mantel geschlüpft) „Sie werden sehen, Sie werden noch sehen . . .", fügte er, bereits unter der Türe stehend, hinzu. Und damit verließ er mich. Ich sank, leicht ermüdet und ergebungsvoll, in meine Kissen zurück.

Um diese Zeit war es, daß Eulenfeld und späterhin auch Gyurkicz, beide unabhängig von einander, in die Gartenvorstadt übersiedelten, und in unsere Nähe. Die Gründe, die hierfür angegeben wurden, waren verschiedenartige. So bei Eulenfeld die Befürchtung, er würde im Frühling und Sommer wieder unter Schlaflosigkeit leiden, und ähnliches. Zudem war einmal diese schöne und stille Gegend hier durch den wiederaufgetauchten Schlaggenberg in Schwang und Mode gebracht worden. Man konnte übrigens bei dieser Gelegenheit sehen, daß Kajetan immerhin einen gewissen Mittelpunkt der Gesellschaft bildete.

Bei Gyurkicz indessen spielten, wie sich bald herausstellte, einige besondere Umstände mit.

Von seiner Vergangenheit wußte eigentlich niemand viel. Er war Offizier gewesen und soll sich im Kriege nicht unerheblich ausgezeichnet haben. Sein Vater, ein ungarischer Gutsbesitzer, habe sich wegen Spielschulden erschossen, als Imre noch kaum sechs Jahre alt geworden war; so wurde einmal erzählt, ebenso von dem damit zusammenhängenden Verlust des großen väterlichen Herrengutes im Tolnaer Komitat. Von seiner Teilnahme am ungarischen Bürgerkrieg anläßlich der Niederwerfung jener Räte-Regierung, die mit dem Namen eines gewissen Béla Kun verknüpft ist, berichtete Gyurkicz gelegentlich selbst, und leidlich genau. Er scheint verhältnismäßig früh durch Seiten-Erbschaft in den Besitz eines Vermögens und in eine selbständige und unabhängige Lage gekommen zu sein, welche er (seinen eigenen Angaben nach) nur dazu ausgenützt hatte, das Geld beim Fenster hinauszuwerfen. Seine Mutter hatte ein zweites Mal geheiratet, und da sich Imre mit dem Stiefvater nicht vertragen konnte, war er früh aus dem Hause gegangen.

Das war nun eigentlich alles, was über Imre von Gyurkicz an Anhaltspunkten vorlag. (Den Namen hätte er, richtig ungarisch, eigentlich mit einer anderen Endung schreiben müssen.) Während der letzten Jahre hatte Imre mit einer Frau zusammengelebt, die eine Zeitlang in der Wiener Öffentlichkeit recht bekannt war, wohl mehr durch Exzentrizitäten, als durch irgendwelche besondere Leistung. Diese Beziehung nun war längst abgestorben, obwohl es sich da einst um die sogenannte große Liebe gehandelt haben mochte; Gyurkicz soll sogar in diesem Zusammenhang einen Selbstmord versucht haben. Nun aber war's mit alledem längst vorbei. Nur die Trägheit hielt ihn noch in der gemeinsamen Wohnung fest, wo er eine Art Atelier-Zimmer innehatte; diese Behausung lag in einem wenig angenehmen Stadtviertel. Seine Frau (als solche galt sie allgemein) hatte inzwischen bereits eine neue Dauerbeziehung angeknüpft; wie es hieß, zu einem Mitglied des Hochadels. Noch aber wohnte sie gemeinsam mit Imre. Daß diese Verhältnisse längst schon zu einer äußeren Veränderung drängten, liegt auf der Hand. Gyurkicz war sozusagen reif für eine Übersiedlung. Es bedurfte hier nur noch eines letzten Anstoßes. Diesen bildete Quapp.

Schlaggenberg hatte ihr, wie man sich vielleicht noch erinnern wird, auf dem Bahnhof gleich nach ihrer Ankunft ein paar Worte über Gyurkicz gesagt. Vielleicht lag hierin eine bewußte oder unbewußte Absicht. Jedenfalls aber war das Bild, welches er seiner Schwester von dem Ungarn entwarf (und er kam in den folgenden Tagen noch ein oder das andere Mal auf ihn zurück), bezeichnend genug, und es enthielt wohl irgendeine auf Quapp zielende Tendenz . . . „ein einfaches, gesundes Mannsbild; was er redet, ist nicht weiter ernst zu nehmen; aber ein lieber guter Kerl. Ohne Probleme und tragische Untertöne. Natürlich darf man da keine gesteigerten Ansprüche stellen und muß eine ehrliche Kameradschaft, wie sie etwa mich mit ihm verbindet, nicht mit dem Maße einer geistigen Verwandtschaft messen. Von alledem kann keine Rede sein, natürlich. Aber da ist frische Luft, Unbeschwertheit, viel Sport. Ist übrigens zu beneiden, der Bursche. Hat eine glänzende Anstellung als Karikaturist bei einer großen Zeitung und verdient spielend seine Tausend im Monat . . ."

Sie aber hatte dann jedesmal nach Stangeler gefragt, auf welchen er nur ein einziges Mal und ganz kurz zu sprechen gekommen war: aber offenbar in einer Weise, die größeres Interesse bei ihr erweckte. Jedoch damals, vor jenem Zusammentreffen im Schnee, wußte Schlaggenberg selbst so gut wie nichts von René und hatte nur über Eindrücke aus jener schon oft erwähnten Nacht zu berichten.

Das erste Zusammentreffen zwischen Quapp und Gyurkicz ergab sich indessen rein zufällig, und zwar in einem Stadtrestaurant, als die Geschwister eben beim Essen saßen. Sie waren noch dazu ganz ausnahmsweise hier zu finden, denn ansonst pflegten sie fast täglich draußen in der Nähe ihrer Behausungen in einem kleinen, schon etwas ländlichen Wirtshause ihre Mahlzeiten einzunehmen. Diesmal aber hatte Quapp ihren Bruder mittags von seiner Wohnung abgeholt und sie waren zusammen in die Innere Stadt gefahren.

Gyurkicz kam nicht allein. Er ging in Gesellschaft zweier Personen an der Fenster-Nische vorbei, wo Quapp und Schlaggenberg saßen, und wurde von diesem angerufen. Als er sich herwandte, wurden durch das vom Fenster einfallende Licht seine großen blauen Augen besonders deutlich sichtbar, in deren Blick etwas sehr Gutmütiges und zugleich schmachtend-Kindliches lag. Immerhin aber hätte man bei einigem Feingefühl bemerken können, daß Gyurkicz über die Wirkung, welche mit derlei Augen unter Umständen zu erzielen war, sich nicht im unklaren befand, ja diese Wirkung in seinem Leben schon viele Male bewußt angewandt haben mochte . . . Quapp begrüßte Gyurkicz freimütig, wenn auch zurückhaltend, nachdem Kajetan ihn vorgestellt hatte. Indessen blieben die übrigen durch ein paar Augenblicke in ungewisser und zuwartender Haltung abseits stehen. Man hatte sich jedoch bald verständigt, und nach Erledigung der üblichen Formalitäten nahmen alle am Tische der Geschwister Platz.

Es waren ein Herr und eine Dame mit dem Ungarn gekommen. Die Dame hieß Hedwig Glöckner und war Inhaberin einer vielbesuchten Turnschule, ein auf den ersten Blick als gutmütig und ehrlich zu erkennender Mensch, eine schwer, vielleicht allzu schwer arbeitende junge Frau, mit dem rasch gehärteten und dabei etwas verkrümmten Wesen derartiger Personen. Der jetzt neben ihr sitzende Herr war Schlaggenberg schon bekannt gewesen. Er hieß Robert Höpfner, war baumlang und stark. Sein verbogenes Antlitz erweckte im ganzen den Eindruck einer Mondsichel, oder auch jener Art von Gebäck, die man in Österreich ‚Kipfel‘ nennt. Das Kinn war lang, spitz, und aus der Achse des Gesichts ein wenig herausgedreht, welche feine Unregelmäßigkeit auf den Beschauer leicht quälend wirkte.

Gyurkicz, forsch, wie er nun einmal war, hatte Quapp auf's Korn genommen und operierte ihr gegenüber mit den üblichen Fragen: seit wann sie nun in Wien sei, und ob sie schon früher dagewesen wäre, und was sie hier treibe und wie es ihr gefalle . . .? Sie sagte, daß sie daran arbeite, ein wirklicher Geiger zu werden. „Aber muß man denn immer arbeiten?" antwortete er und ging gleich auf etwas anderes über, nämlich auf einen neuen Film, den er gestern gesehen hatte. Dann sprach er über Kleidung und betonte, daß er in dieser Sache als Zeichner und Modezeichner natürlich kompetent sei: und sie müsse unbedingt einen anderen Hut tragen. Mit ein paar geschickten Strichen warf er die gemeinte Form auf eine Papierserviette. Quapp hatte derartiges noch nicht gesehen, und während sie ihm erstaunt beim Zeichnen zusah, war auch schon zu dem Hut ein Gesicht hinzugekommen, und zwar ihr eigenes, eine passabel ähnliche, liebenswürdig gemeinte Karikatur.

Quapp sah da freilich in eine andere Welt hinein und erblickte staunend Fähigkeiten, die ihr naturgemäß sehr fremd sein mußten. Schlaggenberg, in ihrer Seele halb daheim, aber wurde sich jetzt mit Unruhe dessen bewußt, welche Fülle von Mißverständnissen hier in Quapp erzeugt werden konnte, und daß sie nahe daran war, etwas wie Ehrfurcht vor Möglichkeiten zu empfinden, die jeder dritte kleine Talentinger und Leichtinger besaß und die einfach durch Absenz des besseren Stoffes im Menschen frei werden.

Nach dem Essen fragte Gyurkicz, ob jemand von den Herrschaften jetzt irgendwelche Obliegenheiten habe, er würde andernfalls vorschlagen, daß alle mit in sein Atelier kämen, man könnte dort ‚einen Kaffee brauen‘ und sich's gemütlich machen.

Schlaggenberg, der sich seinerzeit mit vieler Mühe angewöhnt hatte, den Kern seiner Tagesarbeit ganz am Vormittage zu erledigen und nach dem Essen nur Korrekturen zu machen oder sonst eine nicht eben wesentliche und dringende Sache vorzunehmen, hätte nun hier ohne weiteres zustimmen können. Jedoch verhielt er sich abwartend, ohne eine deutliche Einstellung, gewissermaßen elastisch, damit Quapp unbeeinflußt jenen Kurs einschlagen könne, der ihr jetzt am nächsten lag. Was nun in ihr vorging, spiegelte sich gleich auf ihrem Gesicht und auf ihrer kleinen Stirn. „Ich sollte jetzt geigen . . .", sagte sie, und horchte dabei gleichsam in sich hinein, und vielleicht lauschte sie jetzt wirklich dem Konzert der in ihr streitenden Gegenstimmen. Sie sah zu ihrem Bruder hinüber, aber dieser vermied es sorgfältig, ihr einen Anhalt in der einen oder anderen Richtung zu bieten. „Meinetwegen gern", sagte er ganz leichthin und so, daß damit noch lange kein Wunsch geäußert war.

Die kleine Gesellschaft beschloß, zu Fuß durch die Innere Stadt zu gehen, der Weg war nicht allzu weit. Voran schritt die Glöckner mit Kajetan und Robert Höpfner, und unser Paar machte den Schluß. Die Bürgersteige sind im alten Wiener Stadtzentrum streckenweise recht schmal, dabei der Verkehr dicht, und so ergab sich dieses getrennte Gehen von selbst.

Quapp fühlte sich angestrengt, und ein leichter Druck begann ihren Kopf einzunehmen, ein Gefühl der Spannung, gerade in der Gegend hinter den Ohren. Gyurkicz ließ eine ganze Menge liebenswürdiger und leichthin gestellter Fragen los, die er dann gleich beiseite warf, kaum daß Quapp mit einiger Mühe ihre Antworten vorzubringen begonnen hatte. Denn sie ging eigentlich auf jede seiner Fragen gründlich ein, jede löste in ihr wirklich etwas los, und dabei waren diese Fragen so gestellt, daß sie, von Quapps Standpunkt aus, erst zurechtgebogen und sodann neu aufgestellt werden mußten . . . „Wie ist das eigentlich mit diesem Geigen . . .?" sagte er, „Sie stehen auf, in der Frühe, und dann üben Sie viele Stunden?" „Ja . . .", sagte sie. „Und das ist nicht langweilig?" „Ja . . .", sagte sie, „es ist langweilig." „Warum tun Sie's dann?" meinte er. „Ich bin glücklich, wenn ich's tun kann . . ., es ist nicht immer so." „Also gefällt Ihnen doch manchmal etwas anderes besser?" „Nein", sagte sie, „es gibt nichts Besseres."

„Das verstehe ich wieder nicht . . ., wenn es langweilig ist? Was sagen Sie zu diesen Lederjacken?" Er war vor dem Schaufenster eines Geschäftes stehengeblieben. Quapp, die allen Ernstes die Absicht gehabt hatte, ihm zu erklären, was es für sie bedeute, ‚in Form zu sein‘, und daß für sie Glück oder Wohlbefinden ohne diese allererste Voraussetzung überhaupt nicht denkbar seien – Quapp also starrte, aus ihrem Zusammenhang gebracht, diese Lederjacken an, war aber schwach genug, liebenswürdig auf Gyurkicz's Art einzugehen und sogar ein Urteil abzugeben: etwa, daß jenes Stück links vorne am kleidsamsten sein dürfte . . . Schon gingen sie weiter. Es kam in der Folgezeit noch oft vor, daß Gyurkicz vor Schaufenstern stehen blieb, fünf- oder sechsmal, meistens mitten im Gespräch. Dieses Gespräch dürfte für Quapp auch ohnedem mühsam genug gewesen sein. Zudem waren die Straßen da und dort noch glitschig, obwohl man den Schnee entfernt hatte; und Quapp trug an diesem Tage neue Schuhe, deren Sohlen noch sehr glatt waren, und fühlte sich beim Gehen unsicher, so daß in ihrem ganzen Wesen ein gewisser angestrengter Zug, der ihr ja auch sonst eignete, noch mehr hervortrat. Sie arbeitete geradezu daran, dieses Neuland, welches da leichthin neben ihr sich auftat, auf irgendeine Weise zu begreifen. Vor allem aber wollte sie es respektieren lernen, denn daß es zu respektieren sei, stand für sie (allein schon deshalb, weil es ja neu und unverständlich war) außer jedem Zweifel. Die Ehrfurcht war ihre stärkste, die herzhafte summarische Kritik, welche im Leben so vieles abkürzt, Kraft spart und Umwege vermeiden läßt, ihre schwächste Seite . . .

„Bei uns zu Hause gibt es Zigeuner, die fabelhaft Geige spielen, ohne jemals so studiert zu haben – ich meine also, auf die Art, wie Sie das tun, und die Leute auf der Akademie." „Das ist doch etwas ganz anderes", sagte Quapp, und sie wußte auch mit voller Sicherheit, daß diese Art von Geigerei etwas wesentlich anderes sei. Aber hier begann wieder eine ihrer Lücken im Denken und auch im Ausdruck (Lücken, in welche mitunter Kajetan zu springen pflegte), sie fühlte sich nicht fähig fortzusetzen und zu erklären, was sie damit, genauer genommen, meinte. Sie hätte auch wahrscheinlich dazu wieder keine Gelegenheit gehabt. Denn Gyurkicz sagte: „Ich kann auch Geige spielen. Aber das ist eine geheimnisvolle Sache. Ich kann nämlich nur geigen, wenn ich besoffen bin."

Hier freilich konnte sie mit einem energischen kleinen Ruck innerlich von ihm abzweigen und hatte auch im selben Augenblick schon fertige, klare Worte im Munde: „Sehen Sie, damit haben Sie jetzt selbst sehr treffend den Unterschied zwischen einem zigeunerischen Naturgeiger und einem wirklichen Musiker angegeben." „Wie beliebt?" sagte er und kehrte damit schon seine gewohnte Art von leichtem Geplänkel heraus, eine Walze, die er im allgemeinen jungen Damen gegenüber einzuschalten pflegte, sobald er sich, nach den ersten konventionellen Gesprächen, etwas besser mit ihnen bekannt fühlen durfte. „Warum sagen Sie ‚wirklicher Musiker'? Vielleicht sind die anderen die wirklichen Musiker, Leute mit dem Naturgenie, ohne diese ganzen intellektuellen Sachen, die es auch gar nicht notwendig haben, jeden Tag stundenlang zu üben. Haben Sie überhaupt Talent, junge Dame?" fügte er, bereits am Rande der Frechheit, hinzu.

Sie sagte in vollster Ruhe: „Nein." Dieses eine Wörtchen, womit sie in einer für ihn jenseits seines Fassungsvermögens liegenden Art über seine Sticheleien hinwegging, und sozusagen wieder in ihr ureigenes Hinterland zurücktrat, hätte Gyurkicz darüber belehren müssen, mit wem er es da eigentlich zu tun hatte; wenn nämlich für ein solches Belehrtwerden in ihm nur irgendeine, nur die allergeringste Möglichkeit bestanden hätte. Statt dessen sagte er leichthin: „Werde auch Musik studieren. In drei Jahren bin ich fertig. Wetten wir?"

„Das ist schon möglich", sagte sie, sehr nachdenklich, und in einer Bescheidenheit, welche mit einem guten Benehmen nichts mehr zu tun hatte, sondern gewissermaßen ganz nebenbei entstand.

„Was soll ich studieren? Klavier? Natürlich Klavier. Ich muß Sie doch begleiten können ..."

Da waren sie nun vor dem Tor des Hauses angelangt, in welchem Gyurkicz wohnte. Alle gingen nach oben. Man mußte bis in's Ateliergeschoß viele Stiegen steigen. Gyurkicz sperrte die Türe seiner Wohnung auf.

Am nächstfolgenden Sonntag morgen, vierzehn Tage nachdem Schlaggenberg bei mir sozusagen zum Durchbruch gelangt war, besuchte mich Eulenfeld. Ich hatte meine Toilette schon beendigt, als er kam. „Morjen", sagte er und ließ sich in einem Armsessel beim Bücherkasten nieder. Es war ein grauer Tag. Der Schnee auf den Wiesen, die ich von meinem Fenster aus sehen konnte, begann sich aufzulösen, denn es war etwas wärmer geworden, wenn man auch von irgendwelchen Vorwehen des Frühlings noch weitaus nichts spürte.

„Bist du schon übersiedelt?" fragte ich, und er schrieb gleich auf einen Zettel seine neue Adresse. Wir frühstückten dann zusammen. „Habe den gestrigen Abend mit Schlaggenberg verbracht", sagte er nach einer Weile, „bin auch – hmmm! – im Zusammenhange damit zu dir gekommen. Wollte dich was fragen."

Seltsam, dachte ich. An den Samstagabenden besaufen sie sich gemeinsam, und die dabei an's Licht gebrachten Probleme werden dann bei mir am Sonntagmorgen erörtert. Scheint ja eine neue Einführung zu sein. Ich mußte lachen.

„Nanu?" sagte er. Ich erzählte ihm, daß vor vierzehn Tagen Schlaggenberg hier gewesen sei...

„Bin gewissermaßen wegen Kajetan gekommen."

„Was gibt es?" fragte ich, und zwar gespannt, ja, in Unruhe versetzt.

„Weißt du, wer ein gewisser Herr Levielle ist?"

„Ja. Das heißt, soweit das überhaupt jemand wissen kann."

„Verstehe. Also hör mal..." Und nun erzählte er mir – freilich mit den bei ihm üblichen behaglichen Umschweifen, Randbemerkungen, Sprüchen und lateinischen Zitaten – daß er am Tage nach seiner Übersiedlung eine Art Antrittsbesuch in der neuen Heimat Döbling habe machen wollen, und zwar bei Kajetan.

Dabei ist ihm gleich im Vorzimmer – wo er von der sehr freundlichen Hausfrau erfuhr, daß den Herrn Doktor mittags seine Schwester abgeholt habe, die Herrschaften wären wohl in die Stadt gefahren – eine Visitkarte des Kammerrates aufgefallen, welche in der Mitte der für solchen Zweck hier befindlichen großen grünen Schale lag, die andere Besuchskarten nicht enthielt. (Es zeigte sich übrigens bald aus Eulenfelds Erzählung, daß er ganz gut zu wissen schien, wer Levielle sei.) Jene Visitkartenschale war mir natürlich auch schon bekannt. Noch während der Rittmeister ungeniert in Gegenwart der Hausfrau die Karte las, erschien Stangeler, der ebenfalls Kajetan besuchen

wollte. Die beiderseits vereitelte Absicht führte dann den Rittmeister und René in ein nahegelegenes stilles Café und in ein
längeres Gespräch hinein (,non sine libationibus' – der Rittmeister trank dort mehrere Gläser Rum), wobei von mancherlei
die Rede gewesen sei, insbesondere aber eine ,Peilung' der Lage
des ,Fähnrichs' vorgenommen wurde. Diesen fragte Eulenfeld
einmal gleich, und nicht ohne Strenge, ob es richtig sei, daß er
am Montag den 10. Januar, also zwei Tage nach dem großen
Nebelfleck, mit Grete Siebenschein im Vorzimmer von deren
elterlicher Wohnung einen Krach gehabt und sie im Verlaufe
desselben geschlagen habe. René bejahte freilich das erstere,
wies jedoch das zweite entschieden zurück. „Dacht' ich mir",
sagte der Rittmeister. „Bin gleich einigen Leuten in dieser Sache
über's Maul gefahren, präsumptiv." Was für Leute das wären?
Eben die, welche ihn, René, angeblich in einen so beschwingten
Zustand versetzt hätten, daß er in einem solchen noch über den
ganzen Sonntag verblieben sei – kurz und gut, Leute von diesem
verdammten ,Troupeau', den er jetzt, nach vollzogener Übersiedlung (,Rubicone transgresso'), bald für immer hinter sich
zu haben hoffe . . . Eulenfeld sagte unter anderem auch, daß
René – es müsse unmittelbar nach jenem erwähnten Krach gewesen sein! – am Montag den 10., bei offenbar ganz gutem Befinden, in einem Café gesehen worden sei . . . „Ja", sagte Stangeler, „von ,Troupisten' und ,Troupistinnen', wie du's nennst.
Aber ich habe mit niemand gesprochen." Auch das wußte der
Rittmeister. „Bemerken alles. Lia, Ria, Mia, alles das hat Hunderte von Augen. Wie die Fliegen. Kannst du zur Bereicherung
deiner naturwissenschaftlichen Kenntnisse ad notam nehmen.
Für mich aber ist's eine ebenso klare wie kohlensaure Sache, daß
da recht geläufige Wege – und vielleicht nicht nur über Frau Titi
Lasch – herüberführen von derlei Figuren bis in die Familie
deiner Freundin Grete, und auch unleugbar bis zu dieser selbst.
Da ist Lasch, dieses üble Knollengewächs, und dahinter auch
gleich Levielle – na, von dem will ich schweigen. Nun also. Ich
übersiedelte gestern. Das hängt auch damit zusammen. Will
raus. Schlaggenberg hat recht. Wollte mit ihm auch darüber
reden. Hat mir einige Zeit nach dieser Geschichte tüchtig zu-
gesetzt. Wollen uns also mal verändern. Das geht nun freilich
nicht so glatt. Hängt mir doch alles aus der ersten Zeit nach
dem Kriege noch an. Einzelne von den Leutchen sind ja recht

nett und wirklich gefällig gewesen. Aber innerlich – adjes! Und ich möchte dir, als dein Freund und Kamerad, ähnliches – hmmm – nahelegen, zur Erwägung anheimstellen. Mehr ja wohl nicht. Immerhin eine Anregung geben."

Jedoch, des Rittmeisters ungeschickter Entwurf, dem René das Gemeinte auf die Art beizubringen, daß er ihm jene Verbindung zu beweisen suchte zwischen den bürgerlich anständigen Siebenscheins und dem ‚Troupeau‘, in welchem es nicht wenige kleine Lasche gab (oder solche, die es gerne hätten sein mögen), sowie die verschiedensten Spielarten der Gattung ‚Titi‘ – dieser Entwurf Eulenfelds, der am Ende eben von des Rittmeisters Sache (nennen wir's ‚Übersiedlungs-Sache‘) ausging, mußte Stangeler aus einem sehr einfachen und persönlichen Grunde verwirren: denn René hatte ja den ‚Troupeau‘ als einen rechten Gegensatz zu der gewiß etwas säuerlichen Wohlanständigkeit der Siebenscheins erlebt, als einen Durchbruch in Freiheit und Ungebundenheit, ja, wie früher erzählt worden ist, geradezu als ‚geistig befruchtend‘ (!) . . . und nun sollte das hier ein und dasselbe bedeuten?

Es schien denn auch, nach allem, der Herr von und zu René nicht recht gezogen zu haben an der vom Rittmeister ihm zugeworfenen Leine.

Ich erfuhr dann bei dieser Gelegenheit einige Einzelheiten in bezug auf Stangelers gegenwärtiges Leben, die mir unbekannt geblieben waren. So etwa, daß er schon seit dem vorigen Jahr seine Aufsätze über historische Themen – einer von ihnen, Gilles de Rais betreffend, hatte uns ja wieder zusammengeführt – nicht mehr daheim zu verfassen pflegte, sondern diese Arbeiten, welche in Zeitungen erschienen, im Zimmer seiner Grete schrieb, wenn diese abwesend war. Daß ihm solche doch mehr erzählende oder feuilletonistische Sachen angesichts der Büchermauern und in der rein fachlichen Atmosphäre des historischen Institutes weniger gut von der Hand gingen, ließ sich verstehen. Für die Maßnahme aber, mit seinem Schreiben aus dem Zimmer im Elternhaus in dasjenige Grete Siebenscheins überzusiedeln, hatte er dem Rittmeister verschiedene Gründe angegeben; so etwa, daß im zweiten Stockwerk des Stangeler-Hauses, nach dem Wegzuge seiner Schwester Asta, nun entfernte böhmische Verwandte wohnten, Mutter und Tochter, denen die Bedingung auferlegt worden war, René müsse sein Zimmer behalten. Jetzt freilich suchten sie ihn hinauszuekeln. Besonders die Alte mache sich in jeder Weise unangenehm bemerkbar, aller Lärm würde immer gerade neben ihm losgelassen, und so weiter, und so fort. (Sicher zum Teil wahr, zum Teil Einbildung und kleiner Verfolgungswahn.) Am Telephon erhalte jeder, der ihn zu sprechen wünsche, unverschämte Antworten; das sei besonders den Redaktionen gegenüber für ihn peinlich, wenn sie schon einmal einen Beitrag verlangten ... So habe er denn erreicht, daß man die Siebenschein'sche Nummer am späteren Nachmittag anrufe, wenn's was zu bestellen gäbe; dort werde ihm das auch von Grete mit Sicherheit ausgerichtet, sie schreibe alles genau für ihn auf, wenn er nicht da sei ... Die andere Begründung aber, warum René ‚das Weben seiner Textilien zu den sieben Scheinen verlegt habe' (Eulenfeld), schien mir doch viel beachtenswerter. „Es ist so besser für mich", hatte Stangeler gesagt, „ich spür' es mehr und mehr. Dort bei Grete herrscht eine gewisse Helligkeit, Leichtigkeit, diese Gegend der Stadt ist mir auch bedeutend lieber, ich möchte sagen, sie ist für mich wirklich bedeutungsvoll; seit jeher. Seit meiner Bubenzeit schon. Da gibt es in der Nähe die Liechtensteinstraße, dort, wo sie eng wird, mit dem Haus ‚Zum blauen Einhorn' ... Aber vor allem dies: in jenem Zimmer im Elternhause verbrachte ich ja meine Kindheit. Bei denselben Fenstern sah ich hinaus auf die selben Häuser, und die Spatzen in den Baumkronen des weiten Hofes oder Gartens unten, der zum Nachbarhause gehört, pfiffen ihr hohes schrill-sägendes Konzert an den Sommerabenden so wie heute, wo hinter den gleichen Schornsteinen zur gleichen Zeit der Himmel vom Untergange der Sonne sich in einem Rosenrot entzündet, welches merkwürdigerweise durch die abscheuliche Front des davor stehenden Zinshauses zu einer sehr ordinären Farbe wird, richtiges Zuckerlrosa ... Kurz, ich habe Angst. Seit meiner Rückkehr aus Sibirien klebe ich jetzt da. Immer habe ich nach der gerade entgegengesetzten Seite der Stadt wollen..."

„Und so webt er denn seine Textilien nunmehr unter dem Siebengestirn", sagte der Rittmeister zum Schlusse.

Ich fühlte in diesen Augenblicken – trotz eines gewissen Widerstrebens – sehr intensiv mit Stangeler; ich hatte Verständnis für ihn. Das mit der Helligkeit und Leichtigkeit leuchtete mir ein. Jeder Mensch ist berechtigt, sich dagegen zu sichern, daß unversehens Deprimierendes über ihn hereinbricht aus der Umgebung oder der Vergangenheit oder aus beiden, weil die zweite in der ersten steckt.

Das Licht im Zimmer war noch immer etwas fahl vom Widerschein des Schnee's draußen, der schon zerfloß und an einzelnen aperen Stellen entfärbtes Gras sehen ließ. Doch blieb die Sonne aus. Eulenfeld streckte die langen Beine von sich und trank Cognac, den ich nach beendigtem Frühstück herbeigebracht hatte. Jetzt, während wir ein wenig schwiegen, sah ich über mich in die obere Kahlheit des Raumes, wo Wand und Zimmerdecke zusammenstoßen. Die Stille dieses Sonntagvormittags war eine fast absolute. Man hörte nichts, keine Straßenbahn, kein Auto, kein Klavier irgendwo hier im Hause, kein Rauschen einer Wasserleitung.

Mindestens ging zunächst aus allem, was der Rittmeister eben erzählt hatte, hervor, daß die Versöhnung zwischen Grete Siebenschein und Stangeler inzwischen eine perfekte geworden sein mußte, was vielleicht zur Zeit seiner Begegnung mit dem Geschwisterpaar Schlaggenberg – am Hange des Kahlenberges im Schnee – noch nicht so ganz der Fall gewesen war.

Der Rittmeister bemerkte dann noch, daß er Stangeler gefragt habe, ob er denn bei Siebenscheins oben nicht häufig in seiner Arbeit gestört werde? Nein, habe es da geheißen. Wenn er einmal in Grete's Zimmer sei, störe ihn dort niemand mehr; das Stubenmädchen führe ihn immer gleich hinein und befleißige sich dabei größter Höflichkeit. Dieses Mädchen sei übrigens die einzige Lärmquelle, insofern nämlich, als sie sich offenbar mit der Mama Siebenschein schwer zu verständigen vermöge, oder eigentlich diese mit ihr; man könne vom Vorzimmer herein mitunter hören, daß ihr Frau Irma irgendwas drei- und viermal eindringlich und überstürzt sage, bis das Mädchen endlich begriffen habe, was die Hausfrau meine ... Eine wirkliche Störung, hätte Stangeler erzählt, sei ein einziges Mal vorgekommen, vor drei oder vier Tagen – nämlich drei oder vier Tage vor seinem Zusammentreffen mit dem Rittmeister: anläßlich einer Besprechung des Schwiegersohnes Cornel in der Siebenschein'schen Wohnung mit einem Herrn, einem Alten, mit Fistelstimme ...

Hier warf Eulenfeld den Namen des Kammerrates ein.

„Ja, der", sagte René. „Ich habe ihn übrigens nicht gesehen, nur die Stimme gehört. Also diese beiden reden unaufhörlich nebenan, wie ich mir grad' den Text zurecht lege und zu schreiben beginnen will. Das ist mir dann trotzdem gelungen, eben wegen des Sprechens ohne Unterbrechung: so hab' ich mich an das ständige Geräusch gewöhnen können. Wie in den sibirischen Baracken. Dort war ich ohne weiteres imstande zu schreiben. Nur die Fistelstimme war mir diesmal unangenehm: das hat wirklich penetrant gestört."

„Summa summarum" – so schloß der Rittmeister – „will mich bedünken, mihi videtur, daß hier überhaupt ein solenner Sauhaufen herrscht. Wenn der oben bei den Sieben Scheinen 'nen Aufsatz über den ollen Ulrich von Hutten schreibt – denn das war's, ich hab's gelesen – jene zwo als Begleitmusik daneben über wohl verdammt andere Dinge debattieren, Deibel noch mal, hier sim' ma uff'm Höhepunkt der chaotischen diesbezüglichen Behältnisse unzweideutig angelangt, so außen wie inwärts. Kraut und Rüben durcheinander, der Eintopf in Perfektion, ‚pot au feu', wie man das zu Paris gerne ißt, Eintopfgericht. Det mit Laschen, beziehungsweise mit dem Kammerrate nebenan, fehlte nu wirklich noch wie's Pinktchen am i."

Doch es war, um in seiner Sprache zu bleiben, ‚nur halb so schlimm', und allein der Gebrauch einer dialekthaften Ausdrucksweise zeigte an, daß des Rittmeisters Behagen durch die eben berührten Verhältnisse (‚Behältnisse') wesentlich kaum gestört werden konnte.

Das Letzte, mit dem Kammerrat, führte uns wieder zu der Visitkarte in Schlaggenbergs Vorzimmer zurück.

„Hast du, sag mal", meinte der Rittmeister, „überhaupt gewußt, daß Schlaggenberg und Levielle miteinander verkehren? Ich glaubte, daß sich die beiden gar nicht kennen, habe auch niemals den Namen Levielle's von Kajetan nennen hören."

„Levielle kennt die Familie; seit langem, seit jeher. Das wußte ich. Daß er mit Kajetan jemals Umgang gehabt hätte, habe ich nie gehört. Aber hier kann ja etwa die Erneuerung einer alten Bekanntschaft aus jüngster Zeit stammen. Hat er dir nicht selbst eine Aufklärung gegeben?"

„Habe ihm kein Wort 'von gesagt."

Ich staunte über seine Vorsicht. Die Sache dürfte ihm doch am vorhergehenden Abend mehr als einmal Schlaggenberg gegenüber auf der Zunge gelegen haben.

„Du sollst nicht glauben", sagte er, „daß ich hier etwelche üble Tratschereien vom Stapel lassen will. Liegt mir fern. Aber für mich bedeutet das alles – hätte denn doch nicht geglaubt – hmmm! – da übersiedle ich nun heraus, sozusagen um mich von Hintergründen der Vergangenheit loszulösen. Und finde in Schlaggenbergs Vorzimmer die Visitkarte des Herrn – hmmm! – ‚Kammerrates'. Mißversteh' mich nicht, Georg. Persönlich hab' ich gegen den Mann nichts vorzubringen und nie das geringste mit ihm zu tun gehabt. Aber dieser Name ist mir wie ein Symbol, oder, woll'n wir mal lieber sagen, ein – Omen. Und das hier in Döbling und in Kajetans Wohnung."

„Vielleicht hat er Schlaggenberg aufgesucht, um sich wieder einmal patzig zu machen, diesmal – auf dem Gebiete der Literatur. Ein Mäzen besucht jüngere, wenig bekannte Schriftsteller. Vielleicht will er Schlaggenberg ein Reisestipendium geben" (war hier etwa ein Wunsch der Vater meines Gedankens?).

„Mag sein", brummte Eulenfeld. „Möchte übrigens diese Grete Siebenschein kennenlernen", sagte er nach einer Weile. „Interessiert mich nachgerade."

„Das dürfte ja für dich nicht schwer sein. Du machst das einfach durch Titi Lasch", sagte ich vorsichtig.

„Will ich nicht. Will nicht von dieser Seite kommen. Da besteht, so viel ich höre, doch so'n Vorurteil. Das heißt, unbeschadet aller familiären Einigkeit, soll diese Grete den Kreis ihrer Schwester, na, den ‚Troupeau' und so, nicht übermäßig schätzen. Wenn er freilich sagt, ‚Grete hat mit alledem nichts zu tun' – so ist das auch wieder eine sanfte Übertreibung . . ."

„Wer sagt das?" fragte ich.

„Stangeler. Kurz, möchte das nicht von dieser Seite machen."

Jetzt wußte ich bereits, was er von mir wollte. Ich nahm sofort an, daß hier Schlaggenberg dahinterstecke, irgendeine Aktion . . . „Wie fandest du Schlaggenberg gestern? Zerstreut oder gedrückt oder gut aufgelegt?"

„Eher schon das erstere", sagte er. Nun erst fiel mir das, wie ich glaubte, richtige Mittel zur Abwehr ein. „Ich kann dir übrigens nicht raten, dich bei Siebenscheins einführen zu lassen. Dort geht dir kein besonders guter Ruf voran."

„Pfeife darauf", sagte er und zeigte für diese Sache weiter kein Interesse (sehr zum Unterschiede von Schlaggenberg, wie mich bedünken wollte). „Habe ja keinerlei brennende Sehnsucht

in dieser Richtung, na ja, aber Stangeler und so ... Kenne
übrigens die diesbezügliche Wohnung. War mal mit Titi oben,
in Abwesenheit aller."

„Schlaggenberg wünscht wohl, daß du dort verkehrst, weil
– ihm das selbst aus guten Gründen nicht möglich ist", sagte
ich gerade heraus.

„Stimmt, stimmt. Kann dir's ja ruhig eingestehen. Bohrte
mich schon früher mal an diesbezüglich, und gestern abend
wieder; sollte mich durch dich bei Siebenscheins einführen
lassen."

„Fällt mir gar nicht ein", sagte ich, und wir wechselten dann
den Gegenstand unserer Unterhaltung.

Etwa acht Tage danach, schon im März, fand ich sie denn alle
beisammen, die ‚Unsrigen‘, und noch einige dazu. Von diesen
kannte ich eigentlich nur Neuberg und die Glöckner näher
– jener war wohl von Stangeler, diese von Gyurkicz mitgebracht
worden – während das Gesicht des Redakteurs Holder in mir
bloß vage Erinnerungen an jene vielberufene Nacht wachrief
... ich hatte ihn damals bei Eulenfeld gesehen. Ebenso einen
amerikanischen Doktor, Zoologe (?), namens Williams, der
in Begleitung einer sehr schönen jungen Böhmin, Emmy
Drobil, erschienen war. Das kam zweifellos von Eulenfelds
Seite, der in einem Café auf der Josefstadt zu verkehren pflegte,
wo sich auch ein amerikanischer Ärzteklub niedergelassen
hatte: lauter Herren, die studienhalber in Wien waren. Unter
diese konnte schließlich auch einmal ein Zoologe geraten sein.
Später bestätigte Eulenfeld meine Vermutung, daß er Dr. Williams von dort her kenne. An jenem Abend im März übrigens
unterhielt sich Williams vorwiegend mit Stangeler, sonst nahmen
die Drobil und er fast nur als gut gelaunte und lachende Zuhörer
am Gespräche teil.

Es war sozusagen ein kleines Fest, das da auf Schlaggenbergs
Bude gefeiert wurde, und zwar veranlaßt durch Eulenfelds und
Gyurkicz's Übersiedlung, die inzwischen auch vollzogen worden war. Wir nannten diesen Abend später einmal das ‚Gründungsfest‘; damals jedoch hatte wohl kaum jemand eine klare
Vorstellung davon, daß wir auch innerlich in einen neuen Abschnitt eintraten.

Das Vorzimmer hing voll von Mänteln, und darunter stand eine ganze Reihe Überschuhe, denn der Schnee war eben wieder in ungeheuren Mengen gefallen; der Nachwinter übertraf den Winter an Strenge. Ich kam als letzter. Das schwarzgekleidete Stubenmädchen mit weißem Häubchen und ebensolcher Schürze (Schlaggenbergs Hausfrau hielt auf Reputation, wenn er Gäste hatte, pflegte aber für ihr Teil bei solchen Anlässen stets verschwunden zu sein) öffnete mir und half mir beim Ablegen, während ich aus dem Gewirr der Stimmen hinter der weißlackierten Tür, die in des Autors geräumiges Gelaß führte, herauszuhören versuchte, wer etwa anwesend sei. Im Vorzimmer fiel mir eine Kleinigkeit auf: die Schale bei dem Spiegel, in welcher vor nicht langer Zeit der Rittmeister des Kammerrates würdige Karte erblickt hatte, war verschwunden.

Jetzt trat ich ein.

Es roch hier gut. Schlaggenberg schien den ganzen Raum mit Fichtennadel-Essenz durchstäubt zu haben. Dazu kam der Duft von Zigaretten, Tee und Rum. Die überwiegend männliche Gesellschaft – außer Quapp, dem Fräulein Drobil und der Glöckner gab es keine Damen – erzeugte ein gleichmäßig fortkollerndes Stimmengeräusch in einem unreinen Baß. Auf der Anrichte stand ein mächtiger Samowar in vollem Dampfe. Daneben saß natürlich Stangeler, wahrscheinlich fühlte er sich in dieser Nachbarschaft wohl. Der Bursche sah übrigens heute sehr aufgeräumt und dabei elegant aus (hatte wohl seinen besten Anzug bügeln lassen). Zwischen René und dem Amerikaner, einem blonden, frischen, knochigen Mann, schien ein sehr lebhaftes Gespräch im Gange zu sein, sie sahen gar nicht auf bei meinem Eintritt. Stangeler illustrierte, was er sagte, eben durch Bewegungen beider Hände, etwa als spreche er von irgendeinem Flügel-Tier. Während der unterschiedlichen Begrüßungen schwoll das Stimmengewirr etwas ab. Die Gäste hatten sich's allenthalben bequem gemacht, man saß oder lag halb aut dem Sofa, den Armsesseln, ja sogar auf dem Bett, das bei Schlaggenberg eine Art ‚Schlafdiwan‘ war, der ohne Bettzeug einfach wie eine sehr breite und lange Ottomane aussah.

Ich vermied die Gruppe, wo Quapp und Gyurkicz saßen, und ließ mich gleichfalls neben dem Samowar nieder. Hier befanden sich außer Stangeler und dem Amerikaner noch Neuberg und Höpfner, der, wie mir sofort auffiel, mit übertriebenem Interesse jedem Gespräch der jungen Leute zuhörte. Ich erkundigte mich bei Neuberg nach Angelika Trapp und auch nach den alten Herrschaften. Inzwischen war von rückwärts der Rittmeister herangetreten und sagte zu Neuberg: „Sie kennen die Familie Trapp?" Ich antwortete an Stelle des jungen Gelehrten und klärte Eulenfeld darüber auf, daß Neuberg mit der Tochter des alten Trapp verlobt sei. Der Rittmeister setzte sich zu uns.

„Ihrem Schwiegervater in spe haben wir mal einen Wagen verkauft, ich hatte damals noch eine englische Vertretung", sagte Eulenfeld, „habe ihn bei dieser Gelegenheit kennen gelernt. Da ist mir noch immer so'n maßlos großes Eßzimmer in Erinnerung, das es dort in seiner Wohnung gab, mächtiger Raum; war zum Speisen eingeladen."

„Ja", lachte Neuberg, „und der Tisch steht ganz klein in der Mitte. Ich glaube Ihren Namen, Herr Rittmeister, sogar von Dr. Trapp schon gehört zu haben. Übrigens hat mir Herr G-ff (er nannte meinen Namen) auch viel von Ihnen erzählt", er lächelte auf seine liebenswürdige und offene Art und sah uns mit seinem ganz in die Breite geratenen Gesicht freundlich an.

„Wird Ihnen wohl was Nettes berichtet haben, wie?" meinte Eulenfeld und wies auf mich. Mir fiel übrigens bei dieser Gelegenheit wieder auf, welche Unmenge von Menschen der Rittmeister kannte. In den meisten Fällen, wenn irgendwer namentlich erwähnt wurde, war er schon im Bilde oder hatte den Betreffenden bereits persönlich gesprochen.

„Kennen Sie den Direktor Dulnik?" fragte jetzt Eulenfeld. Ich bemerkte, daß Höpfner bei der Nennung dieses Namens den Kopf hob. „Nein", sagte Neuberg, „aber ich habe den Namen bei Trapps oben gehört." „Da ist jetzt eine ganz merkwürdige Sache im Zuge, mit diesem Dulnik. Taten sehr geheimnisvoll, die Leute – und jetzt ist denn die große Idee sichtbar geworden. Na, kann man hier ja ruhig erzählen, die Damen sind weit weg" (er wandte sich leicht um). „Diese Leutchen kamen also auf den großartigen Gedanken, eine bisher unbenützte Fläche für Reklamen auszunützen, sozusagen – na, kurz: Sie wissen vielleicht, daß Dulnik eine Papierfabrik leitet" (er nannte den Namen eines zwei Stunden von Wien gelegenen Werkes, Höpfner nickte dazu). „In dieser Fabrik erzeugt er denn auch Papier – sagen wir mal für Zwecke der Toilette. Nun hat ihm da vor einiger Zeit jemand den Gedanken eingegeben, derlei auf der einen Seite mit Reklamen bedrucken zu lassen, sogar mit solchen in Versen. Versteht sich, daß dabei nur ganz giftfreie, harmlose Farben zum Aufdruck verwendet werden dürfen. Herr Dulnik verspricht sich solchermaßen einen bedeutenden Einfluß auf die Menschheit und behauptet, dieses sei die einzige Gelegenheit, wo man den modernen Menschen noch in einer wirklich gesammelten und aufgeschlossenen Verfassung antreffen könne – und eben da müsse der Hebel angesetzt werden. Zudem in anziehender, poetischer Form."

Alle lachten, nur Neuberg, den ich sonst als einen geradezu unmäßigen Lacher kannte, blieb diesmal stiller. Ihn schien etwas zu beschäftigen, ja zu bedrücken. Nach einer Weile wandte er sich an den Rittmeister:

„Was für ein Mensch ist eigentlich dieser Herr Dulnik?"

„Kenne ihn nicht näher", sagte Eulenfeld. „Ganz hübscher Bursche. Etwa vierzig."

Durch unser Gelächter waren andere herbeigezogen worden. Die Unterhaltung drehte sich noch einige Zeit um das von dem Rittmeister angeschlagene liebliche Thema, erst als eine der Damen – die Glöckner – sich zu uns setzte, schwenkte man davon ab. Vorhin, beim Zuhören, hatten meine Augen im Zimmer gesucht – wobei mir bald der, bald jener das Blickfeld verdeckte – und endlich hatte ich, zu meiner Zufriedenheit, gefunden, was ich zu sehen wünschte. Die Schale aus dem Vorzimmer stand jetzt hier, etwas abseits, auf dem Seitenteil des Bücherkastens. Zuerst hatte ich das Ding gar nicht wiedererkannt. Denn jetzt trug es einen, offenbar dazugehörigen, Deckel, der früher fortgelassen worden war.

In meiner Zerstreutheit geriet ich dann zu der Gruppe, wo Quapp und Gyurkicz saßen. Schlaggenberg nämlich hatte mich unversehens unter dem Arm genommen und dorthin bugsiert. Mir war's zuwider. Ich hatte in der letzten Zeit etwa zwei oder dreimal Gelegenheit gehabt, Quapp und Gyurkicz gemeinsam zu sehen, und jedesmal war mir dieses Paar eine rechte Qual gewesen. Sie redeten immer in der schon bekannten, sinnlosen Weise miteinander und an einander vorbei, wobei sie schwer arbeitete, um ihn zu ‚verstehen‘, er aber vor allem darauf bedacht schien, seine Manneswürde und Überlegenheit gehörig zu betonen und in's Licht zu setzen. Dabei brachte Schlaggenberg, den ich deshalb leise verwünschte, noch ein schwieriges, ja eigentlich anrüchiges Thema auf's Tapet (hintennach muß ich glauben, daß ihn damals geradezu der Hafer stach, wie man zu sagen pflegt, allerdings weiß ich heute um einiges mehr wie zu jener Zeit).

Sie sprachen also über nichts Geringeres, als die altbekannte Frage der Möglichkeit oder Unmöglichkeit von ‚reiner' Freundschaft zwischen Mann und Weib. Der Verdacht lag recht nahe, in der Anstiftung des Gespräches einfach eine Bosheit Schlaggenbergs zu sehen; vielleicht wollte er Gyurkicz's Albernheit vorführen (wem? Quapp hatte da schon genug Proben, aber was hatten diese genützt?) und sich dabei belustigen. Jedoch auf einen schien diese bald sehr lebhafte Erörterung anziehend zu wirken, nämlich auf Stangeler: mit feinen Ohren, die ihm bei solchen Anlässen immer eigneten, erfaßte er rasch, daß man dort in der anderen Ecke irgend eine trüb-problematische Suppe rührte, und schon verließ er seinen Platz neben dem Samowar und kam zu uns herüber.

Bei diesem Gespräche trat nun sehr bald etwas Neues zu Tage: nämlich daß Stangeler, Quapp und Schlaggenberg einander wechselseitig duzten. Mich überraschte das nicht, ich wußte es ja bereits durch Kajetan. Jedoch auf Gyurkicz wirkte dieser Umstand offenbar beleidigend. Beim ersten Mal, da Stangeler Quapp gegenüber das ‚Du' gebrauchte, sah man Gyurkicz an, daß er glaubte, nicht recht gehört zu haben; beim zweiten Mal zeigte er ein bereits ostentatives Erstaunen, und beim dritten Male leistete er sich die Albernheit, den ‚Fähnrich' zu fragen, wann er denn ‚mit dieser jungen Dame' Bruderschaft getrunken habe? Die Fülle aussichtsloser Konflikte, die hier bevorstand, war so wenig verschleiert, so klar, so sehr gezeichnet mit dem Stempel einer gänzlichen Unfruchtbarkeit, daß mich trostlose Langeweile bei dem Gedanken ergriff, dies alles müsse nun noch in der Tat und Wirklichkeit und mit allen kleinen Abwechslungen dieser Wirklichkeit abgespielt, heruntergeleiert und abgehaspelt werden.

Ich wäre gerne zu Eulenfeld und auf meinen früheren Platz zurückgekehrt, wo sich jetzt der Rittmeister mit Höpfner und mit der trefflichen Glöckner recht gut zu unterhalten schien. Aber hier war im Augenblick nicht loszukommen. Die Durchsichtigkeit der ganzen Lage fiel mir auf die Nerven. Daß für Gyurkicz jenes sofort zustandegekommene brüderliche Verhältnis zwischen Stangeler und Quapp etwas Unfaßbares war, und es auch bleiben mußte, lag auf der Hand, da ihm selbst jede Möglichkeit fehlte, derartiges einer Frau wie Quapp gegenüber zu erleben, auch wenn ihm dabei keine Verliebtheit im Wege gestanden wäre: ohne Verliebtheit hätte er sich eben um ein Wesen wie Quapp gewiß nie bekümmert. Schlaggenberg wußte natürlich das alles genau, und gerade deshalb ärgerte ich mich über ihn. Vor Quapp ekelte mir einfach in diesen Minuten. Sie war schon bis über beide Ohren in dieser Gyurkicz-Suppe drin, und benahm sich dabei der Albernheit des Burschen gegenüber etwa wie jemand, der ein langes Haar in der Suppe gefunden hat, jedoch von diesem peinlichen Umstande vor sich selbst und anderen durchaus keine Notiz nehmen will, sondern weiter ißt, und dabei das Übel durch komplizierte Manöver mit dem Löffel zu bekämpfen sucht.

Schlaggenberg trug zum Gespräche wenig bei. Einmal sagte er:

„In den meisten Fällen wird es Verlogenheit sein. Entweder ist eine Liebesbeziehung im Werden und die Freundschaft dient als Maske, weil eine gewisse Art von Weibern das nötig hat, um an die Sache auf schickliche Art herangebracht zu werden. Oder diese Freundschaft folgt als Verkümmerungs-Stadium nach der Liebe. Beide Male tritt sie jedenfalls nicht selbständig auf, als alleiniger Schwerpunkt, andere Möglichkeiten ausschließend. Freilich gibt es solche Schwebezustände, die unausgesprochen durch Jahre, ja durch ein ganzes Leben dauern können. Sie werden verkehrterweise als Belege für die Möglichkeit der Freundschaft zwischen Mann und Weib angeführt. Im ganzen ist das alles ein sentimentales Gewäsch."

„Aber es kann doch auch Freundschaft sein, und gleichzeitig mit Liebe", bemerkte Gyurkicz.

„Davon sprechen wir ja jetzt nicht."

„Sollten aber."

„Immerhin – zwischen Geschwistern mag wirkliche Freundschaft schon bestehen", erlaubte ich mir einzuwerfen.

„Wohl, im Effekt schon, aber nicht im Wesen", antwortete Schlaggenberg, „denn hier ist ihr der Weg durch die Blutsverwandtschaft frei gemacht worden. Man muß aber bei Tatbeständen immer darauf sehen, wo der Schwerpunkt der Sache liegt: liegt er hier auf der Freundschaft? Nein. Diese trat zur Blutsverwandtschaft hinzu. Freundschaft zwischen Mann und Weib würde ich nur dort anerkennen, wo alle anderen Möglichkeiten vorhanden waren, im Tatsächlichen, wo sich aber die brüderliche Beziehung, als die am stärksten wirkende Kraft, allein durchgesetzt hat, ganz selbständig, als regierendes Gesetz, und damit jeden anderen Weg außerhalb des Möglichen läßt."

„Aber bitte sehr", meinte Gyurkicz, und man hatte den Eindruck, daß er jetzt ernstlich glaubte, den Vogel abzuschießen, „dann sind sie ja wieder verlogen, diese beiden: du hast doch vorhin selbst gesagt, daß alle diese angeblichen Freundespaare eben auch anders hätten können. . . ."

Ich bemerkte, daß Quapp mit einer ungeduldigen Handbewegung abwinkte. „Sie verstehen ja nicht, was Kajetan meint", sagte sie. Gyurkicz schien sich gewaltig zu ärgern. An diesem Punkte des Gespräches gelang es mir endlich, zu entwischen. Man rief von der anderen Seite nach mir, und ich war gleich bereit, hinüber zu kommen; ich nistete mich alsbald wieder auf meinem alten Platz beim Samowar ein. Da sich inzwischen die Glöckner, Höpfner und Neuberg über moderne Tanzkunst zu unterhalten begannen, was dem Rittmeister gänzlich gleichgültig war, erhob er sich (wobei man, wegen der in Bewegung geratenden mächtigen Schulterbreite, immer den Eindruck eines recht umständlichen Vorganges empfing), schlug einen Bogen um die kleine Gruppe und setzte sich zu mir herüber, auf das Ende von Schlaggenbergs Lager.

„Hast' sie schon herinnen bemerkt?" sagte er dann leise zu mir, „die Schale des Zornes?"

Ich nickte. Wir wußten nun genug und doch nichts.

Inzwischen war ein großes und allgemeines Gespräch losgegangen, das bald die ganze Gesellschaft vereinigte und auch uns in seinen Kreis zog. Ein Gespräch ist allerdings fast zu viel gesagt. Es war eine Fülle von durcheinandergehenden Ausrufen, kurzen Sätzen, Ansätzen, Versuchen zu Wort zu kommen – also eine Pause zu erwischen – und Versuchen, überhaupt gleichzeitig mit dem anderen zu reden.

Jemand hatte offenbar eine Bemerkung gemacht in der Richtung, daß man irgendeine Zeitenwende spüre, daß jene Periode, welche unmittelbar nach dem Kriege eingesetzt habe, nun an ihrem Ende sei; man hörte die Worte ‚unfruchtbare Revolutionäre‘ und ‚gänzliche Erstarrung dieser ganzen Geisteshaltung‘, und bei alledem entstand überraschenderweise ein erhebliches Geschrei. Ich hätte bis dahin gar nicht gedacht, daß in unserem Kreise so viele verschiedene Meinungen herrschten. . . .

„Was mir besonders widerwärtig auffällt", sagte jetzt der Rittmeister (und seine ruhige Rede konnte sich hier noch am allermeisten Gehör verschaffen), „ist doch die überlegene Abtuerei von Werten, die länger, schätze ich, im Gedächtnis der Menschen leben werden, als dieses ganze Geschmiere. Da wurde ja am Ende etwa aus einem Menschen, der als Soldat seine Pflicht erfüllte und dabei das Unglück hatte, zu fallen, geradezu eine lächerliche Figur gemacht, insofern, als man eher geneigt war, die Sache dahin auszulegen, daß der Betreffende ‚hereingefallen' sei. Und das Wörtchen ‚Heldentod' las man ja schon nur mehr unter Anführungszeichen."

„Na erlauben Sie einmal, Herr Rittmeister", ließ sich jetzt Neuberg vernehmen, „Sie sprechen eben durchaus noch von der Grundlage der alten Anschauungsweisen aus. . . . Aber wir müssen uns doch heute endlich eingestehen, daß gerade hier des Übels Wurzel liegt, aus der immer wieder die Kriege wachsen werden, durch Einpeitschung und Massenpsychose, und in diesem Sinne kann man doch sehr wohl solch einen armen Teufel, der an der Front krepiert ist, er wußte nicht wofür, als ein Opfer ansehen, wenn auch nicht geradezu frivol als einen der – ‚hereingefallen' ist, solches ist natürlich abzulehnen. Aber als ein Opfer veralteter Ideologien. . ."

Eulenfeld antwortete nichts. Er saß vorgebeugt und ich bemerkte zu meinem Staunen, daß er mit den Nasenflügeln ganz kleine Bewegungen ausführte, die den Eindruck erzeugten, als wittere er irgend etwas.

„Man kann nicht genug gegen den Krieg tun und gegen alle diese Dinge!" hörte man jetzt die Glöckner ausrufen, „da habe ich neulich ein Heft in der Hand gehabt, ‚Dokumente von der Westfront' – so etwas unbeschreiblich Schreckliches, das darf nie wieder sein. Es ist unsere einzige Aufgabe, das mit allen Mitteln zu verhindern, alle Menschen sollten an nichts anderes denken, sollten immer daran denken. . . .!"

„Ich verstehe Sie als Frau vollkommen, liebe Gnädige", sagte Schlaggenberg, „indessen kann etwas rein Negatives, wie die Verhinderung des Krieges, hier noch keine Einstellung bedeuten, und –" mehr war nicht zu verstehen. Denn nun kam Gyur-

kicz dahergefahren (aber dazwischen hörte man noch den Redakteur Holder sagen: „aber das ist doch keineswegs etwas rein
Negatives, Sie sehen das zu formal . . .‟). Gyurkicz also erging
sich in folgender Weise:

„Ich war gern im Krieg. Man hat genug zum Saufen bekommen. Einmal war ich auch kriegsgefangen. Übrigens ebenfalls
in russischer Gefangenschaft‟ (er dachte offenbar an Stangeler).
„Aber die haben mir nichts zum Essen gegeben, und so bin ich
wieder durchgegangen. Ist rein sportlich genommen eine tadellose Sache.‟ (Damals fühlte ich zum ersten Mal, wie eitel er war,
und daß er sich mit diesem unechten Naturburschentum nur
schmückte.)

Ich sah natürlich, daß Quapp, die dem Gespräch mit gespann-
tester Aufmerksamkeit gefolgt war (indem sie alles streng ernst
nahm), bei Gyurkicz's Worten einen bereits leidenden Zug zeigte,
jedoch gemischt mit Verachtung ihres eigenen Leidens. Sie hob
beide Arme empor, streckte sich ein wenig und legte die Hände
leicht an den Hinterkopf, in der Ohrengegend.

Den sonderbarsten Eindruck aber machte Stangeler. Er hatte sowohl Eulenfeld wie Neuberg und der Glöckner geradezu gierig
gelauscht (und jetzt redete Holder auf ihn ein, der sich ein allgemeines Gehör nicht hatte verschaffen können). Was in ihm vorging,
muß unsagbar verworren und dabei überaus drückend gewesen
sein. Er saß da wie ein kummervoll in sich selbst zusammen-
gezogener Embryo, und sogar sein Gesicht erweckte den Eindruck, als krieche es nach innen zurück und als würde alles, bis
auf die Stirn, ganz eng und klein zusammenrücken und beinah
verschwinden. Was dieser Holder ihm da sagte, konnte ich natürlich nicht vernehmen, übrigens glaube ich, daß er ihm gar
nicht zuhörte. Bei Quapp hatte man den Eindruck, daß sie sozusagen nach außen in dieses Gespräch fiel, so wie jemand in's
Wasser fällt, nämlich ein des Schwimmens Unkundiger.

Inzwischen hatte sich aber diese Unterhaltung schon gedreht,
als eine Fahne im Winde, wie es denn in Gesellschaft zu gehen
pflegt; und man war auf etwas ganz anderes gekommen, nämlich auf die mit Recht so beliebte ‚Jugend von heute‘, auch
‚junge Generation‘ genannt. Wie immer in solchen Fällen erhoben sich zunächst die an der Oberfläche der Sache herum-
fistelnden Obligat-Stimmen. Das dritte Wort war ‚Sport‘, bald
danach kam ‚kameradschaftliches, offenes Verhältnis der Ge-

schlechter zu einander, also eine wirklich freundschaftliche Beziehung zwischen Mädchen und Burschen', mitten hinein hörte man dann die ungebührliche Randbemerkung „... mehr-weniger kälberne Angelegenheit ..." (wem diese Stimme gehörte, braucht nicht gesagt zu werden).

Ich hörte nicht mehr zu, sondern betrachtete Quapp, die, von einem dieser hingeworfenen Begriffe zum anderen springend, gleichsam außer Atem und verwirrt hinter der Unterhaltung herlief und wohl schon längst bei alledem den Boden anschaulicher Vorstellungen hatte verlassen müssen. Stangeler befand sich noch immer in embryonaler Verfassung. Gyurkicz sah einfach überlegen drein, wohl das beste, was er tun konnte.

Mir fiel beiläufig ein, daß von den hier Anwesenden niemand dieser vielbesprochenen neuen Jugend irgendwie nahe stand. Denn Neuberg, der Jüngste in diesem Zimmer, hatte die fünfundzwanzig hinter sich, Quapp und Stangeler waren noch älter, ja dieser letzte war zudem noch Schlaggenbergs Schwester um einige Jahre voraus. Ich kam bei dieser Gelegenheit wieder einmal dahinter, daß Stangeler schon jenseits der Dreißig hielt. Ohne Kontrolle durch die Zahlen hätte ich ihn hier als den Jüngsten empfunden. Er war es wohl auch, trotz alledem. Wenn man's genau besah, befanden sich hier vorwiegend Menschen der Kriegsgeneration, zu welcher ja auch Schlaggenberg und Eulenfeld gezählt werden mußten. Und gerade das konnte den Altersunterschied zwischen ihnen und René gelegentlich verwischen.

Auch ich stammte ja aus derselben Schachtel. Mir hatte immer geschienen – wohl möglich infolge einer Selbsttäuschung – daß wir alle auch in der Zeit nach dem Kriege noch, und vielleicht da ganz besonders, die Rolle der ‚Jugend' weiterhin zu übernehmen hatten, wenngleich wir inzwischen älter geworden waren. Denn jene Jahrgänge, die, im Frieden geboren, teils knapp noch bewahrt blieben vor der Teilnahme am Kriege, teils auch schon ohne jede unmittelbare Beziehung zu diesen Ereignissen aufwuchsen, also ohne das persönliche Erlebnis der Wende vom Alten zum Neuen – jene Jahrgänge hatte ich immer als eine von der Geschichte sozusagen übersprungene Generation empfunden (dergleichen hat es in früheren Zeitläuften auch schon gegeben). Die augenfällige Beziehungslosigkeit dieser Art Menschen zu allem und jedem, mit Ausnahme des Wohllebens, konnte darin bestärken. Uns aber, auf den Schlachtfeldern zu

erstem persönlichem Bewußtsein erwacht, sozusagen von vornherein tragisch verfaßt und für das Glück nicht geboren (wohl
möglich aber dazu bestimmt, wieder auf den Schlachtfeldern
zu enden), uns hielt ich damals für verbunden, Last und Pflicht
der Jugend nicht aus der Hand zu legen (und eben hierin hatte
René mich bestärkt, wie ich heute wohl weiß!), und ihre Bürde
so lange weiter zu tragen, bis eine neue Generation herangewachsen wäre, die wieder, zum Unterschied von jenen übersprungenen Gesichtslosen, vom Rad der Geschichte erfaßt würde, und
damit fähig, uns Ermüdete aus der so lange hingestreckten Jugend zu erlösen; an deren Ausgang sich denn dasselbe Schwert,
das uns einst zum Bewußtsein erweckte, nunmehr erheben wird,
um uns, die noch immer Jungen, deren Sache das ‚Reifen‘ nicht
sein konnte, auf den gleichgebliebenen Schlachtfeldern der
gleichgebliebenen Erde zurückzugeben. Denn zweimal geht kein
Krug zu diesem Brunnen. So etwa wurde von mir um 1927 die
Lage angesehen.

„Aus diesem Grunde ist die jetzige Mädchengeneration", so
hörte man jetzt Schlaggenberg, „völlig untauglich, irgend einem
Menschen mit über die bürgerliche Sicherung hinausgehenden
Direktionen, und das heißt eben jetzt durchaus immer, mit der
Aufgabe, Jugend zu repräsentieren – und jung bleiben ist im
Kerne eine geistige Leistung, meine Herrschaften! – aus diesem
Grunde also kann uns diese Mädchengeneration keine Gefähr-
tinnen stellen. Denn sie haben alle miteinander zu dem Sinne
unseres Lebens keinerlei Beziehungen, zu dessen geschichtlicher
Legitimation sozusagen. Solche besitzen sie lediglich zu ihrer
natürlichen, verdienstlosen Mission, und die heißt heute, wie eh
und je: einen Mann und Kinder zu kriegen. Alles andere ist
abgeschmackte Tuerei oder Lüge, am Ende wird übrigens jede
einmal ehrlich, und die ‚geistige Gefährtin‘ verlangt eine aus-
kömmliche Versorgung. Genug, genug davon! Das ist ja klar.
Wem nicht zufällige Umstände diese Aussicht verstellen – etwa
der ganz außergewöhnliche und fast widersinnige Umstand, daß
die Frau durch Reichtum das Leben erleichtert, statt es zu erschweren – und ich meine fast, daß bei jemand, der ein richtiges
Schicksal lebt, welches natürlich auch die ganze Lage der Zeit
irgendwie mustergültig mit in sich begreifen muß, daß, in einem
solchen Schicksal nämlich, derlei Dinge gar nicht vorkommen
dürfen, oder aber es wird zum Beispiel die betreffende Dame nach

vollzogener glücklicher Verbindung auffallenderweise verarmen – wem also nicht zufällige Umstände seines privaten Lebens die Aussicht auf die allgemeine Grundlage der Sache verstellen, der muß erkennen, daß für diese Mädchen von heute bei uns kein Platz ist. Das ist natürlich ein Unglück, und eine ganz außergewöhnliche und auf die Spitze getriebene Lage. Übrigens, ich für mein Teil glaube ja, daß wir die Fortpflanzung geruhig jener sozusagen nur zoologisch vorhandenen ‚modernen Jugend' überlassen können. Werden das ganz gut besorgen, und zu mehr taugen sie ohnehin nicht. Kann sein, daß auf diese Weise Menschen entstehen, deren Hirne gereinigt sind von dem ganzen früheren Wust, und die auf solche Weise geschenkt erhalten, was wir uns persönlich erarbeiten mußten" (ein zufälliger Blick in Neuberg's Gesicht, der lebhaft zustimmend nickte, belehrte mich bei dieser Gelegenheit, wie sehr er Schlaggenberg jetzt mißdeutete, und natürlich im Sinne seiner eigenen früheren Reden). „Nun, gleichgültig. Den heutigen Trägern der geschichtlichen Kontinuität in Mitteleuropa, jener Generation zwischen zwei Kriegen, die mit dem Gewehr in der Hand ihre Jugend begann und wohl wahrscheinlich ebenso enden wird, scheint es versagt, auf ihrem Wege noch die natürlichen Wünsche der Geliebten, nämlich Gattin und Mutter zu werden, mitzuerfüllen – wenn nämlich einer überpersönlichen Aufgabe nachgehangen und nachgegangen werden soll, was ja bei der Kerntruppe dieser vertretungsweisen Jungen der Fall sein muß, sozusagen bei der eigentlichen Hundertschaft. Das Leben dieser Menschen ist zuinnerst gar nicht auf einen geruhigen Herbst hin angelegt. Sie alle haben mit dem Tode sehr innig zu tun. Darum also: wir können diesen Mädchen überhaupt nichts geben, weil sie uns nur beschuldigen, nie aber begreifen werden. Sie aber können uns wieder nichts anderes bereiten, als Hemmung, Schuld, Unglück, ja, wenn wir schwach werden, den Untergang."

Jetzt mußte man sich den René Stangeler ansehen. Er war aus der embryonalen Form sozusagen in die aufgeschlossene, rein empfangende übergegangen. Desgleichen hörte auch Quapp zu, hier kam sie offenbar genügend anschaulich mit. Das Bild, das diese beiden Zuhörer zusammen mit dem Sprecher boten, grenzte nahe an's Lächerliche, durch die dreifache physiognomische Verwandtschaft – Ähnlichkeit konnte man's nicht nennen – in einem allgemeinen Sinne: sie gehörten zu der gleichen Sorte von Gesichtern.

Schlaggenberg begann indessen dicker aufzutragen.

„Es gibt aber eine Art von Frauen, die wesentlich zu dieser unserer Generation zwischen zwei Kriegen gehört, und denen aus diesem Grunde die Pflicht erwächst, gleich uns ihre Jugend zu verlängern, oder eigentlich zu einer zweiten Jugend durchzubrechen, zu ihrer zweiten Jugend – und das sind wir."

Niemand war noch recht im Bilde (mich muß ich da ausnehmen, denn mir ahnte bereits Schreckliches, und ich erinnerte mich plötzlich lebhaft an einen gewissen sozusagen verblödeten Gesichtsausdruck Kajetans, den er bei seinem ersten Besuche in meiner Wohnung hier heraußen, noch im alten Jahre, zur Schau getragen hatte, anläßlich einiger ganz sinnloser Zwischenfragen, die er damals tat), aber jetzt wurden selbst die, welche sich bisher gelangweilt hatten – die Glöckner etwa und Höpfner – lebendig.

„Denn was diese Generation zwischen zwei Kriegen braucht, ist nicht das vor den Toren des Lebens mit Ungeduld wartende Mädchen, wartend, bis das Tor aufgeht und dahinter – der gedeckte Tisch sichtbar wird. Nicht diese Fordernden gehen uns an, die uns vom Wege zerren wollen, zu ihren ewig gleichen Zielen. Unsere Zeit ist so sehr aus jedem Gleichgewichte gefallen – auch wirtschaftlich – daß solche Ziele, früher mit Selbstverständlichkeit auf der Wanderung, wenn sie sich boten, mitgenommen, heute nicht ohne Gefährdung der ganzen Lebensaufgabe des spirituellen jungen Menschen verfolgt oder gar erreicht werden können. Vielleicht sind wir auch schwächer. Vielleicht haben wir es nötig, um überhaupt noch die Sprungkraft für eine schicksalhafte Leistung aufzubringen, jede Verbreiterung der Lebens-Basis zu vermeiden, jedes Sich-Festhängen, Verankern, Anlegen –"

Mir kam deutlich zu Bewußtsein, daß er mit Bezug auf Stangeler redete. Denn für ihn selbst konnte doch alles das nur in beschränktem Maße ein Programm bedeuten, er hatte es sozusagen schon hinter sich und war, nach seiner Auffassung, mit einem blauen Auge davongekommen. René hatte bei den letzten Worten Schlaggenbergs eine heftige Bewegung mit dem Kopfe gemacht.

„Was wir brauchen, wir ewigen Knaben sozusagen, das ist die reife Frau, die mütterliche Frau, die älter ist als wir, aber sich entschließt, unsere Jugend zu teilen, sich ebenso zu einer verlängerten Jugend entschließt, wie wir das getan haben, nur nicht so klarbewußt vielleicht, was auch bei ihr von keiner Bedeutung ist. An diese Frauengeneration, die jetzt sich den fünfundvierzig nähert, ist schon in den letzten Jahren eine große Aufgabe herangetreten – aber ich wüßte nicht, daß die Damen davon was bemerkt hätten. In ihren Kram versponnen, haben sie ihre Mission nicht erfaßt. Nämlich uns zu erretten und zu bewahren, die wir, in einer aus den Fugen (aus wahrhaft verstaubten, alten Fugen) geratenen Zeit, unsere Aufgabe über den Wassern des Zufälligen und Beiläufigen haltend, dem Andrange der natürlichen Verknüpfungen nicht gewachsen sind, zumindest durch eine Reihe von Jahren unseres Lebens nicht, bis der Boden einigermaßen fest geworden ist unter den Füßen. Gerade in diesen Jahren aber wird, durch die Nachbarschaft einer beziehungslos im Gegebenen und Gegenwärtigen vegetierenden Mädchengeneration, die nichts hat als – ‚Ansprüche an das Leben‘ (wie sie es zu nennen belieben), namenlose Energie in's Leere geleitet, ich möchte fast sagen: vampyrhaft abgesaugt. . . .“

Einige von uns merkten jetzt schon, wo er hinauswollte, wurden gespannt und begannen sich bei diesen Reden gut zu unterhalten. Daher sprach auch niemand dazwischen, obwohl Schlaggenberg's Redepause dazu genug Gelegenheit bot.

„Die reife starke Frau aber, die Gattin und Mutter schon war, und nach diesen natürlichen Verkettungen nicht mehr unbewußt drängt, wie ein Mädchen – und bei unseren Mädchen, muß ich sagen, handelt es sich unter alledem auch oft noch um den Wunsch nach Legitimierung oder Auslöschung eines vielfältig bewegten Vorlebens! – die reife Frau aber steht diesen Dingen nicht mehr angespannt gegenüber wie ein Student der Doktorpromotion. Sie hat's hinter sich, ihre gesellschaftliche Eitelkeit jappt nicht mehr danach, und da sie endgültig aus jener Gefahrenzone ausgeschieden ist, welche für die Mädchen mit den Schlagworten ‚alte Jungfer‘, ‚altes Fräulein‘ oder ‚sitzen geblieben‘ bezeichnet ist – man komme mir nur ja nicht damit, daß den ‚freien selbständigen‘ girls von heute davor etwa weniger graut wie ihren Urgroßmüttern! – da also dieser Zustand als längst überwunden hinter ihr liegt, kann sie, von dem erreichten festen Fundament ihres Lebens aus, am Ende sogar das mitunter recht Fragwürdige auch dieser Güter endlich ausnehmen. Damit allein schon nähert sie sich unserer bedrängten Jugend, ja sie wird deren Parteigängerin, oder könnte es ganz leicht werden."

Gyurkicz schien jetzt zu einer Zwischenbemerkung ansetzen zu wollen. Glücklicherweise kam es nicht dazu, denn Schlaggenberg sprach gleich weiter. Meiner Schätzung nach hätte er sich damals der Gefahr ausgesetzt, von Quapp geohrfeigt zu werden: so groß war ihre Spannung beim Zuhören.

„Nun aber kommt uns hier noch die Natur zur Hilfe. . . . Es ist eine bekannte Sache, daß viele junge Männer Hinneigung zeigen zu weit älteren Frauen, ja, geradezu an diesem Typ des reifen, starken Weibes besonderen Gefallen finden. Natürlich kann hier von einer Regel nicht die Rede sein. Aber diese Sache liegt doch irgendwie in der Blickrichtung einer, ich möchte sagen, eher – knabenhaft gearteten Liebe. Und wenn ich sage ‚stark', so meine ich das eigentlich nicht nur im übertragenen oder metaphorischen Sinne." (‚Na also', dachte ich.) „Nein, ich denke dabei wirklich an eine irgendwie mütterliche, mächtige Frauentype, an die allerweiblichste Frau, an das äußerste Gegenstück aller unserer jungen Damen, an eine – üppige Frau, um es gerade heraus zu sagen. Und nun kommt etwas Seltsames, nämlich ein seltsamer Gedanke, den ich hatte, es ist ja vielleicht auch wirklich zu dumm . . . mir schien, wir alle, die wir doch auf solch eine Art jung und ‚unreif' geblieben sind, wir müßten, sollte ich meinen, unsere frühen Neigungen wohl irgendwo noch verschüttet in uns tragen, wir müßten die Liebe zum reifen Weibe wieder in uns entdecken, auf irgend eine Weise, um diese Liebe als ein Vehikel zu gebrauchen, das uns aus jener ganzen Zone führt, wo sinnlose Verwicklungen möglich sind. . . . Wir müßten fähig werden, einen körperlichen Abscheu zu fassen gegen diesen heutigen Mädchentypus, gegen das Harte, ‚Denaturierte', Flechsige und Muskulöse dieser Geschöpfe, gegen die Annäherung an das Männergeschlecht, welcher dieser ganze Typus nachgerade schon unterliegt, bis zu dem Grade, daß in die Liebe ein – beinahe päderastischer Zug kommt. . . . Wir müßten diese ganzen Erscheinungen geradezu als ein Warnungszeichen empfinden lernen und, wo sich dergleichen zeigt, wissen, daß hier der ewigselbe Brei von Heirat und Familiengründung uns zur Abwechslung in einer Maske angeboten wird, die höchst forsch ist –"

Jetzt schoß aber Gyurkicz wirklich den Vogel ab: „Werden uns also eine Waage anschaffen, jede Dame wiegen, natürlich nur solche mit mindestens fünfzig Jahren – und wenn sie nicht über neunzig Kilo hat – pchttt! – weg damit."

Das Gelächter, welches nun einsetzte, entwaffnete sogar Quapp, und auch sie lachte mit. Ich für mein Teil aber lachte gleich in einem auch über die höchst umständliche Art, in welcher Schlaggenberg hier auf – Grete Siebenschein losging. Welche Mühe! Hätte er sie nur gekannt! Denn mit seinen hageren Sportgirls, die er so gehässig skizzierte, hatte Stangelers Geliebte wenig gemeinsam. Muskeln und Sehnen besaß sie, glaube ich, überhaupt nicht. . . . Tatsächlich meinte ich damals, daß es sich bei ihm ausschließlich um Stangeler und diese Person handelte, und der Gedanke lag mir eigentlich noch fern, er könnte sein Programm auch sozusagen am eigenen Leibe erproben wollen. . . .

Als die erste Heiterkeit abgeschäumt war, fand sich aber überraschend viel Zustimmung für Schlaggenberg. Sogar Neuberg pflichtete eifrigst bei, was mich einigermaßen seltsam berührte. Höpfner sagte in seiner säuerlich-verschämten Art ‚hat schon was für sich – na ja!‘, aber ich hätte ihm dafür gern einen Klaps versetzt, denn ich konnte mir sehr wohl denken, was den Guten bei alledem allein bestechen mochte. Quapp nickte immerfort.

Indessen war das Stubenmädchen eingetreten und begann am Samowar eine ganze Reihe von Gläsern mit Grog aufzustellen, und neben ihr war der Rittmeister mit dem Öffnen von Flaschen umsichtig beschäftigt.

„Kurz zusammengefaßt", sagte Schlaggenberg jetzt, und das allgemein sich ihm zuwendende Gehör schien mir doch zu beweisen, daß seine Worte irgendwelchen Eindruck gemacht hatten, „kurz zusammengefaßt: dem Manne von morgen – die Frau von gestern. Nicht das Girl von heute!"

Eben waren die Gläser verteilt worden. Eulenfeld ergriff das seine, wandte sich von der Anrichte weg zu uns und rief:

„Hoch die dicken Damen!" und hob das Glas.

„Hoch die dicken Damen!" schrieen jetzt alle, bei schon da und dort wieder ausbrechendem Gelächter, die Glöckner lachte besonders herzlich und sagte ein über das andere Mal: „Ich muß meine Turnschule zusperren!" Sie war eine gute Person und störte unsere Späße nie.

Gegen Mitternacht ging ich mit Eulenfeld weg. Es war kalt, und der Schnee gab beim Gehen einen trockenen Ton. Wir hatten ein paar Gassen gemeinsamen Heimweges. „Da fällt mir ein", sagte er, „daß unser René damals bei meinem verdammten ‚Troupeau' ganz gut hätte auch der Frau Titi Lasch begegnen können; sie hat schon längst wieder einmal mitkommen wollen, und hätt' es damals wohl auch können, weil jener Lasch sich auf einer Geschäftsreise befand; nur vermied ich's dann, als ich Stangeler mal dabei hatte, und ließ ihr nichts sagen. Schade. Auf solche Art wäre ihm die Verbindung zweier Welten schon damals augenfällig und kohlensauer demonstriert worden. Hmm."

„Grete Siebenschein als sehniges Sportgirl fand ich erheiternd", entgegnete ich ihm.

„Weiß nicht, ob's ganz so gemeint war. Wenn – dann hat er sanft vorbeigehauen. Glaube das übrigens nicht. Wollte wo anders auch noch raus. Hat mir vorlängst schon mal so was auseinandergesetzt, von den dicken Weibern, na und in der Weise eben. Feiner Sparren. Hat übrigens allerlei Meriten auch, der Gedanke."

Ich schwieg und hing meinen Gedanken nach. An Eulenfelds Haustor wünschten wir uns gegenseitig eine gute Nacht. Das Tor klappte, und ich ging allein auf dem knirschenden Schnee weiter.

Nun wohnte ich bald ein halbes Jahr schon heraußen in dieser über die Stadt erhobenen Gegend, wo die Abende rot und breit an den freien Himmel gespiegelt standen, während man drinnen, in den geschlossenen hochstöckigen Häuserzeilen, das bloße Ergebnis zu spüren bekam: nämlich daß es nötig wurde, im Zimmer das Licht einzuschalten. Und wer hier aus seiner Gasse sah, die ja meist nur aus einzelnen und verstreuten Häusern bestand, der konnte rückwärts etwa schon Telegraphenstangen in ein fast offenes Gelände hinausführen und gegen den Himmel stehen sehen, der, wie von einer immerwährenden Abendröte, auch längst nach Sonnenuntergang noch entzündet war vom rötlichen Widerscheine der Großstadt. Man sah weit, beinahe aus jedem Fenster. Das Auge stürzte in ein Kissen von Dunkelheit, die bei genauerem Hinsehen sich zerlegte, entlang einer sanftgeschwungenen Linie: Nachthimmel und Berg. Man sah weit drüben die Lichter von Villen, übereinandergereiht an den Hängen. Man sah keine endlos gleichen Reihen elektrischer

Straßenlampen zwischen endlos gleichen Reihen von Häusern. Vielmehr war hier alles verstreut; und einzelweise, fast dörflich, erwachten nach gesunkener Dunkelheit die Fenster des Stadtteils.

In diesem Frühling also sollte es ein halbes Jahr werden, und doch, so schien mir, hatte mein eigentlicher Aufenthalt hier eben erst begonnen ... ich lebte auch mehr heraußen, denn anfangs. Auch bei mir hatte sich, unvermutet, ein Wandel vollzogen, und ich hatte Geleise früheren geselligen Verkehrs, im Stadtinnern dort unten, nun fast ganz veröden lassen.

Solches, und anderes dieser Art, kam mir auf meinem einsamen Wege zu Bewußtsein. Ich blieb stehen. Die Straße erhob sich hier, mit einer Biegung, auf die Flanke eines Hügels und zu freier Aussicht. Ich sah hinab und hinaus, und hatte, sehr entgegen meinem sonstigen Wunsche, stets abseits zu stehen in unserem schnell entstandenen Kreise – dessen geschlossene Figur man jetzt gewissermaßen verblüfft in's Auge faßte, wie alles, was unmerklich und plötzlich zugleich aus dem Leben sich bildet – entgegen meinen sonstigen Wünschen also fühlte ich hier, unter dem dunklen Nachthimmel und im schwach leuchtenden Schnee, Ort und Menschen da unten wie eine neue engere Heimat, deren schicksalhaften Bewegungen man verbunden bleibt.

9

Ein entzückendes Konzil

Die Stadt begann sich in einen grünblauen Abend zu hüllen. Oben, zwischen den Dachkanten der Häuser, hing ein letzter Block Sonnenlichtes schräg in den noch winterlichen Nebel herein, aber diese fast befremdliche Botschaft von dem Vorhandensein des freien Himmels schmolz zusehends weg und war im Verschwinden. Die zahllosen Fahrzeuge tuteten und lärmten, seitwärts und oben beschlagen von dem Schein der Bogenlampen. Die Häuser entlang kroch das breite geschlossene Lichtband der sich erhellenden Schaufenster.

Frau Selma Steuermann war heute als erste gekommen und saß in dem betäubenden Lärm des Café's an einem großen leeren Marmortisch in einer der ‚Logen‘ am Fenster. Der Oberkellner traf Vorbereitungen wie zu einer Sitzung, man konnte gleich bemerken, daß heute etwas Besonderes sich im Anrollen befand: denn von allen Seiten wurden die Pariser und Wiener Modejournale von ihm zusammengetragen, leise protestierenden Gästen geringeren Ansehens als jene, die da kommen sollten, unter irgendeinem höflichen Vorwande vom Tische weggeschnappt – und alsbald zu Frau Steuermann gebracht, welche sie verschwinden ließ: teils wurden sie auf einen Sessel neben ihr geschlichtet, wobei ihre ausgedehnte Persönlichkeit die Beute den Augen des übrigen Publikums entzog, teils auch am Fensterbrett hinter dem Vorhange verborgen, oder auch in die Ecke gestellt und an die Wand gelehnt . . . „bis die anderen Damen kommen, haben wir schon alles beisammen, Frau Kommerzialrat", hatte Herr Max, der Oberkellner, beruhigend und in jenem tiefen Einverständnisse gesagt, welches nur auf dem Boden dauernder und solider Trinkgelder gedeiht.

Im Anrollen befanden sich Clarisse Markbreiter, Rosi Altschul, eine Frau Lea Wolf, sowie, gewissermaßen ‚als Gast‘ in diesem Kreise, Frau Thea Rosen, die ‚Madonna‘ genannt (auch heute würde sie wohl, nach Schluß der abzuhaltenden Konferenz, ihren Jüngling wieder irgendwo in sicherer Entfernung treffen!) – nicht aber, zum Glück, erwartete man Frau Irma Siebenschein. Ihr hatte man von diesem Stelldichein gar nichts gesagt, in einem stillschweigenden Übereinkommen; und also versprach ja der Nachmittag ein angenehmer zu werden.

Frau Steuermann schob ein Journal zu den übrigen, aber ihrem Gesicht war dabei unschwer anzumerken, daß sie bei diesen, die Konferenz vorbereitenden, Verrichtungen sich nicht in guter Laune befand: und ihre Bewegung brachte, durch eine stark betonte Mühsamkeit, etwa zum Ausdrucke, daß sie am liebsten ihre Ruhe gehabt hätte, statt hier für die – natürlich verspäteten – anderen Konferenz-Teilnehmer als Journal-Sammel-Stelle Dienst zu tun. Ja, man hätte wieder einmal in der Art Frau Siebenschein's ‚und überhaupt' sagen können. In mancher, in vieler, fast in jeder Hinsicht.

Eigentlich hing der Haken darin, daß Frau Steuermann sehr wohl eine schöne Frau genannt werden konnte. Denn infolge dieses Umstandes wurde sie, zumindest innerlich, immer wieder an eine Front des Wettbewerbes geschoben, innerhalb welcher sie aber, nach den heutigen Begriffen, eine viel zu breite Stelle einnahm, wenn man so sagen darf. Seit jener Familienkonferenz im Jänner hatte Frau Selma übrigens beschlossen, sich an Clarisse Markbreiter moralisch emporzuranken und sie telephonierten jetzt jeden Freitag (dieser war, wie man sich noch erinnern wird, stets Clarissens Wiegetag gewesen) miteinander und meldeten sich gegenseitig ihr Gewicht: denn Frau Steuermann hatte versprechen müssen, gleichfalls jeden Freitag die Waage zu besteigen. Das tat sie auch regelmäßig (zu ihrer Seelenqual) und stand also wöchentlich einmal nackt, weiß und zarthäutig wie ein aus der Muschel genommenes Tier auf dem gerippten quadratischen Trittbrett des Apparates im Badezimmer. Aber wie sahen denn die Ergebnisse aus? Und was wurde denn auf diese Weise schon erreicht? Ja, wie waren diese Ergebnisse?!

Frau Clarisse Markbreiter (Kilogramm)	Frau Selma Steuermann (Kilogramm)
76.2	87.5
76.2	87.4
76.1	87.2
76.2	87.3

Frau Clarisse Markbreiter (Kilogramm)	Frau Selma Steuermann (Kilogramm)
76.3	87.8
76.2	88.0
76.1	88.1
76.2	88.3

Genug! Sie schob den Zettel mit ihrer kleinen Tabelle der Kümmernis unwillig zurück in's Täschchen. Diese dummen Weiber ließen heute wieder einmal lange auf sich warten! Was sie wohl schon alle Wichtiges zu tun hatten?

Frau Selma hatte nichts zu tun, sich um niemanden zu kümmern: eine kinderlose Witwe.

Indessen war draußen die Dunkelheit ganz herabgesunken, die zahllosen Lichter traten scharf aus ihr hervor und schlugen ihre breiten Lücken hinein. Frau Selma liebte den Blick auf die Straße, die eilende, bewegliche, und was ihr dabei, in ihren verträumten Augenblicken (und das waren doch wohl die meisten) durch den Kopf ging, wies eine gewisse Einheitlichkeit auf, zog in die gleiche Richtung, wie Wolkenstreifen unter ein und demselben Wind, und trieb meist auf die gleiche Stelle am bescheidenen Horizont ihrer Wünsche zu. Es gab zum Beispiel auf der Straße dann und wann eine gewisse Art von Menschen zu sehen, die auf Frau Steuermann immer den Eindruck machten, als stäken sie, unterhalb ihrer breiten Schultern, in einem Korsett von Stahl, und als müßten sie in ihren unwahrscheinlich schmalen Hüften Schnellkräfte haben, die ihnen Sprünge ermöglichen könnten – fast wie ein Gummiball springt. So fühlte sie es. Traf sie ein Blick, dann kam sie sich dumm vor. Sie pflegte in solchen Fällen sofort besonders hochmütig dreinzuschauen.

Inzwischen ging ein Kellner von Fenster zu Fenster und schob vermittelst einer Stange, an welcher in geeigneter Weise ein Haken angebracht war, überall die Vorhänge zusammen. Die kleinen Metallringe oben klapperten, die Falten schwangen, und als der Mann bei Frau Steuermann angekommen war, schloß er auf solche Weise den Horizont ihrer schweifenden Träume ab. Im Café herinnen war allenthalben eine Unmenge von Licht aufgeflammt, teils in kleinen elektrischen Kandelabern über den einzelnen Plätzen, so weit diese an den Wänden lagen, teils auch in riesigen Milchglaskugeln an der Decke, welche über den mittleren Tischchen leuchteten. Das mächtige Gesumme der Stimmen, in der Nähe kreischend, in der Ferne dumpfer klingend, war noch mehr angeschwollen. Frau Steuermann griff nach einer Zeitung, schlug den Modeteil auf und las:

,ERNST, ABER NICHT HOFFNUNGSLOS.'
Modewinke für stärkere Frauen.

,Wenn man die vielen neuen Kollektionen gesehen hat, die bei jedem Saisonwechsel mit aller Feierlichkeit, die einem solchen Ereignis gebührt, gewissermaßen aus der Taufe gehoben werden, so bleibt, wenn die gebührende Begeisterung gewichen ist, eine bange Frage: Haben die stärkeren Frauen überhaupt noch eine Existenzberechtigung? Trotz aller tröstenden Versprechungen wird die Linie immer schlanker, immer gerader, und es scheint, als wäre sie überhaupt nur mehr für Filmstars erdacht, die täglich ihr vorgeschriebenes Quantum Orangensaft und Paradeissalat essen und jede halbe Stunde ihr Gewicht kontrollieren. Es gibt aber viele Frauen, die wichtigeres zu tun haben, oder denen der Arzt ein solches Hungerdasein nicht erlaubt. Sie müssen nicht gerade unförmig sein, aber sie haben immerhin Körpermaße, die den Modeschöpfern bereits uninteressant sind.

Bei einigem Überlegen und ein wenig Geschicklichkeit ist es natürlich möglich, solche Klippen zu umschiffen und im Rahmen der herrschenden Mode solche Modelle anfertigen zu lassen, die sich von den ganz auf ,Linie' eingestellten Schaffungen durch bewußte Kleinigkeiten unterscheiden. Natürlich muß die Trägerin selbst zunächst ihre ,wunden Punkte' kennen, denn es ist ein wenig gewagt, sich ganz auf die Schneiderin zu verlassen. Vor allem eine ernste Mahnung: Man lasse sich nicht von vorgeführten Modellen verführen, selbst wenn das Herz auch bricht. Auf einer Einser-Größe wirkt alles anders, gewissermaßen idealisiert, und die Probierdamen, diese wandelnden Wunschträume der eleganten Frauen, haben in den Augenblicken, in denen sie an uns vorbeiwandeln, auch nicht so viele Bewegungen zu vollführen, wie wir, wenn wir ein Kleid längere Zeit tragen. Man lasse sich also nicht verführen und erkenne sich selbst. Das ist der unbedingt notwendige Leitspruch einer Frau, die über 65 Kilogramm wiegt.'

(65? – zum Lachen! dachte Frau Steuermann.)

‚Besonders gefährlich sind Farben, und die Mode dieses Jahres bietet leider nur allzu viele Verlockungen. Schwarzweiß, die noble Zusammenstellung, Braun, Blau, Grün in dunkleren Tönungen, ist ratsam, aber nur nicht Rot, das macht schrecklich stark! Tupfen sind nur klein, Streifen nur schmal zu wählen und möglichst der Länge nach zu verwenden. Die hohe Taille ist sehr ungeeignet für stärkere Frauen. Man mache lieber einige Einnäher in der Gürtelgegend und begnüge sich mit einem schmalen Band.'

Nun, das hätte ihr schon genügt, der Frau Selma. Aber im heurigen Frühjahr kam ja noch etwas geradezu Fürchterliches hinzu. Sie empfand plötzlich eine peinliche Beengung bei dem Gedanken, daß nun jeden Augenblick ‚die anderen' kommen konnten. Gewiß würde davon gesprochen werden . . .

Vor solchen unangenehmen Ausblicken flüchtete sie nunmehr auf eine von ihr seit langem bevorzugte Insel der Unterhaltung, mit welcher für sie stets kleine und gelinde Schauer verbunden waren: sie schlug nämlich den Annoncenteil der Zeitung auf – heute war er ziemlich reich beschickt – und begann die Rubrik ‚Korrespondenzen' zu lesen.

Die Schauer waren angenehm (Möglichkeiten, die sich immerhin da und dort eröffneten, leuchteten in der Tiefe eines geheimnisvollen Hintergrundes) und der Standpunkt, daß sie ja solche Lektüre wahrhaft nur zum Spaß treibe, war wie ein bequemer Fauteuilsitz im Theater, der in jedem Augenblicke ein überlegenes Sich-Zurücklehnen erlaubte.

Freilich, ein gewisses ewiges Einerlei konnte Frau Steuermann dabei schon ärgern, etwa:

38jähriger Herr sucht ehrbar
liebe, hübsche, schlanke, moderne Kameradin, bis 28 Jahre, für Weekendsport
und Unterhaltung. Ausführlich unter
‚Sternbild 3087' an die Administration
des Blattes.

Oder es hieß:

Mit hübscher
vollschlanker junger Dame, Eigenheim,
sucht ehrbar diskrete Freundschaft Herr,

Mitte der Fünfzig, groß, fesch, noch sehr
rüstig, öfter in Wien. Nur sehr ernste
Anträge mit Bild, welches sofort retour-
niert wird, erbeten unter ‚Seriös 3389'
an die Administration ...

‚Sehr ernst – seriös', dachte sie ärgerlich. ‚So ein alter Esel
möchte noch jungen Mädchen nachlaufen. Für den würde doch
schon was anderes passen.'

Nun kam die folgende Einschaltung:

Eleganter junger
Mann, blond, schlank, sympathische Erscheinung, sucht ehrbare Bekanntschaft
mit reifer, unabhängiger Dame. Unter
‚Seriös 2675' ...

‚Schon wieder seriös!' dachte Frau Selma. Sie las die Anzeige noch einmal, ihr Blick suchte unwillkürlich das Bild der
Straße, wurde aber durch den Vorhang weich und dicht abgefangen. ‚No, was der will, ist übrigens klar', dachte sie, ließ
das Blatt ein wenig sinken und sah vor sich hin. „Was lesen Sie
denn da Interessantes, Frau Kommerzialrat?" sagte plötzlich
Rosi Altschul neben ihr und versuchte ihr appetitliches Schnäuz-
chen an Frau Selma's ausgedehnter Persönlichkeit vorbei in das
Blatt zu stecken. Frau Steuermann beging zwar nicht den Fehler, irgendeine Ausrede zu gebrauchen – etwa, daß sie ein Stubenmädchen suche und deshalb gezwungen sei, den Anzeigen-
teil zu lesen – aber es war doch nahe an dem, daß sie sichtbar erschrocken wäre (und sonst war sie nicht leicht aus ihrer Ruhe zu
bringen). Immerhin legte sie langsam und nachlässig, und dabei das Aufgeschlagene geschickt verblätternd, die Zeitung beiseite. „Erlauben Sie, Frau Kommerzialrat, daß ich Ihnen Frau
Doktor Mährischl vorstelle", sagte jetzt die kindliche Rosi und
wies auf ihre Begleiterin, eine rundliche, dunkle und recht kleine
Frau mit brauner Haut. Nach Erledigung der Zeremonien nahmen die beiden neuangekommenen Damen Platz.

Frau Dr. Martha Mährischl hatte ein ganz nettes Gesichtchen,
gleichwohl wirkte sie nicht eben angenehm. Nach einiger Betrachtung wäre man leicht dahintergekommen, was hier störte:
ihre Augen waren zu klein und zu beweglich, sie glichen fast
denen einer Maus.

„Nun wie geht's, liebe Frau Direktor?" fragte Selma Steuermann mit ihrer weichen dunklen Stimme. Rosi rückte ein wenig auf ihrem Platze herum. Neben ihr löffelte Frau Mährischl das turmhohe Schlagobers von der Schokoladen-Tasse, wobei sich zeigte, daß ihre Händchen, deren eines mit gezierter Bewegung und seltsam weggespreiztem Finger das Löffelchen hielt, bräunlich, sehr klein und auffallend mager waren, während das Gelenk, damit verglichen, schon wieder in einer rundlichen Manschette von Fett stak. „Hat Ihr Mann noch immer so viel zu tun?" fragte Frau Steuermann weiter. „Ja", sagte Rosi Altschul, „das ist es eben. Vor sieben Uhr abends kommt er überhaupt nicht mehr los, und neulich, als ich ihn vom Büro abholte, da war noch immer große Konferenz, mit diesem Franzosen, das Geschäft hat um Neujahr begonnen – er ist ja froh, mein Mann, über die viele Arbeit, aber ich sage, er sollte sich schon lange einmal erholen, heuer im Sommer gehen wir übrigens bestimmt nach Gastein. Wo bleiben denn die anderen Damen? Kommt Frau Wolf? Denken Sie, die Rosen hab' ich neulich mit einem feschen Menschen gesehen, die verstehts, sich das Leben schön zu machen, na sie ist ja eine hübsche Frau, Kinder hat sie keine und ihr Mann ist jetzt auch schon vier Jahre tot. Sie ist übrigens viel schlanker geworden."

„Haben Sie schon die Frühjahrsmodelle gesehen, Frau Kommerzialrat?" wandte sich Frau Mährischl an Selma Steuermann. Ihre Art zu sprechen war respektvoll und höflich, und vielleicht wollte sie damit sogar ein wenig unterstreichen, daß sie die Jüngere sei. Aber die Stimme war kalt, hoch und scharf. Diese Frau hatte auch irgend etwas Hartes in ihrem Gesicht, und Frau Selma spürte das in der Tiefe ihres Gemütes.

„Ja – hab' schon alles gesammelt", sagte sie gutmütig lachend, und legte die Stöße von Modezeitschriften, einen nach dem anderen, auf den Tisch, „aber Modelle hab' ich mir noch keine angesehen. Hat denn das für mich einen Sinn? Diese Sachen sind doch alle auf ganz andere Figur gearbeitet, wie weiß ich denn, wie das auf mir aussieht?" und sie lächelte nochmals.

„Gut –", sagte Frau Mährischl – sie wiegte immer, bevor sie sprach, ein paar mal den Kopf hin und her – „aber das muß eben dann meine Schneiderin treffen, das muß eben dann entsprechend verändert werden."

„Ja sehen Sie, Frau Doktor" – Selma Steuermann reichte ihr über den Tisch die von ihr früher gelesene Zeitung – „da ist so ein Artikel, ganz gut."

Frau Mährischl las mit raschen Augen. Als sie zu der sozusagen kritischen Stelle kam („Man lasse sich also nicht verführen und erkenne sich selbst. Das ist der unbedingt notwendige Leitspruch einer Frau, die über 65 Kilogramm wiegt'), lachte sie kurz auf und sagte wegwerfend „starke Übertreibung" und dann „ich hab' fünf abgenommen, seit Neujahr, jetzt sind's gottlob nur mehr $63^1/_2$. Was sagen Sie übrigens dazu, Frau Kommerzialrat, daß die Röcke kürzer werden, fast kniefrei?"

Nun war's heraus. Das gefürchtete Thema war angeschlagen.

„Was ich dazu sage?" antwortete Frau Steuermann – aber plötzlich, in der höchsten Not, bemächtigte sich ihrer eine ganz vollendete Gleichgültigkeit, auch dieser Person da gegenüber, von der scheinbar nur unangenehme Wirkungen ausgingen. Sie sagte also:

„Kommt ja bei mir gar nicht mehr in Frage."

„Na ja", sagte Frau Doktor Mährischl.

Dieses ,na ja', welches Frau Steuermanns heroische Selbstenttäuschung etwa so hinnahm, wie die Feststellung einer auf der Hand liegenden Tatsache, eine Feststellung, die damit als eigentlich schon überflüssig beiseite getan ward, dieses ,na ja' ging der Frau Steuermann denn doch über die Grenzen ihrer ziemlich weitherzigen Duldung. Aber was sollte sie tun? Schlagfertigkeit war ihre Sache nicht. Glücklicherweise erhielt die Lage eine Wendung durch das Eintreffen weiterer Damen: Frau Clarisse Markbreiter kam mit Frau Lea Wolf, und hinter diesen flatterte Clarissens Tochter, die reizende junge Ehefrau Lily Kries. Nun war die Versammlung bis auf Frau Rosen vollzählig, und der Tisch bald bis zur letzten Ecke mit den aufgeschlagenen Modeblättern bedeckt. Von nun an sprachen auch mindestens zwei Damen gleichzeitig (Frau Steuermann möchte ich dabei ausnehmen) und daher läßt sich diese Unterhaltung schwerlich genau wiedergeben ...

„... Crêpe-Satin ... sehen Sie, dieses da ... nein Mama, das ist nichts für dich ... das Band möglicherweise schmäler ... es kommt halt drauf an, was jemand für Beine hat (Mährischl) ... warum? ... kniefrei kommt ja nicht in Frage ... hier müßten die Einnäher sein ... der Busen kommt zu stark heraus auf diese Art, Mama, ... was Sie nicht sagen!? ... alles auf Taille ... wo man doch jetzt nicht mehr das große Mieder ... wo bleibt denn Frau Rosen? ... die wird's schwer haben ... alles hat seine Grenzen, schließlich... Sechziger Größe... hahaha, Sechziger Größe, sehr gut! (Altschul) ... einen Augenblick, eben vorhin war doch da dieses eine Modell ...‟

Bei guter Gelegenheit verflüchtigte sich nunmehr, nachdem das Grundsätzliche und Notwendigste erörtert war, Frau Lily Kries. Sie war also kaum eine halbe Stunde geblieben.

Nicht lange danach landete Frau Thea Rosen, die ‚Madonna'. Sie sah entzückend aus. Üppig, glaszart, ein Stumpfnäschen, ein Mündchen wie ein kleines rotes Näpfchen voll Süßigkeit, eine Wolke von äußerster Gepflegtheit und Glätte. Sie war ausgezeichnet angezogen, und so scheint's der Mühe wert, die Fassade genauer zu beschreiben: da haben wir als Hut eine kleine Toque von feinstem braunen Filz (solé) rechts heruntergezogen und mit einem kleinen, dünnen Reiher in derselben Farbe garniert, ein ganz zarter, durchsichtiger, am Hute anliegender Federpinsel. Frau Thea hatte sich's wohl in den Kopf gesetzt, den kommenden Frühling leicht anzudeuten oder heute nachmittag als dessen Botin hier zu erscheinen, und deshalb haben wir nicht von Silberfüchsen zu berichten (die wir etwa acht Tage vorher zum grauen Shetland-Kostüm bei ihr noch hätten bemerken können), sondern sie trug zwei Blaufüchse zu ihrem braunen Jackenkleid, deren Farbe mit dem Fachwort ‚beige' anzugeben wäre, somit etwa sandfarben. Diese Füchse waren, versteht sich, rückwärts zwischen den Schultern gekreuzt. Über das Kostüm heraus stieg die Bluse von rosa Crêpe-Satin; zur genaueren Bezeichnung dieser Farbe gibt es das Fachwort ‚Patou-Rosa'. Der Schnitt oder die ‚Façon' dieser Bluse war in der Gegend des Halses ähnlich wie ein Schal beschaffen, also hoch hinaufreichend, wodurch das Madonnengesicht zu guter Wirkung kam. Von den Strümpfen ist zu sagen, daß sie völlig hautfarben waren, und die winzigen, ein wenig fetten Füße – Patschfüßchen könnte man sie benennen, etwa wie man ja auch Patschhändchen zu sagen pflegt – diese Füßchen also staken in braunen Krokodilleder-Schuhen, ‚Kroko-komplett' versteht sich, keinerlei anderes Material, etwa Einsätze oder dergleichen! Handschuhe von Sämischleder und die ziemlich große Tasche waren natürlich von derselben Farbe, beige, wie die

Füchse. Diese Tasche jedoch zeigte an, daß Frau Rosen nicht nur kommende Jahreszeiten in jeder Hinsicht ahnte, sondern viel weiter voraus sah, nämlich in noch an fernen Horizonten stehende Epochen der Mode: ein großer Nickelbügel an ihrer Tasche erweist sie als Prophetin.

Sie und Frau Lea Wolf (die Gattin eines Arztes) waren unstreitig die anziehendsten Frauen des ganzen Kreises, wobei man natürlich von der jugendlichen Lily absehen muß und besonders auch von Frau Steuermann: diese stand ja, nach den geltenden Begriffen, sozusagen außerhalb des Bereichs der Wertungen (wegen des früher erwähnten allzubreiten Frontstückes, welches sie im weiblichen Stellungskriege einnehmen mußte, und eben das bedeutete ihre Niederlage). Wenn jemand aber von diesen Wertungen, die ja seit langem schon wirksam genug waren, um sogar Wunschrichtung und Natur des Menschen umzubilden, unberührt gedacht werden könnte – einem solchen Manne wäre Frau Selma als das prachtvolle Weib erschienen, welches sie in Wirklichkeit war. Und ein solches Auge hätte auch gerade sie allen anderen vorgezogen. Denn ihr Kopf gehörte einfach einer besseren Kategorie an, als alles, was man sonst hier erblicken konnte, sah aus wie eine ganz entzückende Importe aus dem hier ja so nahen Osten, und was den Ausdruck des Gesichtes betraf, so zeigte sich darin so viel Gütiges, Anziehendes und eine so herzlich warme Lustigkeit, daß Gesichter wie jene der Damen Markbreiter, Altschul, Rosen oder gar Mährischl entweder, damit verglichen, sich geradezu leer ausnahmen, oder aber voll bedenklicher Züge bis zur Schärfe, und letzten Endes unedel.

Einen Fall für sich bildete jedoch Frau Wolf.

In ihr war diese Schärfe offen zutage liegend, ganz vor allem anderen. Dieses Gesicht war im höchsten Grade wach; sein Ausdruck, durch eine am Nahen und Nächsten stets und ohne Hemmung tätige Intelligenz markiert, bewegte sich stets an der Grenze einer sozusagen ganz ungeheuerlichen Unverschämtheit. Dabei aber fehlten bei dieser Schärfe alle vorspringenden und in's Auge springenden Merkmale derselben – und es gab hier nichts von der Art, wie es etwa bei der mit ihren Dienstboten redenden Frau Markbreiter oder gelegentlich auch bei Grete Siebenschein beobachtet werden konnte. Waren hier starke oder zumindest in ihren Formungen sehr entschiedene Nasen zu sehen gewesen, ein unter Umständen geradezu vogelartiges Vorschnellen des Kopfes, oder ein die Augen, wenn auch ganz leicht, aus den Höhlen drängender Blick – hier gab es von alledem nichts. Das Gesicht war sozusagen eher nach innen gewölbt und die Nase bildete einen recht unbedeutenden Teil des Ganzen: sie war leicht eingesattelt und ein klein wenig breitgequetscht. Gleichwohl war Frau Lea hübsch zu nennen, zumindest aber sehr reizvoll. Dieser Reiz war ein scharfer, ein saugender Reiz. Sie war immer lustig und hatte schnelle graue Augen. Nie aber wurde sie ausfallend in ihren Bewegungen des Kopfes oder der Glieder. Ihre große und wohlgeformt-üppige Gestalt war die beste von allen diesen Frauen, einschließlich der übrigens sichtlich kurzbeinigen Thea Rosen. Frau Wolf hielt sich würdevoll, und es war eine gewissermaßen trocken auf sich beruhende Würde, die alle Dinge an sich herankommen ließ. Jedoch ein tieferes Staunen oder gar Erschütterung wären in diesem breitgedrückten Antlitz schlechthin undenkbar gewesen, dem Gesicht fehlten einfach die Ausdrucksmittel hiefür. Daher denn der Eindruck eines Abgrundes von Frechheit, der sich unmittelbar hinter Frau Lea's Antlitz zu öffnen schien.

Ein aufmerksamer Lauscher hätte, etwa von einer der benachbarten Polsternischen her, nach ungefähr einer Stunde bemerken können, daß die Modenkonferenz – im Grunde ein teils vorsichtiges, teils von leichten Ausfällen durchsetztes Lavieren um die Tatsache der kürzeren Röcke, übrigens eine allen Ernstes für diese Damen wirklich katastrophale Tatsache! – ein aufmerksamer Lauscher also hätte um jene Zeit schon herausgehört, daß diese Konferenz da und dort bereits von anderen Gesprächsgegenständen unterbrochen wurde, wenn auch an diesen Unterbrechungen nicht immer der ganze Tisch teilnahm, vielmehr dessen sachliche (und allzu menschlich unsachliche) Konferenzarbeit meist noch die Oberhand behielt.

„Ich hab ihn doch mit eigenen Ohren über die Grete schimpfen gehört!" sagte Frau Markbreiter zu Rosi Altschul, „auf der Straße noch dazu. Na hören Sie! Und wie! Irgend einem Menschen hat er da alles Mögliche erzählt . . . ich wäre glatt vorbeigelaufen, aber da hör' ich gerade den Namen . . ."

„Mit wem ist er denn da gegangen?" erkundigte sich Rosi.

„Ja, wenn ich das wüßte. Ein Herr. Irgendwie ist mir der Mensch sogar ganz bekannt vorgekommen, aber entfernt – hab' mich nicht auf den Namen besinnen können. Ich glaube, vom Bridge, wo auch der Siegfried manchmal spielt. Übrigens bin ich absichtlich stehen geblieben und hab' mich umgedreht. Denn, so hab' ich mir gedacht, vielleicht erkennt dich dieser Herr Baron wieder. Hat aber nichts bemerkt, nur geredet und geredet. Den Herrn Stangeler hab' ich übrigens noch verhältnismäßig selten gesehen – so im Vorzimmer oben, bei der Irma, ein oder das andere Mal – wusch – vorbei. Der geht einem ja aus dem Weg. Hat kein gutes Benehmen, dieser Bursch. Ich hab ihr schon oft gesagt, der Grete, sie soll ihn doch bringen, wenn die Verwandten da sind, daß sie ihn anschauen können, aber das erreicht sie nicht. Damals war ja wohl der Siegfried dort, wie dann der Krach war. Und gerade am nächsten Tag seh' ich den Burschen. Hab's natürlich der Irma erzählt, sie soll nur wissen, wen sie im Haus hat."

„Und er hat sie wirklich geschlagen?"

„Ja. Das arme Mädel war einfach – na, fertig war sie einfach, sag' ich Ihnen."

„Und doch haben sie sich wieder versöhnt?"

„Na ja, das ist es ja eben, diese Unverantwortlichkeit von den Eltern! Nie würde ich das zugeben. Da wird nichts Gutes draus. Aber am selben Abend hat er sie ja noch angerufen! Sie soll wieder gut sein, und um Verzeihung gewinselt, und so. Aber damals ist die Grete noch fest geblieben am Telephon, hat mir später die Irma erzählt. Und ich hab' der Irma auch gehörig die Leviten gelesen, gleich am Dienstag damals nach dem Krach, wie ich dann den Burschen auf der Straße hab' schimpfen gehört, bin ich schon oben gewesen . . ."

„Na ja, wenn er schimpft nach einem Krach, ich meine, das kann man noch verstehen . . ."

„Aber erlauben Sie mir!? In dieser gemeinen Weise, und zu einem fremden Menschen! Die Worte hätten Sie hören sollen!"

„Schrecklich. Und wann ist es also wieder zur Versöhnung gekommen damals?"

„Keine vierzehn Tage hat's gedauert. So geht das immer wieder. Gebettelt hat er, zehnmal angerufen, und bei Nacht unten in der Gasse gestanden . . ., warum benimmt er sich nicht besser, wenn er sie schon so liebt?! Mit dem Burschen ist irgendwas nicht ganz richtig, da, meine ich", (sie tippte an die Stirn) „das hab ich der Irma auch gesagt. Was für Sorgen die Leute haben mit dem armen Mädel! Und abgesehen davon, ist dieser Mensch sonst auch noch unangenehm. Sie wissen doch, der Lasch, der Mann von der Jüngeren, von der Titi, der ist groß in Geschäften, ein bedeutender Mensch. Warum soll er nicht bei seinen Schwiegereltern in der Wohnung oben eine Besprechung mit einem Geschäftsfreund abhalten, notabene, wo er doch mit erstklassigen Leuten zusammenarbeitet? Er hat also einen hinauf eingeladen, ein hohes Tier glaub' ich, also jedenfalls wichtig für ihn. Bei der Titi ist die Wohnung nicht in Ordnung gewesen, weil sie das Badezimmer ganz neu einbauen lassen, die Installateure haben noch gearbeitet, na und so . . . Jetzt stellen Sie sich vor, der Cornel spricht oben bei der Irma mit diesem Herrn, sie sind beide mitten im Reden – die Irma hat ihnen im Musikzimmer einen Tee servieren lassen, weil es doch der beste Raum ist in der Wohnung – jetzt stellen Sie sich vor, mitten im Reden bemerken sie, daß nebenan jemand mit Papieren raschelt in der Grete ihrem Zimmer, wo man doch geglaubt hat, die ist gar nicht zu Hause. Die Irma hat dem Cornel vorher gesagt und, glaub ich, sogar versprochen, daß vorne niemand in der Wohnung sein wird. Wer sitzt also dort an der Grete ihrem Schreibtisch – der Herr Stangeler. Tut, als ob er zu Hause wäre, schreibt irgendwas, seine Verrücktheiten halt – übrigens, ich bitte Sie, was kann man schon wissen? Wirklich – ich meine nur, er hätte da auch jedes Wort von nebenan mitschreiben können. Diese Mizzi, das blöde Küchentrampel, was die Irma gehabt hat – überhaupt hat sie gar keine gute Hand für diese Leute! – die Mizzi also hat natürlich dem Herrn Baron untertänigst geöffnet, schon zwei Stunden früher; der läßt sich da bequem nieder, auch wenn die Grete nicht daheim ist, und das Trampel, die Mizzi, sagt der Irma überhaupt kein Wort, sondern zu ihm nur immer ‚küß' die Hand, Herr Baron' – vor dem Menschen hat sie Respekt, auf was hinauf möcht ich schon wissen, aber sonst ist sie frech wie eine Wanzen. Mit diesem Stangeler – das ist mir ungemütlich. So ein – fremder Mensch. Ich weiß ja nicht, was die beiden Herren zu sprechen gehabt haben, immerhin, schau'n Sie, es ist doch auffallend. Und wie peinlich für die arme Irma . . .“

Allmählich wurden die Modeblätter auf zwei leere Stühle beiseite gelegt und dort gesammelt, und Herr Max, der Oberkellner, brachte sie nach und nach wieder in den allgemeinen

Umlauf. Jedesmal, wenn er vorbei ging, hob er ihrer einige ab, klemmte sie unter den Arm und trug sie da und dorthin, wo das Verlangen danach schon groß war.

„Ich denke mir immer, man muß nicht von allem haben", sagte Frau Doktor Mährischl und wiegte den Kopf lächelnd hin und her. „Was soll schon dabei herauskommen. Man erlebt doch bei solchen Sachen sicher nur Enttäuschungen. Ich hab' sie wirklich aufrichtig bedauert . . ." Sie sprach von einer unglücklichen Bekannten, die mit irgendeinem jungen Menschen eine Liebschaft unterhalten hatte, was am Ende in großen Jammer ausmündete – das Wichtigste an der ganzen Geschichte aber war die Tatsache, daß diese Bekannte eben jetzt von Frau Mährischl frei erfunden worden war, samt ihrer ganzen Liebesgeschichte und deren tragischem Ende. An alledem war kein wahres Wort. Sondern es sollte dazu dienen, Frau Thea Rosen zu ärgern, über deren Privatleben sie von seiten ihrer neuesten Freundin, der Frau Direktor Altschul, unterrichtet worden war.

Diese damals noch neue Freundschaft – Frau Mährischl war ja eben erst durch Rosi in den Kreis der übrigen Damen eingeführt worden, ebenso wie ihrerseits Clarisse Markbreiter heute die Frau Wolf mitgebracht hatte – diese Freundschaft offenbarte ihren tatsächlichen Hintergrund erst viel später. Damals hatte man den Eindruck, daß es eine ,dicke Freundschaft' sei, was im gegenständlichen Sinne ebenso zutraf wie im übertragenen. Die seelischen Grundlagen der Beziehung wären für jeden einigermaßen aufmerksamen Menschen sehr bald zu erkennen gewesen (und ein solcher aufmerksamer Mensch war zum Beispiel Frau Lea Wolf). Frau Mährischl war ohne Zweifel etwas boshaft veranlagt, um es gelinde auszudrücken, dabei aber gescheit. Letzteres konnte von unserer Rosi nicht gerade behauptet werden. Jedoch für's Boshafte hatte auch die Frau Direktor eine gewisse, wenn auch eher kindliche Neigung. Dieser nachzuleben (ein bißchen wenigstens, natürlich nur so zum Spaß . . .) war ihr aus eigenen Mitteln nicht recht möglich, jedenfalls langten diese eigenen Mittel nicht für eine genügende Wirksamkeit. Hier sprang nun die neue Freundin ein. Dabei befand sich aber Rosi sozusagen im unbestrichenen toten Raum, über welchen die Geschossbahnen hinzogen, und sie hatte von ihrer sicheren Stellung aus das Vergnügen, die Einschläge zu beobachten.

Warum diese Stellung eigentlich so völlig sicher war, gehört nicht hierher. Genug, es wurde (von einigermaßen aufmerksamen Menschen) bemerkt, daß Frau Mährischl niemals an der Freundin den Schnabel wetzte.

Aus solchen Gründen also hatte Rosi Altschul schon seit einiger Zeit darauf gebrannt, die andere hier einzuführen. Ein boshafter Mensch hat immer eine gewisse Wirkung auf jeden Kreis, in den er tritt, und nicht zuletzt die, daß dieser Kreis dabei ein wenig auf die Probe gestellt wird, sonderlich was seinen Zusammenhalt betrifft. Derlei machte Frau Rosi Spaß. Und sie duckte sich sozusagen in den Windschatten von Frau Mährischls Intelligenz.

„Ich hab' sie wirklich aufrichtig bedauert", fuhr diese fort, „aber eigentlich kommt mir das Ganze doch so vor, wie viele Frauen heute, die schon ein Alter haben, wo man sich nicht mehr wie ein junges Mäderl anziehen kann, aber herumlaufen tun sie, als ob sie grad' aus der Tanzstund' kommen würden ... na, heuer im Frühling, da wird man ja wieder was erleben, wenn die Röcke wirklich so kurz werden. Womöglich beinahe kniefrei. Aber Klavierfüße. Damit geht man eben nicht mehr auf's Eis tanzen. Was braucht sie denn diesen Menschen, der zehn Jahre jünger ist. Natürlich läuft er ihr einmal davon ... mir tut sie ja schrecklich leid, aber voraussagen hätte man es ihr schon können. Jetzt natürlich ..."

„Aber erlauben Sie mir, Frau Doktor", ließ sich nun Selma Steuermann hören, „es kann doch schließlich ein jüngerer Mann auch einmal etwas wie ein wirkliches Gefühl für eine Frau haben, die viel älter ist als er; ich meine, so von vornherein kann man doch nicht sagen ..."

„Bitte, natürlich", sagte Frau Mährischl, „aber leider glauben das eben meistens nur – die betreffenden älteren Frauen. Ich will Ihnen natürlich in keiner Weise widersprechen, Frau Direktor, möglich ist alles – na, jedem seine Meinung – ich meine, das ist Ihre Sache."

Damit war eigentlich die Grenze bereits erreicht, jenseits welcher das Gebiet offener und äußerster Frechheit beginnt. Frau Steuermann gehörte zu jenen Leuten, denen die treffendsten Antworten erst auf der Treppe einfallen, meistens aber erst am nächsten Morgen beim Zähneputzen. Diesmal ärgerte sie sich, bei aller Gutmütigkeit, ganz gehörig. Es war nahe an dem, daß sie gefragt hätte: ‚Was heißt, ‚Ihre Sache'?!'

Jedoch sie schwieg. Frau Rosen aber, die sehr wohl gemerkt hatte, daß der anschwirrende Pfeil eigentlich gegen sie abgeschnellt worden war, fühlte sich dermaßen befreit, als das Geschoss seine Bahn auf die dicke Selma zu ablenkte, daß sie in törichter Weise herauszulachen begann, dabei Rosi Altschul mitreißend. Und das war ihr Glück; sonst wäre ihr für dieses Lachen vielleicht noch eins versetzt worden.

Clarisse Markbreiter nahm an derlei Unterhaltungen nicht teil. Zu ihrer Ehre muß angemerkt werden, daß sie auch während der heutigen höchst verfänglichen Gespräche sich ihrer prachtvollen langen schlanken Beine nicht in einer Weise bewußt wurde, die den Ausdruck verdient hätte, sie schlage innerlich daraus Kapital. Und äußerlich schon gar nicht. Dabei war ihre Stellung, heute, hier, an diesem Tisch und angesichts der furchtbaren, krisenhaften Lage, welche durch gewisse Schwankungen der Frühjahrsmode geschaffen worden war, eine geradezu erhabene. Sie hätte sich da allerlei leisten können. Aber sie tat es nicht. Lily hatte ihr überdies geraten, sich auf die Sache mit den kurzen Röcken gar nicht einzulassen. Und so war's denn auch beschlossen worden.

Nach etwa zweistündigen Verhandlungen vertagte sich der Rat, und die Sitzung ward aufgehoben. Die Kellner, deren Gesichter jetzt aussahen wie hohle Hände, eilten im Verein mit der Garderobefrau herbei, um den Damen beim Anlegen der Pelze behilflich zu sein. Dabei ereignete sich folgendes:

Frau Rosi Altschul arbeitete sich eben zwischen Tisch und Polsterbank heraus. Nun geschah es, daß ihr Kleid sich verschob, und zwar eine Handbreite über die Knie hinauf, so daß etwa ein einigermaßen aufmerksamer Mensch, der eben am Ende der Bank stand und sich in den Pelz helfen ließ, diese Knie in ihrer vollen Pracht betrachten und begutachten konnte, von oben zwischen den Tisch und das Sitzmöbel hinein sehend. Die Knie aber waren schon mehr als beträchtlich, und würdige Kapitelle für die Säulen, zu welchen sie gehörten. Frau Rosi entdeckte jetzt erst, als sie am Ende der Bank angekommen war, was sie bisher, in ihrer Mühe, übersehen hatte. Und zugleich spürte sie deutlich, daß jemand sie von oben ansah. Den Rock hinabstreifen und aufblicken, war eins. Frau Wolf lächelte. Sie lächelte ganz offen auf diese Knie herab und auf diese Hände, die hastig zogen und glattstrichen, und im lächelnden Gesicht der Frau Wolf stand geschrieben: zu spät.

In solcher Weise wurde heute Frau Steuermann gerochen, wenn auch die Rache nicht die fernhintreffende Versenderin bitterer Geschosse selbst, nämlich die Frau Dr. Mährischl traf, sondern nur deren Schützling und Avantgarde, nämlich die Frau Direktor Altschul. Als man sich aber nacheinander durch die schwere Drehtür schob, tuschelte Rosi schnell in's Ohr ihrer Freundin:

„Haben Sie gesehen, was sie gelesen hat, wie wir gekommen sind? Heirats- und Liebesannoncen. Garantiert!"

„Wem sagen Sie das?" antwortete Frau Doktor Mährischl in aller Ruhe, „ich hab' doch mein Lorgnon."

10

Die Unsrigen i

Nicht lange nach unserem ‚Gründungsfest' kamen, ungefähr gleichzeitig, zwei Verwandte von mir zu dauerndem Aufenthalte hierher nach Wien, nämlich mein Neffe Dr. Körger, der bis dahin teils in München, teils in der österreichischen Provinz gelebt hatte, und ein Herr Géza von Orkay; dieser war vom Budapester Außenamte der hiesigen Gesandtschaft als Attaché zugeteilt worden. Orkay, zu mir in dem Verwandtschaftsgrade eines Vetters, oder, wie man hierzulande gern sagt, ‚Cousin' stehend, war seinem seligen Vater, der eine Schwester meiner Mutter geheiratet hatte, voll und ganz nachgeraten: ein magyarischer Typus, der alle hierhergehörenden Merkmale stark ausgeprägt zeigte, trotz der Blutbeimischung aus unserer seit eh und je in Wien beheimateten Familie. Seine Abkunft, die seinerzeitige Stellung des alten Herrn, sein schöner Grundbesitz im ungarischen Vaterlande, das alles zusammen und nicht zuletzt die Familientradition hatte Géza in die diplomatische Laufbahn gewiesen, welche ihm dann auch späterhin hervorragende Aussichten eröffnen sollte.

Von Körger hatte ich's nicht anders erwartet, als daß er sich in unserem rasch entstandenen Kreise bald beheimaten würde; er zog späterhin sogar heraus in die Gartenvorstadt. Jedoch auch Géza, den ich viel weniger gut kannte – zu den Durchsichtigen gehörte übrigens keiner dieser beiden Herren – erschien häufig unter uns, ja man kann sagen, er bürgerte sich ein.

Am bemerkenswertesten erschien mir jedoch, daß diese beiden aus ebenso entgegengesetzten Himmelsrichtungen wie verschiedenem Blute eintreffenden Verwandten, die zudem hier erst miteinander eine genauere Bekanntschaft machten, in kurzer Zeit Freunde, und bald unzertrennlich wurden. Sie sahen seltsam genug miteinander aus. Körger gehörte zu jener Art von Menschen, die ihr Kinderfett auch im späteren Leben nie ganz los werden. Dazu kam, daß dieser siebenundzwanzigjährige

Mann kein Haar mehr am Kopfe trug, ein von seinem Vater überkommenes Erbübel; und sein dicker, rosiger, nackter Schädel wurde, von rückwärts gesehen, durch ein rechtes Stiergenick noch wirkungsvoller gestaltet. Es gab jedoch einige tiefer liegende und auch sehr eigentümliche Züge bei unserem Doktor Kurt Körger. So etwa schien das Badezimmer für ihn ein Raum zu sein, worin man sich immer nur wenige Minuten aufhält, längstens so viele, als man braucht, um sich in Eile zu rasieren, und auch das mit einem Minimalverbrauch von Wasser. Abends – ich war einmal dabei – beutelte er, vor dem Bette stehend, Schuhe, Kleider und Wäsche ab, fuhr in sein Pyjama, kroch in's Nest, und seine Exuvien blieben, wie sie waren, auf dem Teppich liegen. Gehörte es dazu, daß er sich sehr überwinden mußte, auch nur einen Zehner auszugeben, wenn's nicht unumgänglich war? (War's jedoch zu umgehen, dann wußte er oft auch geschickt, einen anderen bei irgend so einer kleinen Ausgabe vorzuschieben, wenn auch nur beim Schilling für ein Stubenmädchen: immer fehlte ihm da gerade das kleine Geld!) Ich glaube schon, daß sein Geiz und seine Toilette-Gepflogenheiten in einem sozusagen metaphorischen Zusammenhange standen. Sein Vater war einer der reichsten Männer Österreichs und hatte (ein seltener Fall) den Sohn schon unabhängig gemacht, durch Übereignung bedeutender Vermögensteile. Das Bankkonto war dick, die Brieftasche geschwollen. Die einzige Liebhaberei, die er hatte, kostete nichts. Er zeichnete als Amateur-Architekt viele kleine Häuslein, teilte sie genau ein (immerhin mit Badezimmer), als Einfamilienhäuser, Zweifamilienhäuser, Junggesellenheime, legte ihre Maße fest, errechnete das erforderliche Material und vor allem die Kosten des Bau's. Oft saß er lang mit seinem dicken nackten Schädel über dem Reißbrett, die Schultern geballt, sonst aber würstlförmig. Neben alledem muß man sich unseren Géza denken, mit dem pferdemäßig schmalen, sehr edlen Kopfe, der heldischen Geiernase, den schiefgestellten Augen und einer tiefbräunlichen Haut: der ganze leichte und grazile Mensch ein bewegliches Bündel von Muskeln.

Sein Benehmen war sehr zurückhaltend, wir fanden ihn beinahe allzu glatt, und seine Züge wiesen meist einen etwas finsteren Ausdruck, der irgendein seltsames Gefühl von östlicher Starrheit vermitteln konnte. Ich habe Géza übrigens seit jeher für einen sehr klugen Menschen gehalten. Auffallend war für uns alle das Benehmen, welches er gleich von Anfang an gegen seinen Landsmann, unseren Spaßvogel Gyurkicz, zeigte. Ich sage ‚zeigte‘, denn hier erlebten wir zum ersten Male bei Orkay etwas, das einer Demonstration glich, und somit die sonstige Glätte seiner Oberfläche durchbrach.

Ich erinnere den Vorgang sehr lebhaft. Wir saßen in meiner Wohnung – nämlich Quapp, Kajetan, der Rittmeister, Stangeler und ich – als das Telephon Imre Gyurkicz' baldiges Kommen meldete. Indessen erschien ganz zufällig vor ihm noch Géza, der mich besuchen wollte. Mit allen Anwesenden schon bekannt, wandte sich unser Magyare an Stangeler (zu welchem er eine augenscheinliche Zuneigung fühlte) und verwickelte den Ex-Dragoner-Fähnrich und historischen Fachmann in irgend ein Gespräch über Quellen der ungarischen Geschichte, wobei Stangeler in einem Maße Bescheid sagen konnte, daß mir, ob so vieler und gründlicher Kenntnis, das Haupt leicht zu schwirren begann.

Gerade da trat Gyurkicz ein, tadellos und geschniegelt, wie immer, und in seinem Äußeren eine sozusagen konservative Note betonend, was in einem fühlbaren Gegensatz zu manchen anderen Seiten seiner Person stand: er bot der Welt unter seinem großen und wohlrasierten, im gewöhnlichen Sinne hübschen Gesicht, den Anblick einer breiten, soliden Krawatte, die haarscharf in der Mitte des Westenausschnittes saß. Auch in der Wahl des Kragens war auf eine mehr würdige als flotte Form Bedacht genommen worden, alles natürlich innerhalb der Grenzen einer gerade herrschenden Mode, also nicht etwa altmodisch, jedoch stets von einer gewissen Zurückhaltung gegenüber den allerneuesten Errungenschaften auf diesem Gebiete Zeugnis ablegend. Die Schuhe waren schwer und solide und wiesen jene breite Dreikantform, welche viel später erst als eigentlich ‚chic‘ in Schwang kam. Wäre Gyurkicz da noch am Leben gewesen, dann, so bin ich überzeugt, hätte man ihn alsbald spitzeren Formates einherschreiten sehen. Über diese Schuhe fiel die wohlgebügelte Hose etwas mehr vor, als das bei jungen Leuten sonst gerade üblich ist, und in dieser langen Tragart der Beinkleider wollte sich auch eine Gesinnung ausdrücken, welche, mit den Geltungen von ehegestern verknüpft, in einen wohlanstehenden und wohlanständigen Gegensatz zum Heute trat.

So erschien er unter der Türe und in dem hellen Schneelicht, welches als ein Widerschein jener weißen Wiesen, die meinen

Fenstern gegenüber anstiegen, das große Zimmer noch weiter machte. Gyurkicz kam auf den Erker zu, worin wir saßen, begrüßte Quapp – und zwar mit einem Handkuss, wodurch er seine vertrautere Beziehung zu ihr trotz der Gegenwart eines Fremden andeutete, denn man pflegt ja jungen Mädchen, und diese Charge hatte Quapp in Gesellschaft einzunehmen, nicht die Hand zu küssen – und sodann begrüßte er ordnungsgemäß zunächst mich, als den Ältesten und Hausherrn, endlich die anderen; Stangeler gegenüber geschah das bereits ganz leichthin, mit einem Unterton, als bedeute es immer eine Erheiterung, diesen René zu sehen, jedoch mehr nicht.

„Imre Gyurkicz von Faddy und Hátfaludy ist mein Name", wandte er sich nunmehr in ungarischer Sprache an Géza, der noch stand, während wir uns bereits wieder niederließen, „habe schon von Ihnen gehört, und es freut mich sehr, einen Landsmann begrüßen zu können", (ich hatte gesagt: hier mein Vetter aus Ungarn!) „leider habe ich schon lange nicht mehr das Glück gehabt, auf ungarischer Erde zu stehen, und so bedeutet für mich ein Landsmann zugleich immer auch den Gruß der Heimat. Sind Sie nicht verwandt mit dem verstorbenen Széll Elemér, ein alter Kamerad von mir, hat mal Ihren Namen erwähnt, wenn ich mich recht entsinne." „Guten Abend", sagte Géza auf deutsch, sonst nichts, nicht einmal seinen Namen, reichte kurz die Hand, trat zurück und setzte sich nieder.

Imre war stehen geblieben. Ich wußte als ,ausgelernter Österreicher' freilich, daß unter Ungarn in einem solchen Falle die Antwort in deutscher Sprache – ganz abgesehen von ihrer Kürze – nichts anderes bedeuten konnte, als das bewußte und erbarmungslose Einschalten einer nicht mehr zu überhüpfenden Distanz, ein Vorgang, hart am Rande einer Beleidigung, ja, für den Eingeweihten geradezu eine solche. Ich wunderte mich nicht wenig, wie gut Gyurkicz die Fassung zu bewahren verstand. Er nahm nur langsam Platz und stellte ganz beiläufig an Stangeler irgend eine Frage. Géza aber, lässig im Stuhle zurückgelehnt, sah sich im Kreise um, ja er betrachtete jeden von uns sehr aufmerksam, der Reihe nach. Mir wurde jetzt erst bewußt, daß der Vorgang möglicherweise von Eulenfeld gar nicht verstanden worden war (hierin hatte ich mich getäuscht, wie sich später zeigte). Stangeler schien überhaupt nichts bemerkt zu haben, vielleicht war er noch im fünfzehnten Jahrhundert. Quapp aber hielt den Kopf gesenkt und versuchte keineswegs, ihre Nachdenklichkeit zu verbergen. Ich war nicht sicher, ob sie denn wußte, worauf es hier eigentlich ankam, des Ungarischen war sie nicht kundig – außer Géza und Imre verstand ja nur ich es – jedoch hat der Instinkt ihr damals zweifelsohne gesagt, daß eben etwas recht Ungutes vor sich gegangen sei.

Ich tat dieses kleinen Vorfalles deshalb Erwähnung, weil er geeignet sein mußte, die Art der Beziehung zwischen Géza und Imre von Beginn an in einer bestimmten Richtung festzulegen oder in einer bestimmten Weise zu färben, damit aber auch gleichzeitig Quapp und meinem Vetter einander gegenüber genau ihre Plätze anzuweisen. Géza hatte für Schlaggenbergs Schwester alsbald besondere Achtung bekundet, sie ihrerseits aber für des Magyaren Wesensart ein deutliches, man möchte sagen forschendes und wohl auch vergleichendes Interesse gezeigt, dessen eigentlicher Untergrund ja recht durchsichtig war. Ich sah damals, während wir noch in meinem Erker beisammensaßen, deutlich voraus – und das hielt wohl nicht schwer! – daß Gyurkicz, der sich die ‚Unsrigen‘ ohnehin nur notgedrungen und ungern gefallen ließ (aber was konnte er denn tun gegen Quapps Umgang mit dem leiblichen Bruder und dessen Freundeskreis?!), daß Gyurkicz hier sozusagen an den Grenzen seiner Duldung stand.

Auch hier trat wieder ein Gegensätzliches in unseren Kreis, eine innere Einheit störend, die ohnedem fragwürdig genug war und sich gleichsam nur schüchtern dann und wann zu erkennen gab.

Wir erhielten kurzen Urlaub von allen so gearteten Konflikten an einem Tage um die Mitte des Monates März, der mir lebhaft in der Erinnerung stehen geblieben ist. Und zugleich verknüpft sich mit diesem Tage für mich die Vorstellung, daß sein Datum von ungefähr Abgelaufensein und Ende jener glücklichen Zeit bedeuten mochte, die Kajetan und seine Schwester in den ersten Wochen nach Quapp's Eintreffen miteinander verlebt hatten.

Neuerlich war Schnee in ungeheuren Mengen gefallen, der letzte dieses Jahres. Ein paar hundert Schritte von meiner Haustüre schon wurden die Bretter angeschnallt und man zog den weißgezuckerten Bergen entgegen, die ja allenthalben und von jedem Gassenende her zwischen die Häuser des Stadtteiles hereinsahen. Und eine Stunde später erblickten wir von der Höhe des Kahlengebirgs, ausschnittweise zwischen den frisch und dick schneeverzierten Bäumen, Teile des stahlblau in der Tiefe sich hinziehenden Häusermeeres, wie einen dunklen See dort unten liegend. Wir schwiegen, standen etwas vorgeneigt und in die Lederschlaufen der Stöcke gestützt und sahen hinab, und der Hauchnebel unseres Atems zerging zwischen uns und der Landschaft in all dieser weißgepolsterten Windstille.

Es war eine rechte Rotte Korah da wieder einmal beisammen, und nur Männer: Schlaggenberg, der ,Fähnrich', Körger und Géza, ja sogar Höpfner und der Rittmeister waren diesmal mit ausgerückt; die beiden letzteren hatten sich, wenngleich man einen gewöhnlichen Werktag schrieb, für diesen unseren nachmittäglichen Ausflug von den Büros freigemacht. Die Wiesen, an Sonntagen von purzelnder Menschheit dunkel, fanden wir fast leer und in den Wäldern, durch die wir glitten, zeigte sich nicht eine einzige Spur.

An diesem Tage waren wir ganz unter uns.

Mein ungarischer Vetter erwies sich als ein ausgezeichneter Sportsmann. Er hatte, wie ich jetzt erfuhr, vorlängst schon durch Monate den Skilauf in der Schweiz mit Eifer betrieben. Wir fanden tief im Wald eine steile Wiese, verzierten an deren Rande die Sträucher mit unseren Jacken und Hemden und übten in der Sonne. Jener beschwingende Rausch des Schnees ergriff uns alle, und ich sah mich veranlaßt, dem Rittmeister ein wenig Vorsicht nahezulegen: denn sein linkes Knie war im Jahre 1915 zum Teil an der bekannten Straßenkreuzung bei Ypern geblieben, und der entsprechende Teil unter seiner Haut bestand jetzt aus Silber. Eulenfeld schien jedoch dieses Umstandes gänzlich vergessen zu haben, und, was noch wichtiger schien, auch das Knie erinnerte sich nicht mehr an seine kriegerische Vergangenheit.

Als wir, nach etwa einer Stunde, unseren Weg fortsetzten und wieder rasch durch den Wald zogen – ich fuhr hinter Géza, dessen Wendungen und Schwünge mit großer Sicherheit immer an der richtigen Stelle erfolgten, so daß ich mit Vorteil seine Spur genau einhielt – bemerkten wir, uns entgegen, aber weit oberhalb, einen Läufer, den ersten, den wir heute in dieser einsameren Gegend zu Gesicht bekamen. Er zog rasch zwischen den Stämmen und den weißgebänderten Astgittern des winterlich kahlen Waldes dahin, eine lange gerade Spur in den noch jungen pulvrigen Schnee legend, schräg am Hange entlang, in einem stumpfen Winkel zu unserer Fahrtrichtung, dann und wann mit kleinen Schwüngen bremsend. Gerade zwischen Orkay und mir kreuzte die Erscheinung unsere Bahn, und da erkannte ich denn, daß es ein ziemlich großes und kräftiges dunkelblondes Mädchen war, das hier einsam durch den Wald glitt. Sie hatte die Jacke an die Achselbänder gehängt und trug ein blaues Hemd mit kurzen Ärmeln, die nur bis in den halben Oberarm reichten. Ich blickte ihr nach und sah, daß sie ihre Fahrtrichtung immer beibehielt, sie fuhr in einem Zuge die ganze Flanke des Bergs schräg durch und war bald verschwunden.

Von vorne, wo Schlaggenberg führte, wurde gerufen, unsere derben Stimmen hallten in der Stille wie Axtschläge, wir änderten den Kurs und gingen nun ein großes Stück wieder bergauf. Eulenfeld ließ eine Cognacflasche die Reihe entlangwandern, was von dem sportlichen Géza – sonst einem Umtrunke nie abgeneigt – mißbilligt, von Schlaggenberg jedoch herzlichst begrüßt ward. Der Weg wurde weiterhin beinahe eben, wir wanderten wieder auf dem Kamm, mit freier Aussicht nach beiden Seiten. Der Schnee war hier sehr mächtig, es gab sogar kleine Ansätze zu alpinen Gebilden, possierlichen Wächten miniaturer Art.

Die Gespräche, welche nun im behaglichen Dahinwandern geführt wurden – links und rechts fiel zwischen den schütteren Bäumen die sonnbeglänzte und in zahllosen scharf geschachtelten Einzelheiten blitzende Weite herein, hier von der Ebene her und von stadtwärts, dort in zahllosen waldig ansteigenden Höhen verhallend – diese Gespräche waren zum Teil recht saftig und wären vor empfindsamen Ohren schon ganz und gar unmöglich gewesen. Kajetan hielt es wieder einmal für unumgänglich nötig, uns von seinen ewigen dicken Damen zu erzählen, und Höpfner, der ein wenig zurückgeblieben war, schien von dort hinten mit feinem Instinkte wahrzunehmen, welcherlei Gebetsmühlen hier in Gang gesetzt wurden, denn er bekam plötzlich Schwung und eilte, seine unendlich langen Beine gebrauchend, mit einigen raschen Gleitschritten uns nach. „Die üppige Frau", wurde da eben von Körger doziert, „das saftige Weibsstück, scheint mir eigentlich als solches auch am begehrenswertesten zu sein. Zweifellos ist das die eigentliche Archetype des Weibes überhaupt. Ja, ja" – fügte er sehr langsam hinzu, und zwar nach einem tiefen und ernsten Besinnen, das einer besseren Sache angemessen gewesen wäre – „ja, ja, ich muß gestehen, bei scharfer Selbstkontrolle, bei wirklich scharfer Selbstkontrolle, komme ich dahinter, daß mir eigentlich nur solche Frauen gefallen können." Und dann kam sein unvermeidliches „da mag man sagen, was man will."

Jedoch, diesen letzten Satz hörte man nicht mehr. Géza hatte bei den Worten ‚scharfe Selbstkontrolle' eine kleine und nicht mißzuverstehende Gebärde gemacht, die ein ungeheures Gelächter schlagartig auslöste.

Es hallte über den Kamm und durch den Wald, als würde hier Schotter abgeladen.

Ja, wahrhaftig, wir waren unter uns, im flachsten, aber dahinter wohl auch in einem bedeutenderen Sinne, wir waren unter uns und damit von allen unfruchtbaren Gegensätzen und ihrer Qual beurlaubt, freie Herren, die fröhlich und guter Dinge sein durften. Denn hier blieb draußen, was sich dem Verständnis sperrte und den Menschen zwang, gebückt auf fremden Pfaden zu tasten; hier durfte einer im höchsten wie im niedrigsten Grade immer er selbst sein. Und so zogen wir lärmend und jubelnd diesen tiefverschneiten Kamm entlang, zwischen den schweigenden Stämmen, vor der glitzernden Landschaft.

Und doch fehlte einer von uns, und stellte gerade dadurch die Verbindung mit einer fremden Welt her, deren Verpflichtendes hier so leicht, dort so schwer wog.

Quapp war's, die uns alten Burschen als ein Bursche fehlte.

Wir fuhren los, heim, zu Tal. Die Sonne lag tiefschräg, verschlang mit ihrem gleißenden Weben ganze Stücke des weißen Landes, die hinter dem Abend versanken. Auf einer noch weit droben gelegenen Wiese blieben wir ein letztes Mal hängen, den Abbruch dieser Fahrt hinauszögernd, bis zur völligen Dunkelheit.

Dann aber zischte der mattleuchtende Schnee unter den eilenden Brettern durch, Wiese auf Wiese, und wie der Aufgang einer riesenhaften und handnahen Milchstraße trat das Leuchtbild der Stadt herauf, ein trüber Himmel, rötlichen Scheins, voll zuckender und glimmender Sterne. Schon sah man weit drüben die Lichter von Villen, übereinander gereiht an den Hängen, vor einem Kissen von Dunkelheit, das bei genauerem Hinsehen sich zerlegte, entlang einer sanftgeschwungenen Linie: Nachthimmel und Berg. Und auch diesmal fühlte ich, vorgebeugt und den

Fahrtwind um die Ohren, mit einem seltsam neuen Erstaunen, Ort und Menschen dort unten als meine Heimat, deren Bewegungen man verbunden bleibt.

Als Schlaggenberg erzählte, Levielle sei bei ihm gewesen und habe ihn als Lektor eines neu zu gründenden Buchverlages in Aussicht genommen (‚was sagen Sie nun dazu?‘), dachte ich sofort, daß er lüge, und zweifelte nicht im mindesten an meinem Instinkte, der mir das eingab. Die – für mich ganz ausgemachte – Tatsache seines Lügens, eines sozusagen unaufgeforderten Lügens, denn er sagte das auf der Straße zu mir, mitten im Gespräche über durchaus andere Dinge, und ich hatte ihn natürlich mit keinem Worte nach alledem gefragt – die Tatsache dieses Lügens aber bestätigte mir damals zugleich, daß hinter alledem eben doch ein wichtiger, ein zumindest für Schlaggenberg wichtiger, Sachverhalt stecken mußte. Denn er baute da offenbar vor, für den Fall, daß irgend jemand von den Unsrigen früher oder später diesen seinen Umgang bemerken würde – und anscheinend hatte er also obendrein noch die Absicht, den Verkehr weiter fortzusetzen, und sicherte sich gleich jetzt für die nächste Zukunft. . . .

Heute, wo ich, aus Schlaggenbergs späteren, und so oft wiederholten Berichten fast jedes Wort kenne, das zwischen ihm und dem Kammerrat gefallen ist, besitze ich allerdings auch den Schlüssel dazu. Der erste Besuch Levielle's, bei dem er Schlaggenberg zu Hause antraf, fand etwa vier Wochen nach der ominösen Visitkartengeschichte statt. Wir konnten das genaue Datum der ersten Unterredung zwischen dem Kammerrat und Kajetan später leicht feststellen: es war der 28. März, ein Montag. Am vorhergehenden Freitag, dem Tage Mariä Verkündigung, hatte sich jene Begegnung zwischen dem Kammerrat und mir auf dem Graben abgespielt, deren ich am Anfange meiner Berichte ausführliche Erwähnung tat. Ich sagte auch Schlaggenberg davon, als er mir die Geschichte von dem Besuche des Alten bei ihm und von dem ‚Buchverlage‘ auftischte, und ich unterließ es nicht, gleich anzumerken, daß von seiten Levielle's damals auch nicht die geringste Andeutung solcher Sachen zu hören gewesen sei, obwohl wir sogar Kajetans Namen gesprächsweise nannten.

Der Kammerrat ergoß sich voll Wohlwollen in's Zimmer, rieb die Hände und sah sich um. „Grüß' Sie Gott, Cajétan –" (er pflegte den Taufnamen Schlaggenbergs immer französisch – auf seine Art – auszusprechen, während er Quapp stets ‚Charlot' (?!) nannte – das waren so kleine Besonderheiten) – „Grüß' Sie Gott, Cajétan", sagte er, „hab' Sie lange nicht gesehen. Wie geht's der – Schwester, will sagen Charlot? Wohnen Sie jetzt wieder mit ihr zusammen?"

„Nehmen Sie Platz", sagte Schlaggenberg gemessen und ohne irgend eine Antwort zu geben. „Was verschafft mir eigentlich die Ehre Ihres Besuches."

„Ach Gott, nichts weiter, junger Freund, nicht irgend ein Anlaß ... ich habe Sie doch sehr lang nicht gesehen, und zufällig wurde ich gerade in letzter Zeit des öfteren an Sie erinnert ... da glaubte ich es allein schon dem Andenken Ihres seligen Vaters schuldig zu sein, mich wieder einmal nach Ihnen umzusehen...."

„Wodurch wurden Sie denn an mich erinnert?"

„Im Kreise einer Familie, mit der ich freundschaftlich verkehre, wurde in letzter Zeit Ihr Name einige Male genannt."

„Wahrscheinlich in nicht sehr schmeichelhafter Weise."

„Warum nicht gar . . .?! Man respektiert Sie dort – zumindest als Schriftsteller – durchaus. . . ."

„Kommen Sie heute eigentlich als Abgesandter der Familie Siebenschein zu mir?"

„Nicht doch – hahaha – Sie sind zu ulkig, Cajétan. Übrigens, Spaß beiseite, ein paar Worte möchte ich auch in diesem Zusammenhange mit Ihnen sprechen. . ."

„Sagen Sie also, was Sie wollen. Sie erwähnten, daß Sie mit der Familie Siebenschein in ‚freundschaftlichem Verkehre' stehen. Das ist wohl nicht ganz richtig. Ihr Zusammenhang mit diesen Leuten beruht doch wesentlich auf Ihrer geschäftlichen Verbindung mit einem gewissen Cornel Lasch."

„Was Sie nicht alles wissen, Cajétan. . . . Ihr kleiner Spion scheint ja tüchtig zu sein. Wer weiß, was er Ihnen sonst noch für wertvolle Nachrichten vermittelt hat?"

Schlaggenberg mußte lachen. Stangeler als ‚Spion' – er hätte sich zu solchen Aufgaben etwa in der Weise geeignet wie eine Guitarre als Mausfalle oder ein junger Igel zum Hemdknopf.

„Daß Sie mit Lasch in Verbindung stehen, dies zu erfahren hat es keines Spiones bedurft. Es wurde mir von anderer Seite längst schon mitgeteilt – obwohl ich sagen muß, daß ich jedes Interesses für solche Nachrichten ermangle. Es dürfte nur einen einzigen Menschen geben, der mich an Indolenz in dieser Richtung noch übertreffen könnte. Der Spion Stangeler nämlich."

(Während er noch diese Worte aussprach, so sagte er mir später, gerade da sei ihm aber ein ganz gegenteiliger und neuer Gedanke gekommen!)

Levielle lächelte fein und sozusagen unbelehrbar, in der Art von seinesgleichen, die jedermann nach dem eigenen Maße mißt und dabei, wie man leider feststellen muß, im allgemeinen gut fährt. Hinter solchem feinen Lächeln aber ergriff er nunmehr den Rückzug, denn in seinem Ärger über Stangeler und seiner Besorgnis wegen Schlaggenberg hatte er sich wohl zu weit vorgewagt – beides, und besonders das letztere, entbehrte ja überdies einer eigentlich greifbaren Grundlage, zumindest damals noch. Er lenkte ein.

„Kaum spricht man mit Ihnen, Cajétan, wird man schon in einen Gegensatz hineingedrängt –"

„ ,Man' nicht. Sondern Sie", sagte Schlaggenberg.

„Nun gut, gut. Sie sind eine polemische Natur. Aber wegen der beiden jungen Menschen wollte ich doch mit Ihnen reden, ich gebe ja auch gerne zu, daß ich mit dieser Absicht oder Nebenabsicht hierher kam ... ein starker Einfluß Ihrerseits auf den jungen Stangeler steht wohl außer Zweifel. Dieser Einfluß ist gewiß ein guter, ein positiv gerichteter, an und für sich, aber ob er zur gegenwärtigen Zeit und in jenem Entwicklungsstadium, in welchem sich Ihr junger Freund jetzt befindet, vorteilhaft ist, ja überhaupt vorteilhaft sein kann, das weiß ich nicht. Sie wirken sich sozusagen bedenkenlos auf andere Menschen aus, Cajétan. ... Sie verursachen schreckliches Unglück, das Unglück eines unschuldigen und guten Menschen noch dazu, den Sie gar nicht kennen."

„Ich würde Fräulein Grete Siebenschein übrigens sehr gerne kennen lernen", sagte Schlaggenberg sofort, während seine Miene eine kleine Veränderung zeigte. Levielle, der mit einer solchen Zwischenbemerkung in keiner Weise gerechnet hatte, schien für einen Augenblick verdutzt.

„Das ließe sich ja gelegentlich nachholen – obwohl – im gegenwärtigen Zeitpunkte ... übrigens hängt alles von Ihrem Verhalten ab. Sehr viel hängt davon ab, Cajétan. Sie schaden nicht nur anderen, sondern vielleicht auch sich selbst. .."

„Aha. . ."

Aha. Nun, man sieht schon. Gemütlich gestaltete dieses Gespräch sich nicht. Kein Zweifel: Kajetan's Ton dem Alten gegenüber war von Anfang an unverschämt, von einer Art gewaltsamer, vorsätzlicher, ja, krampfhafter Frechheit, die bei ihm gar nicht echt sein konnte. Das hat er mir gegenüber eingestanden. Da er den Besuch Levielle's einfach nicht verstand, sich vor einer fugenlosen Wand eigener Unwissenheit befand, zugleich aber deutlich fühlte, daß er hier eine Wichtigkeit besaß, in irgend einem Sinne, die – nur gerade ihm unbekannt blieb: so versuchte er den Kammerrat erst zu provozieren, dann aber, die Geduld verlierend, ihn geradezu hinauszuärgern, um nur diesen ganzen Rebus, mit dem er nichts anfangen konnte, los zu werden. Levielle, dessen Ärger dann und wann über ihn wirklich Gewalt gewann, zog sich doch jedesmal vor der eigenen Unbeherrschtheit zurück in ein unbekanntes Hinterland, und Kajetan wurde durch seine Unsicherheit während des ganzen Auftrittes immer wieder gebändigt. So prellten sie beide vor und wichen voreinander zurück: mit dem sehr merkwürdigen Effekt, daß dem Kajetan, welcher erst versucht hatte, Levielle hinauszuärgern, dieser dann noch viel zu früh wegging!

„Nun gut, Sie sagen ‚aha' ", (Levielle wurde allmählich wieder gereizt) „und fühlen sich dabei turmhoch überlegen. Sie reiten auf irgendwelchen Grundsätzen herum . . ."

„Mir kommt es so vor", sagte Schlaggenberg, „daß es Ihnen, Herr Kammerrat, ganz ebenso wie mir, weit mehr um Stangeler zu tun ist, als um die arme Grete Siebenschein. Nur verstehe ich nicht warum. Sollten Sie vielleicht – etwa gar! – im Ernste glauben, daß ich Sie durch diesen gegen die Außenwelt so gut wie blinden und tauben Burschen wirklich – bespitzeln lassen will? Wußte gar nicht, daß es bei Ihnen überhaupt etwas zu bespitzeln gibt. Aber Sie bringen mich ja geradezu auf diesen Gedanken! Schlaggenberg's ‚Büro Argus' mit – René Stangeler als Vollzugsorgan – oder die Kuh im Porzellanladen. Ich habe weiß Gott andere Sorgen."

„Aber das ist doch alles Unsinn und Scherz", sagte Levielle. „Und nun, bitte, nehmen Sie es mir in keiner Weise übel, Cajétan, wenn ich sehr offen zu Ihnen sprechen werde. Sie sind in einem Alter, in welchem andere Männer längst schon eine Existenz gegründet haben. Wie ich von Ihrer Frau Mutter, mit der ich ja

dann und wann im Briefwechsel stehe, kürzlich erfuhr, ist das
bei Ihnen noch in keiner Weise der Fall ... das heißt also, daß
Ihre Tätigkeit nicht ausreicht, um Ihnen das zum Lebensunter-
halt Erforderliche ganz zu verschaffen, oder dauernd und regelmäßig zu verschaffen. Damit ist natürlich über den inneren und
bleibenden Wert Ihrer Arbeit gewiß nichts Abfälliges gesagt
... nun, ich glaube nicht fehlzugehen, wenn ich annehme, daß
dieser Zustand auf Sie drückend wirken dürfte, der Umstand
nämlich, daß Sie noch immer auf die Unterstützung Ihrer guten
Mutter angewiesen sind."

„Freilich", sagte Schlaggenberg einfach.

„Ich will mich kurz fassen", fuhr der Kammerrat fort, „und
Ihnen vorläufig einiges sagen, ohne daß ich eine Entscheidung
von Ihnen fordern würde, Cajétan, und überdies, glaube ich,
könnte Ihnen eine solche Entscheidung gar nicht schwer fallen.
Also: Ich bin vor nicht langer Zeit in den Verwaltungsrat der
‚Allianz – Allgemeine Zeitungs A. G.' kooptiert worden. Meine
Stimme ist dort maßgebend. Ich habe mit meiner Gruppe die
Aktien-Mehrheit. Sie verstehen? Sie kennen den jungen Holder? Er ist jetzt bei einem der Blätter des Konzernes als Redakteur angestellt. Ich habe ihn hineingebracht. Nun gut. Aber Sie
sind doch nicht eigentlich Journalist, wie Holder ... immerhin,
als Mitarbeiter, als häufiger, regelmäßiger Mitarbeiter würden
Sie sich doch sicher gerne betätigen? Sie werden doch auch
gegen ein festes Engagement nichts einzuwenden haben, für's
Literarische natürlich nur, das könnten Sie sich dann schon derart einrichten, daß es Sie in gar keiner Weise behindert. Aber
man muß in solchen Fällen jemand – hinter sich haben. Verstehen
Sie? Darauf kommt es an. Und wenn derjenige, der gefördert
werden soll, dann noch obendrein wirklich große Fähigkeiten
besitzt, wie Sie etwa – dann ist das Ganze eine Spielerei."

(‚Mag er doch denken, du seist zu kaufen, mag er doch! Was
liegt daran? Aber warum, zum Teufel, will er dich eigentlich
kaufen? Und der Preis? der Preis?')

„Aber auf die eigentliche pièce de resistance komme ich ja
erst", fuhr der Kammerrat fort, breit und wohlwollend und wie
die aufgehende Sonne selbst, „wir haben die Absicht, einen großen Buchverlag zu gründen, einen belletristischen Verlag, verstehen Sie? Da gibt es Möglichkeiten! Die Sache wird mit ganz
großen Mitteln aufgezogen werden. Da könnten Sie als Autor

– ebenso wie etwa im Lektorat – da könnte aus Ihnen in kürzester Zeit etwas werden – Sie könnten dort verlegen, und außerdem, sagen wir etwa als einer der literarischen Leiter, geradezu Einfluß auf die Produktion nehmen. Ich habe übrigens, innerhalb dieser ganzen Zusammenhänge, auch bereits an Stangeler gedacht –"

Levielle zog die Uhr, zeigte heftig betontes Erschrecken über die Länge der verstrichenen Zeit, geriet in plötzliche und äußerste Eile und gab Kajetan nicht einmal Gelegenheit, auch nur eine einzige Frage auszusprechen. „Junger Freund, Sie hören noch von mir. Überlegen Sie alles wohl, was heute zwischen uns erörtert wurde, alles. Wie gesagt, Sie werden noch von mir hören, ja. Grüß' Sie Gott, Cajétan. Grüßen Sie Charlot von mir."

Und fort war er. Dieser überraschende Abbruch der Unterredung war wohl zweifellos eine taktische Maßnahme, das wurde auch Schlaggenberg sogleich nach Levielles Abgange klar. Der Pfeil saß, nun mochte die Wunde eitern. Er konnte sich's wohl an den Fingern abzählen, der Kammerrat, daß Schlaggenberg nun in einiger Verwirrung zurückblieb.

Das verhielt sich auch durchaus so, wenngleich in einem etwas anderen Sinne, als Levielle glauben mochte. Nicht die plötzlich vor ihm eröffnete Fülle äußerer Möglichkeiten und die sich anbietende Rettung aus einem unfreien Zustande und dem damit verbundenen mehr-weniger ständigen schlechten Gewissen (denn in diesem Punkte war unser Schlaggenberg ein ganz bürgerlicher Mensch, der seine ungenügende Erwerbsfähigkeit als Schmach empfand), nicht die unvermutet in nächste Nähe gerückte glückliche Lösung aller dieser Fragen seiner derzeitigen Lebenslage – nicht das alles war es, was ihn in Verwirrung setzte; und auch eigentümlicherweise nicht die hinter alledem sich erhebende Zweideutigkeit. Nein, sondern daß dieser da zu ihm kam, ihm Anträge machte, ihn in irgendwelchem Sinne zu bearbeiten versuchte, das bedeutete für Schlaggenberg zugleich die vage Erkenntnis, daß seine Person sozusagen in einer ihm unbekannten Rechnung als Posten angeschlagen und ausgewiesen war, daß er eine Wichtigkeit in irgend einem Sinne besaß, die – nur ihm gerade unbekannt blieb. Er hat mir diesen Abend, und sonderlich die Verfasssung, in der er sich nach des Kammerrates Weggange befunden hat, sehr oft geschildert, und immer wieder kam er darauf zurück, wie er sich damals auf eine unheimliche Weise ‚bedroht und geradezu angegriffen‘ gefühlt habe.

Er beherrschte also den Raum seines eigenen Lebens nicht. Er spielte Rollen, von denen er nicht wußte. Er war in Zusammenhängen enthalten, die er nicht kannte.

Er ‚beherrschte den Raum seines Lebens nicht‘ (immer wieder hat er's später mit diesen Worten gesagt!). Er war von Camy, seiner Frau, Hals über Kopf davongegangen und in eine Leere hinein, die zunächst wohl wirklich ausgesehen hatte, wie der Bauplatz für ein neues Leben, und die sich auch alsbald mit geordneten Gebilden erfüllt hatte – denn daß, von dem Augenblicke seiner Flucht an, alles und jedes an dem einen und einzigen Faden der Disziplin und Arbeit hing, das hatte er damals sogleich und gründlich erfaßt. Aber nun, verdammt, ‚rieselte es im Gemäuer‘. Und was da gegen ihn drohte, und was ihn da drückte, das war nicht der Kammerrat, und nicht ein Konflikt, den dieser etwa ausgelöst haben konnte: das war viel eher ein aus irgendwelcher ungetilgter Schuld und tausend Unzulänglichkeiten zusammengeronnener, letzter und trübster Bodensatz des eigenen Lebens, der jetzt plötzlich – und freilich drohend! – hochkam, von diesem Allianz-Rate da sozusagen nur aufgerührt. . . .

An diesem Abend trat zum ersten Male wieder Camy's Gestalt recht eigentlich vor ihn hin und die herzbewegende Nähe mancher glücklichen Stunde, zwar durch eine gewisse Starrheit der Erinnerungsbilder von ihm getrennt und wie hinter Glas: aber er fühlte, daß dies alles sehr wohl noch zu einer neuen, und für ihn furchtbaren Lebendigkeit erwachen könnte. Und wieder glühte, trüb rot und tief am Horizont, die wunde Stelle. Nun hielt er es im Zimmer nicht mehr aus, sprang auf, öffnete das Fenster und sah durch die sinkende Dämmerung und über die Gärten hin.

Die Feuchtigkeit einer vor nicht langer Zeit erst aus dem Schnee auferstandenen Natur hauchte ihm entgegen. An den schräg durch die Luft nahe vorbeilaufenden Telegraphendrähten hingen Wassertropfen. Die kahlen Bäume strebten auf wie wirres Haar. Drüben blinkten schon Lichter benachbarter Häuser zwischen dem Geäste.

Zu Quapp? Nein. Der war nicht zu helfen. Stangeler? – nein! Er vermißte jetzt ganz plötzlich und in tiefem Erschrecken jedes lebendige Gefühl von dem unheilbaren Gegensatze zwischen seiner eigenen Welt und der Camy's, die Spannung zwischen diesen äußersten Gegenpolen schien erloschen und in sich zusammengestürzt, zu Brei geworden. Der Riß klaffte nicht mehr und hatte sich mit Süßigkeit vollgefüllt.

Er machte sich zum Ausgehen fertig – ohne Ziel – und war dermaßen zerstreut, daß er dann auf der Straße beinahe in einen Obststand hineinrannte, der bei Acetylen-Beleuchtung schon die ersten italienischen Kirschen darbot. Die Früchte glänzten unter dem scharfen Licht hellrot in das feuchte Grau der Straße.

In diesen Lichtschein, der die Farben übertrieb und die Formen der Dinge gleichsam plattschlug, beugte sich eine Frau hinein und sprach mit dem Obsthändler noch einige Worte, während sie bezahlte und sich alsbald zum Gehen wandte. Sie trug ein braunes Pelzjakett, einen kleinen Hut mit Schleier von derselben Farbe, und das war eigentlich alles, was Schlaggenberg von ihr ausnehmen konnte. Während sie sich vorgeneigt hielt, schien der Pelz um ihre breiten Hüften ein wenig zu spannen. Tatsache ist, daß Kajetan ihr augenblicklich folgte (er lief ja damals schon programmgemäß allen dicken Weibern nach), obwohl er doch kaum hatte ihr Gesicht sehen können. Also heftete er sich an ihre Fersen, wenn auch tunlichst unauffällig und in gemessenem Abstande. Sie ging in der Richtung gegen die Stadt zu und er hinter ihr her.

Diese Verfolgung dauerte ziemlich lange. Er kam sich dabei vorübergehend auch recht dumm vor.

Sie machte vor einem Schaufenster mit Küchengeräten halt. Und bei dieser Gelegenheit bemerkte er, daß ihr Gesicht nichts weniger als hübsch, dabei höchst gewöhnlich, also von vollendeter Reizlosigkeit war. Während er verdutzt stehen blieb, verschwand sie im nächsten Haustor.

René und Grete waren den Nachmittag über im Vorfrühlinge draußen gewesen und hatten die erstaunliche, hallende Leere der noch kahlen Wälder genossen, die ersten grünen Spitzchen, das Fallen von Tropfen, den schrillen, einsamen Vogellaut, und die am Fuße der Hügel wie ein gegitterter leuchtender Rost heraustretenden frühen Lichter der Stadt. Sie gingen Hand in Hand und man kann ihre Verfassung dabei etwa mit den Worten ‚es wird schon irgendwie werden mit uns' bezeichnen.... Die Siebenschein'sche Wohnung war für heute abend verläßlich leer, Lasch hatte eine große Autotour veranstaltet und die gesamte dankbare Familie mitgenommen. Grete war glücklich und stand wieder einmal fest auf dieser Erde, und nicht in einem schwankenden Wirrwarr von Schmerzen.

Sie wandte sich im Treppenhause beim Hinaufsteigen um, und sie lächelte verschmitzt, es war unschwer zu erkennen, weshalb: dieses gelungenen Abends wegen, da man allein in der stillen Wohnung sein konnte, und weil es ihr geglückt war, sich vor jener Ausfahrt mit der Familie zu drücken.

Sie plauderten dann kaum mehr. Die kleine Abendmahlzeit war bald beendet. In den Gesichtern von beiden zeigte sich jetzt etwas wie ein fanatischer Ernst; und als Grete, nachdem sie den Tisch eilig abgeräumt hatte, aus der Küche kommend, wieder das Zimmer betrat, funkelten ihre Augen. Sie trat rasch hinter eine spanische Wand, welche ihr breites Bett verbarg, und schaltete dort die Lampe am Nachttisch ein. Dann löschte sie die anderen Lichter.

Schlaggenberg wandte sich eben von dem Schaufenster mit den Küchengeräten ab – sein Gesicht war leer wie ein Gefäß, dem man den Boden ausgeschlagen hat – als ihm jemand grüßend zunickte.

Laura Konterhonz.

Er machte einen Schritt auf sie zu, und sie blieb stehen. Wohin sie des Weges sei? Ach, eigentlich nirgendwohin, sie wollte nur sehen, ob hier im Kino irgendein spannender Film laufe. Allein? „Ja, freilich allein", sagte sie, mit einer Mischung von Entrüstung und leisem Vorwurf.

Wer sie nicht kannte, hätte auf der Straße kaum mit dem ersten Blicke erfassen können, welch eine wohlausgestattete Weibsperson diese Laura Konterhonz eigentlich war. Nur die Gestalt fiel sogleich in's Auge: etwas über mittelgroß, aber kräftig, nicht ganz dem heutigen Ideal entsprechend, sozusagen eine musterhafte Karyatide nach akademischen Maßen. Jedoch war dieses Wesen stets mit derart besonderer Geschmacklosigkeit gekleidet, daß ihre Vorzüge dadurch geradezu mattgesetzt und abgeblendet wurden. Wie man weiß, ist solches Ungeschick in Wien eine höchst seltene Ausnahme. Und es bildete einen großen Nachteil für Fräulein Konterhonz, der allerdings ebenso ein vom Schöpfer gewollter Zug ihres Wesens war, wie etwa ihre winzig kleinen und schön geformten Hände und Füße, oder ihre recht bescheidene Intelligenz.

Daß sie heute abend auftauchte, das hatte Schlaggenberg gerade noch gefehlt. Er begriff überdies sofort, daß sie an diesem merkwürdigen Abende sozusagen gar nicht fehlen durfte. In ihrem Erscheinen lag ebenfalls etwas ‚Drohendes‘, ganz im gleichen Sinne, wie er's nach Levielle's Weggange empfunden hatte; und zugleich bedeutete sie doch auch wieder die Rettung für diese verpfuschten Stunden.

Unsere Karyatide Laura Konterhonz bildete nämlich das, nächst seiner Ehe, zweifellos dunkelste Kapitel in Kajetans Vergangenheit.

Sie war die Tochter eines höheren, wenige Jahre nach dem Kriege verstorbenen, Stabsoffiziers. Schlaggenberg hatte seinerzeit, 1912 oder 1913, als er sein Militärjahr leistete, mit ihrem Bruder im gleichen Truppenkörper als Einjährig-Freiwilliger gedient, und auf diesem Wege war er dann auch mit Laura bekannt geworden.

Irgendeine Art von Flirt hat es, wenn ich mich recht erinnere, schon damals zwischen den beiden gegeben. Jedoch weiß ich mit Gewißheit, daß Laura späterhin, schon mitten im Kriege, durch lange Zeit als verlobt galt. Ihr Bräutigam war ein Generalstäbler, den ich auch gekannt habe. Jedoch wurde dann aus dieser Verbindung nichts, sei es, weil der Verlobte durch den Zusammenbruch des Jahres 1918 seine Laufbahn vernichtet gesehen hatte, oder aus irgend einem anderen, unbekannten Grunde. Nicht viel später gelang es dem alten Generalmajor, Laura's Vater, seine Tochter in einem staatlichen Amt unterzubringen (dieser Alte war vielleicht der rührigste Protektionsmeier, den ich je im Leben gesehen habe, und dabei ist doch hierzulande die Sorte häufig und in höchster Vollendung anzutreffen). Laura wurde dann gerade um jene Zeit definitiv angestellt, als man in den Zeitungen am allermeisten von dem dringlich notwendigen Beamtenabbau und der Einsparung aller nicht unbedingt erforderlichen Stellen im Staatshaushalte las.

Um diese Zeit scheint sie dann mit Schlaggenberg wieder in häufigere Verbindung getreten zu sein. Sein Verhältnis zu Camy Schedik bestand damals schon durch einige Jahre und es gab bereits die ersten ‚Trennungen'. Ich nehme an, daß sich alles Entscheidende zwischen Kajetan und Laura während einer solchen ‚Trennung' abgespielt hat. In diesen Zwischenzeiten war Schlaggenberg jedesmal zu allerlei Exkursen fähig und vielleicht sogar gezwungen.

Das überreife, unberührte Mädchen, das ja die Dreißig schon überschritten hatte, wurde von Kajetan umworben, und er verstand es, sie zu erwecken und ihre Vorstellungen nach und nach mit so viel Zündstoff zu erfüllen, daß sie früher oder später Feuer am Dach haben mußte.

Laura konnte ihn schon damals nicht mehr entbehren. Er bildete bereits den Inhalt ihrer Tage und den Grundstoff ihrer nächtlichen Träume. Noch einige andere Umstände waren geeignet, sie mit zunehmender Beschleunigung in Schlaggenbergs Netze zu treiben. Sowohl ihre Erscheinung, die dem Geschmacke der Zeit nicht mehr entsprach, als auch die schon erwähnte höchst unvorteilhafte Folie, in welcher sich diese Erscheinung darbot, ließen für Laura nicht viel andere Möglichkeiten sich eröffnen. Die wenigen Männer, die ihr sonst, etwa im Hause ihrer Mutter oder innerhalb der Kollegenschaft des Amtes, begegneten, konnten mit Schlaggenberg in der Tat keinerlei Vergleich bestehen. Und zudem: sie liebte ihn bereits, ja vielleicht war der Keim zu dieser Neigung schon vor Jahren, vor dem Kriege noch, in ihr aufgegangen. Jetzt aber, inmitten einer Zeit, der nichts wahnwitziger schien, als den Genuß des Daseins auch nur im Kleinsten zu versäumen, begann sie an der schwersten Krankheit jeder abseits stehenden Frau zu leiden: sie sehnte sich nach dem ‚Leben'. Und wenn auch das Haus der Generalmajorin von den neuen Keimen wahrhaft nichts enthielt: derlei flog von der Gasse oder von irgendeiner Freundin her an.

Gleichwohl, zuinnerst lag Schlaggenberg für sein Teil doch völlig bei Camy Schedik fest – und hier begann die Niedertracht der ganzen Geschichte, wenn anders ich mir ein Urteil erlauben darf. Denn daß Laura sich in persönlicher Hinsicht, was etwa den klaren Kopf, die Wahrheitsliebe und Einsicht betraf, mit Camy weitaus nicht vergleichen konnte, das stand außer Frage, ganz abgesehen davon, daß Schlaggenberg's spätere Frau der Rivalin an gewissen feineren weiblichen Reizen weit überlegen war: Anmut und nicht zuletzt Geschmack.

Ich sollte übrigens gar nicht ‚Rivalin‘ sagen, der Ausdruck geht am Wesen der Sache beachtlich vorbei. Als Rivalin Camy's ist Laura für Schlaggenberg nie in Betracht gekommen, nicht einmal im entferntesten. Es ist im Grunde schrecklich, das auszusprechen, aber ich weiß mit Bestimmtheit, daß Kajetan gegen die Konterhonz stets Abneigung empfand, nicht jene tiefverborgene, von Bewunderung gänzlich überdachte, die er Camy gegenüber mitunter in sich trug (und das grenzte ja schon beinahe an geheime Furcht), sondern eine ärgerliche Abneigung, die ihre eigenen Quellen genau kannte. Ich fand sie zudem immer begreiflich. Wenn jemand die Konterhonz als eine dumme und aufgeblasene Person, als eine Gans schlechthin bezeichnet hätte – es wäre, für mich wenigstens, schwer gewesen, ihm zu widersprechen. Ihr Vater war im Frieden noch, also vor 1914, Regimentskommandant geworden; und wer die damaligen gesellschaftlichen Verhältnisse beim altösterreichischen Militär aus eigener Anschauung kennt, der weiß, was die Tochter des Regiments-Chefs für eine Rolle spielte, besonders wenn sie hübsch war (und dies traf hier ganz gehörig zu) und daß sie an Tänzern nie Mangel haben konnte – dieses selbst, wenn sie häßlich gewesen wäre! – daß aber in einem Falle, wie dem der Laura Konterhonz, die reizendsten Fähnriche und Leutnants sich nur so reihenweise auf den Knieen und mit gebrochenen Herzen präsentierten. Aus der Stellung einer solchen Zentralsonne des Eros umzuschalten auf ein Mauerblümchen des Lebens und der Gesellschaft, wäre selbst für eine erheblichere Intelligenz allerhand Heldenwerk gewesen. Übrigens ist es meine Meinung, daß Laura, etwas weniger banal und prätenziös, eine solche Umschaltung gar nie notwendig gehabt, sondern ihren Weg eben auf andere Weise und auch außerhalb der Militärzirkel ganz gut gemacht hätte. Aber dazu langte es nicht. Es gibt tatsächlich Weiber, die uns die Rosen ihrer Reize durch die Dornen ihrer anmaßlichen Dummheit verleiden, so daß gar keiner mehr danach greifen mag.

Sie war zudem einer von jenen Menschen, die nicht ruhig schlafen können, ohne sich mit einem großen Wort zuzudecken. Erst hieß dieses: Tugend. Und dann war's, nachdem Schlaggenberg sie verführt hatte, die ewige unzerstörbare Liebe, die sie an Kajetan mit starrem Eigensinne festhalten ließ, trotz der Erfahrungen mit dem Burschen, die bald folgten. Die hohen Titel waren freilich falsch, die sie ihrer Leidenschaft für Schlaggenberg gab, aber immerhin wurden diese pathetischen Hohlkörper der Sprache wenigstens zum Teile ausgefüllt: wir können sagen, sie war ihm verfallen (und verfiel ihm immer wieder) und war's auch noch zur Zeit der hier berichteten Begebenheiten. So sah das Ergebnis von Schlaggenberg's Zündeleien aus; und am Ende mag er sich manchmal schon vorgekommen sein wie ein Brandstifter, der sich in das bereits flammende Gebäude irrtümlich selbst eingeschlossen hat, und nun hinter einer zugefallenen und eingeschnappten Türe steht, nahe daran, um Hilfe zu schreien.

Das ging so durch die Jahre. Er nahm sie, und ließ sie wiederum. Seine Verantwortung mochte ihn gelegentlich drücken, und merkwürdigerweise glaubte er sein Gewissen dadurch am besten beruhigen zu können, daß er Laura ständig aufhetzte – mit allem Rüstzeug freiheitlicher Gedankenkünste – sich doch keinerlei Zwang aufzuerlegen oder etwa gar an ‚Treue‘ ihm gegenüber zu denken. Es mag schon sein, daß er sie wirklich gerne auch in Beziehung zu anderen Männern gewußt hätte. Er betonte ihre und seine Ungebundenheit bei jedem sich bietenden Anlasse. Während solcher Reden zuckte sie mitunter wie in einem körperlichen Schmerz zusammen.

Man darf bei alledem nicht unerwähnt lassen, daß sie von Schlaggenberg's Liebe zu seiner späteren Frau überhaupt nichts wußte und tatsächlich ohne jede Kenntnis von der Existenz eines Fräuleins Camy Schedik war. Ich weiß bestimmt, daß es sich so verhielt (und welchen Grund hätte ich gehabt, sie aufzuklären?). Diese Unkenntnis mag auf den ersten Blick verwunderlich erscheinen und bildet außerdem ein Zeugnis für die Instinktlosigkeit der Konterhonz. Wir müssen aber hier daran denken, daß Laura sich in einer sozusagen gänzlich anderen Geographie der Gesellschaft herumbewegte, welcher Erdteil zunächst einmal mit jenem, auf dem sich das Leben des Fräulein Schedik abspielte, überhaupt keine naturgewachsene Verbindung hatte. Hinzu kommt, daß Kajetan von Camy Schedik oft durch lange Zeiten getrennt war.

Es muß ihm leicht gewesen sein, sie zu verstecken, das meine ich. Ein stetiges Gefühl der Zusammengehörigkeit konnte zwischen diesen allzu verschiedenen Menschen gar nicht aufkommen.

Allerdings hat Laura niemals ernstlich angenommen, daß Schlaggenberg ihr etwa die Treue halte. Er sorgte übrigens auf die unverblümteste Art rechtzeitig dafür, daß ein solcher Irrtum nicht aufkommen könne: ihre Prüderie und ihr stets wohlanständiges Getue reizten ihn nämlich, die unglaublichsten Affären und Schwänke aus seinem Leben gerade seiner Freundin Laura aufzutischen – wobei er sich meist reichlich derb ausließ – und einmal war ich selbst Zeuge einer solchen Szene. Sie sagte: „Schlaggenberg, es ist wirklich ganz unerhört, welche Ausdrucksweise Sie sich in meiner Gegenwart erlauben!!" – und gerade damals bemerkte ich nun deutlich, sozusagen hinter dem Theater, welches sie mir dauernd vormachen wollte (mit ‚Sie' sagen und dergleichen, als ob es zwischen ihr und Kajetan nie was gegeben hätte), daß sie an seinen ganzen Eindeutigkeiten bereits irgendein prickelndes Gefallen fand.

Freilich, als dann Schlaggenberg plötzlich Hals über Kopf heiratete, mag das für sie ein ganz harter Schlag gewesen sein und die Vernichtung letzter und geheimster zäher Hoffnungen. So viel mir bekannt ist, war sie auch während der Zeit seiner Ehe – allerdings dauerte ja diese kaum länger als ein Jahr – nicht mehr mit ihm in Verbindung. Im Winter danach wurde Laura von Kajetan mehrmals in Gesprächen erwähnt, er wollte sie auch von seiner Ehetrennung wissen lassen. Ob er's je getan hat, kann ich nicht sagen. Jedenfalls ist ihr Wiederauftauchen an jenem denkwürdigen Abend, da Levielle ihn besucht hatte, für Schlaggenberg ganz überraschend gekommen; er habe, so sagte er, in der letzten Zeit überhaupt nicht mehr an sie gedacht.

Sie verhielt sich diesmal weit weniger ablehnend, als sie das sonst vor jeder neuen Vereinigung mit Kajetan zu tun pflegte. Man ging munter in's Kino, saß Arm in Arm, lutschte Bonbons und beschloß, den Abend mitsammen fortzusetzen, und nach dem Film in's Café zu gehen.

Die Uhr war vorgerückt. Grete wußte zwar mit Sicherheit, daß Lasch und die Seinen sich mit einer anderen Gesellschaft in einem weit entfernten Ausflugsorte erst gegen neun zum Abendessen verabredet hatten – gleichwohl aber mußte man hier um spätestens elf Uhr das Beisammensein abbrechen, um unangenehme Überraschungen auf jeden Fall auszuschließen.

Als sie ihre Toilette beendet und alles in Ordnung gebracht hatten, verschwanden sie aus der Wohnung. Auf der Gasse blies sie ein sehr warmer, sanfter Wind an, der ein plötzliches Gefühl von Nähe des offenen Landes, da draußen jenseits der Grenzen des verbauten Gebietes, vermittelte. Sie gingen langsam, einander zugeneigt, Arm in Arm.

Als sie dann ein Café betraten, geschah dies gleichzeitig mit Laura Konterhonz und Schlaggenberg. Gerade im Windfang vor der Drehtüre stieß man zusammen.

Stangeler war verwirrt. Grete aber fand sogleich und auf den ersten Blick an Schlaggenberg Gefallen, sie war sozusagen angenehm enttäuscht, und das war vielleicht das Entscheidende für diesen Abend. Sie erwies sich als fähig, jedes Vorurteil beiseite zu werfen und die Erscheinung als solche anzuerkennen und hinzunehmen. Die zwei Paare saßen nun beisammen an einem Tisch. Stangeler fühlte sich gewissermaßen ertappt, Kajetan witterte dies jedoch sogleich und benutzte die Freundlichkeit und Versöhnlichkeit, mit der ihm Grete entgegenkam, zu einer besonderen Aufmerksamkeit ihr und somit auch René gegenüber, alles eigentlich aus dem Bestreben, seinen jungen Freund zu beruhigen. Die Konstellation auf beiden Seiten, unter welcher dieses erstmalige Zusammentreffen stattfand, ermöglichte für diesmal fast etwas wie einen Zusammenklang. Die Konterhonz saß dumm dabei, wußte von gar nichts, war aber gottlob instinktlos genug, nicht zu bemerken, daß sie sich hier sozusagen an einer Wegkreuzung befand. Sie stellte nur fest, daß Kajetan ,diesen Herrn offenbar schon lange kenne' und war's eigentlich recht zufrieden, ,ein wenig in Gesellschaft zu sein'. So dachte sie bei sich, kam nicht zum Bewußtsein ihrer Isoliertheit und damit auch nicht zur Eifersucht bei Kajetan's Courtoisien Grete gegenüber. Schlaggenberg streichelte zudem, vorbeugend, unter dem Tisch ihr Händchen.

Grete Siebenschein aber war von Laura geradezu entzückt und richtete oftmals das Wort an sie. Abgesehen davon, daß Stangelers Geliebte für weibliche Schönheit überhaupt ein sehr offenes Auge und eine ausgesprochene Vorliebe besaß, war hier vielleicht ein aus tieferem Ahnungsvermögen kommendes Mitgefühl am Werke. Schlaggenberg spürte das; und er spürte vor allem auch (und gerade das erschütterte ihn) das große Maß von Friedensbereitschaft bei Grete, ihren offensichtlichen Willen zu

einem guten Einvernehmen, der aber gar nicht aus irgendwelcher Klugheit kam: sondern es war diese Haltung wohl einfach die ihrem Wesen am meisten angemessene. Und alles im
Guten zu ordnen und zu versöhnen, das mochte für Grete nichts
weiter als die Richtung ihres geringsten Widerstandes bedeuten,
den natürlichen Weg, den ihr Gemüt einschlug – wenn man es
nicht gewaltsam anderswohin drängte. Und wie rasch war ihre
Hoffnung zur Hand, eine ehrliche Hoffnung, jedweden Gegensatz auf diese gute und menschenwürdige Weise schlichten zu
können! Sie wollte ihrer Liebe leben, weiter nichts.

Kajetan empfand eine warme Zuneigung zu Grete an diesem
Abend, und er wußte wohl, wen er damit eigentlich meinte,
und hat es mir am nächsten Tage offen zugegeben. „Sie würde
zu den Unsrigen kommen, diese Grete, wirklich kommen wollen, arglos und ehrlich, und wäre gewiß des guten Glaubens,
alle diese auf irgendeine Weise feindseligen Menschen, die ihr
den Buben entfremden wollen, versöhnen zu können, diesen
Rittmeister und diesen Schlaggenberg. Sie würde gerne dazu-
gehören, mit Stangeler."

Zugleich ärgerte sich Schlaggenberg über die Konterhonz.
Sie schien es ihm gar nicht wert, von Grete so sehr beachtet zu
werden. „Sie ahnte dabei in gar keiner Weise, wen sie vor sich
habe", sagte er am nächsten Tage zu mir, „und war ohne jenen
tieferen und feinen Respekt, der einer sozusagen tragischen
Figur gegenüber am Platze ist."

Ja, er war an diesem Abend voll Einsicht, und voll Gedanken
an Camy. Das rote Licht erhob sich schmerzvoll und lockend
über den Horizonten der Vergangenheit. Die vorlängst erkannte
Unmöglichkeit seiner ganzen Ehe verschwamm in diesem
Dunst, verlor ihre scharfen Konturen, und Schlaggenberg's sich
kräftig regende Wünsche – sozusagen die Wünsche eines nach
rückwärts gewandten Propheten – schlüpften rasch unter das
Gewand eines überquellenden Wohlwollens für René und Grete,
für diese beiden als Paar, als Zweiheit nämlich. Und daß er an
diesem Abende noch so empfinden würde, das hatte Kajetan vor
wenigen Stunden gewiß noch nicht gedacht (etwa während des
Gespräches mit dem Kammerrat).

Man verließ indessen das Café und ging noch zu viert ein
Stück durch die stilleren Straßen und durch einen Park, dessen
Wege feucht unter der lauen Vorfrühlingsnacht lagen, während

Bäume und Gesträuch, dem flüchtigen Blicke noch kahl, sich wenig von der Dunkelheit unterschieden. Aber in's gelbliche Licht einer Gaslaterne streckte sich da oder dort überraschend ein Ästchen, an dem schon reihenweis aus den Knospen brechend das Grün saß. Grete war es, die zuerst so ein Reis entdeckte. „Oh, es ist schon grün!" sagte sie und beugte sich mit mütterlicher Zärtlichkeit zu dem Strauch und sah nun freilich, daß er über und über mit den kleinen Smaragden besetzt war. Die Konterhonz und Stangeler gingen weiter und voraus. Es schien übrigens, daß dieser ihr vielerlei lustige Dinge oder Freundlichkeiten sagte, denn man konnte sie erfreut gackern hören. Unschwer war zu erraten, daß hier Schlaggenbergs wohlwollende Haltung gegenüber Grete – und das bedeutete doch eine ganz gewaltige Erleichterung für René – auf Laura zurückstrahlte, sozusagen voll Dankbarkeit zurückgestrahlt wurde. Denn unter anderen Umständen hätte Stangeler sehr wohl möglich in der Konterhonz nichts anderes gesehen als eine dumme Gans (die sie ja zweifellos war), und er wäre, es ist denkbar, sogar ihr gegenüber ausfällig geworden, wie er's oft derartigen Personen gegenüber trieb, bei bedauerlichem Mangel an Hemmung.

Kajetan aber erreichte wohl hier im Park den Höhepunkt aller Verwirrungen dieses Abends. Als das Mädchen neben ihm über den ergrünenden Strauch sich beugte, mit einer beinahe von Tränen beschwerten Zärtlichkeit in der Stimme, als wäre ihr in jeder dieser kleinen grünen Knospen ein geliebtes Kind erstanden – da erschien ihm durch einen schrecklichen Augenblick lang alles das, was er getan hatte, einer Überzeugung folgend und dem vermeintlichen tieferen Gebot des Schicksals, da erschien ihm die Zertrümmerung seiner Ehe (letzten Endes doch das Werk eigensten Willens!) als nicht weit entfernt von verbrecherischem Wahnsinn, und schroff als blanker Unsinn an den (allzunahen!) Gestaden der Vergangenheit starrend. Und plötzlich wurde ihm da auch offenbar, wie nun schon Monat auf Monat wieder seine Kraft in einer Art von verborgener Blutung schwand, oder wie sie immer mehr sich darin verbrauchte, die klaffende Wunde zusammenzupressen, den Schmerz zu unterdrücken, ihn zu ersticken unter dem darübergewälzten Steinblock des Willens. Aber das alles kam doch, dreimal verdammt, aus dem Hirn allein (wie er jetzt glaubte), und woher nahm dieses ein Recht . . .

Hier verwirrte sich sein Denken und zugleich nahm er wahr, daß sie ihn im Weiterschreiten aufmerksam ansah und, merkwürdigerweise, fast in derselben Art und mit dem gleichen Strahl von Güte, wie sie vorhin den Strauch betrachtet hatte.

„Werden Sie Stangeler helfen?" sagte sie leise.

„Ja!" antwortete Schlaggenberg unverzüglich. „Levielle war heute bei mir", fügte er nach und erschrak über seine eigene Offenherzigkeit (oder unverzeihliche Dummheit). „Wußten Sie, daß Levielle beabsichtigte, mich aufzusuchen? Geschah das vielleicht in Ihrem Auftrag?"

„Nein", sagte sie mit echtem und nicht geringem Erstaunen, „was soll ich mit Levielle zu tun haben? Woher kennen Sie ihn denn?"

„Hat er das nie erwähnt?"

„Nein. Woher also –?"

„Durch meine Eltern. Er ordnete in unserer Familie – gewisse wichtige Angelegenheiten – jedoch gehört das nicht hierher, ist auch schon sehr lange her." (Ich bin wohl verrückt geworden? dachte er in währendem Sprechen.)

„Was wollte er denn von Ihnen?"

Aber Schlaggenberg bekam allmählich wieder Gewalt über sich selbst. Er sagte ihr nichts von Levielle's Anträgen, obwohl sie da nachzubohren versuchte, denn die plötzliche Erwähnung des Kammerrates im Zusammenhang mit irgendeiner Hilfe für Stangeler (und damit meinte sie doch vor allem eine Förderung seiner literarischen Pläne) hatte Grete freilich stutzig gemacht.

In unserer Gartenvorstadt trat der Frühling bald deutlicher zutage, die ersten zartgrünen, noch fast durchsichtigen Gewebe legten sich vor das Gelb oder Grau der kleinen Häuser und die flach hinfliehenden Hänge des Kahlengebirgs zeigten den Anflug der aufgehenden Wintersaat. Wasser und Kot wichen auf den Fluren und bald auch in den noch kahlen Wäldern vor der Sonne und endlich fühlte man sich – etwa nach dem ersten Spaziergang auf Wegen, die man mit den schnellen Skiern verschmäht und im Schnee kaum mehr gesehen hatte – endgültig von der abgelaufenen Jahreszeit getrennt. Und wo es bergab ging auf solchen Wegen, da hieß es nun sich an das erdenschwere Schritt für Schritt gewöhnen, denn mit dem winterlichen Hinabwischen über die Hänge war's also vorbei. In den Lichtungen und zwischen den Sträuchern duftete stark die Erde, an sonnwarmen Stellen und aus dürrem Laube leuchteten die Leberblümchen. Der Himmel spann Seide über fernen Hügelrändern.

Unser Kreis erfuhr damals noch einige Erweiterung. Außer meinen beiden Verwandten Körger und Orkay, tauchte neuestens Angelika Trapp öfter an Neubergs Seite auf, an Schlaggenbergs Seite dagegen niemand anderer als die Konterhonz in voller Person (die, nebenbei sei es gesagt, auf alle, und nicht nur auf mich, sehr bald lächerlich wirkte). Da schien sich also zwischen ihr und Kajetan doch ein dauerhafterer Umgang ergeben zu haben, statt der bisherigen nur fallweisen Berührungen, bei welchen Schlaggenberg jedesmal als eine Art Katastrophe über das bemitleidenswerte Mädchen hereingebrochen war, die Ärmste dadurch der ruhigen und kümmerlichen Zuflucht eines beginnenden sanften Vergessens stets von neuem entreißend.

Bedeutungsvoller war freilich das Erscheinen Grete Siebenscheins unter den Unsrigen.

Ich wußte natürlich, daß dies nur mit ‚Billigung' oder ‚Erlaubnis' Schlaggenberg's geschehen konnte und eine Bemerkung des Rittmeisters — ‚ist vielleicht nicht die schlechteste Methode', sagte er — ließ mich auch hierin wieder irgend eine bewußte Absicht vermuten. Vielleicht hatte man sich nach vorhergegangener Erwägung und Besprechung zu diesem ‚Schritt' entschlossen — nämlich dem ‚Fähnrich' hierin ein ‚placet' zu erteilen. Daß Schlaggenberg einfach in irgend einer Weise überrannt worden sei — was ja im Verlauf jenes Abends, der mit Levielle's Besuch begonnen hatte, doch sozusagen geschehen war — das kam mir damals noch nicht in den Sinn. Ich hielt seinen offenkundigen Mangel an Folgerichtigkeit für Absicht.

Für eine zweckhafte Absicht hielt ich auch die besondere Aufmerksamkeit, die er Grete gegenüber an den Tag legte. Diese zeigte sich übrigens sehr erfreut, mich in dem von ihr neu betretenen Kreise anzutreffen, was sie augenscheinlich keineswegs erwartet hatte. „Eigentlich gut, daß Sie da sind, Herr G–ff (sie nannte meinen Namen), wenigstens ein wirklich vernünftiger, objektiver Mensch ohne irgendwelche Voreingenommenheiten . . .", das sagte sie zu mir, als wir einmal abseits und außer Hörweite standen.

Ich fand keine Antwort, die irgendwie schlagfertig gewesen wäre; was ich aber fand, und zwar augenblicks in mir da drinnen, das war eigentlich eine große Unordnung, und zugleich fühlte ich, daß ich doch schon unter irgendwelche Einflüsse geraten war, die wohl vorzüglich von Schlaggenberg und dem Rittmeister ausgingen, und neuestens, besonders stark, dabei aber in einer gewissermaßen stummen Form, von niemand anderem als von meinem Herrn Neffen, dem Doktor Körger. Ich sah die Dinge wirklich schon mit den Augen jener an, damals, oder ich begann sie zumindest mit solchen Augen zu sehen – versuchte aber noch immer, daran festzuhalten, daß dies alles Phantasmagorien seien, und daß ich mich nur ‚auf mich selbst besinnen‘ müsse, um diesem ganzen Andrang nicht zu erliegen . . .

Doch genug von mir und meinen persönlichen Veränderungen.

Um die Mitte des April, knapp vor Ostern, wurde einmal ein Ausflug veranstaltet, an welchem alle ‚Unsrigen‘ teilnahmen, nicht zu vergessen die ‚Neuerwerbungen‘ – wir waren vierzehn Personen. Seit jenem Abende bei Schlaggenberg, den man später das ‚Gründungsfest‘ nannte, waren wir nicht dermaßen in pleno beisammen gewesen. Die Mehrzahl hatte, aus irgend einem Grunde, nicht draußen im Freien erst, sondern schon in der Inneren Stadt ihr Stelldichein (auch ich war unter diesen, warum ich eigentlich morgens in die Stadt gefahren war, weiß ich jedoch nicht mehr), und zwar in einer Gegend, die gar nicht viel später zu trauriger Berühmtheit gelangt ist. An der einen Seite eines weiträumigen Platzes liegt dort ein öffentliches Gebäude: der Justizpalast. Er gehört sicherlich nicht zu den schönsten Bauten der Stadt und entspricht im übrigen ganz dem Geschmacke der Zeit, zu welcher er aufgeführt wurde. Ich glaube auch keineswegs, daß mein Neffe, der Doktor Körger, gerade diesen Zeitgeschmack der neunziger Jahre in Schutz nehmen wollte, als er Grete Siebenschein einigermaßen spitzig antwortete, die eben etwas wie ‚welch’ eine Scheußlichkeit!‘ beim Betrachten der Front dieses massigen Bauwerks geäußert hatte . . . „Noch – mit Abstand! – besser als vieles, was da heute erzeugt wird. Mein Geschmack ist’s zwar gewiß nicht. Aber Sie folgen ja nur der Mode mit solch einem Urteil.“ Also Körger. Und von diesem Augenblicke an herrschte in unserer kleinen Gesellschaft eine Art unstillbarer Gereiztheit, die auch draußen im Grünen und fast während des ganzen Ausfluges anhielt.

Zunächst wurde noch über jene unerhebliche Sache hin und wider geredet, die hier den Anlaß gegeben hatte. Wir standen da in der warmen Frühlingssonne und erwarteten zwei oder drei von den Unsrigen, die bis jetzt nicht gekommen waren. Das innige Blau des Himmels, die vielen gelben Blütenpunkte in den Gärten, der eindringliche Sonnenschein grundierten hier ein einigermaßen krampfhaftes Gespräch, dessen Inhalt und Logik nichts, dessen verborgene Abneigungen und Zuneigungen alles waren. Der Platz und die Straßen, welche von verschiedenen Seiten geräumig ausmündeten, machten einen besonders sauber gekehrten Eindruck. Ich bemerkte, daß Stangeler, der sich diesmal auffallenderweise nicht in die bestehenden Meinungsverschiedenheiten mischte, das Bild der ganzen Umgebung geradezu leidenschaftlich in sich aufnahm. Er sah glücklich aus. Gegen Doktor Körger wandten sich mit vielen Worten und gewandter Ausdrucksweise die Herren Neuberg und Holder, auch die gute Glöckner redete eifrig, allen voran aber Gyurkicz. Plötzlich bemerkte ich auf dem Gesicht meines ungarischen Vetters, der gar nichts sagte, ein geradezu schamloses Grinsen. Damit wandte er sich ab, als sei eben dieses ganze Gerede nicht des Anhörens wert – sie waren natürlich bald vom Hundertsten in's Tausendste geraten und alles war nur ‚Rauch, der sein Feuer verleugnet'. Orkay trat neben Stangeler, nunmehr gemeinsam mit diesem in die Ferne schauend, aus welcher Ferne jetzt winkend die Konterhonz auftauchte, in voller Person möchte man sagen, und begleitet von Höpfner.

Auch der Straßenbahnzug, in den wir bald danach stiegen, leuchtete in frischen und scharfen Farben, er bestand aus drei ganz neu lackierten Wagen mit blank geriebenen Messingstangen. Alles schien an diesem Tage auf eine erhöhte Deutlichkeit abgestimmt zu sein.

Schlaggenberg trafen wir erst draußen, auf einer Anhöhe nicht weit von seiner Behausung, wo er uns erwartete. So war's vereinbart worden. Der Weg führte hier, vom Ende der Straßenbahngeleise, zwischen Gartenzäunen und Villen auf eine Hügelwelle, längs deren sich noch weitere gelbe und weiße Häuser und Häuschen hinzogen; von da aus sah man schon weit hinaus über die Waldkuppen. Ich meinte zuerst, Kajetan sei nicht allein gekommen, als ich seiner nach einer Biegung des Weges gewahr wurde; denn, vor dem leichtblauen, duftigen Himmel sich abhebend, stand eine zweite Gestalt neben ihm, ein ziemlich großes und kräftiges dunkelblondes Mädchen, wie ich alsbald ausnahm. Aber das war nur ein Zufall und eine Täuschung, sie war im Begriffe, an ihm vorbeizugehen, stand auch nicht eigentlich neben Schlaggenberg, sondern gute zwei Schritte hinter ihm – nur von ferne hatte das so ausgesehen – und jetzt ging sie weiter, den Weg herab, den unsere Gesellschaft hinaufstieg, und mitten durch uns hindurch, wobei sie uns sozusagen in zwei Gruppen schied. Mich hätte eine solche Begleitung Schlaggenbergs am Ende auch wegen der Konterhonz verwundern müssen, die doch in voller Person anwesend war – ritterlich zum Stelldichein begleitet von Höpfner, den sie auf der Straße kurz vorher angetroffen hatte, als er dem gleichen Ziele zuwallte. Nun, übrigens hielt ich bei Schlaggenberg alles für möglich, auch eine solche Demonstration gegen die Konterhonz, durch Erscheinen selbzweit mit einer bis dahin unbekannten Frauensperson. Und das ungeachtet jener gewissen Stabilität, die seine Beziehungen zu Laura in der letzten Zeit gewonnen hatten – oder vielleicht gerade deshalb, gerade diesem Umstande zu Trotz.

Der Ausblick von dem Hügelkamm war überraschend, alle blieben stehen. Der grüne Anflug der Landschaft hatte sich längst zu den rundlich gekuppten Linien der Laubwälder verdichtet, wie man's im Sommer gewohnt ist, und an den Hügelrändern sah man nicht mehr zwischen dem kahlen Geäste der höchsten Baumreihe den Himmel durchscheinen, wie zwischen wirrem und schütterem Haar. Die Skelette der Laubbäume standen wieder von grünem Leben umhüllt. Die sehr scharfe Sonne blitzte in den Scheiben der Häuschen und ermunterte die Vögel zu schrillen Pfiffen, die in der dünnen Stille hell hallten.

Wir gingen in zwei Gruppen weiter. Voran Eulenfeld und meine beiden Verwandten, Schlaggenberg, Stangeler und Quapp, diese neben mir. Von den Damen war sonst niemand bei uns. In einigem Abstande folgte der zweite Trupp, von dem stattlichen Paare Konterhonz-Höpfner eröffnet (ich müßte übrigens, wenn ich die Konterhonz nenne, jedesmal und immer ‚in voller Person‘ hinzufügen, so wie bisher – möge es also von nun ab stets der Leser statt meiner tun; zugleich möchte ich noch einmal sagen, daß man sich unter diesem Daherkommen ‚in voller Person‘ etwas schon sehr weitgehend Törichtes vorzustellen hat, zum Beispiel: ‚ich machte neulich einen schönen

Erholungsspaziergang, in Gesellschaft einiger Damen und Herren meines Bekanntenkreises, um ein wenig Luft zu schnappen').

Dahinten führten Holder und Neuberg das Wort. Bei uns vorne wurde nicht viel gesprochen. Überhaupt wird es jetzt Zeit, eine Erscheinung festzustellen, die sich damals schon nicht mehr übersehen ließ. Sie betrifft meine beiden Verwandten oder eigentlich, sie ging von diesen beiden jungen Männern aus. Zunächst einmal schien irgendeine Art schweigenden Einverständnisses zwischen ihnen vorhanden zu sein. So etwa pflegten sie in unserem Kreise sehr oft bei den verschiedensten Anlässen – es waren sehr verschiedene Anlässe, aber doch immer solche von einer sozusagen inneren Formverwandtschaft – beide gleichzeitig zu lächeln, oder besser gesagt zu grinsen, etwa wie Menschen, die im Besitze einer Erfahrung oder eines sicheren Wissens sind, einen anderen dabei aber blind herumtappen sehen und zugleich genau erkennen, jener werde früher oder später den nämlichen Ausweg finden müssen, den man selbst schon gefunden hat – sei er auch jetzt noch durchaus gegenteiliger Meinung. Einmal, zum Beispiel, wurde so gegrinst, als Schlaggenberg über die Zustände auf dem Büchermarkte sprach und Grete Siebenschein dazu bemerkte, man müsse eben durch Aufklärung und Werbung den Leser für's Bessere zu gewinnen suchen. Ein andermal wieder grinsten sie, als Quapp überaus nachdenklich von den hohen und reinen Werten sprach, die ganz verschlossen und sozusagen ohne die Möglichkeit, sich geradewegs zu äußern, in solch einer naturburschenhaften Art lägen, wie sie Gyurkicz eigen sei. Kurz und gut, sie wußten manchmal irgendetwas besser. Von Dr. Körger läßt sich freilich sagen, daß er dabei, durch sein Temperament, zu gelegentlichen Ausfällen neigte – wie etwa gerade heute, beim Stelldichein vor dem Justizpalast – während ich bei Géza derartiges noch nie beobachtet hatte, entgegen allem Gerede vom hitzigen Blut, das man den Magyaren nachsagt. Nun, dieser hier war ja Diplomat von Beruf. Er schwieg, schiefäugig, tiefbraun, hager und mit einer scharfen Geiernase, und sah aus wie jener sagenhafte Vogel Turul, der einst dem Ahnherrn Arpad den Weg in das Land zwischen Donau und Theiss gewiesen hatte.

Wer stehenblieb und sich umwandte, sah jetzt den ungeheuren Tümpel der Stadt dort unten liegen, in dunklen, violetten Tinten schwimmend, hinfliehend und hingegossen bis an den Rand des Gesichts und gegen die große Tiefebene zu.

„Man marschiert heute sozusagen getrennt", sagte Stangeler, der sich umgewandt hatte, „in zwei gänzlich gesonderten Gruppen. Nicht einmal die beiden Ungarn sind beisammen!"

Orkay lachte kurz auf.

„Fassen Sie dieses getrennte Marschieren sinnbildlich auf, dann kommen Sie dem wahren Sachverhalt am nächsten", bemerkte mein Neffe.

„Wie –?" fragte Stangeler.

„Von mir aus als die Vision einer besseren Zukunft."

„Was meint er?" flüsterte Quapp mir zu.

„Na übrigens, ein paar von denen da hinten könnte man noch zu uns herüberlotsen. Den Höpfner oder die Angelika meinetwegen", sagte Körger halblaut.

„Und wo bleibt meine dicke Laura?" entgegnete Schlaggenberg.

„Kann noch angehen. Darf herüberkommen."

Gerade da hatte Grete Siebenschein die rückwärtige Gruppe verlassen, kam nach vorn zu ihrem René und schob den Arm unter den seinen. Sie hatte die letzten Worte offenbar gehört und sagte gleich zu Körger:

„Wer darf herüberkommen? Ich vielleicht?"

„Nein. Sie nicht", antwortete mein Neffe in aller Seelenruhe.

„Gnädigste wissen nicht, wovon die Rede war", sagte Orkay, freundlich lachend. Er konnte auch nicht die allerkleinste Unritterlichkeit ertragen und trat in allen solchen Fällen immer geschickt abwehrend und deckend dazwischen. „Wir wollen nämlich ein Tischtennis-Herren-Tournier veranstalten, Ping-Pong, wie man sagt, aber in zwei Mannschaften gegeneinander und um fünf Flaschen Wein. Jedoch mein Herr Cousin, oder wie er schon mit mir verwandt ist – genau werd' ich das nie verstehen – möchte nur alle guten Spieler auf seiner Seite haben, also auch den Herrn Rittmeister, und von dem sagte er ‚darf herüberkommen', auf seine Seite nämlich."

Eulenfeld, der in seinem Leben noch kein Tischtennis-Schlägerchen in der Hand gehabt hatte, betrachtete den Ungarn mit unverhohlener Sympathie.

„Ausgezeichnet!" sagte Grete Siebenschein, „ach, ‚Ping-Pong' möchte ich auch schon lange wieder einmal spielen, das ist einer meiner größten Wünsche! René, wir kaufen uns das und üben dann im Speisezimmer, da ist Platz genug, ja?" Sie war gleich wieder beruhigt, harmlos und lustig. Ihr scharfer und ahndungsvoller Instinkt, der sie sozusagen im richtigen Augenblicke zu uns hierher geführt hatte, war alsbald bereit, sich einschläfern zu lassen, und zugleich gewann wieder irgendein wohlwollend-freundlicher Wunsch die Macht eines Vaters ihrer weiteren Gedanken. Wir aber wurden durch die von uns geduldete, ja gutgeheißene Lüge Orkay's auf seltsame Art zu einer wissenden Gemeinschaft zusammengeschlossen, der sie nun als Fremde gegenüberstand.

Körger ging noch weiter. „Ich weiß nicht, gnädiges Fräulein", sagte er, „ob jeder große Speisetisch für Tischtennis geeignet ist – es sind nämlich bestimmte Maße vorgeschrieben, wissen Sie das? Außerdem, ein durch sogenannte Ausziehbretter verlängerter Tisch hat dann naturgemäß Quer-Rillen, auch wenn jene Bretter sehr genau anschließen, und ein Ball, der dort auftrifft, erhält einen unvorhergesehenen Absprung. Am besten wär's, wir würden alle zusammensteuern und ein oder zwei solcher Tische einfach aus gehobelten Brettern bei einem Tischler zusammenschlagen lassen, die Geschichte wird dann grün angestrichen und kommt auf irgendwelche Böcke, so etwa wie man ein Plättbrett, oder, wie es hierzulande heißt, einen ‚Bügel-Laden' auflegt – auf jeden Teilnehmer käme bei der ganzen Geschichte am Ende nur ein kleiner Betrag."

Er wurde also ausführlich!

„Und diese Tische stellen wir dann jedesmal auf – bei irgend jemand von uns, wo eben genug Platz ist – vielleicht könnte man einen davon sogar bei Ihnen aufbewahren, wenn Ihr Speisezimmer wirklich groß genug ist?"

Ich staunte.

„Ja, ja!" rief Grete erfreut und lustig. „Wir gründen einen Tischtennis-Klub! Bei mir. Natürlich. Platz ist genug da. Aber beim Turnier dürfen dann nicht nur die Männer spielen! Das gibt's nicht!"

„Nein, selbstverständlich auch Damen – jetzt, wo Sie auch mittun, natürlich", sagte Schlaggenberg freundlich, „das wird ja viel unterhaltender. Sag' einmal, Quapp, du spielst doch das auch recht gut, soviel ich weiß?"

Jedoch Quapp's bieder-einfältige Natur war dieser ganzen Unverschämtheit doch nicht mehr gewachsen. „Ja –", sagte sie unbestimmt, „ist allerdings schon lange her . . .", ihr Auge blickte gequält und trübe. Sie sah mich an und lächelte ein wenig krampfhaft. Ich wußte, daß sie sich für uns alle schämte.

Jedoch fehlte ihr gerade zu diesem Letzten die Berechtigung. Unser aller Haltung stand hier unter einem Zwange, der sich erst sanft eingeschlichen hatte, nun aber unausweichlich geworden war. Und Quapp selbst war es, die einen Teil dieses Zwanges für uns ständig mit sich brachte. Auch sie lebte, wie Stangeler, in Stücke zerrissen, auch sie bewechselte ständig jenes Niemandsland, wo der jeweils erforderte Verrat rasch und im Halbdunkel der Seele geübt wird, und bei vorschreitender Übung sogar mit einer gewissen Fixigkeit: sie eilte fast jeden zweiten Tag ‚über den Berg‘ (wie wir zu sagen pflegten, doch davon ein andermal!), und es war ein wirklicher Berg, nämlich eine mit Häusern und Weingärten besetzte Anhöhe, jenseits welcher ein tiefer gelegener Teil unserer Gartenvorstadt sich befand; dorthin waren nämlich Quapp und Gyurkicz in jüngster Zeit beide ausgewandert. Sie stieg also den Berg hinauf, um etwa ihren Bruder zu besuchen, wo sie auch Stangeler häufig antraf, oder um bei mir Tee zu trinken und mit mir und dem Rittmeister und etwa meinen beiden Vettern zu sprechen. Und jedesmal verplauderte sie sich und die Zeit verstrich und sie hetzte sich dann wieder über den Berg und hinab, denn schon wartete Gyurkicz bei ihr; und die Minuten oder gar Viertelstunden dieses Wartens quollen sozusagen dick auf in ihm, denn er konnte sich's ja denken, wo sie stecken mochte. Und Quapp lief durch den Park, den es dort auf der anderen Seite ‚hinterm Berge‘ gab, hinab, und mußte dabei eilends alle Wechsel und Weichen ihres Innern, die im Gespräche mit den Freunden in die eine und ewigselbe Richtung ihres ‚Weges‘ sich gestellt und gestreckt hatten – damals noch klingend vor Lust! – gewaltsam umstellen, diesen ganzen Mechanismus, dieses Knochengerüste ihres Lebens gleichsam kränken und biegen oder brechen, um nur jetzt wieder echt und ganz bei Gyurkicz sein zu können . . . denn klug sich verstellen, gerade das konnte sie ihm gegenüber nicht.

Nichts gelang ihr. Sie vermochte es auch nicht so rasch, sich zu verändern, während sie da über den Berg keuchte, an dem Wartehäuschen der Straßenbahn vorbei, das dort oben stand, und dann hinunter in den dunklen Park.

Es kam auch zu stundenlangen Auseinandersetzungen mit Gyurkicz, während welcher sie ihn haßte.

Wir aber machten uns alle diese Sache mit der Zeit soweit bequem und handlich, wie es eben möglich war: unter Vorantritt Schlaggenbergs, der die Liebesgeschichten seiner Schwester kritiklos hinzunehmen sich angewöhnt hatte. Also nahm man am Ende den Arpaden hin, den Herrn von Gyurkicz, samt allen Kriegstaten, wenn auch der Rittmeister bei deren Schilderung sich gelegentlich übermäßig laut zu räuspern pflegte.

Wir wußten, so schien mir's zuweilen, trotz des gelegentlich mahnenden Gemurmels gewisser Tatsachen, manchesmal selbst nicht mehr, wo da die Wahrheit aufhörte oder anfing, und unter uns allen waren nur meine beiden Vettern wirklich unbefangen: aber selbst Géza, dessen Haltung doch bei jenem Auftritt in meiner Wohnung, als er Gyurkicz erstmalig kennenlernte, eine ganz unzweideutige gewesen war, geriet am Ende unter den gleichen Zwang wie wir und bequemte sich ihm an, wenn schon niemand anderem als Quapp zuliebe. Dem Vogel Turul allerdings begegnete unser Herr von Gyurkicz mit auffallender Zurückhaltung, was ja nach allem wohl selbstverständlich erschien.

Das waren so meine Erinnerungen und schnellen Gedankenbilder, die kamen und gingen, während ich neben Quapp den sanft ansteigenden Weg dahinschritt, die Frühlingssonne wie einen wärmenden, aber gewichtlosen Mantel um Schultern und Rücken spürend. Indessen lenkte bald Grete Siebenschein meine Aufmerksamkeit auf sich.

„Ehrlich gestanden, Herr von Schlaggenberg –", sagte sie eben, „so genau hab' ich das eigentlich nicht gewußt – woher denn auch – ich dachte Stiefgeschwister, oder so irgendwie –"

„Ja wieso denn Stiefgeschwister? Das höre ich zum ersten Male. Nein, Quapp ist meine richtige Schwester. Wer hat Ihnen denn was anderes erzählt?"

„Niemand – ich weiß eigentlich gar nicht, wie ich auf diesen Gedanken kam – lassen Sie sehen", (sie betrachtete Quapp) „nun, wenn man genauer zusieht, bemerkt man schon irgendeine Ähnlichkeit, sozusagen eine tiefere Ähnlichkeit – ich meine, die Dummen werden Sie beide gewiß nicht auf den ersten Blick für Geschwister halten. Ich gehöre, scheint es, zu den Dummen. Später kommt man dann erst darauf. Aber – wir sprachen von diesem alten Levielle –" (das hatte ich anscheinend überhört, da ich eben vorhin mit Quapp ein paar Schritte zurückgeblieben war) „– Sie müssen ihn doch eigentlich schon viel länger kennen als ich, und ich meine, zur Familie in irgendeinem Sinne gehört er doch bei uns wirklich nicht – doch schon eher zu Ihrer Familie – ich meine als alter Bekannter Ihrer Eltern, wie Sie mir neulich gleich sagten, als wir uns kennen lernten."

Eulenfeld hatte sich umgewandt. Ich ersah im selben Augenblicke eindeutig und zweifelsfrei aus dem Gesichte Quapps, daß sie hier keineswegs etwas Neues hörte, nichts was ihr unbekannt oder für sie überraschend gewesen wäre.

„Ja, das stimmt", sagte Schlaggenberg, der diese durch Grete Siebenschein geschaffene Situation zwar mit einer gewissen gesammelten Anstrengung, immerhin aber klar und erfolgreich beherrschte. „Er verkehrte in meinem Elternhause, ich war damals eigentlich noch ein Kind. Nach dem Ableben meines Vaters erinnere ich mich übrigens kaum mehr, ihn gesehen zu haben – jedoch zu Lebzeiten des alten Herrn tauchte er dann und wann auf. Ich glaube, er war so eine Art Berater in geschäftlichen oder finanziellen Dingen, Vermögensverwaltung und dergleichen – obgleich es ja bei uns neben der Landwirtschaft nicht gar viel Vermögen zu verwalten gab, und von Kühen oder Saatgut hat der Herr Levielle doch bestimmt nichts verstanden. Nun, wie immer, er war eben das, was man einen . . ." Er schnappte plötzlich ab und setzte dann hinzu: „Ein Manager."

„Typischer Fall der Achtzigerjahre", bemerkte vor uns Doktor Körger, und brach gleich danach in ein, wie mir schien, unpassend lautes Gelächter aus.

„Ist bei uns in Ungarn heute noch sehr häufig", sagt der Vogel Turul, der, wie man sieht, doch gelegentlich sprach.

„Ja, ja!", rief Eulenfeld, und er machte dabei überraschenderweise den Eindruck, als sei er jetzt überaus erleichtert, als wäre ihm ein Stein vom Herzen gefallen, wie man zu sagen pflegt, „ja, das gab's bei uns auch. Der alte Eulenfeld hatte auch solch einen. Dr. Benno Isserlin. Putziger Mann. Geht meiner Mutter heute noch gelegentlich an die Hand. Anständiger Mensch übrigens. Hat einmal um die Hand meiner Schwester angehalten. Na, kann mir meinen seligen Alten dabei vorstellen. Mir vertraute er's dann später einmal an, der gute Dr. Isserlin, wie's dabei zugegangen war. ‚Ja was sagte denn, zum Donnerwetter, der Alte?!' frug ich den Dr. Isserlin. ‚Nichts. Er sagte gar nichts.

Nicht einmal das kleinste Sterbenswörtchen. Wissen Sie' – so Isserlin's Erzählung – ‚er saß da im tiefsten Klubfauteuil und sah mich von unten an, aber sehr eigentümlich, das Gesicht mit dem Seehundschnauzbart war gesenkt und nur so mit den Augen langte er ein klein wenig zu mir 'rauf!' ‚Na, und Sie –?' frage ich ihn. ‚Na ja – ich', sagte er, ‚na, ich sprach mein' Vers, und denn stand ich eben da, und er sagte nichts, und starrte mich so seltsam von unten 'rauf an, und ich wartete.' ‚Und am Ende?' ‚Ja, sehen Sie mal, am Ende – da wurde mir unheimlich. Senkrecht unheimlich wurde mir da zu Mute, und ich ging aus dem Zimmer 'raus, und wissen Sie, merkwürdig war's, ich ging nach rückwärts, so Schritt nach Schritt, blieb ihm aber zugewandt. Und er sah mich nur immerzu an, von unten 'rauf, und denn langte ich hinter meinem Rücken nach der Türklinke, und schloß die Türe leise und war glücklich aus dem Zimmer, und, sehen Sie mal, Herr von Eulenfeld', sagte er, ‚das war alles, und auf die Art bin ich leider nicht Ihr Schwager geworden'."

Alle lachten. „An dem Schwager, Herr Rittmeister, haben Sie aber nichts verloren," sagte Grete Siebenschein.

„Gleichwohl muß man sagen", fuhr Eulenfeld bedächtig fort, „diese alten Knochen allesamt hatten doch eine verdammt gute Art, ihre Grenzen zu wahren. Derlei fehlt uns heute."

„Das heißt", ergänzte Körger, „diese Knochen waren liberal bis auf die Knochen, aber die Knochen selbst waren eben nicht liberal, und so fand bei solchen alten Knochen der Liberalismus seine Grenzen."

„Sehr geistreich", sagte Eulenfeld, „man spürt allbereits den Esprit und die Dialektik des künftigen Rechtsanwaltes. Es läßt sich prophezeien, daß du dereinst eine Zierde der Verteidigerbank sein wirst."

Ich aber staunte während solcher Wechselreden, wie geschickt Grete Siebenschein sich hier anpaßte, ohne sich im allermindesten eine Blöße zu geben. Dabei schien mir vorhin ein versteckter Angriff auf Schlaggenberg von ihrer Seite vorzuliegen – wer aber hätte das wohl nachweisen können? Jedenfalls war sie mit ihrem Angriffe nicht weit gekommen.

Ich horchte wieder auf. Eben sagte Kajetan:

„Du scheinst ihn doch irgendwie gegen dich – verstimmt zu haben, sagen wir einmal. Weißt du nicht wodurch? Was meinen Sie, Fräulein Grete? Ich hatte den Eindruck, daß der Herr Kammerrat an unserem ‚Fähnrich‘ sozusagen Anstoß genommen hat.‘‘

„Ja, wie denn nur?!‘‘ sagte Grete. „Vielleicht war er ein oder das andere Mal nicht einverstanden, wenn René gerade nicht nett zu mir war (sie gebrauchte wörtlich diesen maßvollen Ausdruck), aber das ist ja am Ende etwas anderes. Übrigens kommt doch Levielle mit Stangeler gar nie in Berührung, oder nur flüchtig – ich glaube, René, du hast doch diesen Alten jetzt schon wochenlang nicht gesehen.‘‘

„Nein‘‘, sagte Stangeler.

„Und ihr habt da alle natürlich wieder eure Vorurteile, aber ich kann euch sagen, daß ihr ihn gar nicht richtig einschätzt, er ist ein sehr gescheiter Mensch und auf seine Art ein bedeutender Mensch, wenn ihr es vielleicht auch nicht gelten lassen wollt, daß ein rein geschäftlich tätiger Mensch auch Bedeutung besitzen kann. Ich bin da anderer Meinung. Und was die geistigen Dinge betrifft, so hat Levielle hier auch einiges geleistet, durch seine Freigebigkeit – da hinter uns geht gleich der Herr Dr. Neuberg, der ein halbes Jahr in Rom war, durch ein Stipendium Levielle's.‘‘

„Schön‘‘, sagte Schlaggenberg, ohne auf das von Grete Siebenschein Vorgebrachte überhaupt einzugehen – auch sonst schien niemand etwas dazu bemerken zu wollen – „schön – aber ich hatte den Eindruck, daß der Herr Kammerrat auch ganz persönlich sich in irgend einer Weise über unseren ‚Fähnrich‘ geärgert haben muß.‘‘

„Wüßte nicht, was ich dem alten Ekel getan hätte – überhaupt, er kann mich –‘‘

„Na gut, er kann dich‘‘, meinte Kajetan, „dagegen hat ja gewiß niemand was einzuwenden. Aber denke doch einmal nach. Mich würde das sehr interessieren, ehrlich gestanden. Sagen Sie, verehrtes Gretlein, es sind also schon Wochen vergangen, seit unser Herr René dem Herrn Levielle zum letzten Male oben bei ihren Eltern begegnete? Hat es da nicht irgend etwas gegeben? Ist da nicht irgend etwas losgegangen?‘‘

„Doch, jetzt hab' ich's‘‘, sagte sie, „natürlich! Gerade vor drei Wochen! Mein Schwager Lasch und der Kammerrat traten, in irgend eine wichtige Besprechung vertieft, in's Musikzimmer, sie sprachen über Dinge, die vielleicht für fremde Ohren nicht bestimmt waren, glaubten sich allein und bemerkten erst später, daß René auf dem Sofa hinter dem Klavier lag. Es war auch schon dämmrig gewesen und sie hatten das Licht nicht eingeschaltet. Durch das Reden im Zimmer ist René dann aufgewacht, hat sich plötzlich bewegt – und so – ich meine, es war den beiden eben hintennach unangenehm – René natürlich hat so seine ‚russischen' Lebensgewohnheiten. Kommt zu mir, trifft mich nicht gleich an, und weil bei mir zufällig der Diwan mit ein paar Hutschachteln verstellt ist, legt er sich sonst irgendwohin und schläft."

„Eigentlich famos", sagte Quapp.

„Gut, meinetwegen famos", replizierte Grete, „aber es wurde dann darüber gesprochen, das heißt eigentlich, mein Schwager äußerte, daß es anscheinend in der Wohnung meiner Eltern nicht mehr möglich sei, eine Vereinbarung mit einem Geschäftsfreund zu treffen, zum Zwecke einer ungestörten Unterredung, und so weiter . . . das war uns selbstverständlich unangenehm . . . es passierte schließlich auch nicht das erste Mal, denn ähnliches ist schon früher vorgekommen."

„Also jetzt wird mir's zu blöd! Was da nicht alles hinter meinem Rücken gegen mich vorgeht, bei euch!" rief Stangeler. „Widerlich! Da wird geredet, da beschwert sich ein Herr Lasch – und du natürlich" – er streifte Grete mit einem raschen Seitenblick, der bereits Zorn verriet – „du natürlich bist mit dabei, und hältst es nicht einmal für nötig, mir auch nur ein Wort zu sagen – rückst da hintennach heraus . . ."

Seine Äußerungen waren auf dem besten Wege, weiter auszuschweifen, in einer Art und Weise, die dem Leser ja schon sattsam bekannt ist. Ich bemerkte jedoch, daß Schlaggenberg ihn unter dem Arm nahm und ihn offenbar durch einen leichten Druck zur Mäßigung mahnte.

„Schau, René, Bub, ich wußte, daß dich diese Dinge ärgern würden, deshalb hab' ich dir gar nichts erzählt – aber ich hab' dir doch oft angedeutet, daß du – dich nicht zu sehr in dieser Weise gehen lassen sollst, du weißt schon, wir sind halt nicht, sagen wir einmal – in Rußland."

Stangeler setzte neuerlich zum Sprechen an. Ich sah dann deutlich, wie Kajetan wiederum seinen Arm preßte. René begann: „Himmelkreuzdonnerwetter, wie können diese Kerle überhaupt glauben, daß ich auch nur das geringste Interesse . . ." (hier kam Kajetan's zweites mahnendes Zeichen, und der ‚Fähnrich' verließ wirklich sofort die aufsteigende Bahn seines Zornes) „na ja, Gretel ... ich versteh' dich ja ganz gut ... und das können ja die nicht wissen ... war ihnen halt unangenehm ... hab' genug Phantasie, um mir das vorstellen zu können ... aber, aber – das kannst du mir glauben – ich habe wirklich geschlafen und nicht ein einziges Wort gehört!"

„Aber Bub, mein Guter, daran zweifelt wohl überhaupt niemand von uns!" sagte Grete Siebenschein sofort, freundlich lachend. Sie legte ihren Arm um seine Schultern und sah ihm durch ein paar Augenblicke von nahe in's Gesicht, mit dem zärtlichsten Ausdrucke, ihre Lippen bewegten sich und flüsterten nur diesen beiden verständliche Koseworte.

Kaum hatte Stangeler abgeschäumt, als auch schon Schlaggenberg in der gleichen Richtung wie früher mit leichthin und beiläufig gestellten Fragen weiter vordrang:

„Können Sie sich noch genauer erinnern, liebes Gretlein, wann sich diese lächerliche Geschichte mit Stangeler, dem Kammerrat und Ihrem Schwager eigentlich abgespielt hat, bei ihren Eltern oben im Musikzimmer, wie? Sie sagten eben, vor gut drei Wochen, das muß also gegen Ende März gewesen sein, wie?"

„Warten Sie einmal", sagte Grete Siebenschein und dachte ein wenig nach, „es war – ganz kurz vor jenem Abend, an welchem wir uns damals im Café zum ersten Male sahen. Vielleicht drei oder höchstens vier Tage vorher. Sie erinnern sich doch wohl? Sie kamen damals mit Fräulein Konterhonz, und der Bub da und ich stießen mit euch beiden gleich im Windfang beim Eingange zusammen. Kurz vorher war die Geschichte im Musikzimmer. Das weiß ich genau."

„Und Sie sagten vorhin, es hätten sich derartige Dinge auch früher schon abgespielt? Weißt du, Stangeler" – er wandte sich zu René – „ich kann es doch sehr gut verstehen, daß derlei den Leuten nicht angenehm ist, du wirst halt ein wenig aufpassen müssen in dieser Hinsicht, schon dem Gretlein zu Liebe."

„Ja, natürlich", sagte der ‚Fähnrich'.

Grete lachte plötzlich auf. „Jetzt fällt mir ein", sagte sie, „daß es, kaum einen Monat vorher, auch schon so etwas ähnliches gegeben hat – ich weiß nicht mehr genau, wie das eigentlich war, aber ich erinnere mich deshalb daran, weil ich meinem Schwager Cornel bei der Gelegenheit den Standpunkt klar gemacht habe. Der gute Bub ist damals in meinem Zimmer gesessen, still wie

ein Mauserl, und hat etwas geschrieben – notabene etwas sehr
Schönes, nämlich den Aufsatz über Ulrich von Hutten, der kurz
danach erschienen ist – (Schlaggenberg sagte: ‚bravo!‘) – na,
und die zwei hochmögenden Herrschaften waren nebenan und
haben debattiert. Später bemerkt dann der Cornel, daß René in
meinem Zimmer bei der Arbeit gesessen ist, und sagt – in seiner
arroganten Art, die ich schon nicht vertragen kann! – ‚bei Euch
ist man wirklich nie ungestört‘ – na, da habe ich ihn denn doch
aufmerksam gemacht, daß hier höchstens René gestört worden
sei, durch das Reden im Nebenzimmer. ‚Der könnte schließlich
auch bei sich daheim arbeiten‘, sagte er, und ich darauf ‚und ihr
könntet ja eure Konferenzen auch in deiner eigenen Wohnung
abhalten‘ – na, kurz und gut, wie ein Wort das andere gibt, wir
haben uns dann gestritten, ich sagte ihm auch, daß es ihn gar
nichts angehe, wem ich mein Zimmer zur Verfügung stelle, und
so weiter.‘‘

,,Und das war erst einen Monat vor der Sache im Musikzimmer?‘‘

,,Ja. Daher dann der um so größere Ärger.‘‘

,,Ein Pech hat dieser Bursche‘‘, sagte Schlaggenberg lachend,
schlug René auf die Schulter und wechselte gleich danach den
Gegenstand des Gespräches.

Wir hatten in währendem Gehen längst die letzten Häuschen
hinter uns gelassen, die hallenden, hell begrünten Räume des
Waldes nahmen uns auf, der Weg stieg ein wenig an. Als ich
zufällig Stangeler mit dem Blick streifte, der jetzt neben Quapp
und mir dahinschritt, war ich betroffen von einer seltsam schmelzenden Veränderung, die hinter den Zügen dieses Burschen vor
sich zu gehen schien, er war offenbar ganz abwesend und glücklich dabei.

Links vom Wege traten die Bäume zurück, hellgrün beflammte
Sträucher wanderten noch ein wenig in eine Wiese hinaus, die
weiterhin steil abfiel, und hier flohen vor dem Blick schon die
runden Hügel und Baumkronen eines neuen Tales. Wer sich
jetzt umwandte, sah die Stadt nicht mehr. Wir fanden ein paar
klapprige und zermorschte Bänke und wollten uns niederlassen,
die rückwärtige Gruppe war weit hinten geblieben und uns aus
den Augen gekommen.

Stangeler begann plötzlich sehr rasch zu sprechen. Wir standen und saßen ihm gegenüber in einem Halbkreise. Er trat noch

ein wenig in die Wiese zurück. „Ich weiß", – sagte er und sprach ganz offensichtlich uns alle an – „ich weiß jetzt ganz plötzlich, was ich – damals im Musikzimmer geträumt habe! Sehr merkwürdig. Es war da – ein Apfel, jedoch aus einem anderen Stoff, eine Art Kugel, eine weiße Perle, nein, doch eher ein Apfel . ."
„Vielleicht ein Roßapfel", bemerkte Doktor Körger leise. Stangeler, ohne die geflüsterten Worte überhaupt zu hören, sprach weiter:
„Dieser Apfel war - ich selbst. Weiß. Innen weiß. Nicht fertig. Ein Teil fehlte. Etwas Scharfes, Spitzes drang an mich heran, fraß sich in meine Rundung hinein . . . . auch weiß oder hell, aber nicht glatt, sondern faserig und – sehr sauer. Scharf. Ich mußte aber ganz und heil bleiben, oder eigentlich ganz – werden, ‚mich kugelig schließen', diese Worte dachte ich deutlich im Traum, wollte weiter träumen, wurde aber erweckt . . . ."
„Stangeler kugelig geschlossen, als Denk-Kugel frei im Raume schwebend – stell dir das einmal vor – sozusagen ‚le globe philosophique' . . . "
Ich winkte meinem Neffen ab, ich wollte, daß er schweige. Ich weiß, daß mich dieser ganze Vorgang – die Erzählung Renés, unsere zuhörende Gruppe ihm gegenüber, die Hügel und Wälder aber im Hintergrunde – ich weiß, daß mich dieses alles heftig und rätselhaft angriff, mit einer tiefen Aufregung in mir da drinnen. Ich fühlte mit Sicherheit, daß Stangeler nicht flunkere, daß er sich vielmehr auf's äußerste bemühte, irgend eine noch vernebelte und verschwommene, aber sehr wichtige Wahrheit und Wirklichkeit uns, vor allem aber wohl auch sich selbst, zu einem deutlicheren Bewußtsein zu bringen.
„Ich wollte nicht aufwachen", sagte er, „ich wollte diese unerhört deutliche, ungeheure Erkenntnis festhalten – es hing außerordentlich viel davon ab, diese Rundung zu vollbringen, oder aber den – abgesplitterten Teil, der durch die eindringende Spitze abgespalten und verdorben wurde, wieder ganz zu ersetzen . . . "
Ich warf einen Seitenblick auf Schlaggenberg. Ihm schien es ähnlich zu ergehen wie mir. Er sah auffallend ernst aus. Wie Quapp dem ‚Fähnrich' zuhörte – na, das kann man sich denken.
Grete Siebenschein aber grub förmlich in dem Gesicht ihres Geliebten. Ihre Augen waren weit geöffnet, hell und veilchenblau, sie drückten einen ganz außerordentlichen Grad von Apper-

zeption aus und waren gewissermaßen durch eine Art seltsamer Randfältchen sehr scharf vom übrigen Gesichte abgesetzt . . . . wenigstens machte es mir diesen Eindruck. Um ihren Mund waren einige leichte Rillen zu sehen, die ich zum ersten Male bemerkte. Sie sah jetzt zweifellos ihrer Mutter sehr ähnlich. Sie sah gealtert aus.

„Ich verstehe natürlich genug von Psychologie", sagte Stangeler, jetzt schon in einer sozusagen normaleren Tonart, „um zu wissen, wie solch ein Halbtraum zustande kommt – das heißt, ich erfuhr es ja geradezu . . . das Scharfe, Spitze, was da in mich eindrang, erwies sich im allmählichen Erwachen, wie ich da so von unten wieder an die Oberfläche kam, an den Spiegel, der Wachen und Schlafen trennt – es erwies sich mit der größten Selbstverständlichkeit – ja! das war sogar ganz besonders einleuchtend und selbstverständlich!! – es erwies sich als – die Stimme dieses Herrn Levielle. Das war also der vorderste, verjüngteste Teil der Spitze, die eigentliche eindringende Schärfe, dort also, wo es faserig und sauer war . . . er hat doch so etwas Fistelndes, Hohes in seinem Organ. Und dann, weiter rückwärts, im breiteren Teil, auch schon nicht mehr so rein und weiß, schon dunkler, da zeigte sich dann die fette Stimme von diesem Lasch als der eigentliche Stoff, aus dem's gemacht war . ."

Er schwieg. Grete Siebenschein's Gesicht war völlig unbeweglich. Man sah jedes kleinste Rillchen um ihren Mund. Das fiel mir damals so sehr auf! – Von rückwärts kam schon unsere zweite Gruppe auf die Bänke zu.

„Ja, Gretel!", rief Stangeler plötzlich – und sie erschrak jetzt ganz offenbar, als er sich so laut und unvermutet zu ihr wandte – „denk' dir, jetzt weiß ich doch irgendetwas von dem, was die beiden geredet haben! Da habe ich ja vorhin eigentlich die Unwahrheit gesagt, allerdings ohne das zu wissen – es kommt jetzt erst aus mir hervor. Das hat auch eine schreckliche Rolle in meinem Traum gespielt. Er sagte immer: . . . . ‚soll ihn der Teufel holen' . . . . ‚mag er fallen' . . . oder auch so etwas wie ‚in die Versenkung mit ihm!' . . . . und ‚für nichts mehr gut' . . . es war . . . kalt und böse im Ton und furchtbar. Es bezog sich im Traum auf mich. Ich sollte in die Versenkung. Oder fallen. Bodenlos. Überhaupt ganz und gar und für immer verloren sein . . . Da war im Traum ein riesiges, finsteres Mühlrad, das drehte mich hinunter in die Radgrube, in die wegschwemmenden

Wassermassen hinein, und als ich fiel, da schwollen die drehenden, rumpelnden Geräusche bis zum äußersten an . . . . Jetzt ist mir das alles klar. Deshalb hab' ich mich auch so heftig bewegt beim Aufwachen. Die sind dann erschrocken. Klar."

„Brunnenhäuschen. Metallstück am Frosch des Bogens", sagte Schlaggenberg laut und deutlich.

„Ja!" riefen Quapp und René gleichzeitig. „Ganz so ist es!"

Alle sahen verdutzt diejenigen an, welche diesen letzten abstrusen Dialog führten und sich dabei völlig verständigten.

„Ihr redet schon ein Rotwelsch daher, das kein Mensch mehr versteht", bemerkte mein Neffe ärgerlich.

„Da ist sie ja schon wieder!" rief ich halblaut und zeigte auf den Weg.

„Das ist nicht dieselbe", sagte Gyurkicz, der als Zeichner freilich ein scharfes Auge für Gesichter und für alle Einzelheiten der äußeren Erscheinung eines Menschen haben mußte – und mich außerdem sofort verstand, nämlich wußte, wen ich meinte, „die Frühere, die da oben bei Schlaggenberg gestanden ist, hat ein rosaseidenes Halstuch gehabt, glaube ich, und eine dunklere Jacke. Sonst aber wirklich ähnlich, auf den ersten Blick."

Ein ziemlich großes und kräftiges dunkelblondes Mädchen ging auf dem Wege vorbei und wandte sich für einen Augenblick nach uns um.

Was war da vorgegangen? Nichts. So gut wie nichts. Nichts Nennenswertes, ja kaum überhaupt etwas Benennbares; und, gleichwohl, ich fühlte mich doch unangenehm, ja beinahe unheimlich berührt. Als wir unseren Spaziergang fortsetzten – wiederum in zwei Gruppen – blieb ich rückwärts, bei der zweiten Hälfte unserer Gesellschaft. Mir war dort vorne gewissermaßen die Luft zu dick geworden. Stangeler und seine Geliebte blieben auch zurück. Die Konterhonz dagegen hielt es für an der Zeit, neben Kajetan zu gehen – dem sie vor uns allen nach wie vor andauernd ‚Sie' sagte – während Höpfner, an ihrer anderen Seite, mitgezogen wurde. Nach dem, was wir schon wissen, wird es da kein Verwunderns geben, wenn ich sage, daß Schlaggenberg die Höpfner'sche Veneration für die dicke Laura gar nicht ungern sah.

Bei uns hier führte jetzt Gyurkicz das große Wort, voll ungebrochener Naturkraft, während die ‚Intellektuellen‘, also vor allem Holder und Neuberg, sich an solcher ‚Dynamik‘ erbauten. Grete hingegen schien mir alledem eher kritisch gegenüberzustehen, während die Glöckner förmlich an Imre’s Lippen hing, was man wieder von der guten Angelika Trapp nicht behaupten konnte; aber immerhin verfingen des Arpaden Erzählungen einigermaßen bei ihr.

Gyurkicz erzählte, wie eben immer, etwas von den Fahrten und Taten seines reich bewegten Lebens, diesmal ausnahmsweise nicht vom Kriege, sondern von der Zeit einige Jahre danach, als er, nach glücklich durchgebrachter erster Erbschaft, hier in Wien das größte Elend auszuhalten hatte – bis ihm eben durch die zweite Erbschaft neuerlich die Möglichkeit eines standesgemäßen Lebens gegeben worden sei, samt der Gelegenheit, wieder einmal ein paar tausend Joch guten ungarischen Bodens durch die Lappen gehen zu lassen (er muß ja ganz phantastisch reich und vornehm gewesen sein). In diesem Zusammenhange nun fiel der Name des ‚Stemmklub Eisen‘. Das ließ mich aufhorchen, denn diese urkräftige Angelegenheit war mir durch ähnliches, was ich kannte, und überdies durch einen gewissen Ruf und Namen nicht fremd.

In Wien ist dieser Sport des ‚Stemmens‘ oder auch ‚Hochreißens‘ (so lautet im zweiten Falle der Kunstausdruck) eine im Volk verwurzelte Sache, es gab seit jeher in den Vorstädten viele solcher Vereine. So weit, so gut, und eine bodenständige Sache. Was aber ‚Eisen‘ betrifft, so war mir zufällig bekannt, daß dieses Eisen – ursprünglich wohl ebenso eine Vereinigung vorstädtisch-spießerischer wackerer Kraftmeier, wie jene anderen ‚Stemmklubs‘ auch – daß also dieses Eisen schon um die Zeit des Umsturzes nach dem Kriege von einigen Interessenten in’s Feuer gelegt und weiterhin geradezu in politische Rotglut versetzt worden war. Immerhin befremdlich, gerade da einen Herrn von Gyurkicz zu finden, der, nach seinen eigenen Angaben, gar nicht lange vorher geholfen hatte, den Terror eines Béla Kun in seinem Vaterlande zu vernichten. Warum übrigens war er nach dem glücklichen Erfolge der Gegenrevolution nicht in der befreiten Heimat geblieben?

,,Kraft, Saft, Natur!‘‘ – ,,und nicht diese ganzen intellektuellen Sachen‘‘ – ,,ich habe mich unter solchen Leuten immer sehr wohl gefühlt" – „sind einfach, haben eine gesunde Freude am Körperlichen" – „dabei aber sehr nette Burschen, gescheit, anständige Leute" – „ich habe immer nur meinen Instinkten nachgelebt" – „was kommt denn bei diesem ganzen Intellektualismus heraus" – „Caféhaus" –.

Mir schien als hätte ich Worte von dieser Art schon oft und längst gehört, vielleicht auch einmal ihnen einen gewissen Wahrheitswert beigemessen (allerdings niemals, wenn sie aus Gyurkicz's Munde kamen) – aber hier waren sie doch ganz offenbar nichts anderes mehr, als sozusagen ein knüppeldickes Mittel, um sich beliebt zu machen und einen guten Eindruck zu erzeugen – bei jenen nämlich, die sich (und gerade das wurde mir beim jetzigen Anlasse sehr deutlich!) wohl unter ‚Intellekt' nichts anderes vorstellen konnten, als etwas durchaus Schwächliches, Zielloses, Lebensfremdes, ja, um es ganz grob zu sagen: etwas Schäbiges. Darin schienen sie alle übereingekommen zu sein, die Holder, Neuberg, Glöckner und wer sie da sonst noch waren, in dieser Hinsicht erhob sich gar kein Widerspruch, hier beugten sie sich geradezu unterwürfig vor jedem groben Klotz (es genügte am Ende auch, wenn einer nur so tat), eben dieses schien also das allersicherste Mittel zu sein, um ihnen zu imponieren: sich dumm, aber stark zu gebärden. Wahrscheinlich vermochten sie selbst gerade das am allerwenigsten zu sein? Und sie schienen ganz offensichtlich nie begriffen zu haben, daß eine wirkliche Intelligenz durchaus nur die Verlängerung wirklicher und innerer Kraft darstellt, zu dieser also keinen Gegensatz bildet – und schon gar keinen schäbigen. Ich muß jedoch, da sich die Gelegenheit bietet, ganz offenherzig bekennen, daß in jenen Jahren bei uns wie bei anderen eigentlich nur dieser völlig verderbte Begriff von ‚Intellekt' verbreitet war, er ging um wie ein Axiom, und einen anderen kannte man wohl damals nicht mehr.

Offenbar auch Angelika Trapp nicht. Was sie bei Neuberg gar sehr vermißte, fand sie hier seltsamerweise bei – Gyurkicz. Und bald hing sie nicht weniger an den Lippen des Arpaden, als unsere gute Glöckner.

Diese war's jetzt, welche das Gespräch kitzlicher gestaltete, es gewissermaßen trotz allem raffinierte (von Stangeler möchte ich zwischendurch sagen, daß ihm die ganzen Reden über das ‚Intellektuelle' möglicherweise in irgend einer dumpfen Ecke

seines Wesens doch mißfielen, denn der Knoten seines schief-
äugigen Angesichtes zog sich dabei noch enger zusammen). Die
Glöckner also flatterte von einem allgemein achtbar im Kurse
stehenden Sprungbrettchen des ‚Weltanschaulichen‘ einmal
los … „und wie steht es denn bei diesen Leuten mit der Aufklärung über gewisse Dinge, ich meine, halten Sie es für möglich, daß man mit gewissen Schlagworten diese Menschen wieder verhetzen und einfangen könnte, so daß sie, zum Beispiel,
wieder in den Krieg gingen – ich will sagen, ist es mit der politischen Bildung solcher Leute weit genug, um eine zweite derartige Katastrophe auszuschließen?“

„Seit das Beispiel Rußlands dasteht und der Wall des muffigen
Schuttes, der um die Gehirne lag, eingebrochen ist, wird doch
von alledem über kurz oder lang nicht mehr die Rede sein.“
Dieses sagte Herr Stangeler. Und er bot zugleich damit unserem
Arpaden eine vielleicht nicht unwillkommene Gelegenheit, ein
schönes Gegenteil zu betonen:

„Bitte zu entschuldigen – ich bin kein Bolschewik. Und das
Frühere, unsere alte Armee, und die anständige Ordnung, das
war gut. So meine ich. Bitte, das soll keine Weltanschauung sein
oder so etwas, aber – bitte schön, da kann man natürlich verschiedener Meinung sein. Warum sollen die Leute nicht einmal
wieder in den Krieg gehen! Der Krieg ist sehr gut. Für jeden
wirklichen Mann. War sehr schön. Meine schönste Zeit.“

René Stangeler aber kam mir nachgerade schon so vor, wie
die Menschen beim Anfangsunterricht im Skilaufen: das eine
Brett will dahin, das andere dorthin (ich hatte mehrmals Freunde
unterrichtet und sah jetzt deutlich dieses Bild des Jammers vor
dem inneren Auge).

„Sie haben recht, Herr von Gyurkicz“, sagte jetzt der Redakteur Holder, „ich habe das auch wie eine Erlösung empfunden, dieses Kraftvolle, ich möchte sagen Unproblematische, als
ich einmal Gelegenheit hatte, mit solchen Leuten beisammen zu
sein – zwar, sie waren wieder von einer anderen Art, nämlich
nicht eigentlich anständige Leute, sondern eher schon – Verbrecher. Wir hatten da eine Reportage. Wiener Unterwelt, und
so halt. Ich bin damals mitgegangen – also unten, im Kanalnetz
war ich ja nicht, das haben wir uns einfach von den Kriminal-
beamten genau beschreiben lassen. Aber sonst eben – da waren
wir auch in einer Schnaps-Schenke, oder, wie man hier sagt, bei

einem ‚Branntweiner'. Natürlich gab es dort auch ganz elende Menschen – irgendwie Verkommene, Arme, Schwache – übrigens auch einen herabgesunkenen Theologen, den sie in der Schenke immer mit dem Spitznamen ‚Pfarrer' riefen und, seltsamerweise, dazu auch einen Mesner oder Kirchendiener, oder was der Mann einmal war. Diese zwei, so wurde uns erzählt, führen manchmal, wenn sie vollgetrunken sind, ganze Messen auf, mit allen lateinischen Texten, das soll grandios sein – aber, was ich eben sagen wollte, daneben kamen dort noch Kerle vor, typische schwere Jungen – ich muß einräumen, daß ich die bewunderte. Ganz einfach bewunderte! Allein schon, was solche Menschen wagen – da gehört doch Kraft und Kühnheit dazu. Wir Journalisten fielen dort natürlich als Fremde auf, obwohl wir irgendwie maskiert waren, was die Kleidung betrifft, und so“, (Holder als Apache kostümiert, ohne goldene Brillen – man denke!) „gleichwohl, man bekam doch ein Bild und gewisse Einblicke.“

„Kenne diese Welt genau, sehr genau, wie meine eigene Tasche“, sagte Gyurkicz. „Ich kann mich unter solchen Leuten bewegen, ohne im geringsten aufzufallen. Sie haben so ihre Eigenheiten und Fachausdrücke. Es ist schwer, ihr Vertrauen zu gewinnen. Ich habe sogar Freunde unter denen.“

„Das kann ich mir bei Ihnen schon eher vorstellen als bei mir“, meinte Holder, des anderen Überlegenheit in Dingen der sozusagen rohen Kraft mit diesen Worten gerne anerkennend. „Das Interessanteste dort aber war unstreitig ein Frauenzimmer. Nämlich das Mädchen hinter dem Schanktisch. Eine zweite Gruschenka aus den ‚Karamasoff', wenigstens habe ich mir diese Figur immer so vorgestellt. Sie wurde ‚Didi' gerufen. Eine geradezu phantastische Person! Sie trinkt braun gefärbtes Wasser statt Rum, wenn sie von irgendwelchen Gästen zu einem ‚Sechzehntel' eingeladen wird – und das geschieht oft. Auf diese Weise ist sie also sehr trinkfest – uns, den Fremden, von denen sie annahm, daß wir kaum wiederkommen würden, wurde dieses Berufsgeheimnis verraten. Ein Kerl – dieses Weib. Hat alles kennengelernt – Hunger, Kälte, Obdachlosigkeit, Polizeikotter – aber ich schenke ihrer Angabe, sie sei noch niemals auf den Strich gegangen, ohne weiteres Glauben; warum, weiß ich eigentlich nicht. Ich fühlte, daß dies die Wahrheit sei. Sieht frech und stark aus; das Weiße ihrer rein mandelförmigen Augen ist grünlich durchsetzt, der Blick hat bei aller Verlotterung noch immer eine Art Durchschlagskraft, und ist zeitweise ganz ebenso schön wie bei einer wilden Großkatze ... Sie fürchtet nichts und niemanden. Ich meine, selbst wenn einer von diesen Kerlen dort ihr einmal mit dem Messer winken würde, wäre ihr Maulwerk nicht in Verlegenheit. Merkwürdig ist dabei, daß ich zu fühlen glaubte, diese Person könne gegebenenfalls treu bis zur Selbstvernichtung sein, wenn nur der Richtige käme."

„Merkwürdig ist", sagte Grete Siebenschein, „daß ich zu fühlen glaube, lieber Holder, daß Sie ein Romantiker sind."

Bei diesen Worten verzog Stangeler unverkennbar das Gesicht, wie ich zufällig bemerkte. Grete sah es nicht.

Holder selbst aber schien jene graziöse Bemerkung durchaus freundlich aufzunehmen.

„Sehr wohl möglich, gnädiges Fräulein", sagte er. „Für mich ist das Wort ,Romantik' obendrein gar kein absprechendes. Mir hilft ein bissel Romantik oft besser in den Sattel einer belebteren Stimmung als schwarzer Kaffee. Die Großstadt ist, meiner Meinung nach, in ihrem Wesen überhaupt romantisch, eine Art künstlicher Märchenwald, auch wenn sich alles noch so technisch-sachlich gibt. Sie ist eine Wiederkehr des Waldes, der da vorher war, sie ist sein letztes Stadium, eine ,Metastase', sagt man auch in solchen Fällen. An jener ,Didi' aber, von der ich vorhin erzählt habe, war etwas zu beobachten, was mir irgendwie wesentlich für solche zweifelhafte Typen erschienen ist – das war sie ja schließlich doch! – und ich konnt' es auch früher schon da und dort beobachten; übrigens, muß ich jetzt sagen, nicht nur bei irgendwie kriminellen Figuren, sondern vielleicht bei einer bestimmten Art von kleinen Leuten auch, ein bisserl gedrückten Leuten etwa, sagen wir bei solchen, die es ein oder das andere Mal schon mit der Polizei zu tun gekriegt haben ... Solche Leute tragen oft ihre ganzen Dokumente, Briefe, Belege, Photographien und Zeugnisse immer mit sich herum, in irgendeinem dicken alten Portefeuille. Und sie erzählen einem gerne und gleich ihre ganze Lebensgeschichte – meistens kommt dort auch vor, daß der Bruder studiert hat, oder die Tante eine Konzertsängerin gewesen ist, und solche Sachen – sie reden sofort von sich selbst einem ganz Fremden gegenüber, was sicher ein Zeichen ihres verlorenen Gleichgewichtes ist, vielleicht sogar schon einer gewissen Depraviertheit. Und dann kommen die Belege zu der ganzen Geschichte aus dem Portefeuille hervor, man muß sie ansehen, obwohl man das gar nicht will, und auch ohnedem gerne alles glaubt, man muß diese Belege ansehen: den Brief von einem Hofrat und einen alten Zeitungsausschnitt mit dem Bild der Tante und einer lobenden Kritik ihres Gesanges, und irgendeinen Mitgliedsausweis mit Photographie. Meistens gilt er aber nicht mehr. Oder einen Brief an die Schwester, auf dem Umschlag steht: ‚An Frau Magistratsrat . . .‘ Man muß das alles ansehen, und früher hat man keine Ruhe. Es besteht bei solchen Menschen so etwas wie ein erhöhtes Legitimations-Bedürfnis –"

„Kenne ich, kenne ich, solche Typen!" rief Neuberg lebhaft. „Wenn man zum Beispiel in einem billigen Beisl was essen will – da setzt sich so jemand zu einem an den Tisch, dann kommt die Lebensgeschichte, und am Schluß tritt das ‚erhöhte Legitimations-Bedürfnis‘ in Aktion. Ausgezeichnet beobachtet, Herr Redakteur!"

„Als Journalist lernt sich's", sagte Holder bescheiden (seine Bescheidenheit war es, die immer wieder ihm Sympathien erwarb, jedoch für sein Berufsleben nicht von Vorteil sein konnte, und Holder auf seiner Redaktion mitunter dazu verführte, in ängstlicher Weise sozusagen noch päpstlicher zu sein als der Papst, als seine Vorgesetzten nämlich – Schlaggenberg sollte das bald kennenlernen!). „Man kommt ja durch die Zeitung überall hin", setzte er hinzu. „Was jenes ‚erhöhte Legitimations-Bedürfnis‘ betrifft, so scheint es mir fast so, als ob solche Leute sich zeitweise ihrer eigenen Identität vergewissern möchten, die ihnen sonst vielleicht fraglich wird . . ."

„Wahrscheinlich ist das die Wurzel ihres Verhaltens", sagte Neuberg.

„Na ja", meinte Holder, „es werden wohl auch welche darunter sein, die keinen sicheren Aufbewahrungsort für ihre Kostbarkeiten haben, und vielleicht überhaupt kein eigentliches Heim. Deshalb tragen sie dann immer alles mit sich herum . . . Aber diese Didi hat doch bei dem Branntweiner dort gewohnt. Irgendwo hinten hat sie eine lederne Henkeltasche stehen gehabt, dick voll: Briefe, auch Zeugnisse, zwei alte Legitimationen, Photos: Didi im Badetrikot, Didi im Dirndl-Kleid bei einem Schützenfest, Didi mit Verehrern, und Didi mit einem ganz schrecklichen kleinen Mannsbild, von rein kriminellem Typus, hat ausgeschaut wie ein böser gerupfter Geier . . ."

„Wird ein ‚Granat‘ gewesen sein", sagte Gyurkicz.

„Was ist das?" fragte Neuberg.

„Fachausdruck für schwere Burschen, Berufsverbrecher, auch für hervorragende Falschspieler", antwortete Gyurkicz stolz.

Wir waren während der letzten Gespräche an die vordere Gruppe herangekommen. Das Ende unseres Weges erhob sich hier steil vor uns auf einen waldigen Kamm und zu freier Aussicht. Indem wir nun alle gemeinsam hinaufstiegen, sprach niemand, man hörte die Vögel in dem Hellgrün der Wälder piepen, und an einer Stelle, wo die Sonne sich durch das noch zarte Laub legen konnte, stand in der Wärme schon der Geruch des wilden Knoblauchs.

Wie gemalt auf einem rasch laufenden Bande, so rollte in mir eine ganze Flucht von Erinnerungen ab an einstmalige Gänge und Ausflüge in diesen Umgebungen unserer Stadt, die Heimkehr davon mit irgendeinem Mädchen, die letzten Küsse auf einer abendlichen Wiese, Arm in Arm, den so oft geschauten entzündeten Lichterhimmel der Stadt dort unten wieder auf's neue bestaunend, mit seinen zahl- und endlosen scharfen und trüben, kranken und zuckenden Sternen . . . Schon jetzt, im Anstiege, bevor wir noch dort oben ankamen, wo unser Blick dann hinausfallen sollte, bis er tief dort unten zwischen den fliehenden Bergrücken des Stromes dunkles Band als Halt erfassen würde – schon jetzt löste sich, unter dem schweigenden und versöhnlichen Eindrange dieser heimatlichen Umwelt, jene während der letzten Stunde so lebhaft und blank empfundene Widersätzlichkeit und Spannung innerhalb unserer kleinen Gesellschaft für mich bis zu dem Grade auf, daß sie mir unverständlich, fremd und leicht zu vergessen wurde. Ja, und den anderen ging's wohl nicht anders. Scherz und Lachen erhoben sich gleich wieder da und dort, und als wir leichthin und ganz durcheinander gemischt oben anlangten, auf einer weiten Lichtung, die schon gegen die andere Seite des waldigen Kammes und gegen das Donautal zu abfiel, schlenderte alles vergnügt in der Sonne über den freundlichen grünen Rasen und auf die Tische und Bänke der Buschenschenke zu, die sich hier aufgetan hatte. Man hörte eine Geige stimmen und alsbald, während wir gegen einen entfernteren Tisch hinsteuerten, begrüßten die Musikanten die neu hinzugekommenen Gäste mit einem jener weichen und verschliffenen ‚Ländler': Tänze unserer Urgroßeltern, eine recht innige und gescheite Musik.

11

Die Allianz

Acht Tage etwa nach dem gemeinsamen Ausfluge der ‚Unsrigen' stieg Schlaggenberg die breite Treppe im Gebäude der ‚Allianz' empor. Es ist klar, daß er, seit jenem Abend, der Levielles Besuch und Kajetan's Bekanntwerden mit Grete Siebenschein gebracht hatte, noch einmal, ja vielleicht mehrere Male, mit dem Kammerrat Genaueres besprochen haben muß. Hintennach bestätigte er mir's, bei Gelegenheit seiner ausführlichen und lustigen Schilderung der Allianz-Welt.

Schon die Gassen in unmittelbarer Nähe des Gebäudeblocks gaben einen Vorgeschmack, und zugleich einen Nachgeschmack für Schlaggenberg: denn er war einst die gleichen Wege getrabt, wenn auch nicht mit viel Erfolg, vor Jahren, als er sich durch gelegentliche Artikel für diese selben Blätter über Wasser hielt, welche nun den Machtbereich des würdigen Beschützers der Frau Ruthmayr bildeten, vergrößert und zu einer Art von Konzern vereinigt, sowie – das merkte man bald – nicht nur finanziell frisch durchblutet, sondern auch politisch von neuem Geiste erfüllt. Letzterer, und auch noch immer ein Teil des Geldes, kam aus Prag. Und zwar, wie sich's demnach gebührte, in beiderlei Gestalt: die eine Gestalt hieß Oplatek, war wenig sichtbar, und saß im Direktorium, die andere Gestalt jedoch wurde Wangstein genannt und konnte auf einer der Redaktionen ohne weiteres von jedem gewöhnlichen hergelaufenen Kajetan oder René erschaut werden, als ein ganz bescheidener Schriftleiter, wie eben die anderen dreiunddreißig auch; ein umgänglicher, fetter Mann mit rosa Wülstchen im Genicke.

Jedoch, vorläufig erschaute ‚Cajétan' weder diese Wülstchen noch andere Allianz-Wunder, sondern nur ein paar leere, rauchtrübe Gassen, deren Pflaster mit dem Schleim eines nebligen und regnerischen Abends überzogen war, und in welchen der eigene Schritt unangenehm stark hallte. Inwärts aber gab es in ihm den schon erwähnten Nachgeschmack: wieviele Gänge hinauf über jene bewußten breiten Stiegen, Gänge, die zum Teil auch vergeblich gewesen waren, hatten sich doch in seiner Erinnerung übereinander gelagert, schichtenweise, und zusammengepappt durch das Bindemittel eines jedesmal davon zurückbleibenden Breies von Trübsinn! Da war man, die mit sauberer Maschinenschrift bedeckten wenigen Blätter in der Brusttasche, jene bewußten Stiegen emporgeschritten, am grüßenden Torwart vorbei – daß er bereits grüßte und einen nicht überhaupt aufhielt und befragte, war schon ein Zeichen dafür, daß man ein Stadium der ersten Einführung hier hinter sich gebracht und ein gewisses Hausrecht gewonnen hatte! – da war man also hinaufgestiegen: der petrolige Dunst aus den Setzersälen herrschte hier allmächtig, das Haus war leicht durchbebt von den dumpfen und mahlenden Geräuschen der Rotationspressen im Erdgeschoß. Diese Luft allein, ihr sozusagen maschinell-keimfreies, steriles Wesen konnte, mit irgendeiner wie immer gearteten geistigen Hervorbringung in Berührung gebracht, diese schon blaß und fragwürdig werden lassen; so war es Kajetan oft erschienen. Und zudem: hier floß der massenhafte Strom, in welchem jede Form, jede Qualität ersoff: ersoff in petroligen Gerüchen, und bereits sich verflüchtigte aus der Hand des Redakteurs, allein schon während des Durchblätterns eines überreichten Manuskriptes. Hier war nichts notwendig, jedes einzelne, und wär' es eine Pindar'sche Ode gewesen, entbehrlich, aber das ganze gemischte Quantum zusammengenommen, das brauchte man.

Und dann warten. Leute mit festem Gehalte, und keinem kleinen, die sich überlegten, wie das ‚Wochenende' am genußreichsten verbracht werden könnte, führten über diesen Gegenstand lange Gespräche, die aber überflüssig waren, weil dabei von niemand etwas ausgesagt noch in Erfahrung gebracht wurde; vielmehr zeigten einander nur mehrere von den meist leicht verfetteten Männern, die da zufällig in irgendeiner Ecke oder auf einem Gange beisammen standen, daß sie wirkliche Weltleute seien und sich auskannten, auch überall schon gewesen waren ... endloser Tratsch, Geschwätz von alleräußerster Überflüssigkeit, Freundlichkeit vom allergeringsten Echtheitsgrade – so daß ein Lächeln nur mehr als Feixen auf dem Gesichte und auch als solches sozusagen bloß in der obersten Epidermis stand – all' dieses mußte hier so geboten, wie ertragen werden, denn:

hier war keiner notwendig, jeder einzelne, was seine Leistung und die Befähigung dazu betraf, entbehrlich und ersetzbar, nur eben die ganze gemischte Handvoll Menschen brauchte man, um das Blatt im Gange zu erhalten.

Hier kam es nicht nur darauf an, ob einer was konnte, sondern erstens, wie er etwa bei dem oder jenem angeschrieben sei, zum Beispiel bei Fräulein Franziska Kienbauer, der Sekretärin, die zugleich Maitresse des Chefredakteurs Cobler war, und zweitens, dieses aber war das wichtigste: wer etwa hinter ihm stehe. Ein Wangstein beispielsweise mußte keineswegs allzu große Freundlichkeit zeigen, er hatte es gar nicht nötig, sich in dieser Richtung anzustrengen, denn in Wahrheit überwachte er, mit Prager Augen, den Herrn Cobler: dieser mußte also weit eher vor ihm zittern. Hinter vielen hier stand irgendwer. Zum Beispiel hinter Holder (wie man sich vielleicht noch erinnern wird). Holder war Feuilleton-Redakteur. Oder hinter Dr. Trembloner (wirtschaftlicher Teil): hinter diesem stand der beinahe sagenhafte Oplatek. Oplatek stand hinter einigen. Hinter Oplatek stand Levielle. Es war eine rechte Genealogie. Man könnte da Ahnentafeln aufstellen, die sich von den wirklichen nur dadurch unterscheiden würden, daß eben der ganze edle ,arbor', der Stammbaum, in der Ebene der Gegenwart lag und in ihr koexistierte.

Jedoch, wer arbeitete wirklich? Wenn auch, wie Dr. Trembloner einmal äußerte, ,so ein Blatt sich eigentlich von selber schreibt', so mußte doch irgendwer irgendwas tun, etwa das von den Korrespondenzbüros einlaufende Material sichten und für den Druck einrichten, einen Artikel lesen (oder flüchtig durchblättern), den irgendwer brachte, eine Nachricht nach links oder rechts oder glatt oder gelockt frisieren, ferner sehr viel telephonieren, außerdem darauf achten, daß niemand, hinter dem wer stand, gekränkt würde (und da hieß es besonders auf die Feuilletonredaktion und die Kritiker und gar schon auf die externen Mitarbeiter aufpassen – dieser Holder rappelte auch manchmal – und zudem verkehrte er mit lauter solchen Narren), weiterhin aber – das aber bedeutete allein schon ein tüchtiges Stück Arbeit, zu welchem jahrelange Erfahrung, Übung, Sachkenntnis und Geschicklichkeit durchaus vonnöten waren – die ganze Zeitung richtig einteilen, daß jede Seite übersichtlich und gut angeordnet sei, mit ihren vielen einzelnen Titeln, ohne

Verschachtelungen oder Trennungen: hier mußten geschwind noch siebzehn Zeilen dazu, dort aber sechse hinweg, wegen des unteren Randes! Und dies alles in einem wahrhaft knapp bemessenen Zeitraume, während noch ständig letzte Nachrichten einliefen, aus denen es mit scharfem Blicke das Wichtige herauszufangen galt; und schon mußte das auch zurechtgemacht sein und seinen Platz in der Einteilung finden, die auf solche Art immer wieder umgestoßen werden konnte, bis zum letzten Augenblicke des ‚Blattschlusses' – wenn nämlich die Setzer ihre Arbeit einstellten und heimgingen ... Hier wurde zeitweise schon nicht mehr gearbeitet, vielmehr geradezu geschuftet, bei rasselnden Telephonen, unter wilden Gestikulationen, bei heftig ausbrechenden Meinungsverschiedenheiten und blitzschnellen Hinauswürfen etwelcher Kollegen, die nichts zu tun hatten, herumstanden, dreinredeten und störten ...

Ja, wer arbeitete also wirklich in dieser zappelnden, kreischenden, klingelnden Hölle, in welche sich gewisse Teile der Redaktion bei vorrückender Zeit allmählich verwandelten?

Die ‚Väter' (ob diese Bezeichnung irgendeinen Bezug zu den faustischen ‚Müttern' hatte, konnte mir Schlaggenberg nicht sagen). Der ‚Väter' waren zwei, und sie hießen Glenzler und Reichel. Sie arbeiteten wirklich, sie schufteten. Mit ihnen etwa noch Cobler, aber dieser ging zeitig weg, denn er konnte sich auf die ‚Väter' verlassen. Neben den ‚Vätern' kamen höchstens noch zwei bis drei Leute als ‚Knechte' und ‚Schufte' (im Sinne von ‚schuften') gelegentlich in Frage, was etwa die lokale und polizeiliche Chronik sowie den Gerichtssaal und die Sportnachrichten anging. Auch hinter diesen Vätern zweiten Grades stand meistens niemand.

Wer aber hier ganz unsicher im Sattel saß, das waren jene Leute, die zwar lang und breit auf den Gängen Unterhaltungen führten, deren Genealogie jedoch nicht besonders weit hinauf reichte. Sie waren sozusagen da und dort dazwischengestreut und mit guten Bezügen geduldet. Ihre Stellung gründete sich auf Spinnweben, nämlich auf jene feinen Fäden von Mann zu Mann, welche im ganzen das Gewebe der sogenannten ‚Beliebtheit' ausmachen. Zu dieser bildete allerdings unbedingte Fügsamkeit die Voraussetzung, welche Fügsamkeit oder Schmiegsamkeit auf die Dauer nur aus einer ehrlichen und wesensechten Verwandtschaft mit der ganzen Allianz-Welt heraus produziert werden konnte. Diese Leute ohne Genealogie, oder wenigstens ohne wirklich edle Genealogie, hatten ein sehr feines Fingerspitzengefühl und tasteten mit unsichtbaren Tentakeln ständig den Boden rundum ab, hier jemand anlächelnd, da mit einer kleinen Schmeichelei vorschnellend, dort wieder eine ganz knappe, sachliche Frage stellend: durchwegs Sonden, um festzustellen, ob alles in Ordnung sei, ob nichts gegen sie vorgehe. Freilich, sie hätten sich schon gerne zu tun gemacht, sie hätten gerne gearbeitet. Aber man ließ sie ja nicht zu. Denn im Bannkreise der ‚Knechte' und ‚Schufte' ging's heiß und schnell her, und alles mußte da in wohlausgefahrenen Bahnen sausen, eine Hand in die andere arbeiten. Hier konnte man höchstens im Wege stehen. Mitunter allerdings flog aus diesem brodelnden Vulkan des Zeitgeschehens ein roher und unbehauener Lavablock in Form eines raschen Auftrages dem heftig danach schnappenden Manne niedriger Herkunft an den Kopf, und dieser – im gleichen Augenblicke in eine Explosionswolke ganz ungeheuerlicher Wichtigkeit gehüllt – stürzte sich auf das nächste freie Diktatfräulein, um das Gewonnene in dünnster Form über die Walze der Schreibmaschine zu jagen.

Diese meist kleinen, sowie leicht verfetteten Männer also waren sogar irgendeinem hergelaufenen René oder Kajetan gegenüber von besonders entgegenkommender Freundlichkeit, zumindest bis sich dessen gänzliche Bedeutungslosigkeit in genealogischer Hinsicht herausgestellt hatte, oft aber noch darüber hinaus: denn die Klügsten ließen am Ende auch sehr entfernte Möglichkeiten nicht aus den Augen, so etwa, daß ja aus irgendeinem gewöhnlichen Kajetan eines Tages ein ‚Cajétan' werden könnte ... Aber ernstlich fürchteten sie derlei Figuren doch nie, deren Untauglichkeit, die eigene Rolle zu spielen, doch allzu offen zutage lag, so daß zumindest ein direkter Wettbewerb in keiner Weise zu besorgen war. Man stand zudem unter dem Schutze Hector Zeplers (warum gerade ‚Hector', weiß ich nicht), der hier sozusagen den Spitzen der Redaktion angehörte, von alleredelster Genealogie und selbst schon sozusagen Ahnherr eines verzweigten Geschlechtes. Dieser Schutz war nach einer Seite hin – nämlich gegen die Kajetan's und René's – vollkommen verläßlich. Bei richtigen Cajétan's allerdings wäre die Sache wohl schon fraglich geworden. Hier muß mitgeteilt werden, daß Zepler der Schöpfer und damals zugleich das Haupt einer Organisation war, die in unserer Stadt alle Leute vom Zeitungsgewerbe umfaßte, deren Rechte sie gegenüber den Verlegern und Eigentümern der Blätter zu wahren und zu vertreten hatte. Da gab es einen großen Gesamtvertrag, und niemand durfte an festem Gehalte weniger empfangen als ein gewisses Mindestmaß. Dieser Vertrag schützte die Unternehmer auf's allerbeste, denn sie sagten nun (und, wie jeder Einsichtige zugeben wird, mit Recht), daß man, wegen der nunmehr damit verbundenen Lasten – solche entstanden denn auch wieder durch bedeutende Abfertigungsgelder bei jeder Entlassung – überhaupt niemand mehr aufnehmen könne. Dies war zudem überflüssig. Man behielt die Leute, die man hatte – ohnehin in den meisten Fällen unter genealogischem Zwange stehend – und ließ die Mehrarbeit (mit Ausnahme von literarischen oder Kunst-Sachen) durch eine merkwürdige Art von Menschen machen, die man sozusagen als die Vorform oder Larvenform eben jener auf allen Gängen freundlich plaudernden Männer bezeichnen könnte: auch die Vorform plauderte, tastete, lächelte und fragte, jedoch in einer Art unmerklich langsamer, sozusagen schmeichelnder Offensive, zum Unterschiede von der defensiven achtsamen Freundlichkeit jener ersterwähnten ohne Genealogie.

Wesentlich aber war doch ein anderer Unterschied: die Larven arbeiteten mit einer Gier und Tollheit, welche die entwickelte Form eben doch nicht mehr zeigte. Diese war allein schon durch das feste Gehalt einer so verzweifelten Regsamkeit überhoben, und durfte auch nicht mehr nach Brocken schnappen, die bereits unter ihrer Würde lagen: gerade hier aber wühlten, krochen und zappelten die Larven (man könnte auch sagen ‚sie zepelten‘, da sie doch auch Hectorn vielfach umwarben!). Sie liefen überall hin, bevor man sie noch geschickt hatte, sie hieben in drei Stunden fünf Artikel in die Schreibmaschine hinein, von denen dann vier in den unersättlichen Papierkörben verschwanden, während der fünfte etwa das Glück hatte, sich wirklich durchzucoblern und an's Licht der Öffentlichkeit gezepelt zu werden.

Die Larve leistete im allgemeinen an einem Tage so viel – mitunter völlig vergebens und ohne jedes Entgelt – wie ein durchschnittlicher Redakteur in einem Monat (von den ‚Knechten‘ und ‚Schuften‘ wollen wir dabei absehen). Schlaggenberg erzählte mir von einer, die noch dazu einen Spitzbart hatte, und der es nach sieben Jahren martervollen Herumstehens, Dabeisitzens,

Wartens, Plauderns, Tastens, Lächelns und Fragens endlich gelang, von Hectorn in's Auge gefaßt zu werden als ein Objekt, welches ja, verdammt! eigentlich alle Grundstatuten seiner Organisation in Marsch setzen mußte – jedoch, viel wahrscheinlicher dürfte es sein, daß der Spitzbart nach sieben Jahren eben irgendwo sich als jüngstes Glied an eine genealogische Reihe anzufügen in die Lage kam, worauf denn Hector's bisherige Blindheit diesem Falle gegenüber wich. Der Fall des Spitzbartes steht überdies ganz vereinzelt da. Sein Gesicht war auch zu jener Zeit, als die ‚Organisation Hector' sich seiner anzunehmen begann, schon derart jammervoll verzerrt von Bestrebtheit, daß er selbst unter seinesgleichen unangenehm auffiel. Sonst ist kaum jemals bekannt geworden, daß eine Larve sich wirklich ohne genealogische Hilfsmittel durchzubohren imstande gewesen wäre. Dem gesunden Menschenverstande muß ja übrigens einleuchten, daß man sie als Larve weit besser brauchen und viel mehr Nutzen aus ihr ziehen konnte. Nun freilich, ein Statut der ‚Organisation Hector' besagte zwar, daß, wer immer wieder in Einzelfällen von seiten der Schriftleitung aufgefordert, durch so und so viele Monate mitarbeite, daß ein solcher nach Ablauf der festgesetzten Zeit schon auf eine feste Anstellung und auf jene Mindestbesoldung Anspruch habe. Dagegen gab's indessen Mittel. Manche Allianz-Blätter gingen ganz roh vor und ließen einfach ein verzichtendes Schriftstück unterschreiben, wenn eine neue Larve allzu häufig sich Arbeit zu verschaffen wußte. Bei jener Redaktion, die Schlaggenberg mit seinen Erzählungen im Auge hatte, aber war dieses Vorgehen denn doch nicht möglich, weil ja Hector, der beamtete Schützer der Schwachen, ihr persönlich als Redakteur angehörte. Man half sich anders. Wurde jemand häufig, durch einige Zeit (es sei denn, er wäre ein völlig harmloser gelehrter Idiot gewesen, sagen wir etwa René Stangeler), wurde jemand also häufig und verstand es der Betreffende, durch das oder jenes Mitglied der Schriftleitung sich oftmals Arbeit zu verschaffen – und mitunter gab man sie ihm auch ohne viel Umstände, da eben augenblicklich eine Aushilfe gebraucht wurde – dann erfolgte, wenn der Mann nicht ganz ‚verläßlich' war, noch lange vor der kritischen Zeit die ‚Abtreibung'. Das heißt, man ekelte die Larve hinaus, es gab überhaupt keine Arbeit mehr, Manuskripte fanden nur mehr den Weg in den Papierkorb, niemand war zu sprechen, und das Warten auf den Gän-

gen nahm Maße an, die eben jede Grenze des Erträglichen überschritten. Nach einigen Monaten aber zog man den ‚Abgetrie-
benen' neuerlich heran, denn nun befand sich die ganze Angelegenheit wieder außerhalb der gefährlichen Nähe gewisser Sta-
tute. Da jedoch die Larve sich wesentlich vom Zeilenhonorar
nährte und vor allem dieses mit ihren Organen zu erfassen trachtete, so war sie stets gefügig, und mit der Zeit konnte man sie
schon getrost am Futter sitzen lassen, ohne daß sie sich in unzu-
lässiger Weise in dasselbe einzubohren versucht hätte.

Also blieben diese armen Teufel in einem dauernden Schwebe-
zustand zwischen einem guten Rechte, das sie nicht geltend machen konnten – und dieses gute Recht war hier zu nichts mehr
nütze als zur Verbitterung – und anderseits einer Geringschätzung ihrer Arbeitsleistung und einer leichtfertigen Behandlung
derselben, die schon sehr weit gingen, aber ertragen werden
mußten, und zwar mit den allerfreundlichsten Nasenlöchern.
Denn nichts war leichter ersetzbar als eine solche Larve. Jeder
zerbrochene Türgriff oder Klingeltaster hätte mehr Aufhebens
erzeugt als ihr Abgang. Sie mußten es erleben, daß plötzlich
irgend ein mit großer Sorgfalt gekleideter, junger, gar nicht allzu höflicher Mensch, den man früher kaum jemals gesehen hatte,
plötzlich als neuer, festbesoldeter Redakteur hinzukam. C'est la
vie! – pardon, in diesem Falle: c'est la généalogie! Dieser Jüngling beklagte sich dann bereits acht Tage später, daß man ihm
einen Artikel zu schreiben aufgetragen habe, zu dumm, da müsse
er sich heute noch hinsetzen, na ja. Der Artikel war freilich in
den aus dem festen Gehalte sich ergebenden Verpflichtungen
nicht mit inbegriffen, er wurde gesondert bezahlt, auf jeden
Fall, auch wenn er wegen Platzmangels, oder aus welchem
Grunde immer, etwa gar nicht erscheinen konnte. Larven hau-
ten, wie gesagt, fünf solcher Artikel in drei Stunden über die
Walze, jedoch mit einem durchschnittlichen Ergebnis von zwei
Treffern auf zehn Schüsse. Also schwebten und kreisten diese
bemitleidenswerten Geschöpfe, niemals und nirgends benötigt,
aber stets benützt, um Coblern und sein Chefzimmer, warteten
auf allen Gängen, belagerten jede Tür, nahmen jeden Vorwand,
um auf der Schriftleitung anwesend zu sein, zogen als ein Nebel-
streif hinter Zepler drein, und glichen im Ganzen jenen Seelen
der Nichtbestatteten, die, nach dem Glauben der Alten, Charon
überzusetzen sich weigerte, so daß sie, vom Cerberus zwar schon

anstandslos als richtige Tote durch's Eingangstor der Unterwelt gelassen, gleichwohl nun hinter demselben nicht weiterkamen und in der Vorhölle herumgeisterten. Die recht hohen Gewerkschaftsbeiträge der ‚Organisation Hector' aber – ihr mußte man als Larve vor allem anzugehören trachten – bildeten, wenn nicht rechtzeitig bezahlt, einen seelischen Druckpunkt und auch eine gewisse Gefährdung der Lage, wenn aber bezahlt, einen der zahllosen Seinsgründe für das Bestehen von Versatzämtern.

Stets in solcher bedenklich wesenloser Nachbarschaft auch im räumlichen Sinne – nämlich auf den Gängen und im Wartezimmer – hatte sich Schlaggenberg's Mitarbeit bei diesem und anderen mehr - weniger allianzverbundenen Blättern abgespielt. Jener Umstand, der ihn während dieser Jahre seltsamer Weise am meisten ärgerte und verstimmte – daß er nämlich bei der Zeitung stets ein Fremder und Außenseiter blieb, ohne eigentlich festen Fuß fassen zu können – machte dabei seinen einzigen Vorteil aus. Denn der durchschnittliche Trembloner unterschied ihn sehr wohl von den Larven, erkannte seine gänzlich andere Willensrichtung, und damit Ungefährlichkeit, und wußte das alles bald viel deutlicher als Herr von Schlaggenberg selbst.

Dieser, getrieben von dem Wunsche, auf irgend eine Weise weiter zu kommen, wollte sich den Arbeitsgelegenheiten anpassen, das Leben beim Schopfe nehmen (und neben solchen Ideologien spielte seine leere Brieftasche erst die zweite Geige, und spielte sie noch dazu falsch), ging zu Cobler, ließ sich eine sogenannte ‚Reportage' geben, erhielt sie von seinem durch einen Schleier von Nervosität etwas verwundert aufblickenden Gönner ohne weiteres – ein solcher Schleier stand um Cobler immer ganz ebenso, wie die Luft über einer Flamme zittert – und ‚vertrat also das Blatt' da und dort. Späterhin, wenn Schlaggenberg dann bei dem mürrischen Kassier seine Honorare behob, ergab sich, daß man von der mehr oder weniger großen Anzahl der Zeilen bei derartigen von ihm gelieferten Berichten offenbar keinerlei Kenntnis genommen hatte, sondern – mochte er nun ein winziges Ding geschrieben haben, das eine bloße Notiz darstellte, oder aber bereits einen kleinen Artikel – er fand den stets gleichen Betrag angewiesen, der ihm für Prosastücke kleineren Formates seit eh und je bezahlt wurde. Auf diese merkwürdige Weise wahrte Cobler Kajetan's Grenzen – die ja, ohne daß dieser es damals noch mit der wünschenswerten Deutlichkeit wußte, seine ganze Stellung hier ausmachten – und wahrte zugleich jene des ureigenen und eigentlichen Gebietes einer Zeitung, und des Journalismus überhaupt. Schlaggenberg aber ließ sich hinreißen, derlei Versuche zu häufen. Worauf durch zwei Monate nicht eine einzige Zeile mehr von ihm erschien. Als er jedoch – seinen Ärger mühsam bemeisternd, mühsam, weil er die Lage noch immer nicht klar genug erfaßte – einen seiner besten Aufsätze anbot, ward dieser sofort gedruckt und mit dem in solchen Fällen zuhöchst zulässigen (wenn auch immer noch bescheidenen) Honorar in Rechnung gestellt.

Das war Cobler aus Czernowitz. Von ihm wird noch zu erzählen sein, von seiner seltsamen Sympathie für Kajetan – nicht für Cajétan.

Damals jedoch – also eine Reihe von Jahren noch vor den hier berichteten Begebenheiten – sah sich Schlaggenberg nur zurückgeworfen, wenn auch zugleich aus Zwiespältigkeiten befreit, die bei alledem schon ihm aufgestiegen waren. Ganz nebenbei zeigte ihm auch das veränderte Benehmen einiger Trembloners sowie – und dieses nicht zuletzt – der Larven, daß er im Begriffe war, auf's Glatteis zu geraten, noch dazu dort, wo der Boden abschüssig zu werden begann. Denn ihre bisher doch vorwiegend räumliche Nachbarschaft auf den Gängen und in den Wartezimmern wurde, als eine Tatsache des äußeren Lebens, leicht mächtig – nämlich unter der Form einer mehr als anrüchigen Kollegialität – sobald der Gegendruck jener Kräfte, welche dem gegenüber die unsichtbare Trennungslinie aufrecht erhielten, kein voller und ganzer war, sich auflöste oder zersplitterte. . . . Immerhin, Coblers grandiose ‚Abtreibung‘ Schlaggenberg's machte dem Urgrund des Übels ein Ende, wenn auch die Folgen noch viel länger nachwirkten und fühlbar blieben als man eigentlich glauben sollte.

Kajetan – damals lange noch nicht Cajétan – dem doch mit den Jahren immerhin auch manch klareres Licht aufgegangen war, welche Kerzen der Erkenntnis durch derlei Erlebnisse, wie das eben angedeutete, zudem noch geputzt und zu besserem Leuchten gebracht wurden – Kajetan also sah sich auf seine sozusagen sehr ‚kostspielige‘ Arbeitsweise zurückgeworfen, und merkwürdig an dieser Sache war wohl, daß hier die laute und derbe Stimme des äußeren Lebens nichts anderes sagte, als die leise, aber penetrant hauchende des eigenen Gewissens. Da stieg man also wieder, die mit sauberer Maschinenschrift bedeckten wenigen Blätter eines mühevoll gewonnenen Manuskriptes in der Brusttasche, jene Stiegen empor, am grüßenden Cerberus vorbei, den petrolig-öligen Dunst aus den Setzer-Sälen in der Nase. Und nun hieß es, in dieser ganzen zappelnden, zepelnden, sprudelnden, sudelnden, kollernden, coblernden Wichtigkeit das gelegte Ei an den richtigen Platz zu rücken, daß es nicht, vom massenhaften Strome fortgerissen, irgendwo im unzählbaren Sande vergraben verschwände, oder, abseits gespült, an einer toten Stelle, wo keinerlei Strömung mehr herrschte, von Larven überfallen werde: man mußte bis in's Chefzimmer und zu Coblern vorstoßen. Glenzler, dem eiligen Vater Kronos, etwas auszuliefern, vermied Schlaggenberg bis auf's äußerste, obwohl dieser, bei stets freundlicher Begrüßung, alsbald zu fragen pflegte, ob Kajetan etwas mitgebracht habe?! – er möge es ihm doch gleich geben! Aber damit wär's auch schon verloren gewesen. Denn Vater Glenzler war einmal Kajetan's wegen vom Chefredakteur Cobler recht gröblich beleidigt worden, weil Glenzler (von seinem Ufer aus aller Wahrscheinlichkeit nach nicht mit Unrecht!) gegen Schlaggenberg's damalige Arbeiten Stellung genommen hatte, als ,zu schwer und unverständlich für die Zeitung, und überhaupt verstehe ich keine Zeile von dem, was dieser Mensch schreibt' – ,weil Sie ein alter Trottel sind und jener im A . . . gescheiter als Sie im Kopf!' hatte Cobler aus dem Chefzimmer bei noch offener Türe Glenzlern nachgebrüllt (ja, ja, das war so im ganzen und großen der übliche Ton) und mindestens ein Dutzend Leute mit oder ohne Genealogie, Lächler, Frager, Taster, Flüsterer und Larven hatten 's mit anhören können. Das übrige wird sich ein geneigter Leser hier wohl selbst hinzudenken.

Schlaggenberg wurde die ganze Geschichte erst viel später hinterbracht, und zwar zu einer Zeit, als er bereits von selbst sehr sorgfältig vermied, Glenzlern irgend ein Manuskript auszuliefern; denn deren fünfe waren ihm auf diesem Wege schon entschwunden, mit ihnen auch der richtige Augenblick für ihr Erscheinen, und zusamt alledem die Honorare, denn bezahlt wurde nur, was gedruckt vorlag. Sehr verspätet ward ihm also der deduktive Schlüssel für einen Tatbestand gereicht, den er rein empirisch mit Opfern erschlossen und übrigens auf induktivem Wege sich nicht einmal so ganz unrichtig erklärt hatte.

Jedoch hole der Teufel diese ganze Philosophie (meinte Kajetan). Es gab noch andere Klippen zu vermeiden, etwa den damaligen Feuilleton-Redakteur, Holders Vorgänger, ferner Fräulein Kienbauer – wenn die Gelegenheit günstig war, schien sie auch gerne bereit, einmal nicht gut zu tun, denn Schlaggenberg versäumte mitunter, ihr die Hand zu küssen, welcher für Coblers Geschlechtsleben ehrende Ritus zu den festen Hausbräuchen gehörte (nur Wangstein tat's nie) – außer Fräulein Kienbauer also waren auch gewisse Leute ohne Genealogie für Kajetan recht unsichere Kantonisten, die sich stets in der liebenswürdigsten Form erbötig machten, eine Arbeit zu übernehmen, um sie ‚später' und ‚wenn Gelegenheit wäre', dem Chefredakteur zu übergeben, damit Schlaggenberg nicht etwa warten müsse, denn eben jetzt sei ‚drinnen' eine Konferenz. ‚Konferenz' war immer, sie war ein Dauerzustand. Die Redaktionsdiener hier, eine ganz ausgesuchte Art von Menschen, welche die Unverschämtheiten, die sie im Hause erlernten, frisch weg bei den Besuchern anwandten, pflegten fast jedem, der da kam und jemand sprechen wollte, nur mehr mit dem Worte ‚Konferenz!' enteilend zu antworten, welches verdeutscht entweder heißen mochte ‚ich kenne Sie nicht' oder ‚weder habe ich von Ihnen je ein Trinkgeld noch eine Zigarette erhalten'. Wenn also ‚Konferenz' war (mitunter fand wirklich eine statt), dann mußte das Manuskript im Busen bleiben, denn für dieses Ei bestand nur dann einigermaßen die Möglichkeit der sicheren Ausbrütung, falls man es an der höchsten Spitze des wimmelnden Haufens ablegte, von wo es dann, mit dem Stempel der obersten dienstlichen Anordnung versehen, sänftlich und sicher in sein Ressort abkollerte (dort indessen konnte das Eilein auch wieder liegen bleiben!), allermeist aber geradewegs in die Setzerei: hier ist ein auffälliger Punkt anzumerken. Cobler pflegte Kajetan's Arbeiten – neben einem täglichen Packen anderer Dinge – persönlich dorthin mitzunehmen, aus dem Chefzimmer hervorschießend, und zwar, was die Anfangsgeschwindigkeit betrifft, mit einer solchen, daß es für Wartende gar nicht leicht war, ihn abzubremsen: zumindest mußten sie dabei der Folgen gewärtig sein, welche eben die plötzliche Umsetzung der hohen Bewegungsenergie in Wärme, ja eigentlich Hitze leichtlich haben konnte. . . .

Konferenz. Und warten. Spätestens heute abend mußte das Manuskript in Coblers Hände gelangen, wenn es Sonntag erscheinen sollte, damit man nämlich am Dienstag das Honorar bereits angewiesen erhalten könnte, welches die einzige Möglichkeit bot, den Rest der nächsten Woche dann in Ruhe zu arbeiten. Was jedoch die Tage bis dahin, nämlich von heute, Donnerstag, über Sonntag bis Dienstag betraf, so hingen diese wesentlich davon ab, ob man Gelegenheit haben würde, mit Coblern zweiundeinehalbe Minute in Ruhe zu sprechen, um eine Rezension für den morgen, Freitag, angesetzten Vortrag eines aus Deutschland anwesenden Philosophen durchzudrücken, welchen Autor man, trotz seiner hinlänglichen Bedeutung, hier auf irgend eine Weise erst in den Bereich des Interessierenden zu rücken hatte ... aber leider bedeuteten solche Anlässe gerade die beste Gelegenheit für jeden verlarvten Genealogisten oder Genealogiker, um durch gelegentliche, im richtigen Zeitpunkte erfolgende Ausflüsse seines innersten Wesens – also durchaus ehrlich und ganz im Einklange mit sich selbst! – gegen Kajetan Einfluß zu nehmen. Man konnte dabei, über Coblern hinweg, sozusagen andeutungsweise nach ‚oben‘ appellieren, von wo ja ständig Ermahnungen herunterträufelten, das Blatt nicht ‚schwer‘ oder ‚literarisch‘ zu gestalten, da sonst der Leserkreis kleiner werde (und diese Stimmen aus Oplatek's Höhen waren auf ihre Art sicher im Rechte). Cobler hielt Kajetan, sonst niemand. Jeder mußte im Grunde wissen, daß er, an Schlaggenberg Kritik übend, sich damit hier wesentlich in der Richtung des geringsten Widerstandes bewegte, nämlich in keiner Weise gegen den Geist des Hauses verstieß oder gegen die natürliche Schwerpunktslage der Dinge, sondern daß er sich mit einer solchen Stellungnahme höchstens wider einen eingedrungenen Fremdkörper stemmte, wodurch man ernstlich niemandes Sympathien innerhalb der ‚Allianz‘ verlieren konnte. Das hatte auch Glenzler genau gefühlt, und darum jener Abfuhr, die er seinerzeit erlitten, keinerlei praktische Bedeutung zugemessen: das heißt, er hatte seinen Chef in diesem Augenblicke natürlich nicht ernst genommen (übrigens nahm man einander hier überhaupt nie ernst, das war unbekannt). Cobler jedoch machte sich seinerseits nicht selten gewisser Verstöße gegen jenen letzten Zusammenhang schuldig.

Konferenz. Und warten.

Glenzler kam vorbei, einen Augenblick blieb er stehen und sagte: „Geben Sie mir doch das Manus', Doktor, das wird heute noch lange dauern drinnen ...“

Gerade da erfolgte eine heftige Detonation.

Die Türe des Chefzimmers flog an die Wand. Man sah bei dieser Gelegenheit, daß es völlig leer war und sich außer Cobler niemand darin befunden hatte. Dieser selbst, in dessen Bahn-elemente heute ein besonders hoher Wert für die Beschleunigung rechnerisch einzusetzen gewesen wäre, zog in einer sehr flachen ballistischen Kurve durch den Raum – und bremste unvermittelt ab.

Damit aber halten wir wieder an einem überaus auffälligen Punkte.

Denn Cobler sagte: „Was gibt's, Doktor?!" packte Kajetan am Rockärmel und zog ihn mit sich in's Chefzimmer, dessen Türe hinter den beiden alsbald mit einer zweiten Detonation in's Schloß fiel.

Hier stand denn Kajetan vor dem mit zahllosen durcheinandergeworfenen Papieren bedeckten Schreibtische seines seltsamen und ihm gegenüber, wahrhaft!, genealogisch ganz unbeschwerten und unbefangenen Gönners – wiederholt zum Platznehmen in einem der Fauteuils aufgefordert, aber dieser Aufforderung folgte Schlaggenberg höchst selten, sehr auf des Eiligen kostbare Zeit bedacht. Dieser hatte sich hinter den Schreibtisch gesetzt, geschwind, leicht in jeder Bewegung, schlank und grazil – und gerade diese letzte Seite seines Wesens schien noch durch einen Schneider unterstrichen, der ein Aristokrat jenes so hervorragenden Handwerks sein mochte – von außerordentlicher Häßlichkeit, und dabei (ich kann's gar nicht anders sagen) geradezu hübsch, ein fast kahlhäuptiger, fünfzigjähriger Mann mit einem Geierkopf, dieser Erzjournalist, dem alles völlig wurst war, so Werte wie Weltanschauungen wie Gesinnungen, wie Kunst, wie Musik, wie Wissenschaft, ewiges Leben, Tod, Teufel – es sei denn, man hätte zum Beispiel den Teufel in Paris wirklich gesehen, in der Rue Vaugirard etwa, und sein Blatt könnte als erstes diese Nachricht bringen ... da stand denn Kajetan vor diesem bemerkenswerten Manne, der zu ihm sprach durch einen Schleier von Nervosität, die beinahe sichtbar um ihn zitterte, wie die Luft über einer Flamme. Welch' ein geheimnisvoller Bogen der Sympathie war es, der sich hier wölbte, von Czernowitz nach Südsteiermark und zurück, wodurch es möglich wurde, daß in der ersten Minute der Sonntagsartikel angenommen war, in der zweiten halben der deutsche Professor seinen Platz im Blatte gesichert hatte, und in der letzten Halbminute Schlaggenberg nach seinem Befinden und dem Fortgange seiner größeren Arbeiten befragt wurde? Nicht so obenhin befragt, sondern kurz, nervös und warm . . .

Gleich danach schritt Kajetan, nach allen Seiten freundlich die Kollegenschaft grüßend, durch den Vorraum, während hinter ihm, heftig detonierend, Cobler schon in die Setzerei startete, in seine bestimmte Flugbahn einschießend, und Schlaggenberg etwa bei der Mitte des Raumes in einer sehr flachen, gestreckten ballistischen Kurve überholte. . . .

Dann die breiten Treppen hinab – schon war das Haus wieder leicht durchbebt von den dumpfen und mahlenden Geräuschen der Rotationspressen im Erdgeschoß –am grüßenden Cerberus vorbei, und so gelangte Kajetan, hinuntersteigend, paradoxerweise sozusagen wieder an die Oberwelt . . . immer ein wenig erstaunt über alles das, was er da hinter sich ließ, ein wenig auch erleichtert: so ging er dann durch die lichternden Straßen, am Rande des Gehsteiges stehenbleibend, zerstreut zwischen die heransausenden Gefährte blickend. Nun, er hatte ja was zu denken, er war ja in Kenntnis eines Sachverhaltes, der außer ihm nur eben dem Chefredakteur bekannt war: daß nämlich Cobler, der gar nicht selten mit heftig herausgestoßenen Worten anderen gegenüber (und schon gar, wenn sich jemand erlaubte, gegenteiliger Meinung zu sein) hinsichtlich des, wie er sagte, ,außerordentlichen Könnens‘ und der ,eminenten Begabung‘ eines Schlaggenberg weitgehende Auslassungen pflegte – in seinem ganzen Leben von diesem jungen Autor niemals auch nur eine Zeile gelesen hatte, weder ein Buch, noch eine irgendwo veröffentlichte kleinere Arbeit, und schon gar nicht auch nur ein einziges jener Manuskripte, die er selbst zum Druck beförderte. Diesen Umstand hatte er Schlaggenberg einmal kurzerhand im Chefzimmer unter vier Augen mitgeteilt und hinzugefügt: ,ach was, keine Zeit, woher denn die Zeit nehmen, Unsinn, wozu denn lesen – sieht man ja, sieht man ja doch‘ – und dieser Äußerung war eine Gebärde gefolgt, die sozusagen Kajetans Physiognomie, Haltung und ganze Person beinahe karikaturistisch andeutend umriß. . . .

Ja, so war's in diesen Jahren gewesen. Und als dann jener Roman Schlaggenbergs erschien, den, wie man sich vielleicht noch erinnert, Stangeler am Abend eines großen Zerwürfnisses

mit Grete Siebenschein im Schaufenster einer Buchhandlung gesehen hat, nach dem Erscheinen dieses Buches also, welches gewisse andauernde und regelmäßige Einkünfte für Schlaggenberg durch etliche Zeit nach sich zog, da hatte denn der notge-
borene Kraftaufwand des Schwimmers im Allianz-Strome nachgelassen, Kajetan war seltener am Cerberus vorbei und die Stiegen hinaufgegangen – hatte aber dafür Gelegenheit, hintennach
ein Gesetz klar ausnehmen zu können, welches er immer dumpf
geahnt: daß nämlich Leute seiner Art durchaus nur außerhalb der
Zeitung so weit kommen konnten, daß sie, wieder einmal in
deren Gehege auftauchend, dort ganz von selbst in einem zwei-
felsfreien Lichte und an der richtigen Stelle sich befanden. . . .
Es war übrigens gut, daß Kajetan sich damals zurückzog, wenngleich er's ohne jede Überlegung getan hatte, sondern einfach,
weil es in der Richtung des geringsten Widerstandes lag (weniger fein ausgedrückt: aus Faulheit). Denn Cobler hielt ihn am
Ende schon mitunter recht schwer gegen die Strömung, gegen
irgend eine fühlbarere Strömung, die da hochkam, die man eben
damals deutlich zu spüren begann, geheimnisvollen Ursprungs,
aus dem innersten Bauche der Allianz sozusagen. . . . Manche
behaupteten auch, Kajetan hätte sich mit einem Buche geschadet,
das nicht lange nach dem erwähnten Roman erschienen war und
eine Biographie seines Lehrers Kyrill Scolander darstellte (Scolander lebte zu jener Zeit in Südfrankreich und blieb dort durch
eine Reihe von Jahren). Andere sagten, daß dieses Buch überhaupt kein Mensch gelesen habe; dieser Anschauung bin auch
ich. Mag sich das nun wie immer verhalten haben, verhältnismäßig wichtig ist doch an alledem nur, daß Kajetan mit der Zeit
in den Bezirken Coblers ein seltener, ein nur gelegentlich erscheinender – sowohl im literarischen wie im persönlichen Sinne
nur gelegentlich erscheinender – Gast geworden war, ja zuletzt
fast ein Fremder, ein ganz offenkundig Fremder.

Ja, so war's in diesen Jahren gewesen. . . . Und während Kajetan (oder Cajétan?) hier durch die leeren, rauchtrüben Gassen
ging, deren Pflaster mit dem Schleim eines nebligen und regnerischen Abends bedeckt war, und in welchen der eigene Schritt
unangenehm stark hallte, zogen und wirbelten jene Einzelheiten
und noch viele andere vorüber, wie Quirle und Strudel eines im

Ganzen trüben und wenig anheimelnden Gewässers. Dann wieder, auf dem Rücken oft nur weniger lebendiger Sekunden voll Dichte und Anschaulichkeit, ritt die Erinnerung blitzartig die Jahre entlang und auf und ab, die hier gestaffelt standen wie bei einer Parade. ... Aber diesem mutigeren Anlaufe folgten doch sogleich Augenblicke, die nichts anderes waren als ein einziger verworren ineinander tönender Mißklang: und ganz am Grunde tönten verstimmte Bässe, die zu den mutigen Oberstimmen hier schon gar nicht passen wollten. Das war jene Drohung, die da jedem kommt, dessen Zügel verhängt sind, nicht richtig in der Hand liegen, während doch das Leben, mächtig unter uns sich regend, wie ein Roß mit schweren Gängen geht und geht.

Und diese Stunde jetzt und hier traf ihn schwach.

Er verhielt den Schritt, spürte ganz nebenbei, daß ein feiner Sprühregen gegen sein Gesicht wehte, so fein nur, wie die Tröpfchen, die ein Glas Sodawasser auswirft. Das Wissen von seiner eigenen Unsicherheit kam so plötzlich und aufleuchtend deutlich – es rollte rund und glatt hervor, wie ein Perlchen, welches vom Faden fällt – daß er, aufgescheucht und erschrocken abwehrend, und in dem Bestreben auf irgend eine Weise die Oberhand zu behalten, sich auf die Einzelheiten warf (oder, wenn man so will, in die Einzelheiten flüchtete!), sie durchzudenken und zu ordnen versuchte, um, von diesem anderen und entgegengesetzten Ende ausgehend, der Sache beizukommen, sozusagen vom ‚vernünftigen Denken‘ legitimiert. Aber dieses (im Augenblicke von irgendwoher erborgt) spielte, wie er denn gleich empfand, hier doch nur eine zweite Geige, und es spielte sie zudem falsch, so daß seine Unlust dabei noch wuchs:

‚... das ist ja doch eindeutig klar, daß man eben jetzt mit allen zehn Fingern diese Gelegenheit ergreifen muß ...‘,

‚... zum Teufel, irgendetwas Bedenkliches ist doch da eingedrungen, seit der Alte bei mir war ...‘,

‚... er hat mich sozusagen mit seinen schleimigen Verdächtigungen an diesem ersten Abend auf einen Einfall gebracht ...‘

‚Erstens: habe ich ihm gar nichts versprochen.‘

‚Zweitens: warum sollte ich in eine schiefe Richtung hineingezogen werden – so wie damals mit den ‚Reportagen‘?‘

‚Drittens: ich wäre frei!‘

So etwa. Es gelang ihm am Ende ‚Ordnung zu machen‘. Alles Für und Wider lag sauber aufgeschlichtet übereinander.

Er war stehengeblieben, um ‚zusammenzufassen'. Ein furchtbarer, zerstörender Trübsinn quoll schon unter alledem empor, war nicht mehr niederzuhalten. Diese ganze Sache hing von ihm schlapp herab, als wär' ein Stück von ihm abgebrochen und verdorben, und als verpestete es jetzt den ganzen Leib. Sein Denken setzte aus. Ein Perlchen rollte. Aber es war groß. Jedoch, zeigte es nicht schon Sprünge, wie von einem scharfen Gegenstande verletzt oder von irgend einer Säure verätzt?

Er schloß die Augen. Der Regen sprühte, so fein nur wie die Tröpfchen, die ein Glas Sodawasser auswirft. Jetzt erglühte wieder, tief am Horizont, an seinem Horizont, am Rande des von ihm ‚nicht beherrschten' Lebensraumes das trübe Licht. Erst fühlte er's, dann sah er's, fern, am Ende der langen, langen Straße, verhangen hinter dem stiebenden Dunst. Nichts weiter als die rotleuchtenden Buchstaben einer Reklame.

‚Sie ist doch in England', dachte er. Sein innerliches Sprechen war trocken und sehr schwach, wie mit halbgelähmter Zunge.

Als er um die letzte Ecke bog, war ihm das Bild der Straße mitsamt dem langgestreckten Gebäude daran plötzlich vertraut, ‚in einer widerlichen, süßlichen Weise vertraut', wie er sagte. Die Vergangenheit griff nach ihm mit ihren umschlingenden und fesselnden Organen, die er hier und dort noch abzureißen versucht hatte, die ihn hier und jetzt schon wie Adern durchwuchsen. ‚Wozu habe ich mich von Camy getrennt?' wischte es durch seinen Kopf, flüsterte es hervor aus einem jener dumpfen, aus einem jener ganz formlosen Intervalle, in dessen Vakuum er jetzt hinabsackte, für den Bruchteil einer Sekunde, leicht schwankend wie im Schwindelgefühl, mit versetztem Atem in der Schwebe über dem Abgrund des Gewesenen. Die Zukunft entwich, ein süßer fauler Dunst stieg aus dem eigenen Leib, während oben der letzte Stern erlosch. Straßen, ferne Lichter, der Nachthimmel und die irgendwo draußen mit dunkel gekuppelten Baumkronen sich wegwendende Hügellandschaft flohen hinter einen trennenden unsichtbaren Wall, hinter eine dicke Glasscheibe, und jetzt galt es nur, in dieser Masse von bedrucktem Papier ein paar äußere Stützpunkte zu ergreifen, die alles waren, von deren Halten oder Weichen allein das Stehen oder Fallen noch abhing. Und hier nun erinnerte sich Schlaggenberg wiederum, diesmal beinahe mit Entsetzen, an Stangeler's Erzählung von seinem Traum – jedoch das war ja gar kein Traum mehr gewesen, diese Worte hatte Levielle wirklich zu irgend jemand gesprochen (richtig!, zu Cornel Lasch!) jenes ‚mag er fallen‘ – ‚für nichts mehr gut‘ – und Stangeler hatte das im Traume auf sich bezogen: ‚Fallen – bodenlos.‘ Da war dann ein riesiges ‚Mühlrad‘ gewesen oder etwas dergleichen, das ihn hinunterdrehte in seinen dunklen, von wegreißenden, wegschwemmenden Wassermassen erfüllten Graben, und die drehenden, rumpelnden, dumpf mahlenden Geräusche waren im finsteren Augenblicke des Sturzes bis zum äußersten angeschwollen ... ja, so hatte René das erzählt.

Schlaggenberg öffnete jetzt die schwere, messingbeschlagene Türe des Haupteinganges, und während dieser altvertrauten Bewegung – man mußte sich einigermaßen anstemmen, denn der automatische Türschließer bot einen gewissen Widerstand – während dieses Drückens und Hindurchgehens brach in ihm der schon geschwächte Damm der Gegenwart vollends ein, und zwei Zeiten flossen schwemmend zusammen, trübe sich mischend. Cerberus grüßte. Das Haus war leicht durchbebt von den dumpfen und mahlenden Geräuschen der Rotationspressen im Erdgeschoss.

12

Die Unsrigen II

Ich kam über den ‚Graben‘, jene schöne Wiener Straße, in welche die Schaufenster der entzückendsten Geschäfte mit tausend hübschen Dingen hinausplaudern. Die Luft schien mir mild und schäumig, wie frische Seifenflocken, geradezu wohlriechend, und große geschlossene Blocks von Kühle noch enthaltend. Die mächtige blaue Fahne des Himmels schlug noch keinerlei Hitze herab auf den Asphalt, nur sanfte wehende Bänder von milder Wärme streiften hier Stirne, Wangen und Hände. Ich schloß die Augen halb, und in einer Wolke von Duft, die jetzt, unzweifelhaft wahrnehmbar, über den Gehsteig hauchte, glitt für mich der vielfach gefältelte, die Vergangenheit verhüllende Vorhang zurück und gab mir während der Zeit zweier Atemzüge einen lebhaften und tiefen Blick frei in jene versunkene Welt, deren äußere Pfeiler hier noch so täuschend standen, deren letzte Jahre ich noch erlebt hatte: bei offenen Grenzen war hier Europa durchgeflutet, und eben um diese Jahreszeit jetzt am lebhaftesten, deren unvergänglicher Glanz auch heuer wieder um die ihr zuinnerst verwandte Stadt spielte, jedoch befremdet ihre Strahlenbündel an schartigen Sorgenkanten brechend, an den Bruch- und Trümmer-Linien einstmaliger Leichtigkeit ..... bei offenen Grenzen war hier Europa durchgeflutet, mit Vergnügen einschießend in die Bahnen und Überlieferungen der örtlichen Geselligkeit, welche eine artige und unnachahmliche Mitte hielten zwischen dem Hier und Jetzt der Hügel, Weingärten, der alten Höfe und urväterischen Bräuche da draußen sowie der bescheidenen Anmut kleiner adliger Palästchen in einer nicht breiten, in einer stillen und kühlen Gasse der inneren Altstadt: zwischen diesem Hier und Jetzt auf der einen Seite, auf der Seite des Gemütes sozusagen, des familiären und des geselligen Lebens, zwischen dieser Kleinwelt gründeter Formen – und der dort draußen, in den verschiedensten Landschaften, Klimaten und Kostümen, in Gletschereis, Tieflandsteppe, blauem Meer und südlichen Weinhängen aufgeblätterten, vielsprachigen Fülle eines Riesenreiches, mit dem großen Prunk seiner alten Formen, denen man vom Vater und Ahn her verpflichtet war, und nicht etwa bloß durch das Amt, welches man eben jetzt trug – zwischen diesen beiden Polen im Gleichgewichte, schwebte jener sorglose Reigen, lächelten jene gescheiten entzückenden Frauen, bewegten sich jene so gut aussehenden Männer, die es fertigbrachten, mit einem oft erstaunlich geringen Aufwande an Intelligenz doch vollgültige Träger und Repräsentanten einer der reizendsten Kulturen zu sein, von den vielen versunkenen, die unser eiliger Erdteil hatte . . . .

So weit in meiner wohl nur sekundenlangen Träumerei gekommen, wurde mir der Duft, der mich umgab, doch allzu auffallend, von allzu stofflicher Art, und was eben noch halb innen gegeistert hatte, trat nun entschieden und offenkundig von außen heran – ich wandte mich um und erkannte jetzt freilich, daß ich vor der offenen Türe einer unserer größten Parfümerien stehen geblieben war (in diesem Geschäft pflegte ich übrigens mein Lavendelwasser zu kaufen), aus welcher Tür ein wahrer Schwall von geradezu lebensfremd übersteigerter Kühle und duftiger Frische hauchte. Jedoch, immerhin schon bei zu reifen Jahren, um den Wert einer Illusion nicht gebührend einzuschätzen (und letzten Endes wohl wissend, daß Gedanken meist Räuchlein sind, die ihr Feuer verleugnen!), warf mich die handgreifliche Erklärung des Zaubers keineswegs aus der Bahn, die mein Gemüt da eingeschlagen hatte, ich schlenderte weiter, links und rechts zogen anmutige Umrisse der schon bunt und hell gekleideten Frauen in der Gegenrichtung vorbei, ich trat blinzelnd aus der Sonne in den Schatten, und hier war's, daß ich wieder in meine nur leicht unterbrochene Linie mündete:

Die präsentable Atmosphäre der Logenränge und Parkettreihen in der großen Oper hauchte in mir empor, eine Atmosphäre von reinem, aber totem Samtgeruch mit hängengebliebenem Parfum aus fünfzig Jahren . . . . Da hatte sich allabendlich das Haus gefüllt, aus den Logen und Rängen knisterte schon im weiten Runde verhaltene Bewegung, leuchtete ein Kleid, blitzte ein Schmuck aus tiefschwarzem Haar, während gleichzeitig eine maßvolle Strömung unten durch den Mittelgang zog, links und rechts in die Reihen abfallend. Hierher kam man aus Umgebungen und Haltungen, die nicht wesentlich von diesem Hier und

Jetzt verschieden waren, nur eben eine andere Seite des ein und selben Lebens darstellten, mit seinen festen aber leichthin geübten Bräuchen und seinen unausgesprochenen, ja kaum gewußten Übereinkünften, nur eben eine andere Seite solchen Seins, etwas näher vielleicht dem Prunk der großen alten Formen, etwas entrückter vielleicht dem nur familiären und geselligen Kreise, schon durch das kaiserliche Haus, das hier die Gemeinschaft der Zuhörer umschloß. Und eine solche Gemeinschaft hatte wieder jeden einzelnen umschlossen gehalten, der ein Bewußtsein eines außerhalb ihrer möglichen Lebens nicht eigentlich mehr besaß.

Merkwürdig war's, mich streifte, während ich so leichthin und gelöst über den kühlsonnigen ‚Graben‘ schritt, in diesen Umgebungen befangen, die eine Leichtigkeit aussangen, welche nicht mehr galt, während in mir noch immer das prunkvolle rotgoldne Bild jenes kaiserlichen Hauses sich verstärkte, nachwuchs in Einzelheiten, in all der präsentablen Atmosphäre von Logenrängen und Parkettreihen, während ich mich jetzt schon nach den rauschenden Einsätzen der Musik heftig sehnte, deren Akkorde auf den goldenen Glocken der Harfe standen – merkwürdig war's, mich streifte mitten darin der Gedanke, daß an all jenen ‚Verwüstungen‘ letzten Endes nur solche Leute von der Art Stangelers die alleinige Schuld trügen. Das alles sah ich in diesen Augenblicken nur als Untreue, und letzten Endes als Zucht- und Maßlosigkeit. So war ich denn wieder einmal hinter dem armen René her.

Wie ein Gegenspiel dazu zeigte sich mir inwärts jetzt das maßvoll und vielfältig bewegte Bild, welches sich jedesmal auf den räumigen Freitreppen und in der rund und glatt aufstrebenden breiten Säulenhalle nach dem Schlusse einer Vorstellung geboten hatte: von zwei Seiten wallen die Gruppen der Logenbesucher langsam auf die große Mitteltreppe herab, während draußen an der Auffahrt schon Hufschläge der Equipagenpferde unter dem Vorbau hallen und Automobilmotoren pfauchen. Die zarten und bunten Farben der Frauenkleider sinken als eine wohltuende Kaskade, gehöht durch das scharfe Schwarzweiß der Herren, belebt durch das farbige Feuer von Brillanten aus blondem oder tiefschwarzem Haare: diese blitzenden Steine aber, an welche sich das Auge unbewußt hält, zeigen mit ihrer auf einen Punkt zusammengezogenen Kraft gerade am deutlichsten die ständige gleitende und glitzernde Unruhe an. Sie steigen die Stufen hinab, diese Frauen, und wie in ein Bad hinein in das Geräusch und die Bewegung der unteren Vorhalle. Hier dringt bereits der Lärm der Straßen durch die schwingenden Klapptüren ein. Es ist in den weiblichen Bewegungen für ein schärferes Auge bei alledem eine gewisse Ergebenheit zu sehen, sie folgen einem führenden Zwange wie in Schienen, ganz und gar, jedoch wissen sie davon durchaus nichts. . . . Sie steigen in diese Brandung, die doch nur der letzte Ausläufer einer größeren ist, nämlich der einer ganzen nächtlichen Stadt, dieses unendlich verzweigten Bergwerkes der Wollust, aber sie haben einen schmalen vorgezeichneten Weg vor sich, nur wenige Schritte trennen mehr vom heranrollenden Wagen, der sie von jener lichternden Tiefe und Vielfalt abschließt. . . .

Indem ich so vor mich hinträumte, war ein geradezu leidenschaftlicher Wunsch in mir lebendig geworden, wieder einmal unser Opernhaus zu besuchen, welches, wie alle anderen Überbleibsel großer Gebärden einer versunkenen Zeit, zwar mit einer gewissen Verlegenheit in dieser unsrigen steht, sich aber gleichwohl mit Anstand behauptend. Es berührte mich dieser Einfall, wieder einmal einer solchen Vorstellung beizuwohnen, geradezu wie die Entdeckung von etwas ganz Neuem, ich hatte derlei seit längster Zeit mit keinem Gedanken mehr gestreift. Warum eigentlich . . . ich lebte dort draußen im Kreise der ‚Unsrigen‘, vielfach mit deren Angelegenheiten beschäftigt (und übrigens schon damals in steigendem Maße mit der Anlage und Abfassung unserer Berichte hier, mit Notizen, Umfragen, Aushorchungen, mit der Entgegennahme von Berichten, eine rechte Allerwelts-Tante, ein Liebes-Schwamm, der fremde Tränen und Seufzer aufsaugte, neulich sogar die des Fräulein Siebenschein). Ich lebte dort draußen . . . und kam niemals auf den Gedanken, beispielsweise für mich einen Parkettsitz zu erstehen. Am Gelde hätte es mir, wie man weiß, nicht gefehlt. Nun gut, ich beschloß, heute noch das Programm zu erforschen und mir eine Karte zu kaufen, und also für mich auch eine Besorgung zu machen (sonst hatte ich deren noch zwei oder drei für Quapp und Kajetan, um die ich gebeten worden war, als man gehört hatte, daß ich nächsten Vormittages in die Innere Stadt fahren wollte). Unter solchen behaglichen Erwägungen querte ich den ‚Graben‘, hatte, während ich die Straße überschritt, nach beiden Seiten auf die

Fahrzeuge achthabend, von links und von der Höhe her für einen Augenblick die helle, schlanke Ahnung des Turmes von St. Stephan, ein Schwung nach oben in den sonnigen Frühjahrshimmel – und nun bog ich beim ‚Stock im Eisen' um die Ecke. Ein paar Schritte weiter gab es dorten die renommierteste Konditorei in unserer Stadt, und eben als ich dort entlang kam, fuhr ein schwerer Wagen vor, dem Frau Friederike Ruthmayr entstieg.

Ich wandte mich sofort herum, blieb stehen und begrüßte sie. Diese Begegnung machte mir besondere Freude, sie lag in der Linie dieses Tages wie eine Verzierung oder ein Schnörkel in einer Melodie, und ganz an der richtigen Stelle. Frau Ruthmayr schien gleichfalls erfreut und aufgehellt. „Kommen Sie doch mit hinein auf ein Plauscherl, Herr von G–ff", und weiter „von Ihnen hört und sieht man rein gar nichts mehr, Sie sind sozusagen unter die Künstler gegangen, heißt es, wie? Ich meine, Sie leben da in so einer Kolonie draußen, in einem solchen Kreise?" Ich wunderte mich, wie rasch und vorwegnehmend im Munde der Leute Dinge fertig werden, welche eben erst im Entstehen begriffen sind, und für einen Augenblick öffnete sich mir eine vage Einsicht in die bedeutsame und sicherlich unterschätzte suggestive Rückwirkung solcher auf abgekürztem Wege in Umlauf gekommenen Bezeichnungen und Worte, vereinfachender und fälschender Worte, allenthalben im Leben. „Woher wissen Sie denn das, gnädige Frau?" sagte ich. „Von einem jungen Historik-Doktor, der ja auch zu euch gehört – Neuberg heißt er, der künftige Schwiegersohn des alten Trapp." Die Frage, ob Neuberg zu uns gehörte, wäre für mich nicht so leicht zu entscheiden gewesen wie für Frau Friederike – überhaupt: was bedeutete ‚wir', was bedeutete ‚zu uns gehören'? Na, Neuberg hatte wahrscheinlich in seiner warmen und offenen Art von dem Kreise der ‚Unsrigen' gesprochen, vielleicht sogar ein wenig geschwärmt . . .

Indessen umschloß uns die wohlduftende und ein wenig zimperliche Atmosphäre hier mit den rotgoldenen Sesselchen und den Maria-Theresien-Lüstern und mit den üblichen Gesichtern (‚les inévitables'), wir mußten drei- oder viermal grüßen. Endlich in den Hintergrund und in eine zurückgezogene Ecke gelangt, überkam mich erst jetzt die Bewunderung so ganz, für diese schöne Frau, der ich nun gegenübersaß in einem seltsamen Gemisch von Gefangensein durch ihren Reiz, Mitleid wegen ihrer seltsamen und offensichtlichen Vereinsamung – diese Tatsache der Vereinsamung ging auf irgendeine rätselhafte Weise von ihr aus, lag in ihren Zügen, sprach aus der Art, wie sie draußen beim Verlassen des Wagens mit großen dunklen Augen schräg in den Trubel der Straße gesehen hatte – und endlich war's Unwillen über die ganze Art ihres Lebens und dessen Hintergrund, was jetzt in mir deutlicher werden wollte . . . ach, man urteilt so leicht! Man lehnt die oder jene Bindung, man lehnt Zustände ab, sogar heftig, in welche man den Mitmenschen befangen sieht – man hält dafür, daß dies oder jenes mit zwei oder drei vernünftigen Entschlüssen und Maßnahmen geordnet, gebessert werden könnte . . . ach ja, von außen her: wer wacht, hat's leicht, einen Schlafenden zu erwecken, der, für sich allein, in schweren Träumen sich ängstigen muß, traumwandeln muß.

„Nun? Was beschäftigt denn Ihr Denken so sehr?" sagte sie, in einem warmen, wohlwollenden Tone, worin etwas Mütterliches mitschwang, und dieses Mütterliche erzeugte in mir einen doppelten Widerspruch: einmal wollte ich durchaus nicht, daß sie diese Einstellung nehme, als ,ältere dicke Dame' sozusagen, mir gegenüber, der ich doch kaum jünger war wie sie. Ich hätte sie am liebsten gleich auf der Stelle darüber aufgeklärt, daß sie ein herrliches Weib sei, weil ich zu fühlen glaubte, daß in jener vorgefaßten Art, sich selbst zu sehen, bei ihr sozusagen der Haken lag, an dem sie hängen zu bleiben im Begriffe war: nämlich als endgültig unter jene Form gegangen, innerhalb dieser Type bleibend und wohnend. Damit mußte alle vorhandene Lebenskraft bei ihr frühzeitig verschüttet werden. . . . Ich erlebte das sehr heftig (während ich hier neben ihr saß und in irgendwelchem süßen Zeug mit dem Löffelchen herumstocherte) und ich geriet weiterhin (und das war das Zweite) in einen unbestimmten Haß gegen unbenannte und mir unbekannte Kräfte, die da im Hintergrunde ihres Lebens sitzen mochten, und all jenen Irrtum ständig in ihr nährten, vielleicht gar sie am Gängelbande dieses Irrtums hielten (jetzt dachte ich freilich schon geradezu an Levielle), und in der Tat, ich habe damals mit der naiven Vorstellung gespielt, sie ,darüber aufzuklären, daß sie ein herrliches Weib sei', na, so etwas! Man denkt oft ganz unbeschreibliche Dummheiten, so nebenbei, im Hinterkopfe sozusagen . . .

Um irgend etwas zu plaudern, sprach ich von der Oper und von meinen Erinnerungen, die mich auf dem ‚Graben' gestreift hätten – und sie sagte gleich etwas wie „ja, in meiner Jugend" und so weiter. Ich stellte jetzt bereits stirnrunzelnd fest, daß angesichts ihrer Hartnäckigkeit gewisse Ideologien des Herrn von Schlaggenberg in mir locker wurden und umherzukriechen begannen. ‚Sollte man ihr gleichfalls auseinandersetzen', dachte ich, und weiter: ‚bist wohl verrückt geworden, hinterwäldlerisch, verschroben, dort draußen, he?'

„Nein, Sie werden sich keine Karte besorgen", sagte Frau Ruthmayr, „Sie werden mir vielmehr das Vergnügen machen, in meine Loge zu kommen, ja?"

Ich zögerte. Mir paßte das wirklich nicht. Ich sagte: „Liebe Gnädige, seien Sie mir, bitte, bitte, nicht böse – aber ich bin beim Zuhören nicht gerne in Gesellschaft mehrerer Personen . ." Während ich noch sprach, erblickte ich jetzt den ‚zerlassenen Edamer Käse', nämlich die Frau des Rechtsanwaltes Trapp, unter der Eingangstüre. Auch Frau Ruthmayr hatte sie schon bemerkt. „Was wollen Sie hören?" sagte sie rasch zu mir. „Den Rosenkavalier?! Ja?! Wird Samstag, den 14. Mai, gegeben, in ausgezeichneter Besetzung. Merken Sie sich: erster Rang links, Nummer 12. Ja? Und – wir werden allein sein. Damit Sie zuhören können."

„Ich danke Ihnen von Herzen, Gnädigste", sagte ich, „und ich werde Samstag, den 14., bestimmt kommen. Erster Rang, links, Nummer 12."

Da war denn die Trappin oder auch Trappe schon heran.

Ich hatte dabei Gelegenheit, eine kleine Unverschämtheit zu beobachten. Sie schien nämlich nicht entschlossen zu sein, ob sie Frau Ruthmayr bemerken sollte oder nicht und war möglicherweise schon im Begriff, an unserer Ecke in gemessenem Abstande vorbeizusteuern, als jemand von weit drüben, von der Fensterseite her, durch den Raum getänzelt kam, geradewegs auf Frau Ruthmayr zu, um sie zu begrüßen: erst dieses Verhalten des Barons Frigori entschied für Frau Trapp die Lage, jener schien offenbar eine genügende Legitimation für Frau Ruthmayr zu bilden – nun, weiß der Geier, was da im Edamer Käse vorging! Derartige Gehirne sind ja, wie sattsam bekannt, noch viel unerforschlicher und geheimnisvoller als der gewaltigste Genius. Es mag ja sein, daß der alte Trapp ihr einmal irgendeinen Wink zur Zurückhaltung gegeben hatte (wegen Levielle und so weiter . . .), jetzt jedenfalls, durch Frigori beruhigt (später erfuhr ich, daß dieser einer der besten Klienten ihres Mannes war), stürzte sie sich geradezu auf Friederike:

„Ja, Friederl, Fritzi, na wie mich das freut, darf ich mich dazusetzen, Grüß Gott, Herr von G-ff, auch einmal hier, na zu nett. Grüß' Sie Gott, lieber Baron, also was machst denn immer, wie? Ist das dein schöner Wagen da draußen? Na herrlich, aber selbst fahren tust' nicht? Ich hab's heuer im Sommer gelernt, weil wir doch zwei Autos haben und mein Mann fast den ganzen Tag den Chauffeur braucht . . ."

‚Prost!' dachte ich, erhob mich andeutungsweise und nannte meinen Namen; Herr von Frigori hatte schließlich doch die Gnade gehabt, sich mir bekannt zu machen, da er denn schon an unseren Tisch gekommen war.

Solche Leute sind in Wien häufig. Behandelt man sie schlecht – aber wirklich ganz schlecht – dann werden sie alsbald ihrerseits ‚traitabel'. Nachdem ich zweimal an Frigori, wenn er sprach, glatt vorbeigehört und überhaupt nicht geantwortet hatte (was meinem natürlichen Gefühle freilich zuwiderlief, denn Frigori war immerhin ein Mann mit schon weißen Schläfen, hoch in den Fünfzig, jedoch derartiges lernt sich hierzulande!), wandte er sich sehr freundlich an mich und sagte: „Sind Sie nicht verwandt mit dem jungen Orkay, der jetzt hier der ungarischen Gesandtschaft zugeteilt ist?"

„Vetter", sagte ich und nickte leicht. Er schob sein Monokel zurecht.

„Sie sehen ihn doch wohl dann und wann?"

„Oft", sagte ich.

„Na, sehr gut, da werden Sie die Güte haben, ihn von mir recht schön zu grüßen. Damals, als er hierher versetzt wurde, war bei mir am 8. Jänner eine Tanzerei, na, Hausball kann man nicht sagen, hätt' ihn sehr gerne auch dabei gehabt, nur leider zu spät erfahren . . ."

„Géza ist erst im März nach Wien gekommen", sagte ich.

„So – ach so, na ja, dann – also sagen S' ihm halt, Herr von G-ff, er soll mich doch einmal anrufen, der Cousin. Sie gehen gar nicht mehr aus?"

„Nein", sagte ich.

„Ja, warum denn nicht, wenn man fragen darf?"

„Ich bin mit wissenschaftlichen Arbeiten privat beschäftigt."
„Ach, sehr interessant – wie sagten Sie, Gnädige?" Er wandte
sich zu Frau Trapp. „Der Hausball? Ja? Der war nett. Haben
Sie das auch gehört? Das freut mich sehr. Na, es war ja eigentlich
kein Hausball – aber Ihr Töchterl hab ich vermißt, ja . . ."

„Das Kind wollte heuer absolut nicht ausgehen, ist an dem
Abend allein zu Hause gesessen und hat studiert", sagte Frau
Trapp, „wegen einer Prüfung. Mein Gott, dieses Studium
strengt doch die armen Mädeln zu sehr an! Aber mein Mann ist
halt unbedingt dafür."

„Sie kennen doch die beiden jungen Levielles, Gnädigste?"
sagte Frigori jetzt zu Frau Ruthmayr, „ja? Die waren auch bei
mir, damals. Sehr tüchtige junge Leute. Übrigens auch famose
Tänzer – na ja, jetzt, bei dieser modernen Tanzerei, ist das nicht
mehr so schwer, da lernen das die jungen Leute rasch. Aber nicht
wahr, Gnädige, früher, so ein Linkswalzer!?"

Frau Ruthmayr lächelte und nickte. Ich begann mich neuerlich
zu ärgern. Im Edamer Käse war eben wieder Dunkles, Unbegreifliches vor sich gegangen, man hatte es an der vorübergehenden Veränderung der Oberflächenstruktur bemerken können, als Frigori des Kammerrates Namen nannte.

Leider fiel mir unter alledem jetzt erst ein, daß Frau Friederike in eben jener Nacht des Hausballes bei Frigori, der kein
Hausball war, auf ihre Gartenterrasse tretend, die von Gyurkicz
freundlichst dargebotene Flasche ergriffen hatte, zugleich umworben von den schmelzenden Tangoklängen aus Beppo Draxlers Guitarre!!! (man kann hier gar nicht genug Ausrufungszeichen hersetzen!). Leider fiel mir das jetzt erst ein. Es hätte mir
die letzten zehn Minuten hier durch Erheiterung versüßen, meinen Ärger über die Ergebenheit Frau Ruthmayr's mildern, die
Langweiligkeit und gesellschaftliche Streberei Frigori's leichter
erträglich machen, und mich die Vorgänge innerhalb der Käse-
rinde weniger dunkel und besorgniserregend empfinden lassen
können. . . . Ich war höchlichst verwundert darüber, daß die
schöne Sache mit der Flasche erst jetzt aus den Tiefen meines
Bewußtseins emporstieg, denn sie hätt' es wohl verdient, gleich
beim ersten Anblicke der Frau Ruthmayr in's verklärende Licht
der Erinnerung zu treten.

Aber nun hatte ich auch ganz genug, empfahl mich den Herrschaften und ging.

Ich schlenderte die Kärntnerstraße entlang. Es ging gegen den Mittag und der Bummel hier wurde dicht. Mehrmals hatte ich zu grüßen oder für einen Gruß zu danken. Weit auseinander liegende Gesichter: den einen als Kind schon gekannt, den anderen im letzten aktiven Dienstjahr erst kennengelernt, als er in's Ministerium versetzt worden war. Ich mußte sehr oft grüßen, es fiel mir schließlich auf. War mein früheres Leben, dem ich nicht mehr angehörte, in der Kärntnerstraße gleichsam zerstäubt worden und schwebte hier in Partikeln, zwischen denen der Zusammenhang verlorengegangen war? Und so wie außen, erging es mir innen. Ich war außen wie innen umschleiert von dem unaufhörlich fallenden Aschenregen des Vergangenen, der doch da und dort noch aufglühte; ja, einzelne Punkte blieben sogar leuchtend. Sie setzten sich fest. Sie bewohnte mich wirklich, die Claire Neudegg, die Gräfin Charagiel, die einst den Gymnasiasten so tief gekränkt hatte. Sie bewohnte mich seit meinem Spaziergange mit dem Kammerrat auf dem Graben. Nein, nun wußte ich, daß es schon länger her war: seit ich in Döbling lebte bereits. Die vielen Villen dort mit den Gärten davor und den Gartengittern hatten – die Claire heraufgebracht in mir. Wenngleich die Villa meiner Mutter ja nicht in Döbling gelegen war. . . . Rasch flitzte der Gegenstrom von Fußgängern an mir links und rechts vorbei, ich selbst erschien mir als sehr schnell gehend, so etwa, wie man die Empfindung flotter Fahrt haben kann, wenn man vom Bugspriet eines sich mühsam stromauf arbeitenden Dampfers in's eilig zurück fließende Wasser des Flusses sieht . . . ich bummelte in Wahrheit ganz gemächlich.

Draußen am Ring nach rechts: an der Front des Opernhauses hin, vorbei an Siegfried und Don Juan, die mit ihren spezifischen Erlebnissen, man möchte fast sagen Ämtern, befaßt, sich auf den Sockeln der sie überhöhenden Kandelaber darboten – jener mit dem Drachen, dieser mit dem ,steinernen Gast' beschäftigt. Während ich schon am Lanzengitter des Burggartens entlang schritt, bemerkte ich dicht vor mir den Direktor Edouard Altschul, und zugleich wurde mir bewußt, daß ich schon die ganze Strecke von der Oper an hinter ihm gegangen war, ohne ihn allerdings zu erkennen. Er ging vorgebeugt und langsam, Aktentasche und Spazierstock auf dem Rücken.

Wir erkannten und begrüßten einander fast im gleichen Augenblicke. Er schien sich dabei mit einiger Schwierigkeit aus Gedanken zu lösen, die, während er schon mit mir sprach, noch als Nachbilder hinter seiner Stirn schweben mochten ... dieser große, sehr gepflegte und wohl aussehende Mann, dessen Gescheitheit und Urbanität auf dieselbe Art zu genießen waren wie etwa der Eintritt aus lärmender Sommerhitze der Straßen in einen kühlen, stillen Raum, dieser Edouard Altschul aus Frankfurt brachte merkwürdigerweise hier und jetzt, auf dem ‚Ring‘ vor dem Lanzengitter des Burggartens, bei mir alsogleich eine stark fühlbare deprimierende Wirkung hervor: so etwa, als sollte ich nun die Last und die kleine Sorge dieses meines Lebens tragen müssen ohne jeden andersartigen Trost, als gäbe es keine Gartenvorstadt und keine ‚Unsrigen‘ mehr, und als entflöhen plötzlich die gedehnten sonnigen Straßen, die leicht und schwer zugleich vor dem Himmel träumenden Kronen der alten Bäume über uns, als entflöhen plötzlich auch die blinkenden Sonnenflecken auf fernen Dächern, Fenstern und Fahrzeugen – als rückte das alles gleichsam hinter einen trennenden, unsichtbaren Wall, hinter eine dicke Glasscheibe, und nur dies eine hier blieb übrig: ein paar äußere Stützpunkte zu ergreifen, um leben zu können in diesem Steingewürfel ...

Ich erinnere mich, daß mir dabei mit Erleichterung meine verhältnismäßig günstige und gesicherte äußere Lage einfiel.

„Die Situation läßt sich gegenwärtig in keiner Weise durchschauen", sagte er, unser indessen begonnenes Gespräch fortsetzend, „wer mit Prognosen kommt, denkt nicht ernsthaft. Sie dürfen am Ende auch das rein menschliche Moment nicht vergessen: jedermann weiß, daß wir im hiesigen Geschäftsleben leider keineswegs mehr die moralischen Verhältnisse der Vorkriegszeit haben, wie sie heute im großen und ganzen nur etwa noch in England bestehen mögen."

Ich bemerkte jetzt erst sozusagen auch mit dem äußeren Auge (als plane Feststellung), daß er überanstrengt und verfallen aussah. Das Gesicht war matt, die Haut grau, er bestand – wie mir durch einen Augenblick schien – derzeit gewissermaßen nur aus seiner eigenen Gepflegtheit, die ihn aufrecht hielt und ihn ganz im gleichen Sinne nach außen vertrat wie sein verständiges Sprechen. Ich hörte ihm weiter zu, freute mich an seiner vorsichtigen und knappen, uneitlen Art der Aussage und empfand jenen unbestimmten Respekt vor der ‚wirtschaftlichen Gesamtlage‘ und ihren Bewegungen und Veränderungen, in welchen jedermann leicht versetzt wird, für den all das nicht recht anschaulich ist, der nicht eingeweiht ist. Er sprach eigentlich auch – wie die meisten derartigen Leute – unter der stillen Voraussetzung des durchaus selbständigen und letztendig allein entscheidenden Charakters wirtschaftlicher Dinge; so schien jene früher gemachte Bemerkung (über die Geschäftsmoral) doch Menschliches nur als einen Schlüssel zu nehmen, womit man unter Umständen auch einmal den Tresor wirtschaftlichen Erkennens aufsperren könne. Im ganzen legte sich's schwer auf mich, jene im Grunde trostlose Weise und Weisheit des Mannes, der mir in seltsamer und fast unaussprechlicher Art so ganz und gar gerade in dieser unserer näheren Umgebung befangen schien, wo die Bankpaläste standen und die nervösen vollen Restaurants der Innenstadt.

„Wie geht es der Frau Gemahlin?" fragte ich in einer Gesprächspause.

„Danke, der Rosa geht's gut", sagte er. Gerade in dem Tone dieser sozusagen weniger aufmerksam bewachten Worte verriet sich seine außerordentliche Ermüdung. Er schien das selbst zu fühlen und sagte rasch irgend etwas Nebensächliches, wenn ich mich recht erinnere, war es die Bemerkung, daß sie heuer beide nach Gastein zu fahren gedächten.

Indem gingen wir am Burgtheater vorbei. Aus einem dahinterliegenden Cafégarten lösten sich drei Gestalten los – sie tauchten sozusagen aus diesem vollen Teiche empor – und traten auf den weiten, sonnigen Platz. Ich sah winken, Altschul erwiderte den Gruß. Nun erkannte ich seine Frau. Man schien sein Kommen, der Ringstraße entlang, hier erwartet zu haben. Ich begrüßte Frau Altschul und Frau Martha Mährischl und wurde bei dieser Gelegenheit mit ihrem Gatten, Herrn Dr. Mährischl, bekannt gemacht. Eine große, breite, aus weichen Massen gebaute Gestalt verbeugte sich leicht vor mir und brachte für diesen Augenblick das volle und blasse Gesicht etwas näher an mich heran, wobei mir die Abwesenheit eines eigentlichen Auges zu Bewußtsein kam, denn statt dessen gab es sozusagen nur blaue Schatten und die Schleierhülle einer in die Umstände des Lebens sich fügenden Melancholie, neben welcher gerade noch Platz genug war, um ein schlaffes Lächeln vorbeizulassen, das offenbar wiederum leicht spöttisch dieser eigenen Fügsamkeit zu gelten schien. Der Mann trug, wie mir auffiel, um das Handgelenk ein Armband aus dünner Goldkette.

Frau Rosi sprudelte und sah nach allen Seiten, von den beiden Mährischls freundlichst und aufmerksamst flankiert; indessen konnte ich bei Edouard Altschul jetzt wieder jene früher erwähnte Ermüdung bemerken, welche sein freundliches Lächeln sozusagen von unterwärts verbrauchte, so daß er ständig für neuen Nachschub zu sorgen hatte . . . wir standen ein wenig unentschlossen im Geplauder, ich spürte jetzt schon die Mittagshitze, ich hatte Hunger, es war spät, und zugleich fühlte ich hier meine Überflüssigkeit sehr deutlich samt der Gewißheit, daß diese Herren offenbar aus einem bestimmten Anlasse zusammengetroffen waren. Ich empfahl mich unter mancherlei freundlichen Reden, und während ich nun auf dem Ring weiterschritt, tief einatmete und meine Schultern unter dem leichten Anzug zurechtschob, wollte ich mir klarmachen, daß meine Niedergeschlagenheit einfach vom leeren Magen herrühre. . . .

Im Restaurant fiel mir ein, daß ich im gleichen Raume, ja vielleicht am selben Tische saß, wo vor eigentlich gar nicht so sehr langer Zeit (doch schien sie mir lang) jenes erste Zusammentreffen zwischen Quapp und Gyurkicz stattgefunden haben mußte, jener Gegenstand späterer, und man kann wohl sagen, endloser Erörterungen; deren Anlaß (und es war ein ständig sich erneuernder Anlaß) das erwähnte Paar nämlich, hatte inzwischen gewisse Veränderungen mitgemacht. Quapp war neuerlich übersiedelt. Ich hab' es schon gesagt, glaub' ich. Sie schien überhaupt die Neigung oder Fähigkeit zu besitzen, innere Epochen durch äußere Veränderungen zu markieren und darzustellen, es ergab sich meist so bei ihr, damals möglicherweise durch den Umstand, daß ihrer Hausfrau die Besuche des Arpaden zu häufig und vielleicht auch zu ausgedehnt wurden. Ob nun ein Anlaß von dieser Art vorlag oder ein anderer – feststehend war für uns alle, daß hinter dieser neuerlichen Übersiedlung letzten Endes natürlich niemand anderer steckte als Imre.

Tatsächlich gelang es ihm auf diese Weise, Quapp noch mehr von den Unsrigen zu trennen und aus deren Kreise herauszulösen, als das ohnehin schon der Fall gewesen war. Sie wohnten beide jetzt ,jenseits des Berges', wie wir's nannten, nämlich in einem tiefer, gegen den Donaustrom zu, sich erstreckenden Teile der Gartenvorstadt, welcher zudem von unserem weit höher gelegenen Wohnbezirke durch eine hügelige Erhebung, durch Gärten, Weinberge, einen großen Park und noch etliche Straßenzüge getrennt war. Hier ist nachzutragen, daß Gyurkicz viel früher schon sich aus unserer nächsten Nähe hinwegbegeben hatte, gerade um jene Zeit übrigens, wenn ich mich recht erinnere, als mein Neffe, Dr. Körger, heraußen Wohnung nahm, nicht lange nach seiner Ankunft in Wien. Quapp und Imre hausten nun freilich nicht gemeinsam, das ging nicht an. Sie hatten zufällig in zwei einander gegenüber liegenden Häusern Quartier gefunden. Es ist wohl anzunehmen, daß Imre, nach der gelegentlichen Entdeckung eines für Quapp geeigneten Zimmers in seiner allernächsten Nähe, nicht mehr geruht haben dürfte, bis er sie ,über den Berg nachgezogen hatte', um hier mit dem Rittmeister von Eulenfeld zu reden.

Von diesem Zeitpunkte an aber erschien uns allen die Beziehung der beiden als eine feste, und ich lasse dahingestellt, wie weit gerade dieser Umstand wiederum auf Quapp zurückgewirkt haben dürfte ... man hatte sich damit abgefunden. Man besuchte etwa ,die beiden hinterm Berge'.

Man ging einen sanft ansteigenden Weg durch die Weinreben, der, rechter Hand gleichlaufend begleitet von der geschachtelten und gezackten Häusermasse, zur Höhe leitete, dann noch durch einige Villenstraßen hindurch, hinter deren Gittern überraschend tief die Gärten lagen – ja, nun war man oben. Hier gab's einen Endpunkt der Straßenbahn, ein Aus- und Einsteigen, ein Verschieben der rotgelben Wagen. Und dahinter sank unmittelbar der Park steil ab, mit Baumkronen, die hoch in den Himmel kuppelten, und an welchen selbst die letzte, schrägste Abendsonne noch einen goldenen Griff tun konnte, während es drunten auf dem Spielplatze von Kinderstimmen hallte. In diesen Straßen blieb es nun kühl und schattig. Aber in die späte Sonne trat man noch einmal, auf dem Platze vor der alten kleinen Pfarrkirche des Sprengels hier. Alle Häuser im Kreise scheinen in einem früheren Jahrhunderte zurückgeblieben zu sein und lassen noch dessen niederes und festes bäuerliches Wachstum sehen. Ein breiter Hof zeigt ein Fenster, von dem bekannt ist, daß dahinter Beethoven einst über die ,Eroica' gebeugt war, manchmal ist das Fenster offen, es gibt Blumen, Wäschestücke und sonstige Lebenszeichen, das Zimmer scheint aber dunkel und nicht eben freundlich. Es wohnen irgendwelche kleine Leute darin.

Und so die ganze Gasse. Man sieht in offene Fenster, in Dunkelheit, zwischen enge beisammen stehende Möbelstücke hinein: manchmal blitzt wohl durch eine rückwärtige Tür das Grün anliegender Gärten. Man hört jetzt Quapp's Strichübungen auf der Geige und tritt unter den glatten Bogengang vor ihrem Haustor. Sie wohnt in einem verhältnismäßig neuen, in einem modernen Hause. Es ist immer schwer, sich zur Störung durch die Klingel zu entschließen, wenn sie geigt, denn Quapp befindet sich meist allein in dieser Wohnung, infolge häufiger Abwesenheit ihrer Quartiergeberin, und außerdem muß man sehr stark läuten, damit sie es trotz ihrer Übungen hört. Immer ist sie voll Freude, wenn jemand von den Unsrigen erscheint, und immer hört man, daß auch Gyurkicz sich sehr freuen würde, und daß er eben im Begriffe sei, zu kommen. . . .

Nein, so ganz richtig ist das nicht. Ich habe dort viel allein mit ihr gesprochen. Ihr Zimmer war nicht schön, es war eigentlich ebenfalls dunkel und lag in gleicher Höhe mit der schmalen Gasse, jedoch von dieser durch einen Vorgarten getrennt . . . ich habe dort auch viel mit ihr allein gesprochen, und das gleiche könnte Schlaggenberg von sich sagen und noch der und jener von uns. Aber man war doch gewissermaßen bereit zum Griff an den Hebel der Umstellung, und man tat diesen Griff unweigerlich, wenn Imre kam; denn wir nahmen ihn am Ende alle so, wie's am bequemsten ging, und man hatte sich diese Belastung im vollsten Sinne des Wortes ‚zurechtgelegt'.

Aber einmal wollte Quapp einen kleinen Abend geben, und das tat sie auch und lud einige von den Unsrigen dazu. Es zeigte sich jedoch, daß man eigentlich nicht bei ihr war, sondern bei einem, wenn auch kleinen, so doch gewissermaßen offiziellen Empfang, wobei Gyurkicz den Hausherrn machte und in chevalresker Art die Lage beherrschte, Quapp sich ärgerte, die Unsrigen aber ziemlich ratlos herumsaßen, und so gut wie überhaupt kein lebendiges Gespräch in Fluß kam, was man doch sonst bei uns durchaus gewohnt war.

Ich hatte, in solche Erinnerungen aus den letzten Wochen versunken, nachdenklich und zerstreut das Essen kaum beendet, als, in jener sehr geschliffenen Art, die den Leuten hierzulande immer noch eignet, ein Kellner heranhuschte, sich artig von rückwärts ein wenig über mich beugte und nach den Worten „Herr Sektionsrat werden am Telephon verlangt" wieder verschwunden war. Dieses Restaurant hatte ich seit einem halben Jahr nur gelegentlich bei Stadtgängen, und selten genug, besucht, allerdings vor meiner Übersiedlung nach draußen hier oft meine Mahlzeiten eingenommen; jedoch scheint es, daß ein Wiener ‚Ober‘ einen einstmaligen Gast, der, sei's auch nach fünf Jahren, vom Ausland zurückkäme, alsbald etwa mit der rhetorischen Frage begrüßen wird: „Herr von Bamperl waren in letzter Zeit verhältnismäßig selten hier?" Auf diese Weise wird freilich auch ein gänzliches Ferngebliebensein ignoriert, und immer noch in eine nur geringfügig unterbrochene Anwesenheit, und also in ein selbstverständliches Dazu-Gehören verwandelt.

Schlaggenberg war's, der anrief, mich hier zur Mittagszeit richtig vermutend. Ob ich in der Stadt bliebe? Er wolle kommen, habe seine Arbeit für heute hinter sich, wir könnten die Besorgungen gemeinsam machen, ein wenig bummeln ... „ich habe ein Bedürfnis nach Bewegung, Farben, ein wenig Stadt-Romantik, Tratsch, wie –?! In einer halben Stunde bin ich bei Ihnen, habe übrigens schon zu Mittag gegessen."

Tatsächlich trat er zur angegebenen Zeit ein, wohl aussehend und sorgfältig im Anzug. Er wollte Kaffee trinken gehen, nun gut.

Kajetan machte mir heute einen seltsam nervigen Eindruck, ein Bild übersteigerter, nervöser Kraft, die sozusagen jeden Augenblick bereit schien, sich nach außen, in's Äußere der Welt zu stürzen – um dort möglicherweise verlorenzugehen und unbrauchbar zu werden für jede Art von Sammlung ... „Sehen Sie", sagte er, als wir eben ein Café betreten hatten, in wichtigem Tone zu mir, „die da drüben, die in dem braunen Kleid, die gefällt mir. Das ist so mein Typ jetzt. Wenn Sie diese Person betrachten, dann wissen Sie, was ich meine, was mir wirklich gefällt."

Ich folgte seinem Blick und sagte: „Hören Sie, Schlaggenberg, Sie scheinen nicht gut zu sehen ... schauen Sie doch gefälligst noch einmal hin oder gehen Sie unauffällig durch den Saal und an ihr vorbei. Die ist ja ganz schrecklich!"

„Ja, ja, natürlich, unmöglich –!" rief er, wieder bei mir angelangt, denn er war alsbald hinweg geeilt, um die Schöne aus größerer Nähe zu sehen – eine dicke Bürgerin um die fünfzig, mit höchst gewöhnlichen Zügen. „Nein, nein, das geht natürlich nicht, das überschreitet die Grenzen meiner Duldung weit, und die Grenzen des Erlaubten überhaupt – na ja, 's kam mir nur so vor, von weitem."

Wir suchten einen Tisch, während er bereits zu erzählen begann . . . „Wissen Sie, Herr Sektionsrat, das muß ich Ihnen möglichst genau ausführen . . .", aber schon nach einigen Minuten, in denen er recht lebhaft seinen Gang zum Gebäude der ,Allianz' schilderte, unterbrach er sich:

„Sehen Sie die dort drüben? Ja!? Im grünen Kleid, ja, ganz richtig, an der Ecke . . . das ist so die typische reife Frau, sicher sehr prüde, wahrscheinlich Hausfrau und Gattin und so weiter..."

„Schlaggenberg, ich beneide Sie um Ihre offenbar schlechten Augen – oder aber Sie erblicken eben Aphroditen in jedem Weibe, das über 75 Kilogramm wiegt und über fünfzig Jahre alt ist . . ."

„Die geh' ich mir aber auch ansehen!" und weg war er. Kehrte jedoch bald zurück. „Na ja, na ja, ist natürlich ganz indiskutabel, ich meinte nur eigentlich das Gesetzte, verstehen Sie?! das Breite, das zog mich bei ihr einen Augenblick hindurch an. Aber sie ist nicht mein Typ. Sie ist nicht – d e r Typ."

„Den möchte ich wirklich schon gerne einmal gesehen haben", sagte ich.

„Wissen Sie, dort, in diesem Caféhaus am Kai, dort am ehesten . . .", aber ich winkte nur lachend ab. Er fuhr indessen fort:

„Die schwere Tür mit dem Türschließer fiel quietschend hinter mir in's Schloß, Cerberus grüßte, im Erdgeschoß rumorten die Pressen, und das vermittelte die Vorstellung riesiger sich drehender Mühlräder, in einem tiefen gemauerten Schacht, unter der Erde . . . ich ging bis auf den ersten Treppenabsatz. Dort kam mir, während ich unwillkürlich stehen blieb, etwas außerordentlich Wichtiges zu Bewußtsein. Sie werden es jetzt und hier vielleicht nur selbstverständlich finden, aber dort und damals ging mir damit geradezu ein Licht auf. Ich erkannte nämlich, daß ich – vollkommen allein sei! Verstehen Sie? Daß ich in dieser Allianz-Welt, auf dieser Stiege, zwischen diesen bereits spürbaren petroligen Gerüchen aus den Setzersälen und zwischen den Menschen, die ich jetzt gleich sehen und mit denen ich sprechen sollte, so ganz und gar allein sei, wie man etwa in einem Urwald allein ist oder sonst in einer wilden und verlassenen Gegend: auf sich selbst gestellt, wie man zu sagen pflegt … Und daß ich in dieser Verlassenheit nun ein Stück meines Lebens, meines Schicksals, vorwärts zu tragen habe, das wurde mir klar, ganz gleichgültig, in welcher Verfassung ich mich dabei befände, und ob ich nun – den Raum meines Lebens ganz oder teilweise oder gar nicht beherrsche: jeder getane Schritt würde doch volle und unwiderrufliche Gültigkeit haben …

Hören Sie, dieses Gefühl der absoluten Einsamkeit in der Wildnis, das gab mir plötzlich Kraft. Ist das nicht seltsam? Ich war nicht mehr zerflattert. Ich war – auf mich selbst zurückgedrängt und gesammelt.

Gerade in diesem Augenblick rief jemand durch's Stiegenhaus herab meinen Namen. Ich sah hinauf und bemerkte Holders schwarzen Kopf mit den Brillen, der sich zwei Stockwerke weiter oben über's Geländer neigte".

„Das verstehe ich sehr gut, Kajetan", sagte ich nach einer kleinen Pause. „Diese Minute war für Sie bestimmt von der größten Bedeutung, und es ist nur als ein Glück zu betrachten, daß Sie sozusagen noch im allerletzten Augenblick gerade dahin gelangten … Sie hätten sich sonst vielleicht gar nicht richtig benommen. Bevor Sie weiter erzählen, würde es mich doch sehr interessieren, Kajetan, gleich vorwegnehmend zu hören, wieweit für Sie die Dinge bei der ‚Allianz' eigentlich gediehen sind, wie Sie jetzt mit den Leuten stehen, was man Ihnen bietet, und was für Aussichten Sie dort haben? Sie sagten, es bestünde die Möglichkeit, daß ein Roman von Ihnen in dem Hauptblatt fortsetzungsweise erscheinen könnte? Wie ist's damit?"

„Nun, sehen Sie, hier", sagte er, beugte sich vor und zog eine Zeitung an sich. Ich las: ‚Donnerstag neuer Roman!' und so weiter.

„Fünfhundert als Vorschuß. Tausend nach Erscheinen der letzten Fortsetzung. Ab fünfzehnten Mai bin ich als externer Mitarbeiter für's Feuilleton engagiert mit vierhundert, zweihundert als Gehaltsvorschuß schon bekommen."

„Dieses sagt weit mehr", meinte ich. „Werden Sie damit der Redaktion angehören?"

„Ausdrücklich nein. Man sagte mir auch, auf meine Frage, ob ich an den Redaktionskonferenzen teilzunehmen hätte, daß dies in keiner Weise erforderlich sei. Ich hatte sogar den

Eindruck, daß meine Anwesenheit dabei nicht erwünscht wäre."

„Sie erhielten also bis jetzt siebenhundert. Das beweist immerhin schon ernsthafte Absichten von seiten der ‚Allianz'. Mein Verdacht, daß es sich bei alledem überhaupt nur um leere Versprechungen handle und daß man Sie würde hinhalten wollen, erlischt somit. Wie ist's nun mit dem Buchverlag?"

„Erst im Entstehen. Jedoch würde mein Roman im Verlagsprogramm an bevorzugter Stelle figurieren."

Wir schwiegen beide, eine ganze Weile hindurch.

Was ich eben gehört hatte, war ja überaus erfreulich, wenn man's obenhin ansah, und Schlaggenberg schien zu beglückwünschen. Merkwürdigerweise aber hatte ich bei alledem die Empfindung von Überstürztheit, von Krampf, von geringer Haltbarkeit dieser Vorteile vielleicht ... und auch Kajetan selbst schien mir durchaus nicht nur in einem Strome der Freude und endlich erlangten Sorglosigkeit zu plätschern. Wohl, seine Lebensgeister waren offenbar in irgend einer Weise entfesselt und sogar aufgehetzt. Nun, mochte er da mit seinen dicken Weibern treiben, was ihm gut schien! – Mir wurde immer deutlicher, daß hier irgendein mir noch ganz und gar unbekannter Umstand mit hineinwirkte, mitspielte.

„Sie müssen für Levielle eine Wichtigkeit haben, Kajetan", sagte ich, „von der ich nichts weiß. Das ist für mich die einzige Erklärung. Wenn Sie aber Ihrerseits wissen, worum es sich dabei handelt, dann ist's ja gut. Ich habe kein Recht, Sie darum zu bitten, mich einzuweihen – obgleich Ihnen ja bekannt ist, daß ich an den ganzen Vorgängen, die sich da in letzter Zeit zu entwickeln scheinen, wahrhaft ein durchaus, na, sagen wir einmal – objektives Interesse nehme. Nun haben Sie aber schon früher einmal Geheimniskrämerei betrieben, wo's durchaus nicht nötig gewesen wäre ..."

„Das verstehe ich nicht", sagte er.

„Denken Sie an jene Visitkarte."

Seine Züge verfinsterten sich und zeigten vorübergehend Gequältheit an: „Das ist sehr einfach, lieber Herr Sektionsrat. Ich schämte mich, diesen Mann zu kennen – ich wollte daran gar nicht erinnert sein. Ich wußte natürlich genau, daß Eulenfeld und Stangeler die Karte in der Schale gefunden hatten ... Levielle ist sozusagen ein Erbstück meiner Familie. Solch ein

‚Erbstück' kann aber unter Umständen ungeahnte Entwicklungen nehmen! Übrigens habe ich Ihnen ja von Levielle's Besuch bei mir erzählt."

„Damals haben Sie gewissermaßen mit der Wahrheit gelogen. Alles stimmte, die Zeitungsgeschichte und so weiter – fälschlicherweise hielt ich gerade das für Lügen – und doch steckte ja was anderes dahinter, hinter diesem ‚Mäzen'. Was ist Ihnen eigentlich eingefallen, als Sie der Grete Siebenschein von des Kammerrates Beziehungen zu Ihrer Familie Mitteilung machten? Sie hat sich das alles so genau gemerkt, daß sie mich, nicht lange nach unserem denkwürdigen Ausfluge, fragte, ob Levielle wirklich nur finanzieller Berater Ihres Vaters gewesen sei. Sie selbst hätten ihr erzählt, daß er in Ihrer Familie ‚gewisse wichtige Angelegenheiten' geordnet habe."

„Diese Behauptung des Fräulein Siebenschein mit dem guten Gedächtnis ist zutreffend, Herr Sektionsrat. Jedoch liegt die Sache folgendermaßen: er hat tatsächlich ‚gewisse wichtige Angelegenheiten' geordnet, und zwar solche, die mit finanziellen Dingen überhaupt nichts zu tun hatten. Durch diese Agenden aber ist der Herr Kammerrat in den Besitz von Kenntnissen gelangt, welche er als Mitwisser heute nur mehr mit meiner Mutter und mit mir teilt – auch Quapp weiß nichts davon – seit nämlich der alte Herr gestorben ist: ihm hat Levielle gelobt, und das noch einmal in letzter Stunde, zu schweigen. Wenigstens bis zu einem bestimmten Zeitpunkt. Wir haben diesen, meines Wissens, noch nicht erreicht." (Daß Levielle dem alten Schlaggenberg etwas gelobt habe, kam mir irgendwie lächerlich vor. Aber ich äußerte dies natürlich nicht.) „Sehen Sie, lieber Herr Sektionsrat, ich bin nun gerade hierin ganz auf gleiche Weise verpflichtet, und muß also ebenfalls schweigen. Das ist alles, was ich Ihnen zu sagen vermag."

Kajetan machte eine Pause. Dann schien er das ganze Thema wie eine Last abzuwerfen:

„Es ist doch ein Glück, endlich einmal frei und unabhängig zu sein", sagte er, aufatmend und sich umsehend.

„Sie dürften sich ja jetzt sehr wohlfühlen", bemerkte ich.

Er schloß für eines Gedankens Länge die Augen. „Nein, lieber Herr Sektionsrat, das ist nicht ganz so. Ich bin – aus dem Gleichgewichte. Ich fühle mich unsicher. Eine wesentlich ordnende Wirkung hat die Sache für mich nicht. Und dann – erwägen Sie einmal, wir stehen möglicherweise knapp vor großen Veränderungen, oder schon mitten darin, und man könnte wohl sagen . . ." – er senkte neuerlich die Lider während des Sprechens – „daß dies alles vielleicht jetzt und heute schon gegenstandslos sei . . ."

„Nun spricht mein Herr Neveu, der Dr. Körger, aus Ihnen", sagte ich, „möchte wetten, daß Sie kürzlich mit ihm beisammen steckten. Wie?"

„Gestern."

„Na also. Im übrigen: was sagt mein Neffe?"

„Er war geradezu begeistert, der Dr. Körger. ‚Sie müssen, Herr von Schlaggenberg‘ – so sagte er – ‚sich dort oben eine ganz feste Position schaffen. Das. kann für uns von der allergrößten Bedeutung werden‘."

„Was meinte er mit ‚für uns‘?" fragte ich.

Schlaggenberg zuckte die Achseln und überging meine Frage. „Qualvoll empfinde ich's", fuhr er fort, „daß ich dem allen doch nicht zu entsprechen vermag. Ich bin für die Situation, in welche ich da hineingestellt werde, nicht bereit. Das fühlte ich deutlich, während Dr. Körger zu mir sprach, und auch später, ich konnte gewissermaßen den Abstand ermessen, der mich von jener Geschlossenheit trennt, die ihm eignet. Es ist bei mir vielmehr so, als wäre ein Fremdes eben jetzt im Begriffe, neuerlich auf mich einzudringen, die werdende Einheit und Beruhigung dieses meines einen Lebens wie ein Keil zerspaltend, zersplitternd, zerfasernd – möglicherweise für immer. Es kommt doch bei allem und jedem letzten Endes nur darauf an, wie man die Dinge sieht, wenn man allein ist und für eine Minute die Augen zumacht. Und hier ist's deutlich genug. Das Ganze hängt an mir wie eine gebrochene Schwinge an einem Vogelkörper, ja, so ist's, als wär' ein Stück von mir abgebrochen und verdorben, und als verpestete es jetzt den ganzen Leib . . ."

„Sie übertreiben, Schlaggenberg, Sie verbohren sich da, und vielleicht werden Ihre eigenen Empfindungen Ihnen schon übermorgen unbegreiflich sein . . . Verstehen Sie mich recht: Sie müssen in diese jetzt gegebene Situation einfach hineinwachsen, Sie müssen sich darin bewähren. Wohlverstanden: Sie müssen! Das heißt nämlich leben. Die Gegensätze in der Schwebe halten. So ist's. Ganz einfach. Dazu braucht's keinen Dr. Körger. Denken Sie doch nur an jene Augenblicke im Stiegenhause des

Allianz-Gebäudes. Da waren Sie, meines Erachtens, gerade in der richtigen Haltung alledem gegenüber. Da waren Sie allein, wirklich, im höchsten Grade Sie selbst, und damit schien doch bereits der richtige Abstand gewonnen!"

„Ja!" rief er lebhaft, „da haben Sie recht! Da haben Sie wohl recht!"

„Nun also. Und jetzt erlauben Sie mir, lieber Kajetan – immer Kajetan und nie Cajétan, und wenn da zehn Kammerräte wären! – und nun erlauben Sie mir, daß ich, scheinbar vom Gegenstande abschweifend, bei dieser Gelegenheit über eine Beobachtung rede, die ich vor langer Zeit schon an Ihnen machte, und übrigens immer wieder mache. Passen Sie einmal auf: wenn man um sechs Uhr zu Ihnen kommt, auf Ihre Bude da draußen bei uns, da kann man sehen, wie Sie gerade Schluß machen und – Ihren Arbeitstisch in Ordnung bringen. Für den nächsten Morgen ist alles überlegt, die Manuskripte werden geschlossen und verwahrt, die Pfeifen ausgeklopft, am Ende liegt der ganze Krempel schön parallel auf dem Schreibtisch . . ."

Was ich nun über die Pedanterie und den Pedanten als Typus vorbrachte, ging über Schlaggenbergs Fall weit hinaus. Aber mir lag daran, jetzt zu sagen, was ich zu sagen hatte, ja, recht eigentlich, es in Wort und Wörtern vor mich hinzustellen, im Schall des Worts, der ja das eigentliche Fleisch der Sprache ist, in welches die Gedanken fahren müssen, um erst einmal ihre Lebensfähigkeit zu erweisen. Nicht etwa, daß ich mit meinen Worten damals mir selbst etwas einreden oder beweisen wollte. Ich weiß bestimmt, daß ich davon ganz frei war. Doch kämpfte ich gegen ein von außen Herandringendes, von Kajetan her Kommendes: gegen etwas Urfremdes, das mich bedrohte.

Ich will nicht alles hierhersetzen, was ich damals gesagt habe. Nur dies: „Ordnung ist ja an sich lobenswert und vorteilhaft, wir wissen schon! Jedoch sehe ich Sie nun seit Jahr und Tag, ja, seit Jahren und Tagen, hauptsächlich damit beschäftigt – Ordnung zu machen. In allem und jedem. Auch vorhin hab' ich wieder was von der Ordnung gehört, von einer ‚wesentlich ordnenden Wirkung', oder wie das schon war . . . Es gibt Pedanten, die eine seltsame Art von Haustyrannen sind, nicht nur den Pfeifen und Bleistiften gegenüber, sondern sozusagen auch im Hinblick auf die eigene Biographie: diese muß in ein vorbestimmtes harmonisches Schema passen, und was darin nicht Platz hat, wird entfernt. Ein babylonischer Turm der Ordnung soll da aus dem doch stets verstreut herumliegenden Materiale eines Lebens gebaut werden. Aber es ist nur ein sehr hoher Hut, den einer am End' so vorsichtig auf dem Kopfe balancieren muß, daß er keinen Fuß mehr vor den anderen setzen kann. Natürlich darf nichts mehr heran, nichts darf sich mehr anfügen: gleich hängt es, ‚wie eine gebrochene Vogelschwinge‘, herab, gleich ist wieder einmal die ‚werdende Einheit und Beruhigung‘ eines solchen Lebens tief gestört, das Schema nämlich, die Errichtung eines zweiten, eines Anti-Lebens, denn nichts anderes ist diese Einheit."

„Wenn's aber einen Zweck hat?" sagte Schlaggenberg, der während meines Exkurses doch nachdenklich geworden war. „Wenn es an dem wäre, daß einer was zu behüten hätte vor jenem stumpfen Druck oder Stoß, der spielend das noch Unfertige vernichtet?"

„Wie leicht jedoch könnte dann solch einem auch das Wasser des Lebens überhaupt ausbleiben!" sprach ich mit einer Betonung, die mich selbst fremdartig berührte.

„Sie bringen alles in unklarer Weise durcheinander", sagte er, plötzlich mit einiger Schärfe. „Zum Früheren meine Meinung: letzten Endes muß jeder zusehen, daß er den Typus, den er vertritt, rein darstelle, also ganz und geschlossen werde, und zwar rechtzeitig. Welcher Mittel er sich dazu bedient, ist seine Sache. Jedenfalls wird es dabei immer in irgendeiner Weise wiederholt notwendig sein – abzulehnen und nein zu sagen. Auch getane und noch fortlaufende Irrtümer und die irrigen Verbindungen abzuschneiden. Je schwächer einer war, desto mehr vom letzteren. Wer fertig ist, dem wird eben die Schuldsumme bisherigen Lebens gewißlich in irgendeiner Form präsentiert. Das hat jeder mit sich selbst abzumachen."

„In solcher Weise, lieber Kajetan", sagte ich, „mag es erlaubt sein, sich hintennach zu rechtfertigen, wenn die Kuh aus dem Stalle ist, wie man zu sagen pflegt, oder post festum. Für ein gegenwärtiges Tun aber können derartige Gedanken doch nicht die Richtung weisen!"

„Na also! Sie Logiker!" rief er, „gerade darum zögere ich ja, oder bin zumindest bedenklich. Da hängt sich schon wieder was Fremdes an mich, ja mit großer Gewalt zwingt es sich meiner

Not auf . . . wie wird das enden? Glauben Sie, ich kann hier sozusagen die Treue halten!"

„Das geht zu weit, meine ich. Niemand verlangt Treue. Wäre zu phantastisch! Vergessen Sie doch nicht, daß es sich um eine rein sachliche Beziehung handelt."

„Das glauben Sie wohl selbst kaum, Herr Sektionsrat", sagte er bitter. „Wollen Sie denn noch immer nicht sehen, wie die Dinge bei mir liegen, oder haben Sie sich vorsätzlich darauf verlegt, mich zu beruhigen? Wie? Zu trösten? . . . Es gibt einen roten Schein für mich bei alledem, eine entzündete schmerzende Stelle . . . Da zerweicht der Grund des Lebens, da wird alles fraglich, da spannt sich der Bogen ab, die Achilles-Sehne unseres Tuns wird durchschnitten – und Sie scheinen mir auch nichts anderes zu bewirken mit Ihrem versöhnlichen Gerede! – nein, da ist es keine Lust mehr, zu leben, wenn man – wenn man nicht mehr sich fähig fühlt –"

„Den Raum seines Lebens zu beherrschen", fiel ich ein. „Das wollten Sie doch sagen?"

„Sie aber soll der Teufel holen!" meinte er jetzt lachend und tuschelte gleich danach heftig: „Drehen Sie sich um! Drehen Sie sich jetzt um!"

Ich tat's etwas zögernd, gelangweilt und belustigt zugleich. Jedoch statt jener imponierenden Formen, welche ich nun zu sehen erwartet hatte, fiel mein Blick auf die sehr schlanke Gestalt des Fräulein Grete Siebenschein, die von dem anderen Flügel des Cafés her kam, welcher rechtwinkelig übereck zu jenem Teile lag, wo wir saßen; daher sie denn bisher für uns unsichtbar geblieben war. Sie bewegte sich zwischen den Tischen durch und gegen den Ausgang zu, sah sehr reizend aus, und hinter ihr ging der Doktor Neuberg. Alsbald waren die beiden auf die Straße getreten und wir sahen sie draußen den Fahrdamm queren.

„Haben uns nicht bemerkt", sagte ich.

„Um so besser", meinte Schlaggenberg.

„Sie wollten mir noch einiges von Ihrem ersten Besuch bei der ‚Allianz' erzählen."

„Richtig. Ich stand also auf dem Treppenabsatz, und Holder sah von oben herunter. Er belegte mich denn gleich mit Beschlag, führte mich hinauf in die Feuilletonredaktion, die hoch im vierten Stockwerk untergebracht ist, und machte sich dort alsbald lächerlich, denn ich sah, daß er überhaupt nichts wußte, sich in seiner neuen Stellung und Tätigkeit vor mir zeigen wollte, und mich darüber hinaus sogar zu begönnern versuchte. ,Ich nehme an, Sie kommen mit einem Manuskript zu mir?', sagte er, und ,hoffentlich ist es geeignet, so daß ich es bringen kann. Ist's lang?' In diesen wenigen Augenblicken erkannte ich freilich, daß der Mann im Grunde harmlos sei. ,Ich habe kein Manuskript und wollte eigentlich Cobler besuchen, in einer anderen Angelegenheit', sagte ich. ,Da werde ich gleich hinunter-telephonieren', meinte er, ,ich denke, 's wird schwer sein – ob Sie wohl überhaupt heute bei ihm ankommen dürften?' (er wiegte den Kopf hin und her) ,es sind viele Leute unten, die da warten.' Damit nahm er den Hörer, bekam offenbar irgend-eine verneinende Auskunft und riet mir, doch noch ein wenig hier bei ihm in seinem Zimmer zu bleiben, man würde herauf-klingeln, wenn Cobler frei und zu sprechen wäre. Er hatte übrigens meinen Namen am Telephon nicht genannt. Ich nahm Platz, aber nicht mit der Absicht, länger als fünf Minuten hier zu bleiben oder gar hier zu warten . . . indem kam eine Person, die ich schon kannte, nämlich die ,Dichterin' Rosi Malik – sie trieb sich seinerzeit bei meinem Verleger oft herum – und die beiden begannen nun mit mir eine literarische Abendunterhal-tung. Die Malik war nicht geradezu unverschämt, zumindest weit weniger frech, als sie aussieht, immerhin aber gestärkten Rückgrates, wozu Holder den Kommentar lieferte: ich erfuhr somit als erstes hier einmal, daß man eines der dummen Stücke dieser Person in der nächsten Zeit aufführen werde. Jetzt wußte ich also auch, warum sie für notwendig hielt, hier zu sein, abgesehen davon, daß sie ja überhaupt hierher gehörte.

Ich machte mich bald los und stieg hinab. Auf der Treppe begegnete mir weiter unten Dr. Trembloner, mit dem ich im Vorbeigehen einen freundlichen Gruß tauschte, wobei mir schien, daß er mich durch einen Augenblick mit Interesse be-trachtete. Ob dieser schon was wußte, schien mir unklar. Bei Glenzler und Reichel indessen lag's auf der platten Hand, wie sich nicht viel später zeigte. Im Wartezimmer saß eine Menge Menschen, vielleicht acht oder zehn Personen. Ich hätte einem der Diener meine Karte geben oder mich namentlich anmelden lassen können, ging aber aus Neugier in das Sekretariat, neben dem Chefzimmer, wo die Kienbauer saß. Sie war allein, was selten vorkam, denn hier standen meist viele Leute herum, deren Leistung dann wesentlich darin bestand, das überlastete Mädchen bei der Arbeit zu stören. Mürrisch, wie immer – nämlich mir gegenüber – dankte sie flüchtig für meinen Gruß, sagte dann ‚Herr Cobler ist besetzt' und raschelte weiter in ihren Papieren. Dieses Verhalten überraschte mich denn doch. Aber ich hatte keine Zeit, um zu überlegen. Denn jetzt traten Glenzler und Reichel ein – diese, nicht um zu schwätzen, sondern in der Eile der Arbeit, Schriftstücke und Bürstenabzüge in den Händen – jedoch sie fanden beide Zeit, mich zu begrüßen wie einen lange entbehrten Freund. ‚Haben Sie schon gemeldet?' fragte gar der alte Glenzler die Sekretärin. ‚Ist ja wer drin!' sagte sie. ‚Ach was –', rief Glenzler mit einer raschen Handbewegung und, zu mir gewandt, ‚ich werde es Herrn Cobler gleich sagen, daß Sie da sind, Herr Kollege.' Er kam nicht dazu. Knapp vor ihm erfolgte die Detonation der Tür und Cobler stand im Sekretariat. ‚Ah –!' rief er, mich erblickend, ‚bist schon da? bist schon da?' und zur Kienbauer ‚warum sagst' denn nichts? warum sagst' denn nichts?' und zu mir ‚schon lange da? komm, komm.' Er warf seiner Freundin noch einen Blick zu, und zwar kopfschüttelnd, zog mich hinter sich her, sagte ‚setz' dich', ließ sich dann mir gegenüber nieder – und jetzt beachten Sie das Folgende wohl, Herr Sektionsrat! – er zappelte nicht, er fuchtelte nicht, er redete kein Wort, sondern er sah mich sehr, sehr lange und forschend an. Wir schwiegen beide. Auch ich betrachtete ihn ruhig, blickte ihm in's Auge. Der Lärm von draußen machte die Stille im Zimmer fühlbar. Ein Zufall wollte es, daß auch der Telephonapparat auf dem Schreibtische durch diese ganze Zeit schwieg.

Er schien mir so sehr gealtert. Und zwar in keiner Weise äußerlich. Aber sein hübsch-häßlicher trockener Geierkopf wirkte wie ausgedörrt von dem fortwährenden Arbeiten der Nerven, und die Augen lagen tief, und in dem Blick lag jene, ich möchte sagen, gewohnheitsmäßige Gequältheit, welche man bei Menschen findet, die in allzu kurzen Abständen an heftigen Kopfschmerzen leiden.

‚Gut', sagte er plötzlich. ‚Alles in Ordnung. Wir brauchen nicht viel zu reden. Du gehst morgen, elf Uhr vormittags, zum Oplatek hinauf. Wegen des Vertrages.'

Und, nachdem wir beide eine Weile geschwiegen hatten (denn auch ich fühlte mich nicht veranlaßt zu sprechen und hielt diese Stille gut aus):

,Sag' mir: jetzt auf einmal? Ausgerechnet jetzt? Wieso? Warum nicht früher schon? Na, du wirst's ja wissen!'

Da sagte ich, indem ich mich erhob und an den Schreibtisch trat (und ich sprach das vielleicht sehr eindringlich und beinah überzeugend, es war wohl auch die Wahrheit – Sie sehen demnach, daß ich schon damals die Geschichten mit Stangeler und dem Musikzimmer, und so weiter, zuinnerst nicht für erklärend hielt!) – ich sagte also, und beugte mich ganz leicht zu ihm herunter:

,Herr Chefredakteur – ich weiß es nicht.'

,Geh'', sagte er mit einer Handbewegung, welche gleichsam eine auf ihn eindringende Zumutung verscheuchen wollte, nämlich offenbar die Zumutung, etwas derart Hirnrissiges zu glauben, wie dies eben jetzt von mir Vorgebrachte. Und dann aber sah er mich durch eines Gedankens Länge hindurch so an – eigentlich mißmutig – als ginge ihm jetzt etwas wie ein noch helleres Licht auf, und als erschiene ihm diese Zumutung in jenem zweiten, neuen Lichte nicht mehr so ungeheuerlich. Gleichwohl war sein Blick immer noch – fragend, als er, sehr undeutlich, vor sich hinsprach, mit mir Aug' in Auge:

,Geh' – na! – so etwas! – ein Narr! – du bist zu allem imstand'!' (das letzte stieß er schon wieder in seiner gewohnten bellenden Tonart heraus). ,Ihr seid zu allem imstand'! – Narren – bist auch ein Narr – servus Doktor!' – und riß Bürstenabzüge und schreibmaschinbeschriebene Blätter an sich, detonierte, und im nächsten Augenblick saß ich erstaunt und allein im Chefzimmer, dem verlassenen Schreibtische des merkwürdigen Mannes gegenüber.''

,,Levielle wäre in der gleichen Lage gewiß kein Licht aufgegangen'', sagte ich nach einer Weile vor mich hin. ,,Aber – weshalb eigentlich fragen nicht auch Sie sich: warum gerade jetzt?! Denn die Sache mit dem ungeschickten René, der irgendetwas aufgeschnappt haben könnte, was nicht für fremde Ohren bestimmt war – das ist ja wirklich keine Erklärung für diesen dicken Allianz-Segen. Levielle hätte Ihnen doch auch früher schon in der oder jener Weise helfen können. Hat sich aber nie um Sie bekümmert, und Sie auch nicht um ihn. Oder bestand da irgendein Kontakt?''

„Nein, seit dem Ableben meines Vaters nicht mehr, soweit meine Erinnerung reicht. Übrigens – doch, aber das kann man eigentlich keinen Kontakt nennen. Er besuchte einmal Quapp auf unserer Bude – wir hausten damals, der Not gehorchend, gemeinsam in einem Zimmer, ich war aber zur Zeit abwesend, auf einer Skitour, wenn ich mich recht entsinne – er traf also Quapp daheim an, und überreichte einige Photographien unseres alten Herrn, zum Teil Jugendbilder, die durch irgendeinen Umstand bei Levielle verblieben waren. Er äußerte dabei, daß es schon lange seine Absicht gewesen sei, uns diese Bilder zu bringen, da wir ein besseres Recht darauf hätten als er, nur habe er unsere Adresse nicht gewußt – wir waren kurz vorher übersiedelt. Das ist alles. Aber lassen wir endlich diesen ganzen Krempel liegen. Sie müssen mich nämlich noch anhören in meiner eigenen Sache."

„Hm", sagte ich, „dicke Weiber?"

„Dicke Weiber. Hören Sie: als ich damals Coblers plötzlich leeres Chefzimmer verließ – ich war übrigens, verdutzt, noch eine ganze Weile sitzengeblieben – und, freundlich die Kollegenschaft und Larvenschar grüßend, durch den Vorraum ging, kam mir vom Stiegenhaus eine Frau entgegen, die, als sie an mir vorbeipassiert war, mich mit unwiderstehlicher Gewalt um die eigene Achse drehte: ich mußte ihr einfach nachsehen. Sie entschwand in das Sekretariat, zur freundlichen Kienbauer. Ich fragte dann einen Diener, den man Otto nennt, wer das gewesen, erfuhr auch gleich den Namen und einige Einzelheiten. Tugendhat heißt sie übrigens. So sieht sie aus. Man darf aber Tugendhat nicht so aussprechen wie ,Turandot, Prinzessin von China' – also etwa ,Tugendat, Prinzessin der Allianz' – sondern man muß es dem Wortsinne nach nehmen: eine Frau, die – Tugend hat. Verstehen Sie?"

„Sie blödeln", warf ich ein.

„Nein", sagte er, „das ist wichtig. Diese Tugend nämlich ist wichtig: weil maßlos aufreizend. Einmal im ärgerlichen Sinne. Sagen wir etwa so, wie bei der Konterhonz, natürlich nicht so albern, und mit mehr Geschmack. Zweitens aber, weil sich ahnen läßt, daß unter dieser sorgfältig glattgestrichenen, sauberen Decke Unsagbares beisammenstecken mag. Und derlei weht einen doch ex parte Konterhonz und Konsorten in keiner Weise an. Capisci? Aber wissen Sie – einen vernichtenden Blick bekam ich: die abweisende Tugend in Personifikation und Glorifikation."

„Sie scheinen sich mit Fremdwörtern ausreichend eingedeckt zu haben, für die nächste Zeit."

„Hören Sie", sagte er, meine Zwischenbemerkung übergehend, „beachten Sie wohl dieses Sinnbild: sie heißt Tugendhat. Sie weiß, daß sie Tugend hat, und das steht ja schon im Namensschild. Sollten eigentlich alle so heißen, diese Weiber! Sie weiß jedoch ebensogut oder noch besser, daß es auch anders geht, und besitzt dazu eine ganz respektable Möglichkeit. Letztere läßt sie nun gleichwie ein Säumchen ihrer beneidenswerten dessous unter dem Kleide der Tugend hervorstehen. Durch das viele Wissen von allem und jedem aber, vom Kleide, vom Säumchen, von der Tugend und vom Pfunde, mit dem gewuchert werden kann – durch dieses viele Wissen entsteht ein hoher Grad von Trockenheit, ein austrocknender saugender Reiz, der naturgemäß oben beim Fenster herausschaut: und da haben Sie das Geheimnis solcher Augen."

Ich erinnere mich, bei seiner Erzählung flüchtig an Frau Lea Wolf gedacht zu haben, was schließlich auf ein gleiches hinauslief.

„Sie ist die Mutter eines Genealogisten bei der ‚Allianz‘", fügte er hinzu.

„Demnach wohl eine Dame reiferen Alters", sagte ich.

„Wie banal Sie sich ausdrücken!"

„Entspricht das Gewicht ebenfalls Ihren Wünschen?"

„Sicher über 75", sagte er, vollkommen ernsthaft, was mich dermaßen frappierte, daß ich es nunmehr für an der Zeit hielt, diesem Fall wirklich näherzutreten. Seit jenem später sogenannten ‚Gründungsfest‘ der Unsrigen, seit jener von Kajetan damals produzierten Abhandlung über das ganze anmutige Kapitel der ‚Dicken Damen‘, schien ja die Geschichte bei ihm Fortschritte gemacht zu haben und schon auf dem besten Wege zu sein, von den Höhen theoretischer Betrachtung in eine mehr als saftige Praxis herabzudegenerieren. Ich hatte es bis jetzt doch nicht für möglich gehalten!

„Ich bin nunmehr entschlossen", sagte er. „Und daher beginnt nun die Sache auch Sie anzugehen, und Sie werden kein Auslangen mehr damit finden, einfach mit beiden Händen abzuwinken und von dieser Seite meines Lebens keine Notiz zu nehmen. Im Gegenteil. Ich beanspruche, daß alles in Ihre romanhaften Berichte – oder wie Sie Ihre Schreiberei da schon nennen – aufgenommen werde, und verpflichte mich, ohne jeden Honoraranspruch die in Betracht kommenden Kapitel zu liefern. Diese werden zusammen einen eigenen Abschnitt des Gesamtmanuskriptes zu bilden haben, etwa unter dem Titel ‚Chronique scandaleuse‘ – weil mir’s eben früher so einfiel.“

„Was?!“ rief ich entsetzt, „das soll alles hinein?!“

„Es muß“, sagte er kalt. „Sie werden schon noch dahinter-kommen, daß es ganz wesentlich ist, und ebenso die Herren Leser.“

„Aber Sie verderben mir ja alles mit Ihren Verrücktheiten!“ sagte ich, beinahe ungehalten. „Das ganze Buch wird verdorben!“

„Ahaa –!“ brach er aus, mit unnatürlich hoher Stimmlage, und wollte offenbar damit andeuten, daß ihm nunmehr ‚ein Licht aufginge‘. „Sie wollen also doch ein Buch schreiben! Sie wollen dichten! Feiner Dichter! Im übrigen: gratuliere. Nun, wie soll ich aber jetzt zu Ihnen sagen? Etwa ‚Herr Kollege‘? Na, lassen Sie’s gut sein. Freut mich, freut mich jedenfalls.“

„Halten Sie doch endlich Ihren Schnabel, Kajetan“, sagte ich, konnte aber nicht weitersprechen, denn ich mußte jetzt wahr-haft von Herzen über ihn lachen: er fuchtelte herum, machte feierliche Gebärden, verbeugte sich gegen mich, deutete aber gleich im selben Atemzuge mit ausholenden Bewegungen un-geheure Formen seiner neuen Idole an und wiederholte mehr-mals: „Muß hinein! Muß alles hinein! Hinein, Herr Dichter! Hinein! Genau! Genauestens!“ Er triumphierte geradezu.

„Schlaggenberg“, sagte ich endlich leise, „benehmen Sie sich anständig, es sehen schon die Gäste her. Nein, glauben Sie das nicht, ich gedenke Ihnen keine Konkurrenz zu machen. Ich schreibe keine Bücher.“

„Ja, wer soll’s denn dann endgültig schreiben, das Ding, das Tagebuch, die Chronik –?“

„Sie.“

„Sagen Sie, Herr Sektionsrat, was fällt Ihnen eigentlich ein? Ich soll mir das auf den Hals laden?!“

„Das tun Sie ja ohnehin jetzt schon. Also kein Grund zur Aufregung, denn mehr verlange ich gar nicht. Die Redaktion und Ergänzung werde ich dann schon gemeinsam mit Stangeler besorgen.“

„Und mit Frau Steuermann", sagte er, ein wenig giftig.

„Ja. Und mit anderen Leuten auch noch. Übrigens: ich erkläre mich bereit, die ‚Chronique scandaleuse' – in Auswahl! – aufzunehmen. Frau Selma Steuermann aber wird Ihnen unter keinen Umständen ausgeliefert."

„Warum nicht?"

„Amtsgeheimnis", sagte ich. Er winkte mit beiden Händen ab, auf solche Weise schauspielerisch recht geschickt meine Bewegungen kopierend, und wir lachten wieder los. „'S wird ja doch ein Buch, er wird dichten, dichten, dichten –!" sagte er, „das kommt schon noch, das seh' ich kommen!" Aber ich schüttelte nur den Kopf.

„Ich bin nun klar entschlossen", nahm er alsbald seine Eröffnungen wieder auf, welche durch unsere kleine literarische Abschweifung unterbrochen worden waren – „ich bin ganz fest in dem Willen, diesen von mir als richtig erkannten Weg zu gehen, und zwar mit vernünftigen, wohlüberlegten Mitteln, je nachdem, wie sich mir dieselben darbieten werden, und in planvoller Weise. Ich habe die größten Opfer gebracht, um mein Leben zu ordnen, und werde an dieser Ordnung festhalten und an ihrem weiteren Ausbau arbeiten."

Was nun kam, war dementsprechend, und schon recht grauslich:

„Ich will reife Weiber, starke Weiber, die wissen was sie wollen, ebenso wie ich es weiß. Kein blauer Dunst! Keine ‚Pflichten' und ‚Verpflichtungen'. Im übrigen bin ich lieber allein. Oder mit Kameraden. Wenn jemand keine andere Ebene über dem zweckhaften Leben erreichen kann als die jener ganzen Gefühlsduselei – für mich heute beispiellos ekelerregend und jedes Spießbürgers schöngeistig verzierte Reservation – dann mag er dort seine Kalbsaugen machen. Mir komme man damit nicht mehr. Das achtzehnte Jahrhundert war noch leidlich gesund in diesem Punkte, aber seit der Romantik ist die Pest los. Und einen Ernst haben sie dabei! Und Donnerworte werden da geschmettert!"

Und zum Schluß, nach weiteren Ausführungen dieser Art:

„Da, sehen Sie, ich hab' schon wieder 5 Anzeigen in Zeitungen einrücken lassen."

Er schob mir die Ausschnitte hin.

Ich sagte, als Kajetan endlich mit seinen gräßlichen Reden aufhörte: „Ich bezweifle, ob Ihnen auf diesem Wege die Erwünschten, oder auch nur eine einzige von den Gewünschten, begegnen können und werden."

„Warum nicht?" antwortete er sehr lebhaft. „Man muß nur eine möglichst große Fläche bieten, auf welcher ein glücklicher Zufall dann auftreffen kann. Ich halte zudem ständig meine Augen offen und die Aufmerksamkeit im Anschlag. Habe auch einigen von den Freunden meine Wünsche und Absichten mitgeteilt und gebeten, bei vorkommender Gelegenheit meiner zu gedenken. Sie, Herr G-ff, habe ich natürlich nicht gebeten, weil ich annehme, daß Sie mir kein Wörtchen sagen würden, und begegnete Ihnen gleich Juno persönlich: aus angeborener Bosheit." (So ganz unrecht hatte er ja nicht, nur das mit der Bosheit mußte ich denn doch ablehnen.)

„Was Sie da von der ‚möglichst großen Fläche' sagen, Kajetan", erwiderte ich nun, „das klingt sehr bestechend, ist aber, wie ich glaube, falsch, weil zu mathematisch. Das riecht ja schon geradezu nach Wahrscheinlichkeitsrechnung. Im Leben für ein Ereignis bereit sein, welches man am Ende durch diese ständige Bereitschaft sozusagen herbeiführt, ja herbeizieht, das sieht, wie ich glaube, anders aus. Man weiß wohl auch weniger davon. Sie aber, mein Lieber, Sie stellen dem Leben sozusagen Fallen (oder Sie wollen das wenigstens tun) wie die Schildbürger dem Licht. Sie wollen es mit Ihren Netzen fangen, aber ich fürchte, es wird sich vor solchen Methoden zurückziehen."

„Gleichwohl. Ich gedenke alles auf die Spitze zu treiben. Sie sollen sich noch wundern!" sagte er lachend. „Jedenfalls werde ich glücklichen Zufällen systematisch die Türen öffnen, so weit es nur geht."

„Aber Kajetan!" rief ich, „gerade deshalb, weil Sie einer von jenen Leuten sind, denen das Richtige zur richtigen Zeit noch viel unzweideutiger begegnet und kommt als anderen – mehr oder weniger ist es ja bei allen Menschen der Fall, wie ich vermute – gerade deshalb scheinen mir ja Ihre pedantischen Anstalten und Fallenstellereien so gar nicht am Platze, ja, fast wie ein Verstoß gegen den Grundtakt Ihres Wesens, wenn ich so sagen darf. Pedantisch! Das ist's. Sie wollen schon wieder Ordnung machen!" (Ich sprach sehr lebhaft und glaubte in diesen Augenblicken einer wirklichen Divination Ausdruck zu verleihen.) „Ja, so ist es. Ich glaube – Sie hassen im Grunde das

Leben, oder wenigstens derzeit hassen Sie es. Ja, ja. Der Pedant steht am offenen Fenster an seinem geordneten Tische. Die Landschaft wogt heran und schwemmt noch Gärten und Straßen und das vielfältige Gewürfel der Häuser vor sich her..." („Sie werden ja lyrisch", warf er in meine kleine Pause ein.) „Der Pedant jedoch schneidet das Eckchen, darauf er steht, sauber davon ab (denn er glaubt, daß er's vermag). Und nun beginnt er seine Herrschaft und wendet sich herum und in seinen Raum, und schreitet auf und ab, und rückt ein wenig zurecht, und wird ein Gerechter vor sich selbst ... so ist's. Alles würden Sie gerne zweckmäßig einrichten, Kajetan. Die ‚Liebe' natürlich gleichfalls. Aber, wie wird's dann, wenn die Kraft ganz ausbleibt – zu schweigen davon, wenn sie ganz käme, denn da zerfiele Ihre Anti-Ordnung wirklich wie eine Glasträne zu Staub – die Kraft, die in Ihren geschickt aufgestellten Mühlen sich fangen soll? Seit Sie von Camy getrennt sind – ist nichts eigentlich Neues in Ihr Leben getreten, keine rechte Freude ... Ich glaube im Ernst, Sie – hassen das Leben!"

„Das Leben! Das Leben! Wie feierlich Sie reden! Zum Kotzen", sagte Kajetan.

„Zum Kotzen", wiederholte ich unbeirrt, seine Unarten damit übergehend, „nun gut. Aber wissen Sie denn, Kajetan, was möglicherweise bereits an Ihnen vorübergegangen ist, da Sie doch schon seit längerer Zeit in dieser innerlich verbissenen Haltung verweilen?! Können Sie denn auf solche Weise Ihre Membrane, Ihren Empfangsapparat rein und in Ordnung haben, der Ihnen anzeigt, was in Ihrer Nähe oder vielleicht in Ihrer nächsten Nähe sich befindet, gleichgültig ob hier und jetzt, oder im scheinbar leeren Augenblicke, da Sie etwa auf das Trittbrett eines Straßenbahnwagens springen, bei Tage oder bei Nacht, in irgendeinem Garten ...".

Und während ich an dieser Stelle, geradezu erschrocken, abbrach, da mir jetzt erst, und gleichzeitig, eine bestimmte Nacht, ein bestimmter Garten, eine bestimmte Frau mit Plötzlichkeit in den Sinn traten, während ich nunmehr stumm dasaß, sprach Schlaggenberg:

„Meine Membrane oder mein Empfangsapparat oder wie Sie das Ding sonst noch recht merkwürdig benennen mögen, zeigt mir eben jetzt an, daß Sie sich nur umzuwenden brauchen, wenn Sie meinen Typ, den von mir eigentlich und wirklich gesuchten

Typ, einmal aus nächster Nähe besehen wollen. Er kommt eben vom Hintergrunde dieses schönen Lokales her nach vorne gewallt und wird alsbald in voller Pracht dicht neben unserem Tische vorbeirollen. O ihr würdigen Ausbuchtungen! Sie wandeln wahrhaft in Prozessionen vor der Besitzerin her und hinter derselben drein, wie Eulenfeld in solchen Fällen zu sagen pflegt. Ich stelle mir vor, diese Frau würde splitternackt hier durch das Café gehen. Und eigentlich tut sie's auch. Weil sie nämlich ebenfalls sehr viel Tugend hat."

Sein Dithyrambus verstummte, denn die Erscheinung war vorübergegangen und entschwunden.

Als wir auf die Straße traten, hatte sich die zerstreute Wärme dieses Frühlingstages doch fast zu einer Art Schwüle gesammelt. Die weiträumigen Plätze, die prunkvollen Fassaden, das gebauschte und gekuppelte Grün der Gärten und Baumkronen lagen in einem überraschenden Überfluß von Sonne, welche auch dem lebhaften Verkehr auf den Straßen einen funkelnden Prunk verlieh, mit bereits schräger fallenden Strahlen da und dort wahre Lichtmassen sammelnd, deren Glanz die weitere Fernsicht ausschloß. Wir schritten gegen das Zentrum der Stadt, und so gelangte ich denn zum zweiten Male an diesem Tage auf den belebten ,Graben', wo wir noch in den oder jenen Laden traten. Zwischendurch sagte ich einmal zu Kajetan „da kommt mein Vetter Géza!" aber er antwortete mir (vielleicht auf meine eigenen früheren Worte anspielend), „Sie scheinen wohl nicht gut zu sehen?" In der Tat war es nur eine gewisse Ähnlichkeit gewesen, die mich auf fünfzehn oder zwanzig Schritte noch hatte täuschen können. Als wir indessen, bald danach, eben jene Parfümerie verließen, die heute am Vormittag durch ihre bis über den Gehsteig strömende, lebensfremd-übersteigerte duftige Kühle so viele Bilder der Vergangenheit in mir ausgelöst hatte – gerade da rief ich „hier kommt er aber wirklich!" und mußte dann, meines Irrtums gewahr werdend, über die wahrhaft außerordentliche Ähnlichkeit staunen, die auch Schlaggenberg diesmal, ebenso wie mich, getäuscht hatte. Als wir indessen in die Tuchlauben einbogen, stieß ich gerade an der Straßenecke mit meinem Vetter Géza, dem Herrn von Orkay, Brust an Brust zusammen.

„Na, da bist du ja endlich!" rief ich, während Kajetan in ein lautes Gelächter ausbrach, „dich erwarte ich schon die ganze Zeit hindurch!"

„Wieso denn?!" fragte er, völlig verdutzt, weil wir ja in keiner Weise verabredet waren.

Ich erklärte den seltsamen Zufall. „Ich warte auf Kurt", sagte er deutsch – er meinte Dr. Körger, meinen Neffen. „Wir haben hier ein Rendezvous."

Sie schienen immer beisammenzustecken, diese beiden. Es dauerte nicht lange und Körger mit dem dicken Kopf kam einhergeschlenkert, sah in die Luft, erkannte uns erst im letzten Augenblick und lachte erfreut. „Kinder, jetzt gehen wir alle saufen", schlug der Vogel Turul vor. Wir beschlossen indessen, noch Eulenfeld und Höpfner abzuholen, die beide hier in der Nähe in Büro's beschäftigt waren und wohl jetzt, gegen sechs Uhr, ihre Tagesarbeit beendigten.

Bei diesem Abholen wuchsen uns dann unversehens zwei Autos zu; nämlich einmal dasjenige Höpfners, ein recht hübscher Wagen, der vor dem Haustore seiner Firma stand, und weiterhin jenes berüchtigte Sportfahrzeug Eulenfelds, welches er eben als wir kamen im Begriffe war aus der Garage zu holen, um nach Hause zu fahren.

„Quapp ist heute abend verläßlich allein", sagte Schlaggenberg, „denn ich weiß, daß Gyurkicz eine Abmachung mit der ‚Dichterin' Rosi Malik und mit dem Redakteur Holder getroffen hat, ich war dabei zufällig anwesend. Die Malik soll von Gyurkicz gezeichnet werden, und das Bild kommt dann in alle Allianz-Blätter wegen der bevorstehenden Aufführung ihres Stückes ‚Kapitän Strichpunkt' oder wie der Schmarrn heißt. Quapp aber ist daheim, weil sie bis halb sieben Uhr die Wiesinger draußen hat, mit der sie Sonaten spielt. Fahren wir also irgendwohin zum Wein hinaus in's Grüne, und holen wir Quapp vorher aus ihrer Bude."

Und alsbald knatterten wir los. Ich saß neben dem Rittmeister, der, einen alten Hut im Genick (er pflegte ihn sein ‚mausgraues Etwas' zu nennen) und die schweren Lederhandschuhe an den Gelenken abstehend-offen, nachlässig und geschickt das kleine Ding durch's Gewühl steuerte. Höpfner, mit den drei anderen im Wagen, folgte dicht hinter uns. Während die rasche Fahrt mir einen kühlenden Luftzug in's Gesicht und durch den leichten Anzug trieb, dachte ich darüber nach, was es wohl bedeuten mochte, daß Géza, als ich ihm eben vorhin des Herrn von Frigori Grüße und Einladung übermittelte, für diese Sache nichts anderes als eine wegwerfende Handbewegung und die beiläufige Bemerkung „dort kann man doch nicht hingehen", übrig gehabt hatte. Der Vogel Turul war kein Snob. Anderseits aber wußten gerade die Leute von den Gesandtschaften in den Personalien des gesellschaftlichen Lebens genau Bescheid. Mir dämmerte auf, daß jener Frigori seine zur Schau getragene Arroganz wahrscheinlich hochnötig hatte, um sich mittels derselben gegen irgendeine unterirdische Strömung zu halten, die er dabei offenbar zu übersehen wünschte . . .?

Indem durcheilten wir die langen Vorstadtzeilen, glitten an dichtbesetzten Wagen der Straßenbahn entlang und überholten sie. Die geschlossenen Häuserreihen lockerten sich, zerfielen, das noch helle Grün schlug dazwischen hervor wie Flammen, und jetzt zogen wir surrend die sanfte Steigung hinauf durch eine lange Villenstraße, hinter deren Gittern überraschend tief die Gärten lagen; Durchblicke in noch tieferes Grün, in abbiegende schattige Wege drehten sich in den Blick und wieder heraus. Ja, und nun war man oben und auch schon vorbei am Endpunkte der Straßenbahn, am Verschieben der rot-gelben Wagen. Es ging bergab. Wir waren ,über den Berg' gelangt.

Hier gab's eine vortreffliche Schenke. Wir beschlossen, da gleich einmal einzukehren, stiegen aus den Wagen, und ich ging mit Dr. Körger und Schlaggenberg, um Quapp aus ihrer nahen Behausung herbeizuholen, während die anderen Drei rückwärts im Garten unter den Bäumen sich an einem der einfachen Bretter-Tische niederließen.

Vom Spielplatze hallten die Kinderstimmen; noch griff hoch vor dem Blau des Himmels die Abendsonne in die Baumkronen, während in den Straßen die allerletzten längsten Schatten lagen, bereit in Dämmerung sich ganz zu vereinen und ineinanderzufließen. Hier noch erglühte ein höher gelegenes Fenster, dort wieder lag dickes Goldrot auf einer Giebelwand, die vor den Himmel ragte, aber schon erblassend. Wir querten den Platz beim alten Kirchlein. Wir gingen auch an dem danebenliegenden breiten Hofe entlang und bei jenem Fenster vorbei, in dessen dunkles Viereck auf einer Schnur richtig wieder ein paar Stücke Wäsche zum Trocknen gehängt waren, sie blieben ganz reglos, da kaum ein Luftzug wehte, ein Blumenstöckchen stand darunter auf dem Brett.

Und dann weiter durch die Gasse. Baumkronen überdachten uns.

Was wir jetzt, bei der Annäherung an das Haus, aus Quapp's Fenster hörten, waren nicht jene endlosen Strichübungen, die der Berufsgeiger macht, welcher ja, übend, nicht eigentlich ‚spielt‘, wie wir musikalischen Laien uns das etwa vorstellen mögen. Heute aber hörte man hier ein paar Augenblicke lang das Klavier, dann jedoch setzte mit einem wilden, entschlossenen Ansturme die Geige ein. Wir blieben unter dem glatten Bogengang vor dem Haustore stehen, und nun erkannten wir freilich, was da gespielt wurde. Es waren die harten und leidenschaftlichen, hämmernden Gänge der Kreutzer-Sonate, welchen diese in sich verschlossene und halb in's Grüne gesunkene Gasse den Hörbereich bot.

Nach dem ersten Satze kam nichts mehr, wir warteten vergebens, diese Studierstunde schien geendet.

Die Klingel tönte auf den leeren kühlen Flur heraus, und schon hörte man Quapps etwas schweren, trampelnden Schritt. Ihr Mund ging gleich von einem Ohre bis zum anderen, so offensichtlich war sie erfreut uns zu sehen, sie fiel ihrem Bruder um den Hals. Wir sagten ihr von unserer Absicht, und sie trompetete „famos!“ und wollte natürlich gern mithalten. Als wir eintraten, fanden wir das Zimmer nur von den beiden kleinen Lämpchen am Klavier und am Notenpulte erhellt, die zwei Lichter saßen scharf in der hereingebrochenen Dämmerung. Ich begrüßte Fräulein Wiesinger und stellte ihr meinen Neffen vor. Meiner Aufforderung, mitzuhalten, setzte sie irgend etwas von einer Verpflichtung für heute abend entgegen, und daß sie jetzt gleich in die Stadt fahren müsse. Im übrigen schien es ihr zu gefallen, daß ich sie gebeten hatte, uns zu begleiten. Sie nahm ihre Hornbrillen ab und sah mich aus ihren kurzsichtigen Augen freundlich an, die im Ausdrucke etwa auf der Höhe eines vierzehnjährigen Mädchens steckengeblieben waren und, ebenso wie die Stupsnase, das Bestreben zu haben schienen, sich noch mehr in den Kopf zurückzuziehen, mitsamt dem ganzen Gesicht, wo alles zu klein war und überraschend eng zusammenrückte, wenn man es aus der Nähe betrachtete. Nun stand sie lang und nach oben schmal zulaufend vor Quapp's Spiegel, der sie nötigte, sich ein wenig zu bücken, weil er für sie zu tief hing, und befestigte ihren Hut.

Nach dem Weggange der Wiesinger warteten wir noch ein paar Minuten, während Quapp sich draußen im Badezimmer fertig machte. Sie kam dann zu uns herein, setzte sich zwischen Körger und Schlaggenberg auf das Sofa, legte die Arme um die Schultern der beiden und sagte unvermittelt: „Wenn ihr da seid, wenn ich nur die Verbindung mit euch spüre, ist alles anders."

In der Schenke hielten Turul und Eulenfeld noch bei der ersten Literflasche, aber der Pegelstand in jener war tief gesunken, was um so mehr zu bedeuten hatte, als ja Höpfner beinahe nichts trank. Eben brachte man ein zweites Gemäß herbei, wohlgekühlt, das Glas war dicht beschlagen. Es wurden Windlichter aufgestellt. Eulenfeld kam uns durch den Garten entgegen, als er unseres Eintrittes gewahr wurde, und umarmte Quapp mitten zwischen den Zechern. Hier fand keiner von den Gästen dabei was bemerkenswertes, es sah kaum jemand hin. Allenthalben an den Tischen, in den Lauben, saßen die Paare.

Géza schien mir Quapp mit fühlbarer Wärme zu begrüßen, in seiner ritterlichen Art, aus welcher deutlich eine besondere Hochachtung für ihre Person sprach: und vielleicht noch mehr; in diesen Augenblicken schien es fast so. Mit Höpfnern hatte es offenbar wieder irgendwelchen Spaß gegeben, denn plötzlich lachte Eulenfeld heraus, und nun drang ich darauf, auch was zu hören. Bald fiel der Name Dulnik. Nach allem, was ich aus Höpfners immer gleichsam verschämtem Geflüster entnehmen konnte – und bei diesem langen und breiten Kerl wirkte der kleingespitzte Mund nicht wenig lächerlich! – nach allem schien also dieser Direktor Dulnik unseren Höpfner um die Früchte seiner wahrhaft – hinterlistigen Propaganda-Idee prellen zu wollen oder zumindest dem von Höpfner erhofften Ertrage Abbruch zu tun.

Mit Dulnik war nämlich vereinbart worden, daß man die bewußte neu entdeckte Reklame-Fläche ausschließlich mit Versen Höpfner'scher Herkunft bedrucken dürfe. Und eben jetzt hatte es sich hier ereignet – während wir noch auf dem Wege waren, um Quapp zu holen – daß Höpfner, nach kurzer Abwesenheit wieder zum Tische zurückkehrend (denn er pflegte in jedem Lokale einen Kontrollgang vorzunehmen), neuerlich schwere Verstöße von seiten Dulniks hatte feststellen müssen. Denn was da draußen von ihm vorgefunden worden war, zeigte sich als das dilettantische Gestammel irgendeines Niemand, das sich in einem Wald von Apostrophen als Folge der zahllosen Weglassungen und Verkürzungen verlor, auf sämtlichen Versfüßen hinkend. „Sie kennen doch meine Sachen!" rief er bekümmert, „diese sind ja heute schon geradezu eine Markenware! Zuerst war auch tatsächlich alles von mir, Sie erinnern sich wohl, im Winter, als bei Ihnen, Herr von Schlaggenberg, die Abendgesellschaft stattfand, gerade damals sind wir ja mit dieser Neuheit herausgekommen. Und jetzt läßt er sich, dieser Dulnik, immer häufiger von irgendwelchen Patzern bedienen, nur um die Gebühren zu ersparen, die er an mich zu bezahlen hätte!"

„Ja, da sollte man geradezu die ganze Reklame-Dichterei von einer Prüfung und einem Gewerbeschein abhängig machen, um jene gräßlichen Sprachverhunzungen und Patzereien auszuschließen, die man überall antrifft – wo nicht gerade ‚reklamehöpfner' darunter steht", sagte mein Neffe, dem eine organisatorische Ader eignete. „Es müßte ein Kartell geschaffen werden, eine Vereinigung, ein geschütztes Handwerk . . .!"

Als wir uns endlich, nach manchem Gelächter, beruhigten, sahen wir einen sehr poetischen Mond aufgehen, hinter den Lauben von Wein, das sickernde Licht drang allmählich über die gewölbten, glänzenden Flächen der großen Blätter vor, fiel in Fingern durch die Zwischenräume des ländlichen Lattenzaunes und beleuchtete weiß das kurze Gras auf den Gartenbeeten, die noch warm schienen von der Sonne dieses schönen Tages. Wie quakende Frösche, so begrüßten hier im Weindusel die Menschen das Nachtgestirn, Singen erhob sich, ein Dudeln und Jodeln und Mitsummen in der Terzlage der zweiten Stimme, und ein Mitbrummen des Basses war zu hören, alles eigentlich rein und richtig, und schon hatten Geige, Harmonika und Guitarre wieder die Führung. Schmetterlinge tapsten um die Glaskugeln der Windlichter.

„Glücklich bin ich", rief Quapp, „daß wir wieder einmal so beisammen sind. Und dabei ganz – unter uns."

„Unter uns – ja. Das kann man heute wohl sagen", bemerkte mein Neffe in seiner manchmal eigenartig kurzen hervorgestoßenen Sprechweise.

„Es fehlt Stangeler", sagte Quapp.

„Ja", antwortete Schlaggenberg laut, „ich denk' es die ganze Zeit hindurch!"

Beinahe hätte ich gesagt „mir fehlt er nicht". Und bei dieser Gelegenheit konnte ich's mir nicht mehr verhehlen, daß ich heute schon den ganzen Tag hindurch den armen René innerlich sozusagen mit meiner Kritik verfolgte; an irgendeinem Punkte, dessen ich mich jetzt nur unklar entsann, hatte das begonnen. . . . Indessen, durfte es denn geleugnet werden, daß er beinahe als Herzstück unerquicklicher Verwicklungen erschien, oder mindest als der Mittelpunkt eines Gewebes, das immer deutlicher ein solches Muster zeigte? Er kam mir heute bedenklicher vor als Kajetan mit all seinen bewußten Bübereien und Verrücktheiten.

Wir brachen auf, um noch spazieren zu fahren; die laue Nacht mit ihrem Mond, die mehr schon dem kommenden Sommer als noch dem Frühling gehörte, lockte hinaus auf die mit den Wagen so leicht erreichbaren Höhenrücken. Man brachte aber im letzten Augenblick noch Wein, da es Eulenfeld denn so wollte, und wir tranken, teils stehend, ein weiteres Glas. Da und dort wisperte noch ein Pärchen, aber sonst waren die Bänke im Garten allermeist schon leer. „Am schönsten ist's immer, wenn wir Burschen unter uns sind!", sagte Körger, Quapp zutrinkend, die er auf solche Weise mit einbezog.

Ja, wir waren unter uns, und von allen unfruchtbaren Gegensätzen und von ihrer Qual beurlaubt, freie Herren, die fröhlich und in einem guten Gewissen sein durften. Mir ahnte, was hinter Quapp's kleiner Stirn vorging, die ja stets bereit war, scharfe Fältchen zu zeigen: ‚Warum nicht immer so leben?' mochte sie fragen.

Wir fuhren los. Wieder saß ich neben dem Rittmeister, der aber seinen Hut nicht aufgesetzt hatte, so daß ihm der Fahrtwind in die Haarsträhne griff. Statt des Hutes sozusagen trug Eulenfeld jetzt, zu vorgerückter Stunde und nach hochgestiegenen Quanten, wie gewöhnlich das Monokel.

Wir stürmten die Steigung empor, der Motor sang dröhnend, dichtbelaubte Baumwipfel, welche die Fahrbahn überhingen, schnellten mit fast erschreckend nahen, dunklen Massen über unsere Köpfe hinweg nach rückwärts. Die Straße erhob sich hier, mit einem Knie, auf die Flanke eines Hügels und zu freier Aussicht. Das Auge stürzte in ein Kissen von Dunkelheit, die bei genauerem Hinsehen sich zerlegte, entlang einer sanft geschwungenen Linie: Nachthimmel und Berg. Man sah weit drüben noch die Lichter von Villen, übereinander gereiht an den Hängen. Jetzt aber, nach dem Durcheilen der Kurve und bei gewendeter Fahrt, zeigte sich der Himmel wie beunruhigt und entzündet vom rötlichen Widerscheine der Großstadt, deren trübes und schärferes Lichtgefunkel bis an den Rand des Gesichts gestreut tief unter uns lag, mit dem gegitterten leuchtenden Rost der Straßenzüge. Und auch diesmal, unter dem dunklen Nachthimmel und bei rascher, windziehender Fahrt, fühlte ich wiederum Ort und Menschen dort unten, seien sie nun wie immer, doch als meine gegebene Heimat, deren schicksalhaften Bewegungen man verbunden bleibt.

13

Der Eintopf

Daß ich bis heute Levielles Vorgeschichte nur sehr fragmentarisch kenne, ist begreiflich: niemand wußte was rechtes, niemand konnte einem etwas sagen. Seine Herkunft zum Beispiel blieb überhaupt dunkel, und darin lag schon ein gewisser Unterschied gegenüber Lasch, dessen Familie in Wien einheimisch war. Gleichwohl hat Levielle einen ihm angeblich sehr ähnlichen jüngeren Bruder gehabt, welcher in der alten österreichischen Armee den Rang eines Generalstabsarztes bekleidete: es war das jener Mann, der sozusagen den wendenden Punkt im Leben des Cornel Lasch markierte, durch sein famoses ärztliches Gutachten zur Kriegszeit, wovon uns ja Lasch selbst und mit einiger Genugtuung unterrichtet hat.

Aus diesem geht einmal zweifelsfrei hervor, daß die beiden einander damals schon gekannt haben, und zwar muß diese Bekanntschaft eine gute gewesen sein, sonst hätte Levielle sich nicht in solcher Weise bei seinem Bruder für Lasch eingesetzt. Lasch allerdings kam durch jene denkwürdige Feststellung einer ,endiocarditis obsoleta', also eines sozusagen tief verborgenen und deshalb unauffindbaren Herzfehlers, von der Truppe los, mit welcher er ja schon in unbehagliche Nähe der Front hätte abgehen sollen; weshalb denn der Kammerrat Levielle seinen Bruder veranlaßte, den Herzfehler mit den Mitteln der Wissenschaft eben doch aufzufinden, welcher Umstand dreizehn Jahre später der Frau Irma Siebenschein zur Beunruhigung gereichte. ... Lasch kam also los und gelangte weiterhin, wie wir wissen, zu jener bedeutenden Stellung in einer der dem Kriegsministerium unterstehenden Zentralen, welche damals die Verteilung der Rohstoffe und Aufträge an die wichtigsten Kriegsindustrien besorgten. Hier hatte der inzwischen bereits mit den goldenen Sternchen eines Landsturm-Leutnants geschmückte Cornel schon was zu reden, er kam zur Macht und gebrauchte sie. Unser Lasch hatte einmal eine montanistische Hochschule besucht, besaß also obendrein noch Fachkenntnisse. Das Amt hieß: Metall-Zentrale. Es war zur Zeit seines Bestehens die höchste Instanz für die gesamte auf den Kriegsbedarf eingestellte Schwerindustrie. Wollte ein Werk etwa einen Auftrag und den nötigen Rohstoff dazu erhalten: hier, in dieser militärischen Bewirtschaftungs-Zentrale, wurde das Offert geprüft, etwa von einem sachkundigen Landsturm-Leutnant, der dann ein Gutachten verfaßte, dem General referierte, die Ablehnung oder die Annahme und die Zuteilung der Rohstoffe empfahl. Ja, man kann sagen, aus Lasch's Händen floß alles, was man brauchte, zum Beispiel das so nötige Kupfer für die Führungsringe der Artillerie-Geschosse und noch vieles andere. Es floß, und er empfahl, und er referierte, aber freilich doch nur unter gewissen Bedingungen, und so war er denn eines Tages ein reicher Mann.

Dem Kammerrat – übrigens weiß ich nicht, ob er damals schon diesen Titel besaß, wenn aber, so dürfte er mindestens die französische Flagge für die Dauer des Krieges eingezogen haben – dem Herrn Levielle also muß es durchaus willkommen gewesen sein, daß ein ihm verpflichteter Mann zu solcher Macht gelangte wie Lasch; daher denn anzunehmen ist, daß er dessen Laufbahn überhaupt und auch weiterhin gefördert hat, nachdem einmal mittels ärztlicher Diagnosen der Einstieg freigemacht worden war. Unseres Cornel Fähigkeiten waren wohl seinem Beschützer gleich erkennbar gewesen. Allerdings hatte des Kammerrates damalige geschäftliche Tätigkeit keinerlei metallischen Charakter, lag also außerhalb von Laschens nunmehrigem Einflußgebiet. Jedoch war ein Stützpunkt mehr in irgendeinem der zahlreichen Ministerien, sei es in welchem immer, nie zu verachten. Levielle besaß viele solcher Stützpunkte, insonderheit dort, wo man sie zur Erlangung von Einfuhr- und Ausfuhrbewilligungen brauchte. Hierin war er in der Zeit nach dem Kriege schon geradezu ein Spezialist. Es hat da Leute in Wien gegeben, welche ihn bei solchen Angelegenheiten für unumgänglich hielten, zuerst einmal bei ihm sozusagen einreichten, und viel später dann beim Amte. Vielleicht war es auch wirklich nicht von Vorteil, ihn zu umgehen. In den Köpfen begann sich jedenfalls die Vorstellung festzusetzen, daß man ihn brauche, wozu allerdings noch andere Umstände beitrugen.

Während Laschen's metallurgischer Tätigkeit hatte Levielle seinerseits begonnen, sich mit einer anderen Substanz zu beschäftigen, nämlich mit dem Holz.

Dabei scheint zunächst, nebenbei bemerkt, der alte Herr Eustach von Schlaggenberg, Kajetan's Vater, auf den diesbezüglichen Holzweg geraten zu sein, wenigstens ist es meine feste Überzeugung, daß Levielle ihn hereingelegt hat, obwohl ich Näheres über die zwischen den beiden abgewickelten Geschäfte nie in Erfahrung bringen konnte: denn Kajetan verstand von diesen Dingen so gut wie gar nichts, was er auch freimütig zuzugeben pflegte; er konnte mir nicht einmal genauer auf einige Fragen antworten, war übrigens nie bei solchen Themen zu halten, sondern sprach meist gleich von etwas anderem. Er ließ sich genügen an den Folgen, die er, ebenso wie seine Angehörigen, am eigenen Leibe spürte: daß nämlich auffallenderweise von damals her jene Verknappung der Schlaggenberg'schen Vermögensverhältnisse stammte, die Quapp's Lage hier in Wien, und auch seine eigene, oft so sehr fraglich und peinlich gestaltet hatte.

Levielles Holzgeschäfte spielten sich dann in der Hauptsache schon nach dem Kriege ab. Er ist sogar bei dem Abt eines oberösterreichischen Stiftes, das in diesem Wirtschaftszweige durch seinen Waldbesitz sehr bedeutend war, aus- und eingegangen, aber es scheinen diese Ambulationen des Kammerrates dem Stift auf die Länge gleichfalls nicht gut bekommen zu sein, das heißt, der Abt war es, der am Ende dabei einging. Einen Hauptstützpunkt bei Levielle's silvestren Operationen aber bildete ein Institut, aus dessen Geschichte ein klein wenig zu plaudern ich mir nicht verkneifen kann. Es war das die sogenannte ‚Holzbank'.

Unser heimisches Holz hier in Österreich ist im allgemeinen nicht für jeden Zweck brauchbar: das heißt, es fehlt vielfach am eigentlichen Schiffsholz, Mastenholz, und jener Gattung, die man ‚Trämer' nennt. In der Hauptsache oder zumindest in der Mehrheit ist's großes und kleineres Bauholz und Brennholz. Während der ersten Jahre nach dem Kriege war eine Belebung unseres Holzmarktes dringend erwünscht, wozu es freilich einer entsprechenden Kapitalsansammlung bedurfte. Eine Belebungsaktion hatte, was sich ja eigentlich fast von selbst versteht, in den verschiedenen Sägewerken für's erste ihren Angriffspunkt zu sehen, noch nicht in den Forsten selbst. Unsere Sägen aber waren durchwegs veraltet, und während man in Deutschland meist schon mit sechs, acht, ja zehn Gattern schnitt, waren damals hierzulande fast durchgängig bestenfalls Dreigatter-Sägen anzutreffen.

Hier einen Impuls zu geben und die Sachen in Fluß zu bringen, war der Titel, unter welchem die ‚Holzbank' gegründet wurde und wäre wohl auch ihr eigentlicher Sinn gewesen. Die Emission der Aktien war gut lanciert: bei dieser Sache war eine Reihe großer Finanzleute und Banken beteiligt. Der Name des ersten Leiters der Holzbank allein schon sagte zudem jedermann, daß eine der im inländischen Holzhandel führenden Firmen sich mit der Sache eins erklärte.

Was nun Levielle angeht, so muß er hier bereits mitgewirkt haben, und wahrscheinlich von allem Anfang an in einer bestimmten Richtung, die später immer mehr hervortreten sollte. Man muß da in Betracht ziehen, daß ihm damals schon eine große Geltung eignete. Neben seinem bereits erheblichen eigenen Vermögen und dem Netz seiner Verbindungen wirkte meiner Ansicht nach in allen Köpfen noch eine Vorstellung mit, um den Kammerrat als einen notwendigen Menschen erscheinen zu lassen, als einen, den man dabei haben müsse, den man nicht umgehen dürfe, den man brauche: die Vorstellung nämlich, daß er nun seit 1914 ein so gewaltiges Vermögen, wie das des gefallenen Rittmeisters Georg Ruthmayr verwaltete (Levielle war schon dessen Testamentsvollstrecker gewesen). Ich bin geneigt, die psychologische Wirkung jener Position Levielle's hoch zu veranschlagen, wobei ich wirklich nur vom Psychologischen gesprochen haben will: diese Vorstellung hat zweifellos mitgewirkt, ihm eine ausgezeichnete Folie zu geben, ihn als überaus vertrauenswürdig erscheinen zu lassen, und so stand denn bald in jedem neu zusammentretenden Verwaltungsrate von vornherein für ihn ein Sessel.

Bekanntlich gilt im praktischen Leben auf die Länge der unangenehme Satz ‚es kommt alles heraus'. Die Tatsachen schlagen durch wie Fettflecke, man mag sie einwickeln, wie man will. Tut aber einer gar noch das Gegenteil und macht den ohnehin schon rennenden Fakten noch raschere Beine – die langen Beine der Wahrheit – so kann er einen Sachverhalt mit außerordentlicher Beschleunigung in die Blutbahnen der allgemeinen Kenntnis bringen und darin verbreiten, so daß am Ende nicht einmal jene davon verschont bleiben, die's nicht im mindesten interessiert: auch sie müssen's wissen. Auch ich wußte, wie man sich vom Anfang dieser Berichte her vielleicht noch erinnern wird, durchaus Bescheid über Levielle's Eigenschaft in Sachen Ruthmayr (allerdings begann ich mich damals schon zu interessieren!), ich wußte das schon lange vor jenem Gespräche mit dem Kammerrat auf dem ‚Graben' am Tage Mariä Verkündigung, das sich später als so folgenreich für uns herausstellte. Und Levielle ging damals gerne auf diese meine Kenntnis ein, nicht ohne anzudeuten, daß er ‚andere Angelegenheiten dieser Art auch noch führte und führe'. Wohl möglich, daß wirklich anderes noch hinzugekommen war, daß hier das Vertrauen schon wuchs wie eine Lawine.

Also, auch in der Holzbank, kaum daß sie begründet war, stand schon in irgendeiner Form der Sessel für den Kammerrat. Er setzte sich darauf nieder und bewies zunächst einmal den Leuten klipp und klar – und die meisten hörten bald gerne auf diesem Ohr – daß die Belebung des Holzmarktes ja eine sehr lobenswerte Sache sei, daß man aber vom Aktienkapital einen erheblichen Teil in Valuten- und Devisengeschäfte leiten müsse, um Ausfälle wettzumachen, die etwa eintreten könnten ... er war in der Lage, seinen Standpunkt zu rechtfertigen und seinen Vorbringungen Nachdruck zu verleihen: denn die von dem ersten Leiter der Holzbank bereits eingegangenen Verträge – im übrigen auch mit jenem schon erwähnten Stift – waren für die Bank zweifelsohne zu teuer, sie kamen sozusagen aus dem Geiste einer Großmachtspolitik, die nichts geringeres als ein Monopol schaffen wollte. Man war tatsächlich schon genötigt, so zu operieren, wie Levielle es anriet. Daß eine Bank Börsengeschäfte macht, kann man wohl nicht abwegig finden. Wenn aber eine Bank, die zur Belebung des inländischen Holzmarktes gegründet wurde, beinahe nur mehr Börsengeschäfte macht, so scheint sie ein wenig von ihrer Linie abgekommen zu sein ... es war schon 1923 und 1924 tatsächlich so, daß nur der geringste Teil des Geldes mehr auf jenem Felde arbeitete, für welches die Holzbank gewissermaßen zuständig erschien. Jedoch, solang ihr erster Leiter lebte, blieben alle Börsengeschäfte der Holzbank durchaus auf hochwertige Papiere beschränkt, mit irgendwelchen ‚Exoten' sich einzulassen wurde von ihm stets abgelehnt.

In den ersten Septembertagen des Jahres 1924 aber ist dieser Mann ermordet worden, und zwar von seinem eigenen Vetter, dem man stets irgendeine ‚Mißratenheit' nachzusagen pflegte, ob mit Recht, weiß ich nicht. Ich habe nur den Ermordeten gekannt, nicht den Mörder; jenen sah ich zum letzten Male kaum eine Woche, bevor ihn die Kugel traf, anläßlich einer Hochzeit in diesen Kreisen, die mir übrigens in einer recht widerwärtigen Erinnerung geblieben ist ... diese Hochzeit stand in einer gewissen Verbindung mit der Person des – René Stangeler, so merkwürdig das nun klingen mag. Der da heiratete – ein Herr Doktor Albert Lehnder – war einst Stangelers Erzieher gewesen. Anläßlich jener Hochzeit nun, bei welcher Stangeler einen Trauzeugen abgab, sah ich also den Leiter der Holzbank zum letzten Male. Auch er fungierte als Trauzeuge bei Lehnders Verheiratung, dessen Chef er übrigens war, denn Lehnder bekleidete bei der Holzbank damals eine Stellung im Rechtsbureau (und damit habe ich auch schon eine Quelle angegeben, aus der mir die und jene Kenntnis kommt).

Der auf den Tod des ersten Direktors folgende Jahresabschluß für 1924 fand das Unternehmen noch bilanzmäßig aktiv. Man weiß, daß dies unter Umständen nicht allzuviel bedeutet. Der Ast, auf dem man sich bewegte, stieg steil ab. Die Leviellisten gewannen unter dem neuen Direktor die Oberhand, um so leichter, als die Emission von ‚Jungen' (so nennt man neu ausgegebene Aktien einer schon bestehenden Gesellschaft) fehlschlug. Die ‚Jungen', welche man auf den Markt warf, mußte man sehr bald und schleunig mit dem eigenen Gelde durch befreundete Gruppen wieder in's traute Heim zurückführen; das Ganze war beinahe nur ein Geschäft in sich. Der neue Leiter der Holzbank war in gewisser Hinsicht ein merkwürdiger Mann, nämlich erstens was sein Äußeres betraf, das zu einem Bankdirektor gar nicht passen wollte, zweitens aber durch einen gewissen Spitznamen, den es ihm eingebracht hatte. Er war groß und kurz angebunden, mit aufgeworfenen Schultern und schwarz-schnauzbärtig, und das ganz gewaltig, und er war vielleicht auch wirklich in einer sehr regen Beziehung zum anderen Geschlechte – kurz, man verlieh ihm eine Charge, die es einst beim Troß der Landsknechtsheere gegeben hat, nämlich die des – Hurenwaibels. Wer das aufgebracht hat, weiß ich nicht (wohl möglich Lehnder, er war ein witziger Bursche). Der Hurenwaibel also hatte einen Subwaibel oder Unterdirektor (der gehörte übrigens auch zu jenen, die dann den französischen

Franken ‚herunterbrüllten‘), dem sozusagen vor gar nichts grauste, eine rechte ‚Naschkatz‘, wie man das auf der Börse zu benennen pflegte. Er war überall dabei, und wär’ es noch so ‚exotisch‘ gewesen. Der Hurenwaibel aber mußte diesem Treiben bereits zustimmen, es zeigte den vielleicht einzigen noch möglichen Ausweg. Unter solchen Umständen versteht es sich ganz von selbst, daß die Holzbank, als die große Kontermine gegen den französischen Franken begann, mit ganzem Kiele sich in dieses Fahrwasser legte. Die patriotische Haltung der französischen Regierung machte dem Treiben im Dezember des Jahres 1925 ein Ende, der französische Franc, den man bei der Baisse-Spekulation gegen Dollars verkauft hatte, stieg, und die Dollars fielen. „Daran sind dann sämtliche Leute und auch die Holzbank zugrunde gegangen“, bemerkte Dr. Lehnder, mit dem ich einmal über die Sachen sprach. Er ist später Inhaber einer Rechtsanwalts-Kanzlei geworden. In Berlin übrigens, nicht hier.

Unter den ‚sämtlichen Leuten‘ befand sich aber nicht Levielle. ‚Du reste – c’est étonnant‘ – nun, er war ja ein Pariser, zumindest ein halber, und vielleicht wußte er wirklich mehr. Bekannt ist es, daß er keineswegs im letzten möglichen Augenblick aus der Franc-Spekulation ausstieg, sondern eigentlich lange vor der Katastrophe. Und damit auch aus der Holzbank. Er legte seine Funktion nieder, er verdunstete – man sah ihn eben eines Tages nicht mehr dort. Hier ist wohl eine beispielmäßige Grundursache für jenen erstaunlichen Sachverhalt zu erblicken, der zwei Jahre später an’s Licht kam – und nun will ich einmal wirklich vom rein ‚psychologischen‘ Gebiet abgesehen haben und darüber hinausgehen! – dafür nämlich, daß jenes Ruthmayr’sche Vermögen in seiner Substanz völlig unvermindert am Ende dastand, welches ich selbst zum Beispiel, schon gemäß dem wenigen, was ich im Frühjahr 1927 wußte, für ganz und gar ausgeschlossen gehalten und nie so vorausgesehen hätte. Vielmehr trieben in mir die schwärzesten Besorgnisse um, bezüglich Sachen, zum Beispiel auch Ruthmayr’scher Sachen, die mich eigentlich nichts angingen . . . nun, das ist ja eben das Bezeichnende überhaupt gewesen, für diesen ganzen Abschnitt meines Lebens, der mit meiner Schreiberei hier zusammenhängt. Und plötzlich dann: da gingen mich die Dinge wirklich an. Und da hörten sich die Schreibereien auf. Der Chronist fiel vom Steckenpferd.

Ja, freilich hätte sich das Ruthmayr'sche Vermögen bei alledem auch vermehren können. Das war aber nicht der Fall.

Die Holzbank hat später einen stillen Ausgleich gemacht, wie es heißt, bei dem die Familie des ersten Leiters ihr Vermögen vollends opferte. Die Witwe des Ermordeten vermietete lange Jahre noch Zimmer. Man fragt, was weiter mit Levielle wurde? Hier kann ich nur antworten, daß er nach dem Verlassen dieses einen Geleises gleich auf den zweiunddreißig oder fünfundvierzig anderen (so genau kann man das nicht angeben) sich weiterbewegte, die er auch bisher befahren hatte. Die Holzbank und was damit zusammenhing war eben nur eines mehr gewesen. Es zeitigte übrigens am Ende eine für den Kammerrat (und auch für unsere Erzählung) recht bedeutsame Abzweigung und Verlängerung. Denn daß Levielle eines Tages innerhalb der ‚Allianz – Allgemeine Zeitungs-A.G.' jene Führung innehatte, neben den Prager Aktionären und im Einverständnis mit ihnen, welche ihm sozusagen derartige Stückchen ermöglichte, wie die Unterbringung Schlaggenbergs – dieses plötzliche Sich-Verschieben in die Zeitungswelt wird man unschwer aus seiner langjährigen Tätigkeit im Holze herleiten können. Lange noch, bevor ‚sämtliche Leute' den Holzweg der Franc-Spekulation gingen, muß er schon in die Papier-Industrie eingedrungen sein, und, da ihm solches zum Beispiel bei dem Direktor Dulnik mißlang, so eben anderwärts, und mit Erfolg. Dieser Weg führte nun geradewegs zur Zeitung. Der alte Dr. Trapp übrigens, Angelika's Vater, hat es Dulnik stets hoch angerechnet, daß er von allem Anfange an glatt ablehnte, mit Levielle sich irgendwie einzulassen, und das zu einer Zeit, wo ‚sämtliche Leute' dem Kammerrat nachgelaufen sind. Die zweiunddreißig oder fünfundvierzig anderen Geleise aber gehörten nun einmal zu Levielle's Wesen dazu. Man kann sagen, daß es ganz allgemein zwei Wege zum äußeren Erfolg in allen Affären zu geben scheint, nämlich entweder den einer außerordentlich tiefgründigen Kenntnis irgendeines bestimmten Gebietes, also den Weg des Fachmannes sozusagen – oder aber jene Sicherheit, ich möchte fast sagen, unschuldsvolle und traumhafte Sicherheit, die dem völlig Fremden und Beziehungslosen eignet, der ohne jede Voraussetzung heute an hundert Waggons Milchkonserven herantritt und morgen an die Erzeugung und den Vertrieb von Operetten-Librettis. Diese beiden äußerst entgegengesetzten

Ausgangspunkte halten die Spitze, und jede Mischform wird schwächer sein. Levielle gehörte wohl zur zweiten Gattung der Tüchtigen. Es ist grotesk, sich etwas derartiges hintennach und heutzutage noch vorzustellen: aber er bildete mit seiner Person wirklich eine Art Dachorganisation für eine ganze Reihe der verschiedenartigsten Unternehmungen, welchen er auch, je nachdem, geradezu die guten oder die schlechten Geschäfte zuschob. Die schon zu Anfang des Krieges erfolgte Novellierung des Insolvenzrechtes – vom Gesetzgeber so sehr wohltätig gemeint zum Schutze der unverschuldet in Schwierigkeiten Geratenen und um diese nicht gleich aus dem Wirtschaftsleben gänzlich auszuschalten – diese Ausgleichs-Ordnung ist ja später an allen Ecken und Enden in ihr Gegenteil verkehrt worden. Aber es wird wohl wenige gegeben haben, welche das Gesetz so geschickt umstülpten, wie unser famoser Kammerrat. C'était étonnant!

Bei manchem wirkte Lasch mit. Unser Cornel hat gleich nach dem Umsturz im Jahre 1918 zunächst einmal bei der sogenannten ‚Sach-Demobilisierung' – also bei der Liquidierung der großen noch für den Kriegszweck bestimmten Bestände an allem Möglichen und Unmöglichen – zu toben begonnen; ja, man kann sich hier nicht anders ausdrücken. Denn seine Käufe, die mit ganz lächerlichen Beträgen getätigt wurden – Verbindungen besaß er ja vom Ministerium her – wirbelten einen ganzen Zyklon der verschiedenartigsten Staatsgüter empor, die in Lasch's Abschlüssen wild durcheinander gingen, so drei Waggons Zwirn wie fünfhundert Stück nagelneuer Schubkarren oder dreitausend Infanteriegewehre (die gab es auch einmal bei ihm, und sie versickerten sofort – warum sollte Lasch nicht auch mit Gewehren handeln, er fürchtete sich nicht vor diesen Kisten, er war ja immerhin Soldat gewesen!). Manchmal gerieten auch Ersatzprodukte unter die Massen seiner chaotischen Güter, Ersatzprodukte aus dem Kriege, welche im Lauf der Folgezeit durch die veränderte Lage wertlos wurden. Sie klebten ihm dann wie Fliegenpapier an den Fingern, und er hatte, zwischen sehr einträglichen Umsätzen, wieder einmal seine liebe Not etwa mit zweihundert Waggons Kunstsohlen – aus (wenig) Lederabfällen, viel Sägespänen, Papierabfällen und Teer als Bindemittel, hydraulisch zusammengepreßt. Lasch ließ die zweihundert Waggons zunächst auf Brandschaden versichern, und der Käufer, der sich endlich fand, erwarb die auf ein Jahr vorausbezahlte

Versicherung gleich mit der Ware. Als der ganze Mist dann verbrannt war, erstattete die Versicherungsgesellschaft eine Strafanzeige und wies unter anderem darauf hin, daß Lasch, verläßlichem Vernehmen nach, beim Abschluß des Geschäftes schon geäußert hätte, ‚das Zeug brenne wie Zunder'. Der vorgeladene Lasch stellte auch diese Äußerung vor Gericht keineswegs in Abrede, sondern bestätigte sie mit der größten Selbstverständlichkeit dahin, daß er freilich habe annehmen müssen, der Posten sei als Heizmaterial für industrielle Zwecke gekauft worden, denn wer würde denn, bei wieder geöffneter Ledereinfuhr, auch nur daran denken, ein so ganz minderwertiges Erzeugnis seiner ursprünglichen Bestimmung noch zuführen zu können?! Man erzählte von Lasch einige solcher Geschichten, von welchen eigentlich keine einzige wahr zu sein braucht, und doch sind alle für ihn recht gut bezeichnend. Was gewisse Methoden der zweideutigen und doch unverfänglichen Äußerungen betrifft, so bestand hier eine große Ähnlichkeit mit Levielle, der überhaupt vielfach schon im Hinblick auf kommende Rechtsstreitigkeiten seine Ausdrucksweise zu wählen pflegte, und so etwa, als sitze eine protokollierende Stenotypistin hinter der Wand. Vielleicht lag auch bei Lasch eine Art Schülerschaft vor und eine Fortsetzung dieser Tradition.

Den Direktor Edouard Altschul aber hat Levielle später durch Cornel Lasch kennengelernt, und zwar als Levielle einer Großbank bereits was zu bieten hatte, nämlich eine ganze Handvoll Zeitungen. Hier machte unser Cornel den Vermittler, ja es ging so weit, daß er überaus artig seine Schwiegermutter, die Frau Irma Siebenschein, ein oder das andere Mal in jenes große Café am Donaukanal begleitete, wo der Familienrat wegen Grete's nächtlichem Ausbleiben getagt hat. Natürlich fuhr er mit Frau Irma in seinem großen Wagen vor, was dieser Freude bereitete. Titi Lasch, die geborene Siebenschein, wurde damals auch zu solchen Begleitungen angehalten, und so hatte man bald das Ehepaar Altschul kennengelernt, nämlich erst Frau Rosi und dann auch deren Gatten. Doktor Mährischl und Gattin aber brachte man wieder an einem anderen Orte und bei anderer Gelegenheit mit den Altschuls zusammen und stiftete so zwischen den zwei Damen eine Freundschaft, welche ja übrigens der Frau Lea Wolf, die wohl als einigermaßen aufmerksamer Beobachter gelten kann, bald unangenehm auffiel.

Gerade der damalige Zeitpunkt aber mußte den Direktor einer Großbank sehr geneigt finden zum Kontakt mit einem Manne wie Levielle, der, wenigstens für unsere bescheidenen örtlichen Verhältnisse, jetzt durchaus als ein Zeitungs-Magnat anzusehen war. Lasch aber, in dessen Person sich die Verbindung mit Levielle mühelos und wie von selbst anbot, konnte damit für Altschul wertvoll erscheinen. Ein Besonderes kam damals hinzu: es war nämlich die Zusammenarbeit zwischen den Banken und der Presse durch einen (sehr aufgebauschten!) ‚Skandal' gestört worden, der beinahe auch die ‚Organisation Hector' in die Luft fliegen ließ, so daß am Ende die Sache von deren Oberhaupt nur mit größter Mühe zurecht ‚gezepelt' werden konnte, wozu freilich schon kein anderer Weg blieb als eine Disziplinaruntersuchung gegen fast sämtliche Mitglieder, die im wirtschaftlichen Teil irgendeiner Zeitung tätig waren. Dr. Trembloner äußerte zwar in diesem Zusammenhange recht spaßhaft, ‚es seien' (nämlich von seiten der Redakteure) ‚vielfach so geringfügige Beträge angenommen worden, daß man schon beinahe von Unbestechlichkeit sprechen könne' – gleichwohl, es mußte etwas geschehen, und in den ‚Mitteilungen der Organisation Hector' erschien ein flammender Leitartikel, worin von ‚entartetem journalistischen Ungeziefer' (meinte man hier etwa die Larven?!) und seiner notwendigen Ausrottung die Rede war. Den Anlaß für das Auffliegen dieser ganzen Geschichten hat damals der Zusammenbruch eines (kleineren) Geldinstitutes gegeben, wobei die diesbezüglichen Fonds aufschienen, und obendrein kamen plötzlich einige vorlängst abgetriebene verzweifelte ‚Larven' mit einer Menge belastenden Materials daher, welches sie – auf irgendwelchen Redaktionen plaudernd, tastend, lächelnd und fragend, vor allem aber die Ohren spitzend – mit ihren Organen einst hatten erfassen können.

Im Grunde war an den Dingen nicht gar viel daran.

Immerhin wurden gewohnte Geleise gestört.

Unter solchen Umständen mußte es dem großen Bankinstitut, zu dessen Direktoren Edouard Altschul zählte, erst recht erwünscht sein, eine ganze Reihe von Blättern geradewegs an die Hand zu bekommen, noch dazu führende Zeitungen, denn vornehmlich solche befanden sich im Konzern der ‚Allianz'. Und überdies umfaßte dieser Konzern Blätter von sehr verschiedenartiger, ja zum Teil fast entgegengesetzter politischer Richtung. Der Kammerrat gab gleich anfangs zu verstehen, daß er lediglich eine Großbank für einige schon vorhandene und seiner Meinung nach ausbaufähige Industrien zu interessieren wünsche. Diese Kompensation erschien als annehmbar.

Hierher gehört denn auch die Rolle des Ehepaares Mährischl. Und vor allem die bemerkenswerte Tatsache, daß Dr. Mährischl niemals Levielle's Rechtsanwalt gewesen ist. Dagegen wurde er von Edouard Altschul auf Empfehlung des Kammerrats für die Bank in Anspruch genommen und intervenierte von Anfang an beim Abschlusse aller aus der Verbindung mit Levielle sich ergebenden Verträge mit den einzelnen Unternehmungen.

Was die Gattin des Herrn Doktor Mährischl, Martha, angeht, so erinnere ich mich, schon damals erfahren zu haben (durch Frau Steuermann, welche allerdings nicht gar lange nach der Frühjahrs-Moden-Tagung dem Café am Donaukanale fernzubleiben begann), daß Frau Mährischl die gute Rosi Altschul geradezu ‚beschatte', wie es die Kriminalisten nennen. Und Rosi's Plaudermund fand bei Frau Martha stets ein offenes und geduldiges Ohr.

Diese Wächterin Martha also wußte von jedem Schritt, den Altschul tat, und auch von manchen, die er erst beabsichtigte. Wenn irgendwer in Wien den Direktor nicht angetroffen und dringend gesucht hätte – hier wäre die Stelle gewesen, bei welcher stets eine genaue Kenntnis vorhanden war; und Frau Mährischl hätte, den Willen dazu vorausgesetzt, Auskünfte erteilen können etwa in folgender Form: Direktor Altschul ist heute um neun Uhr in's Büro gekommen, hat um zehn Uhr meinen Mann empfangen, um ein halb elf Uhr den Baron Frigori, war um ein Uhr auf der Börse, ist um drei daheim zum Mittagessen verspätet erschienen, sodann um vier wieder in seinem Büro.

Der vierzehnte Mai war ein Tag mit trübem Wetter. Dann und wann gab es Regen und Windstöße. Man hatte deshalb auch die Fenster im Direktionsbüro nicht geöffnet, obwohl der Raum stark von Zigarren- und Zigarettenrauch erfüllt war. Alle vier

Teilnehmer an der hier offenbar stattgehabten einigermaßen erregten Besprechung standen, niemand hatte Platz behalten. Auf das Einschalten des Lichtes schien man vergessen zu haben, obgleich es heute schon dämmerte, zeitiger als sonst. Altschul hatte sich vor dem Kommen der Besucher durch eine Viertelstunde den Stand einiger Konten aus den verschiedenen Abteilungen mittels des Haustelephons durchgeben lassen.

„Ich muß Sie noch einmal daran erinnern, Herr Kammerrat, daß Sie höchstpersönlich die Leute als ‚hochaktiv‘ bezeichnet hatten . . .“, sagte er, müde, aber beherrscht.

„Aber verehrter Herr Direktor“, warf jetzt Doktor Mährischl ein, „da muß ich doch selbst, als Ihr Vertreter, mir gestatten zu bemerken, daß . . . die Auffassung dieser Worte von Ihrer Seite allzu ‚buchkaufmännisch‘ ist, wenn ich so sagen darf. Der Herr Kammerrat meinte eben ‚hochaktiv‘ im Sinne der Rührigkeit, der Aktivität, und nicht gerade, wenn ich so sagen soll, bilanzmäßig.“

„Ich hatte Ihnen gewiß nicht mehr gesagt, lieber Herr Direktor“, antwortete Levielle sehr freundlich, ja mit Wärme, „ich sagte, wenn ich mich recht erinnere, daß ich die Aktivität dieses Unternehmens bewundere, und das tue ich ja wohl heute auch; und im übrigen besteht doch hier noch keinerlei Grund zur Entmutigung!“

„Mein Gott, es gibt halt keine pupillarsicheren Geschäfte“, bemerkte Dr. Mährischl (Lasch schüttelte dabei leicht den Kopf) und schwenkte seinen Arm, so daß man ein schwaches Blinken des goldenen Kettchens am Handgelenk sehen konnte. Und dabei lächelte er resigniert und zugleich entschuldigend wegen des Ausdruckes ‚pupillarsicher‘, der ihm wohl mehr in die Sphäre seiner Advokaturs-Kanzlei, als hierher gehörig schien.

Gerade da öffnete sich unversehens die Türe und Frau Martha sah herein. Ein Klopfen hatte niemand gehört. „Oh – ich bitte um Verzeihung“, sagte sie mit einer Geste, als wollte sie sich gleich wieder zurückziehen.

„Keine Ursache, gnädige Frau“, sagte Altschul, höflich, aber etwas tonlos, „wir sind hier schon fertig.“ Er war bisher halb zum Fenster gewandt vor dem Schreibtische gestanden. Nun riß er sich mit einem kleinen Ruck gleichsam von der einfallenden Dämmerung los, wandte sich in den Raum zurück und schaltete das Licht ein. Man begrüßte einander und verabschiedete sich gleich in einem. „Ich wollte nämlich nur meinem Mann sagen, daß ich schon hier sei . . .", bemerkte Frau Martha nochmals entschuldigend. „Also dann auf Ende nächster Woche, meine Herren", sagte Altschul. Er blieb nun allein zurück. Die Armsessel im Zimmer waren ein wenig durcheinander geschoben, eine volle Aschenschale stand auf einem Mahagoni-Tischchen. Altschul trat wieder zum Fenster, wo er vorhin gestanden war.

Die Mährischl's gingen voraus die Treppen hinab. Levielle folgte mit Lasch in einigem Abstande durch das weite Stiegenhaus, wo nur ein oder das andere Licht brannte; denn der öffentliche Arbeitstag dieser Bank und ihre allgemeinen Besuchsstunden hatten ja längst geendet. Der betreßte Torwart trat unten aus seinem matt erleuchteten Raume vor und öffnete die Glastür eines Seiteneinganges für das Ehepaar Mährischl und hielt die Flügel offen, bis auch der Kammerrat und Lasch hindurch waren.

Die Dunkelheit brach herein, und die Straßen lagen zum Teil schon in ihren schreienden Lichtern, hinter einem leichten Nebel.

Niemand von den vier Personen sprach, die Mährischls verabschiedeten sich zudem gleich und schritten auf dem Gehsteig davon. Levielle ging mit Lasch zu dessen schwerem offenen Wagen, welcher etwas abseits stand. Cornel sah nach der Uhr. Er mußte Levielle jetzt noch bis zum Westbahnhofe bringen (der Kammerrat verreiste auf einige Tage nach Paris), hatte aber Titi, seiner Frau, versprochen, daß er um etwa halb sieben Uhr bei ihren Eltern sein werde. Wäre der Kammerrat heute zum Beispiel nach Prag gefahren, was ja oft der Fall war, so hätte kein Grund zur Eile bestanden, denn es war gerade der für Böhmen in Betracht kommende Fernbahnhof, welcher gegenüber dem Siebenschein'schen Hause lag. So aber hieß es nun, sich zu sputen, der Weg war nicht kurz. Levielle stieg rückwärts ein, wohin der Torwart der Bank schon einen flachen Handkoffer gelegt hatte, welcher in seinem Dienstraum abgestellt worden war. Der Kammerrat ließ Lasch allein vorne fahren wie einen Chauffeur, er setzte sich nicht neben ihn, obwohl dort hinter der Glasscheibe der Schutz gegen Wind oder Regen ein besserer sein mußte.

Lasch ließ den Motor anspringen, sauste los, warf den Wagen recht gewalttätig um die Ecke der schmalen Seitengasse hier, wobei die Hupe aufbrüllte und zugleich Kammerrat und Koffer von einer Seite auf die andere rutschten, und dann zog das Automobil mit singender Maschine aus der Inneren Stadt hinaus und durch die langen, schon mit Lichterreihen sich aufspaltenden Vorstadtzeilen. Unter der Auffahrt des altmodischen Westbahnhofes blieb Lasch im Wagen sitzen und verabschiedete sich solchermaßen von Levielle, der einen Träger für seinen Handkoffer heranwinkte. Bevor Lasch die Kupplung niedertrat, sah er noch, daß jemand rasch auf Levielle zuschritt und ihn begrüßte (es war der Baron Frigori, wie sich später herausstellte).

Cornel wandte um und sauste neuerlich los, den Leuten, die zu Fuße gingen, das Beiseitespringen in den Gliedern und den tiefen Hornton seiner Hupe in den Ohren lassend. Er fuhr sehr schnell. Die Straßen waren belebt, zum Teil von solchen, die auch heute, am Samstag und Wochenende, erst spät aus dem Geschirr der Tagesarbeit entlassen wurden und nun noch eilige Einkäufe besorgten; in manchen Läden sah man Kopf an Kopf. In den tiefer gelegenen Stadtteilen begann der leichte Nebel merklicher zu werden, Lasch mußte langsam fahren, die Hupe ließ ihren Baß an jeder Straßenecke ertönen. Schwere Autobusse kamen wie erleuchtete rollende Türme. Cornel sah mißmutig über die vorandringende Motorhaube auf die Straße. Seine Kinnbacken legten sich noch fester aufeinander und er schenkte dem Gewimmel verschiedentlicher menschlich-bürgerlicher Gänge und Besorgungen und Ziele rundum nur den kalten Blick des Fahrers. Man sollte sich – so dachte er dabei plötzlich – mit etwas Vernünftigem beschäftigen, mit einer naturwissenschaftlichen Arbeit zum Beispiel. Er beabsichtigte plötzlich – ein neues Mikroskop zu kaufen. Ja, einmal etwas anderes. Nicht nur immer ein und dasselbe, das ewige Geld. Aber er sah seine eigenen Wünsche ebenso kalt an wie etwa die Menschen bei einem Straßenübergang, den der Wachmann gerade sperrte und für die Fußgänger freihielt. Ja, Titi brauchte viel. Dieser ganze Tag heute war mehr als unangenehm gewesen und morgen war Sonntag und das Wetter würde schlecht sein.

Es kam in diesem Jahre der Frühling überhaupt nicht so sehr offenkundig, nicht so lockend, veranlassend und brauchbar zu den üblichen Unternehmungen, auch nicht immer die Straßen beherrschend, mit Lichtprunk und geöffneter Fernsicht.

Kaum ward es zunächst ein wenig wärmer.

Die graue Front des spät erst schneelosen Stadtwinters blieb im ganzen wie sie war, wenn auch mit gemildertem Gesicht. Dann rauschte der Regen warm und schwach. Dunst hing zwischen dem Grün. Man fühlte oft im Freien etwas von geschlossenem Raum. Es regnete vielfach sehr gleichmäßig, ganz leise, wie aus kleinen Kindergießkannen. Die Vögel schrien immerfort.

Quapp eilte ‚über den Berg‘. Sie hatte diesmal nicht zu steigen, es ging gleich bergab: sie war bei der Endstelle eilends der Straßenbahn enthüpft, nun ließ sie die Aus- und Einsteigenden und das Kommen und Verschieben der rot-gelben Wagen schon hinter sich, sie tauchte in den Park hinab, über die kürzesten, steilsten Wege, wo man Stufen angelegt hatte. Vom Spielplatze hallten heute keine Kinderstimmen. Schon des Morgens hatte es ein wenig geregnet. Noch schwankten hier und dort die Büsche im Wind und es bewegten sich vor den grauen Wolken die Kronen jener hohen Bäume, welche an blauen sonnigen Tagen so unglaubhaft weit und fern in den Himmel zu ragen schienen.

Quapp kam nicht von der Gegend her, wo die Unsrigen hausten. Sie war in der Stadt gewesen und bei Stangeler in einem kleinen Café gesessen, wo er neuestens sein Hauptquartier aufgeschlagen hatte: hierfür also schienen die aus seiner (sozusagen im Schlepptau Schlaggenbergs) gebesserten Beziehung zur Allianz erfließenden Beträge schon zu reichen, und so waren denn Manuskripte und Bücher in eine Tasche und aus Grete's Zimmer hierher ausgewandert. Es mochte ihm hier doch wohler sein als bei den ‚sieben Scheinen‘, um mit dem Rittmeister zu reden.

Quapp kam also aus der Stadt, wo sie mit Stangeler beisammengesteckt hatte, und sie kam demgemäß zu spät. Wie groß ihre Verspätung war, wünschte sie gar nicht mehr genau zu wissen, und bei den Uhren, die sich da und dort in der Stadt auf den Plätzen an einem Lichtmast zeigten, hatte sie jedesmal die Augen vom Fenster des Wagens abgewandt und erst wieder hinausgesehen, wenn die Uhr nicht mehr sichtbar war.

Es kam auch auf eine Viertelstunde mehr oder weniger jetzt nicht mehr an. Am gestrigen Freitag hatten Imre und Quapp (er nannte sie übrigens stets in betonter Weise ‚Charlotte', was er französisch aussprach, oder auch ‚Lo', was wir hinwiederum lächerlich fanden – jedenfalls aber vermied Herr von Gyurkicz sorgfältig die unter den Unsrigen gebräuchliche Anrede ‚Quapp'!) – am Freitag also hatten Imre und Quapp in einer sehr einträchtigen Stunde beschlossen, sich's am Samstag nach Tisch, also am Wochenende, einmal wahrhaft gemütlich zu machen. Solche Begriffe wie ‚Wochenende' drängten sich auch schon allzutief in Quapp's bereits etwas zerrüttetes geigerisches Berufs- und Innenleben, so daß sie längst was besonderes darin sah, wenn sie sonntags einmal studierte – vor Monaten, in der arbeitsfrohen Zeit, war's auch überflüssig gewesen; jetzt indessen bildete es oft die einzige Möglichkeit, gegen die Versäumnisse einer ganzen Woche aufzukommen; indessen, da gab's nun ein Wochenende und den Sonntag – für Imre nämlich, der glücklich war, den Zeichenstift einmal durch ein- und einen halben Tag nicht in die Hand nehmen zu müssen. Bei Quapp aber wurde dieses ‚Wochenende' bald der einzige Rest früher eingehaltener Ordnung. Und wenn sie sich schon vielfach an den Werktag nicht hielt mit der Arbeit, so hielt sie sich gewiß an den Sonntag mit der Ruhe: oder es kam wenigstens fast immer so, auch wenn sie beschlossen hatte ‚nachzuholen'. Gyurkicz war da frei, wollte auch einmal von ihr was haben, nach den Mühen der Woche, es lockte im Winter der Schnee auf den Bergen draußen (sie war sehr bald nur mehr mit Imre Ski gelaufen), und neulich wieder war man schon an einem verfrühten Hitzetage für eine kurze Stunde unten am hier ja so nahen Strom in Sonne und Wasser gewesen: auch das gerade, als sie eigentlich ‚nachholen' wollte. Sie hatten also beschlossen, an diesem Wochenende, gleich nach Tisch, wenn Imre alle für die Montags-Witzblätter erforderlichen Zeichnungen erledigt haben würde, sich's während wenigstens zweier Stunden bei einem türkischen Mocca bequem zu machen. Denn ab fünf Uhr waren Quapp und Imre gemeinsam eingeladen, zu einer größeren Geselligkeit, und sie hatten längst schon ihr Kommen zugesagt. Immerhin, es blieb Zeit genug. Um ein Uhr mittags hatte Quapp bei einer alten Wiener Tante speisen müssen, welches Amt sie, ihrer Mutter zuliebe, alle zwei oder drei Monate einmal verrichten mußte (denn mit Kajetan war über derlei überhaupt nicht zu reden). Eine solche Verrichtung war kurz und

eigentlich schon mehr als schmerzlos, denn nach einem sehr ausgiebigen Essen mußte man sich alsbald empfehlen, da die alte
Dame immer gleich nach Tisch sich legte und einschlief. Darum
also erwartete Gyurkicz seine ‚Lo‘ eigentlich schon um halb drei.
Und jetzt mochte es etwa halb fünf sein. Man würde sich zudem rasch umkleiden müssen.

Quapp war nach Tisch in die Nähe von Stangelers neuem
‚Hauptquartier‘ geraten und hatte nur nachsehen wollen, ob er
da sei; natürlich war er da, und noch dazu bei bester Laune.

Jetzt hetzte sie über den Kinderspielplatz. In weitem Halbkreise standen die leeren Bänke. Der feuchte Kies, neu aufgeschüttet und tiefer als sonst, erschwerte durch sein Weggleiten
unter den Sohlen für Quapp das rasche Vorwärtskommen. Sie
ging vorgebeugt, mit einem etwas verkrampften runden Rükken, das Täschchen unter den Arm gepreßt. Noch einmal, inmitten ihrer eilfertigen Bestrebtheit, kam die mit Stangeler verbrachte Stunde wieder in ihr hoch, und zugleich auch leuchtete
da und dort die Erinnerung auf an Ähnliches, was sie mit dem
‚Fähnrich‘ erlebt hatte, von der ersten Begegnung an und seiner
seltsamen Schilderung eines Reiter-Angriffs. In ihr hatte René’s
Perorieren mehr in Bewegung gesetzt, als der schiefäugige
Scholar vielleicht ahnte; und sie unterschied sich als Weib eben
doch gar sehr von ihrem Bruder, der – wie oft in solchen Fällen
früherer Jahre! – als losgegangene Rakete dann einfach aller
Gegengewichte seines übrigen Lebens vergaß, die zufällig gerade nicht anwesend waren und also nicht fühlbar auf seine
Zehen drückten, und mit der richtigen Sicht auch schon das
Ziel zu haben meinte: nein, Quapp dachte durchaus nicht gleich
an eine Trennung von Gyurkicz und die damit sehr einfach her-
zustellende ‚Ordnung‘. Ihr Gefühl für Imre mit seiner Macht
und seinem Gewicht in ihrem Leben blieb anwesend, war nicht
plötzlich verdunstet, einer Blindheit gewichen, in einem Schlagschatten versunken, weil der Lichtkegel sich eben jetzt in eine
andere Richtung gewandt hatte. Wahrhaft, sie hielt die Gegensätze in der Schwebe, und sie beging auch den Verrat sehen-
deren Aug’s als ein Mann das vermag.

Sie blieb stehen, am Ende des Kiesplatzes angelangt und beim
Ausgang des Parkes, und sie erkannte jetzt das verhältnismäßig
sehr Schwere ihrer Lage mit einem für die Eile und Gedrängtheit
in welcher sie sich befand, bemerkenswert klaren Blicke, keines-

wegs verrannt und nicht ohne Abstand: durchaus in einer Form, welche auch das Wissen zuließ, daß es rundum in der nächsten Welt andere schwierige Lagen von wieder ganz anderer Beschaffenheit gäbe; sie war, soweit sie es jetzt eben konnte, sogar in einer guten Verfassung durch einige Augenblicke (sie gebrauchte sogar später den Ausdruck ,ich war glücklich‘), sie atmete tiefer ein – und gerade da begannen die Glocken des Kirchturmes hinter dem Park in ihrem Rücken sehr laut zu dröhnen und zu bimmeln: daß dieses Läuten aber vor allem bedeutete, es sei nun schon ein Viertel vor fünf, das kam ihr erst einige Augenblicke später zu Bewußtsein. Sondern jetzt glaubte sie leibhaft zu erleben, wie ihre eigene Not da ausgeläutet wurde, und über die feuchtglänzenden Dächer summend und klingend in die Breite wanderte, auf den Park in Wellen herabkam, in die hohen Wipfel der Bäume vor den grauen Wolken wie Rauch emporstieg. Sie schüttelte den Kopf und ging weiter, nunmehr aber langsam. Sie querte den Platz beim alten Kirchlein, schritt unter jenem Fenster vorbei, darin sonst Wäschestücke zu hängen pflegten (heute war es verschlossen und glänzte schwarz und nichtssagend), sie kam um die Ecke in die leere Gasse, an zugemachten Türen und Fenstern entlang, und trat in den Bogengang vor ihrem Haustore.

Die Wohnung war leer, von ihren Quartierleuten niemand daheim, wie eben meistens.

Quapp wollte Tee trinken, das war jetzt ihr Wunsch, sie wollte ein klein wenig nur in Ruhe bei einer Tasse Tee sitzen; ja, es trat dieser Wunsch in der Art eines dringenden Bedürfnisses auf, fast wie ein Zwang: sie mußte jetzt unbedingt einige Minuten Zeitgewinn und Sammlung erraffen. Alles übrige stand abgerückt, in einer dumpferen, verschleierteren Anwesenheit: daß sie nämlich jetzt sich zu beeilen hätte. Sie setzte also den Wasserkessel draußen auf die Flamme. Das Zimmer lag still in seinen meist bräunlichen Farben, der Stutzflügel beim Fenster spiegelte fleckig, das zusammenlegbare magere Geigenpult stocherte schräg daneben wie ein kahles Bäumchen; über die leere, kühle Gasse sah man noch die Ecke jenes gegenüberliegenden Hauses, darin Imre wohnte.

Sie hätte sich, bis das Wasser zum Sieden kam, derweil umkleiden können. Sie tat das aber nicht. Jedoch war keinerlei Trotz in ihr.

Als sie den Tee aufgegossen hatte und sich niederließ, klingelte es zweimal vom Eingang: das war Imre.

‚Natürlich‘, dachte sie müde. Für einen Augenblick erhob sich in ihr der Einfall, nicht aufzumachen. Denn ihr Kommen durch die Gasse konnte er von seinem Zimmer nicht beobachtet haben, da dieses nach rückwärts, gegen Gärten zu, lag.

Aber er würde an ihr ebenerdiges Fenster kommen.

‚Natürlich‘, dachte sie noch einmal, erhob sich und ging mit ihrem etwas schweren Schritt zum Eingang. Immer noch trat die augenblickliche Gedrängtheit ihrer Lage nicht ganz an sie heran, es blieb eine weiche dumpfe Schicht zwischen ihr und dieser Lage, als letzter Überrest noch jener verhältnismäßig so klaren Augenblicke am Ausgange des Parkes, am Rande des Kinderspielplatzes.

Das Antlitz Imre's, als ihn Quapp dann beim Öffnen der Türe erblickte, war grau, sehr groß, von melancholischer Hübschheit und zugleich arrogant. Er trat ein, ohne, außer dem Gruß, etwas zu sagen, und folgte Quapp in ihr Zimmer. Sie konnte sehen, daß er fertig für die bevorstehende Geselligkeit angekleidet war, in jener für ihn so bezeichnenden Weise angekleidet, wie eben immer, wenn er ausging: tadellos und geschniegelt und in seinem Äußeren eine sozusagen konservative Note betonend, auch diesmal mit einer ein wenig breiten, sehr soliden Krawatte, die haarscharf in der Mitte des Westenausschnittes saß.

Gyurkicz blieb stehen und knöpfte an seinem Überzieher, ohne diesen jedoch abzulegen.

Quapp nahm sogleich wieder bei ihrem Tee Platz und schenkte sich ein. „Willst du auch?" fragte sie beiläufig.

„Du gedenkst also nicht mitzukommen?" sagte er, für den dieses Teetrinken vielleicht schon ein Übermaß an Geduldprobe darstellte. „Dann gehe ich wieder nach Haus, denn allein bei denen dort zu erscheinen, dazu habe ich keine Lust."

„Nein, ich komme mit", sagte sie, „ich muß nur jetzt durchaus eine Tasse Tee haben."

„Wenn du dich rasch umkleiden würdest, wäre es besser. Seit wann bist du denn daheim? Ich war vor zwanzig Minuten zum drittenmal herüben."

„Ich bin vor einer Viertelstunde nach Hause gekommen."

„Ja, so sieht es ja meistens aus, wenn man sich auf dich einmal sehr freut. Darf ich fragen, wo du warst?" Sein Gesicht sank ein wenig ein, die Haut spannte über den Backenknochen und war an dieser Stelle trotz des vielen Puders, den er nach dem Rasieren aufzulegen pflegte, etwas fettglänzend. Er sah nach Kopfschmerzen aus; es mochte wohl sein, daß er wirklich litt.

„Ich habe Stangeler in der Stadt getroffen", sagte sie ruhig. Sie unterließ eine leichte, naheliegende und in diesem gedrängten Falle, vor einem eiligen Weggehen und bevorstehendem Gesellschaftsabend, vielleicht auch menschlich-billige Lüge: daß nämlich etwa ihrer Tante nicht wohl gewesen sei und sie bei dieser habe verbleiben müssen – woraus denn ihre Abgespanntheit eine Erklärung und sogar ihr Teetrinken eine Entschuldigung gefunden hätten. Quapp unterließ aber diese Lüge nicht etwa aus irgendeinem inneren Grunde, sondern einfach aus Trägheit, augenblicklicher gänzlicher Entspanntheit, aus Schwäche; noch immer lag zwischen ihr und allem, was augenblicklich geschah, eine weiche dumpfe Schicht, man könnte sagen, sie spürte sich selbst nicht und den anderen Menschen noch viel weniger. Sie trank Tee und sprach die Wahrheit.

„Guten Abend", sagte Imre und nahm seinen Hut, „ich gehe nach Hause." Er war sehr bleich. Das aber machte nicht nur der Puder.

„Mach' keine Dummheiten!" sagte sie plötzlich ganz böse und zornig; jedoch sah sie bei diesem ersten Ausfall noch immer sich selbst zu und wußte überdies mit einer völligen und handhaften Klarheit, daß an ihrem Zorn einzig und allein ihr verhindertes Teetrinken Schuld trug. Wäre Imre nur zehn Minuten später gekommen, dann hätte sie, erstens, ganz gewiß nicht die Wahrheit gesprochen und ihn, zweitens, vielleicht schon auf die freundlichste Weise wegen ihres gezwungenen Ausbleibens zu trösten vermocht. Aber nun war das mit dem Teetrinken nicht gut abgegangen, sie hatte sich jedoch darauf versteift, und damit versteifte sich auch die ganze Lage hier.

„Die Dummheiten machst höchstens – du", sagte er mit einer verdächtig leisen Stimme und blieb im Zimmer stehen.

„Du hast ein für allemal erklärt", sprach sie vor sich hin – sie redete sozusagen bergab und ließ die Worte wirklich fallen, wie man Spielkarten hinwirft – „daß du meine ganze Beziehung zu den Freunden, den Unsrigen, und besonders zu Stangeler, als einen Teil meiner Person anerkennst und hinnimmst, genau so wie die Beziehung zu meinem Bruder, und du weißt auch, daß jene zum ‚Fähnrich‘ sich davon in gar keiner Weise unterscheidet, daß dir daher gar nichts entzogen wird, daß ich dir damit nichts wegnehme; du hast dich mit alledem gleich anfangs abzufinden gehabt. Aber, sehr wenig folgerichtig und wie ein Frauenzimmer, zeigst du bei jeder sich bietenden Gelegenheit das Gegenteil.“

„Du stellst immer untragbare Forderungen, an andere, wohlgemerkt, und gerade, das laß’ dir sagen, für einen Mann untragbare. Im übrigen, und wenn ich auch alles das hinnehme, brauchst du mich nicht in dieser erniedrigenden Weise warten zu lassen – möchtest du dich nicht endlich ankleiden?“

In Wirklichkeit war in Quapp immer noch ein ganz obstinater Wunsch vorhanden, in Ruhe Tee zu trinken. Hätte sie hierzu jetzt nur fünf Minuten Zeit gewinnen können, dann wäre ihr alsbald klar geworden, daß es mit ihrer ‚Ruhe‘ ohnehin auch innerlich vorbei war, daß sie, von sich aus, in Wahrheit gar nicht mehr stille sitzen mochte und konnte. Aber so bestand sie, zu ihrem großen Rechte, das sie ganz unbedingt zu haben glaubte, auch noch auf diesem kleinen.

„Du nimmst also hin, du duldest, du leidest, natürlich“, sagte sie und blieb sitzen. „Zuerst jedoch war man sehr männlich: da gab es die selbstverständliche Achtung vor der Persönlichkeit des anderen und einen klaren Entschluß, sie so zu nehmen, wie sie eben ist, und so weiter! Du redest Sätze nach, die du bei den Unsrigen hörst, aber wenn es dann an’s Verwirklichen geht, zeigt sich, daß du kaum die einzelnen Wörter verstanden hast. Vielleicht kannst du auch nicht genug deutsch.“

„Bitte überlaß’ das anderen zu Beurteilung“, sagte er, und das jetzt unweigerlich auftretende fehlerhafte Sprechen schien sozusagen den Grad seiner Erregung anzuzeigen, die er nun nicht mehr verbergen konnte. „Du sprichst mit gewisser Vorliebe von Dingen, die du wenig verstehst. Bleib bei deiner Musik. Jedenfalls kann ich dir diesbezüglich schon mitteilen, daß vorgestern ein Artikel von Stangeler abgewiesen worden ist, und man hat mich die Sache schreiben lassen, zur Zufriedenheit, obwohl ich doch nicht die Literatur und Geist gepachtet habe. Kann also hinlänglich deutsch. Was jedoch Männlichkeit betrifft, so habe ich im Krieg genug davon bewiesen, jedenfalls mehr, als man braucht, mit dir herumzustreiten, was ich für unter meine Würde finde. Du sagst, ich rede Sachen nach – aber weißt du, daß man von dir überhaupt nicht ein einziges Wort hört, das nicht der Kajetan schon gesagt hat oder der Stangeler? Mit mir wenn du wärest, ohne diesen ganzen ungesunden Einflüssen, würdest du bald anders wohin kommen, auch mehr in Glück sein. Wenn ich könnte, würde ich wegfahren mit dir, daß du die alle nicht mehr siehst . . ."

Die Haltung Quapp's, welche immer mehr zusammengekrümmt saß und nun schon eine Art Katzbuckel machte, hatte während der wiedergegebenen Ausführungen Imre's einen schweren und brutalen Ausdruck angenommen. Sie saß jetzt in einer Stellung, wie man oft werkende Menschen ruhen sieht, etwa die Arbeiter an Neubauten um die Zeit der Mittagspause: die Füße breitspurig hingestellt und den gebeugten Oberkörper auf die Arme gestützt, die mit verschränkten Händen zwischen die auseinanderfallenden Knie hineinhängen. Je länger aber Gyurkicz sprach, um so mehr glätteten sich die Fältchen, welche Quapp's kleine Stirn zerrissen, und ihr Gesicht war endlich von einer ganz geschlossenen und blanken Verachtung erfüllt. Sie warf auf Imre einen Blick, der durch wenige Augenblicke kühl auf ihm ruhte und schon fast etwas von naturwissenschaftlichem Interesse an sich hatte: dabei erschien in ihrem Antlitz eine geradezu ungeheuerliche Anmaßung, eine Arroganz bis zur Sinnlosigkeit. Damit schob sie Gyurkicz förmlich zurück. Gleichzeitig schien auch der endgültige Abschied von Tee und Ruhe bis in ihre Gliedmaßen sich durchgesetzt zu haben, denn sie stand plötzlich mit einer raschen und leichten Bewegung auf, öffnete ihre Schränke, entnahm ihnen dies und das, eilte in's Badezimmer, schlüpfte dort aus ihrem Kleid, kam im Bademantel wieder und huschte nun zwischen draußen und hier hin und her, während Imre fortfuhr, teils sie geradezu ansprechend, teils hinter ihr dreinredend (wenn sie hinauseilte), teils überhaupt in's Badezimmer hinausrufend:

„Du sagst, daß mir nicht entzogen wird, daß mir nicht weggenommen wird – da irrst du dich. Du solltest ganz bei mir zu Hause sein und mir in jedem Sinn die Treue halten. Man sieht bei euch Frauen, daß ihr nie eine Ehre gekannt habt. Du glaubst, du kannst das machen, den einen für den Geist, den anderen wieder für das, was du Liebe nennst, wovon du überhaupt keine Ahnung hast, weil keine Achtung vor dem anderen Menschen! Als ob ich dein Lustknabe wäre . . ."

411

Sie fuhr eben, rasch wie eine Schermaus, aus der Badezimmer-türe, kam an ihm vorbei, blieb einen Augenblick lang stehen und sagte schnell:

„Von Lust – wahrhaft wenig die Rede", und verschwand wieder hinter der offenen Türe ihres Wäschekastens, darin sie jetzt wühlte.

„Das ist eine ignoble Taktlosigkeit, und weiter nichts", rief Imre. „Hinter dem Ganzen verbirgt sich grenzenloses Hochmut, und ich weiß nicht worauf welche Berechtigung du so mit Men-schen umgehen glaubst – zu können –" ihm versagte jetzt ernst-lich aus Kränkung die Sprache zusammt der deutschen Gramma-tik. Er atmete tief, und als ob ihn die Brust schmerzte. Dann sagte er mit einer gebrochenen Stimme:

„Zu deinem Heil gibt's heut nur einen Weg mehr: fort von alledem. Du sollst mit mir leben eine Zeit, vielleicht mit den paar Leuten noch, mit denen ich eigentlich umgehe . . ."

„Was?!" rief sie, „das wäre so das Richtige! Das könnte dir passen! Die Rosi Malik, die Glöckner, der Holder, vielleicht der Höpfner?! Mich verblöden, ja. Dann wär' ich dir recht. Das ist die ‚Achtung vor dem anderen Menschen' – wie?!"

Und schon war sie wieder draußen.

In dieser entnervenden Weise aber wurde das Zwiegespräch doch nur mehr kurze Zeit fortgesetzt, denn Quapp war mit dem Umkleiden sehr rasch fertig.

„Die Leistung möchte ich wissen, woher du das Recht nimmst zu dieser Geringschätzung!" sagte Gyurkicz, als sie schon die Wohnung verschlossen hatten und durch die leere, regenfeuchte Gasse zu eilen begannen, „du hast Prätentionen wie ein Genie. . . ."

Sie erkannte dann den Kinderspielplatz sozusagen nicht mehr wieder; die beiden strebten nebeneinander über den rutschenden Kies und durch den Park und den steilsten, kürzesten Weg berg-an, wo es die Stufen gab. Nun schwiegen sie, wohl der Steigung wegen. Aber ihr Hinaufeilen zu der Endstelle der Straßenbahn mit den rot-gelben Wagen war wie ein Wettrennen nach dem Ziele: als erster wieder zu Atem und damit zu Worte zu kommen.

Für die Konterhonz begannen die schwersten Zeiten un-gefähr in den gleichen Tagen wie etwa für den Direktor Edouard

Altschul. War es aber dort eine einzige dicke Dame, nämlich die Frau Doktor Mährischl, die sozusagen den Horizont verfinsterte, so war hier der Gesichtskreis von solchen Erscheinungen schon geradezu verdüstert und verstellt.

Schlaggenberg fütterte die unglückselige Laura mit seinen Erzählungen, wie schon früher und bei anderen Anlässen (ich habe das, wenn ich mich recht entsinne, erwähnt), nur kam hier eben der theoretische Teil hinzu, ja, er bildete schließlich die Hauptsache, zu welcher die Exempel aus einer bereits recht ausgebreiteten Praxis nur so beiläufig herangezogen wurden. Er setzte ihr einmal – und dazu wieder in meiner Gegenwart – die ganzen Geschichten auseinander, die er damals beim ‚Gründungsfest' vorgebracht hatte: von der Untauglichkeit der heutigen Mädchen-Generation und von der ‚Mission' der ‚reifen Frauen', und ich hätte das Vergnügen gehabt, mir den ganzen Schwefel noch einmal anzuhören, wäre ich nicht, ihn unterbrechend, einfach dazwischengefahren. Wie die dicke Laura sich diese Sachen eigentlich zurechtlegte, war mir nicht klar. Entweder hielt sie sich selbst für eine ‚reife Frau', oder sie schob diese ganzen Bübereien Kajetans einfach in das Fach: ‚ein interessanter und eben origineller Mensch'. Leicht dürfte ihr das jedoch nicht gefallen sein, denn sie litt gewaltig unter der Eifersucht, und Schlaggenbergs Erzählungen entbehrten keineswegs der Bildhaftigkeit und jener naturgewachsenen Fülle von Einzelheiten, welche zum Teil den Wahrheitscharakter eines Berichtes ausmachen.

Es war nahe an dem, daß sie sich auf der Straße oder beim Benutzen der öffentlichen Verkehrsmittel schon so seltsam und beinahe so auffallend benommen hätte, wie Schlaggenberg selbst das neuestens tat: ähnlich, wie in jenem Café, wovon ich schon erzählt habe, also: hinter jeder Dicken her. Auch die Konterhonz rannte ihnen mitunter nach, sie hat es mir später gestanden. Konnte diese da etwa ‚sein Typ' sein? War das vielleicht, am Ende, Zufälle sind ja nicht ausgeschlossen, gar wirklich eine von den – Seinen? In manchen Fällen stimmten einzelne Beschreibungen. Die Möglichkeit war nie auszuschließen. Diese heillose Logik plagte die Konterhonz und somit war der Pein auch nie ganz zu entgehen. Wo Breites vorbeischwankte, wo Prozessionen zogen, sei's Vorhut oder Nachhut – ihr drehte es den Kopf herum.

Dann aber beruhigte sie sich wieder damit, daß die ganzen Geschichten nur eine von Schlaggenbergs zahlreichen Absonderlichkeiten darstellten – übrigens kam ihr an Kajetan so ziemlich alles von ihrem Standpunkte aus als absonderlich vor, das Treffliche ebensosehr wie das Blödsinnige. So leicht wie die Konterhonz machte ich es mir allerdings nicht – und ihre Lage bedurfte ja auch wirklich der Erleichterung! – aber ich dachte in gewisser Hinsicht ähnlich wie sie über Schlaggenbergs ‚Dicke Damen‘. Es spielte hier, das sah ich wohl immer mehr, sein Hang zum – Grotesken die vornehmste Rolle. Dabei gab es aber noch etwas, welches man eine sublime und harmlose Form der – Bosheit hätte benennen können. (Seine tendenziösen ‚theoretischen‘ Auslassungen Laura gegenüber waren allerdings weniger harmloser Art.) Jenes ‚Ich gedenke alles auf die Spitze zu treiben!‘ und ‚Sie werden sich noch wundern!‘ bedeutete ein Programm sich überbietender ‚Scheußlichkeiten‘, die nicht zuletzt mir und den Unsrigen vorgeführt werden sollten, ‚aus Bosheit‘ (wie er einmal selbst sagte) und damit wir eben was zum Wundern hätten. Bald kam ich dahinter, daß meine Person für Schlaggenberg in diesem ganzen Zusammenhange unentbehrlich geworden war, und er drohte mir bei jeder Gelegenheit voll ‚teuflischem‘ Behagen mit vielen Hunderten von Seiten, welche diesbezüglich in meine Berichte eingeschoben werden müßten, unserer Abmachung gemäß, und daß er dieses schönen Textes schon bald über hundert Blatt fertiggestellt haben werde. Ich lachte und glaubte ihm keine einzige Seite und Zeile.

Die Konterhonz war eine glückliche Natur, und sie tröstete sich immer verhältnismäßig leicht, wie das bei Leuten zu sein pflegt, welche ein kindliches Selbstbewußtsein so wie es ist in's erwachsene Leben mit hinübernehmen. Sie fühlte sich überhaupt meistens sehr wohl und wenn Kajetan sie nicht quälte oder kränkte, war sie unentwegt bei munterer Laune und voller Person. Bei irgend einer Gelegenheit hab' ich sie einmal gefragt, ob sie viel träume? „Ich träume niemals oder sehr selten und verstehe gar nicht, was die Leute oft zusammenträumen und danach erzählen." Mir schien das ihr ganz angemessen zu sein.

Bei munt'rer Laune und voller Person war sie auch an diesem regnerischen Samstage – schon allein von wegen des erreichten Wochenendes – zudem aber stand ‚eine gesellige Veranstaltung in ihrem neuen Bekanntenkreise‘ bevor. Das Haus, in welches sie da kommen sollte, war ihr wohl noch fremd, doch sprach ein sicherer Instinkt sich dahin aus, allermindestens eine Stunde später zu erscheinen als die Zeit, für welche man eingeladen war. Solches Vorhaben, etwa von einem berufsmäßigen Seelen-Zergliederer bis zu seinen letzten Ursprüngen verfolgt, hätte etwas zutage gefördert, was ich bisher ganz vergessen habe zu erwähnen. Wenn nämlich im alten Österreich einer über dreißig Jahre das Kommißbrot in Ehren gefressen hatte, dann durfte er um den erblichen Adel einkommen. Beides hatte der Generalmajor, Laura's Vater, getan. Sie hieß demnach: von Konterhonz. Ich schreibe es nie, weil es grauslich klingt.

Sie beendigte also in guter Ruh' ihre Toilette, und der sich dabei bietende Anblick ihrer vollen Person im Spiegel mochte ihr auch in Sachen Schlaggenberg wieder mehr Sicherheit geben. Nun war sie fertig und betrachtete sich noch einmal und war zufrieden, weil es ihr gefiel: ein rechtes Konterhonz'sches Kunststückchen der Geschmacklosigkeit: in die Stirn fielen drei Ponyfransen, das hochgeschlossene Kleid hatte ein Spitzenkrägelchen, welches der ganzen imposanten Erscheinung eine überaus lächerliche Note verlieh, und die tabakbraune Farbe des Kleides schlug sich wacker mit ihrem braunen Haar herum. Hütchen und Mantel standen dem allen an Eigenart nicht nach. Es möge nicht unerwähnt bleiben, daß sie schwarze Lackschuhe mit schwarzen Strümpfen trug.

Sie nahm einen Schirm zur Hand, wegen des unsicheren Wetters, der zu einer etwa siebzigjährigen Dame, seinem Handgriff und seinem Stoffe nach, recht gut gepaßt hätte, verschloß die Wohnung sorgfältig, denn ihre Mutter war gleichfalls ausgegangen, und stieg durch's kahle Treppenhaus die mit braunem Linoleum belegten Stufen hinab. Auf der Straße beschloß sie, sich noch mehr Zeit zu lassen und den Weg zu Fuß zu gehen. Sie ging überhaupt gerne zu Fuß, nur darf man darin kein militärisches Erbgut sehen wollen, denn ihr Vater war Kavallerist gewesen. Jener Herr dort trug einen auffallend hohen Hut, so schien es ihr. Die Plafonds in der Akademie der bildenden Künste (sie ging eben an dem Gebäude vorbei) waren von Feuerbach und berühmt. Sie hatte beschlossen, sich diese einmal anzusehen, denn sie nahm den Standpunkt ein, daß man die Sehenswürdigkeiten der eigenen Vaterstadt kennen müsse, zum Unterschiede von dem weit überwiegenden Teile aller Wiener, die überhaupt nichts von dem kannten, was die Stadt an Bemerkenswertem enthielt. Laura war aus solchen Erwägungen kürzlich auf den Stephansturm gestiegen und hatte sich die Aussicht, welche man von dort oben an schönen Tagen genießt, genau erklären lassen, und sich auch über alle auf den Turm bezüglichen Sagen unterrichtet.

Schlaggenberg ließ sie viel allein, obwohl die Beziehung ja etwas anhaltender geworden war.

Auch fehlte ihm jedes Interesse für Dinge der Bildung.

Nun, er hatte studiert und wußte wirklich alles.

Aber auch eine Frau muß ihren Gesichtskreis erweitern.

Schon begann die allererste Dämmerung, und im Westen, hinter dem Denkmal der hochsitzenden Kaiserin Maria Theresia – Laura konnte die Generale zu Pferd am Sockel unten jederzeit geläufig angeben – lüpfte sich der graue Himmel über einem wässrigen Gelb. In den Parkanlagen erschienen verfrühte Lichter. Die belebten Straßen gewannen im ersten Zwielicht geräumige Tiefe.

Laura sah zweimal scharf nach links vorne und heftete sich dann unverzüglich – einem Zwange folgend – an die Fersen einer großen und sehr kräftigen Frau, die ein braunes Jakett und einen kleinen Hut mit Schleier von derselben Farbe trug; und das war eigentlich alles, was die Konterhonz zunächst von ihr ausnehmen konnte. Jedoch es genügte, um sie von ihrem Wege biegen zu lassen. Sie war eine Strecke auf dem ‚Ring‘ gewandert, folgte aber jetzt der Dicken, welche gegen eine Seitenstraße beidrehte.

Neben all' jener Eifersucht, von der die Unglückliche geritten wurde, bestand obendrein noch ein rührender Sachverhalt: sie wollte Kajetan doch auch suchen helfen – so war's! – da er denn schon so besessen schien; vielleicht glaubte sie ernstlich, ihn von seiner Verrücktheit einmal kurieren zu können. Inzwischen aber aß sie, was sie nur erreichen konnte, sie vertilgte schon in aller Heimlichkeit zum Frühstück Schlagobers (auch dies laut persönlichem Geständnisse mir gegenüber) und das Besteigen der Personenwaage in einer Apotheke, die am täglichen Wege zu jener staatlichen Tintenburg lag, in welche der alte Generalmajor seine Tochter hineinprotektioniert hatte, das Besteigen der Waage also war ihr schon Gewohnheit geworden. Jedoch leider mit Ergebnissen, von denen etwa die Frau Selma Steuermann beinahe beglückt gewesen wäre. Laura kränkte sich eben doch zu viel.

Die gegen jene Seitenstraße zu aufgeschwenkten Prozessionen zogen nur ein kurzes Stück vor Laura her, dann hielten sie an, und zwar bei einem Schaufenster mit Badeartikeln: Wannen, von Marmor und Nickel funkelnd, Seifenschalen, Wandbretter aus Glas und Porzellan. Die Konterhonz sah gleichfalls zwischen all diese zivilisierte Pracht hinein, jedoch warf sie dabei einen aufmerksamen Blick nach seitwärts. Und nun bemerkte sie freilich, daß ihre Nachbarin nichts weniger als hübsch und dabei höchst gewöhnlich aussah, also von vollendeter Reizlosigkeit war. Alsbald wich Laura von der Stelle und im Abgehen sagte sie mehrmals vor sich hin ,ist natürlich indiskutabel, ganz indiskutabel'. Es war also an dem, daß sie in diesem ganzen Zusammenhange auch schon Schlaggenbergs Ausdrucksweise sich zu eigen gemacht hatte. Jedoch sie wußte es nicht.

Der in ihr jetzt zurückbleibende Hohlraum der Enttäuschung füllte sich bald mit dem Gefühle einer gewissen Erleichterung, und zugleich trat in gelösterer Weise das Bild der Umwelt heran, welche ihr eben vorhin wieder ganz verstellt und verdüstert worden war. Sie wanderte weiter – die Konterhonz hatte beim Gehen das Gewicht immer nach rückwärts, auf die Fersen, verlegt, was zusammen mit ihrem raumgreifenden Schritt eine sehr aufrechte und selbstbewußte Haltung machte – sie wanderte also weiter, in ihrer früheren Richtung. Ihr Blick war jetzt mehr in's Weite als auf's Nahe gerichtet. Prozessionen zogen an ihr vorbei, von denen sie gar nichts bemerkte. Sie beschloß, Bühne und Schnürboden der Oper und des Burgtheaters bei Gelegenheit zu besichtigen, es fanden da wöchentlich einmal Führungen statt, sicherlich war das interessant. Kajetan würde wohl nicht mitgehen.

Die Stadt lärmte stark und entließ jetzt noch immer, nach dem Schluß der Geschäfte, ein ungeordnetes Gewimmel von Menschen und Fahrzeugen in ihre äußeren Bezirke; an den Haltestellen der Straßenbahn gab es ganze Ansammlungen. Es begann etwas dunkler zu werden, die bewegten Lichter traten überall hervor.

Auch Laura wandte sich gegen die Vorstädte zu und ging durch eine lange belebte Straßenzeile, welche am Ende auf einen sehr weiten Platz mündete, gerade gegenüber einem der großen Fernbahnhöfe. An klaren Tagen konnte man hier schon hinter der mit Türmen gezierten Front des Bahngebäudes den blauen

Rand der donauaufwärts sich erhebenden Hügel und Berge sehen. Der Platz lag jetzt unter der bereits herabsinkenden Dunkelheit in seiner Weite ausgespannt, mit Lichtern nah und fern, in Figuren, und einzeln. Mehrere große Straßen endeten hier, die rot-gelben Wagen der Straßenbahn drehten sich in Kreuzungen aneinander vorbei, und von allen Seiten fuhren die Autos heran und ungeordnet aber schnell durcheinander.

Die Konterhonz hatte den Platz nicht zu kreuzen. Sie trat in ein großes Haus an der dem Bahnhof gegenüber liegenden Seite. Es war einer jener überladenen Kasten der sogenannten ‚Gründerzeit‘, mit Einfahrtgitter, Kandelabern und einem durch Schnüre und Quasten und sinnlose Spiegel gezierten Stiegenhause. Laura wollte eben auf der Tafel unten nachsehen, in welchem Stockwerke sich Türnummer 14 befinden mochte – die Wohnung der Familie Siebenschein – als sie über sich in der engen Spindel der Stiege, in welche man später einen Aufzug eingebaut hatte, ziemlich laut und dabei heftig sprechen hörte. Sie trat sogleich zurück, weil sie erfaßte, daß hier gestritten wurde, was ihr unpassend schien, ließ aber ihre Ohren vorauslaufen. Sie hatte Quapp und Gyurkicz erkannt, war jedoch zweifelsohne selbst nicht bemerkt worden. Daß die beiden sich zankten, machte Laura sogleich traurig. Sie konnte nicht viel mehr hören als: „Wenn du einzeln kommen willst, obwohl wir sozusagen sind gemeinsam eingeladen worden, wenn du nicht gleichzeitig mit mir erscheinen willst, so heißt das für mich eben, daß du dich schämst, und das ist eben wieder eine Verleugnung." So Gyurkicz. Und Quapp schien dieser Auffassung heftig entgegenzutreten.

Die Konterhonz wartete, bis oben eine Türe schlug, gab ihre Absicht, den Lift zu benutzen, auf und stieg – von schmerzlichen Empfindungen bewegt! – sehr langsam die Treppen empor.

Sie klingelte. Ein Mädchen mit weißem Häubchen wurde sichtbar. In dem langgestreckten Gang und noch mehr im Vorzimmer, dessen Kleiderrechen dick gepackt voll hingen, schlug ihr, nebst dem Gesumm einer zahlreichen Gesellschaft aus den angrenzenden Zimmern, eine Fülle von Gerüchen entgegen, die, zwar im einzelnen bekannt und vertraut – Parfum und Zigaretten etwa – doch auf irgend einer für Laura ganz fremden Unterlage sich befanden. Ein Mädchen lief mit einem Tablett, eine Tür öffnete sich vor Laura, sie sah durch einen weiten Raum voll Geräusch und Menschen in einen zweiten, wo Damen und Herren – jetzt erkannte sie Herrn von Orkay – an großen grünen Tischen hin- und hersprangen, augenblicksweise weit vorgebeugt, dann wieder zurückschnellend: man spielte Tischtennis, ‚Ping-Pong‘, die weißen Bälle fielen und klacksten.

Frau Irma Siebenschein war auf Laura zugeeilt – „Fräulein von Konterhonz, nicht wahr, wie ich vermute – Sie werden ja schon allerseits erwartet –“ mit langen Schritten kam Höpfner. Laura, welche Frau Irma um Haupteslänge überragte, sah jetzt Schlaggenberg in einer entfernten Ecke im eifrigen Gespräch mit einer dort, man kann nur sagen – aufgebauten Dame. Sie vergaß im Augenblick fast alles. Das war ja wirklich – die war ja ganz so. . . .

Es war Clarisse Markbreiter.

Jene Tischtennis-Partie, zu welcher man den Plan auf einem früher geschilderten Spaziergange der ‚Unsrigen‘ gefaßt hatte – unter was für Umständen ist noch in Erinnerung – war hier also wirklich zustande gekommen, ja, man spielte sogar schon zum zweiten oder dritten Male. Überdies hatte Frau Siebenschein, die nicht nur von häufigen Krankheiten, sondern mitunter auch von plötzlichen geselligen oder gar freundschaftlichen Anwandlungen befallen wurde (selten ging's gut ab, aber heute abend hatte sie etwa bereits entdeckt, daß Schlaggenberg doch zweifellos ein ‚höherstehender Mensch‘ sei) – überdies hatte also Frau Siebenschein die Sache diesmal urplötzlich groß aufgezogen, und dieser Tischtennis-Fünfuhrtee am Samstag, den 14. Mai zeigte auch den oder jenen Verwandten wieder einmal, daß sie was zu leisten imstande sei.

Nebenan war eben jetzt eine scharfe Partie im Gange: Orkay gegen Dr. Körger. Es gab dabei auch zahlreiche Zuschauer. Unter diesen war der Rittmeister, den Arm in einer schwarzen Schlinge und das Handgelenk, soviel man sehen konnte, mit Verbandstoff umwickelt. Er antwortete freundlich und geläufig auf die Fragen, welche natürlich nie ausblieben, und sagte etwas von einem ‚bösen Sturz‘, den er getan, und Frau Siebenschein hatte geäußert – während sie ihren Blick an ihm hinaufwandern ließ, wie man einen Baum auf einem Ausfluge betrachtet – daß ‚bei dieser Größe‘ ein Fall sehr gefährlich sein müsse. Die Verletzung des Rittmeisters stand übrigens nicht allein da. Noch jemand von den Unsrigen hatte Schaden genommen, wie man jetzt erfuhr, wenn auch nur in ganz geringfügiger Weise, immerhin war, in Ansehung des Berufes, Schonung geboten: Quapp trug seit ihrem Eintritte die rechte Hand in einem zugeknöpften weißen Glacé-Handschuh, und wenn ihr Bruder sie damals, auf dem Ausfluge, gefragt hatte, ‚du spielst doch Tischtennis ganz gut . . .?' ohne daß solches von ihr glatt wäre abgelehnt worden, so war sie des Beweises für ihr Können jetzt freilich enthoben und hatte es auch nicht nötig gehabt, in den letzten vierzehn Tagen noch schleunigst das Tischtennis zu erlernen. . . . Bei Frau Irma traf Quapp zweifellos das Richtige und Respektable, als sie sagte, daß ihre Hand, nach einer notwendigen kleinen Operation an einem Fingernagel, zwar so gut wie vollkommen wiederhergestellt sei und auch das Üben schon gestatte – jedoch fühle sie sich verpflichtet, darüber hinaus nichts zu tun, um so mehr, als sie gerade morgen bei ihrem Lehrer vorzuspielen habe . . . und so müsse sie denn leider auf's ‚Ping-Pong' verzichten.

„Da haben Sie ganz recht!" sagte Frau Irma mit schönem Nachdrucke, der aus ihrem Wissen um die Verantwortung dem ‚Künstlerischen' gegenüber kam, „da haben Sie ganz recht. Man muß ein Vergnügen opfern können, und Ihnen muß die Kunst über alles gehen."

Wer hätte da widersprechen mögen?

Nebenan spielten also Neffe und Vetter gegeneinander. Die Haltungen, welche sie dabei einnahmen, sagten eigentlich schon alles aus über die Verschiedenheiten dieses ungleichen Freundespaares: denn während Orkay in jener Art spielte, die sich damals beim Tischtennis schon ganz allgemein durchgesetzt hatte – nämlich vor jedem zu nehmenden Balle zurückweichend, mit durchgezogenen Bewegungen und verhältnismäßig weit vom Tische – so war es dem Körperbau und der Wesensart des Dr. Körger durchaus angemessen, daß er, nah am Brett abstoppend, kurzarmig aber überaus eilfertig herumkugelte, heftig und sozusagen stoßweis agierend, wobei ihm gleichwohl recht selten ein Ball entging: er machte Géza harte Arbeit; dieser konnte ihn nur knapp schlagen, etwa 21 : 18, 22 : 20, 21 : 19.

Der heiße Kampf zog die meisten Zuschauer an sich, zum Teil machte man sich's an kleinen Teetischchen in entsprechendem Abstande von den Spielern bequem; einzelne stiegen auch auf Stühle. Daß Körger und Orkay hier den Mittelpunkt bildeten, schien eigentlich durchaus in Ordnung. Denn im Grunde waren ja sie die Veranstalter dieser ganzen sportlichen Geselligkeit im Hause Siebenschein. Sie fühlten sich auch durchaus so, und verliehen dem Ausdruck, wenn auch auf eine eigentümliche Art und Weise. Als sie nach dem Spiele Eulenfeld unter den Zuschauern entdeckten, zogen sie ihn mit sich fort in eine Ecke des nächsten Zimmers, wo auf einem kleinen Tisch, umgeben von einigen Gläschen im Miniatur-Format, die einzige Cognacflasche des Hauses ein stilles Dasein führte. Man sah es ihr förmlich an, daß sie im Hausbrauch der Familie Siebenschein höchstens alle zwei oder drei Jahre einmal in Verwendung kam, etwa wenn jemand Übelkeiten hatte. „Bitte, lieber Rittmeister", sagte Körger, sozusagen als Hausherr, „wir haben das sogleich für dich in's Auge gefaßt und beiseite gestellt." „Hmmm –", meinte da freilich ein alter Husar, „s' ist immerhin ein erfreulicher Fund. Jedoch in Anbetracht von denen minimalen Gemäßen, möchte ich mich doch füglich umsehen . . ." „Nicht nötig", sagte Orkay, öffnete ohne weiteres einen kleinen Schrank mit Butzenscheiben und nahm ein Weinglas hervor, „wir sind auf alles vorbereitet." Der Rittmeister füllte und kippte.

„Diese Ergänzung des Stoffes muß als willkommen bezeichnet werden", bemerkte er dann, und fügte lateinisch hinzu, „ceterum habeo infantem obsoletum."

„Mi az – was ist das?!" rief Géza vor Erstaunen in seiner Muttersprache, „ein heimliches Kind hast du?!"

Körger fiel lachend auf einen Sessel und setzte dem Ungarn auseinander, was beim Rittmeister unter einem Kinde zu verstehen sei: nämlich eine Schnapsflasche; weil er sie auf Ausflügen, beim Wandern im Grünen, geöffnet meist in der gleichen Weise im Arme zu tragen pflege, wie man ein Kind trägt (die elegante Hüftflasche Eulenfelds in ihrer silbernen Hülse erwähnte er nicht – vielleicht aus Diskretion? Sie bildete immer, und so auch heute, des Rittmeisters letzte Reserve). Es seien Groß-, Mittel- und Kleinkinder zu unterscheiden. Dies hier zum Beispiel sei ein ‚Großkind', wenn auch eines mit bereits leicht gesenktem Pegelstande. „Im übrigen", so wandte sich Körger jetzt an den alten Husaren, „was sagst du zu der Suppe, die wir angerührt haben?"

Seit Orkay zu uns gestoßen war, hatte sich sehr bald eine allgemeine Duzerei ergeben. Er sagte jedem von den Unsrigen ‚du‘ und verlangte ein gleiches. Die Ausnahmen, die er dabei machte, traten um so bezeichnender hervor. Den Rittmeister hatte Géza übrigens von allem Anfange an geduzt, gleich als er ihn kennenlernte, mit einem kurzen Zutrinken. Und so waren denn auch Körger und Eulenfeld bald beim ‚du‘ angelangt. (Schlaggenberg und ich allein blieben trotz langjähriger Bekanntschaft beharrlich bei unserem ‚Sie‘.)

„Na, was die Suppe betrifft“, meinte Eulenfeld und sah in das benachbarte Zimmer hinüber und in die zahlreiche Gesellschaft hinein, „so fehlt hier wirklich kein Gewürzlein.“

„Aber warum sagtest du – ein ‚verborgenes‘ Kind?“ warf Orkay dazwischen.

„Weil in der Manteltasche draußen befindlich“, erwiderte der Rittmeister bedächtig, „sozusagen als Hilfsplatz hinter der Feuerlinie. Muß übrigens zusehen – sind ein paar Leutchen da, die diesen meinen Brauch kennen, daß da nicht etwa gar . . .“, und er enteilte.

In der Tat waren einige von den Düsseldorfern gekommen (damit kein Gewürzlein fehle), und zwar im Gefolge der Titi Lasch, welche heute anwesend war. Für später wurde auch ihr Gatte erwartet. Eulenfeld ging langsam und schlenkernd durch das große Speisezimmer und kam auch an Laura Konterhonz vorbei, die hier, von Höpfnern eifrig mit kleinem Mündchen besäuselt und beschwatzt, doch mit ihren Augen und mit ihrer vollen schmerzlich bewegten Seele weit mehr drüben anwesend war, wo Schlaggenberg das Gespräch mit Clarisse Markbreiter anscheinend auf das unterhaltendste zu führen verstand (er hatte Laura nur zwischendurch kurz begrüßt), denn die imposanten oberen Stockwerke von Frau Clarissens Persönlichkeit waren vom häufigen Lachen in Erschütterung. Zwischendurch freilich versäumte die Konterhonz keineswegs zu fragen: „Ach, Herr Rittmeister, was ist Ihnen geschehen? Haben Sie sich verletzt?“ Jedoch Eulenfeld hatte kaum Zeit, sein geläufiges Gerede vom ‚bösen Sturz‘ anzubringen. Mitten hinein sagte die Konterhonz, deren Augen mit größter Aufmerksamkeit, ja mit plötzlich einsetzender Spannung, an ihm vorbei und zur anderen Seite des Zimmers hinüber starrten – mitten hinein also sagte sie vor sich hin, flüsternd, und im Tone einer unverkennbaren Erleichterung, wobei ganz deutlich ward, daß sie der freundlichen Auskunft des Rittmeisters überhaupt keine Beachtung geschenkt hatte:

„Ist ja ganz indiskutabel. Kommt ja gar nicht in Frage."

Eulenfeld folgte unwillkürlich ihrem Blicke. Doch war nichts zu sehen, als daß Frau Markbreiter sich grazil erhoben hatte und nun klein, aber überraschend schlank dastand, überraschend schlank zumindest in Ansehung der gewaltigen oberen Stockwerke ihrer Persönlichkeit und des bedeutenden Eindruckes, den sie als Sitzende gemacht hatte.

Jedoch nun fiel es auch Eulenfeld auf, daß Kajetan dort drüben diese Frau durch ein paar Augenblicke offensichtlich verblüfft anstarrte, ganz in der gleichen Weise, wie es die Konterhonz tat.

„Hmmm –", machte da ein alter Husar angesichts von derlei unverständlichen Vorgängen; er ging hinaus, um nach seinem verborgenen Kinde zu sehen und mit diesem ein Wörtchen zu sprechen, und kam gerade recht, um Titi Lasch bei einer näheren Untersuchung seines Wintermantels zu betreten, der einige ,Düsseldorfer' oder ,Troupisten' mit Interesse zusahen. „Nicht böse sein, Otto", sagte Titi und umarmte ihn rasch, und er konnte ihr wirklich nicht böse sein. Sie hatte, im seltsamen Gegensatze zu ihrer Schwester, weizenblondes Haar (ob Kunst oder Natur, habe ich nie gewagt zu entscheiden, wahrscheinlich traf beides zu) und ein freches Bubengesicht. „Weißt du", fuhr sie fort. „es ist zum Verzweifeln, bei diesen Alten gibt es ja rein gar nichts." „Nicht ganz zutreffend –", so wollte Eulenfeld sagen, aber er verschluckte die Worte weislich, bevor sie laut wurden. Hier freilich blieb ihm nichts anderes übrig, als aus den Tiefen der Manteltasche zu heben, was dort verborgen war. Tröstlicherweise kam allerdings aus dem Winterrocke eines Düsseldorfers jetzt gleichfalls und nicht ohne Stolz was Stattliches zum Vorschein (der Mann konnte wohl anständigerweise nicht umhin), und so tranken sie gleich aus den Flaschen eins rundum, nachdem des Rittmeisters Pfropfenzieher betätigt worden war. Holder, der dabeistand, dankte lächelnd, Wutschkowski (so hieß ein dunkler junger Mann mit einem Nager-Gebiß) bewies einen verdammt guten Zug, Beppo Draxler einen noch besseren, den besten jedoch ein Eulenfeld unbekanntes Frauenzimmer, deren Haar ein Gelb zeigte, das als natürliches Produkt unmöglich mehr hingenommen werden konnte. Der

Rittmeister hatte indessen geschickt sein Kind irgendwo versenkt und versteckt, jedoch nicht im Mantel (am nächsten Tage fand man es leer im Schirmständer). „Hier im Vorzimmer ist's am schönsten", sagte Titi eben, „der Cornel kommt nicht vor halb sieben." Und sie setzte neuerlich an.

Gerade da öffnete sich die Türe zum Speisezimmer, Frau Irma Siebenschein sah einen Augenblick heraus, schloß jedoch gleich wieder. Ihre Verfassung an diesem Abende muß eine ganz großzügige, ja eine geradezu großmütige gewesen sein, sonst wäre dies hier anders abgegangen.

Dem Rittmeister war's immerhin peinlich. Den Troupisten oder Düsseldorfern schien's jedoch nicht den geringsten Eindruck zu machen, sie besetzten die vorhandenen Sessel und Bänke, stellten Flaschen darunter (inzwischen war noch eine dritte zum Vorschein gekommen) und begannen Zigaretten zu rauchen.

Eulenfeld verdrückte sich, ging durch das Speisezimmer und verblieb nun in dem Raume, wo man Tischtennis spielte. Allenthalben rundum wurde jetzt plötzlich gegessen und getrunken, eine große Zahl von Platten mit belegten Brötchen, Confitüren und Eiscreme in flachen Schalen hatte sich überallhin verbreitet, und wo man etwa ein Tellerchen abstellen wollte, war der Raum von Limonade- und Mandelmilchgläsern oder von Teetassen eingenommen. Ein fortgesetzter Strom von Erfrischungen und wechselnden Näschereien wirkt bekanntlich auf jede Geselligkeit in irgendeiner Weise anregend, ohne daß dies recht zum Bewußtsein gelangt, und so war denn auch hier das ganze Durcheinander in Fluß gekommen, man ging ab und zu, aus und ein, und vollführte in summa einen erheblichen Lärm mit Stimmengewirr hoch und tief, mit Zurufen an die Spieler, mit ausbrechendem Gelächter bei deren mitunter vergeblichen Bemühungen den Ball wieder über das Netzchen zu bringen. Eulenfeld sah etwas mißlaunig in dieses ganze Gesumm und Gegacker. Körger hatte ihn eben unter dem Arm genommen und hier herumgeführt wie in einem Kuriositäten-Kabinett oder Panoptikum, auf das oder jenes ‚besonders schöne Stück' aufmerksam machend – etwa auf den Onkel Siegfried Markbreiter – oder mit Hinweis auf hervorragend gelungene Mischungen und Zusammenstellungen, wie zum Beispiel den jetzt sehr angelegentlich und infam gesprächig mit Frau Irma plaudernden Kajetan.

Aber es blieb doch im ganzen betrüblich für einen alten Husaren (der noch dazu vor gar nicht langer Zeit erst übersiedelt war) – und nun hatten diese Knaben mit ihren falschen Zungen, welche damals auf dem Spaziergange gleich eilfertig in Tätigkeit getreten waren, und das lediglich um irgendeiner Ausrede willen – und nun hatten diese beiden Knaben den ganzen Eintopf erst recht zusammengebraut und aufgemischt. Hmmm.

An den grünen Brettern waren jetzt zwei Paare tätig: Grete Siebenschein gegen Stangeler und am anderen Tische Gyurkicz gegen Herrn Egon Kries, den Schwiegersohn der Frau Clarisse. Dessen Gattin, die jugendliche Ehefrau Lily, kam etwas verspätet und wurde bald danach von dem Rittmeister entdeckt, eben als er vom ersten Hilfsplatz (bei den Butzenscheiben) neuerlich in die Feuerlinie zurückkehrte. Der Gatte Egon wich nicht vom Brette und verlor einen Satz nach dem anderen gegen den geschickten Gyurkicz. Indessen hörte Lily Kries gerne die etwas altfränkischen Plaisanterien des Herrn von Eulenfeld, um so lieber, als Frau Irma eine rasche Gelegenheit benutzt hatte, um ihre Nichte beiseite über Herkunft und Stand dieses Herrn zu unterrichten. Ein Husarenrittmeister, das war eben doch einmal etwas anderes.

So getröstete sich Herr von Eulenfeld zunächst über die Zeiten und Zustände und die Rückfälle innerhalb seiner eigenen Lebensgeschichte, aus deren Hintergründen und vergangenen Epochen sich bereits ein dichter Nebelfleck heranrollte: bald würde es Zeit werden, das Monokel einzuklemmen.

Allgemein erfreute man sich an Grete's und René's Spiel, das zum Teil geradezu gerührte Zuschauer hatte: Frau Irma und sogar deren Schwester Clarisse, zwischen beiden stehend Schlaggenberg (dieses Triptychon ward von Dr. Körger mit besonderem Vergnügen ad notam genommen). Die Kinder spielten aber auch wirklich reizend.

Das heißt, sie konnten rein gar nichts und servierten einander ganz ohne jede Schärfe, recht weich und möglichst auf jene Stelle hin, wo es dem Gegenüber bequem sein mochte. Dabei waren sie – wie schon in der letzten Zeit immer am Ping-Pong-Tische – in bester Laune, und ihre Löfflerei bereitete ihnen offensichtlich den größten Genuß. Am Nachbarbrette, bei den Herren Gyurkicz und Kries, herrschte auch eine sehr angeregte Stimmung, ja, man war bereits gespannt, denn Kries, der durch das scharfe Service des Arpaden ursprünglich völlig eingeschüchtert worden war – seine Gattin Lily servierte wahrscheinlich etwa so wie Grete Siebenschein – dieser Kries hatte sich allmählich doch an Imre's sportliche Art zu spielen ein wenig gewöhnt; und wenn bisher unser Arpade jeden Satz haushoch gewonnen hatte – etwa 21 : 6 oder 21 : 8 – so rückte nun der junge Ehegatte allmählich vor, zuletzt gelang ihm schon ein 21 : 16, und nun war man freilich begierig zu sehen, ob er nicht am Ende einen Satz noch würde für sich entscheiden können. Egon Kries lief sozusagen zu Hochform auf, er gewann Spaß an dieser Sache, war zudem ein langer und behender, übrigens gut aussehender Bursche. Für Gyurkicz aber blieb die ganze Lage doch immer angenehm, er stand da als offenkundiger Meister, und man befragte ihn sogar um dies und das, wie's richtig zu machen sei. Er wurde zum Mittelpunkt, ja man sah ihm zu als einem Champion, so Höpfner wie die Konterhonz, so Holder wie Titi Lasch samt allen Düsseldorfern, welche im Verlaufe der Begebenheiten sehr angeregt wieder in den inneren Räumen aufgetaucht waren und sich, unausgesetzt laut redend, verteilt hatten. Gyurkicz ermangelte nicht kleiner und ebenso leicht faßlicher wie liebenswürdiger scherzhafter Bemerkungen. Und von jener unwahrscheinlich blonden Dame aus dem Vorzimmer läßt sich schon sagen, daß sie ihn geradezu bewunderte.

Hinter dem früher von Dr. Körger befriedigt ad notam genommenen Triptychon war Quapp stehen geblieben, und statt recht verloren hier herumzugehen, wie bisher, sah sie nun dem Tischtennis zu. Der Charakter des Spieles von Grete und René trat ihr allmählich in's Bewußtsein – ohne daß sie von der Sache selbst irgend etwas verstand – und sie empfand dieses Spiel in seltsamer Weise zunehmend als etwas Widerwärtiges, ja beinahe Unanständiges. Widerwärtig waren ihr auch die dutzendmäßigen Lustigkeiten, welche drüben Gyurkicz mit der größten Leichtigkeit und bei bester Laune brillant um sich verstreute.

Bei bester Laune. Es ging ihnen beiden gut, sowohl René als auch Imre. Der erstere war wohl zu bequemer Zeit von seinem ,Hauptquartier' aufgebrochen und hatte sich dabei sicherlich schon auf's Ping-Pong gefreut.

Sie empfand plötzlich ihr Körpergewicht sehr stark in den Sohlen, ihre Füße waren müde, sie wollte sich setzen. Sie blieb aber stehen.

Nur sie lebte unsinnig. Die anderen waren vernünftig und am Ende lustig.

Links von ihr stand ihr Bruder.

Sie dachte plötzlich: „Er mischt sich überall hinein, um Stangeler hat er Sorgen, nur mein Leben läßt er eben gehen, wie es geht."

Es fiel ihr ein, daß er ja übermorgen – oder morgen schon? – wegfahren wollte. Zur Mutter; sie hatte ihn gebeten, zu kommen. Quapp hätte Kajetan um etwas Geld bitten müssen (er trug jetzt immer weit mehr bei sich als früher). Das wäre ihr auch ganz leicht gefallen. Aber ihre Präsenz, ihr Anwesenheitsgrad, möchten wir sagen, war zu gering. Sie vergaß es.

Kleine Fältchen zerrissen allmählich ihre niedere Stirn. Sie wollte zu irgendeinem Entschluß kommen, zu dem Entschlusse vielleicht, an sich selbst zu denken, an ihren eigenen Weg, sich darauf zurückzuziehen.

„Hübsch ist das, nicht wahr, Fräulein, schade, daß Sie nicht auch spielen können", sagte neben ihr freundlich Siegfried Markbreiter, „wie gut die beiden das schon machen!" und er sah auf Grete und Stangeler.

Jetzt merkte Quapp erst, daß die Worte an sie gerichtet waren. „Ja, reizend", sagte sie, aber es kam ganz tonlos heraus, unmöglich und ungezogen tonlos. Markbreiter sprach nichts mehr. Indessen entstand Bewegung. Titi kam rasch von rückwärts zu ihrer Mutter: „Der Hofrat Tlopatsch ist gekommen!" sagte sie eilig. „So –!?" rief Frau Irma erfreut und enteilte.

Dieser Tlopatsch war in der Tat eine wichtige Person und nicht nur im Hause Siebenschein, wo man ihn sonst – er war ein Schulkamerad des Dr. Ferry Siebenschein gewesen – ‚Onkel Fritz' rief. Ganz Wien kannte den kleinen, runden, stets übermäßig verbindlichen Tschechen, ganz Wien nämlich, soweit es Musik trieb. Und dieses Musizieren, ein zur bürgerlichen Gewohnheit gewordenes Überbleibsel aus größerer Zeit, fand sich damals und findet sich heute noch hier in weitesten Kreisen, die auch ganz ernstlich meinen, damit was zu tun, vor allem aber wissen, daß etwa die kundige Kritik am Ton eines Geigers zum guten Tone gehört, nämlich zum gesellschaftlichen.

Jener Tlopatsch also hatte sich in solchen musisch-bürgerlichen Zirkeln – innerhalb welcher sein Rang als höherer Beamter sehr vorteilhaft wirkte und vertrauenswürdig machte – schon frühe eingeführt und bald emporgedudelt und gefiedelt und gesäuselt, teils auf einem breiten Hintern, wie ihn die Böhmen oft haben, am Klaviere sitzend und dieses eilfertig bepfötelnd, teils die runden Finger der fetten kleinen Hand virtuos auf dem Griffbrett der Geige zusammendrängend. In den Köpfen begann sich die Vorstellung zu bilden und festzusetzen, daß man ihn brauche, daß man etwa eine größere Hausmusik ohne ihn gar nicht mehr gut durchführen könne. Fehlte ein Geiger, ein Cellist, ein Hornist, ein Sänger: er kannte ihn, er brachte ihn. Zudem war Tlopatsch noch vor dem Kriege Sekretär einer sehr bedeutenden Konzert-Vereinigung geworden, und nun liefen die Fäden wirklich bei ihm zusammen. Er wurde eine Instanz. Man unterlag seinem Urteil: nicht nur der Liebhaber, auch der Musikus von Beruf. Er vermittelte, er ‚machte zugänglich‘, er stellte vor, er empfahl. Ein musikalischer Abend ohne Tlopatsch lag durch einige Jahre vor dem Kriege schon außerhalb des guten Tones. Man fand ihn allgemein reizend, man war von seiner tiefen Musikalität entzückt, von seinem Spiel, von seiner gewinnenden Liebenswürdigkeit. Es war, für einen Menschen innerhalb dieser Musikwelt oder ‚wienerischen Musik-Kultur‘, das allerbeste, Tlopatsch reizend zu finden. Es war auch geraten, ihn nie zu umgehen, keinen Versuch zu machen, ohne ihn auszukommen. Denn ebensogut wie er ‚zugänglich machte‘, vorstellte, empfahl, wußte er auch das Gegenteil zu tun, in aller Stille. Obendrein stand er mit den Zeitungen auf gutem Fuße, und die Musikreferenten der ‚Allianz‘-Blätter zum Beispiel schrieben oft – aus Faulheit, Unwissenheit oder auch Klugheit – einfach nach, was Tlopatsch anläßlich eines Konzertes etwa geäußert hatte.

Ihm also eilte nun Frau Siebenschein entgegen, zusammen mit ihrem Gatten, dem Doktor Ferry, welchen man bis jetzt kaum zu Gesicht bekommen hatte – er war wohl rückwärts in seinem Kabinette gesteckt. Auch die Kinder kamen, Grete und Titi, und es kam, als sich die Nachricht vom Erscheinen Tlopatsch's zu verbreiten begann, bald jeder, der mit Musik irgendwie zu tun hatte oder von der Musik was wollte. Sogar die Düsseldorfer stellten einen solchen Mann: er hieß Frühwald und betrieb ansonsten eine Agentur, war aber ein großer Klavierspieler und Spezialist für leichte Musik. Auch Holder kam nach vorne, als Journalist zwar, als Nichtmusiker, immerhin, es war besser so.

Tlopatsch kugelte der Hausfrau entgegen, tätschelte ihre Hände, fragte, wie's denn gehe, begrüßte Dr. Ferry, begrüßte die Kinder, lächelte immerfort, dankte für Tee, nahm eine Zigarre, und man bildete einen Kreis um ihn.

In diesem Kreise saß auch Dr. Ferry Siebenschein. Und, man wird sich wundern, nicht nur als Schulfreund des onkelhaften Musik-Papstes, sondern geradezu als ein Glied der musikalischen Gemeinde selbst: er war nämlich ein recht tüchtiger Flötenspieler, und man bedurfte seiner vielfach wegen des in Liebhaberkreisen nicht eben häufigen Instrumentes.

Diese bemerkenswerte Tatsache des Flöteblasens ragte aus der sonst vorherrschenden dickflüssigen Resignation des Mannes, welche sozusagen den Grundstoff seines Lebens bildete, spitz heraus, ganz ebenso wie jenes Instrument mit seinen hohen Tönen aus der Klangmasse des Orchesters ragt.

In den Straßen und auf dem weiten Platze draußen begann Nebel einzufallen, man sah bald alle Lichter wie hinter einer dünnen Milchglasscheibe und von einem trüben Hof umgeben. Jede Straßenlaterne schwebte einsam für sich. Das Pflaster schimmerte feucht, allenthalben war es dunkler, da die Geschäfte ihre hellen Schaufenster längst geschlossen hatten, und der Verkehr ließ nach. Da und dort wurde der Schritt von Fußgängern schon so einzeln hallend wie zur Nachtzeit.

Die breite Straße entlang, welche über die Brücke und dann vom Donaukanal her gegen den Bahnhofsplatz herausführt, gingen langsam Angelika Trapp und der Historiker Neuberg. Sie beide hatten in jener Gegend, aus welcher sie da anscheinend kamen, nicht das geringste zu suchen, vielmehr wanderten sie hier nur auf und ab und waren auch schon zweimal um den ganzen Häuserblock herumspaziert, dem das Siebenschein'sche Wohnhaus angehörte. Das Paar befand sich in keinerlei Eile. Denn schon vor acht Tagen hatten sie Frau Irma wissen lassen, daß ihr Kommen an diesem Samstag nicht vor halb sieben Uhr möglich sein werde: ‚wegen eines Kollegs'. (Für einen Samstagabend übrigens eine besonders geistvolle Ausrede.)

„Daß du sie besuchst, weiß ich und wende dagegen nichts ein, was auch lächerlich wäre", sagte Angelika. „Stangeler scheint nichts dagegen zu haben. Aber es ist doch überflüssig, daß du mit ihr in den Caféhäusern herumsitzt. Du mußt doch bedenken, daß wir beide in einer, wenn auch nicht geradezu erklärten, so doch bekannten Beziehung stehen. Da kommt man dann zu mir . . ."

„Wer kommt?" sagte er.

„Das ist nebensächlich. Wer immer es sein mag – es ist mir nicht gerade angenehm."

„Du stützt dich auf das von dir so vielfach verachtete Offizielle oder Legale, sobald es dir gerade paßt."

„Mein Vater wäre jedenfalls nicht erfreut, wenn er erführe, daß du mit Grete Siebenschein in einem großen Café in der Inneren Stadt dich zeigst."

„Wem übrigens? Willst du mir das nicht verraten? Nein? Na, dann werde ich es dir später sagen. Plötzlich bringst du da deinen Vater daher, ja die Väter geradezu als solche. Die Väter sind immer für die Dulniks. Wenn du mit den Vätern eines Sinnes bist, wirst du auch bald für die Dulniks dich entscheiden. Daß aber Schlaggenberg – der damals wohl glaubte, von Grete und mir nicht bemerkt worden zu sein – gleich für nötig hält, mit der Neuigkeit zu dir zu laufen . . ."

„Davon ist gar keine Rede. Er traf mich zufällig auf der Ringstraße in der Nähe der Universität und erwähnte gesprächsweise, er hätte dich gesehen."

„Jedenfalls also bei der ersten sich bietenden Gelegenheit. Ich dachte mir sofort, daß er, und nur er es gewesen sein müsse, nicht aber der Sektionsrat Geyrenhoff, welcher dort mit ihm saß und uns gleichfalls gesehen haben muß. Aber Geyrenhoff mischt sich nirgends hinein, Schlaggenberg dagegen überall. Du irrst dich gründlich, wenn du glaubst, daß diese Erwähnung dir gegenüber nur eine zufällige und ‚gesprächsweise' war wie du sagst. Sie hat ihren Sinn. Er will auch hier wieder ‚intervenieren' ich kenne das jetzt schon, ich bin nicht auf den Kopf gefallen und habe ihn genau beobachtet. Er soll nur achtgeben, daß er nicht bei Gelegenheit an den Unrichtigen kommt. Andere Leute verstehen das ‚Intervenieren' auch, und vielleicht auf wirksamere Art und Weise."

„Das ist schon Verfolgungswahn", sagte sie.

„O nein!" rief er, „den Wind kenne ich sehr gut, der da weht. Grete Siebenschein weiß davon auch ein Lied zu singen."

„Schlaggenberg ist vollkommen harmlos, und in gar keiner Weise übelwollend, obendrein ein wirklich bedeutender Mensch."

„Weißt du, warum du ihn in Schutz nimmst? Weißt du das auch genau? Muß ich dir das erst sagen? Letzten Endes deshalb, weil diese ‚Bedeutung', welche sich schon gänzlich einseitig zuspitzt und daher mit Beschränktheit Verwandtschaft gewinnt, weil diese ‚Bedeutung' dir gar nicht so unangenehm und fremd ist. Das ist die Wahrheit. Und das ist Verrat."

„Aber –!" rief sie, „du sagtest mir doch auch, daß du mit der Siebenschein dich ganz besonders gut verständigen könntest, im Geistigen meine ich. Bei Schlaggenberg geht es mir so. Er nimmt mir das Wort, das ich nicht finden kann, aus dem Mund und spricht es für mich aus."

„Und zwar immer bedeutungsvoll! Ah, ich kenne, was da umgeht, kenne es schon genau, es begegnet mir immer häufiger. Und weißt du, was bei deinem ‚Geistigen' am Ende herauskommen wird? Ein Dulnik. Großartiges Ergebnis –"

Sie waren wieder zurückgegangen und am Brückengeländer stehen geblieben. Der Nebel war hier dichter als vorne auf dem Platz. Das Wasser des Kanals dort unten blieb nur durch einen matten Glanz noch kenntlich und von der ansonst hier durch eine flache weite Wendung des Flußbettes bogenförmig aufgespaltenen Tiefe von Stadt und Vororten waren lediglich einige starke Lichter übrig geblieben, die sich von ferne her durch das dichter werdende Weißgrau durchsetzten. Die Straßenbahn fuhr mit heller breiter Brust stark klingelnd aus den Schleiern hervor und heran.

Er bemerkte nun erst, daß sie ständig beiseite sah. Aber jetzt verriet ihm ein leichtes Zucken, daß sie weinte.

„Aber Angi –", sagte er und blieb völlig ratlos.

„Ich weiß wirklich nicht mehr ein und aus", brachte sie hervor, bei währendem Schluchzen, jedoch deutlich und vernehmlich.

„Soll das auch heißen, daß du selbst unschlüssig geworden bist ...?" wollte er sagen, sprach aber diesen Satz nicht mehr zu Ende, ja er begann ihn kaum, die Worte erstarben ihm gleich zu Anfang.

Sie richtete sich auf. „Gehen wir, komm'", sagte sie, „gib mir dein kleines Taschentuch, das von der Brusttasche."

Beide bemerkten jetzt, daß von der anderen Seite des Fahrdammes her ein Wachmann sie aufmerksam beobachtete.

Sie gingen, blieben wieder stehen, Angelika nahm die Puderdose hervor. Sie kreuzten den Platz und wollten eben eine schmale Gasse überschreiten, die beim Siebenschein'schen Hause mündete, als für einen Augenblick zwei Scheinwerfer nah im Nebel ihre alles platt machenden Augen aufschlugen. Ein tiefer Hornton erbrummte, und dann bog der schwere Wagen um die Ecke und hielt etwas abseits der Haustüre. Ein einzelner breiter kurzer Mann stieg heraus und warf die Tür zu.

„Lasch", sagte Neuberg. „Warten wir, bis er oben ist."

Er küßte Angelika. „Ich wollte dich doch nicht kränken. Ich liebe dich. Es ist alles deshalb." Sie lag durch einige Sekunden in seinen Armen und hatte die Augen geschlossen. Dann betraten sie das Haus und stiegen hinauf. Sie hörten die Türe oben klappen und der Aufzug kam leer wieder zurück. Neuberg und Angelika blieben auf der Treppe. Sie küßten einander wiederum.

Ganz bescheiden im Gefolge Tlopatsch's war auch Fräulein Wiesinger, die Pianistin, erschienen, kurzsichtig und stupsnäsig; man hatte sie kaum bemerkt, trotz·ihrer Länge: an Schultern schmal und eng, unten breit, im ganzen von eines Heuschobers Gestalt, auf dessen Stange oben Kinder einen aufgelesenen unreifen Apfel gespießt haben. Sie war jedoch nicht dumm, nur ganz und gar verschroben, unheilbar aber erst durch den Umstand geworden, daß sie einmal einem Psychoanalytiker in die Hände geraten war, noch dazu als Halbwüchsige, und obendrein: der Mann war imstande gewesen, ihr wirklich zu helfen. Hierdurch also war sie unheilbar geworden, denn sie erhielt nun für alles in der Welt, was immer ihr am Mitmenschen auffiel, einen gutpassenden Schlüssel, erschloß damit alsbald den Sachverhalt und fand richtig drinnen eine Benennung irgendwelcher Art sozusagen schon vorbereitet liegen. Mit solcher Magie der Namengebung glücklich und zufrieden, glaubte sie sich allen Ernstes im Besitze tiefster Einsichten, und das war für ihren an sich nicht schlechten, doch immerhin bescheidenen Verstand denn doch zu viel. Sie schnappte über, das heißt, sie verlor das Gleichgewicht und wurde eingebildet und anmaßend, ganz in der Art, wie es ein richtig von Geburt her völlig Blöder zu sein pflegt. Man kann sagen, sie war, statt aller früheren Übel, nunmehr endgültig und für immer an der Psychoanalyse selbst erkrankt; für eine Heilwissenschaft jedenfalls ein beachtenswertes Resultat. Sie blieb auch dauernd in ‚Behandlung‘, durch die vielen Jahre hindurch, opferte einen großen Teil ihres schwer verdienten Geldes dafür und tut das, wie ich neulich erst hörte, heute als alte Dame noch.

Nun also saß diese psychoanalytische Clavicimbelistin in Tlopatschens Zauberkreis, das heißt, sie umsaß den Hofrat ebenso respektvoll wie Frau Irma und die anderen. Dieses Umsitzen hinderte sie jedoch nicht daran, unseren Musikonkel etwa auf seine ‚Verdrängungen‘ hin zu betrachten, die ihn schon ganz entmannt zu haben schienen, denn in der Tat sah er ja aus wie ein Kapäunchen. Auch die Stimme war hoch und süß. Zweitens aber wunderte sich das Fräulein Wiesinger darüber, daß Charlotte von Schlaggenberg – von deren Anwesenheit hier am heutigen Abend sie wußte – nicht gleichfalls in diesem Kreise sich befand. Das war zweifellos unklug, ja es war fast unbegreiflich. Die Wiesinger schätzte Quapp in jeder Beziehung sehr hoch (interessierte sich überdies für ihren ambivalenten Typus), hielt aber, was die klugen und praktischen Sachen anging, bei ihr jede Unwissenheit und jeden Schnitzer für möglich: etwa auch, daß sie den Hofrat Tlopatsch noch gar nicht kenne, noch keine Gelegenheit gesucht habe, ihn kennenzulernen, ja, es war am Ende denkbar, daß sie nicht einmal wußte, wer das sei – letzteres aber konnte unter Umständen geradezu eine Gefahr bedeuten.

Man sprach vom Kolischer-Quartett.

Hier trennten sich jedoch des Hofrates Anschauungen von den geradezu exaltierten Dithyramben der ‚Allianz‘-Blätter. Tlopatsch blieb prüfend, abwartend, hinter Vorbehalten verschanzt und berief sich auf Beethoven, der vom Auswendigspielen offensichtlich nie viel gehalten, sondern die Noten stets vor sich gehabt habe, auch wenn er in einem Konzerte eigene Werke darbot. Freilich, Tlopatsch ließ die ‚Möglichkeit einer Entwicklung‘ durchaus zu bei den ‚vier jungen Künstlern‘, erblickte aber in jenem Grundsatze, welchen sie so rigoros durchführten – nämlich vor dem Publikum auch die schwierigsten und längsten Kompositionen nur auswendig zu spielen – denn doch einen Schritt in's Artistentum.

„Man könnte jedoch glauben", äußerte sich Herr Frühwald (obgleich er doch eigentlich Spezialist für leichtere Musik war), „daß gerade durch das Auswendigspielen die Auffassung und somit die Gestaltung vertieft und konzentriert werden könnten, da die Ablenkung durch's Notenlesen wegfällt."

„Glauben Sie das nicht unbedingt, lieber Herr Frühwald", meinte Tlopatsch, „wenn die Sachen auch gedächtnismäßig unerhört sitzen – was übrigens, unter uns gesagt, keine so imponierende Leistung ist, wie es aussieht – so geht bei der auswendigen Wiedergabe ganz unbewußt sehr viel Kraft verloren, durch die sozusagen schon unterbewußte Anstrengung des Gedächtnisses, verstehen Sie mich recht, wie ich das meine? Anders – wenn ich meine Noten vor mir habe: ja, da kann ich mich hineinlegen in die Sache (sein Gesicht verklärte sich wirklich recht merkwürdig, die Wiesinger beobachtete ihn aufmerksam), da spiele ich dann wohl oft auswendig, ohne daß ich mir's eigens vorgenommen habe. Aber das muß ja das Publikum nicht unbedingt wissen."

„Spaß –", äußerte Dr. Siebenschein, „das wär' was für meine Nerven: bleib' ich stecken? bleib' ich nicht stecken? bleib' ich stecken? bleib' ich nicht stecken? Am ‚Steinhof' in's Narrenhaus könnt' man kommen auf die Art."

„Weil wir übrigens schon bei diesen Merkwürdigkeiten sind", sagte der Hofrat, „da hab' ich jetzt eine Geschichte zu arrangieren, die mir viel Kopfzerbrechen macht; eine wirklich schöne alte Musik aus dem siebzehnten Jahrhundert in Originalbesetzung; na, weißt du, Gambe und die Viola d'amore hab' ich ja, nur brauchen wir drei ausgezeichnete Guitarren – na, wer kann denn das schon so, über die Begleitmusik hinaus, in's Virtuose gesteigert, weißt du? Zwei nehme ich von der Akademie, derzeit die einzigen mit diesem Instrumentalfach, na gut, aber woher den Dritten?"

Frau Irma sah jetzt ganz glücklich aus. Die Bemerkungen des Hofrates über Kolischer und die Seinen waren ja für sie recht schmerzlich gewesen, denn sie gehörte zu den glühendsten Anhängern dieses Quartettes. Nun aber konnte sie beispringen, wußte sie Rat:

„Da kann i c h dir helfen, Onkel Fritz", sagte sie triumphierend, „ich weiß jemanden. Er ist sogar anwesend." Sie erhob sich rasch, ging nach rückwärts, in das Zimmer, wo die Spieltische standen, und ließ den erstaunten Kreis der Musikalischen hinter sich.

An den grünen Brettern war man inzwischen nicht faul gewesen, und die Lage hatte sich verändert. Für Gyurkicz war sie schwerer geworden. Er spielte jetzt gegen Dr. Körger, den er wiederholt dazu aufgefordert hatte, denn er hielt sich selbst als Spieler dem Herrn von Orkay mindestens gleichwertig und hatte das Unzulängliche in Haltung und Spielweise Körgers lange genug und genau beobachtet. Nun aber plagte sich der Arpade bös. Denn mein stämmiger und stoßweise agierender Neffe sah zwar nicht gerade elegant aus, verbrauchte wohl auch unmäßig viel Energie, gleichwohl konnte Imre nur bei jedem zweiten oder dritten Satz knapp erfolgreich bleiben, etwa 21 : 19, oder ähnlich: ansonst wurde Gyurkicz mit derselben Differenz geschlagen. Es war ein rechter Kampf. Das andere Brett bot Lieblicheres: hier spielten Mutter und Tochter gegeneinander, nämlich Clarisse Markbreiter gegen Lily Kries, denen der junge Gatte im Verein mit dem Rittmeister (Eulenfeld trug bereits das Monokel) zusah. Frau Clarisse bewegte sich sehr rasch und geschickt, was in Ansehung ihrer außerordentlichen Geschnürtheit (hier sei auf das von Schlaggenberg unzart aber wahrheitsgetreu verfaßte Kapitel ‚Topfenkuchen‘ verwiesen) – was also in Ansehung dieses Umstandes besonders hoch gewertet werden mußte. In ihrer Manier, das Schlägerchen zu führen, lag etwas, das an die Art erinnerte, in der manche Damen in jenem großen Caféhause am Donaukanal das Löffelchen zu halten pflegten, besonders wenn sie Schlagobers aßen (zum Beispiel die Frau Dr. Mährischl): nämlich den kleinen Finger leicht weggespreizt. Schlaggenberg, welcher zwischen dem Zimmer, wo die grünen Tische standen, und dem anliegenden Raum, wo sich des Rittmeisters erster Hilfsplatz (bei den Butzenscheiben) befunden hatte, hin und her pendelte, sah dann und wann mit fast unverhohlener Mißbilligung auf Frau Markbreiters grazile Unterstockwerke, ja einmal mit Kopfschütteln, worauf er wieder für ein Weilchen in’s Nebenzimmer zu den Butzenscheiben ging. Des Rittmeisters erster Hilfsplatz war indessen freilich längst auch von anderen entdeckt worden, ja, es hatte sich hier mit der Zeit eine gewisse Seßhaftigkeit entwickelt, wenn man auch nicht die Schnapsflasche in der Weise umsaß, wie dort vorne etwa den Hofrat Tlopatsch. Sondern es bot dieser Raum (übrigens war es Titi's ehemaliges Zimmer) durch seine Abgetrenntheit – die Spieler nebenan wollte man doch nicht allzusehr durch Ab- und Zugehen stören – immer wieder Gelegenheit zur Bildung von Konventikeln und damit auch für ausgebreitetere und eingehendere Gespräche.

Hier saß nun fast den ganzen Abend schon Herr Jan Herzka in einer Ecke, die Beine weggestreckt, eine Zigarre im Munde, festen und wohlgestalteten Körpers und hübschen Gesichtes, als welches jedoch solche Hübschheit nur wie eine Unterlage darbot, auf die ganz anderes Schicht' um Schichte gelegt worden war: man konnte im ersten Augenblick glauben, dieses Antlitz sei bedeutend, im nächsten, es sei exotisch, im dritten, es sei schmierig, und im vierten, es sei jedenfalls höchst anziehend. Eine gewisse geordnete Sattheit ging zugleich von ihm aus, die wohl durch sein Geschäft begründet war, ein altes Wiener Haus, vom Vater ererbt, vom Sohne mit außerordentlicher Genauigkeit und Vorsicht ganz in den alten Traditionen weitergeführt. Herzka galt als vorbildlicher Kaufmann. Mütterlicherseits war er übrigens aristokratischer Abkunft: seine Mutter war eine Baronesse Neudegg gewesen.

Es gab jetzt noch andere Leute hier bei den Butzenscheiben – außer Schlaggenberg, der ab und zu hereinkam, um dann im Ping-Pong-Zimmer wieder mißbilligend Frau Markbreiter zu betrachten – es gab aber vor allem hier den René Stangeler. Diesen sekkierte Herzka mit allerhand kulturhistorischen Fragen, die ihm aus irgendeinem unbegreiflichen Grunde gar sehr am Herzen zu liegen schienen. Dem ,Fähnrich', war er nur einmal aufgesperrt, entquoll stets reichlicher Bescheid. Géza von Orkay trank Cognac (er hatte sich bei Gyurkicz entschuldigt, als dieser ihn aufforderte, mit ihm zu spielen, er hatte sich mit völliger Ermüdung entschuldigt) und hörte sehr aufmerksam zu. Auch der Rittmeister sickerte späterhin wieder hier herein und stärkte sich; offenbar war die Unterhaltung mit Frau Kries doch etwas anstrengend gewesen.

Bei den grünen Tischen war es indessen zu neuen Veränderungen gekommen. Erstens hatte Quapp sich schließlich auf einen Stuhl niedergelassen. Sie war ganz müde und dumpf. Zweitens aber brach über Imre nunmehr die endgültige Katastrophe herein, nämlich in Gestalt des Herrn Dr. Beppo Draxler. Dieser hatte bis jetzt überhaupt nur zugesehen, war aber von Imre, noch während des Spieles gegen Dr. Körger, mehrmals aufgefordert worden. Und nun jagte er unseren Árpaden (später stellte sich heraus, daß der hinterlistige Draxler einige Meisterschaften gewonnen hatte). Wir wollen darüber nicht mehr sagen, als Ziffern: 21 : 11, 21 : 9, 21 : 14 – so schlecht ging es Gyurkicz. Quapp sah zu, und ihr ekelte außerordentlich vor der Möglichkeit, jetzt etwas wie Genugtuung zu empfinden; denn Gyurkicz war nicht mehr bei bester Laune und ermangelte nunmehr gänzlich der leichtfaßlichen und liebenswürdigen scherzhaften Bemerkungen und eines angenehmen Kontaktes mit dem Publikum: dieses letztere hatte sich wieder rund um die Tische zahlreicher eingefunden, der heiße Kampf wirkte anziehend. Trotz der sichtlichen Überlegenheit des Gegners begann übrigens Gyurkicz bald aufzurücken, er verbesserte sich bis 21 : 17.

Gleichwohl, Quapp hätte vielleicht doch für ihre Zeugenschaft bei dieser Niederlage in irgendeiner Form zu büßen gehabt, wäre nicht eben jetzt – den Kreis der Musikalischen für ein Kurzes hinter sich lassend – Frau Irma herein- und geradewegs auf Dr. Draxler zugeschwirrt. Sie nahm ihn, unter vielen Entschuldigungen wegen der Unterbrechung des Spieles, mit sich („wenn es nicht eine wahrhaft wichtige Sache wäre, würde ich Sie nicht stören, lieber Doktor"), entführte jedoch auch Quapp, und dieses letztere unter beweglichen halblauten Ausrufungen („Ja, Fräulein von Schlaggenberg, wissen Sie denn nicht, daß der Hofrat Tlopatsch da ist?! Ja, Sie kennen ihn nicht?! Da muß ich Sie vorstellen, unbedingt, das kann für Sie von der größten Bedeutung werden!").

So kam denn diese Originalbesetzung aus dem siebzehnten Jahrhunderte zu einem ganz vorzüglichen Guitarristen, Quapp aber gelangte in den Kreis der Musikalischen, wohin sie, zumindest nach der vorläufigen Meinung Frau Irma's, denn auch gehörte. An den grünen Tischen aber machte sich jetzt eine mindere Güte des Spieles breit, ein harmloses Bälle-Schupfen hinüber-herüber, von einigen wohlgelaunten Düsseldorfern mit zahllosen Witzchen unter der Leitung von Titi Lasch exerziert.

„Bei wem studieren Sie, mein liebes Kind?" wandte sich Tlopatsch an Quapp, nachdem er mit Dr. Draxler seine Sache abgemacht hatte – wobei ein ganzer Schwall von verbindlichen Redewendungen hochging, bis endlich das neugewonnene Mit-

glied der Originalbesetzung an die grünen Bretter zurückkehren konnte, so daß dort wieder ein ernsthaftes Spiel neben
das Getändel trat.

Quapp nannte den Namen ihres Lehrers.

Es war bemerkenswert, welche Wirkung dieser Name auf den
Kreis hatte.

Sie verhielten sich, als sähen sie etwas sehr Entferntes, das
ihnen aber immerhin bekannt war. Niemand von ihnen tat so,
als hätte er diesen Namen noch nicht gehört. Sie bezeigten eine
Achtung auf große Entfernung, wie für einen ausländischen, ja
einen exotischen Souverän, immerhin aber einen Souverän, der
allerdings hier, im eigenen Lande sozusagen, an tatsächlicher
Gültigkeit und Wichtigkeit hinter dem nächsten kleinen Häupt-
ling oder Dorfschulzen doch weit zurückstand.

Quapp saß da etwas hilflos, sie hielt diesen Namen gleichsam
als einen schweren Gegenstand mit beiden Händen fest, und die
anderen rundum betrachteten sie dabei.

„Hm – so", meinte der Hofrat, „das ist ja sehr interessant."

„Glaubst du denn, Onkel Fritz, daß seine Methode einen
wirklichen Wert hat?" – so befragte, gleichsam an Quapp vorbei, Grete Siebenschein die anwesende Autorität. „Warum ist
sie dann eigentlich nicht weiter verbreitet?! – Sie haben nie bei
einem anderen Lehrer studiert?" sagte sie am Ende zu Quapp.

„Nein", antwortete Quapp und wandte sich ab. Damit wurde
hier eine Feindschaft offenbar, deren klares Hervortreten wohl
schon längst fällig gewesen wäre.

„Beruht diese Methode eigentlich auf psychologischen Voraussetzungen?" fragte die Wiesinger, welche es eigentlich besser
hätte wissen sollen, da sie doch lange mit Quapp zusammen arbeitete. Jedoch hier, vor Tlopatschens Angesicht – fragte sie eben.

„Ja – darüber kann ich so genauen Aufschluß nicht geben",
meinte der Hofrat, legte die Zigarre in den Aschenbecher, und
wandte sich sehr freundlich an Quapp: „Hier sitzt wohl die
kompetente Stelle."

„Nun?" sagte die Wiesinger, welche hier sozusagen zur
Fremden geworden war. „Ist diese Art des Unterrichtes eigentlich psychologisch aufgebaut?"

„Ich weiß wirklich nicht, was Sie sich darunter vorstellen",
sagte Quapp, schon in einem kleinen Ausbruche von Verzweiflung, immer noch den schweren Gegenstand mit beiden Händen

fest und treu haltend. Ihr Ton war etwas abgerissen gewesen, von Zorn leicht unterdunkelt, denn jetzt erst begann sie den Verrat, der da geübt wurde, deutlich zu wittern (ihre Blödigkeit war doch manchmal recht groß). Ihr Zorn steigerte sich auch rasch, denn die Erinnerung an manche Stunde, die sie mit der Pianistin verbracht hatte und wo Quapp auf ihren Lehrer zu sprechen gekommen war – diese Erinnerung brach jetzt aus Quapp's dumpfem Zustande plötzlich hervor, und nun sah sie sich, durch ihre vielen vertraulichen Reden dieser Wiesinger gegenüber, selbst zur Verräterin geworden.

Mit den letzten Worten Quapps war die gemeinsame Membrane, welche zunächst sie und den ganzen Kreis ihrer Gesprächspartner umschlossen hatte, zerrissen worden.

Man sah es auch an Frau Irma's enttäuschtem Angesicht.

Quapp sackte ab, in eine gänzliche Erschöpfung, sie fühlte sich jetzt schon wie vergiftet davon und als hätte man ihr während dieser Minuten des Gespräches auf eine geheimnisvolle Art jeden letzten Rest von Kraft entzogen. Da saß sie. Eine ‚Chance' hatte sich geboten (so war's doch von Frau Siebenschein wohl gemeint gewesen!). Quapp aber hatte diese Gelegenheit nicht ausnützen können. Sie war nicht in Bereitschaft. Sie war von jedweder Bereitschaft, die doch immer und überall erfordert wurde, wie durch eine weiche zähe Scheidewand getrennt, schon den ganzen Abend hindurch. Hier lag der wirkliche, der wesentliche Verrat an ihrem Lehrer, in dieser ihrer Verfassung lag er. Sie sah jetzt Imre wieder ihre Wohnung betreten, sah sein sehr großes, graues, melancholisch hübsches Gesicht vor der Türe draußen, welche sie öffnete. Von da an war's aus gewesen. Der restliche Abend lag wie eine Geschwulst in ihr, unter deren Druck alles aufquoll.

So lebte sie. Nur die anderen waren vernünftig, hatten ihr ‚Hauptquartier', fanden Arbeit und Erwerb, nahmen Gelegenheiten wahr, waren am Ende lustig.

Sie verachtete jetzt alles, sich selbst nicht ausgenommen, und saß dabei eingezwängt und eingeklemmt zwischen dieser Gesellschaft und ihrem musikalischen Geplauder.

Cornel Lasch's nunmehr erfolgende Ankunft war's, welche diesen für Quapp so peinvollen Zustand aufhob.

Denn in dem Schwall von Begrüßungen, welcher jetzt ausbrach, löste sich der Kreis vorübergehend fast ganz auf. Man sah, daß Frau Irma Siebenschein noch andere Schwerpunkte hatte, außer den musischen, zum Beispiel ihren Schwiegersohn: sie wimmelte nur so um diesen herum. Die Begrüßungen zwischen Lasch und dem Hofrate Tlopatsch zeichneten sich durch eine besonders zeremoniöse beiderseitige Erfreutheit aus. Tlopatsch schätzte Lasch übrigens wirklich ‚als einen Mann von Geist und Kultur‘, wie er selbst einmal zu Frau Irma gesagt hatte.

Der Schwiegersohn Cornel schien heute zurückhaltend, von bedeutsamem Ernste ein wenig verdunkelt, ja verfinstert, und, wie man gleich bemerken konnte, keineswegs geneigt, den Mittelpunkt der Gesellschaft zu bilden, was er mitunter ganz gerne tat, und im Hause seiner Schwiegereltern ja allermeist. Er verdrückte sich mit sichtlicher Beschleunigung nach rückwärts, begrüßte im Ping-Pong-Zimmer seine Frau – wobei die Düsseldorfer sozusagen Spalier standen und auch der noch immer andauernde Zweikampf zwischen Draxler und Gyurkicz unterbrochen ward – und also kam Lasch zu den Butzenscheiben, zu Jan Herzka, welchen er mit besonderer Aufmerksamkeit begrüßte, zu Stangeler und zu den übrigen, die da noch immer kulturhistorisch tagten, was Lasch sehr willkommen zu sein schien. Er pflegte, außerhalb der Geschäfte und der Familie, durchaus nur über wissenschaftliche, philosophische oder künstlerische Fragen sich zu unterhalten, jedem anderen ihm näherliegenden Gegenstande aber wich er in der gesellschaftlichen Konversation stets bescheiden aus, oder gab ganz unbestimmte Antworten, als verstünde er davon nichts: während er auf den ‚höheren‘ Gebieten die oder jene Anschauungsweise hartnäckig, ja geradezu mit Temperament zu vertreten fähig war.

Lasch ließ sich also hier mit sichtlicher Erleichterung und mit Behagen nieder, nahm einen Cognac und folgte schweigsam und mit Aufmerksamkeit dem Gespräche, das von außen ungestört blieb, da auch Neuberg und Angelika Trapp, die bald nach Lasch gekommen waren und hierher gefunden hatten, sogleich die Zuhörer machten, ebenso Quapp (die bei der vorübergehenden Auflösung des musikalischen Kreises entwischen konnte) und auch Grete Siebenschein, welcher die Tlopatsch-Geschichte dort vorn am Ende zu langweilig geworden war.

Schlaggenberg aber trieb sich noch immer bei den grünen Tischen herum, obwohl der trotz allem anziehende Gegenstand seiner Enttäuschung dort nicht mehr das Schlägerchen führte.

Statt dessen betrat die Gesellschaft der Musikalischen vor ihrer neuerlichen musikalisch-fachlichen Zusammensinterung für ein paar Minuten den Raum, weil der Hofrat gewünscht hatte, sich auch die ‚sportliche Veranstaltung' anzusehen (über ihn drüber glotzte die Wiesinger durch ihre Brillen): man kam im richtigen Augenblick, denn eben wurde ein Satz zwischen Draxler und Gyurkicz von letzterem mit unerhörtem Kampfgeiste knapp gewonnen, was seine Laune hob, denn die Strohblonde aus dem Vorzimmer war anwesend. Draxler hatte stark im Spiele nachgelassen, seit der Unterbrechung, sei's daß er müde, zerstreut oder gleichgültig geworden war. Schlaggenberg entwich späterhin nach rückwärts zu den Butzenscheiben, wurde aber noch Zeuge eines denkwürdigen kleinen Gesprächs, eines ergänzenden Gesprächleins, zu welchem Tlopatsch den vom grünen Brett abtretenden Draxler freundschaftlich beiseite nahm; die Unterhaltung wurde halblaut geführt, jedoch von Kajetan, der aus einiger Entfernung die Ohren spitzte, genau abgehorcht (‚eigentlich tat ich's Ihretwegen, lieber Sektionsrat', sagte er später, ‚da ich meinte, dies könnte Sie etwa interessieren'). „Darf ich Sie fragen, lieber Doktor, welches Ihre derzeitige berufliche Tätigkeit ist? Im Bankfach, so, so, aber Sie würden gerne baldmöglichst als Konzipient bei einem bedeutenden Rechtsanwalt eintreten . . .? Ja, es ist nicht immer leicht, hier das wirklich Geeignete und auch Aussichtsreiche zu finden. Das Gerichtsjahr haben Sie also auch schon hinter sich gebracht? Nun, ich kann Ihnen sagen, lieber Freund, daß sich hier gerade die beste Gelegenheit bietet, bei unserer Hausmusik, wo Sie ja nun mitwirken werden, das macht sich ja ausgezeichnet für Sie. Der Hausherr ist ja, wie Sie vielleicht wissen, Inhaber einer der bedeutendsten Kanzleien in Wien, ein guter Freund von mir. Wie –? Na freilich, freilich, da könnte ich doch, da will ich doch einen kleinen Fühler . . . die junge Dame übrigens, welche vorhin kam, ein Fräulein Trapp, wird mit ihrer Mutter auch hinkommen . . . ich weiß nicht, wo sie nun ist (er sah sich um) . . ., na, da werde ich Sie dann dort bei der Musik bekannt machen, ihr Vater ist ja ein sehr geachteter Anwalt, auch ein alter Freund von mir. Dort also kommen natürlich immer mehrere Kollegen von diesem Fach zusammen . . ."

Doktor Draxler verbeugte sich während dieser Reden des Hofrates von Zeit zu Zeit leicht und verbindlich lächelnd, um schon im voraus seine Dankbarkeit anzuzeigen (am Rande sei hier angemerkt, daß all dieses sich später einmal als der Einstieg zu einer recht bedeutenden Laufbahn erweisen sollte, die also – ‚typisch-wienerisch-graziös‘ – in der Musik ihre ersten Würzelchen geschlagen hatte).

So weit Schlaggenberg's Bericht, der sich dann zu den Butzenscheiben davon machte.

Hier ging es recht merkwürdig zu (übrigens war noch etwas Cognac vorhanden).

Aus welcher Ecke seines Lebens oder Wesens dieser Herr Jan Herzka zu einem so tiefdringenden Interesse für die Kulturgeschichte – in diesem Falle für die Hexenprozesse des sechzehnten und siebzehnten Jahrhunderts – kam, schien zunächst unerfindlich. Das Gespräch wurde dadurch ermöglicht, daß man sich hier wie überall in jenem vagen Übereinkommen der ‚allgemeinen Bildung‘ befand, kraft deren heute jeder alles studieren oder bereden darf, was ihn nichts angeht; denn, dürfte er's nur bei den ihn ernstlich betreffenden Dingen – was bliebe da übrig?! Man setzt in der bürgerlichen Welt taktvollerweise niemanden der Gefahr aus, daß die Enge seines wirklichen Lebenskreises sichtbar werde.

Wo also solches lebhaftes Interesse sich in Herrn Herzka wesentlich begründete, kümmerte demnach niemanden in der Sphäre des Unverbindlichen.

Stangeler war es inzwischen schon gelungen, die gröbsten Irrtümer abzuräumen – unter anderem, daß die Hexenprozesse eine für das ‚Mittelalter‘ bezeichnende Erscheinung wären. ‚Fachleute‘ haben bekanntlich die stets beneidenswerte Möglichkeit, ihre Äußerungen oder Darlegungen auch gleich zu ‚belegen‘ (und mit Hilfe solcher ‚Belege‘ erschlägt oft der wissenschaftlich korrekte Blödsinn die Wahrheit, was hier allerdings nicht zutraf). Es verwies also der Ex-Dragoner-Fähnrich auf die päpstliche Bulle ‚Summis desiderantes‘ aus den achtziger Jahren des fünfzehnten Jahrhunderts, durch welche ja das ganze System jener Prozesse erst ermöglicht worden sei.

„In dieser Sache hat also die Neuzeit dem Mittelalter gegenüber keinen Fortschritt, sondern einen Rückschritt gebracht?" bemerkte Grete Siebenschein, die sich zunächst noch darüber freute, daß René alles wußte und ihm daher alle zuhörten.

„Das kann man eigentlich nicht sagen", wandte Lasch ein, „denn wie wir jetzt gehört haben, hat es diese Sache selbst in ihrer ausgeprägten und systematischen Form während des eigentlichen Mittelalters noch gar nicht gegeben."

„Sie ist aber doch aus dem Mittelalter hervorgegangen", sagte Grete.

„Auch diese Auffassung ist vielleicht nicht ganz die richtige" – so wandte sich nunmehr der zweite ‚Fachmann', nämlich Neuberg, sehr freundlich an Grete. „Die Hexenprozesse lagen sozusagen gar nicht auf der Linie des Mittelalters, sondern sind ein Zeichen des Zusammenbruches und Unterganges jener Welt."

„Um auf das früher Besprochene zurückzukommen" – so nahm Herzka wieder das Wort – „Sie sagten uns also, Herr von Stangeler, daß die allgemein verbreitete Anschauung, es wären vornehmlich alte und häßliche Weiber als Hexen verfolgt worden, ganz falsch sei, sondern daß viele junge Mädchen und schöne Frauen sich unter den Opfern befunden hätten?"

„Ja", antwortete der Fachmann, „das geht aus den Quellen hervor. In einem Verzeichnis etwa der zu Würzburg in den Jahren 1627 bis 1629 teils auch lebendig verbrannten Personen finden sich zum Beispiel Angaben, welche das ganz eindeutig bestätigen. Dieses eine Beispiel von vielen habe ich mir zufällig gemerkt. Anfänglich mag man mehr gegen alte und bösartig aussehende Frauenzimmer losgegangen sein; eine besonders heftige Abneigung gegen solche scheint dem Mittelalter eigentümlich. In diesem ersten Stadium der Hexenprozesse sind, wenigstens meiner Meinung nach, sogar noch gewisse altgermanische Vorstellungen vom Wesen und also auch vom Aussehen der Hexen wirksam. Später verliert sich das."

„Es kann also füglich nicht gesagt werden, daß es nur närrische oder halb blöde alte Weiber waren", bemerkte der Rittmeister.

„Wissen Sie über das Schicksal jener Frauen in Würzburg nichts Näheres?" fragte Herzka.

„Nein", sagte Stangeler.

„Und wie könnte man da zum Beispiel Näheres erfahren?"

„Kommt darauf an, ob außer den genannten Verzeichnissen auch die Prozeßakten erhalten sind, und wo sie liegen. Da es ein bischöfliches Inquisitionsgericht war, so könnten die sehr leicht sich erhalten haben, infolge der Kontinuität solcher Kanzleien."

„Also am wahrscheinlichsten in Würzburg selbst?" sagte Herzka.

„Ja. Jedenfalls müßte man von dort ausgehen."

„Und – glauben Sie, daß dies möglich ist? Ich meine, daß diese Dokumente, wenn vorhanden, überhaupt zugänglich sind?"

„Für jemanden mit irgendeiner wissenschaftlichen Qualifikation wahrscheinlich. Wenn man eine solche Marke umhängen hat, geht alles derartige meistens leicht: man weist etwa nach, daß man die Dinge für eine Arbeit braucht, und dergleichen. Freilich, als sogenannter Privatmann dürfte man's schwerer haben."

„Das letzte trifft bei mir leider zu", sagte Herzka.

Sein über den Rahmen des Bildungsmäßigen denn doch hinausgehendes Interesse begann bereits zu befremden, jedoch ohne daß dies allen ganz deutlich wurde. Sie hatten wohl nur die Empfindung eines hier vorhandenen lebhaften Bezuges zu einer Sache, der ihnen selbst nicht eignete.

„Wenn es auch keine alten und halbblöden Weiber waren", ließ sich jetzt Angelika Trapp vernehmen, „so unterlagen sie doch gleichwohl reinen Einbildungen."

„Ich glaube nicht, daß es ganz so war", sagte Neuberg zu Grete Siebenscheins Verwunderung, die ihn überrascht ansah. „Was meinen Sie, Herr von Stangeler?"

„Von ‚Einbildungen‘ im heutigen Sinne des Wortes kann überhaupt dabei keine Rede sein. Doch darüber kann man hier nicht so ausführlich sprechen", sagte er mit einer plötzlich verstockten Miene und sah zu Boden.

„Warum kann man darüber hier nicht sprechen?" wandte Grete ein. „Wenn du eine so überraschende Behauptung aufstellst, mußt du sie auch beweisen können."

„Es gibt billige Beweise, die man jedem erbringen kann und die nichts voraussetzen. Ich kann jedem Menschen beweisen, daß zweimal zwei vier ist oder daß es sozial richtig ist, Kinderheime zu bauen. Das kann jeder verstehen. Andere und sehr wesentliche Beweise kann man wieder nur jemand geben, der dazu sozusagen schon seinerseits etwas mitbringt."

„Und wir bringen nichts mit, meinst du." Um Gretes Mundwinkel zuckte es, die plötzlich entstandene gereizte Spannung zwischen ihr und Stangeler ward nun wohl allen offenbar.

„Das behaupte ich nicht", sagte er. „Aber man kann eine Sache immer nur aus deren ureigenstem Mittelpunkte heraus verstehen, und nicht als ein Fremdling von außen anstreifend. Die Welt des Mittelalters etwa ist von jedem, der nicht in sie eingelebt ist – ich möchte sagen ‚eingeliebt', denn man versteht ja nur, was man liebt! – von jedem solchen also ist sie schon dadurch getrennt, daß sein neuzeitlicher Wortschatz sich mit dem jener Zeiten nicht deckt, daß also in den beiden Zeiten ein und dasselbe Wort nicht die gleiche Substanz hat. Wenn ich heute sage ‚Einbildungen', so meine ich damit eine mehr-weniger nervöse, neurotische oder hysterische Erscheinung. Es geht aber am Wesen der Sache vorbei, wenn ich das gleiche Wort für eine Zeit anwende . . ."

„Nun sprichst du ja doch wieder vom Mittelalter", unterbrach ihn Grete, „und vorhin hieß es, diese Sache habe damit nichts zu tun." Ihre Freude an Renés Wissen schien wirklich ganz verflogen zu sein. Neuberg betrachtete sie etwas verwundert und zugleich doch bewundernd.

„Ja, jetzt sprach ich vom Mittelalter", sagte Stangeler mit einer, wie es schien, plötzlich in ihm zustande gekommenen unerschütterlichen Ruhe, „denn wenn irgend eine Zeit mit ihren Gestalten oder Erscheinungen und Formen begriffen werden soll, so muß man sich weit über diese Zeit hinaus in die Vergangenheit zurückziehen und die betreffende Periode von vorne anvisieren, nicht nur von rückwärts her sie betrachten. Eine wirklich intime Kenntnis dessen, was jeweils für eine Generation das ‚Altmodische' war, eine Kenntnis, die aber aus diesem eben jeweils altmodisch werdenden heraus nach vorne schaut und nicht in die Vergangenheit hinein wie in einen Antiquitätenladen – eine solche Kenntnis macht es dann leicht, sich in die danach heraufkommende neue Zeit ‚einzuarbeiten': der Gegenstand kommt schon ganz vertraut entgegen. Geschichte ist keineswegs die Kenntnis vom Vergangenen, sondern in Wahrheit: die Wissenschaft von der Zukunft; von dem nämlich, was jeweils in dem betrachteten Abschnitte Zukunft war, oder es werden wollte. Denn hier liegt das wirkliche Geschehen, die Strom-Mitte, die Rinne der stärksten Strömung."

Grete schwieg. Sie hatte es anscheinend aufgegeben, hier zu opponieren. Vielleicht wurde sie auch durch ein wiederholtes, offenbar zustimmendes Kopfnicken Neubergs beeinflußt, und am Widersprechen verhindert (wenigstens hat das Dr. Körger nachher behauptet).

René wandte sich plötzlich an Quapp:

„Wenn Geschichte die Wissenschaft von der Zukunft ist, dann, verstehst du, hat sie die Aufgabe, für alles, was nachher einen Namen bekam, das entsprechende Brunnenhäuschen, den entsprechenden Bogenfrosch ausfindig zu machen. Verstehst du mich?!"

„Ja!" rief Quapp sehr laut, „es ist mir völlig klar."

„Mit Ihrer Klarheit dürften Sie wohl allein dastehen", sagte Grete. Sie wurde aber von Quapp in keiner Weise beachtet. Neuberg, der erst ganz verdutzt gewesen war, lachte plötzlich los, warum, wußte er wohl selbst nicht. Schlaggenberg nickte Stangeler zu, und Körger beschwerte sich, ähnlich wie damals auf dem Ausfluge bei den klapprigen Bänken in der dünnen Frühjahrssonne:

„Ihr verblödet schon jedes Gespräch mit eurem Rotwelsch!"

„Nun gut", sagte Stangeler ganz leichthin, „es sind das eben Kurz-Zeichen, deren Bedeutung immer nur denjenigen ganz vertraut sein kann, die beim zufälligen Zustandekommen derartiger Stichwörter zufällig zugegen waren . . . es haben viele Menschen solche eigene Ausdrucksweise. Ich könnte diese Wörter auch jetzt und hier ohne weiteres erklären – aber das wäre ja ganz uninteressant. Im übrigen, es ist mit solchen Bezeichnungen oder Ausdrücken so beschaffen, daß sie ihre Kraft verlieren, wenn man sie zu oft gebraucht. Man soll sie möglichst selten gebrauchen."

„Scheint mir auch empfehlenswert", sagte Grete.

Stangeler sah sie mit einem Blick an, in welchem sehr viel Geduld lag (,die er offenbar aus der klaren und ganz unerbittlichen Einsicht bezog, daß Grete Siebenschein ja nicht einmal verstand, wovon hier die Rede war –' so Schlaggenberg, anläßlich seiner Schilderung dieser ganzen Szene).

„Aber bitte", ließ sich jetzt die Studentin Angelika Trapp wieder vernehmen, „vorhin sagten Sie doch, Herr von Stangeler, daß bei den Hexen nicht eigentlich von Einbildungen gesprochen werden könne, nicht von Einbildungen im heutigen Sinne – Sie haben das dann zu erklären begonnen, und ich glaube den Anfang hab' ich verstanden. Wollen Sie uns das nicht weiter auseinandersetzen?"

„Ja", sagte René, „ich will es versuchen. Da unserer Zeit fast jedes Wissen verloren gegangen ist von der Imaginationskraft, ,womit dämonisch Begnadete Himmel oder Hölle bevölkern, die sonst leer wären, und doch nicht aufhörten zu existieren' – wie Scolander einmal sagt – so liegt jene Kraft für sie bereits auf dem Gebiete des Krankhaften: wohin sie jedoch ihrem Wesen nach und grundsätzlich gar nicht gehört, vielmehr im Bilde einer vollständigen Menschlichkeit genau so ihren Platz hat wie andere Kräfte des Leibes und der Seele auch. Wir aber kennen derartiges nur mehr bei den Narren, wo der geheimnisvolle Verlauf der Krankheit irgendeinen armseligen Kerl so sehr bis auf den Grund aufspaltet, daß dort unten Erbgüter erscheinen, tief unter dem Schotter, die beim Heraufquellen allerdings nur mehr pittoreske, bald platzende Blasen bilden können. In der gesunden Vollkraft – dem allein gültigen Maßstabe! – eignet heute niemandem jene imaginative Fähigkeit. Sie kann im allgemeinen in unserer Zivilisation nur als Geschwulst auftreten, welche gleich den ganzen Menschen verzerrt – nämlich ihn zu einer Art von Original macht – oder als Folge aufspaltender Geisteskrankheiten. Ein Mensch, der, im gesunden Gleichgewichte bleibend, solches heute noch vermöchte, wäre für unsere Zeit ein Monstrum – war aber für jene Zeiten durchaus ‚normal'."

„Es wäre ein konkretes Beispiel hier von Vorteil", bemerkte Lasch hinter der Zigarre hervor, die er dabei nur ganz wenig vom Munde entfernte.

„Ich habe ein solches bereit", sagte Stangeler, der sich anscheinend heute abend in einer Art von glücklichem Gleichgewichtszustand befand, aus welchem ihn nicht einmal die kleinen Seiten-Attacken seiner Grete hatten werfen können – „ich habe ein solches bereit", sagte er, „und ein sehr deutliches sogar."

Dieses Beispiel gehörte noch dazu; aber was ihn während der ganzen bisherigen Unterhaltung schon leicht und glücklich gemacht hatte, das war die Ordnung, mit der ihm die Worte in den Mund traten, so daß er sagen konnte was er meinte und es mit dem Verstande vertreten auch vor solchen, bei denen er außer ihrem Verstande für sich wahrlich nichts voraussetzen durfte. Sonst aber hatten ihn bei solchen Anlässen allermeist die eigene Ungeduld und die aus ihr folgende Verworrenheit allein schon um jeden Schein einer geordneten Darstellung und also auch der Berechtigung seines Standpunktes gebracht.

Ja, es gab zwei Sprachen in Stangelers Mund: die eine verdiente kaum diesen Namen, sie war kein Ausdruck und keine Mitteilung, sie war nur ein recht krampfiges Mittel, um einen gerade jetzt erwünschten Eindruck beim Hörer zu erzeugen. Anders aber, wenn er für sich nichts wollte, sondern nur die Sache, über welche auszusagen war: da vermochte er mit seiner Darlegung eine maßvolle Mitte zu halten und den richtigen Abstand nach allen Seiten.

(‚Obwohl ich ihm erst diese dummen Einwände gemacht hatte, liebte ich ihn dann doch maßlos, als er sprach‘ – so Grete Siebenschein, wörtlich, bei ihrer späteren Schilderung dieses Abends.)

Stangeler wandte sich plötzlich halb herum und sprach Géza von Orkay an, auf welchen hiedurch die allgemeine Aufmerksamkeit gelenkt ward; denn bisher war der Magyare durchaus nur schweigend und zuhörend zugegen gewesen, mit seinem etwas finsteren, starren Gesicht.

„Du erinnerst dich, Géza“, sagte René, „an unser Gespräch über die merkwürdige Tatsache, daß die heilige ungarische Königskrone einmal gestohlen worden ist?“ (Orkay nickte zur Antwort.) „Der Diebstahl ist von einer Wiener Bürgersfrau ausgeführt worden, in der Nacht vom 20. auf den 21. Februar des Jahres 1440, übrigens im Auftrage der Witwe des deutschen Kaisers Albrecht II. Diese sah einer Geburt entgegen, hoffte auf einen Sohn und wollte ihn gleich als König von Ungarn rechtmäßig krönen lassen, was dann auch geschehen ist. Über das haarsträubende Abenteuer jener Wienerin sind wir ganz genau unterrichtet, da man es später hier nach ihrem Diktat niedergeschrieben hat, in ein kleines Heft, das heute auf der Nationalbibliothek liegt. Es sind siebzehn beschriebene Blätter, also eine ausführliche Darstellung mit Vorgeschichte und allem Drum und Dran bis zur Krönung des kleinen Königs; alles in der Form einer sehr lebhaften Ich-Erzählung, was im Mittelalter selten ist. Aus dem ganzen Bericht geht vor allem eines hervor, daß nämlich Frau Kotanner – so hieß sie – eine nüchterne und handfeste Person war, mit stark hervortretendem Tatsachen-Sinn, dazu – was sich wieder aus gewissen Einzelheiten schließen läßt – körperlich robust. Sie war auch noch jung. Während der furchtbaren Aufregungen jener Nacht auf Schloß Visegrád an der Donau – dort befand sich die Krone unter starker Bedeckung –

wurde sie zweimal vom Teufel angefochten; sie vermeinte nämlich auf dem dunklen Gang, der zum Krongelaß führte, jedesmal das Herankommen der Wachen mit großem Gepolter und mit Gerassel von Harnischen zu hören, so daß die Kotanner sich und alles verloren glaubte. Dann war es nichts. Sie schlich und überzeugte sich davon. Beim zweiten Male aber war das Getöse wieder so mächtig, daß ihr gar nicht einfiel, sie könne sich ja getäuscht haben, wie beim ersten Male, sondern sie erschrak noch viel mehr – ‚daß ich vor Angsten alle Zittern und Schwitzen ward‘ sagt sie selbst. Bei dem ersten Lärm glaubte sie, es sei ein Gespenst gewesen; beim zweiten wußte sie endlich und beinahe mit Erleichterung, daß es der Teufel sei, der ihr Unternehmen zuschanden machen wolle: gegen den half Beten. Wir würden sagen, sie habe eine Gehörs-Halluzination gehabt. Aber im Grunde sind das nur Namens-Verschiedenheiten. Sie hat jedenfalls etwas erlebt, was durch einige Augenblicke eine übermächtige Wirkung auf ihre Nerven, ihren Herzschlag, ihre Atmung hatte und was ihr Handeln bestimmte – sie schlich ja und sah nach – und dann erkannte sie ‚daß es ein Gespenst oder der Teufel gewesen sei‘. Will jemand die Wirklichkeit dieses Erlebnisses bestreiten? Bei einem heutigen Frauenzimmer würde es nur nicht bis zu jener schöpferischen Kraft gedeihen, sondern schon früher in einem ‚Nervenzusammenbruch‘ oder einem ‚hysterischen Schreikrampf‘ enden. Letzteres wäre der Kotanner dort verdammt schlecht bekommen! Nein, der gesunde und voll handlungsfähige Mensch – die Kotanner hat sich wahrhaft unmittelbar danach als höchst nüchtern und handlungsfähig erwiesen – der gesunde Mensch also hatte auf seiner Skala auch das, was wir heute ‚Halluzination‘ nennen und was für uns schon nach Pathologie und Spital riecht. Damals aber lag es innerhalb des Normalen, somit innerhalb des Gültigen. Warum sollte es also nicht im Leben gelten?! Von diesem ganzen Boden aus also muß man auch die früher besprochenen Hexenprozesse begreifen, sonst bleibt man in lauter Schlagworten wie ‚Aberglaube‘ und ‚Hysterie‘ stecken, die für unsere Zeit wohl irgendetwas sagen können, nie aber für jene.“

„Sehr gut“, sagte Lasch vor sich hin, als hätte er eine Art Kunstleistung genossen.

„Aber es gibt doch Tatsachen“, meinte Grete, jedoch schon ohne jeden militanten Ton; sie sagte es beinahe klagend und sah

Stangeler dabei ganz hilflos an, liebevoll, ja geradezu mit einem Aufblick.

„Gewiß gibt es Tatsachen . . .", sagte er, und blickte seine Grete ebenso versöhnlich an wie sie ihn, „aber sogar das konnte ernstlich in Frage gezogen werden, noch dazu von den Engländern, welchen doch ein Tatsachen-Sinn nicht abgesprochen werden kann. Einige ihrer Philosophen haben im achtzehnten Jahrhundert den Versuch gemacht, die Weltauffassung einmal rein erfahrungsmäßig aufzubauen, ohne jede Voraussetzung oder Voreingenommenheit. Diese Arbeit wurde von ihnen dann auch folgerichtig durchgeführt, und eben dabei kam am Ende die Fraglichkeit aller ‚Tatsachen' überhaupt zum Vorschein. Jene haben das durch und durch zu Ende gedacht, ich glaube, man kann sich beinahe auf sie verlassen. Ich habe hier keine Meinung. Aber es gibt genug Hinweise auf die Fragwürdigkeit jeder sogenannten Wahrnehmung, und neuestens werden diese Hinweise sogar von einer halb ärztlichen oder naturwissenschaftlichen Fachwissenschaft geliefert, nämlich von der Psychologie."

„Das ist interessant", sagte Lasch und fügte hinzu: „Bitte das zu erklären." Er sah mit einem gewissen Stolz zu – Quapp hinüber (diesen merkwürdigen Blick hat Schlaggenberg beobachtet), wohl deshalb, weil ihr unzweifelhaft anzumerken war, daß sie nicht mehr folgen konnte, viel mehr noch immer mit einer geradezu vierfüßigen Gründlichkeit während des Zuhörens sich um alles früher von Stangeler Gesagte bemühen mußte. Und nun kam noch Neues!

„Diese Leute haben nämlich herausgebracht", fuhr Stangeler fort, „daß in jeder Wahrnehmung, auch schon in der einfachsten, ein schöpferisches, ein produktives, sagen wir also ein – kotannerisches Moment steckt und darin tätig ist. Das wurde auf dem Wege des Experimentes ermittelt. Bei solchen Experimenten wird das Leben bis zur Unkenntlichkeit vereinfacht, skelettiert, bestimmte Bedingungen werden hergestellt, möglichst ganz allgemeine, die unter allen Umständen zutreffen. Diese Experimente sind eben so langweilig wie unsympathisch. Aber hier ist dabei wenigstens etwas herausgekommen. Man hat einer Reihe von gesunden und verläßlichen Versuchs-Personen in rascher Folge viele viereckige Figuren gezeigt, wobei jede für eine bestimmte genau bemessene Dauer ‚exponiert' wurde und dann wieder verschwand. Die Versuchspersonen gaben dann an, was sie gesehen hatten: übereinstimmend sagten sie, so und so viele geschlossene viereckige geometrische Figuren. In der Tat aber war unter diesen Figuren ein erheblicher Teil nicht fertig gezeichnet, war nach einer Seite zu offen, hatte nur drei Ecken oder Seiten und die vierte gar nicht ausgeführt. Gleichwohl war immer die vollständige Figur gesehen worden. Die Vorstellung, welche bereit lag, erwies sich somit ohne weiteres stärker als die Wahrnehmung, welche herantrat. Die Figuren wurden alle wirklich viereckig gesehen. Wirklichkeit aber ist das, was im Leben wirklich wirkt. Die Figuren waren in Wirklichkeit alle viereckig, drinnen aber, im Apparat, der sie projizierte, keineswegs. Was fehlte, wurde hinzugeschaffen. Nun verhält sich aber solch ein Versuch zum Leben etwa wie ein einzelnes abgelöstes Atom Eiweiß zu einem ganzen Menschen . . . ich meine, wenn hier erst kompliziertere Bedingungen eintreten, wenn sich zahllose Wahrnehmungen und ihre Ergänzungen überschneiden . . nun genug davon. Die Gelehrten haben das Ganze dann natürlich bis zum Äußersten getrieben, in Tabellen gebracht, mit Expositionsdauer, Permutationen der Reihenfolge, Prozentsätzen, und so weiter, und so weiter."

Er schwieg.

„Ja, aber – wohin kommt man auf diese Weise?!" sagte Angelika „man fällt ja in's Leere . .."

„Für die Aufgaben des Menschen im äußeren praktischen Leben können diese Gesichtspunkte keinesfalls fruchtbar werden", meinte Lasch.

„Mir scheint gar, hier ist der heilige Stuhl der Objektivität in's Wanken geraten!" rief Schlaggenberg dazwischen, und Körger begann laut zu lachen.

Vielleicht war es gerade dieses Lachen, ein breites und gewissermaßen schamloses Lachen, welches in Grete Siebenschein neuerlich Kampftriebe mobil machte.

„Erlauben Sie, Herr Doktor" – sie wandte sich geradewegs an ihn, statt an Schlaggenberg, der doch gesprochen hatte; aber das Gelächter Körgers wirkte so zustimmend, war eine so grobe Form der Zustimmung, daß es weit mehr ihren Widerspruch herausforderte als überhaupt alles bisher Gehörte – „erlauben Sie", sagte Grete „mag man solche Zeiten wie die, von denen René geredet hat, bewundern wie man will – was ist am Ende das Ergebnis gewesen? Eine so entsetzliche Sache wie diese Hexenprozesse zum Beispiel, solch eine maßlose Grausamkeit! Und was lag dem allen zugrunde? Täuschung über Täuschung! Warum lachen Sie über die Objektivität? Sie wird den Menschen weniger Schaden bringen. Sie ist vielleicht unser größter, unser entscheidender Fortschritt."

„Sie glauben also an den Fortschritt, wie ich bemerke", sagte Körger, und noch immer halb lachend, obgleich Grete in einen beinahe scharfen, zumindest in einen gereizten Ton verfallen war.

„Ja, wie denn nicht?! Das ist ja lächerlich! Das heutige Leben unterscheidet sich denn doch in wesentlichen Punkten von dem früherer Zeiten!"

„Möchten Sie mir nicht so einen wesentlichen Punkt angeben?" fragte Körger.

„Nun, als nächstbestes zum Beispiel", erwiderte Grete und sah aufgeregt rundum, „die ganz andere Sekurität des heutigen Daseins der Menschen! Darin kann sich doch keine frühere Zeit mit der unseren vergleichen!"

„Na, wenn Sie nur nicht eine saftige Enttäuschung noch erleben mit Ihrer ‚Sekurität' – ich würde mich darauf nicht gerne verlassen an Ihrer Stelle", entgegnete Dr. Körger.

Jedoch vernahm man seine Worte kaum mehr, denn es traten zwei kleine Ereignisse ein, die überraschend wirkten und deren eines im Kreise der Unsrigen nicht mehr in Vergessenheit geraten sollte.

Unmittelbar nachdem Grete Siebenschein das Wort ‚Sekurität' ausgesprochen hatte, hörte man plötzlich einen lauten Ton, der durchaus wie das Grunzen eines großen Schweines klang. Dieser Ton, dessen mißbilligende Bedeutung ganz deutlich war, ging von dem Rittmeister aus.

Gleich danach aber geschah etwas vollends Ungewohntes: Herr von Orkay begann schallend, fassungslos und wiehernd zu lachen, und beruhigte sich nur mit vieler Mühe.

Dem Rittmeister in seinem Dusel muß diese ‚Sekurität' einen überaus tiefen Eindruck gemacht haben. Ja, sie muß wie ein Stachel in seinen sanften Rausch hineingefahren sein, sie muß dort eine Art Narbe oder ein Mal hinterlassen haben, denn viel später noch, wenn er besoffen war und ihm irgendwas gar nicht recht passen wollte, pflegte er zu brabbeln: „Weeßt' de, det is ooch so was von denen ,Sekuritäten' . . . hat uns jerade noch jefehlt."

Aber bald war der Ernst des Gesprächs wiederhergestellt.

„Ja, welchen Sinn soll denn dann das Leben überhaupt haben?!" hörte man jetzt Angelika Trapp ausrufen. Rasch, ja im Galopp, über die Fragwürdigkeit der Tatsachenwelt hinweg, hielt man schon an keinem geringeren Punkte als an diesem: und so machten sie es wie ein Schütze, der seinen eigenen Fehlschüssen dadurch ein Ende setzt, daß er den Bogen beiseite legt, kurzerhand zur Scheibe geht und seinen Pfeil mitten in's Schwarze steckt.

Bis hierher war mir der Verlauf dieser ganzen Geselligkeit genau geschildert worden und, wie sich bereits denken läßt, von den verschiedensten Seiten. Es bleibt dabei nur die naheliegende Frage zu beantworten, warum ich selbst nicht zugegen gewesen sei.

Ich habe diesen regnerischen Samstag daheim verbracht, ohne bis zum Abend überhaupt auszugehen. Frau Siebenschein's Einladung war schon vor mehr als acht Tagen erfolgt und von mir mit Dank dahin beantwortet worden, daß ich unglücklicherweise gerade am Nachmittag des 14. Mai bei einer Konferenz zugegen sein müsse, die eine Sache betreffe, welche mir während meiner Amtszeit noch zur Bearbeitung obgelegen, dann aber geruht habe und nun wieder aufgenommen worden sei (ein Akt hat ein zähes Leben). Nun müsse ich also wohl oder übel dem zur Zeit an meiner Stelle befindlichen Amtskollegen auf seine Bitte hin ein wenig beistehen, damit er sich leichter in den Fall einarbeiten könne.

Das Ganze war erlogen, wie sich denken läßt, und damit habe ich schon zugegeben, daß ich mit Absicht an dem Tischtennis-Fünf-Uhr-Tee bei Siebenscheins nicht teilnahm. Jedoch war Frau Irma von meiner Seite versprochen worden, daß, wenn meine Pflichten erledigt wären und bis zur Oper Zeit genug bliebe, ich wenigstens einen Sprung noch hinaufkommen würde – ich hatte ihr nämlich (diesmal wahrheitsgemäß) gesagt, daß ich für Samstagabend in die Oper eingeladen worden sei.

Ja, ich verbrachte diesen ganzen kühlen, regnerischen Samstag daheim, ohne bis zum Abend überhaupt auszugehen. Die

Stille, welche durch fernes Geräusch eines Wagens oder etwa das Klingeln der Straßenbahn wie durch Grenzpfähle im weiten Bereiche abgesteckt war, und durch das Summen irgendeines Wasserleitungsrohres, oder durch Schritte im Stockwerke über mir noch betonter schien, von innen betont, aus dem eigenen Körper-Innern fast, das dem Hause gleich ward – diese Stille bohrte ich heute an, wie ein Tunnel-Mineur das Gestein. Ich war gereizt und gespannt. Ich hatte erkannt, daß ich bei einem ‚Plenum' der Unsrigen – wie ein solches ja dieser Tischtennis-Tee von Anfang an zu werden versprach – daß ich also bei einer solchen Plenarversammlung derzeit gar nicht mit Vorteil anwesend sein könne. Ich wehrte mich noch gegen meinen Zustand, von dem ich aber längst wußte, daß er mit ‚Tratschsucht' oder ‚zu weit gehender Anteilnahme' gar nichts zu tun hatte. Sondern, um's klipp und klar zu sagen, mit der nicht mehr abweisbaren Einsicht, daß ich keineswegs in einen Kreis von Sonderlingen oder Hinterwäldlern oder sonst in eine abseitige Gesellschaft hineingeraten war, sondern daß in unserer Stadt eben überall die ungefähr gleiche Beschaffenheit der Menschen herrschte.

Während ich mit meinen Zweifeln im Zimmer hin und wieder lief – sie folgten mir wie ein Rudel lautloser Hunde – brach gegen Mittag die Sonne aus den Regenwolken. Ihr Schein stand durch einen Augenblick auf jenen Wiesen, die ich von meinem Fenster aus sehen konnte, lag aber gleich darauf schon in einer blassen Bahn quer durch's Zimmer. Weit weg hinter den Bäumen vor meinem Hause verschob sich dort auf der breiten Straße ein rotgelber Wagen der Trambahn, für ein kurzes sah ich diesen Fleck durch das noch helle Grün einer Baumkrone und gleichsam darin sitzen ‚wie eines jener roten Eier, die man zur österlichen Zeit hat', dachte ich.

Die lautlosen Hunde ließen von mir ab. Für einige Sekunden nur fühlte ich damals eine kommende Klarheit über mir; ich fühlte sie geradezu über mir hangen, in einem noch gänzlich unbenannten Vorwissen des Künftigen.

Der einfallende Strahl erlosch. Ich glaube heute fest daran, daß es ein vorausgeratenes Stück jenes selben Lichtes war, welches mir nunmehr scheint, bei der Durchsicht oder Niederschrift all dieser Histörchen hier, in Schlaggenbergs ‚letztem Atelier', unter den schiefen Balken und dem Oberlicht, das mich hell überdacht. Darin steht der leere Himmel.

Es sind auch viele tot jetzt und viele nicht mehr im Lande. Mit dem Erlöschen der Sonne begannen die Hunde wieder zu irren. Ich zog deshalb eine Flasche Wacholderbrand hinter dem Bücherkasten hervor. Übrigens erschien meine Hausfrau – ich hatte ihr gesagt, daß ich daheim zu speisen wünschte – und mit ihr also das Mittagessen.

Gegen halb sechs Uhr begann ich mich umzukleiden, da ich für die Oper des Abendanzuges bedurfte. Die Vorstellung, daß ich in solcher steifhemdiger Pracht bei den Siebenscheins mich würde präsentieren müssen, war mir wohl zuwider, da ein Mann im Smoking inmitten von alltäglich Gekleideten immer auffällt oder wie ein Kellner wirkt. Indessen blieb nichts anderes übrig.

Ein Blick aus dem Fenster zeigte mir die zutiefst gelegenen Teile der Stadt, besonders gegen die Donau zu, in dichter werdendem Nebel versunken. Der Regen hatte indessen aufgehört.

Ich ging in's Badezimmer und begann herumzuhantieren, mit der Rasierseife, mit Bürste und Kamm.

Die lebensfremd übersteigerte duftige Kühle des Lavendelwassers öffnete eine Tür nach rückwärts. Wie eine lange Flucht von Zimmern tat es sich auf, an deren Ende oder eigentlich Anfang ein großes Spielzimmer mit weißlackierten Möbeln lag, worin man gerade noch den Umriß der Bonne im Schein der Lampe am Tisch ausnehmen konnte. Ich sah auch ein Haus an einem der Salzkammergutseen, und auch jene Köchin – eine Person mit ganz hellen gekrausten Haaren – die beim Geflügelschlachten immer das Gesicht weggewandt und sich endlich auf solche Weise an der Hand verletzt hatte . . . das alles war durch einige Sekunden mir hier viel näher, viel dichter in's Gesichtsfeld und auf den Leib gerückt, als Porzellan, Kachel, Hähne des Badeofens oder die Glasplatte vor mir mit Seife und Pinsel. In der Zimmerflucht, der geraden – sie war schnurgerade, stand auf einer Achse, hatte nirgends Beuge oder Knick – gab es mittwegs merkwürdigerweise auch ein paar Schützengräben und Kasernenräume. Ja, es gab die Feld-Eskadron auf dem Marsch, noch stolz beritten ('mit Vieren' – sie war auch so lang genug!), und den trefflichen Wachtmeister Alois Gach, in dessen Nähe ich mich als junger Reserve-Offizier gerne hielt: von ihm ging Tapferkeit aus, keine bloß durch den Krieg schneidig-aufgereizte, sondern eine feste, ruhige, die er sicher auch sonst im Leben besaß. Es war alles ein und dasselbe, und übersichtlich: jetzt erst, neun Jahre nach dem großen Kriege, würde ich da erstmalig, zuinnerst und wirklich, um eine Ecke treten, diesen Ausblick verlieren, einen ganz anderen gewinnen. Und ich fühlte, deutlich wie noch nie, daß jener Feldzug einen wirklichen Abschnitt in mein Leben nicht hatte bringen können, auch nicht des alten Kaiserreichs Zusammenbruch.

Sondern jetzt, und ohne den Lärm der Geschütze, und ohne die revolutionären Schreie der Straße: jetzt fiel eine Tür in mir zu und ging eine andere auf, in aller Stille.

Ein Perlchen rollte über das Glas. Es war mir aus der Hand gefallen, ich hatte es in der weißen Hemdbrust befestigen wollen. Nun lag es da und schimmerte matt. Ich war lange bewegungslos gestanden. Ich hatte in mein Leben gesehen wie in eine hohle Hand. Ich nahm jetzt erst von dem kleinen braven Kinderzimmer dort am Anfange der Flucht Abschied. Es war alles gebührlich gewesen: Gehorsam im Elternhaus, Pflicht im Amte oder Pflicht als Soldat; so gehorchte ich Gesetzen, die ich selbst nicht geschaffen, auch nicht nachgeschaffen hatte. Der intakte Duft einer heileren Welt, die noch ganz geblieben war in mir, die noch in mir lebte mit kühlen, tiefen Räumen der kleinen Palais im Herrenviertel unserer Innenstadt, ihr Duft, der heute noch in vielen Dingen war, die ich besaß, in Ledertaschen steckte, an einem Sattel hing, kaum feststellbar und doch anwesend ein Möbelstück bewohnte: ihr Duft hob sich noch einmal und trat von mir ab, hinter einen trennenden Spalt. Die Gradlinigkeit der Flucht von Räumen brach.

Ich nahm das Perlchen auf und preßte es durch das harte Leinen.

Ich wußte, daß ich doch schon drauf und dran gewesen war, ein älterer Herr zu werden. Damit war's nun vorbei. Eine neue Vergangenheit wuchs mir zu, sie war noch kein halbes Jahr alt.

Als ich auf die Straße trat, dämmerte es kaum. Ich hatte Zeit, ich war noch immer zu früh daran. Ich wollte ja dort nur hinaufsehen, einen Sprung hinauf machen, wie man zu sagen pflegt. Daß ich gerade heute dann in die Oper kommen sollte, berührte mich mit einer seltsamen Wehmut. In den Straßen unseres Vororts hier herrschte die gelöste durcheinander strudelnde Bewegung des Sonnabends, wo jedermann noch was einzukaufen hat. In den Läden für Lebensmittel, die noch offen hielten und bereits erleuchtet waren, standen die Kunden dicht hintereinander, vorwiegend Frauen, mit angestrengtem Gesichtsausdruck, weil sie erst hier im Laden eigentlich ihren Bedarf überlegten, mit Wählen und Zaudern den Verkäufer und die anderen Käufer aufhielten, in diesem Zusammenhange einen wahren Schrecken für den Junggesellen bildend, der schon vor der Türe weiß, was er haben will und beim Eintreten gleich den Zettel, wo's vermerkt ist, aus der Tasche zieht, um's nur kurz abzumachen; jetzt aber muß er wegen eines langwierigen Wahlaktes zwischen Radieschen und Rüben warten. Ich ließ mich treiben, ich bestieg die Straßenbahn noch nicht, sondern ging zu Fuß meine Richtung weiter. Der Nebel begann hier schon bemerklich zu werden; die Dunkelheit kam heute viel früher.

Als ich dann eingestiegen war, fuhren wir in den tiefer donauwärts gelegenen Teilen der Stadt ersichtlich in den Nebel hinein. Auf dem großen Platz vor dem Bahnhof war er so stark, daß die erleuchteten Kugeln über der Fahrbahn oder vor einem Café frei in der Luft zu schweben schienen.

Gleichwohl erkannte ich in einem gerade vor mir den Platz querenden hochgewachsenen Manne ganz zweifelsfrei den Medizinalrat Doktor Schedik, Kajetans Schwiegervater. Ich war auf der anderen Seite eben daran, ihn einzuholen, als er Richtung auf das Haustor zu den Sieben Scheinen nahm und darin verschwand.

Vor dem Fahrstuhle trafen wir uns dann. Er hatte in der Tat das gleiche Ziel wie ich.

Prost! dachte ich, und wie geht das zu?!

Wir stiegen oben aus und warfen die Gittertür in's Schloß.

Das Mädchen öffnete. Dr. Ferry und seine Gattin waren beide gerade im Vorzimmer anwesend. Die Begrüßung war herzlich, aber als Frau Irma den alten Schedik erblickte, bemeisterte sie ihre Verdutztheit über das Erscheinen von Kajetans Schwiegervater hinter einer so dick aufgetragenen Freundlichkeit, daß es mich senkrecht ordinär anmutete und ich sogleich wußte, sie habe den Medizinalrat keineswegs unter ihren Gästen erwartet. Der alte Schedik ging sichtlich wohlgelaunt hinein, ich aber zipfelte noch herum, da ich einen großen weißseidenen Schal, der meine Pracht unter dem Paletot zu schützen hatte, erst in diesem verstauen mußte. Und dabei hörte ich – ja, Frau Irma schien so aus dem Häuschen, daß sie meine Anwesenheit ganz vergaß – dabei hörte ich also das folgende eheliche Gespräch von der Eingangstüre her:

„Du hast ihn eingeladen?! – ja hast du denn meschuggene Schwammerln ... was fällt dir ein?!"

„Warum?! Zur Erhöhung der Gemütlichkeit ... er ist doch so ein netter Mensch."

„Ja, das weiß ich. Aber bist du denn blöd?! Wo doch der Schlaggenberg ..."

„Nun – sie werden sich nicht gegenseitig auffressen."

Ich trat ein und begrüßte Frau Markbreiter, den Hofrat Tlopatsch, Höpfner, Siegfried Markbreiter, Gyurkicz und Doktor Draxler und alle, alle ... ganz wild durcheinander. Ja, ich hatte wirklich den Eindruck eines wilden Durcheinanders, als ich hier eintrat, im ersten Augenblick. Die Wiesinger lächelte freundlich mit ganz kleinem gestupsten Gesicht hinter Brillen. Ich schritt weiter durch das Zimmer, wo die großen grünen Tische verlassen standen, und kam zu den Butzenscheiben und hielt unter der offenen Flügeltüre an.

Denn hier ging es recht merkwürdig zu. In der Mitte des Kreises, der sich da gebildet hatte, stand jetzt Stangeler aufrecht, bewegte die Arme und redete laut das Folgende:

„Ja, wenn es schon durchaus einen ‚Sinn‘ haben muß, das Leben, der sich nicht einfach von selbst versteht – so wird doch dieser Sinn keinesfalls in den – Tatsachen liegen, um die ihr so besorgt seid, draußen also, sondern gewiß doch innen (er schlug sich leicht gegen die Brust), und eben in der Erfüllung – des eigenen Schicksals, das gemeint war von Anfang an, welches man endlich einholt ... in der vollkommenen Ausfüllung jener Gestalt, die einem gewissermaßen aufgetragen war ... damit man nicht verlorengeht, zerflattert, seitwärts in's Beiläufige taumelt, wo es dann einfach heißt ‚mag er fallen!‘, ‚für nichts mehr gut!‘, ‚in die Versenkung‘ ... nein, in's – Bodenlose ..."

Und die letzten Worte stieß Stangeler mit einer auffallend hohen Stimme und in einem fistelnden Tone hervor, der außer Zweifel ließ, daß er, mit Wissen oder ohne, jemand nachahmte.

Ich sah jetzt, daß Schlaggenberg, der gerade jener Flügeltüre gegenüber, unter welcher ich stand, seinen Platz hatte, mir lächelnd einen sehr ausdrucksvollen Blick zuwarf. Lasch, der mit dem Rücken gegen mich saß, bemerkte diese Augensprache und wandte sich ziemlich rasch ganz herum. Er sah mich an und ich ihn, und dieses gegenseitige Anschauen dauerte verhältnismäßig sehr lange, nämlich einige Sekunden, während deren wir gewissermaßen mit den Blicken aneinander nagten.

Ich aber wußte von da ab, daß ich ihn zum Gegner haben würde in einem Kriege – dessen Stellungen er genau, ich noch unzureichend kannte.

Und in den ich hineingeraten war wie jener Römer Pontius ins Credo.

Genug – von jetzt ab war ich in der Tat beteiligt. Ich wußte es ganz klar, noch während Cornel Lasch und ich die Blicke kreuzten.

Inzwischen war ich allgemein bemerkt worden und die durcheinander erfolgenden Begrüßungen überwilderten das wesentliche Ereignis dieses Abends. Lasch und ich begrüßten einander als die ersten, er stand auf, verbeugte sich leicht, wir reichten uns die Hand. Quapp erhielt sogleich, nachdem ich ihren Handschuh mit dem Verband, der darunter ein wenig hervorsah, bemerkt hatte, einen besonders kräftigen Händedruck für Gesunde, sie lachte, und den Rittmeister, als er den Arm in der Schlinge ließ und mir die Linke reichte, fragte ich keineswegs, was ihm denn geschehen sei. Nein keineswegs . . . ich kann mich heute nicht mehr erinnern, ob ich diese Mätzchen mit den Händen schon vorher gewußt hatte. Wenn nicht, so hätte ich mir's dann leicht denken können. Es hätte nicht viel Verstand erfordert. Man brauchte nur zu wissen, daß hier alles in einer Verlegenheit, einer Halbheit, einer Notlüge, in irgendeinem Nachgeben seine erste Herkunft hatte, diese ganze Gesellschaft, wie sie war.

Ich dachte es noch, da schleppte mich Schlaggenberg schon beiseite, brachte mir Cognac und sagte gleich: „Es ist bemerkenswert, in welcher geschickten Weise Stangeler zur Befestigung meiner und damit auch seiner Stellung bei der Allianz beiträgt."

„Ja", sagte ich, „eine sehende Henne hätte hier das Korn nicht sicherer finden können."

„Dabei ist er eigentlich nicht blind. Er hat nur die Technik des indirekten Sehens, so wie die Artilleristen im Kriege indirekt schossen. Er sieht gewissermaßen um die Ecke . . . aber sehr gut. Jedoch, mein werter Herr Sektionsrat, dies beiseite gelassen, werde ich Sie gleich ein wenig inquirieren, eine kleine Inquisition, ein Strudel oder Wirbel von Zweifeln an Ihrer hochgeschätzten Person, ein Inquirl sozusagen hat sich in mir erhoben. . . ."

„Ja, was denn . . .", sagte ich und kippte das Glas. Ich hatte, während Schlaggenberg sprach, in ein plötzliches und geradezu fundamentales Nachdenken versunken, meinen Neffen, den Dr. Körger, betrachtet, der unweit von uns stand.

Denn dieser Kreis bei den Butzenscheiben war nicht mehr zum Sitzen und zu einer Schließung gekommen, seit mein Erscheinen hier ein Gespräch unterbrochen hatte, welches wohl in jeder Hinsicht seinen Höhepunkt überschritten und sich also erschöpft zu haben schien. Alle standen herum, zu zweit oder zu dritt plaudernd, da und dort in den Ecken, wie auch Schlaggenberg und ich, nur Herzka lag wieder mit weggestreckten Beinen in seinem Ledersessel. Zum Teil versickerte man auch durch das Zimmer mit den grünen Tischen hinüber in den anderen Raum, und Lasch hatte damit den Anfang gemacht, er ging wohl, um nach seiner Frau zu sehen, was mir durchaus angezeigt zu sein schien, denn ich hatte gleich nach meinem Kommen bemerkt, daß sie vollständig betrunken war.

Ich sah noch immer den Dr. Körger an, ich sah von rückwärts auf sein fettes Stiergenick und seinen kahlen Schädel – und so sah ich denn, paradoxerweise, vielleicht zum ersten Male sein wahres und wirkliches Gesicht. Ich erkannte damit, daß die Menschen ihr Gesicht an verschiedenen Stellen des Leibes angebracht haben, keineswegs alle an der Vorderseite des Kopfes. Diesen Körger da zum Beispiel mußte man unbedingt entschreiten, sich wegbegeben sehen, dann hatte man ihn erst überhaupt erblickt (eben ging er durch die Flügeltür hinaus), seine Kehrseite war also eigentlich die Front seines Wesens, mit rammenden, runden Schultern, wurstförmig wegbaumelnden Gliedern, Stiergenick, worin die künftigen Schwarten schon jetzt ihre Vorfältchen gruben . . . ja, das war ein Mann, der freilich alles von vornherein wußte. Der eine runde Summe von Wissen ebenso besaß wie eine runde Summe in dem Scheckbuch, welches er abends aus der rückwärtigen Hosentasche zu ziehen und auf den Nachttisch neben dem Bett zu werfen pflegte, und der Schlüsselbund klirrte unmittelbar nach und sodann schlenkerte er schon seine Schuhe ab. Welchen witzigen Vorteil genoß doch bei jeder neuen Bekanntschaft und Unterredung ein solcher Mensch, den man frühestens sehen konnte nach dem letzten gesprochenen Wort, wenn er bereits zum Gehen sich gewandt hatte, entschritt. . . .

Ich dachte da plötzlich an Doktor Trapp, den ich zwar so genau nie angesehen hatte – aber er fiel mir eben jetzt ein, gerade jetzt. Schon fühlte ich, daß an dem Punkte, wo jene heut abend geschaute inwendige Zimmerflucht brach, sich, wie es schien, vieles ändern mußte, sozusagen eine ganze Perspektive: unter ihr zeigte sich die Körger'sche Sicherheit nicht mehr als erstrebenswert, ja nicht einmal mehr als erfrischend. Meine Augen suchten im Zimmer.

Sie fielen auf Stangeler. Er lehnte drüben an der Wand, die Hände in den Hosentaschen.

Schlaggenberg sprach unausgesetzt auf mich ein:

„Sie haben mich also doch in gewisser Hinsicht beschwindelt . . . damals im Herbste, als wir uns zum erstenmal wieder trafen . . . Sie redeten da immer nur von Ihrem Café, wo Sie auch Bridge spielten, mit den Männern, mit den Männern jener Frauen reiferen Alters nämlich . . . daher also diese Altwolf, Starkbreiter . . . und nun kommt's heraus, wo der Bartel eigentlich seinen Most holt, wie man in Oberösterreich sagt . . . Diese Starkbreiter kommt ja zudem gar nicht in Frage, ist eine vollständige Niete, verdient ihren Namen nicht . . ."

„Heißt auch gar nicht so", sagte ich.

„Nun gut, gut, aber ich bitte Sie recht, recht sehr, mir zu sagen: kommt Frau Steuermann auch manchmal hierher? In Ihrem Café gibt es doch gar keine, die so ausschaut! Ich glaubte den ganzen Abend hindurch, sie käme vielleicht noch, weil doch die Starkbreiter mir hier plötzlich erschienen ist! Und Sie haben wohl alle diese Frauen von hier, nicht wahr? Und Sie kennen vielleicht obendrein noch andere Kreise, wo es solche Frauen gibt?! Sagen Sie mir: verkehrt Frau Steuermann auch hier?! Ich wollte die Starkbreiter nicht nach ihr fragen, so geradezu . . . und, sagen Sie aufrichtig, am Ende ist diese Steuermann auch eine Niete, wie . . .?"

„In Ihrem Sinne, Kajetan, ist sie ganz gewiß keine Niete", sagte ich ermüdet. „Sie zeihen mich da fortgesetzt der Unwahrhaftigkeit. Aber begreifen Sie denn noch immer nicht, daß es gar keine ‚anderen Kreise' gibt, daß ich gar nicht geschwindelt haben kann – weil das ja alles ein und dasselbe ist! Sie sollten das längst wissen, aber Sie stellen sich schon wieder dümmer, als Sie sind, oder vielleicht sind Sie wirklich schon ganz verblödet mit Ihrer schrecklichen Manie."

„Das mag schon sein", sagte er in aller Ruhe, „gleichwohl wird alles noch auf die Spitze getrieben werden müssen . . . auch wegen unseres Buches . . . aber sagen Sie: kommt Frau Steuermann nie hierher?"

„Nein, soviel ich weiß, verkehrt sie nicht hier. Bei Frau Markbreiter ist's doch was anderes: sie ist die Schwester der Hausfrau."

„Weiß ich schon, weiß ich schon."

„Übrigens, Kajetan, möchte ich Sie darauf aufmerksam machen, daß Ihr Schwiegervater mit mir zugleich gekommen ist."

„So?" sagte er, doch schien diese Mitteilung in ihm kein unangenehmes Gefühl zu erzeugen. „Ist famos in seiner Art, der Alte . . ."

Dr. Körger kam aus dem Spielzimmer zurück und steuerte auf uns zu:

„Na, was sagst du", wandte er sich an mich, „ist es uns nicht gelungen, diesen Eintopf auf das herrlichste zu servieren?"

„Gewiß", antwortete ich. Aber plötzlich stieg etwas Bitteres in mir hoch. „Übrigens wird noch viel mehr serviert werden. Noch viel Wesentlicheres", fügte ich mit einer bösen Zweideutigkeit hinzu, die mich selbst erstaunen machte. Ich wußte plötzlich, daß ich dem Rande meiner Konzilianz viel näher noch mich befand, als ich bisher hatte ahnen können. Ich ließ Dr. Körger stehen und ging durch die Flügeltüre in das Zimmer, wo die verlassenen grünen Tische standen. Schlaggenberg folgte mir.

Diese Tische waren indessen jetzt nicht mehr verlassen. An dem einen standen lachend der Hausherr und der Medizinalrat Schedik, welch letzterem Dr. Siebenschein offenbar das Tischtennis hatte erklären wollen. Der Medizinalrat aber setzte den kleinen weißen Ball gleich in Bewegung, und zwar mit dem Schlägerchen von seitwärts und oben danach stoßend, sei es, daß er einen Scherz machen wollte oder wirklich des Glaubens war, man behandle das Ding so.

„Aber Herr Medizinalrat", rief Dr. Ferry, der vor Lachen kaum sprechen konnte, „das ist doch kein Billard! Noch dazu

Massé-Stöße, die wo im Caféhaus verboten sind!", fügte er hinzu, da sein Gegenüber den Schläger ganz steil ansetzte.

Jetzt bemerkte man Kajetan und mich.

Die Begrüßung erfolgte zwischen dem alten Herrn und Schlaggenberg ganz leichthin und sogar sehr freundlich. „Wie geht's dir denn?" fragte Dr. Schedik.

Der alte Siebenschein aber faßte uns nun zu einer kordialen Einheit zusammen.

„Meine Herren, jetzt gehen wir alle Vier in mein Kabinett nach rückwärts, in aller Stille, und trinken ein Glas von einem herrlichen alten Portwein, den ich gestern von einem Klienten zum Geschenk erhalten habe", sagte er, und „ich freu' mich außerordentlich, lieber Herr Sektionsrat, daß Sie noch Zeit gefunden haben" (er klopfte mich leicht auf den Rücken), „also kommen Sie, verehrter Herr Medizinalrat, kommen Sie, Herr von Schlaggenberg – wir verduften unauffällig . . ."

Und in der Tat gelangte unser seltsames Quartett rasch und glatt und wie verschworen durch den großen vorderen Raum und durch das Vestibül nach rückwärts in ein kleines, recht behagliches Zimmer, wo sich über einem Schreibtische umfangreiche Gesetzes-Sammlungen und die Entscheidungen des Obersten Gerichtshofes bis zurück in's vorige Jahrhundert erstreckten. Dr. Siebenschein zog hinter diesen Büchern eine Flasche hervor, und dann nahm er vier Gläschen aus einem ebensolchen Wandschränklein mit Butzenscheiben, wie es drüben hing.

Zigarren wurden entzündet, wir stießen an. „Gemütlich haben Sie's dahier, Herr Kollege von der anderen Fakultät", sagte Dr. Schedik, und der Hausherr erwiderte ‚ad vestram' und hob das Glas.

Ich muß bekennen, ich fühlte mich hier wohl. Das Getränk war von außerordentlicher Güte.

„Geht's dir mit der Arbeit jetzt gut?" fragte eben der alte Schedik seinen Exschwiegersohn, und Kajetan antwortete, wie auf solche Fragen immer, sehr bescheiden: „Na ja – es geht –."

Da wurde plötzlich die Türe geöffnet und bei dem Spalt sah Frau Irma herein, für einen Augenblick. Jedoch diesmal blieb sie nicht stumm (wie etwa früher bei der Düsseldorfer-Versammlung im Vorzimmer). Nein, diese kordiale Männergemeinschaft hier stieß ihr doch den Mund auf. Sie sagte wenig, nämlich nur:

„Na – so was!" und schloß die Türe wieder. Wir lächelten, tranken aus und begaben uns wieder zurück zur Gesellschaft.

Für mich wurde es zudem Zeit, aufzubrechen.

Man hörte Musik.

Die grünen Tische waren weggeschafft worden, ein Grammophon erklang dort rückwärts und man sah einige Paare tanzen.

Jetzt bemerkte ich auch, daß inzwischen neue Gäste angekommen waren, unter ihnen die zweite Schwester der Frau Irma, die schlanke Minna Glaser, die Direktrice. In der Flügeltüre zwischen dem vorderen Raum und dem Zimmer, wo man jetzt tanzte, lehnten links und rechts zwei Mitglieder des österreichischen Hochadels, die ich beide noch vom Verwaltungsdienst her kannte. Sie gehörten, wie sich später herausstellte, zu Titi Lasch's und Eulenfelds ‚Troupeau'.

Schlaggenberg schritt auf Frau Glaser zu, forderte sie mit einer Verbeugung zum Tanzen auf und schwebte mit ihr ab.

Dieser nicht ohne weiteres verständliche Vorgang war das letzte, was ich noch sah. Denn inzwischen hatte ich in aller Stille mich verabschiedet, nur von dem Hausherren und der Hausfrau, um die Geselligkeit nicht zu stören. Ich barg draußen meine steifhemdige Pracht unter Seidentuch und Paletot, legte ein Silberstück für das Mädchen in die Visitkarten-Schale und stieg die Treppen hinab.

Aus dem Haustor trat ich in den Nebel hinein wie in eine Wand.

In mir rührte es sich wie noch nie.

Ich dachte an Kajetans Frau und jene Beschreibung ihres Inneren, welche sie Schlaggenberg einst gegeben hatte. Nun, wahrhaftig, ich fühlte mein eigenes Wesen keineswegs so wie Frau Camy, als einen allseits abgeschlossenen, wohlvertrauten Raum, aus welchem unmöglich etwas mir selbst noch Unverständliches, etwas geradezu Neues kommen und mich antreten könne. Wenn das eben bei jenen dort sich so verhielt – dann mußte es einmal eine Trennung geben, und eine ohne Verständnis. Und ohne Tugenden und gute Eigenschaften und ohne . . .

Ich schritt rasch dahin, in die weiße Watte ringsum eingepackt, und ich glaubte so lange in dieser Abgeschlossenheit jetzt gehen zu müssen, bis ich in die Welt und in jeden Sachverhalt einsehen würde, wie in meine eigenen Dinge heut' abend daheim, ja wie in eine hohle Hand. Dann würden diese weißen Wände um mich von selbst fallen.

Jedoch der Nebel ließ nach, da ich bald bergauf ging, gegen die Innere Stadt zu, und mich vom Donaukanal entfernte.

Ein Taxi kam langsam vorbei. Meine Zeit war schon knapp. Ich winkte dem Chauffeur.

Kaum hatte ich durch eine der schwingenden Klapptüren die untere Halle des Opernhauses betreten, als mich jemand grüßte. Erst als Herr von Frigori mich auch ansprach, erkannte ich ihn eigentlich. „Meine Verehrung, Herr Sektionsrat – seltsamer Zufall – heute abend war schon von Ihnen die Rede . . .“

„Ja, wie denn das?“ fragte ich, gänzlich außer Kontakt mit dieser Lage hier. Ich fühlte mich schwerfällig.

„Ja“, sagte er lachend, „der Kammerrat Levielle hat zufällig Ihren Namen erwähnt, und daß er Sie kennt, auf dem Westbahnhofe war das, ich traf ihn dort, er ist heute wieder nach Paris gefahren . . .“

„So? –“ sagte ich freundlich. „Ich glaube, lieber Baron, es ist Zeit, daß wir unsere Plätze einnehmen“, fügte ich hinzu, mit einem Seitenblick auf das Hereinströmen der Menschen von überall, welches eiliger zu werden begann. „Guten Abend, gute Unterhaltung . . . !“

Auf der Mitteltreppe wallten schon die letzten Gruppen der Logenbesucher hinauf, oben teilten sie sich, nach links, nach rechts. Der weiche grüne Läufer auf den Stufen dämpfte die Schritte völlig ab. Hier geriet man in eine plötzliche Stille, nach dem Gewoge und Eilen in der Halle unten, wo auch noch das Pfauchen der Automobilmotoren von der Anfahrt laut hörbar gewesen war, durch die fast ständig geöffneten schwingenden Türen . . . in dieser Stille griff mich ein Ärger an, den ich schon einmal empfunden hatte, nur packte es mich unter diesen Umständen jetzt und hier viel stärker. Sie hatte mich – Frau Ruthmayr nämlich! – für heute eingeladen, mit dem Bemerken „wir werden allein sein“. Sie war demnach schon genau davon unterrichtet gewesen, daß Levielle, der sonst immer samstags in ihrer Loge zu sein pflegte, an diesem Tage verreisen würde. Sie war unterrichtet gewesen – wie eine Gattin, der ihr Mann etwa gesagt hat: ‚Ich werde um halb sieben Uhr kommen' oder ‚ich werde am 14. Mai nach Paris fahren'. Sie war also gewissermaßen eingeweiht in Levielle's jeweilige Absichten. Als ob sie seine Frau wäre! Ich versteifte mich für Sekunden ganz in diesen Gedanken und in meinen Ärger – obwohl doch der Sachverhalt eigentlich sehr natürlich war . . .

Erster Rang, links, Nummer 12 . . . der Logendiener grüßte zeremoniös, ein alter rasierter Lakai aus der kaiserlichen Zeit. Ich glaube sogar, er hat mich noch erkannt. Merkwürdigerweise hieß dieser Mensch mit Vornamen Achilles . . .

Ich klopfte an und hörte ihre Stimme von innen.

,,Nun, Herr Sektionsrat, höchste Zeit . . .", sagte sie lachend, als ich eintrat. Jedoch der weite rotgoldne Ring des Zuschauerraumes, in den man bei zurückgeschlagenem Vorhang hinaussehen konnte, war noch ganz hell. Ich küßte ihre Hand und schlüpfte aus dem Mantel. Wir nahmen gleich vorne Platz. Die präsentable Atmosphäre der Logenränge und Parkettreihen umfing uns, eine Atmosphäre von totem Samtgeruch mit hängengebliebenem Parfum aus fünfzig Jahren. Das Haus füllte sich, eine maßvolle Strömung zog unten durch den Mittelgang des Parkettes, fiel in die Reihen ab . . .

Nun wurde es dunkel.

Das Vorspiel beherrschte mit einem Schlag den Raum.

Ich empfand mich wie ausgesetzt, hier in der Höhe, vor dieser abbrechenden Brüstung. Ich war ganz weit entfernt, von jener Verfassung, deren man zum Hören bedarf . . .

Da ging der Vorhang auf über dem goldenen Zimmer aus dem Schloß Belvedere, denn dieses hatte ja für die damalige Dekoration des ersten Aktes im ‚Rosenkavalier' unzweifelhaft als Vorbild gedient. Das Orchester untermalte mit seinen komplizierten Klangfarben die zunächst einsam und wie im leeren Raum erschallenden Stimmen.

Das gefüllte Parkett unter uns hauchte dunkel und voll angehaltener Bewegung herauf.

Ich hörte so gut wie nichts; ich sah über die Bühne weg, über den oberen Teil des Vorhangs; ich empfand mich – und dazu noch Frau Ruthmayr neben mir – wie eine Gallionsfigur vorne ausgesetzt und angebracht am Bug eines Schiffes, das sich jetzt langsam in eine schwere Bewegung setzte, schräg-hoch wegzog über das alles hier, uns beide vorandrückend, hinweg über diese ganze historische Pracht, die wir, so wie wir alle waren, uns ja zu Unrecht und in lächerlicher Weise anmaßten, hinweg über dieses goldene Zimmer als Kunstgenuß, nein . . .

Ich atmete tief. Meine Brust trat vor, das steife Leinen knisterte, bog sich, es gab einen kaum spürbaren kleinen Ruck.

Ein Perlchen rollte vor mir auf dem roten Samte der Brüstung. Ich blickte auf und steil in den Raum hinaus.

„Stangeler", flüsterte ich vor mich hin, fast ohne es zu wissen.

„Wie?" fragte Frau Ruthmayr jetzt leise.

Ich wandte mich ihr zu, sah sie voll an und schwieg. Konnte ich denn dies, oder irgend etwas, hier und jetzt erklären?

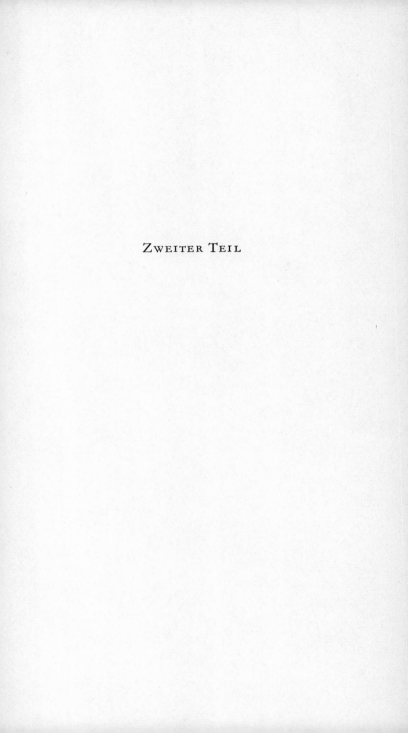

ZWEITER TEIL

1

Auf offener Strecke

Ich erwachte am nächsten Morgen wie innerlich auseinander
gekoppelt; wie ein Passagier, den man durch irgend einen kaum
denkbaren Zufall im Abteil eines Schlafwagens vergessen hat,
wo er sich nun vorfindet, statt am Endbahnhof, schon weit
draußen und einsam zwischen den Rangiergeleisen. Am Himmel
weilt ein Sommertag; durch das Fenster des Abteils kann er auf
Gebüsch und einen sanften Hang sehen, weit außerhalb der
Gleisanlage; hier gibt es einen Sandhaufen und spielende Kinder, rückwärts die irreführende Kehrseite einer großen und
fremden Stadt, nämlich ihre im Grünen sich verlaufenden Vor-
stadt-Zeilen. In der Ferne viele deutbare Aufragungen, Fabrik-
schornsteine, und eine große und breite, die nicht gedeutet werden kann (später, da man die Stadt kennt, geht man täglich dran
vorbei, es ist ein übermäßig ausgedehntes und ödes öffentliches
Gebäude mit einem Dach wie ein Helm). Unser Reisender, der
aus dem Zuge gekommen ist, in jedem Sinne, fühlt sich versucht,
jetzt in der aufdringlichen Stille, die ihn hier umgibt, ganz ungeniert noch etwas zu verweilen; denn so durchaus feriale Situationen sind nicht eben häufig; aber sie verwehren es, in ihrer
Tiefe zu baden. Er verziert also die Stille nur durch ein Händewaschen über dem Becken, darein auch jetzt ordentlich das
Wasser läuft. Dann richtet er sich ganz vulgär zwecks Aussteigens zusammen, und verläßt dieses schwer und stationär gewordene Lokal (das ihm schon vorkommt wie sein eigenes Haus)
nicht ganz ohne Schwierigkeit, der hohen Stufe und des Hand-
koffers wegen. Und endlich geht er diese ganze Lage halt irgendwie an, auf dem gründurchwachsenen Schotter zwischen den
Schienen und Schwellen, neben seinem Koffer in der Sonne und
in seinen nächsten Überlegungen stehend.

Ich für mein Teil blieb liegen, suchte aber gleichfalls auf den
sanften Hang hinauszuschauen, jene Wiese, die meinen damaligen Fenstern gegenüber anstieg (heute ist sie zum Teil verbaut,

wie ich neulich sah), und die mir bereits zur gewohnten Folie dessen geworden war, was man so ganz im allgemeinen seine Gedanken nennt. Jedoch wurde mir der Ausblick heute verstellt; nicht durch ein hart im Raum sich stoßendes Ding, also einen undurchsichtigen Gegenstand; sondern es war nur eine Art Gallert oder Gelatine, welche das zur Optik nötige Zusammenspiel beider Augen störte, wohl von mir produziert, aber doch wie von außerhalb störend: gleichsam das deutlichste, das alles in allem zusammenfassende Überbleibsel, und also schon ein Symbol des gestrigen Abends: nämlich das Genick meines Neffen, des Herrn Doktor Körger.

Danach erst kam Lasch; was kümmerte mich das; ich sah's träge an und von weitem. Leicht und schnell wurde jener aus dem Felde des Bewußtseins geschlagen durch die Erinnerung an das Abendessen nach der Oper mit Frau Friederike Ruthmayr.

Das Genick indessen blieb. Es entfernte sich von mir mit unterhalb wurstförmig schlenkernden Gliedmaßen, mitten durch alle Erscheinungen eines Tischtennis-Fünf-Uhr-Tees bei den sieben Scheinen, den es selbst arrangiert hatte, damit kein Gewürzlein fehle. Nun schwebte es wieder gallertig heran, das Genick. Ich konnte es nicht einfach wegscheuchen, wegblasen, wegwischen mit einer Handbewegung. Ich hatte damit irgendwas zu tun. Es war schon fast eine Art Autorität geworden, von mir sozusagen anerkannt beim Gang durch den Nebel, überwältigt und ermüdet von dieser ganzen Inszenierung, wie ich gewesen war. Das war des Genickes Macht. Verdunkelnd spürte ich an diesem Morgen die Gefahren und persönlichen Trübungen eines neuen Lebens, in das ich nicht gestern erst, nein, schon seit Monaten eingetreten war.

Und nun wollte ich wieder heraustreten, freilich im nächsten Augenblick erkennend, daß ich also schon im Begriffe war – Ordnung zu machen, ganz wie Schlaggenberg, ja, daß ich es bereits nötig hatte . . . Schon verfiel ich den Einzelheiten. Diejenigen, welche dabei am weitesten in den Vordergrund sich drängten, bezogen sich nun doch auf Lasch. Lasch trat hervor. Er trat ohne weiteres neben das Genick. An diesem Platze hatte ich ihn noch nie gesehen, fand aber jetzt, daß er ganz gut dorthin paßte.

Ich war in diese ganze Sackgasse freiwillig und rein vernunftgemäß gegangen (so wenigstens hatte ich vermeint) und nun schloß sich mir der Blätterdom eines neuen Urwalds beinah schon über dem Kopfe. Mit jenem Tage, zu Beginn des Winters, noch im vorigen Jahr, da ich Schlaggenberg auf dem Wege zwischen den kahlen Weinbergen getroffen hatte, war der Anfang gemacht worden. Und heute – hatten sie schon recht, gab es bereits einen Eintopf, dem kein Gewürzlein fehlte, kreuzten sich in der Person Stangelers zwei in keiner Weise zusammengehörige Fäden, bekam ich Lasch zum Gegner (!) und hatte mir darüber hinaus noch den Kopf zerbrochen, was eigentlich und wirklich hinter der Protektion stecken mochte, die der Kammerrat dem Kajetan (Cajétan) und dem René angedeihen ließ ...

Bis zu irgendeinem Zeitpunkt, den ich näher im Augenblick nicht zu bestimmen vermochte, hatte mich dieses Grundwissen noch begleitet; das heißt, ich hatte zutiefst gewußt, auf welche Art eigentlich all' diese jetzt schon vorliegenden Tatsachen zustande gekommen und – überhaupt als Tatsachen aufgebaut und bemerkt worden waren. Ich hatte hiedurch diese Tatsachen gewissermaßen persönlich besessen, an jedem aufgehobenen Stücke den Bart von Wurzelfäden sehend, der es mit einer gleichbleibenden Zentrale verband. Seit einiger Zeit jedoch war dies nicht mehr der Fall. Das Werden schien beendet und das bereits Gewordene starrte mir fertig und in sich geschlossen und also unverständlich entgegen; zugleich wunderbar; zuletzt nicht mehr wegzuleugnen; es gab einzelne vorspringende Buckel schon an dieser dichtgeschlossenen Wand, an diesem gewordenen Schilde, hinter dessen Höhlung doch eine Täuschung wohnte, deren ich mich noch entsann, wie eines Ursprungs, aus dem man einst selbst gekommen ist: sehr dunkel also. Heute aber war nicht mehr zu leugnen, daß sich etwa Frau Ruthmayrs Vermögen möglicherweise schon in wirklicher Gefahr befand, es war auch nicht das Groteske dieses ganzen gestrigen Eintopfs zu leugnen: kurz, hier begann des Genickes durchaus berechtigte und rechtliche Macht, ja, sogar Autorität. Es hatte uns gestern mit lauter solchen Tatsachen umstellt und wir hatten sie anerkennen müssen, ja, so weit war es mit uns gekommen, daß unser ursprüngliches Wissen um die eigentliche Herkunft all' dieser Erscheinungen (als Hervorbringungen des Genickes selbst nämlich) viel zu verblaßt war, um gegen jene noch ins Feld geführt zu werden.

An diesem Punkte angelangt aber konnte ich doch gleichsam wieder Luft unter die Schwingen bekommen, die schon festklebten am zähen und leimigen Grunde, darauf ich mich niedergelassen hatte. Und, seltsam genug: eine deutende Sonnenbahn, auf der Wiese vor meinen Fenstern ruhend, war's, welche in mir den Drang nach der Unabhängigkeit, nach einem Zurückziehen, einem Abstand-Nehmen von all diesen mein Leben verstellenden Einzelheiten mächtig werden ließ. Ich wollte zurück, in die Zeit, welche vor alledem gewesen war, nicht etwa sentimentalisch, sondern so, wie ein Bogenschütze die Sehne weit zurückzieht, um seinem Geschoss genug Gewalt des Flugs zum Treffen zu geben. Ich wollte zurück auf einen breiteren Boden des Lebens, mir sein Maß wieder zu holen, statt hier in der Enge ungültig herumzuprobieren.

Ich mußte zurück. Die Zimmerflucht, welche gestern in meinem Innern sich aufgetan, sie mußte für mich wieder durchsichtig sein. Ich rang plötzlich danach mit einem Anlauf, als ging' es um mein Leben. Es klopfte an der Tür.

Mit vielen Entschuldigungen hielt mir das Dienstmädchen ein blankes Tablett hin, auf welchem ein Brief lag. „Der Herr Sektionsrat wolltens gestern net gestert sein, na'mittag, und dann waren auf einmal schon furtgangen, hab' ich Brief net können mehr geben." Ich blieb von dem Auftreten des Mädchens zunächst getrennt wie durch eine dünne Membran, die erst einige Sekunden später platzte. „Ist schon gut, Maruschka", sagte ich, ganz vorne, mit der Zungenspitze, mit dem Lippenrand, „bring' das Frühstück." Der Brief war grau-lila und länglich. Unerfindlich bleibt, warum ich gerade jetzt mit völliger Klarheit dachte: ‚Natürlich ist es Edouard Altschul, den sie sausen lassen wollen, ‚für nichts mehr gut, in die Versenkung!' Oder wer denn sonst?' Es lag gleichsam neben dem lila Brief auf dem Silber des Tabletts. Die Marke war englisch. Jetzt wußte ich auch schon, daß der Brief von Camy Schlaggenberg kam.

Dies war ein Griff zurück, der sich mir bot, ein Tau, welches mir das Leben im richtigen Augenblicke zuwarf. Ich befand mich weit entfernt davon, etwa zu erschrecken, Komplikationen zu befürchten, Kajetan's wegen oder dergleichen ... ich dachte zunächst überhaupt nicht daran, was in dem Briefe stehen könnte. Sondern, wie er da lag, grau-lila auf Silber, Einschuss aus einer anderen – beliebigen, aber eben anderen Welt: das machte es, das bedeutete mir eine Hilfe. Es genügte, daß ich Camy länger kannte als Kajetan, einen Blick der Erinnerung tat in ihre Mädchenzeit, draußen in Hietzing, die Sonne früherer Jahre wie durch einen rasch geöffneten Schlitz jetzt scheinen sah. Mein Wohlbefinden war mir selbst auffallend und in solchem Maße nicht zu begründen, als der Tee kam und ich zu lesen begann: ‚Lieber, guter Herr Sektionsrat! Sie haben nie von mir gehört, das müssen Sie mir verzeihen. Aber es war mir, nach alledem, in den ersten Wochen und Monaten wirklich eine Schwierigkeit, mich innerlich zurück zu der Heimat zu wenden, auch nur so eine Adresse zu schreiben mit ‚Wien XIX.‘ und ‚Österreich‘, ich konnte es nicht und durfte es eigentlich auch nicht, und so hat es gerade immer nur für den Papa gelangt, daß ich ihm alle acht Tage einen Brief geschrieben habe. Dieser hier hat nun den Zweck, Ihnen zu sagen, daß ich wahrscheinlich schon Mitte Juli für drei Wochen heimkommen werde. Ja, so fest und heil fühle ich mich. Sie werden es, da ich Sie hier ausdrücklich darum bitte, Kajetan nicht sagen. Hierin muß ich Ihnen vertrauen, und ich glaube, ich kann und darf es. Ich kündige Ihnen mein Kommen jetzt schon an, weil ich Sie bestimmt sehen und sprechen möchte, jedoch befürchte, Sie könnten gerade um diese Sommerszeit verreist sein, nach Italien oder sonst irgendwohin, um so mehr, als Sie ja nicht mehr im Ministerium und also frei sind. Ich werde sicher nicht die ganzen drei Wochen in Wien bleiben, ich wünsche mir das begreiflicherweise keineswegs; das gescheiteste wär’, mit dem Papa auf’s Land zu fahren. Ich habe schreckliche Sehnsucht nach ihm! Die Familie, bei welcher ich hier lebe – eine Dame und ihre beiden zur Zeit gerade anwesenden in Amerika verheirateten Töchter, sehr hübsche und liebe Frauen, die ältere ist eigentlich unbeschreiblich schön, für mein Auge wenigstens – die wollen also im Sommer in ein französisches Seebad, vorher nach Paris, mit ihren Männern und deren Verwandten aus Amerika; vor ein paar Tagen erst ist das brieflich definitiv geworden. Ich soll natürlich mitfahren, darf aber für drei Wochen mich beurlauben. Es ist übrigens sogar möglich, daß alle nach München, Salzburg und Wien mitkommen, das hängt dann von den Amerikanern ab. Ich komme jedenfalls. – Nun soll ich Ihnen von mir noch schreiben, wie es mir geht, und so weiter; ich muß sagen, ich hätte es besser kaum treffen können. Ich unterrichte zwei Nichten meiner Hausfrau in Klavier, Theorie, Musikgeschichte, Französisch, und daneben etwas Deutsch. Doch habe ich sehr bald auch außer Hause

Schüler bekommen, ich bin eigentlich vollkommen unabhängig oder ich könnte es jederzeit sein. Hier werde ich einfach als Familienmitglied behandelt, allerdings beruht das wohl auf einer sehr rasch, eigentlich gleich, entstandenen Beziehung von beinahe inniger Art zu Mrs. Libesny. Das sind also die äußeren Umstände meines derzeitigen Lebens. Die inneren hab' ich schon angedeutet. Aber ich bin nicht immer so ,fest und heil'. Diese letzten zehn Jahre, alles, was mit Kajetan zusammenhängt, es erscheint mir heute von unbeschreiblicher Schrecklichkeit, unbegreiflich und – als gar nicht zu mir gehörend. Ich weiß freilich nicht, ob ich mich jetzt ganz richtig ausdrücke. Aber mein Leben ist doch verloren gegangen, das heißt, ich bin von diesem Leben ganz abgekommen ... Denken Sie manchmal noch an Hietzing? Ich hatte doch eine freundliche Jugend: und dann diese Finsternis! Ich habe hier lauter gute Menschen um mich und das entzückendste Milieu; lustigerweise gibt es bei Mrs. Libesny sogar ein Wiener Stubenmädchen, mit dem komischen böhmischen Namen Kakabsa; sie sorgt besonders liebevoll für mich. Ich sitze jetzt beim Schreiben an einem kleinen herzigen Empire-Schreibtisch und sehe zwischen halb durchscheinenden Vorhängen in den Albert-Park hinüber, wo ein paar Vogerln in den Baumkronen herumflattern, ich habe keine Sorgen und es geht mir gut. Aber oft hab' ich eine so furchtbare Leere und Schwäche in mir, als wenn ich aus lauter dünnem Glas gemacht wäre – und, sehen Sie, gerade wenn alle so lieb und nett zu mir sind, oder auch, wenn ich allein bin in diesem reizenden Raum, der nur mir gehört (er ist quadratisch und sehr hell und still, alles grün-weiß, und ich hab' ihn sehr lieb, in der Ecke ist ein süßer alter Kasten mit komischen eingelegten Bildern aus der englischen Geschichte, Heinrich VIII., sieht aus wie ein Wurzelsepp, und alle seine umgebrachten Frauen herum, jede in einem Medaillon) – ja, gerade also wenn es mir ,gut geht', und das ist ja meistens der Fall, gibt es einen entsetzlichen Schmerz, weil ich blaß und spät und sozusagen schon vergangen mich wiederfinde, wie ich immer hätte sein sollen, wie doch mein ganzes Leben gerichtet war, schon als Kind, als Mädchen dann, so hat mich doch der gute, liebe Papa erzogen; und jetzt – bin ich sozusagen nur wie ein Gast in der Heimat meines Wesens, ein verspäteter Gast, der da am Rand noch ein wenig sitzen darf, am Rand des Guten und Friedlichen, das ich immer so sehr geliebt habe. Und, sehen Sie, mein guter, lieber Herr Sektionsrat, jetzt plahtze ich wirklich schon, wie eine alte, sentimentale Tant' ... Ach, Sie werden mich schon verstehen. Es ist so furchtbar endgültig alles, und ich fühl' mich so gläsern und kühl, und manchmal ist mir wirklich, als hört' ich so was wie eine Äolsharfe klingen ...'

Ja, das war die Ausweitung, deren ich bedurfte! Mit einem ganz naiven Egoismus – ohne eigentliche Anteilnahme für Frau Camy, ohne über ihr Schicksal und sie selbst und ihre Zukunft und ihre unglückliche Liebe irgendeinen Gedanken mir zu machen – habe ich damals voll Gier diesen Brief in mich aufgenommen und den neuen und anderen Lebenshintergrund, der daraus hervortrat. Und wenn Kajetans unglückliche Frau überhaupt enthalten war in dieser meiner inneren Aktion, so nur als ein Bild, an das sich jene jetzt heftete, weil sie es beim ersten Anlauf gerade als erstes Hilfsmittel angetroffen hatte. Ich sprang schon darüber hinweg. In der nächsten Zeit sollte ich einmal bei Frau Ruthmayr sein, zum Tee: sie würde mich noch verständigen. Weit ab von den ,Unsrigen'! Und dem alten Schedik hatte ich gestern auch versprochen, ihn bald einmal zu besuchen. Und was war eigentlich mit Stangelers? Dieser René brachte es wie durch stumme und verbissene Magie fertig, mir nach wie vor den Umgang mit seiner Familie zu verstellen, die sich in Nicht-Existenz befand, sobald er in Erscheinung trat. Das schien mir jetzt sehr merkwürdig. Aber es war doch so. Und wie ich nun überall in den Vorräten meines Vorstellungslebens herumsuchte und herumtastete nach weiteren Stützpunkten, fiel mir mein einstmaliger Vorgesetzter aus der Präsidialisten-Zeit ein – der Hofrat Gürtzner-Gontard: nun, auch dieser Name stammte von gestern. Frau Ruthmayr hatte beim Abendessen die Familie erwähnt. Vielleicht würde ich ihn sogar bei ihr treffen, möglich, ich entsann mich nicht mehr, was sie in bezug darauf gesagt hatte. Mein Abendessen gestern mit ihr war unbegreiflich gewesen in irgendeiner Weise, diese Gestilltheit und Gelassenheit, woher nur, woher nahm sie das? Sollte sie vielleicht sehr dumm sein? dachte ich, wie um mich zu wehren; dabei schien sie mir doch groß und weise! Ihre Augen standen möglicherweise ein klein wenig schief oder schräg im Gesicht, die äußeren Augenwinkel um eine Ahnung höher als die inneren. Das gab ihrem schönen, sanften Antlitz etwas – fischiges, ja, wie man mitunter hinter der

Glaswand eines Aquariums den Kopf eines seltsamen Zierfisches stehen sehen kann, stumm, eigentlich tief gutartig, edel und traurig. Der alte Schedik hatte Aquarien. Ja, ich würde ihn besuchen. Und den Sektionschef telephonisch anrufen, jetzt gleich. ... Ich erkannte plötzlich mein heftiges Bedürfnis zu sprechen, mich auszusprechen und Widerspruch zu erfahren von einer Seite, von wo aus er galt, ein anderes, ein Maß vom Unbeteiligten her, an meine Verwirrung zu legen. Vielleicht konnte ich heute nachmittags noch zu Gürtzner-Gontard hinaufgehen? Aber alles wich jetzt zurück. Als schließe sich ein Dreiklang mit dem noch fehlenden Ton, so empfing ich, lange und ruhig durch das Fenster schauend, jene auf die Wiese draußen herabdeutende Lichtbahn tief in mir selbst. Nun trat der goldne Stab lautlos ins Zimmer, stützte sich auf den Boden und erleuchtete dort das braunrote Geweb' des Teppichs.

Das Haus, in welchem die Gürtzner-Gontards wohnten, lag an jenem Platz, wo die ‚Unsrigen' damals vor dem Ausflug ins Grüne zusammengetroffen waren, beim Justizpalast, und dessen einer Seitenfront gegenüber. Das Gebäude hatte sich nun freilich weder um Grete Siebenscheins seinerzeitige Kritik, noch um deren etwas heftige Ablehnung durch Doktor Körger im allergeringsten gekümmert, es war gänzlich unverändert geblieben und so schön oder so häßlich wie nur immer zuvor, jedenfalls aber sehr ausgedehnt. Der Sonne wollte es nicht gelingen, ihren vormittäglichen Durchbruch zu befestigen. Beim Fortgehen draußen von zuhause hatte ich schon alles Licht wieder gedämpft gefunden. Der Frühling lag mit angehaltenem Atem um die starren roten und weißen Dreiecke in den Kastanienwipfeln, in der stillen Feuchtigkeit, welche nur dann und wann ein langer Vogelpfiff aus den Gärten belebte und gleichsam schlitzte. Sonst um diese Zeit am Sonntag gab es viel Spaziergänger, aber heute befürchteten sie offenbar kommenden Regen, denn die Luft war warm. Ich liebte meine Wohngegend dort draußen doch gar sehr, trotz der längeren Fahrten zur Inneren Stadt, welche sie freilich mit sich brachte. Und heute besonders ging ein stummer Anruf von mir an alle stummen Dinge, an die feuchten Blätter hinter den Gartenzäunen, den leeren Asphalt, die Einfahrtsgitter, Wege und Ecken: daß sie sich auftun möchten gleichsam, um mir etwas zu sagen, zu verraten. Denn das Tendenziöse der schweigenden Welt rundum – Zimmer, Straßen, Gerüche, Lichter – ist der gedrängteste Ausdruck der jeweiligen Gesinnung des Lebens, für oder gegen uns.

Einfahrt und Treppe waren mir vertraut geblieben, ich bemerkt' es mit angenehmer Verwunderung (so sehr also, muß ich heute sagen, war ich damals bereits gejagt, gleichsam unter Druck gesetzt von den ‚Unsrigen‘, daß mein geschärfter Instinkt schon jede kleinste, kaum benennbare Hilfe zum Gleichgewicht wahrnahm). Als ich dem Mädchen im Vorzimmer meinen Mantel gelassen hatte und eintrat, sah ich den alten Herrn mit langsamen, jedoch langen Schritten mir entgegenkommen, und hinter ihm, draußen, hinter den fast bis zur Decke reichenden Fenstern, die weite Aussicht aufgehängt mit all ihren zahllosen Einzelheiten, wie einen Wandteppich aus alter Zeit, der Grund von gedämpftem Taubengrau in der Tiefe erfüllt, in welche sehr entfernte Stadt-Teile hineinwanderten mit ihrem Übermaß von gleichzeitigen und genauen Aussagen über Gestalt und Umriß der Häuser vor dem Himmelsrande. Diese Vorstädte, auf welche der Blick hier hinausfiel – die Gontardsche Wohnung lag im höchsten Stockwerk des Hauses – stiegen im rückwärtigen Teile, gegen die sogenannte ‚Mariahilf‘, stark an, und dort schienen sie gleichsam senkrecht übereinander geschichtet zu stehen.

Er machte mir in herzlicher Weise Vorhaltungen, der alte Gürtzner-Gontard, weil ich so lange nicht bei ihm gewesen war, und ganz ungeniert auch deswegen, weil ich mich vorzeitig hatte pensionieren lassen: „Bis zum Ministerialrat hätten Sie schon noch aushalten können.“ Wenn zwei dasselbe sagen, ist es nicht dasselbe, dachte ich, denn Levielle hatte sich damals am ‚Graben‘ zu Mariä Verkündigung genau so vernehmen lassen; und im übrigen war der gute Sektionschef gerade unter jenen gewesen, die sehr bald schon nach der Einführung republikanischer Zustände kein Behagen mehr an ihrem Schreibtisch im Ministerium zu empfinden vermochten . . . „In Döbling draußen“, antwortete ich auf die Frage, wo ich denn jetzt wohne? „Richtig, das hab' ich sogar gewußt“, sagte er, „Sie haben dort auch eine Menge Bekannte, nicht wahr? Das weiß ich von Ihrem Cousin, dem Orkay, der war erst vor ein paar Tagen wieder bei mir." („Was geht da hinter meinem Rücken vor?', dachte ich sogleich argwöhnisch, und: ‚Auf wieviel Hochzeiten tanzt eigentlich dieser Géza?!')

Eine Minute später sprachen wir bereits von den ‚Unsrigen'. Dabei erging es mir sehr merkwürdig. Um deutlich zu machen, was mich innerhalb dieses Menschenkreises in Unruhe versetzte, blieb mir zunächst nichts anderes übrig (oder es fiel mir eben kein besseres Mittel ein), als jenen überall vorgeschobenen Gegensatz, der schon mehr als genug dargestellt worden ist, herauszuschärfen und vielleicht etwas zu übertreiben, schon deshalb, weil ich diese Sache für eine solche hielt, die doch dem Lebenskreise Gürtzner-Gontard's eher fern liegen mußte, die also dem alten Herrn erst etwas näher zu bringen und als erheblich darzustellen war – denn ich wollte ja eben darüber von ihm eine Äußerung hören, aus jener Distanz gesprochen, die ihm hier glücklich eignete. Mir aber fehlte jeder wirkliche Standpunkt (das fühlt' ich während meines eigenen Redens) und zugleich wollt' ich mich vom Gegenstande möglichst weit zurückziehen, nämlich ‚in die Zeit, welche vor alledem gewesen war'. Sie stand in meiner Vorstellung jetzt als schräge Sonnenbahn, die sich, wie ein deutender Finger aus den Wolken, auf die Wiese vor meinen Fenstern stützte. Sie bewohnte mich als hohes Einfahrtsgitter mit Fliederbüschen und einem dahinter seitwärts sich wegwendenden Parkweg. Sie floh durch mich hindurch als leerer, feucht spiegelnder Asphalt der Straßen; sie begleitete diese Flucht hinter einem Gartenzaun mit den vom Regen glänzenden Blättern der Sträucher. Sie öffnete sich, rasch vorbeigedreht, wie eine mündende Gasse, an welcher man vorüberfährt, dann wieder als Zimmerflucht, und rückwärts schien das Licht, welches ich suchte, nur für einen kleinen Augenblick. Sie wehte gegen mein dunkles Innen-Gesicht und brachte den intakten Duft einer heileren Welt, kühler tiefer Räume kleiner Palais' im Herrenviertel unserer Innenstadt, ein Duft, der heute noch in vielen Dingen war, die ich besaß, in Ledertaschen steckte, an einem Sattel hing, kaum feststellbar und doch anwesend ein Möbelstück bewohnte.

Und während alledem redete ich – als wär' ich Eulenfeld oder Schlaggenberg oder gar der Doktor Körger selbst; nicht ganz so gejagt und aufgehetzt und jeden Einwand ausschließend wie diese Herren, aber ich drückte doch mein Steuerruder vergeblich gegen ihre Strömung, ich sagte, was ich nicht sagen wollte, mit Worten, die gestellt waren wie die Weichen, ich fuhr im Zwang dieser Schienen, mochte ich gegen jede Biegung drücken wie nur immer: ich sprang doch nicht heraus. Da ich eigene Worte im Augenblick nicht hatte, aber nun einmal reden mußte, bekamen die fremden über mich Gewalt. So nagelte ich mich gleichsam an einem Punkte fest, hinter den ich ja zurück wollte, eben um ihn genauer ausnehmen und bestimmen zu können; und jedes weitere Wort mußte ein fundamentales Mißverständnis noch besser fundieren; schon gar, als ich gehabte Gedanken jetzt gleichsam zitierte und von der ‚Trennung' sprach, die es da ‚einmal geben müsse, ohne Verständnis und ohne Tugenden und ohne gute Eigenschaften. . . .' Das letzte war bereits von gestern und aus dem Nebel, wahrhaft. „So kann's nicht weitergehen", schloß ich, damit schon geradezu und durchaus meine eigene Rede meinend. Es war der Punkt auf dem i, der noch gefehlt hatte. Ich schwieg verwundert, mir war, als wär' ich irgendwo heruntergefallen. Eben noch im ersten Stock, jetzt schon zu ebener Erde. Ich sah auf das Muster eines sehr schönen türkischen Teppichs an der Wand und vergaß auf das Teebrett, welches das Mädchen neben mich hingestellt hatte.

„Sie sind ja ein Revolutionär geworden, lieber G-ff", sagte Gontard lachend. „Übrigens hat vor ein paar Tagen hier der kleine Orkay dem Sinne nach ungefähr das gleiche gesprochen wie Sie, aber der ist kein Revolutionär, sondern – eben ein ‚bácsi', wie wir in Wien die Ungarn oft nennen . . ." (Géza hatte also hier sozusagen vorgespurt und ich war dann in seine Trasse geraten.)

„Warum sagten Sie, Herr Hofrat", warf ich ein, „daß ich ein Revolutionär sei?"

„Ja – nichts für ungut, lieber G-ff, aber Sie wollen doch augenscheinlich etwas an der Welt ändern, wenn ich Sie recht versteh'. ‚So kann's nicht weitergehen', sagen Sie, mit Bezug auf die dargelegten Zustände. Das sagen alle Revolutionäre."

Ich nahm das Joch eines Mißverständnisses, das ich selbst geschaffen hatte, jetzt auf mich. Im Augenblick wurde mir auch schon besser und leichter zu Mute. Ich lächelte sogar, ich schwieg. Dieser volle Verzicht darauf, die Vorstellungen eines anderen Menschen von mir und meiner Denkungsweise zurechtzusetzen, befreite mich außerordentlich und schien mir für Augenblicke wie durch einen Schlitz fast etwas zu zeigen, wie eine neue Art zu leben, eine neue Magie. Da ich alles unverändert ruhig liegen ließ, wie es war, wie es sich selbst zurecht gelegt hatte – und das wohl mit guten Gründen! – konnte ich es viel deutlicher sehen; und ich bemühte mich nur, einen Weg zur Verallgemeinerung solcher Haltung und Wissenschaft zu finden, die mir in diesen Augenblicken damals höchst erleuchtend und notwendig erschien, und als etwas von mir durchaus neu entdecktes.

„Glauben Sie's nicht, Herr von G-ff?" sagte Gontard lachend und hielt mir die geöffnete Zigarettentasche hin.

„Ich muß wohl", sagte ich, „und das macht mich begreiflicherweise nachdenklich. Revolutionär wäre also jeder, der irgendetwas an der Welt ändern will?"

„Na, diese Definition befriedigt Sie augenscheinlich noch nicht, so kommt's mir vor. Sie ist auch ungenügend. Wenn ein Bauer zum Beispiel im Jungwald oder ‚Jungmeis‘, wie wir sagen, jeden zweiten Baum heraushackt, damit die übrig bleibenden sich besser entwickeln können, ist er noch kein Revolutionär, obgleich er an seiner Umwelt etwas ändern will und das sogar tatsächlich durch einen Eingriff tut. Oder ein Müller, der das Bachbett verlegt und reguliert, um besseren Zufluß für sein ‚Fluder‘ zu schaffen. Diese arbeiten doch unter den von der Natur hier und jetzt gegebenen Bedingungen auf einen konkreten Zweck hin, und verbessern solche Bedingungen nur, um in ihrem Einzelfalle jenen zu erreichen. Das bedeutet aber keinen Protest gegen den zu eng wuchernden Baumwuchs durch Samen-Anflug ganz im allgemeinen, oder gegen die Natur der Wildbäche, was beides überhaupt zu ändern und abschaffen zu wollen, dem Bauer wie dem Müller gänzlich ferne liegt, ihnen auch als völlig unanschaulich und lächerlich erscheinen würde."

Ich betrachtete ihn, während er sprach, und fand, wie immer schon, daß er etwas Theologisches an sich habe: ein sazerdotaler Typ. Die Größe und Schlankheit seiner Erscheinung, das Gleitende seiner Handbewegungen, die hohen Augenbrauen wie Spitzbogen von Kirchenfenstern und eine lange Nase dazwischen als Pfeiler, darauf diese Spitzbogen ruhten – es paßte zu den einfachen und gewissermaßen predigtartigen Vergleichen, die er eben aufgestellt hatte; was zu diesem sazerdotalen Typus weniger passen wollte, war ein türkischer Fez mit Troddel, den

er auf dem kurzgeschorenen Haupte trug, das sonst eine durch
natürlichen Haarausfall entstandene kleine Tonsur zeigte. Diesen
Fez daheim zu tragen, war zum Teil wohl eine Koketterie mit
altmodisch-spießbürgerlichen Gewohnheiten, teils war dem
alten Herrn vielleicht wirklich kalt am Kopfe (man heizte freilich nicht mehr und in diesen hohen und tiefen Räumen hing
es wie ein Rest des Winters, die neue Jahreszeit hatte sich im
Freien noch nicht ganz durchsetzen können, und drang erst
spät durch solche Mauern); drittens aber deutete dieser Fez tatsächlich in die Türkei; sein Vater hatte es dort bis zum Bey oder
Pascha gebracht, ohne daß er dem Christenglauben entsagen
hätte müssen, ein seltener Fall, um so erstaunlicher, weil der
alte Hamdi-Bey (dies war sein türkischer Name gewesen) die
Pforte als Gesandter an ausländischen Höfen durch viele Jahre
repräsentierte. Mit diesem alten Diplomaten – der übrigens den
Jahren nach gar nicht alt geworden war, nur der alten Schule
hatte er eben angehört – hingen viele und bemerkenswerte türkische Sachen hier im Zimmer zusammen. Hamdi-Bey selbst
überblickte es, mit einem bleichen und seltsam schönen wild-
abenteuerlichen Gesicht aus dem Goldrahmen des großen Por-
träts hervorschwebend, das über dem Schreibtisch hing.

Er war als blutjunger Offizier desertiert, weil er ein Hinrich-
tungs-Peloton hätte kommandieren sollen. Die zu Erschießen-
den waren dabei von dem späteren Hamdi-Bey gleich über die
türkische Grenze gebracht worden. Viele Jahre danach ist in
dieser Sache, wenn ich mich recht entsinne, ein kaiserlicher
Gnaden-Akt erflossen; mir hat ein älterer Verwandter einmal
davon erzählt. Die Verurteilten sollen unschuldig oder minder
schuldig gewesen sein. Kurz, Hamdi-Bey hatte österreichischen
Boden wiederum betreten können, ist auch in Wien gestorben.

„Demnach wär' es die Verallgemeinerung, was den Revolutionär ausmacht, und man wird's, wenn man sich auf solche Weise
vom Anschaulichen entfernt", sagte ich als Replik auf die früheren pastoral-ländlichen Vergleiche. Ich sagte es ganz beiläufig,
die Worte blieben gleichsam in meiner eigenen Mitte ruhen, wie
bei einem Selbstgespräch. Ich hatte Abstand gewonnen, und
zwar wie durch Faszination oder eine Art Tingierung und
Durchsetzt-Werden, nicht nur von seiten meines guten Präsidial-
chefs, sondern aus dieser ganzen Umgebung hier. Mit meiner
inneren Situation, die ich für überaus kompliziert und neuartig

hielt, sah ich mich hier unvermutet unter ein vereinfachendes
Maß gestellt; und, abgesehen von einer schwachen Meuterei, die
sich jetzt am Ende noch einmal dagegen erhob – Verständnis
heischend und die Unzuständigkeit solchen Maßes behaupten
wollend – empfand ich's als Wohltat: seltsamerweise auch den
Umstand, daß wir mein ursprüngliches Thema, wegen dessen
ich ja eigentlich gekommen war, ganz verlassen zu haben schienen. Und damit seinen schmalen Boden. Während mein Blick
auf dem Bildnis des ‚alten Türken' ruhte (so wurde dieser
Großvater in der Familie kurz bezeichnet), begann mir der Sinn
einfacher und unverrückbarer Maßstäbe aufzugehen, das muß
ich wohl sagen.

„Mein Vater, zum Beispiel", bemerkte Gontard, wie durch
meinen Blick gelenkt, und sah nun ebenfalls auf das Bild, „war
kein Revolutionär, sondern ein Meuterer und Abenteurer. Er
blieb durchaus innerhalb des Nächsten und Anschaulichen. Er
hätte die Füsilierung jener Burschen damals nicht zu ertragen
vermocht und ging mit ihnen durch. Aber er ist in seinem späteren Leben kein notabler Bekämpfer des Militarismus oder ein
überzeugter Gegner der Militärgerichtsbarkeit geworden. Er
hat niemals irgendetwas derartiges geschrieben, und Sie wissen
ja wohl, daß er mehr als reichlich geschrieben und veröffentlicht hat. Im Burgtheater erinnert man sich noch seiner Kalifen-
Dramen mit mehr oder weniger großem Genuß."

„Revolutionär wäre demnach jeder, der wegen Unmöglichkeit und Unhaltbarkeit der eigenen Lage die Allgemeinheit verändern möchte", sagte ich.

„Sagen Sie gleich: die Grundlagen des Lebens überhaupt.
Finden sich genug Leute in gleicher Unmöglichkeit und Unhaltbarkeit, so macht das denjenigen, der hier sozusagen den
lockenden Weg zeigt – nämlich am Leben, wie es einmal ist,
vorbeizukommen, obendrein mit sittlichem Pathos – zum revolutionären Führer. Revolutionär wird, wer es mit sich selbst
nicht ausgehalten hat: dafür haben ihn dann die anderen auszuhalten. Die stehengelassene sehr anschauliche Aufgabe des
eigenen Lebens, mit welcher einer auf persönliche und einmalige
Weise nicht fertig zu werden vermochte, muß natürlich in Vergessenheit sinken, und mit ihr die Fähigkeit zum Erinnern überhaupt, das Gedächtnis als Grundlage der Person. Hier schlägt
dann die Geburtsstunde der Schlagworte und zugleich die

Sterbeglocke der Anschaulichkeit, der konkreten Nähe, der augenblicklichen Abhilfe, der unmittelbaren Beziehung zu feindlichen oder freundlichen Personen. Diese Beziehung hat man jetzt weniger auf Grund physiognomischer Wahlverwandtschaft und weit mehr über den Umweg einer Doktrin, die gleichsam als Beziehungs-Regulator zwischen alle Menschen eingeschaltet ist. Immer wieder geschieht es daher, daß der Revolutionär sich in einer Reihe findet mit wesentlich ihm feindlichen Personen – die gleichfalls irgendwo und irgendwann auf ihre Weise ihren Anschaulichkeiten entlaufen sind – und von da her könnte man es vielleicht erklären, daß in solchen Reihen der Mord umgeht wie ein Plumpsack."

Ich betrachtete ihn erstaunt, und es schien, als bemerke er das.

„Sie wundern sich, G-ff", warf er lachend ein, „nämlich darüber, von wannen mir wohl diese ganze Anschauungsweise und Weisheit kommen mag – na, ich will Ihnen den Schlüssel bald reichen, den Schlüssel der Theorien des alten Gürtzner. Aber vorher müssen Sie noch was anhören. Ich sage: das Maß des Handelns reißt in der Panik und Revolte gleichsam ab. Wenn jemand in eine Lage, in welche er gerät, seinen Maßstab nicht mitbringt – seinen Maßstab in bezug auf das Menschliche und auf das innerhalb der Menschlichkeit und Menschenwürde Zulässige – sondern ihn irgendwo dahinten liegen läßt und jetzt sein Maß nur mehr aus den gegebenen Umständen selbst gewinnt, so ist das zumindest die profundeste Treulosigkeit, welche man denken kann, wenngleich falsch vergoldet von einem Strahle der Lebendigkeit und Wendigkeit, der ‚Lebens-Nähe‘, oder sonst so was. Es produziert aber der Mensch, wenn er nur das allerprimitivste Stadium hinter sich gelassen hat, dieses Manöver ungern ohne eine vernünftige oder gar rationale Rechtfertigung, ungern ohne irgendeine Art Theorie, sowohl im einzelnen Leben wie in der Gesamtheit. Hier beginnt dann jene ‚Umwertung aller Werte‘, die wir nach 1918 praktisch erlebten. Der Mensch, unter den Notwendigkeiten der Umstände und jetzt obendrein unter seinem neuen, eben aus jenen Umständen gewonnenen Maße, fühlt sich da ganz unbedingt im Recht und daher bei gehobenem Selbstbewußtsein. Man könnte es das euphorische Stadium jeder Revolution nennen, und es fehlt bei keiner von den bisher abgelaufenen."

Mir schien, als habe sich indessen die Tonart seines Sprechens und der Rhythmus seiner Sätze geändert. Das Predigthafte, das Ölige, das Lubricans war jetzt fast ganz verschwunden und abgerieben, eine körnigere Schicht wurde fühlbar.

„Revolutionär wird", setzte er fort, „wer von Anfang an durch sein eigenes unscharfes Sehen die Wirklichkeiten so blaß nur in sich aufnimmt – sie führen daher in ihm das herabgekommene, unanschauliche Dasein von Untertatsächlichkeiten – daß keine als nicht änderbar, als nicht vom Orte zu rücken, als nicht in irgendeiner Weise zu verbessern erscheint, daß keine für ihn definitiv ist und keine ein Ausdruck bleibender Gesetze, denen das Leben stets spontan folgt. Unter solchem Gesichtswinkel muß aber dieses Leben lediglich mehr als eine Frage des Arrangements, der richtigen Umstellung, der zweckentsprechenden Einteilung, der Willenskraft, Ordnung (wie er sie sieht) und der Leistung erscheinen. Damit hängt der rationelle Zug aller revolutionären Programme und Menschen zusammen – wodurch sie bestechen – und der Mangel an Wissen um die Zähigkeit, die Wucht, den Zwang der Lebenszusammenhänge, auch der geistigen, deren Gewicht diese Menschentypen nie empfunden haben, weil solche Bahnen in ihnen längst verödet und erstorben sind. So ist eine sozusagen apriorische Unanschaulichkeit die Mutter aller Revolutionäre. Der Revolutionär flieht vor dem, was am schwersten zu ertragen ist, vor der ziellosen Vielfältigkeit des Lebens nämlich, in die Richtung der Vollkommenheit, was in der Welt seiner Untertatsächlichkeiten jedoch bestenfalls Vollständigkeit bedeuten könnte. Volk, soweit es das noch ist, wird wohl augenblicklich rebellieren, revoltieren gegen unerträglich gewordenen gegenwärtigen Druck der Herrschenden; nie aber wird dieses Volk revolutionär sein: eben wegen seiner allzu großen Vertrautheit mit der Zähigkeit, der Wucht, dem Zwang der organischen Lebenszusammenhänge. Deshalb kommt auch hier etwas ganz anderes bei ihm bald zum Vorschein, nämlich seine natürliche Skepsis. Damit endet das euphorische Stadium jeder Revolution."

Ich nahm eine Zigarette und ging zweimal im Zimmer hin und her, mich gleichzeitig deshalb entschuldigend. Er nickte nur, die Troddel des Fez flog nach vorne: ich blieb am Fenster stehen und er begann bald wieder zu sprechen. Draußen zerfloß der weiträumige Prospekt im Lavendelblau beginnender Dämmerung. Vom Rande des Gehsteiges unten ragte eine Bogenlampe mit ihrem grauen Schwanenhalse bis etwa zur Höhe des zweiten Stockwerks herauf, und jetzt flammte plötzlich der gläserne Ballon; das Licht aber blieb um ihn zusammengedrückt, da noch die Tageshelle herrschte; überall in Schnüren sah ich die frühen Kugeln der eingeschalteten Straßenbeleuchtung. Mein Blick blieb nicht draußen in der weiten Aussicht liegen – merkwürdig war's, wie in einer bereits undeutlichen Ferne noch da und dort ein grüner Baum wie ein Büschel oder Besen zwischen den grauen Häusern steckte – sondern er senkte sich auf den Hals der Bogenlampe herab und verweilte dort. Im Zuhören kehrte ich dann wieder zu meinem Armsessel zurück.

„Das besondere Verhältnis der Jugend zum Revolutionären übrigens, ihre Neigung dazu, geht freilich auch auf Lebensschwäche zurück, im tiefsten Grunde, wenigstens im Sinne der ganzen Anschauungsweise, die ich Ihnen heute dargelegt habe. Erfunden hab' ich sie ja nicht selbst. Der junge Mensch wehrt sich einfach dagegen, unter den dargebotenen Bedingungen ins Leben einzutreten, er will diese Bedingungen nicht einmal ganz auffassen, er will sich die Augen zuhalten und die Hände vor's Gesicht, was man merkwürdigerweise als Kind im Mutterleibe wirklich tut . . .“

Er sagte dann noch einiges, endigte aber bald. Unter anderem dies:

„Wer irgendwo und irgendwie zu schwach ist, um in der Welt, wie sie eben ist, zu leben, der verabsolutiert gern ‚idealistisch‘ einen Zustand, der sein soll, gegenüber dem tatsächlich seienden. In welcher Richtung immer solch ein ‚Idealist‘ sich die Sache nun denkt: jener ersehnte Zustand wird doch stets ein und dasselbe Grundmerkmal haben – daß nämlich die Schwäche, um die es hier jeweils geht, innerhalb seiner als Stärke werde auftreten können. In einer ‚rassenreinen‘ Gesellschaft wird jeder Simpel und Brutalist, der nicht vorwärtsgekommen ist, mindestens einen ‚Arier‘ vorstellen; die gleiche Auszeichnung kann, bei anders gerichtetem ‚Idealismus‘, darin liegen, für einen Prolet-arier zu gelten. Dort eine vermeintliche Gemeinsamkeit der Rasse, hier eine der Klasse, es ist gehupft wie gesprungen. Klassen können ja zu Rassen werden, und umgekehrt. Das war schon da. Hier in Wien ist aus einem reinen Berufsstand sogar eine Art Rasse geworden: die der Hausmeister. Das weiß jeder Wiener. In Paris ist das ähnlich. Genug. Man bezieht also das Selbstgefühl für seine Schwachheit in beiden angeführten Fällen aus einem gemeinsamen Depot, so Rassenbewußtsein wie Klassenbewußtsein. Beide geben auch animalische Wärme ab. Aber Gemeinschaft kann für die Dauer nicht auf einem Fundus gründen, den man gemeinsam hat, sondern sie muß auf dem Ungemeinen gründen, auf dem, was jeder an Einzigartigem, Persönlichem, Nicht-Mitteilbarem besitzt, auf dem, was ihn unersetzlich macht. Anders hat die Gemeinschaft keine Dauer, sondern artet zur Gemeinheit aus. Wir sind auf dem Wege."

Ich hatte ihm zuletzt schon in einer innerlich sozusagen weit ausgelegten Haltung zugehört, wie um das Gleichgewicht zu bewahren; ich trachtete, mir sein Alter vorzuhalten, seine Herkunft, seine Vergangenheit innerhalb der burgundisch-spanischen, zeremoniösen Hierarchie und der ähnlich beschaffenen Ordnung eines hohen Ministeriums. Aber doch war es ihm eben gelungen, wie mit einer feinen Sonde tief in mich einzudringen.

„Und jetzt, G-ff", fügte er nach einigen Augenblicken hinzu, „muß ich mich selbst endlich als Plagiator entlarven. Der Kohl ist nicht von mir gebaut. Es ist ein junger, bemerkenswerter Historiker, der mir das alles auseinandergesetzt hat."

„Ein Buch . . . ?" fragte ich zögernd.

„Nein", sagte er, „ein Mensch. In diesem Zimmer hier. Sie kennen ihn sogar. Der junge Stangeler."

„Wie – – –?!" rief ich, und mein Mund blieb wirklich, nicht nur figürlich, für einen Augenblick vor Staunen offen stehen.

„Ja, der René Stangeler", wiederholte er. „Bei Oscar Wilde sagt einmal einer – ich glaube, der Lord Henry Wotton im Dorian Gray – daß er sich grundsätzlich nur von jungen Leuten belehren lasse. Ich hab' es in diesem Falle so gehalten, denn was er redete, ging mir ein, es ging mir sogar tief ein, sonst hätt' ich es Ihnen kaum so wiedergeben können; gewiß nicht vollständig, denn er hat noch viel mehr gesagt, aber das war mir zu kompliziert."

Heute wird man lachen, wenn ich es hierher setze, woran ich bei dieser für mich mehr als überraschenden Mitteilung zuerst gedacht habe: nämlich an mein Steckenpferd, das seit heute morgen ohnehin schon einen Knick hatte, und mir nun vollends zu zerbrechen schien. Ich dachte das Folgende wörtlich: ‚Jetzt

ist die ganze Chronik beim Teufel. Den hab' ich ja total ver-
zeichnet und bei ihm fundamental danebengehauen.' Ich will
diese Kleinigkeit nicht unterschlagen, und überhaupt keine;
denn heute, bei der Sammlung und Bearbeitung dieser von den
allerverschiedensten Seiten stammenden Berichte, Szenen und
Auftritte, muß es mir doch in hohem Maße auch um meine
eigene biographische Wahrheit gehen, und ich darf nicht ver-
schweigen, sondern muß genau feststellen, wovon ich jeweils
infiziert war. Nebenbei bemerkt, achte ich auch streng darauf,
nur ja keinen Strich zu ändern, wenn einer meiner Gewährs-
männer oder Mitarbeiter mich selbst beim Namen nennt; wenngleich's mir manchmal wirklich schwer fällt, besonders bei
Schlaggenberg, seiner Unverschämtheiten wegen (man wird
das noch sehen).

„Kennen Sie die Familie Stangeler?!" fragte Gontard.

„Ja", antwortete ich, „recht gut sogar. Aber ich war lange
nicht dort."

„Ich für mein Teil", sagte Gontard, während ich noch durch
diverse Kapitel meiner Chronik hüpfte, aufgeregt wie eine gescheuchte Henne, die gackernd über den Hühnerhof flattert,
„ich für mein Teil spiele seit fünfzehn Jahren jeden zweiten oder
dritten Sonntag Tarock mit dem alten Stangeler und ein paar
anderen Herren, die schon länger als ich zu dieser Runde gehören. Seit 1912 oder 1913 bin ich auch dabei, wenn auch nicht
regelmäßig. Im Krieg und in der ersten Zeit danach waren
diese Kartenpartien allerdings unterbrochen."

Alter Tepp! – sagte ich indessen plötzlich und grob zu mir
selbst – glaubst du etwa, dieses schiefäugige Individuum mittels
seiner Meinungen umschreiben zu können? Ein Sack voll von
Flöhen! Es war einfach einer von seinen Exzessen, wie andere
auch, zum Beispiel irgendwelche bolschewistische Interjektionen, oder etwa ,Professor sein und verheiratet – das ist für mich
eine grausliche Gedankenverbindung, ehrlich gestanden.' So sagte
er doch dem Herrn Neuberg, vor der Hofbibliothek, oder dort
irgendwo. Er hat hier improvisiert und der alte Gürtzner-Gontard
ist darauf hereingefallen.

„Ich kenne daher diesen jungen Herrn seit seinem siebzehnten oder achtzehnten Lebensjahr etwa", fügte er hinzu.

„Ich auch. Vielleicht noch länger. Ich habe vor dem Krieg
bei Stangelers Hausbälle mitgemacht, ich hab' auch ein oder das

andere Mal an Ausflügen teilgenommen, am Land draußen mit den Töchtern. Die Eltern waren selten dabei. Frau von Stangeler war immer sehr bestrebt, die Jugend nicht zu stören. Wahrscheinlich ist sie in ihrer eigenen Jugend viel gestört worden und mußte damals die Freiheit entbehren, welche junge Leute heutzutag' genießen. Ich glaube, sie ist an einer Art von Duodezhof aufgewachsen, beim Herzog von C., in Gmunden, wenn ich mich recht entsinne . . ."

„Aha – da ist wieder einmal etwas, was ich nicht gewußt habe!" sagte er und hob den Zeigefinger. Die Schwenkung des Gespräches ins Gesellschaftliche schien ihn sehr zu beleben, man konnte fühlen, daß es ihn stark anging, daß es ihn mobilisierte, daß er einen Akzent von Wichtigkeit hier hatte (der mir in letzter Zeit schon vollends abhanden gekommen war). Diesen Akzent auszugleichen aber mochte dem alten Gürtzner-Gontard ein entschiedenes Bedürfnis sein, und er wandte hierzu auch ein geeignetes Mittel an: indem er nämlich alle derartigen Gegenstände ziemlich betont als Bagatelle und beiläufig behandelte, mochte da die Rede sein von wem immer – und seine Beziehungen webten ihre Fäden fast durch den ganzen Hochadel und die ehemals führenden Kreise – ja, wenn es zu solchen Erwähnungen kam, dann erst recht. So war es bei ihm immer gewesen. Aber, was trotz des Ausgleichs verblieb, war eben seine stets sichtbare Belebung bei allen derartigen Themen.

„Damit erklärt sich mir nämlich die Beziehung zum Primarius Doktor Hartknoch – das ist einer von den Tarock-Partnern, der einzig bemerkenswerte übrigens, wenn man vom Hausherrn absieht. Es gibt noch einen zweiten Doktor Hartknoch, einen Professor, das ist der Bruder vom Primarius, und der eben war Leibarzt des Herzogs von C. in Gmunden. Ich glaube, auch schon der Vater von den beiden war es. Der Mucki Langingen hat's neulich hier erwähnt, und die Langingen sind ja seinerzeit in Gmunden alle sehr oft bei dem Herzog gewesen."

Ich sah das Bild wiederum vor mir, wie es sich mir gestern abend geboten hatte, als ich im Begriff gewesen war, die Siebenschein'sche Wohnung zu verlassen, um in die Oper zu gehen: den vorderen Raum im Durchblick – Schlaggenberg mit leichter Verbeugung auf Frau Glaser zutretend – dahinter die offene Flügeltür erfüllt von wechselnden Ausschnitten tänzerischer Bewegung, jedes Paar nur kurz sichtbar, und an den

Türpfosten lehnend jene beiden Herren, deren einer vom alten Gürtzner-Gontard eben genannt worden war: das alles stand in mir, aber sehr weit weg, und ich erinnerte mich jetzt undeutlich und verwundert, daß ich an der Gegenwart des Grafen Langingen und seines Standesgenossen von der anderen Türfüllung bei dieser ganzen Unterhaltlichkeit in irgendeiner Weise Anstoß genommen hatte: gleichsam als hätten diese Herrschaften Güter von mir in Verwahrung gehabt, mit welchen sie nun vor meinen Augen leichtfertig umgingen, oder etwas von dieser Art. Augenblicklich schien mir das nur befremdend – und ich war zugleich deshalb erleichtert, als trenne mich jetzt ein erster und sich erweiternder Spalt von einer Verstrickung, welcher zu entrinnen ich mich bemühte, als ließe ein Übel nach, als würde mir besser zu Mut. In solchen Empfindungen herumtastend, schob ich nur wie einen Schirm die Frage vor:

„Sie meinen, Herr Hofrat, den Grafen Langingen, dessen Vater einmal Finanzminister gewesen ist?"

„Ja, ja", antwortete er leichthin, „aber so weit wird's der Mucki nicht bringen, denn Kirchenlicht ist er keines. Dafür sammelt er Antiquitäten, mit einer guten Nase sogar, hab' ich mir sagen lassen. Er stöbert am ‚Tandelmarkt‘ herum" (so nannte man den damals noch bestehenden Altwarenmarkt der Stadt). „Also da haben Sie wahrscheinlich auch die Geschwister von unserem René Stangeler und überhaupt die ganze Familie gekannt? Auch die Frau Konsul Grauermann?"

„Ja", sagte ich, „die Etelka, viel älter als der René, die war doch mit dem Pista Grauermann verheiratet."

„Seltsam, daß man ihr schon als Kind einen ungarischen Namen gegeben hat", bemerkte er, „später hat sie einen Ungarn zum Mann gekriegt und hat in Budapest gelebt und ist auch dort gestorben. Hat sich umgebracht, sagt man, wie? Der Orkay ist in Budapest dann und wann zu Grauermanns gekommen. Der hat mir's erzählt."

Géza hatte mir gegenüber mit keinem Wort jemals seine Beziehung zu Grauermanns erwähnt; jedoch ich erstaunte nicht. Der ‚Vogel Turul‘ war keiner von den Mitteilsamen; er faßte auf, nahm wahr, und behielt bei sich; auch etwa, daß er bei Gürtzner-Gontard verkehrte, und den Alten besonders zu besuchen pflegte, und sogar über die ‚Unsrigen‘ mit ihm sprach, wobei doch aller Wahrscheinlichkeit nach auch mein Name gefallen war und sich herausgestellt haben dürfte, daß der Hofrat mich seit meiner Jugend kannte . . . . Ich aber lebte bei den ,Unsrigen', ich war, wie Frau Ruthmayr beliebt hatte sich auszudrücken, ,sozusagen unter die Künstler gegangen . . . in so einer Kolonie draußen, in einem solchen Kreise'. Damit aber schien's jetzt zu Ende. Eine Hülle der Befangenheit, die ich erst spielerisch um mich zusammengezogen hatte, um sie im weiteren Verlaufe dann unvermutet für das Innere der Weltkugel zu halten, diese Hülle mußte nun platzen.

Das ist ja ein Skandal! sagte ich mir. Hat keine Ahnung, lebt in einer Kapsel! ,Die Unsrigen'! Alles Blödsinn! Und überhaupt . . .(?)! Jedoch, nicht nur Frau Irma Siebenschein mischte sich am Ende mit ihrer stehenden Redensart ,und überhaupt!' in meinen innerlichen Sermon, sondern ich hörte da auch eine Stimme, die in einem leicht impertinenten Ton sagte: Bitte, Herr Sektionsrat, sitzen Sie doch wieder einmal ab vom Pferd-chen, vom Steckenpferdchen. – Seien Sie still, Kajetan, und benehmen Sie sich anständig, es sehen schon alle Leute her, antwortete ich.

Laut sagte ich dann:

,,Wenn man eine Vermutung in bezug auf die Stangelers wagen möchte, so wäre es vielleicht die, daß keineswegs die starke und explosive Natur des Vaters an sich auf die indivi-duelle Entwicklung seiner Kinder unbedingt drückend oder sagen wir etwa ,verbiegend' wirken mußte . . . sondern daß hier die Lenkung von seiten der Mutter möglicherweise das eigentlich Entscheidende war. Was sie wünschte – wenn ich jetzt versuche, aus meiner Erinnerung etwas Deutliches abzu-nehmen – war, mit ihrem Manne gut auszukommen, und auch das ging wohl schon manchmal über ihre Kraft. Um dieses ihr Hauptbestreben mußte sich alles Übrige in der Familie, von ihr aus gesehen, anordnen. Sie liebte und bewunderte ihn grenzenlos, das war ihre Hauptsache. Sie selbst, die Familie, oder etwa eine Kartenpartie, alles überhaupt, hatte sich, so weit es in ihrer Macht stand, nach seinen Grundsätzen darzustellen – Herr von Stangeler äußert eigentlich ununterbrochen Grund-sätze – und so, daß es ihn nicht ärgerte, daß es ihn bei guter Laune erhielt, wodurch schließlich dann auch sie glücklich atmen konnte.''

„Was ich übrigens ganz richtig finde", replizierte er mit einigem Nachdruck. „Sie sprechen von einer drückenden oder ‚verbiegenden' Wirkung, welche die starke Natur eines Vaters in bezug auf die individuelle Entwicklung der Kinder nach sich ziehen kann – glauben Sie mir, damit ist es nicht so weit her. Freilich, Sie können das als Junggeselle und ohne Familie so genau nicht kennen. Sie sind halt wirklich ein Revolutionär und ziehen aus allem den entsprechenden Faden heraus. Aber man kann als Vater nicht mehr tun, als seinen Platz ordentlich ausfüllen, und so den Kindern ein gutes Beispiel geben zu allem, was man ihnen an Grundsätzen vermittelt. Sie, G-ff, mögen keine Grundsätze, scheint mir – das ist nun wieder un-revolutionär, unter uns gesagt! – aber ganz ohne geht es eben doch nicht, besonders, wenn man Kinder hat. Eine anständige Erziehung beruht auf einigen solcher Grundsätze, die meiner Meinung nach unveränderlich sind und keineswegs reformbedürftig, und die man auch gar nicht verbessern kann. Sie werden immer die gleichen bleiben, und waren immer die gleichen. Respekt vor den Eltern muß sein, dazu gehört auch eine gewisse Distanz. Wenn sie zu groß ist – immer noch besser als zu klein! – fällt das natürlich auf . . . mir ist es bei den Stangelers auch aufgefallen; das räume ich ein; mehr will ich aber nicht sagen. Der Vater ist nun einmal der natürliche Mittelpunkt des Hauses, pater familias . . ."

Mir fiel die Überbetonung auf, mit welcher er sprach, nicht mehr bequem in die eigene Mitte zurückgelehnt, sondern als hätte er ein Gegengewicht niederzuhalten, als machten seine Worte die Mauer für irgendeinen blinden Fleck in ihm selbst, der blind bleiben wollte: es schien ein Terrain unbedingten Sträubens in ihm berührt worden zu sein.

Ich lenkte also ein: „Gewiß, hieran ist nicht zu zweifeln."

Wir schwiegen eine kleine Weile. Das Gleichgewicht schien wieder hergestellt, die Oberfläche geglättet. Gürtzner-Gontard setzte seine Bemerkungen fort.

„Nun, was den Herrn von Stangeler betrifft: Wer jemals einem der ‚starken Charaktere', wie man's ja auch nennt, durch das Schicksal beigeordnet und verbunden wurde, sei's in welcher Form immer, als Vater, als Bruder, als Sohn oder als Freund, der kann weder einfach verduften – wie es die Fremden früher oder später eben machen – noch wird ihm die Haltung eines

Wärters mit ihrer kalten Tugend ganz glücken, jedoch ebenso wenig die Wieder-Besetzung des durch Nervenschwäche und Zurückweichen verloren gegangenen Raums; ja, diese Nervenschwäche erweist sich letzten Endes als schuldhaft, und das langsame Prozeßverfahren des vorschreitenden Lebens erkennt sie als entlastenden Umstand niemals an. Die Einsamkeit einer wirklichen Persönlichkeit ist zentripetal, ihr Sturz nach innen wird zu rasch, als daß die Freunde – von der Welt ganz zu schweigen – noch folgen könnten. Die Verlassenheit eines Charakters von großer Raumverdrängung, von hoher Tonnage ist zentrifugal; und zuletzt, hinter den immer mehr Zurückweichenden, geht schon die Sehnsucht des Verlassenen her, Sehnsucht nach endlichem Kampf, und daß sich doch endlich einer stellen möge, ohne den aufschießenden Quirl eines plötzlich gehemmten souveränen Willens zu scheuen, und Sehnsucht nach Liebe, die über höheren Auftrag diese ringende, bohrende, einer Fata-Morgana des äußeren Lebens nachdrängende Seele so hinnimmt, wie sie ist, und nicht mit der kalten Tugend eines Wärters, sondern übergreifend und mit sanfter Hand den ganzen verbrannten, verödeten, verlassenen Raum wieder besetzend, eine neue Rodung, ein jungfräulicher Garten, eine Mission, der gar nichts einzelnes überraschend kommt, weil sie Tobsüchtige zu Lämmern machen kann und Drachen zu jungen Entlein . . ."

Er sprach nicht ohne Bewegung. Zum ersten Mal an diesem Abend fühlt' ich, daß dem alten Mann die Aussprache willkommen war und daß er meinte, mit ihr am rechten Orte zu sein. Daß ich gewissen Bewegungen seines Innern dabei mit Aufmerksamkeit und feststellend gefolgt war, erschien mir jetzt beinahe peinlich und indiskret, im nächsten Augenblick aber schon als die aufmerksamere Haltung – in jenem Sinne von Artigkeit, den dies Wort auch hat – als die würdigere gegenüber der großporigen Sentimentalität eines bloß aufnehmenden Schwammes (der auch das ganze Wasser sogleich wieder läßt, wenn man ihn drückt).

Aber gegen meine schon wieder beruhigte Blödigkeit holte jetzt die bisher in einem wichtigen Punkte völlig abwesende Erinnerung aus wie ein Hammer, und schlug zu Scherben, was eben noch hatte zur Zufriedenheit sich ründen wollen. Er sprach ja – von sich selbst. Ein neues Licht fiel auf all' seine Haltungen dabei, und gleichsam von seitwärts scharf einfallend machte es mir nun dieses ganze Feld erst plastisch, nahm ihm die flächenhafte, schwach gehöhte Draufsicht der akademischen Betrachtung, und schlug in ihr Relief alle tiefen Schattenschründe und hohen Lichtkämme einer wirklichen und hochpersönlichen Sache hinein: er hatte zwei Söhne gehabt; er hatte sie nicht mehr; sie lebten; sie waren dem elterlichen Hause entwichen, auf eigene Faust und ohne Mittel, besonders der jüngere; das Leben hatte ihnen in der neuen Welt drüben recht gegeben; der eine war heut' im Staate NewYork ein gesuchter Arzt, ein Entdecker und Ausüber überraschender Verfahren in der Heilkunde des Herzens, des Herzmuskels, sollte ich sagen; der jüngere war Dozent für politische Ökonomie an der Columbia-Universität. Das Blut des Großvaters hatte in den Enkeln sich empört und bewährt. Hier ein verlassener alter Mann. (Daß er noch Frau und Töchter besaß, fiel mir jetzt in der Aufregung wieder nicht ein.) Was sich hier andeutungsweise zeigte (unter einer Decke von nicht geringer Distinktion doch die Positionen des Kampfes erkennen lassend), was hier sich malte, mit blinden ausgesparten Flecken, oder sichtig mit scharfen Pinselstrichen da und dort wieder Konturen erfassend: das war ein spätes Gemälde, eine Stimmung gegen Abend, teils rauchig und dunstig, und gleichwohl ganz rückwärts schon mit geordneten Reihen der Federwölkchen in das leuchtende End-Tor der Einsicht ziehend, das am Horizonte noch immer weit offen stand.

Ich schwieg natürlich, ich versuchte, mich rasch und neu zu ordnen, aber freilich, es mißlang; diffuse Brocken trieben in mir um, die Worte der Frau Ruthmayr jetzt wieder (,. . . in so einer Kolonie draußen, in einem solchen Kreise' – na, wahrlich recht hat sie!) und dann sagte eine impertinente Stimme: ,Daß Sie den Überblick verlieren, die wichtigsten Sachen vergessen, ganz in Befangenheit geraten schon nach diesen paar Monaten, na, das ist – Sie verzeihen schon, Herr Sektionsrat – halt typisch dilettantisch.' Ach, ich wäre so gern schnell mit dem Zeigefinger kreisrund um den Hals gefahren, mit einer kleinen Verlängerung der Bewegung nach oben und in der schlichten Bedeutung: ,Hängen Sie sich auf, Schlaggenberg!' Aber wie hätte denn das ausgesehen, was hätte denn der alte Herr, mein einstmaliger Vorgesetzter aus der Präsidialistenzeit, sich dabei denken müssen? Sollte das vielleicht die Antwort auf seine Rede sein?!

Er setzte schon fort: „Nun, es gab außer mir noch andere stille Beobachter dort bei Stangelers ... Mit solchen traf ich auch sonst einmal zusammen, und da stimmten, was die Familie Stangeler betraf, unsere gemachten Beobachtungen so ziemlich überein. Bei solchen Anlässen hatte ich dann Gelegenheit zu gewissen Einsichten ..." Er stockte; und fügte sodann hinzu, halb unfreiwillig und mehr zu sich selbst, doch war sein Gedanke lebhaft genug gewesen, um die Stimmbänder noch ein wenig in Bewegung zu setzen und die Wortform, den leisen Schall hervorzubringen, welcher ja sozusagen das Fleisch der Sprache ist. Er sagte: „Zu spät allerdings."

Es war die erste kleine Unbeherrschtheit dieses Abends von seiner Seite. Einen Augenblick lang nur hatte der scharfe Zugwind des eintreffenden Schmerzes den wolkigen Rauch der Rede beiseite getragen, und ich sah deutlich dessen verleugnetes Feuer, klein, trüb, rot und weh.

Aber der emotionale und allzu persönliche Ausgangspunkt macht nicht – wie manche, wenn sie ihn entdeckt haben, triumphierend vermeinen – das Denk-Ergebnis eines Menschen wertlos, er entmachtet es nicht, sondern gibt ihm erst seine Wirklichkeit als Überwindungsform; und jener sehr bestimmbare und konkrete Punkt wird zum geplatzten Fruchtknoten. Ein Denken an sich gibt es so wenig wie eine ‚absolute Musik', von der nur die Gebildeten gern reden, nie jedoch die Tondichter. Freilich wußt' ich nun auch, was meinen Hofrat zu jener Kartenpartie heut' noch immer hinführte, was ihn dort festgehalten hatte, und vor allem: was sein nunmehr angeknüpfter Verkehr mit René Stangeler im Grunde und eigentlich bedeutete. Ja, alles das war nichts anderes wie geheime, nimmer abreißende Zwiesprache mit (nach seiner Meinung) begangenen und nicht wieder rückläufig zu machenden Fehlern.

Es erwies sich mir als unmöglich, ihn jetzt damit ganz allein zu lassen, mich aus alledem herauszuhalten. Es erschien mir als undiskutabel. Ich suchte den Ton nicht lang und fand ihn doch richtig – halb-leicht – als ich jetzt, nach einer angemessenen Pause, fragte:

„Hören Sie von Ihren Söhnen, Herr Sektionschef?"

„Ja", sagte er. „Die Buben schreiben brav. Nicht mir, der Mama." (Er zuckte kaum merklich die Achseln.) „Der Franz – das ist der ältere, der Arzt – er hat geheiratet. Sogar gut, scheint's. Price heißt sie. Den Familiennamen kann ich mir nicht merken. Er ist aber nicht englisch. Eher böhmisch oder hiesig. Es ist lieb, daß Sie mich nach den Buben fragen, G-ff. Je vous en remercie."

Die letzten, französischen Worte sagte er leiser; und doch hatten sie mehr Nachdruck als alles Vorhergegangene. Er war ein Meister des Tones, nicht nur des guten Tons, sondern des Tones überhaupt. Und mir war, wohl möglich, manches davon abhanden gekommen. Bei den ‚Unsrigen' . . . ‚in so einer Kolonie draußen, in einem solchen Kreise'. Immerhin, den Ton hatte ich doch diesmal noch getroffen: gleichsam unter dem übermächtigen Zwang zur Teilnahme. Vielleicht hätte ich diesem früher gar nicht nachgegeben. Jetzt freilich, nach meiner Gewöhnung an die ‚Unsrigen' . . . man sprach ja dort über jede Sache reichlich frei. Ich nahm also mein Maß schon von dort?! Sogleich begehrte ich auf. Alles das spielte sich in kurzen Augenblicken in meinem Inneren ab: eben während er halblaut sagte ‚je vous en remercie'. Er klopfte mir ganz leicht zweimal auf den Handrücken. Es war, als lobte er mich, mit diesem Tätscheln.

Zwanzig Minuten später stand ich auf der Straße. Und wirklich wie auf offener Strecke; sie schien an mir vorbeizulaufen im glänzenden Asphalt, den irgendeine niedergeschlagene Feuchtigkeit wie Fischhaut schimmern ließ.

Im Vorzimmer oben, als ich mich verabschiedete – der Hofrat ließ sich's nicht nehmen, mich hinauszubegleiten – im Vorzimmer oben hatte sich eine Tür geöffnet, und Gürtzner-Gontard stellte mir alsbald sein ‚jüngstes Töchterl' vor, ein Mädchen von etwa sechzehn Jahren, Renata hieß sie.

Es war dieselbe Person, welche bei dem Ausfluge der ‚Unsrigen' am Hügelkamme neben Schlaggenberg gestanden hatte, wie es schien, um dann, herabsteigend, unsere ganze Gesellschaft gleichsam zu teilen, indem sie mitten zwischen uns hindurchging.

Es war dieselbe Person, welche später und draußen wieder unweit vorbeigegangen war, nach Stangelers sozusagen inspirierter Schilderung jenes Gespräches zwischen Levielle und Lasch, dessen Spitze gleichsam in seinen Halbtraum und Halbschlaf hatte eindringen wollen; es war dieselbe, ich wußte es jetzt, entgegen Gyurkicz' damaliger Behauptung, sie sei es nicht gewesen.

Aber jetzt: ein dritter Stützpunkt stellte den Triangel nunmehr fest auf seine Basis: es war dieselbe auch, welche damals auf dem Skiausflug unsere Spur gekreuzt hatte: die Jacke an die Achselbänder gehängt, in einem blauen Hemd mit kurzen Ärmeln. Sie war's. Mein Auge aber war irgendwie gehalten gewesen, damals bei dem Ausflug im Frühjahr, unten am Hügelkamme sowohl, wie später neben den grauen, klapprigen Bänken in der noch gelinden Sonne, als Stangeler perorierte.

Dem allen gegenüber bildete es nur noch ein Pünktchen auf's i, daß ich im Hinabsteigen durch's Treppenhaus das Türschild des Obermedizinalrates Dr. Schedik erblickt hatte, Kajetans Schwiegervater, der hier im Haus wohnte. Es war mir nicht möglich, im Augenblick mich zu besinnen, ob ich dies eigentlich schon früher gewußt und vergessen, oder jetzt erst durch den Augenschein erfahren hatte.

Genug. Das Ufer suchend und gleichsam den ruhigen Sessel des Chronisten, war ich statt dessen mit meinem Besuche bei Gürtzner-Gontard durchaus wo anders hingeraten, wie mir nun schien; und dies ganz abgesehen von der überraschenden Aufdeckung jener Verbindung zwischen René und dem Sektionschef; denn diesen Umstand empfand ich jetzt als in den Bereich des Absurden gehörig und dadurch irgendwie nebensächlich gemacht. Das Mädchen auf dem Hügelkamme dagegen erschien mir in diesen Augenblicken als ein sozusagen weit vernünftigerer Sachverhalt; und ich hatte offenbar völlig vergessen, daß mir für den Verkehr René's mit meinem einstmaligen Vorgesetzten eine befriedigende Erklärung geworden war ... Ich stand unter alledem noch immer vor dem Haustore: unter alledem wie unter einem Überhange, ja als hätte dies große Haustor ein Vordach, zusammengesetzt aus meinen widersinnigen Gedanken. Mein gemachter Besuch erschien mir zugleich durch Augenblicke wie ein Fehler. Ich wollte gehn, doch blieb ich stehn. Vor mir schwebte ständig das Bild eines Vergleichs, den der alte Herr da oben gebraucht hatte: es war der Embryo, der sich die Hände vor die Augen preßt. Ich sah diesen Fötus vor mir, etwa in der natürlichen Größe, er schwebte hinter meinen Gedanken wie ein steigender und sinkender Farbfleck im innern Lid, wenn man die Augen geschlossen hält.

2

Am anderen Ufer

Gegenüber von Siebenscheins, im selben Stockwerk, wohnte die Familie des Anatomie-Professors Storch. Dieser war Direktor eines Universitäts-Institutes. Ein mittelgroßer, braunhäutiger, dunkelhaariger Herr, einer der lebhaftesten Menschen des damaligen Wien, hübsch und elegant, gewaltiger Arbeiter, Mann von Karriere ... er gehörte zu jenen, die zwischen sich und ihren vielen Qualitäten eine Art Randkluft des Wissens um jene Qualitäten haben; aber es ging die Kluft so tief nicht hinab, daß sie den Kern der Person abgespalten und isoliert hätte. Dort unten herrschte noch solider Wuchs. Weiter oben, in den Spalten, dampfte es immerhin von Leben, das sich gleichsam ständig vorführte: am Mikroskop, im Hörsaal, in der Sprechstunde, in der Vielbeschäftigtheit, vor allem aber gegenüber den Frauen. Hier bewegten sich die Qualitäten wie funkelnde Teile eines Panzers, durch glatte Gelenke verbunden.

Seine Gattin, Käthe hat sie geheißen, war eben durchaus eine Gattin, aber im besten Sinn: man vermute da nichts Reizloses. Sie war groß, schlank, hübsch, und sah obendrein unwahrscheinlich jung aus, so daß ihr der dumme René Stangeler einmal ‚gnädiges Fräulein' gesagt hat – wie er denn oft Menschen nicht wiedererkannte oder nicht gleich ins richtige Fach tat: zudem bekam man die Frau Professor Storch überaus selten zu Gesicht. Sie war leidend. Sie ist auch früh gestorben, wahrscheinlich am Krebs.

René aber hat, im halbhellen Vorzimmer allerdings, Frau Storch für deren jüngere Tochter gehalten, die Felicitas hieß und ‚Fella' gerufen wurde: ein damals siebzehnjähriges Mädchen ... übrigens war sie kleiner wie ihre Mutter, ein insektenhaftes Geschöpf von bedeutender Keckheit.

Dem Professor gereichte die Verwechslung zum Hallo, als er davon hörte, und er versäumte nicht, seine Frau zu beglückwünschen.

Fella's ältere Schwester wurde Dolly genannt. Eine kleine Sultanin. Eine dunkle, orientalische Schönheit. Ein süßes Köpfchen. Ein – für ein junges Mädchen – etwas zu üppiger Leib.

Fella aber war schlank und blond, wie die Mutter.

Es hat ein mäßiger Verkehr mit Siebenscheins bestanden.

Stangeler wunderte sich einmal sehr, als er den Professor in lebhaftem Gespräch mit Grete in deren Zimmer antraf. „Servus", sagte Oskar Storch zu René, gab ihm die Hand und wandte sich Grete wieder zu. Er ging beim Sprechen auf und ab. „Ein Teil der Schwierigkeiten mit eurer Mama hat gar nichts mit ihrem Charakter zu tun. Das ist alles klimakteriell bedingt. Ihr müßt das bedenken."

„Alles?" sagte Grete.

„Ich sage ja: ein Teil. Natürlich nicht alles", antwortete der Professor leichthin. „Im übrigen soll sie nicht zu viel Mittel nehmen. Allerdings, der alte Schedik gibt ihr ja nur harmloses Zeug. Recht hat er. Ein reizender Mensch. Ich hab' ihn gestern getroffen. Grüß' dich, Gretel, ich muß jetzt gehen. Servus." Weg war er.

Stangeler empfand Verwunderung, ja, geradezu Neid.

„Wie ihr nur miteinander redet", sagte er vor sich hin.

„Ja, warum denn nicht, mein guter Bub?" erwiderte sie lachend.

„Er gehört doch gewissermaßen – – zur Vätergeneration. Er spricht mit dir ganz . . . d'égal à égal. Ich finde das großartig. Für mich ist so etwas immer ein ganz neuer Ausblick, in irgendeiner Weise."

„Kolossal", sagte sie. „Der Bub ist halt ein Steinzeitmensch." Sie nahm ihn um den Hals.

„Seine Frau ist sehr schön", sagte René. „Sie hat irgendetwas mit dir gemeinsam. Das Reine, das Strenge."

„Hoffentlich werd' ich nicht so unglücklich wie sie."

„Unglücklich . . .?"

„Er hat doch lauter andere. Er besucht sie höchst selten. Das hat sie mir selbst einmal anvertraut."

„Er besucht sie", sagte Stangeler vor sich hin. „Merkwürdig . . ."

„Was ist denn schon wieder merkwürdig?!" rief sie lachend.

„Nun . . . besuchen, besuchen, was sucht er denn . . .?"

„Was wird er schon suchen –!"

René war rasch in einen seiner spezifischen Verblödungszustände verfallen, die bei ihm meistens während des Herumknobelns an irgendwelchen Wortbedeutungen einzutreten pflegten. Merkwürdigerweise empfand Grete Siebenschein nie Ungeduld gegenüber dieser Erscheinung, sondern eher Sympathie.

„Du bleibst zum Essen", sagte sie.

„Ich möchte dich besuchen", sagte er unvermittelt.

„Nach dem Essen", antwortete sie glatt. „Die Alten gehen aus."

Er war fassungslos. Es fuhr wie ein Pfeil tief in ihn hinein. Eine süße Vergiftung: ihre Bewußtheit und ihre Bereitschaft.

Trix K. und Fella Storch hatten einander erst nach Frau Mary's Katastrophe näher kennengelernt, und zwar während jener Monate, die Frau Mary in München bei Professor Habermann verbrachte. Damals kamen die Storch-Töchter mit Grete Siebenschein öfter zu Trix hinauf.

Man darf sie nur im vorliegenden Fall und ausnahmsweise solchermaßen zusammen nennen, als Storch-Töchter. Denn sonst sind die Mädchen nie gemeinsam aufgetreten. Dabei schliefen sie im selben Zimmer und gingen in das gleiche Gymnasium, wenn auch in verschiedene Klassen. Das Leben der beiden jedoch lief in gänzlich getrennten Bahnen und Menschenkreisen. Diejenigen Fella's entsprachen glatt dem, was der Professor und Frau Käthe etwa im erzieherischen Sinne und im Sinne der gesellschaftlichen Reputation wünschen konnten. Außerdem entsprach solche Art des Umganges durchaus der Kälte Fella's. Bei ihr war die Kühle der Mutter sozusagen bis zur Kälte entartet. Die ältere Schwester Dolly hingegen ging ganz andere Wege.

Aber diesmal, im Sommer und Herbst 1926, fügte es sich eben, daß sie gemeinsam erschienen, und vielleicht wurde das von Trix K. veranlaßt, welche immer auch Fella's Schwester mit einlud. Es ist fraglich, ob solches nur aus Höflichkeit geschah. Es ist möglich, daß Trix sich in irgendeiner Weise durch Dolly hat schützen und sichern wollen, vor Fella, für welche sie eine mit Angst gemischte nervöse Zuneigung fühlte: etwas ihr völlig Neues.

Vor dem Hause hielt eben ein sehr kleiner, ganz tief über der Fahrbahn liegender Sportwagen an. Zwei breite patzige Hupentöne ließen alsbald den dunklen Kopf Dolly's am Fenster erscheinen. Aus dem niederen Gefährt kletterte mit einiger Mühe ihr Freund Oki Leucht, ein Schlagetot von gut einem Meter und fünfundachtzig Länge, und den wulstigen Lippen eines Negers. Jetzt verschwand er im Haustor.

Der kleine Wagen stand allein am Rand des Gehsteiges.

Es war ein vorgeschrittener Spätsommer-Nachmittag.

Die sehr belebten Straßen wurden aufgehoben und schwerelos verdampft in der flutenden Sonne. Fast schade, bei solchem Wetter im Zimmer zu sein, wenn's nicht unbedingt nötig war.

Die Klingel schlug in der K.schen Wohnung an. Trix mußte öffnen gehen. Die treue Marie war außer Haus.

Trix mußte öffnen gehen. Sie riß sich schwer los von Fella, mit welcher sie an jenem Platze saß, wo die Mutter einst gern zu frühstücken pflegte, am Kamin, der jetzt freilich nicht geheizt war. Sie sah plötzlich ihre Mutter da sitzen. Mit zwei Beinen, sehr schönen Beinen, welche der für eine reife Frau etwas kurze Rock weit hinauf unbedeckt ließ. Sie sah ihre Mutter da sitzen, ganz so, wie man im Geiste einen Verstorbenen sieht.

Trix empfand Schmerz. Sie vermochte offenbar Fella gar nicht klarzumachen, was für sie jenes Unglück ihrer Mutter bedeutete. Sie empfand jetzt Schmerz, nicht wegen des Unglücks, sondern wegen Fella's gänzlich anderer Artung.

Nachdem die Klingel angeschlagen hatte, blieb Trix noch einige Augenblicke unbeweglich.

Hier saß nun Fella wie eine seltsame Libelle, die sich da niedergelassen hatte.

Von der Seitenstraße, die zum Donaukanal lief, tönte das Rufen der Buben beim Spiel, ein zur Jahreszeit gehörendes Geräusch.

Die Klingel hatte angeschlagen.

Vor einem Jahr war alles ganz anders gewesen.

Da saß nun Fella.

Es gibt Zeiten, die sich ründen, ähnlich wie beim Rauchen ganz unvermutet ein geschlossener Ring in der Luft schwebt.

Trix ging, um zu öffnen.

Fella kümmerte sich nie um die Krankheit ihrer Mutter. Das sei Sache des Papas, meinte sie, „noch dazu, wo er Mediziner ist."

502

„Ja, allerdings", sagte dann Trix.

Jetzt also waren Dolly und Oki Leucht erschienen, und etwas später kam Hubert, der aber nicht klingelte, sondern mit seinem eigenen Schlüssel aufschloß.

Er wurde sehr hübsch, der Bruder von Trix, angehender Obergymnasiast. Dieses Gesicht kam von der Mutter her. Aber es war die ganze Persönlichkeit gleichsam eine Zusammenziehung Frau Mary's in die Schlankheit und Knappheit eines schmächtigen Jünglings. Einiges Sepia-Braun schien da auch hinzugekommen, ein Ton, der im Bilde der weißhäutigen und dunkel-tizianroten Mama nicht enthalten war. Man konnte durch Augenblicke von der Vermutung gestreift werden, daß Mary mit zwölf oder dreizehn Jahren, noch bevor sie ein Weib geworden, gewissermaßen innerlich so beschaffen gewesen sein mochte, wie jetzt ihr Sohn tatsächlich und äußerlich sich darbot. Er war eine der Möglichkeiten Mary's. Die Möglichkeit etwa zu einem schlanken Araber-Mädchen, einer Wüstentochter, nicht einer fraulichen Rahel (die sie dann geworden), einer vor Süßigkeit aufbrechenden Frucht.

Nun saßen und standen sie hier schon zu fünft. Oki hatte Orangenschnaps mitgebracht.

Bei Anwesenheiten Fella's begann mit dem Eintreffen des Bruders für Trix jedesmal eine völlig neue Lage.

Es wurde dabei wichtig, daß Fella ‚älter' war als Hubert (um ganze drei Monate). Vielleicht meinte Trix augenblicksweise, daß sie den Bruder schützen müsse? Aber ihre Intelligenz war schon zu klar für solche geschwinde kleine Verlogenheiten. Sie fühlte sich tiefer durchwachsen, ja bis in die seelischen Weichteile: von der Pfahlwurzel der Eifersucht. Es wurde dieser Sachverhalt schonungslos jedesmal aufgedeckt, wenn Fella den Bruder mit einem zärtlichen Unterton begrüßte und ansprach, der sonst bei ihr gar niemals zu hören war.

Aber Fella empfand für Hubert nicht das geringste. Sie hatte sich nur hier einmal aus Laune darauf verlegt, dem Buben den Kopf zu verdrehen, und so blieb sie denn dabei.

Auch das wußte Trix. Was sie aber nicht wußte, war, daß niemand Hubert den Kopf verdrehen konnte. Er besaß nämlich keinen, im eigentlichen Sinne; sondern nur eine sehr hübsche Fassade und eine von ihr verdeckte, durchaus korrekt arbeitende Apparatur. Ein Hinterkopf, sozusagen, war nicht vorhanden.

Derartiges konnte sich Trix nicht vorstellen. Sie hielt ihren Bruder nur für sehr ernst – weil er selten lachte und jede Übertreibung vermied. Von Fella aber läßt sich sagen, daß sie einmal durchaus an den Unrichtigen geraten war, was ihr hier wahrscheinlich zum ersten Male passiert ist, und vielleicht gleich zum letzten Male in einem. Man würde sie wenig kennen, wollte man annehmen, daß sie ihre Erfahrungen gar nicht oder nur mangelhaft registrierte.

Jetzt aber lächelte sie Hubert an und sah dabei possierlich und überaus keck aus, dünn, blond, in einem lavendelblauen Kleidchen.

Dolly und Leucht tranken ernsthaft: es war schon von einigem Belang für die beiden, sie nahmen gewissermaßen eine Ladung an Bord. Leucht lief sogar hinunter in ein Wirtshaus, um Sodawasser herbeizuschaffen. Auch Strohhalme brachte er mit, die er irgendwo in der Geschwindigkeit hatte bekommen können. Es schmeckte so noch besser. Außer Dolly und Leucht konnte sich jedoch niemand mit dem starken Orangen-Gin befreunden (der Rittmeister von Eulenfeld fand dieses Getränk übrigens lächerlich und bezeichnete es als eine ‚unzulässige Verniedlichung des Umtrunks‘).

Schon mit Oki Leucht und Dolly war eine Verbindung dieses neu entstehenden Kreises um Trix zu des Rittmeisters Bande, dem ‚Troupeau‘ – auch ‚die Düsseldorfer‘ genannt – angedeutet. Jene beiden gehörten dazu. Und der Rittmeister selbst sollte ja, wenn auch viel später, gleichfalls am hiesigen Horizont erscheinen ... Trix wußte fast nichts vom ‚Troupeau‘; höchstens aus Andeutungen Grete Siebenscheins hatte sie einiges herausgehört; denn Grete's Schwester, Titi, hielt ja an ihren alten Kumpanen fest, auch nach der Verheiratung mit Cornel Lasch; dieser erhob übrigens keinerlei Einwand dagegen. Er war in zu genauer Kenntnis vom Wesen seiner Frau und weitaus zu klug, um eine solche Dummheit zu begehen, und leitete Titi lieber am langen Zügel seines Bankkontos.

Aber Fella hatte mit dem ‚Troupeau‘ keinerlei Zusammenhang. Nicht so sehr wegen ihrer großen Jugend. Dolly hätte auch ihre Schwester recht gerne dabei gehabt, und diese bekam detachierte Teile des ‚Troupeau‘ sogar dann und wann in der elterlichen Wohnung zu sehen, wenn etwa der Professor gerade bei einem Kongreß in München oder Paris war und Frau Käthe auf dem Lande, wohin sie sich mit Vorliebe, und bald immer mehr, zurückzog. Auch fand Fella bei allen ‚Troupisten‘ ausnahmslos hohen Anwert.

Jedoch, ihr fehlte jedwede Affinität zu diesem Kreise. Und sie sah schonungslos die Dürre einer solchen Weide, auf der für sie nichts wachsen konnte. Sie sah auch die ältere Schwester auf einem, nach Fella's Meinung, durchaus falschen Wege. Aber es war ihr gleichgültig.

Das letztere hätte Trix freilich wieder nicht begriffen. Aber die Beziehungslosigkeit Fella's zum ‚Troupeau‘ begriff sie: und sie empfand ein lebhaftes Glücksgefühl dabei. Es gehörte jene Beziehungslosigkeit sogar für Trix – die sich dessen allerdings keineswegs bewußt war – geradezu mit zu Fella's Reizen.

Trix war in die Küche gegangen, um Kaffee zu bereiten, da die Marie ausblieb. Die Ankunft Dolly's und Leucht's, besonders aber Hubert's, hatte es ihr möglich gemacht, sich von Fella loszureißen. Allein mit ihr, versank sie alsbald vor diesem Bilde in eine Art von Lethargie und Benommenheit.

Auf dem Gasherd begann in einer überdimensionierten türkischen Kaffeekanne mit Stiel das Zuckerwasser zu kochen. Man hatte diese Art der Kaffeezubereitung während des ersten Weltkrieges übernommen, durch den vielfältigen Kontakt mit dem verbündeten ottomanischen Reich; nicht aber damit auch die hohe Mäßigkeit der Türken im Kaffeegenuß, die das Getränk nur in winzigen Quantitäten und für jeden gesondert bereiten.

Trix rührte den gemahlenen Kaffee ein und ließ den braunen Schaum dreimal steigen, dazwischen mit der Kanne sanft auf den Gasherd aufklopfend, damit die Flüssigkeit wieder zusammensinke.

Dann setzte sie die Kanne beiseite und einen kupfernen Deckel drauf, der einen Knauf von Holz in der Mitte trug. Sie blieb hier stehen, bewegte ein wenig die Fingerspitzen der rechten Hand gegeneinander und bemerkte alsbald, daß sie klebrig geworden waren und leicht aneinander hafteten.

Gerade das mochte Trix nicht leiden. Sie konnte nie irgendeine Arbeit fortsetzen, wenn ihre Finger im allergeringsten pickten; beispielsweise, wenn sie nur ganz wenig am Füllfederhalter hafteten, aus irgendeinem Grunde, dann mußte Trix sogleich die Hände waschen.

Es kam hier wohl vom Zuckerwasser, mit dem sie irgendwie in Berührung gekommen war.

Sie ging in's Badezimmer. Unmittelbar nach ihr trat Fella dort ein.

Sie wuschen gemeinsam die Hände im Becken unter dem Wasserhahn, und Trix sah Fella's dünne Unterarme und die Hände sich mit ihren eigenen zusammen vor dem weißen Porzellan rasch bewegen, wie herumschwänzelnde Tiere. Trix trocknete sich ab, und da Fella vor dem Spiegel verweilte, setzte sich Trix auf einen niederen kleinen weißen Sessel – er stammte aus Frau Mary's Kinderzeit – der neben dem Waschbecken stand. Fella richtete ihre Frisur zurecht; sie hatte das Täschchen mit hereingenommen und ihren kleinen Kamm zur Hand, und was sonst noch zur Aufpolierung weiblicher Individuen erforderlich sein mag ... Sie trat seitwärts, sah sich von der Seite im Spiegel an, und kam dabei dicht neben die tief sitzende Trix zu stehen. Diese hatte hier im Badezimmer ihre ganzen Toilette-Dinge ausgebreitet, und es wäre naheliegend gewesen, daß Fella sich derselben bedient hätte, statt erst ihr Täschchen hereinzubringen. Trix dachte das mit einer dem Gegenstande in keiner Weise angemessenen Intensität; es war dabei gleichsam zu viel, es verstärkte ein schon vorhandenes Übergewicht in ihr; es war zu viel; sie neigte den Kopf ein wenig unter dieser Last. Noch fehlten wohl einige Millimeter bis zu Fella's Hüfte im lavendel-blauen Kleid. Jetzt aber lag Trix mit ihrem rotblonden Kopf schon daran. Fella wandte sich ruhig ein wenig zu Trix hin, nun schon die Hand in deren rötlichem Haar; plötzlich drängte sich das Gesicht darunter fest gegen Fella, es wühlte sich ein. Fella hielt mit einer Art von Behutsamkeit stand, als wolle sie durchaus nicht stören, was bei Trix vorging. Ja, auch die Bewegung, mit der sie jetzt ganz sanft ihr lavendelblaues Kleidchen allmählich heraufschürzte, und auch darunter noch was wegzog und wegschob, hatte durchaus eine behutsame Weise. Trix empfand im Augenblick etwas für sie absolut Neues: als trete sie hinter Fella's Äußeres, hinter Fella's Gesicht, als trete sie in Fella ein. Aber der Duft, in den sie jetzt sich tief drängte, ließ plötzlich in ihr einen derart ungeheuerlichen Vorgang geschehen, daß sie vom Gürtel abwärts zerschmolz und zerlief; es war der Griff einer übermächtigen Hand, die ihren kleinen Bauch, ihr kleines Geweid, ganz umschloß und in einem Schmelzfluss löste. Sie sank zusammen. Fella blieb fast unbeweglich. Vorsichtig wurde was zurechtgezogen und das Röckchen fiel.

Die Türklingel schlug an. Gleich danach hörte man Schritte: es war Dolly, die öffnen ging. Eine männliche Stimme ließ sich hören. Fella, zurückgebeugt, sah nochmals nach dem Riegel. Sie hatte ihn schon früher vorgeschoben gehabt.

Die Mädchen im Badezimmer waren bei dem Klingeln nur wenig aufgeschreckt. Trix hatte sich erhoben, sie umarmte Fella ruhig und küßte sie auf den Mund. Jetzt wurde offenbar, wer Trix war! Keinerlei gänsische Aufgescheuchtheit angesichts des völlig Unbegreiflichen, das ihr widerfahren. Sie nahm es hin, es war an ihr geschehen, es war an sie gelehnt worden, etwa so, wie ihr Kopf sich an Fella's lavendelblaue Hüfte gelehnt hatte. Es war nun eben an dem. Es war ,der Ernst des Lebens'.

Sie richteten sich vor dem Spiegel zurecht. Sie gingen hinein. Aus dem Zimmer nebenan, wo das Klavier stand, tönte englische Tanzmusik. Demnach mußte es Bill Frühwald gewesen sein, der geklingelt hatte, als Fella und Trix sich im Badezimmer aufhielten. Er saß denn auch richtig vor dem Stutzflügel, mit dem Rücken gegen die Türe, so daß er Trix und Fella zunächst gar nicht bemerkte. Dann unterbrach er, wandte sich um, stand auf, und ging ihnen entgegen. Ein großer junger Mensch in weiten Hosen und dicksohligen Schuhen, mit einer überhängenden dichten Schnurrbartbürste, aber beginnendem Haarausfall über der Stirne. Seine Art hatte etwas lockeres, er schien sich wohl zu fühlen in seiner Haut; das Gesicht war rundlich unterspickt, mit vordrängenden Einzelheiten, ein wenig wulstig, im ganzen zu groß. Es war irgendeine Beziehung darin zu Oki Leucht, nur ohne dessen ausgesprochene Negerlippen, ohne das totschlägerische, gangsterhafte überhaupt. Dazu gab es bei Bill keinerlei Neigung. Er kam aus einem guten Hause, der Sohn eines bekannten Wiener Architekten. Bill war übrigens ,Troupist'.

Auch ein Stockwerk tiefer geschah gänzlich Unvorhergesehenes. Hier saß René Stangeler in Grete Siebenscheins Zimmer und wob Texte für ein Allianzblatt. Allerdings hatte er diesmal auf die Türklingel acht. Er befand sich allein in der Wohnung. Alle waren fortgegangen, auch Grete. Frau Irma aber, die immer und gern komplizierte Aufträge zu vergeben hatte, war diesmal die Plazierung eines solchen bei René gelungen. Also: eigentlich müßte sie ja daheim bleiben, denn es werde die Frau Professor Storch kommen, allerdings nur, um ihr zwei Büchsen mit Keks einer bestimmten Sorte aus der inneren Stadt mitzubringen, beziehungsweise diese abzugeben, welche sie zu besorgen versprochen habe; man kriege solche Kekse nur bei einem einzigen Bäcker in der Stadt, und die Frau Professor gehe eben heute zufällig dort hin, um einzukaufen und auch wegen anderer Sachen gerade in jene Gegend und Gasse. Und überhaupt. Wenn nun die Frau Professor diejenige Marke Keks eingekauft habe und bringe, welche eine blaue Packung zeige, dann lasse sie, die Frau Doktor Siebenschein, die Frau Professor noch einmal herzlichst bitten, ihr diesmal ausnahmsweise drei Packungen zu überlassen. Wenn rot, dann wie gewöhnlich nur zwei. „Haben Sie mich verstanden, René? Ja? Verrechnen werde ich später mit der Frau Professor. Und die hausgemachte Bäckerei, die ich versprochen habe, bekommt sie spätestens bis morgen mittag. Und hören Sie mir gefälligst zu, wenn ich Ihnen was sage. Und überhaupt." Bei der Frau Professor Storch habe sie sich bereits ausdrücklich entschuldigt und ihr gesagt, daß sie nachmittags mit ihrem Mann nach Mödling hinausfahren müsse, zu einer alten Dame, die dort plötzlich schwer erkrankt sei. Die Frau Professor, falls sie überhaupt heute kommen würde, erwarte gar nicht, sie anzutreffen. Allerdings werde sie vielleicht doch kommen und ein Säckchen Pistazien bringen für die Bäckerei.

Wohlan. Aber jetzt war Frau Irma glücklich draußen, und es war still: schon seit längerer Zeit. Stangeler schrieb die folgenden interessanten Sätze:

„In Jeanne's Leben gibt es ein Beispiel für hellseherisches Vorauswissen, und, was noch mehr sagen will, es ist dies einer von jenen seltenen Fällen, die sich von selber kontrollieren. Jeanne wurde bei den Kämpfen vor Orléans am 7. Mai 1429 um 1 Uhr mittags durch einen Pfeil zwischen Hals und Schulter verwundet. Nun ist uns ein Brief vom 22. April jenes Jahres erhalten, den ein Flame namens Rotselaer an den Herzog Philipp von Brabant geschrieben hat; darin heißt es, er, Rotselaer, habe von einem Ausspruch der ‚Pucelle' erfahren, sie würde vor Orléans noch durch einen Pfeil verwundet werden, aber nicht tödlich. Als sich dies nun in der Tat erfüllte, holte der Schreiber in der

Rechnungskammer zu Brüssel freilich den Brief hervor und versah die Stelle mit einer Randbemerkung. So ist die Sache auf uns gekommen."

Worauf denn die Türklingel anschlug.

Die Frau Professor jedoch reichte nicht etwa das erwartete Paketchen einfach zur Türe herein, sondern begann mit irgendwelchen Erklärungen, und ließ sich dabei von René in's Vorzimmer komplimentieren. Sie war mit ihren sämtlichen Einkäufen beladen und hatte wohl ihre Wohnung noch gar nicht betreten. Also: es seien zwar die blauen Kekse, aber doch nur zwei Büchsen, mehr sei nicht dagewesen; und im Geschäft habe man alles zusammengepackt, ihre eigenen Einkäufe und die blauen Kekse für Frau Irma, und noch andere Sachen dazu, die sie schon anderswo gekauft hatte: darunter ein Säckchen mit Pistazien, welche Frau Irma für die Bäckerei brauche, die sie in so freundlicher Weise für sie machen wolle ... Das müsse man halt jetzt alles auseinanderklauben ... Stangeler komplimentierte weiter, und Frau Käthe ging voran, und schließlich stand man in Grete's Zimmer.

„Sie arbeiten hier?" sagte Käthe Storch.

„Ja", antwortete er, „Grete kommt erst nach acht Uhr. Es ist so schön still hier, es ist niemand zuhause, selbst das Mädchen ist weg, sie hat mitfahren müssen nach Mödling, um einen Korb zu tragen. In der Wohnung, wo ich mein Zimmer habe, ist zur Zeit nebenan ein kleines Kind ... das stört mich ... da stellt mir Grete manchmal ihren Raum zur Verfügung, wenn sie für länger weggehen muß ..."

Das mit dem kleinen Kind hatte er im Augenblicke glatt erfunden: sozusagen demagogisch, der Verständlichkeit wegen. Wir kennen ja die wahre Situation aus seinem, allerdings erst viel später (im Vorfrühling 1927) mit dem Rittmeister über diesen Punkt geführten Gespräch ... Er fügte noch hinzu, daß im zweiten Stockwerke seines Elternhauses, wo sein Zimmer gelegen sei, früher seine Lieblingsschwester Asta mit ihrem Mann, dem Baurat Haupt, und ihren Kindern gewohnt habe. Die sei leider ausgezogen, vor nicht langer Zeit, und nun wären da entfernte Verwandte seiner Mutter in diese Wohnung gekommen. Allerdings hätten die seinem Vater zusagen müssen, daß René sein Zimmer behalten könne. Aber es sei jetzt leider so, daß man ihn dort allmählich hinausekeln wolle, sozusagen (das war ja nun so ungefähr die Wahrheit, wie wir wissen, es war der erste Beginn jener Mißhelligkeiten, von denen er Eulenfeld später erzählt hat – auch Stangeler bemerkte jetzt, daß er bereits die Wahrheit berichtete, etwa, wie ein Schwimmer, der sich dem Ufer nähert, bei einem seiner Stöße schließlich schon Grund faßt: und nun staunte er über seine frühere Baby-Erfindung; sie war ganz unnötig gewesen).

Aber, was unter alledem hier wirklich in ihm vorging, war ein ansteigendes Entzücken über diese Frau Käthe Storch, welche er ja beinah zum ersten Mal durch längere Minuten aus der Nähe sah. Und während er sein Hiersein in honetter und irgendwie bürgerlich und vernünftig erscheinender Weise zu erklären versuchte, ward sein instinktives Bestreben in dieser Richtung (durchaus der Mimikry bei einem Tier vergleichbar) noch verstärkt durch den Wunsch, bei Frau Storch, die ihm jetzt so sehr gut gefiel, nicht anzustoßen, ihr nicht unverständlich oder befremdend zu sein ...

Er war es nicht. Sie hörte nicht einmal so genau an, was er ebenso bescheiden wie geläufig vorbrachte. Es war ganz einfach so, daß sie keineswegs wünschte, sogleich davonzugehen, verrichteter Dinge. Sie hatte ihre Pakete und Paketchen abgelegt. Aber statt jenes eine, das in Frage kam, nunmehr zu öffnen, trat sie an Grete's Schreibtisch und blickte in Stangelers Manuskript. Sie las ohne weiteres die zuletzt geschriebenen Sätze (René's Handschrift war sauber – literarisch ungebildete Menschen scheuen bekanntlich nie davor zurück, in einem offen daliegenden Manuskript sogleich zu lesen).

„Wie merkwürdig", sagte sie.

„Finden Sie's interessant, gnädige Frau?"

„Oh ja. Und Ihr Stil ist sehr flüssig."

Das letzte kam ihm vor wie von anno 1880. Doch zugleich bildete diese altmodische und längst vollends leere Redensart jetzt in sehr merkwürdiger Weise einen Reiz für René: einen damenhaften Reiz, möchte man fast sagen. Sie hielten einander mit dem Blick.

„Ich danke Ihnen, gnädige Frau", sagte er, nahm ihre Hand und küßte sie.

Aber es war nicht dieser Blick, es waren schon frühere gewesen, es war der allererste gewesen, noch unter der Türe. Die Hand war langgegliedert und warm. Hatten René's Blicke eben vorhin noch in einer einzigen Garbe Frau Käthe's Gesamt-erscheinung bestrichen, so schoß er jetzt schon Punktfeuer auf Einzelheiten. Das aschblonde Haar. Die trockene reine Haut. Dann bemerkte er – jetzt erst – und zwar mit einer Art tiefem Erschrecken, ihre sehr hohe Brust.

Die Kraft sprang aus dem Zwinger.

Sie hatte sich zu Grete's schöner Biedermeierkommode ge-wandt, wo die Pakete lagen. Nun beschäftigte sie sich damit, und hielt endlich die zwei Keksbüchsen und das Säckchen mit den Pistazien in Händen.

René war neben sie getreten. Er beugte sich über die Kom-mode und küßte mehrmals rasch hintereinander ihre Hände, die sie ihm überließ, ohne jedoch die Sachen fahren zu lassen, welche sie hielt.

Hier trug die gemeinsame Wolke, die in diesen Augen-blicken schon beide umschloß – draußen, von ihnen un-gesehen, vollzog sich weithin und breithin der Sonnenunter-gang, ganz so als sei vielenorts eine flüssige Materie in Brand geraten – hier trug die gemeinsame Wolke ganz sicher über alle etwa noch möglichen und peinlichen Zwischenstadien. Bereits saß Frau Käthe auf der Chaiselongue, ja, wirklich, jetzt stellte sie die beiden blauen Keks-Büchsen daneben auf den Boden, legte das Pistazien-Säckchen oben drauf – und schlug einfach die Hände vor's Gesicht. Mehr als dieses auf ‚frei' gestellte Ein-fahrtssignal brauchte der jetzt einherbrausende Expreß-Zug der Lust nicht. Sie sank zurück. Stangelers Hände flogen. Er pflückte ihre Kleider weg, wie man Blüten-Blätter von einem Blumen-kelch zupft, es war auch Blütenweißes dabei. Die Dinge lagen zerstreut, er hatte Frau Käthe fast ganz entblättert. Sie sank glatt dahin in seinen Armen, sie schien wie bewußtlos. Die Kraft-entwicklung war kolossalisch, unter einem Platzregen von Küs-sen, schließlich rasten sie beide zusammen durch's Ziel. René vermeinte, Donner in den Ohren zu haben.

Stangeler benahm sich des weiteren richtig, das heißt sehr zärtlich. Es fiel ihm leicht, er neigte überhaupt dazu.

Eben war er nun wieder in seine Kleider gekommen, hatte Haar und Krawatte geordnet, und Frau Käthe auf ihren Wunsch ein Glas Wasser geholt (sie kam derweil auch in geordnete Ver-hältnisse, war aber noch halb ausgezogen), als die Türklingel anschlug.

„Wer kann es sein?" fragte sie schnell, jedoch ruhig.

„Es kann Grete sein. Sie hat keinen Schlüssel mitgenommen. Sie kommt vielleicht früher als ich erwartet habe."

„René", sagte Frau Storch, vollends gesammelt und beherrscht, „Sie gehen sofort öffnen. Ich sperre hinter Ihnen hier ab. Sie sagen Grete, ich hätte die Sachen für Mama gebracht, mir sei hier nicht gut geworden, ich habe mir von Ihnen ein Glas Wasser bringen lassen und mich eingeschlossen, um ein wenig auf dem Diwan zu liegen. Verstanden?"

„Jawohl, gnädige Frau", entgegnete er. Sie machte eine waagrechte, gleichsam abschließende Bewegung mit der Hand. René verbeugte sich sehr tief und ging.

Es war Grete. „Die Frau Professor Storch ist in deinem Zimmer", sagte er leichthin, jedoch mit einem etwas grantigen Unterton, anscheinend wegen der Störung seiner Arbeit. „Sie hat sich dort eingesperrt, glaub' ich. Ihr ist schlecht geworden. Sie hat gerade die Sachen für die Mama ausgepackt."

„Und du hast dich überhaupt weiter nicht um sie gekümmert?!" sagte Grete entsetzt und vorwurfsvoll.

„Sie hat nur ein Glas Wasser haben wollen", antwortete René.

Schon eilte die biedere Grete mit langen Schritten durch die Wohnung und an die Türe ihres Zimmers. „Käthe!" rief sie halblaut und klopfte sanft an. „Ist dir schlecht?" Von drinnen ward geantwortet. Dann drehte sich der Schlüssel. René sah Grete durch die nur wenig geöffnete Tür hineinschlüpfen.

Es dauerte nun eine Weile, bis die Türe wieder aufging und Grete's Arm das leere Glas durch den Spalt heraushielt. „Noch Wasser, René", sagte sie leise, „um ein Mittel zu nehmen." Er ging und tat wie ihm geheißen war.

Und blieb dann im Speisezimmer.

Es war still hier. Nur aus dem oberen Stockwerk hörte man ein Klavier, dessen Töne gläsern und einsam wirkten.

Da lag das neugeschmiedete Glied einer Kette von Lügen, es lag blank da und glänzte. Grete's Besorgnis um Frau Storch, die Geschäftigkeit...

Jetzt kamen die Damen hervor.

Wieder verbeugte René sich sehr tief.

„Diese Frau ist vielleicht noch mehr krank, als sie ahnt", sagte Grete, nachdem sie vom Hinausgeleiten zurückgekehrt war.

René entgegnete nichts. Er ging in Grete's Zimmer, als müßt' er dort nach dem Rechten sehn, als wär' etwas vergessen. Vielleicht war es die unterbrochene Arbeit, welche ihn hinzog. Neben der Chaiselongue am Boden standen die zwei blauen Keks-Büchsen. ‚Wie Schwammerln, die inzwischen hier gewachsen sind', dachte Stangeler. Er nahm die Dinger samt dem Pistazien-Säckchen, das obenauf lag, und trug sie in die Küche zu Grete.

Nachdem so in beiden Stockwerken und auf verschiedenen Ebenen Proben weiblicher Weisheit geliefert worden waren, machten sich Grete und René fertig, um gleichfalls zu Trix hinaufzugehen. Vorher aßen sie noch was, und „mein guter Bub" bekam viel dunklen Tee, wie er's liebte. Der Aufsatz René's über Jeanne d'Arc gefiel Grete ausgezeichnet; sie steckte ihre klassische Nase sogar noch einmal hinein, als Stangeler aus dem Zimmer gegangen war, und da imponierte ihr die Sache sehr. Aber das sagte sie nicht.

Es ist hier der Ort, um mitzuteilen, daß René die Frau Professor Storch kaum mehr wiedergesehen hat. Ein Jahr nach den geschilderten Vorgängen ist sie gestorben. Viel später einmal hat René den ganzen Vorfall Grete erzählt. Da ist es denn bezeichnend, daß sie mit echter Rührung sagte: „Das ist sehr gut, René. Du hast es gut gemacht." Und nach ein paar Augenblicken: „Freilich hab' ich damals schon alles gemerkt." Aber das war gelogen.

Oben bei Trix, als Grete und René eintraten, war bereits eine Art kleiner Tanzunterhaltung im Gange, wofür Bill Frühwald, welcher am Klaviere saß, der Dank gebührte. Augenblicklich tanzten nur Fella und Hubert. Sie tanzten sehr gut. Ihr Tanz war jedoch vollkommen leblos: tanzende Wachsfiguren. Der schlanke schmale Hubert war immer einwandfrei angezogen (hierin sparte Mary nie), und auch das Lavendelblaue war ein hübsches Kleidchen. Die beiden leichten und schmalen Personen bewegten sich mit vollkommener Sicherheit auf dem unter einem Kronleuchter spiegelnden Parkett des großen Raumes, dessen Teppich man gerollt, dessen hohe in blaugrünen Farben rieselnde Vorhänge man jetzt geschlossen hatte. Draußen wurde es dunkel.

Es war jene Sicherheit geheimnisvollen Ursprungs. Es war eine Sicherheit, wie man sie auf dem tiefsten, dem untersten Grunde der Schwäche findet, die Sicherheit des vollkommenen Ausgeronnenseins, die Sicherheit, durch keine aus dem Blut und dem Innern kommende Spannung mehr gefährdet werden zu können. Die Sicherheit der übersprungenen Generationen nach großen und langen Kriegen, die nicht erlebt wurden, weil man noch nicht dabei war, und fernerhin überhaupt niemals und nirgendwo dabei sein wird: bis zum nächsten Unglück. Das eigentliche Leben erscheint aus den Augen einer solchen zur Figur konkretisierten Pause als dampfende bare Narretei oder Unanständigkeit. Das ist ein an sich, objektiv betrachtet, großartiges Resultat, fast eine Haltung und Grandezza, und man sieht, daß es also, streng genommen, gar keine Übersprungenen gibt: immer ist doch die Möglichkeit zum Außerordentlichen auf stets neue Weise vorhanden, die Pforte dazu offen.

Hätte der René Stangeler das alles zu denken vermocht, was der Leser und der Autor jetzt eben miteinander gedacht haben, ihm wäre leichter gewesen.

Er saß neben Trix. Eine reine Wolke ruhte neben ihm, eine Wolke aus Stroh und Maiglöckchen. So etwa empfand er sie. Und sank in dieser zarten, wenig dichten Materie wie ein Stein. Es war ein Hilferuf, als er jetzt fragte, was sie für Nachrichten von der Mama habe?

„Gute", sagte sie. „Was die Mama anpackt, das führt sie energisch durch. Und so wird ihr auch die Sache mit der neuen Prothese gelingen. Sie kennen eigentlich meine Mutter gar nicht persönlich, Herr von Stangeler?"

„Nein", entgegnete er. „Ich bin früher nie hier heraufgekommen. Zum ersten Mal heuer im Sommer, als ich Sie, gnädiges Fräulein, durch Grete kennenlernte."

Jetzt erst bemerkte er, wie irgendetwas mit ihr vorzugehen schien, das augenscheinlich auf ihn keinerlei Bezug hatte. Durch den Bruchteil einer Sekunde zuckte eine kleine steile Falte zwischen ihren Brauen, als hätte es in diesem Antlitze geblitzt. Die Fingerspitzen ihrer linken Hand rieben ein wenig gegeneinander; sie schien erheblich verstört.

René, wie er nun einmal war, vermeinte dann aber doch, daß es sich auf ihn beziehe, daß er vielleicht irgendeinen Fehler gemacht habe?

Der Sessel neben ihm stand leer. Trix hatte sich ganz leicht und schnell erhoben und war hinausgegangen.

Scharf scheidet der sogenannte Donau-Kanal – in Wahrheit ein uralter und sehr tiefer, rasch fließender Arm des gespaltenen Hauptstromes – die Stadt-Teile hüben und drüben. Von dem Hause, wo Siebenscheins wohnen, sind's bis zur Brücke und über diese bis zum anderen Ufer des Flusses nur dreihundertfünfzig Schritte: sie enden in einer veränderten Lebensluft. Beide Stadt-Teile sind alt, der Alsergrund wohl noch älter als die Brigittenau; aber auch diese ist nicht von gestern, sondern schon im finstern (mitunter aber auch sehr freundlichen) Mittelalter notabel gewesen; so daß sich die Brigittenauer gleichfalls für ihre Geschichte und ihr Herkommen zu interessieren angefangen haben, sonderlich seit des vortrefflichen Heinrich Jasomirgott Zwicker Forschungen, der sogar ein dortiges Heimat-Museum begründet hat.

Aber der Lauf der Dinge in den beiden Bezirken war doch ein sehr verschiedener. Nicht in der Türkenzeit; denn der Osmane zauste alles gleichermaßen, was außerhalb des Stadtkernes und der Festungsmauern lag. Jedoch vor 1900 noch kamen ganz andere Türken und Heiden daher, die man Unternehmer nennt, und es wurden Fabriken erbaut, deren Maschinen in sehr merkwürdiger Weise eigentlich viel mehr Menschen als Waren erzeugten, Menschen, um die man sich zunächst überhaupt nicht kümmerte (als wären sie gar keine gewesen), die aber in der Folge einige berechtigte Forderungen erhoben, wodurch sie zunächst nur unangenehm auffielen, hintennach aber noch viel unangenehmer allen Ernstes wurden: das letztere kann einen sogar heute noch freuen, wo diese Menschen allen anderen längst über die zum Teil weit besseren Köpfe gewachsen sind, auf Kosten welcher sie gehätschelt und gehegt werden. Der Sozialismus hält bereits beim l'art pour l'art.

Nun, die Brigittenau war also ein Arbeiterbezirk geworden.

Da hören sich die Schnörkeleien bald auf und die gewundenen engen Gäßlein und die bauchigen Erker mit ebenso gebogenen

Fensterscheiben, und womöglich noch roten Blumen drinnen, und die süßen ‚Barockhauserln‘ (Grete Siebenschein), und der ganze Zimt für kunsthistorische Kulturspießer; und mit sämtlichen Sonderwinkeln ist da überhaupt Schluß gemacht. Denn wer an den Aufstieg einer Klasse, seiner Klasse, glaubt, im normalisierten Schulbetrieb von Leben und Geschichte, für den hat deren Straße keine kleinen, stets vermauerten Pförtchen („süße Barockportälchen‘) links und rechts, die aber eines Tages da oder dort überraschend offenstehen, worauf man auch schon hindurchschlüpft, und sogleich in eine ganz andere und ungeahnte Wendung des Wegs hinein. Die Möglichkeiten der persönlichen Wendung und Errettung, des durchaus indirekten Ganges zu einem Ziel, dessen Vorwegnahme gar nicht gewagt wurde, sie fallen dahin für denjenigen, der allein vom Anderswerden der Zustände alles erwartet, und von einem gewaltigen und massenhaften Vorschreiten, wobei je zehntausend Mann gleichzeitig den einen Fuß schon über die Schwelle des irdischen Paradieses heben.

Deshalb kommen sämtliche, und auch die allersüßesten Barockportälchen schließlich als Kulturgut in's Museum, damit alle was davon haben. Hindurchgehen kann man nicht mehr.

Deshalb ist hier im Arbeiterbezirk alles groß, sei's auch vorläufig noch schäbig, nüchtern, streng, die nackte Wahrheit. Die Straßen fallen gerade und weit aus, wie in eine noch leere Zukunft hinein. Die Umfassungsmauern der Fabriken sind lang hingestreckt, dahinter heben sich, finster aber doch in sich gekehrt schön, mancherlei Konstruktionen, Hochreservoire, Krane, Laufbrücken. Hier strömt man morgens hinein, im Winter noch bei tiefer Dunkelheit, und ebenso abends bei Dunkelheit wieder heraus. Hier liegt die Notwendigkeit auf der flachen Hand, man weiß sie bei jedem. Niemand stolziert oder fährt hier in einer Weise, welche geeignet wäre, seine Kreditfähigkeit gut darzustellen oder sie mindestens nicht zu gefährden. Niemand ist säuerlich, ist auf Reputation bedacht. Wer gut arbeiten kann und sonst kein blöder Hund ist und anständig mit den anderen zusammenhält, braucht sich nicht zu reputieren. Am Heimweg geht man in Gruppen oder zu zweit, wie der Zilcher und der Zdarsa, oder auch allein, wie es der Leonhard Kakabsa meistens tut, den man allgemein recht gern hat. Hier ist der Mann noch was wert, hier wird das Herz noch gewogen.

Fella Storch ging einmal wöchentlich, nämlich jeden Donnerstag, die dreihundertfünfzig Schritte vom Haustor über die Brücke bis zum anderen Ufer, und dann in den Arbeiterbezirk hinein. Aber nicht tief. Nur bis zu jenem Platze, der nach dem kaiserlichen Generalissimus Wallenstein heute noch heißt. Hier wohnte ihre Schulfreundin Lilly Catona, die Tochter eines Arztes, im ersten Stock des Eckhauses in der Jägerstraße.

Es ist ein abscheuliches Gebäude (es steht zur Zeit noch immer). An der Ecke schwillt und kröpft es in Erkern, wie gemacht für böse, ad notam-nehmende Blicke auf die Straße, die aber bei Catonas gar nicht geworfen wurden. Zwar ward auf die Straße hinabgeschaut, jedoch nicht böse, sondern nur sehr aufmerksam, und auch nur einmal in der Woche, nämlich jeden Donnerstag ab sechs Uhr und fünfzehn Minuten.

Von drei bis sechs lernten Fella und Lilly zusammen. Die starken und schwachen Befähigungen der beiden waren in glücklicher Entsprechung, sie griffen geradezu ineinander, und dazu kam noch, daß diese allwöchentliche schultaktische Lage-Besprechung nun seit Jahr und Tag gepflogen wurde. Die Mädchen waren eines auf das andere eingespielt. Die dünne Fella hatte den besseren Kopf für Mathematik, Geometrie und die realen Fächer. Auffallend war die Sauberkeit ihrer Zeichnungen. Die dicke Lilly wieder – eine sehr hübsche Rotblondine, viel lachend, und einen reinen gesunden Geruch verbreitend, der zwischen dem hellen Schweißdunst der Blondinen und kälbernem Milchduft die Mitte hielt – die dicke Lilly also war gut im Latein, im Griechischen, im Aufsatz. Andere Sachen, wo man sich viel merken mußte, wie Geschichte oder die Realienkunde des klassischen Altertums, wurden gemeinsam paukiert und re-paukiert, und es ging wiederholt im Schnellzug von Marathon nach Leuktra. Vor größeren Aktionen, Klassenarbeiten und dergleichen, bereitete man auch allfällig notwendige Schwindeleien sorgsam vor, nach erprobten Methoden und sehr rechtzeitig. Jedoch wurden die Schwindeleien immer entbehrlicher, infolge der regelmäßigen, man möchte sagen rhythmischen Durchackerung der Sachen am Donnerstage, wobei die Mädchen einander ja auch kontrollierten im Hinblick auf das, was jede allein lernte. Die Apparatur des Schwindels wurde mit der Zeit nur mehr der Sicherheit halber schlagfertig gehalten, für äußerste Fälle, sozusagen nur aus Pflichtgefühl und der Ordnung wegen. Praktisch geschwindelt ward kaum mehr. Die römischen Ablativ-Konstruktionen, die griechischen Aoriste, sie saßen nun auch bei Fella einwandfrei, und Lilly rechnete nicht nur wie ein gut dressierter Papagei schwätzt, sondern sie wußte jetzt auch durchaus alle Formeln mit Sicherheit auswendig; früher waren bei ihr nicht einmal der binomische Lehrsatz oder der Cosinus-Satz so ganz fest gesessen. Jetzt aber, dank Fella und Donnerstag, vermochte sie sogar jede in Frage kommende Formel selbständig abzuleiten, wozu eigentlich schon mathematischer Verstand gehört, den Lilly gar nicht besaß. Im deutschen Aufsatz aber mußte sie bei Fella immer noch ein wenig einspringen, sei's in der Klasse, oder bei häuslicher Bearbeitung geistreicher Themen. Lilly vermochte es leicht. Ihr eignete die Gabe des schnellhinfließenden gefälligen Geschwätzes im höchsten Grade – ihre Rede-Übungen in der Klasse waren berühmt – und es galt nur, in Aufsätzen für Fella jene Glätte etwas aufzurauhen und mit dem linken Fuße dann und wann zu stolpern, um nicht Verdacht zu erregen. Sie kannte Fella's Stil, so weit davon die Rede sein kann, ganz genau; und sie selbst schrieb einen sogenannten ‚flüssigen‘ – auch in Briefen! – also wohl den ärgsten, den es geben kann. Aber er wird gern gelesen oder eigentlich gesehen; man vermag das erstere dabei mit den Augen allein zu tun, ohne auch nur ein einziges Wörtchen innerlich zu hören. Offenbar gefiel das Lilly's Lehrern.

Nach alledem gab es bald keine Schulsorgen mehr, sie versanken unter dem Horizont, sie erhoben sich nie mehr dräuend über diesen (wie etwa bei Fella's älterer Schwester Dolly, die dann auch das Gymnasium nicht bis zu Ende gemacht hat). Dies aber, das Frei-Sein von Sorgen, war der einzige Zweck aller emsigen und zeitgerechten Anstalten Fella Storch's und Lilly Catona's. Die Väter wollten, daß man in's Gymnasium gehe. Gut so. Aber sich hiedurch das Leben verkümmern zu lassen, das wurde von diesen Töchtern aus einer bemerkenswerten Klarheit, mit der sie die Lage überblickten, abgelehnt.

Für die Lehrgegenstände empfanden beide nicht das allermindeste Interesse. Es war ihnen auch nicht ein Gegenstand lieber als der andere, etwa, weil er der eigenen Begabung näher lag; vielmehr blieben ihnen alle Fächer ohne Ausnahme vollends gleichgültig, und die Schule und das Lernen überhaupt; sie bewegten sich in dieser Materie und auf diesem Boden mit dem Abstand und der Sicherheit von Fremden. Schlechte Zensuren zu kriegen, fanden sie lächerlich; um hervorragend gute aber war ihnen keineswegs zu tun; man durfte die Ansprüche der Eltern nicht hinauftreiben; so ward's beschlossen; sie wünschten ungestört und vergnügt zu leben. Fella lachte, wenn Dolly Schulsorgen hatte. Sie wußte und konnte schon mehr als Dolly, obwohl diese in einer höheren Klasse saß.

Lilly und Fella waren auch einander gleichgültig. Sie kamen außerhalb der Schule und der Donnerstag-Nachmittage kaum zusammen. Doktor Catona war übrigens Hausarzt bei Storchs. Der Professor, Theoretiker – pathologische Anatomie – lehnte jede familiäre Praxis begreiflicherweise ab. Er schätzte die ärztlichen Fähigkeiten von Lilly's Vater hoch ein und äußerte gelegentlich, daß es mit der Medizin zu Ende sei, wenn es keine richtigen praktischen Ärzte mehr gebe, wie den Doktor Catona, die bei einem verrenkten Fuß genau so Bescheid wüßten, wie bei einer Entbindung.

Ab sechs Uhr fünfzehn, zur wärmeren Jahreszeit, nach dem Lernen, lagen Lilly Catona und Fella Storch im Fenster und sahen aus Stockwerkshöhe auf die Straße hinab.

Kein Vis-à-vis, wie es sonst Gymnasiastinnen lieben. Es gab kein rechtes. Es war zu weit.

Bald jaulte die Trambahn heran, aus der Tiefe des Arbeiterbezirkes kommend, und hielt – sie fuhr damals zu Wien noch auf dem linken Gleis – an der gegenüberliegenden Straßenseite. Waren die zwei rot-gelben Waggons wieder abgefahren, dann sahen Fella und Lilly meistens Trix schon drüben stehen und heraufwinken.

Sie kam von ihrer Arbeitsstätte.

Sie hatte niemals gewünscht, ein Gymnasium zu besuchen, um später zu studieren. Auf frühe Unabhängigkeit bedacht, wählte sie eine solide kaufmännische Ausbildung, wozu freilich auch fremde Sprachen gehörten, für deren Erlernung sie ebenso begabt war wie ihr Bruder Hubert. Man hielt vernünftigerweise viel auf diesen Punkt im Hause K., ohne sonst Trix zu einem Studium zu nötigen, das sie nicht anzog. Herr Oskar K., ihr verstorbener Vater, war immer ein Freund der Freiheit gewesen, auch was seine Kinder anlangte, hierin dem Doktor Ferry

Siebenschein ähnlich, und sehr verschieden von dem etwas diktatorischen Professor Storch. Die Mutter hatte den Auffassungen Herrn Oskars stets sekundiert. Trix durchlief alle erforderlichen Kurse mit Erfolg und vermochte mit Fünfzehn schon einen englischen oder französischen Geschäftsbrief brauchbar zu schreiben. Und dann praktizierte sie, als Volontärin.

Es war ein großes und bemerkenswertes Unternehmen, in dessen Organismus unser Mädchen sich nun einzugliedern strebte; übrigens wurde ihr noch während der Lehr- und Probezeit dort eine recht annehmbare feste Stellung zugesichert; und daß Trix, wie man sie kennt, sich jetzt bereits bewährte, erscheint als selbstverständlich.

Es war ein großes und bemerkenswertes Unternehmen, durchaus führend auf einem sehr wichtigen Gebiete, mag dieses auch dem Außenstehenden für's erste als gar modest, ja, beinah als wenig appetitlich erscheinen: denn hier handelte es sich um ein Altmaterial von Textilien, kurz, um Lumpen und Hadern aller Art. Ihre Sammlung, Sortierung und Vor-Bearbeitung für die Papierindustrie – nämlich für jene, die kein Zeitungspapier, sondern bessere Sorten erzeugt – bildet ein sehr notwendiges Glied im industriellen Prozeß; und wenn dieses fehlte, könnte der Leser den Text hier schwerlich auf rein weißem Grunde haben.

So wirkte denn jene Firma, wie andere ihrer Art, sozusagen bis in's Humanistische hinüber; wenngleich doch eines ihrer Organe, nämlich die schöne Trix K., vom Humanistischen nichts hat wissen wollen. Aber wir wirken nie direkt, und wir bewirken nicht das eigentlich von uns Gemeinte.

Die Anlagen und Büros, in einem großen und modernen Betriebsbau untergebracht, befanden sich weit draußen, unmittelbar am Hauptstrome der Donau.

Diese Anlagen, sei's aus welchem Gefühls- oder Vernunftgrunde immer, waren von der Leitung des Unternehmens schon damals derartig ausgestattet und ergänzt worden, daß sie für jeden Arbeiter oder Angestellten fast eine Art Heimat darzustellen vermochten; so etwa, wenn man mittags seine Mahlzeit in komfortabeln Räumen einnahm, und sommers sich im ausgedehnten Dachgarten lüftete und duschte. Wer nun einmal hier war, der gehörte zum Haus, genoß dessen Vorteile, hatte sein bequemes Schrankfach und den Schlüssel in der

Tasche, und so gab es noch manche Kleinigkeit über das hinaus, was das Gesetz als Recht des Arbeitnehmers vorschrieb.

Trix war auf Grund persönlicher Beziehungen ihres verstorbenen Vaters hier untergebracht worden.

Täglich nach sechs Uhr abends verließ sie mit der Belegschaft das Gebäude, ging ein kurzes Stück gegen die große Donaubrücke zu und bestieg die Straßenbahn, um wenige Minuten später am sogenannten Praterstern den Wagen zu wechseln. Von hier konnte Trix direkt bis auf den Platz vor dem böhmischen Bahnhofe fahren und unweit ihres Hauses aussteigen.

Am Donnerstag verließ sie schon drei Haltestellen vorher den Zug.

Im Fenster oben lagen Fella und Lilly Catona. Sie winkten. Trix winkte. Fella kam herab. Meist war es so. Nur selten ging Trix hinauf.

Die beiden Mädchen spazierten dann miteinander durch die jetzt stark belebten Straßen, im ganzen die Richtung heimwärts haltend, mit Umwegen, an der Donaulände entlang, oder in der breiten Wallensteinstraße verweilend; hier gab es einen Konditor namens Freudenschuss. Der schwellende Straßenlärm lag im Ohr, das Klingeln der Trambahnen, und beides wich zurück, wenn sie die Treppen hinabgingen, die sich von der Brücke zum Flusse senkten. Die Lände war grün, die Bäume an den Uferstraßen oben waren grün, und es lag diese natürliche Farbe wie dämpfend in all' dem künstlichen zerstreuenden Lärm, wie sammelnd, wie eine Art Stoßkissen, darin sich die Vielfalt von zerflatternden Geräuschen fing. Die Höhe der Brücke aber gewährte einen Blick stromauf in die dreimal sich wölbende geöffnete Wellung der nahen Waldberge.

Wenn sie aus dem offenen Fenster sich beugten und auf Trix warteten, dann füllte der Straßenlärm das Zimmer aus, ein hübsches, nicht sehr tiefes Zimmer mit Möbeln von damals moderner Art, das Lilly allein bewohnte. Sie war das einzige Kind. Noch lagen Bücher und Hefte auf dem großen Klapptisch, daran die Mädchen gearbeitet hatten, und bewegten im Luftzug ein wenig ihre Blätter. Aber diese Sachen gehörten Lilly; Fella's Bücher waren nach dem Lernen sogleich wieder in eine hübsche Ledertasche geschoben worden, und diese stand bereit, damit Fella alsbald hinunterlaufen konnte, wenn Trix nach der Abfahrt des Straßenbahnzuges dort drüben winkend sichtbar wurde.

Gleich unten auf der Straße und bei der Haltestelle zu warten aber hätte Fella und Lilly Catona um eine gemeinsame Unterhaltung gebracht, welche sie sehr liebten, und der immer die letzten Minuten vor Trixens Ankunft gewidmet wurden.

Denn freilich erschienen dort unten zur selben Zeit in der selben Richtung gehend vielfach auch dieselben Menschen bei der Rückkehr von ihrer Arbeitsstelle. Auch mit Trix stiegen oft welche aus, die man schon kannte, und andere kamen zu Fuß. Für einige hatte man Spitznamen. Ein junger Mann im Arbeitsanzug hieß ‚der Matrose': weil ihm ein langsamer und wiegender Gang eignete. Er kam manchmal etwas vor dem Eintreffen von Trix vorbei, nicht selten aber fast gleichzeitig mit dem Straßenbahnzuge, aus welchem Trix dann ausstieg; ja, man sah ihn einmal knapp neben ihr vorübergehen, während sie dort unten stand und winkte.

Scharfe Augen erblickten ihn und andere gewohnte Figuren auch oft im voraus und von weitem schon; dann kam die Straßenbahn heran und überholte sie. Trix wurde sichtbar. Sie hatte diesmal einen Vorsprung gewonnen. Lilly und Fella begannen Wetten abzuschließen, die jeweils beim Konditor Freudenschuss realisiert wurden.

Den Matrosen aber stoppte Fella einfach ab, indem sie in der Wallensteinstraße, schon außer Sichtweite Lilly's neben Trix dahingehend, ihm ihre Büchertasche vor die Füße fallen ließ, als sie ihn hinter sich wußte und eben daran, sie zu überholen. Leonhard stolperte und fiel beinahe hin. Aber er hob die Tasche doch auf und überreichte sie Fella, die sich allsogleich mit hoher Stimme, spitzer Nase und insektenhafter Durchsichtigkeit und Zartheit, aber auch Keckheit entschuldigte.

„Hoffentlich ist nichts zerbrochen", sagte Kakabsa gutmütig und wies auf die Tasche.

„Da kann nichts zerbrechen", sagte Fella. „Es sind nur Bücher."

„Bücher?!" rief Leonhard – sie gingen nun zu dritt weiter – „was denn für Bücher?"

„Lernbücher", antwortete Fella. Ihr Instinkt, sowie der äußere Anblick Leonhards, den sie ja ohne weiteres als Arbeiter erkannte, empfahlen ihr jetzt, aus dem Charakter einer Schülerin, einer Gymnasiastin, kein Hehl zu machen: dabei konnte immerhin eine kleine Überlegenheit gewonnen werden.

Sie waren in die Nähe der Brücke gelangt, wo jetzt, bei geöffneter Weite, allenthalben schon das Abendgold zu fließen begann. Als Leonhard das Wort „Bücher?!" ausgesprochen hatte, war es Trix gewesen, die von seiner Betonung dabei betroffen wurde, welche gleichsam an dem beginnenden Geplänkel mit Fella, ja an deren ganzer Person überhaupt vorbei zielte. Sie sah aufmerksam zu Leonhard hinüber, der links von Fella ging. Ihr Aug' erdunkelte, wie es nun einmal bei ihr war, wenn sie innerlich in Bewegung geriet. Wind und Sonne fingen sich im Rotgold ihres Haares, als sie auf die Brücke traten. Leonhard sah es jetzt. Er hatte Trix vorher kaum angeblickt.

„Sie sind Studentin?" sagte er zu Fella.

„Ja", sagte sie. „Ich geh' in's Gymnasium."

Von rechts her, von Trix her, wehte ihm ein rosiger Schein, in jedem Sinne, er fühlt' es jetzt. Leonhard sagte zu Fella:

„Wenn Sie Gymnasiastin sind, Fräulein, dann hätte ich eine Bitte an Sie. Lassen Sie mich die Bücher sehen, die in Ihrer Tasche sind. Bitte, mir liegt sehr daran. Vielleicht gehen wir für ein paar Minuten auf die Lände da hinunter."

Sie standen neben dem Treppen-Abgang. Fella fühlte sich keineswegs in einem solchen Maße beiseitegeschoben, wie es ihr tatsächlich geschah. Sie hielt sich sozusagen für identisch mit ihren Büchern oder, anders, sie hielt das Interesse Leonhards für diese Bücher wirklich nur für einen Vorwand. Trix wußte es bereits besser.

„Gut", sagte Fella. „Gehen wir hinunter."

Trix ging hinter Leonhard. Sie sah sein braunes, sehr schlankes Genick über der blauen Arbeiter-Bluse, das dichte, klein gekräuselte Haar (er pflegte selten einen Hut zu tragen).

In diesen Augenblicken, als sie hinabzusteigen begannen, ging jenseits des Kanals, hinter den höher gelegenen Stadt-Teilen, eben die Sonne unter. Der Abendglast erreichte seine größte Leuchtkraft und lag als weißer Schmelzfluß in den Fenstern der Häuser oben an der Brigittenauer Lände. Die Farbe des Grüns am Wasser wurde tiefer und schärfer, fast unnatürlich jetzt, wie Buntpapier.

„Wir können hier vielleicht sitzen", sagte Leonhard. Er warf ohne weiteres die Bluse ab, unter welcher sich ein grobes, karriertes Hemd zeigte, dessen Ärmel bis zu den Ellenbogen aufgekrempelt waren. Nun legte er die Bluse auseinandergebreitet auf das Gras oberhalb der Böschung, die zum Wasser sich senkte, und bedeutete den beiden Mädchen mit einer einladenden Handbewegung, Platz zu nehmen, was sie ganz ungezwungen taten. Er setzte sich daneben, und zwar rechts; neben Trix.

Fella entnahm der Tasche die Bücher und reichte sie Leonhard hinüber, eines nach dem anderen.

Der historische Atlas hielt ihn sogleich fest. Das Bild der alten Welt (nach Niebuhr). Er besah es lang. Er schwieg.

Herodot. Der griechische Text. Leonhard sah die griechische Schrift an. Lange, sehr lange, obwohl er sie ja nicht lesen konnte. Er sagte nichts.

Da! Scheindler's lateinische Schulgrammatik. Ja. Es war die seine. Auflage? Jahreszahl?! Er blätterte rasch. Ja, es war die seine. Es stimmte genau. Er hatte das richtige Buch.

Und Trix beobachtete ihn bei alledem.

Es dauerte sehr lange. Leonhard kümmerte sich nur um die Bücher. Es kamen noch andere aus der Tasche hervor. Nun schaute er auf, in das Lichtkonzert des Sonnenunterganges, und blickte dann wieder in die Bücher auf seinen Knieen. Trix wußte jetzt schon genau, wie Leonhard aussah: die Augenbrauen waren über der kurzen, graden Nase zusammengewachsen; der Kopf rund, gedrungen. Brust und Schultern kamen ihr für diesen doch nur mittelgroßen Menschen enorm breit vor, sehr stark; aber vielleicht schien das nur so, weil Leonhard mehrmals tief atmete; die braunen, mäßig behaarten Unterarme jedoch waren zweifellos ungewöhnlich kräftig. Jetzt, und zwar fast gleichzeitig mit Fella, bemerkte sie am linken Arm die Tätowierung: Anker und herumgeschlungenes Tau. Fella begann laut und hell zu lachen. Leonhard hob den Kopf. Sein Gesichtsausdruck war etwas abwesend, doch zugleich freundlich.

Fella erklärte ihm jetzt, daß er bei ihr und einer gewissen Schulfreundin Lilly schon lange ‚der Matrose' heiße, und auch warum.

„Aber ich hab' das Meer nie gesehen", sagte Leonhard. „Ich war nur auf einem Donauschlepper."

„ναῦς μέλαινα (naus mélaina)", sagte Fella.

„Wie?" meinte Leonhard.

„‚Das schwarze Schiff' heißt das auf deutsch", entgegnete Fella. „Es ist griechisch. Der Dichter Homer nennt die Schiffe so."

„Bitte noch einmal", sagte Leonhard.

„ναῦς μέλαινα", wiederholte Fella. „Und die Mehrzahl – die schwarzen Schiffe – heißt: νῆες μέλαιναι (nees mélainai)."

„ναῦς μέλαινα – νῆες μέλαιναι", wiederholte Leonhard. Sein Gehör schien beachtlich gut zu sein.

„Bravo", sagte Fella, aber gleichgültigen Tons. Sie hatte für heute eigentlich genug von Lehrgegenständen.

„Und Sie gehen auch in's Gymnasium?" fragte Leonhard, und wandte sich jetzt Trix voll zu.

„Nein. Ich bin angestellt", antwortete sie.

Ihre Augen dürften dabei wohl schon ganz dunkel gewesen sein. Leonhard blickte voll hinein. Trix fühlte jetzt das Feste und Harte in seinem doch durchaus gutartigen Schauen.

„Und Sie haben das Gymnasium gemacht?" fragte er.

„Nein", sagte sie, und hielt seinem Blick stand, der ihr plötzlich in irgendeiner Weise kontrollierend schien. „Ich bin doch noch nicht einmal sechzehn. Ich bin Praktikantin, Volontärin." Sie nannte ihre Firma.

„Und warum wollten Sie nicht studieren?" sagte Kakabsa. „Oder haben Ihnen die Mittel gefehlt?"

„Eigentlich nicht", antwortete sie. „Aber es hat mich nie interessiert." Bei diesen Worten, und unter Leonhards Blick, hatte sie das Gefühl, in ihrem ganzen Leben so offen noch nicht gesprochen zu haben. Das war ja allerdings Unsinn (sie dachte es gleich), denn mit ihrer Mutter hatte sie immer sehr offen und noch weit offener als jetzt geredet.

Fella wollte heim.

Man trennte sich dann oben auf der Brücke.

„Ein ganz intelligenter Mensch", sagte Fella, während sie am Althanplatz in den Hausflur traten.

Der Kreis um Trix, oder eigentlich: der Kreis in Mary K.'s Wohnung hatte sich mit vorrückendem Herbste erweitert, bereichert, wenn man will.

Hubert brachte zwei Gymnasiasten. Frühwald einen Troupisten. Dolly eine Schulfreundin. Übrigens wurde auch Lilly
Catona nunmehr hier gesehen (gern gesehen). Ihr helles Lachen
erklang, ihr schnellhinfließendes Geschwätz plätscherte. Trix
ging hinaus, sich die Hände zu waschen.

Zum Glück war damals der Rittmeister, ,der Zerrüttmeister'
(Schlaggenberg) noch weit. Es wurde nur sehr mäßig getrunken,
in ,verniedlichter' Form.

Überhaupt war's nicht troupistisch, nicht lottrig. Hubert
sorgte oft für geordnete Debatten. Nachdem er das Erscheinen
Leonhard Kakabsa's hier zunächst für unpassend gehalten hatte
(„gelinde gesagt unpassend" – so seine Äußerung Trix gegenüber), begann er ihn bald insofern zu schätzen, als Leonhard
eine feste, schweigende, hörende, manchmal durch kleine Fragen geschickt weiter treibende, eine resonanzgebende Gesprächs-
Mitte darstellte. Er verhinderte das Zerflattern. Er lag auf den
Reden aller wie ein Beschwerstein. Jedermann hatte da besser
acht auf sich. Leonhard wirkte kontrollierend.

Er war von Trix hierher gebracht worden. Erstaunlich genug.

Fella stimmte zunächst mit Hubert maliziös überein. Sie erschien auch nicht mehr, als sie hörte, daß Leonhard kommen
werde.

Die unhumanistische Trix aber, tatsächlich zunächst mit
Leonhard irgendwie verbündet – beide waren ja ,arbeitende
Menschen' – verlor ihn dann jedesmal an die hier nur so aus
und ein gehenden Humanisten (der Rittmeister, der ja sogar gern
und gut lateinisch redete, hätte dabei gerade noch gefehlt).

Übrigens kam Leonhard im ganzen höchstens zwei bis dreimal.

Eine eben damals wieder statthabende Verschiebung seiner
Arbeitszeit ermöglichte ihm, Trix dann und wann (den Donnerstag vermied er schon) um sechs Uhr zu erwarten, freilich nicht
vor dem Firmentor, sondern weiter unten bei der Brücke, wo
sie alltäglich die Straßenbahn bestieg. Als er hier erstmals gestanden war, und sie mit ihrem leichten Gang und dem goldrot
leuchtenden Haar einherkam, wehte ihm derselbe rosige Schein
entgegen, wie damals auf der Brücke, beim ersten Zusammen-

treffen, als er sie zum ersten Mal angeblickt hatte. Jetzt indessen schien Trix gar nicht besonders überrascht, sondern einfach erfreut.

Sie stieg nicht ein. Sie blieben in der Gegend, wanderten langsam zurück in die Richtung, aus welcher Trix gekommen war, wandten sich zum Strom und traten an's Ufer, welches hier mit steinerner Treppe sich in's Wasser senkte, das still und kaum plantschend an den Stufen stand.

Etwas weiter draußen wanderte das Wasser schon eilig. Der Strom bespülte die Stadt. Er kam. Er verließ sie. Beides unaufhörlich. Ein Jüngling, um mit Hölderlin zu reden. Noch war der Herbst mild. Das andere Ufer rauchig gedämpft, man kam nicht gleich zurecht mit den Einzelheiten weit dort drüben.

Sie saßen nieder, wieder auf Leonhards Bluse. Vielleicht war das eine Gemeinsamkeit, ein Stück schon gemeinsamer Vergangenheit: auf der Bluse sitzen, am Wasser. Es war mehr: eine Vertraulichkeit. Sie saßen hier nach der Arbeit beisammen. Trix saß gern hier. Nach einer halben Stunde gingen sie zur Straßenbahn. Sie stieg ein. Er sah ihr nach. Sie winkte zurück.

So saßen sie öfter auf den Stufen.

Ohne Gespräch.

Es war ein rechter Frieden.

Es war mehr: eine Seligkeit. Nur wußten sie's eigentlich nicht.

Einmal hatte sie Lutschbonbons. Einmal auch brachte er welche; genau die gleichen.

Doch gab es auch Donnerstag-Abende, und meistens war Leonhard früher zur Stelle als Trix, und man winkte ihm kurz von oben, worauf er langsam weiter ging: Fella begann zu verlieren – nämlich Indianerkrapfen bei Freudenschuss – weil sie hartnäckig immer auf Trix setzte. Freilich konnte Leonhard, vor jener früher erwähnten Verschiebung seiner Arbeitszeit, die aber eine nur vorübergehende Änderung war, oft auch keinen Vorsprung gewinnen, ja, manchmal bekam er die Mädchen nicht mehr zu Gesicht; sie waren schon in der Richtung zum Flusse weit davon gegangen. Fella widerriet angelegentlich jedem Warten oder Zögern, selbst dem allergeringsten; Trix wollte solches auch gar nicht; und später hatte sie ja die Treppe am Strom. Sie schwieg. Leonhard, wenn er die Zeit zu weit vorgerückt wußte, erwartete gar nicht mehr, die Mädchen am Fenster zu sehen. Es war dann leer oder geschlossen.

Auch Lilly Catona kam dann und wann mit, wenn eine Wette für sie bei Freudenschuss realisierbar geworden war, und ein oder das andere Mal saß man gar zu viert dort – was die Ladnerin merkwürdig fand, wegen des Arbeiters nämlich – und ging dann ebenso zu viert an der Lände. Lilly Catona fand den ‚Matrosen‘ sehr nett, er mußte den Anker am Arm zeigen und von seinen Fahrten auf den Donau-Schleppern erzählen.

Leonhard führte jetzt kleine Zettel bei sich und einen Bleistift.

Eine genaue Inspektion von Fella's Büchertasche war zur Gepflogenheit geworden. Er notierte sich einzelne Titel, auch Jahreszahl und Auflage.

Den historischen Atlas besaß er jetzt schon.

Das Bild der alten Welt.

Nach Niebuhr.

Weil er nun aber, unser Vortrefflicher, Lieber, die lateinische Grammatik an den Abenden nicht etwa genau und wiederholt gelesen, überlegt, studiert hatte, sondern sie seit vielen Monaten in der fürchterlichsten Weise geradezu paukte und exerzierte – etwa so, wie man eine komplizierte Maschine bedienen lernt – so bestand bei ihm eine derartige Geläufigkeit der Formenlehre, der Deklinationen und Konjugationen, daß er die beiden Gymnasiastinnen einmal höchlich erschreckte, als der ganze Scheindlerische Apparat bei ihm in präzise, rasselnde und klirrende Bewegung geriet: es war, als marschierten die Legionen auf. Erst der Umstand, daß Leonhard zwar alle grammatischen Regeln der Konstruktion – etwa jener mit dem absoluten Ablativ und anderer – tadellos gegenwärtig hatte, diese Konstruktionen jedoch nur sehr langsam und schwerfällig zu vollziehen vermochte, weil sie ihm in der ja unverhältnismäßig kurzen Zeit noch nicht hatten in's Blut gehen können – erst dieser Umstand beruhigte Fella und Lilly einigermaßen. Erstere war obendrein wegen der Berührung von Lehrgegenständen im Rahmen einer Realisierung bei Freudenschuss indigniert. Bei dieser Gelegenheit also kamen sie dem Leonhard hinter seine ganze Lernerei, hinter den Scheindler und sogar hinter den neu angeschafften historischen Atlas. Seine Entlarvung war unvermeidlich gewesen, weil er bei jeder Gelegenheit nach Auskünften und Belehrungen angelte; und so war denn bei einer derartigen Erörterung plötzlich seine Scheindlerische Maschinerie in Bewegung geraten, zu seinem eigenen Schrecken: denn er wollte ja nur sich etwas explizieren lassen und mußte also genau dartun, wo es haperte . . .

Trix war maßlos erstaunt.

Sie fragte ihn drei Tage später auf der Treppe am Wasser.

Es waren merkwürdige Augenblicke, nicht ohne Schmerz, die sich dabei wirklich zwischen ihnen öffneten wie Augen, durch die sie nun erstmalig auf einander zu sehen begannen. Es war der Austritt aus einer Paradieses-Unschuld des Einvernehmens, von der sie kaum gewußt, die sie jetzt schon verloren hatten.

„Wollen Sie in einen anderen Beruf?" fragte Trix.

„Warum?"

„Weil Sie sich fortbilden, wie ich bemerkt habe", sagte sie.

„Fortbilden . . .", sagte Leonhard, „ich will mich gar nicht fortbilden. Ich will bleiben. Mir ist alles schon so ganz recht wie es ist. Ich will bleiben wo ich bin."

„Wozu lernen Sie dann das alles . . . Latein . . . und den historischen Atlas . . . besuchen Sie auch Kurse?"

„Nein", sagte er. Der Spalt des Unverständlich-Seins begann sich zu öffnen zwischen ihm und Trix: er glaubte dies beginnende Klaffen fast mit Augen sehen zu können. Das rechte Wort verweigerte sich ihm, rechtzeitig diese Kluft zu überspringen, bevor sie zu breit wurde. Er konnte sich nicht aussprechen. Eine Schwerfälligkeit war es, wie bei den Ablativ-Konstruktionen. Aber hier wußte Leonhard nicht einmal die Regeln. Er wußte gar keine. Er war auch nie auf den Gedanken verfallen, Fortbildungskurse zu besuchen. Jetzt erinnerte er plötzlich den Schulgeruch im Volksbildungshause zu Ottakring, wohin irgendwer ihn einmal mitgenommen hatte. Leonhard war nie mehr hingegangen. Das hatte mit seinem Scheindler nichts zu tun, nichts mit dem Bilde der alten Welt, obwohl man solche Sachen dort auch lernen konnte.

„Da kommt ein Schleppzug!" rief Trix und deutete auf den Strom hinaus.

Leonhard vermochte die Worte kaum aufzufassen. Jetzt erst wurde ihm bewußt, in welchen Knäul von Verwirrung ihn ihre beiläufig gestellten Fragen gestürzt hatten – von denen sie leichthin zu etwas anderem absprang.

Langsam, mit mahlenden Maschinen und qualmenden Schloten kam das Zugschiff stromauf, jetzt noch, in der Sicht von vorn, mehr breit als lang erscheinend, allmählich sich streckend, während die vier schwarzen Schleppkähne, groß wie Seeschiffe, einer hinter dem anderen nach und nach von seitwärts sichtbar wurden, auch sie mit mächtiger Bugwelle. Lang ist die Bergfahrt, langsam ist die Bergfahrt, endlos ist die Bergfahrt. Leonhard dachte an ihre Etappen von Budapest herauf, an Szob, an Komorn. Der letzte grüne, schon kalte Abendschein über den Auwäldern. Das Sitzen im Steuerhaus auf einem der Schleppkähne, oder im Schlafraum. Das Zusammengesperrtsein: bis zur Angst. Die Unmöglichkeit, sich wegzubegeben. Auch der Geruch kehrte wieder.

Langsam zog die Vergangenheit den Strom herauf. Jetzt endlich, schon war der Schleppzug halb vorbei, durchbrachen belebte Wellen dies schwere Bild, plantschte das Wasser hoch an den Stufen von Stein, spritzte fast bis zu Trix und ihm.

Leonhard schwieg.

Er besaß nicht, was er Trix hätte sagen können. Er besaß es nicht. Es besaß ihn, bis zur Unsäglichkeit.

Sie blieben noch eine Weile auf den Stufen.

Ohne Gespräch.

Sie wandte sich ihm zu, ihr Auge wurde ganz dunkel; sie legte für eine Sekunde ihre Hand auf die seine:

„Hab’ ich Sie gekränkt, Leonhard?“

Nun war er vollends geschlagen, obendrein.

Aber des Nachts, bei all seinem sonstigen guten Schlaf, kam etwas ganz neues.

Ihm träumte, er läse den folgenden Satz in der lateinischen Grammatik von Scheindler (sie sah jedoch anders aus, sie war sehr dick):

„Der Optativ (Wunschform) zieht jeden Satz in’s Konjunktivische, und die Grundbedeutung geht dabei verloren.“

Dieser Unsinn mit bereits geläufigen Ausdrücken klang nach, als Leonhard erwacht war und den Lichtschalter betätigt hatte.

Er vermochte den Satz sogar zu wiederholen.

Es war sehr ungemütlich.

Er wiederholte noch einmal.

Und erkannte dabei jetzt, daß er in einer neuen Sprache zu denken begann. Nicht lateinisch. Aber in der Muttersprache anders wie bisher. Plötzlich erinnerte sich Leonhard an Reden, die er angehört hatte, bei Betriebsfeiern, oder in der Gewerkschaft; es waren Reden gehobenen Tons gewesen. Richtig. Geschriebenes mußte so gesprochen werden, man hielt sich wie im Stütz auf dem Barren über der Alltags-Sprache.

Aber:

,,Der Optativ (Wunschform) zieht jeden Satz in's Konjunktivische . . .''

Das ging ganz glatt, ohne jede Feierlichkeit. Wie die Alltags-Sprache, nur etwas ruhiger. Es war nicht lateinisch. Es war aber auch nicht die eigentliche Muttersprache, die von der Mutter gelernte Sprache. Leonhard erkannte tief erstaunt, daß er im stillen schon seit längerer Zeit nur mehr in jener neuen Sprache gelesen hatte (wobei er manchmal die Lippen bewegte). Es war sein innerer Sprachgebrauch geworden. Nun träumte er schon so. Nun flüsterte er schon so nach dem Erwachen vor sich hin. Die innre Sprache stand an der Schwelle der äußeren.

Gleich nach diesem aber trat Malva, des Buchhändlers Tochter, in's Blickfeld. Den historischen Atlas hatte Leonhard nicht im Geschäft ihres Vaters gekauft, sondern anderswo.

Er weiß jetzt warum.

Er hat Malva damals nicht bewußt vermieden.

Er hat sie lange nicht gesehen.

Da war sie nun.

Mit schwellender Brust, süß trat der Venusbauch vor, schräg sahen die Katzenaugen, über das Gesicht wölkte ein leichter Schleier von der Zigarette im Mundwinkel.

Er stieß an sie jetzt, wie an eine Wand.

Ganz ebenso war er an Trix gestoßen, auf der Treppe am Wasser.

Der Lichtschalter knackte. Er lag zwischen beiden jetzt im Dunkel, wie zwischen Brettern, die Arme lang am Körper.

Während so unser Vortrefflicher, Lieber nächtens einen entscheidenden Akt setzte, welchen man als nichts geringeres wird bezeichnen dürfen, denn als jenes Überschreiten der Dialekt-Grenze, womit, wenigstens im mittleren Europa, jedes eigentliche Leben des Geistes beginnt, lag zur selben Zeit Trix – die beiden haben später auf der Treppe am Wasser über diese Nacht gesprochen! – eingebrettert, ja, beinahe eingesargt zwischen Fella und Leonhard im Dunklen am Rücken und weinte. Neben ihr stand das zweite Ehebett, das Bett der Mutter, leer.

Es war Fella gewesen, die Hubert zu einem Stelldichein veranlaßte. Der Gymnasiast hatte sich kaum darum beworben. Aber nun war es einmal an dem, und sie traf ihre Vorbereitungen.

Diesmal Schwarzblau mit etwas Rot, nicht Lavendelblau. Dazu das dunkel-goldgelbe Haar! Es sei objektiv festgestellt: sie sah schon intensiv süß aus, zum Quetschen. Dieses kecke, dünne Schnakengeschöpf! Durchsichtig. Ein Glasflügler (Sesia myopaeformis L. – Dr. Dwight Williams hätte das Exemplar wahrscheinlich derart bestimmt).

Er flog natürlich so ab, daß er in aller Ruhe ausgiebig zu spät kam.

Nach Nußdorf ging's, auf den Platz vor der Brauerei und dem großen Familien-Café, das es dort gab. Hier war's gewesen, vor Jahr und Tag, daß Frau Mary K. einmal einen ihrer Verehrer hatte aufsitzen lassen, den Rumänen Dr. Boris Nikolaus Negria, dem es gleichwohl vorbehalten blieb, wenige Augenblicke vor der Katastrophe wie eine Erscheinung an ihr vorüber zu ziehen . . .

Davon wußte nun Fella freilich nichts.

Sie stieg aus der Straßenbahn, die Leute verliefen sich, Fella schickte sich an, jemand ganz leichthin entgegen zu gehen. Aber es war niemand da, der sich nicht verlief, die Verkehrsinsel unter der Normal-Uhr war leer.

Innerlich schnell überlegend, fühlte sie sich sogleich äußerst exponiert, wie von zahllosen Pfeilen allseitig angeflogen: Hubert war vielleicht doch noch nicht weggegangen. Er stand oder saß irgendwo, sah sie, vergnügte sich daran, und würde im übrigen sogleich erscheinen . . . Sie setzte einfach ihr eigenes Wesen bei ihm voraus. Jedoch das war kein Maßstab, der für den schönen Schäfer genügte, möchten wir sagen.

Der große Vorgarten des Familien-Café's lag nahezu leer in der Herbst-Sonne, bunt bekleckst von einzelnen gefallenen Blättern. Aber es gab noch ein zweites Lokal, ein kleines, an der benachbarten Seite des Platzes, der Brauerei gerade gegenüber. Eine gemütliche, rotweiße Marquise mit gewelltem Saum flatterte. Fella wurde dieses kleinen Café's jetzt erst gewahr. Sie wandte sich eben um und zurück: hier hieß es nämlich gehen. Das wurde ihr schon klar. Aber sie stand. Nichts erfolgte.

„Fella!" rief jemand über den Platz.

Rufe und Gelächter, viele Stimmen. Es kam aus dem schmalen Vorgärtchen unter der rotweißen Marquise.

Sie wußte sofort, daß ihre Niederlage unmeßbar würde, wenn sie jetzt davonginge. Man drang heraus, mehrere Burschen und Mädchen, Hubert darunter, sie ward umringt, begrüßt.

„Wir schaun dir schon die ganze Zeit zu!"

Man hatte Fella gern, man freute sich, daß sie gekommen war, man wollte ihr durchaus nichts Böses. Die Gesellschaft war harmlos. Nur derjenige, welcher sie hier zusammengebracht und zu anscheinend zufälligen Zuschauern von Fella's Auftreten gemacht hatte, war es nicht so ganz.

Er begrüßte Fella übrigens mit betonter Freude und Zärtlichkeit und nahm dann gleich wieder, als sich die Tischgesellschaft niederließ, neben einem anderen Mädchen Platz, eben dort, wo er vorher gesessen war.

Es erschien das Ganze Trix seltsam ungut. Fella war aufrichtig, weil sie gegen Hubert hetzen wollte, sie verriet daher Trix ihre ursprüngliche Absicht, den Bruder allein zu treffen: eine völlig unnötige Offenheit, fast unverständlich, ein Beischuss von Schamlosigkeit fehlte da nicht. Oder? Wollte sie Trix treffen? Es geschah im Badezimmer, wo sich einiges wiederholte, was wir schon kennen. Bei solcher Gelegenheit ward Trix Bericht.

Diese stellte den Bruder sanft zur Rede.

„Hat sie sich bei dir beklagt?" sagte er lachend.

„Nein . . ."

„Woher weißt du dann . . .?"

„Sie hat mir erzählt . . ."

„Und . . .?"

„Daß du so sein kannst zu ihr . . .!"

„Ich hab' ihr ja nichts getan . . ."

„Ich glaubte, du . . . hättest sie ein bissel gern . . ."

„Gern? Na ja. Sie ist mir gleichgültig. Sie kann mich gern haben. Ich hab' niemand gern."

„Auch mich nicht?" fragte Trix.

„Nein", sagte er. „Ihr seid alle lächerlich."

Aber Hubert war gar nicht unfreundlich zu Trix, bei alledem. Er tätschelte sogar ihre Hand. Er lachte noch einmal, zuckte mit den Achseln und ging.

In irgendeiner Weise hatte sie Hubert verehrt, bis jetzt. Er war immer klug. Er sprach gut und knapp. Er übertrieb nie. Er war mühelos der Erste in seiner Klasse.

In dieser Nacht lag sie schon zwischen drei Brettern, möchte man sagen: Leonhard, Fella, Hubert. Dieser letztere sozusagen als kalter Untergrund, von wo es dauernd zog.

Sie sehnte sich nach der Mutter. Endlich, der Herbst war fast dahin, kam die Nachricht bevorstehender Rückkehr. Marie mußte nach München fahren, die Reisende zu begleiten.

Trix nahm kurzen Urlaub und fuhr einfach mit.

Der Schnellzug glitt morgens aus der Halle, nicht allzu zeitig.

Noch lag der Wiener-Wald im Nebelrauche, aus dem einzelne Rücken der Berge sich heranwölbten, während nahes Gehölz rasch und wie ein Gitter am Zuge entlanglief.

Daß die Mutter ihre Marie zur Reisebegleitung verlangte, war selbstverständlich, ja, fast ein gutes Zeichen. Auf der Hinfahrt hatte es einer Krankenschwester bedurft. Jedoch, daß man die Mutter überhaupt heimholen mußte – wie nicht anders zu erwarten gewesen – bildete zugleich eine schmerzliche Betonung ihrer Hilflosigkeit. Und aus diesem Untergrunde wuchs jetzt bei Trix die Angst, es möchte weniger gut um ihre Mutter stehen, als diese ihr und Grete Siebenschein in der letzten Zeit geschrieben hatte, vielleicht nur zur Beruhigung . . . merkwürdig schien's jetzt doch wieder, daß von der Mama jeder Besuch in München während ihres ganzen Aufenthaltes glatt verboten worden war: sie habe dort etwas sehr schweres zu vollbringen und wolle von niemandem dabei gesehen werden. Dies schon im voraus, vor ihrer Abreise. Später ward es brieflich mehrmals wiederholt und eingeschärft.

Und nun also wollte sie gesehen werden und ließ die Marie kommen.

Trix bekämpfte ihre Bänglichkeit ohne Erfolg. Der Zug schloff dröhnend in einen Tunnel. Danach war die Sonne durchgebrochen: ganze Fahnen und Flanken von leuchtendem Herbstgold schütteten sich in die Fahrt. Jetzt wieder ein Tunnel. Wenig später fuhr man hoch hinaus auf den Viadukt, die begleitenden Bäume versanken, man meinte fast in einem Lift emporzusteigen: die Weite geöffnet, bräunliche Hügel, der Himmel geräumt, ein Orgelbaß von Blau.

Trix war jetzt besser zu Mute.

Die Fahrt blieb kein Ganzes (wie von Wien aus gesehen), blieb nicht als solches zu bewältigen: sie zerfiel in ihre Teile, sie zerschmolz und zerstückte, sie erwies sich eigentlich als kurz: So schien's in Wels, in Salzburg, in Rosenheim. Es dauerte nicht lang, und man fuhr zwischen geschlossenen Häuserblocks, um München herum, durch den Ostbahnhof ohne anzuhalten, über breit ausstrahlende Gleis-Stränge, und mit klappenden Geräuschen an Waggonreihen entlang. Da war die Halle. Die Fahrt verzischte in irgendwelchen letzten Bremslauten. Der Zug stand. Er schien endlich wieder zu seinem vollen Schwergewichte gekommen.

Sie schoben sich hinaus.

An der Sperre stand die Mutter.

An der Sperre stand die Mutter, leicht gestützt auf ihren schwarzen Ebenholzstock, mit dem Hausdiener des Hotels.

Trix empfand Scham, ja Schmerz über ihren eigenen Blick, der jetzt rasch hinabglitt.

An der Sperre stand die Mutter auf zwei schlanken Beinen und lachte.

Nun lagen sie einander in den Armen.

Trix glaubte zu fühlen, daß ihre Mutter etwas schmächtiger geworden sei. Trotzdem sah sie blühend und entzückend aus.

Der Hoteldiener hatte das geringe Gepäck übernommen. Mary schritt voran. Ihr Gang war ein Meisterwerk: ein klein wenig nach rechts eingeknickt, ein klein wenig den Stock gebrauchend, nur beiläufig behindert, und diese Behinderung mit einer gewissen Ironie der Bewegungen verspielend und parodierend.

In ihrem Zimmer dann, als Mary hin und her ging, verlor die treue Marie die Fassung und küßte ihre Gnädige ab.

Trix blieb gesammelt, wenn auch erdunkelten Auges. Das hier vollbrachte Werk war's, was sie mit der tiefsten Bewunderung erfüllte. Und da war kürzlich jemand zu Wien in seinem Bett gelegen, wie eingesargt, und hatte geweint.

Mary erzählte dann, daß es freilich hin und wieder noch kleine Schwierigkeiten gebe, Druckstellen, und so weiter. Professor Habermann wünschte die Überwachung durch einen bestimmten Universitätsdozenten in Wien, und hatte Mary auch eine Firma dort genannt, welche im Falle irgendwelcher Schäden an der Prothese heranzuziehen sei. Im übrigen vermöge sie bereits das künstliche Glied durch einen ganzen Tag ohne Unterbrechung beschwerdelos zu tragen.

Ja, so war's. Am Abend ging sie mit Trix aus. In's Theater – das kleine Riemerschmid-Theater, Maximilianstraße – und dann zum Essen in die ‚Neue Börse'.

Hier, bei Tische, erzählte Trix von dem Kreis, der da in Wien während der letzten Monate entstanden sei, mit Fella und Lilly Catona, mit Frühwald und mit Huberts Freunden. Auch Leonhard ward erwähnt. Sie sprach durchaus mit dem inneren Vorbehalt, daß es sich um Vergangenes handle, vorbei und gewesen, weil es nun eben aufzuhören habe. Aber Mary schien von einer solchen Auffassung weit entfernt.

„Das ist gerade, was ich brauche. Ich freu' mich schon darauf", sagte sie. „Das hat sich aber geschickt gefügt, scheint mir."

Trix sprach dann von Leonhard.

„Du liebst ihn?" fragte Mary.

„Beinahe", sagte Trix, „ja, ich glaube schon. Aber die Fremdheit ist ganz und gar unüberwindlich."

„Das liegt aber nicht nur an seinem Stand, kommt mir vor, nach allem, was du erzählt hast."

„Nein, es liegt nicht nur an seinem Stand", bestätigte Trix und sah auf das Tischtuch. Mary legte ihre warme Hand auf Trixens weißes Pfötchen. So redeten sie wieder miteinander.

Im übrigen auch von Fella.

„Nimm das nicht zu gewichtig", meinte Mary. „Es ist in Wahrheit vollkommen nebensächlich. Viel junge Menschen beisammen – das ist mitunter fast wie kleine Katzen, die in einem Korb durcheinander kriechen. Derartiges kann fast unvermeidlich werden."

Am nächsten Tage sah Trix sich München an. Sie war vordem nie hier gewesen. Auf Kunstgenüsse weniger bedacht, zog sie um so tiefer die Aura einer Stadt ein, die ihr, im Vergleiche zu jener, aus der sie kam, als jünger, als klarer und blanker erschien; und dies ohne jeden Hinblick auf historische Daten, welche ja Trix ganz unbekannt waren. Es schien ihr, alles in allem, hier leichter zu leben als daheim (eine Täuschung, die, mehr oder weniger deutlich, uns in jeder fremden Stadt befällt, wenn sie schön und lebhaft ist).

Sie stand am ,Stachus', vor der nicht abreißenden Kette von Wagen, die zum Lenbachplatz einbogen, ein unaufhörliches Herankommen im Benzindampf, im Stank und Lärm, im zappelnden Geräusch der Motoren. Trix war in Berlin gewesen und in Paris, wo es all das noch verzehnfacht gab, und erst recht im Vergleich zu ihrer doch weit stilleren Heimatstadt: oder verschluckte diese einen, im Tatsächlichen gar nicht geringeren Lärm, weil – sie ihn nicht liebte? Ward er gedämpft von einer ganz anderen Wesenheit, die noch völlig ungemischt und unberührt in blauschattigen Vorstadtgassen lag, und von da, wenn auch durchkreuzt, bis in's Zentrum reichte? Irgend etwas Verwandtes gab es auch hier, auf jüngerem, später verbautem, weniger tiefem Grunde, der nicht eine Art Morast aus zwei Jahrtausenden war. Die Sprache, welche hier gesprochen wurde – von Trix, als Wienerin, leichtlich verstanden! – sie hatte mit dem Gezappel der Motoren nichts zu tun, sie mischte sich nicht bellend darein, sie setzte sich selbstbewußt und in geruhiger Stärke von all der Betriebsamkeit ab. Ganz wie jene Leute hier, die ihr so besonders gut gefielen, eine Art für sich: durch die Fenster der Bräu's sah man sie sitzen, fest fundamentiert, schweigend, beim Biere. In Wien saßen sie schweigend, zuzelnd, ,beißend' beim Wein: hier wie dort das ungeheure Podex-Gegengewicht eines nicht immer durchaus appetitlichen Volkskörpers; verhindernd, daß die Zeit mit zappelnden Motoren geradewegs in den Abgrund fahre, wonach sie ja doch am allermeisten sich sehnt . . .

Freilich, ganz bewußt gab es solche Gedanken nicht bei unserer Trix: mehr als Ahnung, als Fühlung in ihrem Geweid, in ihrem kleinen Bauch, möchten wir hier am liebsten wieder sagen: aber sie hatt' es eben doch, sie war in Kontakt und Rapport gekommen mit dieser Stadt München, und mehr als manche, die von der Schack-Galerie in's Deutsche Museum eilen, oder von den Propyläen zur Glyptothek. Immerhin, die Frauenkirche sah Trix an, und stand lange vor dieser riesigen Gluck-Henne; und den Rokoko-Traum in der Sendlingerstraße betrachtete sie (das war ihr ganz nah, wie daheim), und sie ging ein wenig durch den alten Rathausbogen in's ‚Tal' hinunter und am Viktualienmarkt entlang.

Die Reise nach Wien verlief glatt und vergnüglich.

Vielleicht ist Mary vorher ein wenig bänglich gewesen. Im ganzen hieß es doch die Prothese jetzt zehn bis elf Stunden tragen, ohne sie ablegen zu können. In den Waggon kam sie gut: nicht als transportierte Kranke; sie konnte einsteigen wie andere Reisende auch, Trix und Marie halfen.

Etwas über acht Stunden später schloff der Zug dröhnend durch zwei Tunnels: und da war er, der Wiener-Wald, ja, hier erst begann die Aura des Zuhause-Seins, mit diesen steigenden und fallenden, in immer neuen Kulissen in's Blickfeld sich wendenden Bergen, der vielfarbigen Tiefe ihrer Wälder, durch welche die schräge Sonne den Glast schoss, die Schatten der Bäume als laufendes und zitterndes Gitter in's Abteil werfend. Hier waren die Durchblicke in Täler, die rauchige Tiefe, der alte Wald um die alte Stadt.

Zu Wien in der Wohnung angelangt, beruhigte sich bald auch der Wirbel der Begrüßungen. Hubert war selbstverständlich am Bahnhofe gewesen, und Grete Siebenschein, die sich den René Stangeler hierher kommandiert hatte, zur allfälligen Hilfe. Daheim traten die Eltern Siebenschein und Storch aus ihren Wohnungen (es war das einer der ganz wenigen Anlässe, bei welchen René die Frau Professor noch zu sehen kriegte, er verbeugte sich tief). Dolly war freilich gleichfalls da, und hinter ihr wurde ein Exemplar von Sesia myopaeformis L. zartgliedrig und durchscheinend sichtbar.

Mary ging langsam durch die Wohnung. Schon war der Duft des Jausenkaffee's zu spüren, den Marie in der Küche bereitete. Trix deckte den Tisch. Und Hubert wollte der Mutter immer den Arm bieten, aber er kam nicht dazu, und sie durchschritt, verhältnismäßig rasch vor ihm hergehend, die Räume.

Kein Rauch der Feuerstelle umgibt die Penaten in einer Stadtwohnung. Sie schauen von überall her stumm aus ihren Augen, aus jedem Möbel, aus jedem Bild. Sie sind nicht mehr im einzelnen feststellbar, sie sitzen nicht in Nischen um Herde; sie sind sublim geworden, sie sind zerstäubt oder emulsioniert durch ein ganzes Heim.

Am Kaffeetisch trat es Mary vor die Seele, daß mehr als ein Jahr nötig gewesen war, um einige verhedderte, ungeduldige und ungeschickte Sekunden des 21. September 1925 wieder einzuholen, sie, diese Entkommenen, wieder einzugliedern in's Leben.

Aber, es war getan, so gut es nur hatte getan werden können. Sie lachte ihren Kindern zu (Trix sah süß aus) und blieb am Jausentische sitzen. Erst eine Stunde später fiel ihr ein, daß sie gar nicht auf den Gedanken gekommen war, ihre Prothese abzuschnallen und sich hinzulegen. Sie empfand kein Bedürfnis danach und so ließ sie's denn.

3

IM OSTEN

Leonhard's Arbeitsgefährte in der Gurtweberei, Nikolaus Zdarsa, der unverheiratet war, hatte als Neuerwerbung auch diesmal kein Mädchen, sondern ein Motorrad heimgeführt und bezahlte es in Raten. Die Maschine, vom Typ ‚Indian‘, war lang, mit tiefliegendem Schwerpunkt, und auch für zerrüttete Straßen geeignet. Zdarsa hatte die damals der ungarischen Landstraße zu einem Teil noch ähnlichen Verkehrswege des Burgenlandes dabei im Auge, das sich ja erst seit 1919 bei Österreich befand; dem Nikolaus lebten dort unten, zu Stinkenbrunn, weinbauende und eher als wohlhäbig zu bezeichnende Verwandte; das übrige versteht sich von selbst; den Leonhard brachte er dorthin mit auf dem Rücksitz seiner langen Maschine – die, wenn schon nicht nach einer socia, so doch nach einem socius geradezu schrie. Es ist übrigens bemerkenswert, daß Leonhard im Hause der Verwandten zu Stinkenbrunn – sie hießen ebenfalls Zdarsa – auf die gleiche Weise angenehm in Erscheinung trat, wie im schönen Palais Ruthmayr zu Wien auf der Wieden: nämlich durch die stillschweigende und prompte Erledigung häuslicher Reparaturen, an die sonst niemand heran wollte. Leonhard tat dies sogar unaufgefordert, sobald ihm Mißstände bekannt wurden; und eine von ihm provisorisch reparierte Klingel pflegte dann mindestens fünf bis zehn Jahre klaglos zu funktionieren. Vielleicht langweilte sich Leonhard im Hause Zdarsa zu Stinkenbrunn? Jedenfalls suchte er Beschäftigung zu finden. Niki Zdarsa, einmal vom Motorrad abgestiegen, tat das Gegenteil, das heißt, er tat eigentlich nichts; ihn hätte man zu keiner Tätigkeit gebracht. Er, für sein Teil, suchte den ‚Stinkenbrunner‘. Dieser bildet, neben so allgemein bekannten Namen wie Rust oder etwa auch Oggau, eine der außerhalb des Burgenlandes weniger notabeln Marken, dessen Weine ungarischen Typs wohl auch da oder dort zu schärfendem Verschnitt der gewöhnlichen Niederösterreicher verwendet werden. Freilich, der Kundige weiß besser, was das Burgenland hervorbringt auch an weniger verbreiteten Genüssen, die jedoch durchaus für sich selbst genommen und gepriesen werden müssen. Zu diesen Kundigen gehörte unter anderen der Fürst Otto von Bismarck, der für seine Tafel den Rotwein von hier kommen ließ, und zwar aus Pöttelsdorf.

So begannen sich Niki Zdarsa's und Leonhards Fahrten an schönen Sonntagen nach Südosten zu erstrecken, auch zur spätherbstlichen Zeit, wenn es nicht zu kalt war. In diesen Jahren, um 1926 und 1927, begann überhaupt die Motorisierung breitester Schichten bereits fühlbar zu werden. Jene Motorisierung nun hatte sehr bald zur Folge, daß die Großstädte allsonntäglich, bei annehmbarem Wetter, gleichsam eine ringförmige Wolke von Fahrzeugen in die Landschaft ausstießen, welche Ausstoßung ihre gewissen Bahn-Elemente hat (ganz so wie analoge Vorgänge im Kosmos draußen), also auch eine bei solchem Anlasse regelmäßig wiederkehrende Anfangsgeschwindigkeit. Diese trägt gesetzmäßig – infolge des Fahren-Müssens, Vorbei-Eilen-Müssens, pfnurrende Kolben Hören-Müssens, wobei das Ziel ein reiner Vorwand bleibt – zunächst einmal über eine gewisse Strecke hinaus, so daß schließlich ein ringförmiges Band von Leere um eine Großstadt liegt, jenseits dessen sich der Schwarm, dünner werdend, im offenen Lande verteilt. So kommt es, daß man heute, beispielsweise in großen Teilen des stadtnäheren Wiener-Waldes, einsame Sonntagsspaziergänge machen kann. Es ist nur notwendig, zurück zu bleiben: so, wie die Wälder immer mehr unbetreten zurückbleiben hinter den von Motoren dicht an ihnen vorbei befahrenen und berasten Straßen. Kein Spaziergänger stört mehr die Waldesnatur; denn jene auf der Straße, sie müssen dahin, es reißt sie fort. Die Wälder kehren zu sich selbst zurück, schon wird das Wild vertrauter. Es besteht die Möglichkeit, dies gelinde Zurückbleiben in verstattetem Maße von den Wäldern zu lernen: ohne Übertreibung und ohne jene sonderliche Betonung, welche zum Sonderling macht. Man bleibe ein wenig hinter dem Fortschritt zurück: man lasse ein wenig die Hand vom Rundfunkgerät und das Aug' vom Zeitungspapier und von der Leinwand; und man bleibe am Sonntag zurück in jenem Niemandsland um die Stadt, das nur morgens und abends die Lärmwelle der Ausfahrenden oder der Heimkehrenden durchbraust; man bleibe ein wenig hinter dem

Fortschritt zurück – und im Nu wird man so einsam sein wie Herr Walter von Stolzing, wenn Haus und Hof ihm eingeschneit waren, beziehungsweise am stillen Herd zur Winterszeit. Den Fortschritt macht heute nicht Prometheus, der als Einsamer und Einziger das Feuer trug. Der Fortschritt ist ein Tausendfüßler geworden. Er wohnt heute in der Straße der Quantität, und dort auf allen Hausnummern zugleich; deren sind viele; jene Straße ist lang, wenn auch nicht unendlich. Einsam aber ist der gelinde und diskrete Zurückbleiber hinter dem Fortschritt. Er kann heute weitaus einsamer und abgesonderter sein als je einem mittelalterlichen Schloßherren möglich gewesen. Und vielleicht ist Prometheus inzwischen schon wieder unvermerkt übersiedelt: und in einem leeren, stillen Ringe um die große Stadt ergeht sich eine neue und vorgeschrittene Rasse des Geistes, in zunächst noch wenigen Exemplaren, die aber dereinst über uns herrschen wird, und der, durch alle Benzindämpfe unserer Tage hindurch, die Zukunft gehört.

Niki Zdarsa und Leonhard Kakabsa für ihr Teil befanden sich Sonntags jedenfalls jenseits der beschriebenen leeren Zone um die Stadt, welcher Gürtel damals auch lange noch nicht so deutlich abgesetzt war, wie er's heute ist. Ihre Anfangsgeschwindigkeit trieb die beiden doch allermeist gleich bis Stinkenbrunn oder auch anderswohin dort in der Gegend, nach Hirm, wo damals die Zuckerindustrie blühte, und nicht selten auch viel weiter, ja, um den Neusiedler-See herum, bis Illmitz und Apetlon. Diesseits aber und in der näheren Umgebung kamen sie gern nach Wulka-Prodersdorf, Draßburg oder Klingenbach.

Das Haus der Zdarsas zu Stinkenbrunn war schattig.

Man empfand das auch jetzt, wo die Hitze des Hochsommers gebrochen war, die sonst im Burgenlande gewaltig lastet, das Anteil hat an der Glut über der ungarischen Tiefebene. Jetzt suchte niemand mehr den Schatten, eher ging man der milden Sonne nach, und die Kühle wirkte so beglückend nicht mehr auf denjenigen, der aus der Sonne kam und sie endlich erreichte. Dennoch empfand man die Schattigkeit des Hauses; das blieb sogar im Winter so. Für Leonhard bildete dieser Umstand eine jener Fragen, die man sich nicht stellt, weil sie zu dumm wären, weil man solches auch niemand anderen fragen könnte, die jedoch für den Geist eine Art dunkler Vorwölbung ständig bilden, eine dumpfe Deutlichkeit möchte man sagen; und nur, weil einer sich da beim Denken gleichsam beobachtet fühlt von den anderen, weil er diese und ihr Maß einschaltet, bleiben ihm die kleinsten, aber wesentlichsten Erscheinungen seines Lebens bis zu dessen Ende unbedacht. Die Andern hätten ihn nicht gestört: aber er hat das, in ihrer Vertretung, selbst besorgt.

Das Haus der Zdarsa's war also schattig. Wir wagen immerhin das auch ganz vernünftig zu erklären: es gab viel Winkel und Gänge, einen fensterlosen gewölbten Hausflur, keine Veranden, allerlei Kammern und dafür wenig eigentliche Zimmer. Es war kein Landhaus. Es war eine Wohnstätte kleiner, halb bäuerlicher Leute, eines jener vielen Häuser, in deren Fenster man geblickt hat, wenn man durch mittelgroße Ortschaften fuhr: niedere Zimmer, städtische Möbel; immer ist allerlei – wohl Ländliches – oben auf die polierten Schränke gehäuft; es gibt auch Tische unter Hängelampen, mit Sesseln herum und einer Decke. Außen ist das Haus sauber getüncht, zwei Steinstufen vor der Tür, und rechts in der unteren Stufe ist ein Fuß-Abstreifer eingelassen, eine Art stumpfer Klinge von Metall, waagrecht über zwei Stiften.

Dem bäuerlichen Menschen, wenn er nicht mehr den Acker bestellt, und jetzt in geschlossener Straßenzeile zwischen städtischem Hausrate wohnt, kommt leicht ein merklicher Grad von Unappetitlichkeit zu. Das gilt auch von bäuerlichen Menschen, welche in die Großstadt verschlagen wurden. Sie bewahren dort zum Beispiel Schmalz und Eier in großen Gefäßen auf dem polierten Schrank des frostigen Schlafzimmers. Dieses entbehrt jeder Bequemlichkeit. Jedoch sind die weißen Kissen parademäßig in den Betten aufgerichtet. Trennt man den Ackerbauer vom Boden, so werden seine Säfte sauer. Er wird anfällig für jedes Übel, von der Lungenschwindsucht bis zur Heimat-Dichtung, die nicht immer nur in der heiligen Stille der Bergwelt passiert. Es gibt Böotier auch mitten im literarischen Leben von Athen oder Wien.

Stinkenbrunn war nun freilich keine Stadt, und die Zdarsas bebauten noch den Boden, der Vater Zdarsa und sein Schwiegersohn; die Weinberge der beiden lagen hinter dem Haus und der geschlossenen Dorf-Zeile; der Alois Pinter hatte erheblichen Besitz mit hinzu gebracht, in der Richtung gegen den sogenannten Hartlwald gelegen. Die Umgebung des Ortes ist hüglig. Es gibt Erhebungen bis zu 270 m über dem Meere.

Auch der Vater Zdarsa gehörte zu jenen, die sich schon motorisiert hatten. Die Beobachtungen des dänischen Dichters Johannes V. Jensen, nach welchem für den Fortschritt und sein technisches Spielzeug immer der tiefstehendste Intellekt am anfälligsten ist, hätten hier einen Beleg mehr finden können. Im Schuppen hinter dem Hause stand ein Motorrad und entsandte still vor sich hin einen öligen und zeitweise stark petroligen Geruch. Denn es wurde in sachgemäßen Abständen gründlich gepflegt.

Das war auch erforderlich, der Beanspruchung wegen. Der alte Zdarsa sah aus wie ein toll gewordener Tabak-Trafikant, wenn er auf seinem Puch-Rößlein durch die Ortschaft sauste. Der Vorgang hatte irgend etwas von einem Hexenritt an sich. Zdarsa war ein dürres und spärliches Männlein, noch dazu mit einem grauen Geißbart behaftet. Er fuhr schnell. Es sah fast unheimlich aus. Man konnte an das peinliche Sprichwort gemahnt werden: ‚Der Böse reitet schnell und schläft nie.' Dabei war der Franz Zdarsa weder böse noch ein Reiter. Er war überhaupt gar nichts; auch kein Weinbauer, obwohl er die vielfältigen Kenntnisse und Fertigkeiten besaß, welche solch ein uralter und kunstreicher Lebensberuf erfordert; doch war ihm dieser nur angeflogen, durch irgendwelche Umstände, durch Erbschaften sagte man: und von da her war es zu erklären, daß seine Rieden weit verstreut lagen, und keineswegs nur zu Stinkenbrunn: hier hatte Pinter das meiste dem gemeinsamen Betriebe zugebracht. Dieser Pinter, ein dunkler, hübscher stämmiger Mann – seine schwarzen Augenbrauen waren über der Nasenwurzel zusammengewachsen, wo es noch ein zusätzliches Haarbüschel gab – dieser Pinter aber stammte aus einem weinbauenden Geschlechte, bei ihm war der Weinbau sozusagen ein Charakterzug, der alle etwa sonst noch vorhandenen in seine Gleise fallen ließ und hinter sich drein zog. Die Leute nannten ihn allgemein ‚den Pinta' und ignorierten solchermaßen die deutsche oder eingedeutschte Endung seines Namens. Es hieß, er sei ein Kroate, ‚ein Krowot'. Das bedeutet aber im Burgenland – dessen Süden kroatisch ist – keineswegs etwas Abfälliges, so wenig wie sonst in Österreich: sehr im Gegenteile. Man schätzt die Kroaten mit Recht; und die österreichische Staatsklugheit hat ihr anmutiges Volkstum stets geschützt, ebenso ihre Sprache, deren Werke längst der Weltliteratur angehören.

Pinta, wenn er auf entfernteren Rieden zu arbeiten hatte, saß wohl ein oder das andere Mal hintauf beim Schwiegervater; jedoch schien er dessen Vehikel nur mit wenig Lust zu besteigen. Lieber suchte er die Gelegenheit eines durchkommenden Pferdefuhrwerks mit passendem Fahrtziel. Und, an Ort und Stelle gelangt, blieb Pinta dort auch des längeren beschäftigt; oft weit genug ab von Stinkenbrunn; selbst zu Mörbisch, das zwischen dem Ruster Hügelland und dem Schilfgürtel des Neusiedler Sees liegt, besaß der alte Zdarsa beachtliches Weingeländе nahe der ungarischen Grenze; allerdings hatte man dort Unterkunft und sämtliches Werkzeug und Material.

Diese letzteren Dinge befanden sich in einem festen versperrbaren Schuppen, den Pinta erreichte, indem er etwa dreihundert Meter vom südlichen Ende des Ortes die nach Fertörákos (das wir Kroisbach nennen) im Ungarischen führende Straße rechter Hand verließ und sich am ansteigenden Waldsaum entlang schlug; wo dieser tief einsprang, lag die Hütte, ganz rückwärts in einer Waldecke, halb schon zwischen den Laubbäumen. Man befand sich unterhalb des Fahrweges vom Hausberg zum Kinzingriegel, welcher Weg hier die Grenze gegen Ungarn bildet.

Pinta pflegte in der Hütte auch zu schlafen. Er hatte dort Herd und Bett. Auch nach der Lese noch kam er hierher und trug einen gewichtigen Rucksack den ansteigenden Waldsaum hinauf. Die Last war eine flüssige. Sie bestand hauptsächlich aus einer mächtigen Korbflasche voll Wein. In der Hütte machte er Licht und öffnete einen Fensterladen an der Waldseite. Nicht lange danach wurden Schritte hörbar und die Besucher kündigten sich vor dem Fenster durch einen Gruß in ungarischer Sprache an.

Der als erster eintrat in diesen beschränkten Raum – mindestens zu einem Drittel war er von Geräten eingenommen und von Blechkanistern mit jener eidechsengrünen Flüssigkeit, welche, über die Rebstöcke gespritzt, diese vor der Laus bewahrt – der da als erster eintrat, trug die kühnen und fremdartigen Merkmale seiner Nation wie eine bloßliegende Ur-Schichte im Gesicht. Und doch sah dieses wieder – eben als Gesicht – weit darüber hinaus. Hier schien das Unterste und Älteste ohne Bruch oder Ablenkung gradaus bis zur höchsten Spitze raffiniert worden zu sein; als solche durchstieß es die obenauf liegenden Geschiebe der späteren Zeiten, den Scherbenberg von Durcheinandergeratenem, das physiognomische Trümmerfeld, welches heute jedes europäische Volk unserem Auge darbietet: und so hatte sich hier in dem Antlitz dieses ungarischen Grafen das Unterste wieder zu oberst gesetzt, und bekrönte es wiederkehrend, ein Ursprung als Ende. Dieser Mann, dessen nahezu zarter Körper wenig über fünfzig Kilogramm wiegen mochte, hätte mit jedem Schritt und jeder Handbewegung die Anforderungen überboten, die man hinsichtlich der Eleganz von den Fenstern eines Clubs in Piccadilly oder auf den ihm vertrauten Rennplätzen von Paris oder Wien hätte stellen können: und dies zu Fuße schon; also gewissermaßen außerhalb seiner vollen Person. Die saß zu Pferde und hatte viermal eines der schwersten europäischen Hindernis-Rennen gewonnen, die k. u. k. Armee-Steeplechase nämlich.

Der Vogel Turul – wir meinen den Herrn Géza von Orkay – hätte neben diesem Stammesgenossen ausgesehen wie eine Taube aus Lebkuchen neben einem lebendigen Falken.

Pinta verneigte sich vor dem Grafen und wurde begrüßt. Es traten noch mehrere Männer ein. Einer war neu.

„Sevczik százados-úr", sagte der Graf („Herr Hauptmann Sevczik"), auf jenen weisend. Pinta trat mit einer feierlichen Verbeugung zurück; in ihr offenbarte sich übrigens auf sehr anmutige Weise das Slavische seines Wesens. Für Pinta bedeutete freilich der eben gehörte Name viel, so wenig er für uns Heutige noch irgendeinen Klang hat.

Es wies das Gesicht dieses Sevczik eine gänzlich andere und zweifelsohne spätere Ausprägung des ungarischen Antlitzes, als jene aus der Ur-Schicht gezogene Spitze, die bei dem Grafen sichtbarlich zu Tage lag. Hier hatte sich ein Ausgleich anderer Art mit dem Westen vollzogen; nicht durch äußerste Raffinierung einer Grund-Substanz, wobei am Ende die Spitze allen anderen und den fremdesten Spitzen gleichkam oder sie überhöhte; sondern durch vordem schon erfolgte Mischung, und wohl auch auf dem Umweg über das Slavische. (Daran konnte die jetzt magyarisierte Schreibweise des Namens nichts ändern). Diese Art von ungarischen Gesichtern ist breit und nicht schiefäugig; das Mongolische darin – die Mongolenfalte, der sogenannte Epicanthus, fehlt – hat sich auf eine andere Art erhalten, die man vielfach auch am ostasiatischen Antlitze sehen

kann: die Tiefenplastik solcher Gesichter ist geringer, das Joch-
bein schwächer entwickelt, das Auge liegt flach. Der Ausdruck
ist im ganzen ein gemütlicher, wenn man dabei auch zu fühlen
vermeint, daß diese Gemütlichkeit auf einer möglicherweise
ganz erstaunlichen Empfindungslosigkeit, Nervenstärke, Dura-
bilität beruht ... Es ist diese Art von Antlitzen im westlichen
Ober-Ungarn am häufigsten, wo das Magyarische in die Slowakei eingedrungen ist, etwa in der Gegend von Neutra.

Sevczik war ein gemütlicher Henker. Er gehörte, ebenso wie
der nicht minder berüchtigte Oberleutnant Prónay, zu den
Organen des späteren Reichsverwesers Nikolaus Horthy von
Nagybánya, der vom rumänischen Exil aus und mit rumänischer
Hilfe die Diktatur Béla Kuns liquidiert hatte; die Nachliqui-
dierung wurde sodann in den Kellern des Hotels ‚Britannia' zu
Budapest unter der Ägide beider genannter Herren durch ge-
raume Zeit besorgt.

Die ‚Erwachenden Ungarn' schienen so gründlich ausgeschlafen zu haben, daß sie bis weit über Mitternacht hier munter
beim Weine saßen. Für Pinta waren diese Männer im Grunde
ganz so undurchsichtig wie für uns; vielleicht lag hierin ein
gut Teil der mächtigen Anziehung, die sie auf ihn wirkten.
Undurchsichtig blieb ihm freilich auch das Widerspruchsvolle
seines eigenen Verhaltens. Solange dies Land hier ungarisch
gewesen war, hatte er als Kroate, wie eben alle Fremdstämmigen
in den Gebieten der ungarischen Krone, die allenthalben und
ständig spürbare Magyarisierung erlebt. Allerdings war Pinta
zu jener Zeit noch sehr jung gewesen. Dennoch gehörten das
Festhalten an der Muttersprache im Elternhause, vielfältige
Reiberei und Keilerei in der ungarischen Schule mit zum Grundgeflecht seiner frühen Erinnerungen. Jetzt aber gesellte er sich
diesen Leuten hier, hielt es mit ihnen, und auch mit jenen, die
auf dem nunmehr österreichischen Boden eine ähnliche, wenn
auch nicht eben ungarische Gesinnung pflegten: es war in vagen
Umrissen diejenige Pinta's. Man hatte vergessen, daß 1920
noch immer österreichische Truppen mit starken ungarischen
Banden, die sich der Einverleibung des im ganzen doch deutsch
redenden Burgenlandes widersetzten, in schweren Kämpfen gelegen waren. Man ward kaum gestreift von der doch naheliegenden Vorstellung, daß die nun als Verbündete da und dort über
die Grenze Kommenden vielleicht letzten Endes anderes im

Auge hatten als den Kampf gegen die ‚Austro-Bolschewiken‘, wie man in solchen Kreisen die österreichischen Sozialdemokraten nannte: diese letzteren besaßen freilich im Burgenlande starke örtliche Organisationen.

Es war nicht etwa so, daß in der Pinta-Hütte eine politische Besprechung, eine Planung, eine Konspiration, eine Verschwörung stattfand. So machen das die Ungarn nicht. Hier trank man in erster Linie Wein, lachte, sang ein wenig und bedauerte, keine Zigeuner zum Aufspielen bei der Hand zu haben. Während im Westen die jeweilige ideologische Wolke den darunter liegenden Affekt dicht überlagert mit Anschauungen, Belangen, Anliegen, und allem ‚was not tut‘, so daß sie wirklich zum Rauche wird, der sein Feuer verleugnet, so schimmerte hier der Kern doch vielfach noch durch, wie das Eingeweide bei den jungen Lurchen.

„Was macht der Preschitz?“ fragte der Graf lachend, „war dein Alter, Pinta, wieder bei ihm?“

„Wer ist Preschitz?“ ließ sich Sevczik hören, gemütlich, mit einer gleichsam breit werdenden Zunge, die im Wein auseinander lief.

„Der war doch in illo tempore Stellvertreter von dem Soproner Gerichtspräsidenten, weißt du nicht?“

„Baszom az . . .!“ fluchte Sevczik, „dieses Schwein ist das! Der hat auch den Pfarrer Nikitsch umgebracht.“

„Sagt aber, es ist nicht wahr“, entgegnete Pinta.

„Wem hat er gesagt?“

„Mein’ Alten, dem Zdarsa.“

„Und was macht der Preschitz Thomas jetzt?“

„Er führt die Draßburger“, antwortete Pinta.

„Den Burschen hätt’ ich gern einmal herüben innerhalb königlich-ungarischer Grenzpfähle“, sagte der Graf vor sich hin; es war keineswegs ein leidenschaftlicher Ausruf; seine Stimme blieb ganz in ihrer gewohnten Tiefe; auch sprach er langsam, wie immer. Das Antlitz verfinsterte sich etwas; ein ungarisches Antlitz von der Art, wie es der Graf hatte, kann sich rasch und tief verfinstern; sein Unbegreifliches wird dabei sichtbar, es wächst daraus hervor, es erhebt sich. Der kleine englische Schnurrbart, den dieser Herrenreiter trug, war einer von den buschigen, die sich etwas über die Oberlippe senken. Die Augen des Grafen lagen tief in den Höhlen, nicht so wie bei Sevczik.

Die Adlernase sprang vor. Die Nähe zu längst dahingegangenen Vorfahren, solchen etwa, die den Kreuzzug des Königs Andreas mitgemacht hatten oder andere schlecht organisierte aber eigensinnige Abenteuer, war möglicherweise weit größer als die hier am Tisch in der Hütte Anwesenden sich auch nur im entferntesten hätten vorzustellen vermocht.

Es blieb still. Die Kerze flackerte. Ihr zerstücktes und verstreutes Licht ließ den Hintergrund der Hütte mit den Gefäßen und Gerätschaften in ein trümmerhaftes Durcheinander versinken.

„Aus solchem Kerl sollt' man Schweinefutter machen", sagte Sevczik endlich.

„Darf aber nur verwendet werden als Disziplinarstrafe für Schweine."

Jetzt lachte man. Das Lachen des Grafen war nicht eben gemütlich. Sein Antlitz hielt den unbegreiflichen Unterton fest. Sevczik sah im Vergleich dazu harmloser, mindestens verständlicher aus.

„In Wien, vor vierzehn Tagen, hab' ich mit dem Oberstleutnant Hiltl gegessen, in der ‚Schwemme', wie man dort sagt, von Imperial-Hotel", erzählte der Graf beiläufig. „Der hat einen deutschen Rittmeister mitgebracht, Eulenfeld Otto, Baron. Ausgezeichneter Bursche. Der Hiltl hat noch mehr dort, solche. Der Eulenfeld hat einen Freund, Schlaggenberg Kajetan, der ist ein Schriftsteller, also naturgemäß mit vielen Verbindungen. Aber auf solche Menschen leg' ich weniger Wert, Literaten und dergleichen. Die beiden also, der Rittmeister und dieser Herr von Schlaggenberg, die kennen den Gyurkicz Imre. No, ich hab' dem Rittmeister gleich dementsprechende Information gegeben, bezüglich Zweideutigkeit von diesem Burschen."

Sevczik hörte mit Interesse zu. Er war weit davon entfernt, die Wichtigkeit jener Gruppenbildung in Wien, von welcher der Graf eben berichtet hatte, zu unterschätzen. Übrigens neigen alle Leute mit Weltanschauungen zum Export. Österreich bildete damals ein dreifaches Importland, von Ost, Nord und Süd.

„Nächstes Jahr, heißt es, soll der Orkay Géza nach Wien in die Bankgasse" (dort waren, nahe der Minoritenkirche, die ungarische Gesandtschaft und das Generalkonsulat untergebracht). „Als Ersatz für den Grauermann Pista. Der ist in Industrie gegangen. No, der Orkay ist einer von uns. Der Grauermann ist noch ein richtiger Konsular-Akademiker gewesen, aber ein Kraxelhuber."

Mit diesem letzten Ausdruck bezeichneten die Ungarn jeden Menschen aus Preßburg, der deutscher Abstammung war und einen dementsprechenden Namen trug: also auch den Pista Grauermann, René Stangelers verwitweten einstmaligen Schwager. Es gab viele merkwürdige und zum Teil sogar treffende Ausdrücke bei den Ungarn. Man konnte sich aus diesem und aus noch anderen Gründen einer Sympathie für sie kaum verschließen. Das Gespräch hier verließ den politischen Bezirk so leichthin, wie es hindurchgestreift war. Was blieb, war das von Zigarettenrauch durchschwebte Helldunkel in der Hütte. Was blieb, war ein Lied, von den Begleitern Sevczik's und des Grafen vierstimmig ausgeführt, die am Gespräche nicht teilgenommen hatten, nun aber auf ihre Art durch meisterhaften Gesang zur Unterhaltung beitrugen. Es war, als zöge das Lied den Süden und Osten in den engen Raum hier herein, als wanderte herwärts das Land jenseits des Neusiedler See's, mit seinen Sümpfen und mit den vielen kleinen bis auf den reinen Sandboden durchsonnten Seen und Teichen, darin die ungarischen Bäuerinnen baden, indem sie mitsamt ihren Kleidern hineingehen. Aber diese Hingelehntheit an den dunstigen Himmel, und der ‚Seewinkel', und die schwimmenden Wiesen in der Hanság, bildeten ja bloß des Ostens Schwelle und Vor-Raum; jener aber zog dort hinten davon, in sich selbst verloren, bis zum Plattensee, bis zum Bakonyerwald: und da erst begann des gewaltigen ungarischen Vaterlandes innerer Teil. Und die Zigeuner verkündeten im süßen Spiel das gleiche, was Franz Schubert einmal gesagt haben soll: ‚Es gibt keine lustige Musik.'

Leonhard, wenn er im Hause der Zdarsa's wieder einmal irgendeine kleine Reparatur durchführte, hatte dabei mitunter Elly Zdarsa, die um fünf Jahre jüngere Schwester von Pinta's Frau, als Assistentin. Sie leuchtete ihm mit einer Kerze im dunkeln Hausgang, wenn er dort etwa mit den elektrischen Sicherungen beschäftigt war, sie stand auf der Leiter ein paar Sprossen unter ihm und hielt den Arm mit dem Licht empor, oder sie reichte ihm ein Werkzeug. Es war eine Gepflogenheit geworden.

Die Anlässe waren nicht selten, im Hause war alles seit langem verschlampt, dort fiel ein Riegel beinahe ab, da wieder war ein Hahn der Wasserleitung undicht. Leonhard brachte kleine Dinge, welche er zur Wiederherstellung der Sachen brauchte, aus Wien in der Tasche mit.

Während Elly das Licht möglichst hoch emporhielt, glitt der Ärmel von dem gestreckten Arm und Leonhard, als er sich umwandte, da sie ihm mit der freien Hand ein Werkzeug reichte, sah in die Dunkelheit ihrer Achselhöhle, die aber schon eine rechte Finsternis war. Ihm schien's auffallend stark. Er wandte sich wieder dem Brett mit den Porzellanknöpfen der Sicherungen zu.

Im schon beschriebenen Wohnzimmer mit Tischdecke und Hängelampe – sie war nicht eingeschaltet jetzt um zwei Uhr nachmittags, nur einmal blitzte sie kurz auf, als Elly, nachdem Leonhard alle Sicherungen wieder an ihren Ort gebracht hatte, durch die halbgeöffnete Tür greifend auch hier den Schalter probeweise betätigte – im Wohnzimmer also saßen der Vater Zdarsa, Pinta und Niki Zdarsa am Tische und tranken Stinkenbrunner: Niki reichlich, Pinta mit Maß, der Alte nur der Form halber; dem letzteren fehlte zum Weingenuß jede Beziehung, er trank lieber Bier oder Schnaps, hielt aber gleichwohl hier mit. Er war kein Spielverderber, und überhaupt tolerant. Er war gar nichts, oder man erfuhr es nie, was er war, was fast auf ein gleiches hinausläuft. Er war eigentlich auch kein Bier- oder Schnapstrinker. Warum er sich an diesem Nachmittage zu einer Arbeiter-Versammlung nach Hirm begeben wollte, blieb für's erste ebenfalls undurchsichtig. Denn zu einem Sozialisten fehlte es beim alten Zdarsa weit; es wirkte geradezu lächerlich, wie wenig er in diesem Jahre 1926 noch mit den Zielen der Bewegung vertraut war: selbst eines gänzlich unpolitischen Menschen wäre das nicht würdig gewesen. Es ist gut für möglich zu halten, daß ihm in bezug auf die großen Personen des Sozialismus, auch des österreichischen, jede Kenntnis abging; wenn man ihn gefragt hätte, wer denn der Doktor Viktor Adler gewesen sei, so ist fast sicher, daß seine Antwort verwunderlich ausgefallen wäre, gelinde gesagt. Aber er ging zu Versammlungen, dann und wann, etwa wenn der Thomas Preschitz als Redner vorgemerkt war. Pinta, der den Alten manchmal begleitete, hatte es längst heraus, daß sein Schwiegervater überhaupt nicht zuhörte und außerstande gewesen wäre, eine der gehaltenen Reden auch nur in den gröbsten Umrissen wiederzugeben.

Die erschaute Finsternis blieb hartnäckig in Leonhard stehen, ein aufrührendes Zentrum, eine brummende Hummel, auch während er mit Hilfe Elly's jetzt die Leiter rückwärts zum Hausgang hinaus und wieder an ihren Ort im Schuppen brachte. Elly mußte nun wohl, nachdem ihre Handreichungen für Leonhard beendet waren, wieder in die Küche gehen, um ihrer Schwester Rosalia Pinta beim Waschen des Geschirrs oder wenigstens noch beim Abtrocknen zu helfen. Aber sie ließen sich langsam an und brachten zudem wirklich erst nach einigem Bemühen das lange sperrige Ding in die richtige Lage und an seinen Platz.

Es paßte die erschaute übermäßige Finsternis nicht zu dem schwachen wachsbleichen Arme, nicht zu Elly Zdarsa's übriger Person. Sie sah ihrer Schwester ein wenig ähnlich. Beide hatten keinen recht reinen Teint, man könnte sagen, ihre Gesichter waren nicht glatt – etwa mit der gesunden Lederbräune Alois Pinta's verglichen – da und dort zeigte sich in der Haut eine Störung, ein entstehender Pickel oder ein Fleck. Durch das Weiß der Haut wurde das noch sichtbarer. Beide, die Frau und das Mädchen, waren weich in den Bewegungen und, wenngleich schlank – freilich war Frau Pinta noch etwas voller – zerlassen in den Körperformen, das genaue Gegenteil von dem, was man drall nennt; also auch das Gegenteil etwa von einer Malva Fiedler. Die Schwestern schienen übermäßiger Arbeit nicht geneigt, vielleicht wären sie ihr auch nicht gewachsen gewesen. So aber, da keine Kinder im Hause waren, genügten im allgemeinen vier weibliche Hände, um dieses verwaiste Hauswesen – die Mutter Zdarsa war schon vor dem Kriege verstorben – in Ordnung zu halten oder in jenem Zustande, den man bei Zdarsa-Pinta darunter verstand. Leonhard allerdings machte immer neue Entdeckungen und erweiterte sein Arbeitsfeld mehr und mehr.

Wir haben in diesen Berichten schon einmal darauf hingewiesen – anläßlich der Begegnung des Sektionsrates Geyrenhoff in der Konditorei Gerstner zu Wien, als er dort bei Frau Ruthmayr saß, mit der Gattin des Rechtsanwaltes Trapp, was alles der Herr von Geyrenhoff in seiner eben so zartfühlenden wie allzu breiten Art selbst erzählt – wir haben schon an jener Stelle darauf hingewiesen, daß verkorkste Bürger und Kleinbürger beiderlei Geschlechts weit schwerer durchschaubar sind und weit abgründiger erscheinen als selbst der tiefste und geheimnisvollste Genius. Sollten etwa die Geniographen – also die Beschreiber des Lebens bedeutender Männer – ihren Gegenstand nicht nur der größeren Würdigkeit, sondern auch der geringeren Schwierigkeit wegen bevorzugen? Würde nicht mancher von jenen, die einen Juarez oder Cromwell, einen Alexander den Großen oder Franz Schubert uns darzustellen und zu erklären sich anheischig machen, am Edamer Käse, will sagen an der Frau Doktor Trapp, oder an einem motorisierten Geißbarte, will sagen an dem ungreifbaren Zdarsa, versagen, ohne jenem Käse nur einigermaßen unter die Rinde zu gelangen, oder diesem Motorradfahrer mindest das Bärtl zu lüpfen und eine abnorm schwächliche Bildung des Kinns festzustellen, und damit zugleich den Grund, warum ein solches Bärtl überhaupt getragen ward? Auch wir lüpfen mangelhaft, aber doch eben nur einen Zdarsa. Es ist zum Beispiel schwer zu sagen, was er in bezug auf Leonhard und Elly dachte, wünschte, besorgte; es ist sogar denkbar, daß er etwas befürchtete, und insgeheim erwog, daß dieser Kakabsa ja doch nichts anderes vorstelle als einen Industrie-Proletarier.

Dieser wurde nun im Schuppen gestört – allerdings befand sich die Leiter nun endlich am Platz und die bei ihrer Reponierung entstandenen kleinen saugnapfartigen Kontakte mit Elly waren wieder gelöst, dennoch verweilte man hier noch durch Augenblicke – Leonhard also wurde im Schuppen gestört, denn man kam, um die Motorräder dahinter hervor zu ziehen. Es war Zeit für die Versammlung in Hirm.

Nicht lange danach lernte Leonhard zu Wien, als er jene Schenke wieder einmal besuchte, wo einst, wie vielleicht noch erinnerlich ist, seine Zufriedenheit mit dem äußeren Lose eine Mauer des Mißverständnisses rasch um ihn hatte wachsen lassen, einen Kriegs-Invaliden namens Mathias Csmarits kennen, dem man ein Auge ausgeschossen hatte, wie solches eben bei Krieg und Militär der geistreiche Brauch ist. Csmarits trug kein Glasauge, sondern hielt die rötlichen Lider vor der leeren Augenhöhle zusammengekniffen, was im Verein mit seiner übermäßigen Papageien-Nase dieses Antlitz nicht gerade angenehm machte. Zudem sah sein Schädel wie viereckig aus. Der Einäugige hatte einen kleinen braven Buben bei sich – er gehörte aber nicht ihm, sondern sagte „Onkel" zu Csmarits – der Pepi gerufen wurde.

Man saß zu mehreren. Jener alte Arbeiter war auch dabei, der Leonhard seinerzeit gegen die sich aufrichtende Front des Mißverständnisses im Schutz genommen und diese schließlich mit sanfter Gewalt erfolgreich durchbrochen hatte. Der Invalide kam eben aus Schattendorf, das hart an der ungarischen Grenze liegt. Über ‚die Verhältnisse dort unten' befragt, kam bei ihm einiges zum Vorschein, was beiläufige Sympathien mit den Sozialisten durchscheinen ließ, verdünnt jedoch durch eine allgemeine Skepsis, die ziemlich tief sitzen mochte bei jemand, dem der sogenannte Geschichtsverlauf einmal schon ein Auge gekostet hat; man ist dann auf keinen Fall bereit, sich ein anderes etwa gar selbst auszureißen, sei's um welcher Sache willen immer; und in der Tiefe lebt da ein unausrottbarer Verdacht, daß alle, die Parolen ausgeben, es im Grunde auf unsere Augen abgesehen haben, seien es nun diese da oder die einstigen k. u. k. (gehupft wie gesprungen). Immerhin, Csmarits war Mitglied des ‚Republikanischen Schutzbundes' zu Klingenbach. Mag sein, daß er dies dort unten im Burgenlande nicht hatte umgehen können.

Leonhard, der dem Invaliden gegenüber saß – an der Schmalseite des Tisches trank der kleine Josef Grössing (so hieß der Knabe) mit Begeisterung ein Himbeer-Kracherl – Leonhard also erging es merkwürdig. Dem Gespräch folgte er nicht, obwohl es ihn doch in irgendeiner Weise anging und er immerhin auch etwas dazu hätte beitragen können (war er nicht auf Niki Zdarsa's Sattel nach Hirm zur Versammlung geritten, wenn auch wesentlich unfreiwillig?!). Aber was gegen ihn anlag, mit einem ganz leichten Drucke, gleichsam wie eine angelegte Hand, war ein Punkt, den er für sich allein so deutlich noch gar nicht aufgefaßt hatte, jetzt aber als dritten in einem Dreieck empfand, das ihn nun fühlbar spreizte und spannte in seinem Innern, und zugleich ihn von außen einschloß. Es gründete dieser Triangel, ganz genau genommen, nämlich seinen Leitvorstellungen nach angesehen, auf Malva Fiedlers Bauch, auf Trix K.s rötlich durchschienenem Haar, auf Elly Zdarsa's erschauten und darüber hinaus noch möglichen Finsternissen. Die Pein bei alledem lag in einem besonderen Umstande: es befanden sich die Eckpunkte des Dreiecks nicht in einer Ebene. Insbesondere Elly: sie war der Figur gleichsam nur benachbart, welche aber doch zu ihr hin die weitausgezogene Spitze streckte: also bis nach Stinkenbrunn, bis in das schattige Haus, bis in den dunklen Hausgang, wo sich alsdann der Schatten zur tiefsten Finsternis verdichtete.

In diesen Augenblicken sah er den Sachverhalt wie von außen, sah sich da eingeschrankt in diese vorgestellte Figur, und bedauerte mit einer ganz kühlen und dennoch echten Trauer den Verlust seiner Freiheit. Hier am Wirtstische tat Leonhard auch den zweiten entscheidenden Schritt seiner Geistes-Geschichte seit dem Überschreiten der Dialekt-Grenze, nämlich die erste verhältnismäßig schöpferische Setzung in der (über den Landesschulinspektor Scheindler) neu betretenen Sprache. Man darf sehr wohl bei einem einzelnen, sei's auch bescheidenen, Menschen von einer Geistes-Geschichte sprechen. Eine absolute Größenskala ist in solchen Zusammenhängen durchaus Unsinn. Und wer am weitesten weg von ihr im tiefen Dunkel operiert, bei dem ist's nie ausgeschlossen, daß er dereinst mitten in ihr – die doch falsch ist! – vor aller Welt figuriert. Es kommt nur auf den Echtheitsgrad an. Dieser war bei Leonhard ein sehr hoher, ein fast vollkommener. Die Findung des Ausdruckes ‚Benachbarte Verstrickung' für den dritten und finsteren Punkt des Dreiecks ließ ihn erleichtert, ja, bis zu einem gewissen Maße die Lage beherrschend, heimgehen. Mochte jetzt kommen, was da kommen wollte: es war nun einmal gesehen und gesagt.

Von politischen Spannungen im Hause Zdarsa-Pinter kann nichts gemeldet werden, mag es auch nahe gelegen haben, solche zu erwarten. Beim Geißbart fehlte jedoch eine eigentliche politische Gesinnung, also jene Sicht auf die Welt durch einen verquer ausgeschnittenen Schlitz, wobei man dasjenige haßt, was man nicht sieht und nicht sehen mag: woraus hervorgeht, daß man doch davon weiß. Zdarsa's Politikum ließe sich unschwer darauf zurückführen, daß ihm der Preschitz Thomas imponiert hatte, zu jener Zeit als das Burgenland noch ungarisch und der Preschitz während der Räte-Diktatur stellvertretender Gerichtspräsident zu Ödenburg gewesen war (der Graf hatte natürlich ‚Sopron‘ gesagt, denn so heißt es magyarisch). Zdarsa also fürchtete den Preschitz, wozu nicht der geringste Grund bestand; aber es war ihm dieser Preschitz nun einmal in die Glieder gefahren, obwohl jener als nunmehriger ‚Austro-Bolschewik‘ innerhalb eines Rechts-Staates gar keine Möglichkeit mehr hatte, den Schreckensmann zu machen. Aber vielleicht war Zdarsa zu tief von der Wandelbarkeit der Dinge überzeugt, als daß er sein Verhalten gewandelt hätte, nachdem aller Druck und Zwang vergangen waren und gar kein Grund mehr vorlag, sich zu fürchten. Diese ganze innere Lage machte den Geißbart kaum süchtig nach politischen Gesprächen und Debatten. Was aber nun den Pinta betraf, so fehlte bei diesem überhaupt jedes Bedürfnis sich zu äußern. Er sprach fast nichts, und schon gar nichts über Politik; sein Ventil in der letzteren Hinsicht hatte er gefunden – zu Mörbisch, wie wir gesehen haben, und noch bei anderen Gelegenheiten – und so demonstrierte er auf seine Art praktisch gegen den alten Zdarsa, ohne ihm gesprächsweise entgegenzutreten. Er ging oder ritt eigentlich am Rücksitz des Schwiegervaters sogar zu Versammlungen; blieb aber verstockt hinter dem starken Haarwuchs an der Nasenwurzel.

So waren es keine politischen Hummeln, die dem Leonhard im Hause Zdarsa zu Stinkenbrunn brummten, sondern ganz andere, finstere, schwarze, pelzige. Daß er aber damals die Fahrt nach Hirm mitgemacht hatte, ohne sich irgendwie zu drücken – jeder Versuch dazu von seiner Seite war unterblieben – beweist immerhin, daß er diesbezüglich doch einem tief eingespurten Diktat unterlag, das als solches gar nicht mehr gewußt wurde.

Die natürlichen Fallrichtungen lassen sich nicht vermeiden, das ist's, und eben dies hatte Leonhard schon gewußt neulich in der Schenke, während Csmarits von ‚den Verhältnissen dort unten‘ erzählte. Dies hatte er gewußt: daß er nur nominell frei war, in Wirklichkeit aber eingeschrankt, dreifach bereits, mit einer weitausgezogenen Spitze bis nach Stinkenbrunn. Und als es dementsprechend hier noch weiter zunahm, das Hummelgebrumm, als es immer mehr aufwuchs und schwoll, dieses aufrührende Zentrum, war er doch gewissermaßen dem schon voraus und gereift durch Vergleiche gegenüber einer ‚benachbarten Verstrickung‘.

Aber der Vorsprung, den er da gewonnen, mußte eingeholt werden, ja, durch ihn zog er geradezu hinter sich her, was jenen schließlich wieder ausfüllen wollte, als wäre es gereizt und provoziert worden durch eine allzu distanzierende Benennung. Alles kam ganz plötzlich und mitten in einen sich zutiefst schon anbahnenden Verzicht hinein.

Denn einstmals, da sie für ein kurzes allein im Hause waren, die Elly Zdarsa und Leonhard, kam es auf dem eingesunkenen roten Sofa im Hintergrund des Wohnzimmers zu bisher in keiner Weise erfolgten Annäherungen zwischen beiden, die zweifellos von Elly eingeleitet wurden; aber hinter diese Einleitung wich sie dann sogleich zurück, so daß eine Art leerer Raum entstand, über welchen er sodann springen mußte; und das geschah zum guten Teil aus Scheu vor der hier und jetzt entstehenden Leere überhaupt. Das Folgende ward heftig, wenn auch Leonhard keineswegs dazu überging, den sich zeigenden Spalt hier und jetzt sofort zur Bresche zu erweitern: denn es konnte ja jeden Augenblick jemand unter die Haustüre treten; was dann auch geschah. Da Regen gekommen war und die Schuhe etwas klebrig gemacht hatte, streifte Niki Zdarsa draußen umständlich an der hiefür bestimmten Vorrichtung seine Motorradstiefel ab. Vielleicht geschah dies auch mit Hinblick auf Leonhard so umständlich, ja, man kann fast sagen, unter nur unnötigem Lärm, mit Räuspern, leisem Fluchen und Anstoßen an der Haustür. Leonhard saß längst auf einem Sessel am Tisch. Er hatte zuletzt sein Gesicht völlig in Elly's Achselhöhle vergraben.

Wenn Pinta in der Hütte bei Mörbisch erwachte, aus den Pferdedecken stieg, in welchen er schlief, Wasser aus einem klaren Waldtümpel hart an der Grenze holte, Kaffee kochte und sich wusch: dann war es meist sehr früh und fast noch dunkel (es sei denn, er hätte am Abend Gäste gehabt – diese Gäste ließen übrigens an ungarischen Banknoten so viel auf dem Tische liegen, daß leicht vier große Korbflaschen Mörbischer oder Ruster Wein dafür zu kaufen gewesen wären). Er verließ die Hütte und den Waldrand. Ein kurzes Stück waagrecht am Hang hingehend und schon zwischen die Rieden hinein, konnte er jetzt den Tag klar heraufkommen sehen, ohne

Nebel; es war, als stiege die rosige Frühe aus des See's jenseitigem östlichen Rand. Das Wasser lag wie eine feine Haut nur hinaus vom Lande hinter dem graublauen Schilfgürtel, der die Grenze zwischen den beiden verwischte. Der Morgen, noch nicht geboren, da jetzt erst ein schmales Segment der Sonne über dem Himmelsrand erglühte, hatte doch schon die zugleich hartklare und duftige Aura des Herbstes, bei lackreinem Himmel, nicht die aufgerissene Riesenhöhe eines kommenden Sommertages.

Pinta stand hier lange und sah nach Osten. Hinter dem Haarwuchs an seiner Nasenwurzel saß seine Art zu sein wie ein Kern der Haselnuß in der harten Schale.

Jener Herbst zögerte lang hinaus. Immer noch ward das Haus als schattig empfunden. Über den Treppen von Holz schwebte der eingealterte Geruch vom derben Anstrich des Geländers, vom Bodenwachs, und von manchem noch, wovor der wissenschaftliche Chemiker als analytischer Analphabet stünde. Es war eben mehr als Chemie. Es wäre Alchymie notwendig gewesen, es war nicht chemisch, sondern chymisch. Chemiker vermochten den Sektionsrat Geyrenhoff, der sich zeitweise für einen Schriftsteller hielt und dementsprechend wichtigtuerische Fragen stellte, nicht präzise darüber zu informieren, warum ein Butterbrot im Freien anders schmeckt als im Zimmer.

Was aber den Niki Zdarsa angeht, so ersah sich dieser bei den Stinkenbrunner Expeditionen einen Vorteil: er gab nämlich auf diese Weise sonntags sehr wenig Geld aus und blieb dabei doch nicht ganz ohne Seelenstärkung. Der Stinkenbrunner wurde vom Vater Zdarsa nicht berechnet. Niki hatte – gleichsam die Ohren zurücklegend – bemerkt, daß der Geißbart sich in einer gewissen Hinsicht an Leonhard und ihn anbiederte und in politischen Erörterungen etwa dasjenige vorbrachte, was einem sozialdemokratisch organisierten Arbeiter gefallen konnte: so weit war er ja über Leonhard und Niki bald unterrichtet gewesen; dieser letztere aber bewies Weisheit, als er einmal seinem Rücksitz-Sozius gegenüber – während einer Rast auf der Fahrt – sich dahin äußerte, daß es gut wäre, den alten Zdarsa bei allem diesen zu belassen und ihm gar niemals anzudeuten, daß es mit der Politik und mit dem politischen Wissen bei ihnen auch nicht gar weit her sei (nun, im Vergleich zum Geißbart waren sie geradezu geschulte Sozialisten!). Klar sei, meinte Niki, daß der Vater Zdarsa es nie wagen würde, einer politischen Partei beizutreten; aber der Stinkenbrunner sei gut und gratis, und von der sinnlosen Preschitz-Furcht des Alten könnte man auf solche Weise ein Teilchen auf sich selbst lenken und ein paar Viertel profitieren. Es kam auch heraus, daß Niki den alten Zdarsa verachtete. Ein solches Empfinden kennt jeder wirklich proletarische Mensch dem Kleinbürger gegenüber, dem ja stets die Existenz-Angst wie eine Wäscheklammer am dünnen Halse sitzt, und der seine Art zu sein hütet, als wäre dieses Töpfchen Essig ein Faß voll Malvasier.

Anders dachten sie über Pinta. Zwischen diesem und Leonhard bestand ein unsicheres Sympathie-Verhältnis, aber eben das war geeignet, Pinta's Zurückhaltung nicht mehr eine ganze und volle sein zu lassen, wie es bisher immer gewesen war. Niki erklärte den Pinta glatt für einen Faschisten, fügte aber hinzu, daß ihm dies persönlich ganz gleichgültig sei, und man möge nur ja nicht Pinta's Schwiegervater etwa solch einen Floh in's Ohr setzen.

Leonhard bewunderte im stillen die Intelligenz seines Arbeitsgefährten Zdarsa, nicht ohne schlechtes Gewissen. Denn was ihn selbst betraf: er hatte in jeder Beziehung nachgelassen. Die Hummeln brummten; und in paradoxer Weise gerade jetzt, wo sich der Winter nähern wollte, immer mehr. Es begann auch wieder in der Wallensteinstraße, und gerade als er sich wie ein Gegenmittel beim alten Fiedler Bücher holen wollte: welche vielleicht nur einen Vorwand bildeten. Denn das eigentlich gesuchte Gegenmittel war wohl Malva. Er traf sie in der Buchhandlung an, oder eigentlich vor derselben; es war lange nach Geschäftsschluß und sie ordnete das Schaufenster, dessen Glasscheibe quer über den Gehsteig stand, gestützt von dem kleinen Gestell, das wie ein Wagenheber aussah. Auch diesmal paßte der Lehrjunge auf, daß niemand in die Scheibe laufe. Der alte Fiedler war nicht anwesend. Leonhard half Malva. Sie schlossen am Ende sorgfältig ab, und er begleitete sie nach Hause, über die Brücke, und den Donaukanal entlang. Es war längst dunkel.

Aber inzwischen hatte sich unvermerkt – nur das Ergebnis wurde plötzlich fühlbar, und ganz eindeutig – das Gewicht der

Sachen zu jener Spitze des Dreieckes verschoben, wo Trix saß. Ihr rötlich durchleuchtetes Haar beherrschte jetzt Leonhard, während er neben Malva hier dahinschritt, den durch die Straßenlaternen gleichmäßig geteilten Weg Stück um Stück zurücklassend. Links unten war die Lände, war das Wasser, darin die Lichter am Kopfe standen. Leonhard wußte fast im selben Augenblick, als er die Verlagerung seines inneren Schwerpunktes erkannte – es war, als öffnete ihm dies jetzt die Augen! – daß neben ihm ein Rachen offen stand; daß schnelle, kalte Wirbelstürme nur auf seinen Wink harrten, um sich mit beispielloser Kraft zu erheben. Er wußte klar, daß er ohne weiteres da hinein springen konnte, ja, es gab fast so etwas wie eine Verpflichtung hier . . . nun denn: damit wäre alles zu Ende. Was wäre zu Ende? Alles. Zahllose Gelenke und Scharniere standen bereit um einzuschnappen, und war er bisher nur umschrankt gewesen, dann würde er hier endgültig umschlossen sein, ja, nicht weniger als getrennt von seinem eigenen Leben, nicht weniger als das. Es würde gewissermaßen ein Leben sein, das nur mehr aus eingetretenen Umständen bestünde. Die Vorstellung verbreitete in Leonhard einen Anhauch von Angst und Wollust zugleich. Es war entfernt ähnlich, wie wenn jemand in Gedanken mit dem Selbstmorde spielt.

Als er allein wieder zurückging, den Kanal entlang, auf die Brücke zu, streifte ihn für ein kürzestes die Ahnung, daß überall um ihn herum vielfach so gelebt werde, wie er – nach seinem Selbstmord weiterleben würde. Aber er gebrauchte keineswegs diesen starken Ausdruck, hielt auch die Ahnung, die sich da vorbeidrückte, nicht fest, sie mit der Blendlaterne bewußten Denkens bestrahlend. So weit, Leonhard, waren wir damals noch nicht, noch lange nicht! Er dachte an Trix. Vor vierzehn Tagen war er dort oben gewesen. Ihre Mutter, hieß es, sollte bald kommen. Das bedeutete zweifellos das Ende jener kleinen Feste, Gespräche, Tanzunterhaltungen. Die Umgebung dort oben hatte ihn kalt gelassen, obwohl Leonhard tatsächlich zum ersten Mal in seinem Leben durch eine Zimmerflucht dieser Art aus und ein gegangen war (es erinnerte ans Kino). Er war dort mit ausgelegter Angel gesessen, auf Belehrungen lauernd. Übrigens hatten manche von den jungen Leuten sich sozialistisch gebärdet; vielleicht aus entfernt ähnlichen Gründen wie der alte Zdarsa.

Leonhard kam auf die Brücke.

Die Wendung, die er eben bei sich gebraucht hatte – ,aus entfernt ähnlichen Gründen' – stammte von jenseits der Dialekt-Grenze. Man hätte diese drei Wörter zusammen kaum im Dialekt aussprechen können, sie wären darin nie vorgekommen. Auch für einen feierlichen Ton erschienen sie als ganz unbrauchbar. Leonhard empfand das klar, während er die Mitte der Brücke überschritt. Der Gehsteig, die Fahrbahn zogen ihn dahin. Er sah nicht links hinaus oder rechts hinab in die auf das Wasser stürzende Dunkelheit, welche in der Ferne von vielen Lichtern zerstückelt und fast aufgelöst wurde. Er empfand zum ersten Mal seine Lage im Leben als eine ihm äußerlich und willkürlich zugeworfene, als eine vorübergehende Situation, in welcher er obendrein jetzt erst eintraf wie in einem Bahnhof. Er ging weiter und an seiner Straße, der Treu-Straße, vorbei und die Wallensteinstraße entlang, und ließ auch die Ecke der Jägerstraße, wo Lilly Catona wohnte, hinter sich. Der Gedanke, hier irgendwo, zwischen dem Donaukanal und dem Wallensteinplatz, in eine Wirtschaft zu treten, war verscheucht worden durch die Vorstellung der bekannten Gesichter: und an der Schwelle hätte sich bei jedem Lokal schon sagen lassen, welche von ihnen man da antreffen würde. Es war das alles völlig aussichtslos, ohne Aussicht, es sah nichts dabei heraus, so wenig wie bei Malva, Trix und Elly.

Die Grenze, wo die nähere persönliche Umgebung eines Menschen aufhört und sozusagen sein Zeitalter schlechthin beginnt, läßt sich nicht genau angeben. Immerhin hatte Leonhard seinen engeren Wohnbezirk jetzt schon verlassen. Er wanderte am ehemaligen Nordwestbahnhofe vorbei, dessen Halle eine Art Erblindung zeigte, seit hier keine Züge mehr eintrafen oder hinausliefen. Es war ein weiter Weg, den Leonhard am heutigen Samstagabend zu Fuß machte (für morgen stand keine Fahrt nach Stinkenbrunn bevor). Es war der Weg zu Anny Gräven.

Er verbrachte einen Teil der Nacht mit ihr, die er lange nicht gesehen, auf ihrem Zimmer in dem verwinkelten großen alten Hause, und sie erzählte allen möglichen Kram durcheinander mit kindischem Vergnügen: eben das aber wirkte so anziehend an ihr, und fast versöhnend mit dem sonstigen Hintergrunde ihres Lebens. Der Meisgeier sei heute im Lokal gewesen (wo Leonhard sie angetroffen hatte, jedoch war dies nicht Anny's eigentliches ‚Stammbeisl' – von diesem hielt sie ihn fern) und schon habe es auch einen Skandal gegeben, aber der Chef sei vor dem ‚Geierschnabel' nicht zurückgewichen, und so habe der das Feld räumen müssen – „es geht auch ohne Polizei, wenn einer sich nicht fürchtet." Wer der Meisgeier sei? fragte Leonhard. „Ich glaub' halt, der Chef weiß von ihm irgendwas", sagte sie, ohne Leonhards Frage eigentlich zu beantworten, „sonst wär' der nicht so ohne weiteres abgefahren." „Das kann für den Chef unter Umständen Folgen haben", bemerkte Leonhard, „besonders wenn er zu viel weiß." „Meinst du –?!" rief sie erschrocken.

Am nächsten Tage erhob sich Leonhard zeitig, obwohl er spät nachts erst heimgelangt war: mit Anny Gräven hatte er noch ein Büffet besucht, um Würstel zu essen und Bier zu trinken. Diese Zweisamkeit im nachhinein wurde merkwürdigerweise von ihm jedesmal herbeigeführt, wenn er mit der Gräven in ihrer Wohnung gewesen war; Leonhard empfand danach angenehm die Unverfänglichkeit der Lage; doch zugleich auch die Unwahrhaftigkeit solchen Beisammenseins. Denn Anny saß da wie vor einem Vorhang, der ihr übriges Leben dicht verhüllte; das Langweilige an dem Sachverhalt bestand jedoch leider darin, daß er im ganzen genau wußte, was dahinter war: fast nichts. Eine leere kahle Bühne, mit einem Bett oder nur einem Sofa. Leonhard pflegte bei jenen Anlässen, wenn sie im nachhinein irgendwo saßen, stets besonders liebenswürdig, ja sogar zärtlich sich der Gräven gegenüber zu verhalten. Er übersteigerte das ein wenig und empfand dabei so etwas wie ein kleines Unglück, eine Verlassenheit; aber keine ‚benachbarte Verstrickung'. Es ist ausdrücklich anzumerken, daß die Gräven seine Art zu schätzen wußte und sich ihm gegenüber herzlich und zutraulich benahm. Allerdings war sie einen besseren Ton als den ihresgleichen gegenüber sonst gebräuchlichen von mehreren Seiten her schon gewohnt. Ihr Umgang bestand in der Hauptsache aus immer denselben fördernden Freunden, wovon einige keine geringen Mittel hatten und sich auch nicht lumpen ließen. Aber die Gräven war leichtsinnig, sie ersparte nichts, trotz Leonhard's gutem Zureden. Sie lachte dann nur: über sich selbst nämlich, über ihren eigenen Leichtsinn.

Jetzt und hier in seinem Zimmer am frühen Sonntagmorgen bei trübem Wetter mußte Leonhard erkennen, daß der Hebel-Arm, den er da angesetzt hatte, und dessen äußerstes Ende Anny Gräven hieß, doch weitaus kürzer war als jene bis Stinkenbrunn ausgezogene Spitze des Dreieckes. Im Zimmer war es kalt, der erste kalte Tag des Jahres war da, fast hätte es November sein können. Leonhard zog eine warme Jacke an und nahm ein Halstuch; gerade als er dieses in der Hand hielt, klopfte es: seine Hausfrau, die Magazineurs-Witwe. Sie habe bemerkt, daß er schon auf sei, und bei dieser Kälte wolle sie ihm einheizen. Tatsächlich war Leonhard, der sehr wünschte, zu studieren, etwas ratlos in dem unbehaglich kalten Zimmer gestanden. Jetzt knackte bald das Feuer. Die alte Frau legte die Bett-Tücher auseinander und öffnete für ein kurzes das Fenster. Auch brachte sie heißen schwarzen Kaffee: damit er was zum Erwärmen habe, die Milch sei halt noch nicht im Haus, sie müsse erst hinuntergehen. Aber jetzt, meinte sie, sei's hier wenigstens schön warm zum Rasieren. Sie hatte auch heißes Wasser gebracht.

Dann das übliche:

„Gehn S' nicht in die Kirchen, Herr Kakabsa?"

„Ich geh' doch nie in die Kirche."

„Na is' guat, is' guat. I' bet für Ihna."

Das Kabinett hatte sich in der Tat rasch erwärmt. Leonhard schabte das Gesicht und wusch sich. Der Kaffee, auf den Ofen gesetzt, blieb noch heiß. Am Nachttisch lagen Zigaretten, was bei Leonhard ganz ungewöhnlich war; er hatte sie gestern für Anny haben müssen, die unausgesetzt rauchte. Eine von den Schachteln war in seiner Tasche geblieben. Er nahm mit Vorsicht die Bettlampe auf den Tisch herüber, die Schnur war lang genug; so konnte Leonhard in der Nähe des Ofens lesen. Noch reichte das Tageslicht nicht dazu aus. Er versuchte zum Kaffee eine von den Zigaretten. Der Tabakgeruch am frühen Morgen verursachte ihm eine ganz neue Empfindung. Es schien der Duft durchdringend köstlich zu sein und ein völlig anderer als gestern in dem Bierlokal zuletzt, wo Anny Gräven eine Zigarette an der anderen angezündet hatte und er immer in ihren Rauchwolken gesessen war. Hier aber war dies vereinzelt.

Auch mischte sich der Kaffee hinein. Leonhard sah nach der Uhr. Die fast vollkommene Stille befremdete ihn. Es war erst sechs Uhr und fünfzehn Minuten morgens. Es war Sonntag. Alles schlief. Auch die Alte hörte man nicht. Vielleicht war sie Milch holen gegangen.

Es verwunderte Leonhard, wie angenehm sich heute am Morgen alles gefügt hatte und wie jede Kleinigkeit, deren er bedürftig gewesen, gleich bei der Türe hereinspaziert war. Hier saß er nun in der Wärme, im Lichtschein, hielt die Nase über die Tasse und sog den Kaffeeduft ein. Der erste Zug aus der Zigarette erzeugte einen leichten Rausch. Hier in der Stille, dem feiertäglich verspäteten Heraufkommen des Getriebes weit voraus, fühlte er sich gleichsam auf dem Dache des Lebens sitzend, fühlte er sich Herr aller seiner Entschlüsse, die alle nochmals vollziehbar waren, die alle noch in seiner Hand lagen, wie nicht ausgespielte Karten. Aber die Ahnung, daß es einen Weg geben könne zu einem Zustand, darin die herbeieilenden und glücklich hinzugegebenen Zufälle geradezu ein tägliches Gleis bedeuten würden, eine sich öffnende Weiche gleichsam, in die man oft und immer wieder glitt – diese Ahnung erfüllte ihn mit einer tiefen und beseelenden Unruhe. Denn es war sein unbewußtes Denken, das diesen Schluß jetzt aus den heute morgen eingetretenen kleinen Zeichen gezogen hatte, und nicht eine gedankliche Operation klaren Überlegens, zu der Leonhard in solchen Sachen gar nicht fähig gewesen wäre. Fähig aber war er durchaus, die Möglichkeit zu einer erweiterten Freiheit in der eigenen Brust zu spüren und damit zugleich sein vorläufiges Eingeschlossensein wie einen feinen Stich.

Es war ein Schmerz ganz anderer Art als jener, den Trix ihm zugefügt hatte auf den steinernen Stufen am Wasser, mit ihrer Frage, ob er seinen Beruf wechseln wolle, weil er sich ‚fortbilde‘, und dergleichen . . .

Es war ein intelligenterer Schmerz.

Jener Schmerz war dumm gewesen.

Das letzte dachte Leonhard schon wörtlich.

Er geriet damit näher gegen die Mitte des Dreieckes, das ihn nun seit Wochen schon einschränkte; und zumindest von dieser einen Spitze, Trix genannt, entfernte er sich jetzt; Stinkenbrunn freilich lag nur unter einer dünnen Schichte der Betäubung. Malva hingegen war gestern durch Trix außer Kraft gesetzt worden. Und Leonhard ahnte zudem schon intelligentere Schmerzen. Der feine Stich vorhin ließ ihn jetzt danach verlangen, diese Ahnung zu verdichten, sie fester in die Hand zu bekommen. Durch Sekunden sann er allen Ernstes auf Mittel dazu. Aber es zeigten sich keine. Er sah sich wieder dort auf der Steintreppe am Wasser mit Trix sitzen: jetzt kam das noch viel deutlicher. Leonhard blickte in sich wie in einen Hohlraum: darin stand der ‚dumme Schmerz‘, er war gut auszunehmen; er drückte gegen eine von Trix trennende Wand; er verlieh damit Trix das Recht – über diesen Schmerz gewissermaßen zu richten, seine Berechtigung anzuerkennen oder diese ihm abzusprechen: und auch was seine Lernerei betraf, hing Leonhard damit von Trix und ihrem Urteil ab. Diese trennende Wand trennte also gar nicht wirklich und wirksam. Es galt, sich von ihr abzustoßen –

Leonhard machte eine kleine Handbewegung vor sich hin.

Da fiel ihm plötzlich ein, wie leichthin sie abgesprungen war von seiner ganzen Verstrickung, gleich zu etwas anderem übergehend, das ihre Aufmerksamkeit an sich gezogen hatte –

„Da kommt ein Schleppzug –!‘‘

Langsam, mit mahlenden Maschinen und qualmenden Schloten kam das Zugschiff stromauf. Damit war’s getan. Leonhard wich von der zwischen ihm und Trix aufgewachsenen kristallenen Trennwand zurück: und schon auch verlor Trix jede letzte Spur einer Berechtigung, seiner Lernerei Wert zu geben oder ihr diesen zu nehmen.

Sie wurde außer Kraft gesetzt.

Jedoch auf ganz andere Art als gestern Malva.

Hier nun war Leonhard gleichsam mit seinen eigenen Mitteln zu Ende, und griff also zunächst nach der Realienkunde des klassischen Altertums.

Er hatte mit seiner Lernerei nie nennenswert nachgelassen, auch während jener Wochen nicht, da man fast allsonntäglich in Stinkenbrunn gewesen war: es ging unweigerlich jeden Werktag-Abend dahin mit Scheindler und seit einiger Zeit auch schon mit dem Übungsbuch, jedesmal mindestens eine Stunde. Er hätte anders gar nicht mehr schlafen gehen mögen. Keine Schwelle der Trägheit mußte überhoben werden, kein moralisches Verdienst stand mehr hervor: dieses war also schon wirklich erworben. Leonhard hatte sich verändert. Bedeutenderes kann niemand leisten als sich selbst zu verändern. Auf der Hoch-Ebene neuer Gewohnheiten angelangt, fielen erst die zu bewältigenden Erhebungen richtig in den Blick.

Leonhard, der das Übungsbuch schon zu zwei Dritteln durch-ackert hatte, befand sich nahe daran, einigermaßen lateinisch zu können. Dieser Erfolg nach so kurzer Zeit läßt sich nur durch die Art seines Lernens erklären, welches ein maschinelles Exer-zieren war wie an einem neuen Apparat oder Gerät. Es gibt eigentlich eine einzige Art des Lernens, die sich mit derjenigen Leonhards vergleichen ließe: nämlich die Art wie Militär-musiker üben. Die Sache muß sitzen. An Musik wird dabei gar nicht gedacht. Auch Leonhard dachte keineswegs an die Schön-heiten der römischen Sprache, der Mutter aller Grammatik. Von alledem blieb er vollends unberührt. Er verlangte von sich nur die stets bereite Kenntnis alles bisher Gelernten in allen Einzel-heiten. Tadellose Ausführung aller vorgeschriebenen Griffe, Bedienung des Apparates in jeder möglichen Stellung der Hebel. Kenntnis, warum nur so und nicht anders. (Wenn der alte Fied-ler dann und wann einmal Leonhards Hefte korrigierte, schüt-telte er immer wieder den Kopf.) Da Leonhard also unausge-setzt kräftig und zweckmäßig ergriff, was nur durch solches Er-greifen zu gewinnen möglich ist, sammelte sich gleichsam über seinem büffelnden Haupte mit zunehmendem Staudruck an, was solcher Bemühung schließlich einmal auch hinzugegeben werden kann. Es sammelte sich als Möglichkeit. Noch hatte er nie einen römischen Autor gelesen, wenngleich etwa Fiedler be-reits den Cornelius Nepos, ja sogar das Bellum Gallicum emp-fahl. Weshalb sich Leonhard dessen enthielt, ist schwer zu sagen. Er besaß die Bücher schon. Vielleicht geschah es aus demselben Grunde, der ihn einst hatte das Übungsbuch so lange zurück-stellen lassen. Er fürchtete, mag sein, eine Störung seines ge-wissermaßen technisch-industriellen Exerzierbetriebes. Er fürch-tete eine Schwächung oder Behinderung desjenigen Ve-hikels, das er nun einmal als einziges mitbrachte; und sein In-stinkt gebot ihm, es zur Fahrt in's Unbekannte zu benützen, weil es vertraut war und verläßlich. Jedoch, unter alledem las Leonhard schon griechische Autoren in deutscher Sprache, was ihm durch Fiedlers Hinweise und die sogenannte Universal-

Bibliothek ermöglicht ward. Die Geschichten des Herodotos kannte er zum großen Teil, und auch die ‚Anabasis'. Aber das waren sozusagen nur Draufgaben nach dem Exerzieren, ebenso wie die Schulbücher griechischer und römischer Geschichte, die er benützte, oder die Realienkunde.

Mit alledem hing es zusammen, daß ihm der Grad seiner Kenntnis des Lateinischen unbekannt blieb. Unbekannt auch die zunehmende Schärfung seiner Sprache, die zunehmende Kraft der Organe seines Intellektes, die bereits im stande waren, eine Vorstellung samt ihren Verzweigungen festzuhalten wie Zangen. Er wurde, möchte man sagen, im Umgange mit sich selbst immer deutlicher. Es ist für möglich zu halten, daß Leonhard schon damals, wenn er allein war, eine ungleich größere Handhaftigkeit im Auseinander-Treten seiner Vorstellungen entwickelt haben mag als manche intelligente und – wie's denn genannt wird – gebildete Menschen.

Leonhard verbrachte den Sonntag daheim unter wechselndem Lernen. (Wir vermeiden hier den Ausdruck Studium, weil er Leonhard womöglich ebenso befremdet oder gar geärgert hätte, wie das von Trix verwendete Wort ‚fortbilden'.) Jene Abwechslung beim Lernen aber bewies fast mehr noch als alles andere die glücklichen Instinkte dieses Lernenden. In einem unter der Büffelei – es mußte ja alles ‚sitzen'! – gelegenen Stockwerke ward indessen eine Art Päckchen ebenfalls unverdrossen wechselnd von einer Spitze des Dreieckes zur anderen verschoben. Dieses jetzt anscheinend geringe und nur wenig fühlbare Gewicht lag bald da, bald dort. Auf den Gedanken, es ganz ungescheut zu teilen, verfiel Leonhard nicht. Manch anderer hätte schon längst drei Päckchen draus gemacht, und aus den drei Seiten des Dreieckes drei Parallelen: Gleise mit Weichen dazwischen, zum Bewechseln. Aber was Leonhard über den Büchern konnte, das vermochte er hier nicht. Immer wieder wurden drei Karten gegeneinander ausgespielt, die Blätter fielen, keines kam zum Stich. Die Gräven jedoch blieb außer Wettbewerb, hors concours.

Die Blätter fielen allenthalben schon. Es war der nächste Sonntag der letzte herbstlich geöffnete des Jahrs. Niki wollte um den See herumfahren. Leonhard war gerne dabei. Er ließ Stin-

kenbrunn hinter sich als den Ort eines nahezu erforderlichen
Vollzuges, den er doch, auf dem Wege des Vergleiches gewissermaßen, schon ungetan zu lassen vermochte: es konnte mit jedem
Eckpunkte des Dreieckes so gehen, wie es mit Trix gegangen
war. Das dunkle Hummelgebrumm allerdings sog durchaus am
stärksten im Ohr. Man möchte fast glauben einfach nur deshalb,
weil es zu der – von außen und ohne Bezauberung betrachtet! –
durchaus unvernünftigsten von den drei möglichen Verbindungen verlockte. Zudem, oder eigentlich – trotzdem mißfiel ihm
ihr Teint. Die Haut war nicht frisch und rein, sie neigte auch
zum Fettglanz. Trotzdem also wurde er verlockt.

Alles blieb ungetan. Sie flogen auf Zdarsa's Indian-Rößlein
dahin. Der Zugwind war schon recht frisch, aber die warmen
Wämser, die Niki und Leonhard sich angeschafft hatten, schütz-
ten gut, ebenso Hauben und Brillen, die den oberen Teil des
Gesichtes ganz bedeckten. Die stabile Maschine legte sich gleichsam tief in die Straße, die ständig durch's wachsame Auge lief,
während alles links und rechts von ihr als verschwommener
grün-grauer Schleier zurückwehte, mit langen weißen Strichen
da und dort: nirgends fehlen im Burgenlande die freundlichen
Prozessionen der Gänseherden, auf die man ständig und gerne
einen im Grunde doch kulinarischen Seitenblick des Wohl-
gefallens tut, der aber, in Ansehung dessen, was er für die Gänse
bedeutet, ein wohlwollender Blick nicht eigentlich genannt werden kann; es ist der verschlingende Blick des Essers, der ja bekanntlich schon genügt, den Magensaft zu provozieren, ganz
zu schweigen von jenem Wasser, das ‚im Munde zusammen-
läuft'. Die Gans – oder besser gesagt ihre levée en masse – ist
eines der nie fehlenden Wahrzeichen nicht nur Ungarns, Ober-
Ungarns, der Slowakei, sondern auch des Burgenlandes. Ihr
schlichtes und ganz im Gegensatz zu ihrem Rufe kluges Dasein
–jede biegt bei der Heimkehr von der Gänseweide aus der großen
Menge richtig in ihr Ställchen ab, solche kleine Gruppen schwen-
ken wie kommandiert, und nie fehlt eine, außer jenen, die gestohlen worden sind – ihr schlichtes und kluges Dasein also paßt
zu den genannten schönen und essensfreudigen Ländern und
Landstrichen; was aber den üblen Ruf angeht, so sind an ihm
die Gänse ganz unschuldig, und er ist nur daher gekommen, daß
nun einmal jeder Mensch allzu viele Persönlichkeiten kennt, die
ihnen durch Blick und Kopfhaltung außerordentlich ähnlich

sehen: infolge dieses gewissermaßen schlagenden Umstandes ist dann der falsche Analogie-Schluß entstanden, die Gänse seien ebenso dumm. Übrigens gibt es auch Gänseriche.

Fraunkirchen liegt östlich des Sees und von diesem über acht Kilometer entfernt.

Im Wirtshaus ‚Zum Storchennest‘, gegenüber der alten mächtigen Wallfahrtskirche, saßen jetzt, nach der Messe, viele meist deutsch redende Bauern, alle Gastzimmer waren gesteckt voll. Niki und Leonhard fanden erst nach längerem Suchen Platz, da zwei Burschen aufbrachen, deren Sitze am Ende eines langen Tisches einander gegenüber gewesen waren; solchermaßen ließen jetzt auch Leonhard und Niki sich nieder. An der Schmalseite des Tisches saß vor dem Weinstutzen ein kräftiger Weißkopf, dem man eben seine Mahlzeit brachte, ein Viertel Gans. Unsere beiden Leute bestellten ein gleiches, denn es sah recht appetitlich her. Übrigens leerten sich die vom Hin- und Widergehen belebten und vom Gespräch summenden Räume auffallend rasch. Allgemein strebte man bald zum häuslich-sonntäglichen und gewiß ausgiebigen Mittagstisch.

Auch für Leonhard und Niki kam bald das Essen. Bräunlich lächelten des Vogels massive Teile, freundlich grüßte der Knödel, blinkte der Oggauer im Viertelglas.

„Mahlzeit“, wünschte man einander; das ‚gesegnete‘ ließen die jungen Leute aus Wien weg.

„Der Herr ist von hier?“ fragte Niki den Alten. Dieser verneinte. „Aus Eisenstadt“, sagte er. „Ich bin der Wagmeister“ (mit diesem etwas altmodischen Ausdruck bezeichnete er seine Stellung als Marktamts-Kommissär). „Gach Alois mein Name. Sind die beiden Herren mit dem Zug gekommen, jetzt vor einer dreiviertel Stunde?“ „Nein“, sagte Niki, „mit einer ‚Indian‘“ – und weil der andere nicht gleich verstanden zu haben schien, fügte er nach: „Motorrad.“ „Ich auch“, sagte Gach. „Was für eine Maschine?“ fragte Niki sogleich. „Ja, das weiß ich nicht, wie dieses Radl heißt“, sagte Gach und lächelte, „es gehört einem Bekannten von mir, der hier wen besuchen will, und da hab’ ich die Landpartie mitgemacht. Jetzt ist er zu denen gegangen, und wahrscheinlich haben’s ihn gleich zum Essen eingeladen. Ich wart’ halt hier.“

Niki betrachtete Gach nicht ohne Sympathie, aber doch mit Befremden, wegen dessen altertümlicher und anscheinend vom

Motor-Sport sehr distanzierter Ausdrucksweise: ‚Radl‘ statt ‚Maschine‘; und daß er auf einer solchen als Sozius mitfuhr, ohne überhaupt zu wissen, was es für eine sei . . . „Die Herren kommen von Wien?“ fragte Alois Gach. „Ja, wir sind Arbeiter. In der Brigittenau bei der Gurtweberei Rolletschek“, sagte Niki. Leonhard und er nannten dann auch ihre Namen, etwas spät, aber Gach schien das nicht zu verübeln.

Man hatte ausgezeichnet gegessen, und auf so einer Unterlage kommt der Wein erst zum rechten Wohlgeschmack und auch zu wohltätiger Wirkung. Leonhard fand heute zum ersten Male richtigen Geschmack am Wein. Doch trank man mäßig. Niki hielt es gleichfalls so, der übrigens auch zu Stinkenbrunn nicht in sich hineinzusaufen pflegte (wenngleich alles gratis war), sondern bedachtsam zu zuzeln. Immerhin kam er dabei im Lauf eines Sonntages auf nicht wenige Viertel.

Auch Leonhard hatte sich über Gach verwundert: aber im Grunde ganz ausdrücklich über dessen sprachlichen Ausdruck. Einmal solche Grenzen bewandert habend, ein einziges Mal nur aus seiner angeborenen und obendrein noch fertig übernommenen Sprache in eine andere und doch nicht fremde übergetreten zu sein, aus einem sprachlichen Diesseits in eine Art sprachliches Jenseits: das vergißt sich nicht. Und ab da ist einer empfindlich, weil sich ihm mit den Grenzen der Sprache jedesmal Grenzen des Seins zu spüren geben. Jener Spreizschritt über die Dialekt-Grenze aber, den Leonhard einst nächtlicherweile getan – bei Tage immer wieder sich dem Dialekt anpassend, an welchen er auf solche Weise mehr und mehr wie von außen herantrat – jener Spreizschritt schloß den sprachlichen Alois Gach nicht mit ein, etwa als gleich unter einem mit überwundenes und zurückgelassenes Stadium. Vielmehr lag dies seitwärts. Der ganze Mann schien irgendwie seitwärts zu stehen, aber mit erheblicher Kraft. Man spürte sie; man empfand so etwas wie einen Stau von dieser Kraft her. Merkwürdig genug: sie kontrollierte.

Es war genau jene Kontrolle, welche Leonhard vor einiger Zeit oben in der Wohnung Mary K.’s auf die humanistisch gebildeten jungen Leute ausgeübt hatte.

Freilich ohne es zu ahnen.

Auch Gach ahnte nichts.

Indessen Leonhard ahnte jetzt bereits irgend was: aber eben nur das, und nichts genaueres.

Jedoch, beide Burschen empfanden Sympathie zu dem Alten, und es war nicht nur der Wein, was sie aufschloß. Es zeigte sich der Alois Gach beinah ein wenig verschüchtert und geniert, und vielleicht war er das sogar wirklich (weil er so rein gar nichts von dem Motorrad verstanden hatte). Jedenfalls aber wohnten bei ihm Wohlwollen und Freundlichkeit, und dazu kam sein Äußeres, das in unmittelbarer Weise einen achtbaren Mann anzeigte; ein wenig straff und stramm wohl, vielleicht sogar mit einer Möglichkeit zur Strenge, aber nie unfreundlich.

Das Politikum trat ins Gespräch. Das lag damals im Burgenland nahe, wenn auch nicht gerade hier in der Gegend östlich des Neusiedler-See's; aber die drei waren ja nicht von da. Es ist für uns Heutige kaum mehr glaublich, wie damals, bei der so ungeheuren Spannung von Gegensätzen, welche zu jener Zeit in Österreich herrschte, eine Unterhaltung über solche Sachen in einer ganz weitgehend entspannten Weise zwischen durchaus verschieden Gesonnenen immerhin möglich blieb: neun Jahre nach 1918 und angesichts eines Sozialismus, der vom heutigen Grad seiner Reife weit entfernt hielt. Die sogenannten ‚Gesinnungen' waren eben 1926 noch vielfach wirkliche Meinungen und Überzeugungs-Sachen in weit höherem Grade wie heute, wo diese entleerten Gebilde nicht nur Schutzschilde für das persönliche Fortkommen abgeben müssen (was so schlimm ja nicht ist), sondern Blenden für Affekte, und kaum mehr ganz normale.

„Ich darf annehmen", sagte Gach, und blies den Rauch seiner Sonntags-Zigarre ab, „daß die Herren sozialdemokratisch organisiert sind" (was Leonhard und Niki bejahten). „Es versteht sich ja heute wohl von selbst. Und wenn man die großen Leistungen des Sozialismus ansieht, muß man sie gerechtermaßen bewundern. Die Gemeinde Wien hat Großes geschaffen; da könnt' einer auf seine alten Tag' noch ein Sozialdemokrat werden."

Aber Niki war gelegentlich ein Meuterer.

„Schon recht, Herr Gach", sagte er, „schon recht – wenn's einer freiwillig wird. Aber zur Gewerkschaft besteht doch ein Zwang."

„Kein gesetzlicher", sagte Gach.

„Gesetzlich hin, gesetzlich her – man muß", entgegnete Niki. „Bei Rolletschek könnt' sich keiner halten, der nicht sozialdemokratisch organisiert ist, obwohl doch der Chef bestimmt jeden sein läßt was er mag und froh ist, wenn er nix davon hört. Das ist keine Freiheit, sondern Zwang. Wir sind aber doch für die Freiheit gewesen."

„Ohne Zwang gibt's keine Freiheit", sagte Gach.

„Ja, so sagt man uns."

„Ist auch so", setzte Gach fort, ohne sich aus dem Geleis drängen zu lassen. „Nur muß einer den Zwang selbst machen, dann ist er frei. Wenn Sie zum Beispiel tief genug einsehen würden, daß die Kraft der Arbeiterklasse auf den Gewerkschaften beruht, so wären Sie damit schon freiwillig in Ihrer Gewerkschaft. Ich muß das sagen, obwohl ich kein Sozialist bin."

Niki, zunächst etwas eingeschüchtert, bewies jedoch eine gar nicht so geringe Intelligenz durch die Antwort, mit welcher er dann herauskam. Denn es galt zu antworten. Gach schwieg und wartete. Leonhard aber schien hinter seinen zusammengewachsenen Augenbrauen entschlossen, jedes überflüssige Wort zu meiden. Gach's ruhiges Warten stand heran, Leonhard's Schweigen saugte; Niki hatte unter doppelter Kontrolle zu reden. Er tat es gar nicht dumm (nach einem Schluck Wein).

„Was Sie sagen, seh' ich ein, Herr Wagmeister", äußerte er schließlich. „Aber wenn das notwendig ist, daß einer eine solche Einsicht hat, damit er dann freiwillig das Richtige tut – ich bitte, da muß ja einer wirklich ein Mensch für sich sein, für sich stehen, oder wie ich da sagen soll. Aber in unserer Parteipresse les' ich alleweil nix anderes als ‚die Masse', ‚die Massen', und immer wieder ‚die Massen'. Das gilt was, das zählt. Ich bin aber doch keine ‚Masse'. I bin a Mensch für mich. Und das bedeut' denen gar nix.'

Gach nickte nur. Es wurde geschwiegen. Das Schweigen war gemütlich, ja, fast gemütvoll. Man hob inwährend einmal die Gläser und trank einander zu. Dieses Gespräch begann, objektiv betrachtet, einen für heutige Begriffe fast unglaublichen Verlauf zu nehmen: durch seine Freiheit erstens, und zweitens durch seine Ordnung. Man fiel einander nicht ins Wort. Nun denke man einmal an das wirre Geschwätz des Volks in den Schenken, wie man das jetzt kennt. Die Regel wird wohl damals ähnlich gewesen sein. Ob aber unsere Ausnahme heute noch möglich wäre, bleibe dahingestellt.

Als entscheidender Umstand erscheint die Freiheit, mit welcher die drei Männer sich hier unterredeten, an einem Wirtstische, der recht genau an der Grenze zwischen Mittel- und Ost-

Europa stand. Doch hat jene Freiheit, welche ja keineswegs eine von gestern war, sondern weit älter als die 1918 entstandene erste Republik, dazumal auffallend wenig Schätzer gefunden; es verging weitaus kein Jahr – von dem Tage im Herbst 1926 an gerechnet, da Gach und die jungen Leute zu Fraunkirchen so behaglich zechten – und man verleugnete in Wien bereits die Freiheit zum ersten Mal, ja man wollte sie gar nicht mehr kennen.

Allein deshalb schon haben wir das harmlose Gespräch der Drei aufgezeichnet (und sind dabei Leonhard's Bericht gefolgt, denn wer den Mund gehalten hat, weiß immer am Ende das meiste).

„Das sagen Sie gut, Herr Zdarsa", erwiderte Gach nach einigem Bedenken auf Niki's letzte Äußerung. „Sie haben mir damit klar gemacht, warum ich kein Sozialdemokrat werden kann. Die Klasse, in welcher ein Mensch geboren worden ist, sein Stand, kann unmöglich das Wichtigste an ihm sein; das hat er mit Hunderttausenden gemeinsam, die's ebenso gut vorstellen wie er; das Wichtigste an einem Menschen aber ist, glaub' ich, was er mit niemandem gemeinsam hat: das, worin er ein Mensch für sich ist, wie Sie gesagt haben, das, worin er für sich steht. Ist er bloß ein Klassen-Mensch – ja, da kann man ihn ersetzen: und jeden durch jeden. Das ist die eigentliche Schwäche des Proletariers, und darum muß er sich mit anderen zusammenschließen: meine Herren, Sie kommen, wenn Sie Sozialisten sein wollen, um die Gewerkschaften nicht herum; und ein gewisser Zwang wird da auch notwendig werden. Es darf keine Genossen außerhalb der Gewerkschaft geben oder andere Gewerkschaften neben dieser einen, kurz und gut, keine ‚Gelben', wie man sagt. Sonst kann ja die Klasse ihr Ziel nie erreichen. Die Sache ist doch sicher gerecht. Vor dem Krieg hab' ich mir oft gedacht, daß im Grund jeder anständige Mensch in irgendeiner Weise Sozialist sein müßte, ob jetzt organisiert oder nicht. Heut' sieht's aber doch schon anders aus. Ich könnt' eigentlich nicht genau sagen, wie – aber es ist anders. Vielleicht schaut's so her, weil vieles eben schon erreicht worden ist. Von hint' nimmt sich jedwede G'schicht anders aus, als von vorn."

„Stimmt", sagte Niki.

Sie schwiegen. Dann fragte Zdarsa: „Warum sind Sie aber vor dem Krieg kein Sozialdemokrat wirklich geworden, Herr Wagmeister?"

„Weil es nicht mein Stand war. Stand kommt von Stehen, nicht vom Herumzappeln. Wie dir das Leben die Schellen umhängt, so mußt' läuten. Es soll einer nicht glauben, daß alles immer gleich verändert werden muß oder verändert werden kann. Die Sachen sitzen schon fest in eim' guten Grund, wie eing'schraubte Bolzen. Wo einer steht, dort g'hört er wahrscheinlich auch hin. Und auf die Letzt ist wurscht wo, wann er nur sein Sachen ordentlich macht. Ich war fertiger Huf- und Wagenschmied, da hab' ich meinen späteren Herrn kennengelernt, einen Großgrundbesitzer. Das war der Herr Rittmeister der Reserve Georg Ruthmayr, seligen Angedenkens. Der hat mich auf dem Gut angestellt, hat mich aber lernen lassen viele Jahre: Bereiter bin ich geworden, hab' auch alle Veterinär-Sachen gelernt, nachher hab' ich den ganzen Pferdestall gehabt, zuletzt das Gestüt, waren zwölf Rösser auf der Koppel, später viel mehr. Der Herr hat geritten, ich hab' geritten, drei Burschen haben unter Aufsicht geritten. Wir haben auch viel und gut verkauft: war alles streng reell, nicht wie bei die Roßtäuscher – die haben wir geschmissen, bei uns war nur private Kundschaft; und ist immer mehr geworden. Der Herr Rittmeister Seunig-Strobelhof, der war zu den Zeiten schon ein berühmter Dressurreiter, der ist alle Sommer dagewesen, und hat jedes Roß geprüft, da haben wir's genau verordnet bekommen, was ein jed's noch für besondere Hilfen gebraucht hat, die Remonten, versteht sich, aber auch die, was schon weiter waren, und fast fertige Reitpferd', auf der Bahn, und danach im Sprunggarten. Ich hab's schönste Leben gehabt, wenn auch Arbeit von der Früh bis auf die Nacht, um viere sind wir auf, der Herr auch. Er hat ja auch auf die Felder müssen, und zum Holzschlag, und alles das, fänd' kein End mit Aufzählen. War ein guter Herr, der Herr Rittmeister. Einmal sagt er zu mir: ‚Lois, du bist ein kavalleristisches Genie, was wär' das G'stüt ohne dich!' Ich war so stolz, daß ich die Täg wie mit an G'schwollkopf umgangen bin. Na, jetzt hab' ich erst recht an Ehrgeiz kriegt. Versteht sich; ein junger Mensch."

Er verstummte und zuckte mit den Achseln.

Leonhard lag im schwersten Kampf mit Gach's Sprache: wie ein Schiff stampfend gegen die Wogen liegt, mit dem Bug tief eintauchend und jetzt wieder hoch herausgehoben – so ging er gegen diese Sprache an. Aber es gelang ihm keineswegs, sich auf

Kurs und grad gegen die Dünung zu halten. Die Kraft kam von seitwärts, so daß er gleichsam ins Schlingern geriet. Jener Schritt, den er einst bei Nacht getan – und dann bei Tage zahllose Mal wiederholt hatte, in auf Sekunden abgekürzter Form, wenn das nächtliche Erlebnis ihn wieder besuchte – jener Schritt konnte den Fuß nicht über Gach und seine Sprache hinwegsetzen (nur als Sprache existierte ja der Wagmeister für Leonhard, nicht als Gegenredner wie für Niki). Sie kam anderswoher, diese Sprache, als jene, die Leonhard verlassen hatte, und sie ging – nirgendwohin; das aber war am erstaunlichsten für Leonhard. Sie ruhte. (Und unser Lieber, Vortrefflicher kannte ja die Sprache bald nur mehr als eine Bewegung, ja, recht eigentlich als einen Kampf.) Zugleich aber erzeugte des Wagmeisters Ton in Leonhard eine Art Sehnsucht, die jener gar nicht unähnlich war, welche man im Buben-Alter nach einem Mädel haben kann; ja, es zog ihn mächtig an: und schien wie aus einem fernen Raum zu kommen, irgendwoher von dort unten oder drüben, und aus einer ganz unbekannten, aber zu erobernden Tiefe der Zeit. Es ist merkwürdig genug, daß die Erwähnung des Rittmeisters Ruthmayr dem Leonhard so gut wie gar keinen Eindruck machte, obwohl ihm der Name freilich nicht entging.

Weder Niki noch Leonhard sagten ein Wort, während Gach pausierte und an seiner Zigarre zog; denn auch für Zdarsa hatte die Erzählung einen neuartigen Reiz; es war, als lehne er sich über eine hochgelegene Brüstung ein wenig in eine bisher von ihm noch nicht gesehene Fernsicht.

„Dann war's auf einmal aus mit allem: denn ich hab' zum Militär einrücken müssen, im Sechsundneunziger-Jahr; nach Wels, zu die Dragoner. Jetzt haben s' dort einen jeden unter anderem gefragt, ob er mit Rösser schon zu tun gehabt hat, oder gar reiten kann. Na, die vom Land natürlich, und solchene waren's ja fast alle, die haben freilich sagen müssen, daß' schon einmal Ross' geführt oder eing'spannt und gefahren haben. Dasselbig hab' ich auch gesagt, und hat's mir der Herr Rittmeister so eingeschärft. Aber der hat nicht zu die Welser Dragoner gehört, sondern zum gelben Regiment in Brandeis. Ich hab' auch als Zivilberuf nicht stehen gehabt ‚Bereiter', oder ‚Ober-Bereiter', oder so was, sondern einfach ‚landwirtschaftlicher Angestellter'. Das kann auch a besserer Knecht sein. Denn vom Reiten-Können hat man denen nichts erzählen dürfen. Sonst hätten's dich gleich auf einen rechten Tiger hinaufg'setzt, und dem hint noch ein's übergezogen, daß man ja a feine Figur macht. Na gut. Aber wir sein doch bald auf die Würschtl – so haben etliche die Pferd' genannt – hinaufgekommen, zum Longiert-Werden. Da steht einer in der Mitten, das ist der Longen-Führer, der was den Einzelunterricht erteilt, ein Kopral, oder so einer halt; der hat einen Dragoner bei sich, mit der langen Peitsche, die ist eigentlich nur zum Kitzeln da, damit das Roß in der gleichen Gangart bleibt. Das Pferd ist an einer langen Leine, das heißt man eben ,die Longe', die ist an einen Kappzaun gehängt, wie man's nennt; das Pferd ist ausgebunden, mit Zügeln, die am Sattel fest sind, damit's den Hals rund macht und eine gehörige Stütze hat, weil ja der Rekrut erst lernen muß die Zügel richtig anzustellen. Na schön. Bei mir haben s' das natürlich gesehen, daß ich einen fertigen Sitz hab'. Na, da hat das Würschtl eines Tags an so an sauberen Schnalzer über die Krupp 'kriegt, daß' mit alle Vier gehupft ist, und noch einmal, und jetzt ist es auf der Hinterhand gestanden, da hat ihm der Longe-Führer noch getatzt mit der Longe. Freilich, ich hab' ja gewußt, daß mir nix passieren kann, weil nach hint kann sich kein Roß nicht überschlagen, wann's einer vorn mit der Longe halt. Bin also ruhig oben gesessen. G'sagt haben's gar nix. Danach, wie die erste Zeit um ist gewesen, mit dem Longieren, ist eh lang genug hin gangen damit, kommen wir auf die offene Reitschul', kleines Viereck. Versteht sich, nur mit dem Wischzaum, das ist die einfache Trense. Na, da ist natürlich die G'schicht erst recht aufgeflogen, denn da war ja unser Eskadrons-Kommandant, der Herr Rittmeister dabei, der hat die Rekruten-Reitschul immer selbst gehalten. Der Herr Rittmeister war eine Durchlaucht, ein Prinz Croix. Beim fünften oder sechsten Mal, wie wir auf die offene Reitschul kommen, nach dem Traben ist kurz galoppiert worden, kommandiert der Herr Rittmeister: ,Schritt, durch die Mitte!' So kommen wir einer nach dem anderen im Schritt ganz nah an ihm vorbei; und eben, wie ich da reit', kommandiert er: ,Halt!' Und dann zu mir: ,Sie heißen?' ,Melde gehorsamst, Dragoner Alois Gach.' ,Schreiben S' den Mann zum Rapport auf', sagt er zu dem Wachtmeister, der links hinter ihm steht. Oha, denk' ich mir. Beim Rapport sagt der Herr Rittmeister: ,Na, Gach, weißt' warums d' beim Rapport bist?' ,Nein, Herr Rittmeister.' ,Weils d' reiten kannst, du Pülcher, was redst' denn nix? Glaubst du kannst uns da papierln?' ‚Melde gehorsamst, Herr Rittmeister, ein Rekrut kann niemals reiten.' Lacht er, sagt: ‚Hast scho' recht, hast scho' recht, du bist a ganz a G'hauter.' Greift hint' in seine rote Reithosen, die war nach dem englischen Schnitt gemacht, aber schon pickfein, wie's der Herr Rittmeister Ruthmayr auch gehabt hat, und zieht so eine lange silberne Zigarettendosen heraus, klappt's auf, die war ganz voll, er räumt die eine Seiten ab, ich seh's heut' noch vor mir, die Zigaretten, das waren echte türkische, in dem weißen Leder von sei'm Handschuh. Ich halt die Hand auf, und er gibt mir die Zigaretten schön sorgfältig hinein und sagt dabei ‚Mach's weiter so, Gach', und zum Wachtmeister ‚Lassen S' den Mann abtreten. Überzeit bis zur Tagwach, morgen dienstfrei.' "

Gach verstummte. Er zuckte wieder mit den Achseln, ganz wie vorhin. Sein Ton war nicht gerade ein solcher gewesen, als finde er an derlei Militär-Anekdoten längeren Gefallen; vielmehr schien er wo anders hinaus zu wollen; und das mochte für seine beiden Zuhörer – begierige Zuhörer, muß man sagen – zu spüren sein. Sie machten zumindest keinen Einwurf, sie warteten.

So etwas wäre heute ganz und gar ungewöhnlich.

„Ja, also, recht gut und schön, das alles", setzte der Wagmeister fort, „ich wollt' damit den Herren nur anzeigen, daß mir's beim Militär nicht schlecht gegangen ist. Die Verpflegung dazumalen war übrigens hervorragend gut und hat mancher vordem und im Zivil so ein Essen nicht gekannt. Ich war dann unter den ersten, die ‚aufgezäumt' worden sind, das heißt, schon mit Stangenzügel, mit vier Zügeln, haben auf der Reitschul reiten müssen, und bald auch in der Abteilung: mit dem ganzen ‚Hauptg'stell', wie die komplette Aufzäumung ist genannt worden ... Also, ich sag', mir ist alles gut gegangen, ich hab' später die Reit- und die Schießauszeichnung gekriegt, und im dritten Jahr war ich Korporal. Aber ich war, offen gesprochen, steinunglücklich beim Militär. Abgesehen vom Reiterlichen, das ja ganz und gar was anderes gewesen ist als im Gestüt, eine Kommißreiterei auf dem tiefen Bocksattel – vergleichen kann man das überhaupt nicht. Ich hab' auch sehr gespürt, daß ich auf die Art mit der Zeit das bissel Dressur-Reiten, was ich hab' können, verlernen muß. Na freilich, das Reiten bei der Kavallerie ist kein

Sport, tiefer fester Sitz ist alles, daß einer den schweren Säbel zu Pferd gebrauchen und sich richtig in der Einteilung halten lernt, und alles das, versteht sich. Aber das war's nicht, warum ich so unglücklich gewesen bin, auch später noch, und erst recht,und nicht nur in der Rekrutenzeit, die eh für mich natürlich viel leichter gewesen ist wie für manchen anderen. Sondern, daß du fortwährend getrieben worden bist – vom Waschen und Zähneputzen angefangen, auch das haben s' sogar überwacht, war auch bei etliche recht nötig – und den ganzen Tag über in dieser Dicken weiter, alleweil hat's einen Befehl geben, dann bist wieder am schwarzen Brett gestanden für die Stallwach', dann war ärztliche Visit, dann Unterricht, dann Fuß-Exerzieren: und alles ang'schafft, immer ist dir alles ang'schafft worden. Dabei waren s' freundlich, schon gar die Herrn Offiziere, hat eigentlich nie ein böses Wort geben, wenn man von der Reitschul absieht, wo's mannigsmal scho' zugangen ist, wie bei ein' Affenzirkus. Aber, alles in allem, dauernd waren s' hinter dir her, von der Tagwach bis zur Retraite. Auf dem G'stüt hab' ich's Vielfache geleist' von dem, was ich bei der Kavallerie gemacht hab', aber ich hab' doch g'wußt, was ich zu tun hab', da hat's kein Drängeln nicht gebraucht. Einmal, nach der Rekrutenzeit schon, bin ich von der Schwadron wegkommen, aushilfsweise auf die Schmiede, weil bei mir gestanden ist ,erlerntes Handwerk: Huf- und Wagenschmied'. Dorten ist mir leichter gewesen, ohne die permanente Anschafferei, weil man doch als Professionist eh weiß, was man z'tun hat. Und ich wollt' dort bleiben. Aber der Herr Rittmeister hat getrieben und getrieben, auch beim Herrn Oberst, das hat mir der dienstführende Wachtmeister erzählt, bis ich wieder in der Eskadron geritten bin. Soll gesagt haben: ,Ich lass' mir nicht die besten Reiter wegnehmen, den Mann muß ich haben, als Flügelmann im ersten Glied vom ersten Zug, bei einer Parade steht mir keiner so ruhig mit dem versammelten Würschtel wie er, daß man sich ordentlich ausrichten kann.' Aber, ob Sie's jetzt glauben oder nicht, meine Herren, ich hab' keinen Ehrgeiz gehabt beim Militär. Ich wär' am liebsten auf der Schmiede geblieben. Beim Gestüt, da hab' ich einen Ehrgeiz gehabt. Bei der Kavallerie aber nicht. Und jetzt werden wir gleich bei Ihnen, Herr Zdarsa, wieder ankommen, bei Ihnen und bei der Gewerkschaft. War ein bissel ein langer Umweg. Ich bin damals in meinem Unglück – es war wirklich ein Unglück für mich, der Kommiß – auf dem Eskadrons-Hof gestanden, zwischen den beiden Stallgebäuden, man hat von da auf die offenen Reitschulen hinübergesehen und auf das große Viereck, dahinter ist der Sprung-Garten gewesen. Es war am Abend, im Sommer, der Himmel war noch rot. Ich hätt' weg gehen können, ich glaub' gar, ich hab' einen Zettel gehabt zum Ausbleiben bis Mitternacht. Plötzlich, da kommt mir das so in den Sinn: es ist ein Gefängnis, mitsamt dem vielen Platz, der da war, hinter den Gebäuden, auch rundherum. Auf der Schmieden ist noch gearbeit' worden, der Geruch, der entsteht vom verbrannten Horn beim Beschlagen, den hat's brandig herüberzogen zu mir. Ich denk' mir: gehst weg. Ich denk' mir: wenn'st weg gehn kannst – na, dann kannst ja auch da bleiben. Setz' dich auf das Bankel vor der Ubikation, dem Wohngebäude, heißt das. Ich hab' mir vorgestellt: wenn einer in einem Kammerl eingesperrt ist, und er rennt nicht die ganze Wand entlang hin und her, sondern nutzt nur den halben Raum, dann ist er doch auf irgendeine Art schon frei. Also, ich bin in der Kasern geblieben und auf dem Bankl vor der Ubikation gesessen. Und allmählich, an demselbigen Abend, wendt sich die Sach um in mir . . .“

Leonhard litt geradezu. Süßes Leid. Wie wegen einem Mädel, von dem man weit weg ist. Eindringen in diese Sprach-Mauer war unmöglich. Die Materie war fest, sie sah nur so locker aus.

„. . . wendt sich die Sach um in mir“, sagte also der Wagmeister, „und mir ist dann ehender gewesen, als würd' ich leicht frei von der ganzen Anschafferei, wenn ich ihr davonlaufen tät, in der Weise, daß alles schon getan wär', was man mir würd' anschaffen wollen: daß ich dem voraus wär'. So müssen Sie, Herr Zdarsa, sich gegenüber der Gewerkschaft verhalten, ja, Sie müßten in der schon drinnen sein, wenn's noch gar keine geben tät', als bewußter Sozialist. Weil das Ihr Stand ist. Weil dann die Uhr richtig geht. Ich, für mein Teil, bin auf die Art so etwas wie ein Muster-Soldat geworden, obwohl ich das Militär nicht gut hab' leiden mögen. Aber es war nur ein Anfang, bin ja nicht ewig beim Militari geblieben; danach aber auch jeder Anschafferei weit voraus gerennt. Da kann's dir so gehn, daß dich schon lang nix mehr in Rücken pufft, so weit bist voraus, drehst dich um, nix ist mehr hinter deiner: da bist ein freier Mensch worden.“

Damit brach er endgültig ab. Niki meuterte ein bissel in sich hinein (verstockte Meuterei), sagte aber nichts mehr. Von Leonhard ist fast zu schweigen. Er lauschte dem Wagmeister immer noch, auch als dieser längst schon geendet hatte. Nun, man weiß, welche Vorliebe der Autor für den Leonhard hat: aber hier muß gesagt werden, daß dieser Niki auf seine Weise doch auch ein guter Schluck frischer Luft war. Dem Alois Gach bereitete das Beisammensein mit den beiden jungen Arbeitern aus Wien sichtliches Vergnügen, und ihr sehr bedachtsames und mäßiges Trinken erweckte überdies sein Vertrauen. Die Abwesenheit oder erhöhte Anwesenheit Leonhards – wie man's nimmt – war ihm nicht auffallend oder gar unangenehm spürbar; er nahm diesen einfach als einen stiller gearteten Burschen hin.

Niki sprang ab. Vielleicht wurden ihm die Folgerungen, welche hier hervorkamen, ungemütlich.

„Waren Sie auch im Krieg mit die Reiter, Herr Wagmeister?" fragte er neugierig.

„Ja, freilich", sagte Alois Gach. „Ich war ja Reservist, Wachtmeister, obwohl ich kein ‚Längerdienender' gewesen bin. Später hat sich die Reiterei dann aufgehört, versteht sich, in einem modernen Krieg, aber anfangs ist's hoch hergegangen."

„Und da haben Sie auch g'fochten, mit dem Säbel, am Pferd, gegen Kosaken am End' auch?"

„Beim Aufmarsch, 1914, mehr als einmal, auch später noch ein' oder's andre Mal."

Was Leonhard aus jenen Augenblicken, während die eben wiedergegebenen Worte gewechselt wurden, am allerlebhaftesten in der Erinnerung geblieben ist, war nicht, was er damals mit einiger Anstrengung dachte. Sondern die Sonne draußen auf dem weiten Platz erfüllte sein Inneres, die breite hohe Brust der Wallfahrtskirche gegenüber, die einzelweis grünen Streifen von Gras, die weißen Streifen der watschelnden Gänse – ohne daß er dies alles sehen konnte, denn die Stube, in welcher sie da saßen, ging mit ihren Fenstern gar nicht auf den Platz hinaus. Leonhard schaute also, was er nicht sah – und gerade das erzeugte augenblicklich ein sehr starkes Wohlgefühl in ihm, als würde er lockerer und leichter. In solcher Weise belebt faßte er jetzt hintnach erst recht auf, was der Wagmeister in seiner Sprache – welcher allein Leonhard bis jetzt gelauscht! – eigentlich gesagt hatte; und schon dachte er's weiter – und blieb dabei wie in einer Schlinge hängen. Eine Frage stieß ihm den Mund auf, und – er sprach, er äußerte sich, er stellte diese Frage. Wie es nun geht, wenn einer lange geschwiegen hat und endlich einmal das Wort nimmt: sogleich wendet sich ihm die volle Aufmerksamkeit der anderen zu.

„Herr Wachtmeister . . .", sagte er (und, merkwürdig genug, von da an blieb dem alten Gach dieser militärische Titel das ganze übrige Gespräch hindurch), „könnt' nicht einer in der Weise vorauslaufen, vor etwas, was ihm nicht grad ein anderer ang'schafft hat, ich meine, könnt' nicht einer auch inwärts vorauslaufen . . .?"

Er brach ab. Nicht aus Verlegenheit wegen der Unzulänglichkeit im Ausdruck – von welcher Leonhard sehr wohl wußte – sondern: wegen der Verwendung eines Wortes aus Gach's Sprache, das ganz zweifellos von daher stammte, obwohl es der Wachtmeister kein einziges Mal in seiner Erzählung gebraucht hatte! Es war das Wörtchen ‚inwärts'. Leonhard erschrak. Und deshalb schwieg er jetzt.

Was nun den Gach anlangt: es kann einer den handhaften Anfang einer Sache wohl richtig erfassen – zeigt man ihm aber weiter hinaus, wird er plötzlich blind. Es ist fast etwas wie Absicht dabei: eine absichtliche Nicht-Sicht.

„Na ja", sagte er, „kann schon sein."

Aber unser Niki war nicht willens, sich hier durch die gelegentlichen ‚Spitzfindigkeiten' Leonhards (so nannte er's) von einer Sache abdrängen zu lassen, die ihn mit Neugier erfüllte und wieder mit jenem Gefühl, als lehne er sich über eine hochgelegene Brüstung ein wenig in eine von ihm noch nie gesehene Fernsicht.

„Ich bitt' Ihnen, Herr Wachtmeister, erzählen S' doch einmal von so einem Reiterkampf."

Plötzlich dachte er, Leonhard, an das Gespräch mit dem Buchhändler Fiedler. Im Frühjahr. An der Lände vom Donaukanal. Es war längst alles grün. Es gibt auch ein falsches Vorauslaufen: gerade das war ihm von dem alten Fiedler zugemutet worden! ‚Den Beruf wechseln.' Er spürte wieder sein Ringen mit der Sprache damals, noch zu drei Vierteln unter der Vermummung des Dialekts: ‚ist zu beweisen, es ist zu beweisen . . .' Jetzt lief das mühelos hervor: ‚Die Echtheit einer Bewegung des Intellektes wird am besten durch ein materielles Gegen-Gewicht geprüft.' In diesem Augenblick erkannte er die gewaltige Spanne und Spannung der Zeit, welche er seitdem durchmessen, welche er hier und jetzt in der eigenen Person zusammenraffte, zusammenfaßte. Zugleich wies das Zeitstück sich wie abgeschlagen von allem Vorhergehenden durch den Einhieb, der in wenigen nächtlichen Minuten geschehen war. (‚Der Optativ zieht jeden Satz ins Konjunktivische und die Grundbedeutung geht dabei verloren.‘) Hinter dem Buchhändler trat Malva hervor. Dann Trix, rosigen Scheins, sie sagte: ‚sich fortbilden.‘ Sie war blaß, nicht im Gesicht, nein, als Bild, als Ganzes. Sie verschmolz jetzt mit dem Buchhändler Fiedler. Malva jedoch war wie hochgestautes Wasser hinter einem Wehr. Hier konnte man Selbstmord begehen, das Wehr öffnen. In einer glasglatten gewaltigen Woge sprangen ihm ihre mächtigen Brüste entgegen. Aber es sank ab, es verebbte, es war schon vorbei. Etwas jedoch blieb noch von dem rosigen Schein. ‚Sich fortbilden‘, sagte sie. Es war gefährlicher als alles, was von dem Buchhändler, ja sogar von Malva selbst ausging. Die dritte Spitze des Dreieckes aber lag dort drüben, jenseits des See's, in Stinkenbrunn, wo man sie zurückgelassen hatte; sie lag unter Dämpfung, sie lag tot, wie eine abgeschaltete Klingelleitung, ohne Strom.

Der Wachtmeister entsprach Niki's Wunsch nur zögernd: „Das kann doch die Herren unmöglich interessieren, diese altmodischen Sachen. Ein Kavallerie-Angriff. So etwas gibt es heut' gar nicht mehr."

„Eben grad drum", rief Niki, „eben grad drum!" Er ließ nicht locker. Seine Augen blitzten. Gach sah ihn freundlich an. Er beugte sich aus dem Fenster seines Alters. Mag sein – wäre der ganze Mann nicht ein klein wenig zu streng und straff in der Fassade gewesen – daß man ihm jetzt so etwas wie eine tiefere Rührung hätte angemerkt.

„Da ist nicht viel zum Erzählen", sagte Gach. „Der Kosak hat einen anderen Sitz gehabt als wir, wann er auch in einem noch tieferen Bocksattel geritten ist wie wir, waren oft rot gepolstert die Sättel. Er ist im Gabelsitz gesessen, nach vorn geneigt, mit Knieschluß, mit kurze Bügel, die Herren müssen sich das fast so vorstellen wie eine Wäscheklammer, übertrieben gesprochen. Jetzt hat er die Lanze gehabt, aber nicht fest, wie's die Deutschen gehabt haben, in der Armbeuge, sondern er hat sich in den Bügeln ein bissel noch aufgestellt und hat die Lanze hoch aufgehoben und über den Kopf vom Pferd darübergestoßen. Beim Zusammenkrachen sind's auf die Art freilich reihenweis g'flogen; denn unsere Leut' hätt'st ja überhaupt nicht aus'm Sattel außi 'bracht, die hätt' man mit an Stoppelzieher herausziehen müssen. Was die Lanzen anlangt, hat man's leicht abidrahn können, wenn einer nur ruhig geblieben ist. Nach 'm fünften, sechsten Mal haben wir das schon fein im Griff gehabt. Waren ihrer auch etlich, die haben den Säbel nicht mehr nach der Vorschrift gehalten, gradaus über'n Kopf vom Pferd, mit der Schneiden nach oben" (er deutete die damalige Säbelstellung ‚Zum Angriff!' kurz über dem Tisch an) „sondern quer links aufwärts über die Zügelhand. So haben s' das Stangerl von der Lanzen abg'fangt, und gleich nachgeschlagen. Der Herr Rittmeister Ruthmayr hat's selbst so gemacht, hab's mehr als einmal gesehen. Kommt dazu, daß der Kosak nur am Wischzaum geritten ist, und waren auch die Rösser viel kleiner wie die unseren; aber sehr wendig, obwohl s' keine Stangenzügel geführt haben."

„Aber beim ersten Mal, wie is' denn beim ersten Mal gewesen, wie Sie's erste Mal mit Kosaken zusammengetroffen sind?!" rief Niki erregt.

„Der Kosak war gut", fügte Gach seinen früheren Bemerkungen noch bedächtig hinzu. „Sehr tapfer, a Mordsschneid haben s' gehabt. Aber die Kosaken-Waffe war ja gar nicht gemeint als Gegner für eine geschlossen attackierende Schlachten-Kavallerie, sondern vor allem für die Aufklärung. Und da waren s' großartig. Wie die Indianer. Durch Dick und Dünn und Dreck und über Stock und Stein mit die klein' Katzen von Pferd'. Ich hab' mit eigenen Augen Kosaken auf einer vereisten Straßen bergab galoppieren gesehen, mit durchhängende Zügel, mitsamt dem Gabelsitz, wo doch's Gewicht mehr auf die Vorderhand kommt, und haben sich einige im Reiten ganz umgedreht gehabt nach den anderen und nach rückwärts gerufen. Na, in der Manier wärst' mit unsere verwöhnten Würschtl fein auf der Nasen gelegen. Das Kosakenpferd war in einer Weise das beste Pferd überhaupt. Der Kerl ist abgesessen, hat die Katz stehen lassen, am Fleck ist sie geblieben. Etliche haben wir einmal durch dem Herrn Rittmeister Ruthmayr sein Zeiß-Glas beobachtet, die sind steil bergauf über ein Straßel; jeder zu Fuß hinter seinem Pferd, den Schweif gepackt, und sich ziehen lassen. Möcht' wissen, was unsere gestriegelten Kommißpferd' gesagt hätten zu der Behandlung! Ich bin übrigens vierzehn nicht mit dem Regiment, wo ich aktiv gedient hab', hinaus, sondern mit dem vom Herrn Rittmeister Ruthmayr, mit die gelben Dragoner, und in seiner Schwadron; der Herr Rittmeister hat meine Zuteilung erwirkt. Nach seinem Tod bin ich aber, über eigene Bitte, wieder zurückgekommen zum Ersatzkader nach Wels, und danach wieder hinaus. Dazumal ist grad der Prinz Hubertus Croix, was mein Rittmeister war in die aktiven Jahre, von dem ich früher erzählt hab', gefallen gewest, war schon Oberstleutnant. Bei der Kavallerie haben sie 1914 und 1915 überhaupt mehr als die Halbscheidt von die Herren Offiziere verloren."

Er nahm das Glas, hob es, trank aber nicht, setzte es wieder hin. In diesen Augenblicken sah Gach alt aus, ein alter Mann, müde. „Waren gute Herr'n, liebe Herr'n, beide, die Durchlaucht und der Herr Rittmeister", sagte er vor sich hin und schwieg.

Unsere jungen Leute hielten es ebenso. Dem Niki fiel das vielleicht nicht ganz leicht. Aber das Genie der Jugend verleiht erhöhte Empfindlichkeit; und der vorübergehende Verfall im Antlitz des Wachtmeisters wirkte wie das Zusammenrutschen eines Feuers, das nun in trüberer Glut über seinem Roste liegt.

„Ja, Sie wollen hören, Herr Zdarsa, wie das gewesen ist, beim ersten Mal mit den Kosaken", sagte der Wachtmeister endlich. „Da war die Schwadron vom Herrn Rittmeister Ruthmayr detachiert vom Regiment, wir haben müssen eine Aufklärung durchführen, Fern-Aufklärung. Wir sind durch ein Tal geritten, flach und ein Straßel in der Mitten, links und rechts die Hügel haben Laubwald gehabt. War natürlich Marschsicherung; die Seitenpatrouillen sind also auf gleicher Höhe mit uns im Wald marschiert oben auf den Hügeln. Gesehen haben's trotzdem, weil der Wald war dünn, manchmal hat er gar aufgehört; auch wir haben die dann und wann dort oben reiten sehen können. Von einem Gegner weit und breit nix. Wir sind schön pomali dahingezogen, meistenteils im Schritt, weil ja unsere Seitenpatrouillen im Wald so schnell nicht haben weiterkommen können. Bei dem Regiment waren mehrenteils Böhm', da waren ihrer etlich bei der Schwadron, die haben großartig miteinander vierstimmig singen können, ihre schönen böhmischen Lieder. Sonst auf'm Marsch, wenn wir Schritt geritten sind, hat's der Herr Rittmeister oft singen lassen, er hat's gar gern gehört, danach haben's miteinander an Gulden kriegt von ihm, haben's a Freud g'habt. Aber jetzt hat man freilich schön stad sein müssen, die Gegend, hat's geheißen, ist voller Kosaken. Wir haben aber tagelang keinen Schwanz zu sehen gekriegt. Das Wetter war klar, bissel windig, ohne Hitz'. Ich seh' das Straßel noch vor mir, mit den Beserlbäumen links und rechts oben auf der Höh'. Der Herr Rittmeister reit' nebenher beim ersten Zug, wo ich war, sagt zu mir, das Tal hätt' bald ein End, nach der Karte, dann käm' ganz flaches offenes Terrain ohne Bäume, Wiesen. Er war gut aufg'legt, ich denk' mir noch, wie jung er ausschaut. Der Herr Rittmeister hat ein merkwürdiges Gesicht gehabt, die Augen sehr weit von einander, das Gesicht war rund und dick, wie von einem Kind beinah, ist aber ein großer schlanker Herr gewesen. Während wir noch sprechen, kommt einer im Galopp von der Vorpatrouille: die Spitze meldet, feindliche Kavallerie jenseits des Wiesengrundes, wo das Tal aufhört, in Stärke von ein bis anderthalb Eskadronen, zum Teil formiert. Der Herr Rittmeister schickt gleich je einen Reiter zu den Seitenpatrouillen und zur Nachpatrouille, und galoppiert nach vorn, weg war er. Wie er zurückkommt, ruft er die Herren Offiziere, die Herren haben nur sehr kurz miteinander gesprochen, dann sind s' zu ihren Zügen: und auch schon sind wir aus der langen Marschkolonne mit Vieren zugsweise aufmarschiert, so daß jeder Zug mit seinen zwei Gliedern entwickelt gewesen ist; ,in Kolonne' hat die Formation geheißen. Ist leicht gangen, das Straßl war ohne Graben, wir haben können gut geschlossen ,in Kolonne' reiten. Da hat jetzt das Tal ein End' gehabt. Klar ist gewesen, daß der Feind uns nicht erwartet hat, sonst wären die doch nicht so ungedeckt dagestanden. Die Spitze und Vorpatrouille haben wir gleich aufgenommen, Nachpatrouille hat bei die Gulasch-Kanonen und unserem übrigen Zeug bleiben müssen, als Bedeckung. Der Herr Rittmeister hat sofort in entwickelte Linie aufmarschieren lassen, dann halten, ausrichten, dann ,Attacke! – Schritt marsch!' Die Leut' haben daraufhin den Säbel ergriffen und den Handriemen festgemacht. Ich war, wie ich schon gesagt hab', beim ersten Zug. Indem, während die anderen zwei Züg' – der vierte war links und rechts auf Sicherung – nach vorn rumpeln, damit s' in die Front kommen, einer nach'm anderen – ,links vorwärts!', also links hinaus vom ersten – indem also, wie wir ganz kurzen Schritt reiten beim ersten Zug, hab' ich den Feind zu Gesicht kriegt, aber er uns auch schon. Werden a siebenhundert Meter Distanz gewesen sein. Dann hat man bald gesehen, wie s' drüben auch eine Bewegung durchgeführt haben. Der Herr Rittmeister galoppiert unsere Front entlang – war alles gut geschlossen – und ruft noch den Leuten auf tschechisch und deutsch zu ‚haut's sauber drein, Burschen!', winkt den Herrn, die vor ihren Zügen geritten sind, und geht auf seinen Platz draußt' vor der Mitten, der Trompeter war bei ihm.“

Niki's rechte Faust lag auf dem Tische, fest geballt und gespannt, man hätte glauben mögen, er hielte damit den Griff eines Säbels. Den Kopf hatte er auf die linke Hand gestützt und sah den Wachtmeister Gach immerfort an.

„Mir ist gewesen“, setzte dieser nach kurzem Besinnen fort, „als käm' uns von dort drüben a großer grau-grüner Klumpen entgegen, ich denk' mir, werden mehr sein als anderthalb Schwadronen, wann die sich auseinander ziehn, haben s' uns auch von der Seiten. Aber grad das ist nicht geschehen. Der Herr Rittmeister gibt das Säbelzeichen für Trab, und der Trompeter hat's geblasen, war a junger fescher Korporal, a Wiener ist er gewesen; bald danach Galopp. Ich schau nach links, die Eskadron war gut ausg'richt auch im Galopp, die Leut' waren ruhig, nur g'schaut haben s' alle, was haben können, hinüber. Ich auch: ich siech schon lauter einzelne Reiter, kein' Klumpen mehr, und dann sind s' ganz rasch näher gekommen, waren dichte Rudel: in dem Augenblick seh' ich klar, daß die drüben in der Übermacht sind. Jetzt blast der Trompeter Marsch-Marsch, aber tadellos rein, sag' ich Ihnen, meine Herrn, wie a Glöckerl, ich denk' mir noch, hat der Kerl a Ruhe – da legt sich, wie wir ‚Hurra!' schrein, vor unsern Zug der Herr Leutnant Baron des Grieux mit'n Säbel aus, haut dem Pferd a paar Sporn eini, und juck! mitten in die Kosaken is er g'wesen und schlagt scho' dort umeinanda! Der hat sein' ganzen Zug mitgerissen. Das Z'sammkrachen hat sich g'waschen g'habt, meine Herren, das kann man schon sagen. Ich mach' dreimal, viermal den gleichen Hieb gegen die Lanzen, alleweil rechts abidraht, aber nachschlagen hab' ich gar nicht können, war schon vorbei. Wir immer noch im Galopp. Aber wir sind zum Stehen kommen: a solche Massa war das! Einen Augenblick lang denk' ich mir: die G'schicht zieht sich, wir haben s' nicht überreiten können! Trotzdem ihrer genug g'flogen sein, beim Z'sammkrachen. Aber mit eigenen Augen hab' ich's gesehen, sonsten tät' ich's nicht glauben, wie der Kosak gleich wieder auf so einer klein' Katz oben war! Unsere Leut' brav, Säbel gegen Säbel, wo die Lanzen weg ist gewesen. Ich mußt' freilich auch fechten, waren aber keine eigentlichen Einzelkämpfe, man ist getrennt worden und auseinandergekommen, es war ein fürchterlicher Wirbel, sag' ich Ihnen, meine Herren. Die G'schicht zieht sich zu lang, denk' ich mir. Indem seh' ich aber, daß die Schwadron durch ist, der Feind war geteilt. Auf einmal, mitten in dem Mordslärm, hört man ein Hurra-Gebrüll, ich denk' mir, was kommt da, von links und rechts: und grad im selben Augenblick, wie auf Befehl, spritzen die Kosaken auseinander, nach allen Seiten, als wenn s' das geübt hätten: weg waren s'. In einem weiten Halbkreis haben wir's auseinander reiten sehen, wohl bei vierhundert einzelne Reiter. Da ist eine Verfolgung unmöglich. Uns war auch nicht danach zu Mut. Also, was ist da gewesen? Wir haben doch die zwei Seitenpatrouillen draußen gehabt, wie ich erzählt hab'; die sind im Wald weitergeritten, auch wo er eben worden und ganz weit auseinander 'treten ist, links und rechts von der großen Wiesenfläche. So haben s' unsere Flankendeckung gemacht, das war ihnen befohlen, und haben dabei sehen können, was sich abspielt. Während wir zur Attacke aufmarschieren, sind s' rasch voraus, beide Patrouillen, und waren also beim Gefecht mit uns auf gleicher Höhe. Dann, wie wir stecken blieben sein, weil ihrer zu viel waren, da sind s' mit ‚Hurra!' beinah gleichzeitig heraus aus 'm Wald, und von seitwärts, ja fast von rückwärts, in die Kosaken einig'ritten, und vor allem haben s' dabei a so a Gebrüll vollführt wie a ganze Schwadron. So ist noch alles gut gangen. Die Kosaken haben nicht ein einziges ledig's Roß, nicht einen einzigen Mann zurückgelassen, kaum glaublich, also haben s', g'rad wie wir, nur Leichtverwundete gehabt. Die gesamte Beute waren a paar Lanzen, und die waren mehrenteils zerbrochen. Grad so, wie mir ein Husaren-Oberleutnant, a ungarischer Graf ist er gewesen, der Nam' fallt mir jetzt nicht ein, war aber ein berühmter Herrenreiter, der viermal hat in Pardubitz die Armee-Steeplechase gewonnen – grad so, wie mir's dieser Herr Oberleutnant erzählt hat von die Kalmücken, über die viel ist geredt' worden; von denen haben s' drei Schwadronen hintereinander mit einer einzigen Husaren-Eskadron glatt überritten, ohne daß sie stecken blieben wären, so wie wir: zuerst, beim Z'sammkrachen, hat's reihenweis leere Sättel geben bei die Kalmücken

– und danach war kein einzig's ledig's Pferd und kein einziger Kalmücke da: die müssen rein gleich wieder auf ihre Katzen oben g'wesen und verschwunden sein."

Damit endete jetzt des Wachtmeisters Erzählung. Niki schnappte zunächst geradezu nach Luft vor Begeisterung (es war die rechte Indianer-Geschichte für seinen Kindskopf). Aber auch Leonhard war zuletzt von dem Berichte in irgendeiner Weise mitgerissen worden, und so kam er, spät genug, in Kontakt auch mit dem Inhaltlichen von Gachs Äußerungen.

„Leo!" rief Niki und schlug mit der Hand auf den Tisch, „das wär' was für uns gewesen! Herr Wachtmeister, glauben S' mir, wir hätten uns gut gehalten. Wir hätten schon ordentlich dreing'haut!"

„Gar kein Zweifel", sagte Gach lachend, „die Wiener waren immer schneidig, und solche, wie die beiden Herren, das waren die besten! Aber ich bitt' Sie recht herzlich, meine lieben Herren, tun Sie ja nicht den Krieg sich vorstellen nach der Art, wie Sie's jetzt gehört haben: das war nur am allerersten Anfang. Was dann kommen ist, die Jahre lang, das ist ein fürchterliches, wirklich a grauenhaftes Elend gewesen: und dös darf's nie mehr geben, unter gar keine Umständ' mehr, und wenn Ihre Partei, meine Herren, es wirklich für immer verhindern kann, dann hat sie eine Berechtigung, aber nur dann. Das ist meine Meinung. Freilich denkt man gern einmal an die alte Pracht und Schneid: aber die war ja gleich das Erste, was der moderne Krieg zerstört hat, die war ja nur von anno Tubak her noch übrig blieben. Na, ist guat. Zum Wohl."

Sie tranken einander herzlich zu. Ein kleiner Bub kam in die Wirtsstube gelaufen und rief: „Ist hier der Herr Wagmeister Gach aus Eisenstadt?" Und als dieser sich zu erkennen gegeben hatte, sagte der Bote sein Sprüchl: „Die Muatta laßt schön grüßen und fragen, ob der Herr Wagmeister net wenigstens auf a Mehlspeis und an Kaffee kommen möcht', wann der Herr Wagmeister schon net beim Essen war. I soll'n Herrn Gach den Weg weisen."

„Wär' net uneben", sagte der Wagmeister lachend und rief den Kellner, um zu bezahlen. Die jungen Leute erhoben sich, und nach herzlichem Händeschütteln verließ Alois Gach unter Vorantritt des Buben die Stube.

Dröhnend zog die Maschine ihren Weg, stabil und gleichsam tief in der Straße liegend, als furche sie diese wie ein Kiel die Flut. Zdarsa fuhr schnell, vielleicht zu schnell; ihn trug wohl noch der Schwung der im Geiste mitgerittenen Kavallerie-Attacke. Jetzt schien er hier seinem Indian-Rößlein die Sporen zu geben. Die flache Dehnung des Landes lockte zu raschem Ritt.

Sie flogen die Fahrstraße entlang, welche nicht weit nach Fraunkirchen aus ihrer südöstlichen Richtung fast ganz gerade nach Süden sich wendet und über St. Andrä bis zur Eisenbahnstation Wallern führt, das letzte Stück schon neben dem Schienenstrange her. Hinter dem Bahnhof konnten sie dann nach Apetlon abzweigen, um in einem flachen Bogen und südlich der ‚Langen Lacke‘ fahrend nach etwa neun Straßenkilometern dahin zu gelangen.

Ohne Unterbrechung begleitete Leonhard auf dem rückwärtigen Sattel das Gefühl, eine lange, gerade, sanftsteigende Rampe emporzufliegen, was in keiner Weise tatsächlich der Fall war. St. Andrä liegt sogar um ein ganz geringes tiefer als Fraunkirchen, und Wallern tiefer als St. Andrä ... Er aber, Leonhard, stieg, zog aufwärts. Wie ein großes, blankes Blatt Papier sank hinter ihm und unter ihm jenes Dreieck zurück, zwischen dessen Spitzen er schon fast mit Regelmäßigkeit hin und her gewechselt hatte: Malva, Elly, Trix. Es war hier nicht eine durch die andere zu verdrängen, etwa durch jeweilige Steigerung einer der drei Vorlieben, welche dann den beiden anderen, von ihr so verschiedenen, die Kraft entzog. Jetzt aber schlugen sich alle drei, gleich einer weißen Schwinge, noch einmal aufleuchtend, nach abwärts, und verschwanden schon im Dunkel, wie ein Taubenschwarm, der auf den Grund einer Gasse fällt.

Es war die letzte Fahrt gewesen, die Niki und Leonhard gemeinsam in's Burgenland unternahmen. Über den Winter löste Zdarsa die Nummern-Tafel von der Maschine und stellte sein Indian-Rößlein ein.

Dem Scheindler tat das gut. Wenn auch Leonhard, wie wir schon sagten, mit seiner Lernerei nie nennenswert nachgelassen hatte: nun kamen wieder regelmäßig die Sonntage hinzu. „Gehn S' nicht in die Kirchen, Herr Kakabsa? Na, is' guat. I bet' für Ihna." Sie heizte ein und kochte Kaffee.

Man muß jetzt des Landesschulinspektors Scheindler gedenken, bei diesem Anlasse. Er war einer der fürchterlichsten Menschen, die es je gegeben hat. Wenn er bei einer Klassen-Inspek-
tion Zwischenfragen stellte, so schnarrte seine Stimme wie eine
Karfreitags-Ratschen, insbesondere beim Aussprechen des Namens einer jener überaus lästigen Völkerschaften, die sich andauernd in den Berichten Caius Julius Caesars herumtreiben: es
waren die Treverer. (Leonhard kannte natürlich diese Völkerschaften bereits, ohne noch den Caesar lateinisch gelesen zu
haben: die Ubier, die Allobroger, die Tenkterer; die letzteren
waren vom Landesschulinspektor stets auch sehr schön ausgesprochen worden.) Scheindler's Lateinische Schulgrammatik ist
ein erlauchtes Kunstwerk. In ihrem Innern wohnt nicht nur die
tiefernste Liebe eines großen Grammatikers für die Sprache der
Sprachen: sondern es wohnt Liebe zum Schüler darin, der aus
einem absurden und verstiegenen Barbaren Schritt für Schritt
heraufgebildet werden soll auf die Ebene eines vernünftigen und
logisch denkenden römischen Weltbürgers.

Leonhard hatte schon das richtige Buch. Das war ja auch von
ihm festgestellt worden, rechts neben Trix und Fella Storch sitzend – nicht zwischen Trix und Fella – an der Böschung, die sich
zum Wasser hinabsenkte. Aber nicht Leonhard war bei dem
Landesschulinspektor an den richtigen gekommen, sondern umgekehrt. Das wird sofort klar, wenn man an die Generationen
von faulen und wurstigen Gymnasiasten denkt, die der Landesschulinspektor einst vorüberwanken sah. Er liebte unglücklich.
Jetzt aber ersah sich der alte Adler (Legions-Adler) seine späte
und rechte Beute: er stieß herab aus dem grammatischen Himmel und kriegte den Leonhard zwischen seine Fänge.

Immer noch können, zum Glück, unsere alten Lehrer dann und
wann auf uns herabstoßen. Sie waren allzu trefflich für uns, wir
holen sie spät erst ein, meistens gar nicht. Gefäße von Wissen
und Können, die sie waren! Und das alles wurde von ihnen über
uns ergossen wie köstliche Essenzen, zu viel, es war vernünftigerweise bei solch schmalem Gehalte kaum zu rechtfertigen. Wir
hatten einen Griechen, der las mit uns sogar den Gorgias Meno,
die kolossalische Hauptschlacht des religiösen Genius eines So-
krates gegen den toll gewordenen griechischen Logizismus,
dessen Waffen jener so meisterhaft führte. Wir hatten einen Ma-
thematiker, ein Tscheche (in Österreich waren die Mathematik-

Professoren meistens Tschechen, doch scheint das der Forschung bisher nicht aufgefallen zu sein), der war ein Ekel, aber ein überragender Lehrer und im Grunde auch liebevoll, denn er machte alles durchsichtig wie Kristall, und am Ende kam's uns Tröpfen auch noch leicht vor. Man habe in einem Büchel die Namen und kreuze jene an, die leider schon verstorben sind. Man entzünde alljährlich am Allerseelentag allein in seinem Zimmer eine Kerze: pro defunctis omnibus nostris magistris, doctoribus et praeceptoribus.

Der alte Scheindler also kam endlich zum Zuge und adoptierte den Leonhard.

Die Magazineurs-Witwe heizte jetzt schon ein wenig ein um die Zeit, da Leonhard aus der Arbeit zu kommen pflegte.

Sie brachte dann Kaffee. Er gewöhnte sich daran.

Das Essen wollte er jetzt immer erst eine Stunde später.

Längst vollzog sich sein tägliches Lernen bei elektrischem Licht. Der Herbst sank in's Grau. Dahinter war durch Augenblicke oft der Sommer noch anwesend, wie eine Schwinge, die sich vom Sonnenglanz in's Dunkel schlägt. Die Brücke, die Treppen hinab zur grünen Lände, Trix, Fella, die Bücher, das Laub der Bäume jenseits des Wassers noch grün, starr wie Buntpapier. Doch war das schon gegen Ende des September gewesen, ein neues Schuljahr für die Gymnasiastin Fella hatte nicht lange vorher begonnen; das war von ihr erwähnt worden. Er gedachte dieser Fella jetzt zum ersten Male wieder. Die Mädchen waren von ihm lange nicht mehr im Fenster erblickt worden. Es wurde zu kalt. Bei Trix oben, im Kreis der jungen Leute, war Fella dem Leonhard nicht begegnet.

Jetzt aber kehrte sie wieder, und aus einem befremdlichen, wenn auch guten Grunde. Das Verschwinden seiner Spannung zu Trix, Malva, Elly, zu den drei Punkten des Dreieckes also, das den Sommer und Herbst umschlossen, ja dessen Grundfigur abgegeben hatte, streckte diese Figur gewissermaßen aus, zu einer gleichgültigen Geraden, einer Reihe, in welche die drei zurücktraten, und wo Fella schon längst und von Anfang an gestanden war: jetzt auch die anderen drei in gleicher Weise ortend.

Es ist anzumerken, daß Leonhard sehr wohl begriff, warum er ohne allen äußeren Anlaß an Fella dachte. Er begann mit seinem psychischen Apparat vertrauter zu werden. Lange schon legte er ja seine Hände auch kundiger auf die Hebel der Mechanik des Geistes. Das war schon zu erkennen gewesen an seiner Art, wie er lernend abwechselte.

„Was lernen S'?" fragte eines Tages die Alte.

Sogleich empfand Leonhard Scheu vor möglichen Gesprächen über ‚Fortbildung' und vor Fragen, wozu er denn das Latein brauche. Immerhin, er sagte: „Lateinisch."

Die Alte ging wortlos aus dem Zimmer. Nach zwei Minuten kehrte sie zurück, einen Zettel in der Hand.

„Das hat mir vor viele Jahre a Student aufg'schrieben, der hier in Ihrem Zimmer gewohnt hat. I hab' vergessen, was es heißt, er hat mir's gesagt, aber nicht aufgeschrieben. Soll mir Glück bringen, hat er gemeint."

Es war eine kleine, saubere Schrift. Leonhard las:

Eripe me, Domine, e necessitatibus meis.

Leonhard verstand dies so glatt, als ob man ihn etwas in der Muttersprache hätte lesen lassen.

Seine Übersetzung war bemerkenswert: weder wörtlich noch eigentlich frei; er sagte: „Reiße mich heraus, Herr, aus dem, was mich nötigt."

„Verstehn Sie's?" fragte die Magazineurs-Witwe und sah ihn aus ihren wäßrigen Augen an.

„Ja", erwiderte Leonhard; und sonst kein Wort. Er klappte sogar den Mund so entschieden zu, daß es hörbar war: so biß er gleichsam den Faden eines sich anspinnen wollenden Gespräches ab. Die Alte betrachtete ihn durch ein paar Augenblicke – und vielleicht erstaunt – dann schlurfte sie hinaus.

Er wußte also bereits, wie man sieht, daß es gerade auf dieses eine oft vor allem ankommt: sich nicht einzulassen. Er hatte bereits seine Erfahrungen gemacht in der Technik des geistigen Lebens, und diese Erfahrungen begannen ihm in's Blut zu gehen; das heißt, sie wurden ihm ganz und gar eigentümlich, sie waren drauf und dran, Eigenschaften Leonhards zu werden.

„Dieser alte Beinerhaufen", dachte Leonhard, neben dem Ofen sitzend und zur Türe blickend, die sich eben hinter der Magazineurs-Witwe geschlossen hatte, „in die Kirche rennen kann sie, aber wenn ihr einmal was gezeigt werden soll – will sie nicht. Natürlich will sie nicht! Was gibt es da zu verstehen, das liegt doch auf der Hand." Er sprach den lateinischen Satz jetzt korrekt aus, wie eine Formel, langsam. Seine Augenlider senkten sich, schlossen sich zum Spalt: schon flog er, auf dem zweiten Sattel der Maschine hinter Niki sitzend, über die Landstraße dahin, zwischen St. Andrä und Wallern. Schon stieg er, zog aufwärts. Wie ein großes blankes Blatt Papier sank hinter ihm und unter ihm wieder jenes Dreieck zurück, zwischen dessen Spitzen er fast mit Regelmäßigkeit hin und her gewechselt hatte: Malva, Elly, Trix. Und alsbald verschwanden sie, eben noch aufleuchtend und schon verdunkelt, wie ein Taubenschwarm, der auf den Grund einer Gasse fällt. Zuletzt hatte sich die große helle Fläche in viele einzelne zerlegt, es war fast, als ginge sie in Scherben.

„Das kann ich doch nicht selbst", sagte Leonhard laut vor sich hin.

Gleich danach aber war der Glanz des Sommers wieder anwesend, es hob und senkte sich zweimal seine Schwinge im weiten Luftraum über dem Tal. Leonhard hatte den Park bergwärts verlassen durch ein rückwärtiges Türchen im Zaun: am steilen Hang im Wald bald ein ebenhin querender Weg. In der Ferne und Höhe dunstete Fels. Ein Vogel, der in der finstern Waldestiefe gepfiffen hatte, schwieg jetzt. Es war vollkommen still.

Wie ein Boot, das bei Nacht über den dunklen Wasserspiegel kommt und ihn leise plätschernd nur wenig bewegt – und schon liegt es in aller Stille am Stege: so grenzte jetzt wieder die Gräven an Leonhards Leben; ohne benachbarte Verstrickung für ihn, wohlan! Aber was wußte er von ihr? Die Vorstellung, daß es hier nichts zu wissen gab – es war das sozusagen eine Vorstellung auf Numero Sicher, ganz im Einklang mit den einschlägigen Wahrnehmungen in der Erfahrungswelt! – setzte sich doch so sehr fest in ihm, daß man's fast verhärtet nennen könnte. Bei ihren Zweisamkeiten im nachhinein – an diesen hielt Leonhard fest wie an etwas gleichsam rituellem – saß die Gräven für ihn unweigerlich vor einem geschlossenen Vorhang, übrigens einem schäbigen, der ihr sonstiges Dasein verhüllte, ohne daß er, Leonhard, darauf im geringsten wäre neugierig geworden. Er wußte von einer leeren, kahlen Bühne mit einem Bett oder einem Sofa darauf, punktum.

Es soll durchaus nicht ganz in Abrede gestellt werden, daß die Sachen sich bei Anny Gräven so und nicht anders verhielten.

Zugleich doch konnte ihr Plaudermund von abgründiger Verschwiegenheit sein. Es ist erwiesen, daß wirkliches Interesse den Schwerhörigen feinhörig, den Schläfrigen sofort wach, den zerfahrenen Vielbeschäftigten sogleich gesammelt und aufmerksam macht: und so auch versiegelt die wirklich schwere Gefahr jeden schnellplappernden Mund.

Solche Zustände begannen, seit Anny in engere Beziehungen zu ihrer Berufsgenossin Hertha Plankl getreten war. Diese, ein dickliches blondes Mädchen von unglaublich geringer Intelligenz – übrigens eine Burgenländerin – unterhielt bestimmte Beziehungen zur ‚Galerie‘, wie man in Wien die berufsmäßigen Leichtverbrecher nennt: große Falschspieler als oberste Schicht der ‚Galerie‘, Taschendiebe, Dokumentenfälscher, Verbreiter (nicht Erzeuger) von Falschgeld, Schwindler jeder Art, Hehler und Verwerter schwerer anbringlichen Diebsgutes, mitunter auch von Teilen der bei Einbrüchen gemachten Beute. Die ‚Galerie‘ verzweigt sich hier in anerkannte Berufe; einer oder der andere Fahrer vom Trabrennen im Prater hat ihr schon angehört; Buchmacher, sogar Cafétiers und manche Artisten (die hier mitunter auch ihre Fähigkeiten und ihr Können mißbrauchten) standen mit der ‚Galerie‘ in Verbindung.

Hertha war ihrer Dummheit wegen in Gebrauch genommen worden, um Pakete aufzubewahren.

Sie erhielt dafür keinerlei Entgelt.

Gelegentlich traktierte man sie mit Wein.

Der ‚Galerist‘ wird vom kapitalen Schwerverbrecher im Grunde wahrscheinlich verachtet und würde wohl auch nicht gerne an dessen Tisch treten. Jedoch, es gibt Fälle, wo man ihm pfeift. Es gibt mindere Beuteteile. So kann der ausgeräumte Laden eines Juweliers auch fünfzig Stück goldene Uhren enthalten haben, die garnicht von Gold waren, und mit welchen zwar der Geschäfts-Inhaber keineswegs beabsichtigt hatte, seine Kunden zu betrügen, sondern sie als „Imitation" zu verkaufen: andere Absichten freilich verband der Galerist mit dem Ankauf, der für ein geringes zu tätigen war, nur erhöhte sich der Preis dadurch, daß man auch einer echten goldenen Uhr aus der Beute bedurfte, die genau so aussehen mußte wie die falschen. Oder es gab etwa ein Paketchen mit Bruchgold, das bei einer nicht ganz einwandfreien Teilung nach einer gelungenen Aktion beiseite gerutscht war. Ein solcher Fall konnte fressenden Grimm erzeugen, nicht wegen der lumpigen paar hundert Gramm Gold, sondern wegen der Schweinerei, die darin lag. Gerade dies widerfuhr dem Meisgeier, dem ‚Geierschnabel‘, welchen man wegen seiner Gesichtsbildung so zu nennen pflegte. Diesmal aber hatte es geschnappt. Denn der ‚Geierschnabel‘ hegte schon des längeren gegen die dumme Hertha Verdacht wegen ähnlicher vorhergegangener Sachen; und als sie im Schankraum ihre Federboa über das neben ihr auf der Bank liegende Paketchen schob: da war es zu spät. Sie freilich in ihrer Dummheit fühlte sich sicher, denn Meisgeier trat ja eben in diesem Augenblicke erst ein. Die Galeristen hatten ihr das Ding vor zwanzig Minuten übergeben und saßen nun völlig harmlos da, ohne irgendwelche Taschen oder gar Pakete, nicht einmal Mäntel hatten sie. Es war ja noch warm. An einem anderen Tische als Hertha saß Anny Gräven, ebenfalls allein, denn sie erwarteten ja ihre Kundschaft, welche gleich im Hause nebenan abfertigen zu können Hertha in der glücklichen Lage war. Allerdings machte sie davon nicht in jedem Falle Gebrauch. Es mußte schon die richtige Kundschaft sein, wenn man sie mit in die Wohnung nehmen wollte (solche Einschärfungen stammten von Anny Gräven). Auch das Zimmer Hertha's war behaglich eingerichtet – es gab daneben eine kleine Küche, ähnlich wie bei der Gräven – nur bot das Fenster nicht eine freie, weite Aussicht gegen den Prater zu, wie es dort bei Anny war; es ging auf einen engen Hof; durch diesen drang der Lärm aus dem Lokale hier oft sehr stark hinauf – sogar verstärkt, wie durch einen Trompetenhals – und außer dem Lärm noch das und jenes andere; obendrein gab es keine rechte zweite Möglichkeit zur Lüftung; um diese gründlicher zu bewerkstelligen, mußte man Zugluft erzeugen, was mit Hilfe eines Küchenfensters zur Not gelingen konnte. Solchermaßen, und in anderen Punkten noch, zeigten sich die Mängel von Hertha's Wohnung, besonders jetzt, bei noch sommerlicher Wärme. Aber dafür blieb sie hier von der Polizei toleriert und von ihr unbehelligt, ebenso wie es Anny dort drüben am Praterstern war, zwischen ihren alten Mauern.

Der ‚Geierschnabel‘, bei seinem Eintritt in den Schankraum, beachtete niemanden und nahm im Hintergrunde allein an einem Tische Platz. Die ‚Galerie‘ wagte es weitaus nicht, ihn zu grüßen. Daß er sich mit dem Rücken gegen das Lokal, also auch gegen Hertha setzte, vermochte Anny nicht zu beruhigen. Sie haßte jetzt Hertha geradezu wegen ihrer Dummheit und mitsamt ihrem Paketchen unter der Federboa. Sich vorzusagen, daß Meisgeier ja am Hinterkopfe keine Augen habe, wäre fast ebenso dumm gewesen; aus der Stellung zweier Spiegel, die es dort rückwärts gab, mit einiger Sicherheit entnehmen zu wollen, was er sehen konnte und was nicht, war Unsinn. Die Gräven spürte die Gefahr, mochte deren Herankommen sich auch nicht durch das kleinste äußere Zeichen verraten; es kroch unserer Anny der Schrecken unter Rock und Wäsche über die rundlichen Schenkel wie ein Ameisenheer, während in der Gegend des Herzens Kühle einbrach. Ihre Neigung zu Hertha erwies sich plötzlich als tiefer wie ihr Wissen, das sie bisher davon gehabt. Endlich sah doch die dumme Kuh her. Mit der rechten Hand, hart am Körper neben dem rechten Schenkel, gab sie ihr einen Wink, der nichts anderes bedeuten konnte als ‚Verschwinde!' um so mehr als er gegen den Ausgang des Lokales wies. Dazu blitzten Anny's Augen das gleiche Signal. Ja, sie blitzten wütend: auch das konnte die Gräven, wenn auch selten, wenn sie vielleicht auch nur wegen der dummen Hertha solcher Heftigkeit fähig war . . . Sonst niemandes wegen; nein, sicher nicht. Wenn Leonhard sie so gesehen hätte!

Immerhin gebrauchte Hertha ihre Federboa beim Abgehen ganz geschickt und, wenn es auch zu spät war – längst zu spät, seit Monaten, seit die Kuh sich überhaupt in dieser trottelhaften Weise mit den Galeristen eingelassen hatte! – jetzt zunächst geschah nichts, konnte bald nichts mehr geschehen, Meisgeier rührte sich nicht, nahm überhaupt keine Notiz von irgendwas. . . . So. Anny hatte diese Minuten jetzt zwischen den Zähnen zerbissen, und die Idiotin befand sich mit ihrem Paketchen doch jetzt wohl schon nebenan hinter dem wieder versperrten Haustor.

Anny sah auf ihr Armband-Ührchen. Es war halb zwölf.

Gegen neun Uhr am Morgen sollte sie zu Hertha kommen, um mit ihr nach Loipersbach zu einer burgenländischen Tante zu fahren; den Mädchen hatte diese mitleidige Frau einen Kapaun als Geschenk versprochen, worauf in keiner Weise zu verzichten war. Am selben Abend noch sollte das Tier in Anny's Küche gebraten werden. Die Gräven hatte den Schlüssel zu Hertha's Wohnung im Täschchen. Denn wenn die Plankl schlief – und freilich war sie ja, ebenso wie Anny, gewohnt, weit in den hellen Tag hinein zu schlafen – dann konnte man den Daumen auf der Klingel liegen lassen, und nichts rührte sich. Hertha mußte für die bevorstehende Kapaunen-Reise rechtzeitig aus dem Bette getrieben werden. Die Gräven, auch sonst und überhaupt munterer, besaß einen Wecker.

Jetzt, eine Weile nach dem Abgange Hertha's, kam bei Anny der Rückschlag. Die erlittene Aufregung schlug sich ihr auf die Blase, sie mußte hinaus. Dabei war es nicht erforderlich, Geierschnabels Tisch zu passieren. Sie zog nun schon die Türe des Örtchens zu und tastete dabei nach dem Lichtschalter, der sich hier innen befand, ließ aber jetzt die Hand davon und lugte durch den schmalen Türspalt hinaus: es kamen Schritte. Zu ihrem Schrecken ging Meisgeier dicht an ihr vorbei und trat in das Pissoir, welches mit den Männer-Aborten auf der anderen Seite des schmalen Ganges lag, ohne durch eine Türe von diesem getrennt zu sein. Anny sah Meisgeier auf den Rücken. Schon wollte sie die Türe ganz zuziehen und verriegeln, aber des Geierschnabels befremdliches Gehaben hielt sie fest. Dieser stellte sich nicht, wie zu erwarten gewesen, an die Wand, sondern blieb in der Mitte des Raumes und blickte mehrmals genau über sich, als ermesse er die Höhe. Dabei zog Meisgeier erstaunlicherweise ein Paar dicke Lederhandschuhe aus einer Tasche seiner weiten Flanellhosen und schlüpfte hinein. Dann sammelte er sich anscheinend, duckte sich zusammen, sprang empor, und nun schwebten seine Beine noch schwankend über der Mitte des Raumes, um im nächsten Augenblicke nachgezogen zu werden und zu verschwinden.

Anny Gräven schloß geräuschlos den Türspalt und schob sachte den Riegel vor.

Sie begriff zunächst nichts. Dann hörte sie ein geringes Geräusch seitwärts über sich, offenbar auf dem Glasdache, welches, zur Sommerszeit in der Mitte aufgeklappt, das Pissoir gegen den Hof abdeckte.

Noch fehlte der letzte und wesentliche Kontaktschluß bei der Gräven. Immerhin, sie sah nach dem offenstehenden Abortfenster hinauf und stieg geräuschlos auf den Sitz. Gerade in diesem Augenblicke kamen dicht vor ihrer Nase Meisgeiers Beine vorbei, der sich jetzt draußen auf einem Sims fortbewegte, wie es schien: und zwar fast lautlos. Nur ein ganz geringes

Schaben war zu hören. Es ging die Mauer entlang. Nun konnte Anny den Geierschnabel zur Gänze sehen. Er klebte an der gegenüber liegenden Seite des Hofes etwa in der Höhe des ersten Stockwerks. Und schon auch begann er sich zwischen den dunklen Fenstern beinahe lautlos aufwärts zu bewegen. Seine langen Arme schnellten voraus, der kleine Körper ward mit geradezu leichten und fast anmutigen Bewegungen nachgezogen, die mühelos und sicher aussahen. Das Schauspiel nahm der Anny den Atem. Es war eine vollends unglaubliche Darbietung der Kraft, Gewandtheit und des Mutes, zur Not nur ermöglicht durch die altertümliche Bauart der Praterstraßen-Häuser, mit ihren verhältnismäßig breiten Simsen und Konsolen.

Aber, als sie seinem atemberaubenden Weg voraus- und emporblickte, sprang im vierten Stock wie ein heller, weit in die Finsternis vorstehender Block, das erleuchtete offene Fenster Hertha Plankls in Anny's Blickrichtung.

Sie schrie nicht.

Meisgeier hatte sich in der kürzesten Zeit bis zum dritten Stockwerk emporgearbeitet.

Es ging in der Gräven etwas unbegreifliches vor, das sie zwang, von jeder Störung der vor ihren Augen sich abspielenden großartigen Leistung, von jeder Störung dieses sich vollendenden Werkes unbedingt Abstand zu nehmen. Sie spannte sich nur dem Augenblick entgegen, da Meisgeier dort in dem hellen Viereck auftauchen und über das Fensterbrett steigen würde. Sie wartete, daß es ihr die Augen heraustrieb – und merkwürdigerweise ohne Angst um Hertha. Die schlief wohl inzwischen, bei eingeschaltetem Licht, wie so oft schon. Sie würde gar nichts bemerken – bis auf das Verschwinden des ihr übergebenen Paketchens ... recht so. Anny versäumte aber – bei schon heftig stoßendem Herzklopfen – beinahe die Verdunklung des hellen Viereckes durch Meisgeiers Einsteigen: sie sah nur eine kleine Verschattung, als er über das Fensterbrett glitt. Ihr Gehör jedoch weitete sich jetzt zu einem gespannten Sprungtuch, um jedes geringste Geräusch zu fangen, das von dort oben würde herabkommen. Aber es kam keines. Vielmehr erschien der Geierschnabel wieder – zwischen seinem Ein- und Ausstieg hätte man kaum bis fünfzehn zählen können – und zwar mit leeren Händen. Hatte er das Ding in seinen

Flanellhosen untergebracht? Schon kam er herab: wie eine zuckende Spinne an der Mauer klebend.

Es dauerte gar nicht lange, und seine Beine waren durch Augenblicke wieder dicht vor ihr. Sie duckte sich zusammen. Nun hörte sie geringes Geräusch auf den verglasten Stahlrahmen nebenan. Es blieb eine Weile vollkommen still: Meisgeier mußte sich wohl überzeugen, daß niemand im Pissoir war oder im Männer-Abort. Dann konnte Anny wieder was hören, und gleich danach ein schwaches Aufklatschen der Sohlen am Boden: er hatte sich also bereits herabgelassen. Unmittelbar danach wurde der Geierschnabel sehr laut; eine Spülung rauschte; gleichzeitig hörte Anny, wie er seine Kleider mit den flachen Händen abputzte. Sodann lief spritzend Wasser in das Waschbecken. Während solcher Tätigkeiten, die einige Zeit in Anspruch nahmen, räusperte sich Meisgeier profund. Dann schritt er langsam in das Lokal zurück, während gerade jetzt ein anderer Gast von dort heraus ins Pissoir kam.

Anny war die ganze Zeit hindurch glücklich gewesen, sich hinter einer verriegelten Türe zu wissen. Jetzt endlich machte sie Licht und besorgte ihr Geschäftchen. Als sie das Schankzimmer betrat, saß Meisgeier vor einem frisch gebrachten Krügel Bier und las in der Zeitung.

Aber nicht sehr lange. Er rief den Wirt, der hier selbst die Bedienung besorgte, und fragte höflich, ob er ihm sagen könne, wie spät es sei. „Zehn vor zwölf, Herr Meisgeier", erwiderte der Schankwirt beflissen. „Ja, was denn . . .?" sagte der Geierschnabel, anscheinend zerstreut, „wie lang' sitz' denn ich eigentlich schon da?" „Gar nicht so lang", antwortete der Wirt, freundlich lächelnd und etwas über den Tisch vorgeneigt, „Herr Meisgeier sind kurz nach elf gekommen, ich hab' mir's zufällig gemerkt, weil danach die kleine Frau Hertha weg'gangen ist, ohne Begleitung, die bleibt sonst länger." „Meinen Sie die dickliche Blonde?" „Ja, ja", sagte der Wirt. „Schad'", bemerkte Meisgeier, „mit der hätt' ich heut' ganz gern an halben Liter getrunken." „No, wird ein anders Mal noch Gelegenheit sein", meinte der Wirt lachend, „ein liebes Mädel ist sie schon." „Ja, ein lieber Schneck", sagte Meisgeier. Er bezahlte, und bemerkte noch: „Ich geh' von hier jetzt direkt in's ‚Alhambra', wenn mich wer sucht, bitte." „Jawohl, Herr Meisgeier", erwiderte der Wirt. Geierschnabel ging.

Die Gräven hatte das wiedergegebene Gespräch so ziemlich gehört und aufgefaßt, wenn auch nicht jedes einzelne Wort. Sie wehrte sofort und ärgerlich der abwegigen Versuchung, sich durch Meisgeiers freundliche Äußerung über Hertha einlullen zu lassen; denn ihr war der Sinn dieser kleinen Unterhaltung vollends klar. Sie wußte auch, daß Geierschnabel jetzt wirklich direkt ins ‚Café Alhambra' eilen würde, um dort sofort mit dem Wirt, dem Kellner oder der Kassierin ein ganz ähnliches Gespräch anzuknüpfen, in welches, ebenso wie hier, zunächst einmal eine Feststellung der Uhrzeit einfließen konnte. Daraufhin nun, als nämlich die Gräven diese Vorbereitungen eines Alibis klar erkannte, kriegte sie's plötzlich wieder mit der Angst, aber viel ärger wie früher: in der Gegend des Herzens wehte eine Kühle, welche jetzt einen großen Teil der Brust zu erfüllen schien.

Ein Herr trat ein und setzte sich an jenen Tisch, den Hertha früher innegehabt hatte, und der bis jetzt frei geblieben war. Dieser Herr, nun gerade in Sicht der Gräven sitzend, war ein nicht hierher gehörender Herr. Das konnte vorkommen. Im Lokal sah es keineswegs verdächtig aus, vielmehr sauber und gepflegt; auch war die Ventilation gut; ebenso Gulasch und Bier. Beides schien dem späten Gaste zu behagen. Der Wirt bediente persönlich mit ausgesuchter Höflichkeit. Ihm waren Fremdlinge solcher Art schon recht, nicht nur ihrer Harmlosigkeit und Zahlungswilligkeit wegen, sondern weil durch ihr fallweises Vorhandensein eine sehr gewitzte Kriminalpolizei sich etwa bei Razzien, Kontrollen, Perlustrierungen zu einer mehr zurückhaltenden Art des Auftretens und Vorgehens veranlaßt sah.

Die Gräven erblickte in jenem fremden Herrn eine mögliche und sehr annehmbare Kundschaft; auch empfand sie plötzlich ein übermächtiges Bedürfnis nach Wein, welches sie ungern auf eigene Kosten befriedigt hätte. Jedoch mit ihrer Tüchtigkeit war es augenblicklich schon ganz und gar nicht weit her. Es lag irgendetwas wie ein Bleipatzen in ihr. Zudem wurde sie plötzlich dessen inne, daß sie nicht wußte, wie sie jetzt eigentlich aussah: ob nicht etwa sehr blaß, oder gar zerstört, vielleicht waren die dunklen Ringe unter den Augen stark sichtbar, vielleicht glänzte die Nase ... Sie hatte ihr Äußeres seit einer guten Stunde nicht mehr kontrolliert. Draußen wäre wohl ein

Spiegel gewesen . . . Nun zog sie den ihren aus dem Täschchen, der sich im inneren Deckel der Puderdose befand. Sie bespiegelte sich in jener unauffällig-deutlichen Art, welche dem neu gekommenen Gaste anzeigen mochte, daß man vor seinen Augen zu bestehen, daß man ihm zu gefallen wünschte. Es war alles besser, als sie erwartet hatte. Die Augen glänzten. Der Teint war matt. Das Lippenrot noch ausreichend. Ein Griff an die Frisur. Anny war wieder bei sich selbst, das Instrumentarium in Ordnung. Der Gast drüben hatte seinen nächtlichen Imbiß beendigt, den Teller fortgeschoben – alsbald eilte der Wirt herzu und nahm ihn vom Tische – und das Bierkrügel nach einem kräftigen Schlucke hingesetzt. Jetzt lächelte er ungeniert und freundlich zu der Gräven hinüber, die eben in ihren Spiegel herabsah – sie hielt ihn diskret unter der Tischkante – jedoch immerhin bemerkte, was sie ja doch ex offo anging. Also gab sie das Lächeln zurück. Ihr toter Punkt, ihre Lähmung waren überwunden. Bald saß der neue Gast an ihrem Tisch, und es kam ein halber Liter. Der Wirt befliß sich.

Es war gemütlich hier, das Lokal hatte sich fast geleert. Die Gesellschaft war der Anny angenehm. Sie hatte einige Freunde von dieser Art. Daß der Fremde zur gleichen Sorte gehörte, stellte die Gräven sofort durch den Geruchs-Sinn fest. Dann erst kam alles übrige: Hände, Sprache. Ganz zuletzt der Umgangston; diesen bemerkte sie am wenigsten; denn auch der ihrige war nicht schlecht. Irgendetwas hatten die alle mit dem Leonhard gemeinsam. Aber Leonhard war ihr lieber. Vielleicht liebte sie den Leonhard. Manchmal schien es ihr so. Sie dachte oft an ihn, auch jetzt, während der Herr ihr einschenkte. Alle diese Herren benahmen sich im Grunde wie jemand, der aus einem vollen Glas, das für ihn dasteht, nicht gleich trinkt, und es, sobald es leer ist, noch sorgfältiger hinstellt wie ein volles. Eigentlich waren sie alle sehr nett. Aber am besten machte diese Sachen der Leonhard, wenn sie im nachhinein mit ihm noch irgendwo hinging, Würstel essen oder Wein trinken. Sie lachte, hob das Glas gegen die neue Bekanntschaft und trank es aus. Der Wein glitt wie eine letzte noch fehlende Tröstung durch ihre Kehle, er wusch jede Angst weg. „Was ist das für einer?" fragte sie den Wirt, der grad vorbeikam. „Vom Neusiedler See, gnädige Frau", sagte er, „ein Ruster." „Hab' ich Ihren Geschmack getroffen?" fragte der Herr, der diesen Wein dem Wirt auf der Karte gezeigt hatte. „Ja, der ist gut", sagte Anny, „sonst trink' ich hier den Heiligensteiner." Morgen würde sie mit der Hertha ins Burgenland fahren ... (nun hatte Anny in der Tat vergessen, was sich abgespielt, was sie mitangesehen hatte). Sie trank. Es tat ihr wohl wie noch nie, so kam's ihr wenigstens vor.

Jetzt erst begann sie, ihre neue Bekanntschaft etwas deutlicher und mehr im einzelnen zu sehen und dachte sich dabei: ‚a fescher Kerl; aber ausschaun tut er elendig; der hat an Kummer; wird weg'n an Frauenzimmer sein.' Sie schätzte ihn um vierzig herum. Was ihr gefiel, war die Energie des Antlitzes, waren die breiten Schultern, die breite Brust bei sonst schlanker Gestalt – seine Figur hatte ihr schon gefallen, während er auf ihren Tisch zugeschritten war. Was sie befremdete, waren die scharf eingeritzten Gesichtszüge, hervorgehoben, als hätte man's mit einer Reißfeder noch deutlicher gemacht. Anny begann zu plaudern, das stand ihr wohl an, sie hatte Charme beim Sprechen; natürlich sagte sie lauter erlogenes Zeug, was ihr gerade einfiel, aber in einer gutmütigen Art, welche gar nichts bedeuten wollte, vielmehr die Nachsicht des Zuhörers für das Gesagte, ja, für die ganze eigene Person ungeniert und offenkundig in Anspruch nahm. Dieser Zuhörer aber war wirklich einer, ihm schien ihr Reden zu gefallen, und was er gelegentlich sagte, war nie eine Äußerung seinerseits, sondern stets noch eine Frage, welche Anny zu weiterem ergänzendem Geschwätze veranlassen mußte. Sie hatte beim Reden etwa das Gefühl, als wiche vor ihr ein glänzender Hohlspiegel immer ein wenig zurück, und sie sah darin ihr munteres und bald auch vom Weine leicht gequollenes Gerede in lustiger Verzerrung, da vergrößert, dort wieder ganz klein. Ihr war bewußt, daß er wohl kaum irgendetwas von alledem, was sie sagte, für wahr halten mochte, aber seine Zwischenfragen bewiesen doch, daß er, unter jener Voraussetzung zwar, ihr lustiges Lügengespinst als solches – freilich bestand es aus lauter abgebrochenen und durcheinander geworfenen Stückchen, die einst dem Leben und der Wirklichkeit angehört hatten – genau beobachtete und in sich aufnahm; und wo ihm etwas in der Ausführung zu fehlen schien, dort wünschte er es ergänzt zu haben; und ebenso mußte Anny Mängel ihrer windigen Improvisation im nachhinein verbessern. Wie ein Reitlehrer, der verlangt, daß die Ecke in der Reitschule ordentlich ausgeritten, und die Wand nicht vor der Marke verlassen werde. Wenn schon gelogen, dann mit Kunst.

Der Herr von Geyrenhoff hätte einfach gesagt, daß Schlaggenberg heute abend ‚ebbte‘.

Es war seine schlimmste Zeit damals. Noch hielt er weit vor jener – seinem Dafürhalten nach – letzten Entscheidung, auf einer Verkehrs-Insel, wie man sich erinnern wird, im November dieses Jahres 1926, wobei er von der erwähnten Insel mit einem Fuß herabgetreten war, so daß ein Auto vor ihm scharf hatte ausweichen müssen.

Die Gräven erzählte nach und nach die ganze Vorgeschichte und Geschichte ihrer Ehe – von dem Kokainismus ihres Gatten, des Zahntechnikers, vom allmählichen Zugrundegehen des Geschäftes – und ganz leichthin floß so zwischendurch die offenherzige Feststellung ein, daß sie ihrerseits auch ein Lump gewesen sei: denn bei einem kurzen Aufenthalt in Berlin, wo sie Verwandte ihres Mannes hatte besuchen müssen, war ein wertvoller Pelzmantel, den ihr dieser geschenkt, von ihr kurzer Hand verkauft worden, nur um alles zu versaufen und zu verspielen. Sie sei da in eine sehr lustige Gesellschaft geraten. Anny schien davon jetzt noch hoch befriedigt.

Aber daß sie selbst sich dem Rauschgifte zuletzt doch hatte entraffen können, hielt Kajetan offenbar für außerordentlich bemerkenswert. Auch schien er es wirklich zu glauben, und beobachtete die Gräven aufmerksam, während seine Fragen in diesem Punkte ein wenig nachbohrten.

Gerade hier aber wurde der Anny die Hohlspieglerei erstmalig unangenehm: dort nämlich, wo in ihrer Erzählung das Gelände der Wahrheit hätte betreten werden müssen. Gleichzeitig ward etwas für sie fühlbarer, was die ganze Zeit hindurch schon in ihr heraufgedrückt hatte: der Wunsch nämlich, von hier wegzugehen, sich gleichsam aus der Nachbarschaft eines erlittenen übermächtigen Eindruckes zu entfernen, der da unzerteilt und wie ein Block lag, mochte sie seiner zur Zeit auch schon vergessen haben. Zugleich widerstand es ihr, mit einem so netten Herrn hier in diesem eindeutig-verdächtigen Lokale zu sitzen – von dessen wesentlichem Charakter er vielleicht gar nicht wußte – ja, es erschien dies der Gräven auf irgendeine Art als eine Irreführung und Täuschung ihres neuen Bekannten aus einer anderen Welt.

Des letzten Umstandes war sich Anny in solchen Fällen stets und ganz bewußt.

Sie gingen also, über ihren Wunsch, vom Wirt bekomplimentiert.

Sie traten auf die Straße; noch immer war die Luft warm.

Sie trieben weit um in dieser Nacht, merkwürdigerweise ohne daß Schlaggenberg dabei nennenswertes Geld ausgegeben hätte (er wunderte sich am nächsten Tage selbst darüber), denn gerade darauf legte es die Gräven nie an: ja, sie hielt ihre jeweiligen Partner sogar gelegentlich von unnötigen Ausgaben ab, nicht zur Freude der Gaststätten-Inhaber, die es freilich gerne sahen, wenn ein Mädchen ‚animierte‘. Obendrein suchte Anny von vornherein teure Lokale zu vermeiden. Per saldo erzielte sie mit dieser Technik mehr bares Geld. Auch Kajetan ließ sich in Anny's Wohnung nicht lumpen. Es gefiel ihm hier. Er fand es unpersönlich, sauber, und dumm-‚elegant‘. Sie hatten Wein mit herauf genommen, flache Gläser standen auf einem Tischchen, daneben lag Anny am Diwan. Der Kaffee war ihrerseits bereitwillig beigestellt worden. Das Ganze entsprach ihrem Geschmack: die Person Kajetan's vor allem, dann, daß er sie plaudern ließ und ihr zu trinken gab, so viel sie nur wollte – vertragen konnte sie schon recht viel, immerhin ein harmloser Ersatz für einst gebrauchte Mittel! – ferner seine lebhafte und zärtliche Art. Die Gräven folgte ihm mit den Augen, während er im Zimmer auf und ab ging, die Hände in den Taschen. Ein halb zurückgeschlagener Vorhang ließ in der Ferne einzelne Lichter sehen, am Rande des Praters, wo eine Gürtelbahn auf ihrem Viadukt über die breite Hauptallee hinweg lief.

„Ich hab’ eine Schwester“, sagte Kajetan, „von der sagen manche, daß sie mir ähnlich sieht. Aber ich weiß, daß sie gar nicht meine Schwester ist, auch nicht meine Halbschwester. Sie hat einen anderen Vater und eine andere Mutter. Mir ist bekannt, wer die waren – die Mutter lebt sogar noch – aber ich habe die beiden nie gesehen.“

„Hast du noch Eltern?“ fragte Anny.

„Ja, die Mutter“, sagte er.

„Weiß sie – daß du weißt?“

„Ja freilich. Ich hab’ mit ihr oft davon gesprochen.“

„Und deine Schwester weiß nichts?“

„Nein.“

„Dann sollte man es ihr doch einmal sagen. Wie alt ist sie?"

„Schon weit über zwanzig."

„Und wie stehst du mit ihr?"

„Sehr gut."

„Mehr nicht?"

„Vielleicht mehr – aber nicht so wie du glaubst."

„Ich glaub' gar nichts. Gefällt sie dir?"

„Nein. Sie ist, für meine Begriffe, nicht eigentlich weiblich."

„Eine Studierte?"

„Musikerin."

„Und wie ist das ganze überhaupt möglich?"

„Ja . . . ein untergeschobenes Kind, müßte man sagen. Dem besten Freunde meiner Eltern ist halt einmal was passiert, mit einem jungen Mädchen, die meine Eltern auch gut gekannt haben, besser noch eigentlich ihren Vater . . . na, man hat das Mädel, sie war um zwanzig damals, ins Ausland gesetzt, für ein Jahr; und meine Eltern sind für ebenso lange verreist, offiziell ganz anderswohin, versteht sich . . . und vor Ablauf dieses Jahres haben meine Eltern, von Südfrankreich aus glaub' ich, ein kleines Nest war es, wo niemand hinkommt, die Geburt eines Töchterchens nach allen Seiten angezeigt . . . solche Sachen lassen sich schon arrangieren. Sie sind damals auch in Nordafrika und Spanien gewesen. Mich hat man zuhause gelassen. Ich war noch ein kleiner Bub."

„Das war lang vor dem Krieg?"

„Ja, freilich. Es war 1901."

Jetzt endlich begriff Kajetan, was ihn zu diesen ihm selbst erstaunlichen Äußerungen reizte, einem fremden Straßenmädchen gegenüber, in deren lächerlich-eleganter Wohnung am Prater . . . es war das Bedürfnis, einen absurden Sachverhalt, über den zu schweigen er durch den letzten Willen seines Vaters verpflichtet war – so lange Quapps wirkliche Mutter lebte – gleichsam von außen anzuleuchten, indem er die ganze Sache einem völlig abseits stehenden Menschen erklärte. Es galt für ihn gleichsam, mit dieser Angelegenheit die Probe auf das zu machen, was man den gemeinen Verstand, den ‚common sense', nennt. Ließ sich das ganze in Kürze jemand gegenüber darstellen, der ohne jede Voraussetzung und ohne jede Beziehung zu dieser Gruppe von Fakten war – dann fielen diese selbst auch nicht vollends aus dem Rahmen des Vernünftigen und in's Absurde: einfach deshalb, weil sie mitteilbar waren, in Kürze sogar, weit kürzer noch, als Schlaggenberg sich das vorgestellt hatte. Jedes gezwungenermaßen lange bewahrte Geheimnis wuchert schließlich über alle objektiven Maßstäbe hinaus. Lüftung aber läßt das Dickicht wieder zurückweichen und zieht den Kern der Sache als einen fast trivialen an's Licht, vergleichbar mit vielen anderen seinesgleichen. In der Tat, er bedauerte sein Sprechen nicht. Es hatte ihm zu einer völlig neuen Lage-Empfindung diesen ganzen Familien-Angelegenheiten gegenüber verholfen; nun leuchtete er sie wahrhaft wie von seitwärts an, und sie standen weit distanziert, wie jene einzelnen bläulichen Lichter dort drüben am Rande des Praters, wo eine Gürtel-Bahn auf einem Viadukt über die breite Hauptallee hinweglief.

„Dein Vater muß ein sehr guter Mann gewesen sein", sagte Anny. „Komm', setz' dich zu mir."

„Ja, das war er", sagte Kajetan und kam zu ihr auf den Diwan.

„Weiß außer dir und deiner Mutter jetzt noch jemand die Wahrheit?"

„Ja", sagte er. „Ein Herr, der gewissermaßen ... Berater meines Vaters gewesen ist. Er ist damals meinen Eltern an die Hand gegangen, hat das ganze arrangiert. Dieser Mann weiß, daß meine Schwester gar nicht meine Schwester ist."

„Und hält er den Mund?"

„Ja. Letzter Wille meines Vaters."

Anny sah in die Luft, nahm einen Schluck Wein und bedachte sich.

„Bei der ganzen Geschichte verstehe ich nur eines nicht", sagte sie dann. „Wenn der schon – ich mein' den Vater deiner Schwester – einem jungen Mädel aus gutem Haus, wie man sagt, ein Kind anhängt, warum hat er sie dann nicht geheiratet? Da heißt's doch immer, daß es die Ehre erfordert, oder wie man da schon sagt, in solchen Kreisen."

„Ja, das ist allerdings das merkwürdigste an der ganzen Geschichte, da hast du recht", antwortete Kajetan und lachte. „Ganz einfach: sie hat nicht mögen."

„Und warum nicht? War er so grauslich?"

„Aber gar nicht. Ein fescher Kerl ist er gewesen. 1914 ist er gefallen, in Galizien. Aber bürgerlich war er. Und sie eine Baronin."

„Und mögen hat sie ihn doch, zum – na, ja . . ."

„Man muß da wissen, daß sie eine ausnehmend widerliche Gans war, und wahrscheinlich heut' noch ist . . . Dabei wär' es ein schwerreicher Schwiegersohn gewesen, und der alte Baron hat ihn persönlich sehr gern gehabt! Stell' dir das vor! Aber wegen bürgerlich – das wär' dem Vater ganz gleich gewesen. Na, hin oder her – das Mädel hat glatt abgelehnt, und so ist dann diese Tour gemacht worden, mit Hilfe meiner Eltern."

„Na, hat die Nocken später einen Adligen bekommen?"

„Du wirst lachen – ja. Einen französischen Grafen. Ein alter Tattedl. Sie hat ihn beerbt. So macht man's."

„Ja, so macht man's", sagte Anny und streckte sich behaglich aus. „Eines tät' mich noch interessieren: wenn deine ‚Schwester' so einen reichen Vater gehabt hat – der muß ihr doch was hinterlassen haben? Oder deinen Eltern – für sie, mein' ich, vor allem. Sie war doch schließlich sein Kind? Und dann die Mutter: hat sich die gar niemals um ihre Tochter gekümmert?"

„Nein, bestimmt nicht. Das weiß ich sicher."

„Feine Leut'. Und geerbt hat sie auch nichts, deine Schwester?"

„Nein."

„Da wird a Schwindel dabei sein", sagte die Gräven, und weiter nichts.

Aber mit ihren letzten Fragen und der danach noch fallen gelassenen Bemerkung hatte Anny ein Gelände betreten, unter dessen Boden für Schlaggenberg seit langem schon das drückende Wissen lag um kaum greifbare und doch schwerwiegende Versäumnisse. Daß er dem allen nie nachgegangen war, erschien ihm jetzt zum ersten Male einfach als eine Snobisterei, als die Pose eines Menschen, der, mit geistigen Unternehmungen befaßt, sich zerstreut und wenig interessiert stellte, sobald es um die sehr ernsten materiellen Fundamentalien des Lebens ging: und solchen Luxus leistete er sich angesichts der finanziellen Lage von Mutter und Schwester, denen er obendrein noch zur Last fiel, und die – als eine Folge von Levielle's Holzgeschäften mit dem armen Papa – kaum hatten, wessen sie bedurften. Ein dumpfer Druck im Gewissen spricht klarer als jeder Gedanke und macht Haltungen fragwürdig, da mögen sich die noch so frei und unbürgerlich-erhaben geben. Das Schwänzchen, welches Anny der Sache zuletzt angehängt hatte, hing für Kajetan jetzt geradezu an Levielle's Person – der ja Ruthmayr's Testamentsvollstrecker gewesen war – aber wie sollte man es verlängern und greifen, es in die Hand kriegen?

So ging es ihm gar nicht anders als Anny, die vorher schon mit ihren Erzählungen bis an jenen Punkt geraten war, wo das Gelände der Wahrheit hätte betreten werden müssen – mit einem Berichte nämlich von den geradezu tierischen Leiden ihrer Selbst-Entwöhnung, welche, zum Teil wohl durch die äußere Not erzwungen, für alle sonst in diesem Leben gänzlich fehlenden Überwindungen einmalig dastand. Die Gräven vermochte an jene Zeit überhaupt nicht zurückzudenken: es war unerträglich.

Sie verließen Anny's Wohnung.

Sie trieben weit um noch miteinander in dieser Nacht, Gefährten in irgendeiner Weise, wobei man doch sagen muß, daß die Gräven alles innerhalb ihrer Möglichkeiten liegende geleistet hatte, Schlaggenberg jedoch keineswegs und in keiner Hinsicht. Es wurde ihm solches sehr bewußt in dieser Nacht, darin sich keine Schläfrigkeit melden wollte, und der Gedanke an das Lager sich sogleich mit der Vorstellung quälenden Herumwälzens verband. Also trank man gleich weiter schwarzen Kaffee, obwohl dessen schon genug getan war; aber die Anny wollte nichts Alkoholisches mehr.

Immerhin: ein Gewinn dieser Nacht war gemacht, ein Abstand gewonnen, ein Dumpfes und Drückendes, bisher geringschätzig beiseite geschoben, hatte man gleichsam wie ein Paket auf den Tisch gelegt. Da lag es nun, verschnürt, verknotet. Man mußte es zunächst wieder beiseite legen, es ging nicht zu öffnen. Aber es war doch erstmalig in seiner beachtlichen Größe gesehen, sein Gewicht auch in der Hand gewogen worden.

Und zweitens: seit langer Zeit hatte Kajetan heute ein paar Stunden verbracht, ohne an seine Frau, Camy, geborene Schedik, zu denken, an den Konflikt mit ihr, an die jeweils letzten Auftritte, an den Schwiegervater, an die Pein der ganzen Lage. Es war unbegreiflich, fast wie eine Art internes und diskretes Wunder: alles das war vergessen gewesen. Und Anny's Zimmer verlassend, bei einem letzten Blick durch den bereits verdunkelten Raum zum fernen Rand des Praters hinüber, wo die bläulichen Lichter standen, schienen diese auch, was jetzt Kajetans Tage erfüllte und fraß, etwas von seitwärts anzuleuchten oder mit sich in ihre erstreckte Distanz hinüber zu nehmen.

Die Gräven und Schlaggenberg kamen sogar in's ‚Café Kaunitz‘, eben als dort die vorlängst von uns ausführlich beschriebene ‚Dritte Lärmstufe‘ bereits eingetreten war. Der ‚Lungenwurm‘ pfiff, die Chefin sang – aber gleich danach starrte sie wieder in die Spielkarten und zuckte mit den Nasenflügeln – der Schneidermeister Jirasek drohte, jedermann sogleich auf die ‚Polizei-Prosektur‘ bringen zu lassen, und das bedeutete, daß er selbst bald würde mit dem Gesange beginnen. Aber man zerrte ihn rechtzeitig auf die Toilette hinaus, und dort ward er zum so und so vielten Male verprügelt. Hirschkron, der Buchbinder, irrte als arme Seele durch die Hölle, es hatte ihn gerade heute hier herein geweht, aber er stand ratlos herum, das halbvolle, längst warm gewordene Weinglas dieser Nacht in der Hand, ein Pro-Forma-Trinker, der als Kiebitz keine nennenswerte Kartenpartie mehr zum Zuschauen fand, seit der Malermeister Ederl mit seinem letzten Opfer fertig geworden war (‚ein Schlachten war's, nicht eine Schlacht zu nennen‘). Auch der Chefin Augen starrten danach unbefriedigt in's Leere, während aus dem hübschen Graublau ein kalter Tümpel rann. Indessen, Hirschkron ward von Schlaggenberg, der ihn kannte und doppelt schätzte, sowohl als Person wie als Meister seines Fachs, entdeckt, angerufen und begrüßt, und mit Erlaubnis der Gräven an den Tisch gebeten und eingeladen. „Ich bin so frei, Herr Doktor", sagte er, und nahm Platz. Die Gräven lernte solchermaßen Kajetans akademische Würden kennen, was ihr jedoch wenig Eindruck zu machen schien. Es ist übrigens bemerkenswert, daß sie, als Schlaggenberg für einige Minuten sich entschuldigte und das Lokal verließ oder aufsuchte, wie man will, diese Gelegenheit keineswegs benützte, um den Buchbinder zu fragen, wer der Herr da eigentlich sei. Nichts von solcher Art. Aber sie ließ drei Gläser Sliwowitz kommen, bestand darauf, diese sofort zu bezahlen, stieß mit dem Buchbinder an und lachte kindisch, als Kajetan zurückkam. „Ich hab' euch auf eine Runde Sliwowitz eingeladen." Nun, der Meister Hirschkron erkannte, auch ohne daß jene erwähnte Frage in Schlaggenbergs Abwesenheit ihm gestellt worden war, Stand und Charakter der Anny Gräven; und hätte sie ihn wirklich befragt, er hätte ihr kaum eine zutreffende Auskunft gegeben. Aber sie hatte nicht gefragt, sie hatte sich solches gar nicht einfallen lassen: eben das aber war dem Meister Hirschkron geradezu aufgefallen, und einige Zeit später wurde es von ihm – als wieder einmal ein paar alte Scharteken zu binden waren – dem Herrn Doktor von Schlaggenberg sozusagen beruhigend rapportiert. Daher wissen wir's denn.

Kajetan und die Gräven verließen das ,Café Kaunitz' noch vor dem ,Ausstoß', bevor also die Drehtüre rasch und rascher sich zu bewegen begann, und am Ende schon wie ein Quirl, wenn nämlich die Chefin, deren unscheinbare Schwester, der Nachtkellner, der Klavierspieler und der für solche hinausschmeißerische Leistungen eigens bezahlte Hausmeister, das Lokal in völlig unverblümter und rücksichtsloser Weise zu räumen begannen. Hunger meldete sich bei unserem Paare. Die Gräven wußte wohlfeilen Rat. Man suchte die ,Gulasch-Hütte' auf, in der Rotenturmstraße. Nach allem Durcheinander-Getrunkenem dieser Nacht wirkte das heiße, rot paprizierte köstliche Gericht wie ein Heilmittel, und die dem Biere innewohnenden seßhaft-soliden Geister zogen einen Strich unter diese Nacht, der vom Wein und vom Schnaps und gar schon von solchen nervösen Dummheiten, wie der viele schwarze Kaffee, gründlich trennte. Das Bier tat wohl. Sie blieben dabei sitzen. Das Bier wirkte, als werde man auf ein anderes Fundament gestellt, eine massive Basis: jede Aushöhlung durch Übernächtigkeit verschwand, aber auch die Schläfrigkeit blieb zunächst noch weit ab. So saßen denn die Gräven und Kajetan bei recht volkstümlichen Genüssen, auf die man ja zuletzt immer verfällt, weil sie die ältesten sind und die bekömmlichsten. Als sie endlich die Treppen von dem unterirdischen Lokal zur Straße wiederum emporgestiegen waren, sahen sie in einen längst heraufgekommenen hellen Tag, der sie befremdlich anschien, ja, so als wäre er selbst auch befremdet von diesem nachtschwärmerischen Paare. Er fiel nicht um den Hals, mit Morgensonne und hohem blauem Himmel. Er verhielt sich grau. Kajetan setzte Anny Gräven fürsorglich in ein Autotaxi, dankte ihr, tätschelte ihre Hand und schob ihr noch die kleine Banknote für die Fahrt hinein. Wenige Augenblicke später stand er allein auf der Straße. Es war, als sei ein gespannter Draht gerissen und hinge nun träge herab.

Aber in jener Gegend der hohen Berge, wo Leonhard im Sommer auf Urlaub gewesen – im Erholungsheim des Werks, einst ein großer Privatbesitz – ging der Tag weniger verhangen auf. Man erinnert sich, daß dort hinter dem verwahrlosten Park mit dem leeren Steinrund des Teichs der Berg steil ansteigt und alsbald in die Finsternis des Hochwaldes gleichsam hineinverschwindet. Das Parkgitter hat ein Türchen gegen die Bergseite. Man tritt durch dieses eigentlich mehr in den Wald ein als aus dem Parke heraus. Nicht weit oberhalb des Türchens – nur eine Böschung ist zu ersteigen – läuft am steilen Hang ein ebenhin querender Weg. Geht man auf diesem ein paar Schritte, so hört der Wald rechts ganz auf, und man sieht zwischen einigen hohen und starken Randbäumen durch über den weiten Luftraum des Tals, und bei etwas erhobenem Blicke schon in das graue Gewänd der die Wälder übersteigenden Felsen.

Jetzt war es hier noch dunkel. Der Osten, durch Bäume teilweis verdeckt, ließ doch auch zwischen den Stämmen die Nacht schon fahl werden. Aus der Finsternis des Hochwaldes tönten zarte, die Stille schlitzende Pfiffe in vollkommen gleichmäßigen Pausen. Während allmählich dem verschlissener werdenden Samte der Nacht immer mehr Einzelnes entfiel und in die Sichtbarkeit geriet, nahmen die Pfiffe, neben welchen bald kompliziertere Kadenzen hörbar wurden, rasch anschwellend zu, bis knapp vor jenem Augenblick, da der glühende Sonnenrand über den Waldkuppen im Osten hervorkam: es schien jetzt fast so etwas wie eine General-Pause eingehalten zu werden; denn als das Gestirn sich in den lackreinen Himmel hob, war es im Walde durch einige Sekunden vollkommen still.

Die Gräven fuhr über die Brücke. Das graugrüne Wasser des Donaukanales – einst war das der Hauptstrom – schwemmte tief unter ihr durch. Als der Wagen in die Praterstraße kam, sah sie eine Normal-Uhr, welche acht Minuten nach sechs zeigte. Solche Heimkünfte am Morgen waren für die Anny nichts außergewöhnliches.

Plötzlich trat der erste Teil der Nacht – jener dunkle Hof mit dem spinnengleich kletternden Geierschnabel – mitten in den hier anwesenden hellen Tag und die schon vielfältig belebten Straßen.

Um sechs Uhr sperrte man die Haustore auf.

Sie sagte dem Chauffeur Hertha's Adresse.

Dorthin wolle sie jetzt fahren, und nicht, wie früher angegeben.

Frau Pawliček, die Hausmeisterin, kehrte eben vor der eigenen
Tür, als der Wagen anrollte, und sie begrüßte Anny ohne jede
Geringschätzung oder Herablassung, denn es wohnten noch
mehr von der Polizei hier tolerierte ‚Mädchen' im Hause, die
mit Trinkgeldern nicht geizen durften; und ihre Besucher taten
das noch weniger. „Ja, Frau Anny, so zeitlich?" „Ja", lachte die
Gräven (sie lachte gut, auf ganz natürliche Art, es ging alles
flüssig) „ich muß die Hertha aus dem Bett bringen, wir fahren
heut' in's Burgenland, auf Loipersbach, ihre Frau Tant' dort
schenkt uns an Kapaunen." „Oho", sagte die Hausmeisterin,
„da derf ma' net auslassen! Sie haben eh an Schlüssel, Frau Anny?
Also deswegen ist die Fräul'n Hertha gestern gar so zeitlich ein-
g'rückt, ich war noch auf der Stiegen. Aber wissen S', Frau Anny,
a Verschwendung ist des schon mit dem Licht. Gestern dürft's
wieder eing'schlafen sein ohne Auslöschen, in der Früh' heut
um viertel auf Sechse hat bei der wieder's Licht brennt, ich seh's
doch vom Hof. Schad um's Geld, das sollten S' dem Fräul'n
Hertha wirklich sagen, ich hab's ihr auch schon einmal g'sagt."

Die Gräven stieg nach oben.

Sie schob den Türdrücker ein und ging durch das gutgepflegte
Vorzimmer – links davon lag die Küche, von Hertha Plankl mit
größeren Kosten modernisiert – und nun öffnete sie die Türe des
großen Wohnzimmers. Der dreiarmige Lüster in der Mitte war
eingeschaltet, aber der Schein blieb auf die Leuchten selbst beschränkt, vom Tageslicht ringsum gleichsam zusammengedrückt.
Am Tisch in der Mitte saß Hertha – und schlief. Vor ihr lagen Brief-
papiere auf der kleinen fleckigen Schreibmappe, welche Anny
kannte. Diese wurde von Ärger ergriffen über das Frauenzimmer da, die schlafen konnte, wo sie ging und stand; und vielleicht war sogar eine kleine Prise von Neid dabei gegenüber solcher fundamentaler burgenländischer Gesundheit, Neid und
Neigung zugleich, und dazu auch noch Abneigung, denn Herthas
kräftige Natur streifte mitunter schon an's schlechthin Trampel-
hafte . . .

„Hertha!" rief die Gräven. Aber was war ihre laute Stimme
schon gegen diesen massiven Schlaf! Sie rüttelte jetzt die Freundin an der Schulter. Der Körper blieb starr in seiner Trägheit.
Gleich danach erfaßte die Gräven, daß Hertha Plankl's Augen

nicht ganz geschlossen waren. Anny griff sofort nach der auf dem Tische liegenden rechten Hand. Sie war erkaltet; so auch Wange und Stirn. Kein Atem ging. Auf dem Tische lag Hertha's Brillantring, wohl deshalb abgestreift, weil er die allerdings wenig schreibgewohnten Finger gestört hatte. Nicht nur dieser Ring lag da. Dicht am Fenster auf einen Stuhl gelegt war das gestern hierher gebrachte Paket mit dem angeblichen Bruchgold. Die Gräven sprang hin, wog es in der behandschuhten Hand, indem sie das Ding an der Schnur emporzog: etwa ein Kilogramm. Dabei fiel ihr Blick auf ein Schränkchen an der Rückwand, wo Hertha in einer kleinen versperrbaren Lade ihr Geld aufzubewahren pflegte; diese Lade war sonst auf den ersten Blick gar nicht sichtbar: jetzt aber stand sie hervor, sie war herausgezogen, der Schlüssel steckte. Die Plankl verwahrte hier auch höhere Beträge, gestern noch waren es sogar dreitausend Schillinge gewesen; Hertha hatte beschlossen gehabt, eine alte Rechnung bei der Schneiderin endlich zu bezahlen ... dieses Geld also war es, was fehlte, was fehlen mußte! Die Gräven sprang hin, zog das Portefeuille heraus. Es enthielt dreitausendundfünfhundert Schillinge und einen Rechenzettel. Sie warf die Brieftasche mit den Banknoten darin wieder in das offene Lädchen, trat zurück, sah auf die Tote und bemerkte jetzt erst, daß die Bluse unter Hertha's linker Brust – die Plankl lag zurückgelehnt im Sessel – in geringem Ausmaße zerrissen und rund um diese Stelle ein wenig braunrot verfärbt war.

Jetzt erst begriff sie, was sich hier abgespielt hatte. Das Fehlen des Ringes, des Paketchens mit dem Bruchgold oder wenigstens des in offener Lade liegenden Geldes hätte das Ganze um vieles weniger furchtbar erscheinen lassen: so aber war es der nackte Schrecken; ein Schrecken höherer Art, möchte man fast sagen: glatte Vergeltung; statuiertes Exempel; Drohung; Macht; Terror.

Die Gräven zitterte am ganzen Leibe. Es sei hier nicht untersucht, ob nur ihr augenblicklicher Zustand sie daran verhinderte, in dieser Lage wenigstens noch rasch im Trüben zu fischen: es wäre ein Leichtes gewesen, mindestens durch einen Griff in das Geld-Lädchen und das Portefeuille, und durch eine gemäßigte Entnahme – bevor sie nun die Hausmeisterin herbeirief und man auf die Polizei rannte, und dies alles hier verloren war. Wir möchten sagen, bei der Gräven langte es einfach nicht mehr dazu, sich dieses kleine Pflaster auf die nun seit einer halben Minute offen klaffende und starrende Wunde des Schreckens zu legen. Ein Windstoß fuhr in den Hof, lärmte und tobte darin hinab, warf auch eine geschwächte Wucht bis in den Hintergrund des Zimmers. Vor der Toten lüpften sich ihre Briefsachen ein wenig, ein blanker Blick vom Papier, ein Umschlag, mit Marke beklebt, aber nicht beschrieben, ein Blatt mit wenigen Zeilen, der Feder-stiel, auf das Tintenfläschlein gelegt, fiel durch den Luftdruck herab, ein Bleistift rollte, Anny trat herzu. Es war ein angefan-genes Schreiben, rechts oben das Datum, wenige Zeilen; Hertha hatte wohl auf eine vielversprechende Annonce antworten wol-len: „Geehrter Herr, wie durch Zufall fällt mein Blick auf Ihre werte Anzeige in heutiger Zeitung . . .“ Mehr war nicht ge-schrieben worden. Darunter mit Bleistift und viel größer:

Es war der Meisgeier   Herz   Durch das Fenster   Ich sterbe   Ich schwöre   Hertha Plankl
Prostituierte

Diese Angabe von Stand und Charakter bei letzten Atem-zügen, und mit einer Bezeichnung, deren Anwendung auf sie selbst die Lebende bestimmt mit ein paar Ohrfeigen oder min-destens mit einer sich leerenden Kloake von Beschimpfungen beantwortet hätte – diese Angabe war hier das sozusagen Äußerste, was an der Schwelle der Ewigkeit noch hatte geleistet werden können durch eine Art Generalbeichte in einem ein-zigen Wort.

Damit überschlug sich für die Gräven der Schauder. Während sie in ihrer Vorstellung das imponierende Bild dieser Nacht, den von Stockwerk zu Stockwerk emporkletternden Meisgeier vor Augen hatte, taten ihre Hände folgendes: sie nahm sachte das einfach gefaltete Briefblatt und schrieb auf den zweiten anhan-genden Teil des Bogens mit dem Bleistift:

Gut aufheben, Didi. Näheres mündlich. Anny Gr.

Sodann schob sie es in den Umschlag mit der Marke, ver-klebte und adressierte:

An Frau Anna Diwald
Freud's Branntweinschank
Wien IX. Liechtensteinstraße . . .

Sie wußte die Hausnummer. Sie nahm den Brief in's Täsch-chen, den Schlüssel in die Hand, und stürzte die Treppen hinab zu Frau Pawliček. Ihre letzten Möglichkeiten des An-Sich-Haltens waren verbraucht. Sie schrie und weinte: es war, als würfe sie mit irgendwelchen Dingen um sich, hageldicht, die andere nicht zu Worte kommen lassend; Anny erzeugte einen ganzen Vorhang von Interjektionen. „Hier ist der Schlüssel. Ich renn' auf die Polizei." Weg war sie. Dieser Augenblick der Ablösung war einer der Erlösung: der Brief mußte in den Kasten. Es hätte der Hausmeisterin einfallen können, sich einfach telephonisch mit dem Kommissariat in Verbindung zu setzen. Dann wäre es unvermeidlich gewesen, hier zu warten, immer diesen Brief im Täschchen, der Möglichkeit gegenüber, etwa polizeilich angehalten zu werden, den Brief nicht mehr in den Kasten werfen zu können . . . und am Ende würde man ihn noch in ihrem Täschchen finden.

Nun war sie frei.

Frau Pawliček stieg keuchend die Treppen empor.

Anny rannte aus dem Haus.

Ihr leeres Auge suchte auf dem Wege nichts als den gelben Fleck eines Briefkastens, der ihr, als sie ihn fand, wie eine leuchtende Perle erschien.

Auf der Polizei erfuhr Anny, daß die Hausbesorgerin inzwischen bereits telephoniert habe. Die Gräven wurde sofort einvernommen, während zur gleichen Zeit schon die für solche Fälle vorgeschriebene Kommission am Tatorte erschien.

Wenn die Gräven in den folgenden Wochen und Monaten wieder einmal neben dem halb eingeschlummerten Leonhard auf dem Rücken lag und zur gelblich weißen Zimmerdecke emporsah, dann wurde ihr jedesmal etwas klar, was sie ohnedies wußte: daß er sie nicht liebte. Aber in solchen Augenblicken kam es handhafter, kam es unabweisbarer als sonst. Es erwuchs zur Evidenz. Wenn er sie lieben würde, dann vermöchte er sie nicht neben sich links liegen zu lassen wie ein sorgfältig, ja, luftdicht verschraubtes Gefäß. Er hätte versuchen müssen, es zu öffnen, den unter Druck stehenden Inhalt zu befreien, zu sehen, kennen zu lernen. Aber dazu traf Leonhard nicht die allergeringsten Anstalten, und in dieser Richtung machte er nicht den leisesten Versuch.

Wir meinen keineswegs, daß er ein Jenseits im Diesseits, welches hier an seine eigene Diesseitigkeit grenzte, nicht in irgendeiner Weise als Anwesenheit empfand, als anrainend, möchte man sagen. Aber sein Bild vom Leben der Anny Gräven hatte sich in einer von uns früher schon angedeuteten Weise verhärtet, die obendrein mit Allerwelts-Erfahrungen übereinstimmte und mit dem Leichtsinne Anny's und mit ihrem erzählenden Geplapper, dessen unbekümmerte Lügenhaftigkeit dem Leonhard freilich bald offenkundig geworden war. So kam es also, daß er von dem Inhalte des neben ihm liegenden verschraubten und verschlossenen Menschen mit der Zeit vollends absah. Das Ritual im nachhinein mit Wein und Würsteln ersetzte als stellvertretende Handlung immer mehr eine eigentliche Du-Beziehung. Es war ein recht schematischer „Tu-ismus" geworden, um einmal auch etwas gelehrter und geschwollener zu reden, mit einem Ausdruck des alten Feuerbach.

Was nun jenen unter Druck stehenden Inhalt betrifft, so beruhigte sich der bald, und es ließ der Druck immer mehr nach (gleichwohl gewann die Sache dadurch nicht an eigentlicher Begreiflichkeit und Verdaulichkeit für die Gräven). Anna Diwald, genannt ‚Didi', wurde vorsichtigerweise erst weit über vierzehn Tage nach dem Tode Hertha Plankls von der Gräven gelegentlich getroffen und gesprochen. Sie hielt das ihr zugegangene Poststück in sorgfältigster Verwahrung (in jener dicken Ledertasche, von welcher der Redakteur Holder einmal auf dem Spaziergange der ‚Unsrigen' erzählt hat) und befand übrigens Anny's Verhalten durchaus für gescheit und richtig (auch, daß sie nichts genommen hatte). Besser, als den Meisgeier in die Hand der Behörde zu liefern, sei es, ihn selbst in der Hand zu behalten. Punktum. So weit Didi. Übrigens wisse sie noch andere Sachen über ihn.

Die Gräven war mehrere Male einvernommen worden, kam jedoch durch die Angaben der Hausmeisterin alsbald außer Obligo; zudem war der Kriminalpolizei ihre Harmlosigkeit überhaupt bekannt. Beiträge zur Aufklärung des Falls konnte sie keine leisten. Die Aussagen des Schankwirtes stimmten mit jenen Frau Pawliček's überein: Hertha Plankl hatte sich nicht lange nach elf Uhr, allein kommend, das Haustor aufsperren lassen, und es war hinter ihr wieder geschlossen worden. Von den im Hause wohnenden ‚Mädeln' durfte keine einen Schlüssel haben. Nachschlüssel waren immerhin möglicherweise vorhanden trotz des luchsartigen Lauerns der Hausmeisterin, welche stets beim geringsten Geräusch aus ihrer Unterwelt auskroch und auf die Treppe sah – übrigens waren ja das auch die Stunden ihres Inkassos bei den Kavalieren. Diese zahlten doppelt, beim Kommen und Gehen. Die Pawliček blieb fast immer die ganze Nacht außer Bett und auf, sie las die sogenannte ‚Roman-Zeitung‘ und löste Kreuzworträtsel, wobei sie kommende oder gehende Besucher etwa um einen ägyptischen Herrschertitel mit sechs Buchstaben befragte oder um den französischen Ausdruck für Leuchtturm, welcher deren aber nur fünf haben durfte. Bei der Polizei rekonstruierte die Pawliček jene kritische Nacht nun ganz richtig, sie konnte genau angeben, welches von den ‚Mädchen‘ in Begleitung nachhause gekommen war, um welche Zeit dies ungefähr gewesen sei, und wie die Begleiter ausgesehen hatten. Einen oder den anderen kannte sie sogar. Das würde mit Recht Evidenz genannt werden! Jedoch, man war mit diesen Ermittlungen noch kaum so weit gelangt, da kamen – am selben Tage, als morgens der Mord an's Licht trat und nach Erscheinen der Mittagsblätter – jene Herren sämtlich nacheinander auf die Polizeidirektion gerannt, sie erfüllten die Pawliček'sche Zahl, siehe, es fehlte kein teures Haupt. Und eigentlich taten sie gut daran. Nur kam man mitsamt solcher erfreulicher Loyalität – sie wurde von einer taktvollen Behörde mit Diskretion der Presse gegenüber gelohnt! – keinen Schritt weiter. Daß man sämtliche Mädchen scharf in's Verhör nahm, versteht sich am Rande. Und noch vieles andere versteht sich da am Rande, worauf ein kriminalistischer Laie gar nicht verfallen würde. Man glaube auch ja nicht, daß der Meisgeier ganz unbehelligt blieb. Der Kriminalpolizei entging keineswegs der mögliche Ausstieg durch das in der Mitte offene Stahl- und Glasdach des Pissoirs. Meisgeier wurde im Schankzimmer dieser selben Wirtschaft verhaftet, als er eben in Gemütsruhe ein Gulasch aß. Vom Chef des Sicherheitsbüros zuletzt einvernommen, äußerte er lediglich: „Herr Hofrat, wann ich dös könnt', was mir die Herrn da alle zutrauen, wär' ich längst an ehrlicher Mensch geworden und verdienat mir mei' Geld im Circus als Luftakrobat." Höhere Gewalt verhinderte es, dem Geierschnabel seine Luftpartien trotzdem nachzuweisen, was immer noch denkbar gewesen wäre; denn Griff und Tritt mußten im Ruß und Staub der Gesimse und Konsolen da und dort zweifellos Spuren hinterlassen haben. Jedoch fuhr ein Wind, der sich bald zum Sturme steigerte, am Morgen nach der Tat allenthalben in Höfe und Gassen – Frau Pawliček übrigens, die eine Tür ihrer Unterwelt nicht geschlossen hatte, geriet mittags in einen pfeifenden Luftstrom, der sie fast umriß – und während das gehorsam zitternde, klappernde, knallende und scheppernde Volk aller nicht niet- und nagelfesten Dinge des Sturmes Wucht demütig respondierend begleitete, verloren sich Meisgeiers möglicherweise doch vorhandene Spuren. Falsche fanden sich dafür: so in der Wohnung eines der ‚Mädel' ein Schlüssel zum Haustor; er war noch dazu eingefettet; das wird nun sicher nur irgendeine Schlamperei und Schweinerei gewesen sein – vielleicht ist er ihr in's Schmalz gefallen – aber hier gewann der an sich bloß unappetitliche Sachverhalt Bedeutsamkeit: denn mit gefettetem Schlüssel sperrt man geräuschloser. Gleichwohl hatte die betreffende Dame sich in der kritischen Nacht, als sie mit einem erbeuteten Mannsbild einrückte, von der Hausmeisterin das Tor aufsperren lassen; und mehr noch, der Erbeutete – er ist es, nebenbei bemerkt, gewesen, der den französischen Ausdruck für Leuchtturm wußte – der Erbeutete war am nächsten Tage einer der ersten, die auf der Polizeidirektion jene Pawliček'sche Zahl erfüllten. Zweifellos erschwerend für den Gang der Untersuchung war es, daß Meisgeier nie als Fassaden-Kletterer gearbeitet hatte und der Kriminalpolizei als solcher daher nicht bekannt war; auch der Herzstich mittels einer Feile war für ihn nicht spezifisch. Beide Techniken hat er weder vorher noch nachher angewandt, und die griff-feste Feile dürfte lange vor Entdeckung der Tat am Grunde des Donaukanales eingetroffen sein. Ein einziger, aber vager Umstand wies eigentlich auf den Geierschnabel: die glatte Tötung, die Rache (wofür?), der Terror – ohne daß irgendetwas von den Wertsachen, die da gelegen hatten, fehlte. Der Kriminalpolizei war Meisgeier als ein sozusagen großzügiger Mensch bekannt. Nicht zuletzt kam auch das vorgefundene Paket mit dem Bruchgold in Betracht; es konnte möglicherweise von einem Einbruchsdiebstahl herstammen, mit welchem man ein Jahr vorher – allerdings ohne Erfolg – den Geierschnabel hatte in Verbindung bringen wollen. Alles das zusammengenommen genügte aber nicht, ihn auch nur länger als vierundzwanzig Stunden in Haft zu behalten. Verfassung und Recht schützen jeden, auch den Verbrecher. Die Wiener Kriminalpolizei, international sehr angesehen, wie man weiß, setzte ihr hohes Können, ihre profunde Erfahrung, Scharfsinn, Fleiß und Pflichttreue voll und ganz in dieser Sache ein: und gerade ihr – ganz ausnahmsweise – vergebliches Bemühen erweckte das Mitgefühl weiter Kreise, welche wohl wußten, daß die Beamten dieses Dezernates auf ihren harten Pflichtwegen auch dem Tode ohne weiteres ins Auge zu sehen gewohnt waren: es sind gerade anläßlich des Falles Plankl der Wiener Kriminalpolizei weitum Sympathien entgegengebracht worden. Meisgeier saß während alledem nach wie vor im gleichen Lokale bei Gulasch und Bier.

Allmählich schliefen, mit vorrückendem Herbste, die ganzen auf Hertha Plankl bezüglichen Eindränge und Eindrücke bei der Gräven ein, wenngleich sie weiter bewohnt blieb von ihnen; doch zog sich der erste graue Star des Vergessens schon zeitweis darüber; und vielleicht eben deshalb noch eher, weil alles – wenn man von dem Mitwissen Didi's absieht – verschlossen und verschraubt in ihr blieb, und so der täglichen Umgebung gegenüber fast die mindere Wirklichkeit eines reinen Phantasie-Gebildes annahm und einen abseitigen Zug gewann, wie jedes unter Zwang lange gehütete Geheimnis, das gar nie mehr zur Konfrontation und zum Vergleiche mit der Außenwelt kommt.

Gleichwohl, es blieb in ihr, es steckte, einmal eingedrungen, da drinnen, mochte ihr Gedächtnis auch ein schwächliches sein und vielleicht noch geringer sogar als bei den Frauen ansonst und in einem normaleren Leben. Und so blieben diese verschwommenen Landschaften rasch kommender, gehender und zergehender Vorstellungen Anny's mitunter auch dem Leonhard benachbart, ein anrainendes Jenseits im Diesseits.

Mag sein, daß er's empfand; aber, wie schon erwähnt, es befreite sich nicht aus dem erstarrten Allgemeinbilde, das er von Anny hatte.

Wir leben alle von viel Jenseits im Diesseits umgeben, von nie aufgefaßten und vorgestellten, ja vielleicht wirklich unvorstellbaren Anrainungen, benachbarten Verstrickungen, hereinbauchenden Druckgebieten, absaugenden Leerräumen. Auch bei Leonhard war das nun einmal so, und nicht nur in bezug auf die Gräven und ihren für ihn kaum mehr viel Fragens werten Lebenshintergrund. Hatte er nicht im Burgenlande mit dem Niki Kreuz- und Querfahrten gemacht, beim alten Zdarsa Stinkenbrunner getrunken und in Fraunkirchen Ruster mit dem alten Gach, in Hirm Versammlungen besucht, mit Pinta unter leisen Spannungszuständen diskutiert – ohne dabei auch nur ein irgendwie zulängliches Bild davon zu gewinnen, was in dieser ganzen Gegend eigentlich vorging und möglicherweise voraus lag? Hummel-Gebrumm, das war die Hauptsache gewesen! Am Ende wohl noch jenes mehr als seltsame Emporsteigen und Zurücklassen während der Fahrt zwischen Fraunkirchen und Wallern, am zweiten Sattel von Zdarsa's Motorrad.

Allerdings, sie hatten ja ihre Fahrten im späten Herbste schon eingestellt, und was da jenseits der Leitha vorging, trat erst mit der Jahreswende in ein akutes Stadium, in jenes der Sichtbarkeit, wo die Lawine des bereits Handhaften dann rollt und die Sachen für uns längst uninteressant sein könnten, hätten wir uns nur früher für sie genügend interessiert: wir wären dann durch unser richtiges Verhalten gänzlich außer Obligo; und die oft beispiellose Dummheit der geschehenden, gehenden und rennenden Tatsachen könnte uns wenig mehr anhaben. Im Burgenland also – wo es gar keine hohen Berge mehr gibt und unsere Metapher mit der Lawine daher sichtlich erlahmt – begann diese an der Jahreswende niederzugehen, ja sogar ganz genau in der Sylvesternacht und bei einer Neujahrsfeier: eben da wurde es, obendrein mitten im Winter, lawinös.

Es war so weit. Es war längst so weit gewesen, auch wenn die Herren Niki und Leonhard nichts davon bemerkt hatten, oder nichts genaueres. Vielleicht fuhren sie auch mit ihrem Motorrad überall zu rasch vorbei. Gleichwohl, es wimmelte schon lange von benachbarten Verstrickungen. Die Neujahrsfeier war eine ganz interne, eine Geselligkeit unter Parteifreunden, mehr Vereinsmeierei als Politik, und ohne jede provozierende Spitze über einen solchen Kreis hinaus. Aber Orkay's, Körger's, Eulenfeld's, Schlaggenberg's Gesinnungsgenossen – jedenfalls wurden sie von jenen für Gesinnungsgenossen gehalten – drangen in diesen Kreis hinein, es gab Störung, Prügel, Hinauswurf. Man hätte die vorhin genannten Herren einmal mitten unter die Störenfriede stellen sollen: sie wären wohl schlagartig davon überzeugt worden, daß sogenannte ‚Weltanschauungen' in weit schlechtere Gesellschaft bringen können als die Laster; man kann jene mit dummen Lümmeln, diese – zum Beispiel das Trinken – mit vortrefflichen Männern gemeinsam haben. Bei der Keilerei in der Neujahrsnacht – zu Schattendorf im Gasthause Moser – ist nicht geschossen worden. Der

,Republikanische Schutzbund' trug damals noch keine Waffen. Die ,Frontkämpfer' jedoch scheinen sich wegen ihrer Minderzahl zum ständigen Bei-sich-führen irgendwelcher Waffen für berechtigt gehalten zu haben, oder überhaupt wegen der Wehrhaftigkeit und der Mannhaftigkeit und weil Der, der da Eisen wachsen ließ, keine Knechte wollte (letzteres ist irrig: das Eisen wuchs ja gerade für die Knechte, wenn man schon durchaus bei allem einen Zweck erkennen will). Die Knechte hatten leider die Gewohnheit angenommen, gelegentlich zu schießen.

Das taten sie dann am Sonntag, den 30. Januar 1927 nachmittags im Burgenlande zu Schattendorf, das knapp an der ungarischen Grenze liegt. Es geschah jedoch nicht aus Wehrhaftigkeit oder Mannhaftigkeit und wegen des Eisens, das da gewachsen war, sondern wesentlich aus Angst. Alle Menschen übrigens, welche von ,Weltanschauungen' vertretbare Verbrechen begehen, nehmen sich im Vergleiche zu der Einsamkeit, der Entschlußkraft und dem Mute des berufsmäßigen Schwerverbrechers eher schäbig aus. Ihr Verhalten duckt sich hinter der Zahl, verschwimmt in irgendeiner Mitgerissenheit und ist zum guten Teil gar nicht durchaus ihr eigenes – wie beim Berufsverbrecher – sondern ein bloßer Widerschein vom Verhalten anderer. Die rote Streitmacht war am Nachmittag von ihrer Basis aus – dem Gasthause Moser in Schattendorf – zum Bahnhof marschiert, um einer Gruppe von ,Frontkämpfern', die da mit dem Zuge einlangen wollte, gebührenden Empfang zu bereiten. Von dieser bevorstehenden Ankunft, so hieß es später – als Wahres und Falsches in jene nicht mehr auseinanderzuhaltende Vermischung gerieten, welche hinter sensationellen Ereignissen wie ein blasser Kometenschweif herzieht – seien die in Schattendorf versammelten ,Schutzbund'-Abteilungen durch einen ,akademischen Maler aus Wien' (?!) verständigt worden; und dieser Unsinn hielt sich dann, obwohl es einer solchen Verständigung gar nicht bedurft hatte, weil die ,Schutzbündler'-Versammlung in Schattendorf von allem Anfang an auf das Erscheinen der Widersacher wartete. Als man am Gasthaus Tscharmann vorbeizog, in Reih und Glied und Uniform, fielen aus diesem Stützpunkte der ,Frontkämpfer' Schüsse. Gleichwohl wurde zum Bahnhof weitermarschiert. Dort einigte sich eine beiderseits besonnene Führung dahin, daß die ,Frontkämpfer' wieder abziehen sollten, was sie auch, der Übermacht wegen, taten; das heißt, sie fuhren mit dem gleichen Zuge wieder davon, den der Stationsvorstand schon vorsichtig außerhalb des Bahnhofes Schattendorf-Loipersbach hatte halten lassen. Man marschierte nun geschlossen zurück, vom Bahnhofe den langen Weg bis zum Ort und dann durch dessen sich hinziehende Zeile, und wieder am Gasthause Tscharmann vorbei. Beide Male betraten ‚Schutzbündler' die Wirtsstube, ‚um sich Erfrischungen zu kaufen', wie es in der Parteipresse dann hieß. Es ist nicht recht einzusehen, warum sie, vom Wirtshaus Moser her kommend oder dahin zurückmarschierend, aus den Reihen traten, um bei einem Wirt einzusprechen, dessen feindselige Gesinnung auf der Hand lag; es hat niemand in Schattendorf, Klingenbach, Draßburg, Baumgarten oder sonst wo in der Gegend gegeben, dem der Wirt Tscharmann und seine beiden Söhne Josef und Hieronymus nicht als ‚Anders-Denkende' – so weit hier von Denken die Rede sein kann – bekannt waren. In der Tat sind die Männer nicht nur aus den Reihen getreten, ‚um sich Erfrischungen zu kaufen'. Sie besetzten vielmehr das Wirtshaus vorübergehend – was nach gefallenen Schüssen als ganz vernünftig erscheint – und die Tscharmanns mußten sich in ihr dahinter gelegenes, vom Gasthaus getrenntes Wohngebäude zurückziehen. Dort mögen sie schon einige Angst ausgestanden haben. Daß sie aber ein zweites Mal schossen – es geschah aus einem im Oberstock gelegenen Zimmer, dessen Fenster vergittert waren – und zwar noch hinter dem Schlusse des Zuges der vorbeimarschierenden ‚Schutzbündler' her, kann man als Zeichen der Panik, der Wut infolge von Angst, aber, wenn man will, auch als glatten Mord ansehen. In den letzten Reihen gingen 28 Männer der Ortsgruppe Klingenbach, die „Klingenbacher", unter ihnen der einäugige Kriegsinvalide Mathias Csmarits, der im Braunkohlenlager Neufeld beschäftigt war. Er wurde zweimal getroffen, eben als er sich hinter einem Baum decken wollte, erhielt 23 Körner schwersten Jagdschrotes und war sofort tot; sämtliche Einschüsse befanden sich bei ihm rückwärts. Ferner blieb ein kleiner Bub liegen, der Pepi Grössing, welcher dem Aufmarsche der ‚Schutzbündler' hatte zusehen wollen, weil ein Onkel von ihm – eben jener getötete Einäugige – dabei mitging. Csmarits hatte den Jungen überhaupt oft bei sich gehabt; diesmal war außerdem noch ein zweiter Oheim Pepi's dabei, namens Binder, welcher gleichfalls der vorbeimarschierenden Truppe zusah; er war es, der das tote Kind aufhob. In dem Körper des Knaben fanden sich bei der Obduktion sieben schwere Schrotkörner.

Solche Vorgänge sind erbärmlich zu erzählen, auch wenn man sie nur streift. Hier geschieht das aus dem Grunde, weil von den weiteren Folgen einige Leute betroffen wurden – sie brauchen uns weniger leid zu tun wie der arme Pepi – die eben zuletzt durch unseren Gesichtskreis gingen, nämlich Meisgeier, Anna Diwald und die Gräven, von Leonhard ganz zu schweigen. Auch wurde der Mord an Hertha Plankl merkwürdigerweise gerade im Zuge solcher ganz andersartiger Begebenheiten aufgeklärt, und zwar am 18. Juli 1927. Damals wurde die Gräven verhaftet.

Die armen Toten dieses Jahres 1927, mit ihnen auch der kleine Pepi, sind als die ersten in einen so ungeheuren Wald eingegangen, daß man ihn vor lauter Bäumen heute nicht mehr sieht. Er überwächst uns längst. Darin liegt das Geheimnis der Abstumpfung.

Die Schwurgerichtsverhandlung wegen der Schattendorfer Morde begann zu Wien über fünf Monate später, am 5. Juli 1927. Es ist dabei vorgekommen, daß ein Zeuge, der einen – zu jener Zeit längst verheilten – Streifschuss am Ohr erhalten hatte, jetzt nicht mehr auszusagen vermochte, ob es das linke oder das rechte Ohr gewesen sei. So also verhielt es sich mit den Zeugenaussagen. Sie wurden alle innerhalb jenes schon sehr blassen Kometenschweifes gemacht, der dem Ereignisse nachzog und darin Wahres und Falsches in kleinsten Teilen sich mischten. Das öffentliche Interesse war gering. Es war leicht, einen Platz im großen Schwurgerichtssaal zu bekommen, man brauchte sich nicht anzustellen, wie das bei Sensationsprozessen erforderlich ist. Das Ganze war vergessen, es lag fünf Monate zurück. Freilich war zu Anfang Februar der Lärm in der Presse ein ungeheurer gewesen, links drohend, rechts betroffen. Besonders die Blätter am konservativen Flügel der ‚Allianz‘ hatten es damals nicht eben leicht. Es galt, die Tat zu verurteilen, die Rache-Chöre aber zurückzuweisen, die Demonstrationen und Protest-Streiks als unnötig und nur schädlich erscheinen zu lassen, zugleich aber weit genug von den ‚Frontkämpfern‘ abzurücken, zu welchen ja ein ganz natürlicher Gegensatz bestand: diese Basis mußte freilich mit Gedankenwerk überbaut und unsichtbar gemacht werden. Doch beruhigte sich damals der wild aufrauschende Blätterwald verhältnismäßig bald. Als dann im Juli die

Verhandlung begann, liefen zahlreiche Leute in Wien herum, die überhaupt nicht wußten, worum es dabei ging. Zu ihnen gehörte Charlotte Schlaggenberg, Kajetans Schwester, der später einmal Géza von Orkay das Ganze von Anfang an erklären mußte: sie hörte mit vor Staunen offenem Munde zu. Gyurkicz hüllte sich in allianzgebundenes Schweigen. Körger grinste. Sogar in Arbeiterkreisen wußte man oft fast nichts und interessierte sich wenig für den Prozeß. Auch Nikis und Leonhards Wissen muß als mangelhaft bezeichnet werden.

Der Staatsanwalt freilich wußte worum es ging. Es wächst dem sachlichen und bescheidenen Juristen gerade in solchen Lagen eine fast übernatürliche Größe zu. Der Verteidiger, Dr. Walter Riehl, legte Beschwerde gegen den Staatsanwalt ein, weil dieser ‚in unüblicher Weise‘ von seinem Rechte Gebrauch mache, Geschworene abzulehnen: bei wem immer politische Sympathien mit den Angeklagten auf Grund von Informationen vorausgesetzt werden konnten, er mußte von der Bank; endlich war diese dem Staatsanwalte recht; er sagte es geradezu und wörtlich, daß er Anhänger politischer Parteien nicht auf der Geschworenenbank zu sehen wünsche. Dieses Volksgericht also verneinte mit neun gegen drei Stimmen alle Schuldfragen. Der Vorsitzende verkündete den Freispruch. Eine von der sozialdemokratischen Führung am folgenden Tage, dem 15. Juli 1927, keineswegs vorgesehene Demonstration brachte die Arbeiter auf die Beine und in die Innenstadt. Sie marschierten nicht, weil die Mörder eines Kindes und eines Kriegsinvaliden frei gingen. Sondern weil jenes Kind ein Arbeiterkind gewesen war und der Invalide ein Arbeiter. Die ‚Massen‘ verlangten die Klassenjustiz, gegen welche einstmals ihre Führer so oft vermeint hatten, auftreten zu müssen. Das Volk schäumte gegen das Urteil des Volksgerichtes, gegen sein eigenes Urteil. Damit war der Freiheit das Genick gebrochen; sie hielt sich auch in Österreich nur mehr durch kurze Zeit und künstlich aufrecht. Die sogenannten ‚Massen‘ setzten sich immer gerne kompakt auf die in's Blaue ragenden Äste der Freiheit. Aber sie müssen diese ansägen, sie können's nicht anders; und dann bricht die ganze Krone zusammen. Wer den ‚Massen‘ angehört, hat die Freiheit schon verloren, da mag er sich setzen wohin er will. Die früher erwähnte Demonstration ist durch die Polizei unglücklicherweise von der breiten Ringstraße abgedrängt worden. Am selben Mittage noch brannte der Justizpalast lichterloh. Im Kampfe mit der Polizei, welche vor allem der Feuerwehr den Weg bahnen wollte, gab es eine schreckliche Unzahl Toter. Unter ihnen befanden sich der Meisgeier und Anna Diwald, denen die Tendenz jener Demonstration völlig fremd war: Meisgeier sympathisierte sogar mit den Freigesprochenen.

Jedoch, bis zum brennenden Juli blieb es noch weit, als der Herbst des Jahres 1926 in das winterliche Grau sank. An Sonntag-Nachmittagen, zwischen zwei und vier etwa, herrschte fast vollkommene Stille. Es schien dabei im Zimmer fahl und weißlich zu werden, lange vor dem ersten Schnee. Ein solches Licht fiel auf das von Leonhard gewendete Blatt. Er verwunderte sich darüber, wie nun die Anziehung gänzlich schwieg, welche im Herbste wechselnd von je einem der drei Mädchen ausgegangen war: sie zu beleben, wurde unmöglich. Er wollte es einmal. Er glitt lustlos davon ab. Das Wichtigste aber wurde von ihm gar nicht bemerkt, eine Ungeheuerlichkeit, die Bestätigung eines großen getanen Schrittes, eine Selbstverständlichkeit jetzt, und darum nicht mehr wahrnehmbar: daß er keine Langeweile mehr kannte und daher nirgendwohin vor ihr floh. Leonhard verbrauchte so wenig Geld wie noch nie, obwohl ihm nicht das Geringste daran lag zu sparen.

Einmal, nach der Arbeit, fand er in seinem Zimmer einen Brief am Tische, als durchaus ungewöhnliche Erscheinung. Es war Trix, die schrieb. Ganz kurz: ob er am nächsten Samstag-Abend zu einer kleinen Unterhaltung kommen wolle. Ihre Mutter sei schon da und würde sich sehr freuen. Die Schrift war nach Leonhards Empfinden zu energisch und entschlossen für eine knapp Sechzehnjährige: die wenigen Zeilen liefen glatt. Mühelos, dachte er; und antwortete nicht schriftlich. Es wandelte ihn die Lust an, ein kleines Café in der Nähe aufzusuchen und Trix seine Zusage telephonisch zu geben (worum sie auch gebeten hatte).

Leonhard las erst Zeitungen. Was ihn bewegte war nicht, daß er jetzt möglicherweise mit Trix sprechen würde: sondern daß ihn dies unbewegt ließ, eben das begründete eine Neuartigkeit des Daseinsgefühles. Er saß bequem, ließ die Zeitung sinken und schaute um sich. Plötzlich begriff Leonhard, daß er bereits eine

Vergangenheit habe. Das machte ihm Lust, er wünschte jetzt
dort hinüber zu sprechen und ging zur Telephonzelle.

Trix war selbst am Apparat.

Sie dankte ihm freundlich.

Ihr Telephongespräch war so sicher und glatt wie ihr Brief.

Schon im Nachsommer des Jahres 1926 konnte in verschiedenen Gegenden des Burgenlandes, sonntags, aber auch wo-
chentags, ein Herr aus Wien gesehen werden, der im Freien vor
einer kleinen Staffelei dem Malen, oder, über ein Skizzenbuch
gebeugt, dem Zeichnen und Aquarellieren oblag. Man sah ihn
auch den Winter über da und dort, und häufiger noch im folgenden Frühjahr. Alois Gach bemerkte ihn mehrmals, nicht nur zu
Eisenstadt, sondern einmal auch ganz anderswo, nämlich im
Norden zu Deutsch-Altenburg, das an der Donau liegt und nicht
mehr zum Burgenlande gehört. Jedoch meistens erschien dieser
Maler – von welchem es einmal hieß, er sei ein bekannter Künstler aus Wien – an solchen Orten, die nahe der ungarischen Grenze
lagen; er sprach geläufig ungarisch; vielleicht war es überhaupt
seine Muttersprache.

Er sah gut aus und trug sein gepflegtes großes Antlitz sorgfältig rasiert, mit blauen Augen darin, welche rasch einen kind-
lich-schmachtenden Ausdruck anzunehmen vermochten; dazu
ein tadellos geschnittenes buntes Hemd mit genau in der Mitte
sitzender, etwas breit geschlungener Krawatte; Anzug und
Schuhe waren sportlich-touristisch, die letzteren wiesen eine damals nicht eben allgemein übliche solide breite Dreikantform
auf, mit scharf abgesetzten Ecken. Schwere helle Lederhandschuhe fehlten nie, und gelegentlich wurde ein ebenfalls heller
glatter gegürtelter Mantel getragen. Der leichte Sommerhut saß
genau in der Mitte, ohne Neigung zum linken oder rechten
Ohr.

Was die kleinen Bildchen betraf, an welchen der Maler oder
Zeichner arbeitete – oft sehr lange und fleißig an einem und
demselben, das meistens auch mehrmals wiederholt wurde – so
sind diese von verschiedenen Personen gesehen und als vorzüglich bezeichnet worden, womit bei Laien immer eine gelungene
Imitation der Natur gemeint ist, eine Illusion, ein ‚trompe
l'oeil', was freilich stets durch die Photographie noch über-

boten werden kann, besonders wenn diese farbig ist. Jedoch sahen die Aquarelle und Zeichnungen durch Zufall auch Mitglieder des Eisenstädter Kunstvereins, der sich damals in einer ungewöhnlichen Verfassung befand: zwei oder drei der ihm angehörenden Maler waren über Wien nach Paris verschlagen worden und dort durch Jahre verblieben; eben zu jener Zeit, im Spätsommer 1926, erblickte man sie wieder in der Heimat, wo sie sich freilich nicht lange halten konnten. Eben diese jungen Künstler fanden an den Blättern ihres Wiener Kollegen so großen Gefallen, daß sie ihn zu einer Ausstellung im Kunstverein drängten, wo dann etwa vierzig der kleinen Arbeiten zu sehen waren und über ein Dutzend verkauft wurden: ein beachtlicher Erfolg, besonders für einen Wiener in der Provinz, deren Poren sich vor dem Großstädter meist verschließen. Dabei warben alle diese Bildchen nicht mit bekannten Heimatmotiven, mit Landschaften oder vertrauten alten Bauten. Es schien dem Künstler wohl um Licht und Stimmung dieses östlichen Landes zu tun, nicht aber eigentlich um dieses selbst, um seine Repräsentation in der Darstellung. Die Gegenstände – ein verwinkelter Zaun in schwieriger Perspektive, ein Fischernetz am See in seinem Gestell, oder die Schrägsicht auf's tief herabreichende Dach einer jener urtümlichen alten Scheunen bei Apetlon, die ganz aus Schilf bestehen – diese Gegenstände waren nicht eigentlich burgenländische, sie hätten zumeist anderswo auch angetroffen werden können, wenn man von den seltsamen Scheunen absieht, deren Bauweise aus der Vorzeit stammt und deren Dächer die unwahrscheinlichsten Farbenspiele bieten, vom Violett bis zum tiefen Moosbraun. Gerade hier hatte der Künstler im Aquarell wirklich Beachtliches bewältigt. Dabei betonte er, von Beruf nur Zeichner und zwar Pressezeichner zu sein. Ja, er war dem oder jenem sogar als solcher dem Namen nach geläufig. Wie immer, die Ausstellung wurde ein Erfolg.

Der Maler oder Pressezeichner kam auch einmal nach Stinkenbrunn und plauderte dort sogar mit dem alten Zdarsa; dabei wurde diesem gegenüber ganz beiläufig der Name Preschitz fallen gelassen, im Ton etwa so, als sei der Maler mit dem Baumgartner ‚Schutzbund'-Kommandanten und Führer der ‚Draßburger' näher bekannt. Man kann sich leicht denken, daß solches dem Geißbarte einigen Eindruck machte. Erst recht aber

– und das fuhr ihm geradezu in die Knochen – der zwischendurch und vertraulich erteilte Rat, er möge ein wenig auf seinen Schwiegersohn aufpassen, den Herrn Pinter oder Pinta, welcher ja zweifellos ein prächtiger Mensch sei, wie man wohl wisse, aber vielleicht gelegentlich ein bissel zu politischen Dummheiten neige. Nun, es habe nichts auf sich. Aber es sei besser, wenn Herr Zdarsa davon immerhin wisse, ohne zunächst mit Herrn Pinta darüber zu sprechen. Davon war der alte Zdarsa freilich weit ab. Er fragte gar nichts, er drang keineswegs in den Herrn aus Wien, daß dieser ihm mehr oder genaueres sage. Er wollte gar nichts wissen. Was er jetzt erfahren hatte, war ihm schon zu viel. Mit Pinta von den Sachen zu sprechen oder ihm auch nur eine einzige diesbezügliche Frage zu stellen, wäre ihm gewiß nie eingefallen, und er war glücklich, daß der Rat des Herrn akademischen Malers aus Wien ihn geradezu davon entband. Überhaupt: sah man dem Leben des Geißbartes – so weit in solchem Falle von Leben gesprochen werden kann – durch einige Zeit zu, so konnte der Eindruck entstehen, daß der alte Zdarsa immer Prügel fürchtete, ja, daß er im letzten Grunde nur deshalb so unheimlich schnell sich auf dem Motorrad fortbewegte, weil damit die Gefahr geringer wurde, angehalten und verprügelt zu werden, als wenn er zu Fuß gegangen wäre. Vielleicht fürchtete sich der alte Zdarsa auch davor, daß Pinta ihn einmal dreschen könnte. Er sagte also nichts. Auch nicht, als sein Schwiegersohn, einige Tage nach jenem Gespräch mit dem Maler, aus Mörbisch nach Stinkenbrunn zurückkehrte, und zwar mit einem dicken kunstgerechten Verband um den ganzen Kopf. Es roch alsbald nach Spital in der Stube. Pinta berichtete, er sei in der Waldhütte bei Mörbisch so unglücklich zwischen die Geräte gestürzt, daß er seine Verletzungen in Rust habe behandeln und verbinden lassen müssen. „So, so, ein schönes Pech", sagte der Geißbart, und nichts weiter. Nun ja, es muß eingeräumt werden, daß es für einen Kerl wie Pinta samt Kopfverband ein leichtes gewesen wäre, das Männlein zu prügeln. Aber an derartiges dachte ja ganz ausschließlich der alte Zdarsa, an lauter drohende Möglichkeiten, so Preschitz wie Prügel und noch andere Gefahren, zwischen denen er dann im schnellen Hexenritt und bedenklich aussehend auf seinem Puch-Rößlein hindurchschloff.

Auch nach Mörbisch kam der Maler.

Er saß für ein kurzes im Gasthaus mit einer kleinen Gruppe von uniformierten ,Schutzbündlern' – ein Anblick, den man in dieser Gegend, am Schilfgürtel um den Neusiedler-See, seltener haben konnte. Hier war kein Reibungsraum, kein Tanzboden für Gegensätze. Die ,Schutzbündler' verhielten sich auch vollends friedlich, sie aßen und tranken. Der Maler arbeitete nachmittags jenseits des Schilfes, nahe dem See. Als die Dämmerung schon zunahm, querte er auf festem und gebahntem Pfade das Schilf, sein Handwerkszeug in einer hübschen Ledertasche tragend; die Straße nach Fertörákos im Ungarischen, das wir Kroisbach nennen, erreichte er südlich von Mörbisch. Es begann jetzt dunkel zu werden. Der Maler verließ die Straße und schlug sich jenseits ihrer am ansteigenden Waldsaum entlang; wo dieser tief einsprang, ganz rückwärts in einer Waldecke, halb schon zwischen den Laubbäumen, konnte er nun das schwache Licht aus Pinta's Hütte sehen.

Obwohl er bisher ohne unnötiges Geräusch gegangen war, trat er bei den letzten, ruhigen und langsamen Schritten fester auf, klopfte dann sacht an die Türe und sagte freundlichen Tones in ungarischer Sprache: „Guten Abend, Herr Pinta."

„Herein!" rief es aus der Hütte, ebenfalls ungarisch.

Pinta erhob sich vom Tisch, auf welchem, unter der Hängelampe, eine illustrierte Zeitung lag.

„Mein Name ist Imre Gyurkicz von Faddy und Hátfaludy", sagte der Eintretende lächelnd, „ich bitte Sie die Störung vielmals entschuldigen zu wollen, ich möchte Sie auch nicht lange aufhalten. Aber ich fühlte mich verpflichtet, Sie heute abends noch aufzusuchen, um Ihnen einen kleinen Wink zu geben, der für Sie von Wert sein wird."

Sofort entsann sich Pinta des Namens (ein sicherer Beweis übrigens, daß man ihn ganz fälschlich als dumm oder stumpfsinnig bezeichnen würde), der ja vom Grafen vor vierzehn Tagen genannt worden war, als sie hier mit dem Hauptmann Szefcsik getrunken hatten. „Bitte nehmen Sie Platz", sagte er.

„Die Sache ist einfach und harmlos, wenn Sie nämlich darauf vorbereitet sind", bemerkte Gyurkicz einleitend, und sah Pinta mit seinen blauen Augen an. Dann unterrichtete er ihn davon, daß zu Mörbisch ,Schutzbündler' sich befänden, die offenbar Wind davon zu haben schienen, daß er, Pinta, in seiner Hütte mitunter Besuch von jenseits der Grenze – „von unseren Freunden", sagte Imre – empfange. Es bestünde die Absicht, im Laufe der heutigen Nacht ihn hier zu überraschen. „Ich hab' die Sache im Wirtshaus gehört, sie wurde von den Roten besprochen. Am besten wäre, Herr Pinta, wenn Sie unseren Freunden ein Zeichen geben würden, daß die Luft nicht rein ist, und sie sollen weg bleiben. Können Sie das? Wenn diese Leute dann kommen, stellen Sie sich ganz und gar harmlos, und wenn die Ihnen sagen, warum sie hier erschienen sind, dann bitten Sie vor allem darum, hier zu bleiben, und zwar zu Ihrem Schutze. Natürlich nur mit ‚Genossen' anreden. Die tun Ihnen bestimmt nix. Haben Sie Wein?"

„Ja", sagte Pinta. „Darf ich Ihnen ein Glas . . .?"

„Nein", sagte Imre lachend, „ich für meine Person trinke nichts. Aber für die ‚Schutzbündler' werden Sie den Wein brauchen, verstehen Sie mich, Herr Pinta?"

Das letzte wirkte auf den Kroaten Vertrauen erweckend, obwohl er zunächst gar nichts anderes vermeint hatte, als daß Gyurkicz die Ungarn fernzuhalten wünsche, um ihn dann durch die ‚Schutzbündler' überfallen zu lassen. Jetzt jedoch begann er die Lage anders zu sehen. Einem einzelnen Mann, der hier in unversperrter Hütte saß, bereitwillig eintreten ließ und sich gastlich verhielt – dem taten die Roten nichts. So weit kannte er sie, schon von Hirm, von den Versammlungen her. Jedermann ist übrigens bereit auch die Tugenden seiner Feinde zu sehen, wenn diese Tugenden ausnahmsweise einmal ihm selbst zustatten kommen. Außerdem: die ‚Schutzbündler' trugen nie Waffen.

Einiges zum Vertrauen Pinta's mochte auch Imre's kindlicher Blick aus den blauen Augen beigetragen haben.

„Ich danke Ihnen sehr, Herr von Gyurkicz", sagte er. „Ich bleib' also allein, lass' die Tür offen und die Herren vom ‚Schutzbund' eintreten, bitte sie zu bleiben, und bei der Gelegenheit rück' ich mit dem Wein heraus."

„So wird's gut sein", sagte Gyurkicz, ließ sich aber für sein Teil weder zum Bleiben noch zum Weine nötigen, und verschwand.

Pinta beschloß, seiner zweiten Annahme zu folgen. Deshalb schlug er den Laden vor dem Fenster an der Waldseite zu. Stand dieser offen und sah man, von der Grenze kommend, das Licht im Walde, so bedeutete es reine Luft.

Er setzte sich an den Tisch, trank vier Gläser Wein, und las die Roman-Fortsetzung in der Illustrierten Zeitung.

Zwei Stunden später waren sie da. Er hörte sie draußen. Das Pochen an der Tür war kräftig. „Herein!" rief Pinta deutsch. Der Eintritt geschah ohne Gruß. Sie sahen sich genau um. „Guten Abend, Genossen", sagte Pinta. Man dankte ihm. Plötzlich rief einer: „Ja – Sie sind das, Genosse Pinta?! Sie hab' ich doch in Hirm bei unseren Versammlungen gesehen!" „Ja freilich", sagte Pinta, „dort war ich oft, mit meinem Schwiegervater und zwei Genossen aus Wien. Wollen die Herren nicht Platz nehmen? Was führt die Herren zu mir? Eine Nachtübung heut'?" (Auch das gab es bei den militärähnlichen Formationen jener Zeit.)

Sie nahmen nacheinander Platz. Dann sagte ihm der Anführer der kleinen Gruppe – es waren, mit ihm zusammen, nicht mehr als fünf Mann – daß sie gewissermaßen zu seinem Schutze gekommen seien, das heißt, um einmal nach ihm zu sehen, da hier in der Gegend illegale Grenzüberschreitungen durch die ‚Magyaronen', die ungarischen Faschisten, stattfänden.

„Verflucht noch einmal!" rief Pinta. „Und für heute wird so was erwartet?"

„Möglicherweise ja", sagte der Anführer.

„Da möcht' ich die Genossen aber bitten, vorläufig hierzubleiben. Wär' vielleicht ein Glas Wein gefällig?"

Er hatte Glück. Sie waren keine Abstinenzler, welche damals bei den Sozialisten nicht selten angetroffen werden konnten. Der Anführer der Gruppe sah sich unter seinen Leuten um. Der Vorschlag Pinta's schien Zustimmung zu finden. Pinta nahm eine Korbflasche und Gläser hervor. Ihrer waren genug da, man hatte wahrlich schon in größerer Versammlung getrunken als zu sechst.

Diese hier aber unterschied sich von der ungarischen Art des Beisammenseins gar sehr. War dort, was man zu besprechen wünschte, mehr nebenhin gestreift worden, so herrschte hier eine gewisse Feierlichkeit, ein Bestreben, sich gebildet und geschult auszudrücken, worin insbesondere jener Führer der Gruppe hervorstach, die im übrigen aus frischen und kräftigen, gar nicht unebenen jungen Männern bestand; aber sie alle waren gleichermaßen auf irgendeinen Draht gezogen, der nicht gemeinsamer Haß war und nicht gemeinsame Liebe, sondern eine Art gemeinsames Depot eines gesicherten Wissens, an welchem jeder seinen Anteilschein hatte, der für ihn jede Frage abschloß und beantwortete, ja sogar die nach dem Sinn des Lebens (der doch immer wieder fragwürdig zu bleiben hat), von der Menschheit, ihrer Geschichte und Entwicklung ganz zu schweigen: hiefür gab es einfach einige festliegende Kunst-Ausdrücke soziologischer Art. Pinta gefielen diese Männer eigentlich sehr gut, es waren tadellose, stramme Burschen. Er vermochte freilich nicht im wesentlichen zu sagen, warum ihm in ihrer Mitte nicht warm wurde. Pinta glaubte ernstlich an politische Gegensätze: und so erklärte er sich denn die Sache nur auf diese Weise.

Heute ward nicht gesungen, heut' klang kein Ungarnlied. Wohl, der Wein schmeckte. In die Gesichter der jungen Burschen kam ein belebterer Schein, als unterflösse rotes Blut wieder einen bleichen Chitinpanzer. Sie stießen mit Pinta die Gläser zusammen; diesem ward der Wein stärker fühlbar, er hatte ja vorher schon getrunken, er empfand jetzt Ärger deshalb, der Rausch kam sehr zur Unzeit: zur kritischen Zeit nämlich; Pinta trug eine Armbanduhr, und so konnte er sie ganz unauffällig feststellen. Es ging auf elf. Seit einer halben Stunde etwa mochte man unweit im Walde auf ein Zeichen warten, daß die Luft rein sei. Nun gut, dann mußten sie eben warten, und vergebens. Er saß hier gewissermaßen gefangen. Was ihn quälte und in Unruhe versetzte, war ein anderes: sein eigener Zustand. Die Art dieser Leute zu reden, welche da auf den Bänken um den Tisch saßen, engte Pinta gewissermaßen ein oder trocknete ihn aus, es war wie das Rascheln von viel bedrucktem Papier; ja, es schien, als hätten sie sogar einen Geruch dieser Art mitgebracht, einen toten Geruch, wie aus Schulzimmern ... so etwas mußte es sein, und es wurde immer wieder durch winzige Augenblicke spürbar, trotz des Zigarettenqualmes, welcher in dem kleinen Raume allmählich dick geworden war. Pinta fühlte sich wie gelähmt, steif, linkisch. Er schenkte eifriger ein, aber viel Gelegenheit war nicht dazu, die ‚Schutzbündler' tranken überaus mäßig. Dem Pinta wurde allmählich zu Mute, als sei er in irgendeiner Weise von der eigenen Person getrennt, als wär' er zur Hälfte von Holz, oder als läge er zur Gänze unter Glas. Der Rauch war schon unerträglich dick. Pinta erhob sich und öffnete die Türe, der Lüftung wegen; eben wollte er einen Holzklotz vorlegen, um die Türe fest zu halten. Da wurde es doch wieder zu kalt, die Spätherbst-Nacht war frisch. Es gab kein anderes Fenster als jenes an der Waldseite; diesem gegenüber, neben der Türe, befand sich nur eine kleine Luke mit einer auf primitive Weise mittels umgebogener Nägel davor festgemachten Glasscheibe, eigentlich das Bruchstück einer solchen (hierdurch war von Gyurkicz bei seinem Herankommen der Lichtschimmer gesehen worden). Eben als Pinta die Türe wieder geschlossen hatte, öffnete der zunächst sitzende von den jungen Leuten das Fenster und schlug den Laden außen zurück. Pinta, in einer jetzt unbesieglichen bleiernen Hilflosigkeit, nahm einfach wieder am Tische Platz, trank ein halbes Glas Wein und blieb da sitzen. Nicht lange. Es vergingen etwa zehn Minuten – während welcher Zeit Pinta nur mehr vor sich hin döste – dann gab es eine blitzschnelle zuckende Verschattung an der Lampe: ein faustgroßer Stein flog durch's Fenster, streifte den Schädel des Kroaten und schlug pumpernd gegen die Wand. Pinta sank wie ein Sack gegen seinen Nachbarn zur Linken, und dann unter den Tisch.

„Licht aus!" rief der Anführer der ,Schutzbündler' in ruhigem Kommandoton, da er von der Lampe zu weit entfernt saß, um das Löschen der Leuchte selbst bewerkstelligen zu können. Einer von den jungen Leuten – es war jener, der Pinta zu Hirm gesehen hatte – erhob sich ganz kaltblütig, ohne auch nur mit einem einzigen Blicke nach dem Fenster zu sehen, schraubte in aller Ruhe den Docht herab und pustete das Licht aus. „Heraus! Mir nach!" sagte der Anführer. Sie mußten Pinta liegen lassen. In der Finsternis empfing sie schon die Übermacht, beiderseits von der Waldseite her um die Hütte hervorbrechend. Stoß vor die Brust, Hieb im Dunklen, Sprung bei Seite. „Mir nach!" hörte man den Anführer der ,Schutzbündler' wieder, mit bemerkenswert ruhiger kräftiger Stimme. Ihm war's ehrlich leid, daß man Pinta, der möglicherweise schwer verletzt war, dahinten liegen lassen mußte; er hat es später mehrmals gesagt, ebenso, daß hier für fünf Mann – gegenüber einem Dutzend oder mehr ,Magyaronen' – nichts anderes übrig geblieben sei, als der schleunige Rückzug.

Sie befreiten sich mit den Fäusten und mit Glück von ihren Gegnern und stoben am Waldesrande davon; allzuweit auf österreichisches Gebiet konnten ihnen jene nicht folgen.

In der Hütte hatte man wieder Licht gemacht. Auf dem Tische, von welchem die Gläser abgeräumt worden waren, lag Pinta, der eben zu sich kam. Über ihn beugten sich der Graf und ein ausgebildeter Sanitäter, der seine große Tasche geöffnet hatte, Pinta reinigte und ihm einen Notverband um die erhebliche Rißquetschwunde an der rechten Schädelseite legte. Der den Stein geworfen – einer der primitivsten Burschen unter den Leuten des Grafen – hatte, beim Anblick der ‚Schutzbündler‘ in der Hütte, den Kroaten wirklich für einen Verräter gehalten, der die Ungarn in eine Falle locken wollte. „Einen Pferdeschwanz in deinen . . .“ sagte der Graf zu ihm. Pinta konnte bald sprechen. Nun freilich klärte sich alles auf. Auch der Name Imre von Gyurkicz fiel. Im Walde draußen waren die Leute des Grafen auf Wache. „Wir bringen dich jetzt hinüber“, sagte der Graf zu Pinta. „Ich hab’ ein Auto stehen auf der Straße nach Fertörákos. Damit bring’ ich dich nach Sopron in die Klinik. Du mußt untersucht werden, lege artis. Hoffentlich hast’ keine commotio. Aber ihr Kroaten habt ja harte Schädel. Wenn nichts weiter ist, fahr’ ich dich morgen oder übermorgen schon nach Stinkenbrunn, oder dort wo in die Nähe.“ Die Ordnung in der Hütte ward danach wieder hergestellt. Man packte Pinta’s Sachen in den Rucksack, löschte mit Sorgfalt das Licht und verschloß das Haus. Sodann setzte sich der Trupp in Bewegung, tiefer in den Wald eindringend. Pinta ward von zwei Mann getragen, die alle hundert Schritte abgelöst wurden; der Graf wollte nicht, daß Pinta auftrete. So gelangte der Transport, in südöstlicher Richtung und zuletzt bergab sich bewegend, unweit des wartenden Wagens auf die Straße nach Fertörákos.

4

Triumph der Rahel

Dr. Dwight Williams hatte der Drobila im Laufe der Zeit natürlich so ziemlich alles erzählt, was die Albertstraße in London betraf, die Madame Libesny, und ‚Mary‘, von welcher er bis zum heutigen Tage um nichts mehr wußte als diesen Namen und ihr schweres Unglück. So nach und nach war die ganze Atmosphäre jenes grünlich oder weißlich hellen drawing-room aus Dwight's Worten hervorgekommen und emporgedampft, wie der Inhalt eines Topfes in der Küche spürbar wird, wenn man ihn über das Herdfeuer schiebt, erwärmt, und gar noch den Dekkel abnimmt. Es kann nicht fehlen. „I'd better tell you all."

Williams unterließ freilich jede Nachforschung; es lag für ihn auf der Hand, daß in einer Stadt von zwei Millionen Einwohnern jede derartige Bemühung so gut wie sinnlos sein mußte. Unter der Hand aber lag in seiner unverdorbenen Natur ein tieferes Wissen davon, daß man sich den Sachen des Lebens nicht nähern könne, indem man einen Apparat in Bewegung setzt. Zwischen jener auf der flachen Hand liegenden vernünftigen Einsicht in die Aussichtslosigkeit allen Suchens nach Mary – diese war eben in diffuser Weise fast überall anwesend und daher gar nicht lokalisierbar – zwischen jener planen oder platten Einsicht und Dwight's tieferem Wissen gab es die Zone seines Zartgefühls: und sie eben war es, durch welche er nie hindurchgelangt wäre mit einer direkt ausgestreckten Hand, die dort außen hätte greifen wollen, was ihn tief innerlich wie eine vorausgewußte Zukunft bewohnte.

Anders, versteht sich, die Drobila.

Die Frauen sind ordinärer.

Man schreie nicht gleich. Es ist eben doch so. Es ist ‚aktsbekannt‘ (wie das in der österreichischen Amtssprache so schön heißt).

Schon im Spätherbst hatte sie alles herausgebracht. Zunächst waren von ihr die Tageszeitungen der kritischen Monate – als welche sie, gemäß Williams-Libesny, August bis November 1925 annehmen mußte – genau durchgesehen worden, im lokalen Teil: in einer Nummer vom 22. September 1925 bekam sie denn die Gesuchte samt Familiennamen zu fassen. Obendrein stolperte ihr unter den im Laufe der Zeit in Wien gemachten Bekanntschaften ein junger Assistenzarzt über die Füße – Dr. Tuberl hieß er und wollte Lungenspezialist werden – welchen Emma Drobil beauftragen konnte, im Unfall-Krankenhaus das Journal vom 21. September 1925 einzusehen. Dort stand auch Mary's Anschrift. Und mehr brauchte die Drobil nicht.

Man muß sie sich nur vorstellen, wie sie da hinter der Gallions-Figur ihres beachtlichen Busens in See stach, nämlich in ein Meer raschelnden Zeitungspapiers, in welches sie ihre hübsche böhmische Nase vergrub. Und zwar geschah solches auf der bequemsten und handlichsten Bibliothek, nämlich jener der Stadt Wien selbst, wo man keine unnötigen amtlichen Umstände macht und der Leser gleich alles in den Griff kriegt. Der Drobila wurden die Zeitungen in sauberen Monatsbänden vorgelegt. Darin forschte sie, ein Sherlock Holmes mit sex-appeal. Auf solche Art entdeckte sie Amerika, nein, machte sie sozusagen für Amerika eine Entdeckung, nämlich mitten im Anonymen und Unbestimmten die Insel des 21. September, welche bereits durchaus sichere Aussicht auf das feste Land gewährte.

Jedoch sie teilte nach Amerika nichts mit.

Dies aber bildet den springenden Punkt.

Und von hier an wird die Sache verdächtig.

Es muß sich da im Nachsommer und Herbst ein angespannterer Bezug zwischen den beiden entwickelt haben. Sie lebten als Ausländer sozusagen an der Oberfläche der Stadt, von deren Oberflächenspannung getragen, die ja sogar bei einem ganz gewöhnlichen kleinen Wasserspiegel noch stark genug ist, leichten Fremdkörpern das Eindringen und Untersinken zu verwehren. So auch hier. Hoch droben über dem Grundsumpf und im Hellen befindlich, genossen sie jenes Fernsein tieferer Befangenheit – in welcher jeder Mensch bis an den Hals steht, der in seiner Heimat lebt – und damit war ihnen eine Art uneingeschränkter Wahlfreiheit geschenkt, einfach weil sie schlechthin alle hier gegebenen Möglichkeiten rundum sahen und nicht nur durch Schlitze in einen zwangsweise ausgeschnittenen Horizont blickten. Die verhältnismäßig doch geringe Zahl von Menschen, mit denen jeder von den beiden, Dr. Williams und die Drobila, bisher Kontakt gewonnen hatte, die ebenso geringe Zahl von Straßen, die sie kannten, Stadt-Teilen, die ihnen vertrauter geworden waren, Lokalen, die sie öfter besucht hatten – all' diese Inseln im sonst Fremden, wo man sich erst zurecht fragen mußte, waren noch keineswegs zu einem Kontinent zusammengebacken, einem eng verfilzten Gewebe, vielmehr standen sie einzeln als einzelne: hundertmal mehr noch wären sie so vereinzelt geblieben in einer der westlichen Groß-Städte Europa's. Aber selbst hier, in dem kleineren und so vielfach altväterisch-idyllischen Wien, blieb's immerhin spürbar, blieben die Punkte, welche sie an dieser doch beachtlich ausgedehnten Oberfläche besetzen konnten, weit voneinander entfernt, bildeten die bewanderten Bahnen zwischen solchen Punkten noch kein dichtes Netz, das jene Oberfläche übersponnen hätte, sie allmählich zerteilend, sich einfressend, sie zersetzend, bis da jener zusammenhängende Filz von Beziehungen entsteht, auf den jeder bezogen ist und auf welchem er geradezu parasitiert, weit mehr sogar als das dem einzelnen gemeiniglich zu Bewußtsein kommt.

So war denn die Lage des Dr. Williams und der Emma Drobil nicht unähnlich, hinsichtlich einer gewissen Helligkeit und Durchsichtigkeit des Grundgeflechtes wenigstens, auf welchem sie ruhten. Und in solchem Lichte kamen sie einander entgegen und unternahmen übrigens noch viele Spaziergänge in den lieblichen Wienerwaldgegenden, deren allgemeine Topographie von ihnen sogar bald besser und übersichtlicher beherrscht ward als von den hier einheimischen Menschen. Auch hatten sie an einem klaren Sommermorgen den bemerkenswerten Rundblick vom Turme zu St. Stephan genossen, was man nur von sehr wenigen unter jenen Personen sagen könnte, die ihr ganzes Leben in Wien verbracht haben.

Man kann nun eigentlich nicht behaupten, daß Frau Mary K. zu den Wiener Sehenswürdigkeiten gehörte. Gleichwohl ward sie von der Drobila besichtigt, allerdings nicht in Beisein des Dr. Williams. Die Sache war nicht allzu schwierig. Schräg gegenüber von Mary's Haustor befand sich ein Café, ‚Zur Franz-Josefs-Bahn' genannt, weil dieser Bahnhof an der einen Seite des Althan-Platzes liegt; man steigt dort nach Böhmen ein, was freilich auch unsere Drobila zu tun pflegte, wenn sie einmal Urlaub hatte und heim nach Prag fahren konnte (sie tat es übrigens nicht in allen Urlaubsfällen, sie fuhr auch anderswohin, zum Beispiel auf den Semmering, wo sie mit Dr. Williams Zimmer an Zimmer im ‚Südbahnhotel‘ wohnte, was aber weiter gar nichts sagen will – Dwight war überhaupt ein merkwürdiger Mensch). Das ‚Café Franz-Josefs-Bahn‘ hatte zwei Eigentümlichkeiten, von denen die erste auf unsere Drobila ansprechend wirkte: kam man nämlich über den Althan-Platz, so fiel der Blick den Bahnhof entlang auf das nicht ferne Kahlengebirge, das dort in freier Weite stand: jetzt waren die bunten Fahnen des Herbstes an den Waldlehnen wohl schon strichweise erblaßt und in das Blaugrau der kahl werdenden Astgewirre gesunken. Aber gerade das schenkte noch mehr den Geschmack der geöffneten Entfernung, gerade diese Farbe, dieses Blau: es war wie ein in die Stadtmasse gebrochenes Tor. Auch gefiel es der Drobila, daß die Fenster des ‚Café Franz-Josefs-Bahn‘ sich als weit geschwungene Bogen zeigten, so daß die großen Glasflächen oben in einer etwas ungewöhnlichen Weise gerundet abschlossen ... Solche kleine Dinge des Beigeschmacks im Leben sind nun einmal von einiger Bedeutung, die wir zwar allermeist unterdrücken; aber in der Erinnerung erweisen sie sich dauerhafter als vieles, was sonst damals wichtig schien, ja sie bilden da oft die einzigen noch erleuchteten Stellen. Eine zweite Eigentümlichkeit jenes Café's war weniger erfreulich: die Kartenspieler, welche auch jetzt, wo es längst nicht mehr heiß war, stets ihre Röcke ablegten und in offener Weste oder im Hemd mit Hosenträgern an den grünen Spieltischen saßen. Sie redeten zum Teile tschechisch, wobei die Drobila unfreiwillig an ihren sämtlichen Erörterungen teilnehmen mußte. Emmy konnte es freilich nicht wissen, daß diese Leute größtenteils Hausmeister aus der Umgebung waren, die hier zusammenzukommen pflegten; die Abneigung der Drobila gründete rein auf dem Instinkt, vielleicht auch auf dem Geruchssinne.

Aber am Fenster war ihr Sitz bequem. Sie nahm ihren Mokka oder Cognac, und bezahlte gleich, um sprungfertig zu sein. Einmal ging sie sonntags auf den Anstand, einmal am Samstag nachmittag, sonst eben nach Schluß ihres Büro's. Seltsame Freizeit. Am seltsamsten aber bleibt es, daß die Drobila, wie sich später ergab, gerade am Tage nach der Ankunft Mary K.'s aus

München mit ihren Sitzungen im ‚Café Franz-Josefs-Bahn‘ begonnen hatte.

Gleich nach Beginn der sechsten Sitzung erschien jenseits des Platzes unverkennbar die Gesuchte, aus dem Haustore tretend. Frau Mary trug ihren schwarzen Ebenholz-Stock und humpelte charmant: so ein wenig behindert, so ein wenig sich selbst ironisierend. Das alles lag schon im Gange! Ja, schon in der Art war es gelegen, wie sie, nach dem Verlassen des Hauses, sich ein wenig umgesehen hatte: ein Blick zum Himmel, ein Blick über den Platz ... Die Drobila verließ sogleich ihren Posten, schlug schnellfüßig einen weiten Bogen, vorbei an der Stirnseite des altmodischen Bahngebäudes, und kam, am anderen Ufer drüben aus dem Verkehrstrubel tauchend, Frau Mary geradewegs entgegen.

Noch war eine einmündende Straße zwischen den beiden. Aber die Drobila sah scharf, und der zweite Gehsteig dort drüben war leer – nur Mary kam. Freilich war die Drobila durch Williams-Libesny dahin berichtet, daß diese Frau sehr wohl Energie und Mittel habe, das Menschenmögliche zu tun, den Verlust zu überwinden, das fehlende Glied zu ersetzen. Eben damals, als Williams noch zu London in der Albert-Straße wohnte, bestand schon ihre Absicht ‚früher oder später einmal‘ (so schrieb sie) zu Professor Habermann nach München zu gehen. Die Drobila hatte also keineswegs ein ganz unbehilfliches Wesen mit Krücken erwartet. Aber was nun kam – das war gewissermaßen zu viel.

Schon das Hütchen war zu viel für die Drobila, ja dieses allein schon, diese Spitze, sie enthielt alles, was darunter noch kam. Ein kleiner schwarzer Filz (solé) mit einem hingehauchten Reiherpinselchen. Es war ein großartiges Modell. Es war am Rande einer Clownerie, es war ironisch, ja, es drückte genau das gleiche aus, wie Mary’s erster Blick über die Straße nach dem Verlassen des Hauses, oder ihr Blick zum Himmel, während sie noch vor dem Tor ein wenig stehen geblieben war, um dann, charmant humpelnd, ihre Richtung aufzunehmen. Freilich sah die Emmy Drobil, daß diese Frau schön war, ja, eine Rahel, eine Rebekka – aber das Hütchen und wie sie es trug, das war noch mehr. Es war ein Standpunkt, ein Ort, den die Trägerin bezogen hatte in einem für sie wahrlich nicht leichten Leben. Fast wäre zu erwarten gewesen, daß dieses Hütchen klinge wie eine kleine silberne Glocke, ein Klang und Glanz gewordener erreichter Punkt, ein Spitzenpunkt im Leben, ein Pünktchen auf dem i.

Was darunter ging, trug bereits Pelz, schwarzen Pelz.

Zwei schlanke Fesseln in Silbergrau.

Die Drobila mußte stehenbleiben. Sie hatte die Ecke erreicht, wo die lange ‚Porzellangasse' gegenüber dem Bahnhof in den Althanplatz mündet. Auf der anderen Seite stand Mary. Beide Damen mußten des dichten Verkehrs wegen warten.

Ein Straßenbahnzug hielt. Ein anderer fuhr vorbei.

Als Mary für die Drobila wieder sichtbar wurde, hatte sie die Fahrbahn bereits betreten. Sie ging in aller Ruhe – obwohl hier keine Regelung des Verkehrs herrschte – aber sie schien sich dessen bewußt zu sein, daß man auf sie, als Behinderte, Rücksicht zu nehmen verpflichtet war, und daß in ihrem Falle es nicht genügte, ein kurzes Signal zu tuten als Aufforderung zum Beiseite-Springen für den Fußgänger, ohne die Geschwindigkeit zu vermindern. In der Tat bremste ein Auto schon in gemessener Entfernung vor Mary ab und ließ sie vorbei. Aber die Drobila, welche am Gehsteige stehen geblieben war und vor sich hin auf Mary's Weg und dieser entgegen sah, bemerkte etwas ganz anderes. Die Straße zeigte an einer Stelle irisierenden Glanz, das breite patzig-dunkle Liegen eines Öltropfens. Und Mary sah nicht auf den Boden, sondern auf ihr Ziel, auf das jenseitige Ufer des Verkehrs-Strombettes, auf den Gehsteig, ja, geradezu auf die Drobila. Diese – obwohl doch der jetzt vorliegende, oder beinah vorliegende Fall gar sehr in ihren Kram paßte! – hatte doch eine kleine lähmende Zone der Trägheit zu durchstoßen, eh sie mit ein paar raschen Schritten auf die Fahrbahn und Mary entgegen eilte, die in eben diesem Augenblick ihren Ebenholzstock mitten in die schillernde Ölkröte gesetzt hatte, so daß er abglitt. Mary schwankte, ihr Gesicht verzog sich. Schon war die Drobila bei ihr und hielt sie am schwarzen Pelzärmel.

„So eine Schweinerei!" sagte Mary, lachte aber schon. Sie streifte das Ende ihres Stockes mit der Gummihülse auf dem Asphalt hin und her, wie um das Öl davon weg zu bringen.

„Darf ich mit Ihnen hinübergehen?" fragte die Drobila, die beachtliche Drobila möchte man sagen, weil sie beachtlich wogte, also im Augenblick doch etwas aufgeregt war.

„Ja, bitte! Das ist lieb von Ihnen."

Mary sah aus der Nähe noch viel hübscher aus als von weitem.

„Haben Sie einen Sport-Unfall gehabt?" fragte Emma, nicht ohne Takt (lieber hätten wir geschrieben: ‚nicht ohne Tam' – Klugheit und Charme – aber das ist Eigentum von Karl Kraus, der einmal in den ‚Letzten Tagen der Menschheit' als Regie-bemerkung, bevor eine Person spricht, einfügt: Der alte Biach (nicht ohne Tam):).

Mary blieb am Gehsteig stehen und begann laut zu lachen.

„Sport, das ist gut!" sagte sie. „Ich bin vierzig Jahre alt und habe nur ein Bein. Dafür zwei erwachsene Kinder."

„Ja..." sagte die Drobila – es war nah' an dem, daß sie die Fassung verloren hätte – „haben Sie immer nur ein Bein ge-habt?" Das Lügen geht ja bei den Frauen wie am Schnürchen. Man schreie nur nicht gleich. Auch das ist aktsbekannt.

„Ja, glauben Sie, daß die Einbeinigkeit eine Art schlechter Jugendgewohnheit von mir ist, die ich beibehalten habe?!"

Nun lachten sie beide hemmungslos. Die Drobila genierte sich gar nicht. Eine schwere, ja erdrückende Last, vor der man schweigsam und ernst hätte zurücktreten müssen, wurde hier so meisterhaft balanciert, daß kein Zurücktreten übrig blieb, ja, daß man ganz unbesorgt herauslachen durfte.

Es war – zwischen zwei Atemzügen – für die Drobila einer jener seltenen Augenblicke, in denen der Mensch nicht nur reift, sondern sich reifen fühlt, ja, das Rauschen des um-gewendeten Blattes vernimmt – als würde in ihm gelesen, wie in einem Buche – und jetzt schon beinahe kapiert, was auf der nächsten Seite steht. Jedoch da wird zurückgeblättert. Sie, die Drobila, ahnte, daß Mary sicher aus einer finstern persönlichen Verzweiflung, und durchaus zur Selbst-Rettung ihr kleines Hel-denwerk begonnen hatte, um es endlich, jetzt, in diesen erhell-teren Tagen, bereits um der anderen willen zu vollenden. Auch um ihretwillen, um der Drobila willen. Freilich dauerte solche erleuchtende Einsicht bei unserer Emmy nicht länger als ein Lichtblitz aus einer Türe, die schon wieder zugeschlagen wird, ein Licht-Akzent.

Das Entzücken an Mary war's, was die blitzartige Einsicht überschwemmte und ablöste. Sie gingen ohne Umstände mit-einander weiter. Längst hatte die Drobila den Pelzärmel losgelassen, und Mary bewegte sich mit ihrem reizenden, leicht geknickten Gange flott neben ihr her. Sie sagte, daß sie jetzt immer einen Umweg mache, statt die ganze Breite des Platzes zu überqueren, um drüben in die Straßenbahn einzusteigen: sie wolle nach Döbling fahren. „Darf ich noch bisserl mitgehen?" fragte die Drobila. „Ja, freilich", meinte Mary. Vielleicht war sie's recht zufrieden, nicht gleich wieder allein gelassen zu werden. Der kleine Schreck von vorhin – als beim Überschreiten der Fahrbahn ihr Stock abgeglitten war – lag wohl noch irgendwie in den Gliedern. Die Drobila stellte sich nun in aller Form vor und sagte, daß sie aus Prag sei und hier eigentlich fremd. Auch Mary nannte ihren Namen. Nach dem Überkreuzen der Alserbachstraße fügte sie munter hinzu: „Haben Sie jetzt ein wenig Zeit, Fräulein Drobil? Ja? Dann würd' ich Sie fast bitten, mitzufahren. Wenn Sie hier in Wien fremd sind, kann's ja nichts schaden, wenn Sie ein paar nette Leut' kennen lernen. Ich bringe Sie in ein reizendes Haus, zu einer Künstlerin. Lilly Likarz heißt sie. Dorthin kann man mitbringen, wen man will. Sie werden andere junge Mädchen auch noch treffen, darunter meine Tochter Trix."

Sie stiegen ein und stiegen um, die Drobila ging voran beim Aussteigen und bot behilflich die Hand, sie machte fast den Kavalier.

Es war dieser Samstag-Nachmittag, an welchem, gegen drei Uhr, Mary und die Drobila in Konjunktion traten, bis jetzt nicht eben der eines strahlend schönen Tages gewesen. Aber während der Fahrt nach Döbling streifte schon dann und wann ein scharfes Glanzlicht das wechselnde Gesichtsfeld und blitzte in den Scheiben oder ward von einem Fensterflügel zurückgeworfen. Als sie durch den Garten der Villa schritten, zeigte dieser nicht die leiseste Vorwegnahme winterlichen Grau's. Die Rasenflächen waren noch grün und ein Asternbeet setzte seinen breiten rot-violetten Strich in die Augenwinkel der vorübergehenden Damen. Kam man so aus der Helligkeit, stieg man jetzt in eine noch größere, denn Fräulein Likarz wohnte im Atelier. Dieses war augenblicklich ein Taubenschlag mit Ein- und Abflug, aus dem man, noch die letzten Stufen steigend, als erstes das fette Kindergelächter Lilly Catona's hörte, das gleichsam eine akustische Darstellung ihrer Leiblichkeit war, ihrer weißen Kehle im besonderen. Dann erschienen zwei Mädchen in einem langen Gange, der, linker Hand verglast, jetzt das Sonnenlicht in's Treppenhaus schoß wie ein Rohr, grüßten und liefen hinab, ohne Hüte oder Mäntel, die eine trug so etwas wie einen Arbeitskittel, wie man solche bei Glasermeistern sieht. Man kam durch den Gang auf eine halb offene Terrasse oder Loggia, nun war das fette Gegacker der Catona ganz nahe, während der Blick für einen Augenblick in der größten eröffneten Ferne der Waldhügel lag, die, von der scharf hernieder blitzenden Sonne aus dem beginnenden Winterschlafe gebracht, überplastisch sich wölbten, da und dort noch einen bräunlichen Pinselstrich gegen den blauen Himmel haltend. An der Türe des großen Ateliers erschien Fräulein Likarz und fiel Mary um den Hals.

Die Drobila wurde bekannt gemacht. Im Atelier war es noch heller als auf dem verglasten Gange. Es roch nach Lack, nach Blumen, die in einem großen Strauße standen, und nach dem kindlichen hellen Schweißgeruch der rotblonden Lilly Catona, einen Augenblick lang wenigstens, ein Strich in der Luft, eine Spur. Trix kam heran, leuchtendes Schlaglicht im Haar. Die dritte Rothaarige war Fräulein Likarz selbst. Sie mochte dreißig Jahre haben. Eine Person wie aus einem einzigen Guß. Hier saß alles, jedes Fältchen ein Treffer, die Bluse, schottisch gemustert, der hellgraue Rock von derbem Tweed, die noch etwas helleren sportlichen Kniestrümpfe, dazu breite, bequeme gelbe Schuhe. Von der rückwärtigen Schmalseite des Raums löste sich ein schlanker junger Mann los, welcher der Likarz nichts nachgab an Perfektion des äußeren Tortengusses seiner Person. Mit ihm kam ein Exemplar von Sesia myopaeformis L. nach vorn geschwebt. Das Geschnatter war außerordentlich, aber vielleicht war das hier immer üblich, es schien fast so. Man hatte ‚Mary-Tante' allerdings seit ihrer Rückkehr von München im Atelier noch nicht gesehen, und wenngleich Trix schon manches berichtet haben mochte, so wußte Fräulein Likarz noch genug zu fragen. Bevor man sich rund um den großen Blumenstrauß setzte, um Tee zu trinken, strich Emmy Drobil einmal die Wand entlang und sah sich an, was hier hing und stand, letzteres auf kleinen Modelliertischen, Figürchen. Die Drobila fühlte sich von alledem schlagartig angeödet, sie kannte das alles, man sah es tausendmal, in allen neu eingerichteten Wohnungen, in Geschäften, auf Ausstellungen, in Teestuben, in

Bars. Mitten darunter hing ein großes Photo der Bildhauerin Santenigg mit Autogramm. Durch das mächtige schräge Fenster dieses Raumes sah man nicht auf die Berge, sondern hinab in den Garten und über Nachbarvillen hinweg. Die Drobila nahm am Teetische Platz.

Sie wußte schon alles. Sie wußte es wohl auf sozusagen illegitime Weise, vorwegnehmend, und der Herr René Stangeler, um seinen Geist hier zu zitieren, hätte es ganz zuletzt gewußt, und mindestens zwanzig Jahre später. Jedoch der Drobila lag es verflucht fern, irgendwo hereinzufallen, damit nur ja kein Punkt im Positions-Spiel der Entwicklung, dieser Fantasia der Jugend, übersprungen oder ausgelassen werde. Das war ihr im höchsten Grade Wurst, Schmarrn, alles eins, tschechisch: všechno jedno. Kurz: die da machten sich's leicht, lebten sich leicht. Gleich machte es sich die Emmy Drobil noch leichter, und ihre Kritik hüpfte ungeniert von einer der anwesenden Personen zur anderen, und schlenderte belustigt neben jedem Satz her, der da gesprochen wurde; und eine Ausnahme hätte sie nur bei Mary gemacht, aber die sagte fast nichts, ja, ihre dunklen Augen schienen ganz für sich schon zu schweigen, wie die Oberfläche des Weihers die Steine am Grunde verschweigt.

Es fielen ausländische Namen, man hatte Bestellungen, man arbeitete für Paris, für Hellerau bei Dresden. Herr Weilguny – so hieß der junge Mann – arbeitete ein wenig mit, half aus. Eigentlich war er ein Zeichner, sogar ein Presse-Zeichner. Es wurden Blätter vorgezeigt. Der Drobila genügte schon die Santenigg an der Wand. Sie machte sich's leicht, die Drobila. Sie hielt alles für Schwindel – mit Ausnahme des Geschäftlichen, der vielen Aufträge, der Lieferungen, der Verbindungen. Das hielt sie für gewiß, das glaubte sie gerne. Man sprach von den Primitiven, von alt-sibirischen Schnitzereien, aus dem Elfenbein der Mammut-Zähne, von Figuren aus Stein, aus Metall. Man wollte in dieser Richtung jetzt gehen. Herr Weilguny rauchte eine englische Pfeife und hatte sehr vollkommene Handbewegungen, rund, elegant, übrigens auch schöne Hände. Die Drobila war sich in der ordinärsten Weise bewußt, größer, hübscher, stärker, gesünder zu sein wie die anwesenden Mädchen, und schon gar die Likarz. Auch vermeinte sie alsbald in ihren eigenen beruflichen Sachen ein profunderes Können zu besitzen als es Weilguny und die Likarz anscheinend hatten.

Sie hielt rein alles für Schwindel. Jedoch ohne im geringsten wütend zu sein, verfinstert, verzweifelt, wie es etwa Stangeler gewesen wäre, allein schon wegen der Santenigg. Hier war alles Santenigg. Hier blitzten nicht Chic und Charme aus Kraft und Tugend, sondern jene unterwanderten wie eine tief im Stoffe sitzende Krankheit – gleich der, welche das Zinn zu Staub zerfallen läßt – in kunstgewerblerischer Weise jede Aktion des Sehens und Bildens.

Infolge der sotanen massiven Drobil'schen Einstellung machte es unserer Emmy auch nichts aus, daß Namen fielen, mit denen sie keinerlei Bedeutung verband. Der Herr Kammerrat Levielle war offenbar irgendein Bank- und Zeitungsbonze, und was konnte schon die Rose Malik für eine Dichterin sein, wenn man sie hier als hochbegabte Person lobte. Sie beachtete derartige Einzelheiten nicht. Es waren solche, die in etwas tieferen Schichten des Lebens dieser Stadt schwammen, schwebten, dahintrieben. Die Drobila war gar nicht neugierig in dieser Hinsicht. Es ist merkwürdig genug: sie hatte keinerlei Bestreben mehr, sich in Wien einzuleben, hier Fuß zu fassen, die Oberfläche der Stadt gleichsam zu durchbrechen. Sie blieb gerne in der Unverbindlichkeit, der unverbindlichen Helligkeit. Plötzlich wurde ihr das hier und jetzt im Atelier Likarz bewußt: und zugleich, daß es sich von Williams auf sie übertragen hatte. Dieser, der fast nie – von der Jugend abgesehen – in seiner Heimat gelebt, hatte es sich in der Haut eines sozusagen ‚Fremden von Beruf‘ längst bequem gemacht. Mit ihm, mit der merkwürdigen Frische, die von ihm ausging, war in irgendeiner Weise stets die ganze Welt anwesend. Auch das war der Drobila so deutlich bisher nicht geworden, wie jetzt an dem Teetisch hier. Und in den ersten Wochen ihres Lebens in Wien hatte sich unsere Emmy ganz anders verhalten als jetzt: jede Anschrift von Bekannten, die man in Prag ihr an die Hand gegeben hatte, war von der Drobila benützt worden. Sie schrieb, sie telephonierte. Dann hatte es aufgehört. Jene Ansätze zum ‚Beziehungswahn‘ – wie das der Doktor Joachim Moras in München einmal sehr geistreich benannt hat – waren erstorben: und zwar seit ihrer Bekanntschaft mit Williams. Sie wußte es jetzt. Und dies war die Neuigkeit des Nachmittages, nicht aber dieser Besuch, dieses Atelier, diese Menschen hier.

Man blieb etwa eine Stunde.

Es war der Drobila überaus angenehm, daß sich sonst niemand aus der kleinen Gesellschaft löste, auch Trix blieb, auf ausdrücklichen Wunsch der Mama. So konnte sie mit Mary allein weggehen. Sie begleitete Frau K. nach Hause, sie bot ihre Begleitung an, in der bewußten Absicht geradezu, hier ein wenig anzuklopfen, um etwa zu erfahren, wie sich der eben verlassene Schauplatz im Urteil dieser schönen Frau spiegle. Noch gar nicht zum rechten Anklopfen gelangt, schon auf dem Wege zur Straßenbahn, konnte die Drobila hören: „Diese Stücke von der Roserl Malik sind komplett blöd. Jetzt wird mit der so ein Kult getrieben." Aber weiterhin – was etwa jene ganze Geschmacks-Industrie betraf – schien Frau Mary nicht an Eindrücken zu leiden, die sie zum Ausdrucke bringen wollte, um sie loszuwerden. „Es sind tüchtige junge Leute", sagte sie, und wiederholte das später in anderer Form, und weiter nichts. Vielleicht hatte sie dort oben weder etwas Ähnliches gefühlt, wie die Drobila, noch irgendwas bemerkt, vielleicht auch wölbte sich bei ihr eine Art mütterliches Wohlwollen so hoch über alles, daß kein Kontakt und kein Urteil entstehen konnten. Vor ihrem Haustor, als die Drobila sich verabschiedete, sagte Mary: „Ich hoffe recht bald von Ihnen zu hören, Fräulein Drobil, Sie finden mich im Telephonbuch", und sie wiederholte ihren Namen und die Adresse, „Althanplatz 6".

Die Drobila hat in der Tat nicht viel später davon Gebrauch gemacht.

Jetzt erst, als sie heimgehen wollte, erfaßte sie klar, daß durch ihr Kennenlernen Mary's die Lage zwischen Williams und ihr wesentlich verändert werden würde. Je länger, je mehr – je länger sie schwieg nämlich (und anders vielleicht erst recht!). Sie fühlt' es voraus, wie da, in ihrem Schweigen, eine Art Jenseits im Diesseits für ihn stehen mußte, ja, immer mehr sich verstärkend, sich gleichsam zu einem höheren Staudrucke sammelnd. Sie, Emmy Drobil, enthielt jetzt ein Wesentliches aus Dwight's Leben als Geheimnis. Einen Augenblick, ja, kaum so lange, blitzte es durch sie hin, wieder wie aus einem Reich höherer Reife, beinahe wie ein Glück. Sie blieb stehen. Das Licht neigte sich, da und dort begannen Fensterscheiben im Widerschein zu erglühen. Ein Telephon-Automat stand hier im Drobil'schen Blickfeld. Zu nichts noch endgültig entschlossen, betrat sie die Zelle und rief das Naturhistorische Museum an.

Am 13. November 1926, Samstags, kam Leonhard abends zu Mary. Unter der zurückgekehrten Mutter stellte er sich eine alte Frau vor, ganz unkontrolliert und ohne zu überlegen, daß Trix ja eine so alte Mutter gar nicht haben konnte. Aber es war eben beim Lesen des Briefes von Trix damals – bevor er in jenes kleine Café gegangen war, um zu telephonieren – eine solche Vorstellung in ihm ausgelöst worden; und man geht vielleicht nicht ganz fehl mit der Annahme, daß die für Leonhard so sehr fühlbare Erwachsenheit der knapp Sechzehnjährigen (kam sie ihm etwa schon geradezu alt vor?!) ihn eine jugendliche Mutter gar nicht mehr erwarten ließ. Wenn die Tochter schon so alt ist, wie alt muß dann erst die Mutter sein! – auf diese Formel etwa könnte man die bezüglichen Vorstellungen Leonhards bringen. Als er die enge Schnecke der Treppe mit den sinnlosen Schnüren und Quasten hinaufstieg, bei lebhaftem Gefühle der perfekten Unverbindlichkeit dieser bequasteten Bürgerwelt für ihn, immer rund um den in der Mitte im nachhinein eingebauten Lift, trat aus einer Wohnungstüre unterhalb des Stockwerks, wo die Familie K. wohnte, eine lavendelblaue Fella Storch. Leonhard grüßte. Sie schien ihn nicht zu erkennen, und dankte für den Gruß nur sehr andeutungsweise. Leonhard ging an ihr vorbei, stieg weiter die Treppen, klingelte an der ihm schon bekannten Wohnungstüre und gab der nachkommenden Fella den Vortritt, als geöffnet wurde. Jetzt endlich grüßte sie anständig.

Leonhard legte im Vorzimmer den Mantel ab, wobei Marie half. Sein merkwürdiges Unabhängigkeits-Gefühl – am stärksten eben vorhin im Stiegenhause und angesichts der Quasten empfunden – war ein durchaus sanftes, ein Abgerückt-Sein, die Gegenwart gleichsam eines freien Raumes vor ihm, in welchen eintreten mochte, was da eintreten wollte: diese unverstrickte und unbefangene Bereitschaft konnte wohl nicht in der Fremdheit der Umgebung allein ihren Grund haben, noch weniger darin, daß Leonhard etwa kampfbereit die sonst gewohnte hierher mit sich trug und vertrat. Sondern wo sein Anker festsaß, das war nichts als seine Einsamkeit allem gegenüber, was hier begegnen konnte, oder, wenn man's mit einer Art Abkürzung bezeichnen haben will: seine schon gewohnte Zweisamkeit mit dem fürchterlichsten aller Menschen, mit dem Landesschulinspektor Scheindler.

Unter dem Mantel trug Leonhard einen dunklen Anzug, eine Neu-Erwerbung dieses Herbstes, freilich nicht vom Schneider, sondern fertig gekauft, was bei seiner normalen Figur wohl auch als das vernünftigste angesehen werden muß. Jedoch war diese Figur allzu normal, die Konfektion arbeitet nur für mittelgute Gestalten, was bei den wirklich guten dann immer ein zu weites Maß um die Hüfte macht, wenn auch geringfügig, und ein etwas zu enges um die Brust; kaum sichtbar wohl; aber von dem einen Knopfe, der den geschlossenen Rock zusammenhält, wollen schärfere Falten ausstrahlen, als einem Schneider-Auge eben lieb wäre. Und gar bei Leonhard, mit seiner breiten Brust. Dennoch, unser Mann sah gut aus. Zum Gewand hatte er gleich auch entsprechende Schuhe, entsprechende Wäsche gekauft. Solches war bei ihm Gewohnheit.

Nun trat er hinter Fella, die im Spiegel noch einmal sich überblickt hatte, unter die Türe, welche Marie eben öffnete.

Die Weiträumigkeit hier war sehr erfüllt heute, von Personen, die herumstanden und Sesseln mit derselben Funktion, um alle schlang sich ein Duft von Tee und Rum, da und dort eine kleine Fahne Zigarettenrauch. Leonhard sah Mary nicht sogleich. Sie trat dann aus dieser Wand von Gerüchen und Gestalten wie aus einem sich teilenden Vorhang: das geschah erst im nächsten Raume, dort, wo das Klavier stand. Leonhard sah, wie Fella, hinter welcher er sich weiter bewegte, vor Mary knixte: noch immer hielt er Mary nicht für die Mutter von Trix – so stark war die Vorwegnahme in ihm, so eigensinnig erwartete er, eine alte Dame zu sehen. Da war Trix heran, rasch, im rechten Augenblick. „Das ist Herr Leonhard Kakabsa, Mama", sagte sie. Plötzlich war Raum gegeben worden um Mary und Leonhard, sie standen isoliert in der Mitte des großen Zimmers unter dem Kronleuchter einander gegenüber. Mary sprach ihn herzlich an: „Das freut mich, Herr Kakabsa, ganz besonders, daß Sie gekommen sind. Meine Tochter hat mir in München schon viel von Ihnen erzählt." Leonhard verbeugte sich langsam, gemessen, noch etwas tiefer, und blieb zwei Sekunden über Mary's Hand. ‚So ist das also', dachte er ganz deutlich, in diesen selben Worten. Als er sich aufgerichtet hatte, sah er Mary an und fühlte ihre Schönheit wie eine hochauf gestaute Wasserswucht. In ihm war Ergebung, nichts weiter. ‚So ist das also', dachte er noch einmal.

Trix wußte alles.

„Wie ein Kavalier", hatte Hubert in einer Ecke zu Bill Frühwald bemerkt, während Leonhard sich eben aus seiner Verbeugung wieder aufrichtete.

Der Paukenschlag, mit welchem dieser Abend für Leonhard
begonnen hatte, klang nach, kehrte wieder, rührte neuerlich die
gespannte Membran des Inneren. Eine halbe Stunde lang durfte
er neben Frau Mary sitzen. Sie selbst war es, die ihn dazu eingeladen hatte. Sie bestritt das Gespräch, sie ersparte Leonhard
jede Anspannung des Konversation-Machens, aber sie fragte
ihn zwischendurch immer um seine Meinung; sie sprach über
München und Wien, verglich die beiden Städte, kam bei dieser
Gelegenheit darauf, daß es eigentlich verschiedene Welten
seien . . .

„Muß sein", sagte Leonhard, „eine einzige Welt genügt nirgends und auf keinen Fall. Die verschiedenen miteinander
machen erst die Welt aus."

„So?" sagte sie, und dann: „Ja. Es wäre langweilig. Sie
haben recht, Herr Kakabsa."

„Es wäre gar nicht nur langweilig", bemerkte Leonhard, „es
wäre unser aller Tod."

„Also, dann müssen diese Unterschiede sein, diese verschiedenen Sprachen und das alles . . . da will man doch eine Weltsprache einführen, wie heißt sie nur . . .?"

„Sie wäre auf jeden Fall überflüssig. Wir haben das Lateinische als Weltsprache."

„Aber wie soll man lateinisch die modernen Sachen sagen,
zum Beispiel jetzt, beim Radio: ‚Antenne'?"

„Das ist ja lateinisch."

„So?! Und was hat das ursprünglich bedeutet?"

„Die feinen langen Fühler beim Krebs. Dann auch die dünne
Rahe, welche das zusätzliche höchste Segel bei einem Boot
spannte, das Toppsegel."

Nun sah sie ihn doch erstaunt an. Und wie sah sie dabei aus!
Ein wenig belustigt, auch neugierig, ja, sogar keck. Wieder fiel
der Paukenschlag in Leonhard. Der ganze Boden schwankte, ein
neuer Boden, auf welchem er die ersten Gehversuche machte.
Alles war verändert. Er mußte in die Schule. So ist das also.
Wie beim Scheindler. Er hatte geglaubt, die große Veränderung
sei damals geschehen, auf dem Motorrad, auf der Landstraße

zwischen Fraunkirchen und Wallern. Als der Taubenschwarm auf den Grund der dunklen Gasse fiel ... So ist das also. Er begriff plötzlich, ganz weißleuchtend hell, daß jede wirkliche Veränderung nicht im Wegfallen von irgendwas allein bestehen kann. Es war jetzt genau so wie damals im Urlaub im Sommer, als er den rückwärtigen Park-Ausgang, gegen den Berg zu, entdeckt hatte. Ein ebenhin querender Weg im Wald. Er war nicht so sehr aus dem Park hinausgetreten, als in den Wald hinein ...

„Möcht' auch Lateinisch lernen", sagte Mary lustig.

„Das wäre doch eine Kleinigkeit für Sie", antwortete Leonhard rasch. „Weil Sie eine ganz andere – Vorbildung haben, als ich zum Beispiel, Sie können gewiß noch andere fremde Sprachen, englisch oder französisch ..."

Das Wort ‚Vorbildung' störte Leonhard jetzt in der unangenehmsten Weise. Es war ihm herausgerutscht, er hatte eine Sekunde vorher noch gewußt, daß er dieses Wort nicht gebrauchen sollte, daß es ein dummes, häßliches Wort sei, mit unangenehmen Vorstellungen verknüpft, mit Kursen, mit Schulzimmer-Geruch; und fast so arg wie ‚Fortbildung'. Es schmeckte übel im Munde nach.

Er war verstummt. Der neue Mensch hatte eine sozusagen noch dünne Haut. Mary sah hindurch, sie sah hinter die Anstrengung in seinem Gesicht, hinter das langsame Sich-Nähern der Brauen. Ihr Ahnungsvermögen sagte ihr eindeutig, daß diese leichte Verfinsterung Leonhards sich gewiß nicht auf sie bezog, nicht auf ihre Äußerungen, auch nicht darauf, daß sie mehr ‚Vorbildung' habe, oder auf etwas dieser Art. Ihre Bereitschaft zur eigenen Intelligenz war so groß, daß ihr Einsehen davon allein schon richtig geführt wurde. Sie wußte alsbald, daß Leonhard sich selbst jetzt, während seines Sprechens, irgendwie ein Bein gestellt hatte, und daß er gestolpert war. Worüber, eigentlich und im einzelnen, blieb gleichgültig: es war ein bekanntes Unbekanntes für Mary; als Hauptsache muß angesehen werden, daß sie überhaupt davon wußte.

„Würden Sie mir ein klein wenig helfen, dann und wann, Herr Kakabsa, wenn ich mit dem Latein-Lernen anfange?" sagte Mary. „Mit Ihrer Erfahrung, meine ich, Sie haben doch auch ganz allein begonnen. Ja?"

„Aber freilich, und von Herzen gern", sagte Leonhard, „nur kann ich ja selbst noch nichts ..."

Der ganze Boden dröhnte, schwang, summte. Und damit ist alles gesagt, was über diesen Abend zu berichten wäre: dessen Zentren, objektiv betrachtet, für die anwesenden jungen Herren ganz wo anders lagen: nämlich bei der hier selten gesehenen Fella Storch, wegen glasflüglerischer Zartheit, und bei der Emmy Drobil, wegen ihrer Beachtlichkeit in ganz anderer und fast entgegengesetzter Hinsicht.

So war denn das Neue heraus, und alles vordem Geschehene erwies sich als bloße Ankündigung, als Räumung des Platzes für eben jenes Neue, als Vorgefühl. In der Tat ward jetzt doppelscheindlerisch gelebt, man lernte, was man konnte.

Der Winter sank tief in sich selbst ein, sackte zusammen, mit Schnee und Regen; zur neuen Zeit trat ein neues Licht, wie sich's gebührte. Zwischen Mary und dem Landesschulinspektor ging Leonhard tiefer in die neue Zeit hinein. Er saß bei Mary an dem kaminartigen Ofen im Frühstückszimmer, an Samstag-Abenden, nachdem er mit ihr und den Kindern gegessen hatte. Dann sprachen sie über die Anlage von Scheindler's Schulgrammatik. Wichtig vor allem: daß man keine Zeile auslassen und nicht weitergehen dürfe, bevor alles bisher Gelernte fest zum Sitzen gelangt sei. Man sieht: Leonhard warb für seine eigene Methode. Sollten etwa gar auch bei Mary die Legionen rasseln? Der Koks rutschte und knisterte im Ofen.

Natürlich war diese grammatische Schale zu scharfrandig, zu begrenzt, um ein gebratenes Herz darauf zu servieren. Dasjenige Leonhards war gut durch. Der diesbezügliche Rapport des Mistbuben mit den Pfeilen hat zweifellos günstig gelautet; gnädig nickte Zeus. Mary, wenngleich sie tapfer war wie Judith, erschrak: sie war's, die den Gott nicken gesehen hatte. So verhielt sich das. So war das jetzt also. Sie fügte sich, sanft wie Ruth.

Man sprach nicht nur von der Grammatik, man sprach auch von den Donauschleppern. Trix saß diesmal dabei (den Scheindler vermied sie). Durch Augenblicke entstand für sie wieder Gemeinsamkeit mit Leonhard. Sie saß auf der Bluse. Sie sah die Schiffe rasch hinabziehen. Sie lutschte Bonbons. Aber diese Gemeinsamkeit enthielt schon die Trennung, den Schmerz, ja, sie war dieser Schmerz selbst. Leonhard erzählte von den Fahrten

(Trix hatte er nie davon erzählt), von der gründlichen Verschiedenheit zwischen der Talfahrt und der Bergfahrt: jene ein Wandelbild, das sich, unaufhörlich gleitend, immer mehr öffnete – sozusagen ein übermäßiger Verbrauch an vielen, an zahllosen einzelnen Bildern – diese ein mühsames, langsames Eindringen in eine widerstandsvolle Veränderung, die sich so spät oft ergab, daß man mitunter lange vermeinte, zu stehen. Besonders in der ungarischen Tiefebene war es so, wenn man stromauf fuhr. Leonhard vermochte das ungefähr in dieser Art zu sagen und zu schildern, jetzt schon im Besitze einer eigenen Vergangenheit, wenn auch einer sehr kurzen, die dennoch seiner Erzählung einen sonor mitschwingenden Hintergrund verlieh. So unpathetisch und sachlich Leonhard erzählte – zum ersten Mal im Leben lernte er dabei kennen, was Pathos eigentlich sei; obwohl er dieses Wort noch gar nicht besaß. Es bedeutet eigentlich so viel wie Leid. Zum Griechischen war's allerdings für Leonhard noch weit. Auch das sollte für ihn dereinst noch kommen.

Trix wußte alles.

Ihre Augen verdunkelten sich.

Wäre sie nicht erwachsen gewesen, sie wär's jetzt geworden.

Hubert hielt sich fern.

Er verschwand sogleich nach Tische.

Die ‚Düsseldorfer‘, also jene Bande, deren Haupt der Rittmeister von Eulenfeld bildete, waren zunächst nach der Wiederkehr Mary's zurückgewichen, wie eine Nebelwand, in welche der Wind bläst; nur da und dort blieb noch ein Streifen hängen (ein solcher war Bill Frühwald – auch mußte ja das Klavier gut besetzt sein). Jedoch allmählich, im Laufe des Winters, wurden die Geselligkeiten bei Mary wieder von den ‚Düsseldorfern‘ gewissermaßen unterwandert, so daß jene Zusammenkünfte hinsichtlich der Kopfzahl größer, dabei auch häufiger und zuletzt bunter wurden. Dolly Storch war es wohl, welche ihr Team wiederum nachzog, Oki Leucht voran. Schon wurde erwogen, den Big-Chief, also den Rittmeister, einzuführen. Doch betrat dieser dann durch eine ganz andere Tür das Haus.

Ist man noch jung, gehen die Winter rasch vorbei (für die man sich so viel vorgenommen) und die Sommer scheinen zu stehen wie Leonhards Schlepper bei der Bergfahrt: langsam nur dringen sie vor in die widerstandsvollen Veränderungen. Wird man alt, ist das umgekehrt: Winter stehen, Sommer stürzen. Eigentlich ist immer Winter, nur mit Sommerpausen. Mary war noch jung. Was stand – wie eine paradoxe, nämlich anhaltende, süße Katastrophe – war nur die Spannung zu dem in jeder Hinsicht scheindlerisch lernenden Scholaren Leonhard hinüber.

Dessen Lebensbahnen schienen sich nun endgültig verhoben und verlegt zu haben. Er wunderte sich einmal geradezu darüber, daß Niki Zdarsa und Zilcher noch immer das gleiche Wirtshaus besuchten (warum hätten sie ein anderes wählen sollen?!). Wie die Samstag-Abende nun bei Leonhard verliefen, ist schon angedeutet worden. Er ging dann jedesmal seinen Weg nach Hause – vom Althanplatz über die Brücke und bis zur Treu-Straße – als führe diese Brücke nicht horizontal über die Donau hin, sondern gewaltig gewölbt: vom Anfang bis zum Ende seines Heimweges gewölbt, vom einen bis in den anderen Stadt-Teil. Am Kimm oben blieb Leonhard stehen. Es war gegen elf Uhr. Im klaren Himmel hing hoch rechts drüben ein scharfer Sichelmond, allein und frei schwebend, nichts hielt ihn, kein Gewölk bettete ihn, er fiel nicht. Man sah die dreifache dunkle Welle der Waldberge stromaufwärts. Der Fahrdamm war fast leer zur späten Stunde. Vom Wasser herauf kam, den feuchten und hier heroben schon staubigen Geruch schneidend – die Feuchtigkeit ließ den durchströmten Hohlraum unter der Brücke ahnen – ein Duft von Erde, von den Uferböschungen, vom vielleicht bald wieder sprießenden Grase.

Als Leonhard heimkam, legte er das dicke Buch, welches er unter dem Arm trug, auf den großen Tisch.

Dieser stand nicht mehr in der Mitte des Zimmers.

Auch die Plüsch-Decke war entfernt.

„Wie schaut denn dös aus?!" hatte die Magazineurs-Witwe gemeint, da man jetzt die ordinäre Tischplatte aus weichem Holz sah, darin sich einige dunkle Ringe fest eingefressen hatten, und sogar Brandspuren von nachlässig neben ihren zuständigen Rost gestellten Plätteisen. Aber ihr wurde gar nicht geantwortet. Denn inzwischen waren Niki Zdarsa und Zilcher erschienen, mit einer Werkzeug-Tasche und einer kleinen Stehlampe, die Karl Zilcher dem Leonhard für ein billiges ablassen wollte, da er selbst für sie keine Verwendung hatte. Als Leitung und Steckdose montiert und probiert waren, kam der Tisch an's Fenster, und zugleich wurde das Pünktchen auf's i gesetzt. Man belegte die Platte doppelt mit dickem grünen Naturpapier, das regelmäßig angeordnete gelbe Reißnägel niederhielten. Es war ein Schreibtisch geworden. „Jetzt brauchen S' erst wieder an Tisch zum Essen", sagte die Hausfrau. Aber diese nicht sehr einsichtsvolle Bemerkung war im voraus entkräftet. Denn der Werktischler – ein gemütlicher biertrinkender Tscheche namens Krawouschtschek – hatte gegen geringes Entgelt dem Leonhard einen kleinen festen Eß-Tisch zusammengeschlagen und diesen blau lackieren lassen. An ihm saßen nach vollendeter Installation – schon stand auch die Schreibtischlampe an ihrem Platze – Niki, Karl und Leonhard, bei einigen Vierteln Wein, die Kakabsa für seine hilfreichen Freunde bereitgehalten hatte.

So saßen die drei Männer um Leonhards kleinen blauen Tisch und tranken: Niki mit Zurückhaltung – bemerkenswerterweise fast immer in Gegenwart Leonhards – Zilcher wenig und ohne Zurückhaltung, er war überhaupt kein Trinker, und Leonhard diesmal mit Genuß.

Alle drei blickten zu dem neu installierten Schreibtisch, und darüber hinweg – durch's Fenster.

Dieses bot keine eigentliche Aussicht: nur die Fenster-Reihen der Häuser gegenüber.

Leonhard kam es erstmalig zu Bewußtsein, daß ihm gerade dies ganz recht war: der unbedeutende Ausblick. Wenn er da etwa den Kahlenberg im Fenster stehen hätte oder die Baumwipfel eines Parkes, wie hinter dem Palais Ruthmayr einer war; nein! Damit hätte man jedesmal erst wieder fertig werden müssen. Diese Aussicht hier war eine sozusagen normale. Sie galt.

„Da wird er alsdann studier'n, unser Herr Dokter", sagte Karl Zilcher, gutmütig lachend.

„Laß'n gehn", sagte Niki und klopfte Leonhard auf den Rükken, „er is a taker Bursch. Was, Leo?! Im Burgenland haben wir's doch schön g'habt, vorigen Sommer und Herbst? Was? Der Stinkenbrunner! Und zuletzt, der alte Wachtmeister in Fraunkirchen beim ‚Storchen-Nest'. Ein klasser Mann war das. Aber ich möcht' nimmer hinunterfahren. Seit der G'schicht in Schattendorf, wo's den kleinen Buben erschossen haben, die Pülcher, die vermaledeiten, tät's mich nimmer freun."

„Da unten is' seitdem ruhiger worden", sagte Zilcher. „Und Stinkenbrunn ist weit von Schattendorf."

„Wurscht, mich freuat's nimmer", meinte Niki. „Was ich sagen wollt', Leo, die Elly, weißt eh, die Schwester von der Pinta, die war a schlamperts Menscherl, so hat's unten g'heißen wenigstens, bei der hätt' sich einer was feines holen können, haben's gesagt. Aber du bist ja mit der so weit nicht kommen, oder –?"

„Nein", sagte Leonhard, „nix war."

„Ich hab's ganz zuletzt erfahren, sonst hätt' ich dir eher was gesagt davon. Eine Zeit lang hast a Flugerl g'habt auf sie."

„Ja", sagte Leonhard. Der Gegenstand, von welchem der besorgte Niki sprach, stand wie in einer Art Jenseits, oder lag wie in einer verräumten und vergessenen Schachtel.

Er hatte dann, nachdem die Freunde gegangen waren, die leere, jetzt gleichmäßig blaugrün hingestreckte Platte seines Schreibtisches zunächst mit den wenigen, aber viel benutzten Büchern besetzt, die er besaß, denn ein Bücherbrett war noch nicht vorhanden, und es wäre vorläufig auch fast leer geblieben. Aber Krawouschtschek hatte auf Leonhards Bitte auch zwei rechtwinkelige Bücherstützen gemacht, aus dicken Brettchen, sogar mit Leder bezogen; unten waren Bleiplatten daran geschraubt. So konnte am Tische aufrecht stehen, was sich da versammelt hatte bisher: zuvörderst Scheindler, mit Übungsbuch; der Gallische Krieg, mit sämtlichen lästigen Völkerschaften; Herodot und Xenophon, mit Realienkunde; alles in deutscher Sprache, noch immer (ja, mit Hartnäckigkeit, mit hartnäckiger Enthaltung, trotz des Buchhändlers Fiedler seinerzeitiger und gegenteiliger Empfehlung), deutsch also, dank der Universal-Bibliothek. Mehreres war noch in Aussicht genommen. So etwa der Plutarch.

Jetzt aber, nachdem Leonhard von Mary zurückgekehrt war, hatte er ein bisher unterm Arm getragenes dickes Buch vorn auf die grüne Schreibtisch-Platte gelegt. Es war hellgelb und ruhte da als starker Farbfleck. Otto Weininger's ‚Geschlecht und Charakter'. Es war Stangelers Geschoss. Aber es traf nicht – oder in ganz anderer Weise, als der Herr von und zu René es dem Leonhard vielleicht vermeint hatte.

Die beiden waren naturgemäß bei Mary oben sehr bald in lebhaften Kontakt gekommen, und René hatte das Buch dann für Leonhard bei Frau K. deponiert. Man wußte schon, daß er an Samstag-Abenden mitunter dorthin kam.

Wie gegen alle Freundinnen Grete Siebenscheins empfand Stangeler auch gegen Mary das lebhafteste Mißtrauen. Und sie gegen ihn, soweit er nämlich einen Bräutigam Grete's vorstellen sollte. Zunächst Frau K. nur aus den Erzählungen der Freundin bekannt, hatte sie ihn später einmal auf der Straße gesehen – er war ihr gezeigt worden, mit dem Rücken gegen den Sockel des Uhrtürmchens vor dem Bahnhofe lümmelnd, die Hände in den Hosentaschen und den Hut im Genicke – was freilich das aus Grete's vielen Klagen gewonnene Bild nicht gerade verbesserte. Jedoch bei ihrer Rückkehr aus München war René, wie man sich vielleicht erinnert, von Grete zur Assistenz – sie erwies sich als ganz unnötig – auf den Bahnhof kommandiert worden; und vordem schon war dieser René durch Grete zu Trix heraufgekommen. Man konnte ihn jetzt nicht sogleich ausbooten. Er wurde dann und wann mit in Kauf genommen, wenn man Grete Siebenschein einlud, was – und vielleicht gerade aus diesem Grunde – immer seltener geschah. Übrigens erklärte Stangeler dann bei Gelegenheit einmal recht taktvoll Trix gegenüber, daß ihm die Geselligkeiten im Hause ihrer Mutter eigentlich ein Brechmittel seien, und man möge ihn damit verschonen. Seitdem wurde Grete wieder allein eingeladen, und häufiger.

Aber im Winter kam René doch ein oder das andere Mal hinauf, wenn auch nicht gerade anläßlich von Geselligkeiten, und er scheint dabei einmal den Leonhard – der sich sonst fast ausschließlich Frau Mary widmete – als Rettungsanker ergriffen zu haben. Übrigens riet er ihm, ganz wie der Buchhändler Fiedler, römische Autoren in der Originalsprache zu lesen, und interpretierte bei dieser Gelegenheit in seltsamer Weise den römischen Prosa-Satz, insbesondere den der Historiker, als eine Art statisches Gebilde, dem man sich betrachtend gegenüberstellen müsse wie einem Bauwerk, um es in allen seinen Teilen zu erfassen. Diese Prosa sei nicht rhapsodisch, wenn sie auch gut klinge; sie sei so nicht gemeint, denn das Altertum habe viel schärfer zwischen prosaischer und poetischer Sprache unterschieden, wie wir, und so weiter, und so fort ... Dann zeigte er, was er meinte, an einigen Sätzen des Tacitus, die er mühelos auswendig hervorholte, wie jemand die Zigaretten oder Streichhölzer aus der Hosentasche nimmt.

Und nun lag also das gelbe Buch auf der grünen Platte des Schreibtisches.

Leonhard ließ es liegen.

Der hochgewölbte Bogen über den Fluß herüber – so wechseln in der umständlichen Schule des Lebens die Lehrgegenstände, während im Gymnasium nur fünf Minuten Pause dazwischen sind – hatte sich noch nicht ganz beruhigt, hatte am diesseitigen Ufer noch nicht vollständig aufgesetzt. Noch strahlte die scharfe Mondsichel oben am Kimme, zog eine Ahnung kommenden Grüns von den Uferböschungen herauf. Darin war Mary enthalten. Ihre Nähe war groß, zu groß, gestaut über ihm wie eine Wasserswucht. Er rang sie weg, zuletzt schon in Angst. Er konnte einschlafen.

Am Morgen war wieder das sammelnde weißgraue Licht im Zimmer, obwohl kein Schnee mehr lag. Es war doch nicht Frühling. Auch in Zimmern spürt man den Frühling, noch lang bevor man erstaunt im geöffneten Fenster liegt, unter der Sonne, in neu entbundenen, vielfach gekreuzten Gerüchen; lange vorher meldet sich das Frühjahr auch herinnen, es kracht das Holz, anders schmeckt der Kaffee am Morgen, anders auch der Zigarettenrauch.

An dem war's noch nicht. Die Alte heizte ein. „Gehn S' nicht in die Kirchen? Na, is' guat. I' bet' für Ihna." Leonhard griff keineswegs nach dem gelben dicken Buch; dieses legte er an die linke rückwärtige Ecke des Schreibtisches. Er wußte, daß er anders vielleicht sehr lange darin blättern würde. Man sieht, er war ein Kundiger. Ein alter Praktiker. Auch bezüglich Kostbarkeit der Zeit. Der Landesschulrat ergriff das Steuer. Man bedarf mitunter einer ganzen Nacht, um Lehrgegenstände auseinander zu halten.

Erst am Nachmittage kam es so weit. Leonhard zog den Weininger nach vorn und schlug das Buch, statt zunächst den Titel zu betrachten – was seinen nun schon eingebürgerten Gepflogenheiten eigentlich eher entsprochen hätte! – ungefähr in der Mitte auf. Und damit war Stangelers Geschoss abgelenkt. Es erzeugte indessen einen Geller merkwürdiger Art.

Die Mitte der linken von den beiden aufgeschlagenen Seiten war ganz von einem lateinischen Texte ausgefüllt. Leonhard las:

Nec certam sedem, nec propriam faciem, nec munus ullum peculiare tibi dedimus, o Adam: ut quam sedem,

(Nicht feste Ortung, kein dir immer eigentümliches Antlitz, noch eine besondere Funktion haben Wir dir gequam faciem, quae munera tute optaveris, ea pro voto, pro tua sententia, habeas et possideas. Definita ceteris natura intra praescriptas a Nobis leges coercetur; tu nullis angustiis coercitus, pro tuo arbitrio, in cuius manu te posui, tibi illam praefinies. Medium te mundi posui, ut circumspiceres inde commodius quidquid est in mundo. Nec te caelestem, neque terrenum, neque mortalem, neque immortalem fecimus, ut tui ipsius quasi arbitrarius honorariusque plastes et fictor in quam malueris tute formam effingas. Poteris in inferiora quae sunt bruta degenerare, poteris in superiora quae sunt divina, ex tui animi sententia regenerari.

geben, o Adam: damit, welchen Ort, welches Gesicht, welche Ämter du selbst dir mit Sicherheit erwählen wirst, daß du diese nach deinem Wunsch und Spruche habest und besitzest. Den anderen Wesen wird ihre bestimmte Natur eingeschrankt, innerhalb der von Uns vorgeschriebenen Gesetze; du bist durch keinerlei Enge beschränkt; durch deinen Willen, in dessen Hand Ich dich gegeben habe, wirst du deine Natur abgrenzen. Als Mitte der Welt hab' Ich dich aufgestellt, daß du um dich blickest, was dir da wohl anstehe. Wir haben dich nicht himmlisch, nicht irdisch, nicht sterblich, nicht unsterblich gemacht, damit du, gleichsam dein eigner Urteiler und Einschätzer, dich als dein Bildner und Gestalter in der von dir bevorzugten Weise vorstellen mögest. Du kannst herabkommen in die Tiefe, die tierisch ist, du kannst neu geschaffen werden empor in's Göttliche, nach deines Geistes eigenem Entscheidungs-Spruche.)

Leonhard las und erfuhr – nicht den Inhalt des Gelesenen, den man als bedeutungslos kaum wird empfinden können, sondern: daß er Lateinisch verstand. Es war eine zitternde Freude, denn er vermeinte, jeden Augenblick hängen bleiben zu müssen, und nur den Anfang verstehen zu können. Aber es ging weiter. Er konnte den Passus ganz durchlesen. Und fiel danach aufatmend in seinen Sessel zurück.

Es ist das Latein des Pico della Mirandola – eines italienischen Humanisten, der von Weininger an dieser Stelle seines
Werkes, wo Leonhard plötzlich aufgeschlagen hatte, zitiert
wird – keineswegs ein ganz einfaches, wie etwa noch bei den
Klassikern Cornelius Nepos oder Caesar; sondern es ist eine
durch die Renaissance überschraubte Latinität, weit lateinischer
sozusagen als die Alten, eine Sprache, welche aber trotz allem
Humanismus noch die Erde jener krausen Wege an den Sohlen
hat, die sie im Mittelalter gewandelt war.

Leonhard biß nicht auf den Inhalt; allein das scheint uns von
entscheidender Bedeutung. Der Schock, den er erlebte, blieb ein
höchst persönlicher: daß er Lateinisch konnte, und dies von
Pico della Mirandola erfuhr (den Namen sagte ihm alsbald der
glorreiche Weininger). Der Schock blieb ein sprachlicher. Er
verknüpfte Leonhard sofort und unauflöslich mit diesem einen
Autor, mit Pico. Leonhards Verhalten an diesem Nachmittage
zeigt scharf und unzweideutig an, daß er sich bereits außerhalb
der Möglichkeit zur Halb-Bildung befand. Er wollte nichts erfahren. Kein sofort sich meldender Wissensdrang, kein Bil-
dungshunger, keine Wißbegierde. Sondern ein Schock und eine
schlagartig entstandene chemische Verbindung mit einem Unbekannten, der ihm was sagte, das er kaum auffaßte (dennoch
zog es solchermaßen auf die einzig rechte Art, nämlich wie ge-
schmuggelt, wie durch eine Hintertür, bei ihm ein), und von
welchem Leonhard bei weitem nicht wußte, wer denn jener
überhaupt gewesen war.

An diesem Sonntag-Nachmittag ging Leonhard aus.

Ein freier Mann in seiner Jugend.

Ein Hoch-Kapitalist, was seine Guthaben im Tresor des Lebens anlangt.

Er kam über die Brücke und weiter. An Mary's Haustor vorbei. Der Tag, grau und bedeckt, war nahezu lauwarm: wie ein
zartes Gebilde, Leonhards Wange streifend, schwamm in dieser
Luft die Erinnerung an einen Sonntag vor bald einem Jahr, im
Garten des Palais Ruthmayr, als er seine Schwester Ludmilla besucht hatte. Nun verglich er Mary mit Frau Ruthmayr; es geschahen dabei genau zwei entgegengesetzte Bewegungen in
Leonhard. Mary trat machtvoll vor, Frau Ruthmayr wich zurück, in einen unbetretbaren Raum, in ihr Element, wie ein edler
Zierfisch, der nach vorn an die Glaswand des Aquariums ge-

kommen ist, mit seinem unbegreiflichen Blick und Rätsel-Gesicht, nun wieder zurückweicht und verschwindet. Mary wich nicht zurück. Sie trat vor, sie bot die Spitze. Wahrhaft, sie hatte die Spitze geboten! Sie war nicht stumm. Mit ihr konnte man sprechen, ohne daß man ein absurdes Mitleid empfand mit dem fischigen Wesen dort hinter der Glas-Scheibe, mit jenen irgendwie schräg gestellten Augen. Doch, sie war gegenwärtig, Frau Ruthmayr, sehr gegenwärtig sogar, auch als Leonhard an Mary's Haustor vorüberging. Sie war enthalten in diesem bedeckten Nachmittag, in der Ferne der Gebäude dort drüben, ja, in den feiertäglich langsam sich ergehenden Menschen, sie war darin enthalten, ganz so, wie Mary gestern in der Ahnung vom kommenden Grün des Frühjahrs mit enthalten gewesen war, als es von den Ufer-Böschungen herauf gehaucht hatte, und zugleich hervor aus dem feuchten Hohlraum unter der Brücke.

Frau Ruthmayr zog jetzt – während Leonhard langsam die Alserbachstraße hinaufschritt – den Alois Gach nach sich, seine Erzählung, wie er auf dem Gute des Rittmeisters die Jugend verbracht und dort gelernt hatte und dann die Schilderung jener Kavallerie-Attacke, bei welcher Gach in Ruthmayr's Eskadron als Wachtmeister geritten war; und Niki's kindische Freude an diesem abenteuerlichen Reitergefecht aus alter Zeit, die doch nur dreizehn Jahre zurücklag; merkwürdig genug, Leonhard holte jetzt erst das Staunen nach, welches er damals im Wirtshaus ‚Zum Storchen-Nest' gar nicht so recht empfunden hatte, als plötzlich von Ruthmayr gesprochen worden war, ganz unverkennbar und unzweifelhaft dem Gatten der Frau Friederike. Zu Fraunkirchen aber, an jenem Sonntagnachmittage, hatte ihn ganz anderes vollends ausgefüllt . . . Einen Augenblick lang, während er hier gemächlich auf dem Trottoir vor sich hinschritt, war's ihm etwa so, als vermöchte er gleichsam einen oder den anderen Knoten zu sehen, von dem Netze, darin er hing, das ihn aber zugleich auch sicherte. Schon war's vorbei. Er hatte im Laufe des Winters Ludmilla einmal von seiner Begegnung mit Gach erzählt. Der Schwester nun, so erwies sich, war dieser Wagmeister aus Eisenstadt bekannt. Dann und wann, wenn er nach Wien kam, besuchte er sogar Frau Friederike, und hatte auch einmal für ihren Keller einen Posten besten Ruster Weines zu sehr billigem Preise beschafft. In alledem, in diesen kleinen nichtssagenden Umständen, die ihm doch sehr viel sagten, fühlte sich Leonhard schaukelnd aufgehängt; wie in einem Netz eben. Aber plötzlich gewann er über solche von ihm ganz und gar unabhängige Zusammenhänge, darin er doch enthalten und befangen blieb, in befreiender Weise die Oberhand. Es gelang ihm unvermutet, dem Alois Gach genau den richtigen Platz anzuweisen, dem Gach mitsamt seiner in sich beruhenden Sprache, die Leonhard so sehr in Unruhe versetzt hatte, damals zu Fraunkirchen: Gach's Sprache war dasselbe wie die Frömmigkeit seiner Hausfrau, der Magazineurs-Witwe! (,I' bet' für Ihna.') Es war wirklich eine Ortung beider, die Leonhard jetzt vollzog. Und ohne Rückhalt erkannte er hier einen Wert an. Aber: Gach's Sprache und die Frömmigkeit der Magazineurs-Witwe – beides war genau das, womit ihm, Leonhard, nicht geholfen war, nicht geholfen werden konnte. Es lag außerhalb seines Operationsfeldes, und er wußte das jetzt. Mehr nicht: denn was er ganz zuletzt noch dachte, das ging gewissermaßen schon über seine Kraft, über seine damaligen Kräfte zumindest: daß man auch einem Wert auszuweichen imstande sein mußte, wenn einem damit nicht geholfen war. Dieser Gedanke starb bereits im Keim ab. Etwas anderes trat blitzartig hervor, eben als er am oberen Ende der Alserbachstraße anlangte. Es war nicht weniger als der entscheidende Einfall für diesen Nachmittag.

Der Name des Pico della Mirandola, welchen er sich richtig gemerkt hatte, mußte wohl im Konversationslexikon zu finden sein. Ein solches aber gab es in jedem größeren Café. Im Weitergehen zeigte sich eines. Leonhard trat alsbald in die Leere des ,Café Kaunitz', das auch jetzt, am Sonntag-Nachmittage, tief in seinem Tages-Schlaf versunken lag, noch erschöpft vom gestrigen Samstagabend.

Er verlangte die Bände M und P; letzteres schlug ein. Da hatte er den Pico auf seinem Marmortischchen, neben der Mokkatasse, in dem gedämpften Licht und der Stille, die hier herrschte. Ein langer Artikel. Leonhard zog zwei Neuerwerbungen hervor, die wir bei dieser Gelegenheit bemerken: ein in Leder gebundenes Notizbuch und einen Taschenstift. Während er das Wichtigste notierte – Titel der Werke Pico's und der einschlägigen Literatur – empfand er in der Nase die, trotz aller erfolgten Ventilation, noch spürbare Verbrauchtheit der Luft hier im Lokale, jene Atmosphäre eines Nachtcafé's; und jetzt auch erinnerte er sich, dort vorne ein verschlossenes Klavier gesehen zu haben, als deutliche Anzeige der Unzuständigkeit des Ortes für seine Absichten. Vielleicht hätten die tagsüber hier büffelnden Studenten Leonhard versöhnt. Aber heute, an diesem Sonntag, fehlten sie.

Gleichwohl, von hier nahmen Leonhards leidvolle Beziehungen zur Universitätsbibliothek ihren Ausgang, leidvoll nur wegen des Zeitmangels: immerhin gelang es ihm nicht selten, zwanzig Minuten nach Betriebsschluß schon in jenem Saale zu sein, dessen Licht ganz unten am Grunde versammelt blieb, niedergehalten und gedämpft von den langen Reihen der Milchglas-Schirme über den Studierlampen, während die hohen Galerien mit den Bücherwänden sich in's obere Dunkel verloren. Hier herrschte absolute Distanz von der Straße, leise raschelnde Stille, und eine Luft, wie auf einem anderen Planeten, gefiltert durch hunderttausende sauber duftender Druckschriften, gereinigt und beruhigt bis zum festen Untergrunde gelassener Überlegung.

Es war immer nur eine Stunde, die Leonhard hier verbringen konnte.

Stangeler, den man eines Samstag-Abends zu Frau Mary hinaufgesprengt hatte, um irgendwelche Handarbeitsdinge zu überbringen, hatte Leonhard schon vordem einmal auf die Universitätsbibliothek hingewiesen, die notwendigen Winke und Gebrauchsanweisungen erteilend.

Sie waren zu dritt vor dem Kamin gesessen. Aber René war bald gegangen. Frau Mary sprach nicht freundlich von ihm.

Jetzt nützten Leonhard Stangelers Unterweisungen. Er blieb, was das lateinische Lesen anbelangt, durchaus bei Pico. Es bestand ein Treue-Verhältnis. Hier war der Einstieg, der Wechsel: ein biographischer, kein gelehrter oder bildungsmäßiger Sachverhalt. Leonhard lernte ein lateinisches Wörterbuch gebrauchen und auch enzyklopädische Werke, die im Lesesaal aufgestellt waren. Viel Zeit und Energie ging durch Unkenntnis verloren. Wenn er abends kam, erhielt er auf seine Platznummer die für ihn bereit liegenden Bücher, eine Papier-Zunge mit seinem Namen hing heraus. Es blieb nicht bei Pico ganz allein. Vor dem eigentlichen Frühjahr noch befand sich unter den von Leonhard benützten Werken auch Jakob Burckhardt's ,Kultur der Renaissance'.

Man erinnert sich vielleicht, daß um eben diese Zeit die erste Unterredung des Kammerrates Levielle mit Schlaggenberg stattfand. Levielle hat Kajetan damals in seiner Wohnung aufgesucht. Es war am Montag, den 28. März 1927. Der Abend brachte dann die Begegnung mit Laura Konterhonz und das unvermutete Bekanntwerden Schlaggenbergs mit Grete Siebenschein.

Dies hatte weiterhin das Erscheinen Grete Siebenscheins im Kreise der ‚Unsrigen‘ zur Folge.

Diese ‚Unsrigen‘ hat es, genau genommen, nur durch einige Wochen und nicht einmal Monate gegeben, wie ich heute im Rückblick sehe. Sie bildeten eine vorübergehende Kristallisation, welche, kaum entstanden, schon wieder zerfiel. Quapp und Gyurkicz zogen ‚über den Berg‘. Eulenfeld und Dr. Körger verließen den Kreis in einer immer eindeutigeren, man kann schon getrost sagen politischen Richtung. Schlaggenberg wurde durch den Allianz-Verlag in Anspruch genommen, und in seiner freien Zeit durch seine Manie mit den dicken Weibern (soll man das etwa auch eine ‚politische‘ Richtung nennen?). Stangeler assoziierte sich später mit – Jan Herzka, wie man sehen wird; und das war zweifellos noch das Gescheiteste von allem, was da vorging. Mit jenem Ausflug, an dessen Beginne Renata Gürtzner-Gontard, vom Hügelkamm herabsteigend, durch unsere Gesellschaft hindurchschritt und uns dabei gleichsam teilte – wir waren damals vierzehn Personen! – scheint der Höhepunkt erreicht gewesen zu sein. Und der große Tischtennis-Tee bei den sieben Scheinen bildete eigentlich das Ende. Zur selben Zeit, ja, früher schon, erlosch auch das gesellige Leben oben in der Wohnung der Frau Mary K. Bei dieser zeigte sich eine gründliche Erholung als wünschenswert. So nahm Trix ihren ganzen Urlaub heuer schon im Mai und fuhr am 17. dieses Monates mit ihrer Mutter für vier Wochen auf den Semmering und in die Frühjahrssonne des Hochgebirges. Am Tischtennis-Tee, der samstags, den 14. Mai, stattfand, nahmen sie nicht teil. Man konnte Mary schwerlich ein Interesse für derartige Veranstaltungen zumuten; und Trix wollte an diesem Abende bei ihrer Mutter bleiben, die sich eben damals nicht sonderlich wohl befand.

Grete hat nicht lange nach ihrem Bekanntwerden mit Kajetan diesen bei Frau K. eingeführt.

Es geschah im Auftrage Mary's.

Sie war es gewesen, welche Camy von Schlaggenberg, Kajetan's Frau, bei Madame Libesny in London untergebracht hatte, auf Grete's Bitte. Nun wünschte sie diesen Schlaggenberg einmal zu sehen, von welchem sie fast ebensoviel gehört hatte wie von René Stangeler, und ebensowenig Gutes. Grete kannte die Geschichte von Camy's Ehe bis in alle Einzelheiten, und Camy von Schlaggenberg sprach selbst auch Mary gegenüber ein oder das andere Mal darüber. So kurz die Bekanntschaft Grete Siebenscheins mit Camy gewesen war – von einem Aufenthalte in Kitzbühel gegen Ende 1926 bis zu Camy's Abreise nach England, die im Januar erfolgte – so perfekt hatten sich die Sympathien zwischen beiden Frauen gezeigt; und als Grete die neue Freundin zu Frau K. heraufbrachte, fügte diese sogleich als dritte sich in den Bund.

Es waren also ähnliche Voraussetzungen wie bei Stangeler, unter welchen Kajetan bei Frau Mary antrat; doch meisterte er die Lage unvergleichlich besser (auch ganz abgesehen von der früher wiedergegebenen grob-taktlosen Bemerkung des René Trix gegenüber). Ja, man kann fast sagen, er trat an Renés Stelle, welcher um diese Zeit, gegen das Frühjahr zu, längst schon ausblieb, einfach deshalb, weil er nicht mehr eingeladen wurde.

Grete Siebenschein freilich kam in letzter Zeit regelmäßig zu Frau Mary, nicht auf Einladungen hin, sondern weil sie ihr Unterricht im Klavierspielen erteilte (Grete hatte ja die Musik-Akademie absolviert). Nun waren von Frau Mary die schon früher genossenen Stunden wieder aufgenommen worden, und sie studierte unter Grete's Leitung einiges von Chopin, sowie Werke des zeitgenössischen spanischen Tonsetzers Albeniz (deutsche oder österreichische Musik ward von Grete eher vermieden). Die Siebenschein erblickte gerade in dieser Wiederaufnahme der musikalischen Studien bei Mary ein ganz wesentliches Zeichen der neu erlangten Gesundheit, in jeder, auch in seelischer Hinsicht. Wenn Mary gegen Abend zu üben begann und die gedämpften Klänge aus der oberen Wohnung herabsickerten bis in Grete's Zimmer – es hatte das etwas von lauem, duftendem Wasser an sich – dann empfand jene einen tieferen Frieden: als sei dort oben nun alles getan, alles überwunden, alles vorbei und gut.

Im übrigen verstand es Kajetan einmal, dem ‚Gretlein‘ gelegentlich anzudeuten, daß Liebesleute, die über ihren Partner zu klagen haben, nicht gut daran tun, ihm dort einen schlechten Ruf zu machen, wo sie gleichwohl mit ihm gemeinsam aufzutreten wünschen. „Aber René hat sich mit seiner groben Bemerkung Trix gegenüber unmöglich gemacht!" sagte Grete sogleich. „Sehen Sie, Verehrte", entgegnete Schlaggenberg, „diese Bemerkung war nichts als eine dumme Reaktion. Hätte René einen freundlicher vorbereiteten Boden bei Frau Mary gefunden, wäre eine Reaktion dieser Art bestimmt ausgeblieben. Um dort unbefangen und konziliant aufzutreten, wo ein striktes Vorurteil gegen uns besteht, gehört mehr Fähigkeit zum Überblicken der Lage als unser René derzeit noch besitzt."

Grete wurde bei diesem Gespräch etwas unsicher. Denn zuletzt wußte sie nicht mehr so recht, ob Kajetan eigentlich von René spreche, oder schon von sich selbst und seiner Situation im Hause der Frau Mary. Immerhin, was konnte er schon wissen? Von der Existenz einer Frau Mary K. war ihm vorher wohl kaum etwas bekannt gewesen. Oder von ihrer eigenen neuen Freundschaft mit Camy? Durch den Sektionsrat Geyrenhoff etwa? Dieser hatte Schlaggenberg einmal im Winter sehr nachdrücklich verteidigt. Mochte es sein, wie immer: nun war er da.

Und entschied bei Mary sogleich ganz radikal die Situation zu seinen Gunsten: indem er sich nämlich einfach ihr zu Füßen setzte, gewissermaßen neben Leonhard Kakabsa. In aller Bescheidenheit; und klug; und lustig. Es gab Augenblicke, in welchen Mary wirklich an der Frau von Schlaggenberg zweifelte, an ihren Erzählungen, und vor allem an der darin enthaltenen Selbstdarstellung ihres Verhaltens. Man kann von Mary aber nicht sagen, daß sie auf Schlaggenberg hereinfiel. Nur war ihr der Mann so überaus fremd, daß sie die Orientierung verlor. Sie verkannte ihn nicht. Sie kannte sich nur nicht aus.

Eher schon bei dem Rittmeister, den Kajetan bald nach sich zog (unter Billigung Grete's). Durch diese Türe also betrat Eulenfeld das Haus der Frau Mary, und nicht auf dem Wege über den ‚Troupeau‘ oder die ‚Düsseldorfer‘.

Es war ihm auch so lieber.

Mary fand ihn entzückend.

Aber vormachen konnte er ihr nichts.

Auch Eulenfeld setzte sich sogleich zu Mary's Füßen. Dort saßen obendrein noch einige Ober-Gymnasiasten, Hubert's Freunde. Die Zahl der Verehrer, Trix nicht mitgerechnet, stieg auf vier bis fünf. Einer von den Gymnasiasten hieß Geiduschek, ein lieber, stiller Bub mit Brillen. Er kniete nieder und legte einen kleinen Blumenstrauß vor Mary auf den Boden. Der Applaus sämtlicher anderer Anbeter war einhellig. Ohne Blumen ging es auch sonst nie ab, weder von seiten Schlaggenbergs, noch des Rittmeisters. Man sah sich schließlich veranlaßt, auch der schönen Trix einmal einen Strauß zu bringen.

Acht oder zehn Tage etwa nach jener Huldigung des kleinen Geiduschek vor Mary, schlenkerte der Rittmeister, um fünf Uhr aus seiner Office kommend, die Skoda-Gasse hinab zur Alserstraße und auf dieser weiter bis zu einem an der Wickenburggasse übereck liegenden großen und zweistöckigen Café, das sich ,Palace' nannte. Hier hatte jener Klub amerikanischer Ärzte seinen Sitz, in welchem Eulenfeld seit Jahren als Gast verkehrte, und wo auch Dr. Williams nicht selten erschien, obwohl er kein Arzt war, sondern ein Zoologe.

Williams war anwesend und hatte den Rittmeister hier erwartet.

Sie wollten einen neuen Sportwagen fahren, den der Doktor vor acht Tagen gekauft hatte, dieselbe Type wie jener Eulenfelds. Als der Rittmeister im Café die Treppen zu den oberen Lokalitäten hinaufstieg, kam ihm Williams bereits entgegen.

Der Abend war voll Glanz. Eulenfeld hatte das neue rotlackierte Fahrzeug bereits unten stehen gesehn und besichtigt. Williams setzte sich an's Steuer. Sie mußten ein kurzes Stück gegen die Sonne fahren. Die Maschine lief mit perfektionierter Gleichmäßigkeit surrend über den Asphalt. Dann schaltete Williams, der Wagen schob frisch los, in eine höhere Geschwindigkeit. Sie sahen einander an und lachten. Nach zwanzig Minuten zogen sie schon auf den Kehren der Autostraße zum Cobenzl hinauf, wie im Spiel, fast ohne Schalten. Hier war der Frühling explodiert, ein Knall, aufflammend überall die blühenden Bäume, das Grün des Rasens grell; die Ausdehnung der Stadt, in die Tiefe zurückgesunken, zeigte sich da und dort bei freierem Blicke, wenn eine Kehre sich gegen den goldnen

Abendhimmel schwang, wie ein unten zusammengelaufener stahlblauer See.

„Wollen wir einen heben?" fragte Eulenfeld, und Williams stoppte vor der Meierei.

Als sie auf der Terrasse saßen (man hat von dort die Stadt wie auf der flachen Hand), erzählte der Rittmeister von Mary. Eulenfelds Verhalten ihr gegenüber war keineswegs reines Getue gewesen, wozu der Rittmeister in Dingen der Galanterie sonst offenkundig neigte, ein stets bereiter Troubadour vor jedem Tore. Aber hier wußte er alles genau; sogar, wie jener Unfall, damals am 21. September 1925, im einzelnen verlaufen war. Er muß sich das geradezu bei Grete Siebenschein oder Trix zusammengefragt haben. Auch sprach er von Mary's Schönheit. „Kann früher gar nicht so gewesen sein. Hat ihr ganzes Schicksal, woll' ma mal sagen, mit 'reinverarbeitet." Er sagte, man müsse vor ihr sozusagen kapitulieren. Und er würde Doktor Williams gerne einmal dort einführen; ob er am Sonnabend, also in acht Tagen, frei sei? Er wolle ihn abholen, aus seiner Wohnung in der Weihburggasse, sie könnten dann zusammen dorthin fahren. Mary sei geradezu eine Wiener Sehenswürdigkeit.

Williams stimmte natürlich zu. Wie denn anders. Als sie hinabfuhren, begriff er merkwürdigerweise einen Verlust, als würde eine Tür in seinem Inneren geschlossen, als vermöchte er nun vieles nicht mehr zu fühlen, eine ganze Provinz seines Innern nicht mehr zu betreten, darin er sich gewöhnt hatte, rätselhafte Reisen zu tun. Auf der Serpentinenstraße, während er steuerte, nur dann und wann ein wenig Gas gebend, klopfte ihm einmal stark das Herz.

Er war überfüllt, er begriff zunächst nichts. Oben noch, als sie in den Wagen gestiegen waren, erschien ihm als selbstverständlich und sicher, daß er Emmy Drobil heute abend erzählen werde, er habe die Gesuchte gefunden. Unten jetzt, während sie an den alten kleinen Häusern von Grinzing hinglitten, schien ihm sein eigenes Schweigen darüber fast sicher. Ohne Entschluß oder Vorsatz; sondern aus Unvermögen, zu ihr ab jetzt über diese Sache auch nur ein Wort zu sprechen.

Er führte den Rittmeister bis an dessen Haustor.

Dann ließ er den Wagen brausen.

Hinaus nach Hietzing.

Es war längst an dem, daß die beiden im Grunde gut wußten, sie seien für einander die richtigen. Und was da sonst etwa eintreffen mochte, bei ihr, bei ihm, das traf auf diesen Sockel. Das Fundament lag fest. Es hatte merkwürdigerweise starke und tragende Teile in der beiderseitigen Berufstüchtigkeit, die sie bei ihm, die er bei ihr klar erkannte. Ja, sie liebten das aneinander. Es bildete keinen geringen Reiz. Williams gar: mit seinen fünfunddreißig Jahren war er schon Professor an einer Universität dort drüben und genoß hier einen Studienurlaub mit Auftrag und Stipendium. Daß Dwight in den Kreisen der Gelehrten so etwas wie eine ‚Kapazität' war, wußte die Drobila gar nicht; woher auch hätte sie es wissen sollen.

Williams hupte nicht vor dem Haustor in der Hadik-Gasse. Er liebte derlei Gepflogenheiten nicht. Er stieg die Treppen. Sie kam ihm doch auf halbem Wege schon entgegen. Vor dem Haustore betrachtete die Drobila den neuen Wagen, den sie heute zum ersten Male sah, und ging dabei um das Fahrzeug herum. Dwight empfand lebhaft die Kraft und Schlankheit ihres Körpers, das feste Stehen auf den hohen Beinen.

Sie stiegen ein und brausten ab, nach Ober-St.Veit, zum Abendessen im ‚Hubertushof'.

Wenngleich die Sonne sich längst zurückgezogen hatte, war es hier im Saale sehr warm, vielleicht weil die Strahlen durch Stunden auf den großen Glasflächen gelegen waren; man ließ diese daher gegen den jetzt bereits kühlen Garten geöffnet. Eine kleine Kapelle spielte. Unter dem Essen war es draußen dunkel geworden. Das Beisammensein hier mit Emmy Drobil – das war die erste Erkenntnisfrucht einer so sehr geänderten Lage! – wurde von Dwight jetzt als ein viel näheres empfunden, als bisher. Ja, er entdeckte heute abend erst, wie nah es eigentlich war, mehr als das: immer gewesen war, auch während der Spaziergänge schon im vorigen Sommer. Trotzdem, nie war jene elastische Wand aus unsichtbar glashellem Stoffe zwischen ihnen durchbrochen worden, deren erster Riß alles sogleich stofflich macht und festlegt; hatte er ein oder das andere Mal ihre Hand geküßt – etwa nach einem Tanze, sie hatten am Semmering gern die Hotel-Bar besucht – so blieb jene feine Schicht noch zwischen seinem Munde und ihrer Haut, aus jenem zähen Glasfluß, der sich elastisch vorwölben läßt, der ebenso zurückweicht und das Elastische jeder Möglichkeit dabei bewahrt.

Doch wußten sie alles.

Den Geradezu-Tappern gedeihen nicht solche Früchte, weil sie alles entweder für eßbar halten oder überhaupt für nichts.

Auch heute abend tanzten Emmy und Dwight ein wenig. Es war der Slow-Fox damals üblich. Es war ein schöner Tanz, man mußte ihn nur können. Das Paar war so gut, daß es Blicke auf sich zog. Wenn Emmy sich nah an Dwight befand, wie beim Tanzen, empfand sie unmittelbar seine Frische, nicht als einen Duft, nicht als eine Sinnes-Wahrnehmung, sondern als ein unmittelbar an sie Grenzendes, das auf irgendeine andere Art sich ihr kund tat. Dennoch, auszusprechen hätte sie es nur vermocht durch Vergleich mit einem Dufte – und das hatte die Drobila im stillen auch schon getan. Es erinnerte dieser Duft, diese Aura an ein Stück Obst, das am Baume hängt und noch nicht ganz reif ist; eine Birne vielleicht. So war es.

Zärtlich bewahrte sie sein Geheimnis, nun seit einem halben Jahre schon, zu zärtlich längst, als daß sie es ihm hätte ausliefern können. Das Entzücken, welches sie an Mary fand: es sprach bei ihr für Dwight. Es war kein lächerliches Geheimnis; es war ein wirkliches. Es war seiner wert, und auch Dwight schien ihr eines solchen Geheimnisses wert, und es bestätigte, was sie von ihm dachte und hielt, und so bestätigte Mary – die jetzt und hier, während dieses Slow-Fox, doppelt anwesende Mary – der Emmy Drobil Gefühle.

Doppelt anwesend, als Gebilde der Vorstellung bei ihm, als mehrmals erfahrene Wirklichkeit bei ihr. Aber Williams war nun beraubt. Er blieb es, und er wußte es. Ein feines, elastisches Gewebe, das überall gewesen war – ähnlich fast jenem glashellen Stoffe, der ihn von der Drobila trennte – war nun zusammengeknüllt, zusammengeballt zu einem festen, örtlich bestimmten Punkt, irgendwo in der Stadt dort unten.

Sie gingen von der Tanzfläche.

„Für Samstag in acht Tagen können Sie nicht auf mich zählen, Doktor", sagte Emmy zwischendurch, „da bin ich eingeladen."

„Ich auch", antwortete Williams.

Es erhebt sich die Frage, wie Mary eigentlich auf Schlaggenberg wirkte, und, mehr als das: ob er sie nicht einbezog in jene Popanzerei mit den dicken Weibern, die ihn damals systematisch beschäftigt hat; es wäre immerhin denkbar gewesen. Jedoch erwies sich – seinen eigenen viel späteren Geständnissen nach – gerade bei dieser Gelegenheit die völlige Un-Natur jener ganzen ‚Dicke-Damen-Doktrinär-Sexualität' (Geyrenhoff). Er vergaß einfach darauf, als er Frau K. gegenübertrat. Er vergaß gänzlich auf jene Züchtung und Ermittlung seines eigentlichen ‚Typs', womit übrigens mehr Menschen beschäftigt sind, als man für's erste annehmen sollte (Kajetan trieb's nur auf die Spitze): mit der Installation – Monteure ihrer eigenen Erotik! – einer sozusagen zweiten, wie nach außen verlegten Sexualität, die ihre bewußten Bedingungen stellt; nichts anderes als eine zweite, phantasmagorische Wirklichkeit, letzten Endes. Und wenn das im Kerngebiet des Lebens auftritt, so kann es anderwärts nicht fehlen, ja, es wird, bei geringeren natürlichen Hemmungen, noch viel behender und ausschließlicher geübt werden. So ließe sich leicht denken, daß es auch zu einer zweiten Sprache kommen könnte, die mit den gleichen Wörtern doch nicht das gleiche ergreift, oder zu einer zweiten Ordnung, die ebensowenig mit der Wirklichkeit zu tun hat. Das ist es wohl gewesen, was der Sektionsrat Geyrenhoff eigentlich gemeint hat, im Zuge seines lebhaften Protestes gegen Schlaggenbergs Darlegungen. Aber bei Geyrenhoff ist doch allezeit die gute Meinung der stärkere Teil gewesen gegenüber der Fähigkeit zur Begriffsbildung. Eben deshalb hat man zuletzt nur verhältnismäßig kleine Teile seiner ‚Chronik', oder was es schon hätte werden sollen, hier aufgenommen. Er selbst vermeinte übrigens immer, die ‚Letzte Redaktion' aller Berichte allein zu vollziehen, wovon natürlich gar keine Rede sein kann. Nicht er redigierte, sondern er wurde redigiert, genau so wie alle anderen (auch Kajetan), genau so wie Frau Selma Steuermann zum Beispiel. Doch seine dahin gehenden Bemerkungen ließ man gerne stehen. Gewisse Äußerungen Geyrenhoff's zu Kajetan von Schlaggenberg, bezüglich der Pedanterie etwa, waren zudem gar nicht so dumm.

Was übrigens Schlaggenbergs Popanzerei betrifft – deren ressentimentaler Kern selbst dem Sektionsrat Geyrenhoff nie verborgen blieb – so verstand es Kajetan, einen solchen Lärm drum herum zu machen, daß dieser groteske Unsinn fast als eine Art neuer ‚Ära' aufzutreten sich erfrechte, wobei außer Zweifel steht, daß es Schlaggenberg wesentlich nur um das

Groteske dabei zu tun war, man kann auch sagen, um die Etablierung eines Affentheaters auf dem Trümmerfelde des eigenen Lebens, worin stets der tief pessimistische Zug des Grotesken beruht. ‚Es muß alles auf die Spitze getrieben werden.‘ Da solches unter sorgfältigem Ausschlusse jeder Diskretion geschah, war des Geredes kein Ende. Und in der Tat entstand später der Eindruck, infolge einer Art Gedächtnis-Täuschung, die ‚Dicken Damen‘ hätten durch einen ganzen Zeitraum im Kreise der ‚Unsrigen‘ herumgespukt. Aber sie waren in Wirklichkeit ebenso kurzlebig wie diese selbst.

Es muß zur Ehre des sonst recht zweifelhaften René Stangeler gesagt werden, daß jene ganzen Umtriebe und Blödeleien Kajetans auf ihn nie den geringsten Einfluß gewannen, so sehr er Schlaggenberg sonst bewundert hat.

Die letzte Geselligkeit im Hause der Frau K. vor ihrer Abreise auf den Semmering fand am 30. April 1927 statt, an einem Samstag, ebenso wie vierzehn Tage später der Tischtennis-Tee bei den sieben Scheinen.

Eulenfeld holte mit seinem Wagen Dr. Williams in der Weihburggasse ab, jedoch sehr verspätet; er hatte um sechs Uhr telephoniert, daß er, trotz des Sonnabends, noch immer im Bureau sitze und heute kaum vor sieben Uhr fertig sein werde. Dann müsse er sich umkleiden. Erst nach acht Uhr sei er zu erwarten.

Williams fand nichts weiter dabei. Er pflegte auch an Samstagen oft bis abends im Museum über seinen Dimorphismen zu sitzen, wenn längst niemand mehr im Hause war, als der Beamte des Journal-Dienstes, die Wächter und der Torwart. Heute freilich war Williams früher heimgegangen. Nun schritt er in seinem Zimmer auf und ab. Es war groß, quadratisch und sehr hoch und verursachte daher einen enormen Verbrauch an Heizmaterial im Winter. Williams wohnte im untersten Teil der Weihburggasse, wo jene nur auf der einen Seite Häuser hat, gleich bei der Ringstraße; gegenüber liegen die Gründe der Gartenbau-Gesellschaft. Manchmal erinnerte ihn diese Lage an die Albertstraße in Battersea, obwohl es doch hier gänzlich anders aussah: es gab gleichwohl eine Verbindung. Nun war diese Verbindung irgendwie in die Außenwelt gesprungen, sie war verwirklicht. Das Haus, in welchem er wohnte, hatte die Bauweise der Ringstraßen-Häuser, den bourgeoisen, bamstigen Stil eines korpulenten Zeitalters; daher die hohen Räume. Auch die Miete war hoch. Eulenfeld fand sie unverschämt. Die Amerikaner haben schon damals in dieser Hinsicht viel Toleranz gezeigt, aus Wurstigkeit, oder auch aus Wohlwollen, besonders gegenüber netten alten Damen. Auch Williams' Hausfrau war eine solche, eine Hofrats-Witwe, wie die meisten alten Damen in Wien. Sie hieß Greilinger. Williams gefiel dieser Name; er hatte etwas liebenswürdig-grantiges an sich.

Längst war es draußen dunkel. Ein Fenster stand offen. Der Abend war warm. Irgendein Duft zog herein, vom nahen Grün, von Blumen, jenseits der Ringstraße, im Stadtpark. Die Lage war stehend geworden, in ihrer Rätselhaftigkeit erstarrt, hier im Zimmer, unter dem altmodischen Kristall-Lüster. Dwight kam sich vor wie ein ausgehobener Maulwurf, an's Licht der Tatsachen geworfen, nach langer dunkler Wanderung in den Wühlgängen bloßer Vorstellung. Dahin gab es kein Zurück. Es wurde von ihm erwogen, jetzt ein wenig zu trinken und, im gleichen Atemzuge, ob er sich nicht Eulenfeld anvertrauen sollte. Beides war unmöglich. Es scheiterte der bloße Vorsatz an Dwight's Kern, an seiner – Schicksalsgesundheit, möchten wir sagen. Die Sache mußte genommen werden, wie sie gekommen war. Die Scheidewände, welche die Wege und die Betten der Möglichkeiten trennen und entscheiden, standen fest in diesem jungen Manne, sie waren nicht löchrig, sie ließen keine Kurzschlüsse zu und keine zweite Wirklichkeit.

Eulenfeld kam. Sie lagen dann in den Fauteuils, streckten die Beine, tranken noch geschwind eines („just a quick one"): jetzt durfte es sein, da sich die Unmöglichkeit zu sprechen bei Williams erwiesen hatte, da diese Unmöglichkeit gewissermaßen gesichert war.

Der Rittmeister fuhr langsam heute, gemächlich, ja, einen kleinen Umweg. Quer durch die innere Stadt, den Graben entlang, erst am Ring nach rechts wendend, gegen die Börse zu.

Der Wagen lief mit perfektionierter Gleichmäßigkeit surrend über den Asphalt.

Dieser Abend bedeutete ja gewissermaßen einen Abschiedsabend Mary's (es ist auch bei solchem Abschied geblieben), und also war das Haus voll: die schon übliche, von den ‚Troupisten' leicht unterwanderte und in der Kopfzahl (soweit da von Köpfen gesprochen werden kann) verstärkte Gesellschaft.

Einem mitunter wenig wohlwollenden, weil am Gesehenen leidenden und daher sich rasch verfinsternden Psychologenauge wie jenem des René Stangeler – zur Verfinsterung hätte bei ihm ja schon irgendeine Likarz plus Santenigg genügt – wäre diese Geselligkeit zweifellos zu einem großen Teile als fadenscheinig erschienen. Aber er war ja nicht anwesend, weil nicht eingeladen. Einige, die eingeladen waren, blieben jedoch noch abwesend. Nach dem Rittmeister wurde gefragt.

Der Kern war solid: Mary und der Wall um sie herum, ihre Garde. Der Gymnasiast Zwicklitzer, weniger schüchtern als sein Kollege Geiduschek – der sich doch gleichwohl, wenn auch nur ein einziges Mal, weit vorgewagt hatte! – äußerte nachdenklich und mit schöner, abgerundeter Beiläufigkeit, daß er seit einiger Zeit, wenn ihm was schwer falle, im Griechischen und in der Mathematik, sich daran gewöhnt habe, an Frau Mary zu denken. „Das Vorbild der Intelligenz ermuntert zur eigenen."

„Versteh' ich sehr gut", sagte Leonhard.

„Kann aber weder Mathematik noch Griechisch", meinte Mary.

„Es wird ein Wein sein", sagte Schlaggenberg, und sah tief nachdenklich in sein Glas.

„Sicher", erwiderte Mary, „es ist noch genug da."

„Das Lied müßt' man auch lateinisch singen können", meinte Zwicklitzer, „Übersetzen wir einmal:

> Es wird ein Wein sein
> und mir wer'n nimmer sein:
> drum g'nießn ma's Leben
> so lang 's uns g'freut!"

„Oh ja", sagte Geiduschek, und:

> „Et erit vinum
> post nostrum obitum:
> fruamur vita
> dum iuvat!"

„Paßt in die Melodie!" rief Zwicklitzer. „Aber weiter:

> 's wird schöne Maderln geb'n,
> und mir wer'n nimmer leb'n

– jetzt wird's schwerer."

„Geht schon", sagt Geiduschek, und:

„Et erunt puellae bellae
nobis iam stante stele:
nunc carpe diem,
dum durat –

man muß halt hier sagen ‚wenn schon unser Grabstein steht‘,
und das griechische Wort ‚stele‘ verwenden."

„Gut", sagte Zwicklitzer, „obwohl die Verbindung eines
Ablativus absolutus mit einem griechischen Nominativ zur
Lynchjustiz herausfordert. Jetzt weiter. Übrigens ist anzunehmen, daß die Römer, obgleich sie jungen Wein im allgemeinen
wenig schätzten, zum Heurigen gegangen sind, nachdem der
Kaiser Probus die Weingärten angelegt hatte, dort, wo sie heute
noch liegen. Sie werden halt ‚an Alten‘ getrunken haben. Es
wäre unnatürlich, sich vorzustellen, daß auf den schönen Hügeln
und Abhängen um die Stadt keine Weinschenken gewesen seien,
nota bene, wo hier ständig ein paar tausend Soldaten waren."

„Klar", sagte Mary. „Ihr seid‘s furchtbar g‘scheit. Jedenfalls wär‘ ich auch zum Heurigen gegangen."

„Geiduschek, fahren Sie fort", sagte Zwicklitzer. „Wenn
dich der Petschenka" (so hieß ihr Latein-Professor) „hört,
trifft ihn glatt der Schlag."

„Wieso denn?!" entgegnete Geiduschek. „Der ist gar nicht
so. Der soll voriges Jahr in der achten Klasse aus einem Buch
vorgelesen haben, das sich ‚Horaz in der Lederhose‘ genannt
hat . . ."

Im großen, quadratischen Raume nebenan, wo das Klavier
stand, konnte man etwas überaus Reizvolles erblicken: die rot-
blonde Trix zwischen zwei tiefschwarzen, nicht weniger schönen Köpfchen; es waren die Grete Siebenschein‘s und der Drobila. Diese Front wirkte anziehend und wurde auch belagert:
jetzt von Oki Leucht, Bill Frühwald und anderen ‚Troupisten‘.
Hier kreuzten sich sehr verschiedene Lieblichkeiten und Beachtlichkeiten, im Stimmengewirre, unter den schwachen blauen
Rauchbändern und einer gerade heute stark fühlbaren Fülle von
Düften, daraus ein Orchideen-Parfum hervorstach, das von der
kleinen Sultanin Dolly Storch ausging. Da diese derzeit von
ihrem lackelhaften Pascha verlassen war, hatte sich Hubert ihr
beigesellt. Er pflegte sich von dem Zirkel um seine Mutter ge-

flissentlich fern zu halten. Es konnte beinahe den Eindruck machen, als sei er davon in irgendeiner Weise angewidert. Oder war es nur die ,gelinde gesagt unpassende' Anwesenheit Leonhards, welche ihn davon abhielt, sich dort auch einmal einzufügen?

Indessen, nun kamen sie alle hinter Mary her in's Musikzimmer; zu Hubert's nicht geringem Erstaunen setzte seine Mutter sich an's Klavier, intonierte, und sodann sangen Zwicklitzer, Geiduschek, Schlaggenberg und Leonhard den für Hubert nicht weniger erstaunlichen Text:

> Et erit vinum
> post nostrum obitum –

Noch während des lächerlichen Gesanges traten Dr. Williams und der Rittmeister von Eulenfeld in den benachbarten Raum, und gingen langsam durch diesen, sich nach der Hausfrau umsehend, die hier nirgends zu erblicken war; und so kamen sie unter die offene Doppeltüre in das Klavierzimmer, und hatten die Spielende hinter dem Flügel gerade gegenüber; der Rittmeister verbeugte sich lächelnd, tief und zeremoniös. Williams tat es ihm nach. Dann standen die beiden mit ihren Blumen in den Händen unter der Türe, während Mary weiterspielte, bis der Gesang mit Gelächter sein Ende fand.

Dwight sah nur sie. Nicht die Drobila, obwohl diese kaum drei Meter entfernt links vom Klaviere saß. Daß es sie wirklich gab, Mary, daß sie so schön wirklich war, erzeugte ihm einen tiefen Schmerz, und er wußte in diesem Schmerze, daß es ja in Wahrheit das Amt der Drobila sei (die er noch immer nicht erblickte), wirklich da zu sein, und nicht das Mary's, dieses Meilensteines seiner Sehnsucht, vor dem er jetzt stand, als am Grabsteine der Sehnsucht zugleich.

Sie gingen zum Klavier.

Erst als Williams Frau Mary durch Eulenfeld vorgestellt war und sie begrüßt hatte, wurde er der Emmy Drobil gewahr.

Sie hatte sich erhoben, aber rund um die beiden saß man, die Burschen hatten, nachdem sie mit Williams kurz sich bekannt gemacht, ihre Plätze alle wieder eingenommen. Nur die Gruppe am Klavier stand noch hinter Mary.

Sie blieben – jetzt Hand in Hand – dicht umschlossen und auf sich allein zurückgedrängt durch die Unwissenheit aller anderen Anwesenden, denen unmöglich war, zu erkennen, was dieses Zusammentreffen eigentlich bedeutete. Und dáß es bebend seine entscheidenden Sekunden bestand.

5

DIE FALLTÜR

Plötzlich saß dem Jan Herzka ein Fräulein Agnes Gebaur im Pelz. Er hatte sie bisher absolut nicht beachtet – wobei der Ausdruck ‚absolut' mit der Absicht gebraucht wird, Herzka's völlige Losgelöstheit von der Gebaur zu erfassen. Jedoch einmal endlich sah er dieselbe – und zwar zum ersten Male, nachdem er sie, schätzungsweise, schon gut dreihundert Mal erblickt hatte, denn sie war seit einem Jahr im Geschäft. Dieses erstmalige Sehen erfolgte am Montag, dem 16. Mai 1927, morgens kurz nach 8 Uhr – also an jenem Wochenanfang, der dem Tischtennis-Tee bei den sieben Scheinen folgte – als Jan durch den langen und sehr hellen vorderen Büroraum ging, um in sein Chefzimmer zu gelangen, vor welchem noch ein kleineres Kabinett lag: ‚Anmeldung'. Hier saß niemand. Hier saß schon seit acht Tagen niemand. Frau Christine (die wenigsten Angestellten wußten ihren Familiennamen Schnabel) hatte von Herzka geopfert werden müssen. Der dicke Filialleiter in Graz, der noch aus der Ära des alten Herzka stammte (ebenso wie hier der Bürodiener Moser), war plötzlich vom Schlage gerührt worden; und dort gab es nun, nach solchem unvermuteten Ableben des etwas autokratischen alten Herrn, der alles am liebsten immer selbst gemacht hatte, unter dem verschüchtert hinterbliebenen Personal durchaus niemand, der fähig gewesen wäre, die Führung der Grazer Zweigstelle zu übernehmen. So mußte denn Frau Schnabel, noch dazu kurz vor ihrem 60. Geburtstage, geopfert werden, wenigstens vorläufig einmal; und sie reiste nicht ungern nach Graz ab (wo sie obendrein Verwandte hatte) und geradewegs in eine erheblich höhere Gehaltsstufe hinein.

Wenn einem Chef eine Angestellte plötzlich im Pelze sitzt, wird sie meistens Vorzimmerdame, was jedenfalls ein Avancement bedeutet, auch pekuniär.

Der Gebaur wurde solches noch am Vormittage des 16. Mai eröffnet. Anders: die Vorzimmerdame, lang gesucht, in vielerlei

Überlegungen, war im Handumdrehen gefunden, ja, recht eigentlich entdeckt worden.

Der erste telephonische Anruf, den sie übernahm und in's Chefzimmer weiterleitete, war der des Herrn Notars Doktor Krautwurst.

Jan Herzka beschäftigte sich an seinem Schreibtische noch immer mit der Morgenpost, welche in's Hintertreffen geraten war, denn er hatte einige Zeit gebraucht, um sich von dem erstmaligen Erschauen jener Agnes zu erholen und sich wieder zu sammeln. Jedoch blieb der Erfolg mangelhaft.

„Krautwurst – –?!" sagte er am Apparat.

„Ja. Notar Doktor Krautwurst."

„Kenne ich nicht. Bitte, verbinden Sie."

Die Stimme der Gebaur hatte für Jan einen dunklen Klang (vielleicht nur für ihn). So dunkel, wie dies alles war: ihr unbestreitbarer Zusammenhang mit vorgestern; mit dem Gespräch bei Siebenscheins, mit dem, was diese jungen Historiker erzählt hatten – –

„Herzka", sagte er am Apparat; hörte sodann zu, während der Herr Notar mit ruhiger Stimme und etwas breiter Ausführung sprach.

„Erlauben Sie mir, Herr Doktor", sagte Jan in freundlichstem Tone, als Krautwurst geendet hatte, „erlauben Sie mir die Bemerkung, daß heute der 16. Mai ist, aber nicht der 1. April."

Der Notar war nicht ungehalten. Es ertönte sogar jenes geruhige, gleichmäßig glucksende und würdevolle Gelächter, das man auch als Kollegengelächter bezeichnen könnte; denn so pflegen die Herren zu lachen, wenn sie untereinander über einen kuriosen Fall sprechen oder wenn ein Witz erzählt wird, der zwar amüsiert, zugleich aber das Andeuten einer gewissen Distanz von derlei erfordert.

„Also ein Schloß krieg' ich?" sagte Herzka.

„Ein Schloß. Kein Luftschloß. Vorausgesetzt, daß Sie die Erbschaft annehmen, woran ich übrigens, hahaha, denn doch kaum zweifeln möchte. Wann werden Sie mir die Ehre Ihres Besuches in meiner Kanzlei geben?"

„Sind Sie nachmittags um drei schon dort, Herr Doktor?"

„Für Sie zu jeder Zeit."

„Also – ich komme." –

Grotesker Weise dachte Jan plötzlich die Verse aus dem Wilhelm Tell:

> ‚Rasch tritt der Tod den Menschen an,
> Es ist ihm keine Frist gegeben –‘

Und er fügte hinzu:

„Genau das gleiche gilt vom Leben."

Nun wurde es ihm aber zu dumm. Er hätte sich Schleier oder Spinnweben von der Stirn reißen mögen, die er wie dunkelrötlich umwölkt fühlte seit dem Morgen.

Die Post. Alles war wie glatt geschliffen, flach, er glitt geradezu darauf aus. Es war, als wollte sich die Materie, die er da zu bearbeiten hatte, in keiner Weise aufrauhen, dem Denken einen Halt bieten, so daß es von einem Stützpunkt zum andern blitzen konnte, rasch voran: so war das sonst immer bei ihm. Vieles fiel ihm ein, sprang ihn an, wenn er die Post las, und immer bewährte sich manches davon in der Durchführung. Zum Kaufmann und zum Schriftsteller gehört eine Art nüchterner aber energischer Phantasie. Von einer solchen war heute keine Rede. Er hatte bei der Post-Durchsicht stets einen großen Schreibblock neben sich liegen, um Erwägungen in Schlagworten festzuhalten. Heute blieb die weiße Fläche leer. Schon wollte Jan die Gebaur zur Hilfe hereinrufen.

Er ließ es.

Nun wohl, seine Mutter war eine Baronin Neudegg gewesen. Aber wie kam der alte Neudegg in Kärnten, der sich nie um ihn gekümmert hatte, dazu, ihn zum Erben seines Schlosses einzusetzen? Die Mama war doch nur seine Cousine. Eine mittelalterliche Burg bei Toitschach oder Foitschach, oder wie es da schon hieß (Herzka kannte die Gegend gar nicht), mit gewaltigen Fundamenten und Kavernen, sonst aber zum Wohnen modern und komfortabel eingerichtet, hatte der Notar gesagt, Bäder und Küche elektrisch, Fremdenzimmer, Kastellan, Telephon. Blödsinn. Wie kann man Krautwurst heißen! Das gab es doch gar nicht. Das Ganze war ein Scherz.

Aber der Notar Dr. Philemon Krautwurst fand sich mit der angegebenen Adresse im Telephonbuch.

Trotzdem konnte es ein mittelmäßiger Witz irgendwelcher Freunde sein.

Es stand im Zusammenhang mit der Gebaur: das war ihm zu innerst doch evident. Es stand in Zusammenhang mit ihr, ganz ebenso wie alles vom Samstag-Abend bei Siebenscheins.

Er sah jetzt die Gebaur wieder wie heute am Morgen. Sie hatte aus irgendeinem Grunde, als er sie ansprach – Agnes führte die Kartothek, und es ging um einige Daten daraus – die Arme vor der Brust gehalten, leicht gekreuzt, dabei den Kopf schräg geneigt, während sie ihm aufmerksam zuhörte. Sie mag gegen dreißig Jahre alt sein, dachte er. Ihre Haut war bleich wie Mondstein – schon 1927 stand das im äußersten Gegensatz zur herrschenden Mode! – und das Gesicht zeigte einen seltsam altertümlichen Schnitt. Man hätte es ein Madonnengesicht nennen können. Ein Kopftuch hätte wohl dazu gepaßt (wir stellen hier als Außenstehende fest, daß die Gebaur einfach einen slawischen Typus darstellte; aber Jan Herzka machte alsbald aus dem Kopftuch so etwas wie einen schwarzen Schleier, einen Witwen-Schleier). Um ihre Augen lagen auffallend tiefe Schatten. Sie hielt den Blick gesenkt auf die einzelnen Kartonblätter, welche sie jetzt aus der Reihung in den hellen Holzkistchen hervorhob. Aber alles das war es nicht, alles das zusammen war es noch nicht. Die schlagartige Wirkung der Agnes Gebaur kam von der Art ihres körperlichen Existierens: dabei wußte Jan auch jetzt noch nicht, ob sie eigentlich groß oder klein, dick oder dünn, breit oder schmal sei. Er war gar nicht so weit gelangt. Er hatte sogleich erschreckt von ihr weggesehen. Aber gar kein Zweifel bestand für ihn, daß ihr Körper etwas sozusagen im höchsten Grade Unbekanntes war, nicht nur von ihm nicht gesehen, sondern auch von anderen niemals, ein unbestimmtes wolkenhaftes Gebilde, über welchem das Haupt gleichsam schwebte oder schwamm . . .

Wie ein breiter dunkler Rücken hob sich das jetzt unter ihm, drohte ihn wirklich davonzutragen, eine widersinnige Einheit aus diesem Mädchen, aus jenem alten Schloß, und nicht zuletzt aus – dem Abend von vorgestern, bei Siebenscheins . . . Er sprang auf und griff, vor dem Schreibtisch stehend, nach dem Apparat:

„Die Post ist fertig. Sie können alles holen. Verbinden Sie mich mit dem Herrn Oberbuchhalter Köppel."

„Sogleich", sagte Agnes. Die dunkle Stimme war in der Realität weit weniger wirksam. Vielleicht konnte das auch mit dem Körper sich ähnlich verhalten. Er wollte sie doch einmal ansehen, unbemerkt, in aller Ruhe. Köppel meldete sich jetzt. Jan bat ihn, herüberzukommen. Er trat bald ein, breit und langsam. Köppel hatte Prokura, er stammte ebenfalls noch aus dem

Regime des Alten her: übrigens war dasjenige des Sohnes davon in keiner erheblichen Weise verschieden. Jan fragte den alten Köppel geradewegs und plötzlich, ob er wegfahren könne, auf ein paar Tage; das geschah ohne jede vorhergehende Überlegung. Der Prokurist zog seinen Termin-Kalender aus der Tasche und dachte nach; es könne wohl angehen, meinte er dann. Ob sechstausend für ihn aus der Kasse verfügbar seien, fragte Jan; ein Uhr; die Bank sei schon geschlossen. Ohne weiteres, meinte der Prokurist. Jan schrieb den Bon. Er rief die Gebaur herein, gleichsam unter dem Schutze Köppels. Da stand sie nun. Ihre Leiblichkeit blieb jedoch undurchdringlich. Sie trug ein weites Kleid, zudem war es lang, ebenfalls gegen die Mode. Jedoch schlank war sie gewiß nicht. Auch keineswegs klein. „Ich muß verreisen", sagte er, und: „Leiten Sie alle Gespräche an den Herrn Oberbuchhalter, Fräulein Gebaur, und schreiben Sie alles für mich auf. Die Post ist selbstverständlich dem Herrn Oberbuchhalter vorzulegen, ja? Ich muß verreisen", wiederholte er, „eine Erbsache. Das war der Notar mit dem komischen Namen" (die Gebaur lächelte mit gesenkten Lidern, die Wimpern waren sehr lang, unter den Augen lagen tiefe Schatten). Das Geld wurde gebracht. Jan gab dem Prokuristen und Agnes die Hand und ging.

Er ging, als hätte er sich selbst an die Luft gesetzt. Ja, im Treppenhause spürte er geradezu den Druck seines eigenen, vor einer Viertelstunde noch keineswegs vorhergesehenen Entschlusses hinter sich, der ihm nun gar nicht mehr gestattete, nachmittags in sein Comptoir zurückzukehren.

Der gestrige Tag war furchtbar gewesen. Der Sonntag.

Allein, daheim.

Diese jungen Historiker mit ihren Hexen-Geschichten hatten in ihm eine Verwüstung angerichtet, eine Art konstanter Explosion, wenn so etwas Widersinniges denkbar wäre.

Alles noch ohne Gebaur.

Aber jetzt! Nun kam das zusammen.

Und nun stützte sich das schon nach rückwärts, in die eigene Vergangenheit: seine einstmalige Geliebte, Magdalena Güllich.

Das Wetter war trüb. Man hatte es aufsitzen wie einen Hut, der zu tief in die Stirn hing. Es hatte geregnet, oder es schien zu regnen (aber zart, wie aus kleinen Kindergießkannen). In der Wärme und Feuchtigkeit gedieh ein dampfiges Befangensein. Dennoch befand sich Jan körperlich sehr wohl, ja, bei großen Kräften. Er schob die Schultern unter dem Rock zurecht. Das Besitzgefühl am eigenen Körper, das leichte Gehen, die Lust am Motorisch-muskulären: das alles drängte jetzt hinaus in diese feuchtwarme, befangende Umgebung rundum. Ein Treibhaus. Ein Treibhaus auch innen. Es wollte sich doch wieder abschließen: ja, das wollte es eigentlich. Nichts sehen und hören: sondern die Gebaur sehen. Agnes. Jetzt hatten sich die Folterknechte mit ihr eingeschlossen. Sie führten Agnes nach rückwärts, in den weniger erleuchteten Hintergrund des Gelasses, und begannen sie zu entkleiden. Das lange schwarze Gewand fiel und der Schleier. Der Schein des Linnens, das sie darunter trug, flügelte auf wie der weiße Bauchflaum eines Schwanes.

Er hätte jetzt abbrennen müssen wie ein losgehender Feuerwerkskörper. Aber er ging ruhig weiter.

Es war über ihn hereingebrochen. Nun: etwas Distanz. Rasch tritt der Tod den Menschen an.

Von heute auf morgen. Eigentlich von vorgestern auf heute. Dieser verdammte Stangeler! Eine Kombination rührte sich . . . Weg damit. Dennoch: man könnte vielleicht mit ihm Fühlung nehmen.

In's Restaurant. Heißhunger, geschwächte Knie. Dann kurz in's Café, die Zeitungen durchzusehen, eigentlich nur deren ökonomischen Teil. Die Produktenbörse. Hanf. Vor allem Jute. Darum ging es nämlich zum einen Teil in der Firma Herzka. Denn man hatte Gurte, Zug-Gurte, Trag-Gurte, Rouleaux-Schnüre. Auch aus der Fabrikation von . . . nun, man weiß schon: wir meinen selbstverständlich Leonhard Kakabsa's Arbeitsstätte. .

Damals rührte sich auf diesem Marktgebiet nicht viel. Das kam erst später, um 1930 oder 1931, als sich ohnehin überall was rührte, gelinde gesagt. Jetzt indessen gingen die Dinge ruhig hin, mit unwesentlichen Schwankungen.

Die Güllich . . . es war nicht hier gewesen. Nicht in dieser Stadt. Welch ein Glück! Es gab hier keine ausgesparte, gemiedene Stelle, keinen gemiedenen Bezirk, kein lebendes Grab. Nein, eine ferne Großstadt, fern im Westen. Ihre Wohnung: Boulevard Népalek 16. Aber dort war es nicht geschehen, son-

dern anderswo. Er hatte sie geradezu überfallen. Nun, es ist
jetzt fünf Jahre her. Nicht lange nach dem Tod des Vaters war
es, der ihn nach dorthin geschickt hatte, er mußte die dortige
Niederlassung übernehmen; auch wegen seiner guten Kenntnis
des Französischen. Der Bürodiener Moser war damals mit-
gekommen; der konnte merkwürdigerweise auch sehr gut
französisch. Er war der Sohn eines kleinen k. u. k. Hofbeamten.
Boulevard Népalek 16 wohnte sie. Gewiß steht das Haus noch;
natürlich wohnt sie noch dort. Sicher. Er hätte sie heiraten sollen. Er hätte sie zu seinen Wünschen erzogen. Aber in dieser
plötzlichen Weise! Welche Dummheit! Danach war's dann aus
gewesen: auf Nimmerwiedersehen.

Kein verdammter Stangeler damals.

Sondern ein altes Buch. Er besaß es noch.

Er hatte den gestrigen Sonntag mit diesem Buche verbracht.

Auch damals waren gleichsam die Umstände über ihm ein-
geschnappt, wie eine Falltür. Nachmittags hatte er das Buch gekauft. Abends mit der Güllich im Zirkus. Die dressierten weißen
Stuten. ‚Halka' hieß die eine. So wie die polnische National-
Oper. Nach dem Zirkus war es dann geschehen. Er verschleppte
sie, gleich in der Nähe des Zirkusgebäudes, in irgendein Ab-
steigquartier, in aller Eile. Dann eine offenkundige Mißhand-
lung, die er gar nicht meinte, nicht gewünscht hatte. Aber sie
verstand ihn nicht. Er hätte ihr das Buch zeigen müssen.

Die Gebaur heiraten.

Jetzt fiel ihm der Falltür-Deckel geradezu auf den Kopf.

Weg! Auf, zum Notar. Ein viertel vor drei.

Der Doktor Krautwurst war eine glattrasierte, bebrillte,
kluge, ausführliche Katastrophe bei größestem Behagen seinerseits. Begreiflicherweise legte er vor allem Wert auf die Erfüllung der erforderten gesetzlichen Akte, so auf eine Willenserklärung Herzka's, daß er nämlich die Erbschaft annehme,
und anderes dieser Art. Alles in allem konnte freilich jetzt noch
von keiner Einantwortung des Erbes die Rede sein, vielmehr
nur von den Voraussetzungen zu einer solchen. Aber da des
Herrn von Neudegg Testament unbestritten geblieben war und
wirklich keine anderen Erben neben Herzka vorhanden schienen –
niemand hatte sich gemeldet – so mußte es eine glatte Verlassen-

schafts-Abhandlung geben, die nicht allzu lange währen konnte. Der Doktor Krautwurst meinte deshalb, Herzka möge doch, ohne die formelle Einantwortung erst abzuwarten, sein so gut wie sicheres künftiges Eigentum einmal besichtigen. Ob er denn gar nicht neugierig wäre? Ein Schloß sei kein Pappenstiel. Zudem eines im besten bewohnbaren Zustand. Der alte Baron habe da allerhand investiert. Es stellte sich dann heraus, daß der Doktor bereits zweimal hinuntergefahren war, gleich nach dem Ableben des alten Achaz, um nach dem Rechten zu sehen: eine dem Erblasser gegenüber schon bei Errichtung des Testamentes übernommene Pflicht des befreundeten Notars, der in diesem Falle auch als Testamentsvollstrecker fungierte. Der rechtsgültige letzte Wille war übrigens sehr jungen Datums: vom 2. März 1927.

Und noch allerlei. Und noch dies und das. Freilich kam es dem Herrn Notar dabei auf ganz andere Dinge an als dem Jan Herzka, wenigstens augenblicklich.

„Ich reise. Heute abend noch. Ich will das Schloß sehen", sagte Jan.

Der Doktor Krautwurst holte diesen plötzlichen und so knapp terminierten Entschluß nicht sogleich ein. „Ja –", sagte er. Herzka fand für gut, die Sache in ein bürgerliches Licht zu rücken. „Das ist nämlich so", fügte er hinzu, „ich werde in den nächsten Wochen oder Monaten höchstwahrscheinlich keine Gelegenheit mehr haben, mich um diese Sache dort unten zu kümmern und zu verreisen; es warten verschiedene Termine und andere Dinge. In drei Tagen ist schon solch ein Termin. Wenn ich mir das Schloß ansehen will, muß ich's gleich tun, das heißt, heute nacht hinunterfahren."

Krautwurst schien beruhigt.

„Da haben Sie den Nachtschnellzug nach Villach. Dort steigen Sie aus. Vormittags sind Sie an Ort und Stelle. Aber ich werde Sie anmelden. Der Kastellan ist ein angenehmer Mann. Dort geht alles wie am Schnürchen. Er wird Sie vom Bahnhof mit dem Wagen abholen lassen. Ich geb's als dringendes Gespräch, ja? Vorher noch einmal den Fahrplan."

Er war lebendig und liebenswürdig, der Doktor Krautwurst.

Gleich nach der Anmeldung des Gespräches aber wurde er ganz unvermittelt feierlich:

„Hier ist zuletzt noch eines, Herr Herzka. Ein Brief von dem alten Baron – an Sie. Wollen Sie die Freundlichkeit haben, hier zu quittieren." (Er schob ihm eine bereits mit der Schreibmaschine geschriebene Quittung hin.) „Nun müssen Sie freilich diesen Brief nicht gleich hier eröffnen und lesen. Wollten Sie es dennoch jetzt tun, so wäre ich Ihnen verbunden; denn dieses Schreiben – dessen Inhalt mir unbekannt ist – könnte immerhin noch Mitteilungen enthalten, die für eine Verlassenschafts-Abhandlung von Belang sind. Jedoch steht es ja selbstverständlich ganz in Ihrem Belieben, ob Sie mir solche Data aus dem Briefe in Ihrem Interesse mitteilen wollen oder nicht."

Es war ein ganz billiges, gewöhnliches Geschäftskuvert ohne jeden Aufdruck. Mit einer weichen Feder stand in großen und gerundet ausfahrenden, sehr flüssigen Zügen daraufgeschrieben: ‚An Herrn Jan Herzka, Wien, nach meinem Ableben zu übergeben durch Dr. Philemon Krautwurst.'

„Ist das die Schrift des Herrn von Neudegg?" fragte Jan.

„Ja", sagte der Notar und reichte ihm ein Papiermesser.

In dem Umschlage befand sich ein Kanzleibogen, den die großen Züge zum Teil bedeckten. Die fortlaufende Schrift war nicht kleiner wie außen auf dem Briefkuvert, während doch die meisten Menschen eine Anschrift größer schreiben als den Text. Am Kopf des Briefes war noch einmal vermerkt, was schon außen auf dem Umschlage stand. Gleich darunter begann der Brief, mühelos zu lesen:

Mein Lieber,

Du kriegst alles. Kümmer Dich um nix. Der Krautwurst macht das schon, tadelloser Bursch. Ich bin allein, sonst ist niemand mehr da. Gut so. Sie waren nur Tagediebe, Lumpen und Gauner. Deine Mutter war eine Neudegg; meine Cousine. Hat mich übrigens nicht mögen; wir haben uns seit ihrer Heirat kaum mehr gesehn. Du bist ein anständiger, arbeitsamer Kerl, hast das Geschäft von Deinem sel. Vater ordentlich weitergeführt. Du bist auch finanziell in der Lage, einen solchen Besitz wie Neudegg zu halten. Ich weiß über Dich alles. Hab mich erkundigt. Wie ich auf Dich komme? Der S. A. Slobedeff (eigentlich Alexandr Alexandrowitsch S., hat sich aber immer Sascha genannt) war hier bei mir, voriges Jahr. Großer Mann, na das weißt Du. Hat mir hier auf der Orgel in der Kapelle vorgespielt. Genie. Hat mir von Dir erzählt. Vier Jahre vorher hat er Dich getroffen, hast ihm gewissermaßen gebeichtet, na ich brauch Dir wohl nicht mehr viel sagen. Also jetzt paß auf: laß alles unverändert. Behalt auch die Dienstleut. Die Pächter sind anständig. Wenn Du ein lieber Kerl bist, wirst auch mein Schreibzimmer unverändert lassen. Setz Dich manchmal hinein. Denk, daß hier der Neudegger gehockt ist. Noch etwas: Wenn Du hierher kommst, dann nimm Dir einmal irgendeinen mit, der von alten Büchern und besonders von Handschriften was versteht, Mittelalter und dergleichen. Es ist eine bemerkenswerte Bibliothek vorhanden. Laß Dir das von so einem Menschen erklären; brauchst nur auf der Universität fragen, die empfehlen Dir schon wen. Du kannst das Zeug allein nicht einmal lesen. Die Handschriften hat bisher noch niemand zu sehen bekommen. Du wirst Dir hier natürlich auch die Cavernen anschauen, den Turm, und auch was hinter der schweren, alten Grundmauer ist, dort, wo man den Festungsgraben noch am besten erhalten sehen kann. Kriech nicht zuviel da herum. Es ist zwar alles durchlüftet und sogar elektrisch beleuchtet. Wirst mich später besser verstehen. Jährliche Seelenmesse am Sterbtag (?!) ist bei der Pfarre deponiert, Dauerstiftung. Gehst hinein, hörst die Meß, wennst grad da bist, betst für mich, ja? Na also. Freu Dich des Erbes, leb gesund, heirat. Der Himmel schütze Dich.

Am Aschermittwoch 1927

Achaz Neudegger

Während Jan den letzten Teil des Briefes noch einmal aufmerksam las, führte der Notar bereits das Gespräch mit Kärnten. Als er es schloß, reichte ihm Herzka den Brief. Doktor Krautwurst sah ihn aufmerksam durch und sagte dann: „Gleiches Datum wie der rechtsgültige letzte Wille. Auch sonst im Einklang: die Sache mit den Dienstboten – es sind außer dem ,Kastellan', eigentlich dem Hausmeister, noch fünf, und die braucht man auch in dem großen Haus – ist sogar im Testament selbst verankert, wie Sie bemerkt haben werden." Über den zweiten Teil des Briefes sagte Doktor Krautwurst nichts.

Herzka fühlte mit Staunen eine in der letzten halben oder ganzen Stunde eingetretene deutliche Verschlechterung des eigenen Zustandes. Die frische Wunde, wenn man so sagen darf, war von ihm weniger peinvoll empfunden worden. Anders: so lange der Schlag der Falltüre noch auf dem Kopf brummte, war Jan mehr bei sich selbst gewesen als jetzt. Jedoch, seit er den Weg zum Notar angetreten hatte, krampfte sich irgend etwas zusammen, schien irgendwas heißgelaufen in ihm; und zugleich wollte er diesen Zustand durchaus bewahren, er wollte aus ihm durchaus nicht heraus; es war eine Art angenehmer Fieberhitze; er fühlte sich dabei aber zugleich wie aus den Schienen gesprungen und neben das Geleis gesetzt.

„Das wäre also alles", sagte er.

„Ja", antwortete Doktor Krautwurst und reichte ihm einen Zettel, auf welchem die Abfahrtszeit des Nachtzuges stand.

„Sagen Sie mir noch eines, verehrter Herr Doktor", bemerkte Jan, „wann war es, genau, daß der Baron gestorben ist? Sie erwähnten es ja, es stand auf dem Totenschein."

„Am 23. März. Die meisten alten Leute sterben im Frühling oder Herbst."

„Ja. Rasch tritt der Tod den Menschen an. Ich wollt' Sie bitten, ob ich noch telephonieren darf, hier bei Ihnen."

„Ja, selbstverständlich, Herr Herzka, bitte sehr", sagte Krautwurst, „hier ist das Telephonbuch. Sie entschuldigen mich wohl für einen Augenblick." Er verließ taktvoll sein Arbeitszimmer, in scheinbar geschäftiger Eile.

Herzka suchte im Telephonbuch: ‚Immobilien ... Inst ... Inst ... Innung ... Inspektorat ... da: Institut für ... für ... österreichische Wirtschaftsforschung ...‘, was gab es alles für Institute! Das Institut für österreichische Geschichtsforschung stand vielleicht nicht im Telephonbuch? (Oder er fand es nicht, in der Eile?) Halt! Der alte Achaz hatte geschrieben: Universität. ‚Universale ... Hoch- und Tiefbau ... Spedition ... Universität! Rektoratskanzlei ... Dekanat der philosophischen Fakultät ... Bibliothek ... Gebäudeverwaltung ... Portierloge, das ist es, da kriegt man Auskunft.‘ „Hallo ... kann ich mit dem Institut für Geschichtsforschung sprechen?"––„Hier A 25-4-30, Institut für österreichische Geschichtsforschung, Amtsdiener Pleban."

Das war gemütlich.

Herzka hielt die Muschel ganz ungeschickt. Er nahm die andere Hand zu Hilfe, rückte das Ding zurecht. Auch seine Hände schienen entgleist zu sein. Wie damals bei der Güllich. Dann hatte er Slobedeff ‚gebeichtet‘ ...

„Bitte ist Herr Doktor René Stangeler vielleicht anwesend?"

„Jawohl, mein Herr, i' hol' den Herrn Dokter gleich."

„Herr von Stangeler", sagte Herzka, nachdem René sich gemeldet hatte, „wir haben uns ja vorgestern abends bei Siebenscheins kennen gelernt; ich hätte nun mit Ihnen eigentlich dringend zu sprechen. Würde es Ihre Zeit erlauben, in etwa zwanzig Minuten mich irgendwo zu treffen – am besten ist es vielleicht, ich komme auf die Universität?"

Gut so. Also in zwanzig Minuten im Arkadenhof.

Der Wagen. Jetzt erst kam ihm also in den Sinn, daß er einen Wagen hatte! Befremdlich. Stangeler mußte ja nach Hause fahren, um sich für die Reise fertig zu machen. Ausgezeichnet! Sie würden dann miteinander zu Abend essen ... Das Geschäft also. Die Gebaur ...

Er fiel dabei mit einem Ruck, wie man ihn manchmal im Halbschlaf empfindet, in ein tiefer gelegenes Stockwerk seines Innern hinab, und bemerkte dort – während durch eine Sekunde ein Vacuum des Schreckens in seiner Magengrube stand – daß die Folterknechte ihre Prozedur fortgesetzt hatten (die ganze Zeit schon, während er hier beim Notar gewesen war!). Agnes stand abgewandt und zusammengekrümmt. Sie war halbnackt.

„Johann Herzka und Companie."

Die Wirklichkeit der dunklen Stimme befreite ihn von der Vision, die sich in einer übermächtigen, ja ganz brutalen Weise aufgezwungen hatte. Er bestellte den Wagen vor die Rampe der Universität. Er legte die Muschel hin. Gleichzeitig fiel ihm freilich ein, daß er ja von hier sich hätte abholen lassen können. Doch blieb Zeit genug. Er konnte die paar Schritte zu Fuß gehen. Er konnte Abstand gewinnen ... Der Notar trat ein. „Nun, schon gesprochen?" „Ja, alles in Ordnung", sagte Jan.

„Was ich noch sagen wollte", bemerkte Doktor Krautwurst, „wir sind bei der ganzen Sache durch einen Todesfall um eine Komplikation, ja geradezu um eine erhebliche Minderung des Erbes für Sie herumgekommen. Gegen Mitte Februar ist in der Schweiz als kinderlose Witwe die Tochter des Erblassers gestorben. Sie war die Frau eines französischen Grafen gewesen. Der alte Herr hat sie nicht geliebt. Er sagte das ganz offen. Einen Pflichtteil hätten wir mindestens auszuscheiden gehabt; sie wäre praktisch Mitbesitzerin von Neudegg geworden. Ich glaube, ihr Tod war für den alten Baron der direkte Anlaß, mich kommen zu lassen und ein neues Testament zu errichten. Eben noch rechtzeitig. Auf den Tod der Gräfin bezieht sich offenbar die Stelle im Briefe an Sie, Herr Herzka, gleich zu Anfang, wo er sagt ‚ich bin allein, niemand ist mehr da‘, oder so ähnlich. Auf diese Weise fällt auf Sie, den Erben, Herr Herzka, als Onus nur jenes Legat, das ich Ihnen im Testament gezeigt habe."

„Ja", sagte Herzka und verabschiedete sich von dem Notar.

„Erzählen Sie mir doch, wenn Sie wieder hier sind, wie's Ihnen gefallen hat dort unten! Und nochmals meinen Glückwunsch!"

„Vielen Dank. Ja, ich werde Ihnen berichten, Herr Doktor. Auf Wiedersehen."

Rasch tritt der Tod den Menschen an. Alles das war dummes Zeug. Jan ging den Schotten-Ring entlang. Das Pflaster war aufgetrocknet. Vier Uhr. Von rechts brach die Sonne durch. Agnes war jetzt nackt bis auf ein gebauschtes Lendentuch. Der Teufel hole Stangeler. Mit dem Erscheinen Slobedeffs in dieser ganzen Angelegenheit hörte sich jedweder Spaß auf.

Denn erst dieses Erscheinen zeigte, daß man gar nicht aus dem Geleise gesprungen war; daß man auch keineswegs auf irgendeiner abseitigen Nebenstrecke oder Flügelbahn des Lebens sich bewegte, sondern, daß dieser Expreßzug seit heute morgens, oder eigentlich seit Samstag abends, durchaus auf dem Hauptgleis dahinjagte. Es war nur lange nicht sichtbar gewesen. Und gerade in diesem Punkt hatte Sascha Alexejewitsch sich im Irrtume befunden – nachdem ihm Herzka ‚gebeichtet‘ hatte, wie's der alte Achaz nannte, am Tage nach der Katastrophe mit der Güllich. ‚Dabei aber, Jan, gehen Sie nun offenen Auges und immer wieder durch die Hölle Ihres Schwankens und Fallens...‘ Gar nicht. Keine Hölle, kein Schwanken, kein Fallen. Alles wie verschluckt, wie weggeblasen. Fünf Jahre lang. Er hatte Slobedeff gänzlich vergessen gehabt; die Umgebung, in welcher er, Herzka, lebte, war auch einem Gedenken in dieser Richtung durchaus nicht günstig ... Er hatte Slobedeff fünf Jahre lang vergessen, ganz in der gleichen Art, wie er heute durch zwei Stunden seinen Wagen vergessen gehabt hatte. Es war schon nicht anders. Und jetzt: mit alledem kam auch Slobedeff wieder herauf. Wie denn anders, wie denn anders! Die Folterknechte waren nicht aufzuhalten. Sie verspotteten jetzt die Dulderin, führten sie zu einem Säulenstumpf in der Mitte des Gelasses und banden ihre Handgelenke daran fest. Die Witwe (?!) Agnes. Die keusche Agnes.

Sascha war jetzt dicht gegenwärtig. Am folgenden Tage hatte er in der königlichen Tonhalle eine Symphonie dirigiert; Herzka, sonst nicht häufig in Konzerten, war freilich unter den Zuhörern gewesen.

Nach dem Unglück mit der Güllich hatte es eine Nacht gegeben – mit Keilereien, Boxereien und anderen, für Jan völlig neuartigen Zwischenfällen – die schließlich weit draußen, unterhalb der Stadt, am Strom, zu Ende gegangen war. Weiterhin: er war Slobedeff beinah auf den Rücken gesprungen, einen beim langsamen Berganfahren geenterten Lastzug wieder verlassend. (Nur weg, nur fort, und mit unbestimmtem Ziel, nur die Gegend wechseln!) Der Tondichter suchte hier Erholung und Arbeitsruhe, in einem Dörfchen vor der Stadt; und kam dabei, am Bahndamm sich sonnend, in höchst plötzlicher Weise zu einer zwar kurzen, aber gründlichen Bekanntschaft mit Jan Herzka.

In der Folterkammer schien man Feierabend gemacht zu haben. Nichts mehr war zu sehen. Es war erleichternd. Die Sonne kam von rechts, jetzt sehr kräftig, aus einer eröffneten Weite. Dort drüben die Universität.

Die kühle Halle mit den hohen glatten Säulenschäften. Stangeler, ohne Hut, wie er eben vom Schreibtisch sich erhoben hatte, latschte von rückwärts heran, als Herzka in den rechts gelegenen Arkadengang trat; diesen hatte ihm René, genau, wie er nun einmal war, bezeichnet.

,,Herr von Stangeler", sagte Jan, während sie langsam nebeneinander dahinschritten, ,,ich möchte Sie auf Ihrem Fachgebiete in Anspruch nehmen. Leider einigermaßen plötzlich. Haben Sie für heute abend und für morgen und übermorgen etwas Dringendes vor? Ich möchte Sie nämlich bitten, heute abend noch, gegen zehn Uhr, mit mir zu verreisen. Die Kosten trage ich. Für Ihre Mühe, die Sie haben werden und für die Störung, die ich Ihnen bereite, möchte ich mir erlauben, Ihnen zunächst 1500 Schilling als vorläufige Zahlung anzubieten. Wenn die Sache Ihnen jedoch noch weitere Arbeit machen sollte, was ich fast annehme, selbstverständlich mehr."

Nach solcher Präambel – René hatte zunächst nur geantwortet, daß er nicht verhindert oder abgehalten sei – erklärte ihm Herzka, worum es sich handle. Allerdings nicht so ganz wesentlich, muß man schon sagen: er sprach von der Besichtigung, Begehung oder Untersuchung des alten Schlosses, welches ihm als Erbe zugefallen sei, insbesondere aber von der vorläufigen Durchsicht einer Bibliothek ... „einer Sammlung mittelalterlicher Bücher und Dokumente", so drückte er sich aus.

„Neudegg", sagte Stangeler und blieb stehen. „Ja, das kennen wir. Ich will es oben gleich nachschlagen. Also auch – Handschriften, sagen Sie, Herr Herzka? Ist denn dort ein Archiv? Davon hab' ich nie gehört."

„Die Sachen sollen sich in der Bibliothek befinden."

Stangeler konnte, wenn er in guter Verfassung war, gemütlich, bescheiden und völlig ungezwungen sein. Diese gute Verfassung des heutigen Tages wäre von einem Kenner seiner Person ihm schon von weitem angemerkt worden, als er durch die Arkaden einhergekommen war; am Schritte, am Haar, an der beiläufigen Art des Auftretens ... Jan Herzka war kein Kenner von Stangelers Person, woher auch hätte er es sein sollen; er hatte ihn am verwichenen Samstage zum ersten Mal erblickt ... So konnte er freilich von dem merkwürdigen Umstande nicht wissen, daß René zu günstigen Zeiten fähig war, Tugenden neu hervorzubringen, deren er sonst vollends ermangelte: zum Beispiel Klugheit und rasche Geistesgegenwart. Herzka, der ja ein Kaufmann war, nahm daher die Bedingungen, welche Stangeler jetzt stellte, ganz sachlich und selbstverständlich auf, ohne deshalb den René für besonders klug zu halten. Dazu bestand wohl auch kein Anlaß. Aber für die Verhältnisse eines Stangeler (da stecke einer nur einmal in einer solchen Haut!) war's eigentlich schon eine beachtliche Leistung. Er sagte Herzka nämlich, daß er bereit sei, sich ihm gegen das angebotene Honorar zur Verfügung zu stellen, jedoch nur dann, wenn jener ihm eine schriftliche Erklärung ausfertige, welche ihm allein das Veröffentlichungsrecht auf die gesamten Handschriften-Bestände von Neudegg zuspreche; ebenso auf die wissenschaftliche Ausbeute einer Untersuchung der Burg; ferner, daß niemand anderer zugezogen werde, solange Stangeler auf Burg Neudegg oder zu Wien mit dem dortigen Materiale beschäftigt sei; mindestens müsse ihn Herzka vier Wochen vorher davon verständigen,

wenn er einen weiteren Experten heranzuziehen wünsche. Unter
diesen Bedingungen sei er bereit, heute abend mit Herzka zu
reisen.

„Einverstanden", sagte Herzka, dem diese Vorbehalte einen
durchaus seriösen Eindruck machten (und sie waren auch seriös,
alles an René Stangeler war bei guter Verfassung seriös). „Ich
bin sehr froh, daß Sie mit mir fahren werden; wegen Ihrer
Spezialkenntnisse gewisser Fragen. Und ich brauche keinen
zweiten Experten."

Aber hier war nun der Herr von und zu René wieder, trotz
guter Verfassung, blöde und erkannte nicht, worauf Herzka
Bezug nahm. Das Gesprächsthema vom Samstag-Abend schien
Stangeler nicht gegenwärtig zu sein.

Indessen, schon bald nach dem Beginne dieser Unterredung
hier unter den Arkaden – sie schritten langsam um den ganzen
Hof, dessen Stille nur dann und wann von hallenden Geräuschen
aus den Treppenhäusern besucht ward, während die Rasenflächen in der Mitte wie ein Teich ruhten – sehr bald also begann dem Jan Herzka die Sache große Mühe zu machen, bei
aller Liebenswürdigkeit, Bereitschaft und Sachlichkeit seines
Partners. Er war hier eingeschlagen wie ein Geschoss. Aber die
Kraft des Schusses war vergangen; und die Aura des Ortes hier
wirkte jetzt mit der ihren. Das tiefere Stockwerk seines Innern
zeigte sich ausgestorben. Agnes hatte sich in nichts aufgelöst
– wie es den Hexen manchmal gelungen sein soll! – und zwar
schon auf der Straße. Jan kam sich vor wie eine geknackte Nuß.
Er wollte sich um den süßen Kern wieder schließen. Aber es
war keiner da. Er lag als vertrockneter Gröps neben den Schalen.
Was jetzt blieb, war Geld und Gut. Was jetzt blieb, von diesem
allzu eiligen Besuch auf der Universität, war dessen Legitimation
durch den seligen Herrn von Neudegg, der ihm solches empfohlen hatte. Es galt doch auch den Wert dieser alten Bücher
und Schriften festzustellen, den Geldwert oder wenigstens den
wissenschaftlichen Wert; und es konnte nicht schaden, dies sogleich zu tun. Und überhaupt das Erbe zu besichtigen. Sich zu
zeigen. Interesse zu bekunden. Nach dem Rechten zu sehen.
Geschah es nicht sogleich – wer weiß, was dann beruflich wieder
alles los sein und dazwischen geraten konnte! Die Sache war
wohl des raschen Entschlusses wert. Ein Schloß ist kein Pappenstiel. Wo blieb nur Agnes?

Das ganze war jetzt – – etwa so, wie wenn er die Stimme der Gebaur wirklich hörte.

„Herr von Stangeler", sagte er, eine Müdigkeit beim Sprechen nicht ganz ohne Krampf mit liebenswürdigem Ausdrucke überdeckend, „würden Sie die große Freundlichkeit haben, mit mir vor das Gebäude hinauszukommen? Ich möchte Ihnen meinen Wagen zeigen. Damit der Chauffeur Sie kennt. Er muß schon da sein . . ."

Er hätte vor mir schon da sein müssen, dachte Herzka plötzlich befremdet. Hab' ich ihn eigentlich gesehen oder nicht?

„Ich fahre jetzt nach Hause, nach Döbling. In einer halben Stunde ist der Wagen wieder hier. Er steht Ihnen dann zur Verfügung. Sie müssen ja heim, um sich für die Reise fertig zu machen. Wo wohnen Sie denn, Herr Doktor?"

„Im dritten Bezirk."

„Na eben", sagte Herzka, „das ist weit."

Stangeler war heute ein Kluger. Er wehrte das Angebot des Wagens keineswegs ab.

„Darf ich Sie für acht Uhr zum Abendessen erwarten?" fragte Herzka. „Wenn Sie den Wagen vor Ihrem Hause lassen, können Sie dann gleich damit nach Döbling fahren und brauchen sich gar nicht zu beeilen. Es ist erst halb fünf vorbei."

„Vielen herzlichen Dank. Ich möchte auf dem Wege nach Döbling noch einen Abstecher zum Althanplatz machen, zu Fräulein Siebenschein, meiner Braut", sagte René, „um ihr mitzuteilen, daß ich verreise, und um mich zu verabschieden. Würden Sie das gestatten, wenn ich Ihren Wagen benütze?"

Das war wieder einmal solid, korrekt und seriös. Durchaus einnehmend.

„Selbstverständlich, Herr von Stangeler", sagte Jan, „der Wagen steht Ihnen ganz und gar zur Verfügung."

Sie stiegen die Freitreppe hinunter. Der Chauffeur, als er Jan oben herauskommen sah, wollte den Wagen in Bewegung setzen, um über die Rampe vorzufahren. Aber Herzka winkte ihm ab.

„Wann sind Sie gekommen, Franz?" fragte er.

„Ein paar Minuten, bevor der gnä' Herr die große Treppe hinauf ist", antwortete der Fahrer, der ausgestiegen war und den Wagenschlag öffnete. Er war ein Mann von mittleren Jahren. Seine kräftige Arbeiterhand mit einem Ehering lag auf der vernickelten Klinke.

„Wir fahren nach Hause", sagte Herzka. „Sie kehren dann gleich hierher zurück und warten auf den Herrn Doktor." (Jan wies auf Stangeler.) „Der Herr Doktor wird Sie bis abends brauchen. Um acht Uhr bringen Sie mir den Herrn Doktor zum Speisen hinaus."

Stangelers schwerfällig, aber nicht ungründlich funktionierender Intellekt hatte jetzt die Verbindung zwischen dem Gesprächsthema vom Samstag – für welches dem Jan Herzka ein so starkes Interesse anzumerken gewesen war – und der bevorstehenden Reise vollzogen.

Er schritt langsam durch die Arkaden, zog den klimpernden Schlüsselbund aus der Hosentasche und stieg jetzt rascher die Treppen hinauf. Die breiten Gänge lagen leer. Er schob den Drücker in die Türe, die mit einem Geräusch aufsprang, das man gewissermaßen schon zu oft gehört hatte . . . Jedesmal fiel da ein Tropfen Unbehagens, und ihrer so viele hatten bereits die flache Mulde des Gewohnten gehöhlt. René arbeitete auf dem Bibliotheksgang, seit er den dreijährigen Kursus hier absolviert und die große Prüfung mit passablem Resultat gemacht hatte. Im Mitgliederzimmer saßen diejenigen, welchen sie noch bevorstand, diesfalls für den Sommer des nächsten Jahres, also 1928. Deshalb war dort drinnen die Nervenlage noch eine gute, machten sich Diskussionen häufiger breit; auch wurde gemeinsam gelernt. Hier aber war es still. Der Geruch des geölten Fußbodens bildete auch so ein tendenziöses Übel; es hatte im Innern René's längst einen Ort gefunden, immer denselben, und erzeugte dort immer dieselbe ablehnende Gegenbewegung. Das Leben verbraucht. Steter Tropfen höhlt sogar den Stein.

Ein zweiter Außenseiter begegnete ihm auf dem verlassenen Gange: Doktor Neuberg.

Sie begrüßten einander herzlich.

„Haben Sie schon was, Herr Kollege?" fragte Neuberg.

„Ja", sagte Stangeler offenherzig, „vom Herbst an. Einen rechten Schmarrn. In der administrativen Bibliothek des Bundeskanzleramtes, Herrengasse."

Den Absolventen wurden Posten verschafft. Oft warteten sie jahrelang.

„Für mich ist noch immer nichts."

Auf seinem breiten offenen Gesicht irrte durch Augenblicke eine kleine Verzweiflung, und der Zorn sprang hervor, wie der Funke an der schadhaften Stelle einer elektrischen Leitung. „Kommt alles", sagte Stangeler gemütlich. „Was hat man schon davon. Die Freiheit dahin, und leben kann man noch lange nicht von dem Gehalt. Mein Vater sagt allerdings immer: man muß erst einmal den Einstieg gewinnen, das übrige findet sich." „Da dürfte Ihr Herr Vater sehr recht haben. Aber was macht man ohne Einstieg?"

„Mir kommt vor", wir passen beide zu dem Geschäft wie ein Igel in eine Salatschüssel."

Bei Neuberg blitzte es jetzt freundlich. „Da werden nun Sie wieder recht haben", sagte er. Sie reichten einander die Hand und gingen zu ihren Arbeitstischen.

Also. Schluß für jetzt mit den merowingischen Urkunden. Zuerst die Burg nachschlagen. René schrieb die Daten sorgfältig auf ein Blatt (von einem Archiv stand hier rein nichts, der Artikel war burgenkundlich gehalten, und hob Neudegg als gutes Beispiel einer Höhen-Burg hervor, deren ursprüngliche Verteidigungsanlagen noch erkennbar seien). Ein verhältnis-mäßig sehr seltener Fall: Neudegg befand sich seit dem 14. Jahrhundert im Besitz der gleichen Familie. Gut, Schluß. Leselupe aus der Lade. Abkürzungs-Lexikon von Capelli; es war René's Privateigentum, er durfte es von hier fortnehmen. Er tat beides in seine Aktentasche. ‚Was nützt mir schon der Capelli', dachte er. ‚Es werden Sachen aus dem 15. Jahrhundert sein, wenn überhaupt noch aus dem Mittelalter. Da macht schon bald jeder die paar Kürzungen, wie's ihm grad einfällt. Immerhin, Grote-fend muß auch mit, wegen dem chronologischen Zeug, den Datierungen.' Amtsdiener Pleban erschien. „Gehn's schon, Herr Dokter?" Stangeler zeigte ihm die Tasche geöffnet, wie es die Vorschrift verlangte: „Zwei eigene Bücher." „Danke, danke, Herr Dokter", sagte das Organ des Institutes.

Die Tür klappte, er schritt über den Gang, hinab in die Ar-kaden: was hier war, entließ ihn. Jetzt auch fiel ihm der hohe Betrag ein, der ihn erwartete (um die heutige Kaufkraft des-selben darzustellen, müßte man jene von Herzka ohne weiteres gebotene Anzahlung fast mit sechs multiplizieren); es hob sich alsbald wie ein Deckel über ihm: und er kroch aus der Schachtel, streckte den Rücken, und schlüpfte in eine größere, geräumigere, und, seiner Meinung nach, ihm durchaus angemessenere hinüber, gerade in dem Augenblick, als er auf die Freitreppe hinaus trat und den für ihn bestimmten Wagen unten stehen sah.

Der Fahrer öffnete den Schlag und grüßte. René stieg mit seiner Aktentasche rückwärts ein. Der Wagen sprang weich an. Jetzt warf man in langen Stücken die Ringstraße hinter sich. Der Fahrtwind erzeugte fast Kühle.

Der plötzliche Schub, den das Leben dem René ganz unvermutet erteilt hatte, fand jetzt einen angemessenen Ausdruck in der raschen Fortbewegung. Wie ein Pfeil vom Himmel kam fühlbares Wohlbefinden auf ihn herab, es traf ihn geradezu wie von außen, es traf bei ihm ein. Jetzt schon die Straßen und Gassen in der näheren Umgebung seines Elternhauses. Daß er dort mit diesem großen Auto vorfahren sollte, befremdete ihn plötzlich. Wie ein reicher Sohn; einer, aus dem was geworden war ...

Er behielt den Wagen, wie ihm Herzka gesagt hatte, ermunterte den Chauffeur Franz aber mit einem kavaliersmäßigen Trinkgeld, sich irgendwo in der Nähe zu stärken, wozu genug Zeit blieb. Es war halb sechs. René stieg in's zweite Stockwerk hinauf. Zunächst klingelte er Grete Siebenschein an. Sie selbst war es, die sich am Apparat meldete. Sie war fröhlich, ihre Stimme sehr warm. „Ja, ja, komm' nur, ich bleib' daheim."

Seit Samstag war sie glücklicher. Die böswillige Veranstaltung Doktor Körgers hatte bei ihr, die jetzt in aller Stille endlich und nach manchem Aufstande unter das Gesetz ihrer Liebe zu finden begann, einen wesentlich anderen Erfolg gehabt, als ,die Unhaltbarkeit der Situation' zu demonstrieren, was ja die Absicht Körgers und des ganzen Proponenten-Komité's jener glorreichen Inszenierung gewesen war. Grete jedoch entnahm ihr den Beweis, daß ja alles ganz gut ging, sofern man nur wollte. Und dieser Beweis war zudem, wenn auch gänzlich unbeabsichtigt, zweifellos in gewissen Grenzen erbracht worden.

Vor allem aber: sie war an diesem Abend, und gerade bei dem – für Herzka – ominösen Gespräch über die Hexenprozesse von René in einer Weise besiegt worden, wie sie – besiegt zu werden wünschte.

Der fragwürdige Sieger gelangte jetzt in sein Zimmer.

Ein Fenster stand offen.

In den Baumkronen eines benachbarten sehr geräumigen Hofes vollführten zahllose Spatzen einen durchdringenden abendlichen Lärm, der wie ein einziger starker Ton im Gehöre stand.

René erfrischte sich mit Sorgfalt und kleidete sich sportlich-ländlich an. Alles für eine Übernachtung Erforderliche legte er in ein Köfferchen. Dazu die zwei Bücher, die Leselupe; ein leeres Heft. Das Blatt mit den Notizen über Neudegg wurde in die Brieftasche geschoben; die Feder gefüllt, der Drehbleistift nachgesehen . . . Endlich. Er kam schwer von seinem Zimmer los, heute; es fand sich immer noch was. Er setzte sich nieder. Er überblickte seine Lage. Es bestand kein Zweifel, daß Herzka sich in einer Art von dauerndem Affekt befand. René unterlag keiner Selbsttäuschung bezüglich der Gründe und Hintergründe eines so hohen Honorar-Angebotes. Er schloß die Augen. Er sah Herzka wieder neben sich, wie sie da langsam durch die Arkaden geschritten waren. Jetzt überwog in Stangelers Erinnerung die durchaus normale Fassade, welche Jan geboten hatte. Was wollte dieser eigentlich? Eine Taxation, eine Bestandsaufnahme? ‚Ich bin doch kein Schätzmeister‘, dachte René. Was stand hier bevor?

Es wurde Zeit zu gehen, eigentlich zu fahren, nämlich zu Grete. Auch mußte noch im ersten Stock ein Sprung zu den Eltern hinein gemacht werden. Schachtel auf, Schachtel zu, herein, heraus. Er nahm Köfferchen, Hut und Mantel.

Einst hatte es hier eine interne Wendeltreppe gegeben. Aber sie war von den neuen Bewohnern des zweiten Stockwerkes versperrt und verstellt worden. René mußte außen herum.

Die Türklingel im ersten Stock zirpte.

Ein braves Landmädchen öffnete.

René trat bei den Eltern ein.

Eine weitere Schachtel schloß sich, ein Deckel ging herab. René bemerkte, während die kleine Mama erfreut auf ihn zukam, mit einem nur für Sekunden entschleierten Blicke die durchaus ungewöhnliche Schönheit seines Vaters: die starke freie Stirn; das feurige dunkle Aug’; der alte Mann konnte seit Jahren nicht mehr ohne Hilfe aus dem Lehnstuhl sich erheben und gehen. Die Gelenke waren steif. Auch die der Hände. Auch die der Finger. Die sehr edel geformten Hände ruhten mit ganz gerade ausgestreckten Fingern auf der Krücke eines Stockes, den Herr von Stangeler zwischen den Knien hielt.

Das Stubenmächen brachte ein Tablett mit Kaffee für den Herrn Doktor. Dem René war das sehr willkommen: ja, dies war es gerade, wessen er jetzt bedurfte. Ihm blieb sein eigener gegenwärtiger Zustand unbegreiflich: wie nach einer großen Anstrengung. Als habe ihn Herzka in solch einer Weise beansprucht! Zugleich schien diese Anstrengung ihn gewissermaßen gereinigt zu haben: alles bot sich unverstellter. Es konnte alles gut gehen, sofern man nur wollte. Auch Schachtelbesuche. Sofern man nur wollte. Trotz des immer gleichen Klappens von Türschlössern oder des Geruches vom geölten Fußboden. Warum die Schachteln kränken, warum mit Unwillen in ihnen rumoren? Sie lagen versunken am Grunde, halbversunken im Schlamme. Sie waren hilflos und unschuldig. Sie klappten mit den Deckeln, diese Muscheln, sie bedurften eben ihres Atem-Wassers. Es zog durch sie hin. Grete würde ihm durch das Vorzimmer entgegenkommen. Man muß sich auf Schachtel-Besuche verstehen.

Er sagte, was zu sagen war. Da ihm die eigenen jetzt erforderlichen Worte eine Störung bedeuteten – sie verstellten ihm gleichsam mit ihren Schall- und Vorstellungskörpern die Sicht auf Neues und Wichtiges – tat er es sehr kurz, sachlich, mit Bescheidenheit, die in diesem Falle hier gar nicht geleistet wurde, sondern als eine Schein-Tugend zufällig zustande kam, durch die Hemmung, welcher Stangeler infolge jenes anderen Vorganges in ihm unterlag.

Der Vater, mit sichtlichem Wohlwollen, hatte sich im Stuhle aufgerichtet, und saß jetzt etwas vorgeneigt, die Hände auf die Krücke des Stockes gestützt. Sein Zuhören war sehr aufmerksam. Die Mutter, bei René am Tische, schien erfreut, daß eine Neuigkeit und Anregung gekommen war.

„Ganz recht", sagte der alte Herr, „du mußt praktizieren. Das wird schon der Sohn von dem alten Johann Herzka sein. Den hat er gleich in's Geschäft genommen, ich erinnere mich. Sehr anständige und solide Leute. Jetzt eine indiskrete Frage: Zahlt dir der Bursche was?"

„Ja."

„Was kriegst du denn für diese Expertise?"

„Er hat mir für's erste 1500 Schilling angeboten."

„Was heißt: für's erste?"

„Er sagt, wenn sich mehr Arbeit ergeben sollte, würde er noch mehr bezahlen."

„1500 Schilling? – Woher kennst du den jungen Herzka eigentlich?"

Jetzt hätte der Name Siebenschein in die Schachtel gelegt werden müssen: Schachtel-Rumor. Es galt aber von hier glatt abzuscheiden, ohne Trübung des Atem-Wassers ... Nicht etwa, daß René irgendwen oder irgendwas durchaus verleugnen wollte; oder gar verleugnen mußte, was man ohnehin längst wußte. Jedoch das Anschlagen gerade jener Taste im gegenwärtigen Augenblick würde auf jeden Fall eine ungelegene und gänzlich unnötige Komplikation der Lage mit sich bringen. Er sagte:

„Herzka ist heute nachmittag zu mir gekommen. Ich kenne ihn so gut wie gar nicht. Er hat mich einmal in Gesellschaft über mittelalterliche Sachen sprechen gehört."

„Er wird sich schon über dich erkundigt haben, über deine fachliche Qualifikation. Ein so hohes Honorar gibt man nicht jedem."

Der alte Herr nickte beifällig.

René fühlte, wie er sich selbst gefangen hatte. Jedoch er beschloß in der Schlinge ruhig zu bleiben, sie nicht zu verwirren und noch enger zu schnüren. Zudem ließ sich jetzt auch die Mutter sehr aufgemuntert und erfreut zur Sache vernehmen. Das ganze war aus dem durchaus falschen Anschein eines beruflichen Erfolges nicht mehr herauszubringen. Über Herzka das Wesentliche zu äußern, blieb glatt unmöglich. Es hieß abscheiden, abschließen. Er sagte:

„Ich verstehe die Höhe der Bezahlung nicht. Wenn ich ein fertiger Gelehrter wäre oder irgendeine Kapazität – dann wär's ja begreiflich. Aber so –"

„Laß gut sein, mein Sohn", sagte der alte Herr. „Wenn du 1500 Schilling für das Durchsehen einer Sammlung von alten Büchern oder Schriften bekommst, dann geht die Sache schon in Ordnung."

Der Abschied war herzlich und erfreulich.

Deckel auf.

René ging mit Köfferchen und Mantel die Treppen hinab.

Der Wagen stand schon wieder da. „Althanplatz 6, gegenüber dem Franz-Josefs-Bahnhof", sagte Stangeler und stieg ein.

Wieder die rasche Bewegung. Es war sechs Uhr und fünfundzwanzig Minuten. Der Himmel war aufgerissen, das Wetter hell. René rauchte mit Begier während der Fahrt. Alles das war anstrengend: der Schachtel-Wechsel vor allem.

Mit Grete ging das nun freilich gleich ganz anders. „Erinnerst du dich, wie der Jan Herzka sich vorgestern so heftig für Hexenprozesse interessiert hat?"

„Na freilich. Du hast übrigens ausgezeichnet gesprochen."

Jetzt, während sie über die bevorstehende Reise nach Kärnten redeten – freilich fiel auch der Grete Siebenschein das viele Geld auf! – dachte René wieder an Herzka's Gesichtsausdruck bei dem Gespräch unter den Arkaden; und nun erschien ihm diese Herzka'sche Fassade doch wieder nicht so ganz und gar normal. Im Rückblick empfand er etwas Unheimliches darin. Doch war es ihm bekannt … Doch! Er hatte es anderswo bereits gesehen –

Er verlor diese Ahnung. Denn Grete sprach munter:

„Eigentlich ist ja das alles Unsinn. Woher will er denn wissen, daß da unten, in dieser Bibliothek, oder sonst wo in der Burg, etwas auf Hexenprozesse Bezügliches von dir gefunden werden wird …?"

„Ich glaube, das ist so", sagte René, langsam vor dem Sofa hin und wider schreitend, darauf Grete zurückgelehnt saß, „daß in ihm eine Art feste Verbindung entstanden ist zwischen dem Gespräch von vorgestern und dem Schloß von heute. Vielleicht ist noch etwas drittes oder viertes dabei, etwas uns Unbekanntes. Er kann das alles nicht mehr trennen. Es ist eine Rinne entstanden. Er kann sie nicht mehr verlassen. Und also muß unbedingt etwas gefunden werden –"

Er brach ab. Was er vorhin gesucht hatte, wollte jetzt wiederkommen. Aber es war kaum zu benennen. Es war nicht wortbar zu machen. Doktor Körger tauchte auf, der Neffe des Sektionsrates … da: und auch Schlaggenberg mit seiner Predigt über dicke Damen. Der Gesichtsausdruck Körgers war dem Jan Herzka's verwandt gewesen … Es blieb qualvoll, kaum zu greifen.

Hier aber, dieser Schachtel-Besuch … Warum die Schachteln kränken, ihr Atem-Wasser trüben: sie bedurften ja dessen. Er stand vor Grete.

Man hörte die Wohnungstüre in's Schloß fallen.

„Die Alten sind eben weggegangen."

Er glitt neben sie. Während er ihre Kleider löste, war ein klarer Anschlag vom Klavier aus dem oberen Stockwerk zu hören.

„Es ist Mary", sagte Grete Siebenschein lächelnd. „Sie spielt wieder. Morgen fährt sie mit Trix auf den Semmering."

Deckel auf, aus der Schachtel. Rechtzeitig, bequem, und noch einmal frisch geschniegelt. Mit Mantel, Hut und Köfferchen die Treppen hinab. Der Wagen vor dem Haustor. Abfahrt sieben Uhr vierzig. Schwenkung links am Bahnhof vorbei.

Die Fahrt in's Abenteuer.

Der Abschied gut. Mehr als das: innig. Eine Schranke war für René gefallen. Er begann es jetzt erst zu begreifen, während das Auto gradaus vor sich hin brauste. Ihre Versöhnlichkeit, sonst nur wie das vergebliche Flattern eines Vogels an der Fensterscheibe – an einer unsichtbaren Wand – war zu ihm gelangt. Die Kristallwand seiner Vorbehalte, die zwei auf jeder Seite vorhandene Welten und Wirklichkeiten trennte, war durchdrungen, sie hatte sich aufgelöst. Jedoch nicht vom vielen kleinen Flattern. Sondern infolge einer eintretenden Unverstelltheit, die nahe daran war, den Unterschied zwischen Körgers Anschauungsweisen, Schlaggenbergs starrem Blick dabei, desselben Kajetan Agitation für dicke Damen, und Herzka's entzündeter Interessen-Sphäre einfach verschwinden zu lassen. Es waren ,Rinnen, an deren Ende dann unbedingt etwas gefunden werden muß' (in dieser unbeholfenen, aber anschaulichen Weise pflegte René zu denken, soweit davon bei ihm die Rede sein kann).

,Und auch etwas gefunden wird', setzte er fort. Durch Augenblicke streifte ihn die Vorstellung, daß es im tiefsten Grunde gar nicht so abseitig wäre, für möglich zu halten, ja, beinahe zu erwarten, diese Burg Neudegg vermöchte Aufschlüsse in der von Herzka gemeinten Richtung zu bieten . . . Es wäre das gewissermaßen eine Probe auf's Exempel. Sogar eine sehr bedeutungsvolle Probe . . .

Hier brach die zu fein und scharf in eine konkrete Richtung gezogene Spitze seines Denkens ab. Der Wagen brauste bergan. Dichte Tiefe von Gärten links und rechts beherrschte die entfliehenden Ränder der Straße. Welche Gegend! Hier zu wohnen! Fronten von großen Villen, weit rückwärts, zurückgesetzt hinter Rasenflächen, blendeten weiß auf, mit Terrassen und Vorhallen. Die Fahrt in's Abenteuer. Dies führte vielleicht aus allem hinaus, an allem vorbei. Es galt nur seinen Mann zu stellen.

Und René befand sich nun wirklich in ausgezeichneter Verfassung.

Rasch tritt der Tod den Menschen an. Als Herzka daheim angelangt war, begann die fast vollständige Leere, die ihn schon während der Fahrt aus der Stadt heraus beherrscht hatte, furchtbare Formen anzunehmen. Es war gerade beim Durchschreiten des Gartens gewesen. –

Diese kleine Villa hatte noch Jan's Vater gebaut, als er sich nach dem Tode seiner Frau aus einem geräumigeren Hause und einem geselligeren Leben zurückzuziehen begann; also vor nicht allzu langer Zeit. Der Sohn war damals schon im Geschäft gewesen. Wenn man ganz neu baut – und das geschieht ja meist erst bei reiferen Jahren – dann macht man sich's bequem; auch kennt da einer schon das eigene Bedürfnis. So bot dieses neuzeitlich angelegte Haus inmitten des flachen, sonnigen Gartens, darin der alte Johann Herzka seine letzten Jahre noch mit dem einzigen Sohn verbracht hatte, so ziemlich alles, was das Leben müheloser machen kann: den kleinen Komfort, könnte man sagen, der ja immer viel fühlbarer und wichtiger ist als der große, welcher sich schon aus dem Hause hinaus an die Welt wendet, somit mehr für die Gäste da ist als für die Eigentümer.

Gäste gab es hier kaum mehr.

Zumindest nicht in einem amplifizierten Sinne, der an Feste denken läßt.

Ein Junggeselle ist in dieser Hinsicht weniger verpflichtet.

Jan sagte dem Diener, daß er für acht Uhr einen Herrn zum Essen erwarte: den Doktor René von Stangeler. Er sprach den Namen langsam aus, damit der Diener ihn behalte. Er blieb noch in der kleinen Vorhalle stehen. Der Diener wartete.

„Tee in's Bibliothekszimmer", sagte Jan endlich. „Ferner: ich verreise heute abend. Ab halb zehn wird der Franz bereit sein. Ich geh' hinauf, mich umzuziehen. Dann will ich Tee trinken. Sie packen eine kleine Handtasche, für drei Tage."

Er ging jetzt, ließ den Diener hinter sich, der in gemessenem Abstand folgte.

Agnes war also zunächst verschwunden.

Die Reise verlor jeden Sinn. Denn alles übrige war nur Vorwand. Soweit hielt Jan bereits. Verdammter Stangeler.

Da nun Agnes verschwunden war, ergab sich die Notwendigkeit, dort wieder anzuschließen, wo man vor ihrem Auftauchen sich befunden hatte. Und überhaupt vor dem Samstag-Abend.

Es war unmöglich. Eine nicht zu beherrschende Schläfrigkeit überkam ihn angesichts dieser Forderung. Er nickte für Minuten, vor dem Teetische sitzend, ein. Daß er eine zerreibende Anstrengung durchlaufen hatte, dies zeigte sich jetzt erst, aber wie mit einem einzigen betäubenden Schlage.

Der Raum, in welchem dieser Mann nun, eingeschlafen und halb zusammengesunken, vor dem Teebrett saß, war ein recht unpersönlicher. Von einem ,Bibliothekszimmer' konnte zudem kaum die Rede sein. Es gab wohl zwei verglaste Bücherschränke; aber man sah kaum Bücher darin; vielleicht standen sie nur einreihig und ganz zurückgeschoben; jedenfalls verliehen sie dem Raum keinen Charakter und wirkten keine Aura. Die Anwesenheit von Büchern ist sonst einer Versammlung vieler schweigender Personen, die uns den Rücken kehren, nicht unverwandt. Es gab hier einen Schreibtisch und diverse Sessel. Alles war von hellem Oliven-Grün, nur die Leder-Fauteuils etwas dunkler, jedoch in der gleichen Farbe: es war diejenige, in welcher sich das getäfelte Vorzimmer bei den alten Stangelers darbot; und dem René ist das auch bei seinem späteren Eintritt hier aufgefallen. Ein großes Fenster ließ auf die Rasenfläche des Gartens sehen.

Die durchbrechende Sonne sprach jetzt jene Rasenfläche an.

Die Antwort erfolgte mit intensivem Aufleuchten.

Alsbald pfiff ein Vogel zwei eigensinnige und kunstreiche Kadenzen. Dann schwieg er. Es hallte bis in die Nachbargärten und schien als ein Schlitz in dieser sonst allseits umschließenden Stille des beginnenden Abends noch durch Sekunden zu stehen.

Der Sonnenschein griff in die eine Ecke des Fensters.

Herzka blieb reglos, wie ein Ding unter Dingen.

Der süßeste Schlummer ist der unfreiwillige. Als wäre er durch ein liebliches Tal der Stärkung gegangen, so erwachte Jan jetzt, und mit jener unverstellten Willensfreiheit (es ist, als kehrte sie im Schlaf immer wieder zu den Menschen zurück), welche nur die allerersten Augenblicke des Wachseins gewähren.

Jetzt, noch halb im Traum, öffnete sich ein Spalt, ein schmaler Schlitz zwischen ihm und der Traum-Enge seines wachen Lebens an diesem heutigen Tage, ein Spalt, der das Verlassen jener Enge durch eine leichte, ja beinahe zarte Wendung als möglich erscheinen ließ. (Etwa mit dem Ergebnis: daß dann am Ende der Rinne gar nichts gefunden werden mußte.)

Um seine Hüften war eine leichte Spannung, vielleicht von dem modisch geschnittenen Beinkleid. Er saß nicht eben bequem und hatte, erwachend, seine Körperstellung noch nicht verändert.

Es war zu spüren, wie das weiße Linnen des Lendentuches um ihre gewölbten Hüften lag (oder was es schon sein mochte, vielleicht das unterste Hemd, zusammengeschürzt und geknotet). Es war zu spüren, wie es von dem warmen Dunst ihres sonst nackten Körpers durchsetzt wurde.

Sie war da.

Er hatte sie gerufen.

Nun erst erkannte er sie richtig wieder, die Agnes, die Agnes Gebaur, die tugendhafte Witwe (?!). Sie war von ihm aus dem Buche hervorgerufen worden. Dieses Buch befand sich weit rückwärts in einem der beiden Bücherschränke und es war ganz und gar nicht so gemeint, wie Jan Herzka es ausschließlich auffaßte. Bekanntlich hat es im 17. Jahrhundert innerhalb des Jesuitenordens einen Arbeitskreis gegeben, der sich die Sammlung und quellenkritische Behandlung der Heiligen-Leben zur Aufgabe machte und ein vielbändiges monumentales Werk dieser Art schuf, wobei vornehmlich die Prozeß-Akten aller Märtyrer erfaßt wurden (es sind von solchen Akten aus dem römischen Altertum mehr überliefert als man für's erste annehmen möchte). Man nennt jene Sammler und Bearbeiter nach dem Begründer der Sache, welcher Bolland geheißen, die Bollandisten. Späterhin wurden zu Erbauungszwecken verkürzte Ausgaben verschiedener Art in populärer Weise veranstaltet, oft nur einbändig oder in zwei Klein-Folio-Bänden, selbstverständlich mit Holzschnitten und mitunter mit Kupferstichen geschmückt. Diesen späteren Ausgaben kommt nun freilich ein Wert nur vom Gesichtspunkt eines Alt-Buchhändlers zu, und auch dieser Wert ist kein sehr hoher. Ein solches Stück besaß Jan. Es war unvollständig, denn er hatte nur den zweiten Band, der erste fehlte. Die Merkwürdigkeit bei diesem Werk bestand nun darin, daß es nicht etwa chronologisch oder dem Kalender des Kirchenjahres entsprechend angeordnet war, sondern in männliche und weibliche Heilige und Märtyrer geteilt. Den zweiten Band bildeten die Frauen.

Unter ihnen war auf einem der Stiche geradezu die Agnes Gebaur dargestellt, wie er nun mit einem neu geöffneten inneren

Auge plötzlich zu erkennen vermeinte. Er hatte ja den gestrigen Sonntag über diesem Buche verbracht: welches einst die Katastrophe mit der Güllich innerhalb weniger Stunden herbeizuführen vermochte. Am späten Nachmittag den Laden des Altbuchhändlers betretend – um für Magdalena Güllichs bibliophile aber ganz unliterarische Neigungen ein Geschenk zu wählen – war ihm dieser Band von dem Bouquinisten zum Kauf angeboten worden (weil für jenen das Ding nur eine nicht komplette und daher kaum anbringliche Scharteke vorstellte).

Alles übrige ist schon bekannt. Drei Tage danach kamen die Bücher – sowohl das ‚Passional‘, wie ein kleiner Band, den Arbeiten des Clovis Eve nachgebildet, tabakbraunes Leder mit goldenen Blümchen – durch die Post ohne ein begleitendes Wort zurück. Er hatte Magdalena in ihrer Wohnung, als er sie abholte, um mit ihr den Zirkus zu besuchen, das kleine Buch überreicht, das große jedoch eingepackt liegen gelassen.

Jetzt, da sich am Ende der sonntäglichen Rinne wirklich so etwas wie eine Realität zeigte, trieb ihn das mit einem wie von außen kommenden physischen Ruck aus seinem Sessel. Aber hier erfolgte zum ersten Mal auch ein heftiger und ebenso unvermuteter Gegenstoß. Statt zum Bücherkasten ging er zum Schreibtisch, entnahm dem Seitenfache linker Hand eine kleine Reiseschreibmaschine, ließ sich nieder, spannte das Papier ein und begann – gleichsam in der nach dem Schlage noch anhaltenden Stille – in aller Ruhe und Sammlung die von René Stangeler verlangte schriftliche Erklärung mit sämtlichen Punkten ordnungsgemäß abzufassen.

Damit zu Rande gekommen, bemerkte er jetzt erst den Einbruch der Dämmerung, weil das Abendlicht beim Schreiben doch kaum mehr genügte. Er griff zum Taster der Lampe und zog die Vorhänge zu. Jeder Beschäftigung eignet, wie eben jeder Bewegung überhaupt, ein genaues Maß von Massenträgheit; und so ging auch das hier noch weiter vor sich hin; solange eben der Stoff reichte. Er schrieb noch eine Quittung über 1 500 Schilling. Dann bewahrte er den Durchschlag der für Stangeler verfaßten Erklärung auf. Dann legte er den Geldbetrag in einen Briefumschlag. Er nahm seine Füllfeder hervor, unterfertigte das zweite Exemplar des Schriftstückes, faltete das Blatt, und schob es zu dem Gelde in das Couvert.

Er vermerkte noch darauf: Herrn Doktor René von Stangeler.

Aber die Schreibmaschine verwahrte er nicht mehr. Denn jetzt traf Agnes ein. Man kann sagen: mit Wucht. Der gewöhnliche Akt einer auf kurzem Wege wieder gewonnenen Selbstbeherrschung war hier unzulänglich und unzuständig gewesen und nur geeignet, den Rutsch, der seine unabänderliche Richtung gewonnen hatte, zu stauen und zu komprimieren. Nun aber brach das mit gesteigerter Macht durch.

Er holte das Buch, und schlug Agnes auf. Sie war's. Es war dieses Lendentuch und kein anderes, das er beim Erwachen um seine Hüften gespürt hatte. Sie war weder besonders schön, oder ebenmäßig, oder jung. Über der gebauschten und gezipfelten letzten Hülle trat der Bauch vor. Die Knie waren übereinandergedrückt; die Schenkel allzu breit; sie hielt die Arme in einer demütigen Stellung vor dem hohen Busen gekreuzt und blickte mit halb abgewandtem Antlitz und niedergeschlagenen Augen seitwärts. Links von ihr lagen am Boden die Kleider, deren man sie beraubt hatte, rechts stand eine Säule, um die ein Strick geschlungen hing.

Das war alles, was man auf dem Kupferstich sehen konnte. Es war ein schwaches Blatt; ja, beinahe lächerlich: eine ältere, säuerlich dreinsehende Person, mit einem wulstigen, da und dort aus der Form gegangenen Körper; mit mageren Füßen, an welchen man jede Sehne sah, und deren große Zehen stark nach auswärts gedreht waren: das alles zusammen vielleicht aus Unvermögen des Zeichners oder des Stechers, oder beider. Dennoch lebte irgendeine nicht wiederzugebende besondere Art der Gesinnung – man möchte sagen: der Körper-Gesinnung! – in diesen durch starke und tiefe Schatten überplastisch gemachten Formen, mochten sie gleich roh und geschmacklos sein und im ganzen geradezu dumm aussehen.

Von einer Ähnlichkeit – wenigstens im üblichen Sinne – mit dem Fräulein Agnes Gebaur war nichts vorhanden. Jedoch gab es immerhin so etwas wie eine Analogie: es hätte der unbekannte, nicht recht vorstellbare, der (für die Gepflogenheiten unseres Zeitalters) immer tief verhüllte Körper dieser Agnes Gebaur sein können, nach der Größe, nach der ungefähren Statur. Zudem: diese Dulderin hier auf dem Blatte trug das Haar nicht aufgelöst, sondern mit einem Tuche eingebunden. Aber wann hatte er je die Gebaur mit einem Kopftuche oder einem Schleier wirklich gesehen?

Herzka wußte auch nicht, daß man Hexen vor der Folter stets die Haare abschor oder wenigstens einband.

Es bleibt sehr fragwürdig, wie der Zeichner hier – der ja eine Heilige und keine Hexe darzustellen hatte – auf dieses Kopftuch verfallen sein mag, für welches er in der Legende wohl schwerlich eine Unterlage gefunden haben wird.

Genug, es war die Gebaur.

Mit einem bleichen Leib wie Mondstein.

Enthüllt, aufgeblättert, weiß wie der Bauchflaum eines Schwanes.

Herzka klappte das Buch zu und schloß es weg; wie jemand, der in einem Nachschlagewerk etwas gesucht und eine Bestätigung seiner Annahme oder Vermutung gefunden hat. Er lehnte am Bücherschrank. Er mußte sich wirklich stützen. Der Atem war kurz und flach.

Es klopfte an die Türe. Der Diener meldete den Herrn Doktor René von Stangeler. Dieser trat ein. Herzka ging auf René zu. Bevor sie einander die Hände schüttelten, blieben beide durch einen ganz kurzen Augenblick ohne Bewegung einander gegenüber stehen. Jan empfand den René Stangeler jetzt wie einen Schlüssel, der in ihn eindringen sollte, um ein Schloß zu öffnen: ja geradezu sein Leben aufzusperren. Und so schob er jenem eine Funktion zu, die er selbst in dem Dasein Stangelers weitgehend erfüllen sollte, wie sich noch zeigen wird. Wir orten sowohl uns selbst, als auch den anderen Menschen, mitunter in einer geradezu auf den Kopf gestellten Weise.

6

Die Kavernen von Neudegg

Am anderen Tage, Dienstag, den 17. Mai, sahen sie gegen elf Uhr die Burg Neudegg (wir nennen sie nun einmal so) über den hier noch mäßigen Höhen erscheinen. Der Kutscher des leichten Jagdwagens, der die beiden Herren vor dem kleinen Bahnhof erwartet hatte, deutete den Punkt mit dem Peitschenstiele in der Landschaft. Die Straße machte indessen einen Bogen, und das Schloß verschwand wieder. Man hatte, außer einem beträchtlichen Turm, nicht viel gesehen.

Herzka und Stangeler waren durchaus nicht übernächtig und hatten in Villach gut gefrühstückt. Der Fahrt entsann sich René kaum: ihm schien, er sei noch vor dem Verlassen des Südbahnhofes in Wien eingeschlafen gewesen, ebenso war es Herzka ergangen: beide, wenn auch auf sehr verschiedene Art, erschöpft. Das Abteil erster Klasse, darin sie gereist waren, hatte ein bequemes Ausstrecken auf den Polsterbänken, bei abgelegten Schuhen und Jacken, ermöglicht, mit einem weiß überzogenen am Bahnsteig entlehnten Kopfkissen.

Und jetzt tauchte Neudegg wieder auf; jedoch sah man die Burg von einer anderen Seite.

In jedem Sinne: sie zeigte ihr Gesicht.

Es war dasjenige eines Turmes, und jener Turm, den man schon früher erblickt hatte, war die rückwärtige Schmalseite des Hauptbaues gewesen. Die vordere wurde allerdings noch von einem vierkantigen Stumpf überstiegen, jedoch nur um ein geringes, etwa um die Höhe eines halben Stockwerkes. Eine Photographie, welche Stangeler gesehen hatte, erwies sich als nicht charakteristisch. Sie war von oben her aufgenommen, von oberhalb des Buckels oder Riegels, darauf die Burg stand; dahinter stiegen Waldberge steil an. ‚Sieht fast aus wie ein normannischer Donjon‘, dachte Stangeler, der solche Wohn- und Wehrtürme aus Abbildungen kannte.

Jedoch, als man näher heran kam, verlor sich dieser einseitige Eindruck einer hochgezogenen Schulter, und die ganze Anlage breitete sich mehr aus. Da tauchte der Wagen in Laubwald, und es ging im Schritt bergan.

Ein leerer Wald auf steilem Hang, den die Straße schnitt. Nach zwei durchfahrenen Kehren wendete sich neuerdings der Weg: und nun war die Baumasse da und ganz nahe, schweres Grundgemäuer über Fels. Die Pferde trabten frisch an, die Bäume blieben zurück: da stand die Burg breitseits; hochschauend über dem Steilabfall, unmittelbar über ihm sich erhebend; fast langgestreckt sah sie jetzt aus; und rechter Hand der stämmige Turm-Stumpf, die aufgeworfene Schulter.

Sie stemmte sich in einen blauen Himmel.

Der Tag, erst matt, begann klar und sonnig zu werden.

Eine steigende Rampe führte unten längs des Hauptbaues, wandte sich nach links – von der Ecke der Burg durch den hier schon tiefen Graben getrennt – und gewann an der Brücke gleiche Höhe mit dem untersten Geschoß. Sie fuhren durch den steinernen Bogen, welcher einst dem Zugwerk gedient hatte; oben an der Innenseite sah René einen mit Holz gedeckten Wehrgang, die sogenannte ,Letze'. Wahrscheinlich hatte ein neuerer Schloßherr diesen einstmaligen Schützenstand restaurieren lassen.

Indem kam der Wagen auf den Hof.

Der Blick nach rechts hinaus war frei in den Luftraum, über eine Mauerkrone hinweg, welche etwa die Hälfte des geräumigen Hofes umrandete. Sie wurde von breiten und gepflegten Blumenbeeten begleitet. Am schmalen Ende rückwärts lagen Ställe. Links erstreckte sich das Hauptgebäude, von dessen Portal eine bescheidene Freitreppe herabkam. Aber es lagen Portal und Treppe nicht etwa in der Mitte des Bauwerkes, sondern mehr gegen die rückwärtige Schmalseite verschoben, so daß die Flügel des Herrenhauses ungleich waren; jener gegen den Turm zu war der weitaus längere. Stangeler rekonstruierte sich in der Geschwindigkeit die mittelalterliche Anlage etwa so, daß der ,Pallas' wohl ursprünglich symmetrisch gewesen sein mochte und der Turm freistehend; auch dürfte man damals das gewiß wesentlich kleinere und weit weniger hohe Wohngebäude etwas vom Rande des Abbruches entfernt errichtet haben; dies schon aus Gründen besserer Verteidigung des festen Platzes. Ein neuzeitlicher Schloßherr hatte dann wohl das Gebäude am einen Flügel verlängert – da denn beim anderen der Raum dazu fehlte – und eben dabei war der ,Bergfrit' oder ,Belfroi', dessen Fundamente und untere Geschoße wahrscheinlich die alten blieben, mit einbezogen worden, so daß der Turm nur mit seinem Haupte über den neuen Flügel hervorstand, als dessen abschließender Eckpfeiler. Diese ganze Veränderung – wobei die alte Freitreppe oder ‚Gräde‘ sehr wohl an der gleichen Stelle gedacht werden konnte wie die heutige – verlegte Stangeler auf den ersten flüchtigen Überblick bis in die Zeit um 1600, keinesfalls lange danach. Denn es fehlte hier jede barocke Gestaltung von Portal und Fassade; vielmehr herrschte jene Mischung aus Resten heimischer Gotik und einzelnen Ziergliedern einer nordischen Renaissance, welche jene Zeit mitunter in Österreich zeigt – übrigens auch zu Wien – und die ein Kunsthistoriker der Wiener Schule als ‚Charakter, dessen Charakterlosigkeit das wesentlichste Merkmal ist‘, bezeichnet hat. Jedenfalls war dieses Neudegg – das ja keine in ihrer mittelalterlichen Form erstarrte Ruine, sondern ein bis auf den heutigen Tag lebendes und bewohntes Haus darstellte – eine seltene Ausnahme unter den Herrensitzen dieses südlichen Landes, wo die reiche Formenwelt des 17. und 18. Jahrhunderts fast überall das Ältere übersponnen, verdrängt und ersetzt hat.

Indessen war der Hausmeister oder, wie man hier besser sagen sollte, Kastellan, an den Wagen getreten, begrüßte die Herren und sorgte dafür, daß ihr Gepäck in die Zimmer gebracht werde. Sowohl Jan wie René empfanden Bedürfnis nach Rasur und Bad. Der Kastellan – Mörbischer hieß er, ein Mann mit silbergrauem Haar, glattem Gesicht und jenem höflich-sicheren Wesen, das alte, gut ausgebildete Lakaien auch bürgerlichen Personen gegenüber bewahren – Mörbischer also ging voran durch ein schmales Treppenhaus mit stumpigen kurzen Säulen, zeigte die Räume, und in den Badezimmern daneben die Handhabung der elektrischen Boiler. Anschließend bemerkte er, daß der Lunch in einer halben Stunde serviert sein werde; ein Stubenmädchen käme dann, die Herren zu geleiten.

René war allein.

Das geräumige Zimmer sah in den Burghof.

Er verwunderte sich seit gestern im Grunde unaufhörlich über seine eigene Sicherheit; über seine eigene Umsicht.

Vieles rückte näher zusammen, geriet in die Überblickbarkeit.

Wie ein verkleinertes Bild.

Dadurch schien es auch ferner.

Alle Schachteln und Schachtel-Atmungen zum Beispiel.

Er wird sehr verändert nach Wien zurückkommen.

Merkwürdig, daß sich um diese Burg oder bei dieser Burg gar keine Ortschaft befindet.

Jedoch jetzt sah er einen Kirchturm. Jenseits eines nahen waldigen Hügels. Man konnte diese Ortschaft keinen Burgflecken nennen. Wegen des Abstandes. Vielleicht war kein Wasser da, und dort drüben ein Bach oder ein Flüßchen.

Die Burg hatte Wasser. Alle Burgen haben oder hatten Wasser. Man bohrte die Brunnen oft ganz unglaublich tief. Der Baron hat wahrscheinlich ein Pumpwerk anlegen lassen.

Da! Er hörte es schon. Ein Elektromotor sang. Jenseits der Kirchturmspitze waren höhere Berge zu ahnen. Der Himmel seidenblau. Die Stille war vollkommen. Das Singen jener Maschine stand schwankend darin, als bewegte es ein leichter Wind.

Jan Herzka war allein.

Er saß in der Badewanne wie über einem dünnen doppelten Boden seines Innern. Ein feiner Harst erst spannte sich über der Wunde.

Er begriff es durchaus nicht, daß ihm diese Erbschaft hier nicht aufging, daß sie keine Wirklichkeit annahm, daß er dieses unvermutete Glück in gar keiner Weise faßte.

Dabei war er Kaufmann. Der Kaufmann ist ein Mensch, der in seiner Umwelt immer den Punkt als ersten sieht, wo der Profit sitzt.

Jan sah den Profit nicht. Es war ihm nur Mitteilung davon gemacht worden. Aber er hatte bis jetzt sein Teil innerlich nicht genommen, er hatte nicht teilgenommen daran. Ihm war wie jemand, dem ein Glied eingeschlafen oder erfroren oder sonstwie fühllos geworden und gleichsam abhanden gekommen ist.

Unter ihm öffnete sich die Möglichkeit eines ungeheuren Einbrechens. Er sprang rauschend auf, rieb seine festen, braunen Glieder ab, und blieb mitten darin völlig versunken stehn, die Hände an dem Frottierhandtuch um seine Hüften. Jetzt hörte auch er den Elektromotor, der sang. Auf und ab. Es schwankte wie eine Kerzenflamme. Es war wirklich wie Gesang, es war fast Empfindung in dem Ton der fühllosen Maschine.

Nach dem Lunch, den sie in einem einfachen, aber behaglichen Frühstückszimmer eingenommen hatten – aus dem Bogenfenster sah man weit aus in die Richtung, woher Jan und René gekommen waren – wünschte Herzka zunächst einen Blick in die Bibliothek zu werfen und in das Schreibzimmer des verstorbenen Barons, welches dieser in seinem Briefe erwähnt hatte. Sie durchschritten zunächst unter Vorantritt Mörbischers den anliegenden Speisesaal – nicht viel größer als ein sehr geräumiges Eßzimmer etwa in der Sommervilla irgendeines wohlhabenden bürgerlichen Menschen – und betraten nun, während der Kastellan zur Seite des Türflügels stehen blieb, den Bibliotheksraum.

Dieser war ganz und gar anders beschaffen als man sich etwa solch ein Bücherzimmer auf einer uralten Burg vorstellen mag: denn hier herrschte – durch das sehr helle Licht, die Buntheit und das Leichthin-Verstreute der Einrichtung – eine Aura, die durchaus an das Atelier eines Malers erinnerte. Dabei kam das viele Licht jedoch nicht etwa durch eine schräge große Glasfläche, sondern – man möchte sagen: sehr im Gegenteile dazu! – durch drei enorm hohe und breite gotische Fenster, die unmittelbar nebeneinander angeordnet und also nur durch schlanke Säulen getrennt waren. Der Stil dieser Fenster war ein ganz später und ‚flamboyanter‘, wie man zu sagen pflegt, mit stark geschweiften sogenannten ‚Fischgräten-Bogen‘. Im Maßwerk oben waren rote, blaue und gelbe Gläser eingelassen. Das ganze sah aus als wäre es in den Achtzigerjahren des vorigen Jahrhunderts eingebaut worden, dem historisierenden Kunstgeschmacke jener Zeit entsprechend. Diese enormen Glasflächen – den Scheiben eines großstädtischen Schaufensters vergleichbar – ließen freilich eine Überfülle von Licht in den Raum dringen, und zugleich stand, durch die schlanken Säulen anmutig geteilt, in diesen Rahmen ein eindrucksvolles Bild größter eröffneter Fernsicht.

Der Raum enthielt kaum ein einziges älteres Möbelstück. Kanadische long-chairs von hellem Holze, daneben mehrere breite Sessel, die mit blauem, rotem und naturfarbenem Stroh eingeflochten waren, ein Ruhebett, drei Club-Fauteuils, mehrere niedere Tischlein mit gläsernen Platten – das alles stand verstreut umher. Und in diesem Saal machten die paar Möbel nichts aus; er wirkte leer. An der Schmalwand rückwärts leuchtete in elektrischem Blau ein breiter und hoher Behang, darauf goldene Vögel im Fluge gestickt waren, nach ostasiatischer Weise.

Die Bücherschätze erfüllten nur ein Viertel oder Fünftel des Saales, oder noch weniger. Von der einen Ecke ausgehend

– jene, die gleich rechter Hand von den Eintretenden sich befand – zogen sich an beiden benachbarten Wänden jene Bücherschränke neuzeitlicher Art hin, die fast staubdicht schließen und sich durch daneben oder darüber gestellte weitere Regale derselben Konstruktion beliebig vergrößern lassen. Man hebt bei solchen Schränken die Scheibe und schiebt sie ein, was durch Gelenke ermöglicht wird. Beim Schließen mag sie fallen, der Luftdruck federt sie ab.

Während man langsam hindurchging, strich Stangeler an den Bücherschränken entlang und nahm bereits Kenntnis von den oder jenen Titeln. Er pfiff leise durch die Zähne dabei.

Rechter Hand, wo die Bücherregale endeten, in der Mitte der Langseite des Raumes und den hohen Fenstern gerade gegenüber, erstreckte sich ein ungemein sauber gearbeitetes ganz glattes und einfaches Möbelstück von hellem gemasertem Birkenholz, in der Höhe einer Kommode etwa, aber von geringerer Tiefe. Oben stand nichts darauf als eine zyanblaue Schale aus Glasfluß, genau in der Mitte.

Stangeler vermutete sogleich in diesem Wandschrank die Handschriftensammlung; und richtig, wie sich dann zeigte.

Jetzt indessen hieß es das Arbeitszimmer des Barons ansehen. Herzka war dort schon eingetreten, und Mörbischer wartete an der Türe, bis Stangeler nachfolgte.

Dieser Raum war sozusagen normal. Dunkles Holz, dunkles Leder, breiter Schreibtisch mit einem altmodischen gedrechselten Holzgitter um die Platte. Neben der Schreibmappe der Huf eines Pferdes mit silberner Einfassung und Inschrift:

Halka L. U. R. 5 Zurawince 4. April 1916

Stangeler beugte sich darüber und las das.

„Der selige Baron war bei Landwehr-Ulanen?"

„Ja", antwortete Mörbischer, „die Halka ist ihm bei Zurawince erschossen worden."

René sah nach Herzka. Dieser stand vom Schreibtische abgewandt und also mit dem Rücken gegen Mörbischer und ihn. Er betrachtete ein Porträt an der Wand. René trat neben Jan. Sie gingen dann näher zu dem Bilde hin.

Vielleicht brauchte Herzka länger als René, um zu erkennen, daß dies ein grauenvolles Bild war, sowohl was die sehr routinierte Malerei, als auch, was die dargestellte Person betraf. Der

Pinsel eines in der Zeit vor dem ersten Weltkriege zu Wien sehr bekannten Modemalers hatte hier, von keinerlei Divination gelenkt, an einer Natur so lange herumgeleckt und geschwänzelt, bis von dieser Natur eine Art Abziehbild im Großformat entstanden war: dieses enthielt dann den ganzen Schrecken, und der Maler konnte so wenig dafür, wie ein Photograph, dessen Funktion er ja hier durchaus erfüllt hatte. Das Bild zeigte eine junge Frau in großer Gesellschaftstoilette. Ihr Antlitz war derart, daß Stangeler wünschte, es einschlagen zu können, wie man eine Scheibe einschlägt.

Eine hübsche Person; schwarze Flechten um eine weiße Stirn. Aber der Ausdruck des Hohnes, der Frechheit und zugleich völliger Nichtigkeit in diesem Antlitz – in welchem die Augen sehr eng beisammenstanden – war vom Maler nicht distanziert, sondern einfach kopiert worden, gewissermaßen ohne jeden Widerstand, in einer Art profunder Gesinnungslumperei. Darum fiel dieses ganze Gesicht aus dem Bilde heraus und dem Beschauer entgegen, aus einem Bilde, das gar kein Bild war, sicher aber ähnlich bis zur Gemeinheit. ‚Er hat nichts gegen sie unternommen, mit seiner Malerei‘, dachte Stangeler. ‚Wahrscheinlich war sie ihm gar nicht widerwärtig. Vielleicht war er selbst so.‘

Ein Seitenblick René's zeigte ihm, daß Mörbischer von dem Verweilen der Gäste vor diesem Bilde nicht sehr entzückt zu sein schien.

„Wer ist diese Dame", fragte Herzka.

„Die verstorbene Gräfin Charagiel", sagte Mörbischer, „die Tochter des verewigten Herrn Barons."

„Hat der Baron noch andere Kinder gehabt?"

„Nein."

Im stillen dachte Herzka: ‚Das wär' mir so eine Mitbesitzerin von Neudegg gewesen!' Laut sagte er: „Gibt es kein Porträt des verewigten Freiherrn?"

„Nein, gnädiger Herr", antwortete Mörbischer. „Unser Herr hat sich nie malen lassen. Wir haben nur einige Photographien. Hier, in dieser Kassette."

René öffnete sie. Drei, vier Bilder obenauf. Er reichte sie Jan hinüber. Eines behielt er selbst in der Hand und betrachtete es.

Die Tochter sah dem Vater ähnlich. Dies lag auf der Hand; es lag so oben auf, wie die Bilder in der Kassette zu oberst gelegen hatten; aber eben nur dies, und weiter nichts. Was da eigentlich zwischen Vater und Tochter getreten war, ob nun von der Mutter, ob von anderen Vorfahren herkommend, blieb unergründlich. Aber es mußte stark gewesen sein. Es mußte die väterliche Erbmasse aufgespalten haben, wie eine Axt den Baumklotz spaltet. Oder, sanfter und nicht weniger wirksam: jenes Erbgut war zersetzt worden wie von einer Säure. Vielleicht hatte es auch keinen Widerstand mehr geboten. Achaz von Neudegg's Kopf und Antlitz waren von solcher Art, wie man sie bei niederösterreichischen Weinbauern noch finden kann: ein kräftiges, fest in sich geschlossenes, langes und schmales Gesicht, aber keineswegs von jener Unzugänglichkeit, jener raubvogelartigen Schärfe und Enge, wie bei den Hochgebirgsbauern; sondern menschlich und musisch, wie der Wein selbst, mit groß aufgeschlagenen Augen, die in eine mildere Landschaft in milderer Art zu blicken gewohnt waren; zugänglich, geöffnet, ja anfällig, ja fast gefährdet. Zudem war es bei dem verstorbenen Achaz von Neudegg das Antlitz eines Herren, des letzten seines Stammes obendrein: und es schien nicht mehr aus dessen Kernholz geschnitten. Aber was hier sofort gewann, ja einnahm, war die Unbekümmertheit und gänzliche Ungeniertheit, mit der sich diese Physiognomie vortrug, die nichts zu verstecken hatte – weil sie gar nichts verstecken wollte. Hierin lag geradezu ein souveräner Zug dieses Gesichts, der den Beschauer aufzufordern schien, es doch ebenso zu halten, und alle Mätzchen zu lassen ...

René reichte Herzka auch dieses Bild noch hinüber.

Dann kramte er ein wenig weiter in der Kassette.

Aber es waren eben nur Photographien.

Alte Photographien: so formlos, lächerlich oder geradezu grundhäßlich erscheinen sie niemals, wenn sie neu sind; sonst bewahrte man sie nicht auf, ja, es würde überhaupt niemand erlauben, daß man ihn photographiere. Der rohe, mißverständliche Naturalismus des Apparates reißt ein winziges Stück aus dem weitschweifigen Ornament einer Lebenslinie, dessen noch offene Seite die Zukunft meinte; von ihr will das Objektiv nichts wissen; sein Schnappschuss ist dem Biographischen und dem Porträt fremd: er sistiert das Leben. Jemand photographieren heißt beinahe ihn auf sublime Weise totschießen; und ob das ‚künstlerisch' oder nur für ein Paßbild geschieht, ist gehupft wie gesprungen.

Da kamen sie nun aus der Kassette, diese leeren grauen Wurst-häute konsumierten Lebens. René sah sie kaum an. Er begann jetzt, nach Tische, schläfrig zu werden. Er schob die Photo-graphien ein wenig durcheinander. Er hörte zu, was Herzka dem Herrn Mörbischer sagte, der sich auf Jan's freundliche Auf-forderung hin ihm gegenüber in einem Fauteuil niedergelassen hatte, jedoch mit einer gewissen Reserve beim Sitzen; er lehnte sich nicht zurück, beugte sich vielmehr vor und sah aufmerksam zu Herzka hinüber.

„Herr Mörbischer", begann dieser, „ich bin hier noch lange nicht der Hausherr. Der Hausherr ist gewissermaßen die Ver-lassenschaft als solche. Ich muß Sie deshalb bitten, über alles, was wir hier brauchen – wir bleiben bis übermorgen – für uns beide gemeinsam eine Rechnung aufzustellen, die ich dann vor meiner Abreise bezahlen werde. Die quittierte Nota werde ich Herrn Doktor Krautwurst in Wien übergeben. Es versteht sich von selbst, daß in allen Stücken bis auf weiteres allein die An-ordnungen des Herrn Doktor Krautwurst maßgebend bleiben."

Mörbischer verbeugte sich leicht im Sitzen.

„Das wäre also zunächst das Äußerliche und Nebensächliche. Weit wichtiger ist folgendes: ich bin im Besitze eines an mich gerichteten Briefes des seligen Barons. Darin erteilt er mir ver-schiedene Anweisungen und spricht auch Wünsche aus: unter anderem, daß dieses sein Schreibzimmer, in welchem wir hier sitzen, unverändert bleiben möge. Ich werde jedem Wunsche des Verewigten nachkommen, so gut ich nur kann; und deshalb bitte ich Sie, Herr Mörbischer, dafür sorgen zu wollen, daß hier alles, bis auf den kleinsten Gegenstand herab, so liegen und stehen bleibe, wie es zu Lebzeiten des Freiherrn gelegen und gestanden ist."

„Sehr wohl, gnädiger Herr", sagte Mörbischer.

„Überhaupt bin ich kein Freund von Änderungen. Es gibt Leute, die müssen immer alles auf den Kopf stellen. Alle Viertel-jahre werden sämtliche Möbelstücke in sämtlichen Zimmern umgestellt oder vertauscht. Das muß eine Krankheit sein. Ich meine wirklich, solche Menschen liegen schlecht im Leben, und so müssen sie sich von Zeit zu Zeit umbetten wie die Kranken. Dann geht der Wirbel los, und endlich ist Ruhe. Aber nur für einige Zeit. Es ist als würden sie herumfuchteln, um sich irgend-wie Luft zu machen. Bei mir im Geschäft hab' ich seit dem Tod meines Vaters in all' diesen Jahren nichts geändert. Mir ist jetzt schon bang davor, wenn der alte Oberbuchhalter, der noch beim Papa war, sich einmal wird zur Ruhe setzen wollen ... Und jetzt hab' ich gar meine Vorzimmerdame an die Grazer Filiale als Leiterin abtreten müssen –"

Jedoch, er wurde nicht eigentlich redselig. Er bremste ab. Er distanzierte sich, als er bemerkte, daß sein Sprechen in Gegenden ihn führte, die sozusagen brenzlich waren. Er faßte zusammen, er wurde knapper:

„Kurz und gut: ich möchte nichts ändern, auch später nicht, nach dem Antreten der Erbschaft. Das Verbleiben des Personals ist übrigens sogar im Testament verankert, mindestens als Empfehlung, wie Ihnen Herr Doktor Krautwurst wahrscheinlich auch mitgeteilt hat –"

Mörbischer nickte. In seinem alten, glatten Lakaiengesicht ging allmählich eine sehr freundliche Beleuchtung auf.

„Zudem, was das Personal betrifft, so kommt der verewigte Baron in jenem früher erwähnten Briefe an mich auf diesen Punkt zu sprechen, und ganz im selben Sinne. – Herr Doktor Krautwurst äußerte sich mir gegenüber positiv über die bestehenden Pachtverträge. Diese laufen noch durch mehrere Jahre. Jetzt sagen Sie mir nur eines, Herr Mörbischer, was ich den Doktor Krautwurst zu fragen vergessen habe: sind diese Verpachtungen irgendwie auf dem Wege über die Österreichische Holzbank zustande gekommen?"

„Nein", sagte Mörbischer. „Das weiß ich ganz bestimmt. Der Baron hat jede Geschäftsverbindung mit diesem Institut abgelehnt."

„Wurde ihm denn eine solche Verbindung angetragen?"

„Ja", antwortete Mörbischer. „Der Herr Kammerrat Levielle war sogar persönlich hier."

„Der kleine Sieghart?!" rief Herzka lachend. „Na, um so besser. Dann ist es schon gut. Der Herr Notar sagte mir übrigens – er hat mir auch einen Plan gezeigt – daß diese Burg hier am äußersten Zipfel der dazugehörigen Gründe liegt."

„Ja", sagte Mörbischer. „Wenn Sie hier hinauszusehen belieben, gnädiger Herr: gleich vor dem Burgberg, nach Norden, gegen die Eisenbahn zu, ist schon die Grenze – dort wo die Straße vorbeiläuft, von der unsere Fahrstraße hier herauf abzweigt."

Herzka faßte das Straßenband dort unten in's Auge und setzte sich wieder. Mörbischer nach ihm.

Stangeler hatte wiederum begonnen, Photographien anzusehen und wegzulegen. Er unterlag dabei einer ähnlichen Katatonie wie die ‚Leser' sogenannter ‚Illustrierter'. Der Mensch wird zur Röhre, die Bilder rinnen durch: ein Bilderdarm. Aus diesem Zustand fragte er:

„Warum sagen Sie ‚der kleine Sieghart'?"

„Weil er noch lang keiner ist, aber gern einer wär'", antwortete Herzka lachend, und Mörbischer entließ ein dosiertes Mitlächeln.

René, in seiner Schläfrigkeit, hielt sich dabei weiter nicht auf; jedoch stand gerade mitten in dieser ein deutlicher Kern, überdeutlich durch die umgebende Aura zunehmender Schlafsucht. Er sah hier Herzka und Mörbischer in den Anfang einer wechselseitigen guten Beziehung treten: vermöge der Klugheit auf beiden Seiten; vermöge der Klugheit und Zurückhaltung. Diese erste Unterredung war wie ein Nadelöhr, durch welches der Gesprächsfaden aller weiteren würde gezogen werden. Beide schienen sich der Wichtigkeit dieser Minuten bewußt zu sein. Erstmalig in seinem bisherigen Leben erkannte René den ernsten, ja erhabenen Wert der Klugheit, der Klugheit gleich beim allerersten Anfang, beim allerersten Einsprung; und doch hatte bisher die Klugheit für ihn beinahe zu den verachteten Tugenden gehört; jetzt aber wußte er es besser und dachte es auf seine Art: ‚sie hält das Atemwasser rein'. Dies gedacht, wandte er ein weiteres Photo um und erblickte ein Bild Quapp's, der Schwester Kajetan von Schlaggenberg's.

Freilich war dies hier die Photographie eines vielleicht acht- oder neunjährigen Kindes.

Dies hielt ihn auch ab, Herzka das Bild zu zeigen, oder Mörbischer zu fragen, was er zunächst gleich hatte tun wollen.

Sie war's vielleicht nicht.

Die weit auseinander stehenden Augen groß aufgeschlagen oder eigentlich aufgeklappt. Der Mund fast vom einen Ohr zum anderen. Ein Gesichtchen von weitester Zugänglichkeit, gegen die Welt geöffnet wie der Schnabel eines jungen Vogels, der von da draußen nichts anderes erwartet, als die Mutter, die Futter bringt.

Nein, sie war's doch nicht.

Dies war ja ein ganz dummes Kleingeschöpf.

So dumm konnte Quapp nie gewesen sein.

Dieser für ihn augenblicklich überzeugende Schluß ließ René alsbald sämtliche Bilder in die Kassette einräumen und sie an ihrem früheren Platz auf dem Tische zwischen den Fauteuils zurecht rücken.

Inzwischen hatte der Gegenstand des Gespräches gewechselt. Stangeler wurde aufmerksamer.

„Wir wollen das auf morgen verschieben. Jedenfalls möchte ich die Kapelle sehen und vor allem die Orgel hören, auf welcher Slobedeff gespielt hat."

„Für ein Kirchenlied wird es bei mir grad langen", meinte Mörbischer bescheiden. „Wenn der Dechant heroben eine Messe gelesen hat, er war mit dem Baron befreundet, hab' ich spielen müssen."

„Und haben Sie Slobedeff gehört?"

„Ja", sagte Mörbischer. „Der Herr Baron ist auf der Empore gesessen. Ich hab' im Schiff unten sitzen dürfen."

„Und wie war es?" fragte Herzka, sich vorbeugend.

„Das ist nicht zu beschreiben, gnädiger Herr", sagte Mörbischer ernsthaft und fest.

„Was hat er gespielt?"

„Veränderungen von ‚Wohin soll ich mich wenden?' "

„Wie lange hat das gedauert?"

„Eine halbe Stunde etwa. Es war ein nicht niedergeschriebenes Werk, eine Improvisation, wie man sagt. Also ist es wohl dahin und verloren."

„Wie meinen Sie das?"

„Ein halbes Jahr später haben wir ja schon die Nachricht gefunden, in der Zeitung."

„Welche Nachricht?"

„Von seinem Tod, gnädiger Herr", sagte Mörbischer.

„Aber –", rief Herzka. „Ich hab' es nicht gewußt", fügte er nach einer Weile hinzu. „Wann war Slobedeff hier?"

„Es wird vor ungefähr einem Jahr gewesen sein, oder früher, noch im Vorfrühling. Er ist von Brüssel gekommen. Er war zuletzt dort Professor."

„Ja, sagen Sie mir … er war doch 1905, als ihn die Fürstin Masunow aus Sibirien herausbrachte, ein ganz junger Mensch … Er muß ja weit unter fünfzig gewesen sein –?"

„Ja. Er hat noch viel jünger ausgesehen. Man sagt – auf nicht natürlichem Wege; angeblich er selbst."

„Wissen Sie mehr oder näheres?"

„Nein, gnädiger Herr."

Herzka war in sich zusammengesunken. Es schien ihn plötzliche Müdigkeit zu überkommen, noch mehr als den René. Das Gespräch blieb an diesem Punkte im Schweigen stecken.

„Herr von Stangeler", sagte Jan endlich, „wollen wir uns nicht für eine Stunde oder zwei ausstrecken? Ich muß sagen, daß ich die durchfahrene Nacht doch spüre. Und den Herrn Mörbischer werden wir bitten, daß er uns um fünf Uhr einen Tee hier nebenan in die Bibliothek bringen läßt; da können wir dann die Bücher und Handschriften einmal ansehen. Der verewigte Baron", so wandte sich Jan jetzt an Mörbischer, „hat mir nämlich in seinem Briefe empfohlen, einen Gelehrten mit hierher zu bringen, einen Historiker. Ein solcher ist Herr Doktor von Stangeler."

„Sehr wohl, gnädiger Herr", sagte Mörbischer, der sich erhoben hatte, noch während Herzka sprach. „Um fünf Uhr den Tee in die Bibliothek."

Er verbeugte sich und verschwand.

Sie gingen nach oben. Nachdem Stangeler die Tür hinter sich geschlossen hatte, querte Herzka den breiten, eingewölbten Gang. Sein Zimmer lag ungefähr gegen Norden oder Nordwesten, auf derselben Seite der Burg wie die Bibliothek. Von dem Bogenfenster aus sah er tief hinab über die Baumkronen des steilen Burgberges, und weiterhin über ebenes Gelände, wo die Bezirksstraße lief.

Er trat zurück. Im Hintergrunde des Zimmers stand ein breiter Diwan. Seine Müdigkeit ließ ihn jetzt plötzlich Kühle empfinden, ja beinahe Frösteln. Er warf Jacke und Schuhe ab, und da sich bei den Kissen auf dem Sofa eine weiche Kamelhaardecke fand, wickelte er sich in diese ein. Schon erfolgte das Absinken in den Schlaf, das damit verbundene Glücksgefühl, der Zerfall der wachen Zusammenhänge, das Durchschreiten jenes Gebietes, wo es für ein kurzes ledigen Unsinn gibt, weil die Gesetze des Traums noch nicht eingreifen und die des wachen Lebens kraftlos geworden sind. Er sank, erheblich tief. Alsbald war ihm klar, daß er in den Kavernen dort unten einheizen mußte. So tat er's denn. Aber die Öfen waren nicht mehr richtig instand. Es war zu kühl, um sich, nur mit einem Handtuch um die Hüften, hier des längeren aufzuhalten.

René schlief sofort ein.

Als er – wie ihm schien nach ganz kurzer Zeit – wieder erwachte, hatte er in einem Zuge eine Stunde Schlafes durchtaucht, wie ein Schwimmer, der in das tiefgrüne Bassin einen Kopfsprung macht, um dann erst am anderen Ende wieder an der Oberfläche zu erscheinen.

Jede Müdigkeit war verschwunden. Und jene ,Umsicht' erfüllte ihn, über welche er sich neuestens schon einmal verwundert hatte.

Er sah um sich. Er fürchtete nichts. Er fühlte zugleich, daß er bisher immer geängstet gelebt hatte.

Jetzt indessen war die beste Gelegenheit, in der Bibliothek einmal ungestört und allein nachzusehen, ob dort nicht irgendwelche Krebse unter den Steinen saßen, die man in aller Ruhe hervorziehen konnte: zunächst ohne Herzka.

René wusch die Hände – wie sich's gehört, bevor man mit wertvollen Büchern verkehrt – erfrischte sich mit Lavendel, bürstete sich zurecht und ging schließlich hinab.

Dieser Stiegenhals mit den klotzigen Säulen war bedrückend.

Er schritt durch den kleinen Speisesaal.

Aber jetzt flügelte der Bibliotheksraum auf, mit einem elektrisch-blauen Blitz von dem Behange rückwärts; er entbreitete sich, dieser Raum, wie Schwingen, die sich öffnen.

René blieb vor den großen Fenstern und der Fernsicht stehen. Das durchaus Romanhafte der Lage, in welcher er sich jetzt und hier befand, war ihm bewußt: doch lief er nicht staunend und gierig dahinter her; sondern er umfaßte es; in aller Ruhe, und sogar nicht ohne Kraft. Die Situation war sein, im höchsten Grade: es war die seine. Innen und Außen fügten sich ineinander zu einem festen Gelenk.

Es ist nicht leicht, die völlige, ja absolute Vorurteilslosigkeit zu vermitteln, in welcher sich Stangeler gegenüber Herzka's wahren Interessen und Tendenzen bei dieser Expedition nach Neudegg befand. Zum Moralischen der Sache befragt, hätte er verstummen müssen; mangels jeder Stimme, die hier etwas dafür oder dagegen in ihm vorgebracht hätte: so sehr fiel der Akzent der Situation für ihn auf eine andere Ebene, auf einen ganz anderen Punkt. Man befand sich hier sozusagen (um nämlich mit Stangeler zu reden) am Ende der Rinne, ja fast wie am Beginn eines neuen Zeitalters, einer neuen Zuständlichkeit, wo die zarte Membrane, die bisher in dieser ganzen Angelegenheit Herzka's noch das Außen vom Innen geschieden hatte, nunmehr platzen mußte: und was würde da sichtbar werden? Der leere, entspannte Raum einer zu tollen Träumen beziehungslosen Außenwelt? Der Aufprall auf's Alltägliche, auf das, was hier unter alten Büchern und vielleicht sogar als Quellen bedeutsamen Handschriften normalerweise zu erwarten stand? Doch fast sicher. Neudegg war ein Orakel. Für Herzka nicht nur, auch für René.

Stangeler hörte einen Schritt hinter sich.

Es war Mörbischer.

Er trug ein Tablett mit Mocca.

„Der junge Herr schon bei der Arbeit?" sagte er. „Die Herren haben mittags kaum Kaffee genommen. Ich dachte, zur Ermunterung wär' vielleicht ein Täßchen angenehm?"

Das war willkommen. Er fragte gleich wegen des Schrankes von Birkenholz. Mörbischer zog den Schlüsselbund. „Hier unten", sagte er, „liegen die Geschäftsbücher. Oben die historischen Stücke."

„Ich werd' erst die Bibliothek durchgehen", sagte Stangeler. „Ein Verzeichnis ist nicht vorhanden?"

„Nein", erwiderte Mörbischer.

„Wär' ja auch unnötig. So viel ist's nicht. Zudem ganz übersichtlich."

Mörbischer verbeugte sich und ging.

Es war, als schiebe René eine Entscheidung hinaus, als er jetzt die Bücherregale nacheinander öffnete. Über das Wesen dieser Bibliothek bestand für ihn bald kein Zweifel mehr. Unter vollständigem Ausschluß aller Belletristik präsentierte sich hier hauptsächlich eine auf die Kenntnis des späten und ausgehenden Mittelalters hin orientierte Sammlung: mit einem gewissen Schwerpunkt in der Dämonologie. Was jedoch gänzlich fehlte und ebenso ausgeschlossen schien wie die Belletristik, war die neuzeitliche Literatur über Hexenwahn und Hexenprozesse:

kein Soldan, kein Hansen. Dagegen fand sich ein gut erhaltenes Exemplar von Bodin's ,Démonomanie', Pariser Druck von 1581. Verwundert war René, den Zeitgenossen Ambroise Paré, Reformator der Chirurgie, daneben anzutreffen; aber als er den Kalbsleder-Kleinfolioband aufschlug, fand er da mitten zwischen den ,opera chirurgica' – es war eine Edition vom Anfang des 17. Jahrhunderts, aus dem Französischen in's Lateinische übertragen – einen Traktat: De monstris et prodigiis – ,Von den Mißgeburten und Wunderzeichen'. Und neben diesem Bande nun begann, trotz des kleinen Formates hier sinngemäß aufgestellt, eine tolle Reihe: allen voran ein ganz modernes Buch, eines der seltsamsten, die es überhaupt gibt: die ,Histoire des monstres' von Ernst Martin; es enthält die genaue Lebensgeschichte aller bekannten Mißgeburten neuerer Zeit, ob das nun ,siamesische Zwillinge' waren, oder Wesen von noch weit schrecklicherer Art. Es folgten ältere medizinische Arbeiten von Maximilian Markwitz über Mißgeburten, von Otto Luther und von dem Franzosen Cattin. Eine Dissertation gab es da aus dem Jahre 1854, in lateinischer Sprache: De monstro quodam, von Albert Georg Luecke. Den Abschluß bildete Choulant's Handbuch der Bücherkunde für ältere Medizin.

Aber diese Bibliothek enthielt auch Blöcke, deren geldlicher Wert ein höchst ansehnlicher war: es gab hier die erste und zugleich vollständigste Gesamtausgabe der Werke des Theophrast von Hohenheim, die Huser'sche, von 1616. Neben den genannten stattlichen Bänden zog René eine ganz kleine Incunabel hervor, die jeden Altbuchhändler auf die Beine gebracht hätte: des Doctor Bartholomeus Steber von Wien ,De malfranzos morbo gallico praeservatio ac cura', eine der ältesten syphilitologischen wissenschaftlichen Arbeiten in Europa. Der Doktor Steber, mehrmals im späten fünfzehnten Jahrhundert Dekan der Wiener medizinischen Fakultät, war Stangeler sehr wohl bekannt aus den mittelalterlichen Fakultätsakten, die das Wiener medizinische Doktorenkollegium um 1900 im Druck hat herausgeben lassen...

Ja, hier stand noch viel mehr. In den Regalen an den Flügeln war ein ganzer ,Apparat' aufgestellt, darunter ein vollständiger ,Dictionnaire infernal'. Es fehlten nicht die vielbändigen Glossarien. Der ,Thesaurus linguae latinae' war mit den ersten erschienenen Bänden bereits vorhanden ... (,Das muß also schon der alte Baron selbst angeschafft haben', dachte René.)

Diese Bibliothek, so gedrängt und knapp sie war, repräsentierte einen massiven Wert.

Stangeler zog Dinge kleinen Formates an's Licht, die man auch in manchen großen Büchereien vergeblich suchen würde. So die 1843 bei A. Fournier zu Paris erschienene Schrift von Fernand Denis ‚Le monde enchanté, Cosmographie et Histoire naturelle fantastique du moyen-âge‘ – ein Buch, das so selten geworden ist, daß es sich mit Incunabeln im Preise messen kann. Ferner des Grafen Luigi Bossi Traktat über die Basilisken und Drachen, zwar von geringerem Werte, aber ein reizendes Curiosum, Oktavband in Leder.

Dem Drachen-Thema wuchs ja zur Zeit einige Aktualität zu. ‚Natural History‘, das Organ des New Yorker Naturhistorischen Museums, hatte bereits die Ergebnisse der Komodo-Expedition des Dr. Douglas Burdon veröffentlicht – ‚The Quest for the Dragon of Komodo‘ – und Stangeler war es aufgefallen, daß dieser riesige Varanus Komodoensis ziemlich genau der Beschreibung entsprach, die Albertus Magnus vom indischen Drachen gegeben hat; der große Dominikaner sagt an dieser Stelle seiner Historia Animalium, daß ‚unterrichtete und ernstzunehmende Autoren‘ von fliegenden Drachen nichts überliefert haben; auch sei, so meint Albertus, Stabilität in der Luft bei so langgestrecktem Körperbaue nicht möglich . . .

Plötzlich empfand Stangeler einen starken Duft von Lavendel und etwas von dem Holzkohlendunst, wie ihn ein Samowar erzeugen kann . . . es trat wie von innen und rückwärts in seine Nase. Dann gab es noch einen ganz leichten, frischen und bitteren Duft: der kam von dem amerikanischen Zoologie-Professor, welcher neben ihm beim Samowar gesessen hatte. Das ‚Gründungsfest‘ auf Kajetan's Bude. René sah es jetzt klein und weit entfernt, wie durch einen umgekehrten Operngucker. Mit Dr. Williams hatte er über jene Stelle bei Albertus Magnus gesprochen, den Amerikaner schien das interessiert zu haben. René hielt noch immer den aufgeschlagenen Traktat des Grafen Bossi in der Hand; doch ohne mehr den italienischen Text zu lesen. Jetzt schloß er das Büchlein, stellte es ein und nahm ein nächstes. Es war stärker und wies einen schönen Einband aus dem 18. Jahrhundert. Jedoch war's ein Incunabeldruck: des Karmeliters Farinator de Vyena ‚Lumen animae‘ – Stangeler erinnerte sich, darin einmal den Satz gelesen zu haben: ‚Der

Drache ist ein Sinnbild des Neides, den er hegt, weil er kein Gift hat' – ganz in Übereinstimmung mit der Zoologie des Mittelalters, nach welcher der Drache zur dritten Ordnung der Schlangen gehört, jener nämlich, ,deren Biß lebensgefährlich ist auch ohne Gift' . . .

Genug, genug. Während René durch eine halbe Stunde fast vermeint hatte, in dieser Fülle unterzugehen, war nun doch die Übersicht gewonnen.

Er konnte Herzka berichten.

Er konnte den Geldwert der Bücher zwar unmöglich taxieren. Er war kein Antiquar.

Er konnte jedoch endlich die Probe auf's Exempel machen. Er näherte sich dem Wandschrein von gemasertem Birkenholz und sah hinein.

Dieser Schrank war offenbar für seinen Zweck eigens konstruiert, und zwar auf's beste. Das Innere bestand durchwegs aus Aluminium; die drei eingezogenen Regale waren vom gleichen Metall und in der Gestalt von Rosten ausgeführt. Der Verschluß des Ganzen schien fugenlos und luftdicht.

Auf dem untersten Regal fanden sich, wie Mörbischer gesagt hatte, die Geschäftsbücher aufgestellt, Jahr für Jahr, bis 1926; es war also doch ein Archiv, genau genommen, sogar ein lebendes. Die beiden oberen Borde allerdings mußte man davon ausnehmen; sie waren museal; eine Handschriftensammlung. Einheitliche Einbände (wodurch oft viel Verlust an wichtigen Merkmalen, an Notizen auf Vorsteckblättern entsteht! – auch Stangeler dacht' es jetzt). Mehrere Sammelmappen, vom gleichen Leder wie die Bände: im ganzen lagen auf jedem Rost etwa zehn Stücke nebeneinander: hier herrschte volle Übersichtlichkeit.

Stangeler stand vor dem Schrank.

Er befand sich jetzt seiner eigenen Frage gegenüber: was ihn denn, seit gestern schon, vernunftgemäß überhaupt zu der Annahme berechtige, die Neudegger Handschriftensammlung könne irgendwelches Material in der von Herzka gemeinten Richtung enthalten?!

Und warum gerade die Handschriftensammlung?

Warum nicht die Sammlung gedruckter Bücher?

Auf das letztere vermochte er jedoch eine Antwort zu finden. Ein Druck von Hexenprozeß-Akten hat nur in verstreuter Weise da oder dort einmal stattgehabt, als Anhang und Beispiel zu einer Abhandlung, als Curiosum; in den Zeiten der Polemik gegen das ganze Verfahren, wie sie auch ein Friedrich von Spee führte, hat man doch kaum Akten veröffentlicht und auch keine aktenmäßige Darstellung erarbeitet, etwa von der Art jener, die viel später, schon im neunzehnten Jahrhundert, Llorente in dürrer Manier bezüglich der spanischen Inquisition geliefert hat, deren erbitterter Feind und – letzter Generalsekretär er gewesen. Llorentes Werk befand sich in einer deutschen vierbändigen Ausgabe hier in der Bibliothek; ebenso des Jesuiten Spee ‚Cautio Criminalis‘, in einem jüngeren Augsburger Druck, von 1731. Stangeler überlegte, wo denn wirklich Protokolle von dieser Sorte vollständig wiedergegeben zu finden wären: und da zeigte sich, insbesondere für die Alpenländer, recht wenig. Der alte Ludwig Rapp etwa hatte seinem Buch über die Hexenprozesse in Tirol die Wiedergabe von sieben ‚Urgichten‘ – dies war der Ausdruck für ‚Geständnis‘ – beigegeben. Auch im fünfzehnten Bande des Archivs für Kriminal-Anthropologie vermeinte Stangeler einmal einige Hinweise auf Quellen dieser Art gelesen zu haben; aber im großen und ganzen waren sie doch gewiß vornehmlich in ungedruckten Akten, im handschriftlichen Materiale zu erwarten und aufzusuchen.

Warum aber gerade hier auf Neudegg?!

Herzka hatte ihn mit seiner Manie schon angesteckt!

Das Gespräch beim gestrigen Abendessen in Wien war vollends offenherzig gewesen.

Er griff zu und klappte alles nacheinander auf: Vieles und Bemerkenswertes. Freilich konnte man für's erste unmöglich wissen, ob nicht ein Teil davon schon auf Grund von weit originäreren Unterlagen längst publiziert sei. So die Weistümer; so die Abschriften von Urbaren; so eine Beschreibung der Türken-Ängste in Kärnten, die vielleicht nichts anderes darstellte als Auszüge oder auch Ausschmückungen der Chronik des Pfarrers Jacob Unrest, der unweit von Pörtschach im fünfzehnten Jahrhundert gelebt und uns unter anderem jene Zustände überliefert hat. Durch diese Türken-Chronik in der kleinen Handschriftensammlung erklärte sich wohl auch das Vorhandensein von F. R. Ebermanns Hallenser Dissertation von 1904: ‚Die Türkenfurcht‘, welche Stangeler schon in der Bibliothek aufgefallen war ...

Zwei Drittel des Bestandes waren jetzt flüchtig durchgesehen.

René nahm einen Schluck vom kaltgewordenen Kaffee.

Plötzlich traf ihn – wie ein Pfeil von der Zimmerdecke – die klare Erkenntnis, daß, den unwahrscheinlichen Fall gesetzt, es würde sich in den übrigen sechs oder sieben Codices noch etwas ‚für Herzka' finden, dieser damit einer viel größeren Möglichkeit beraubt wäre – nämlich: in's Leere zu fallen. Stangeler dachte aber nicht in diesen Worten, sondern so: ‚vom Ende seiner Rinne abzustürzen . . .' und dann: ‚eine Scheidewand zu durchstoßen' . . . und: ‚aus seiner verdammten zweiten Wirklichkeit herauszukommen . . .'

Wenn er indessen jetzt noch etwas ‚für Herzka' fand: dann verlief das ganze planmäßig und platt: ganz so wie die Eintopf-Veranstaltung des Doktor Körger am Samstag.

Hier roch Stangeler gewissermaßen Lunte. Sonst langsam und vielfach beinahe dumm zu nennen, vermochte er es doch, in gewissen inneren Bedarfsfällen, sein Denken mit einem gewaltigen Ruck anzutreiben.

Jetzt also war so ein Alarm. Unter dessen fördernder Kraft wurde alsbald überraschend klar, daß ein derartiger Fund, wenn er noch gemacht werden sollte, durchaus den planmäßigeren und platteren, durchaus den alltäglichen, den weniger wunderbaren Fall darstellen würde, so paradox immer dieser Gedanke sich zunächst anließ: das Urteil über Jan Herzka wäre gesprochen, der solchermaßen mit seinen Veranstaltungen schon am nächsten Tage das erwünschte Ziel erreicht hätte. Nichts Drittes war dann dazwischengetreten. ‚Wenn, was gewollt, ganz in der vorgestellten Weise erreicht wird, dann waren Richtung und Gegenstand dieses Wollens unbedeutend und diskussions-unwürdig.'

Nach solcher letzten Sentenz fiel der Historiker vom rasch aufgeschossenen Bäumchen seiner Erkenntnis wie eine reife Zwetschge ab; und hob endlich die Hand vom Knie; diese hielt den nächsten zu prüfenden Codex, der zwar Quartformat hatte, aber sehr dünn war: eher ein Heft als ein Buch.

Papierhandschrift, auch vor 1500. Vorne:

‚Vermerckt wie mit den Zaubrinnen gehandelt ze Neudegck als man sy vieng MCCCCLXIIIJ°.'

Es dämmerte im Raume. Er konnte nicht sogleich weiterlesen. Als er sich erhob, um das Licht einzuschalten, hörte er im Speisesaal Schritte.

Die Tür öffnete sich. Es war Jan Herzka. Hinter ihm das Mädchen mit einem Teebrett: obgleich es nicht fünf, sondern sieben Uhr war. „Ich habe verschlafen", sagte Jan. „Aber wir wollen doch noch eine Tasse Tee trinken. Das Abendessen wird etwas später serviert." Das Mädchen lächelte. Eine halbwüchsige Dirn, vielleicht dreizehn oder vierzehn. Stangeler hatte den unbestimmten Eindruck, daß Herzka hier allen Domestiken, mit denen er in Berührung kam, eine weise Berieselung durch Trinkgelder zuteil werden ließ. Mörbischer machte da wohl keine Ausnahme.

Nachdem das Licht eingeschaltet war, zog das Mädchen an Schnüren: Vorhänge von demselben Blau und der gleichen Stickkerei wie der Behang rückwärts im Raume flossen vor die hohen Fenster.

Sie rückte das Teegeschirr zurecht, goß ein, und ging.

Stangeler verschwand hinter seiner Teetasse und dem Zigarettenrauch.

„Schon lange herunten, Herr Doktor?" fragte Herzka.

„Ja", sagte René. Man konnte glauben, er nehme den Tee und den Zigarettenrauch ganz gleichzeitig zu sich, so wie andere Menschen den Tee und das Gebäck (welches er unberührt ließ). Es war ein geradezu intensiver Vorgang.

„Ich habe nur eine knappe Stunde geschlafen", sagte er endlich. „Die Bibliothek ist inzwischen von mir zur Gänze durchgesehen worden; und die Handschriftensammlung zum größten Teil. Bevor ich Ihnen, Herr Herzka, darüber einen Bericht und sozusagen ein Gutachten gebe, hätte ich eine Frage: woher war Ihnen bekannt, daß sich unter den hier aufbewahrten mittelalterlichen Manuskripten eines befindet, das auf hiesige Hexenprozesse Bezug hat?"

Der Schuss saß. Er war gut gezielt. René sah, daß Herzka erbleichte.

„Ich ...", sagte Jan endlich, und nach längerem Schweigen, „ich wußte – daß es so sein müsse."

„Gut", sagte René, dem jetzt das Oberwasser, darin er schwamm, munter strömte, das Oberwasser des Fachmannes und Experten, und das eines interessierten Psychologen noch dazu, „gut", sagte er. „Dieses Manuskript hier" – er nahm den Codex vom Tisch, wo er ihn rechts von sich hingelegt hatte – „habe ich gefunden, knapp bevor Sie hier eintraten. Mir ist noch keine Zeile der Handschrift bekannt. Aber es könnte sein, daß diese Ihr Interesse in hohem Grade verdienen würde; wenigstens nach der Überschrift zu schließen."

Und er las mit einigem Genusse:

„Nachstehendes berichtet, wie mit den Hexen umgegangen wurde zu Neudegg, als man sie anno 1464 fing."

Herzka griff nach dem Band, und Stangeler reichte ihn hinüber.

Er beobachtete Jan, der zu blättern begann, zu lesen nicht gut vermochte, und das Buch sinken ließ.

„Damit kann ich freilich nicht zurechtkommen", sagte er.

„Aus diesem Grunde werde ich Sie bitten, mich gleich nach dem Abendessen zurückziehen zu dürfen. Ich werde das Stück genau durchgehen und hoffe Ihnen schon morgen nachmittag das ganze vorlesen zu können."

„Ich bitte Sie sehr darum, Herr Doktor", sagte Herzka. „Eigentlich wollte ich ja heute noch die unterirdischen Räume der Burg, die Kavernen, besichtigen. Aber es ist wohl zu spät."

„Sie dürfen sich unter solchen Kavernen nichts besonders Interessantes oder gar Romantisches vorstellen, Herr Herzka", sagte Stangeler. „Derartige, oft sehr geräumige Unterkellerungen dienten, außer der Aufbewahrung von Vorräten, vor allem dazu, die Bewohner eines ungeschützten Burgfleckens samt ihrer Habe und ihrem Vieh im Falle der Gefahr aufzunehmen. Freilich gibt es auch Verließe; meistens unter dem Turm. Gerade was diesen Punkt betrifft, wird es von Vorteil sein, wenn wir die Handschrift hier schon kennen. Es könnte sein, daß sie uns leitende Aufschlüsse gibt."

Es war tief in der Nacht, gegen ein Uhr, als Stangeler die Arbeit abbrach. Da die saubere Bücher-Kursive, in welcher der Codex stand, paläographische Schwierigkeiten kaum bot, war das ganze Manuskript schon gelesen, und einige etwas schwierigere oder fragliche Stellen befanden sich bereits übertragen im Hefte.

Nicht die verhältnismäßig geringe Mühe erschöpfte René. Aus anderen Gründen mußte er um ein Uhr abbrechen, war für ihn das Maß des Erträglichen um diese Zeit fast überschritten. Vom Gegenstande her immerhin auf Grausames gefaßt, auf

Schrecken, auf Atrocitäten – wenngleich ihm eine durch Sachkenntnis überaus gemäßigte Anschauung des ganzen Gebietes eignete – war er nun, während alle Blutrünstigkeiten hier ganz und gar ausblieben, auf vollends andere Art von dem Inhalte des Manuskriptes überzogen worden. Ein furchtbarer Dunst stieg gleichsam aus diesen Blättern, von einer Begehrlichkeit kommend, die ihm nicht anders schien als ein Baum von Eisen, der mit glühenden Wurzeln tief in den Boden, ja zwischen die Felsen greift. Was hier auf Neudegg sich abgespielt hatte, war keineswegs eine Tragödie: es war eine Affenkomödie der Leidenschaften. Diese Quelle warf vieles um. Und sie bestätigte dem René Stangeler so manches, was er längst im stillen angenommen hatte.

Derjenige, welcher sich am Ende des Codex selbst als dessen Verfasser und Schreiber bezeichnete, mußte bei hohen Jahren gewesen sein; seine eigene Angabe, er habe diese Niederschrift 1517 zu Augsburg gemacht, im neunundsechzigsten Lebensjahre, verifizierte sich insofern, als die Schrift sich durchaus noch als eine solche des fünfzehnten Jahrhunderts darbot; um dessen Mitte wohl hatte der Verfasser das Schreiben erlernt. Auf dem ersten Blatte – es waren im ganzen deren sechsundfünfzig, eigentlich achtundzwanzig gegen den sonstigen Gebrauch der Zeit einfach ineinander gelegte Doppelbogen, aber der Text reichte kaum mit einem Drittel über den Bund hinaus, das übrige war leer – auf dem ersten Blatt innen links oben fand sich folgender Vermerk einer späteren Hand:

Emptū Aug. Vind. magno p̄tio quadragintarum lib. den. a. s. MDXVĪĪJ° eodem i. domo ubi tum vixit obiitque abjectissimi hui' libelli auctor profligat'. Joann. Chrys. de Newdegck. (Gekauft zu Augsburg für den hohen Preis von vierzig Pfund Pfennigen im Jahre des Heils 1518 in dem gleichen Hause, wo der verworfene Verfasser dieses niederträchtigen Büchleins lebte und gestorben ist. Johannes Chrysostomus von Neudegg.)

Dieser Sachverhalt schien klar, insbesondere durch den enormen Preis, welcher für die Blätter bezahlt worden war: der Freiherr Johannes Chrysostomus mußte Interesse daran gehabt haben, ein Dokument einzuziehen, welches einen Vorfahren und Träger seines Namens ganz erheblich und unzweideutig belastete; vielleicht war dieser sogar sein Vater, Großvater oder ein Oheim gewesen. Zunächst nicht näher erklärbar blieben freilich die Umstände, welche den Herrn Johann Chrysostomus damals zu Augsburg in die Lage versetzt hatten, das Heft vom Verfasser oder aus dessen Nachlasse an sich zu bringen.

Dieser Verfasser hatte Ruodlieb von der Vläntsch geheißen und war 1464 hier als Edelknabe mit noch zwei anderen Söhnen ritterlicher Hintersassen bei dem damaligen Herrn von Burg und Gegend im Dienste gestanden: Achaz von Neudegg; des gleichen Namens wie der letzte.

Jedoch, Ruodlieb war nicht als ‚Verworfener' anzusehen, wie sich Herr Johann Chrysostomus auszudrücken beliebte; sondern man hatte ihm – und vielleicht dem anderen Fünfzehn- oder Sechzehnjährigen auch – das Leben vergiftet.

So viel wußte Stangeler längst. Das Manuskript war von ihm ja zur Gänze durchgenommen worden.

Aber nun war's genug, und er konnte seine Notizen nicht fortsetzen.

René stand mit etwas steifen Gliedern auf. Sonst kein Trinker: jetzt hätte er sich aus ganzem Herzen einen Schnaps gewünscht. Das Zimmer war vom Zigarettenrauch durchzogen. Die Stille war eine absolute. Das Geräusch beim Rücken des Stuhles schien gleichsam eine gespannte Membran platzen zu lassen.

Er wollte das Fenster öffnen, blieb jedoch stehen. Plötzlich kam ihm der Gedanke, daß Herzka vielleicht wahnsinnig sei. Da drüben schlief er. Seine Mutter war eine Neudegg gewesen.

Ihm ekelte vor allem und jedem in einer noch nicht erlebten Weise. Ohne Unterbrechung und von allen Seiten kroch das Üble heran. Vielleicht war auch Herr Achaz 1464 bereits wahnsinnig gewesen. Sowohl Jan wie Achaz. Jeder im Stile seiner Zeit. Ebenso Körger. Wahrscheinlich auch Schlaggenberg. Ein Klavier schlägt an. Wie sie lächelt! ‚Mary spielt wieder.'

Es klopfte an der Türe.

René erschrak so furchtbar, daß es ihm alle Glieder zusammenriß. Mit knappem Atem rief er: „Herein!"

Es war Jan Herzka.

Er hatte unter dem linken Arm eine Flasche, über deren Kork zwei ineinander gesteckte silberne Reisebecher gestülpt waren. Seine Haare schienen vom Liegen verwirrt. Er sah sehr hübsch aus, und dabei in irgendeiner Weise verändert, vielleicht durch das aufgelockerte Haar und den hellblauen Schlafanzug. Das alles erfaßte Stangeler sogleich, als Herzka in der Türe stand.

„Ich habe Licht bei Ihnen gesehen, durch den unteren Türspalt, Herr von Stangeler", sagte er, „ich bin am Gang gewesen; ich kann nämlich nicht schlafen, wahrscheinlich weil ich nachmittags zu lange gelegen bin; da hab' ich mir gedacht, vielleicht darf ich Sie ein wenig stören . . . Sie werden doch jetzt nicht mehr arbeiten wollen?! Jedenfalls hab' ich eine Stärkung mitgebracht . . ."

„Das ist ausgezeichnet", sagte René. „Nein, ich arbeite nicht mehr. Was haben Sie denn da in der Flasche?"

„Cognac", sagte Herzka.

„Wunderbar!" rief René. „Grad das brauch' ich jetzt. Magische Wunschkraft muß man eben haben! Vor zehn Minuten hab' ich mir heftig einen Schnaps gewünscht. Schon ist er da. Allerdings – ein solcher Meister der Wunschkraft wie Sie bin ich deshalb noch lange nicht."

„Wie meinen Sie das, Doktor?" sagte Herzka, der sich auf den Diwan neben einen kleinen Serviertisch gesetzt hatte und mit Vorsicht den Cognac eingoß; die Vergoldung im Innern der blanken Gefäße leuchtete auf.

„Weil Sie sich in Wien etwas wünschten und zu Neudegg ein Herr von der Vläntsch längst getan hatte, was befohlen werden wollte."

„Und wer ist dieser Herr . . .?"

„Der Verfasser des Manuskriptes hier. Sie werden es morgen kennen lernen: eine Ungeheuerlichkeit, die – für Sie wirklich nichts zu wünschen übrig läßt."

Herzka setzte, ohne zu trinken, seinen Becher auf das Tischlein zurück. Er sah auf René. Sein Gesichtsausdruck war der eines Menschen, dem das Schwirren eines Pfeiles oder das Pfeifen einer Kugel in's Gehör dringt. Stangeler bemerkte das ganz genau. Er bemerkte jetzt überhaupt schlechthin alles und befand sich glücklich wieder einmal im Besitz einer Fülle von Tugenden, die ihm gar nicht eigneten, wie etwa klare Auffassungsgabe und wirkliche Umsicht. War er vorhin, beim Anklopfen Herzka's, heillos erschrocken, so fühlte er sich jetzt dafür überaus wohl. René fand Geschmack an der Situation und saß fest und sicher in ihr wie ein Kork in der Flasche.

Zunächst kippte er seinen Becher. Dann ließ er Herzka nachschenken. Sodann äußerte er sich dahingehend, daß es ihm heute wegen seiner Erschöpfung ganz unmöglich sei, über den Inhalt des auf dem Schreibtische liegenden Manuskriptes zu berichten: er werde morgen vormittags die Arbeit vollenden und nachmittags das Ganze in einem Zuge vorlesen. Vorher wäre es jedoch erforderlich, mit Mörbischer die Kavernen der Burg zu besichtigen.

„Steht denn darüber etwas in dieser Handschrift?"

„Das kann man wohl sagen", antwortete René.

„Sie müssen ein ungeheures Wissen besitzen, Doktor", sagte Herzka; Stangeler, voll klarer Auffassung und Umsicht, erkannte genau, wie jener in genierter und fast ängstlicher Weise ablenkte.

„Das ist Täuschung", entgegnete er. „Derartige Sachen kann jeder ‚Institutler' im Schlaf, und die meisten geläufiger als ich. Im übrigen versteht es sich von selbst, daß zum Beispiel ein Postbeamter über die Einrichtungen der Post um ein Vielfaches mehr weiß als wir beide zusammen."

„Nun, ich schätze mich jedenfalls glücklich, Sie hier zu haben, Herr Doktor", sagte Herzka. „Ich wäre ohne Sie außerstande gewesen, mit den Dingen . . . mich zurechtzufinden."

Er brach ab. Seine eigene Ausdrucksweise schien ihm vielleicht in irgendeiner Weise nicht ganz passend.

Hier nun machte René Stangeler eine Erfindung, die immerhin unsere Aufmerksamkeit verdienen könnte. Sie bestand darin, auf ein Gesagtes ganz genau und in ausführlichen Worten zu antworten, ohne auch nur eine Silbe davon auszusprechen. Jedoch mußte die Antwort bei diesem Verfahren wirklich zur Gänze erbracht werden, ja sogar sehr intensiv: der innere Schall fast im äußeren Ohr. So wurde das Gegenüber gewissermaßen angedacht, statt angeredet.

Weiterhin konnte man dazwischen auch irgend etwas wirklich sagen: mit Zensur, und nichts Unnützes.

René sagte also stumm:

‚Sie werden sich wahrscheinlich sehr bald zurechtfinden, und vielleicht ist gerade in diesem Umstande der Haken an der ganzen Sache verborgen. Sie werden nämlich aus der Katastrophe, die über Ihren Vorfahren, den Herrn Achaz, 1464 gekommen, oder eigentlich: aus ihm hervorgekommen ist, eine Einrichtung machen. Ein Hausgärtlein der Erotik. Dabei pflegen die Einzelheiten sogleich zu wuchern, wie die Pilze nach dem Regen. Sie werden auf das einzelste vom einzelnen kommen, denn sobald man sich einmal mit den Resten von Ereignissen irgendwie einschließt und abschließt, entsteht solch eine Brackwasser-Fauna und Tümpel-Flora. Das werden Sie aus der ganzen Sache machen. Am Ende werden Sie einen Hafner und einen Rauchfangkehrermeister kommen lassen, der Ihnen da unten in der Romantik die Heizung instand setzt – denn es gibt nämlich dort eine – aller Wahrscheinlichkeit nach – und schließlich wird es am gescheitesten sein, wenn Sie eine heiraten, die Ihnen den ganzen Zauber dann vorspielt. Freilich braucht die dann wieder eine Schneiderin für das zeitgerechte Kostüm. Wird nach meinen Angaben gemacht. Überhaupt bin ich bereit, bei Ihnen als festbesoldeter Referent für Pseudo-Hexenprozesse einzutreten; womit wir uns von der geschichtlichen Wirklichkeit gar nicht so weit entfernen würden, denn ich hege schon des längeren den Verdacht, daß ein gut Teil der Hexenprozesse so geführt wurde, ohne Leibschaden oder letalen Ausgang. Prost!'

Laut sagte er danach:

,,Auf Ihre ,Wunschkräfte' möcht' ich noch zurückkommen, Herr Herzka. Wenn Sie zum Beispiel, auf der Straße gehend, lebhaft an jemanden denken, dann kann es geschehen – sicher ist Ihnen das schon einmal passiert, ja gerade Ihnen! – daß Sie den Betreffenden plötzlich auf dem Trottoir daherkommen sehen: schon wollen Sie ihn begrüßen – dann ist er's doch nicht. Er hat ihm nur ähnlich gesehen. Der Vorgang kann sich sogar wiederholen, meinetwegen zwei Straßenecken weiter; und nun: ich habe Fälle erlebt, wo mir, gar nicht lange danach, die schon zweimal vermeintlich erkannte Person, wenige Minuten' später – wirklich begegnet ist. Bei solchen Anlässen hätt' ich am liebsten gesagt: ,Na also, Verehrtester, da sind Sie ja, ich erwarte Sie schon seit einer halben Stunde'. Natürlich ist es unmöglich, jemand so etwas zu sagen, aber es wäre mindestens vollkommen wahrhaftig.''

,,Ich weiß genau, was Sie meinen'', sagte Herzka. ,,Hab' es mehrmals erlebt.''

Stangeler setzte stumm fort: ,Das kann aber nur einmal geschehen. Wenn mehrmals: dann ist es sozusagen jedesmal das einzige Mal gewesen. Nie könnte man es veranstalten. Summa:

734

ganz erstklassig ist nur das Hinzugegebene. Alles Anzielbare und zweckmäßig Erreichbare ist zweiten Ranges.'

Laut: „Genau so ist es mit Ihrem Vorwissen von dieser Handschrift hier gewesen. Diese ganze Sache hat sozusagen einen erhöhten Grad von Wirklichkeit."

Stumm: ‚Fragt sich nur, was Sie damit anfangen werden. Ich für mein Teil zweifle nicht, daß Ihnen dieser skurrile und abseitige Inhalt, daran sich die plötzlich erhöhte Wirklichkeit Ihres Lebens zeigte, jetzt schon weitaus wichtiger ist als jene Erhöhung der Wirklichkeit selbst. Deshalb, mein Lieber, werden Sie sich nun in Einzelheiten einwühlen, statt den Wunsch, ja, den Willen, ja, geradezu den Entschluß zu hegen: derart zu leben, daß Ähnliches, jedoch mit ganz anderen Inhalten, jederzeit neuerdings möglich sei.'

Da packte es ihn selbst. Während er geradezu bösartig Herzka das Wesentliche an der ganzen Sache verschwieg, weil über jenen ‚das Urteil schon gesprochen war', und man (so drückte er sich jetzt im inneren Sprachgebrauche aus) ‚kurzen Prozeß machen muß, wo man auf keinen Fall helfen kann' – während dieser seiner hartnäckigen Wortkargheit schwankte, im selben bläulichen Schein wie der Wandbehang drüben in der Bibliothek während der Dämmerung, ein Bild vor ihm herauf, ein hundertmal gesehenes, aber so, als hätte er's noch nie erblickt, als wär' es überhaupt jetzt erst zu erblicken: in und aus einem Leben nämlich, dem die hinzugegebenen ‚glücklichen Zufälle' geradezu ein tägliches Gleis bedeuten würden:

Als wär's gestern gewesen: der Abend spiegelte noch grünlich hinter dem Turme, und in das ermattete Tageslicht traten die ersten leuchtenden Kugeln, vor den Läden über der Straße schwebend –

Es war der ‚Graben' zu Wien.

Im blauen Lichte der Dämmerung.

Die weit mehr als hundertmal durchschrittene Strecke.

Dennoch, er sah's, wie noch nie. Er sah sich dort gehen, weit von sich selbst davongehen in den vergangenen Jahren; zugleich aber, und wie zum ersten Mal, ging er jetzt – selbst dort, er selbst im höchsten Grade: umsichtig, mit rascher Auffassung, Abstand nehmend, jede Möglichkeit mit Klugheit prüfend. Mit Klugheit: sie fiel ihm leicht, sie war ihm gemäß geworden und natürlich. ‚Das ist die wahre Ordnung, die einen dann trägt, die wirkliche, nicht irgendeine gemachte. Diese Kerle wollen alle in der Verlängerung von dem leben, was sie sich ausgedacht haben. Ganz wie der Herzka. Ansonst halten sie sich die Hände vor die Augen. Ein Embryo im Mutterleib. Wem hab' ich das nur gesagt? Dem alten Gürtzner-Gontard.'

Seine Versunkenheit hatte kaum so lange Zeit gedauert, als Herzka benötigte, die kleinen Becher wieder zu füllen.

„Also morgen nachmittag, Doktor, steigen wir erst in die Keller hinab und dann werden Sie mir die Handschrift vorlesen."

„Ja", sagte René. Er ging zu dem Doppelfenster und begann es zu öffnen. „Sie werden die Güte haben, eine große elektrische Lampe mitzunehmen. Einen Hammer brauchen wir wahrscheinlich auch. Keinen zu kleinen, sondern einen etwas schwereren."

„Und wozu den?"

„Um Hohlräume zu erkennen."

„Ja", sagte Herzka. Er war hinter René an das jetzt offene Fenster getreten, welches die Nachtluft mit mäßiger Kühle in den Zigarettenrauch hereinwehen ließ. Der Mond, am verwichenen Montag voll geworden, war nicht zu sehen, aber nach einigen Augenblicken des Schauens in die Dunkelheit erfaßte man das leuchtende Blau auf entfernteren Wäldern, die sich in das Mondlicht sanft empor zu schlagen schienen wie eine lautlose Schwinge.

Spät am folgenden Vormittag brachte Stangeler die letzten Notizen bezüglich der Handschrift in sein Heft. Ein strahlender Tag war aufgegangen. René saß beim offenen Fenster, das ungefähr nach Süden sehen mochte. Er hatte, um beim Schreiben nicht geblendet zu werden, den lavendelblau gemusterten Vorhang etwas hereingezogen; dieser hing still. Kein Wind regte sich. Nur dann und wann rieselte zarte Bewegung durch die Falten. René las noch einmal den Schluß des Manuskriptes:

Explicit. Hoc est verum et cetera was geredt worden puntschuech. Actum sexagesimo nono aetatis meae anno Aug. Vind. MDXVIJ° am Eritag vor Auffahrt. Ruodlip von der Vläntsch.

Dieser puntschuech oder Bundschuh spukte seit den ersten wilden Bauernaufständen überall herum, und das Wort war fast gleichbedeutend geworden mit Alarmnachricht oder Gerücht.

Aus René's Aktentasche ließ sich inzwischen der Geheime Archivrat Grotefend vernehmen und teilte kurz aber präzise mit, daß der ‚Eritag vor Auffahrt‘, also der Dienstag vor Christi Himmelfahrt, im Jahre 1517 auf den 19. Mai gefallen sei. Das ‚Actum‘ freilich bezog sich diesmal offensichtlich auf die Beendigung der Niederschrift, nicht auf die darin erzählten Begebenheiten, welche ja in's Jahr 1464 fielen.

René schraubte die Füllfeder zu, schloß Manuskript und Heft, und verwahrte beides. Er hatte nun vollauf genug davon. Und doch galt es heute noch den ganzen übrigen Teil des Tages hindurch sich mit den Verrücktheiten des Herrn Achaz von Neudegg und des Herrn Jan Herzka zu beschäftigen.

Bis zum Lunch blieb wohl noch einige Zeit.

Er hatte, genau nach Ruodliebs Angaben, eine kleine Planzeichnung verfertigt, die Kavernen betreffend, um sich zu verdeutlichen, was dieser Herr von der Vläntsch meinte, in dessen Manuskript eine solche Zeichnung nicht vorhanden war, so dienlich sie gewesen wäre. René schob nun dieses Blättchen in sein Portefeuille.

Stangeler blieb vor dem Schreibtisch stehen. Er schlug den Vorhang ganz zurück, die Sonne überflutete ihn und fiel tief in's Zimmer, während dort draußen in der Ferne ihr Glanz alles verwob und die Konturen zerfließen ließ. Die Aussicht von hier heroben war bedeutender als von der Anfahrt und vom Burghofe, man sah weiter hinaus; hinter der aufleuchtenden Kirchturmspitze jenseits des Waldes vermeinte René jetzt ganz rückwärts die weißliche Wand weit höherer Berge zu ahnen.

Es gab reinlichere Freuden als in Kavernen herumzukriechen, wo ehrsame Wittfrauen gepeinigt worden waren.

Ein Orgelton war zu hören: bald kräftiger. Jetzt der Choral: ‚Wohin soll ich mich wenden. . . .‘ ·

Herzka gedachte also des toten Tondichters Alexandr Alexejwitsch Slobedeff.

Und Mörbischer spielte dazu.

Das war eine verrückte Burg hier! Ein Stück könnte hier spielen, dachte René, mit dem Titel: ‚Le donjon des fous‘. ‚Der Wehrturm der Wahnsinnigen.‘ Hier gehörten sie alle her: Schlaggenberg, Eulenfeld, Körger, Orkay. Sie würden sich so lange wehren – bis es wirklich Anlaß geben mußte dazu.

Auch Herr Achaz hatte sich am Ende wehren müssen. René sah ihn jetzt im Geiste vor sich, von der ‚Letze‘ herab redend zu den Herren und Leuten, die jenseits des Grabens aufmarschiert waren (der Witwen wegen!); nur mit den drohenden Geschützmündungen war's nichts geworden, man konnte die ungefügen Dinger nicht aufstellen, denn gleich hinter dem Sträßlein, das wie heute zur Zugbrücke herauf führte, fiel der Wald steil ab. Herr Achaz redete mit großer Sicherheit, eindrucksvoll, und im übrigen mit Erfolg: „Ir lieb herrn, mueß Ewch laider ain strich durch Ewr raittung tuen ..." – „Ihr lieben Herren, ich muß euch leider einen Strich durch eure Rechnung machen ..." Alles genau nach Ruodlieb von der Vläntsch. René hörte geradezu Herrn Achaz reden! Gut und geschickt (,verdampts Weibervolck, da rait man aus mit hundert Pferd und nicht ân [ohne] ainygs Geschütz, sollen sechen wo sy beleiben' – so dachte einer um den anderen und immer mehr dachten es: daran aber waren die Witwen selber schuld, die aus der Burg traten und öffentlich [„offenlich"] verkündeten, es sei ihnen kein Leides geschehen und es geh' ihnen wohl). Ja, Herr Achaz redete gut und geschickt. Dabei war er wahnsinnig. Wie die anderen auch.

Der Gong lärmte. René ging hinab.

Rasch tritt der Tod den Menschen an; es muß nicht immer nur der leibliche sein. Wohin soll ich mich wenden? Jan Herzka wandte sich hinter Mörbischer zu einer etwas schmäleren Treppe, welche jene des Aufganges nach unten fortsetzte; das Gewölb trugen die gleichen stumpigen Säulen; nur waren sie weniger glatt oder aus dunklerem Stein.

Von den letzten Stufen tretend, standen sie in einem Gange, der nach beiden Seiten hinlief; linker Hand offenbar in der Längsachse des Gebäudes gegen den großen Turm zu; nach rechts aber, in sehr stumpfem Winkel ein wenig aber doch von der bisherigen Richtung abweichend; dabei mit leichtem Anstieg wie eine Rampe. Mörbischer sagte, dieser Gang führe geradewegs zu einem Tor an der rückwärtigen Schmalseite des Schlosses; es heiße, daß durch diesen Gang einst die Bauern der Umgebung zu Kriegszeiten oder bei Türkengefahr Vieh und Habe in die Untergeschosse der Burg gebracht hätten. René hielt wohl für möglich, daß dies alles noch zu den alten Substruktionen des Schlosses gehört habe; jedoch war sein Wissen in solchen baulichen Dingen zu gering für ein Urteil. Der Gang war keineswegs schmal; ein Ochse hätte hier bequem geführt werden können, auch ein Karren.

Alles war hell erleuchtet und sauber; von vier zu vier Metern strahlte unter dem Tonnengewölb eine elektrische Lampe.

Mörbischer wies ihnen dann rechter Hand vom Gange mehrere geräumige Gewölbe, die angeblich als Zuflucht für Menschen, Vieh und Habe gedient hatten: es war da drinnen gar nicht so übel; man sah durch Schartenfenster weit aus, in die gleiche Richtung wie von der Bibliothek. In einem der Räume gab es einen gewaltigen, allerdings jetzt zerfallenen Kamin, von der Art jener, die man heute noch in den so behaglichen Küchen französischer Bauernhäuser finden kann. Ein anderes Gewölbe war offenbar zum Not-Stall bestimmt gewesen: man sah hier steinerne Futter-Krippen.

Linker Hand vom Gange lagen mehrere in Benützung stehende Keller.

Indem traten sie unvermutet durch einen kleinen Bogen zwischen die Fundamente des Turms und über einige Stufen in dessen unterstes Geschoß.

Herzka, beim Anblick der schmalen Spindeltreppe, die weiter nach oben führte, verzichtete darauf, den ‚Bergfrit‘ zu ersteigen. Vielleicht geschah dies auch aus Rücksichtnahme für Mörbischer, dessen Knochen ja nicht eben die jüngsten mehr waren. Er schien's zufrieden.

Für René gab es hier genug zu sehen, mochte dies auch für Jan Herzka weniger interessant sein. Was die Treppe betraf, so war diese vielleicht erst zu der Zeit eingebaut worden, als man das verlängerte Wohngebäude bis an den ‚Belfroi‘ anschloß. Im allgemeinen hatte solch eine letzte Zuflucht der Verteidiger einer Burg ihren einzigen und nur über Leitern erreichbaren Eingang in Stockwerkshöhe, während unten alles durchaus vermauert war. Andererseits aber zeigte sich hier im Unterbaue des Turms eine Verteidigungs-Anlage von solcher Vortrefflichkeit, daß man auch vordem auf sie kaum verzichtet haben dürfte.

Der Raum erinnerte Stangeler sehr lebhaft an einen ganz ähnlichen, den er zu Narwa bei seiner Rückkehr aus Rußland gesehen hatte, und zwar in der alten Burg dort: ein Teil dieser Festung liegt abgetrennt wie ein Vorwerk und derart von dem Flusse Narowa umkreist, daß man auf den ersten Blick fast meinen möchte, das Wasser liefe in sich selbst zurück: es um·

spült den Fuß der Burg in der Tat zum großen Teile. Im kyklopischen Mauerwerk eines Turmes war nun ein ähnlicher gewissermaßen linsenförmiger Raum zugänglich gewesen, wie hier in dem Unterbaue des ‚Bergfrits‘ von Neudegg.

Die Anlage der Schießscharten und der Ausblick aus ihnen lehrten alles. Jede Scharte zeigte sich in der dicken Mauer derart zu beiden Seiten innen ausgewölbt, daß dem Armbrustschützen der Bügel auch einer schweren und breiten Waffe beim Abschuss bequem zurückschnellen konnte. Es befand sich vor diesen Nischen je ein Auftritt mit zwei Stufen für den Schützen; legte ein solcher, die untere Stufe betretend, seine Waffe einfach auf, dann ging die Schusslinie über den Graben und schnitt jenseits etwa in halber Mannshöhe die Straße; trat der Schütze vor und auf den oberen Tritt, dann konnte er die Waffe kippen, und sie fand ihr Widerlager derart, daß der Schuss unten in den Graben schlug. Die vier Schießscharten, jede mit zwei verschiedenen Schusswinkeln – die sich freilich, ebenso wie die Seitenrichtung, noch verändern ließen, sofern der Schütze nicht nur einfach auflegte – waren unterschiedlich den besonderen Gegebenheiten ihres Ausschusses angepaßt: von der ersten Scharte bestrich man die Straße vor der Brücke und das Grabenstück bis dahin der Länge nach, oder eigentlich diagonal. Die zweite Scharte gab den Schuss auf das nah gegenüber liegende Straßenstück und in den Graben davor. Die dritte hatte Straße und Graben dort in ihrer Ziel-Linie, wo die Zufahrt sich senkte und an der Ecke der Burg zu deren Längsseite hinabbog. Hier verflachte der zusammengefallene Graben heute fast ganz. Die vierte Scharte sah schon an der Längsseite auf Straße und Graben herab: die dritte und vierte Scharte freilich mit steilen und steileren Winkeln. Es war um diesen mächtigen Eckturm nur herumzukommen, wenn man dicht an der Burg im Graben vorrückte; aber eine wohl erhaltene Pechrinnenanlage – man hätte sie gleich in Tätigkeit setzen können – sprach ein deutliches Wort; wenn hier die heißen schwarzen Schlangen aus den sechs um den Turm verteilten Guß-Schnäbeln schossen, unten auftreffend mit glühendem Gespritze nach allen Seiten, dann hätte vielleicht zur Not der Teufel in eigener Person den ‚Belfroi‘ umgehen können, sonst aber niemand. Da hieß es also den Armbrustschützen in die Bolzen laufen. Kamen aber die Angreifer auf der Straße oder im Graben doch um den Turm: so schoss man ihnen von der ‚Letze' entgegen, dem Schützenstand über dem Portal der Zugbrücke; und gelangte der vorrückende Gegner noch weiter, so hatte er bald den einen Schützen aus dem Unterbaue des Turms im Rücken, ganz zu schweigen von dem Beschuss aus vielen Scharten, die sich zwischen Turm und Brücke in der Brustwehr zeigten: und auch hier fehlten die gewissen Schnäbel nicht. Es war diese schwächste Seite der Burg bei der Auffahrt und Zugbrücke – denn überall sonst fiel vor den Mauern noch der Fels jäh ab – am stärksten geschützt. Allerdings konnte man an diese Schmalseite auch am nächsten herankommen, gedeckt durch den Steilhang des Waldes, der hart neben dem Sträßlein abfiel. Wie schon oft, so erschien es Stangeler auch diesmal, daß keineswegs zu allen Zeiten die Waffen des Angriffes und jene der Verteidigung einander immer wieder über kurz oder lang die Waage hielten: was man nicht selten sagen oder nachreden hörte. Für die mittelalterlichen Jahrhunderte – mindestens bis zur Konstruktion wirklich richtbarer, transportabler und praktikabler Geschütze – war die Überlegenheit der Defensive ganz offenbar; sie mußte bestimmend gewesen sein für den Verlauf der Geschehnisse, ja, für das Gesicht der Zeit.

René hatte inzwischen von Mörbischer den Hammer erbeten und klopfte den Boden ab, besonders in der Mitte des Raumes; aber hier war, wie er nicht anders erwartet hatte, alles massiver Felsgrund; keinerlei Romantik; kein Burgverließ. Herzka sah ihm jetzt mit Interesse zu. Aber während René gemächlich die Schießscharten betrachtet hatte, war von Herzka her dessen Eingesperrtheit zu spüren gewesen, gleichsam in einen Raum neben dem Leben – wirklich ein Verließ – eine Eingesperrtheit, welche für alles da draußen nur Ungeduld übrig ließ. René, in seinem heute und hier und ausnahmsweise ganz unsäglich viel freieren Zustande, fühlte sich von jenem, der Jan Herzka dicht umschloß, wie von einer Grenze durchschnitten, die sein Inneres teilte: in einen freien Raum, darin er sich jetzt mit Genuß und mit einer Art von hinzugeschenkter Anmut bewegte, und in ein abgemauertes Segment, das er wohl kannte, aus häufigen Gefangenschaften; aus selbstgewollten, in die man sich noch einbohrte und eingrub: wenn auch in einen ganz anderen und wahrscheinlich weit weniger harmlosen Nährgrund der Spannungen und Sensationen als ein Jan Herzka.... Er konnte diesen jetzt verstehen. Er nahm wirklich brüderlich teil an ihm; denn er hatte einen Teil von ihm in sich. So einfach war das. An der Grenze – die Herzka vielleicht gar nicht empfand, und die doch den Stangeler durchschnitt – brannte sogar Schmerz. Intervall ist Empfindung. Intervall kann sogar Schmerz sein. Er fühlte plötzlich, daß der Umgang mit Schlaggenberg, mit Eulenfeld, mit Orkay, mit Körger ihm ununterbrochen schadete. Der Schaden, den ein Freund uns zufügt, ist manchmal fast so groß wie der Nutzen, den ein Feind uns bringt; aber das unmündige Volk der Gefühle, der Sympathien und Antipathien, hat indessen, überall herumtollend, die Namensschildchen an den richtig zugewiesenen Örtern vertauscht. . . .

René brach in diesen Augenblicken von seinem Leben dort in Wien weitgehend los; es blätterte von ihm ab, als eine Oberflächenschichte. Es hieß: dies verlassen. Es hieß: sich hier ansiedeln, nicht etwa in diesem ‚donjon des fous‘, sondern dort, wo er jetzt innerlich stand. Er rang augenblicklich durch Sekunden kalt und wild um diesen Boden, um den Übertritt auf ihn.

Dann erinnerte er sich des Bruders Herzka, und beschloß sogleich, diesmal den ‚Bergfrit‘ nicht zu besteigen, was er eben jetzt noch allein hatte unternehmen wollen, ohne Herzka und Mörbischer zu bemühen.

Der Kastellan war unter einen schmalen Mauerbogen getreten, welcher den zweiten unterirdischen Gang der Burg eröffnete. Mörbischer schaltete das Licht ein und stieg vor Herzka und René etwa vierzig Stufen hinab. Es war hier nicht nur hell, sondern auch trocken; dies erschien insofern erstaunlich, als man unten an einer Stelle des engen Ganges, der offenbar die Schmalseite der Burg entlang führte, rechter Hand nicht Mauerwerk, sondern gewachsenen Fels erblickte.

Der Gang war schmal, aber von mehr als doppelter Mannshöhe: eigentlich ein tiefer Spalt. Handnah über den Köpfen der Gehenden wurde er zweimal so breit, denn hier gab es einen durchlaufenden Schützenstand, auf den man etwa von der halben Treppe seitwärts gelangen konnte. Mehrere Schießscharten ließen dort oben das Tageslicht einfallen. Nach René's Schätzung wäre von ihnen aus der Grabenrand zu bestreichen gewesen. Da aber die Brustwehr oben im Tageslicht, wie René schon gesehen hatte, gleichfalls für Schützen eingerichtet war, so konnten diese in zwei Reihen übereinander stehen, wenn auch die untere Reihe kürzer sein mußte, während oben die Brustwehr bis zur Brücke sich fortsetzte. Der Gang hier aber endete unvermittelt.

René, der die Scharten in der Grabenwand gestern gleich bei der Ankunft bemerkt hatte – die innere Wand überhöhte die äußere etwas – befand sich nun ganz im klaren darüber, daß jedem Gegner, der, den ‚Belfroi‘ vermeidend, im Schutze des Steilhangs durch den Wald bis zur Straße vorging, ein auf so geringe Entfernung geradezu vernichtender Hagel von Bolzen entgegen schlagen mußte, sobald er über dem Straßenrand sich sehen ließ; denn die Schützen von der ‚Letze‘ konnten sich ja an der Abwehr ebenfalls beteiligen. Es hatte ihn gestern noch erheitert, als Herzka im Wagen, beim Herauffahren über die Rampe, sich verwunderte, daß der Burggraben innen Löcher habe: wenn man dann Wasser in den Graben ließe, könnte es doch dort hineinfließen? René hatte dazu bemerkt, daß die Graben der Höhenburgen nie Wasser zu haben pflegten; woher sollte dieses auch kommen?

Aber Stangelers Aufmerksamkeit wurde jetzt von alledem abgezogen und auf einem ganz anderen Punkte gesammelt. Das Ende des Ganges – es mochte schon außerhalb der Grundmauern des Herrenhauses liegen – war erreicht; man stand vor einer mit alter bröckelnder Tünche verschmierten Kellerwand. Nicht weit vor des Ganges Ende zeigte sich linker Hand eine niedere Pforte; Mörbischer trat hindurch und schaltete in dem Raume dahinter das Licht ein. René, nachdem er einen Blick dort hinein geworfen, zog sein Portefeuille und entnahm ihm die nach Ruodlieb's Angaben verfertigte Planzeichnung. Er blieb heraußen auf dem Gange bei der Pforte; nachdem er durch ein paar Augenblicke auf das Blatt in seiner Hand gesehen und überlegt hatte, wandte er sich zu dem neben ihm stehenden Jan Herzka und sagte:

„Wir sind an Ort und Stelle, Herr Herzka. Beachten Sie nunmehr alles wohl.“

Sie traten unter den schmalen Mauerbogen und in ein Gelaß, das etwa fünf Meter lang und viere breit sein mochte und dessen längere Seite sich in der Richtung des Ganges erstreckte. Obenum lief etwa in Höhe des gestreckten Armes ein Gesims, von dem Wandpfeiler oder Lisenen in Abständen herabkamen. In der Mitte des Raums ragte einsam ein Säulenstumpf, bis zur halben Höhe. Aber es schien dies nie eine Säule zum Stützen der Decke gewesen zu sein, denn diese wölbte sich darüber hinweg. An der burgseitigen Schmalwand gab es wieder einen großen zerfallenen Kamin; daneben führten einige Stufen empor in einen zweiten, jedoch kleinen Raum, eine Kammer; auch hier sah man Reste einer Feuerstelle. Alles war von den elektrischen Lampen an der Decke scharf erhellt.

„Das werden wohl auch Notunterkünfte gewesen sein, Kasematten, wie man sagt", meinte Mörbischer.

„Und die Säule?" entgegnete Herzka.

„Vielleicht zum Anbinden von Pferden", sagte Mörbischer.

René, hinter ihm stehend, lächelte einen Augenblick lang.

„Herr Mörbischer", sagte er dann, „dürfte ich Sie nochmals um den Hammer bitten?"

Er trat auf den Gang und schritt bis zu dessen Ende. Dort betrachtete er die schmale Schlußwand, bückte sich auch und schien rechts und links an den Gangseiten etwas zu suchen. Herzka und Mörbischer standen hinter René.

„Der Schlag, den ich jetzt führen werde", sagte dieser, „wird massives Mauerwerk anzeigen."

Stangeler schlug in Brusthöhe vor sich hin gegen die Wand. Es war, wie er gesagt hatte. Vom schmierigen Verputz fielen ein paar Stücke. Der feste Stein klang unter dem Schlage.

„Jetzt achten Sie wohl auf folgendes, Herr Herzka", sagte René. „Wenn ich recht berichtet bin, dann befindet sich hier dahinter ein Raum." Er deutete an der Wand die Stelle; etwas über seinem Kopf. René führte dorthin einen nur mäßig starken Schlag, der durchaus hohl erklang. Zugleich fiel allerlei aus der Wand, Kalk oder kleine Steinpartikel.

„Woher wußten Sie denn das, Herr Doktor?" sagte Mörbischer erstaunt. Hatte er von Anfang an Sympathie für René gezeigt, so schien ihm dieser jetzt beinah zu imponieren.

„Ja, unser Herr Doktor!" sagte Herzka mit einem nervösen Lachen.

René gab Mörbischer den Hammer zurück. „War Ihnen das nicht bekannt?" fragte er.

„Nein", sagte der Kastellan. „Der selige Herr Baron hat nie haben wollen, daß ich hier heruntergehe. Ich war da kaum zwei oder drei Mal. Wir haben nur die drüberen Keller benützt. Ich hätt' hier so gerne Champignons gezüchtet, der gnädige Herr hat oft bei Tafel solche beliebt, aber er hat es mir nicht erlaubt. Und woher wissen denn der Herr Doktor, daß es hier weitergeht?" Er deutete bei diesen letzten Worten auf die Wand.

„Aus der Bibliothek, Herr Mörbischer", sagte René. „Dort steht das in einer alten Handschrift. Ich muß nun Herrn Herzka leider bitten, mit mir gemeinsam auf Sie, Herr Mörbischer, ein Attentat zu verüben: und zwar im Interesse der Wissenschaft. Dort oben in der Wand befindet sich eine Türe. Früher führten da Stufen hinauf, man sieht sogar noch die Spuren davon. Diese Vermauerung scheint sehr brüchig zu sein, Sie haben vorhin gesehen, daß nach meinem schwachen Schlag mit dem Hammer schon allerlei herausgefallen ist. Bitte, holen Sie gleich zwei von Ihren Leuten mit einer kurzen Leiter und ein paar Werkzeugen; ich glaube, es werden wenige Schläge mit der Spitzhacke genügen und das Zeug fällt zusammen. Dahinter ist ein Gang, der um beide Räume hier herumführt. Ich will diesen Gang betreten."

„Aber, Herr Doktor, wenn Ihnen nur nichts passiert dabei, weil vielleicht irgend etwas einstürzt . . ."

„Ich werde Ihre Leute gut belohnen, Herr Mörbischer", sagte Herzka.

Mörbischer verbeugte sich mit leichtem Lächeln gegen Herzka: „Gewiß, gewiß, gnädiger Herr, daran gibt es keinen Zweifel . . . Ich bin nur besorgt wegen des Herrn Doktor."

„Kein Grund, Herr Mörbischer", sagte René. „Dort hinten ist alles von ebenso festen Hausteinen wie hier; zum Teil wohl auch Fels. Nur das Türviereck scheint mit irgendeinem bröckeligen Material vermacht zu sein."

„Also – dann darf ich die Herren für ein paar Minuten allein lassen? Ich hole den Kutscher und den Gärtner."

Er ging.

René nahm sein Zigarettenetui hervor.

Der Rauch schwebte befremdlich hier. Es war intensiv zu fühlen, daß er nicht hierher gehörte. Für Herzka wurde das ganz deutlich. Er sagte es sogar. Vielleicht werde in diesen Kavernen zum ersten Mal überhaupt geraucht, meinte er. Sie traten in das vordere der beiden Gelasse. Alles war von den elektrischen Lampen an der Decke scharf erhellt. René betrachtete die Säule eingehend. Sie schien ihm ein in keiner Weise hierher gehöriger, von irgendwo anders herangeschleppter Bauteil zu sein, möglicherweise sehr hohen Alters. Der Fuß war offenbar tief eingesenkt; die Säule stand eisern fest.

„Nein, hier gab es einen anderen Rauch", sagte René zwischendurch.

„Welchen . . .?" fragte Herzka.

„Weihrauch", antwortete René. „Vor der Folterung einer Hexe wurde stets geräuchert. Und dies hier ist eine Folterkammer gewesen. Nebenan in dem kleinen Gelaß wurde die zu Folternde entkleidet und das Hexenmal an ihr gesucht, wenn auch nicht in allen Fällen. Dann führte man sie heraus, band ihr die Handgelenke an die Säule und geißelte sie, mitunter wohl mehr zum Schein als wirklich, zum Zwecke der Einschüchterung. Fast jede ‚peinliche Befragung' begann so. Hier, an dieser Säule, ist die Witwe eines Lienzer Bürgermeisters gegeißelt worden, eine schöne Frau, wie es heißt, wenn auch um fünfzig Jahre alt. Und noch eine andere auch."

Er betrachtete Jan ganz ungeniert nach diesen Eröffnungen. Auch Herzka zog jetzt seine Zigarettentasche hervor. Er sagte indessen gar nichts, wandte sich ab und ging langsam zu den Stufen, welche zu dem kleineren Raum führten, trat unter dem schmalen Mauerbogen durch und blieb dort drinnen stehen.

Es verging noch eine gute Weile, während welcher René die Säule nochmals genau betrachtete, jetzt bereits zu der Annahme neigend, daß sie möglicherweise sogar römischer Herkunft sei.

Dann hörte man die Schritte der Kommenden auf der Treppe, die vom untersten Turmgelaß herab in den Gang führte.

René trat heraus. Die zwei Mann, mit Krampen und Brecheisen ausgerüstet, trugen eine kurze Leiter; diese wurde am Ende des Ganges angelehnt. René stieg hinauf und zeigte mit dem Hammer die Lage des Türviereckes an. Dann traten Herzka, Stangeler und Mörbischer in das Gelaß zurück und ließen die Leute ungestört bei ihrer Arbeit, so daß diese nicht wegen fallender Brocken hinter sich zu sehen brauchten. Auch blieb man hier vom Staube unbelästigt.

Mit dumpfen Schlägen, mit Gebreche, Poltern, Rauschen und Geschütt war bald alles getan. Es dauerte gar nicht lange. Man sah durch den Mauerbogen, wie draußen am Gange etwas Staub in dem scharfen elektrischen Licht schwebte und sank.

Herzka ließ ein paar saftige Trinkgelder fallen. Das war nun keine ‚Berieselung' mehr. Es klatschte nur so. Mörbischer lächelte. Allerseits herrschte gute Laune. Die Leute ließen die Leiter angelehnt, hoben ihr Werkzeug auf und gingen.

Am Ende des Ganges, über der letzten Leitersprosse, gähnte, wie ein aufgerissenes schwarzes Maul, eine kleine Pforte; in ihr lag ein Häuflein Schutt. Unter der dicht bestaubten Leiter ebenso; auch waren manche Brocken da und dort hin gesprungen.

Stangeler sah sich das an. Dann sagte er zu Herzka: „Darf ich Sie um die elektrische Lampe bitten? Ich steige jetzt in den Gang ein. Sie werden die Freundlichkeit haben, im vorderen Gelaß, neben der Säule, stehenzubleiben. Wenn ich Ihnen später zurufe, Sie mögen das Licht ausschalten, tun Sie es."

„Das verstehe ich nicht", sagte Herzka, der jetzt etwas aus der Fassung oder dem Konzept zu geraten schien, „wir werden Sie doch nicht hören können!"

„Sie werden mich sehr gut hören", sagte René. „So, als ob ich neben Ihnen stünde."

Er trat zunächst noch mit Herzka und Mörbischer in den vorderen Raum (der Kastellan betrachtete Stangeler mit einer Mischung von stummer Bewunderung und Besorgnis). Dort zog er den Rock aus, sah sich um, und da er denn keinen Haken fand, um ihn aufzuhängen, noch sonst eine Gelegenheit, das Kleidungsstück loszuwerden, warf er es nicht ohne Genuß über den Säulenstumpf. Das war eine Art Fronde gegen Herzka; übrigens die einzige, welche René sich im Verlaufe dieser ganzen Angelegenheit geleistet hat. Es sah in krasser Weise stilwidrig aus, um nicht zu sagen lächerlich. Stangeler schritt auf den Gang hinaus und zur Leiter. Herzka und Mörbischer folgten ihm, hielten die Leiter, während René bedächtig hinaufstieg und die Öffnung ausleuchtete, und sahen ihm nach, als er von der Leiter trat und langsam nach links verschwand. Sie kehrten in das Säulengelaß zurück, wo René's Rock wie eine Kapuze oben auf dem Stumpfe hing. Herzka betrachtete das mit unverhohlenem Befremden. Aber es war nichts zu unternehmen dagegen. Man mußte es nun einmal dulden: so sehr es die Romantik störte.

Herzka und Mörbischer standen regungslos neben der Säule.

Alles war von den elektrischen Lampen an der Decke scharf erhellt.

Vor der Säule am Boden lag ein Zigarettenstummel, den Stangeler weggeworfen hatte: das war freilich nicht aus Infamie geschehen. Für Herzka jedoch bildete dieses Relikt eine Ergänzung zu jener von René der Säule verliehenen Drapierung.

„Bitte jetzt Licht aus!" tönte es wie aus nächster Nähe über ihnen. Beide fuhren zusammen. Es war nicht zu vermeiden, bei dieser in irgendeiner Weise doch gespannten Lage. Mörbischer ging zum Schalter. Im nächsten Augenblick herrschte hier und in dem kleinen Gelaß nebenan gänzliche Finsternis.

Über ihnen, aus der Wand, brach gleich danach der Strahl jener großen elektrischen Lampe, die René bei sich hatte, aus einer vordem nicht bemerkten Öffnung und spielte über die Säule und die beiden Personen auf und ab. Bei genauem Hinsehen bemerkte Jan jetzt, daß die Öffnung, welche das Licht entließ, aus zwei senkrecht zueinander stehenden Schlitzen bestand, die zusammen wie ein auf den Kopf gestelltes T aussahen (⊥).

„Bitte in den Nebenraum zu gehen", hörte man jetzt Stangeler sagen; gleichzeitig wandte sich der Lichtstrahl und leuchtete voraus zu den Stufen und dem Mauerbogen. Dann wurde es wieder finster. Herzka und Mörbischer taten in der Kammer noch zwei Schritte und blieben stehen. Sie vermeinten ein Geräusch zu hören, das wohl von Stangeler ausging; und gleich danach traf sie wieder der Lichtstrahl, und aus ähnlichen Schlitzen, wie den vorhin gesehenen. Dann hörte man Stangeler sagen: „Bitte, wieder Licht machen, ich komme jetzt zurück." Der Strahl wanderte und leuchtete dem Kastellan zum Schalter.

Sie traten hinaus und gleich danach erschien René in der Öffnung desTürvierecks über der Leiter. Er kletterte lachend herab. „Es lebe Herr Ruodlieb von der Vläntsch!" sagte er. „Übrigens werde ich nie glauben, daß der Kerl wirklich so geheißen hat. Was wär' denn das für ein Name! Gibt's ja gar nicht. Es dürfte sich da um ein sogenanntes Kryptogramm handeln. Vielleicht krieg' ich's noch heraus. Im fünfzehnten Jahrhundert herrscht eine gewisse Vorliebe für derlei Spielereien."

Er schlug den Staub von den Handflächen, trat rasch in das vordere Gelaß und nahm seinen Rock von der Säule; dieser war dort oben gleichfalls etwas staubig geworden.

Nun gut, die Drapierung war verschwunden, aber der Zigarettenstummel lag noch immer dort. Jan hätte ihn am liebsten aufgeklaubt und beseitigt; das ging nun freilich nicht an; den seinen war er bei der einen Feuerstelle losgeworden; er hatte ihn durch ein wenig Schutt unsichtbar gemacht.

Übrigens mußten diese elektrischen Lampen mit ihren blanken weißen Schirmen dort oben von der Decke verschwinden. Es würde sich dies schon irgendwie anders anordnen lassen, und nicht mit offen verlegten Kabeln.

„Jetzt sehen wir uns den Zauber von hier aus einmal an", sagte Stangeler vergnügt. „Wie wir vorhin hier gestanden sind, hab' ich die Schlitze gar nicht mit Sicherheit finden können, obwohl ich doch von ihrem Vorhandensein wußte. Also sehen Sie" – er deutete hinauf – „die Lisenen haben oben eine Art kleiner Konsole: daneben ist es. In der Kammer wurde das ähnlich, aber vielleicht noch raffinierter angebracht."

Es war in der Tat so wie er sagte.

Mörbischer schien völlig stumm geworden zu sein.

Das Gehaben Stangelers brachte in Jan Herzka eine sehr deutliche Erinnerung an die Kindheit herauf. Man lag mit Fieber im Bettchen, recht heiß, vielleicht ein wenig verschwitzt – da trat mit dem Vater der Hausarzt bei der Türe herein. Die kühlen Hände griffen und klopften Brust und Bauch des kleinen Patienten ab, jetzt lag das eigene Handgelenk zwischen den Fingern, welche den Puls prüften, jetzt senkte sich das schwarz glänzende Hörrohr zum Herzen: man sah die kurz geschorenen silbergrauen Haare des Arztes dicht vor sich (ähnliche Haare wie Mörbischer sie hatte). Im ganzen: man war innen, drinnen, verhängt, verfangen gewesen, heiß und transpirierend, der Arzt aber war draußen gestanden, mit kühlen reinen Händen und kurzgeschorenen Haaren, die dufteten, und mit dem sauberen glänzenden Stethoskop: einer Welt von unendlicher Ordnung und Vollkommenheit angehörend; mindestens aber: ganz draußen, unvorstellbar frei. Diesem Stangeler gegenüber bestand völlige Ohnmacht für Herzka, ja vielleicht sogar eine ganz entfernte Möglichkeit zu ohnmächtigem Grimme. Jedenfalls befand Jan sich im Augenblick sehr weit davon entfernt, anzuerkennen, oder überhaupt nur gegenwärtig zu haben, daß die Toleranz René's eine sozusagen grenzenlose war und zu einer Kritik nicht einmal den leisesten Ansatz enthielt.

Es war durch flüchtige Sekunden wirklich so, daß Herzka mehr als alles das zwei Kleinigkeiten innerlich vor Augen hatte: den über die Säule gehängten Rock und jenen Zigarettenstummel, der noch immer vor deren Fuße lag.

Aber das verging.

Stangelers Organe und Apparaturen griffen nun wieder nach Jan.

Er lud ihn ein, den neuentdeckten Gang zu besichtigen.

Mörbischer war's hochzufrieden, daß man ihn damit verschonte.

Schon zog René sein schönes Sportjakett wieder aus und hängte es neuerlich über die Säule.

„Ist es denn nicht kalt dort rückwärts?" fragte Herzka.

„Gar nicht", sagte René. „So wenig wie hier. Ich will meinen Rock schonen. Man streift an."

Auch Herzka legte jetzt seinen Rock ab und hängte ihn über den René's. Man könnte sagen: er knallte ihn hinauf. Merkwürdig: das entlud ihn, es entspannte ihn. Die Säule blieb hinter ihnen zurück mit dicker doppelter Kapuze.

Sie stiegen über die Leiter, René voran, der alsbald den Scheinwerfer einschaltete. Man konnte aufrecht gehen. Der Boden schien fest und hart, aber nicht vollends eben. Nach wenigen Metern ging es nach links um die Ecke, und von hier ab war der Gang breiter. Ein Lichtband fiel querüber. Es kam aus dem vorderen Gelaß, wo die Säule stand. Nun waren die senkrecht aufeinanderstehenden Schlitze zu sehen. Herzka trat in die bequeme Nische und blickte hindurch. Man konnte einen großen Teil der Folterkammer überschauen. Neben der unpassend kapuzierten Säule stand der ebenso unpassende Herr Mörbischer. „Warum hat das eigentlich diese Form?" sagte Herzka zu Stangeler und zeichnete das auf dem Kopfe stehende T (⊥) in die Luft. „Um einer Armbrust Seiten- oder Höhenrichtung geben zu können", antwortete René. „Ja, wurde denn hier geschossen?!" fragte Jan, und wie ernüchtert. „Ja", sagte Stangeler, „Sie werden heute noch hören." Herzka schwieg. Sie gingen ein paar Schritte weiter und sahen in den zweiten Raum durch eine ganz gleiche Vorrichtung hinab.

Als sie wieder bei Mörbischer anlangten und ihre Röcke anzogen, sagte Stangeler, daß er vor dem Tee noch kurz den Turm besteigen wolle – und nicht durch das Haus, sondern durch die Turmtreppe selbst. „Sie können ruhig hinaufgehen, Herr Doktor", sagte Mörbischer, „es ist alles in Ordnung, Treppen, Geländer, Brüstungen, alles fest." „Ich werde dann noch einmal durch den großen unterirdischen Gang gehen und von da durch das Treppenhaus in mein Zimmer, um die Hände zu waschen und das Manuskript zu holen. Dann komm' ich zum Tee in die Bibliothek, wenn's Ihnen so recht ist, Herr Herzka, um vorzulesen."

„Bitte sehr, Herr Doktor. Auf Wiedersehen."

Mörbischer verbeugte sich lächelnd.

Er und Jan stiegen langsam zu Tage.

„Ein außerordentlicher junger Gelehrter, der Herr Doktor von Stangeler", sagte Mörbischer in jenem bescheidenen Ton, den er geradezu meisterte.

„Ja, es ist stupend", antwortete Herzka. „Er sagt, das könne auf dem Institut für Geschichtsforschung in Wien jeder, und die meisten seien noch weit kenntnisreicher."

„Das kann ich doch kaum glauben", erwiderte Mörbischer.

„Es ist schon möglich", sagte Herzka. „Die Wissenschaftler bei uns in Österreich sind unheimliche Burschen. Denken Sie zum Beispiel an die Mediziner. – Herr Mörbischer", fuhr er dann fort, „ich würde gerne hier unten einige Adaptierungen vornehmen lassen. Vor allem muß in das Loch, welches heute gebrochen wurde, eine ordentliche Türe eingesetzt werden, von dunklem Holze, und davor gehört eine kleine Treppe von Stein. Der Gang dahinter soll elektrisch beleuchtet werden. Vorne aber, in den zwei Räumen, will ich eine andere Art der Beleuchtung. Man soll da die elektrischen Lampen nicht sehen. Das muß ich mir noch überlegen. Vielleicht kann man sie in Nischen anbringen. So wie jetzt – das ist stilwidrig." (Herzka staunte über sich selbst. Dies hier, was er sich zu sagen leistete, erschien ihm plötzlich wie am äußersten Rande der Gewagtheit. Mörbischer indessen fand alles selbstverständlich. Ein alter Lakai kennt kein Staunen, nicht einmal Verwunderung; er ist ein fleischgewordenes ‚nil admirari'.) „Das wichtigste aber" – so fuhr Jan fort – „ist die Beheizungsfrage."

„Man müßte nur die beiden Kamine aufbauen lassen", sagte Mörbischer, „denn die Rauchfänge sind vollständig in Ordnung. Das weiß ich vom Rauchfangkehrermeister. Der war drinnen. Sie sind schliefbar. Abzüge von offenen Kaminen sind fast immer schliefbar."

„Gut. Aber dann bleibt der neu entdeckte Gang ungeheizt. Das müßte man elektrisch machen."

„Ich glaube, das wird unnötig sein, gnädiger Herr", sagte Mörbischer (ganz unerschütterlich). „Während die Herren da rückwärts waren, hab' ich mir zufällig überlegt, wie die Abzüge von den Kaminen wohl im Verhältnis zu dem Gang verlaufen mögen, weil mir eingefallen ist, was der Rauchfangkehrermeister gesagt hat. Wenn die Kamine instand gesetzt wären, würden sie mit ihren Abzügen wahrscheinlich den Gang mit beheizen. Aber freilich, wenn der gnädige Herr gleich überall unten eine elektrische Heizung einrichten ließen, wär's zweifellos das beste. Denn die offenen Kamine – das ist doch mehr für's Auge. Oder man braucht gleich eine Fuhre Holz. Und wegen des Stilistischen – das ließe sich gewiß machen. Man könnte ja alles gedeckt anbringen. So wie das Licht. Ebenfalls in Nischen."

Du Aas! dachte Herzka. Laut sagte er: „Ja. Sie haben recht, Herr Mörbischer. Ich werde die Heizung doppelt machen lassen."

Er wandte sich zur Treppe. Wohin auch hätte er sonst sich wenden sollen.

Inzwischen war Stangeler auf die Höhe des Turmes gelangt und zugleich, für flüchtige Augenblicke, in die Tiefe der Erinnerung an gewisse Träume, die ihn manchmal heimsuchten: nämlich hoch auf einem Turme ausgesetzt zu sein, ganz unwiderstehlich hier heraufbefördert durch einen Aufzug, eine kleine Kabine, von dem einen schwindelnden Absatze immer zum noch höheren steigend.

Hier ging er zahllose Male um die Spindel einer engen Treppe.

Den Ausstieg auf die Plattform hatte man, um die Anbringung einer Falltüre zu vermeiden, in Gestalt eines verschalten Windfanges gemacht, dessen kleines wetterfestes Häuslein nun auf der Plattform stand.

Im Anstieg hatte René auch Turmgemächer betreten – sie standen leer – und noch einiges in bezug auf die Verteidigung bemerkt. Aber sein Interesse daran war erlahmt. Aus den Stockwerken des Turmes, von denen keines mit jenen des Herrenhauses ganz übereinstimmte, führten doch, durch Stieglein angeglichen, Türen in die breiten Korridore hinüber. René entdeckte so einen kurzen Weg zu seinem Zimmer; er beschloß, auf diese Weise dann von oben zurückzukehren und auf eine nochmalige Begehung des langen unterirdischen Ganges zu verzichten.

Als er nun aus dem Windfang und auf die mächtig breite, mit einer hohen Brustwehr umrandete Plattform trat, kam, von sehr schwachem Südwinde getragen, das Ave-Läuten, wohl von jener Kirche, deren Turmspitze er aus seinem Fenster hinter dem bewaldeten Rücken hatte sehen können.

Er schritt rundum die Brustwehr entlang, ohne eigentlich die sehr bedeutende Fernsicht im einzelnen zu betrachten, ohne Bedürfnis auch, sich darin jetzt zu orientieren: und vielleicht gerade deshalb wirkte deren Anwesenheit noch stärker ausweitend auf René. Hier erst – und nicht über dem Manuskript, und nicht auf den Schützenständen, und nicht unter der Erde – wurde ihm der Lebensgrund fühlbar, in welchem dieser Herr Achaz, ‚der Neudegger‘, gewurzelt hatte; hier, hoch auf dem Turme, konnte er jenes dort unten in der Tiefe der Zeiten versunkene Grundgeflecht durch Augenblicke ahnen. Bei solcher überlegener Kraft der Defensive mußte sich ein Mensch als durchaus eigenständigen Rechts gefühlt haben bis zu einem Grade, der in unserer Zeit auch dem Mächtigsten unvorstellbar wäre. Blies ein heißer Südwind, strahlten böse Sterne, oder schäumte ein Bodensatz auf aus den vermischten Resten längst vergessener Vorfahren: hier mußte der nächste Schritt zur Ausschreitung werden. Unterblieb sie aber, durch ein ganzes solches Leben, dann war's ein Heldenwerk. Welch ein Ding war das, hier unter dem Himmel zu wohnen, herausgewölbt und emporgehoben hoch über das flachere Land; seines Armes mächtig, seiner Knechte sicher zu sein, wie des eigenen Bolzenschusses und Hiebes. ‚Mein junger Herr war zu den Zeiten ein gerader Ritter, ihm war ze harnasche wol.‘ Dieser Ruodlieb, oder wie er schon wirklich geheißen haben mochte, hatte sogar die Dichter gekannt, denn jenes ‚ihm war ze harnasche wol‘ stammte aus dem ‚Gregorius‘ des Hartmann von der Aue und lag da, wie so manches bei Ruodlieb, als ein richtiges mittelhochdeutsches Einsprengsel in der späten Sprache, dem Deutsch um 1500. Stangeler hatte das gleich beim ersten Durchsehen aufgespießt. Wertvoller geistesgeschichtlicher Beitrag über Lesen und Bildung bei jungen Edelleuten des fünfzehnten Jahrhunderts . . .

Vielleicht hat er den ‚Gregorius‘ auch später erst gelesen.

Jedoch: jedes wirklich tiefe Denken sucht die Ferne, die der Zeit, die des Raums. Es gibt kein tiefes Denken über Naheliegendes; darüber kann man nur sinnieren; so wie es Stangeler hier tat. Herr Achaz lag ihm diesfalls nahe.

Die Empfindung gleich beim Heraustritte und beim Ave-Läuten war ganz zu Anfang eine andere gewesen. Er hatte sich erhoben, durch das Heraufsteigen auf den Turm, Herzka und Mörbischer dort unten lassend, und sich selbst dazu, wie er eben gewesen war: wichtigtuerisch, einmal auch beinahe infam. Nun verklang das Geläut, noch ein einzelner Ton kam nach, zart, abgefangen, wie durch Mauern, wie man ein fernes Klavier hört, in einem weitläufigen Hause.

,Es ist Mary. Sie spielt wieder.'

Die Halbwüchsige brachte den Tee.

Stangeler kroch in die Teetasse. Den Tee schien er einzuatmen, den Zigarettenrauch zu trinken, oder beides zugleich, oder auch umgekehrt. Es war ein sehr intensiver Vorgang. Herzka sah ihm mit einigem Aufwande von Geduld zu. Und ganz plötzlich erkannte er, wie durch Eingebung, daß er einen Mann sich gegenüber sitzen hatte, der mehr über ihn wußte, als selbst die Güllich – – und ihm dabei so gut wie unbekannt war. Nur die nachgeholte Erkenntnis des Selbstverständlichen erzeugt einen solchen Schock, wie ihn Herzka jetzt empfand. Selbstverständlichkeiten sind Ungeheuer, die neben uns geschlafen haben. Jetzt erwacht das Untier, es rührt sich. Wir haben es erkannt. Nur Selbstverständlichkeiten können den Gegenstand wirklicher Denkakte bilden. Das Originelle und Interessante ist immer zweitklassig. Daher gibt es nur zweitklassige Anekdoten.

„Bevor ich, Herr Herzka", sagte René jetzt, „Ihnen das mittelalterliche Manuskript vorlese, muß ich einige kurze Bemerkungen machen. Nicht über das Wesentliche der Hexenprozesse, das Dämonologische also, und seine vorhandene oder nichtvorhandene Realität. Darüber haben wir ja am Samstag gesprochen. Keineswegs alle Hexenprozesse enthalten überhaupt einen solchen Kern. Die neuere Literatur über unseren Gegenstand ist zumeist indiskutabel, besonders jene in deutscher Sprache. Ich nenne derartiges einfach ,Aufkläricht'. Wenig berücksichtigt wird auch, daß ein großer Teil der Hexenprozesse außerhalb der Sache selbst liegende Motive hatte: Geld und

Macht. Man konnte etwa auf diese Weise lästige Familienmitglieder verschwinden lassen; und dem oder jenem waren vielleicht alle lästig, Männer und Weiber, bis auf die eigene werte Persönlichkeit. Zweitens aber, und dieser Punkt wird immer mit Zimperlichkeit von den Herren Autoren übergangen und bestenfalls nur gestreift: man bekam Frauen, an die sonst nicht heranzukommen war, auf diesem Wege in die Gewalt. Das übliche Verfahren bei einem Hexenprozeß bot dann reichliches Amusement. Derartiges dürften nicht wenige größere oder kleinere Mächtige praktiziert haben, es sieht ganz so aus. Ein solcher war Ihr Vorfahr Achaz von Neudegg. Nun bedeutete das zweifellos einen Übergriff. Denn das Delikt der Zauberei gehörte nach damaliger Anschauung vor eine gemischte geistlich-weltliche Kommission. Aber auch nach der offiziellen Einführung der Hexenprozesse, die damit ja keineswegs erst begonnen haben, ist es nie zu einer klaren und einheitlichen Abgrenzung der Kompetenzen gekommen. Eine wirksame und durchgreifende Regelung fehlte. Sie fehlte innerhalb der eigentlichen mittelalterlichen Welt in viel wichtigeren Dingen ganz; und das blieb auch später noch so. Man kannte jenen Drang nach dem Durchorganisieren nicht, jenen inneren Zwang, alles buchstäblich regeln zu müssen, dem unser Zeitalter bereits vollends zu erliegen beginnt. An sich war es, nach den ganzen damals herrschenden Auffassungen, gewiß widersinnig, ein Verfahren wegen Zauberei durchzuführen ohne Mitwirkung des Landesbischofs oder irgendwelcher geistlicher Stellen überhaupt. Denn Hexerei war schließlich immer auch Ketzerei. Und doch hat man die geistliche Autorität vielfach umgangen oder übergangen. Weltliche Herren, ja sogar Städte, haben auch nach der offiziellen Einführung der Hexenprozesse noch derartige Verfahren durchgeführt, sowohl in den katholischen, wie später in den protestantischen Ländern. Dies muß bei dem Vorgehen des Achaz von Neudegg eben auch in Betracht gezogen werden, wenn man es richtig sehen will. Er hatte eine Mission vorzuschützen, ein Handeln im Interesse des Landes, wenn er das Zauberwesen – vor dem allgemeine, geradezu epidemische Furcht herrschte! – sogleich energisch angriff und aufgriff, wo er es handhaft betreten zu haben vermeinte: und das behauptete ja Herr Achaz! Freilich blieb unerhört, daß er die Witwe eines Lienzer Bürgermeisters und eine Verwandte von ihr ergreifen ließ, außerhalb seiner Gerichtsherrschaft. Übrigens weiß ich noch nicht mit Sicherheit, ob Herr Achaz überhaupt Gerichtsherr gewesen ist; hier zu Neudegg nämlich. Es scheint mir wahrscheinlich; doch fallen Grundherrschaft und Gerichtsherrschaft nicht unbedingt immer zusammen. Diese und andere Umstände werde ich verhältnismäßig leicht ermitteln können. Sicher ist, daß die Ergreifung der beiden Frauen eine Nichtachtung fremder Gerechtsame bedeutete. Nun genug von alledem. Der Mann, den Sie jetzt erzählen hören werden, hieß angeblich Ruodlieb von der Vläntsch. Er war ein ‚Knecht‘, wie's genannt wurde, also ein Ritterbürtiger noch ohne Ritterwürde, ein Knappe. Diese Leute bildeten einen Stand, der sogar auf den Landtagen vertreten war, die sich damals aus ‚Prälaten, Herren, Rittern und Knechten‘ zusammensetzten. Herr Achaz dagegen war ein ‚Herr‘, ein Freiherr, Baron. Ruodlieb war zur Zeit der geschilderten Begebenheiten etwas über fünfzehn Jahre alt. Niedergeschrieben hat er das Vorliegende, auf Grund von gleichzeitig mit den Ereignissen gemachten Aufzeichnungen, erst dreiundfünfzig Jahre später, zu Augsburg im Jahre 1517. Meine Abschrift des Textes wird .freilich nach den allgemein für die Edition von Quellen herrschenden Gepflogenheiten gemacht werden müssen. Für Sie, Herr Herzka, gedenke ich jedoch in Wien ein anderes maschingeschriebenes Exemplar herzustellen, da oder dort sehr maßvoll modernisiert; jedoch in der bekannten unregelmäßig wechselnden Schreibweise der Zeit und mit ihren Ausdrücken, weil sonst der Charakter des Ganzen verloren geht; dafür aber mit den für Sie erforderlichen Erklärungen; in allem ungefähr so, wie ich es jetzt beim Vorlesen machen werde.‘‘

Wiederum fühlte sich Jan an das Krankenzimmer der Kinderzeit erinnert, an den leicht desinfektiven Geruch, der vom Arzte her zu spüren war, wenn dessen kurz geschorener silbergrauer Kopf sich über den jugendlichen Patienten beugte. Es war der feine, schwache, kühlende Karbolgeruch, was er da spürte, der, im übertragenen Sinne, von jeder Fachwissenschaft mehr oder weniger verbreitet wird, nicht nur von der medizinischen, und alles vom Leben abtrennt und zum Präparat macht, was in ihren Bereich tritt.

„Und nun hören Sie“, sagte Stangeler, und schlug die alte Handschrift und daneben sein Heft auf.

7

Dort unten

Ein zeit nach Hertzog Albrechts tod, der ist gestorben Freitag nach Sanct Andre vergangen Jahrs [„2. December 1463"] schreib meim herrn der edelvest herr Lienhart von Felsegk aus Tyrol, wo derselb bei Hertzog Sygmunden war, er hätt Brief aus Wienn, daß dem Hertzogen [„Albrecht"] zu Wienn sei vergeben worden [„das heißt: er sei vergiftet worden"], wie man schon oftmalen gehoert, und sei auch wahr, und nicht an der Pestilenz gestorben, wie söllichs die Kaiserer sagen, wär aber ein Lug und falsch geticht [„Kaiserer sind die Parteigänger Kaiser Friedrichs III., Bruder des Herzogs Albrecht, und sein erbitterter Feind"). Wann er hätt getreuliche lange Brief aus Wienn von dem Hans Hierszman, der war des Hertzogen Türhüter und hätt allzeit mit ihm in der selben kammer geslafen, und mit ihn' noch der Achaz Neudegker. Dieser war meim jungen herrn ein Vetter, hieß grad wie er selbsten, und dienat der Zeit bei dem Hertzogen. Selbiger Hierszman war guetter Leute kint, ein Swab [„Schwabe"] von Augspurg. Der Hierszman hat ein Nachthaubn behalten von dem Hertzogen zum Angedenken, darauf der arm gnedig herr sogar erbrochen in seiner letzten Krankhait, und ander hätten ander Ding behaltten ân [„ohne"] besundern Wert, wann es geleich die Doctores widerrieten, so mocht es doch nicht gesein, und behieltens all so bei sich. Ist aber kainer krank geworden von der Pestilenz, auch nicht der Neudegker und auch der Hierszman nicht, ob sy gleich in des Hertzogen Bett gelegen haben und in seinem Schweiß, dann er an ein anders Bett sich legen wollt. Und mußten also da slaffen, wie er's ihn' befohlen, und legt sich seins teils an ihr Bett und slieff da, kurtz vor sein tod. Das alls genug Peweis waer. Die Doctores so den Hertzogen nach seinem tod auffgemacht [„obduciert"], haben offenlich gesagt, ihm sei vergeben worden, und wissaten auch die Gifft zu nennen, doch hieß man sy sweigen.

Mein herr war voll Unmuetts und Zorens [„Zorn"], daß man den edeln herrn auf solche weis erbärmblich vom Leben zu dem tod gebracht. Dann er war dem Hertzog Albrechten guett gefreundt gewest und in Treu ergeben, und sprach ein übers ander mal, wann man der Laur [„Schurken"] habhafftig werden könnt, von denen sölliche Gifft ausgangen, man sollt sy in stücken hauen.

Darnach schreib er geleich an sein Vetter in Wienn, er sollt ihm ân [„ohne"] Verziehen Bericht tuen mit ain Brief, und sollt in Wienn zu ihrer Gnaden der Frau Marckgraefin gehen, ob er nicht ichts [„einiges, etwas"] mehrer erfahren moecht, wie es zuletzt noch alles ausgangen. Dann der Hierszman hätt ihr Bericht tuen muessen, das hat Herr Lienhart meim jungen herrn auch noch geschriem. [„Katharina, Markgräfin von Baden, war des Ermordeten Schwester, und lebte zur Zeit seines Todes in Wien."]

Aber sein Vetter antwürtt ihm nicht, und war der zeit wol garnicht mehr ze Wienn in der statt. Wie auch mein Herr mit ungetult wartt, ihm kom kain potschafft.

Mein junger herr war finster, mocht er auch suenst [„sonst"] immer guetten muts gesein, und raitt allein in walt, und durfften wir [„die Knappen"] nicht mehr mit ihm. Und wurd immer schlimmer mit ihm, wann er traurig und zorniglich war, und sagt oft, wann man söllich ein edeln herrn dermürdert [„ermordet"] siecht von den, so ihm am nahesten gefreundt, dann sei niemnd seins Lebens mehr sicher; dann es muess einer gewest sein, so dem Hertzogen am nahesten gefreundt. Und Herr Lienhart schreib auch, es wär der herr Jörg vom Stain gewest, wie man meint. Aber das wollt mein herr nicht gelauben und sagt, daß es gewißlich die Kaiserer gewesen, von denen die gifft ausgangen seind.

Wär es aber der herr Jörg gewesen, dann mueßten all Lantherren, aber nicht nur die von Österreich, auch die ander, auch die von Kärnden, mit macht zesammenkom und den Mortpueben ausshebn und vangen, daß man ihn vor ein lantmarschallich gericht stellt.

Aber darin irrt er, und das mochte nicht gesein. Wie dann sein Kayserlich römische Majestaet, wann Sy gleich mehr macht hätt als ettlich Lantherren, über jar und tag mueßt kriegen und arbaiten lassen gegen den herrn Jörgen, dasz er ihn' entlich liesz stat und herrschafft steyr, die ihm verpfendt war von Hertzog

Albrechten saeliger gedechtnus, und ruckt da zulezt heraus und sein Kayserlich Mayestaet nahm es entlich ein.

Am Sonntag nach der ganzen Fastenwoch [„Sonntag Reminiscere – damals 26. Februar"] sagt mein Herr, er woell zu dem Herrn Lienharten reiten in Tyrol, es ließ ihm kain ruhe niecht, dasz er dort mehrer erfahr von des hochsaeligen Hertzogen Albrechten wegen. Wir richtaten danach alles zue. Mein herr war der Zeit ein grader junger Ritter und forcht kain weg niecht und war ihm allezeit ze harnasche wol. Die Läuff [„Zeitläufte"] waren eben ruhig, so wollt er nur den Wolf mitnehmen, der war ein knecht wie ich, doch älter, sein nam ist mir wol bekannt, doch mag ich ihn nicht genennen. Neben dem Wolf noch sechs Pferdt [„das heißt: sechs berittene reisige Knechte oder Söldner"]. Wir hietten der zeit ihrer zwantzig auff dem haus, Deutsche und auch Pehem [„Böhmen"], die waren von Österreich komen, wo ihn' der sold fehlt, zu den Zeiten, da die stöß gewesen zwischen Seiner Römischen Mayestaet undt herren Gamureten von Fronau, was alls man dann austaidingt [„durch Verhandlungen beilegt"] anno Lxii. Diese soldner waren wol vermugend [„imstande"] das Geschloß gehoerig zu beschutten [„beschützen"]. Deren nahm er sechs, und den Wolf, und auch ledig rossen fuer den wâtsac [„Reisesack, Mantelsack"]. Ritten ab um hankrat [„vor Sonnenaufgang"] vier taeg darnach am Mittichen nachst dem Sonntag vor der Mitfasten [„Sonntag Oculi"] das war der letzt Tag Februarii, item der neununtzwanzigst, darumb hab ich's pesser pehalten, wann es ain annus bissextus [„Schaltjahr"] gewesen.

Auff dem Gschloß da belieben [„blieben"] nur der Herr Tristram der Hamlecher, Ritter, der war meins herrn zue den zeiten seyn haubtman unt Burggraf, und seyn Rentmaister, hieß herr Oswalt Trittmang, Ritter, sodann zwo knecht, der ain hiesz Heimo, ains Ritters sun, unt mag sein ander nam niecht sagen, undt ich. Suenst noch Dienstleit unt mägd.

Wir gedenkten dy zeit wol zue nutzen, unt meins herrn all stubn schoen machen, item dy staell auch, undt zwo ärmst [„Mehrzahl von Armbrust"] dy waren auch ze pessern [„reparieren"], undt schickten uns all so an unt waren da bei munter undt guetter dingen. Das gie so hin vier taeg.

Darnach an dem vierten Tag, es war schon nacht und spat und alls schlieff, da hoert ich rollen von raedern undt huffslag von dem straeßl als von mehrern reuttern, undt spranc von dem Bette, unt fahrat in main gewant in der finster. Und hoert den Wachter ab dem Turn hürnen [„in's Horn stoßen"], und nahm mein Armprust mitsamt Hauspfeyl [„üblicher Ausdruck für den Armbrustbolzen"] undt lauff hin an dy prustwehr, und ander mit ärmst in Handen lieffen auch zue mit mir. Da hoert ich auff dem Sträßel hürnen, und war meins herrn weis, wie der blasen ließ bei jagt, undt war der Wolf, der do hürnet. Ich kom zu der prustwehr und mir entgegen hoert ich mein herrn rueffen: „Hei! Is der Ruodl niecht do?!" „Hie pin ich, gnedger herr", schrai ich, undt „was wöllt Ihr befehlchen?!" „Laß die prucken abher, Ruodl", sag er, „wir seind wyder zuhaus."

Darnach, wie ich zur prucken spring, waren dort schon zwo Soldner, und ließen all so die prucken abher. Kom ain groß wagen mit swer rossen, undt ob dem wagen sitzund einer von dy Pehm, undt der wagen war gantz zuegemacht, undt dann rait mein herr herein undt hinder ihm der Wolf undt dy Pehem [„die böhmischen Söldner"] mit dy ross fuer den wâtsac [„Pack-pferde"] und auch ain ledig ross, das war des, der ob dem wagen saeß, undt wie main herr mich siecht und vornueber raitt, ruefft er zu mir: „Seind wier wol in das Lant Tyrol kommen, dannoch nur bis Apfalterspach, undt han ain guetten vang getan."

Aber ich wessat niecht was es bedeutten solt, und gedacht, wer da wol in dem wagen saeß, undt gie denen nach auff den Hoff, wo der wagen stundt, und die Pehem, die blieben noch zu rossen, nur mein herr stund ab dem ross, und der Wolf, undt der Heimo, der war auch do, undt warten all auf meins herrn begehr.

„Ihr do", spricht er, „ihr Wolf undt Heimo undt Ruodl, nehmt euch wol in huett. Im Wagen hie sitzen zwo Zaubrinnen, dy will ich in venckchnus nehmen und halten [„gefangen setzen"], undt secht jetzt zue, dasz euch niechts leides be-schiecht. Werdet dy zwo Fraun in dy Kemnat bringen undt ihrer suenst wartten, wessen sy beduerfen undt wellen, dannoch habet acht dasz euch kaine niecht entgehet. Holt euch zwei Mägd herzue. Vor dem Gadem [„Zimmer"] aber sull, als lang dy nacht ist, allezeit einer von euch wachen vor der Tür." Wendt sich zum wagen, machat auff die tuer, und ruefft hinein: „Stehet ab, Ihr Frauen!" Undt kehrt den rucken, geht davon, undt zue der Graeden [„Freitreppe"] undt in das Haus. Dannoch stunden noch immer da dy Pehem auff irn rossen, aber als jetzt dy ain von den Fraun hervorkom aus dem wagen, kehren sich dy rasch zu den stall undt raiten als sneller als lieber davon.

Uns ward dy sach frömbd [„erstaunlich, ungut, unheimlich"], undt der Heimo ruefft den Soldnern nach „woellet ihr wagen undt pferdt dy nacht auff dem hoff lassen?!", aber als lang wir do mit den zwo Fraun waren, ließen sich kainer sechen.

Darnach zuhant bring wir die Fraun hinauff, war niechts an ihn' zu erblicken wann manteln undt Gugln [„Hauben"]. Undt der Wolf, bevor er unns bericht tuet, treib er dy kuchlmentscher an, da woellt kaine niecht hinauffgan, undt forchten sych vor den Zaubrinnen, undt muesst ain in ihrn ars [„podex"] treten, dasz sy verrer [„weiter"] kom mocht mit dem essen undt Wein undt Feuerholtz fuer dy fraun undt ain oder ander kanntl heisz Wassers. War daraus wol ze ersechen, wie dy Pehem schon ueberall herumgeschwatzt.

Darnach erzelt unns der Wolf dy sach, zu vordrist, wie sy bis Apfalterspach zwei taeg gemachsam geritten undt dort wiederum zur herperg gegangen. Doch aus was ursach sy diesen weg genommen, das sei auch niecht wol zu verstehen. Aber der herr wollt eben dort nachten undt meint, es sei ihn' dortt pesser. In der herperg dy zwo Fraun, dy kom von Lientz, undt gedachten verrer ziechen, undt an der Geul abhin bis Paszriach an dem klain see, und hetten den wagen mit rossen, daz war all ihrer, aber der knecht, so sy fuhr, der war ihn' entlauffen, undt aus was ursach, sagt der Wolf, das wiss er nicht. Undt hetten suenst niemant bei ihn', und soelichs sei ihm frömbd erschien, dasz sy gantz ân [„ohne"] gelait des wegs zugen. Ze Paszriach lebt der ain ir Tochter, dy sollt pald in dy kindlpetten komen [„niederkommen"], der wollten sy dortt zue hilff gesein in ir sweren stundt. Dy zwei fraun sein nicht jung, sagt der Wolf, dannoch in dhainlei [„keinerlei"] weis wuest [„unschön"], vielmehr wol ansehende grosz fraun. Darnach unser junger herr in der stubn, da sy bei Essens saßen, der treib mannig kurtzweil mit ihn', und trankhen wir alle je länger je mer, undt der herr wartt auff ritterlich den zwo fraun. War aber wol zu sechen, dasz die in ir Ehrbarkait belieben [„blieben"] undt in allen zuechten, was meim herrn so gewisz vielleich niecht geschien. Dann ich sach ihn, sagt der Wolf, gentzlich verwandelt, und war guetter ding, und hett sein Augen auff den fraun, undt auff der ain meher

[„mehr"] dann auff der ander undt hinwieder auff der ander mer als auff der ein. Und ich wissat niecht, wo das alls noch sollt hinnausgan.

Darnach zuhandt, sagt der Wolf, geht die ain Fraun auff ihr kamer, sy hett ain guett gewirz, das woell sy in den Weyn tuen, sagt sy, das bekom wol und gehelfft uns, dann wir hietten all zue viel des Weyns, undt hilf unns das gewirz davon. Mein junger herr aber, der gie ihr nach, ân alls Gerausch, undt war leis wie ain maus, undt wyr lachaten all in der stubn und machaten ein grosz lermen, dasz sy ihn dester ringer mug horen [„noch weniger hören möge"]. Wy es nun oben gewesen undt waz sich begeben weisz ich niecht unt ob herr Achaz sich ihr hat zue erkenn geben oder nicht, daz weyss ich niecht, warn auch swerlich lenger von tische als man gemachsamlich zalt [„zählt"] bis hundert. Die Fraun kom dy Stiegen wyder abher, undt der herr hiet sich schon wieder zue dem tisch getan. Unt sy pracht eyn schüssel, do waren nur kreiter drinne, dannoch so koestleich, dasz dy stuben von den gesmach [„Geruch"] gar erfüllet war. Undt tett dy zuhandt in ain kanntdl weyn. Unt wyr sulltens noch anstehn lassen ain weyl undt darnach trinkhen. So teten wir, und do wurdt unns alln gar viel pesser in kopf und sehr pald so wol zu muette, als hett wir geslaffen aber nicht ueber dy masze getrunkhen. Undt belieben noch ain guet weyl beisamm.

Des margens [„am Morgen"] sagt mir mein herr in ainer gehaim, er hett in dy kammer gelueget, dann sy die tuer nicht geslozen hinder sich. Unt sey aus ir kamer ain gesmach kommen noch hundertfaltig koestleicher alls von den gewirz, so sy gepracht, auch hett er dortt mannig geraet gesechen, auch von Venedigisch glas, und hett all geglanzt und haett koestleich gedufft.

Wyr assen dasz fruemal mit den Fraun unt unter essens sagt mein herr, er woell ihn' daz gelait gebn, wann sy kain Fuhrmann niecht hetten, sollt ainer von dy Pehmen bei ihn' auffsitzen, undt er rait mit ihn. Des wundert mich nicht wenig. Und darnach so slugen wyr unns den weg wyder hinderwaerts, anstat inn das Lannt Tyrol darein wyr waren, und riten alsdan den großen fluß [„die Drau"] wieder auffhin undt zue der Linken in das ander tal undt so verrer [„weiter"] undt zugen zum letzt dy Geul [„Gail – im Gailtal"] abhin. Meins herrn Pferd gie ains tails des wegs ledig, wann er in dem wagen saeß bei den fraun, und treib kurtzweyl mit ihn'. Auch stunden wir ettlichen mal, bei sechs oder sieben malen, von den rossen, und ward einkehr gehalden und trankhen basz wein, als, dasz zu letzt mein herr sagt, daß wir gesammet pald wieder ains kestleich gewirz bedirftig seyn mechten, aber es gie auch ân [„ohne"] dem. Die ain von den fraun lachat undt sagt, es wer all zue tief in der truchen, so sy in dem wagen fuehrten.

Aber mein herr, sagt der Wolf, der rait wyder ain guett stuek, undt ich sach ihm haimlichen von der seitn an, undt merckat wol, dasz er in sinnen war undt in ain aus sinnen von sach bei ihm selbsten. Undt dacht ich, daß es wol dy zwey Weiber betreffen mecht. Dann er vielleich schon gemerckht, dasz dy erbarer waren undt belieben [„blieben"] in aller kurtzwey, undt er irer niecht mechttig wuerd, mocht er geleich ain Lantherr sein und jung undt geradt, und ihn schön tuen. Und sagt allweyl „Frau" zu ihn', wann sy doch niecht Frau und niecht Fraulin jemalen seind gewesen sundern purgerinn [„die Ansprache ‚Frau' und ‚Fräulein' kam bürgerlichen Personen damals nicht zu"]. Darnach auch treib er wieder sein ross an dem wagen und schwatzt mit den Weibern. Undt do wir mehrmalen zuekehraten [„einkehrten"] under wegen, naigt sich der tag.

Do waren wir vor ain Orttschafft, hiesz Perg, mochten aber do niecht leicht herperg gewinn, wann wir selbachter warn, undt dy zwai fraun dartzue. Aber die Pehem warn guetter ding, weyl ihn' der wein smeckt, undt ruefften: „Gnedger herr, so well wir gern do beleiben und slaffen bei den rossen in stall!" So schickht sych das annder, undt dy zwo fraun kriegen ain kamer, undt mein gnedger herr undt ich, wir han geleich in der stuben geslaffen, do wir des abents mit den fraun saszen, niecht ân vil trinkhens undt kurtzweyl, undt sy hett gar yr gewirz dannoch aus der truchen tan, und duenkt unns wie zaubrisch, dasz wyr den rausch niecht heten auszueslaffen, sundern warn in klainer weyl guet auff unnd als wolgeruehet. Undt war ihm doch in eynger [„einiger"] masz frömbd, sagt der Wolf. Undt er merckht dartzue, dasz der gnedig herr hefftiglichen entprennt [„entbrannt"] war für dy fraun und gantz in eyner unmasze, aber für weliche mehrer von den paiden, das konnt er in dhainlei [„keinerlei"] weis sechen, wann er triebs mit paiden, die dannoch ir erperkait [„Ehrbarkeit"] undt zuechtichkait pewarten auch unter trinkhens.

Darnach des andern tags zugen wir verrer [„weiter"], undt gemachsam an dem fluessel hin, wann es machat guett wetter, war auch niecht kalt. Und kerten sechsmalen zue mit vast [„fest, stark"] trinkhen, undt underwegen sangen dy Pehm ihr pehemisch Lider, unt gang zue dem hertzen, dann dy weis liebraich ist von irn singen, sangen auch mit vil kunszt, das war unns ain schoen melancoley. Dem gnedig hern wollts wol gevallen, undt schenkt jeden von ihn' ain guetten silbern groschen [„Groschen von grosso, damals größere Münze"], da waren sy fro. Und under dem Zuekehrn undt essens undt trinkhens warts abents undt wurd pald tunkel. Und zugen wir ab dem flüssel undt auff dem straeßl, das sich hinziecht underhalben Neudegck, und het mann das Gschloß pald muessen sechen, sachs aber niecht mangelhalm [„mangels"] liechts. Do merckchtens dy fraun erst, dasz wir ab irn weg waren. Ob aber der herr dem Pehm, so am wagen auff saeß, soelich [„solche"] weisung gebn oder der Pehem auss ihm selbsten so gefarn, dasz wissat ich nicht, sagt der Wolf. Der Herr entzwischen saß ein oder ander stund im wagen bei den fraun undt hett vil kurtzweil mit ihn' undt wurdten allzeit laut mit lachen.

Zuhant begerten dy fraun zu ir herperg gelaitt zue sein, wohin sy dann wollten, und wer Sannd Jakoben gewesen, nach ihrn sinn. Und ruefften lautt zue dem Pehm, so den Wagen laitt [„kutschierte"], undt der hielt nu an, aber erst auff meins hern gehaisz. Do spranc meyn her flienk ausm wagen, und waer noch sneller bey mir, dann ich sein ledigs ross zuefuert, undt steig auff in eim Nu, undt ruefft dem Pehem: „Fahr, waz zeug halt!", undt der slagt auff dy rossen, main herr rait geschwinter undt vor ab dem wagen, ich mit ihm, sagt der Wolf, undt war ein rechts jagn. Undt ich, sagt der Wolf, wandt mich, undt hort dy fraun lautt rueffen, undt sach in der tunkel [„Dunkelheit"] dy fuenf Pehm, mit dem ledig ross von dem, so ob dem Wagen saeß undt mit den rossen vor den sack [„Packpferde"], und iachtern [„jagen, galoppieren"] all hinterdrein, undt wyr so dahin, war es geleich tunkl an dem weg, dannoch niecht sehr. Kom das straeßl nach Neudegck, mein herr schlag ein den weg auff seim aigen podem [„Boden"], undt in ainer jagt herauff. Nu huernet der ab den turn [„Turm"] undt ich hürnet auff dem straeßl, undt das ander wysst ir, sagt der Wolf.

Darnach zuhant ist nichts verrer beschechen, und saßen die Fraun in ihr Kemnat in gmach [„bequem"] und mit all, wessen sy bedarfften, und ward ihn aufgewartt und das Feur gehalden, und forchten sich dy mentscher auch nicht mehr in söllcher Masz vor den Zaubrinnen. Die Fraun begerten entzwischen mit hefftigkait nach mein gnedigen Herrn, und wolden ihm fürgehalden haben, wessen er sich vermess, dasz er sy nicht ließ verrer ziechen, wann der ain Tochter gewißlich schon in Kindlpetten läg. Aber wir Knecht giengen nun nicht meher in die Stuben zu den Frauen, wann jetzt die Mentscher sich mynner [„minder"] forchten, und ihn' gehörig ward auffgewartt, hielten dannoch unser wacht all nacht vor der Tür, wie der Herr uns befohlen, und war do immer unser ainer. Aber den gnedig Herrn konntens nicht auff ihr Stuben kriegen, mochten sy söllichs auch begern hefftiglich und mit Zoren. Das gie so hin vil täg. Entzwischen bemerkt ich wol Werkleut auf dem hof, und giengen sonst in dem Geschloß umbher, wessat aber niecht, waz dy da täten, sach sy auch bei kain arbeitt nicht. Dannoch kannt ich sy wol, Mauerleut und Zimmerknecht, aber daihnlai Antwürtt war von den zu erlangen, sy stunden niecht red, mich aber kümmerts nicht verrer, wann der Herr ihn' hat Befelch [„Befehl"] geben.

Entzwischen der gnedig Herr war vil mit Herrn Tristram dem Hamlecher und mit dem Rentmeister in ainer gehaim, und ratslagten und taidingten da umb grosz sachen, daz merckt ich wol. Und eins morgens rüefft mich der Herr und fragt mich: „Ruodl, du kannst wol guet schreiben?", und ich drauf: „Ja, gnedger Herr". „Hör", sagt er, „ich han ain gericht niedergesatzt gegen dy Zaubrinnen, von Herrn, Rittern und Knechten, dann ich es selbsten bin, Herr Tristram, Herr Oswalt, darzue der Wolf. Und Prälaten han wir hier kain genötig. Du wierst der schreiber sain und die klag oder frag schreiben und die urgicht oder was sonsten gesein mag. Und heut auf den abend wöll wir anheben daz guetlich verhor mit der ain von beiden, mit der, so ains purgermaisters wittib."

Ich erschrakt hart, als ich daz hoerte, dann wie sollte daz gesein ân [„ohne"] eins pischoffs weisung in den sachen ze handeln und erschien mir fürerst als wär mein herr von sinnen, dannoch durfft ich doch in dhainlai weis wider ihn sprechen. Nun ist zu wissen von dem Hamlecher, wie der war und was für ainer, und auch von dem Trittmang. Herr Tristram, der war ein guetter und wol erfarner Feldhaubtmann und das Neudegg, das hätt er ân zweifel treffenlich beschutt mit sein Deutsche und

765

Pehm. Er war lanc undt slanc und allzeit bleich wie ein waxliecht [„Kerze"] und lacht niemalen, und hab ich dy jar hindurch weniger woertt [„Wörter"] von ihm gehoert als suenst [„sonst"] ainer in ain tag mag gereden. Mir ist, frei zu reden, derselbig Hamlecher mer wie ein gespenst erschien dann als ain mensch von fleisch und pluet. Der ander, der Trittmang, der meint wol zu vordrist, fressen und saufen sei im leben das erst, dann er gar kain gespunst war, sundern hett ein grosz ranzen [„Wanst"] von seim vilen Speckh, und ward immer mer, wann er aß vor [„für"] drei. Raitt aber Tag aus und ein und weit umb, und laicht die päuerl [„nahm den Bauern das Lebendige heraus"], und forchten ihn nicht wenig und war ihr kainer sicher vor ihm bei Tag und nachten, daß er alls einpraecht, was meins herrn zugehörung war.

Mir war bang bis auff den abent, und suecht entzwischen den Heimo, mit ihm mich zu beredten, vermocht ihn aber nicht finden, wann er dies tags drei Rossen mußt reiten von dem gnedig herrn, die waren überstandig [„schon zu lange gestanden"], und kom erst des nachmittags mit dem dritten Roß wieder über Prucken von drauß. Alsbald lieff ich zue und sagt ihm das, und daß ich mit ihm zu reden hätt' in ainer gehaim. Wie er wieder kom vom Stall, so traten wir abseits hinder die Prukken, und an der Prustwehr sag ich ihm mein sorg von wegen des gnedigen Herrn, und daß er mich wölt schreiben lassen, und die purgermeistrin vor ain Gericht bringen. Aber der Laur lacht nur und sagt „des waisz ich allperaits, du pist der schreiber und ich bin der Schörg [„Gerichtsdiener"], und wir wöll unser Kurtzweil haben dabey, und vielleicht kom es bis an dy peinlich frag mit der purgermeisterin und der ander", und der Herr hätt schon mit ihm geredt, und wär' lang alls zuegericht. „Wie mainstu das" sag ich, und er drauf: „So wy's der Herr maint", und ich sollt nur mit ihm gehen, er wöll mir die Zuerichtung wol zeigen. Darnach so gingen wir in Turn [„Turm"], aber nicht auf die Höch, sondern ein Stieglein abher und in die ander Keller und niecht in die, wo der Wein gelegen, und ich war vor diesem kaum ein oder ander malen do gewest.

Der Heimo, der hatt in der untristen [„untersten"] Turnstuben, von der ab man in Graben schießt, in ein Winkhel Kertzen und schlug auch dort das Feur, und hatt ich sölliche Ding do vorher nicht gesehn. Darnach kom wir in den tiefen Gang, wo oben der Tag einscheint, wann man von dort auch den Graben mit Ärmst beschutten vermag. Am End dem Türlein, davor etlich Staffel [„Stufen"], dem war ein slosz [„Schloß"] fürgelegt, frag ich den Heimo, wohin kombt man durch das Türlein? Sagt, das sei ihm nicht wissentlich, heiszt aber, dasz hier unter der Erden wol aus dem Gschloß zu gelangen sei. Ich sag, daz will ich nicht gelauben, wann wir so hoch auf dem Perg sein, und wird ein Keller sein wie ander auch, sollt mir mynner [„minder"] wunderns gesein, wann der Trittmang auch allda seyn Weinfassen het wie sonsten allerenten. „Do hier zuhant het er's liegen haben mögen", sagt der Heimo und weisat mir ein grosz Kammer linker Hand, davon er aufstößet die Tür. „Aber der gnedig Herr hat die Fassen Fussen wachsen lassen; item, haben wandern müssen: und in den grosz Keller unterm Pallas."

Indem treten wir mit den Liechten herzu und in das Gwölb, so nicht klein war, und der Heimo weisat mir nebenaus noch ain Kammer, dy war klain. Und in der grosz Kammer siech ich mittenin ein Seul [„Säule"] gestellet, dy aber dem Gwelb nicht zuebestimmt war, stant kaum sechs Schuhen hoch, und weit underhalben von dem Gwölb. „Was ist das?" frag ich den Heimo, und gedacht, dasz ich söllichs vordem do nichzit gesechen. „Ein Seul", sagt der Heimo, und er lachat, wie es sein Art gewest allzeit, und: „Willstu noch pesser wissen, sag' ich dir: ain Marterseul." „Wie mainstu das?" sag ich ân Arg, „wen wellen wir dann hie martern ze Neudegck?" „Die Zaubrinnen", sagt der Heimo, „die wellen wir martern alsbald sy nichts verjehen [„kein Geständnis ablegen"]." „Bistu des teifels voll?" ruefft ich. „Ich nichten", sagt der Heimo, „aber dy Zaubrinnen wol gar sehr, oder aber unser gnedig Herr selbsten vielleicht." Ich sach auch ain oder ander breit Bank do stehen, auch in der klain Kammer stand ein sölliche, waren neu und glatt, fein sauber arbeitt, und jetzt wissat ich, was dy Tischlers-Knechten auff dem Gschloß hietten zu tuen gehabt. Ich wöllt nichzit gelauben von allem, was der Heimo redt, wann er ain racker war, aber allzeit froleich [„fröhlich"], des mochten wir ihn wol, und ein vorwitzig maul darzue. Also wöllt ich ihm nichts gelauben. Doch wurd mir banc mer und mer, wann ich geleich alls für ein geticht von demselbigen Heimo zu halten gesonnen gewest, und wissat auch, dasz er das Lugen verstand wie zehen Haiden.

Ich saz nieder auf ein klain truchen, war vor diesem auch nicht do gestanden. Frag ich den Heimo, was ist in der Truchen, sagt er: „All zugehörung zu ainer Marter und peinlichen frag", aber ich meins Tails war noch immer ân [„ohne"] vil arg, und weisat alsdann mit meim Daum auf mein ars und sag ihm: „Du kannst mich, Heimo, und wierst wiszen, was." Aber er lacht und sagt: „Du pist der schreiber und ich bin der schörg, und all zwei bedarf man bei der peinlichen frag". Und spricht weiter: „So sag mir, Ruodl, hastu deins Teils schon ein Fraun ân [„ohne"] Kleit gesechen?" „Wy das?", sag ich. „Ich han nichts zu schaffen gehabt mit Kuchlmentscher." „Auch ich nicht", spricht er, „in dhainlai weis. Weil selbig seind des Herren Oswalten zuegehoerung, und also Rittersfraun, in ainer masz und weis, mag sich dy pehalten. Aber ander Fraun hast auch ny gesechen ân [„ohne"] Kleit?" Sag ich: „Han noch kain ny gesechen, und aus was ursach hätt des sullen gesein?" „So wierst dir dy purgermeistrin basz anluegen [„wohl betrachten"]", sagt der Heimo. „Wy das?" sag ich. Er spricht: „Geläubst [„glaubst du"], wir werd ihn vor [„für"] dy marter noch Gugeln und Haubm und mantel anziechen."? „Wy meinst du das ..." sag ich, sprüch aber nichzit weiter, dann ich ploetzleich merckcht wie hart mir das hertz gie, da wart mir banc, und wollt von hier fort, und hub mich auf von der klain truchen und wir giengen nach oben.

Dann wir hinauff kom war es tunkel; und traten aus den Turn. Und war nicht mer lang untz [„bis"] eszenszeit. Der Windt hiett sich gewandt und blus nu hart her über hof, von mittag her, ein Venedigscher Wint, so nannt ich diesen Wint bei mir zu den Zeiten und war der Wint warm und war nicht guet, und hatt gesmach von fäul Laub ausm Wald. Dann es lac kain snee mer, so vil zeit war dahingangen, seit wir dy fraun jetzt auf dem Gschloß hietten, sullt bald Josephi [19. März] sein. Und über ain vierzehen täg sullt der hahn sleiffen [Beginn der Auerhahnbalz], aber mein junger Herr redt kain woertl nicht von dem hahnen, wo ihm suenst die groeszte Freud war im gantzen Jar. Auch reit er nicht mehr, so gedenk ich jetzt bei mir, wahrhafftig, ich siech unsern herrn die Täg nie mehr über dy Prucken komen. Das alls macht mich traurig, und der verpucht [„verdammte"] wint truckt mir das hertz.

Bei Essens, der Trittmang, der arbaitt vast [„fest"] in sein ranzen und schimpfat als vast auf dy päuerl mit wuest reden;

und der Herr Tristram machet seim nam er [„Ehre"], wann er redt kain wortt, und sach drein, als ihm die Nasn tröff [etwa: „trübselig als ob ihm die Nase rinne"]. Mein herr war plass [„bleich"] von antlitz und sein haar unebn und zerstroblet [„wirr"], das har ist ihm schön gewachsen gewest, wie rots [„rotes"] golt. Er sah viel leicht trutzig, das kam von seiner kurtz gerad nasn. Unter Essens blickt ich mein herrn haimlichen an, und siech do, wie lieb ich mein herrn hätt, dann er doch ein gerader Ritter war, und daß es nu nicht den recht weg gang mit ihm, das sach ich do auch, und war mir unmaere [„war mir zum Unglück"].

Nach Essens sagt der Herr, wir sullten uns in dy dürnitz [„Halle"] fügen, war aber kain, sondern nur ain michel [„groß"] stuben, kunnt pillichen [„billig"] Rittersal heiszen. Da waren hindenan [„rückwärts"] etlich Tisch gestellet in ain Reihen und stuel daran, und zue der linken siech ich ain klain Tisch mit ein Liecht vorgericht, und all, waz zue dem Schreiben gehort und da muesst ich niedersitzen. Und waren mer Liechter auff den Tischen gleicherweis. Da satzten sich der Hamlecher und Herr Oswalt und der Wolf. Und der Heimo, der beleib stehent beiseit. Und meins Herrn stuel, der beleib leer, dann er sprücht nur zu dem Heimo: „bring dy purgermeistrin", undt gie alsdann außer dem Saal und belieb davon [„und blieb fort"]. Und der Heimo, der gie dy purgermeistrin bringen. Und mir klopfat das hertz als hart, dasz ich's bis in hals spuerat. Indem tuets ain pleckchitz [„Blitz"] drauß, und ain gering dorenslag [„Donner"], war weit ab.

Danach do gie hin ain lang zeit, und redt kainer ain woertl, und der Herr Tristram sach schier aus wie ain Wax, undt der Trittmanger der slafft guet in sein stuel und fang an ins snarcheln [„schnarchen"], und der Wolf, der siecht vor sich hin, aber nicht zue mir, und in selber zeit schien mir vast, er geläubt und nähm vor ernst die mummerey [„Komödie"] hie, und meint, die fraun seind Zaubrinnen und meinat, dasz hie ein Gericht wär niedergesatzt worden in Rechten. Dann der Wolf ain erlich haut war, dannoch plagt ihn nicht dy klueghait.

Do gie auff dy tür und herein kombt der Heimo, und bring dy purgermaistrin und fuert sy do in einer frömbden weis, dann sy gie mit dem rucken voran und er hielt sy ain wenig an dem arm und leitt' sie in solcher masz vor uns her, ganz wie man den zaubrinnen tuet, wann mans vor ein gericht fuert [„allgemeine Gepflogenheit bei Hexenprozessen"], dann ihr Blick sticht suenst geleich bei dem Eintritt in ihr Richter, so meint man. Danach vor den tischen, do wendt er sy gemachsam um, die purgermaistrin, und wie er sy umwendt, der Heimo, wachat auff der Trittmang und sagt aus seim halbeten slaff, „heiligs Kreitz is dann die Vettel schon do . . .?" Und wie er das sagt, do siech ich grad die purgermaistrin an, die machat sich jedennoch nichts hoeren, und ich sach dasz sy ser waiss war in irn angesicht, und ich siech sy zu dem erst malen recht an und schien mir ain vast schoene fraun in ihrn Kleit von rotm Tobin [„bessere Sorte Taft"], und ich sach ihr hoche prust und schlug do geleich die augen aufm podem, und so muesst ich sechen ihr Fussen. Dy waren ploss unt grosz und waiss. Und ich verstundt und merckcht wol, warum man sy mit plossen fussen fuerat vor das Gericht, wie man den Zaubrinnen tuet [„ebenfalls allgemeine Gepflogenheit bei derartigen Verfahren"]. Ich wart etwas zittern mit Handen. Ihr rot gwant gie bis auff ihr plossen fussen herab. Die Zaubrinnen fuert man in solcher masz aus meinung, dasz sy nicht entfleuchen können, wann sy plossfussig stehent auff der Erden oder suenst ain podem.

Der Trittmang, der wachat entlich auf und tuet ain frag, ihm ist wol nicht sunderlich angelegen gewest, sagt: „Purgermaisterin, nu sprecht dy wahrheitt, und sprecht und bekennt und verjehet, dasz Ihr eine seid, dann wir wiszen es alles bereits." „Waz fuer aine soll ich dann sein?" „Ein Zaubrin seyd Ihr, ein verpuchte!" ruefft er, aber schien ihm basz krafft darzue genoetig, dann gleich darnach, do halt er seyn hant vor seyn groß geschabt Maul und reisst auf, als woelt er gleich wiedrum schlaffen beginn [„zu schlafen beginnen"]. Ich aber wunder mich der sanftmuettigkeit von dieser Fraun, dasz sy ihm kein hefftig antwürtt gab, aber sy vermeinet vielleich noch auf ain guettlich Weg aus den Sachen zu gelangen, und hielt sich in masze, und söllichs auch verrer.

Unndt sagt Herr Oswalt, sy sulle sich nicht ziechen und sulle nur geleich verjehen, das [„daß"] sy aine sei, wann sy hett unsern herrn ain trankh zue der liebe geben, davon sei er unsinnig wordn.

Sagt, sy könne kain Trannkh zue der Liebe machen und solchermasz auch kein geben, und wann ihr soelich wissenschaft je gewesen waere, hett sy ihrer wol genutzt in irn juengern Jarn, ist pey ir aber soelich Wissenschaft nicht vorhanten gewesen.

Was sy in ir truchen fuert sach von Venedigisch Glas damit man ein koestlich gesmach macht in der stuben?

Das sind Kreutter dy fuer jeglichen ze finden, so ainer die mueh [„Mühe"] nichten scheuet und gie auf die perg, noch underhalb snee [„noch diesseits der Schneegrenze – also die hochalpine Mattenflora"].

„Und waz fuer Kreutter?" fragt der Trittmang und hielt ihm selb darbey für ain auspund unndt ausgepürd von all Klughait, sachen aber beid aus wie dy liebe nacht so tum [„dumm"], der Wolf unndt der Herr Oswalt.

„Manniger Art", sagt dy purgermaistrin, „seind soeliche Kräuter, und muess man sy die Kinden allbereits lehren, wann spaeter behalts ains nicht mehr. Wachsen nicht all auf der Höch, ettlich auch an ander Ortten, wie der Bils [„Bilsenkraut"] hinderm haus."

„Bilsenkraut meynet ihr?" frag der klug Herr Oswalt.

„Mein ich", antwürrt ihm die purgermaistrin.

Nu hett er aber ichts nemen können aus ihr' antwürrt, nemlich das [„daß"] sy pillichen kain Zaubrin sein kunnt, suenst hett sy das Bilsenkraut gantz gewisslichen nicht genennet, und wy sy's uennet verjehet sy ja unnd peweist ân [„ohne"] ir willen, dasz sy umb die Sachen nicht wissat unndt damit nicht umgang; wann menniglich bekannt, dasz dy zaubrin in den schmer [„Fett"], womit sie irn leib salben vor dem farn in lüften, soelich Pilsenkraut tuen. Und wär die purgermaistrin dessen schuldig gewest, sy hiett wol all kreuter genennet, dannoch die Bils niecht.

Aber der klueg Herr Oswalt, der wart immer klueger und sprücht: „Nu habt Euch selbsten verraten, Stöcherin, wann die Bils gebrauch dy Zaubrin, eh sy ausfart durch Lüften zu dem perg unndt den tanz."

„Davon, von soelichen Bilsamkrautt, han ich niecht gehoert."

„Wir werdt Eur gehoer dannoch eröffnen, purgermaistrin. Habt die Bils auch in den Trank tan zue der Lieb? Ziecht Euch niecht."

„Ich han mich ny zochen in main Leben. Eur Reden aber ist mir wie ain slechter gesmach" [„Geruch"].

Und war dieses das erst unguettlich Wortt zue dem Trittmang, unndt wierd sy wol geleich erkant haben, was der fuer einer war, unndt waz bei ihm ze vordrist in seim Leben gelten würd, unndt dasz ihn der verstandt nicht plaget, meher schon jetzund der slaff. Vielleicht kohm [„kam"] das auch von dem lanc waxliecht ihm zue der saiten; dann den Herrn Tristram, den hett's, der zoch dahin unndt war nicht mehr gegenwürtig. Was vielleicht der Trittmang sach [„sah"] mit neiden, dann er ja dy sachen fueren muesst als ain Rentmaister, nicht aber der Burggraf unndt Haubtmann. Und der Wolf der taugat da auch wenig, unndt war ein untamer [„blöde, ungeschickt"], und erger [„ärger"], dann ain kuh pey der nachtt.

Entzwischen der Trittmang gab ihr ein sunderpaerlich [„sonderbare"] antwürtt auff ihr erst unguettlich woertt, dy auch ir lesst [„letzten"] belieben seind, von wegem dem slechten gesmach aus seim reden: dann er machat würkleich ain söllichen, der war wol nicht zu hören, aber suenst wol ze merckchen, und von der masz, dasz die purgermaistrin ain schritt hinder sich trat, wo der Heimo allzeit stant, als hielt er die fraun an einer kuhketten. Und auch der Wolf wendt sich weg und es khom bis an mich, da wach auf mit ainmal das waxliecht und sprüch ain seltten wortt: „dy heiss scheiß in dein Gebain, Oswalt, seind wir dann im secret [„Abort"] oder in der stubn?"

Jedannoch der Trittmang der prummet nur ettwas und fang an wiedrum die fraun fragen selb sach von den Venedigisch Glas, und Gesmach in der stubn; und gedenk ich, mains teils, wir hett hie kain guetten, und waer mir der zaubrische in einger masz lieber; und khom alls noch einmal, und ich hett entzwischen weil genung zu dem schreiben. Und enttlich lassat der Herr Oswalt die fraun wiedrum in ir gewarsam bringen und nympt sy der Heimo mit sich.

Aber mit diesem ist nicht gar gewesen, dann es gie so acht Tag all abent, und des nahesten abents, das war vor Gertrudis vor mitterfasten [„vor dem 17. März"], do bring der Heimo dy ander, auch mit plossen fussen, und gang sach von neuem an. Und dy frau, war ain schoen fraun, wann auch klainer dann die purgermaistrin, und hett hell schoene har, und war irs leibs runtlich als ich sehn konnt, dy fraun hebt an schrain unt weinen, als sy sölch swere inzicht [„Beschuldigung"] hoerat und ruefft: „Heiligs Kreitz, waz woellt ir von uns, wir han in dem Leben niempt ain übel getan, und tuen als wenig zaubern als ir herrn das Spinneredlain tretten tuet, so lasset uns doch davon khomen und haltt uns hie nicht gefenglich [„gefangen"], dann mein Tochter ze Paszriach gewiss langest gesporn hatt, und ich soll mein eigen Enkelkint nicht dörfen sechen."

Aber hie war niecht ze gehelfen [„zu helfen"] und waerat soelich narrnköderl [„Narrenhaus"] acht täg. Und ich schraib auff, immer selb sach, was geredt worden, unt von dem trankh zue der lieb, und den gesmach, und den venedigisch glas, und das letzt, das hett man gar auch beschauet in der stubn und truchen, dannoch nichzit gefunden, was teufflisch Werckh war, sundern ains tails zu der arzney unt des andern tails zue dem wolgesmach. Und kauff sich auch der Herr Tristram in ain guett vertraun soellich ein Fleschel umb ansehnlich gelt von dem Venediger Glas und mit dem wolgesmach gantz voll; wann, sprücht er, er muess sich beschutten, mit verlaub, gegen den herrn Oswalten, wann er bei dem in Gericht saeß, so mecht ihm sein Kriegskunst nichzit gehelfen, dann die stuerm auff sein nas seind zu gewaltig und vermög sy in dhainlai weis verrer zu bestan.

Entzwischen begund ich dertzeit schon, wann ich bei dem Gericht sitzund war, undt selb sach wardt wyder geredt, und hett weyl genung, ettwas auffzuschreim, wie alls ist komm undt ergân, da ich dann all zuegehörung zue dem schreyben vor mir liegunder hiett. Undt so begundt ich dazmals [„dazumal"] undt treib daz auch verrer in mein Kammer und bei ain liecht, also daz ich [„zu ergänzen: ‚diese‘, Niederschrift nämlich"] Geschrifft hie nicht frei muess schreiben nach meiner Gedechtnus, sundern der meist tail ist dazmals schon geschriem gewest.

In solcher masz ziehat sich dazmal dy sach von Gertrudis [„17. März"] über Josephi [„19. März"] undt verrer, undt ich hoffat ain zeit, bald der hahn sich hoeren lassat, so wuerd es pesser mit dem gnedgen hern, gieng auch losen in walt, war dannoch zu frueh. Undt einsmals, do waren der Herr Oswalt undt der Hamlecher in Ritersal undt khom der Heimo darzue, der hett eben die ander fraun in ihr gewarsam wieder gefuert, hiess Maria, den andern nam merkat ich niecht; undt wann der Wolf wär da gewesen, hietten sy so niecht geredt, dann er alls geläubet hiett von zauberey wegen, und dasz dy sach ein gerechte sach sei, undt das Gericht auch ain recht Gericht. Sagt der Trittmang „ist niecht wol zu verstehen, waz er" (sollt heiszen Ir Freiherrliche Genad) „von den alt Vettln will, undt laszt sy raubern [„rauben"]; wann er hiet jung weiber lassen greifen, waer wol zu verstehen." Und ich muesst gedenkhen, dasz sein kuchlmentscher warn ângezweyffelt [„ohne Zweifel"] junger, dannoch mir meins Tails dy purgermeistrin und dy ander, genannt Maria, pesser gevielen. Und sprich verrer der Trittmang: „dann dy sach ist offenlich so gestellet, dasz dy fraun ihm ze willen werden sullten, undt hie, der Heimo, mag's wol bestettign, den hatt er zu mehrern malen in ir gewarsam gesendt, sollt ihn' guettlich zue reden, dasz sy beid seyn Genaden solten zu willen seyn, undt liess sy dann wol ziehen, undt vor [„vor der Abreise"], da woll er ihn' noch guetts geben, undt sollt ansehnlich gelt geseyn und golts [„Goldes"]. Dannoch dy verpucht alt Vetteln sich verwaerten dagegen, ist nicht zu wissen, aus welicher poshait, undt die purgermeistrin hetts auch gar genoettig sich ziechen und zieren, wann sy guett funfzig und meher auff irn faist rugck [„Rücken"] hett, waer rein dasz man lachat." „Seind dannoch schoen fraun", sagt der Heimo. „Du gail pöckl du waisst wiedrum pesser; ist menniglich bekant, dasz der millichpapp allermaist ueberlaufft vor ainer fraun, dy noch koennt in dy windel soelich mennel geleget han. Wie ist dann mit der peinlich frag? Wierst dann etwas gar Schoenes zu sechen kriegen, du undt dein Schreiber? Do hielt ich meins Tails lieber mein Augen zue, all peid." So sagt der Herr Oswalt und schüttelt ihm selbsten als wollt ihm grawln [„grausen"]. Sagt der Heimo: „Ist alls zuegericht, undt hat der Herr auch Befelch gebn, wir dörfens nur schröcken." So sagt der Heimo. Sagt der Herr Oswalt: „Wills geläuben, wann der gnedig Herr mecht niecht beschedigt haben seyn seltzam künfftig augenweitt. Hat dann der gnedig Herr mit dir von den sachen so offenlich geredt?" „In ainer gehaim hatt er geredt mit mir", sagt der Heimo.

Aber ich kränkat mich waerlichen, dass unser Herr hett zu ihm mehrer Vertraun dann zu mir, wann es gleich in Schlechtichkaiten war, so hett er doch mit ihm in ainer gehaim geredt, dannoch mit mir in den sachen niemalen.

Sagt der Trittmang: „Secht zue, dasz ihr weiter kumbt dann mit eurer peynlich frag, wann es wiert zeyt. Die von Lientz sein niecht faul, undt ist dy sach vielleich allbraits fürpracht vor ainer lantschafft eines tails [„den Landständen"]. Dann dasz dy sach niecht in rechten steht, das wissat ihr all. Undt werdt sich mannicher freun, den gnedgen herrn zu ueberkom, wann er's auch mit der waidgerechtigkait nie niecht genau nehm, hat sich verwichen Fruehwinter seyn Gams enthalb [„jenseits"] zuegehoerung geschossen, da der Bock in dem treiben war [„Brunftzeit des Gamsbockes im November und Dezember"], und ist alls auskomen undt ist herumgeredt worden, das wisst ir wol, undt wegen ander sach auch. Undt dasz in den sachen von Zauberey, waz da anlanget, niecht dörff gehandelt werdten ân [„ohne"] ains pischoffs weysung, ist meniglich bekant; wuesst aber niecht, dasz unser herr auch nur dem Dechanten hett wortt gesagt, wann der all sonntäg kumbt hie die mess siengen in der capelln; dem guett alt mann seind offenlich dy ding noch niecht zu den ohren komen, suenst hetts ihm wol in dy nas geraucht. Liest hie dy mess und wissat nichzit darvon, dasz wir dy fraun auffm haus haben, undt der gnedig herr, der tuet ihm in dhainlai weis einigen Bericht von den Sachen. Wierdts aber noch basz ze hoeren kriegen, der hochwierdig herr. Dann dasz ding findt wol auch zue Seyner Pischöfflich Genaden in Gurckh. Ich besorg, kann niecht langer waeren undt wir han die herren, undt die von Lientz, besammet mit eim guetten Zeug [„Kriegsrüstung"] hier vor dem Haus Neudegg, undt dann wierst woll ettlichs zu schaffen haben, Tristram. Darumb, ihr Heimo undt Ruodl, greift mir die Fraun bei ainer painlich frag so wach [„weich"] niecht an, das könnt' an uns alle noch ain Ungemach pringen. Sundern helffat den zwo Vetteln krefftiglich zu ainer vernunfft, dannoch in solcher masze, dass des gnedgen herrn augenweid nicht werdt verstört, wie dir, Heimo, auch Befelch geben ist, undt habt meinswegen selbst eur kurtzweil mit soelichen groszmuettern ân [„ohne"] Kleit und pfait [„Hemd"], aber schafft, dasz wir hie pald aus dem Narrenköderl gelangen möchten, darin der gnedig herr meher noch gefangen liegt, dann dy zwo Vettl, und von dannen er gewisslich auskompt, alspald er sein willen ainmal hat; so ist dann dies gespunst zerissen, und ist kain ander weg dahin, dasz wir all aus dem Koederl komm und aus niecht ainer gering Gefahr und Beschwer darzue."

Ich gang darnach neber Hoff zu stall, undt mein knie waren zittern, und wart ich übring [„plötzlich"] alle switzen vor angsten, undt meinat, ich hett ain hunger, war aber niecht zu verstehn, dann es war nicht lang nach essens. Der pös Venedigisch Wint blus wieder, auch sach man gen mittagen pleckchitz [„Blitz"], undt war dies ain ander mal schon söllich frueh wettern kurtz nach snee. Dem Trittmanger sein wuest abscheilich reden, das gie in mir umb, und ruerat mich vaste auff, undt ich gedacht der purgermaistrin undt irs kleits von dem roten Tobin und der grosz, ploss, weiss fussen undt meinat ich muesst schrein anheben, weil ich in der selb venchcknus [„Gefangenschaft"] schon war wie mein arm gnedig herr. Do pet ich ain Ave, aber sy hoerat mich nicht, unser Liebe Fraun, und kunnt mich auch niecht gehoeren, dann ich zu weit weg war von ihr, das wissat ich wol. Darnach den Sonntag, war Judica [„damals 18. März"], dienat ich bei dem ampt [„das heißt, er ministrierte bei der hl. Messe"], und gedenk da plotzleich in Lebhafftigkeit, wy man den zwo fraun in ihrer venckchnus [„Gefangenschaft"] verwehrat ihr christenleich pflicht dy mess hoeren an dem sonntag, undt sy fern hielt von dem himmlischen pratt [„Himmelsbrot – die hl. Kommunion"], und wie ich soelichs gedenk kumbt zuhant der Tractus und sagt der Kunig [„König David – als Psalmist"]: Prolongaverunt iniquitates suas: Dominus iustus concidit cervices peccatorum [„Sie haben ihre Ungerechtigkeiten in die Länge gezogen: der gerechte Herr hat das Genick der Sünder zerbrochen"].

Dannoch, von dem egenannt [„vorgenannten"] Judica [„Sonntag"] überkam uns dy sach, unt zu vordrist den gnedgen hern, dann er gantz draussen jeglicher masze war und het nahent drey taeg niecht mehr gegessen, undt waer plass [„blaß"] wie ain weiss pettziechen [„Bett-Linnen"]. Undt an dem pfinztag vor Palmarum [„Donnerstag, 22. März"] gen abent befelcht unns der Trittmang ueber geschaefft des hern [„im Auftrag des Herrn"], wir, solt heissen der Heimo undt ich, sulten untz [„bis"] ein weyl nach essens dy purgermaistrin dohin fueren undt mit ir handeln, wy unns der herr Befehlch gebn hat. Der herr kom nicht zu tische an dem abent und der Wolf war auch nichtt do, undt mir war essens vergangen, doch trankh ich von dem weyn. Undt der Trittmang fuert ueber tisch seyn reden ân [„ohne"] schame und voll spottens [„schamlos und spöttisch"], von dem hern seiner augenwaidt undt von der unser, undt dasz wyr wol acht haben sullten auff dy augenwaidt, dannoch nicht zu sere, et cetera, was niecht zu schreim [„was nicht niedergeschrieben werden kann"]. Undt ich siech mit hertz in mein hals [„Herzklopfen bis zum Hals"] wy das waxliecht, der her Tristram, inwährend soelichen des hern Oswalten reden, under

776

essens einslaf, wann er geleich sich trinkhens allermaist gentzliechen entthielt: so gering gie ihm all das sachen an, undt war
ihm daran niendert [„keineswegs"] gelegen. Aber den Heimo,
denselbig erkant ich wol als ain schamlos undt pös pueben
[„Buben"], wann ihm die augen lachaten, undt geb dem Trittmang vaste antwürtt, und wiecherten [„wieherten"] lachens all
paid. Aber der Heimo in sainer poshait enhielt [„enthielt"] sich
gar trinkens, was er suenst niemalen niecht taet, wann ihm geleich der Trittmang ermuntret zue dem trinkhen undt spricht:
„Waz sauffst niecht, unkreutl [„Unkraut, Früchtchen"], willst
dann niecht doppelt sechen dy fraun purgermaistrin ân [„ohne"]
pfait [„Hemd"], waer dir ain pesserung noch von deiner augenweidt", et cetera. Undt sag' der Heimo: „Ich siech's lieber einfach, dannoch dester basz."

Was nu kom und die taeg darnach dazselb hatt mich mains
Lebenszeit niecht verlân [„verlassen"] in mein gedenkhen, undt ist
allenhalm [„allenthalben"] wie gifft davon ausgangen untz auff den
heittign tag, als wär mir vergeben [„Gift eingegeben"] wordten
fürs gantze Leben. Han auch drumb nicht geelicht [„geheiratet"].

Sag der Heimo: „Ist schon alls perait unt' [„unten"], nu
kumm, Ruodl, nu holn wyr dy treffenlich Maistrin, scilicet [„mit
Verlaub"] die Wyttiben Agnesen Stoecherin, so lautt ihr nam."
Und hebt sich auff von tisch, und desgleichen ich, undt naigen
unns paid vor dem Herrn Oswalten, wann das waxliecht slieff
dann schon vaste, undt sagt noch der Trittmang „nu bluehet
wol, ir unkreuttl", und so gân wir aus der stuben undt bis vor
den Fraun-Gadem, und klopfat der Heimo gantz kecklich an
der tuer, oeffnat aber niecht sundern ruefft nur „Purgermeisterin,
wellt Euch herausfuegen", als ihm wol schon gewoenleich ist
gewesen, wann er sy niecht das erst mal in soelicher masz
ervordret. Vergehet ain klain weil, nu kom dy fraun heraus,
undt mit plossen fussen auch, als ihr daz schon ain gewohnhait
gewordten; haben sich aber peid Fraun ersttlichen vast gemuett
[„sich zuerst darüber sehr aufgeregt"], als sy ân [„ohne"]
schuech muessten vor das Gericht stehen, wy mir daz der
Heimo erzelt. Undt so weisaten wyr dieselb Purgermaistrin noch
verrer abher, undt kom in den lanc gang, wo man spricht, dass
vor zait hetten hie päuerl Viech einpracht undt all ir guett, waz
sy mochten gehaben und fueren, wan unruhig leuff [„Zeitläufte"] nahent gewesen. Dannoch erst auff dem stieglein abher

von der untristen Turnstuben zue dem gang mit den ehgemelt [„früher erwähnten"] zwo kamern, do fragt unns die fraun: „wohin dann fuert ir mich?" „Do hinain", sagt der Heimo, und stoeßet die klain pfortn auff zue der vordren Khamer. Wy dann die fraun siecht wo sy waer undt wohin wyr sy gefuert hetten, do war dann von dem Heimo das toerl hinder ir vast zuegemacht undt war verschlossen. Verrer, wy sich dieselb purgermaistrin in dy sachen schickhat, schien mir, sy gelaeubet vielleicht dannoch auff ein guettlich weg aus den sachen zu gelangen, wann auch der ort an den sy nu gekom guetlichen niecht war, so vermeinet sy vielleich ân [„ohne"] beschedigung leibs zu entgehen, wann sy in sanfftmut undt demitiglichkait sich do erzaiget, und mocht sein, dasz dy paid fraun sölcher masz sich ain ratschlag hietten geben und mitainander so verlassen hetten [„überein gekommen wären"], undt vielleich wissat von soelich ratslaeg undt schluess [„Beschlüsse"] der Heimo gar, wann ich zuletzt wol erkannt, daß er voll lug und Haimlichkait waer, undt auch mit dem hern redt in ainer gehaim, dannoch mir entgegen [„mir gegenüber"] in dhainlei [„keinerlei"] weis ain erwehnung getan [„zu ergänzen: ‚hätt'"]. Aber mir vergie all main gedenkhen, und muesst gelauben, es sei dannach nur ain geticht, dann ich siech wy der Heimo die fraun an dem arm nimpt und fuerts in ain eckchen wo weniger liecht war; wie dann sonst alls erleucht gewesen in paid kamernn mit ettlich waxliecht an Klawn [„eigentlich Vogelklaue, hier wohl: Haken"] in der Maur; undt nu merckat ich auch den starch gesmach von ain thus [„Weihrauch"], so man hier verprennt hett, undt sach auch noch ettwas von dem Feur an seiner stat [„Feuerstelle"], undt merckhat, daz mir wurdt heiss. Do ruefft dy Purgermaistrin: „Was woellt ir dann mit mir tuen?!", und ich siech wie ihr der Heimo ihr arm nach hinderwaerts zieht, undt sy wehrat sych, dannoch niecht vaste [„sehr"], undt ruefft noch ainmal „Was woellt ir dann mit mir tuen?!" Undt konnt ir arm niecht mehrer regen, wann der Heimo hielt sy als kreftiglich, undt stand nu da mit geslozen augen. „Willst dich dann garniecht schicken, Ruodl, undt soll ich all arbait allain tuen?!", ruefft do der Heimo zue mir, und sagt zue der Purgermaistrin: „Gieb dich drain, Stoecherin. Wyr well dir auf dain ruckhen schreiben: zu viell tugent pringet laiden." Und ruefft zue mir: „Tue deyn sach undt ziech irs kleit abe."

Mehrer weiss ich niecht vil. Ich sach auf dy grosz waiss undt ploss fussen von der fraun und gaechling [„jählings"] trat ich zue undt tet, wy mir gehaissen. Sy hett noch ain waiss underklait, daz het auch lanc ermel, und zachs uebering ab [„zog es plötzlich herab"], daz geviel [„fiel"] auf dem podem und lac da. Undt ich sach in meiner tollhait nur waiss ueber waiss von ir erm undt schuldern, undt tet ir gleich ab die leibpfait bis auff mitten des laibs, do schrait der Heimo, „daz langt undt mer dörffen wyr nicht." Und wy er so spricht, stößet er sy vor sich [„vor sich her"] zue der seul, aber ich mains tails konnt mich nicht halden, ich nam ir prust, dy war swer, undt sy schrait, dann der Heimo hielt ihr dannoch dy hendt auf dem rucken, pindt irs aber pald vor dem laib an dy seul. Und bueckat sich nyder, undt hebt ir schemlichen den pfait auf bis nahent an irs leibs mitten, aber dort taet er das zesammen. Er wendt sich zue der truchen, soviel sach ich, wann ich geleich nahent von sinnen war, undt geb mir in die handt, ich soll dy fraun slahen, damit auf irn weiszen leib, undt ich konnt erkenn, daz es alles sammet [„Samt"] war, und ich slueg zue ettwas auff irn ruckchen undt suenst, aber sy duldtes [„duldete es"] ân [„ohne"] klag undt seufzat nur ir schemlichkeit wegen; wann man kunt mit den sametten Zeug kain smercz ir zuefuegen, hett man geleich harte zuegeslagen. Undt der Heimo, der slueg sy auch ein wenig, aber er spott sy mer noch in mannicher weis, auch mit woertten, dy ich niecht wil genennen. Undt ich vermocht mich auff mein fussen niecht gehalten und liesz ab und stellt mich an dy maur undt mir waren dy knie als zittern undt flatern under mir undt wurdten weich wy ain tuechel, so man in den windt gehengt hett, dannoch sach ich immer auff der fraun an der seul irn weiszen leib und mir wardt noch mer heisz undt der michel [„stark"] gesmach von den Kertzen undt dem Thus nam mir mein atem und verstandt [„Atem und Besinnung"] undt war all erfuellt von der fraun, do vermaint ich gar, ich koennat sy auch smecken. Der Heimo het sy darnach losgemachet undt ruefft mir wyder, doch mocht ich nicht gevolgen und nahent bei gehen. So fuert er sy ab von der seul und hinden an maur mit dem ruckhen; undt ich erstaunntt ueber dy purgermaistrin wy sy jetzt voller demuetiglichkait sich ertzeiget undt wehrat sich niecht, undt gedacht ich wyder, dy fraun hetten wol in sölcher masze ein mit der ander verlassen [„beschlossen"]; darnach ziecht er ir die erm hoch auff ein hackchen ueber ir in der maur. Und gie umb sy her und beschaut sy do, undt gaechling kom ich auch nahent undt konnt mit main plick nicht mer von ir lassen, schien mir ân [„ohne"] maszen schoene, sy het ir augen geszlozzen und mit irn Antlitz sich abgewendt. Undt an dem endt, do legt wir dy purgermaistrin auf ain pankh [„Bank"] und wardt do gepunden, undt teten wir so als woellten wir sy nu streckhen undt ir laides tuen, geschach aber niecht das mynnest [„mindeste"]; zuhannt därfft sy ir kleider anziechen gentzlichen, undt prachtens allso wyeder in irn gadem zue der ander, dy do vielleich schon wartt in angsten. Das mocht aber den tag niecht mer gesein, daz wyr dy namen.

Aber dieselbig Gevattrin, das war dy, der solt ze Paszriach geporn sein das Enkchelkint, dy nem wyr an dem nahesten [„nächsten"] abent zu handen, do uns soelichs der Trittmang sagt fuer ain Befelch [„Befehl"] von dem gnedgen hern. Den gnedgen hern aber sach ich die taeg ueber niecht mer. Undt fuertens allso die stieglein abher undt in dy Kamer allwo dy seul standt, undt war wieder alls zuegericht mit liechten undt dem vil verprennten thus; undt an der Feurstatt do het man das pest getan [„das beste getan"] mit grosz hitzen. Dy fraun erzeigt sich senftigklicher dann dy purgermaistrin, wehrat sich auch niecht, als wir dy naestel loesten an irn gewant; do es dann geviel [„fiel"], undt das ander all, undt der Heimo ir die leibpfait umb ires leibs mitten zesammen tuet [„zusammenschiebt, schürzt"] undt sy gar schemlichen standt, do vieng sy an wie vor dem gericht erst, wie sy sich dann gemuett hett [„erregt hatte"] undt fang an mit „heiligs Kreitz, heiligs Kreitz" und verrer „ir lieb herrn, tuet mir doch nicht wech [„wehe"], tuet mir kain laides nicht". Undt geschach ir darnach gentzlichen so wie der ander, undt mir geschach gantz in der geleichen masz, dasz ich zue dem atem niecht lufft het. Undt treib der Heimo sein unfueg all, undt sy musst in derselben weis mit dem ruckhen an die maur stehen ganz entploesset undt niechts an dem leib, daz sy bedeckcht, wann nur die zuesammgetan leibpfait umb mitten. Dy fraun erschien mir schoener noch ansehent als die Stoecherin, wann sy geleich ettwas klainer gewesen, so war ir leib noch voeller, undt all weiss wy ain snee, undt hett lanc Haar, daz geviel [„fiel"] auf ir ploss schuldern und nahent bis an das waiss linnen so ir ergriste [„ärgste, äußerste"] ploess verhuellet. Dem

Heimo dannoch muett dy Stoecherin vast pesser [„gefiel besser"] undt sagt mir daz zuhannt, undt tet suenst noch vil auff
ein schamelos maul. Den fraun aber hiett man das har niecht
geschorn vor der martter, als man suenst den Zaubrinnen tuet,
und sagt der Trittmang, daz des niecht gesein sullt, von der
augenwaidt wegen, et cetera, et cetera, was nicht zu schreim.

Ab dem abent, do wir die Gevatterin in der marter hietten,
do slief ich nicht meh [„mehr"]; undt wardt allteglichen ain von
dy fraun zue der marterseul pracht, undt den ander tag dy ander,
undt denkt sich der Heimo noch vil poshait aus, undt spott der
arm fraun noch mer in ir schemlichkait, als niecht zu schreim.
Undt ich wardt wie kranckh undt zittert an handen und fuessen,
wann es gen den abent gie, undt konnts doch niendert erwarten.

Dy zeit do waren wir bei essens selbvierter, wann der gnedig
her kom niecht mer zue tische, undt der Wolf, von dem ist zu
wissen, daz er vor Judica war abgeritten mit zwo soldner undt
ain guetten zeug [„Ausrüstung"], so ihm der her hett alles mit-
geben, auch ansehnlich gelt, wann er wolt ihn ze hove gân
laszen [„noch vollends mittelalterlicher Ausdruck: ,an den Hof
eines Fürsten gehen'"], zue dem Hertzogen Sygmunt, wo derselb her Lienhart von Felsegk war zue den zeiten als vor geschriem steht [„siehe oben"]. Der hett mein herrn wiszen lassen
in dem gleichen Brieff, do er von Hertzogen Albrechten schreib,
wie vor gemelt [„siehe oben"], wann er hett ain jungen geraden
knechten, den er woellt riter slahen [„zum Ritter schlagen"]
laszen, undt waer der pei den Jahren, so er ihm den sendt, er
koennt ihn wol zue dem hertzogen pringen, dasz er dem hertzogen etwas dienat, der wuerdt ihn dann riter machen, wann er
geleich nicht aus sein landschafft waer [„nicht seinen Landständen angehöre"], so mocht es doch gesein, ungevaerlich
[„wenn auch ohne Gewähr"]. Undt liesz allso der gnedge her
den Wolf raiten, nach gelegenhait der sachen. Mir aber ist jedannoch so erschien, als wollt er die guet seel undt erlich haut
von dem hause pringen e [„ehe"] daz es hier an daz ergrist gang
[„zum schlimmsten käme"] und wollt ihn nicht gehaben als ain
wisser [„Mitwisser"] von schlechtigkait; wann der Wolf pis
dahin wol noch geläubet hiett, es gang alls in dem rechten; daz
ihm der gnedig her solch gelauben [„glauben"] nicht verstoeren
wollt, undt het soelichermasz selbsten ain scheu vor dem guet undt
gerade kint. Dann unser her dem Wolf ist auch ser zuegetan gewest.

Der Trittmang muett sich vast ueber Tische [„regte sich gewaltig auf beim Essen"], weil wir die fraun noch nicht gewendt hetten in ihrn sinn undt satzt sich wider den Heimo undt mich mit vil groben Reden undt sagt, waz wir dann würklich teten mit die poshafftig vettel, daz niecht mit ihn' verrer zu komen sey, undt waeren ihm soelich alt weiber nicht groeszlichen zewider, er kam und huelff unns sy pesser striecheln undt sollten etwas harter umgan mit ihn' undt ihn' ir tugendlichkait auf den ploss hinderen ainmal krefftiglichen schreiben, oder sy an ain strickl aufziechen und anderes in soelicher weis, et cetera, et cetera. War auch zu verstehn, daz er unserm gnedig hern hertiglich anlag, er sollt doch unns niecht Verpot tuen wegen der fraun, dasz ihn' gar kain laides niecht beschechen duerfft; undt seine Befelch, die giengen immer aus durch den herrn Oswalten, undt auch den Heimo liesz er auff sein stubn kom ains oder ander mal, dannoch mich nicht. Undt meint der Trittmang, man muesst weg finden, die Fraun pasz zu schröcken, jedannoch ân [„ohne"] beschedigung leibs. Undt ains tags, do er weit umb geriten war sein päuerl laichen, undt hiett sich vielleich umbgehoert an dem ain oder ander endt, do kom er zue dem tische undt vieng geleich an: „Nu duenkt mich vast dy sach ist auskommen; und ir paid unkreuttl secht euch fuer, daz ir die vetteln pald zue ainer vernuenfftigkait pringt, derhalm wil ich heut noch reden mit dem hern, dasz hie weg werden gefunden. Von den sachen gehent schon mär [„hier: Gerüchte"] umb, dy sein allperaits undt offenlich von dem verdampt Apfalterspach oder Lientz herdrungen, undt ist all so die sach lauttmaerig [„ruchbar"] worden. So fragt mich der Vitzthum [„Vicedomus, Verwalter"] von enhalb [„jenseits"] dem Straeßel, wo dy Grentz [„Grenze"] laufft, ob wir dann wen gefaenklich hielten auff dem haus, er hiett so gehoert. Ich machat mich niechts wissen. Aber es koennt des pald gesein, dasz wir niecht die von Lientz ploss, sundern ander undt mer unns auff den hals ziechen, undt zue dem lesst noch den Herrn Landsverweser, undt über das dy von Villach, dy allzeit vast gern ir hant in haendel pringen, so sy nicht anlangen, wie menniklich bekant. Undt gen Neudegk, do besampt sich [„sammelt sich, rüstet sich zu"] ain jeder dester lieber, aus ainiger ursach, wy ich schon kürtzlichen gesagt." Aber ich wuesst nicht, wo es mit diesem sollt hinauskommen, von sein neu weg und mittel, dadurich man soellt die fraun gefuegig machen, undt sein gantze schentlichkeit durchschauet ich nicht.

So kom wir erpaulichen in dy Charwochen. Der Hamlecher begunnt ain geschefftigkait, desgeleichen niecht gewöhntlich war bei ihm, undt dy deutsch und pehemisch knecht gangen ab und zue, undt hett derselbig her Tristram vil zu schaffen mit ihn', beschauet auch all ihr Gewaffen, harnasch, swert, Gleven [„Spieße"], undt stunden darzue lanc auff dem hof in ainer guett Ordnung, auch wardt jedem geben, wann ihm etwan ichts ermangelt: so daz ueber ain kuerzist weyl dem geraisig zeug [„Männer mit gesamter Rüstung"] auff das pest war fürgesechen; schassen auch auff dem hoff mit ärmst, wobei zu sechen, dasz derselbig Hamlecher erklöcklichen pesser schasz [„schoss"] dann all seyn Soldner; trefft als der Leiphafftig, bei zehen Klafter ain Eyerschaln auff dem erst bolz, des sich dy Soldner vast verwundert. Undt waren dieselbig dem Herrn Tristram sehr in treuen ergeben; mit ihm, so sprechen dy, gang sy durch hellisch feur ân [„ohne"] forchten. Wir hett auch, als ich dessen noch niecht erwenung getan, ain Stueckmaister undt von dysem zwo knecht auff dem haus, dy hietten drey treffenlich Scharppfetindlein [„kleines Langrohrgeschütz, sogenannte Viertelschlange"], der zeug wardt desgleichen auspracht, undt seyn gewartt mit vil pfleg und sorgfelltigkait. Auch tet der Herr Tristram mit sein Leut mehremalen gantz, als weren wir belegert [„belagert"], und hett jeder von dy Soldner sein platz, auff diesen muesst er auff das geschwindrist kom mit all sein genoetig zeug, wann der Wachter huernet ab dem turn; und wardt soelichs niecht zue dreien oder vieren malen, sondern zu zehen Malen fürgenommen pis dasz es treffenlich mochte gehn. Was all pech-zeug anlanget, so wardt dem auch guet fürgesechen, Pfann, Kessel, Feurholtz berait, undt muessten soelchs dy kuchlmentscher hinberaiten under ains Pehmen auffsicht, dy zoch man auff soeliche weis auch in denselbig Krieg, und schenkat ihn' kain arbaitt niecht.

Unter der Zueruestung, daran auch der Heimo undt ich unser tail hatten mit vleiss und ueber geschefft und Befelch von dem Hamlecher, wann mir geleich der muet darnach nicht gewesen, gang der arm Frauen marter verrer gantz wy vor undt nem wir neuest all paid zue der peynlich frag des abents, Purgermaistrin und Gevattrin; des freut sich der Heimo als ain rechter Vâlant [„hochmittelalterlicher Ausdruck für ‚Teufel', offenbare Lesefrucht, das Wort damals längst ungebräuchlich"], wann er meynt, dy wittiben waeren jetzt in ir schemlichkait ains tails vor uns, andern tails ein vor der ander und allso vor ihn' selbsten. Undt lachat vast in sainer Poshaitt, als er dann gern tet. Aber wier mochtens nun leichtlich paid zu handen nemm, dy fraun, erstlichen war soelichs von dem gnedig hern so bevohlen, zu dem zweyten aber fuegt sich das, wann sy gantz demuettiglich und senfftiglich warn geworn, undt werat sich kain mer, lieszen alls geschehen, wann geleich mit vil schemens. So wardt ihn' auf dy lesst [„zuletzt"] pain undt martter nahent zue ainer gewohnhait wordten. Undt der Heimo, der hett dy schoen purgermaistrin under, und ich dy Gevattrin. Neu poshaitt ward dannoch von ihm erdacht, dy Puergermaistrin muesst gar reitten auf ain preit pankh, et cetera, et cetera. Undt mir gevil peraits zue guet die Gevattrin, und bekenn alsam [„ebenfalls ein zu jener Zeit bereits etwas veraltetes, zudem hier nicht richtig verwendetes Wort, gemeint ist ‚also'"], dasz ich mich dy lesst [„letzten"] Taeg ains vergnuegens an soelicher arbaitt swerlichen mer koennat enthalten, jedannoch nicht ân [„ohne"] vil angsten davor, undt ingeleichen begeret ich es doch haimlichen wyder, undt wann es auff den abent gie, hett ich main Verstant niecht mer pei den sachen, so ich tuen sollt, so dasz ains abents der her Oswalt sprücht: „Unkreutl, geh und blüh auff deyn augenweidt, dann du doch hie verdorrist."

Der zait peleib [„blieb"] ich nahent gantz ân [„ohne"] slaffen und lag und wachat all necht; die halb nacht dannoch immer vor der fraun tuer, in ain tailung mit dem Heimo, als unns der Herr geschafft het, wy er dann von Apfalterspach kommen, wy vor geschriem ist. Der Heimo und ich, wir haetten uns do ain pettstatt zwerch vor der Fraun Tuer gestellet, dy scheub [„schoben"] wyr daran all abent, und lac allso do immer unser ainer. Undt dy zait, da anhebt dy Charwochen, hett wyr ain montschein von dem vollen Mond, der kom mir pis in kammer; aber aus soelcher ursach hett ich ringer [„weniger, schlechter"] niecht moegen geslaffen, undt suenst hett mir ain montschain den slaff niecht verstoeret; ehender der „Venedigisch wint", wy ich ihn dann nennt zue der zeit, der gie wyder und blus warm, undt ich lag auff ruckhen halb in slaff, undt mir traumat ich hoert den hahn [„Auerhahn"]. Und der vollpracht seyn trillieren [„Triller – am Beginn der Balz"] undt hoerat sich an, wy wenn man Armprust einrast ueber nuß [„Nuß heißt die Einrast für die gespannte Sehne der Armbrust"], als dann gewoenleich ist, undt volget dem der Kluck [„zweiter Teil des Balz-Gesanges"] undt enntleich begunnt der Hahn sleiffen [„dritter Teil des Balz-Gesanges], undt nun hett ich muessen mein snelle schritt tuen, dannoch der hahn plind und taub ist in dem waehrunden sleiffen, dasz ich nahender kaem für den schusz. Undt ich kunnt meyn fuessen nicht geheben von dem podem, undt stundt do wy von holtz und ân [„ohne"] macht mich bewegen [„ohne Fähigkeit mich zu bewegen"]. Undt der Hahn hoerat auff mit sleiffen. Undt wann der Hahn mit sleiffen endt, so ist bekannt, wy er scharppf auget und loset [„sieht und hört"] und ist in dhainlai weis icht ain bewegen zue tuen, wann suenst stat er gentzlichen ab [„reitet ab, flüchtet"]. Und begunnt darnach dasselbig trillieren und kom pis an daz sleiffen, undt wyder wardt ich von holtz in frömbder weis undt durich ain Zauber. Wissat aber, dasz mir guett waer, deselbig han zu bejagen, undt muesst das in jeder masze tuen, undt war, als sollt ich mich geretten durch denselbig hanen undt dartzue den genedig hern. Undt gang durich mich wy ain greintz, undt do war ich der Ruodl, aber enhalp [„jenseits dieser Grenze"] war ich von holtz, undt koennnat nicht durich das holtz dringen undt denselbig Ruodl in das Holtz pringen undt hinnaus in walt wo der han sleifft. Undt alls von holtz, undt ich in grausamblich angsten umb mich und wegn dem herrn. Do will abstehen der han, undt ich schrai undt wachat auff undt lig in main kamer undt der mont schainat nicht meh [„mehr"]. Mocht auch gen morgen gesein, wann ich hett die wach das mal gehabt vor der fraun gadem des ersten Tails der nacht, undt war nu der Heimo dort an saim tail. Do hort ich ain hanen, war aber nicht vor moegleich zu halden, dannoch ich hoerat ain hanen aus dem walt, undt hoert ihn tirillern, undt mehr niecht. War aber niecht vor moegleich ze halten, dasz ich ihn als weit konnt hoeren, wann geleich ettlich standen allermaist in dem walt enhalb Neudegck. Danach swieg der han, undt ich war gentzlichen verlân [„verlassen"], undt ploetzleich sach ich unns mit den arm fraun, undt sach dy Gevattrin under main henden, mit welicher ich pald so schlimm allberaits umgangen waer wie der schentlich Heimo mit der purgermaistrin, und do leuff wyder dy selbig greintz durich mich, undt war enhalb alls von holtz undt ich entzwei geslân wy ain schaitl

[„Scheit"] und schrai auff, undt maint, ich wer in der hell [„Hölle"], do es denn hie auff dem haus gantz wy in der hell waer, undt gedacht, ob wyr nicht langest würklichen in der hell waeren, undt greiff an main khopf, undt do wuesst ich ploetzlichen wy es do in der hell beschaffen, undt wissat soelichs vor [„für"] gantz gewiß, undt erschrakt als groeszlichen harte, ob ich ettewan schon verdampt wer. Und do ich main atham wiederumb gewinn, so pet ich ain Ave. Aber Sy kunnde [„konnte"] mich swerlichen gehoeren [„hören"].

Den lesster Erchtag in der vasten [„Dienstag vor Ostern, damals 27. März"] sagt über Tische der Trittmang: „Unkreutl, nu losat [„hört"]. Hab mit dem gnedig hern geredt undt auch befehlch von ihm. Ihr nemet heut dy fraun ain wenig strenglicher, dannoch ân [„ohne"] ihn' ainige beschedigung zue tuen. Zeigen sich dy dannoch stoerrig, wisst wol wie's gemaint, sollt heissen, nicht in dysem, dasz sy nichzit verjehen woellen von zauberey, sundern in ir posshafftig Starrsynnigkeit entgegen seyner freiherrlich Genad, zeigen sych dy dannoch stoerrig, so nempt ir morgend nicht peid mitsampt zue der peyn, als jetzt gewohnhait ist, sondern ain umb dy ander. Darnach, so werdt gesuechet pei yeglicher nach eim Mal, wie's jed zaubrin an irm leibe hat, und soelichs allermaist an dem verborgensten tail, damit zaichnet der boes feind seyn Puhlschaft. Das wyerdt ir an peid frauen sorgfelltig undt mit vleiss suechen alnhalm [„allenthalben"] an ihn', wol zu verstehn; dann es frömbd ist, dasz sy pei aller marter niechts verjehn wellen undt in nichzit sich verwilligen; daher zu gelaeuben, dasz sy gentzlichen ân allen smercz beleiben [„bleiben"] in soelicher peynlich frag'. Das sull nu aber gentzlichen an euch peid seyn ze suechen undt zu sagen, ob ir icht ein Mal bei dysen fraun erblickat habt, daraus zu verstehn waer, daß dieselbig traun ân [„ohne"] ainigs Empfinten waern, undt allso dy marter gantz vertan. Undt waz ir meldt, das sull auch gelten: han sy nu soelich ain mal oder niecht. Seind sy aber wuerklichen zaubrinn, so woellt nu auch der gnedig her strenklicher verfarn mit ihn', undt koennt sy, wann des pedarff, auch seyner pischöfflich genad zu handen gebn, daß ettewan eyn urgicht [„Geständnis"] aus ihn fuerpracht werdt, oder sonsten in ainer füglichen masz mit ihn umbgangen, dasz dem landt abgehelfft werdt moegen von schaedleich fraun, so zue den zeitten jetzt allenhalm leut und auch guetts [„Güter"] verderben, wy menniglich bekant ist. Secht euch, nachdem ir main red jetzt vernommen für [„als"] ain befehlch von seyner freiherrlich genad, darnach eur neuche augenwaidt an mit flayss, undt darnach tuet ain bericht, der sull auch gelten. So wills seyn genad. Ze vordrist aber undt heut nach essens ain weyl undt wann dy nacht ist, dann lasset dy posshafftig vettel ainmal pas [„besser"] tantzen, als dann pis her gewoehnleich gewest."

„Jetzt wirdts was", so spricht der Heimo, dann wir wyder allainig waren. „Was mainstu, Ruodl, wir woell ihn' dannoch niecht laides vil tuen, soll wol nur so bevolen wollen sain, ain pesser ursach zue machen für das ander, was an dem nahenten [„nächsten"] abent seyn sult. Jetzt wirdts prandig [„brenzlich"], ist allperaits zu smechen [„schmecken, riechen"]. Wyr well unns dester pas [„besser"] ergetzen, undt wellens ettwas schroecken mit dem, was ihrer an dem andern abent wartt, dannoch niecht so sere, dasz dy entlichen gar in ihr' angsten noch unserem gnedig hern ze willen werden, undt entgeht unns der haupt-ludem [„willkürliche Bildung aus dem Lateinischen, soll offenbar ,Spaß' heißen"] et cetera, et cetera; ich hoerat ihm niendert zue, dannoch war mir guet so, dasz er den fraun in geleicher masz wie ich selbsten niecht wolt unguettlich tuen, et cetera, et cetera. Aber ich erkant in den sachen auch die schenntlichkait und doppelte zung von demselbig Herren Oswalten, wann er ains tails wol verstund, dasz es nur gie umb unsern genedig hern, an dem andern tail aber sich gegen dy fraun satzt als wern sy schedleich fraun undt geleich seyn pischoefflich genad ze Guerck [„Gurk"] in ain stinkund maul nehm.

Darnach so gie daz hin noch an demselbigen abent, wy schon vor geschriem stat, wyr namens all paid abe [„hinunter"], undt mir plieb der athem aus ganz wy vor und wy egemelt [„wie schon zuvor gemeldet"], do ich der schoen Gevaterrin das kleit nam, darnach die leibpfait, dannoch niecht gantz; undt mueßten so ain neben der ander raitten, yegliche auff ain pankh, „auf den perig [„Berg"] undt zue dem tanz", wy der Heimo sprücht, undt hett noch ander vil schenntlich undt schemlichen sprüch mer, undt greiff dy fraun an, dannoch nur scheinperlich [„scheinbar"] harte, slueg sy auch aus krefften undt mit dem sammet, das mocht ihn' wenig tuen.

Des andern abents nem wir zu vordrist dy Gevattrin allain; undt gehet geleich der Heimo in dy klain kamer mit ir, wo dann auch schon liecht aufgesteckt warn, undt smeckat nach dem thus, undt prannt ein feur. „Warum dann hier?" frag ich den Heimo, der spricht: „Dasselbig wierst geleich sechen, unndt ist so der befehlch von dem hern, dasz wir daz mal hie drinne sullen sein." Undt sprücht: „Heb an", undt wir scheubten ain preit pankh mitteninne das Gwelb. „Ziecht euch niecht, Gvatterin", sag er zue der fraun, undt spricht zu mir: „Greif an, Ruodl, ledig sy von irn gewant". Undt gie jetzt, wy allperaits gewohnhait gewesen. Do aber dy fraun dann an [„auf"] der pankh liegt undt merkat, auff weliche art man sy daran pindt, ruefft sy „was tuet ir, was tuet ir", konndt sich dannoch niecht mehr regen [„bewegen"], undt jetzt schrait sy undt ich siech, wy er den pfait ir nimbt, undt mehr weisz ich niecht, ich wardt zittern undt kehrat mich zur wandt. „Kannst auch hersechen", ruefft der Heimo, dannoch volgat ich ihm niecht, undt hoerat dy fraun rueffen „heyligs kreitz, du schamelos laur", do lacht der Heimo undt ich hoerat ihn sagen „ist guet, Gvattrin, nu werdet ihr los, undt koendt eur gwant anziechen", undt ich wendt mich nach ain klain weyl, do war sy ledig und hett sich auch schon bedeckt. Sagt der Heimo zu mir: „Du tumes luder, waz siechst denn niecht her, hast das peste versaumbt." Aber ich koennat ihm niecht antwürt gebn. „So siech dannoch dy purgermaistrin", sagt er und lachat. Dy fraun hett entzwischen all ir kleider wiederumb antan, undt stuend bei seit undt wendt sych ab von unns. Wir fuehraten darnach dyselb Gvattrin von dann undt hinauff in ihrn Gadem, undt gelaiten nach diesem dy Purgermaisterin abher.

Aber do merkat ich geleich, daz dem Heimo der atham jetzt wol anders gang, dann wir mit der fraun in dy klain kamer kommen. Undt muesst ihm doch gehelffen [„helfen"] undt gie alls wie egemelt [„wie vorhin erzählt wurde"], aber auff das letzt kehrat ich mich wyder davon undt zue der wandt, undt wy ich do gestant [„gestanden war"], so hoer ich uebering dy purgermaistrin schrain, mer als sy schon getan, undt schrait auff gantz groezlichen, undt ich wandt mich gachling umb undt siech den Heimo, der war auff dy pankh zu ir gestiegen undt woellt ir antun. Do schrai ich „was tuest, Heimo, was tuest, das doerffst du niecht", undt in dem schrain noch machat es ain gaech gewaltig schlag in der kamer undt fahrt ain bolz gegen dy mauer, undt zerbrast [„zerbrach"] ettwas von dem stain mit

feur, undt in dem Widerspringen von der Maur gie der bolz
ueberzwerch scharpff an mir hin, war aber an dem Heimo noch
schärpffer hingangen. Undt der het abgelassen von der fraun
undt gie von der pankh undt wardt zittern an hent undt knieen,
und ich selbsten auch, und fienndt kainer woertt. Pis daz ennt-
lich der Heimo ettwas von der Purgermaisterin irn gwant auff-
hebt und bedeckat sy, und verrer hin machat er sy los und
spricht zu ir „ziecht euch an, Stoecherin". Undt wyr namen
zwo Liechte, undt das ander blus wyr aus undt gehn mit der
Frau Agnesen von dann; undt wy wir kom in dy untrist turn-
stubn [„das unterste Turmgelaß, wo wir waren, mit den Schieß-
Scharten und Pech-Erkern"], do beleib dieselb Stoecherin stehent und redt unns an und sprücht zu dem Heimo und mir: „Ir
jung hern, nu hoerat meyn wortt, fuer mich als wol als ueber
geschefft [„im Auftrag"] von meyner Gvatterin, mit der ich so
han verlassen [„überein gekommen bin"], in soelicher masz mit
Euch zue reden undt ain ainung [„Einigung"] undt Verpuentnis mit Euch zu tuen. Als ir wisst fuer ain Wahrheit dasz wyr
in dhainlai weis schedleich fraun seind, ist auch nichzit an unns
erfunden [„gefunden"] worden an unsern leib, wessen ihr
schentlichen gesuecht, undt kain Mal, wie es dann dy Zaubrinn
haben sullen, wovon wyr gehoert han, undt wie auch allnhalm
lauttmaerig ist in dem lant; so ir das wollt bestettigen und sagen
fuer ain wahrhait; undt fuerderhin unns niecht strenklicher an-
greiffen in derselb Marter und Pein, als pisher [„bisher"] beschechen, wann vielleich euch dannoch geschafft gewest, strenk-
lichern mit uns handlen; wann Ihr aber bei dem undt in solcher
masz es lasset beleiben, dasz unns niecht werdt ertzwungen einige
Urgicht [„Geständnis"] so wyder dy warhait wer, undt weliche
wir ettewan teten aus uebergroszen smerczen; wenn ir des so
gehalden wollt, undt woellt bestaetten [„bestätigen"], daß an
unns ain zaichen niecht sei erfunden worden von schedlichkait;
undt wir also ain Hoffnung schepfen [„schöpfen"] dörfen, noch
lebend von dysem Ort ze kom undt ân beschedigung leibs: dann
well wir euch unsres Tails wol sein ze willen undt uns in aller
weis Euch paiden liebraich ertzaigen, und Euch gentzlichen zu
gevallen sein, also daß wir dy tuer von dem gadem Euch niecht
werden verschließen wollen wann es nacht ist; vielmehr sull
allzait ainer wachen vor der tuer auff der pettstatt, wy sy do
stat, der ander aber sull pei unns sein und mit welicher von

unns er will das leger [„Lager"] tailen, daz sull im sein unver-
wert."

„Stoecherin, daz ist ain red'l" rueff do der Heimo geleich,
„undt du, Ruodl, wierst dich des auch gern verwilligen und dich
niecht dawyder satzen." Und do er so redt, zaigat ich geleich an,
dasz mir pillichen guet schien soelich verpuentnis; undt stunt
mir ains tails hefftiglichen der Sinn nach derselbig Gevattrin,
undt aber an dem andern tail schienen mir do weg gefunden,
groeszers uebel noch zu verhuetten, des aus all den sachen leichtlichen noch gesein mocht. Undt so verließen wir [„machten wir
ab"] mit den zwo fraun wy gemelt ist, undt bringen dy in irn
gadem.

Dannoch het sy kain woertt geredt von dem schuss in der
kamer, dessen doch auch dy Purgermaistrin muesst gewar worden sein. Undt denselbig bolz het ich geleich zue mir genommen
undt do wir allainig waren, beredten der Heimo und ich geleich
dy sach, als wol zue versteen ist, undt ich erkannt ân [„ohne"]
zweyffel den bolz als ain soelichen von dem gnedig herrn. Daz
macht unser angsten und forchten niecht klainer; undt slichen
haimelichen in dy kamer, wo das zeug all hieng, undt do erfan-
den sich zwo ärmbst von dem hern an ir riegel, aber die dritt
niecht, undt war dyselbig, zu welicher der huspfyl [„Armbrustbolzen"] zuegehort. Wann es waren besunder bolz, so meyn
herr het vor [„für"] den Bock, die Kunden als leichtlich niecht
ueberslagen [„sich überschlagen"] wy dann dy gabelten Hus-
pfeyl gern tuen, so an dem zain [„Schaft"] ein eysen han mit
zwiefach endten, mit den man gemainiglich den Gamsen an-
gehet. Suendern der herr gang auff den Gamsen mit vast swer
Stichbolz, die hett Federn, undt niecht, wy mans mennig machet
von dem Bain [„Bein, auch Elfenbein"] oder gar geringe von
Holtz; aber meins hern bolz, dy hietten recht vedern, undt
nichten dy von dem swan [„Schwanen-Posen, Schwungfedern
des Schwans"] als dann gewohnhait ist, sundern er liesz das be-
satzen von dem muser [„Mäusebussard"] den schass [„schoss"]
er mit Kronpolz [„Bolzen ohne Spitze, jedoch mit starker vier-
teiliger Eisenbekrönung"]. Undt waren dy vedern gesatzt hint
auff der zain von demselbig polz ettwas zwerch zogen in solcher
masz, dasz derselbig bolz in luefften sich als gar snelle umb sich
selbsten drehat gelaich eim twirel [„Quirl"], undt halt so sain
flug auff das pest, kuntt man auch gen oder zwerch dem wint

schieszen beim birsen [„Pirsch"] auff's treffenlichst, undt müssat nicht so nahent ankom, als wy dann allain moegleich ist, wann der bock mit dem wint stat. Mein her, der gang auff den Gams hochauff undt forcht den stain niechten und lass ab den Gams, bald er ihn hiett, selbsten mit Strickchen, wann aus soelicher hoech er ihn anders niecht auspraecht aus der wandt und anders niecht unt gehaben [„unten haben, nach unten bringen"] mocht. Dyselbig polz aber, damit [„womit"] er den Gams schass [„schoss"], wann sy vedern habent, wy vor geschriem stat, haisst man ze Burgondi „viretons", das sagt mir der her ainsmals. Dann er kunnt mancherley sprach. Undt macht ihm die bolz ueber seyn geschefft undt weysung ain pogner ze Villach, derselbig hiesz Heydtler Laurentius.

Is leicht zu verstehn, daß wir den hern basz forchten nach soelicher beschechnus [„Geschehnis"] in der klain kamer, mochten dartzue swerlichen ain recht verstandnus haben, wie das alls zuegie undt dasz er auss der Maur hiet geschassen durch ain lueger [„Öffnung, Schlitz, Scharte"] und unvermerckhter von unns. Den hern aber sachen wir nicht auff dysen abent, als wenig als vor. Zur nacht dannoch han wir uns bei all unsern angsten niecht enthalden, do doch verlassen war mit den fraun, wy sy unser sullten wartten in ihrn gadem und dasz sollt die tuer vor uns unverslozzen seyn. So gang zu vordrist der Heimo, wann er hett das laenger holtz zogen, dann in soelicher masze wurd wir ainig. Undt ich sasz heraus auff dy pettstatt vor der Tuer ganz ân [„ohne"] slaffen; was leicht zue verstehen, undt hiett hertz in hals, undt losat, ob ich nicht ettwas hoerat, und hoerat nichts, weder von drinne, dann dy tueren michel [„sehr"] stark war, noch suenst in dem haus. Undt dacht an dy Gevattrin, jedennoch niecht allainig an dy, suendern auch an der Purgermaistrin grosz plosse fuessen. Undt ich vorcht mich ueber dy masz, undt in geleicher masz vor dem hern, daß der ettewan moechte kommen, und in gelaicher masz vor peid frauen, zue den ich pald sollt in dy kemnat eingehn. Und unterweilen beleib es do still wie auff dem freytthoff [„Friedhof"] undt ich sasz an dem pett und getuerr niecht bewegen [„wagte nicht, mich zu bewegen"].

Zue mitten der nacht, ich hett dannoch ain klain weil geslaffen, gie auff die tuer, der Heimo steigt ueber main pettstat, unt in dem auffkomen bedeut er mir, ich sullt eingehen in die kemnat, und gang hinein, sach wenig Liechts von ainer kertzen, undt so vor mich hin, do siech ich dy schoen purgermaisterin auff der petstatt sitzen in ain langen pfait undt mit ploss fuessen, undt ich legat mich hin an dem podem undt truckh meyn antlitz an ihre fussen, undt kom die Gevatterin undt streych mir ueber das har. Undt mer weisz ich niecht undt kann des auch niecht schreim. Des morgens, do das Liecht kaem, lac ich auff meyn ruckhen, undt peid frauen sliessen, undt ich sach neben mich undt losat in dem halben slaff, ob ich leicht icht den hahn hoeren kunnt, hoerat aber kain hanen niecht. Undt war ain ander zeit komen, undt als wär alles lanc vergangen, undt was [„war"] mir alls wy getraumet, nicht die gegenwürttig fraun nur, so da sliessen, sundern all mein Leben, als ich es zue den zeiten gehabt. Undt muessat mich fragen, ob es denn war waere [„übrigens deutliche Lesefrüchte aus Walter von der Vogelweide"]. Darnach hueb ich mich auff undt gie ân [„ohne"] gerausch aus der stuben, undt weckat den Heimo, dann er slieff, und was [„war"] allperaits liecht worden und also unser wach vor dem gadem geendt, als vor geschriem ist; undt so gie wir in unser kamer, undt lagen peid an dem pett, und er siecht neben sich undt sagt: „Das seind waerlichen wundterpaerlich fraun, ich meint, waer in dem herselperg [„Hörselberg, Venusberg"]." „Hast niecht gefragt, aus was ursach sy sich in solcher hartmuettigkait gen unsern genedigen hern hetten verwert, dannoch unns zue willen gewest, undt ueber jede masze?" So sprach ich; dann ich hett sy waerlichen [„wahrlich"] gefragt in soelicher weis; waren aber geleich voll Zorens, gen den genedig herrn, und sprachen ain ueber ander mal, dem hern waern sy zu ain willen nie gewest, wann er hiett sy gefenklich eintzogen undt mit gwalt, undt wierden sy ehender schliemmers laiden, eh dasz sy dem gnedig hern woellten zue willen seyn. Undt was wir ihn' getan und hieten tuen muessen, dasz sei all ueber geschefft des hern beschechen undt niecht aus unser aigen willen.

Den Tag gie ich wie in halben slafe; dannoch nach fruemals [„nach dem Frühstück"] hieten der Heimo und ich unns niecht enthalden, undt stiegen haimlichen mit Liecht abher das Stieglein von der untrist trunstuben, undt wir gang zenachst in die klain hintrist [„hintere"] Kamer, dasz wir ettwan den lueger [„Loch"] findten mugen, durch welichen der bolz was [„war"] von dem hern geschaszen. Und fandten allda pald denselbigen lueger, als wir do auff ain pankh stiegen; hinderhalb dem Gsims, wie dann ein soelichs auff der hoech umblieff an der maur. Derselbig lueger war so geprochen worden, dasz man ain bolz hoecher oder minder mocht anstehn lassen, desgeleichen nach paid seiten zu wenden den schuss, sollt pillichen haissen, zwei lueger, dy stunden ains auff dem ander in ain richtmasze. Do hett unns also der her wol gesechen bei all unsern tun, undt hiet dem Heimo an seim haupt vornüber geschaszen, denselbigen zu schröcken, als wir jetzt wol vermeinten und gedachten nach eingem Gedenkhen, dannoch hiet mich derselbig hauspfeyl nahent erslagen in dem Widerspringen. Alsbald gang wir in die recht kamer [„die eigentliche, die größere"], ob wir hier ettewan auch ein soelichen lueger findten moechten, undt fandten daz in derselbigen masze undt an dem geleichen Orth, unndt so wurdt unns wissentlich, dasz der her unns zuegesehen bei all unsrer hantierunge, undt ueber unns gewachet, mit gespannt armprust. Daz war uns uebering harte, undt forchten uns ser vor dem genedig hern. War auch leichtlichen zu versten [„verstehen"], daß er durch das selbig tuerlein war hinder uns khomen, weliches ob den Staffeln zu sechen, undt daz es hie nicht gang auss dem Gschloß, wie dann der Heimo vermeint hiet, suendern hint um peid Khamern, undt warum der ganckh in soelicher weis wardt erpauet wordten, daz war unns niecht wissentlich undt wußten wir des kain ursach.

Kom die naheste nacht, do war der Heimo drauss vor mittnachten undt ich in der Kemnat, undt wardt mein tollhait noch groeszer als vor, undt dy fraun lachaten meins, undt hietten ir kurtzweyl mit mir, undt ertzeigten sich do liebraich, als nicht zue schreim [„schreiben"] ist. Dann ich durch dy tueren kom enttlichen, undt steigat ueber dy petstatt, undt der Heimo geschwindter noch drinne war als ich ihm bedeuten kunnt, do beswert mich vordrist der slaf, undt kunnde dannoch niecht slafen, undt sasz auff undt an dem pett. Da hort ich schritt, undt waren des genedig hern schritt, dy kannt ich pald wohl. Undt stunt mir das hertz gentzlichen still. Undt er kom entlang und gie an mir vornüber, undt war gentzlichen antzogen, het auch stiefel und wammes; undt in dem vornuebergân, do ich aufstund von dem pett, kehrat er sich zue mir undt lacht, undt winkt mir mit der hant undt bedeutt mir, ich sollt ihm volgen, undt so tet ich, und gie ihm nach, und verrer, undt ab die staffel, undt pis in sain grosz stuben. Do heiszt er mich sitzen, undt lachat wieder, undt geb mir ain kopfh [„großer Becher"] undt tuet weyn in den Kopfh, undt versiecht sich desgeleichen; undt hiesz mich trinkhen, undt der gnedig her trankh desgeleichen, undt sprücht zue mir:

„Ruodl, des hiet ihr guet tan, der Heimo undt du, undt ist mir leid, dasz derselbig niecht auch hie sitzet zue ainem trinkhen, dannoch well wir ihm seyn vergnugen in kainer weis verstoern. Des het ir guet tan, wann ir denselb weibern ihr falsch tugentlichkait habt verstoeret und zerstoessen; denn das selbig hab ich wellen, daz des geschiecht, undt anders niecht. Derhalm ich schaz [„schoss"] auff den Heimo; wann sy sullten gwalt niecht laiden, sundern ir valschhait selbsten antzaigen undt offenbaren, wy sy dann getan haben gantz unzuechtiglich, undt haben euch verfurt [„verführt"], den arglistig Heimo gantz in geleicher masz, wy dich, Ruodl, ain unschuldig lemplein. Undt habent so daz hintrist in irn wesen fuerpracht undt als daz vordrist ertzaigt; womit ich dann wol zufrieden pin, undt sullen jetzt pald irs wegs ziechen, nicht ân [„ohne"] wandel, abtrag undt bekehrung [„im ganzen: Entschädigung"], so zue tuen ich ihn' berait bin mit guets undt ansehnlich gelt, wann geleich sy merckhlichen schadens nichzit genommen, dannoch will ich ihn all das geben; undt bedoerffen ain weiter peinlich frag nicht mehrer zu forchten, noch daz ihn' icht etwas verrer moecht beschechen. Das sagt ihn' alles in ain guett vertrauen. Jedannoch auch, daz ich wol wuesst von ihrer tugentlichkeit, wy die ist beschaffen, undt daz sy all paid ihr' lustperkait niecht seind aus dem weg gangen, sundern hieten der gehabt ân einge schemlichkait mit zweien jungen pueben, dy wol ihr sun [„Söhne"] oder leicht Enenkel [„Enkel"] hieten sein koennen, schentlichen, ân schame undt geitig [„gierig"], undt daz von tugent undt zuechten bei ihn' niecht wol mehr moecht gesprochen werden, anders sy verprennten sych dann ihr unverschambt maul. Daz saget ihr ihn' alles, wann ich all paid von angesicht nicht wil sechen e [„ehe"] ihrn fuder ziehen [„weiter reisen"] von dem Haus Neudegg. Daz sull sein pald. Undt vorher habt euern kurtzweil mit ihn', als wol ihr dann wellt, der Heimo und du, Ruodl, undt mag meinswegen noch etlich taeg anstehn." Nachdem der her so gesprochen, so lacht er, undt trankhen wir noch ichts aus dy köpfh, undt geb er mir urlaub.

Entzwischen aber, undt do wir den hern niecht mer hieten zu forchten, ueberkom den Heimo undt mich dy sach gentzlichen undt harte undt unser tollhait gie in das kraut, undt war pald ain Sodhom undt Ghommorcha, undt heten uns des in soelicher masz dannoch nicht understanden, wy es jetzt geschach gentzliechen nach dem willen undt ueber geschefft des hern. Unterwegen meinnt ich ernnstlichen, ich waer in der hell. Undt an dem Mitichen nach dem Quasimodo [„Quasimodo geniti – sogenannter Weißer Sonntag, der Sonntag nach Ostern; Mittwoch danach war damals der 11. April"] vor hankraten, do slieff ich ettwas ain an dem pett, undt hiet zue jeder hant ain von den fraun, undt sliefen dort; undt in dem slaffen, do schien mir das pest, ich moechte niewan mer erwachen, suendern geslafen undt so von dirre werlde gân [„heißt: von dieser Welt gehen; auch offenbar Lesefrucht, vielleicht Nibelungenlied"]. Dannoch prannt ain waxliecht, undt standt auff ain tisch. Undt ich sach wyder in das selbig Liecht, undt wachat gentzlichen auff, undt kunde [„konnte"] verrer niecht geslafen [„schlafen"] undt lag do in angsten undt wardt mir heisz, undt ich gedacht ob ich iezt niecht in main kamer komen mecht, undt gentzlichen fort von denselbig fraun, die do vast sliefen; undt peid snarcheln; undt inwärts [„hier: ‚zu innerst'"] wurdt ich ihn peid ueberring hessig [„haßerfüllt, gehässig"] undt gedacht, waz es denn waere, daz wir in ain Narrenkoederl seind wegen derselbig fraun, undt in soelicher masze schon als lange zait, undt hieten dannoch frueher ain pesser leben gehabt; dasz schien mir gantz vergangen undt verloren und vertan, undt nu warn wir gestorm [„gestorben"] undt würklichen in der hell, undt dy zwo vâlentinne [„Teufelinnen, siehe oben"], dy hieten macht zu ainer ewig straff undt pein ueber unns, niechten etwan wyr ueber sy, als wir vermeint hieten; undt wir kaemen niewan mere [„niemals mehr"] von soelichem Ortt der pain, wann es das haus Neudegg niecht mehr sei, langest aber schon [„sondern schon längst"] die hell, do sy an dem tiefsten [„am tiefsten – zu ergänzen: ist"]. Undt mir wardt meher [„noch mehr"] heisz undt kunde mich aber nicht geregen undt wardt zue dem anderen mal wyder wy ain schaitl holtz gentzlichen, undt hiet ich gekundt [„gekonnt"], dann hiet ich vast laut geschrien in main angsten, aber so lag ich ân bewegen und sach in das liecht. Undt das liecht, daz prennt jetzt ettwas ringer undt tuet ain oder ander bewegen.

Do hort ich ab den turn den Wachter krefftiglichen huernen, undt stundt niecht ab undt huernet verrer, undt blus in der weis, damit man antzaigt, daß dy sachen stuermmessig seind [„sturm-mäßig bedeutet sonst so viel wie ‚sturmreif' bei einer beschosse-nen Befestigung – Ruodlieb verwendet hier das Wort etwa im Sinne von ‚ernstlich, gefechtsmäßig'"]. Undt gesellt sich ain zweyter, der huernet mit ihm desgeleichen; undt blusen verrer all peid. Daz was [„war"] mir als ain geluecke [„Glück"], undt ist mercklichen gewesen undt hie zue wissen, daz in dem waehrunden Blasen [„während des Blasens"] mir uebering der koestleich gesmach von den usgeprennt waszern [„alkoholische Destillate, Parfums"], so dy fraun hieten hier zuhant in der stuben, undt so sy doch all die zeit hietten, nu in dem waehrun-den blasen wyder krefftiglich war zu spueren, wy ich dann gentz-lichen soelichen gesmachs vergessen het pisher, do er mir ge-woenleich worden; dannoch spuerat ich ihn jetzt mit grosz Krafft, undt war mir guet; undt spranc mit freiden ab dem pett, undt dy peid fraun erwachaten und ich fahr in mein gwant undt rueff zue ihn': „Wachat auff, fraun, Purgermaistrin, und ihr, Gvattrin, undt besammbt Euch mit Eurn gwant, sach undt guet. Dann es wil nu anders beginnen." Undt indem ich so gesprochen, leuff ich eilunds in main Khamer, mir selbsten zue ainer Besam-mung mit der Wehr [„Waffen"]. Undt ich war fro in main ge-muete, dasz sich nun alls het gentzlichen gewendt. Undt besambt mich gemachsam undt auffmerkig mit harnasch, stuermhaum [„Sturmhaube"] undt swert, undt nem main armprust mitsampt husphyl [„Bolzen"].

Dann ich kom auff den hof, do es schon liecht mocht werden, und leuff zue main recht Ortt auff das geschwindist, als ich dann sullt; undt war ob der pruckhen auf der Letzen main platz – do siech ich allnhalm dy Deutsche undt Pehm an den prustwehr, undt stanten mit ihr aermbst gespannt; undt war auch der Stuck-maister do mit seine knecht bei den drei Scharppffetindlein, hieten auch das feur berait. Der Herr Tristram, der war gar leb-hafftig und lachat, als ich ihn vor niecht han gesehn, undt ruefft ain Pehm, dem sag' er :„Vaclav, spring in Kuchl, dy mentscher sullen ain grosz kanntl voll schaffen." Undt alls kom der Pehm mit dem weyn, do kom des wegs Ir Freiherrlich Genad im har-nasch abher dy graeden, undt lachat lautt, undt der her Tristram des geleichen, undt kredenzt ihm die kanntl und trankhen so all peid. Fang der Hamlecher gar an singen, war aber ain groeblichen lied, und dy Soldner dy sang all mit, undt Ihr Freiherrlich Genad, dy sang auch mit, undt lautt [„lautete"]:

> Dy laur well angewinn
> das Neudegkh wolbekant.
> Wir wellns fuerbaser sprengen,
> recht wy dy saeu absengen. . . .

Entzwischen lueg ich von der Letzen, alls ich do mit zwo Pehm standt, undt hieten unnser gespannt ärmbst auffgelegt; undt lueget ueber den Graben undt Straeßl auffmerkig gen den walt, allda ich etwas wol kunde sechen von mercklich Umgân [„Umgehen, Bewegung"] als von mehrern Mannen. Wann sy hieten irn zeug dannoch niecht fürpracht an das streßl, wann wier daz selbig kunden beschutten mit ärmbst; dannoch sach mans hin und wider gân, undt vermeindten vielleich, ir puchsen [„Geschütz"] fürpringen, dasz sy damit zerschaszen dy prustwehr undt machaten so das haus Newdegck sturmmessig, daz sy die stuerm kunden wagen. Mocht aber des niecht gesein, wann es gang von dem straeßl allzue gachling abher. Aber das sach ich wol, daz sy hier puchsen versuechten fürpringen, als auch scherm [„Schutzschilder"], undt liesz soelichs dem hern Tristram melten durich ain Pehm.

Darnach zuhant, dann es meher liecht wardt, kunden dy, so auff der Höch des Turns stundten, pas einsechen in den walt, sachen auch den voll leut undt zeug, daz sy dannoch swerlichen kunden an das streßl pringen, wann sy geleich der rossen genug hieten, als auch geraisig knecht. Undt melten daz ab den turn, dem genedig hern. Derselbig hiet dann Befehlch geben, dasz niempt [„niemand"] sullt ain schusz tuen, ettwie unbedachter maszen, oder dasz eim die armprust absprang aus der nuß [„Selbstauslösung"]. Ließ Soldner umgân die gantz laeng von der prustwer, dy sullten wol luegen, dasz niecht haimlichen weliche kaemen von ander saiten undt ueber den stain [„Fels"].

So wardt es Liecht, dannoch dy sun [„Sonne"] in unsern ruckhen noch niecht aufgegangen was [„war"], ist wol ze merckchen gewest, dasz es ain klar tag wuerdt undt plauer Himel.

Do hoerat man mit mehern [„mehreren"] trumpet blasen enhalb straeßl in dem walt; undt darnach swangens ain panier ueber dem straeßl undt warffen das auff, war mir aber in dem swingen niecht kenntlich; undt indem ruefft man starker stimm von enhalp: „Seyn freiherrlich genad der Herr Achaz der Neudegker wierdt hie erpeten von Seyn Gnaden dem Herrn Landsverweser des Lants hie ze Kernden, undt moecht seyn genad in ain guet vertraun kom und stehen ueber der pruckchen, dasz Seyn Genad der Herr Landsverweser kunt den gnedig hern sechen, undt ihn allso anredten zue ainer taiding."

Dann wir hieten zue den Zeiten ein Landshauptmann niecht, sundern war ain Landsverweser gesatzt, hiesz Herr Sigmund der Kreuzer.

Do kom mein her auff dy Letzen. Undt indem ruefft unt der her Tristram mit gwaltiger stimm, so an ihm niecht gewoendlich gewesen: „Niemd tuet ain Schuss, als lang herrn undt leit stehent in ain guet vertraun auff dem straeßl."

Dy kom unvertzogen hervor aus dem walt, undt waren ihrer mercklich mann. Zuvordrist der Herr Landsverweser selb mit mehern Herrn undt ritern, undt wardt das panier auffgeworffen pei ihm, undt war des lants ze Kernden. Undt wardt wydrum blasen mit den Trummeten. Undt der Herr Landsverweser wendt sich herauff zue der Letzen undt hebt seyn arm undt grusst unsern gnedig hern, undt der naigt sich ihm in geleicher masze von der Letzen abher.

Do wardt ihm nunmeher fuergehalden von dem Landsverweser, wie dy von Lientz sich hieten beschwert gefunden, wann er hiet dy zwo frauen, davon ain ains purgermaisters Wittib, auffgehebt unterwegen undt auff das haus hie zue Neudegg pracht mit gwalt, undt hieten sich dy von Lientz in den sachen zue ir Lantschafft gewendt, undt dieselbig Lantschafft zue den hern von Kärnden, undt sey dy sach auff das lesst [„zuletzt"] pei ihm als ain Landsverweser fuerpracht worden, wann es ângezweyffelt ains lantrechten und lantfriedens Brechen undt Auffheben sey, wie unser her getan. Jedannoch in soelich swerer sach er ihm niecht het gesandt ain scheinpoten [„Bevollmächtigten"], daz er ihn het vorvordren mugen; wann es waer leichtlichen ze gedenkhen gewest, daz er, sullt heiszen, unser genediger her, demselbig scheinpoten ain antwuertt vielleich niecht hiet geben: so kaem er, wann geleich des niecht gewoendleich undt des lants brauch wer, selbsten zu ihn, undt mit ain mercklich geraisig zeug, ihm in solcher masz antzuezaigen, daß ihm ernstlichen waer darumb zue tuen, dasz dy recht wyder wurden hergestellt, dy fraun in ihr fraiheit gesatzt, undt nicht ân ain Wantel, Abtrag undt Bekehrung, was alls er ihn' mit ain ansehnlich gelt tuen muesst, undt muesst sy auch ân verziechen lassen, wohin sy dann woellten, mit all irn guet, ross undt wagen. Undt wann je dieselb fraun hie ze Neudegg hieten ainige Beschedigung leibs oder guets undergangen, muesst er ihn das sunderlich und mercklich entgelden. Anders aber muesst dy sach leider gots von dem guettlichen weg kom, undt sy wuerdten geleich sich mit ain guetten Zeug, so hie zuhant, undt von welichem er, sullt heissen unser genediger her, noch meher [„mehr"] sechen koennt, hie vor das haus slahen, und das stuermmessig schießen, undt die stuerm antreten, daz man ihn, sullt heissen unseren genedig hern, vieng, undt das Lantrechten sein leuff nehm.

Und inwaehrendem soelichen reden von dem hern Landsverweser kom immer mer mannen für, undt steigen do aus dem walt auff das straeßel undt warffen do panier auff, Herrn, Riter, Knecht undt Leit, undt dy von Villach warn gar auch do, als der Herr Oswalt hiet kuertzlichen gesagt, undt warn viel Hern hie zenagst [„aus der nächsten Umgebung"] in dem lant, und derselbig war auch do mit zwei Riter undt ain panier, dem der her verwichen Jahr den Gams hiet genomen enthalb zuegehoerung.

Do besambt sich der genedig herr auff der Letzen, undt niembt sein Sturmhaum abe, daz ihm leichter waer sprechen, undt redt den Landsverweser undt dy ander an, undt geb ihn' antwuertt, undt sprücht:

„Ir lieben herrn, muess Ewch laider ain strich durich Eur raittung [„Rechnung"] tuen; denn als wyr wol betrachten, was vor gesagt ist durich seyn genad, den hern Landsverweser, undt wann es bei diesem all soll beleiben nach lantrecht, so wierd man hie swerlichen stuerm antreten, undt daz haus Neudegg swerlichen angewinn. Dann ich ain guetten willens pin, mich in soeliche Bedingnis ze fuegen undt zue geben gentzlichen, als vor gehoert worden, undt noch meher als daz; dann ich denselbig zwei Fraun von Lientz Wantl, Abtrag undt Bekehrung getan hab mit mercklich gelt, sullt heissen einer jeden von ihn mit 15 Guldein; undt tuet daz nach ainer rechten raittung, als die zu zeiten wyder gesatzt ist, als vil Pfundt Pfenning ainer yeglichen. Jedannoch soelichs ân einge oder auch dy mynnest [„die mindeste"] Beschedigung leibs oder guets, dy ihn waer widerfarn, mit guet willen mains tails undt ân das soelichs wär von mir ervordrit worn. Ingeleichen sullen dieselbig unvertzogen fuderziehen mit all irn zeug, ross, wagen, guet, wann anders ihr ihn ein Knechten gebet, denselbig ihrn wagen zue laitten, denn ains soelichen seyn sy nicht moechtig, der ist ihn entlauffen zue Apfalterspach, undt aus was ursach des beschechen, daz ist mir niecht wissentlich. Was aber des anlanget von wegen Wantl undt Gelt, undt daz ihn' dhainlai Beschedigung widerfarn hie auff dem haus zu Neudegg, so sullen sy soellichs selbs bestettigen dem hern Landsverweser, undt fuertreten, als sy dann das langist schon besammbt seyn zue der reis. Niemd aber wirdt wol mir ain schentlich fuernehmen woellen zuetrauen entgegen alt erber [„ehrbar"] fraun, dann ich selbsten noch pei mein jungen jarn, undt moecht vielleich myr gelücken [„glücken"] bei jungern. Suendern daz ich soellichs gwaltsam getan, undt dy auffgehebt undt auff das haus pracht undt in venckchnuess [„Gefangenschaft"] genommen, als wyder lants recht ist, wy dann offenlich scheinet, desselbig han ich vermeint phflichtig zu sein. Dann ich hielt dyselbig zwei weiber aus manniger und genoettig ursach fuer schedleich fraun. Und gedacht, wie allnhalm lauttmaerig ist, welich mercklichen undt grosz scheden angerichtt undt ueber dy leut pracht worden sein von schedleich Mann und Frau, Zaubrinn und Zaubrer, ueber das Viech, Frucht, Menschen, Prunn, Fischwasser, weid; also dasz ich des pflichtig waer, dy zue greiffen undt zu hanten nehmen, unvertzogen, undt ân frag oder pottschafft zue tuen bei sein Genad dem hern Landsverweser oder ettewan bey Pischoefflich Genaden. Dann es ist meniklich bekant, wy schedleich Mann undt Fraun auff das geschwindrist vermugen entfliehn, undt sneller, dann icht ander poeswicht. Und wann mir geleich wol wissentlich gewest, daz all soelch untat sich gebuerat zu pringen vor ain Gericht, so aus geistlich und weltleich peiden tails niedergesatzt waer, han ich dannoch der sach allsogleich mugen fürsechen [„sogleich für diese Sache Sorge tragen mögen"], ân verziechen undt ân daz ichts waer in den Sachen versaumbt worden. Undt ist alls in ain rechten fuergangen und fuergenommen worden, gemachsam, undt der sach grüntlichen nachgangen; wy wir des auch geschrifft han von yeglichem wortt, so darbey gesprochen.

Undt ist, durich soelichs gruentlichs fuersechen und fuergehen aufgehebt worden dy swer inzicht [„Beschuldigung"] gentzlichen, die dannoch erhoben muesst seyn; wann peid dyselbig weiber sich erweist [„zu ergänzen: ‚haben'"] in ir fertigkait meher dann gewoendleich waere undt erhoert wordten ist, in ihrn umgân undt berattitung von den usgeprennt undt den wolriechund wassern, in ainer masze, so froembd genannt moechte werdten; undt hieten mittel und weg gehabt, ain trunkhen mann ueber kuertzlichen, undt eher alls daz man hant wendt, umzueschaffen zue sein sinnen undt voll verstant, desgleichen ander kuenst. Dannoch ist offenbar wordten, daz hie niecht Kund gesprochen werdten von zaubrisch tuen oder von schedlichkait, in dhainlei weis: suendern nur von guetter undt heilsamer wissenschaft in sachen von der artzeney, undt was von kreittern ze wissen, so jed kindl aufflesen mocht; dannoch fehlt ihm der verstant, so heilsam undt voerderlich mit soelichem zu tuen, wy peid fraun, krankhen zue nutz undt pesserung, undt dem gesunten mann zu ain ergetzung leibs. Aus sölchen mercklichen ursachen seind wir berait zu bestettigen, dasz schedlichkait an peid fraun nicht ist erfunden worden. Undt derhalm wir ihn aus aigen guett willen Abtrag, Wandl, Bekehrung getan [„zu ergänzen: ‚haben'"], ân einge Noettigung, in dhainlai weis, undt ân dasz denselbig fraun ichts wer beschechen an irn leib oder guet, davon sy beschedigt waeren oder beschwert. Wy dann dyselb fraun ân zweyffel berait sein werdten ze bestettigen offenlich dem hern Landsverweser, wann dyser sy wollt anhoeren, undt in geleicher masze all ander hern, so hie besammet."

Undt in seim waehrundem reden siech ich, wy von dem haus her kom peid fraun, geleitt von dem herrn Tristram; undt ist mit demselbigen wol so verlassen [„vereinbart"] gewest, daz er sy fuerpraecht jetzt nach gelegenhait der sachen. Und gan dyselbig fraun an dy prustwehr, undt leuff ain Pehm zue, undt stellat ain pankh an dy prustwehr; do steig dy zwei fraun auffher, undt stunden do oben, dasz mans von enhalb graben wol kunde sechen; derselbig Pehm aber lieff eilund hinweg. Undt besambt sich dy purgermaistrin do in irn raten Kleit und sprücht:

„Hochgeporn her Landsverweser, hochgeporn edelvest hern, alls Ir seyd zweyn arm Wittiben zue ainer hilff gekommen in wafen undt geraisig, so ist soelichs beschechen in getreulich

Vollpringung von eurm riterleich Gelueb [„ein Teil jedes Ritter-Gelöbnisses umfaßte auch den Schutz der Witwen"] undt han wir des untertanigst Euch zue danken. Dann dy sach wolt waerlichen hersechen, als sey unns nicht andres beschechen undt wyderfarn, dann gwalt, raub, schenntlichkait undt beschedigung, undt als waeren wir aus der masze beschwert worden, undt mit ungerechtigkait. Des aber niecht gesein mocht. Undt muess mir als verr alls meiner Gvattrin an dem wol gelegen sain, daz wir von soelicher swerer inzicht und verdaecht, als dann zaubrisch werk seindt, grüntlichen nach Gelegenhait der sach undt in ain sorglich fuergehen undt fuersechen, uns gentzlichen entlediget undt gereinigt, unndt des auch geschrifft han von seyn freiherrlich genad hie zue Neudegg. Dartzue noch merck-lich undt ansehnlich Abtrag, Wandl undt bekehrung, sullt heissen ainer yeglichen 15 Guldein geben wordten, so heit meher tuet, als seyn genad raitt [„rechnet"], wann der guldein langist leuff auff zu neinen [„der Gulden hat längst den Kurs von 9 Schillingen erreicht"], so daz muesst gesprochen werden von zwei undt zwantzig Pfundt Pfenning, mehrer dreu Schilling der Pfenning, ainer yeglichen gebn. Auch ist seyn genad eben an diesem zue bestelln gewest, unns von dem haus Neudegg fuderziehen lassen, nach Paszriach an dem Klain see, wohin wir dann wellten; dannoch ermangln wir ains knechten zue der fart; undt pitten demnach underteniklich den hern Landsver-weser undt all ander hochgeporn und edelvest hern, so hie be-sammbt seyn, unns ains soelichen zu gewern nach Paszriach, daz wir dahin moechten gelang, mit unser aigen ross, wagen, guet, ungeverlich. Tuen aber hie allpaid nochmalen ain gruent-lich Bekennen undt Eroeffnung, daz wir unns verrer in dhainlai weis woln beschedigt und beswert halden von dem edelvest hern Achaz, hie ze Neudegck auff dem haus."

Nach anhoerung soelichen redens der Purgermaistrin seind der Landsverweser und ettlich hern, so bei ihm stunden, hinder sich treten auf den straeßel bis an den walt, undt sich dort ainer mit dem ander beredt. Darnach aber tritt der Landsverweser ze vordrist an Grabn, undt redt hinauff widrum zue unserm genedig hern, so auff der Letzen stunt, undt geb ihm ain antwuertt undt sprücht:

„Edelvest freunt. Unns scheint mit diesem, was dy fraun jetzt geredt, undt wes sy unns ain bericht tan, undt sich verwilliget,

verrer sich niecht beschedigt und beswert ze halden von Euren
seiten undt ettewan durch Eur verschulten, ein benuegen ge-
schechen in den sachen; wann anders ir Euch jetzt beraitt findt,
dy fraun herausgan lassen aus dem haus undt aus Eurer gwalt,
mit all irn guett, ross, wagen, zeug, ungevaerlich; undt waer
mit diesem unser taiding ze eim guetten ent pracht, undt alls
zue eim fried undt gmach gewendt."

„Das sullt gelten, Eur hochgeporn", ruefft mein genediger
her kraefftiglichen. Undt war wol in geleicher masze mit dem
herrn Tristram verlân [„verlassen, abgemacht"], daz jetzt der
fraun wagen kom von dem Stall her auff den hof, undt die fraun
stehent auff den wagen [„steigen ein"], undt pring man dy
truchen aus dem haus, darin wol auch maniglich koestlich gwirz
noch warent, undt ladt dy auff den wagen, undt macht daz
sicher [„fest"]. Undt der her Tristram, der schafft den soldnern
abher lassen prucken; aber e [„ehe"] dasz dy pruckhen gang
abher, das sach ich wol, do liesz der her Tristram sein Deutsche
und Pehm, jeden tails drei mannen treten zuseiten dem törr
[„Torturm der Zugbrücke"], undt standten unt [„unten"] mit
ains tails gespannt aermbst undt ains tails ploss swert; kunnden
aber dyselbig mannen von enhalb grabn nicht werdten gesechen.
Darnach erst gie abher die pruckhen, undt zuhant fart aus der
wagen mit swer rossen ueber pruckhen undt darauff saeß ain
Pehm. Der hielt do an auff dem straeßl undt steig von dem
wagen undt geb dy rossen halden ain ander Knechten, der do
fuertret, undt gang der Pehm hinder sich undt wyder durich
unter der Letzen undt kom ein auff den hoff; dannoch beleip dy
pruckhen, als liegunder sy waer. Do nimpt neben meiner der
genedig her das wortt, undt spruecht:

„Eur hochgeporn, her Landsverweser. Als wyr nu hietn vollpracht all bedingnus zue soelicher taiding, so zwischen unns
betrachtt wordten, bitt ich Eur genad undt dy andter edelvest
herrn, so sich hie besammbet han, ze treten auff die pruckchen,
dasz wir dieselbig taiding staerkhen mit ain hantslag undt ain
trunkh, als dann des gebrauch ist undt gewonhait."

Undt in diesem sein waehrunden reden, eben do gie auff in
unserm ruckh die sun hoecher an dem himmel, undt scheinat
vast auff mains hern rotguldein zerstroblet har, undt war, alls
wuerdt das alls prennat [„brennend"]. Undt der her gang ab der
Letzen, undt tret auff dy pruckhen, undt desgleichen sein hoch-

geporn der her Landsverweser, undt ander hern hinder ihm, undt meim hern, dem volgat sein haubtmann, der her Tristram. Undt wy dy jetzunt auff dy pruckchen treten, swanc man undt werff man auff ob dem Straeßl wiedrum das panier des lants ze Kernden, undt blusen wydrum vast mit trummetten, undt die unser, ab den turn, dy blusen desgeleichen. Undt so geschach der hantslag.

Do siech ich kommen ueber hof undt gen die pruckhen den Heimo; der hiet sein sturmhaeubl abtan undt war gekleidt in ain waemmsl von meins hern farben, undt sein hell haar zierlichen gekampelt, undt war derselbig laur vast liebraich anzusechen; undt hinter demselbig, do gie ain Kuchelmentsch mit grosz silbern Kanntl undt ain michel kopfh [„großer Becher"], der war von golt; undt trug dem Heimo das nach. Undt do sy zue der pruckhen kom, nympt er das von demselbig mentsch peides, Kanntl und Kopfh, undt gie mit ain guetten anstandt auff pruckchen undt neigat sich vor dem hern Landsverweser undt ander hern, so do stundten; und geuß ain den weyn, undt wardt der in soelicher weis dem Herrn Landsverweser do kredenzt. Der lachat gnediklich undt in Leitseligkeit den jung Knechten an, undt mein gnedig her, der lachat auch, undt trankh alspald der Landsverweser, undt all ander hern, undt mein genedig her undt der Hamlecher, dy trankh desgeleichen, alls daz dy Kanntl war nahent leer. Undt der Landsverweser lachat undt spricht: „Gebt ihm auch ain Muntvoll", undt so doerfft derselbig Heimo ingeleichen trinkhen.

Darnach stundten dy hern all auff ir rossen, so man auffher zach auß dem walt, wo sy dann verborgen gewest, ueber dy gach leitten [„Böschung"], undt riten ab dem straeßl, undt mitten unter ihn der grosz wagen mit denselbig fraun, so den gantzen zeug hietn hertzogen auff das Haus Neudegck; undt kaem der geraisig zeug hintnach; dann es dauert ain guet weyl pis man das auspracht ausser dem walt undt fuerpraecht hett untz auff das straeßl; wann dy Stuckmaister geleich mannich knecht gehaben mochten dartzue, so war es vast arbaitt, dannoch sy kain grob undt grosz Geschuetz niecht hieten, kain Pumhart [„Bombarde"] oder scharppfe Metzen [„mezza bombarda: zweitgrößte Langrohr-Geschützklasse der Zeit"], suendern nur dyselbig als wir selbsten hieten hie auff dem haus. Undt ich stunt bei dem genedig hern, der was [„war"] wieder auffher

komen dy Letzen undt sachen ihn' zue ain weyl; undt scheinat
schon hoecher dy sun, undt auff meins Herrn rat [„rot"] guldein
haar, daz war schoene anzusechen. Undt kom dy mit irn zeig
unt rossen enntlichen all auff Straeßl, undt verrer, undt stundten
auch dy Stuckmaister undt ihr knecht auff dy rossen, undt riten
ab mit mehern Scharppfetindel, so man mit rossen zach, undt
verrer das straeßl abhin mit vil lermens, undt kom enntlichen
der gantz zeug um den turn undt aus unser augen.'

Ueber Hof waren do Schritten zue hoern, wann geleich all
Soldner langest waren von den prustwehrn getretten, undt der
Stuckmaister ingleichen mit sein leutt; so sach dannoch der
Herr Tristram eins mehr nach dem rechtten. Do rueff ihm mein
her dy Letzen abe: „Edelvest freunt, wellt so guett sein undt
schaffen, dasz man all manner ain grosz kanntl weyn geb, nach
fruemals [„nach dem Frühstück"] eim yeglichen ain Kanndl
sunderlich, eh sich dy niederslahen, undt sullt darnach ain yeglicher mann slaffen, alls lanc ihm die ruh smeckt." Undt mit
diesem gie der her Tristram ueber dy graeden undt in das haus.

Darnach beleib ich alleinig mit dem genedig hern auff der
Letzen, undt wardt nu gentzlichen still auff dem haus; undt der
genedig her, der siecht ueber den walt hin, darein es nu auch
war gentzlichen still wordten, undt hoerat man do nicht lautt.
Entzwischen dy sun war ettwas hoecher an dem himmel kom,
undt scheinat unns von dem ruckhen her. Sagt der genedig her:
„Ruodl, es war ain poes wint, ain venedigisch Wint, als du ihn
dann heißt, der hiet dy herblusen, undt nu seins dohin. Undt
mir ist, als wuerdt ich aus zweien halbeten mannern wyder ain
ainiger gantzer; undt war von den halbeten der ain von holtz."
Do erschrackt ich, wessat aber nicht, aus was ursach ich do erschrackt war. Sag' der herr: „Ain gebild, wann dich daz ueberkom, und du pist damit allainig undt verslozzen, entgehet dir all
anders, bist verlân [„verlassen"]." Darnach sweigt er ain weyl,
undt niembt mich dann mit eim arm umb schuldern und
spricht: „Wann gang wir auff den hahn, Ruodl? Well wir morgen ain verhoern?" [„feststellen"]. „Ja, genedger her", sag' ich,
„sullt pald sein, sullt moring [„morgen"] sein!" Undt ich lehnat
an dem hern, undt hiet main kopf an seiner prust an dem
harnasch, undt er gie mit der hant ettwas ueber main har. „Den
pest hanen, den sullst du haben, des yars", sag' der herr. Undt ist
bei diesem belieben [„geblieben"] undt wir seind des nahesten

morgens gangen den erst hanen verhoern, undt den dritt, der war der pest, den daerfat ich selbst bejagen, undt schass ihn, undt in dem beiseyn von dem genedig herrn. Explicit. Hoc est verum et cetera was geredt wordten puntschuech. Actum sexagesimo nono aetatis meae anno Aug. Vind. MDXVIJ° am Eritag vor Auffahrt. Ruodlip von der Vläntsch.

8

Am Strom

„Nett ist das, wie er diesen Narrenturm beschreibt", sagte René beiläufig und legte die Handschrift beiseite.

Herzka sah auf Stangeler mit dem Blicke eines Fiebernden aus dem Bette. An diesem saß jetzt ein völlig fremder Mann, fremder und unbegreiflicher als jener Arzt der Kinderzeit.

Am nächsten Tage, Donnerstag, den 19. Mai, fuhren sie nach Wien, ebenso bequem, wie sie hergereist waren. Das Manuskript befand sich in René's Köfferchen. Diesen begleitete heute eine Art innerer Duft, wenn man so sagen darf: wie von alkoholischen Kräuterdestillaten; es hing damit irgendwie zusammen, daß er sich sehr agil und leicht fühlte, in allen Gliedern, jedoch ohne daß ihm dabei irgendein Überschäumendes an den Rand seiner Person, und zu Äußerung und Mitteilung gedrängt hätte. Es war eine stille duftige Deutlichkeit, mit der sich alles in ihm ordnete. Am Südbahnhof stand Herzka's Wagen. Der Chauffeur begrüßte René schon in der Art, als gehöre dieser nun einmal dazu, zu seinem Chef. Während sie durch die Stadt glitten – es war dieser Abend nicht warm, eher feucht und kühl – empfand René den früher berührten Zustand sehr fühlbar.

Wieder rollte der lange Wagen vor das Elternhaus.

Stangeler stieg in den zweiten Stock. Als er über die erste Etage kam, wehte ihn die Erinnerung an, wie er da vor wenigen Tagen, knapp vor seiner Abreise nach Kärnten, noch bei seinen Eltern eingesprochen hatte, im falschen Schein eines Erfolges, der keiner war, und gleichsam mit der Wahrheit lügend.

Er kam auf sein Zimmer, legte sein leichtes Gepäck ab, wusch die Hände, bürstete sich . . . und, vor allem: er verwahrte die kostbare Niederschrift Ruodliebs zusammen mit dem Heft, das seine darauf bezüglichen Notizen enthielt, doppelt versperrt in der Tischlade.

Aber er ging nicht in den ersten Stock des Hauses hinab, zu seinen Eltern, um sich sozusagen als zurückgekehrt zu melden, und etwa noch ein Abendessen einzunehmen, wozu die Zeit die rechte gewesen wäre. Jene halbe Lüge, die er unfreiwillig dort hinterlassen hatte, verlegte ihm unmerklich den Weg.

Er ging in's Vorzimmer zum Telephon und klingelte Grete an.

Im Augenblick, als die Klingel dort summte, wußte er auch, daß dies jetzt, nämlich sein Gang zum Apparat, das Richtige und augenblicklich Angemessene gewesen war: weil er sie einfach hören wollte, ihre Stimme, und nicht etwa eilends ihr etwas berichten.

Und so kam sie denn auch gleich selbst, ihre Stimme erklang da.

Nun freilich brachte die Grete Siebenschein den Mitteilungsdrang René's doch bald in Fluß. Sie war diesmal nicht nur höchst anteilnehmend, sondern geradezu neugierig wie eine Elster. „Geh irgendwohin essen", sagte sie, „und ich komm' auch dorthin." Als er sie dann wiedersah, spürte René sofort, im allerersten Augenblick, daß er einiges, was ihr bei ihm innerlich im Wege gestanden war, dort unten gelassen hatte, wo es gleichsam zergangen blieb und versunken, in den Kavernen von Neudegg. Er empfand sich auch abgegrenzter gegen sie und gesicherter vor ihr. Wollte man das in der Sprache René's ausdrücken, dann müßte man sagen: ‚Sie gewann Objektscharakter'. Dieser letztere war in René's Umwelt verhältnismäßig selten anzutreffen; das meiste hatte den Charakter von sozusagen eigenen Gliedmaßen, und bei alledem hätte es oft nur gefehlt, daß ihn die Pustel wirklich brannte, die eines andern Nase zierte. Ja, eigentlicher Objektscharakter war selten (übrigens leugnen manche Philosophen seine Möglichkeit).

Daß er ihr nun alles und jedes erzählte, ist selbstverständlich. Wer erzählt schon nicht! Gleichwohl bleibt es immer eine unserer besten, wenn auch mitunter bösartigsten Leistungen, durchaus gar nichts zu erzählen. – Sie saßen in einem kleinen Souterrain-Lokal, der ‚Schwemme' eines großen Hotels, wie man zu Wien derartige verbilligte Ableger namhafter Gaststätten nennt; eine von diesen ‚Schwemmen' hat sogar vor Zeiten Berühmtheit genossen; es war diejenige des ‚Grand Hotel', wo der größte Frondeur der alten Monarchie seinen Sitz aufgeschlagen hatte, nämlich der Graf Sternberg.

Der Raum hier war gelb wie Eierspeise und gekachelt wie ein Badezimmer, sehr appetitlich und wesentlich ungemütlich.

Nun, Stangeler erzählte, teilte mit: und zwar als erstes, was ganz zuletzt gekommen war, nachdem er den mittelalterlichen Text dem Jan Herzka bereits vorgelesen hatte ... Doch was er sagte, wurde von ihm nur als unanschauliche Mitteilung hervorgestoßen; es war eigentlich keine Erzählung. Er zählte nur auf. Bei alledem schien er zu diesen zweifellosen Erfolgen noch keineswegs ein rechtes Verhältnis gefunden zu haben, an ihnen nicht warm geworden zu sein, so sehr sie sein Leben in unvorhergesehener Weise zum Vorteil verändern mußten: bis jetzt waren sie noch gar nicht wirklich in René eingedrungen, fühlte er noch nicht ihr Gewicht. Herzka hatte ihm die Stellung eines Bibliothekars in Neudegg angeboten, ohne irgendeine Verpflichtung, auf der Burg ständigen Aufenthalt zu nehmen (aber er sollte dort jederzeit freie Station haben) oder seine Arbeiten in Wien zurückzustellen. Doch würde es ihm obliegen, in gewissen kulturhistorischen Fragen Herzka stets mit Auskünften und mit Beschaffung von Literatur zur Verfügung zu stehen und die stilgemäße Ausstattung der unterirdischen Räume auf dem Schlosse im einzelnen zu bestimmen und zu überwachen ... vor allem aber: die Bibliothek in der Herzka interessierenden Richtung durch Hinzukauf neuer und auch alter und kostbarer Bücher zu ergänzen, wozu ihm dann größere Mittel zur Verfügung stehen würden. Das alles verbunden mit einem monatlichen Fixum, das reichlich war und für René nicht weniger als volle Unabhängigkeit bedeutete. Er habe Herzka zusichern müssen, daß er, ebenso wie jener, die Abmachung bereits als verbindlich ansehe. Morgen nachmittag Abschluß eines Vertrages beim Notar Krautwurst.

„Also angestellt als Hexen-Referent", sagte René.

Sie ihrerseits erfaßte die verhältnismäßige Größe seines Erfolges zur Gänze, plastisch, deutlich, und mit Einzelheiten. Sie sagte ihm auch, daß Herzka, wenn er ihn als Einkäufer für alte und wertvolle Bücher ermächtige, ihm damit eine nicht gering zu schätzende Position in die Hand spiele: nämlich eben in diesem Geschäftszweig. Denn da Jan Herzka hier jede Sachkenntnis fehle, werde es eben von ihm, René, abhängen, was gekauft werde oder nicht, und bei wem es gekauft werde.

Hier zeigte sich die erste praktische Bestätigung oder Konkretion der Veränderung, welche in diesen wenigen Tagen mit René Stangeler vor sich gegangen war. Gegen ihren ‚Geschäftsgeist‘ wurde jetzt keinerlei dumme Opposition gemacht, und es regten sich auch keine pauschalen Verdächtigungen dieses Geistes mit obligatem Seitenblick (wenn nicht gar Seitenhieb!) auf Grete's Abstammung. René war voll Umsicht. Seine Auffassung hatte keine erhöhte Temperatur, sondern die Kühle der Gesundheit. Auch war ihm ohne weiteres klar, daß Grete im Augenblick nicht eigentlich an Provisionsgewinne dachte, sondern an das Gewinnen einer Einflußsphäre und persönlicher Beziehungen.

„Es gibt hier in Wien nur drei Spezialfirmen, die ernstlich in Betracht kommen für solche Dinge. Wien ist in dieser Hinsicht kein wichtiger Platz. Das Zentrum des Altbuchhandels und des Geschäftes mit Inkunabeln, oder gar Handschriften, ist London.“

Sie sah ihn beinahe erstaunt an. Ihre beiläufige Frage kam etwa in der Art, wie man zunächst einmal einen kleineren Stein auf eine Eisdecke wirft, um ihre Dicke und Haltbarkeit zu prüfen:

„Du kannst doch englisch?“

„Ja“, sagte er. „Wie mir der Herzka das von dem Büchereinkauf gesagt hat, habe ich sofort daran gedacht, auf diese Weise vielleicht einmal nach London fahren zu können.“

In ihren Blick kam Feuer.

„Die Frau Mary, über uns, die hat eine gute Freundin in London –“

Sie brach ganz beiläufig und ohne Auffälligkeit ab. Nein. So weit hielt man noch nicht, ihm von Frau Libesny zu sagen, wo Camy Schlaggenberg wohnte, über Grete's Bitten durch Frau Mary dort untergebracht: das mußte ja dann zur Kenntnis Kajetan Schlaggenbergs kommen, früher oder später; und eben dies wollte Frau Camy durchaus vermieden wissen! Überdies hatte René sich bei Mary, und also auch bei deren Bekannten, neulich erst durch sein schroffes Benehmen gegen Trix unmöglich gemacht.

„Ja“, sagte Grete. „Du mußt einmal wieder heraus, in's Ausland hinaus, mein’ ich. Wenn man von daheim nichts an dich wenden will, dann wird's eben auf diese Weise gehen, und das ist auch hundertmal besser."

Stangeler hatte solchen Reise- und Lüftungs-Tendenzen sonst stets mit einiger Gereiztheit widersprochen, mitunter sogar heftig: als hätte er vorher noch was abzumachen, als hielte er noch nicht so weit, als störe man ihn auf solche Weise bei irgendeiner notwendig zu vollendenden Verrichtung ... Aber eine solche Reaktion blieb diesmal bei ihm aus; ja, auch diese blieb aus ...

„Es ist hoch an der Zeit dazu", sagte er. „Alle reisen dauernd herum, auch die Institutler. Ich glaube, es wird sich das schon machen lassen – die Finanzierung einer solchen Reise durch Jan Herzka nämlich. Vielleicht fährt er sogar mit, und ich gewissermaßen als sein Privatsekretär."

„Bravo!" rief Grete. Sie stießen mit den Gläsern an und tranken Wein.

„Ob er das mit den Büchern wohl in den Vertrag hineinnehmen wird?" sagte sie dann.

„Ich habe daran auch schon gedacht", antwortete René. „Jedoch würde ich es nicht für richtig halten, ihn morgen beim Notar geradezu daran zu erinnern. Vielleicht geht das indirekt, oder es tut es überhaupt von selbst. Ich werde dich dann nach der Unterzeichnung des Vertrages sogleich anrufen und dir kurz alles erzählen, natürlich nicht vom Notar aus."

Sie jubelte innerlich: ‚Er ist nicht dumm, er ist nicht dumm, er ist nicht dumm! Sie haben alle Unrecht!!! Er war nur benommen, immer. Wenn er nicht benommen ist, dann ist er sehr klug! Klüger als die alle miteinander! Wir werden ja sehen, wie es mit dem Herrn Lasch noch wird, und ob das alles gar so großartig ausgeht!'

Am nächsten Tage, bei Doktor Krautwurst, zeigte sich, daß Herzka sogar besonderen Wert auf die Beschaffung von Büchern durch René legte, sowohl von alten und kostbaren, als auch von neuerer ‚kulturhistorischer Literatur': so wurde es wörtlich bezeichnet in einem eigenen und nur darauf bezüglichen Punkte des Vertrages. Die Fünfzehnhundert für seine Expertise auf Neudegg hatte René bereits erhalten; nun stand ihm für anfangs Juni schon sein erstes Gehalt zu.

Er sprach danach telephonisch mit Grete, von einem Café aus, und sie lachten beide am Apparat und trieben Dummheiten.

Wieder auf die Straße tretend, fühlte sich René jetzt doch getrennt von der Möglichkeit, ohne weiteres zu seinem Schreibtisch im Institut zurückzukehren, wo er vormittags schon über seinen Urkunden gesessen war: getrennt wie durch eine Wand. Das in sein Leben getretene Neue begann jetzt erst ihn zu durchdringen, jetzt erst in die feinen Verästelungen zu steigen, in die Haarröhrchen oder Kapillargefäße, in welchen, wie es scheint, die Anschaulichkeiten unseres Lebens ihren wahren Sitz haben; und sind sie noch nicht bis dorthin gedrungen, dann sind es eben noch keine Anschaulichkeiten. Bis in jene Tiefe muß das Neue sickern, wo auch die geheimnisvoll-chymische Umwandlung von Überzeugungen in Eigenschaften ihre Stätte hat: das eigentliche Laboratorium des Geistes. Darum also braucht das Neue Dauer, eine Mindestdauer, eine Art Inkubationszeit, um ein Neues für uns recht zu werden. So auch bei René Stangeler.

Die Unmöglichkeit zu reisen brachte ihn dazu, innerhalb seiner Heimatstadt Reisen zu machen; jene Reisen, von denen Paul Valéry in seinem letzten Buche spricht, im ,Tel Quel‘. Alte Städte sind oft aus verschiedentlichen Teilen zusammengewachsen, wie es etwa – um ein deutsches Beispiel zu geben – in der älteren Geschichte Braunschweigs sehr augenfällig wird; und für Paris oder Wien gilt ähnliches. Der genius loci solcher disparater Stadt-Teile, durch neuzeitlich verbindende und vereinheitlichende Anstalten vertrieben, liegt doch mit unerhörter Persistenz noch immer in ihrer Luft, und von da wird man ihn wohl niemals wegbringen; es ist, als erinnere sich solch ein Stadtbezirk in tiefem Sinnen ständig seiner alten Zeiten, seines Ursprungs, seines ursprünglichen Wesens. Nichts aber ist dem wirklichen Erinnern, dem tiefen Gedächtnis mehr beigeordnet als der Geruchssinn. So verbleiben die vereinigten Knospenpunkte alter Gemeinwesen noch im Dufte ihrer Entstehung. „. . .si ma sensibilité olfactive vient à s'accroître, je me promène dans Paris comme un étranger.‘ (,Wenn meine Geruchs-Empfindlichkeit zunimmt, geh' ich in Paris spazieren wie ein Fremder.‘) Eben das suchte René Stangeler. Er wollte wie ein Fremder in Wien spazieren gehen. Er besuchte ohne jeden praktischen Grund dann und wann sehr entlegene Stadt-Teile. Es wird da wohl auch etwas Verblasenheit und Romantik dabei gewesen sein. An jener Stelle bei Valéry hätte René zweifellos seine helle Freude gehabt; sie war damals auch längst schon geschrieben worden, nämlich 1910; aber sie ist erst 31 Jahre später im Druck erschienen. Sie stammt aus dem sogenannten ‚Cahier B'.

Nach dem Vertragsabschluß beim Notar jedoch und dem Telephongespräch mit Grete führte den René Stangeler sein Weg – den er kaum bestimmt wußte, sondern erst suchte – nicht in einen alten Stadt-Teil, und auch nicht in's Grüne vor die Stadt, wo die Weinbauern-Dörfer in den Hügeln liegen und das Blatt des Rebstockes vor dem Himmelsblau zackt, so steif, als hätte man's mit der Papierschere ausgeschnitten. René suchte heut nicht das Idyllische, welches jeden Ausblick und selbst eine mächtige Fernsicht zum sanften Herein-Scheinen mildert. Wo aber der Strom den Stadtrand anschneidet, dort bricht dieser in großen Stücken ab und steht geradewegs in die eröffnete Weite, mit Kais, Kranen und Lagerhallen, mit Eisenbahngeleisen, mit Werften und Fabriken dahinter, während dies alles, von den dahin-fliehenden Wassermassen nachgezogen, gleichsam an den Ufern mitwandert, und in die vom Strome aufgespaltene Fernsicht hinein.

In dieser Gegend stand er nun also, nach längerer Straßenbahn-fahrt: und wirklich als ein Fremder.

Auch war hier ein anderes Licht als etwa in der tiefen Grün-verwachsenheit der Praterauen, mit ihrem Geruch aus Pflanzen-gewirr und Erdreich, mit einzelnen Tümpeln oder versumpften Armen. Das engere Gebiet des Stromes, windoffen an dem rasch hinfließenden Wasser, lag in einer, vergleichsweise, hellen und kalten Beleuchtung. Und der Strom hielt sich nicht auf. Er bespülte die Stadt und eilte. Wo Gebäude und Hallen standen, nahmen sie an jenem nüchternen Lichte teil, das überall an ihren langen Linien lag, in's Große und Entfernte ging, nichts zärtlich und verweilend vergoldete. Der neuzeitliche Baukomplex jener Firma, wo Trix K. saß, streckte sich den leeren Gehsteig ent-lang. René kam es freilich nicht in den Sinn, daß er sich hier nahe von Mary K.'s schöner Tochter befand. Er ging langsam. Er genoß. Was? wird man fragen. Die Fremde; er genoß das-jenige, was andere – zum Beispiel Titi Lasch und deren Gatte, oder auch Grete Siebenschein, wenn sie von diesen mitgenom-men wurde – in Genua oder Rotterdam, in Riccione oder Brüssel genossen: René aber hatte ein gleiches am Donaukai.

Er kam bis an die Ecke des Fabrikbaues von Bunzl & Biach. Das Gebäude sprang jetzt zurück. Hier war eine Lücke in der Verbauung des Ufergeländes; es gab eine vielfach von Pfaden durchkreuzte kleine Grünfläche. Man konnte ganz an den Strom treten. Eine breite Steintreppe, unten bespült, leitete zum Wasser hinab. René ging bis dicht an dieses und saß auf den Stufen nieder. Hier war von der Strömung fast nichts zu sehen. Das Wasser stand. Erst weiter draußen begann die fliehende Eile, in Schlieren und Wirbeln, in geschlossenen, glatten Spiegeln und Platten. Das andere Ufer lag wie zusammengedrückt, ein grüner Strich. Er gedachte der großen Ströme, die er in Asien gesehen, des Amur und des Ussuri in ihrem Zusammenflusse, ein dahingehender See. Dagegen war die Donau bei Wien gering. Aber der Vergleich war ihm schon fast entgangen, es bestand da keine Anschaulichkeit mehr, nur ein Wissen um Maße. Dieser Strom war gewaltig. Besonders wenn man halb in der Richtung seines Fließens, also schräg über ihn hinblickte. Ein Schleppzug schob sich rasch in's Bild, stromab fahrend. Der Dampfer voran, hintnach die riesigen schwarzen Schiffe. Es war fern, die Fahrrinne lag hier weit drüben. Die Reise ging eilig, die Schlote des Zugschiffes qualmten. Stangeler sah diesem flotten Entgleiten nach und empfand ähnliches wie bei der Ankunft gestern abends in Wien, bei dem Auseinander-Strahlen der zahllosen Gleisstränge während der Einfahrt: es war eine Art fächriger Entfaltung in ihm, als er jetzt dem immer mehr in die Strombreite entschwindenden Schleppzuge nachschaute.

Gleichzeitig und in dieses Bild mit einfließend meldete sich bei René etwas wie eine Geruchs-Empfindung, noch an der Grenze zwischen innen und außen, vielleicht nur der Gedanke oder die Erinnerung an einen Duft: doch, da war es! Von der Wiese hinter ihm kam's, roch aber wie ganz frisches, vielleicht noch unreifes Obst. Er wandte sich um.

Ein Herr und eine Dame standen oben an der Treppe. Der Herr trug keinen Hut, grüßte mit der Hand winkend, lachte und rief: „Wie geht's?"

René erhob sich von den steinernen Stufen und stieg hinauf. Er war außerhalb jeder Möglichkeit, einen Kontakt in seiner Erinnerung zu gewinnen, der ihn hätte erkennen lassen, wer dies nun eigentlich sei: ein großer blonder Mensch, der gemütlich aussah und dabei so sauber, als wär' er am heutigen Morgen nicht nur in einen guten Anzug geschlüpft, sondern vorher noch in eine neue Haut.

„Lange nicht gesehen", sagte der fremde Herr. „Seit jenem großen Debattier-Abend bei dem Herrn von Schlaggenberg in Döbling, Anfang März. Samowar, russische Zigaretten . . . und Sie, Doktor, sind immer neben dem Samowar gesessen!"

Die Sprache war fließend, bei frischer und lustiger Sprechweise, dennoch blieb der Akzent hörbar, und zwar ein englischer.

„Ach – Sie sind der Zoologe!" rief Stangeler, „die Geschichte mit dem Octopus, in der südamerikanischen Hafenstadt – das hat mich ungeheuer interessiert!" Sie schüttelten einander jetzt die Hand.

„Darf ich Sie meiner Braut vorstellen – wie war doch nur Ihr Name, Doktor?!"

„René Stangeler."

„Ganz recht!" rief Williams, „also das ist der Doktor Stangeler, und das ist meine Braut, Fräulein Emmy Drobil."

Die Drobila und René, der sich leicht verbeugte, begrüßten einander. Er empfing von ihr den Eindruck der Kräftigkeit, Geschlossenheit, ja irgendeiner Art von Pracht. Alle drei setzten sich jetzt nebeneinander auf die Stufen dicht am Wasser, die Drobil in der Mitte, auf Dwights Rock, den er abwarf.

„Was sind das für Sachen gewesen, in Südamerika, mit so einem grauslichen Viech?" sagte die Drobila. „Ein Octopus ist doch ein Polyp? Du hast mir nie davon erzählt." Sie sprach jetzt deutsch mit Dwight.

„Na – unter einem ‚Polypen' versteht man in der Zoologie eigentlich was anderes. However. Was du meinst, das sind sehr unfreundliche Tiere, Kopf-Füßler, Kephalopoden, die mitunter eine unbequeme Größe erreichen. Einem solchen bin ich einmal begegnet. Davon hab' ich dem Herrn Doktor Stangeler Anfang März beim Samowar in Döbling erzählt."

„Und diese Begegnung – war die auf dem Meer?" fragte die Drobila.

„Nein, gar nicht", sagte Dwight. „In einem ganz sicheren Hafen noch dazu, bei der Pier. Wie's eigentlich möglich war, ist mir bis heute noch nicht klar geworden. Es gab da so eine Art Abflußlöcher mit Gittern, wie die Kanalgitter, da wurden alle erdenklichen Eimer hinein entleert, auch von einer Kantine, wo man ausgezeichnete gebratene Fische bekommen hat. Auf einmal schreit ein Indio fürchterlich, der hat einen Eimer ausleeren wollen, und dabei hat's ihn erwischt. Durch das Gitter, es war sehr weit, ist ein langer Fangarm geschossen und hat ihn um den Knöchel gepackt. Es sind andere gelaufen gekommen, mit Messern, und haben ihn befreit: aber von denen ist wieder einer erwischt worden, um den Fuß. Ich sah's mit eigenen Augen, und wußte gleich, was da los war. Ich habe eine Pistole bei mir gehabt, bin hingesprungen und hab' durch das Gitter geschossen, so lange sich noch was gerührt hat. War ein gewaltiges Rauschen und Plantschen in dem Schacht. Niemand hat sich erinnern können, daß hier im Hafen jemals vorher so etwas passiert wäre. Das tote Vieh haben sie später herausgezogen: weit über 100 Pfund schwer, die etwa gleich langen acht Arme maßen gegen drei Meter, Saugnäpfe wie Handteller. Es hat geheißen, daß die Siebe des Kanalnetzes gegen das Meer lange schon verrottet gewesen seien."

„Scheußlich!" rief die Drobila. „Und wie du hingesprungen bist, hat kein Fangarm nach dir gegriffen?!"

„Nein", sagte Dwight. „Sie waren schon eingezogen worden, nachdem man zwei davon mit Messern durchtrennt hatte."

„Und wenn einem so ein Tier im Wasser begegnet, beim Baden zum Beispiel –?!"

„Dürfte man verloren sein, außer wenn man ein Messer hat oder eine große Schere oder irgend etwas von dieser Art. Aber wer führt schon derlei im Bad bei sich? Übrigens wäre ein Exemplar von solcher Größe auch stark genug, um jemand vom Ufer weg in's Wasser zu reißen. Die Taucher kennen, sagt man, einen Trick im Falle der äußersten Not. Das Tier hat nämlich einen Schnabel, einen hörnernen Schnabel, wie der von einem Papagei, oder auch von einem Geier oder sonst einem Raubvogel. Es heißt, wer Ekel und Furcht überwindet, mitten zwischen die sich windenden Fangarme greift, den Schnabel auseinanderreißt und wie einen Handschuh umstülpt, der hat den Kraken erledigt. Ob's wahr ist, weiß ich nicht. Bin glücklicherweise nie in die Lage gekommen, so etwas versuchen zu müssen."

„Da sind mir deine schönen Schmetterlinge als Spezialgebiet schon lieber", sagte die Drobila. „Wenn ich mir vorstelle, du würdest dich andauernd mit solchen Polypen beschäftigen und womöglich noch Jagd auf sie machen . . ."

„Das würde doch dann mit entsprechenden Vorsichtsmaß-regeln geschehen", entgegnete Dwight völlig ernsthaft. „Nein, seit meinen Universitätsprüfungen habe ich mich nie mehr mit Mollusken abgegeben."

„Der Geierschnabel – das ist eigentlich am scheußlichsten von allem!" rief die Drobila.

„Es gibt noch etwas ärgeres an dem Tier, für meinen Ge-schmack wenigstens", sagte Dr. Williams. „Die Augen nämlich. Sie sind unverhältnismäßig groß, sehr gut ausgebildet – ja, sie könnten ihrer Bauart nach bei Tieren einer weit höheren Ent-wicklungsstufe angetroffen werden, ich meine damit sogar Säugetiere. Ein solches Auge hat natürlich schon das, was wir einen eigentlichen Blick nennen. Und gerade dieser Umstand macht aus den großen Kopffüßlern – die doch Verwandte der Schnecken sind und nur die zuhöchst entwickelte Klasse der Weichtiere vorstellen – fast eine Art Tier-Dämonen. Ein rechtes Teufelszeug. In den folgenden Tagen, nachdem wir jenes Biest am Hafen getötet hatten, mit Messern und Pistolenkugeln, hat es plötzlich geheißen, es seien mehrere solcher Tiere bis in das Kanalnetz unter der Stadt eingedrungen, eine Frau sei auf dem Abtritt überfallen worden, und eine andere im Keller, und noch mehr von solchem aufgeregten Unsinn. Ich konnt' es nicht kon-trollieren, weil ich zu wenig Portugiesisch verstand, um mit den Leuten zu reden, und den dortigen Dialekt schon gar nicht. Aber wahrscheinlich sind diese Gerüchte alle durch den einen Vorfall entstanden, der sich am Hafen in meiner Gegenwart tatsächlich ereignet hat. Ich mußte am nächsten Tag übrigens abreisen und war ja nicht wegen Meeres-Ungeheuern, sondern wegen der Schmetterlinge nach Brasilien gekommen."

„Zum Glück", sagte die Drobila.

An dieser Stelle des Gespräches löste sich in René ein Boot der Erinnerung vom Stege der Gegenwart: und auf solchem Nachen entglitt er für Sekunden, und weiter hinaus, und schon eine ganz andere Tiefe unter sich fühlend; und mit Staunen: denn warum das gerade jetzt?! Damals, bei Schlaggenberg, mit Wil-liams neben dem Samowar sitzend, war dieses Bild ihm ferngeblie-ben, obwohl doch der Amerikaner ihm von dem großen Kraken gesprochen hatte; nun aber kam's, tauchte herauf aus der bläu-lichen Tiefe, die man oft in den alten Wiener Vorstadtgassen zu spüren, ja, fast zu sehen vermeint. Und ohne jede Zeitbestimmtheit: das konnte heuer im Winter gewesen sein, oder vor einem Jahre. In der Liechtensteinstraße, wo sie schmal wird, wo sie, von den Straßenbahnschienen schon verlassen, nach Liechtenthal hineinführt: das kleine Eckhaus, mit dem Einhorn aus blauer Glasur in der Nische über dem ersten Stockwerk. In der Nähe irgendwo muß dort eine Tabak-Trafik sein, dachte René, denn dort hab' ich beim Zigarettenkaufen diese Zeitung ausgehängt gesehen mit dem Artikel über die großen ‚Geierkraken‘, die eine mittelbrasilianische Stadt ‚unterwandert‘ haben, obwohl ganz fern vom Meer ... sie sollen aus einem tiefen Fluß gekommen sein. Unsinn. Fangarme schossen oft plötzlich aus den Kanalgittern, jeder machte schon einen Bogen um diese ...

Jetzt erzählte er Williams davon und sagte dann:

„Es war eine von diesen Roman-Zeitungen oder Wochenausgaben, ‚Weeklies‘ würden Sie sagen, die sind bei einfachen Leuten hier sehr beliebt. Die Nummer war neu, denn es sind mehrere Personen nacheinander gekommen und haben sie gekauft, drei oder vier alte Frauen waren es, glaub' ich. Ich hab' mir das Blatt auch gekauft und den Artikel gelesen. Eine tolle Zeichnung war dabei. Da hat man Leute gesehen, die mit Messern herbeilaufen, und sogar eine Frau mit einer großen Schere. Nun, ich hielt es gleich für Unsinn.“

„Und warum hielten Sie es für Unsinn?“ fragte Williams.

„Weil Kephalopoden ausschließlich Meeresbewohner sind.“

„Richtig“, sagte Williams. „Das ist eine Art ‚Dogma‘ der Zoologie, so weit es ein solches in einer empirischen Wissenschaft geben kann. Von was für einem Fach sind Sie übrigens, Doktor?“

„Ich bin Historiker, für mittelalterliche Geschichte, ‚Médiaeviste‘, wie's die Franzosen nennen.“

„Ja, ich erinnere mich jetzt“, sagte Williams lebhaft. „Beim Samowar sprachen wir von den Drachen. Ob ihnen reale Existenz zugesprochen werden könne. Sie erwähnten, daß Albertus Magnus schreibt, ‚ernstzunehmende Autoren hätten von fliegenden Drachen nichts berichtet, es sei auch nicht einzusehen, wie ein so langgestrecktes Tier in der Luft die Stabilität bewahren könne‘. Sehr interessante Äußerung dieses alten Dominikaners. Hab' mir's genau gemerkt.“

„Jetzt gehn wir aber vom Wasser weg“, sagte die Drobila. „Mir wird geradezu unheimlich. Vielleicht kommt noch ein

Fangarm heraus. Außerdem ist's da schon kühl. Wollen wir nicht noch ein wenig spazieren gehen? Sie kommen doch mit, Herr Doktor Stangeler?"

„Gern", sagte René.

Sie erhoben sich, Williams zog seinen Rock wieder an, dann stiegen sie die Steintreppe hinauf. Stangeler fühlte, wie der Strom hinter ihnen, den sie jetzt verließen, unaufhörlich weiterwanderte, mit der Gleichmäßigkeit einer Uhr, am Ufer fast stehend, weiter draußen in fließender Eile, in Schlieren und Wirbeln, in geschlossenen glatten Spiegeln und Platten.

Jenseits der von vielen Pfaden durchkreuzten Grasfläche sah René jetzt ein kleines rotes Automobil stehen, ein knalliger Farbfleck, wie ein bemaltes Osterei.

„Es ist unser Wagen", sagte Williams. „Man kann rückwärts, wenn kein Gepäck da ist, noch einen dritten Sitz aufklappen. Ich bring' Sie dann gern zur Stadt, Doktor."

„Vielen Dank, ja, das wäre mir recht angenehm."

„In welchen Bezirk wollen Sie?"

„Zum Althanplatz, das ist beim Franz-Josefs-Bahnhof."

„Kenne ich", sagte Williams. „War Ende April mit Fräulein Drobil dort eingeladen. Althanplatz Nummer 6. Es trifft sich günstig, liegt an unserem Weg. Wir fahren nach Nußdorf hinaus."

„Eben zu diesem Hause möchte ich, Althanplatz 6, wo Sie eingeladen waren", sagte Stangeler. „Dort wohnt meine Braut."

„Und wie ist der Name Ihrer Braut, Doktor?"

„Grete Siebenschein."

„Kenne ich, kenne ich. Eine schöne, schwarzhaarige junge Dame. Hab' lange mit ihr gesprochen. Nicht nur schön, auch klug. Meine Braut sagte mir dann den Namen. Na, da kann man Ihnen gratulieren, Doktor!"

Während sie noch in der räumigen Hallen- und Brückenlandschaft hier ein wenig dahinschlenderten, in dieser Windoffenheit am Strome, dem alles zu folgen und nachzuwandern schien, fühlte Stangeler die weitgehende Verwandlung, welche dort unten, auf der Burg Neudegg, mit ihm vor sich gegangen war, jetzt wie zum Greifen plastisch, fast körperhaft in seinem Inneren: während zugleich noch ein schwer deutbares Staunen in ihm stand über die Art, wie das Gesicht des Fräulein Drobil sich eben vorher verschattet hatte bei der Bemerkung des Doktor

Williams, „war Ende April mit Fräulein Drobil dort eingeladen".
Sie hatte fast erschrocken ausgesehen und ihre großen, schwarzen
Kirschen-Augen waren dabei ein wenig in die Höhlen zurückgewichen: der Blick schien für Sekunden tiefer geworden zu
sein, glänzender. René war seit seiner Rückkehr aus Kärnten in
eine Art neuer Distanz zu sich selbst geraten, ja geradezu in
diese Distanz gesprungen. Er sah mehr: und damit auch schon
anders. Die Begegnung mit Williams und der Drobil wäre ihm
zweifellos noch vor gar nicht langer Zeit nur unangenehm gewesen, hätte ihn gereizt, vielleicht sogar bedrückt: solch ein
situierter Gelehrter mit geordneter Karriere, Auto und Braut!
Immerhin, damals in Döbling, beim ‚Gründungsfest', war ihm
Williams nicht unangenehm erschienen, nur einigermaßen de-
primierend. Denn, freilich hatte Stangeler alsbald gedacht: ‚Ich
hätte was anderes studieren müssen. Etwas wie er, mit praktischen Möglichkeiten, mit Praxis.' Dann war die Depression gefolgt. Nun hatte er seine Praxis. Es herrschte Ordnung bei ihm.
Er konnte mit diesen Leuten ruhig reden. Allmählich doch
durchsickerte ihn der für seine Verhältnisse sehr große, dort
unten in Kärnten erreichte Erfolg, bis in jene Tiefe, wo er die
jetzige Sachlage sich erst assimilieren und aneignen konnte, so
daß sie ein Neues für ihn recht eigentlich wurde. Er verwunderte sich tief über die eigene Ungezwungenheit. Sie war ihm
bisher in solchem Maße unbekannt gewesen. Nein, er hatte
nun keine fundamentalen Sorgen mehr. Er hatte gewissermaßen
ausgelitten: aber er begriff es noch immer nicht ganz.

René sollte noch mehr über sich selbst in Verwunderung geraten. Doktor Williams sagte: „Schade, daß Sie nicht auch dort
waren, bei Frau Mary K., Ende April, am Althanplatz. Kennen
Sie die Dame nicht, obwohl Ihre Braut dort verkehrt?"

„Ich kenne Frau Mary schon seit dem Herbst", sagte Stangeler. „Aber sie mag mich nicht. Und zwar aus guten Gründen:
das heißt, sie hat ganz recht damit. Sie fand das Verhalten, welches ich durch einige Zeit meiner Braut gegenüber an den Tag
legte, unrichtig. Außerdem habe ich mich ihrer Tochter Trix
gegenüber einmal sehr ungezogen benommen. Doch das gehört
auf ein anderes Brett. So ist das. Ganz einfach."

In der Tat, René fand es recht einfach, die Wahrheit zu sprechen. Auch ließ sie sich sehr kurz sagen. Williams sah ihn von
der Seite an, mit unverhohlener Sympathie. „Bei solcher Ein-

sichtigkeit, wie sie Ihnen eignet, Doktor, kann es doch nicht schwer halten, mit den Damen eine Versöhnung herbeizuführen."

„Das werde ich auch tun", sagte René. „Ich werde einfach hinaufgehen, sagen, daß ich meinen Blödsinn eingesehen hätte, und um Verzeihung bitten."

„Famos", sagte Williams. „Und was war im besonderen mit dem schönen, rotblonden Fräulein Trix, der Haustochter?"

Sie gingen jetzt ein kleines Stück unmittelbar am Strome entlang. Unter der großen Straßenbrücke durch sah man den senkrechten schwarzen Strich eines Dampferschlotes fern und schmal wie einen Stift aus der grau-grün hingestreckten Wasserfläche ragen. Der Schleppzug schien fast zu stehen, er näherte sich kaum merklich. Doch trug ein leichter Lufthauch das Maschinengeräusch schon herüber, ein gleichmäßiges tiefes Mahlen und Stampfen.

„Ich sagte Trix", antwortete Stangeler, im selben beiläufigen Ton sprechend wie bisher – und, man möchte sagen: die Sprache lag ihm bequem im Munde – „ich sagte zu Trix, daß mir die Geselligkeiten im Hause ihrer Mutter schlechthin ein Brechmittel seien. Das ist nicht nett von mir gewesen, aber ich sprach die Wahrheit. Erstens ist diese ganze Gesellschaft da oben fadenscheinig, mit ganz wenigen, allerdings gründlichen Ausnahmen: Herr von Schlaggenberg, Herr Kakabsa, der Rittmeister und die Gymnasiasten. Aber sehen Sie, Herr Doktor, gerade dieser Anbeter-Kreis um Frau Mary herum war mir am meisten widerwärtig. Es steht außer Zweifel, daß Frau Mary nicht nur sehr schön und klug ist, sondern daß sie auch eine ungeheure Kraft bewiesen hat. Sie hat sich wie der berühmte Baron Münchhausen sozusagen am eigenen Zopf aus dem Sumpf gezogen. Dadurch fasziniert sie. Jede Überwindung wirkt faszinierend. Aber mitsamt dieser ist Frau Mary jetzt in einen anderen Sumpf hineingeraten. Dieser Triumph, den sie da feiert, kassiert in meinen Augen den siegreichen Feldzug."

„Jeder Triumph kassiert", sagte Williams. „Jeder Erfolg überhaupt. Die ausgleichende Gerechtigkeit hebt die Spannung auf. Das gibt einen faden Nachgeschmack. Im Grunde hat jeder Mensch, der nach langer Mühe durch den Erfolg sozusagen rehabilitiert wird, etwas widerwärtiges an sich oder um sich, etwas widerwärtig Braves. Es ist auf jeden Fall ein bedenkliches Lebensstadium."

Auf solche Weise also erfuhr René Stangeler hier am Strome, daß auch ein situierter Gelehrter mit geordneter Karriere, Auto und Braut, mitunter etwas zu sagen haben kann. In seiner bisherigen Verfassung, vor ein paar Wochen, nein, vor acht Tagen, wäre das gar nie an ihn herangekommen.

„Aber ich verstehe Sie vollständig, Doktor", fuhr Williams fort. „Ich habe nämlich, an jenem einzigen Abend, den ich die Ehre hatte, bei Frau K. in ihrem schönen Heim zu verbringen, ganz genau das gleiche empfunden wie Sie." (Stangeler, mit sozusagen freigeräumter Apperzeption, bemerkte ein kaum merkliches Kopfnicken der Drobila.) „Und wissen Sie, daß es dort noch jemanden gab, der augenscheinlich ebenso fühlte wie Sie und ich? Ein sehr intelligenter junger Mann. Sohn des Hauses. Hubert heißt er."

Die Drobila indessen verlor den Faden dieses Gespräches (und als sie ihn wieder gewann, hatte er eine gänzlich andere Farbe angenommen). Das Licht hier am Strome, ein weißer Schein an Hallen, Brücken und Kranen (darin jetzt näher schon der dumpfe mahlende Ton von den Maschinen des Schleppdampfers stand) brachte ihr eine Helligkeit herauf, die im selben Atemzuge von ihr als die gleiche empfunden wurde wie jene zur spätherbstlichen Zeit im Atelier des Fräulein Likarz draußen in Döbling, und doch wieder gänzlich anders: in diesem, sonst ebenso beschaffenen Lichte hier fehlten die zahllosen schwebenden Keime des Widrigen, an der Wand, wo die Modelliertischlein gestanden hatten, und das autographierte Bildnis der Bildhauerin, zwischen allerlei Zeichnungen. . . .

Es war das gleiche Licht.

Jedoch gereinigt.

Vielleicht war sie auch gereinigt worden seither.

Jetzt erschien sie sich selbst recht merkwürdig, ja, bedenklich, wenn sie daran dachte, wie sie in jenem Café gesessen war, neben den Karten spielenden Tschechen, und auf Mary gelauert hatte –

„Aber!" rief Williams laut und blieb stehen. „Nein, so etwas!"

Stangeler hatte kurz von seinem Aufenthalte in Kärnten erzählt, von der Entdeckung der Handschrift des ‚Ruodlib von der Vläntsch' und den Möglichkeiten der wissenschaftlichen Auswertung dieses Stückes.

Williams, ohne weiterzugehen, sagte:

„Doktor, hören Sie mich mal an. Diese Sache interessiert mich, und was ich Ihnen jetzt sagen werde, wird auch Sie interessieren. Ich habe einmal in London bei einer Mrs. Libesny gewohnt, eine Wienerin übrigens. Die hat zwei in Amerika verheiratete Töchter, die ältere ist mit einem Professor von der Harvard-University verehelicht. Der Mann ist Historiker, und speziell ‚Médiaeviste‘, wie Sie’s vorhin französisch genannt haben. Sein Steckenpferd oder Spezialgebiet, wie man will, sind die Hexenprozesse. Er vertritt die Meinung, daß davon immer noch ein völlig falsches Bild in der Wissenschaft besteht –“

„Ganz richtig“, sagte René.

„Wenn ich diesem Mann, den ich drüben kennen gelernt habe, von Ihrem Fund im Archiv der Burg Neudegg berichte, wirft der bestimmt seinen Hut in die Luft vor Wonne und verschafft Ihnen jede amerikanische Publikations-Möglichkeit: denn diese Quelle ist ja, nach allem was Sie erzählt haben, geradezu eine Bestätigung seiner Anschauungsweise, kurz und gut Wasser auf seine Mühlen. Wenn Sie mir erlauben würden, sogleich dem Professor drüben davon zu schreiben, wäre ich Ihnen sehr dankbar. Um offen zu sprechen: Mr. Bullogg – so heißt er – ist auf der Universität dort ein einflußreicher Mann. Ich würde ihn mit einem so wichtigen Winke sehr verpflichten. Sie erweisen also auch mir durch diese Erlaubnis eine große Freundlichkeit.“

„Bitte, benachrichtigen Sie Professor Bullogg bezüglich der Sache, ich habe gar nichts dagegen“, sagte René. „Sie können ihm auch meine Privatadresse schreiben, und daß ich zu jeder Auskunft gerne bereit bin.“

Er nahm die Brieftasche hervor und reichte Dr. Williams seine Visitkarte.

„Nun bin ich noch immer nicht fertig“, sagte Williams. „Dr. Bullogg will nämlich heuer gegen Ende Juni oder im Juli nach Wien kommen. Ich werde Sie anrufen, wenn er da ist, und bestimmt wird ihm an einer persönlichen Zusammenkunft mit Ihnen sehr viel liegen.“

„Wenn Sie mich, Herr Doktor, anrufen wollen, sobald Professor Bullogg in Wien sein wird, dann benützen Sie bitte nicht jene Telephonnummer, die auf meiner Visitkarte steht. Ich wohne bei einer etwas schrulligen alten Dame, die in der Übermittlung telephonischer Nachrichten keineswegs verläßlich, obendrein am Telephon mitunter recht ungezogen ist, besonders wenn sie meinetwegen gestört wird. Ich möchte Sie bitten, gegebenenfalls einfach meine Braut, Fräulein Siebenschein, anzurufen, die ich ja täglich sehe. Ich werde Ihnen die Nummer auf meine Karte schreiben."

„Allright", sagte Williams, nachdem dies in Ordnung gebracht war. „Es wird mir ein besonderes Vergnügen sein, mit Ihrer Braut zu sprechen, Doktor. Übrigens könnten wir vier doch einmal zusammenkommen, das wäre nett, wie?"

„Sehr einverstanden!" antwortete René. „Sie brauchen nur meine Braut anzurufen, ich werde ihr davon sagen."

„Ja, bestimmt, das tun wir!" rief die Drobila.

Sie waren wieder an's Ufer gelangt, bei der Steintreppe. Das Wasser rauschte jetzt hier gewaltig, schwappte grün-grau über die Stufen: eben fuhr der Schleppzug etwas oberhalb vorbei. Das lebhafte Gespräch hatte den einbrechenden Abend vergessen lassen. Nun schritt man über die kleine, vielfach niedergetretene Wiesenfläche, auf welcher dennoch das Gras da und dort üppig-feucht und tiefgrün stand, zu dem roten Wagen hinüber. „Seltsame Gegend für Spaziergänge", sagte Williams. „Mal was anderes. Das wollten wir. Es muß nicht immer nur der Wienerwald sein, oder Schönbrunn; oder der Ring und die Kärntnerstraße." Stangeler kletterte hinter Williams und der Drobila auf das Bänkchen, welches man aufgeklappt hatte. Sie brausten los, die geräumigen Straßen hier drehten sich und schwangen herum, wie lang gestreckte Tafeln, die rasche Fahrt zog den weiten Weg zusammen in ein Nichts. Vor dem Haus am Althanplatz sprang René vom Sitze. „Und nicht die Versöhnung mit Frau und Fräulein K. vergessen!" sagte Williams beim Händeschütteln. „Jetzt geht's nicht", meinte die Drobila lachend, „beide sind am Semmering." Der Wagen schob an und René wandte sich zum Tor.

Abends bei Grete. Man konnte allein essen. Die Alten waren ausgegangen. „Also, mein guter Bub", bemerkte sie, „das eine möcht' ich dir nur gleich sagen: falls du etwa anfangen solltest, mich nunmehr für eine keusche Witwe zu halten, und mich derohalben zu peinigen, kriegst du von mir glatt ein paar Ohrfeigen. Daß du's weißt." Sie winselten nur mehr leise vor Lachen und hielten einander, auf dem Diwan sitzend, um die Schultern.

Rasch wechselte alles in ihr hinüber zu René, kam auf den neuen Nenner, über welchem ihr jetzt nicht, wie bisher, ein schwanker Bruchstrich nur zu stehen schien, der trennte, nicht trug. Sie fühlte Renés' Veränderung, mehr als das, sie erfaßte bei ihm jenes Offenstehen der Weiche, das man den psychologischen Augenblick nennt, obwohl der einen ganzen Tag dauern kann, und unter Umständen mehrere. Sie trat aus der Ordnung, aus welcher sie kam, hinüber zu ihm, ja, sie schwätzte sogar ein wenig aus der Schule des Familiären, welche ja nie ein reines Wohlgefallen für sie gewesen war, auch dann nicht, wenn René sie gekränkt und dorthin zurückgestoßen hatte. So erzählte Grete jetzt einiges, dessen sie gestern abend, bei ihrem Wiedersehen mit Stangeler, gar nicht Erwähnung getan hatte, da ja so viel Anderes, Neues und Wichtigeres zu bereden gewesen war. Immerhin, auch hier hatten sich während René's Abwesenheit mehrere Dinge ereignet; nämlich drei Krachs: einer zwischen Cornel Lasch und Titi, und zwei Auseinandersetzungen zwischen eben diesem Cornel und Levielle, sowie einem Herrn, den sie nicht kenne, ein Rechtsanwalt Dr. Mährischl. Alle Wien IX., Althanplatz 6, das heißt, alle Auftritte hier in der elterlichen Wohnung. (Dr. Ferry muß hocherfreut gewesen sein.)

So erzählte sie.

An uns allen öffnet sich mitunter ganz plötzlich ein Plaudermund, als bräche eine Wunde auf, und blutete nun, nach langer Verharschung und Verhärtung des Schweigens.

Auch Schlaggenberg ist es seinerseits Grete gegenüber nicht anders ergangen, an jenem Vorfrühlingsabend, als er in Gesellschaft der Konterhonz auf René und die Siebenschein gestoßen war.

Seither hieß diese ‚die junge Dame mit dem guten Gedächtnis‘.

Nun, René hatte keineswegs ein schlechtes. Er hörte Grete's Erzählung auch mit gutem Willen an – ja, man möchte sagen: mit gesteigertem guten Willen – und aufmerksam. Aber es ging, wie es ihm eben hier immer ging: alles war letzten Endes ganz unbegreiflich, die Konflikte und die Einigkeiten, die Art, wie man zu viel Geld kam, oder es wieder verlor, oder der Austausch der einen einträglichen Stellung gegen eine andere. Titi gar, und was die wollte, war für René ein Jenseits im Diesseits. Lasch fast nicht minder. Den Namen Mährischl merkte er sich nur, weil der irgendwie absurd klang, ein unmögliches Deminutiv.

Doch nahm er teil. Durch Augenblicke schien ihm fast, daß alle diese Sachen für Grete ganz ebenso in der Luft hingen, wie für ihn selbst, daß sie Pappgewichte hob und, ohne es zu wissen, die gleiche Hochstapelei als Sprecherin übte, wie er als verständnisvoller Zuhörer. Denn dies alles blieb ungreifbar, bedeutete nichts, konnte morgen fortgeblasen sein wie Nebel.

Lasch also, hieß es, sei offenbar in einer schweren Klemme. Aus dieser sollte ihm der Kammerrat helfen: und der sei auch willens, das zu tun. Dabei handle es sich um in England liegende Kapitalien, die Lasch frei zu kriegen sich bemühen möge. Dazu brauche man den Dr. Mährischl als Juristen. Solche Brocken habe sie, Grete, ganz zufällig zu hören bekommen, obwohl dieses ganze Zeug sie nicht im mindesten interessiere.

Mit Lasch gehe es bergab, kurz und gut. Sie habe es immer vorausgewußt und kommen gesehen. Jetzt wolle er den Wagen verkaufen. Natürlich sei Titi aufgebracht. Und noch aus anderen Gründen. Ob er, René, schon von einer Schauspielerin namens Maria Orsetzkaja gehört habe? Nein? Eine schwere Morphinistin. Lasch komme oft drei bis vier Nächte nicht nach Hause; und mit ihm sei es sicher auch schon so weit. Er wird Titi da hineinreißen. Bei Eheleuten sei das immer so.

Grete bekam plötzlich feuchte Augen.

Moralisch hätte der Herr René hier nichts zu erinnern gehabt. Warum sollten sie nicht Morphium nehmen? Und was ging ihnen dabei schon verloren? Freilich, das hätte er Grete nie sagen dürfen, und er sagte es auch nicht. Aber mit alledem entschwand ihm nun gänzlich der Boden jeder Anschaulichkeit unter den Füßen; doch rettete sich René alsbald durch einen glücklichen Einfall. Er sprang auf Dr. Williams ab und erzählte, dieser meine, daß bei der Sache mit dem in der Bibliothek zu Neudegg entdeckten Manuskript über die Hexenprozesse für ihn, René, eine Beziehung zu Harvard herausspringen könne; und dann erst berichtete René ausführlicher von seiner Begegnung am heutigen Nachmittag mit dem Amerikaner und der Drobil am Donau-Ufer; auch von Professor Bullogg erzählte er und daß ein solcher Fund wie jener zu Neudegg gemachte geradezu in den Kern von dessen Forschungen und Anschauungsweisen einschlage. Es war erstaunlich: Grete zeigte sich rasch getröstet.

„Ich hoffe, wir werden einmal im Ausland leben", sagte sie.

„Der Dr. Williams wird dich anrufen, wenn Professor Bullogg in Wien eingetroffen ist, ich habe ihn darum gebeten, wegen der böhmischen Nachtigall, bei der ich wohne, die gibt mir's vielleicht nicht weiter", bemerkte Stangeler. Sie schien erfreut, in den ganzen Zusammenhang eingeschaltet zu sein, sagte „Ausgezeichnet!" und kam an diesem Abende auf das früher besprochene leidige Thema nicht mehr zurück.

9

DER STURZ VOM STECKENPFERD

Ich habe lange nicht das Wort genommen. Wenn ich es wage, den Leser jetzt – auf mich wieder aufmerksam zu machen, so muß daran erinnert werden, daß ich, nach dem Verlassen der Wohnung des Hofrates Gürtzner-Gontard, vor dem Haustore stehen geblieben war; gleichsam unter einem Überhange von widersinnigen Gedanken stehend, wie unter einer Last, die drohte, sich auf mich herabzusenken; und ich fühlte mich ihr keineswegs gewachsen. Von der Schwelle dieses Hauses wie vom Rand eines Festlands auf die offene Straße sehend, erkannte ich, daß die Dunkelheit noch nicht so weit hereingebrochen war, wie es oben, vom Zimmer aus, geschienen hatte. Es herrschte Zwielicht um die bereits eingeschaltete Straßenbeleuchtung: übrigens auch in mir drinnen, durchaus. Mit absurder Anwesenheit schwebte noch immer die Vorstellung jenes Kindes im Mutterleib vor mir, mit den Händchen vor dem Gesicht, als hielte es sich die Augen zu: dieses von Gürtzner-Gontard zur Verdeutlichung dessen, was er meinte, einmal flüchtig herangezogene Bild schien mir jetzt wie das einzige Argument, mit dem man alles von ihm Gesagte irgendwie widerlegen konnte. Denn, wenn der Revolutionär die Welt nicht so sehen und hinnehmen will, wie sie ist, so hat eine solche Gesinnung jeder mindestens einmal im Mutterleib durch seine die Augen bedeckende Geste angedeutet ... somit war jede Revolution eine natürliche Tatsache und nicht der Ausfluß nur von Schwäche und Herabgekommenheit. Vor allem anderen ist man einmal Revolutionär gewesen, hat man sich selbst die Augen zugehalten, hat die Apperzeption verweigert oder eine derartige Gebärde gemacht, was hier fast auf ein gleiches hinausläuft. Damit aber ist die Apperzeptions-Verweigerung a priori legitimiert, das Sich-Dumm-Machen, das Dümmer-Sein-Wollen als man ohnehin schon ist, die Weltverbesserung, die Revolution. Ohne Dummheit kein Leben.

All diese fragwürdigen Schlußfolgerungen dachte ich jetzt ordentlich zu Ende. Jedes Zu-Ende-Denken ohne Verlust des Fadens befriedigt. Diese Befriedigung ist eine lächerliche, denn beim tieferen Denken geht der Faden immer verloren. Ich war endlich in's Gehen gekommen, überquerte die Ringstraße, betrat die Innere Stadt und schritt immer weiter. Ich kam auf den ‚Graben'. Der Abend spiegelte noch grünlich hinter den Dächern, und in die beginnende Dunkelheit traten die leuchtenden Kugeln, vor den Läden und über der Straße schwebend. Ein weit und langsam ausgeschwenkter Hut, der weiße Kopf, das weiße Schnurrbart-Bürstchen – schon setzte auch ich zu zeremoniösem Salut an: da erst erkannt' ich, daß der Gruß nicht mir galt und daß der Grüßende gar nicht der Kammerrat Levielle war. Höchstens in der vornehm-ordinären Grund-Idee des Wesens war dieser Fremde ein Levielle, nicht in der Person und ihrer Identität. Ich aber wußte jetzt, woran ich eigentlich die ganze Zeit gedacht hatte – trotz und hinter meiner fragwürdigen Argumentation gegen Gürtzner-Gontard. Kaum war er vorbei, der falsche Kammerrat, da rief jemand, der gleich hinter ihm ging, laut: „Herr Oberleutnant G-ff!"

Ich sah, daß der Pseudo-Kammerrat sich ein ganz klein wenig nach dem Rufer umwandte – und dabei konnte ich jetzt einwandfrei feststellen, daß es nicht Levielle war – und zwar in jener Weise, die gerade Leute vom Schlage Levielle's oder etwa des Barons Frigori üben: mit hochgezogenen Brauen ein Phänomen in's Auge fassend, dem die Unverschämtheit eignete, in ihrer Nähe überhaupt zu erscheinen; freilich bekommt es nur einen flüchtigen, indignierten Blick, es wird kurz abgewiesen und eines weiteren keineswegs für wert befunden. Der Mann aber, der jetzt quer über den Gehsteig auf mich zukam – ein bäuerlich und würdig aussehender von etwa fünfundfünfzig Jahren, unter dessen gelüftetem Hute das Haar weiß lag – wurde, nach zwei Sekunden Verzug, von mir auch schon erkannt. Es war der dienstführende Wachtmeister jener Eskadron des 4. Dragoner-Regiments, mit welcher ich den größten Teil des Krieges mitgemacht hatte.

„Herr Gach!" rief ich, während des Händeschüttelns.

Wir hatten einander seit dem Kriege nicht mehr gesehen. Ich erfuhr jetzt, als wir dann weiter gegen den Stephansplatz zu gingen, daß er nicht in Wien lebte, auch nicht in Wels, seiner Heimat. Ich hatte seinen Zivilberuf vergessen gehabt: er war ein öffentlicher Angestellter, nämlich Marktamts-Kommissar – er nannte das schlicht und etwas altertümlich ‚Wagmeister' – zu Eisenstadt im Burgenlande. Dieses durch Joseph Haydn's Wirken klassisch gewordene Städtchen hat stets einen großen Schweinemarkt gehabt und ihn auch behalten, als das Burgenland 1919 von Ungarn abgetrennt worden und zu Österreich gekommen war. Die burgenländische Landesregierung verblieb 1927 allerdings noch an ihrem provisorischen Sitze in Sauerbrunn unweit Wiener Neustadt; sie ist etwas später erst nach Eisenstadt verlegt worden.

Während ich so mit dem trefflichen Wachtmeister und Wagmeister die ersten äußerlichen Ortungen seiner und meiner derzeitigen Existenz austauschte, wartete ich im Grunde ständig auf das Erscheinen des Kammerrates Levielle, der sich durch ein ihm so ähnliches Individuum gewissermaßen vorgemeldet hatte. Und wirklich glaubte ich ihn einmal schon zu erblicken, geradewegs auf uns zukommend – aber dann war er's doch nicht. Unmittelbar danach kam, schräg über die Straße eilend, mit einem von dieser Eile völlig eingenommenen Gesichtsausdruck, Quapp auf uns zu, ohne mich noch wahrzunehmen; sie hielt das Gesicht gesenkt und ging höchst unvorsichtig über den Fahrdamm. Allerdings, ein Sonntag-Nachmittag im Stadtkern ist zu Wien bei einigermaßen passablem Wetter verkehrsarm, ja, geradezu öde; eben jetzt erst begann die Straße sich wieder etwas mehr zu beleben.

Sie rannte mich beinahe an, die Quapp, bremste im letzten Moment, sagte „Oh, pardon!", und im Aufschauen erkannte sie mich denn.

Alsbald erkannte ich meinerseits wieder einmal ihre vorzügliche, wirklich adlige Art, ein kurzes Aufblitzen aus dem Kern des Wesens, welches jetzt das Gewölk ihrer augenblicklich, wie es schien, nicht sehr glücklichen Verfassung durchbrach. Ich stellte ihr alsbald Gach vor und sagte ihr, wer er sei und in welcher Beziehung er zu meiner Person stehe; und sie reichte sogleich herzhaft dem alten Dragoner die Hand, respektvoll und wie ein wohlerzogener junger Mann; ja, ganz wie ein solcher, verbeugte sie sich leicht, kaum merklich; aber ich sah es doch; und ich seh' es heut noch deutlich vor mir, wenn ich an jenen 15. Mai 1927 denke, Sonntag abends auf dem etwas verödeten

Graben. Ja, so war Quapp. So ist sie einst gewesen. Ein junger, gerader Ritter. Ich bemerkte, wie der alte Gach und sie beim Händeschütteln einander herzlich in die Augen blickten.

Nun hätte ich sie gerne hier bei uns gehabt, ich empfand einen sehr lebhaften Wunsch danach; und so fragte ich Quapp, ob sie nicht ein wenig noch in der Inneren Stadt bleiben wolle, und wohin sie denn jetzt des Weges sei? Aber da zogen sich die Wolken ihrer augenblicklichen Verfassung wieder um Quapp zusammen. Das sei ihr fürchterlich leid, sagte sie, und wie gerne würde sie jetzt mit uns bleiben! Aber sie müsse ‚hinaus‘ – seit zwei Stunden werde sie schon ‚draußen‘ erwartet, sie sollte ja längst draußen sein, sie sei nur unglücklicherweise aufgehalten worden. . . .

Es gibt Menschen, die, gesetzt den Fall, sie wären, trotz vielfältigster Angelegenheiten, einmal ohne jede Verhinderung pünktlich zu sein, sogleich irgendeine Ablenkung davon zu finden wissen, welche sich dann zur Abhaltung, ja zum unübersteiglichen Hindernis auswächst. Es scheint, daß die notorische Unpünktlichkeit eine echte Geisteskrankheit ist; eine unüberwindliche Scheu – ein ‚Phobie‘, wie man auch sagt – vor der Pünktlichkeit: ein Verharren; eine Unfähigkeit, sich noch rechtzeitig loszureißen.

Während sie davonging, sah ich sie im Geiste schon dort draußen ‚über den Berg‘ hetzen: jetzt nimmt die räumige, dunkle Schale des Parks ihre schmale dahineilende Gestalt auf. Bergab geht es rascher. Über breite gekieste Wege, über schmälere, dann über steile Treppen, welche die bequeme Promenade abkürzen; wählt man jedoch diese, dann kommt man an dem Beethoven vorbei, der sich hier marmorn als Heiligenstädter Schutz-Heros im Grünen ergeht.

Gach und ich schritten über den Stephansplatz; und ich fragte nun ihn nach seinem Wege.

Er müsse heute noch nach Schwechat, sagte er; jedoch sei es für ihn noch zu früh; in Schwechat erwarte ihn zwischen 9 und 10 Uhr abends ein Bekannter in einer dortigen Wirtschaft; auf dessen Motorrad würde er dann aufsitzen und nach Eisenstadt mitfahren.

Wir könnten gemeinsam zu Abend essen, meinte ich; und da er nach Schwechat mit der Preßburger elektrischen Lokalbahn fahren müsse, wär's am bequemsten, sich gleich in der Nähe von deren Bahnhof niederzulassen. Gach war erfreut und einverstanden. Und ich empfand die Gesellschaft dieses einfachen und aufrechten, besonnenen Menschen am heutigen Abend geradezu als Wohltat. Wir behielten also unsere Richtung bei und gingen die damals noch steile Wollzeile hinab. Während ich neben Gach dahinschritt, war mir bewußt, wie oft ich als junger Offizier in der ersten Zeit meines Felddienstes insgeheim an seiner Ruhe und Unerschrockenheit innerlich Halt gesucht und gefunden hatte.

So empfing uns dort unten ein günstig gelegenes und behagliches Wirtshaus. Wir hoben die Bierkrügel und tranken auf die alte Kameradschaft.

Die ungewohnte Umgebung – ich pflegte ansonst solche kleine Gasthäuser, die man in Wien ,Beiseln' nennt, nicht allzu häufig aufzusuchen – der merkwürdige Verlauf des heutigen Tages, meine morgendlichen Überlegungen noch halb im Dunstkreis der von gestern herüber ragenden Geselligkeit bei Siebenscheins, endlich das Gespräch mit Gürtzner, und die Begegnung zuletzt mit der halbwüchsigen Renata im Vorzimmer: das alles zusammen mit der Anwesenheit Gachs, der da wie aus einem plötzlich aufgesprungenen Türchen in meine Gegenwart getreten war, setzte mich gleichsam aus dieser hinaus, zog mich von ihr seitwärts ab und in eine Distanz von allem Nächstliegenden, die mehr Unsicherheit durch Erstaunen als Überlegenheit verlieh. Mit dem Wachtmeister bei alten Erinnerungen verweilend – wir sprachen von jener Zeit, da man der Reiterei die Pferde nahm, übereilt, wie sich danach erwiesen hatte – bewohnte mich wesentlich jener heute eingetroffene Brief Camy von Schlaggenbergs mit der Schilderung ihres Zimmers in der Albertstraße zu London, Battersea. Der blaßgrüne Schein in diesem Raume, darin die Aiolsharfe der Klage um ein, wie Camy – mit zweiunddreißig Jahren! – vermeinte, verlorenes Leben erklang, darin die Einsamkeit fühlbar wurde, zusammen mit der letzten Schwäche und mit der einen Sehnsucht: nach dem Frieden und dem Glück, die heute beide nur in der Person des geliebten Vaters noch aufrecht waren ... Dieses Zimmer mit dem alten Schrank, darauf man in Einlege-Arbeit Heinrich VIII. sehen konnte – wie einen ,Wurzelsepp'! – samt den umgebrachten Frauen in Medaillons rundherum. ... Das alles war mir doch näher als mein Gespräch mit Gach, mochte dieses auch sehr bewegte Abschnitte der Vergangenheit berühren, an welchen mein Anteil zur Zeit noch nicht geschwunden war. Er sagte:

„Ich war ja anfangs beim siebenten, nicht beim vierten Regiment, also bei den Gelben in Brandeis" (er meinte das Dragonerregiment Nr. 7, das gelbe Aufschläge trug). „Ich war zugeteilt, bin aber dann zum Ersatzkader zurückgekommen, und später zu der Schwadron, wo Herr Oberleutnant waren."

„Da sind Sie 1914 also mit den Siebenern hinausgegangen?"

„Jawohl. Dritte Eskadron, Rittmeister Ruthmayr."

Das traf jetzt bei mir in ein wesentlich andersartiges Gelände von Vorstellungen; denn die blaßgrüne Farbe von Camy's Zimmer in der Albertstraße – allmählich wandelte sie sich in meiner Vorstellung zum Blau-Grünen – brachte die Erinnerung an Lavendelduft herauf; oder kam der einfach nur von dem Taschentuch in der äußeren Brusttasche? Ich brachte beides durcheinander, während ich an Kajetans stark parfümiertes großes Zimmer dachte, darin er seine Gäste empfangen hatte (beim ‚Gründungsfest'). Jetzt sah und hörte ich Höpfnern und Neuberg im Gespräch. Der feine Dunst vom Samowar mischte sich mit dem Fichtennadel-Duft (so einen Coniferen-Sprit hatte Kajetan wohl damals verwendet?), und von links her, wo der amerikanische Gelehrte stand, Herr Dr. Williams, kam der honigsüße Rauch englischer Zigaretten. „Ich hab' noch immer welche", sagte er, „letzte Restbestände von London her. Aber bei Fräulein Drobil habe ich kein Glück damit." Die Emma Drobil. Die schöne Tschechin, mit welcher er an diesem Abend erschienen war.

„Haben Herr Oberleutnant den Herrn Rittmeister Ruthmayr gekannt?" fragte Gach, da mir wohl unschwer anzumerken war, daß ich mit dem Namen irgendeine Vorstellung verband.

„Ja", sagte ich. „Aber nicht vom Militär, sondern vom Zivil her. Georg Ruthmayr. Er war ein Großgrundbesitzer."

„Ja", sagte Gach. „Großgrundbesitzer."

Wir tranken ein Glas Wein. Ich begann mich ungemein wohl zu fühlen. Mit dem Unerwarteten dieser Situation hier klang mein innerliches Hinausgehen über diese gut zusammen. Gach lächelte und sagte im Tone eines kleinen Geständnisses:

„Da muß ich dem Herrn Oberleutnant jetzt etwas erzählen. Heut' auf dem Graben, wie die junge Dame gekommen ist . . ."

„Ja –?" sagte ich zuwartend, da er zögerte.

„Ich war vollkommen perplex. Eine solche Ähnlichkeit . . .“

„Ja, mit wem denn?!“ fragte ich.

Im nächsten Augenblick ergriff mich die Spannung. Nicht in einer bestimmten Richtung, etwa: was Gach nun sagen würde. Noch erwartete ich nichts Konkretes. Mir ahnte nur, daß dieser heutige Tag über sich hinausgehen wollte, so wie ich über das hier und jetzt Anwesende hinausgegangen war in den Vorstellungen, die mich durchzogen hatten. Aber, wenn dieser Tag – so wollte, dann war dies nicht ein einfaches Dran-Denken, ein Anklingen (wie eine Aiolsharfe): dann stand man dem gegenüber, dann war es eben – da.

„Mit dem Herrn Rittmeister Ruthmayr, seligen Angedenkens“, sagte Gach.

„Ja“, sagte ich. „Sie haben recht.“

„Eine Verwandte vielleicht?“

„In keiner Weise, soweit mir bekannt ist“, sagte ich.

„Merkwürdig geht’s schon manchmal“, sagte Gach. „Bevor ich Herrn Oberleutnant angerufen hab’ auf dem Graben, da ist auch einer vorbeigegangen, den ich kenne. In der Johann-Strauß-Gasse wohnt er. Den Namen weiß ich nicht mehr.“

Ich vollzog den Kontaktschluß jetzt nicht. Es stand irgendeine Leere in mir, wie für diesen Zweck bereit, aber es geschah nichts darin. „Wer war denn das?“ fragte ich.

„Zu diesem Herrn in der Johann-Strauß-Gasse bin ich von dem Herrn Rittmeister geschickt worden. Den Auftrag hab’ ich von ihm bekommen, eine halbe Stunde, bevor der Herr Rittmeister auf dem Hilfsplatz das Bewußtsein verloren hat. Er ist dann gestorben.“

„Und was war das für ein Auftrag?“ fragte ich.

„Ein großes Kuvert hab’ ich übergeben müssen.“

„Und war Ihnen der Inhalt bekannt?“

„Ja. Ich war ja dabei, wie das Schriftstück aufgesetzt worden ist. Es war ein Testament.“

„Das haben Sie dann dem Herrn in der Johann-Strauß-Gasse übergeben?“

„Ja. Ich hab’ sofort die Marschroute bekommen. Nach Wien, dann Urlaub. Danach Einrückung nicht zum siebenten Regiment zurück, sondern zum alten Ersatzkader. Das hat der Herr Oberst von den Siebenern so gemacht, dem Herrn Rittmeister zulieb, und weil ich nach seinem Tod gern wieder zu meinem alten

Regiment zurück wollte. Ich war nur wegen dem Herrn Rittmeister bei den Siebenern. Er hat die Kommandierung erwirkt."

„Hat Sie der Herr Rittmeister schon vor dem Krieg gekannt?"

„Ja. Ich war ja ein Angestellter von ihm auf dem einen von seinen großen Gütern, in Steiermark. Ich hab' den Reitstall gehabt, als Bereiter, und die Pferde überhaupt."

„Ach so. Jetzt ist mir klar, warum er gerade Sie nach Wien geschickt hat, in die Johann-Strauß-Gasse. Und was war dort?"

„Ja, dieser Herr ist in ein großes Vorzimmer herausgekommen, und ich hab' den Umschlag übergeben und ihm gesagt, daß der Herr Rittmeister auf dem Hilfsplatz gestorben ist. Dann hat er mir ein paar Fragen gestellt, was es für eine Verwundung war, und wie, und wo – er hat immer so mich angered't: ‚Sagen Sie – – Lach . . .‛, nicht daß er mir vielleicht ‚Herr Wachtmeister‛ gesagt hätt', obwohl ich doch in Uniform war. Vielleicht hat er die Chargen nicht gekannt. Er hat sehr von oben herab gesprochen mit mir, das kann man sagen, ich hab' mich auch nicht niedersetzen können. Also ganz und gar anders wie der selige Herr Rittmeister. Und immer ‚Lach‛. Ich hab' ihn aber nicht verbessert, mir war's gleich. Übrigens haben wir einen Korporal Lach bei den Siebenern gehabt, der ist dann gefallen, zusammen mit dem Dienstführenden von der dritten Eskadron, den der Herr Rittmeister hat das Testament schreiben lassen nach Diktat. Der Lach war Eskadronstrompeter bei der dritten Eskadron, war ein Wiener. Der war auch dabei, wie der Herr Rittmeister gestorben ist. Die zwei haben noch rasch vor seinen Augen unterschrieben, weil sie grad die nächsten waren; ich hab' nicht unterschreiben können, weil ich den Herrn Rittmeister stützen hab' müssen, auch während er die Unterschrift gesetzt hat. Der Herr Rittmeister hat mir derweil genau meinen Auftrag erteilt, das war noch das letzte, was er überhaupt gesprochen hat. Denn der Kurat mit dem Allerheiligsten ist schon früher bei ihm gewesen."

„Und zu seiner Frau hat der Herr Rittmeister Sie nicht geschickt?"

„Natürlich hat er mich zu ihr geschickt. Zuerst hab' ich aber den Umschlag abgeben müssen, so war der Befehl, und da hat mir dieser Herr –"

„Können Sie sich ganz unmöglich auf den Namen besinnen, Herr Gach –?"

„Nein", sagte er zögernd und bemüht. „Es war ein fremdländischer Name. Es sind ja bald dreizehn Jahr' vergangen seither."

„Hören Sie, Herr Gach: er war nicht klein, eher gute Mittelgröße, ein Schnurrbart-Bürstel, vielleicht war es damals schon weiß, immer etwas von oben herab und wie ein wenig ärgerlich redend . . ."

Ich machte den Hausherrn in der Johann-Strauß-Gasse nach, so gut ich konnte, obwohl ich bisher noch nie versucht hatte, den Kammerrat zu kopieren.

„Ja!" rief Gach. „Ganz so!"

„Hieß er vielleicht Levielle?!"

„Ja, ja, so hat er geheißen!" sagte Gach. „Den hab' ich heut' am Graben gesehen, knapp bevor ich Herrn Oberleutnant erkannt habe. Ja, also zu der Frau Rittmeister bin ich nicht mehr gekommen. Der Herr Levielle hat mir gesagt, sie sei nicht in Wien, sondern in Gastein, und er würde gleich hinfahren und ihr alles schonend mitteilen und genau berichten. So bin ich noch am gleichen Tag heim nach Wels gefahren."

Man soll den Tag nicht vor dem Abend unterschätzen: dieser heutige reichte zweifellos weit über seinen Rahmen hinaus. Es galt hier jede unnötige Komplikation zu vermeiden: daß es gar nicht Levielle gewesen war heute auf dem Graben, erschien bedeutungslos – es konnte als bedeutend höchstens in einem ganz anderen Sinn aufgefaßt werden. Hier aber galt es, das war mir klar, auf der simplen Spur zu bleiben, und das hieß auch: Gach nicht zu verwirren. Ich schob also jenes merkwürdige Faktum beiseite.

„Und was ist eigentlich in dem Testament gestanden?"

„Ja, darauf kann ich mich schon etwas erinnern. Ich wollt' noch sagen, daß ich der Frau Rittmeister sofort aus Wels ganz ausführlich geschrieben habe, an ihre Wiener Adresse, einen langen Brief, so gut ich hab' können, mit allen Angaben über das Ableben des seligen Herrn, und auch, wahrheitsgemäß, daß er eigentlich kaum Schmerzen gelitten, und daß er noch bei klarem Bewußtsein die heilige Kommunion empfangen hat. Die Frau Rittmeister hat mir später sehr lieb geantwortet und gedankt, und mir eine große schwere silberne Zigarettendose von dem Herrn Rittmeister zum Andenken geschickt; und in dieser Dose da bewahre ich den Brief von der Frau Rittmeister heute noch auf; die Dose ist auch viel zu schwer, als daß man sie in der Tasche tragen könnte. Ich hab' sie in Eisenstadt immer am Nachtkastl neben der Uhr.''

Er schwieg ein Weilchen. Sein festes und gutes Gesicht zeigte ein echtes Maß der Trauer um den einstmaligen Herrn.

Es blieb Zeit, ein weiteres Glas Wein zu trinken.

Gach sprang zuletzt von sich aus noch einmal in die Spur.

,,Also mit dem Testament war das so: ich hab' den Eindruck gehabt, der Herr Rittmeister muß eine uneheliche Tochter gehabt haben, offen zu sprechen, für die er in letzter Stunde noch hat sorgen wollen. Es ist doch viel Vermögen in England gewesen von ihm, das war infolge des Kriegszustandes beschlagnahmt; und das Testament – er hat zuerst diktiert ,Ergänzende Bestimmungen zu meinem letzten Willen', so ähnlich war das – das Testament hat dann dieser Tochter, so hab' ich's verstanden, einen Posten von Wertpapieren zugeschrieben, sobald sie nach dem Krieg wieder einmal frei werden würden. Das war ganz klar zu verstehen. Außerdem aber auch, daß dieser Posten bereits abgesondert erliege, bei einem anderen Geldinstitut als das sonstige Vermögen, daran erinnere ich mich recht genau, das war erwähnt. Also hat der Herr Rittmeister da schon irgendwie vorgesorgt gehabt. Nur in seinem Testament war's noch nicht.''

,,Und der Name von dieser Tochter?''

,,Ja ... das weiß ich freilich nicht mehr'', sagte er, versank in Schweigen und sah beiseite. Ich war besonnen genug, mich vollkommen ruhig zu verhalten. Ganz langsam, ganz allmählich kam das verrostete letzte Glied dieser Kette aus der Tiefe der Zeiten empor, näher an die Oberfläche, jeden Augenblick in der Gefahr des neuerlichen und völligen Versinkens.

,,Es könnt' sein, daß sie Lotte geheißen hat, aber nicht so, wie man das gewöhnlich sagt, sondern: Charlotte. Charlotte von ...''

,,Charlotte von Schlaggenberg'', sagte ich in aller Ruhe. Es schien mir nicht zu früh.

,,Ja, Herr Oberleutnant'', sagte er. ,,Es stimmt. Woher nur Herr Oberleutnant das alles wissen?!''

Er war offenkundig weitab von irgendeinem Mißtrauen oder dem Gefühl, ich hätte ihn ausgehorcht. Von jetzt ab vermied ich jede weitere Berührung der Gegenstände, mit welchen unser Gespräch befaßt gewesen war. Seine genaue Adresse in Eisenstadt hatte ich; und er die meine samt Telephonnummer. Gach versprach mir fest, mich anzurufen, sobald er wieder nach Wien käme. Wir erhoben noch einmal die Gläser. Schon wurde es Zeit für ihn zu gehen; ich begleitete ihn bis zu den braunen Waggons der Lokalbahn.

Da stand ich nun, als der Zug abgefahren war, in einer nicht eben angenehmen Gegend, an der breiten Brücke über die vielen Gleissträge, in der Nähe der Großmarkthallen ... Es befriedigte mich jetzt, daß ich Gach noch während seiner Erzählung zwischendurch befragt hatte, ob Levielle ihm denn nach Empfang jenes Umschlages mit dem Testament keine Quittung gereicht habe? Es war nichts dergleichen geschehen. Das schien vernunftgemäß befremdlich. Aber Gach war damals jung gewesen und kam als Soldat direkt von der zu jener Zeit höchst bösartigen Ostfront; es fiel mir nicht schwer, seinen damaligen Zustand aus eigenen Erinnerungen zu verstehen und anschaulich nachzufühlen: den Zustand des Fronturlaubers mit seiner merkwürdig überhöhten Art, Hinterland und Heimat zu sehen, während die Zukunft in der Weise dem Blick entschwand, wie ein Eisenbahnzug, dessen Schluß man eben in einen Tunnel schlüpfen sieht ...

Aber es galt hier nicht, Einzelheiten nachzuhängen, sondern die Natur dieses Tages zu erkennen, den ich da heute durchlebte und dessen wahrscheinlicher und unwahrscheinlicher Höhepunkt jetzt eben hinter mir lag. Mich hatte es sozusagen erwischt; zuerst bei dem Sektionschef oben, sonderlich im Vorzimmer; dann aber erst recht am Graben. Ich begann wieder zu gehen und überschritt die Brücke.

Es war nun freilich längst ganz dunkel geworden, kein toter Sonntag-Nachmittag mehr, sondern ein belebter Abend. Die Brücke ließ weitaus über die erleuchteten Anlagen der Eisenbahn sehen; Bogenlampen tunkten allenthalben schlanken Schwanenhalses ihr strahlendes Licht herab in die zurückweichende Dunkelheit, darin auch einzelne grüne und rote Lichter saßen, in sich versammelt und ohne einen Schein rundum zu verbreiten. Es war weiträumig hier, öde und zweckmäßig. Ich ging an den Markthallen vorbei.

Ich lehnte es innerlich ab, mich in Kombinationen zu ergehen, bezüglich dessen, was Gach unversehens am Wirtstisch vor mich hingebreitet hatte. Ich war kein Chronist mehr. Meine

Rolle als solcher war mit dem heutigen Sonntag ausgespielt. Ich war von meinem Steckenpferd gefallen. Dem Sturz folgte eine verhältnismäßige Leere. Ich ging vor mich hin, in den dritten Stadtbezirk hinein, der nur an seinem inneren Rande hier sich so wenig freundlich eröffnet, weiterhin aber, sehr zum Unterschiede davon, mehrere besonders exklusive Straßenzüge enthält, wo ein Palais sich an das andere reiht, im sogenannten Gesandtschafts-Viertel.

In der Tat habe ich, von jenem Sonntag, den 15. Mai 1927, an, nichts mehr zusammenhängend verfaßt. Der große saubere Band mit den vielen weißen Blättern blieb liegen, zu einem Viertel vollgeschrieben, wie er war: und gleichzeitig gestehe ich nun, daß ich einen solchen Band bereits angeschafft hatte, nachdem mir Schlaggenberg im Dezember des verwichenen Jahres 1926 auf dem Wege zwischen den kahlen Weinbergen begegnet war. Intensität und Ausbreitung aber gewann meine Chronik erst nach jenem Gespräche mit Levielle am Graben zu Mariae Verkündigung. In der Folgezeit schrieb ich täglich stundenlang: bis zum 15. Mai, also etwa durch einen und einen halben Monat. Von nun ab jedoch warf ich nur mehr Notizen in ein Handbuch, bald in großer Zahl und ausführlich. Sie haben sich viele Jahre später, als ich die Sachen wieder aufnahm, als brauchbarer für mich und für Kajetan erwiesen, wie der vor Zeiten und durchaus vorzeitig verfaßte zusammenhängende Text.

Ich war indessen, immer vor mich hingehend, in jenes früher erwähnte stille und zurückgezogene Viertel gelangt, fast ohne Absicht, denn ich hatte ja dort kein Ziel, und überhaupt keines mehr für den Rest dieses Sonntags, den ich jetzt und hintennach wie überfüllt empfand; was mich leitete, war wohl nur das Bedürfnis, aus dieser Umgebung von Güterbahnhof und Markthallen fortzukommen; und so fand ich unbewußt in's Gegenteil. Ich schritt langsam dahin, die dunklen Straßen hier waren fast menschenleer. Ab und zu ließen die großen Privathäuser einen Zwischenraum offen, darin ich die Tiefe eines Parks erahnte. Es gab auch überdachte Einfahrten.

Jetzt erst, und zum ersten Mal seit dem Morgen, fühlte ich alles, was sich begeben hatte oder sich begeben wollte oder könnte, in einem Menschenkreise, dessen Unüberblickbarkeit mir mit einem Schlage klar ward, wie senkrecht gestaffelt unter mir stehen, gleichsam angehalten. Ich war allein, ich schritt vor mich hin, in diesen Gassen, die ich gewiß vor Jahr und Tag irgendwann zum letzten Mal betreten hatte; und doch empfand ich jedermann als bei mir befindlich, jeden und jede, ohne sie aufzuzählen, ohne auch nur einen einzigen Namen zu nennen.

‚Jeder sein eigener Sektionsrat!‘ hatte Kajetan einmal als eine mögliche Devise angenommen. ‚Jeder habe einen geordneten und unbeteiligten Sektionsrat in sich, der alle Schlichtungsverfahren durchführt.‘

Vielleicht war es das beginnende Alter, was mir über die Haut kroch. Ich saß nicht mehr fest wie der Nußkern in der Schale, innerhalb der umgebenden Welt, innerhalb meiner eigenen Zielrichtungen und Interessen. Eine Randkluft hatte sich gebildet. Es klapperte. Gleichgültigkeit ergriff mich: aber dieser Griff war nicht sanft, nicht beruhigend; er war eisig; er ließ die größte Angst ahnen. Ich erkannte sofort, daß aus der Gleichgültigkeit nicht, wie man vielleicht für's erste vermeinen möchte, ein sachlicher und objektiver Blick auf die Dinge der Welt möglich sei; sondern gar keiner ist möglich; die Gleichgültigkeit macht blind; und es hat bei ihr auch nicht sein Bewenden; sie muß in den Lebens-Ekel abstürzen.

Wozu, dacht' ich, diese Kindheit? Wozu diese Situation jetzt? Wozu diese Versammlung: Gach und Quapp, Grete Siebenschein und Camy Schlaggenberg . . .?

Alle wurden sie grau, Schatten, wankten in mir durcheinander.

Die scharrenden Reifen eines bremsenden Automobils rechts neben mir. Zur Linken ein hohes Portal. Jemand schrie aus dem Wagen: „Schorsch! Halt!“

Zum dritten Mal an diesem Tag fühlt' ich mich wie eingeklemmt und im wörtlichsten Sinne arretiert: als ob ich zwischen Wand und Wagen auf dem doch breiten Gehsteige stecken geblieben wäre. Aus dem Wagen kletterte der Mucki Langingen. „Wohin gehst', wohin gehst', hast' was vor?“ „Nein“, sagte ich (und bedauerte es alsbald), „ich geh' nur spazieren.“ (Man mußte sich also geradezu rechtfertigen, wenn man abends durch die Reisnerstraße ging.) Jetzt kam hinter Langingen der Alfons Croix zum Vorschein, der ebenfalls gebückt den Wagen verließ: „Also dann sei jetzt nicht fad und komm' mit uns, wir wollen nur bei mir was trinken. Sei so gut.“

Diese Stimme berührte mich auf's tiefste. Sie wandelte meine Lage. Ja, sie rettete mich aus einer Unlust, wie ich sie in solchem

Grade und von solcher Art bisher nicht gekannt hatte. Die Stimme des Prinzen – er war ein wenig älter wie Langingen, der Antiquitätenjäger, etwa im gleichen Alter wie ich – kam wie ein reiner Ton aus einem gut gestimmten Instrument; es war eine Alt-Stimme, kein Baß. Ich konnte in keiner Weise widerstehen, ich unterließ jede weitere Weigerung; auch in der Wahl seiner Worte schien etwas Unwiderstehliches zu liegen. Wir traten unter die Einfahrt. Durch die Glasscheibe der Tür sah man einen Diener die Treppen herab und uns entgegen laufen.

Die Bibliothek, wo wir dann saßen, erschien mir auf den ersten Blick ungewöhnlich ausgedehnt; ich kannte dieses Haus nicht und hatte gar nicht gewußt, daß Croix jetzt hier in der Reisnerstraße lebte. Mein Zusammenhang mit diesen beiden Herren war nur ein beiläufiger. Wir hatten gemeinsam die Einjährig-Freiwilligen-Schule gemacht. Den Grafen kannte ich außerdem vom Verwaltungsdienst her. Bei Siebenscheins gestern abend hatten wir einander freilich kurz begrüßt.

„Warum bist' denn gestern verschwunden?" fragte Langingen.

Ich sagte ihm von der Einladung in die Oper.

Ich hätte gerne die Stimme des Prinzen wieder gehört. Aber er winkte den Diener zu sich heran und erteilte ihm seine Anweisungen leise. Der Raum, dessen eine Ecke nur ein paar Fauteuils und ein rundes Tabouret aufwies, um welches wir uns niedergelassen hatten, zeigte an den Wänden Bücher in vielen Regalen bis an die Decke. Es gab da mehrere fahrbare Leitern. Am anderen Ende standen zwei Tische; sonst war alles leer. Jene verglasten Schaukästen für kostbare Stücke, wie man sie oft in der Mitte solcher Räume aufgestellt findet, fehlten hier.

Ich fragte den Prinzen, ob diese Bibliothek sein persönliches Eigentum sei, oder dem Fideikommiß gehöre.

„Alles Fideikommiß", sagte er. „Aber praktisch gehört die Bibliothek mir, denn es schert sich kein Mensch darum. Die sind froh, wenn sie nichts davon hören. Das Ganze müßte geordnet werden. Aber ich hab' dieses Haus erst seit einem halben Jahr. Niemand in der Familie hat es haben mögen. Ich hab' es hauptsächlich wegen der Bibliothek übernommen."

Mir ist nie mehr im Leben ein Mensch begegnet, der bei aller Freiheit und Unfeierlichkeit im Satzbau und in der Wortwahl so überaus deutlich seine Rede in den Raum entlassen hätte, wie dieser Prinz Croix. Er setzte sozusagen einen freien Raum dafür ohne weiteres voraus: und damit war dieser auch schon vorhanden. Selbst Mucki, der wesentlich ein geschwätziger Mensch war, fiel dem Prinzen niemals in's Wort; und eine schärfere Beobachtung, die ich alsbald auf diesen gerichtet hielt, zeigte mir noch im Laufe des Abends, daß er selbst in einem absoluten Maße von dieser heute ganz allgemein verbreiteten Unsitte frei war.

Da ich mich in dieser Richtung als Selbsterzieher stets bemüht hatte, und Mucki's Schwatzhaftigkeit durch den Prinzen niedergehalten ward, kam in unsere ganz obenhin und nebenhin geführte Unterhaltung nach und nach eine Deutlichkeit und Abgehobenheit, wie man sie bei Gesprächen zwischen Menschen unserer Tage höchst selten finden wird. Mag sein, daß auch der weite Raum, der mit seiner Stille unser Beisammensein bräunlich grundierte, dazu beitrug und dieser bescheidenen Geselligkeit fast den Charakter eines Auftrittes verlieh.

„Wenn du die Bibliothek ordnen willst, dann wirst du jemand dazu brauchen."

„Ja. Allein kann ich das unmöglich machen."

„Ich weiß jemand. Absolvent des Institutes und Doktor. Ein junger Historiker."

„Wär' schon gut. Aber ich hab' da meine besonderen Absichten. Ich möchte keinen fertig Gelernten. Das bin ich ja selbst. Und das Physische bei dieser Neuordnung, das machen natürlich meine Leut', einschließlich der Herstellung von Kartotheken, und dergleichen. Ich hab' sogar einen, der schreibt wie gestochen. Was ich mir wünsche, ist, meinen Bibliothekar selbst heranzubilden. Meinetwegen soll er ganz von der Pike beginnen. Übrigens ist, was man hier sieht, keineswegs das Ganze. Daneben sind noch zwei Zimmer mit Büchern. Komm', ich zeig' dir das."

Der Prinz erhob sich aus seinem Fauteuil. Ich folgte ihm. Auch Mucki ging hinterdrein mit. An zwei hohen Fenstern waren die Vorhänge noch nicht zusammengezogen, man sah in die Dunkelheit des Parks. Hier, im großen Bibliothekssaal, spiegelte das kunstvoll eingelegte Parkett nackt, kein Teppich bedeckte es. Ich hatte den Eindruck von Einsamkeit und nicht übermäßiger Wohnlichkeit, was die Umgebung des Prinzen betraf. Seine Haltung paßte dazu. Ich hielt für möglich, daß

dieser Mann, wenn er allein war, eine ungleich größere Deutlichkeit im Denken und im Auseinandertreten seiner Vorstellungen entwickeln mochte als andere, wenn auch sehr intelligente Menschen. Übrigens, was die Wohnlichkeit betraf: er
hatte ja dieses Haus noch nicht lang inne. Wir betraten jetzt
durch eine Flügeltüre den anliegenden Raum, welchen das eingeschaltete Licht als Bücher-Höhle zeigte. Die Fenster zum
dunklen Park waren hoch und kahl, ohne Vorhänge oder Gar-
dinen. Lange Reihen von goldbraunen Lederbänden liefen durch
gewinkelte Gänge im zweiten Raum. Wir kehrten in den Saal
zurück und tranken stehend jeder zwei Manhattan.

„Hör' mich an, Schorsch", sagte Croix. „Du kommst vielleicht mehr unter Menschen. Der Mucki ist total indolent, kennt
nur alte Möbel." (Kein Protest erfolgte von seiten des Grafen.)
„Vielleicht kommt dir wer unter die Augen. Nur kein Akademiker. Sei so gut. Du hast Augen im Kopf. Ruf mich dann
an, oder komm' zu mir."

„Ja", sagte ich. Wir setzten uns wieder. Das Gespräch flachte
für wenige Minuten ab – wohl wesentlich eine Wirkung
Mucki's – und glitt in's Gesellschaftliche (Euphemismus für
Tratsch). Danach kam die Jagd, später, im Zusammenhange damit, Kärnten. Der Diener machte den dritten Cocktail zurecht
und zog sich dann über die ganze Länge des Saales zurück, bis
zu dem Eingang in die beiden Bibliothekszimmer, wo wir eben
gewesen waren. Diese Distanz schien hier gebräuchlich.

„Ihr habt doch auch die Charagiel gekannt", sagte der Prinz.

„Brrrr . . .", machte Mucki.

„Tepp", sagte Croix. „Darum handelt es sich nicht. Du weißt,
Schorsch, daß sie heuer im Winter gestorben ist? Ihr Mann war
schon lange tot. Was ihn betrifft: er war ein alter Trottel, sie
hat ihn totgeritten und sich's dann gut gehen lassen."

Ich verwunderte mich über die Krüdität seiner Ausdrucksweise. Auch hierin war etwas von Einsamkeit: er war viel allein,
seine Sprache unterlag weniger der Zensur von der Konvention
her, als jener vom Gesichtspunkte des Treffens, der Genauigkeit.

„Also: die Charagiel war sehr hübsch, wie man zu sagen
pflegt. Dabei eines der scheußlichsten Wesen, die ich je erblickt
habe. Wer nur das erste festzustellen in der Lage war, mußte ein
Schweinehund sein. Sie war ein Reagenz, ein Scheidewasser.
Man konnte vermittels ihrer sozusagen jeden agnoszieren. Es

hat Leute gegeben, welche sie ‚rei...zend' gefunden haben" (er imitierte eine in seiner Gesellschaftsklasse beliebte Sprechweise).

„Sie war eine Neudegg", sagte ich, um irgend etwas zu sagen, vielleicht aus dem Bedürfnis abzudämpfen, die fühlbar werdende Schärfe zu mindern, ja, um gewissermaßen Mucki zu schützen, dessen profund gutmütiger und verdutzter Gesichtsausdruck mich plötzlich ergriff.

„Ja", sagte Croix, „sie war eine Neudegg. Der alte Neudegg ist heuer im Frühjahr gleichfalls gestorben. Es hat die Claire Neudegg einmal einer heiraten wollen, den der Alte sehr gern gehabt hat, ein Gutsbesitzer, ein gewisser Georg Ruthmayr. Dem soll der Alte bei einer darauf bezüglichen Aussprache wörtlich gesagt haben: ‚Schorsch, du wirst dich doch nicht mit dieser entsetzlichen Person belasten'."

„Und woher will man das wissen?" fragte ich (weder erstaunt noch alarmiert, wie man vielleicht vermeinen möchte, bei mir war in irgendeiner Weise die Reizschwelle überschritten, und ich hatte zudem von Anfang an hier im Saale die Empfindung gehabt, mich in einer Art von Zentrale zu befinden, wo jeder nur mögliche Anruf jederzeit einlangen könne).

„Das weiß ich von dem einzigen Ohrenzeugen des Gesprächs, und dieser war der Kastellan, ein Faktotum namens Mörbischer. Der hat mir das erzählt: unter Ausbrüchen des Hasses gegen die Charagiel, nebenbei bemerkt. Ich war bei dem Alten unten zur Jagd. Die beste Hahnenjagd in Kärnten. Der alte Neudegg hat damals dermaßen gesponnen, daß er mit einer uralten Armbrust auf den Hahn gegangen ist."

„Und hat er was getroffen?" fragte Mucki.

„Unfehlbar", sagte der Prinz. „Ich war selbst dabei. Kluck, Schleifen – drin war der Bolzen. Die Charagiel hat dem Mörbischer übrigens mit einem Flaubert seinen Kanarienvogel auf eine unglaublich weite Entfernung abgeschossen, von der Brustwehr über der Zugbrücke aus; er hat den Käfig im Fenster der Pförtnerwohnung stehen gehabt. Aber ich halte diese Sache nicht für eigentlich bezeichnend im Hinblick auf die Claire. Derartiges kann jedem ankommen, wenn sozusagen der unrechte Wind weht. Wir haben schon als Kinder ausgesprochene Schlechtigkeiten begangen; mitunter auch Streiche, die ganz so aussahen und es keineswegs waren. Ich habe über einer Gouvernante, die mich in der Wanne gebadet hat, die Dusche plötzlich stark aufgedreht. Ich wurde streng bestraft. Es war aber weder aus Bosheit, noch eigentlich aus Lausbüberei, sondern nur aus einer Art technischer Neugier geschehen. Wir haben im Theresianum einmal im Physiksaal während der Pause die Leydnerflaschen-Batterie schwer geladen: dann trat plötzlich der Professor ein, und niemand nahm sich mehr Zeit, die Entladung rasch durchzuführen, vielleicht verstand sich auch keiner recht darauf – die Folgen waren unbeschreiblich, als der Professor einen Versuch demonstrieren wollte. Das war auch so ein Schuss auf den Kanarienvogel. Für Mörbischer freilich war es der Punkt auf dem i – denn die Intensität seiner Abneigung muß vorher schon bedeutend gewesen sein; er schloß das Faktum hier an; und doch hatte – vergleichsweise zu anderen ihrer Daseinsäußerungen – der erschossene Kanarienvogel mit der Charagiel fast nichts zu tun. Sie hat den gelben Punkt gesehen, der sich bewegte, sie wollte treffen, es lag ein ungeheurer Reiz darin, diesen Punkt zu treffen; und vielleicht war solch ein Punkt in den Träumen der vorausgegangenen Nacht vorgekommen: vielleicht mußte er getroffen und erledigt werden; vielleicht war auch Föhn... Das alles war weitab von der Charagiel, möchte ich sagen, denn es war – keine Frechheit. Es war, im Vergleich zu einer wirklich profunden Frechheit, wie sie dieser Person eignete, fast ein menschlich-warmer Zug, ein Fehltritt, ein Ausrutscher ..."

Es war nicht zu erkennen, wo er eigentlich hinauswollte und warum überhaupt er von der Gräfin hatte zu sprechen begonnen, was weiterhin dann zur Erwähnung Ruthmayrs führte... So geschieht es, daß sich uns gleichsam Waffen in die Hand drücken, die wir nicht geladen haben: doch lösen wir den Schuss. Ich war, überfüllt von diesem Tage, kaum mehr zu treffen, in Bewegung zu bringen. Aber hinter dieser unserer Anwesenheit, unserem Beisammensein zu dritt höhlte sich in mir ein tieferes und feineres Staunen, das wie eine Randkluft um den gegenwärtigen Auftritt lief, der damit nicht mehr fest in seiner Umgebung saß, vielmehr bereit schien, sich mit allem und jedem verbinden zu lassen (in dieser Zentrale hier), und als verlorenes Kettenglied beliebig irgendwo anzuschließen ...

Des Prinzen Rede eroberte mühelos ihren Wortbereich. Mucki war dem Intellekt gegenüber fügsam, er schluckte ihn, mit dem er nichts anzufangen wußte, wie ein braves Kind die

Medizin; vielleicht spielte er bei dem Prinzen überhaupt die Rolle eines allerdings sehr unergiebigen Miniatur-Eckermann. Was mich betrifft, so war mir's gleichgültig, was jetzt hier gesagt wurde, ob mehr oder weniger Kluges. C'était pour moi particulièrement le ton qui faisait la musique. Der Ton war alles. Und nicht nur der Ton dieser Stimme. Der bräunliche Ton des Raums mit den roten Flecken vom Leder unserer Fauteuils darin. Daß ich hierher geraten war überhaupt. Daß dieser Raum ausgespart geblieben war in dem Gedränge von mehr-weniger unverständlichen Sachen, die mich bewohnten, und aufgespart zugleich bis auf den heutigen Abend.

„Selbst die unmöglichsten Personen mit ihren sicher indiskutablen Verhaltensweisen sind immerhin Konkretion geworden, haben, von sich selbst aus betrachtend, immer recht – sobald sie daran zweifeln, sind sie eben keine unmöglichen Personen mehr – und man muß mit Aufmerksamkeit jene anschauen, welche so undankbare Rollen spielen: denn diese Rollen sind unentbehrlich. Es ist keine Kleinigkeit, ein Scheusal oder ein böswilliger Idiot zu sein, sich im ersten Falle für schön, im zweiten Falle für einen hochgeistigen Menschen zu halten. Alles das muß dargestellt werden. Einer muß es machen. Man sieht da aber auch, daß die Besetzung eines vorgesehenen üblen Punktes den Besetzer nicht entschuldigt: denn dieser bezieht ihn aus Affinität. Der Punkt ortet den Besetzer und die gespielte Rolle macht ihren Träger offenbar."

Der Prinz hob unmittelbar nach diesen Worten den linken Arm, und der Diener ging vom entfernten Ende des Saales zu der uns näher liegenden Schmalseite, öffnete eine dort befindliche Flügeltüre gänzlich und trat zurück.

Wir nahmen eine etwas eigentümliche Mahlzeit ein: dies hier war ein Frühstück am späten Abend. Erst dunkler Tee mit geröstetem Brot und Butter, dazu, offenbar am Rost, scharf gebratenes Fleisch; dann Languste, kalt, aber nicht etwa mit Barsac oder etwas dieser Art, sondern mit Moët et Chandon; ein anderes Getränk gab es nicht, nach dem Tee. Ich aß kaum, aber der Prinz und Mucki legten sich in's Zeug. Doch trank ich stark, ja, geradezu danach bedürftig, von dem Champagner, und blieb dabei nicht allein. Der Raum, in welchem wir saßen, war klein, fast ein Kabinett zu nennen, und nahezu leer. Eine zweite Flügeltür, spiegelnd weiß, führte weiter. Mir fiel auf, daß der Tisch in einer reizenden Art gedeckt war. In der Mitte stand eine Lampe mit drei elektrischen Kerzen, deren dunkelrote Schirme das Licht tief herabdrückten – der Diener mußte sich an einem kleinen Buffet bei geringer Beleuchtung behelfen, denn sonst war keine Lichtquelle eingeschaltet. Über das Tischtuch waren ein paar Blumen beiläufig hingestreut, auch lagen ohne Regelmäßigkeit Orangen herum; das letztere hatte ich ein einziges Mal bisher gesehen, nämlich auf einem Ballfest im Hause des Richard Ritter von Kralik, wo es beim Souper auf allen Tischen weithin so gewesen war: diese unregelmäßig verstreuten goldgelben Bälle hatten damals den Raum außerordentlich belebt; der Einfall sah dem originellen Hausherrn ähnlich und tat seine Wirkung. Glas und Silber zeigten sich hier bei dem Prinzen glatt, schwer, zugleich bescheiden, auf den einzelnen Stücken das Croix'sche Wappen voll ausgeführt.

Mich ergriff unser Beisammensein seltsam. Ich hätte nicht zu sagen gewußt, wodurch. Unsere wechselseitige Bekanntschaft war oberflächlich, wie sie eben im kollektiven Topf des Militärs gern zustande kommt. Wir taten auch den ganzen Abend hindurch dieser Herkunft unserer Beziehungen keinerlei Erwähnung. Wir waren fremd, in jedem Sinne, wir waren einander fremd, aber auch der Prinz und Mucki mußten einander fremd sein: ja, mehr als das: mir erschien der Prinz andauernd als ein Fremder in seinem eigenen weiträumigen Hause. Dieser Abend, nach einem Tage, der wie auf einen Punkt zusammengerafft hatte, was an Tatsächlichem oder nur Vorgestelltem mein damaliges Leben erfüllte, zusammengerafft wie einen Vorhang: dieser einsame Abend zu dritt war nicht ohne süße Trauer, ja, er war selbst wie eine Hand, die in den Vorhang greifen will, und entmutigt, oder auch nur leicht ermüdet und lässig davon abgleitet.

Croix erhob sich: „Bitte, bleibt sitzen", sagte er. „Ich will euch eine Tafelmusik machen." Der Diener öffnete sogleich die weiße Flügeltüre, und der Prinz ging in's nächste Zimmer. Er schlug das Klavier an. Sein Spiel war meisterhaft, wenn auch die Wahl befremdlich. Was da aus dem offenbar sehr weiten Raume herüberklang, war der Trauerwalzer aus dem Ballett ‚Der faule Hans' des einst berühmten böhmischen Geigers Nedbal.

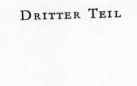

DRITTER TEIL

1

DICKE DAMEN

Man wird später noch sehen, in welchem denkbar unpassenden Augenblick mir Schlaggenberg jenes längst angedrohte
Manuskript über die ‚Dicken Damen‘, seine ‚Chronique Scandaleuse‘, oder wie er's schon nannte, überreicht hat (‚muß hinein! muß alles hinein!‘). Bei der Durchsicht erwies sich das
ganze als – gelinde gesprochen – indiskutabel. Ich kann, um
die Sache einigermaßen anschaulich zu machen, nur (stark zen-
surierte!) kleine Proben davon geben; und ich will das gleich
jetzt tun. Denn es wird der weitere Gang der Ereignisse uns
keine Möglichkeit mehr lassen, auf diese tiefsinnigen Torheiten
noch einzugehen.

Es war im ganzen eine Art abstruser Reform-Idee auf einem
bestimmten, allerdings recht zentralen Gebiet, muß man sagen.
Immerhin bietet diese miniatüre Mißgeburt eine Möglichkeit, zu
sehen, wie töricht sich vollends erst die sehr zu Unrecht so
genannten ‚Weltanschauungen‘ dem Gesamtleben gegenüber
ausnehmen, welches sie gleich als ganzes verbessern wollen.
Aber sie sind keine Anschauungen – sehr im Gegenteil;
sie stellen nur eine zum System erhobene Apperzeptions-Verweigerung dar, die nicht weniger blind ist als Kajetan's Dicke-
Damen-Doktrinär-Sexualität. Jedes Zeitalter öffnet eben einen
Spezial-Rachen ad hoc, um seine Zeitgenossen zu verschlingen.
Das alles ist von dem Hofrate Gürtzner-Gontard nicht übel zusammengefaßt worden unter dem Bilde des Embryo, der sich
die Händchen vor die Augen hält. Allerdings war der Erfinder
dieses verdammten Bildes niemand anderer als der verd . . . Ich
meine, Stangeler hat es eigentlich erfunden. Vielleicht werd' ich
doch noch ein anderes Toilettewasser verwenden, um endlich
vom gemeinsamen Lavendel ganz loszukommen . . .

———

Planvolles Vorgehen bedeutet hier nicht weniger als Entdeckung einer neuen Dimension des Lebens. Nach genügend großer Fläche des Auftreffens – 5 entsprechende Anzeigen i. d. Zeitung – Aussonderung von allem nicht Begriffsgemäßen. Nunmehr 10 DD.[1]

Die fünfte Annonce engt den Typen-Begriff am meisten ein. Ihr nochmaliges Erscheinen durch Administration des Blattes verhindert.[2] Im allgemeinen, bei sonst verschiedensten Merkmalen, zwei Grundtypen zu erkennen: konvex (nasend) und konkav. Letztere Type schwerer zu nehmen (bes. No. 10), wegen essigartiger Intelligenz und enormer Vigilanz. No. 10 nicht durch eigene Anzeige, sondern durch Antwort auf eine Annonce ihrerseits.

Keine der Nummern des Restbestandes ganz typen-begriffsgemäß.

Zwei Cafés am Donaukanal und eines in der Inneren Stadt nächstes Aktionsfeld. Nochmaliges Aufgeben einer typologisch weniger definierten Annonce ist von fraglichem Wert. Immerhin größtmögliche Fläche des Auftreffens. Jedoch müßte diesfalls a-typisches rasch ausgeschieden werden, um sogleich den typologisch diskutabeln Rest bearbeiten zu können.

Rest-Reihe:

1. Hermine E.

Konvex, dunkel. Intellektuell noch in Reichweite. Kräftiger Charakter-Umriß, stolz, viriler Einschlag. Imposanz nur oben. Scheidet deshalb aus (überhaupt raschere Arbeit erforderlich!), obwohl graziös und reizvoll. 83 : 116 : 100 : 44 (taxativ).[3]

2. Rosi A.

Konvex. Guter Typus, rotblond, mittelgroß, ohne Imposanz. Intellektuell unternormal. Fett, dumm. Überaus beschränkt.

---

[1] DD ist bei Schlaggenberg immer gleichbedeutend mit Dicke Damen.

[2] Ausschnitt war beigegeben. Die Einengung sehr deutlich. Erstaunlich bleibt, daß diese Anzeige überhaupt erscheinen konnte. Im Text u. a. dies: „von außergew. starker, korpulenter, üppiger und überaus mächtiger breiter Statur."

[3] Die Ziffern bedeuten hier nacheinander: Gewicht, Brustumfang, Hüftumfang, Alter.

Trefflicher ‚Reithosentyp', jedoch ohne dessen sonst häufige obere Mängel. Jung konserviert. Zu leicht. Ruft auch zu viel an, besonders morgens, wenn ich noch schlafe, und dann nicht weiß, was ich am Telephon sagen soll. Mir fällt nichts ein. 77:99 :110:45 (taxativ).

3. Hanna W.

Konkav. Zu schwer, nicht dem Gewicht nach, sondern wegen allzu monumentaler Imposanz und gleichsam holzgeschnittener Kontur. Tragische Kariatyde, ohne Dummheit der Konterhonz. Nicht bildungslos. Bester bisheriger Treffer, aber unmöglich zu handhaben. Hypertrophisch dicke Fesseln. 110:135:135(!):53 (gemessen, und nach Wiegekarte).

4. Eben jetzt erst Augenschein. Mußte sofort ausgeschieden werden. Grenadier mit tiefster Baßstimme u. slawischem Akzent. Schon Brief verdächtig. Unterschrieb: ‚Eine nicht alltägliche Seele'. Kommt mir auch so vor!

5. Fritzi G.

Konvex-Konkav, Mischtypus, Entenschnabelnase. Kleineres Format, dem ‚Reithosentypus' eher angenähert. Wirkt in kaum glaublicher Weise auf mich sterilisierend. Musikalisch sehr orientiert, ohne jede Beziehung zur Musik. Einfältigkeit kombiniert mit ganz außerordentlicher Kälte (sed non fundamentaliter). Verhemmt. Aura: dumpf. 78:98:102:51 (gemessen, Wiegekarte).

6. Vilma S.

Konkav. Böhmische Nase, unbrauchbarer Gesichtstypus. Clownartig. Enormes Exemplar, Bezifferung kaum zu taxieren. Mann in großer Stellung. Von stupender Unwissenheit. Der Name Mozart war ihr nicht in seiner eigentlichen Bedeutung bekannt, sondern nur als Bezeichnung einer Süßigkeit (Mozartkugeln). Wiegekarte verlangt, zu weiterem Zunehmen ermuntert (Mozartkugeln), Messung demnächst hier bei mir, wo sie ebenso wie die anderen schon war. Erzeugt durch ihre beispiellose Dummheit geradezu echte Zärtlichkeit. Ist jedoch ebenfalls auszuscheiden.

7. Gisela B.

Gewichtsmäßig wohl DD. Jedoch elegante hübsche Frau. Beweglich, literaturkundig. Wir lachten viel, nahmen schließlich die ganze Sache als Scherz. Fehlt Hilflosigkeit der DD. Wäre gleich auszuscheiden gewesen. Brief viel zu intelligent.

8. Elsa P.

Nicht durch Annonce. Visitkarte im Café zugesteckt. Konkav. Sehr hübsche Frau, blond, ca. 80 kg. Guter Typ, doch zu anstrengend, außer Reichweite, Kontakt kaum möglich. Mann Möbelhändler ('Mein Mann hat Möbel').

9. Mela R.

Konvex. Typus fast erfüllt, auch in Gewicht und Maßen. Leider zu derb und degagiert im Ton, keine DD-mäßige Würde und Prüderie. Diese unerläßlich, wie ich sehe. Geschiedene Frau. Der Mann ist ihr in Südfrankreich vor fünf Jahren durchgegangen, mit einer Marokkanerin. Wäre perfekt (taxativ: 82:115:120 :48!) was die einzelnen Bestandstücke betrifft. Leider ἐνχείρεσιν naturae ... etc. Fehlt eigentlicher DD-Habitus, keine dick aufgetragene Ostentation bürgerlicher Solidität, wie bei 'Mein Mann hat Möbel'. Diese leider hellblond und zu konsumptiv.

10. Lea W.

Gattin eines Arztes. Sah ihn mit ihr auf der Straße. Strenger Kurzbart. Seine freie Zeit nur am Radio mit Basteln. Lea hat erwachsenen Sohn. Freut sich, daß dem, wie sie sagt, hübschen Burschen die Weiber nachlaufen, und er diese schlecht behandelt. Lea ist maximal-konkav. Sehr fesch, leider fast normale Figur, etwa 73 kg, ziemlich groß, jedoch ohne pastose Imposanz. Zu wenig sensationell. Äußerste Vigilanz, ja, Penetranz. Vollkommene Selbstzufriedenheit. In jeder Beziehung wertvoller Fall; wird gleichwohl ausgeschieden werden müssen, da vom eigentlichen Grund- und Haupttypus ablenkend. Den Postulaten kommen 3 und 9 am nächsten, wenn man das Inventar Punkt für Punkt durchgeht. Dennoch entsprechen weder 3 noch 9 wirklich. Die eigentliche Einengung des Typus gestaltet sich schwieriger, als ich vermeinte. Es tut not[1] innerhalb der punkt-

---

[1] 'Es tut not' – das ist auch so eine typische Redewendung aller 'Besserer' von irgendwas. Ihnen tut not, was die anderen garnicht nötig haben; aber gerade diesen soll zuletzt – bei jeder Reformerei! – was aufgedrängt werden. Jede Reform-Idee ist nichts als ein Feigenblatt vor der schwächsten Stelle ihres Urhebers.

weisen Einengung erst die eigentliche Typik aufzusuchen. Neue Heranbringung breitesten Materiales doch wohl unerläßlich, aus welchem schließlich das Ergebnis als Konzentrat gewissermaßen destilliert werden muß.

Groß- und Nah-Aufnahmen bisheriger Rest-Reihe, No. 1 bis 10 (ohne 4)[1]:

Neues Anfluten einer ungeheuren Menge von Material, jedoch alles bewältigt, alle 42 Briefschreiberinnen gesehen, nur solche z. B. nicht:

‚Wollen Sie mir zu einer persönlichen Aussprache Gelegenheit geben dann würde ich Ihnen meine Freundin vorstellen, die genau auf Ihr Inserat paßt nur ist die Dame eine Schönheit, sehr gebildet, sprachenkundig, musikalisch. Ihrer schriftlichen Antwort gewärtig . . .‘

Unter 42 Briefen relativ geringer Teil unqualifizierbar, relativ großer Teil von Damen. Manches recht gelungen, etwa:

(verstellte Schrift, nach rechts oben fliehend)

‚Mein Herr,

erlaube mir, Ihnen mitzuteilen, daß alle Eigenschaften, die Sie im Inserat anführen, bei mir zutreffen. Wollen Sie mir mit einigen Zeilen mitteilen, was Sie beabsichtigen, und wohin man Ihnen schreiben kann, kurz alles, was zur Anbahnung einer Korrespondenz nötig ist. Meine Adresse: Thea R., postlagernd, I. Nibelungengasse.

Wenn man ohne ‚Faulenzer‘[2] schreibt, kommt man in eine schiefe Lage.‘

Schon recht pressiert. Nun bald gegen 80 Zusammenkünfte, alles in allem. Vom ersten Schub laufen noch weiter: 1, 2, 5, 8, 9, 10. Muß vielfach zwischen den Rendezvous Autotaxi benützen, um rechtzeitig da zu sein. Arbeit: nur mehr unbedingt Notwendiges und Laufendes für d. Allianz. Ganze Aktion wäre bei bisherigen Geldverhältnissen (vor Allianz) unmöglich gewesen; hätte abgebrochen werden müssen. Zweiter Schub ergibt nach durchgeführter Ausscheidung geringe Rest-Reihe. Thea R. viel

[1] Ist nicht wiederzugeben.
[2] Linienblatt.

zu hübsch und elegant ('mondän' im Sinne der Cafés am Donaukanal, kleiner Finger beim Schlagobers-Löffeln weggespreizt).

Groß- und Nah-Aufnahmen der Rest-Reihe II.:[1]

Merkwürdig und für mich unbegreiflich, was die ganze Aktion mit – Döbling zu tun hat? Doch ist es so; obwohl hier keinerlei Rendezvous stattfinden – zufällig wohnt nicht eine einzige in der Gegend hier! – und ich in Döbling keine Suchjagd durchführe, sondern nur in den erwähnten 2 bis 3 Cafés der inneren Stadt; aber es bildet das Unternehmen DD eine Art Gelenk zwischen jener und dem Villenviertel, weil gewissermaßen ein Zug ausgeübt wird, der bis hier herausreicht. Kann mir eigentlich die Sache DD nur mit Basis und Standquartier Döbling vorstellen. Hätte es wohl von woanders aus gar nicht unternommen. Ein wider-vernünftiger, aber nicht abweisbarer Zusammenhang besteht hier ohne Zweifel.

Neide den Frauen ihre Ruhe und ihre geordneten Verhältnisse. Ich wüßte damit was besseres anzufangen als diese Weiber: Telephon, Bridge, Mozartkugeln. Solche Konsolidiertheit bei fast allen, ja eigentlich ohne Ausnahme. Könnte mich jetzt wohl auch endlich ordnen, und wünsche deshalb sehr, in dieser anstrengenden Sache hier zum Ziele (typologisch verstanden) zu gelangen. Telephon, Post, Autotaxi. Ich bin zunächst ohne Konzept neuer Methoden, mit welchen von vorne zu beginnen wäre; selbstverständlich unter Liquidierung der Rest-Reihen I und II. Man kann zum Typischen nicht gelangen, wenn man a-typisches Material nicht glatt eliminiert. Figuren wie I./7 oder Thea R. (II./3) sind eben einfach nicht hierher gehörig.

Jede Zuschrift füllt sich sofort und prall mit vorweggenommener typologischer Hoffnung. Dann Aufprellen. Wiederholung mechanisierend. Wird das ganze etwa stationär? Das würde von der zu entdeckenden, bzw. methodisch zu realisierenden neuen Dimension des Lebens trennen. Das erste Stadium der Sache war euphorischer. Neue Impulse tun not.

Spaziergang mit I./10, erste Gespräche:

Sie kommt mir vor, als ob sie innerlich immer summen würde, wie ein Teekessel, der sich erwärmt, vor Vergnügtheit und auch

[1] Gestrichen.

vor Vergnügen an sich selbst. Größte Vitalität. Bohrt sich gewissermaßen unausgesetzt vor, Drillbohrer.

Der Frühling brachte an diesem Tage eine Art von rascher anfallsweiser Hitze, die ermüdend und erregend zugleich wirkte. Vom Viadukt der Stadtbahn aus sah man die äußeren Stadt-Teile und die Hügel draußen im nackten scharfen Sonnenschein.

Wir stiegen in Ober-St.Veit aus und gingen irgendwie zwischen den Häusern durch und in die Landschaft hinein, ohne daß wir uns über Weg und Ziel geeinigt hätten. Alles zerstreut und kurzatmig. Den Weg sperrte ein ganzes Meer von wässrigem Dreck, das sich nicht umgehen ließ, rechts Planken, links Gitterzaun. Ich will sie tragen, wegen ihrer feinen Schuhe und Strümpfe. „Nein", sagt sie, „wir werden eben umkehren." Da hatte ich sie schon hochgenommen. Kein leichter Brocken (doch mehr als 73?). Sie besaß so viel Geistesgegenwart, sich nicht zu sträuben, während ich sie über den Kot trug – gleichwohl hielt sie sich ungeschickt und von mir zu sehr weggebeugt statt angeschmiegt, so daß ich in der Mitte dieses Sumpfes auf dem schlüpfrigen und weichenden Erdreich einen schweren Stand hatte, ja, daß mir einen Augenblick lang angst und bang wurde (‚jetzt umschmeißen wär' eine saubere Blamage!') – aber ich brachte sie doch gut hinüber, und da zeigte sich denn, daß ihr die Sache großes Vergnügen gemacht hatte – sie kam wiederholt darauf zurück.

Hinaus zwischen offene hügelige Wiesen und zausige Wälder, deren neues glasig-hellgrünes Laub die schwarzen feuchten Äste noch nicht verhüllt. Man kann sich wegen der Feuchtigkeit freilich nirgends niederlassen, das treibt uns immer vorwärts, macht unruhig und beredt.

Gespräch über ihr Vorzimmer. Sie will es jetzt streichen lassen. Farbe, Muster, oder überhaupt kein Muster, nur ockerfarbener Ton, etwa mit einer Zierleiste?

Ein Vorzimmer, das es gar nicht gibt. Maximale Unechtheit meinerseits. Daher mit Eifer bei der Sache. Leichter Druck hinter den Ohren.

Weiteres Gespräch:

„Sie, sagen Sie einmal, Sie sind doch angeblich ein Schriftsteller, aber was Sie schreiben, glaube ich, das ist sicher nichts wert."

„Warum soll es denn nichts wert sein?"

„Na – so halt, ich glaub halt."

Weiter:

„Sind Sie wirklich Doktor? Oder vielleicht ist das nur ein Schwindel? Verdienen Sie gut mit Ihrem Schreiben?"

„Nein."

„Na eben. Wahrscheinlich haben Sie gar kein Talent. Lesen Sie einmal die Romane von Hugo B. So etwas müßten Sie machen."

Die Landschaft hatte sich überraschend geöffnet, schwang ihren Hügelbogen weit aus, bis unter ferne Himmelsränder, und zeigte Kleinigkeiten hell leuchtend hervorgehoben mit klarem Umriß. Das interessiert sich vorbohrende Fragen neben mir, das provozierende Geschwätz – es widerte mich jetzt schon recht sehr an.

Nun gut, sie war eben von Rest-Liste I. einfach zu streichen.

Was mich auf diesem Spaziergange quälte, lag jedoch nicht an meiner Partnerin, sondern in mir selbst. Wir gingen immer weiter, beredt und unruhig, in der gleißenden Sonne, ja, wie in dünner Luft, und vor mitunter ganz unwahrscheinlichen Maßen der Ferne und einer so tiefen Aufgerissenheit des Hintergrundes, daß diese doch wohlbekannte Gegend in ihren Frühlings- und Firnistagen zu einer ganz neuen geworden schien. Dennoch war es unmöglich, sich vor solchem Hintergrunde auch nur irgendwie zu befestigen. Ich fiel von ihm ab wie eine schlecht klebende Briefmarke vom Kuvert; und er wurde um nichts wirklicher als der Frau Lea W. imaginäres Vorzimmer. Dabei fühlt' ich mich aufgerauht, aufgefasert, und tief da drinnen unterleuchtet und unterlichtert, wie es manchmal bei beginnendem Fieber zu sein pflegt.

Dies letzte habe ich hier viel später auf frei gebliebenem Raum nachgetragen, also im Rückblick. Ich erinnere mich, daß ich aus Ober-St. Veit gänzlich erschöpft nach Hause gekommen bin. Wie vermauert, oder durch einen schweren Vorhang geteilt. Die Wand lief mitten durch mich.

Suchjagd, Donaukanal. Ich kann bald nicht mehr mitkommen. Es darf jedoch das ganze Unternehmen nicht an Müdigkeit meinerseits scheitern! Alles wird immer ähnlicher, die Methoden bei Rendezvous (ich gebe jedesmal zeremoniös den behobenen

Brief zurück), oder auf der Jagd (Visitkarten). Alles alte Material weg, alle Rest-Reihen liquidieren! Ein ganz neuer Auftrieb – im doppelten Sinne – muß erfolgen. Neu gewonnenes typologisch streng ausgesondertes Material: und da hinein soll dann Ordnung gebracht werden. Diese vor allem tut not. An ihr beginnt es zu fehlen.

Konzentrierung des Vorrückens in's typologische Zentrum wird erschwert durch mangelhafte Liquidation der Rest-Reihen I u. II. In einem Falle – I./6 – führte das zu einer unhaltbaren Lage (Idiotenhölle, s. u.).

Das typologische Zentrum markiert durch Frau Selma Steuermann – nach allem, was der Sektionsrat sagte. Lehnt es ab, mich ihr vorzustellen. Gemeinheit. Sagt: ,Frau Steuermann wird Ihrem Betriebe nicht ausgeliefert'. Werde sie aber selbst finden! Triumph! Die drei Cafés genau überwachen!

Suchjagd jetzt wesentlich auf Selma konzentriert.

Dabei (Donaukanal) an einem Tisch I./2 und I./10. Ich grüße zeremoniös im Vorbeigehen und verschwinde alsbald. Eine dritte Dame saß dabei, auf den ersten Blick typologischer Treffer, dem geübteren und schärfer differenzierenden Auge jedoch typologisch abseitig: bräunlich, rasche Mausaugen, Händchen in Fett-Manschetten steckend (letzteres wäre ja an und für sich akzeptabel).

Ich überlegte mögliche Folgen des Kontaktes zwischen I./2 und I./10. Kurz vor endgültiger Liquidierung der ganzen Rest-Reihe I (wobei leider I./6 noch übrig blieb, s. u., Idiotenhölle) treffe ich I./10. Woher ich denn Frau Rosi A. kenne? ,,Schon lange'' antworte ich. Ob ich ihren Mann auch kenne? ,,Nein'', sage ich, und ,,natürlich weiß ich, wer Direktor A. ist.'' Ob ich die dritte Dame bemerkt habe? Ja? ,,Was ist's mit der?'' frage ich.

Sie erzählte mir dann, daß Frau Dr. M. mit Frau Rosi A. nur deshalb eine so dicke Freundschaft halte, um auf den Bankdirektor aufzupassen. ,,Die und ihr Mann, ein Rechtsanwalt, das ist die reinste Wach- und Schließgesellschaft in bezug auf das Ehepaar A. Und zwar im Auftrag eines gewissen Levielle. Nennt sich Kammerrat. Sie wissen doch wer das ist?''

,,Nein'', sagte ich, auf jeden Fall.

,,Leben Sie auf dem Mond?''

,,Am Mond ist er jedenfalls nicht bekannt'', sage ich.

Deutliche Empfindung, daß ich hier über Levielle vielleicht Wichtiges erfahren könnte. Zugleich völlige Lähmung, Gleichgültigkeit, ja, Unfähigkeit, von dieser Ebene einer – – zweiten Wirklichkeit aus überhaupt irgendetwas aufzufassen. Gänzliche Unbereitschaft dazu. Vernagelt, von allem abgetrennt. Levielle – einfach nicht hierher gehörig: etwa so wie I./7. Stehe wie hinter einer Wand, vom übrigen Leben abgeriegelt, abgeschrankt. Obwohl ich doch gar sehr diese Gelegenheit jetzt benützen sollte (es war etwa drei bis vier Tage nach zweitem Besuch bei mir!!). Ich fühle deutlich, daß I./10 gerne bei diesem Thema bleiben würde. Die ganze Sache wäre wahrlich Anlaß genug, Liquidierung von Rest-Reihe I in bezug auf 10 auszusetzen. (Dabei ließ ich – aus Faulheit! – nur I./6 fortbestehen und schnitt alles übrige bald und glatt ab!)

Ich: „Kennen Sie eine Frau Kommerzialrat Steuermann?"

Sie (sichtlich gestört, denn sie hätte gern über Levielle, die A.'s und das Ehepaar M. weiter getratscht): „Ja, flüchtig. Aber sie kommt schon lange nicht mehr in's Café."

Spricht sogleich von etwas anderem.

Idiotenhölle: durch I./6 (Clownartige) mitgenommen zu einem Jausenkaffee bei Freundin: blonde, klotzige, fast würfelförmige Person, mehrere a-typische DD, ein Magistratsrat. Unsinnig starker Kaffee mit unsinnigen Mengen von Schlagobers. In bester Wohngegend (Reichsratstraße). Der Rat mit der Hausfrau verlobt. Er ist lang und dünn. Ich hätte erklären müssen, daß ich infolge einer Verwechslung oder irgend eines ähnlichen Zufalles hierher geraten und eigentlich gar nicht vorhanden sei. I./6 stand auf dem Boden ihrer konsolidierten Wirklichkeit (Neid meinerseits!), die Sache war für sie alles eher als aufreibend. Für mich vernichtend. Saß vorgebeugt, sah auf den Boden. „Warum sind Sie heute so nachdenklich, Herr Doktor?" Ich hätte wahrheitsgemäß zu antworten gehabt: Weil es keine Erklärung dafür gibt, wie das Nichts konkret werden könnte – und weil dies gleichwohl eine unbestreitbare Tatsache darstellt.

Jetzt (am Abend) freilich die Klarheit, daß jene Lage nur die Folge eines nicht genügend konsequenten Vorgehens in typologischer Hinsicht war. Typolog. Abweichung. I./6 sofort zu liquidieren.

Der Sektionsrat neulich: „Sie haben Frau Thea R. kennen gelernt? Das ist doch eine bildhübsche Frau?! Wenn Sie da Glück hätten – na, gratuliere!"

Unsinn. Typologisch eine Null.

Gesamt-Liquidierung vollzogen. Jetzt methodologisch neu aufbauen. Sodann ohne Abweichungen streng die Linie einhalten. Alles bisherige nur ein Vorstadium. Es geht um die Entdeckung einer neuen Dimension.

Genug. Mehr ist kaum erträglich. Er muß ganze Sitz- und Schwitzbäder zweiter Wirklichkeit genommen haben. Gewisse häufig wiederkehrende Fremdwörter (‚typologisch‘) kommen mir vor wie Fischbeine, aus dem Mieder einer DD gezogen, und dazu verwendet, diesen quabbeligen Galimathias zusammenzuhalten (‚methodologisch‘). Analog hat man später einmal immer wieder – und zum Teil schon ganz sinnlos! – auftauchende Fremdwörter gefunden: ‚Provokationen‘, ‚Saboteure‘. Gehupft wie gesprungen. Als wesentlich an dem ganzen Modell – denn ein solches war es, wie ich heute weiß! – erscheint mir der Ordnungs-Fanatismus einer nach außen verlegten Sexualität. Später einmal sind noch ganz andere Sachen nach außen verlegt worden: etwa das Gewissen.

2

Überm Berg

Quapp eilte über den Berg. Es war längst dunkel. Wo es anging, nahm sie die abkürzenden Treppenwege. Es war kühl. Gebüsche und Rasen hauchten keine tagsüber eingesogene Sonnenwärme aus, die Dunkelheit stand leer, ohne Duft.

Gyurkicz, der den heutigen Tag überm Zeichenbrett verbracht hatte – er war gestern, vor dem Tischtennis-Tee bei den sieben Scheinen, nicht mehr ganz fertig geworden mit einigen am Montag abzuliefernden Presse-Zeichnungen – Gyurkicz also erwartete Lo, und arbeitete seit dem Vormittage fast ohne Unterbrechung drauflos, um dann den Abend für sie frei zu haben. Am Montag sollte einer von den Redaktions-Dienern der Allianz (,Herr Otto' genannt, er war weitaus das frechste von allen dort vorkommenden Individuen) die fertigen Blätter abholen. ,Herr Otto' wohnte gar nicht weit von hier und konnte auf dem Wege zur Allianz bequem vorbeikommen. Imre's Hausfrau war verläßlich. Es genügte, die verpackten Arbeiten bei ihr zu deponieren, nebst einer Schachtel Zigaretten als Botengebühr. Die Methode war oft praktiziert worden und gut eingespielt.

Gyurkicz wollte am Montag morgen in's Burgenland fahren: um dort wieder einmal nach der Natur zu arbeiten. Im übrigen habe er hier alles bis daher satt – diese Bemerkung war von einem wagrechten Striche der Hand über den Hals begleitet gewesen.

Jedoch, in seine geplante Reise vermochte Lo den Haken einer Komplikation einzuhängen. Es war dies eine ihrer hervorragendsten Begabungen. Irgendwer – wahrscheinlich Stangeler oder einer von dessen Kollegen am historischen Institut – hatte ihr vor einiger Zeit einiges über die römischen Ruinen von Carnuntum und das darauf bezügliche Museum in Deutsch-Altenburg an der Donau erzählt. Die staunende Zuhörerin – welche davon noch nie vernommen! – war seitdem entschlossen, jene Sehenswürdigkeiten zu besichtigen, und zwar gelegentlich von Imre's nächster Fahrt in's Burgenland, obwohl ja Deutsch-Altenburg weit außerhalb desselben liegt; aber man könne sich doch – er vom Neusiedlersee kommend, sie von Wien – in Deutsch-Altenburg treffen und sowohl Ruinenfeld wie Museum in Augenschein nehmen.

So war das nun vereinbart worden, für Dienstag. Die Fahrpläne ergaben eine insofern ungünstige Sachlage, als ein bequemer Zug für Lo dort eine halbe Stunde früher eintraf als Gyurkicz eintreffen konnte, wenn er, wie es seine Absicht war, morgens und vormittags noch am Neusiedlersee malen würde. Das aber wollte Imre nun unbedingt, den am Mittwoch schon wieder die Allianz erwartete. Lo aber hatte bereits – offenbar durch einen Ortskundigen, und vielleicht war das ebenfalls Stangeler gewesen – Kenntnis von einem guten Gasthause in Altenburg erlangt. Dort also würde sie am Dienstag gegen Mittag Imre erwarten.

Mitunter zeigte sie fast eine Art Betriebsamkeit.

Gyurkicz stimmte zu.

Obwohl ihm ja, wie wir wissen, an bildungsmäßigen Sachen nichts lag, denen er lieber aus dem Wege ging.

Dieser Sonntag hatte Lo in die Stadt genötigt, zu einer Tante (um die sich Kajetan nie kümmerte); hier war jedoch ein Wunsch der Mutter verpflichtend. Lo's Heimkehr verzögerte sich. Das erschien gewissermaßen als normal. Die Verspätung war so groß noch nicht wie gestern (und weiterhin auch nicht von so peinlichen Folgen). Gyurkicz kam's diesmal gelegen. Er konnte seine Arbeiten in Ruhe vollenden. Nun schrieb er die Texte von einem Zettel ab, auf welchem sie bei der Redaktionskonferenz festgelegt und notiert worden waren. Schluß: er verpackte die Zeichnungen und übergab sie zusammen mit einer Zigarettenschachtel seiner Hausfrau. Sie hieß Joachim und war mit dem berühmten Geiger gleichen Namens angeblich verwandt. Als er durch das geräumige Vorzimmer zurückkehrte, klingelte es. Lo stand vor der Tür.

Natürlich war es zwischen den beiden am gestrigen Abend noch zu einer Art Versöhnung gekommen, was wohl auch erforderlich schien nach den Auftritten zwischen Imre und Lo, während letztere ihre verspätete Toilette zum Tischtennis-Fünf-Uhr-Tee bei den sieben Scheinen gemacht hatte, vom Wohnraum ins Badezimmer wie eine Schermaus aus- und wieder einfahrend . . . . gleichwohl war ihr dabei genug Zeit zu beleidigenden Äußerungen geblieben, und der Streit setzte sich dann noch im Siebenschein'schen Stiegenhause und bis vor die bezügliche Wohnungstüre fort (der langsam nachkommenden Laura Konterhonz zur Betrübnis). Auch heute, am Sonntagmorgen, hatte man sich noch ein wenig ausgesprochen: Imre war bei Lo zum Frühstück erschienen. Das alles taugte nicht gar viel. Selbst Quapp, sonst zu grundsätzlichen Erörterungen stets bereit, ja eigentlich immer Gyurkicz gegenüber in solche hineingeratend und sich darin verfangend, selbst Quapp also ließ heute vieles, fast alles, im Unbestimmten treiben, im trüben Wasser einer seit gestern – genauer: von dem Gespräch mit dem Hofrate Tlopatsch an – in ihr sich ausbreitenden Depression, die tiefer sickerte, als ihr noch bewußt wurde, verbunden mit einer schmerz-empfindlichen Müdigkeit. So gab sie denn keinerlei Erklärungen ab etwa über die für sie bestehende unbedingte Notwendigkeit, in gewissen Fällen sich zu sammeln und dabei Tee zu trinken, auch wenn dies einmal gerade, äußerlich gesehen, ungelegen sei, und auf ihr Recht zu derlei Gepflogenheiten, welches zusammenfalle mit den zu respektierenden Grenzen ihrer Person, und so weiter, und so fort (sie fand dann schwer ein Ende). Heute unterblieb das alles. Sie war bereit, auch eine nur dünne Haut über den offen bleibenden Spalt des Gegensatzes zu spannen, damit nur dessen scharfe Ränder zum Verschwinden gebracht würden, welche ihr wehe taten, in ihre tiefinnere Erschöpfung noch hinein drückten und schnitten. Sie sagte ‚Lumpi‘ zu Imre, und das war doch für sie zugleich das geheimste und sicherste Zeichen, daß sie selbst sich schon im Stande irgendeiner Lumperei befand. Gyurkicz für sein Teil strebte zum Zeichentisch und befürchtete, es möchte, bei oder nach diesem Frühstück am Sonntagmorgen in der Eroicagasse (nach kurzem Durchbrechen der Sonne ein gedeckter, dunstiger Frühjahrstag, stets am Rande des Regnens), zu endlosen Erörterungen kommen. Also bat er Lo nur recht angelegentlich, sich doch ein wenig Pünktlichkeit anzugewöhnen, es wäre das auch für sie selbst von größtem Vorteile, und sie würde schon sehen, um wieviel angenehmer man dabei lebe, und so weiter, und so fort. Um Grundsätzliches ging es dem Imre nie. Er war reif genug um zu wissen, daß es zwischen Liebespaaren überhaupt nur einen einzigen Ausweg gibt: das sogenannte Fortwursteln. Liebespaare können sich in bezug auf gar nichts in der Welt einigen, weil ja der ganze Witz darin besteht, daß sie immer zwei sind – ‚ce mal d'être deux', wie Stéphane Mallarmé es genannt hat. Einigkeit gibt's da nur im Belanglosen, in Schöngeistereien, Kunstgenüssen, ‚gemeinsamen Interessen' und ähnlichem Blödsinn. Imre Gyurkicz aber war zu solchem Blickpunkte keineswegs etwa im Lauf der Jahre herangereift. Er war schon so auf die Welt gekommen.

Unter den angegebenen Vorzeichnungen wurden also von Imre und Lo auch die Stimmen des heutigen Sonntagabends heruntergespielt – Quapp's Lebensgefühl hatte sich durch den Besuch bei der Tante nicht gerade gehoben und angespannt, übrigens sollte sie am Mittwoch nachmittag noch einmal hingehen – und so herrschte denn Übereinkunft und Frieden zwischen dem Paare, wenn auch auf der untersten Ebene, wo man derlei zustande bringen kann, nämlich auf jener der Müdigkeit. Sie gingen sogar aus und aßen – sparsam, denn es stand zur Zeit schlecht mit dem Gelde, aber man war in den Wirren des Samstags zu keinem Einkauf mehr gekommen – in einem jener kleinen, vortrefflichen Gasthäuser, deren es in Nußdorf viele gibt. Als sie dorthin kamen, war von der Donau her, ganz wie gestern schon, Nebel vorgedrungen (ein nicht eben häufiger Fall), und die uralten Gäßchen standen wattiert unter der wie selbständig schwebenden Straßenbeleuchtung, denn die Drähte, woran jene hing, waren unsichtbar geworden. Es gab im Laufe dieses Abends einen Zustand bei Quapp, den man als wunden Übermut bezeichnen könnte. Sie trank drei Gläser Wein, unter den bestehenden Verhältnissen ein fast leichtsinniger Aufwand. Gyurkicz erklärte indessen bald, er müsse jetzt schlafen gehen.

Sie schlief zu tief. Auch das gibt es. Die Tiefsee des Schlafens mit ihrem kalten finsteren Boden, zu dem sich einer herunterfallen läßt wie ein Stein, ist leblos – sie will das Leben nicht – sie löst nicht sanft, so wie's die mittleren Schichten vermögen, in denen der Schläfer schwebt, und fast neugierig von einem Traum in den anderen. Es gibt eine Art des steinernen Einschlafens, die etwas von vorübergehendem Selbstmord an sich hat: für eine Nacht. Morgen – alles. Heute nichts, das Nichts.

Morgen – alles. Auch daß sie am Montag, den 23. Mai, ein Probespielen zu absolvieren haben würde, ihr erstes außerhalb privater Musikkreise: vor dem Konzertmeister eines Symphonie-

Orchesters. Damals sah man kaum irgendwo Frauen in großen Orchestern sitzen, außer etwa an der Harfe. Jedoch der hier in Frage kommende Dirigent, ein durch populäre Klassiker-Konzerte bekannter Maestro, gedachte sich über solche Gepflogenheiten im einen oder anderen Falle, und bei besonders vorzüglichen Kräften, hinwegzusetzen. Quapp allerdings ergriff diese Möglichkeit notgedrungen und mit halber Hand, als etwas Vorläufiges. Was sie wünschte und erstrebte, war die Laufbahn eines Virtuosen.

Die tiefe Nacht entließ. Nun war Quapp allein. Sie dachte es sofort beim Erwachen, daß sie heute den ganzen Tag allein sein werde. Kajetan war wohl schon abgereist, zur Mutter, oder wollte er heute reisen? Sie hätte ihn um etwas Geld bitten sollen. Das wäre Quapp gar nicht schwer gefallen. Aber sie hatte einfach nicht daran gedacht am Samstagabend. Es war auch keine rechte Gelegenheit gewesen. Gerade jetzt, in dieser Woche vor ihrem Probespiel, so knapp mit dem Gelde zu sein, erschien ihr als sehr ungünstig. Es bedeutete eine Herabdrückung, eine Verengung. Sie hätte auch das oder jenes sich anschaffen müssen. Gut, das Trikot-Kleid mit den braungelben Karos ging, es war fast neu. Ein Hütchen hätte dazu gehört. Sollte sie am Mittwoch die Tante bitten? Ging das überhaupt? War das eine diskutable Möglichkeit? Am Mittwoch erhielt Gyurkicz auch Honorare für die gelieferten Zeichnungen. Sie war im Begriffe, von Imre abhängig zu werden, es lag auf der Hand. Er war zu beneiden. Er konnte von seinem Kunsthandwerk leben. Sie nicht. Quapp hatte wohl zwei oder drei Schüler, die der Professor – ‚ist diese Art des Unterrichtes eigentlich psychologisch aufgebaut?‘ (die Wiesinger, vorgestern, am Samstag! – fort mit ihr, nie mehr mit ihr spielen!!) – die der Professor, ihr Lehrer, an sie zu einer Art Nachbehandlung überstellt hatte, nachdem die gröbsten eingewirtschafteten geigerischen Unarten ausgeputzt waren – aber erstens würde er diese Schüler bald wieder selbst übernehmen, und zweitens bezahlten sie sehr wenig. In einer Stadt wie Wien, wo ein erheblicher Teil der Bevölkerung ohne weiteres imstande wäre, einen Musiklehrer zu machen, war es wahrlich nicht leicht, Schüler zu finden, wenn einem jede Notabilität fehlte. Quapp war noch nie hervorgetreten. Und sie studierte privat, nicht an der Akademie. Letzteres war ihr nie in den Sinn gekommen.

Ihr Bruder Kajetan hätte mit ihr über diese Dinge zu sprechen gehabt, das muß man schon sagen. Aber er kümmerte sich eigentlich nicht um Quapp; außer daß er sie etwa – mit Gyurkicz bekannt gemacht hatte: war das auch ganz zufällig geschehen, so hatte es eben doch seinen Weg über Kajetan genommen. Jedermann ist voll verantwortlich dafür, mit wem man durch ihn bekannt wird. Kajetan kämpfte auch bei Quapp nicht gegen ihren festgerannten Entschluß an, die Virtuosen-Laufbahn zu beschreiten. Sie war zu alt dazu. Er hätte das wissen müssen, wenigstens dieses eine, wenn ihm schon nicht bekannt war, daß bei seiner Schwester noch andere, sehr schwerwiegende Gründe vorlagen, welche sie vom Solisten-Metier eigentlich ausschlossen, und die wir an ihrem Orte noch kennen lernen werden. Kajetan hätte Quapp auf die Kammermusik hinweisen müssen, oder überhaupt auf die Tätigkeit in einem Orchester, vielleicht auch auf ein ordnungsgemäßes öffentliches Studium . . . . ja, was hätte er nicht alles müssen!

Der Tag war überschattet: zum Teil grün überschattet, in der Außenwelt nämlich. Baumwipfel und Büsche, jetzt, in der Mitte des Mai, ganz voll geworden, legten solchen Schatten in die schmale Eroica-Gasse, von beiden Seiten, man schwamm wie unter Wasser, ruhte wie am Grunde eines Aquariums oder wie in einem Treibhause, wozu die seit den feuchten letzten Tagen etwas dampfige Luft wohl passen mochte. Quapp erfaßte nicht das Idyll, die Süßigkeit der Umgebung, in welcher sie stand (von dem Flieder, der da blühte, zu schweigen), sie floß nicht mit hinein in die gegenwärtige Stille, in die Gedämpftheit jedes fernher klingenden Tones, in die Sanftheit dieses grünen Unterwasser-Lichtes, in das schalenhaft Umschließende der jetzt und hier seienden Stunde. Wäre es so gewesen bei ihr, sie hätte Form gewonnen (die sie doch von ihren alten Meistern her wohl kannte!), mindestens Formung: und dann wäre sie auch einigermaßen ‚in Form‘ gekommen. Es verhielt sich nicht so. Sie war ohne eigentliche entschiedene Richtung jetzt, in ihrem Inneren. Sie war desorientiert. So ging sie zum Pult.

Und die Schatten in ihr, sie waren keine leichten, keine strichweis hängen gebliebenen Reste ambrosischer Nacht, innerhalb von welchen sich dann am Tage ein Duft des Flieders mit fast lebensfremd übersteigerter Kühle da und dort sammeln konnte. Die Schatten in Quapp waren steil aufgerichtete, steife, schwarze

Deckel, die jeden Augenblick über ihr herunterzuklappen drohten. Dazwischen brach ein weißheller Himmel ein, in dessen Licht sich ihr Sachen zeigten, die quer und gespießt lagen, Sachen, die eigentlich hätten getan werden müssen, etwa Geldangelegenheiten, die Beschaffung eines neuen Hütchens –

Der eine schwarze Deckel kam vom Samstagabend her (hatte dort gewissermaßen sein Gelenk oder Scharnier, stand von dort empor), der andere ragte voraus am Montag, den 23. Mai: der Tag ihres Probespieles. Dazwischen lag hier die grüne Eroica-Gasse, wie eine köstliche Flüssigkeit, die sich kühl und duftend angesammelt hatte; sie lud zum Bade.

Quapp übte.

Das war noch geglückt! Sie war nicht trübsinnig sitzen geblieben (ihre größte Gefahr).

Die Intonation war rein, der Ton nicht schlecht.

So kam sie zwischen den beiden Deckeln leidlich durch: was den ersten, den von vorgestern, betraf, den Hofrat Tlopatsch nämlich, so war sich Quapp, zu ihrem Glücke, gar nicht ganz im klaren darüber, welchen schweren und irreparablen Schnitzer sie da gemacht hatte (Initial-Schnitzer, schlechter Einstieg, falsch vorgezeichnete Tonart, oder wie immer man das nennen will).

Nun, sie wußt' es nicht (was hätte es ihr auch geholfen?).

Bei passabler Arbeit verging der Tag; noch so einer, dachte sie, und ich bin gut in Form. Sie verwunderte sich zutiefst über ihre frühere Bestrebtheit (von welcher sie plötzlich wie besessen gewesen war!), den Imre, nach seiner Maler-Fahrt in's Burgenland, in Deutsch-Altenburg zu treffen, und dann jene römischen Reste zu besichtigen .... Und jetzt hätte sie nur gewünscht, morgen ebenso in der Eroica-Gasse allein bleiben zu können, wie heute.

Dennoch, am nächsten Tage schien sich die Ausfahrt als vorteilhaft erweisen zu wollen, und sie fühlte jetzt, daß ein kleiner Spaziergang nach Nußdorf, an den Strom etwa, ihr schon gestern sehr gut getan, ja vielleicht jede Verengung beseitigt hätte. Aber sie war nicht auf diesen Einfall gekommen, die beiden Deckel hatten ihr jede Aussicht genommen, sie war nicht fähig gewesen, an ihnen vorbei zu denken. Der Weg auf den Bahnhof war von der Eroica-Gasse aus weit und umständlich, aber Quapp hatte diesmal rechtzeitig das Haus verlassen und keine Eile. Es begab sich alles sehr geruhig, auch ein tiefes Befremden über die Landschaft östlich von Wien, ihr bisher unbekannt, Gedehntheit und Helligkeit, ein anderes Licht wie etwa im Wienerwalde, die Gegend schien wie erbleicht; gesehen aus dem langsam fahrenden Personenzuge und einem Abteil dritter Klasse. Als sie endlich zu Deutsch-Altenburg sich nach jenem ihr genannten Gasthause erkundigt hatte und das Bahnhofsgebäude verließ, spürte sie auf dem Wege, der ihr bezeichnet worden war, erst einen immer hinter ihr nachkommenden Schritt, und danach trat etwas in ihr Ohr, das wie ein anhaltendes gedämpftes Gebell klang, und sich erst nach einiger Zeit für Quapp in eine ununterbrochen laufende Reihe der ordinärsten Beschimpfungen auflöste, unter denen zwei, nämlich die Ausdrücke ‚Saumensch‘ und ‚Schlampen‘, regelmäßig wiederkehrten. Und infolge dieses Umstandes hatte Quapp zuerst jene beiden Wörter und dann erst das Übrige aufgefaßt. Sie blieb stehen und wandte sich herum.

Sie sah doch da gleich, daß es sie anging, daß niemand anderer mit dieser nicht abreißenden Kette von Beschimpfungen schon vom Bahnhof her gemeint gewesen war, als sie selbst. Es war auch sonst niemand hier auf der Straße. Eine kleine magere Frau von etwa fünfzig Jahren hielt sich fünf Schritte von Quapp entfernt. Als Quapp jetzt auf sie zutreten wollte, wich jene sogleich zurück. Dabei setzte das Schnellfeuer der Beschimpfungen für Augenblicke aus.

„Was wollen Sie eigentlich von mir?!“ rief Quapp laut.

Quapp erzählte später, sie habe dabei deutlich gespürt, wie ihr eigenes Gesicht sich veränderte, wie (so sagte sie selbst) ‚ein ganz fremdes Gesicht aus dem meinen heraus sprang oder fiel, ich muß völlig anders ausgesehen haben, wahrscheinlich hab’ ich die Brauen zusammengezogen, sicher sogar, aber gespürt hab’ ich’s etwa so, als wenn meine Augen näher zusammenrücken würden . . .‘

Mit gedoppelter Geläufigkeit sprudelte jetzt die Kloake wieder los, und Quapp konnte bereits entnehmen, daß man ihr heftig vorwarf, seit Monaten immer wieder aus Wien hierher zu kommen und einen Ehegatten zu verführen.

Angesichts dieses Unbegreiflichen sei ihr der eigene fremde Gesichtsausdruck gewissermaßen ‚stecken geblieben‘, sagte Quapp später. Die Wut ihres Gegenüber schien jetzt noch größer zu werden. Quapp tat wieder einen Schritt, die Frau wich zurück, diesmal ohne Unterbrechung mit einer geradezu befremdlichen Geläufigkeit weiterschimpfend. Hinter Quapp kamen kräftige Schritte. Eine Männerstimme sagte laut: „Schaun S', daß heimkommen, Öhlerin, belästigen S' hier nicht die Fremden, sonst hol' ich den Gendarmen." Damit war alles aus. Die mit ‚Öhlerin' angesprochene kleine Frau zeigte plötzlich eine so tiefe Verdüsterung des Gesichtsausdruckes, daß von ihrem Antlitz nicht viel mehr übrig blieb, als ein kontrakter Knoten. Sie starrte den Sprecher, der nun neben Quapp getreten war, einige Augenblicke lang an, ohne ein Wort mehr zu reden, und trollte sich in der Richtung zum Bahnhof.

„Was einem in Deutsch-Altenburg alles passieren kann, man sollt's nicht glauben, Fräulein, wie?!" sagte jetzt der Mann neben Quapp. „Machen S' Ihnen nix draus. Die Frau spinnt. Alle paar Monat einmal bild't sie sich ein, daß Damen aus Wien kommen, ihren Mann verführen. Dabei hat sie gar keinen, weil der ihrige vor zehn Jahren schon gestorben ist. Sie ist eine Wittib. In die Versorgung kann's der Bürgermeister hier nicht nehmen, wo man a bissel auf sie aufpassen tät, weil sie eine sehr schöne Pension hat, und der Bezirksarzt sagt, sie gehört in keine Anstalt, weil s' meistens normal ist und wenn s' einmal rappelt, ganz ungefährlich . . ."

Quapp wandte sich dem zu, der da sprach, noch immer mit ihrem erstarrten Gesichtsausdruck, aber diese sehr angenehme Stimme löste ihn gleichsam – ‚im nächsten Augenblick war mir, als würde eine Maske von meinem Gesicht abfallen' (so drückte sie es später aus) – und jetzt erst wurde sie erkannt, und erkannte einige Sekunden später auch selbst, wer da vor ihr stand.

„Fräulein von Schlaggenberg –?"

„Herr Wachtmeister – !" rief sie.

„Wohl auf dem Weg zum Museum?" sagte Gach. „Merkwürdig, die Öhlerin sucht sich immer Damen aus, die vom Bahnhof zum Museum gehen, Studentinnen meistens. Freilich, viel Gelegenheit hat sie da nicht. Vorgestern war's doch erst, mit dem Herrn Oberleutnant Geyrenhoff, daß wir's gnädige Fräulein am Graben in Wien getroffen haben –?"

Sie hatten einander herzlich die Hand geschüttelt. Gach erbot sich, Quapp zu dem von ihr gesuchten Wirtshause zu geleiten. Inzwischen war es sonnig geworden, aber der Weg schwamm im Licht der vollen Kastanienkronen, die als ein grüner Himmel darüberschwebten; der Blick hinauf und in das obere Reich dieser Blätterdachungen hinein war fast ebenso schwindelnd wie in's freie Blau: und jetzt sah Quapp die hohen Pyramiden der unzählbaren übereinanderstehenden rosa und weißen Dreiecke. Im selben Augenblick ward ihr bewußt, daß sie eben diese senkrecht besteckten und gestreiften grünen Türme, die mehr als Gipfel denn als Wipfel in das von ihnen eingeengte Blau des Himmels ragten, im heurigen Frühling heute zum ersten Mal mit einigem Bewußtsein erblickte. Die Enge, Armseligkeit und Verranntheit ihres Lebens saßen ihr jetzt wie eine Klammer im Genick; das Intervall zwischen dem, wie sie jetzt war, und dem, was sie jetzt dort außen sah – selig, riesenhaft, in Unschuld sich vollziehend – war zu groß, um Quapp nicht heftig zu alarmieren. Intervall erst ist Empfindung, heißt's. Intervall ist auch Schmerz. Jede Empfindung ist Schmerz zugleich.

Vielleicht ahnte es dem alten Dragoner, was in dem Kinde vorging (als welches sie ihm durchaus erschien), vielleicht auch hatte er inzwischen sich der Zusammenhänge wohl entsonnen, in die sein einstmaliger Oberleutnant vorgestern erst diese junge Dame gestellt; eine unbestimmte Fürsorge mochte in seiner Frage liegen:

„Haben gnädiges Fräulein den Herrn von Geyrenhoff inzwischen wiedergesehen?"

„Nein", sagte Quapp, „leider nein", fügte sie noch mit Betonung hinzu. „Wie gerne möcht' ich das! Ich seh' ihn sehr selten in letzter Zeit."

Sie standen vor dem Eingang zum Gasthausgarten; Quapp sah über die Tische unter den Kastanienbäumen hin, bunte Tischtücher, auf einigen lagen Gedecke.

„Ich muß hier meinen Bräutigam erwarten", sagte sie, „er kommt vom Burgenland herauf, der Zug wird bald da sein."

„Ich geh' jetzt zum Bahnhof", sagte Gach, „vielleicht begegnet mir der Herr unterwegs, ich werd' ihm den Weg zeigen."

Sie blieb nun allein zurück. Die ruhige Hand, welche Gach über alles in ihr gelegt hatte – auch über Provinzen ihres Innern, von denen er schwerlich was ahnen konnte – ward doch gelüpft jetzt wieder von dem unverständlich herstarrenden Erlebnis mit der Närrin auf der Straße, und jener dabei entdeckten – ‚Doppelgesichtigkeit' ihrer selbst: nein, dafür fand sich kein anderes Wort. Aber, bei alledem, der Sachverhalt war ihr nicht vollends neu. Woher nur, woher kannte sie das schon? War es nicht etwa immer schon so gewesen, und nie anders? Hatte sie heute erfahren, was am schwersten zu erfahren ist, nämlich wie – sie selbst aussah? Einen Augenblick hindurch war ihr schwindlig, wie bei dem Blick in die Baumkronen vorhin. Ein alter Kellner kam. Sie fragte, was es zu essen gäbe, er legte eine kleine Speisenkarte vor sie hin. „Ich warte noch auf einen Herrn." Sie ließ sich Wein und Soda geben, und rauchte: es tat ihr unmäßig wohl, sie zog den Zigarettenrauch tief ein. Jetzt wurde ihr wirklich ein wenig schwindlig. Was bedeutete die Närrin?! Von wem und warum, sozusagen, war sie abgesandt worden?! Welche Botschaft brachte sie?! Quapp versank – durch Augenblicke war sie leer wie ein Trichter, in welchem eben noch die Flüssigkeit bis an den Rand gestanden hat. Sie trank, und saß dann lange ohne sich zu regen. Nun der gesprächige Kies. Imre's Schritte. Ja, sie waren es. Quapp sah jetzt erst auf: er war's wirklich.

„Ein netter alter Kerl hat mir den Weg gezeigt", sagte Gyurkicz. Er hob seine hübsche Ledertasche auf einen Stuhl. Quapp sagte nichts. Plötzlich fand sie es ganz absurd, immer was zu erklären, Verbindungen herzustellen, Bemerkungen zu machen. Sie fühlte sich jetzt in seltsamer Weise etwas gestärkt durch die Nicht-Erwähnung ihrer Bekanntschaft mit dem alten Gach. Das Erlebnis mit der Närrin zu erzählen, welches sie auf der Straße gehabt hatte, kam ihr gar nicht in den Sinn. Nach der Mahlzeit, beim Kaffee, zeigte Gyurkicz einige aquarellierte Federzeichnungen vom Neusiedlersee. Diese Blätter waren wirklich außerordentlich. Sie sagte ihm das auch. Während sie das sagte, wurde sie überhaupt an allem irre, nicht nur an ihrem Geigenspiel, ihrem erstrebten Beruf.

Sie besichtigten sodann das Museum, es war nicht weit von hier. In den Fenstern der Säle lag der grüne Blätterschatten, standen da und dort die weiß und rosa besteckten Wipfel. Quapp verwunderte sich gewaltig darüber „was es damals schon alles gegeben habe", und ihre Unwissenheit verhinderte sie daran, dieses Bild richtig zu halten und mit dem Blicke zusammenzufassen, als eine bis an den östlichen Rand geschwappte Welle jener ausgeschliffenen römischen Hochzivilisation, die natürlich auch hier vieles von ihrem gewohnten Inventar als Sediment zurückgelassen hatte, von der Parfümflasche bis zur steinernen Gedenktafel; und manches, so weit es auf's Gebiet der Kunst übergriff, in schon recht provinziellen Formen, weitab von der Metropole, in dieser vorgeschobenen Garnison, die freilich in militärischer Hinsicht bedeutend gewesen war. Quapp staunte. Ein älterer Beamter machte die jungen Leute auf dies und jenes aufmerksam. Gyurkicz gewann sofort ein gar nicht bildungsmäßiges oder historisierendes, sondern ganz unmittelbares Verhältnis zu Gegenständen kunstgewerblicher Art, deren ihm einige besonders gut gefielen; und er lobte diese Dinge, als seien sie kürzlich entworfen und ausgeführt worden, und als zeige man sie eben jetzt zum ersten Mal in einer Ausstellung. „Da können die Likarz und die anderen Weiber in Wien glatt einpacken – höchstens nachmachen würden sie das." Quapp staunte noch mehr. Ihre Unkenntnis von vielen Dingen lief durch die Jahre auch parallel mit manchem, was unmittelbar neben ihr sich befand. Entdeckte sie es aber, dann wandte sie sich in einem rechten Winkel aus der Bahn ihrer Unwissenheit und dem Objekte zu, alsbald die Nase daran plattstoßend. Es bleibe dahingestellt, ob diese Methode nicht profunder sein kann wie jene der sogenannten Allgemeinbildung, welche alles zugleich serviert und in einheitlicher Sauce. Die Ausbrüche von Quapp's Staunen erforderten allerdings einige Geduld. Kajetan und Stangeler brachten sie Quapp gegenüber auf; und Géza von Orkay sogar in ganz erstaunlichem Maße, so etwa als er, nach den Ereignissen des Juli 1927 in Wien, nachdem der Justizpalast längst ausgebrannt war, Quapp erklärte, warum überhaupt man ihn angezündet habe, und worum es sich bei diesen ganzen Unruhen denn eigentlich gehandelt hätte – wirklich ,ab ovo' die Sache darstellend (um diesen von dem Sektionsrat Geyrenhoff mit Vorliebe gebrauchten Ausdruck zu verwenden). Quapp's Unwissenheit bezüglich der alten Römer war ganz vom gleichen Modell wie ihre politische.

Sie besuchten danach das weite Ruinenfeld des alten Carnuntum und standen zunächst auf den flach ansteigenden Sitzreihen des einstmaligen Theaters gleich beim Ortsausgang (inzwischen hat man noch ein zweites ausgegraben, es war eben eine große Garnisonsstadt, militärisch bedeutender als Wien es damals gewesen ist, wenngleich der Philosoph und Kaiser Marcus Aurelius zu Wien während seiner letzten Jahre residierte). Die flache Gegend mit Schutt und Resten da und dort schlug sich wie eine bleiche Schwinge gegen den rein gewordenen Himmel, es war schon so, als zeigte die von lauter Vergangenheit bedeckte Erde ihre helle Bauchseite, gleich einem toten Fisch, wenn er an der Oberfläche treibt. Imre und Quapp konnten sich hier so leicht nicht loslösen, auch er begann jezt begierig zu werden, sie schritten noch da und dort hin, und im ganzen legten sie innerhalb dieser Weiträumigkeit mehrere Kilometer zurück. Im sogenannten ‚Heidentor‘, einem mächtigen Mauerbogen, stand ein halbkreisförmiges Stück des blauen Himmels, als gehöre es zu dem alten Stein, als sei es mit ihm herübergekommen aus jenen Tagen, kein Himmel von hier und heute, sondern einer aus Italien und von damals.

Die Müdigkeit fühlten sie erst, als sie wieder im Zuge saßen. In Wien schien die Straßenbahnfahrt vom Bahnhof bis nach Döbling fast ohne Ende. Sie aßen im Wirtshaus am Heiligenstädter Pfarrplatz Schinkensemmeln und tranken Bier dazu. Schon die schmale, wenig beleuchtete Eroica-Gasse nahm auf wie ein Bett, ein duftendes sogar, der Flieder war zu spüren. Sie standen in der Mitte, zwischen ihren Wohnungen, Imre küßte Quapp die Hand. Als er sagte „interessant war's da unten", wurde ihr erst bewußt, daß noch immer jenes weißliche Licht des Ruinenfeldes in ihr lag, der weite Himmel, die erbleichte Landschaft, das Blau in dem riesigen alten Torbogen: und das hier in der grünen Gasse, bei so gänzlich anderem Geiste der Umgebung, die nicht bleich und abweisend schwieg, sondern sich eher mit süßlichen Fragen munkelnd in der Dunkelheit herandrängte, im Duft von Flieder und grünem Gewächs.

In ihrem Zimmer sah Quapp einen Brief auf der Platte des unnütz-kleinen Damen-Schreibtisches liegen, den sie hier am Fenster hatte, jedoch so, daß er nicht diesem gerade gegenüber stand, sondern seitlich und senkrecht dazu; saß man daran, dann sah man vor sich nicht in die Gasse hinaus, und das Licht kam von links. Quapp wollte das so. Nicht selten, wenn man sie abends besuchte, konnte man sie schon von der Straße aus an ihrem Schreibtischlein sitzen sehen, vor aufgeschlagenen Heften, darin sie irgendwelche Aufzeichnungen machte. Zu Zeiten schien es fast, als sei sie mehr am Schreibtische denn am Geigenpult.

Der Brief kam von einem öffentlichen Notar, Dr. Philemon Krautwurst, und war eingeschrieben. Die Hausfrau, welche meistens daheim sich aufhielt, hatte von Quapp eine schriftliche Vollmacht, um solche Sachen zu übernehmen.

Jeder Brief, wenn er für uns bereitliegt, schlägt wie ein kleiner heller Flügel uns entgegen, springt als eine überraschende Klappe auf.

Sie verstand zunächst den Text gar nicht.

Es war ebenso unverständlich wie die Begegnung mit der Närrin in Deutsch-Altenburg.

Sie hatte geerbt; oder eigentlich, es war ihr aus einem Erbe ein Legat ausgeschieden worden, ein Geldbetrag, den sie jetzt erhalten sollte.

Immer herein, nur immer hereinspaziert!

Aber es war über eine Viertel Million, damaliger österreichischer Währung.

Und sie wurde gebeten, beim Notar zu erscheinen, unter Mitnahme ihrer Personaldokumente, an einem der nächsten Tage, tunlichst nach telephonischer Anmeldung.

Es dauerte übrigens eine ganze Weile, bis Quapp des Tatsächlichen hier inne und mächtig wurde. Der Name des Erblassers – Achaz (Freiherr von) Neudegg – sagte ihr nichts im Sinne irgendeines persönlichen Bezuges, höchstens als vage, allgemein-gesellschaftliche Kenntnis.

Sie saß noch immer vor dem kleinen Schreibtisch und hatte das Papier darauf ausgebreitet. Ihre Schläfrigkeit war so groß, daß sie durch einige Augenblicke fast daran zweifelte, noch bis in ihr Bett gelangen zu können. Imre schlief wohl längst. Sie dachte plötzlich – es schwamm ganz langsam heran im Halbschlaf – wie ungünstig es wäre, wenn Imre und sie in der schmalen Gasse einander derart gegenüber wohnen würden, daß sie gegenseitig ihre Fenster sehen könnten: etwa gerade gegenüber. Es war einmal davon die Rede gewesen, daß dies in der Eroica-Gasse leider nicht der Fall sei. Man hätte einander von Fenster zu Fenster begrüßen können, zum Beispiel: ,,Guten Morgen, Lumpi!'' Sie fiel fast vom Sessel vor Schläfrigkeit. Gyurkicz hätte dann etwa jetzt sehen können, daß sie noch auf sei, am Schreibtische saß und einen Brief vor sich liegen hatte; er würde das vielleicht vom Bett aus sehen können, über die schmale Gasse hinüber, aus seinem schon verdunkelten Zimmer. Schauderhaft. Und doch gab es solche Sachen, und man entrann ihnen nicht leicht, wenn es sie einmal gab ... Quapp faltete den Brief langsam zusammen, legte das Schreiben in die Schublade unter der Platte des Schreibtisches und drehte den Schlüssel zweimal um.

Sie erhob sich mit Mühe, fand endlich zu ihrer Abendtoilette und in's Bett: ungewöhnlich früh übrigens, für ihre Verhältnisse, es war nicht viel über zehn Uhr.

Sie erwachte sehr zeitig am nächsten Morgen und fühlte sich so, als ließe sie ungeheure Mengen von Schlaf hinter sich fast wie etwas Materielles, Körperliches liegen; doch war es ein etwas anderer Schlaf als gestern gewesen, einer, der das Leben sozusagen nicht ganz und gar unterbrochen hatte; es war während seiner immerhin weitergegangen.

Unmittelbar nach dem Erwachen war sie noch ganz leer.

Dann näherte sich der von ihr – um ‚in Form' zu sein – vorgestern als notwendig empfundene zweite ruhige Übungstag; aber er näherte sich nur bis auf eine gewisse Distanz, die ihn starr abhielt: dort blieb er stecken.

In den freien Raum sprang der Brief des Notars Dr. Krautwurst.

Dahinter wurde Quapps Tante sichtbar, zu der sie heute nachmittag gehen sollte.

Erst nach der Morgentoilette und schon beim Tee sah Quapp noch einmal das Schreiben des Notars an. Sie nahm es aus der Lade. Der Brief zeigte ihr das glatte Gesicht einer amtlichen Mitteilung, als welche ja diejenige eines öffentlichen Notars bezeichnet werden kann. Diese Sache war wesentlich ein gleiches – so weit kam Quapp immerhin – wie die gestrige Begegnung mit der Närrin: einschießende Bahn von irgendeinem Jenseits im Diesseits her, das uns plötzlich angeht, im doppelten Sinne des Wortes. Nur mit dem Unterschiede, daß hier und heute kein Gach herzutreten konnte, um etwa den Notar zu verscheuchen. Gach war das Erwachen gewesen, welches ein Traumbild vertreibt. Im vorliegenden Falle gab es kein Erwachen, man durfte glücklicherweise weiterträumen. Und Quapp träumte ein wenig, nachdem sie den Brief wieder in die Lade getan und diese versperrt hatte. Den Schlüssel zog sie jetzt ab und legte ihn sorgfältig in eine kleine Kassette.

Sie übte sodann: das Normale, das täglich zu Vollziehende. Aber die starre Distanz, welche Quapp von jenem zweiten guten Arbeitstag trennte, der ihrer Meinung nach notwendig gewesen wäre, um wieder ‚in Form' zu sein, trotz der durch den Hofrat

Tlopatsch hervorgerufenen Depression vom Sonntag – diese starre Distanz blieb und ließ das Konzept vom Montag in ihr nicht mehr lebendig werden, obwohl sie da wirklich gewünscht hatte, am folgenden Tage lieber üben zu können, statt verabredungsgemäß nach Deutsch-Altenburg fahren zu müssen. Jetzt übte sie. Aber nur am Rande. Der eigentliche Text, welcher bei ihr am Blatte stand, war ein anderer. Da sie selbst am Rande saß, konnten ihr keine ermunternden Randbemerkungen hinzugegeben werden – etwa in Gestalt der Benachrichtigung von einer Erbschaft – welche doch sonst ihrer Tätigkeit außerordentlichen Auftrieb hätten verleihen müssen, gerade dieser Tätigkeit: wenn da dicke Ballast-Säcke von Sorgen über Bord geworfen werden durften. Es war nicht so. Sie bemerkte es selbst, tief in Unruhe, ohne den Sachverhalt deuten zu können. Dieses Üben war eine Selbsttäuschung. Kurz nach neun Uhr rief sie den Notar an. Sie mußte dazu den Schlüssel aus der Kassette nehmen und die Lade aufsperren, um zu dem Brief zu gelangen, an dessen Kopf die Telephonnummer des Doktor Krautwurst vermerkt war.

Erst meldete sich die Kanzlei, dann die ‚Kollegenstimme' selbst: „Sehr erfreut, sehr erfreut, gnädiges Fräulein." Er wolle in einer halben Stunde anklingeln und mitteilen, ob er schon heute zur Verfügung stehen könne, um drei Uhr (das hatte Quapp vorgeschlagen). Er notierte ihre Telephonnummer.

Es geschah dann das Folgende: sie setzte sich an den Rand, wohin sie nun endgültig gedrängt war, und übte. Zwischendurch hörte sie die Gangtüre klappen. Dies bedeutete, daß die Wohnungsinhaberin und Hauptmieterin, ihre Hausfrau also, eben zum Einkaufen ausging, und Quapp sich also allein in der Wohnung befand. Fünf Minuten später klingelte das Telephon. Er werde sich ein Vergnügen daraus machen, sagte Doktor Krautwurst, das gnädige Fräulein heute um drei Uhr in seiner Kanzlei zu erwarten. Quapp sagte – mit einer ruhigen Alt-Stimme, die sie manchmal haben konnte, was, zusammen mit einem ungewöhnlich schön ausgesprochenen Deutsch, ihr mitunter sehr vorteilhafte Wirkungen verlieh – ungefähr das Folgende: „Sehr verehrter Herr Doktor, ich habe noch ein Anliegen an Sie, welches Sie hoffentlich nicht allzu sehr überraschen wird. Ich befinde mich eben jetzt, da Ihr Brief einlangt, der mir einen für meine bescheidenen Verhältnisse so großen Betrag ankündigt, in einer überaus peinlichen Geldverlegenheit, wegen der ich mir jetzt ganz unnütz den Kopf zerbrechen soll. Sagen Sie mir im Vertrauen, werter Herr Doktor, ob es sich vielleicht machen ließe, daß Sie mir bis heute nachmittag einen unbedeutenden Vorschuß auf das Legat aushändigen könnten?" Er fragte sogleich, um wieviel es sich denn da handeln würde? Und sie antwortete, allerhöchstens um Tausend – „Aber selbstverständlich, Fräulein von Schlaggenberg", sagte die ‚Kollegenstimme', „das machen wir unter uns ab, der Betrag von Tausend Schilling wird um drei Uhr für Sie bereit sein."

Eine Hürde war genommen worden, ohne Anlauf, ohne Angaloppieren, sollte man sagen, obendrein mit verhängten Zügeln. Aber mit dieser plötzlich aus Quapp hervorgesprungenen Improvisation war's bei ihr auch aus, sie spürte es sofort, als sie wieder ihr Zimmer betrat.

Das glatte und doch ungewöhnliche Entgegenkommen des Notars aber ließ in Quapp jetzt eine Ahnung, ja, fast die Vermutung zurück, daß es sich bei dieser ganzen Sache um einen ihr unbekannten sehr persönlichen Bezug handeln müsse, einen Bezug zu ihr selbst, zu ihrer Person. Vielleicht war es möglich, bei dem Notar zu erfahren, erstens, wer denn dieser verstorbene Herr von Neudegg überhaupt gewesen sei, zweitens, was ihn eigentlich veranlaßt habe, das Legat für sie auszusetzen . . .?

Das erstere sagte ihr der Doktor Krautwurst am Nachmittag ohne weiteres und ausführlich. Bezüglich des zweiten bedauerte er jedoch, ihr mit keiner Auskunft dienen zu können, weil ihm dies selbst unbekannt sei. Er betrachtete Quapp nachdenklich durch einige Augenblicke, während welcher sie eindeutig fühlte, daß er mehr wußte, als er sagen wollte oder durfte.

Sie saß da, die Quapp, wie vor einem angeschlagenen blinden Bogen Mauerwerks an einer Wand. Hier gab es kein Hindurchgehen. Dennoch war angezeigt, wo hindurch zu gehen oder zu sehen wäre. Sie mußte Kajetan fragen. Er war nicht in Wien.

Das übrige raschelte links und rechts vorbei, die Unterfertigung einer Erklärung, die Legalisierung ihrer Unterschrift . . . sie schrieb ihren Namen auch unter die Quittung, nach Erhalt der Tausend Schilling. Bald stand sie mit diesen im Täschchen wieder auf der Straße. Es hatte sie doch im großen und ganzen herumgeworfen, wie eine Windfahne . . . klar blieb indessen, daß sie in kurzer Zeit über ein Bankkonto von 250000 – weniger 1000 – verfügen würde. Eine weit vorausgestreckte sorglose

Zeit. Noch begann Quapp nicht zu rechnen. Dieser Zustand sollte erst abends eintreten, an ihrem kleinen Schreibtisch.

Aber, was erstaunlicherweise schon jetzt eintrat, war ein ganz plötzlicher Impuls zur – Sparsamkeit, ein Widerstand gegen das Geldausgeben: Friseur – Hütchen, zum Kleid mit den braungelben Karos passend (sie trug es, jedoch keinen Hut) – etwa Blumen oder Bonbons für die Tante? Von ihr hatte sie was abzuholen, ein Päckchen, und dieses sogleich anderswo hinzutragen: Alte-Damen-Angelegenheiten (Quapp erwog nicht, wie die alten Damen es eigentlich fertig brachten, oft mit einem Minimum von Mitteln in anständiger Weise auszulangen, ohne irgendwem zur Last zu fallen – und daß dies nur durch mäusepfötchenhafte Kleinst-Sorgfalt bewirkt werden konnte).

Der Tag war warm-windig, teilweise blau, unruhig, dann und wann brach die Sonne durch, gegen Abend wurde es trüber. Kein Zweifel, daß Quapp sich sehr belebt fühlte. Sie ging in der Tat zum Friseur, obwohl sie eine größere Prozedur dieser Art erst in der vorigen Woche hatte vornehmen lassen; jetzt wurde sozusagen die Chevelure nur nachgebessert, auch im Hinblick auf die Hutprobe. Es dauerte nicht lange. Die Modistin hieß Pauli und hatte ihr Atelier in der Schulerstraße. Sie besaß außer diesem noch ein exzellentes Mundwerk, dessen Aussprüche in Damenkreisen kolportiert wurden. Anläßlich der Heirat eines schon sehr älteren Fräuleins etwa, welche einen einzigen, aber ins Auge springenden Reiz für sich buchen konnte, hatte die Pauli einer über die späte Verlobung erstaunten Kundin gegenüber geäußert: „Wundert Sie das, Gnädige? Mich nicht. Bei dem impertinenten Busen!"

In der Tat fand sich ein ideales Deckelchen auf den bereits brodelnden Topf von Quapps modistischen Wünschen: kleine Toque, brauner Filz (Solé). Es gab hier bei der Pauli kaum eine Qual der Wahl, welch letzterer zudem durch das Kleid mit den braungelben Karos (heute nennt man so etwas ‚Jersey') eine feste Richtung schon gewiesen war.

In die Blumenhandlung und zur Tante. Dies dauerte etwas länger als der Besuch des Ateliers der Modistin. Quapp hatte, was die Sache mit dem Hütchen betraf, noch an dem Titel festgehalten, daß sie dieses zum Erscheinen bei dem Probespiel am Montag brauche, trotz des heftigen Luftzuges der neuen Lage, der sie wahrlich wie eine Windfahne herumgeworfen zu haben schien. Es war jenes Festhalten schon so ziemlich alles, was von dem am Beginn der nächsten Woche zu absolvierenden Spiel, vor dem Konzertmeister oder dem Orchester-Dirigenten selbst, jetzt bei Quapp übrig blieb. Mit einer hartnäckigen Beflissenheit machte sie übrigens alle Wege in der Stadt zu Fuß, ohne auch nur ein einziges Mal einen Bus zu benützen: dies geschah, um das Fahrgeld zu sparen, und nicht etwa, weil Quapp lieber ging als fuhr. Einen inneren Blitz lang beobachtete sie sich selbst mit Verwunderung. In ihr war irgendeine Meuterei ausgebrochen, ein Rückzug von all dem Leben und Gewimmel rund um sie, das so vielfach an ihren zahlreichen Traurigkeiten und tiefen Niedergeschlagenheiten kalt vorbeigebraust war. Nun rannte sie selbst einmal vorbei: mit leicht zusammengezogenen Brauen und wieder mit dem Gefühle, eigentlich anders auszusehen als sonst, ein anderes Gesicht zu haben – ähnlich wie gestern zu Deutsch-Altenburg auf der Straße – ja, und es war ihr das heute gar nicht unangenehm. Ein unterirdischer See, zusammengeronnen aus ihren vielen Verzweiflungen, war gleichsam angeschlagen worden, floß jetzt ab. Sein Wasser war bitter. Quapp saß am Rande, war an den Rand gedrängt, eine Marginalie: die Fläche der sonst freien, neu aufgeschlagenen Seite aber blieb überschwemmt mit unruhigen Wogen, in welche der neue Luftzug aufrührerisch blies.

So kam sie bei anbrechender Dunkelheit wieder hinaus nach Döbling, in die grüne Gasse: auch diesen Weg hätte Quapp am liebsten zu Fuß gemacht. Dann wäre es ein Marsch von weit über einer Stunde geworden.

Sie stieg an der Endhaltestelle, am höchsten Punkt über dem Park, aus der Straßenbahn.

Und ging über den Berg hinab, wie eigentlich noch nie, seit sie da unten wohnte: wie neben einer aufgerissenen Kluft entlang. Nicht einsam, nicht umfangen von dem schalenhaft Umschließenden der jetzt und hier seienden Stunde, unter den hohen dunklen Bäumen, und dann entlang dem großen Kinderspielplatze unten, wo schon die Gaslaternen brannten: nicht einsam, sondern isoliert. Als sie heimgelangt war und vom Vorzimmer aus in einem benachbarten Raume den Schritt der Vermieterin hörte, überkam sie ein seltsam herrisches Gefühl. In ihrem Zimmer legte sie zunächst das Hütchen ab und setzte es auf's Klavier. Ihr Kleid behielt sie an, entgegen sonstiger Gewohnheit, denn

Quapp trug daheim stets einen bescheidenen dunklen Trainings-
anzug. Sie ging Tee bereiten. Sodann installierte sie sich am
Schreibtisch, nahm den vom Notar empfangenen Brief und einige
heute erhaltene Papiere hervor (darunter ein Depotverzeichnis,
denn die Hälfte des Legates bestand aus guten Aktien), ergriff
Block und Stift und machte sich an einen Überblick, den man
als vorläufigen Finanzplan bezeichnen könnte. Sie saß dann
lange an dem kleinen Schreibtisch, rauchend und Tee trinkend –
das Tablett hatte sie linker Hand auf's Fensterbrett gestellt –
ohne sich ein einziges Mal zu erheben. Als sie Imre's Schritte
auf der Straße hörte, jenseits des schmalen Vorgartens an ihrem
Fenster vorbeikommend – ja, er war es – faltete sie sorgfältig
alle Papiere zusammen und schob sie samt dem Block mit ihren
Notizen und Aufstellungen in die Lade unter der Platte des
Schreibtisches. Nachdem der Schlüssel zweimal umgewandt war,
zog sie ihn ab und legte ihn, wie vordem, in die kleine Kassette.
Die Klingel schlug an. Ja, er war es. Quapp ging ohne Eile hinaus, um zu öffnen.

Im Haus ‚Zum blauen Einhorn‘

Es ist eine belebte lange und breite Straße, vom Stadtzentrum gerade herausführend; an einer bestimmten Stelle biegen aus ihr die Straßenbahnschienen weg, welche da bisher liefen: und nun, von der anderen Seite der Kreuzung an, ist es nur eine Gasse. Man bemerkt nach hundert Schritten, die man noch zwischen gleichhinlaufenden hohen Fronten tat, daß da und dort die Häuser vor- oder einspringen; auch sinkt plötzlich die eine Gassenseite herab bis auf eines oder zwei Stockwerke. Hier steht das Haus ‚Zum blauen Einhorn‘. Immer aber, mit ein paar Schritten schon, befinden wir uns knapp an der Möglichkeit, herauszugeraten aus dem besonders geformten Kern, den man hier mitten in der sonst so abgeschliffenen Stadt stecken fühlt, hinauszugeraten wieder in ganz durchschnittliche lange Straßenzeilen von heute, wo die Dachkanten hoch und gleichhin laufen und der Abendhimmel als gleichförmiges Band zwischen ihnen. Jedoch, hinter dem Hause ‚Zum blauen Einhorn‘ öffnen sich noch einige Gäßchen, und rückblickend erkennt man nun das bereits Abgeschiedene der Lage: zu jener letzten großen Verkehrsader, die uns mit den Geleisen der Straßenbahn verlassen hat, die wir verlassen haben, in die gleichnamig weiterführende stillere Gasse hier tretend, steigt eine hohe steile Treppe hinauf; so tief donauwärts sind wir geraten. Hier stehn die Menschen auf der Straße herum im Sommerabend, auf nichts wartend und auf nirgendwen einzelnen, also eigentlich auf alle: denn die Vorübergehenden sprechen die Stehenden an. Und fast alle kennen demnach einander. Da ist die Pfarrkirche ‚Zu den vierzehn Nothelfern‘. Man fühlt, daß wenige Minuten von der Ringstraße (wo wir alle die gleichen waren) man hier schon als Fremder auffallen muß. Das Ganze ist jedoch sozusagen etliche Meter nur breit. Es ist wie ein kleiner Bissen, wie ein paar Krumen bloß, die schon in einem riesigen Rachen verschwinden. Eine Katze schaut aus dem Fenster. Man spricht von der Gasse in's niedere Stockwerk hinauf. Wir sehen in einen Hausflur und bemerken, daß dies noch ein Hoftor ist, eine Einfahrt, breit genug für Heuwagen, und voreinst wohl so benützt. Eine Wendung bringt uns späterhin den Mond in's Gesicht, er hängt honigfarben und voll am Himmel, der hier, über den niederen Dächern, sehr frei wird. Kein Mensch kann sagen, wo dieser alte Stadt-Teil wirklich anfängt oder aufhört. So wenig wir das von unseren eigenen Befangenheiten sagen könnten. Es ist auch diese schmale Umwelt hier nur eine Befangenheit, in die man gerät, und vielleicht sind die kleinen alten Häuser gar nicht immer da, vielmehr auch geht man manchmal zwischen ihnen hindurch, ohne sie zu bemerken. Sie sind ein Zustand, einer, in den wir verfallen, der sich nur durch das seltene gleichzeitige Zusammenwirken vieler verschiedener Komponenten einstellt, so, als ob einem gelungen wäre, etwas noch einmal zu träumen, was man einmal schon geträumt hat. In solcher Art begegnet dies von Zeit zu Zeit hier wieder, und es mögen lange Abstände dazwischen sein.

Wir treten um eine Ecke und erblicken breit und groß die erleuchtete Seitenfront des Fernbahnhofes nach Böhmen, und erst ein paar Augenblicke später begreifen wir, daß dort auf der anderen Seite des weiten Platzes, der Hauptfront des altmodischen Bahngebäudes gerade gegenüber, schon jene mächtigen, überladenen Kästen aus der sogenannten ,Gründerzeit' stehen, in deren einem auf Türnummer 14 die Familie Siebenschein wohnt; das Schildchen mit dem Namen sieht blank in ein mit sinnlosen Quasten und Spiegeln geziertes Treppenhaus, in dessen enge Spindel man später einen Lift eingebaut hat.

Renata Gürtzner-Gontard entwich dem Elternhause bereits 1926 des öfteren unter bestem Vorwand. Es gab zu jener Zeit für junge Menschen verschiedene Bünde und Organisationen, deren Ziele damals schon verschwommen waren und heute davongeschwommen und hinterm Horizont versunken sind. Nur die Scouts suchen noch einen Pfad, aber es ist erstens unbekannt, welchen, und zweitens, ob sie diesen finden werden.

Die alten Gontards billigten derlei und vielleicht ersahen sie sich darin ein Ventil für die heranwachsende und nicht immer ganz geheure Tochter. Diese ging auch wirklich des öfteren ,auf Fahrt' mit Kameradinnen, nach allen Regeln dieser Kunst, mit

Zelt und Spirituskocher, und dementsprechend angetan. Wenn man intensiver solcher ‚Fahrten‘ gedenkt, blitzt plötzlich ein ganz ungeheures Maß von Schönheit aus ihnen auf und legt sich heute noch süß und schräg durch die Seele, wie ein Sonnenbalken sich durch den hohen Wald legt, die gereihten Stämme, bei all ihrer Mächtigkeit, in Saiten einer Harfe umschaffend, über welche der Strahl als klingende Kadenz hervorläuft.

Und das Zelt, windgeschützt in der kahlen kleinen Schlucht mit den einzelnen aus dem Sand und Kies vortretenden Felsrippen: hier ist auch das Lagerfeuer, weitab genug vom Wald, keine Funken können von hier an den Waldsaum gelangen. In diesen Sachen hat gleich zu Anfang der Feldmeister jeden unterwiesen. Wesentlich ist der Abend nach einem Weg, der sich viel weiter hinstrecken kann, da kein Rückweg am selben Tage noch beschritten werden muß, in jener Besorgnis des Stubenmenschen, der vor Dunkelheit zuhause sein will und hastet, als würde jetzt mit einbrechender Nacht die Natur böse, als bisse sie in die enteilende Ferse. Nein, sie ist es nicht, sie beißt nicht. Es ist überhaupt keine ‚Natur‘, in die man Ausflüge und Landpartien macht. Davon, von allem Ausflüglerischen, sind unsere Leutchen ‚auf Fahrt‘ durch eine tiefe Kluft getrennt, vergleichbar etwa jener, die den Jäger auf der Pirsch vom Sportsmann scheidet. Denn auch hier muß man sich, wie bei der Jagd, sehr zweckhaft einlassen mit der sogenannten ‚Natur‘, mit ihren Einzelheiten, an denen sich nun einmal nichts ändern und verbessern läßt, die hingenommen werden müssen, ja, mitunter geradezu ‚genommen‘ wie ein Stoß oder Schwinger beim Boxen. Man muß sehen, wo es Wasser gibt. Wird aller Wahrscheinlichkeit nach keines vorhanden sein – dem Gelände nach, der Vegetation nach – so muß man's in den großen Feldflaschen tragen; jedoch nicht zu weit; nun entscheide einer einmal, welches wirklich die letzte Quelle vor dem Lagerziel ist! Nein, Camping-Plätze, belebt wie Bahnhöfe, gab es damals nirgends. Abgesehen von den nicht gar häufigen größeren Lagerfesten der jungen Menschen, Jugendlagern, Jamborees, oder wie immer man's heißen mochte, schlugen sich kleinste Grüppchen von oft nur sechs bis acht Bürschlein und Mädchen mit Vorliebe durch unbekannte Gegenden, durch Wald und Alm, Busch und Au, was alles es, in Österreich etwa, in einem solchen Ausmaße fast unbetreten gibt, daß man taglang wandern kann, ohne einen Menschen zu sehen.

Aber die Leutchen ‚auf Fahrt' fürchteten sich nicht, und am tapfersten und ehrenhaftesten waren die kleinsten Knirpse. Es galt freilich unter Umständen auch Wache zu halten, und einander anständig abzulösen, in Gegenden etwa, wo starke Rinderherden standen, oder in der Au, wo es die bissige Bisamratte verstand, selbst das blechsteif gespannte Firstzelt zu durchnagen, um auf den Speck zu kommen. Oft auch lagen die Flaubert-Büchse oder gar Bogen und Pfeil in der Hand des wachenden Scout.

Wesentlich ist der Abend. Erst dadurch, daß man ihn hier verbringt, am Waldrand und bei den in der kleinen Schlucht stehenden Zelten, löst man sich endgültig von allem los, was die Ausflügler unter der ‚Natur' verstehen; zunächst geschah das schon bei den vielen zu verrichtenden Arbeiten, auch abgesehen von dem Aufstellen der Zelte, wo alles glatt spannen und am Ende jeder Pflock richtig sitzen soll. Der Graben um ein Zelt muß tief genug sein, um etwa herabströmendes Regenwasser aufzunehmen, und dieses braucht dann einen Abfluß: so sind Nächte bei strömendem Regen im Zelte trocken und warm. Es gibt viel zu tun beim Kochen. Bald braucht man dies, bald das, es pflegen auch kleine Büchsen mit Pfeffer oder Salz meist im untersten Rucksack zu sitzen. Aber bis der eigentliche Abend kommt, ist alles geschehen, und die zwei Scouts, welche die nähere Umgebung erkundet haben, sind zurück. Sie haben jetzt am Feuer Platz genommen.

Dann kommt der Abend wirklich. Er steigt wie dunkles Grundwasser im Wald aus der Erde, und der Himmel sinkt erblassend auf die Wipfel herab. Hinter dieser gefallenen Hülle wird die Nacht sichtbar und auch schon, während im Westen das umständliche Schauspiel des Abendbrandes zu Ende geht, von einzelnen Sternen energisch blitzend durchbrochen.

Es ist keineswegs ganz still.

Ein Eichelhäher läßt noch seine Kadenz hören.

Die gleichmäßigen Pfiffe weit rückwärts im Wald kommen vom Ziegenmelker, dessen eigentliche Stunden jetzt beginnen.

Von den hier um das Feuer sitzenden Waldläufern hatte mancher schon so manches erlebt. Erst kürzlich waren sie auf einsamer Alm von einem Stier angenommen worden; aber ein geschickt geschleuderter Speer fuhr zwei Schritte vor dem Herangaloppierenden in den Boden, und das hierdurch über alles Erwarten erschreckte Tier, welches man nur ein wenig aufzuhalten und abzulenken gehofft hatte, um sich derweil in Sicherheit zu bringen, warf den schweren gesenkten Kopf in die Luft und flüchtete nach sprungartiger Wendung. Man hatte auch Verfahren gegen sehr große und böse Hunde: ein Hut ward mit den Zähnen gehalten und man lief so dem Feinde geradewegs auf allen Vieren entgegen. Angeblich widerstand kein schärfster Beißer solcher befremdlicher Erscheinung. Und in der Tat hatte einer von den Knirpsen Gelegenheit, erfahrenen Scouts die Wirksamkeit dieser Methode zweimal praktisch zu beweisen. Heute nachmittag dagegen hatte sich Renata unter allgemeinem Jubel als Meisterin des Bogens und Pfeiles erwiesen, sowohl was die Trefflichkeit der selbstgefertigten Waffe, wie die Geschicklichkeit im Schießen anlangte: einen ihrer sehr schön bearbeiteten und gefiederten Pfeile aus dem ledernen Köcher ziehend, traf sie alsbald danach auf vierzig Schritte einen kleinen, nur wenig aus dem Grase stehenden Baumstrunk: alles kniete um diesen Treffer herum, und man war nicht wenig verwundert darüber, mit welcher Kraft der schlanke Bogen den Pfeil geschnellt hatte und wie tief dieser in das Holz einzudringen vermochte.

Aber solchen Indianerkünsten eignete doch nur der Charakter von Gesten. Was in erheblicher Tiefe unter dem flackernden Lagerfeuer steckte, um welches die Scouts saßen und sich unterredeten, hatte durchaus den Charakter eines Archimedischen Punktes. Gleichsam wie ein Wall in weiter Ferne lagerten um das Trüppchen junger Menschen ihre verschiedenartigen Elternhäuser, die doch in diesem einen sich ganz und gar glichen, in diesem einfachsten: daß sie es viel zu sehr waren; daß sie nicht nur eine Hülse der Grunderfahrungen bildeten, darin man steckte, daraus man abgeschossen werden sollte in ein Leben, wo auf jeden Fall die Fracht und Last der frühen Jugend allezeit schwerwiegend genug mitgeführt werden würde – ja eben deshalb bestand durchaus kein Anlaß, daß sich diese Last von vornherein noch schwerer machte als sie ohnehin war und sein mußte. Aber diese Elternhäuser, allesamt noch nach dem vorigen Jahrhundert duftend (worin immerhin einiger Reiz lag, was sich aber erst viel später, in der Erinnerung, zeigte), diese Elternhäuser machten sich so schwer sie nur konnten, sie wurden ein Selbstzweck, sie gaben dem auslaufenden Fahrzeug weit mehr Ballast mit als nötig, und eine viel zu niedere und geringe Takelung:

vor Angst, das Ding könnte übermütig werden, toll herumtanzen und umschlagen. Von der Größe und Autorität ihrer eigenen Sendung (der sie doch übel dienten!) beduselte Väter sprachen von sich selbst in der dritten Person, und Worte von dieser Art: ‚Wie sprichst du mit dem Vater?‘ wurden mehr als zu einem Male gehört.

Solcher erdrückender Übermacht entgegen, welche sehr wenig nobel gebraucht wurde, versuchten sich die Bedrängten ein wenn auch noch zartes eigenes Zentrum zu geben, das freilich auch räumlich weit außerhalb des bedrohlichen Dunstkreises liegen mußte. Allem Familiären eignet Dämonie und nirgends schlottern die Lemuren offenkundiger als im liebtrauten Heime. Aber hier war ein schon bis in die Einzelheiten ausgebildeter Ritus gegen sie gefunden worden, und der Stein seiner Mitte lag gleichsam tief in der Erde unter dem jeweiligen Lagerfeuer. Freilich gab es auch hier beiläufige Burschen und Mädchen ohne den Tiefsinn der Jugend, Mitläufer, bereits jetzt an der eigenen Oberfläche schwimmend wie die toten Fische. Aber Renata und die ihren wußten um jenen Stein der Mitte unter dem Feuer, von dem aus man die ersten Abmessungen eines zwar noch indiskutabeln, aber zur notwendigen Ordnung der jugendlichen Welthöhle ganz unentbehrlichen kritischen Denkens gewinnen konnte.

Hatte die Umwallung durch das Elternhaus einst eine Sicherheit geboten, die nach dem Kriege und in den damals noch währenden Kinderjahren bereits fragwürdig zu werden begann: so wuchs jetzt, über dem Stein der Mitte, ein neuer Mut, überstieg und überschaute jenen Wall, und schon zerbröckelte dieser in sein voreinst gehäuftes Material aus Konventionen und gesellschaftlichen Rücksichtnahmen, und zeigte dabei den allein zusammenhaltenden Mörtel einer letzten Endes ganz gewöhnlichen Ängstlichkeit, auch in bezug auf die eigene Geltung bei ähnlich beschaffenen anderen Elternhäusern, Hungergemeinschaften, Familien. Und weil man in alledem nichts zu sehen vermochte, was um jeden Preis hätte erhalten bleiben müssen, so stieg der Auftrieb des Muts, je mehr jener Ballast an Ansehnlichkeit verlor.

Hier jetzt, um das Feuer, ist es spät geworden, und dieses sinkt zusammen. Die Dunkelheit ist dicht.

Man erwog zuletzt eine mögliche Gefahr, welche die Aufstellung einer Wache unerläßlich erscheinen ließ.

Hier in dieser Gegend, so wußte man, waren vor Jahren Steinböcke ausgesetzt worden und gut weitergekommen; sie erschienen zeitweise auch unterhalb der felsigen Regionen. Der Steinbock, weniger flüchtig wie die Gams, geht sogar zum Angriffe über, wenn eine befremdliche und seinen Grimm reizende Erscheinung sich sehen läßt. Eine solche bildeten ohne Zweifel die Zelte. Lag man darinnen, war man wehrlos gegen das mächtige Gehörn, ja, bei zusammenbrechendem Zelte von diesem geradezu gefesselt.

Darum, als alles zum Schlafen unterkroch, behielt ein gewiegter Scout die Wache. Er vertauschte seinen breitrandigen Hut gegen die wärmere Pullman-Mütze, nahm den langen Sport-Speer mit sich (vielleicht in Erinnerung an den neulich erfolgreich bekämpften Stier) und begann langsam das Lager zu umkreisen. Von Zeit zu Zeit wieder trat er näher heran und sah nach dem Feuer, dessen Glut schwach rötete. Man hatte es diesmal nicht gänzlich gelöscht: ein glühender Kloben, geschwungen aufflammend, mußte gegen ein störrisches Stück des schweren Wildes die beste Verteidigung sein. Ein solcher Kloben lag in der stillen Glut.

So gehen die Stunden.

Es wird kühl in dieser Höhenlage.

Der Scout rollt den Schildkrötenkragen des Sweaters empor.

Es schweigt der Ziegenmelker. Regimenter von neu heraufkommenden Gestirnen rücken funkelnd in den Himmel. Sehr spät und geheim tritt die Sichel des abnehmenden Mondes über einen Kamm. Man hört den Schritt der Wache. Jetzt erscheint über einem kleinen Felsvorsprung ihr Umriß vor dem Himmel, überragt vom Strich des Speers. Die Schultern des Jungen sind schon breit entwickelt. Die unwahrscheinliche Schmalheit der Hüften läuft in die überlangen schlanken Beine. Er hat trotz der Kühle bloße Knie und das kurze Beinkleid erscheint wie ein Röckchen. Diese Silhouette hat man vor zweiundeinhalbtausend Jahren schon gesehen. Er steht grad gegen den Himmel, nichts sonst dahinter. Über seiner Kappe nur die Sterne.

Hinter den Sternen, die jener Zeit eben damals (für Scharfsichtige wenigstens) schon aufgingen, teils unter dem Horizont noch stehend, teils knapp über dessen Rand erscheinend, blieb man allerdings hier im Lager Minute um Minute bereits zurück, bis es Tage, Wochen und Jahre waren, und bis offenkundig wurde, daß jeder, der sich noch irgendwie ‚bündisch' macht, sich irgendwo anschließt und dann dazugehört (so gehupft wie gesprungen), damit die Fähigkeit verliert, den eigentlichen gordischen Knoten der Zeit in der eigenen Brust zu lösen, was an keinem anderen Orte und auch nie im Vereine mit anderen geschehen kann. Noch nicht wurde gewußt, daß vom einzelnen bald alles abhängen werde, und daß dieser seinen Ort jedem wie immer gearteten Kollektiv genau gegenüber zu beziehen nun verurteilt sei, für einige Zeit wenigstens: gleichsam ausgespien von seinem Zeitalter, als dessen unentbehrlicher Opponent hingestellt, ein ‚Expositus' in jedem Sinne; aber umgangen konnte diese Lage für ihn nicht werden, höchstens aufgeschoben. Man ließ indessen den eigenen Knoten, man rannte ins Lager. Die stauende Wirkung derartiger gesammelter Aufschübe erzeugt dann die sogenannte Wucht der geschichtlichen Tatsachen, und was man vorher nicht im Kopfe haben wollte, kriegt man hintnach als eine Tracht Wissen auf den Hintern, der aber kein fruchtbares Feld für solchen Anbau sein kann, sondern nur dumm weh tut.

Wir wissen nun freilich nicht, ob das Unbehagen, welches Renata empfand, wirklich aus einer Ahnung (mehr war wohl unmöglich) des angedeuteten Sachverhaltes kam. Sicher ist, daß sie auch im Kreise der trefflichen Gefährten vielfach von dem Gefühl beherrscht wurde, eine Art Clown vor dem papierbespannten Reifen zu sein: es hieß irgendwie hindurchspringen, wohin sah man nicht, das schöne bunte Papier würde jedenfalls platzen, und fast unvermeidlich mußte dahinter dann eine Landung auf dem Bauch erfolgen.

Es spricht immerhin für eine gewisse Blüte der Instinkte bei Renata, daß sie die Einsamkeit zu suchen begann, um ihren Sprung zu überlegen, aber eine Einsamkeit nicht für Stunden nur, sondern gleich für ein paar Tage. Solche Portionen allerdings sind im liebtrauten Elternhause nicht zu haben. Und hätte man sie dort: es kröchen mitten hinein die Lemuren aus den alten Schränken, während deren polierte Türen mit der schönen Maserung in derselben braunen Tiefe weiterspiegeln würden wie bisher.

Renata, die unter ihren Kameraden nur Licea genannt wurde, – niemand wußte sich des Ursprungs, Anlasses oder der Bedeutung solcher Benennung zu erinnern, welche also schon einen echten Namen darstellte – Licea hatte eine vertraute Freundin, die man den ‚Falken‘ nannte, im Lager und auch anderwärts; sie hieß Sylvia. Beide Mädchen, die einander oft an Kühnheit übertrafen, waren in ihren Herzen hilfsbereit und gut, und sonderlich bei Licea vermeinte man oft im groß aufgeschlagenen Auge etwas wie dunklen Samt zu erblicken. Sylvia, welche die anfallsweise auftretende Sucht nach Einsamkeit bei Licea kannte und verstand, ohne sie jedoch in so hohem Maße zu teilen, sann auf Befriedigung solchen Bedürfnisses. Ihre Wachheit, in den hellen grauen Augen sich anzeigend, die nicht ohne Schärfe aus dem hübschen etwas vogelartigen Gesicht blickten, machte Sylvia vorzüglich geeignet, bei jeder Gelegenheit alle erdenklichen Menschen kennen zu lernen, was auch mit den vielen Nachhilfestunden zusammenhing, welche die Obergymnasiastin erteilte. Zeitweise geschah das jetzt auch im Haus ‚Zum blauen Einhorn‘. Der Schüler war nicht immer in Wien, sondern besuchte noch die letzte Klasse einer dörflichen Volksschule im Burgenland; nach dieser sollte er in Wien die Aufnahmeprüfung in's Gymnasium ablegen und es hier auch durchlaufen. Nicht etwa, weil es im Burgenlande keine Gymnasien gegeben hätte, sondern weil dem Pepi Grössing zu Wien eine Tante lebte, deren Obhut man ihn anvertrauen konnte und die ihn mit Freuden aufzunehmen bereit war. Dieser Tante, die allein stand, lag viel daran, den kleinen Josef in's Haus zu bekommen. Dazu mußte er aber die Aufnahmeprüfung mit Sicherheit bestehen. Wenngleich bei einer solchen freilich nur die in der Volksschule vermittelten Kenntnisse gefordert wurden, ließ Frau Kapsreiter, geborene Csmarits, dem Kleinen doch im letzten Jahre durch Sylvia Nachhilfeunterricht erteilen, während der verschiedenen Schulferien. Frau Kapsreiters Bruder, Mathias Csmarits, der häufig aus dem Burgenlande nach Wien reiste, brachte ihr dann den Pepi mit.

Frau Kapsreiter wohnte im Haus ‚Zum blauen Einhorn‘.

Es gibt in jedem Stande Leute, die aus ihm herausfallen, sei's die Treppe hinauf, sei's die Treppe hinunter. Es gibt Hocharistokraten, die Bibliothekare züchten oder überragende Erkenntnistheoretiker sind. Es gibt Industrieproletarier mit geistesgeschichtlichen Wendepunkten. Es gibt Buchbinder mit genialischen Aspekten: man denke nur an Hirschkron aus dem

‚Café Kaunitz'. Es gibt Kleinbürger mit Weite des Herzens und großartiger Humanität. Ein solcher Fall war die Frau Anna Kapsreiter. „Bringen Sie nur Ihre Freundin her, Fräulein Priglinger", sagte sie zu Sylvia, „sie kann hier ihre Ruh' haben. Ich stör' sie nicht. Sie kriegt das Eckzimmer. Ich kann mir das alles ganz gut vorstellen. Und für die paar Tag' meld' ich sie nicht an und überhaupt nix. Mit der Hausmeisterin steh' ich gut, das geht alles tadellos. Das Fräulein Licea soll nur kommen. Ich freu' mich schon auf sie."

Freilich ging das nur während der verschiedenen Ferienzeiten; Licea besuchte ja ebenfalls das Gymnasium.

Im Nachsommer 1926, vor Schulbeginn, startete sie mit Sylvia zusammen vom Elternhause aus ‚auf Fahrt'. Aber es war nicht einmal eine Straßenbahnfahrt, denn die Mädchen gingen zu Fuß und stellten ihre Rucksäcke zwanzig Minuten nach ihrem Ausmarsch wieder im Haus ‚Zum blauen Einhorn' ab.

Frau Kapsreiter war ganztägige Kaffeetrinkerin; sie trank nur den besten, auf türkische Art bereitet; tropfenweis, wie ein Vogel. Die Quantitäten waren daher verschwindend; im ganzen dürfte sie täglich eine Tasse voll zu sich genommen haben. Das schadete ihr freilich nicht. Sie war gut beisammen für ihre einundsechzig Jahre. Mäßig schlank, weißes Haar, rosiges und glattes Gesicht. Täglich rauchte sie fünf billige Zigaretten.

Im Grund war diese Frau rätselhaft. Sie hatte nie Kinder gehabt und ihren um zehn Jahre jüngeren Mann vor geraumer Zeit verloren. Dieser war als städtischer Beamter schon in vorgerückter und gehobener Stellung gewesen und obendrein vierzehn Tage vor seinem Ableben noch einmal befördert worden. Das wirkte sich dann bestens auf die Bemessung der Witwenpension aus (in Österreich sind übrigens Leute, die keinerlei staatliche oder städtische Bezüge, Pensionen, Renten oder ähnliches genießen, sehr selten und gelten auch als minderwertig). Man fragt sich nun, was Frau Kapsreiter, außer dem Kaffetrinken, den ganzen Tag über zu tun hatte? Nichts hatte sie zu tun. Und hier eben beginnt das Großartige ihrer Existenz: denn sie erfüllte diesen leeren Raum, darin sie nichts zu tun hatte, nicht mit Nichtigkeiten. Und hier befanden sich Pfeiler und Widerlager einer festen Brücke zu Licea hinüber, welche fast unmittelbar nach deren erster Bekanntschaft mit Frau Kapsreiter – eine solche hatte schon vor dem Nachsommer 1926 stattgehabt – entstanden war.

Frau Kapsreiter las auch keine Bücher. So kam nie zum Vorschein, welche sie gewählt, welche sie vermieden hätte. Ihre Lektüre bestand nur in jenen Wochenblättern oder Wochenausgaben, welche ganz besonders für die Leser ihrer Schichte hergestellt werden, und zwar mit großem Geschick, so daß jedermann in jeder Nummer mindestens zwei kräftige Ansauger seines Interesses findet. Man holte sich solch ein Blatt allwöchentlich in der Tabak-Trafik, wo es auflag. Am Tage des Erscheinens wurde der Laden, den ja sonst vorwiegend Mannsbilder frequentierten, von auffallend viel älteren Frauen aus den umgebenden Gassen betreten. Ein Exemplar hing immer aus, Titelseite mit Bild, sei's eine Sensation aus der Geschichte des einstmaligen Herrscherhauses betreffend, oder einen Werdegang vom armen Waisenkinde zum weltberühmten Filmstar, oder auch irgend so etwas wie die Memoiren der schönen Helena, oder etwa die Schreckenstage einer Stadt in Brasilien, in deren Kanalnetz riesige Polypen eingedrungen waren. Hiezu auch Bild.

Außer solchen Wochenblättern also las Frau Kapsreiter nichts. Hingegen führte sie ein Tagebuch.

Eigentlich war es ein Nachtbuch, das nur bei Tage niedergeschrieben wurde. Es enthielt sämtliche Träume der Frau Kapsreiter, aber aus ihrem wachen Leben nichts. Sie träumte allnächtlich lebhaft. Auf diese Weise entstanden geschlossen durch Jahre fortlaufende Aufzeichnungen einer zweiten Existenz, die außerhalb derselben gemacht wurden, nämlich morgens: sie schrieb das im Bett, sogleich nach dem Erwachen, und zwar in ein großes, dickes, steifgebundenes Buch; es sah wie ein Geschäftsbuch aus. Licea hat es von der Kapsreiter geerbt.

Es hat noch einen zweiten ähnlichen Fall dieser Art damals in Wien gegeben. Die Gattin des alten Hofrates P. – zu seiner Zeit der beste Bratschist, den man in der Wiener Gesellschaft für eine Kammermusik finden konnte – pflegte stets einen Block mit Stift auf dem Nachttisch zu haben, denn ihr Gatte redete lange und laut die merkwürdigsten Sachen aus dem Schlaf. Alles wurde von der Hofrätin mitgeschrieben, und beim Frühstück unterhielten sich die alten Herrschaften dann auf's beste: die Hofrätin las den Text vor. Er soll, unter anderem, einmal gesagt haben: „Die Frau von Stangeler fährt auf einem Schmalspur-Geleise nach ebensolchem Fahrplan."

Frau Kapsreiter war allerdings auf die eigene Erinnerung angewiesen.

Das Haus war winzig, mit nur zwei Stockwerken – Frau Anna wohnte im oberen – die Zimmer waren klein; aber es gab dafür deren drei, und eine Küche. Das von Anna Kapsreiter schon erwähnte Eckzimmer, welches Licea bewohnen sollte, lag mitten in der Wohnung, hatte aber merkwürdigerweise keine Verbindung mit dem benachbarten Raum; vielleicht war auch die Tür durch den riesigen Schrank verstellt, welchen es hier gab, linker Hand, wenn man eintrat. Das Zimmer befand sich gerade in gleicher Höhe mit dem außen am Hause in einer Ecknische sitzenden oder eigentlich liegenden Einhorn; es war von blauer Glasur. Sylvia und Licea nannten es ‚das blaue Schaf', und dementsprechend auch das Haus ‚Zum blauen Schaf'. Die Eigentümlichkeit des Raumes, den Licea während ihrer Aufenthalte bei der Kapsreiter bewohnte, gründete im wesentlichen darauf, daß er gleich bei der Türe durch den monströsen Schrank und einen Schlafdiwan auf der anderen Seite erheblich verengt wurde, dann aber, wenn man weiterging, sehr breit wirkte und überhaupt nicht so klein, wie er eigentlich war; denn hier standen keinerlei Möbel außer einem leichten Tisch und zwei bequemen Rohrsesseln. Es gab noch ein gedrechseltes Regal an der Wand, es war leer. Bilder hingen keine.

Letzteres bildete einen glücklichen Umstand, denn die Kapsreiter wäre in Sachen der Kunst wohl zu jenem Schrecklichen fähig gewesen, das Leuten ihres Standes nun einmal gefällt, und nicht etwa aus mangelnder Anleitung, sondern infolge einer tiefsitzenden Wahlverwandtschaft, die alles andere meidet und ausschließt. Hier aber blickten nun weder ‚Künstlers Erdenwallen' noch ‚Beethoven und die Muse' von der Wand. Es ist übrigens nicht ausgeschlossen, daß die Mädchen auch hieran Vergnügen gefunden hätten. Baudelaire bemerkt einmal, daß auf einer gewissen Höhe des Geistes das Lesen idiotischer Bücher einen sublimen Genuß bedeuten kann. Wir trauen eine solche Höhe den beiden Gymnasiastinnen unbedenklich zu. Sie hätten vielleicht jenen Genuß auch auf dem Gebiete der bildenden Kunst gefunden, und am Ende ‚Es zogen drei Burschen . . .' recht gerne betrachtet. Aber es hingen keine Burschen da, und überhaupt nichts.

Es hing nichts da, es stand nichts da, außer dem Tisch und den Korbfauteuils; das kleine Regal an der Wand hätten wir nun beinahe vergessen. Aber es beanspruchte sehr wenig Platz. Das Eckzimmer hatte freilich zwei Fenster nach verschiedenen Richtungen. Eines sah in jene lange vom Stadtzentrum herauslaufende Straße, die von dem Punkte, wo sich die Straßenbahngeleise aus ihr hinaus und bergan wenden, zur schmalen Gasse geworden ist, die zwischen die alten Häuser hier hereinleitet.

Das andere Fenster sah in ein Seitengäßchen.

Man konnte vor beide Fenster hohe, grobe, rostbraune Vorhänge ziehen; nach diesen zu urteilen, möchte man Frau Kapsreiter beinahe eines besseren Kunstgeschmacks für fähig halten; und vielleicht war er wirklich nur ungeweckt geblieben.

Es ist doch hier wie überall; als hätte man einen langen Wanderschritt angehalten und wäre stehen-, sitzen- und liegengeblieben; und damit hat man sie dann, die jeweiligen Umstände: man hat sie eben erstarren lassen! Die Gasse würde weiterführen; nach ihr noch andere Gassen. Aber man hat hier seinen Rucksack abgestellt (da sitzt er, neben dem großen Schlafdiwan, unberührt, nicht etwa gleich geöffnet, um auszupacken, um was herauszuholen). Sylvia hat nebenan dem kleinen Pepi Grössing noch eine gründliche Lehrstunde gegeben, und ist dann wirklich ,auf Fahrt' gegangen. Die Kameraden erwarteten sie nicht weit von hier, am Bahnhof, wo man einsteigt, um donauaufwärts zu reisen (und weiterhin auch nach Böhmen). Das Lager soll diesmal für einige Tage in den Auen bei Tulln aufgeschlagen werden. Und dann stromab in Faltbooten.

Augenblicklich gehörte Licea zu jenen wie spielend auf den Strand gespülten Menschen – es gibt zu jeder Stunde solche! – denen eine urplötzlich verliehene Distanz gleichsam den Atem aussetzen läßt. Eine Randkluft hatte sich geöffnet. Nichts saß fest in seiner Umgebung, wie eben sonst die Sachen im Leben sitzen, ähnlich den Zähnen im Kiefer. Alles war einzeln, und die Dinge fielen beinahe aus ihren Benennungen heraus, wie vertrocknete Nußkerne aus der Schale; sie klapperten. Es fehlte die verbindende altgewachsene Aura, darin im Elternhause alles schwamm. Vielleicht war es die allzu große Jugend, die der Routine noch entbehrte im Besitzergreifen einer beliebigen Umwelt, der Leichtfertigkeit im Errichten einer Wirklichkeit, welcher doch das Übergreifen von innen und außen dann mangeln muß. Hier wehrte sich ein noch hoher Echtheitsgrad gegen das Eingehen in eine solchermaßen erstellte Welt: er wurde davor gewissermaßen stützig. Und in dieser unsicheren Lage schwebte Licea durch Sekunden über der Möglichkeit zum Idiotischen wie über einem Abgrund.

Den Wissenden ist dieser sich öffnende Spalt bekannt, wie auch seine Unentbehrlichkeit im Haushalt des Geistes. Aber Licea war keine Wissende. Daher fiel diese Lage mit einem durch keinerlei Vergleiche abgefederten Gewicht auf sie; mit einem physischen Gewicht geradezu. Es bog sie hintenüber. Sie sank auf den Schlafdiwan, ohne sich irgendwie bequem zurecht zu legen. Es war ein wirklich katatonischer Zustand, wie die Medizin das nennt. Aber in der innersten Kammer dieses Lebens wohnte eine Art noch mitgegebener Vertrautheit mit den Bedingungen der Mechanik des Geistes: anders wäre sie aufgesprungen, hätte sich irgendwas zu tun gemacht, etwa ihren Rucksack ausgepackt. Aber nein: Licea war im höheren Sinne sehr klug. Sie zappelte nicht. Sie schlief ein. Sie landete schlafend auf einer neuen Stufe, wie Odysseus auf Ithaka.

Ein Warmes, noch kälberhaft nach Milch Duftendes kroch ihr zu, rollte sich auf dem Diwan neben ihr zusammen und schlief da gleichfalls. Es war der kleine Pepi, der auf sein leises Zeichen vor der Tür – es ahmte den sägend-krächzenden Ton eines Hähers oder einer Krähe nach, und Pepi wurde deshalb von Licea ‚Krächzi‘ genannt – keine Antwort erhalten, einen Spalt leise geöffnet, und Tante Licea schlafend gefunden hatte. Nun war es ein ganzes Nest auf dem Diwan, im kälbernen Milchduft beider.

Aber Licea schlief nicht lange in voller Tiefe. Sie begann bald den Schlummer bewußt zu genießen und ihr war, als glitte sie rasch und sanft unter seiner äußersten gespannten Oberfläche dahin, jedoch ohne diese zu durchstoßen. Es war sogar möglich, sich in eine etwas bequemere Körperstellung zusammenzuziehen und dabei doch auf jene seltsame Weise in Fahrt zu bleiben, und in der Fortsetzung einer sehr abwechslungsreichen Folge von leichten Träumen, die von der Fahrt immer neu erreicht wurden.

Licea wünschte mehr und mehr davon. Sie eilte auf die Träume zu, sie steuerte diese begierig an wie neue Kontinente. Jetzt ging sie neben ihrem kleinen Segelschiff. Auf dem Lande lief es neben ihr wie ein Hündchen. Jetzt stieg sie wieder ein und fuhr im Winde dahin über das Wasser, neben dem kleinen Schiffchen stehend und doch von ihm getragen.

Inzwischen war das Haus ,Zum blauen Einhorn' tief in den Nachmittag gesunken, dessen Finger schon schräg und lang durch das eine Fenster sich legten. In Tulln war man am Ziel, man marschierte durch die Au, die zusammengelegten Kanus rollten auf kleinen Fahrgestellen mit zwei Rädern. Die Stimmen hallten unter den hohen durchsonnten Wipfeln der Aubäume, hallten über die gewundenen Wasserarme hin, wo die silbrigen Windungen schwimmender Nattern vom jeweils geräuschvoll werdenden Ufer davonglitten. Man fand den besten Platz für die Zelte und man ging an die Arbeit.

Mit dem Nachmittag war auch das Haus ,Zum blauen Einhorn' gleichsam tiefer in die Stadt eingesunken und in diese alten Gründe hier, als senke sich der Grundmorast jahrhundertelangen städtischen Lebens ein wenig unter den Mauern, und diese sänken mit ihm. Aus dem Erdboden, aus Kellerräumen, aus uralten Hausgängen trat im herankommenden Abend der genius loci auf die Straße, wie in einer verfrühten Geisterstunde, denn sie traf noch die Menschen vor den Haustoren, und die alten Frauen in den Fenstern, und die Gasse voll Gespräch.

Frau Kapsreiter öffnete einen Türspalt und sah das Nest und die Schläfer. Sie ging leise durchs Zimmer, setzte den Kaffee ab, den sie trug, und brachte den leichten Tisch neben den Diwan. Nachdem sie die Tasse daraufgestellt hatte, blieb sie stehen und betrachtete die Kinder. Vielleicht war ihr Blick so intensiv, oder die Oberfläche der Geschöpfe noch so zart und durchlässig, daß sie ihn spüren konnten; jedenfalls schlugen beide zugleich ihre sanften Augen auf.

Frau Kapsreiter nahm einen Korbstuhl und setzte sich zum Sofa. Von der Gasse hörte man Stimmen. Licea trank Kaffee, Krächzi Milch. ,,Er kann sogar schon bissel Latein, fragen S' ihn was, Fräul'n Licea." Im Rucksack befand sich eine sorgfältig verschnürte große und steife Schachtel, die von Licea jetzt her-

vorgezogen wurde. Nachdem Papier und Holzwolle daraus entfernt waren, wurde ein Schiff sichtbar. Es war ein kleiner Dreimaster, Licea's jüngstes und außerordentlich schmuckes Werk,
ein im großen und ganzen sogar zutreffendes Modell. „Das gehört dir, Krächzi", sagte sie. „Es schwimmt auch sehr gut, liegt
nicht zu tief und nicht zu hoch im Wasser, ich hab' es ausprobiert." Sie zog, während Frau Kapsreiter das Schiffchen vorsichtig übernahm, ein Gestell von Brettlein aus der Schachtel,
das in der Mitte Schlitze für den Kiel hatte. So konnte der Dreimaster auf dem Tische prangen. Krächzi wagte noch gar nicht,
ihn zu berühren. Er umarmte Licea und küßte sie ab. „Den
nehm' ich nicht mit hinunter" (in's Burgenland, meinte er) „dort
ruinieren ihn mir nur die anderen Buben. Er soll in das Zimmer
nebenan kommen, wo ich wohnen werde bei der Tante Anna,
wenn ich im Gymnasium bin. Auf der großen Kommode soll
er in der Mitte stehn." „Da hast' recht, Pepi", sagte Frau Anna,
„das ist gescheit von dir."

Sie trugen das Boot feierlich an seinen Platz. Licea sah jetzt,
daß Krächzi's Stübchen schon für ihn eingerichtet worden war.
Es gab ein neues Bücherbrett und einen neuen Tisch am Fenster; man blickte von hier in das kleine Seitengäßchen, welches
heute noch zur Liechtenthaler Pfarrkirche führt, zu den ‚Vierzehn Nothelfern'. Auf der Kommode nahm sich der Dreimaster
sehr gut aus. „Weißt du schon wie ‚das Schiff' auf Lateinisch
heißt?" fragte Licea, welche jetzt ihr Werk zusammen mit
Krächzi betrachtete. Wirklich, er wußte es; und sogar die Wörter für Tau, Segel und Steuer. „Woher weißt du denn das alles
schon?" fragte Licea; und auch Frau Kapsreiter schaute verwundert auf den Buben. „Von der Tante Sylvi", antwortete er
und sah zu Licea hinauf. „Ich bleib' hier – bei ihm", sagte er,
als Licea und Frau Kapsreiter sich zur Türe wandten und
deutete auf den Dreimaster. „Ja, bleib' nur", meinte Frau Anna,
„es ist ja dein Zimmer." In ihren letzten Worten klang fühlbar
eine tiefe Befriedigung.

Krächzi blieb also allein zurück. Das Zimmer war still, man
hörte nicht die Stimmen von nebenan; aber in Krächzi war eine
mächtige tiefe Bewegung. Er holte einen Stuhl und setzte sich
der Kommode gegenüber und etwas entfernt von ihr. So konnte
er das Schiff am besten betrachten. Er hatte es bis jetzt noch
nicht berührt, nicht einmal mit der Fingerspitze. Wie, wenn er

es lange nicht – wenn er es überhaupt niemals berühren würde? Das war ein vollends neues Gefühl. Das hatte es bei ihm noch nie, noch gar nie gegeben. Das wäre ein Geheimnis: den Dreimaster noch nie berührt zu haben! Und wie schön würde der bleiben: so, wie er aus Licea's Händen gekommen war. Der leuchtende Lack! Die blanken Farben! Die zart gespannten Taue! Hier – er schwebte, schwankte dahin: gegen den Abendschein im Fenster. Wie weit fuhr dieses Schiff! Krächzi konnte jederzeit darin mitfahren. Es war ein Geheimnis, ein Geheimnis seiner Liebe zu Tante Licea. Er wollte es treu bewahren. Das Schifflein sollte hier ganz so stehen bleiben, wie sie es hingestellt hatte. Krächzi glitt vom Sessel, ging zur Kommode und hielt dabei die Hände verschränkt auf dem Rücken. Jetzt neigte er den Kopf, näherte ihn ein wenig dem Schiff und sah nun genau in gleicher Höhe und aus nächster Nähe über das Deck: da wurde er klein und noch kleiner, aber das Deck wurde groß und noch größer, und bis zu dem Häuslein der Kombüse mit dem Rauchfang, das sogar eine kleine Türe hatte, waren es vielleicht schon dreißig Schritt schräg über die blanken Planken, und bis zum Vorderkastell mit den Fensterlein und Türen der ‚Back' waren es noch viel mehr, und er sah zugleich an den beiden vorderen Masten vorbei, sie standen stark wie Bäume; und die Back konnte man freilich sehen, unter den Großsegeln durch. Sie blähten und spannten sich, das Tauwerk knackte, die Blöcke – wie schön waren die gemacht, wie fein, aber nun war jeder so groß wie Krächzi's Kopf – die Blöcke hielten es, sie ließen es durchlaufen: und wie das Schiff sich jetzt mit schrägem Deck in seinen Kurs legte und dahinzog, spritzte eine kleine, schäumende Fontäne links empor und der Wasserstaub sprühte über die Schanzkleidung.

„Stolpern bringt Glück, heißt es", sagte Frau Kapsreiter. „Wenn's wahr ist. Ich bin heut beinah auf die Nasen gefallen. Bei dem Wirtshaus in der Alserbachstraße, ‚Zur Flucht nach Ägypten', beim Sigl-Wirt, sind große Fässer vom Wagen abgefüllt worden, wie ich vorbei bin, und ich hab' die Schläuche nicht rechtzeitig gesehen, die sind über das Trottoir in die Luken vom Keller gegangen; ums Haar wär' ich gefallen, mit meiner Einkaufstasche. Das schaut auch merkwürdig aus. Wie eine

schwarze Schlange, die aus dem Loch auf die Straße heraus-
kriecht. Wissen Sie, Fräulein Licea, wenn der Krächzi endlich
hierher kommt, das wird auch gut sein für den Buben. Es sind
sechs Geschwister vor ihm, niemand kann sich um ihn kümmern, weil beide Eltern in die Arbeit gehen, und die drei älteren
Mädeln auch schon. Mein jüngerer Bruder, früher hab' ich immer
gesagt, ,mein kleiner Bruder', na, er ist wirklich nicht groß, der
Mathias Csmarits, ist der einzige dort, der sich umschaut wegen
dem Buben, er bringt ihn mir auch immer nach Wien her. Aber
das ist nicht das richtige für so ein Kind: der Mathias nimmt ihn
in's Wirtshaus mit, wenn er zu seinen Bekannten hier in Wien
geht. Was die dort schon reden werden! Das ist nichts für einen
zehnjährigen Buben. Der Mathias ist ein guter Kerl so weit, er
ist ein Invalider, hat im Krieg ein Aug' verloren. Er hat eine
Pension. Außerdem macht er kleine Geschäfte, er kauft für zwei
Wiener Wirte im Burgenland den Wein ein, und andere solche
Geschäfterln. Es geht ihm recht gut. Den Beruf kann er mit
nur einem Aug' freilich nicht mehr ausüben. Der Mathias war
Eisenbahner. Jetzt ist er in Neufeld, bei die Braunkohlen, als
Magazineur, oder als Aushilfe im Magazin, oder so was, hat
aber fast nichts zu tun. Als Schwer-Invalider hat er natürlich
mehr als nur die Pension. Dazu fährt er beinahe umsonst auf
der Bahn. Ich hab' ihm gesagt, er soll mir den Pepi nicht in's
Wirtshaus mitnehmen, er soll ihn gleich zu mir bringen, wenn
er mit ihm von dort unten kommt. Aber mit dem Mathias kann
man nicht reden. ,Das macht dem Pepi gar nichts', sagt er, ,der
trinkt sein Himbeerkracherl und freut sich.' Ein kompletter
Eigensinn, der Mathias. Schon als Junger hat er bei den anderen
Buben ,der Quadratschädel' geheißen. Er hat wirklich einen
viereckigen Kopf. Wie ein Kastel. Dann hat jemand viel später
einmal von ihm gesagt: ,Das ist der Quadratschädel gesteigert
zum Kubi ...' "

,,Kubus", sagte Licea.

,,Ja, Kubus. Das ist doch ein Würfel. So schaut er heut' noch
aus. Dazu die komische Nasen, wie ein eckiger Henkel an dem
Kastel. Oder wie ein krumm eingeschlagener Nagel. Seit er das
eine Aug verloren hat, der arme Kerl, reißt er das andere oft ganz
groß auf. Im Sommer hat er hier die Türklingel repariert, im
Vorzimmer. Dort ist so eine Batterie oder ein Element dabei,
das ist ausgerechnet ganz oben beim Plafond festgemacht, war-

um weiß ich nicht, vielleicht hat da einer den Draht ersparen wollen. Da hängt so ein Kastel, da ist das drinnen. Vorn ist ein Nagel eingeschlagen und umgebogen, damit man das Türl aufmachen kann. Das ganze schaut aus wie der Mathias. Es sieht ihm direkt ähnlich. ‚Mathias', sag' ich, wie er auf der Leiter steht, ‚sei so gut und mach' die Drähte weg, die alten, die drum herum hängen, und die nicht mehr notwendig sind', sag' ich. ‚Wozu denn?' meint er, ‚die schaden ja nichts, deswegen wird's genau so gut klingeln.' ‚Nicht wegen dem', sag' ich, ‚sondern weil's schlampig ausschaut.' Was glauben Sie, Fräulein Licea, er hat die Drähte alle gelassen und hat sie noch recht auseinander getan beim Arbeiten, so daß sie nach allen Seiten wegstehen wie die gesträubten Haare. Das müssen Sie sich anschaun."

Licea folgte der Frau Kapsreiter in's Vorzimmer. Es war wirklich nicht einzusehen, warum man das Kästchen mit dem Leclanché-Element (so betrieb man damals allermeist noch die Türklingeln) nicht in irgendeiner Ecke des Vorzimmers untergebracht, sondern nah an der niederen Decke aufgehängt hatte. Mehrere verkrümmte Drahtenden sträubten sich von dem Ding weg nach allen Seiten.

„Wie eine Spinne", sagte Frau Kapsreiter.

Licea fand es ebenfalls grauslich. Aber sie schwieg. Ihr schien die Sache bei Frau Anna schon etwas zu stark betont. Eine momentan aus dem Dämmer und Dickicht ihres Inneren wie ein Reh aufspringende Besorgnis, eine zarte und liebevolle Besorgnis für Frau Anna (vielleicht war das schon die künftige Ärztin in ihr, mit der Witterung für das Symptomatische) veranlaßte Licea, die Sache geschickt auf ein anderes Geleise umzurangieren:

„Wissen Sie, Frau Anna, Ihr Bruder hätte nämlich bei jedem dieser alten Drähte nachprüfen müssen, ob er nicht doch noch zur Leitung gehört und notwendig ist, und das wird ihm halt zu fad gewesen sein."

Nun, gar überzeugend war das nicht; und so dachte auch Licea. Aber weil bei der Frau Anna allzu deutliche physikalische Kenntnisse hier nicht hinderlich im Wege standen, konnte diese kleine und wohlgemeinte Einspritzung zu guter Wirkung gelangen.

Als sie wieder in's Zimmer getreten waren, nahm Frau Anna von dem großen Schrank eine winzige elektrische Stehlampe herab (sie mußte dazu auf einen Stuhl steigen), stellte sie auf den Tisch beim Sofa und schaltete mittels einer sehr langen Schnur das Licht ein. Licea wunderte sich leicht über diese Umständlichkeit, welche durch die abseitige Unterbringung des Beleuchtungskörpers gegeben war. Natürlich sagte sie nichts. Frau Kapsreiter bemerkte: „Ich brauch' die Lampe sonst nie."

Die Umgebung, aus der Licea stammte, machte es ihr zunächst unmöglich, solche Kleinigkeiten als Teilchen eines Lebensstiles zu erkennen, der ihrer Schichte und dem Heim, aus welchem sie kam, fremd war. Dort blieben Beleuchtungskörper an dem Ort, wo sie gebraucht wurden: weil man zum Beispiel las; und weil man, wenn es dämmerte, ohne umständliche Veränderungen während des Lesens das Licht einschalten wollte. Frau Kapsreiter las nie. Dafür schrieb sie allerdings. Aber nur am Morgen. Solch eine niedere Stehlampe mit Schirm stellte für sie einen Gegenstand vor, den man benützte, wenn Besuch da war. Die Ansprüche in bezug auf Bequemlichkeit und gutes Leben lagen hier auf einer anderen Ebene. So zum Beispiel hatte Frau Anna die feinsten Daunen in den Decken, und in der Küche sechs Bratpfannen abgestufter Größe, damit kein Fett vertan werde.

„Ja, hören Sie nur, Fräulein Licea, jetzt fällt mir etwas ein, was ich Ihnen schon lang erzählen wollte. Mein seliger Mann, der hat einen Ingenieur gekannt, einen Professor von der Technik hier in Wien, der hat ganz neue Erfindungen ausprobiert, um Häuser zu stützen, wo sich der Boden drunter gesenkt und bewegt hat, so daß Risse im Mauerwerk sich gebildet haben und dergleichen. Das wird alles mit Beton ausgegossen, aber mit sehr hohem Druck, also eigentlich ausgespritzt; der Beton wird direkt hineingepreßt oder gepumpt und geht bis in die feinsten Spalten. So hab' ich's wenigstens verstanden. Dieser Herr ist einmal auf so einem Bau gewesen, es war ein Schloß, dem hat man sozusagen das Fundament repariert. Während dieser Arbeiten dort ist er einmal auf's Klosett gegangen, ein moderner Abort mit Wasserspülung, und so weiter. Wie er da sitzt, rührt ihn von unten was Kaltes an, und schon hebt es ihn, und er springt herunter: da steigt aus der Muschel ein langer grauer Arm, immer mehr und mehr in die Höh', einen Meter hoch war's schon, glaub' ich. Da ist denen der Beton unter dem hohen Druck in eine schadhafte Abortröhre geraten, und oben beim

Klosett wie ein Baumstamm herausgewachsen. Mein Mann hat mir das erzählt. Ich hab' das schauderhaft gefunden."

„Das ist auch schauderhaft", sagte Licea, die zusammengerollt auf dem Sofa lag und aus großen Samtaugen auf die Kapsreiter schaute.

„Wo bleibt denn der Bub?" sagte Frau Anna. „Der ist noch immer bei seinem schönen Schiff. Ich kann Ihnen gar nicht genug danken, Fräulein Licea. Gehn wir einmal hinüber?"

Sie fanden im halbdunklen Nebenzimmer Krächzi süß eingeschlafen auf dem Sessel, den er sich gegenüber der Kommode und dem Dreimaster aufgestellt hatte.

Licea hatte sich wieder auf dem Sofa bei dem abgeschirmten Licht zusammengerollt, nachdem Frau Kapsreiter wegen des Abendessens in die Küche gegangen war. Krächzi blieb nebenan. Er kam nur für ein kurzes herüber, um Licea noch einmal zu danken, und bedeckte ihre Hände mit vielen kleinen Küssen.

Die Einsamkeit, deren sie in der folgenden Stunde genoß, war durchtränkt von dem hier überall dicht anliegenden, durch alle Poren dringenden Wesen des Raumes, des Ortes und seiner näheren Umgebung. Es war diese Einsamkeit eine grenzenlose, mochte sie auch in einer schmalen alten Vorstadtgasse ihren Mittelpunkt haben, in Begrenztheit und Beschränktheit, ja, wirklich in Umständen, die erstarrt waren, hier und jetzt. Dennoch, gerade hier und jetzt hatte der Stein, als welchen man sich selbst gleichsam willkürlich da hineingeworfen, die Oberfläche durchschlagen, unverzüglich tief unter ihr wegsinkend, so daß ihre sonst auf gleicher Ebene herumtreibenden Umstände und Umständlichkeiten dort oben tanzten wie Korken, klein und sich immer mehr entfernend. Ein Ton, der etwa hereindrang, jaulende entfernte chromatische Läufe der Straßenbahn, ein naher Ruf von der Gasse: er traf unmittelbar ein, ohne jedesmal einen Ring von umfangenden Umständen, die man keineswegs selbst geschaffen hatte, ohne jedesmal erst die Aura des Elternhauses passieren zu müssen, um dann gleichsam zu einer Legitimation verhalten zu werden und bestehen zu müssen vor dem tiefen spiegelnden Braun polierter Schränke, verglaster Vitrinen, in welchen allerlei Figuren von Porzellan saßen, lemurische Genossen früher Kindheit. Hier aber lag man allein, weil man diesen

allenthalben glatten Spiegel der Oberfläche an einem selbst-
gewählten Punkte durchstoßen hatte, um hinter ihm, der in
Ringen verzitterte, der wieder regungslos wurde wie ein Vorhang, dessen Falten sich beruhigen, in eine andere Welt zu verschwinden.

Übrigens war es nicht die Gewohnheit der Frau Anna, sich
des längeren zu Licea ins Zimmer zu setzen. Nur heute war sie
ungewöhnlich gesprächig gewesen. Ihr Sprechen war zudem
kaum eine Ansprache, eine Mitteilung zu nennen. Sie dachte
einfach laut, oder eigentlich halblaut. Sie öffnete einen Schuber
und ließ sehen, was in ihr vorging. Licea sah gern da hinein.
Man erblickte keine Grundsätze, keine Forderungen, keine moralischen Wurfgeschosse, keine Belehrungen. Man schaute in
eine weitgehende Unabhängigkeit, die sich auf nichts berief, auf
niemand stützte. Dabei war es für Licea, mochte dies Gehörte
auch simpel, ja, banal sein, jedesmal ein Blick tief hinab, ja, wie
aus sich öffnenden Unter-Fenstern des Lebens in eine noch größere Tiefe, über der das Leben schwamm als eine Arche Noah,
oder irgendwie schwebte; und wenn Frau Anna sprach, sah
man gleichsam unten beim Bauch heraus. Es blieb unbegreiflich, worauf diese Wirkung der Kapsreiter letzten Endes beruhte.
In Licea aber antwortete darauf eine Zuneigung, die aus ihrem
Innersten kam. Und wenn sie Frau Kapsreiter mit den anderen
Menschen ihres kleinen Lebenskreises verglich, so erschien ihr
Anna immer wieder als die intelligentere, ganz ohne Ausnahme.

Das Öffnen jener Unter-Fenster am Bauch der Arche Noah,
darin man saß als ein Teil der Menagerie (hier: Elternhaus),
eben dies bedeutete für Licea geradezu Einströmen von Kraft,
Lüftung und Lösung jeder Verkrampftheit. Sie brachte nach
einigen im Haus ‚Zum blauen Schaf‘ verlebten Tagen schon
eine Art schützendes Glacis um sich mit, eine Randkluft, die
von allem ein wenig schied und damit merkwürdigerweise sogleich eine Bereitschaft verlieh, wohlwollend auf alles einzugehen: nach einem Aufenthalte bei Frau Kapsreiter war es ihr
ein leichtes, etwa die Tugenden der Eltern klar auszunehmen,
man möchte fast sagen: diese Tugenden zu überblicken. Insbesondere dem Vater gegenüber tat ihr das in sehr hohem Grade
wohl. In ihrem Verhalten ließ jener Schein, der da durch die
„Unter-Fenster" hereingedrungen war, jedesmal noch lange eine
Art goldner Spur zurück (es lag hier die tiefere Ursache, warum

Herr von Gürtzner-Gontard allmählich sogar ein Freund der ‚Fahrten‘ wurde).

Doch war dies in so hohem Grade nur der Fall, wenn Licea durch mehrere Tage hinter dem Bildnis des Fabeltieres aus blauer Glasur gewohnt hatte (es war hier das Wohnen ihre eigentliche Beschäftigung). Dann und wann ging sie auch außerhalb solcher Zeiten zu Frau Anna, teils geradezu aus eigenem Bedürfnis und Antriebe, teils wenn sie gelegentlich ihre Freundin Sylvia, der die zahlreichen Privatstunden mitunter über den Kopf wuchsen, bei Krächzi vertrat. Dieser lernte dann nebenhin noch mehr nautische Ausdrücke in römischer Sprache und überdies die lateinischen Wörter für den Bogen, die Sehne, den Pfeil, die Pfeilfeder. Zu Weihnachten lag Licea's schönes Schießzeug für ihn unter dem Christbaum, und es zierte sodann, über dem Dreimaster an der Wand hängend, das Stübchen, welches auf solche Art immer abenteuerlicher wurde, und geradezu eine Aura von Ferne und Exotik erhielt. Dazu kam noch einige, und nicht eben schlechte Literatur: ‚Der Schut‘ von Karl May, und des Freiherrn von Gagern herrliches ‚Grenzerbuch‘, das die Indianerkämpfe aus vier Jahrhunderten getreu und obendrein in der Sprache eines Schriftstellers schildert.

Am 6. Februar 1927, kurz nach dem Essen, klingelte das Telephon, als Licea eben durch das Vorzimmer der elterlichen Wohnung ging. Licea hatte die Empfindung, daß sie geradezu gestellt und angesprochen werde: so unzweifelhaft hielt sie dieses Geklingel für ein sie selbst anlangendes, ohne doch einen telephonischen Anruf erwartet zu haben.

Sylvia sagte: „Komm rasch herunter, warte auf mich vor dem Haustor, in fünf Minuten bin ich da. Wir müssen zur Kaps. Alles andere sag' ich dir mündlich."

Frau Kapsreiter wurde von den Mädchen einfach ‚Kaps‘ genannt.

Ein grauer Sonntag und nicht kalt; auf der Straße vereinzelte Menschen, meist langsam gehend; es blieb zu hoffen, daß ihnen einigermaßen erfreuliche Ziele winkten. Schon kam Sylvia über den Platz. Sie sah noch spitznäsiger aus wie sonst.

Die Mädchen gingen zu Fuß.

„Krächzi ist tot", sagte Sylvia.

Licea antwortete nichts.

Der geringe Straßenlärm steigerte sich in ihrem plötzlich empfindlicheren Gehör.

„Es war vorigen Sonntag in Schattendorf eine Schießerei zwischen den Sozis und den ‚Frontkämpfern'. Es ist aus einem Wirtshaus mit Jagdgewehren auf die Roten geschossen worden, die auf der Straße marschiert sind. Mehrere Verwundete, zwei Tote: Krächzi und sein Onkel, dieser Invalide mit dem einen Aug'. Was der Bub dort zu suchen gehabt hat, weiß kein Mensch. Auch die Kaps hat es nicht herauskriegen können. Sie war am Mittwoch unten, beim Begräbnis. Der Krächzi hat sieben Schrotkörner bekommen, ganz großer, grober Schrot, sein Onkel noch mehr. Beide waren gleich tot. Es waren Schüsse aus nächster Nähe, die Straße ist dort nicht breit. Natürlich ist nicht auf die beiden gezielt worden, sondern auf die Leute vom ‚Republikanischen Schutzbund'. Oder es hätten überhaupt nur Schreckschüsse sein sollen. Geschossen haben der Wirt, Tscharmann heißt er, sein Sohn und der Schwiegersohn. Das Wirtshaus von dem Tscharmann ist das Stammlokal dieser sogenannten ‚Frontkämpfer'. Die Roten sind von einem andern Gasthaus, wo sie immer einkehren, heranmarschiert, gegen hundertfünfzig sollen es gewesen sein. Wahrscheinlich haben es die im Wirtshaus Tscharmann mit der Angst bekommen. Das ist ja auch alles ganz gleichgültig. Krächzi ist tot."

„Und die Kaps?" fragte Licea endlich. Es war nur mit den Lippen, ganz vorne auf den Lippen gesprochen, weil eben das Schweigen nicht länger angängig blieb. Die Mauer der Tatsachen, die hier plötzlich aufgeschossen war, fand Licea nicht nur ratlos, sondern zugleich beengt und schuldbewußt: weil sie damit so gar nichts anzufangen wußte. Zu jung für die Einsicht, daß jede niedergehende Tatsachen-Lawine immer das Ende irgendeines längst vorher stattgehabten Prozesses vorstellt, fühlte sich Licea wie von Stein, ja sie zweifelte durch Sekunden an ihrer Fähigkeit, normal zu empfinden, ja, an ihrer Lebensfähigkeit überhaupt. Sie konnte der Lage nicht ihre einfachste Fassung geben: daß man damit nämlich nichts mehr anfangen konnte, weil dieser ganze Vorgang bereits aufgehört hatte.

„Die Kaps", sagte Sylvia, „ist großartig, und irgendwie geheimnisvoll, wie eben immer. Glaubst du, die heult oder weint oder schreit oder jammert? Gar nicht. Sie hat zu mir gesagt: ‚Fräulein Sylvi, mir ist der Boden herausgefallen. Ich summe und brumme wie eine Glocke von dem Schlag. Wenn das einmal aufhört, wird es erst richtig wehtun.‘ Gegen ihren toten Bruder, den Csmarits, hat sie einen schweren Grimm. Aber das unterdrückt sie natürlich. De mortuis nil nisi bene. Nur von Zeit zu Zeit erwähnt sie, daß der Mathias immer den Buben überallhin mit sich genommen habe gegen ihren Willen."

Sie schritten die Alserbachstraße hinab. Hier, wie überall in den Straßen und Gassen der Großstädte, schwebten noch die zerstäubten Reste zehntausendfacher Vergangenheiten über Örtern ebenso vieler Erinnerungen, zu denen niemand mehr gesammelt war, hauchten die Gespenster von Leid und Freud am hellen Tag aus halbdunklen Treppenhäusern durch die Haustore auf die Straße, duftete eine schon zersetzte Gegenwart wie die beginnende Gärung des Herbstlaubes und als wäre es nicht Februar, sondern spät im Oktober. Die Beschwernis des Lebens reichte bis dicht an die jungen Leiber der beiden Mädchen heran, und Licea fühlte, wie die noch verbleibende Randkluft sich verengte. Bald würde man fest umschlossen sein.

Auf dem blauen Einhorn oben an der Ecke lag ein winterliches Nachmittagslicht, ein charakterloses Licht, das hier überall grau sich verteilte, jedes Leuchtens unfähig.

Aber die Kaps fanden sie auf der Höhe der Situation. Sie umarmte beide Mädchen. „Jetzt haltet's euch bissel zu mir, Kinder", sagte sie. „Ihr müßt jetzt oft kommen zu der Kapsreiter. Sie hat ein Grillenhäuserl gebaut, ein Wunschhäuserl. Das hat sie nicht dürfen. Kommt's, jetzt gehn wir in sein Zimmer. Und das Schifferl und die Pfeile, das darf doch noch da bleiben, ja, Fräulein Licea?"

Die Angeredete vermochte nicht mehr zu antworten. Sie standen vor Krächzi's Kommode.

Die Katastrophe führte in der Folge zu einem häufigeren Kontakt mit der Kaps, und Licea empfand im Frühjahr bereits eine Art von Angesiedeltsein in dieser tief und donauwärts gelegenen Stadtgegend. Man ging abends zur Kaps, in der Dämmerung etwa. Die kleine abgeschirmte Lampe ward ein gewohnteres Ding, sie wurde nicht mehr auf den großen Kasten hinaufgestellt. Licea und Sylvia, ›der Falke‹, bemerkten einvernehmlich, daß bei der Kaps die Wiederholung volkstümlicher Redensarten und Ausrufe in bezug auf die nun einmal herabgepolterten Tatsachen fehlte. Sie wiederholte sich überhaupt nicht, mit Ausnahme ihrer in der allerersten Zeit geäußerten Vorwürfe gegen den mit Krächzi zusammen verunglückten Bruder, weil dieser den Buben stets überallhin mitgenommen hatte; aber auch das hörte auf. Sie sagte nur dann und wann Sachen von der Art, wie jenen Vergleich mit der Glocke, ›weil ihr der Boden herausgefallen sei‹.

Alles zusammen war aber geeignet, die Mädchen besorgt zu machen. ,,Am wichtigsten ist, daß man nicht versteint'', äußerte Frau Anna einmal, schon im Frühjahr. Genau das hatte Licea bei der Kaps allmählich zu spüren vermeint. Die Welt wurde sozusagen härter um diese Frau herum, sie gewann wohl Größe, aber sie verlor an Bildsamkeit. Beiden Freundinnen wäre es vielleicht lieber gewesen, die Kaps hätte sich in endlosen und stets wiederkehrenden Reden ergossen. Daß dies ganz und gar ausblieb, wirkte zuletzt unheimlich, ja fast gefährlich.

Sie gewöhnten sich an, dort unten herumzustreichen; die schmalgewordene Liechtensteinstraße entlang und zum Liechtenwerder Platz, der ihnen tatsächlich bis jetzt unbekannt geblieben war. Großstädter kennen ihre Heimat meist nur zu einem verhältnismäßig kleinen Teil. Neues kann stets betreten und entdeckt werden; seine Nachbarschaft ist unaufhörlich zu spüren. Den Großstädter kitzelt ständig eine auf die Gegenwart und räumliche Angrenzung gezielte Romantik, eine nervöse Romantik, möchte man sagen. Der Liechtenwerder Platz liegt am hohen Viadukt einer Gürtelbahn. Auch sieht man von dem kleinen Platze fernhin, ja, so weit der Blick nur reicht, über Bahnanlagen, alles ist gestriemt von Gleisen, an den Laderampen reihen sich dort drüben die rotbraunen Waggons schon ganz klein, Kohle liegt in Bergen, Rauch schwebt, Dampfballen werden ausgestoßen. Hier auf dem Platz noch drei grüne Bäumchen, aber von da ab ist es eine Kunstlandschaft (daß auch dort noch vereinzelte Bäume stehen, bemerkt man oft kaum, es geht nicht mehr recht in den Blick), begrenzt vom hohen Viadukte linker Hand, alles im Rauche, nur der frisch ausgestoßene Dampf da und dort bleibt durch Augenblicke noch dicht stehen und setzt einen weißen Fleck ins Grau und Schwarz. Jener Liechtenwerder Platz liegt über dem Güterbahnhof erhoben und bricht mit einer Art Altan gegen ihn ab. Von da schaut man hinab: es ist sozusagen der Blick in eine zutage liegende Unterwelt. Doch sieht man fast nie einen Menschen darin.

Sie gewöhnten sich ein, die Gegend umfing sie, es ging über den Anlaß hinaus, welchen die Kapsreiter bildete. Es wurden diese gestreckten oder verwinkelten Straßen und Gassen, es wurden diese hohen und neuen, oder uralten und winzigen Häuser für einige Zeit – ja, eigentlich nur für wenige Monate und Wochen – eine gewissermaßen selbständige Macht im Leben der beiden Mädchen, Jagdgründe, die umfingen, nicht weniger dicht als Busch und Au; doch wußte man freilich nicht, wonach hier das Jagen ging. Kein Zweck und Ziel band in diese Gassen, oder gängelte durch sie hin und her, die von Sylvia und Licea weit mehr in der Art einer Landschaft erlebt wurden, denn als ein Stadt-Teil. Vielleicht entsprach das Durcheinander-Geschobensein hier von Neu und Alt, Groß und Klein, Grad und Krumm, Weit und Eng zutiefst der wahren Verfassung damaliger Jugend.

So auch war man mit Licea nie ganz sicher vor plötzlichen Improvisationen und befremdlichen Sprüngen. Sie erklärte unvermittelt, daß sie einen Schnaps trinken müsse (und vielleicht sollte dieser sogar der erste ihres Lebens sein – er ist auch für lange dann der letzte geblieben). Sie erklärte dies vor Freud's Branntweinschank (‚Tee, Rum, Spirituosen‘). Man hätte aber, wenn solches schon unbedingt sein mußte, ohne Zweifel besser getan, die Kostprobe in einem anständigen Café zu machen, deren es gleich zwei in nächster Nähe gab, das eine hieß gar ‚Café Grillparzer‘ und das andere, kleinere, lag am Liechtenwerder Platz. Aber nein, es mußte der Freud sein.

Ein wohlmeinender Herr fand für gut, sich einzumischen und abzumahnen, als er die halbwüchsigen Mädchen eben im Begriffe fand, dort einzutreten. Er trug ein gepflegtes großes Antlitz, sorgfältig rasiert, mit blauen Augen darin, welche rasch einen kindlich schmachtenden Ausdruck anzunehmen vermochten, dazu einen blendend weißen Kragen mit genau in der Mitte sitzender, breit geschlungener Krawatte, einen hellen Überzieher, makellos, ebensolche helle Handschuhe, und scharfgebügelte, bis auf die Lack-Kappen der Schuhe vorfallende Beinkleider; diese Schuhe selbst wiesen eine damals ungewohnte breite Dreikantform mit abgesetzten Ecken. Die ganze Tragart des Herrn war sozusagen etwas hinter der Mode, jedoch solid.

„Verzeihen Sie", sagte er, „aber ich bin der Meinung, die jungen Damen sollten hier nicht eintreten."

Seine wohlmeinende Überlegenheit den beiden Halbwüchsigen gegenüber war zu gemacht, zu offenkundig gespielt, um die Mädchen zu treffen und ernstlich zu reizen. Obendrein sprach er nicht mit dem Akzent eines Wieners, sondern irgendwie ausländisch, und das ließ seinen ironischen Ton noch unechter und harmloser klingen. Und am Grunde seiner Rede, dort unten, wo der warme Baß herkam, lag dieselbe Gutmütigkeit versteckt, wie am Grunde seiner Augen.

Sylvia, der die Sache mit der Schnapsbude da unangenehm war, zögerte bereitwillig. Aber Licea hemmte den Eintritt nur für Augenblicke, indem sie sagte: „Sie hätten Kinderfrau werden sollen." Und schon hatte sie die Tür geöffnet.

Es war eine Türe mit Milchglasscheiben, deren unterer Teil durch zehn oder zwölf quergelegte kleine Messingstangen geschützt wurde. Man sah solche Türen dazumal auch auf Bahnhöfen oder in Postämtern.

„Dann bleibt mir nichts anderes übrig als mitzugehen; obwohl es mir augenblicklich nicht sehr gelegen kommt." Das letztere sagte er wie im Selbstgespräch.

Die hier fast obligatorische Antwort „Es zwingt Sie ja niemand dazu" blieb aus. Noch war die Sprache dieser Halbwüchsigen nicht jenes Fricassé geworden, das heute jeder im Munde dreht. Das Echte im Ton der letzten Bemerkung des fremden Herrn war übrigens zu hören gewesen – und damit auch wiederum das Falsche seiner früheren Redeweise – man konnte spüren, daß es ihm vielleicht wirklich jetzt nicht sehr gelegen kam, auf diese ungeschickten Mädchen aufzupassen, die ihm ein Zufall über den Weg geschickt hatte.

Übrigens schien er sie beide der Herkunft nach richtig zu orten; sein Ton klang dem völlig angemessen.

Der Raum, in welchen Licea als erste getreten war, hatte mit einem öffentlichen Schalterraum die Länge bei geringer Tiefe gemeinsam, ebenso den Geruch des geölten Fußbodens, und die Ungastlichkeit im ganzen. Gegen das Ölige schlug sich der auf andere Art ebenso dumpfe Aushauch von Spirituosen oder ihrer Reste. Der mit grauem Blech gedeckte Schanktisch durchzog statt der Schalterwand den Hintergrund des Lokales der Länge nach. Sessel und Tische waren nur wenige aufgestellt. Zunächst erblickten die Mädchen niemanden, der Raum schien leer. Dann kam von links hinter der Theke hervor ein junges Frauenzimmer mit großer schneeweißer Schürze.

Die Mädchen wandten sich nach rechts, wobei sie nur aus dem Augenwinkel jemand in der entferntesten Ecke, links hinten, sitzen sahen. Der fremde Herr, welcher mit Licea und Sylvia eingetreten war, schien ein wenig ratlos, er stand nur herum, machte keinen Vorschlag, wo man etwa Platz nehmen sollte, und sagte überhaupt nichts. So setzten sich denn die Mädchen an einen der kleinen fleckigen Tische, und ihr Begleiter tat schließlich das gleiche, ohne jedoch den Mantel abzulegen. Die Kellnerin war inzwischen herangetreten.

„Treberner, Jeržebinka, Stanislauer, Sliwowitz . . .", leierte sie als Antwort auf Licea's Frage nach Schnäpsen.

„Aber meine jungen Damen", sagte der fremde Herr leise, „Sie werden doch nicht wirklich hier anfangen Schnaps zu trinken. Nehmen Sie Tee mit Rum, wenn es schon sein muß."

Ihm wurde gar keine Antwort gegeben. Alsbald erschienen drei ‚Stanislauer' – ein rechtes Feuerwasser – von denen einer vor ihn hingestellt ward.

Die Mädchen nippten.

Der fremde Herr beroch den Schnaps und trank nicht.

Didi, die Ausschenkerin, war von dem Tische wieder zurückgetreten.

Sie blieb ein paar Schritte entfernt stehen und betrachtete die Drei ganz unverhohlen.

Die makellos weiße große Schürze war es, was irgendeine Art Schmutz bei ihr erst hervorhob und sichtbar machte. An sich war Anna Diwald, genannt Didi, ein hübsches dralles Weib von etwa siebenundzwanzig Jahren mit dichtem aber feinem dunklen Haar, rundem Gesicht und mit Augen – wie Herzkirschen, müßte man sagen, wären diese Augen nicht grünlich gewesen. Ihr Blick konnte sehr rasch aufbegehrend, ja wild werden, dann rollten die Augäpfel ganz gefährlich mitten im Kinderfett des Antlitzes, das von jenem eines Baby's so weit nicht entfernt schien, was die Entwicklungsstufe anlangt. . . . Übrigens waren ihre Lider etwas schräg geschnitten, es gab da eine Art Mongolenfalte; das sah man jedoch nur, wenn das Gesicht ganz ruhig blieb, wenn die Augen nicht hervortraten, aufbegehrten, in den Höhlen rollten.

Die makellos weiße Schürze war es vor allem, welche Didi's Gesicht fahl und grau erscheinen ließ. Es hatte die Haut dieses Antlitzes eine fühlbare Verwandtschaft mit den Wänden des Lokales, von denen man meinen mochte, daß der ölige Fuselgeruch zehn und mehr Zentimeter tief schon in sie eingedrungen sein mußte, in den vierzig Jahren, seit der alte Freud in diesen Räumen sein Geschäft betrieb. Und dem Vernehmen nach soll hier auch vorher schon eine Schnapsbudik gewesen sein. Man hatte bei Didi etwa die Empfindung, daß ihr kein Waschen mehr helfen konnte: daß der Schmutz nicht auf der Haut, nicht in der Haut, sondern unter der Haut steckte. Auch aus Freud's Branntweinschank, hätte man das Lokal ausgeräumt, abgekratzt, gekalkt, neu gestrichen, lange gelüftet und getrocknet, um es dann für andere Zwecke zu benützen, wäre der schmierige Geist des Ortes nicht mehr zu vertreiben gewesen. Er saß hinter den Wänden, wie bei Didi unter der Haut. Ganz zu schweigen von dem Hinterzimmer, das Didi mit dem alten Manne gemeinsam bewohnte.

Es verhielt sich mit diesen Lokalitäten hier analog wie etwa mit den Wiener Hausmeister-Wohnungen, aus welchen die bösartige und fast dämonisch-obstinate Ausdünstung der hier hausenden Menschenrasse – so weit da von einer solchen noch gesprochen werden darf – nie mehr vertrieben werden könnte, nicht mit Desinfektionen und Kalk und nicht mit Strömen heißer Seifenlauge: der Geruch einer geradezu furchtbaren Lebensgesinnung verharrt, sei's in den Wänden, sei's in der Luft, sei's meinetwegen jenseits alles Physikalischen überhaupt – als ein zum immer wieder umgehenden Gespenst entarteter genius loci. Deshalb bleiben derartige Höhlen auch stets ihrem ursprünglichen Zweck erhalten, und es würde in Wien jedermann mit Grausen sich weigern, in eine Hausmeister-Wohnung zu ziehen, es sei denn, er gehöre dieser Rasse selbst an oder stamme etwa von ihr ab.

Rückwärts gab es ein Zimmer und eine kleine Küche; beides wurde freilich auch zur Aufbewahrung von Vorräten für's Geschäft benützt: große gebauchte Glasballons, mit dem unteren Teil in Korbgeflechten steckend, für den Trinkspiritus, der sich mit Hilfe der sogenannten ‚Kompositionen' in jedes gewünschte

Getränk verwandeln ließ, in Rum, der mit Zuckerrohr, in Sliwowitz, der mit Pflaumen nichts gemein hatte, und so weiter in alles
Erdenkliche, das dann wirklich annähernd so schmeckte, wie es
sollte. Überall standen klebrige Trichter herum, sowie die zur
Mischung erforderlichen leeren oder halbvollen Gefäße. Es war
ein ganzes Laboratorium, nur ohne dessen Ordnung und Blank-
heit. Freud's Hausschuhe und ein Paar Hosenträger fanden sich
auf einer Werkbank, die auch eine Schraubenzwinge hatte, vereint neben zahllosen Flaschen, deren jede einen dunklen Ring
unter sich auf dem Holz ließ, wenn man sie aufhob. Hier, an der
Werkbank, den Henkel oder Träger stets mit der hindurchgeführ-
ten und fest geschlossenen Schraubenzwinge gesichert, hing auch
Didi's große zugesperrte Ledertasche, darin sie alle ihre Dokumente, Bilder, Briefe und ihre Ersparnisse aufzubewahren pflegte,
solchermaßen dieses Objekt an einem festen Platze und immer
unter den Augen habend, so daß es niemals gesucht werden
mußte. Den Schlüssel trug sie am Hals. Sie verließ übrigens nie
ohne die Tasche das Haus.

Es gab in der Mitte eine elektrische Lampe, sogar eine Art
Lüster im sezessionistischen Stil, aus einer früheren Wohnung
des Alten, der vielleicht einst bessere Zeiten gesehen; so ging's
wenigstens hervor aus gelegentlichem Gebrabbel. Freud war ein
guter alter Hebräer und kein unfrommer Mensch. Jedoch nahm
der Greisenblödsinn bei ihm schon überhand. Mit dem jungen
Weibe wohnend, das in seiner Gegenwart sich keinerlei Zwang
antat, zuckte bei ihm das Lämpchen wohl noch auf; aber kein
Öl war mehr da, es zu nähren. Didi nahm diese Sache durchaus
von der komischen Seite, und sie wäre dem alten Freud ohne
weiteres zu Willen gewesen. Da er eines solchen Willens aber
nicht mehr sein konnte, half sie ihm mit kleinen Diensten um
den kalten Brei seiner Schwäche herum und noch zu einigem
Vergnügen. Man darf sich übrigens das alles nicht so furchtbar
ernst und düster vorstellen: die beiden wußten es ja nicht, wie
elend und unappetitlich sie waren.

Während Didi noch immer ganz ungehindert ihre Gäste be-
trachtete – der fremde Herr sah mit hängender Nase und dem
Ausdruck eines dummbeleidigten Frauenzimmers auf den Tisch,
Licea stach justament einen kühnen Blick in die Luft, und Sylvia
schaute auf Licea – während dieser stummen Szene, die samt der
Anna Diwald eigentlich in ein Wachsfigurenkabinett gehört

hätte, rührte sich etwas ganz links rückwärts und gleichsam in einer Höhlung, die dort durch das Ende des Schanktisches und seiner Aufbauten, sowie durch ein breit vorkragendes Bord mit Gläsern gebildet wurde. Nun kroch's hervor und regte weich die Gelenke, ganz lautlos, so daß weder Didi, noch die drei am Tische das Herankommen des Wesens bemerkten. Es war Meisgeier, genannt der Geierschnabel.

Dieses Geschöpf mochte nicht viel mehr als einen halben Doppelzentner, also fünfzig Kilo oder hundert Pfund wiegen; die schleichende Art der Fortbewegung schien für es zweckmäßig zu sein, wie es denn überhaupt im ganzen einen wohlorganisierten Eindruck machte, wenn auch auf einer tiefen Stufe in der Reihe der Lebewesen. So war zum Beispiel vom Gesicht nichts Überflüssiges vorhanden, nichts was als Weichheit oder schwammiger Schwindel den ganz eindeutigen Bau dieses Kopfes und Antlitzes verwischt hätte, gleichsam ein ‚Schwammdrüber‘, wenn man sich vom ersten Schrecken erholt hatte. Oh nein! Hier war alles sauber reduziert. Nichts was für die Funktion der Kriminalität etwa nicht unbedingt erforderlich gewesen wäre, schummerte über den scharfen Rand dieses Gesichtes, das im wesentlichen aus einer ungeheuren, schnabelartigen Nase bestand, der unten das Kinn ähnlich entgegen wuchs. Das Auge jedoch – es waren zwei wohlausgebildete Augen vorhanden – gehörte zweifellos einer höheren Klasse von Lebewesen an als jene war, in welcher dieser Organismus ansonsten stand. Das Auge war verhältnismäßig überorganisiert, sehr hell, groß geöffnet und feucht geschlitzt. Das Auge war furchtbar. Es machte aus dem primitiven Geschöpf fast eine Art Teufelszeug.

Der Geierschnabel glitt jetzt an Didi vorbei, die offensichtlich erschrak – es war so, als wäre er lautlos durch die Luft geschwommen oder geschwebt! – und nun schnellte er einen langen Arm gegen den fremden Herrn am Tische vor und sagte, mit einer Aussprache, die keineswegs im Wiener Dialekt ganz befangen war:

„Du bist am 30. Jänner in Schattendorf gewesen. Du hast die Roten zum Bahnhof geschickt, du hast ihnen gesagt, daß dort der Oberstleutnant Hiltl erwartet wird. Du warst im Gasthaus Moser.“

Der fremde Herr sah auf. Er bewies dem Phänomen gegenüber, das wie aus einem unversehens aufgesprungenen Türchen hervorbleckte, bemerkenswerte Fassung und Sicherheit: beides war, wohl möglich, sogar echt. Immerhin, der kühle und förmliche Ton, in welchem er antwortete, war doch ebenso erlernt und erborgt (aus der Maskenverleih-Anstalt für korrektes Benehmen) wie jene wohlmeinende Überlegenheit, als er die beiden Halbwüchsigen vor der Türe von Freud's Branntweinschank angetroffen hatte.

Er sagte:

,,Was wünschen Sie eigentlich von mir?"

,,Nichts da, nichts da! Stell' dich nicht dumm. Ich kenne dich."

Didi griff nicht ein. Allerdings wünschte sie Ruhe im Lokal hier, keine Belästigung von Gästen. Jedoch wurde sie zugleich heftig von der Neugier ergriffen: zu sehen nämlich, wie sich dieser fremde Herr jetzt verhalten würde. Auch wäre es für sie kaum möglich gewesen, noch rechtzeitig zwischen die beiden Mannsbilder zu treten, nachdem Meisgeier nun einmal an ihr vorbeigeglitten war; er kam dem am Tische Sitzenden immer näher. Sylvia's Augen waren vor Entsetzen aufgerissen. Licea hatte sich halb umgewandt. Sie schaute mutig drein.

,,Ich ersuche Sie, mich augenblicklich in Ruhe zu lassen. Auch haben Sie mich nicht zu duzen", sagte der Fremde ruhig zu Meisgeier, und blieb sitzen. Dieser letztere Umstand war es wohl, der den Geierschnabel auf einer Distanz von nicht ganz zwei Metern vom Tische festhielt, obgleich er vielleicht besser getan hätte, jetzt schon loszugehen, da der Gegner ja erst aufstehen mußte; aber die unbekümmerte Art, in welcher dieser sich verhielt, vor dem Tische saß und sich beim Sprechen nicht einmal herwandte, drückte den Angreifer noch für Sekunden zurück.

,,Halt dein Maul und kusch, du Lump", sagte Meisgeier dann, und jetzt war er heran. Sylvia schrie auf. Der Fremde, der sich so leicht und schnell erhoben hatte, wie ein Gummiball springt, sah auf Meisgeiers linke Hand und nicht auf die rechte Faust, die einen Kinnhaken finten wollte: und dieser glückliche Umstand ließ ihn die Messerspitze sehen, welche aber zwischen Daumen und Zeigefinger der Linken nur etwa einen Zoll hervorstand. In einem jener Augenblicke, die im höchsten Grade hinzugegeben sind zum übrigen Leben, die nicht erübt werden können, die man vorher nie erreicht hat und nachher nicht mehr versteht, als wäre da eben ,etwas in einen gefahren', wie man ja auch zu sagen pflegt – in einem jener aus dem tiefsten Grundgeflechte kommenden Sekunden-Bruchteile unseres Lebens, die eine äußerste Tüchtigkeit entbinden und ein kaum glaubliches Zusammenspiel des Sensoriums mit der Muskulatur: in einem solchen gnädigen Zustand einer halben Sekunde landete der Herr im hellen Mantel einen geraden Stoß mit gut auftreffender Handkante und voller Wucht in des Geierschnabels Solarplexus, wodurch sogar der tief angesetzte gefintete Kinnhaken abgefangen war, der Messerstoß gegen den Bauch aber nicht mehr zum Sitzen kam (später zeigte sich übrigens am hellen Mantel ein Riß). Geierschnabel, der um gut zwanzig Kilogramm leichter sein mochte, flog zurück, weit, sogar an Didi vorbei; nun aber konnte man sehen, was dies für ein geradezu grauenhaft zähes Wesen war. Jeder im Faustkampf Erfahrene wird bestätigen, daß ein voll sitzender gerader Stoß auf das Sonnengeflecht, noch dazu ohne Handschuh, einen starken Mann zu Boden bringen kann. Nicht so den Meisgeier. Er geriet zwar durch sein Taumeln weit nach rückwärts, noch hinter Didi. Aber er rang mit Erfolg um das Gleichgewicht und blieb auf den Beinen; leicht vorgebeugt suchte er vor allem wieder Luft zu kriegen; und schon versammelte er sich neuerlich, die großen hellen Augen auf den Gegner gerichtet. Dieser kleine Mann war ein wirklicher Kämpfer, der nicht zusammenbrach, der, auch schwer getroffen, doch keineswegs aufgab. Nicht einmal das Messer war ihm entfallen. Der Herr im hellen Mantel erkannte das alles sofort, und in einem gleich auch die zweifellose Überlegenheit des kleinen Kerls ihm gegenüber; deshalb sprang er alsbald auf Meisgeier zu, um diesen durch einen Kinnhaken rasch auf den Boden zu bringen, bevor er sich noch erholt hatte. Jedoch da vertrat ihm Anna Diwald den Weg. Der Herr blieb stehen. Er drängte nicht an ihr vorbei. Er war ja nicht eigentlich im Zorn, sondern wollte sich aus einer blitzschnellen aber klaren Überlegung – man könnte es auch eine Eingebung nennen – auf Meisgeier stürzen. Und nun stand er vor Didi. Und hinter ihr hatte der Geierschnabel wieder Luft geschnappt. Sie aber wandte sich ohne Eile nach diesem um, hob langsam den Arm, zeigte in die Ecke, in die Höhle, aus welcher das Wesen zuerst hervorgekrochen war, und sagte nichts als: „Marsch. Ich will die Höh (Polizei) nicht hier haben. Oder du sitzt mir gut fünf Jahr' im Häfen (Gefängnis)."

Langsam zog sich der Meisgeier zurück, woher er gekommen war.

„Sie zahlen und gehn", sagte Didi kurz zu dem Herrn im hellen Mantel und betrachtete ihn nicht ohne Achtung.

So kam man aus dem ganzen heraus und wieder auf die Straße. Es schien indessen der fremde Herr aus dem Abschluß dieser Affäre – welche er doch in Gegenwart zweier junger Damen immerhin recht gut bestanden hatte – wenig Befriedigung zu ziehen. Gerade das paßte aber zu ihm in keiner Weise; und ein feines Gefühl, wie das Licea's, zeigte ihr das auch an. Er hatte was; es war ihm was über die Leber gekrochen; das vorhin bestandene Abenteuer konnte es gar nicht sein. Vielleicht kannte er diesen Schreckensmenschen da drinnen besser als er sich hatte anmerken lassen, und wurde auch wirklich von ihm gekannt. Das alles ging durch Liceas junges und gespanntes Gehirn, dem noch die einzige wirkliche und wirksame Intelligenz eignete: die der Jugend nämlich, mit ihrem Dufte des Denkens, einem frischen Apfel vergleichbar, den noch kein Wurm gestochen. Sie stand schließlich in diesen Sekunden bewußt und klar von der ganzen Sache ab: hier waren Bedeutungen, die sie nicht fassen, und Unüberblickbarkeiten, die sie nicht meistern konnte.

Das Gesicht des fremden Herrn sah jetzt sehr groß und grau aus und schien mit seiner Oberfläche angestrengt irgendeine unbekannte Verzweiflung zu überspannen, die darunter umher irrte. Er sagte endlich:

„Nun sehen Sie, meine jungen Damen, ich war gleich der Meinung, daß Sie hier nicht eintreten sollten."

„Und wenn Sie uns ruhig hätten eintreten lassen, ohne mitzugehen, dann wäre wahrscheinlich nicht das geringste passiert", antwortete Licea.

Sie wollte ihn geradezu herausfordern, aus einem gleichsam wissenschaftlichen Interesse. Jedoch, er schien wirklich sehr übel daran zu sein, denn er ließ diesen Pfeil ruhig stecken und sagte nur:

„Da könnten Sie wohl recht haben, mein gnädiges Fräulein. Indessen ist leider meine Zeit abgelaufen, und ich bitte die Damen, mich empfehlen zu dürfen."

Er reichte Licea und Sylvia mit je einer knappen Verbeugung die Hand, lüftete dabei den grauen Hut, setzte ihn ganz gerade und genau in der Mitte wieder auf und ging. Die Mädchen sahen ihm durch Augenblicke nach, und beiden wurde es bewußt, daß sein Gang – aber vielleicht nur eben jetzt? – keineswegs der eines behenden und sportlichen Menschen war, als welchen er sich doch wahrlich ausreichend erwiesen hatte, und keineswegs elegant; vielmehr war dieser Schritt dem eines alten und eher plumpen Mannes ähnlich, der mit gesenktem Kopfe dahingeht.

Die Anabasis

Es dämmerte kaum. Aus Freud's Laden hätte man erwartet auf eine dunkle Straße zu treten, denn dort drinnen brannte immer das Licht, auch am Vormittag.

Doch war es noch hell. Imre von Gyurkicz ging in der Richtung gegen Heiligenstadt die Liechtensteinstraße entlang, dort, wo sie keine Trambahngeleise mehr hat. Er ging ungeschickt. Fast schleppte er sich. Er stieß mit dem Schuh gegen eine etwas vorstehende Stelle des Granitpflasters, und ein paar Schritte weiter stockte er und stolperte beinahe, diesmal aber ohne jeden äußeren Anlaß; er hatte den Fuß nicht richtig aufgesetzt, vielmehr so, als wollte er jetzt eine Treppe hinabsteigen; so prellte er mit der Sohle gegen den Stein. Aus seinen Gliedern war jede Erleuchtung, jedes mühelose Zusammenspiel verschwunden. Er war nicht sechsundzwanzigjährig. Er war alt und ungeschickt, alt und unglücklich; weit, weit älter, als er sich selbst anzugeben liebte; wenn man seine Erzählungen aus dem Kriege hörte – Imre's bevorzugtes Thema, wie man sich wohl erinnert – so ging aus jenen hervor, daß er sehr bald Offizier geworden sei. Nun hatte es Höpfner, der Werbedichter, einmal übernommen, einen Vertrag zustande zu bringen, der für Imre laufende Lieferungen von Plakatentwürfen bedeuten sollte. Höpfner war damals Reklamechef eines großen Transportunternehmens. Aus irgendeinem Grunde benötigte er im Zuge der Sache für seine Firma Imre's Personalpapiere, und bekam sie auch. Nachdem alles erledigt war, sagte Höpfner dem Imre von Gyurkicz beiläufig und lachend, als er ihm die Dokumente zurückgab: ,,Mit zwölf Jahren eingerückt, mit vierzehn Jahren Oberleutnant – Imre, ich gratuliere!'' Gyurkicz äußerte bei dieser Gelegenheit eigentlich nichts zur Sache, höchstens etwa ,,das verstehst du nicht, mein Lieber, auch ist mir das Ganze jetzt zu kompliziert zum Erklären.'' Aber da Höpfner gar nicht bei diesem Thema sich aufhielt, so war alles gleich wieder vorbei, und man sprach von etwas anderem. Höpfners beinahe unbegrenzte Liberalität hing damit zusammen, daß er gewissermaßen ein Mann ohne Mittelpunkt war und daher an der Peripherie die Personen und Sachen hinzunehmen pflegte, wie sie eben kamen; und da er auf keinen Mittelpunkt im eigenen Wesen Bezug nahm, so fiel ihm solches freilich leicht: profunde Sympathien und Antipathien waren ihm fremd. Er nahm jeden, wie der eben war: als ein Philosoph, der vom durchaus deutlich erfahrenen Bilde des Lebens keinen Gebrauch machen konnte, mangels eines Standpunkts. Das ist vielleicht für einen Reklamechef die eigentlich angemessene Personsverfassung; denn wer andauernd bestrebt sein muß, bei anderen Menschen bestimmte Eindrücke zu erwecken und zu verankern, der würde nur dabei gestört, wenn er selbst etwas zum Ausdruck bringen wollte. Aller Propaganda eignet Feilheit; ihr ist der einzelne nichts, da sei er wer er sei, und alle Welt alles, da sei sie wie sie sei: auf jeden Fall werden die Mittel ihr angepaßt. So auch wurde Gyurkicz bei Höpfner auf die sozusagen allerleichteste Achsel genommen. Dabei mochte er den Ungarn gern, und war mit ihm gut Freund. Ganz am Rande hatte er's nicht übersehen – und das war wohl auch kaum möglich – daß die Papiere Imre's gar nicht auf den Namen Gyurkicz lauteten, sondern auf den seines angeblichen Stiefvaters, der freilich ganz anders hieß, nämlich Friedmann. Aber Robert Höpfner machte auch von diesem seltsamen Zug im Bilde eines Lebens keinen weiter verarbeitenden Gebrauch. Es hatte da einmal irgendeine komplizierte Erklärung des erwähnten Sachverhaltes von seiten Imre's gegeben: er sei zuerst im Auftrage des späteren Reichsverwesers Horthy, als dieser noch in Rumänien weilte – im einstmals ungarischen Temesvar, das jetzt abwechslungshalber Timisoara hieß – zu Budapest als Spion in die rote Garde getreten, danach jedoch, und nach der Niederwerfung des Regimes Béla Kuns, mit dem gleichen Signalement als Agent der ‚Erwachenden Ungarn‘ in's Ausland geschickt worden. Als er aber aus diesem Geheimdienst auszuscheiden Miene gemacht habe, wäre der Oberleutnant Imre von Gyurkicz glatt fallengelassen worden und nie mehr zu seinen echten Dokumenten gelangt ...

Wie immer, es blieb das alles bei Höpfner auf der leichtesten Achsel liegen. Von den ‚Unsrigen‘ war er der einzige, welcher sich dem Falle gegenüber angemessen verhielt, ihn weder so noch so umfälschte, weder in's Positive noch in's Negative ihn vergrößernd: vielmehr beließ er die Sache bei ihrem sehr geringen spezifischen Gewicht, welches zugleich das eigentlich Bezeichnende an ihr war. Denn Imre lebte sich leicht; wenn auch vielleicht gerade jetzt nicht; nach dem zweiten Stolpern in der Liechtensteinstraße, dort wo sie keine Straßenbahn mehr hat.

Als Imre wieder in's Gleichgewicht gekommen war, nach ungeschickten Augenblicken (sie kränken tiefer als man meint), gerade da fiel ihm jene beiläufige Bemerkung Höpfners ein, mit den zwölf und den vierzehn Jahren, und so wenig ihn damals dies unter vier Augen Gesagte sonderlich getroffen hatte, so sehr traf es ihn jetzt, wo er allein vor sich hinging.

Denn er befand sich auch im übertragenen Sinne auf einer Art von Weg, und in einem ebensolchen Sinne auch war er übersiedelt, und nicht nur räumlich, vom zweiten in den neunzehnten Wiener Gemeindebezirk; nein, er hatte da wirklich ,über den Berg' gelangen wollen, und nicht nur über die Anhöhe, welche man die ,Hohe Warte' nennt. Die Praterstraße, wo er zuletzt mit seiner Freundin – sie galt jedoch damals als seine Frau – gelebt, die Pratergegend überhaupt: sie schien ihm merkwürdigerweise der Budapester Vergangenheit näher zu liegen. Bis zur Donau war's nicht gar weit. Die ebene Aulandschaft zog mit dem Strome, sie zog ihm gleichsam nach. Alles bezog sich da auf die fließenden Wassermassen, und diese leiteten immer wieder und mit einer Art von Sog zurück zu den Budapester Zeiten, als man mit anderen Herren der damaligen Situation, mehr oder weniger in Phantasie-Uniformen gekleidet, die Andrássy út entlangstolziert war (freilich dürfte diese breite Straße unter dem Béla Kun kaum so genannt worden sein).

Jetzt also erschien dem Imre von Gyurkicz die erwähnte Bemerkung Höpfners als außerordentlich taktlos und verletzend. Sie brannte wie eine auf die Haut getropfte Säure. ,,Ich bin schließlich kein Hochstapler und bringe mich mit ehrlicher Arbeit durch. Jugendtorheiten macht jeder. Unter meinen Vorfahren sind wirklich Adelige. Der Alte kann gar nicht mein Vater sein. Man braucht ihn nur anschauen. Die Mutter verbirgt mir die Wahrheit, das ist begreiflich. Es gibt mehr Menschen, deren Personaldaten nur auf dem Papiere stehen."

So dachte er jetzt im Gehen. Er dachte ungefähr dasjenige, was er zu seiner Verteidigung auch einem anderen hätte sagen können, etwa dem Robert Höpfner, wenn das Gespräch damals bei diesem Punkte ausführlicher geworden wäre. Vielleicht hätte Imre dann auch die schon erzählte Geschichte vom Verlust seiner Dokumente vorgebracht. Er dachte also nichts anderes, als was er auch hätte vorbringen können oder schon vorgebracht hatte; die anderen waren bei seinem Denken dabei, das gewissermaßen vor Zeugen ablief. Imre griff nicht tiefer und darunter. Paul Valéry sagt, es gäbe nichts billigeres und gemeineres, als im Gespräche mit sich selbst Argumente zu gebrauchen, die man auch anderen gegenüber anwenden würde. Das traf hier zu, und wir müssen es auf Imre von Gyurkicz sitzen lassen.

Aber ein solches Denken brachte ihm keinen Trost. Es schuf keine Mitte, auf die er hätte vor dem allseitigen Andrang zurückweichen können, so wie man auf sehr belebten Straßenkreuzungen – etwa gar dann, wenn man als Fußgänger der Verkehrsregelung nicht gefolgt ist! – auf eine der sogenannten ‚Rettungs-Inseln‘ sich flüchten kann, die es in Großstädten mit stellenweise übermäßig breiten Fahrbahnen gibt, etwa in Paris oder Wien, meist um irgendeinen Lichtmast herum. Ein solcher fehlte jetzt dem Gyurkicz Imre schon ganz und gar. Es gab über dem Meer der Trübnis, das ihn augenblicklich umfing und ganz befangen machte, keinen Leuchtturm, kein Blinkfeuer.

Im Gegenteil: neue Wogen zeigten sich ihm jetzt, und vielleicht nun erst, ganz ohne Leuchtturm, im rechten Lichte. Er war vor gar nicht langer Zeit zusammen mit der ‚Dichterin‘ Rose Malik – deren frecher stupsnasiger Gesichtsausdruck ihm herzlich zuwider war, aber es hieß sich da vertragen, sie gehörte mit dazu! – und dem Redakteur Holder in der Johann-Strauß-Gasse zum Essen eingeladen gewesen. Levielle pflegte dann und wann ‚begabte Jugend‘ in dieser Weise auszuzeichnen (wir kennen das von dem Dr. Neuberg her). Und dort hatte es plötzlich eine ganz beiläufige Frage des Kammerrates bezüglich der ‚Unsrigen‘ gegeben – merkwürdigerweise empfand Imre jetzt einen nicht geringen Ärger beim Denken des Ausdruckes ‚Die Unsrigen‘ – welche den ‚hochbegabten jungen Presse-Zeichner‘ gänzlich unvorbereitet antraf, und eine harmlose, ja beinah vierfüßig zu nennende Antwort bei ihm hervorrief, etwa „ja, ja, der Rittmeister Eulenfeld und der Schlaggenberg, das sind sehr originelle, nette Burschen". Obendrein vermeinte er sogar seine Zunge richtig zu führen, denn um diese Zeit war

– zuerst durch ein Gebrabbel des Rittmeisters! – schon etwas zu
ihm durchgesickert von der kammerrätlichen Protektion, die
Kajetan neuestens genoß. Zudem: er wollte ja Quapp's Bruder,
den er, trotz der ‚Unsrigen‘, eigentlich gerne mochte, nicht
hier bei dem Kammerrate schädigen, etwa durch eine zurück-
haltende, kühle oder skeptische Äußerung; gleich danach aber
merkte er – und zwar in den Mienen Holders und der Rosi! –
daß offenbar gerade dies erforderlich gewesen wäre; ja, mehr als
das: daß er auf diesen Gegenstand geradezu hätte vorbereitet
sein müssen. „Sie kommen viel mit den Leuten zusammen?"
sagte Levielle, aber nur als rhetorische Frage, die keine Antwort
erwartet, ja beinahe als Feststellung, die gar keine Antwort oder
Berichtigung mehr zuläßt. Und Imre, der nunmehr eine solche
Korrektur hintnach noch anzubringen sich respektvoll bemühte,
glitt glatt von dem Kammerrate ab, der ihn gar nicht mehr hörte,
sondern die ‚Dichterin‘ nach der Höhe der Tantiemisierung
ihres Stückes ‚Kapitän Strichpunkt‘ befragte, welches, wohl
einem bestehenden dringenden Bedürfnisse entsprechend, zur
Zeit in Szene gehen sollte. Die Eröffnung des leidigen Themas
aber war durch Levielle mit dem Satze erfolgt: „Sie leben dort
draußen in Döbling in einer Art Künstlerkolonie, ich meine, in
einem solchen Kreise . . .?"
     Eine andere Erscheinung trat gleichzeitig oder kurz danach
auf – Gyurkicz war augenblicklich zu müde, um festzustellen,
wann das eigentlich begonnen hatte, und bei dem bloßen Versuch, den ungefähren Zeitpunkt in seiner Erinnerung zu ergraben, wurde er schon unwillig; jedenfalls war es mehrere
Wochen nach seiner Übersiedlung gewesen: er zeichnete nun
seit Jahr und Tag allwöchentlich das Titelblatt einer damals beliebten Wiener satirischen Wochenschrift, die ein klassisches
Zitat im Namensschilde führte. Sie erschien beim Allianz-
Konzern. Imre pflegte an den Redaktionskonferenzen teilzunehmen. Das Titelblatt blieb immer zu seiner Verfügung, es
war eine Art Gewohnheitsrecht. Dieses regelmäßige Erscheinen
an der gleichen Stelle hatte nicht wenig dazu beigetragen,
Imre's Namen als Zeichner bekanntzumachen und einzuprägen.
In einer der Redaktionskonferenzen nun, als Imre eben an der
Reihe gewesen war, seine Vorschläge für die Titelzeichnung zu
machen, fiel ihm eine ehemalige ‚Larve‘ ins Wort, noch dazu
jene mit dem Spitzbart, von der vielleicht noch im Gedächtnis

des Lesers ist, daß es ihr nach Jahren der Bestrebtheit gelungen war, sich in die Nährsubstanz fest einzubohren: sie erinnerte jetzt, an den Chef des Witzblattes gewandt, daran, daß ja diesmal die Titelseite der junge Weilguny machen sollte; und damit wußte Imre auch, wer jener im Hintergrund anwesende Jüngling sei, der hier zum erstenmal erschien, sich ihm aber nicht vorgestellt hatte. Herr Weilguny nahm denn alsbald das Wort und erstattete seine Vorschläge.

Neben ihm tauchten in den nächsten Wochen dann und wann noch andere auf; und von da ab zeichnete Imre nur mehr jede zweite oder dritte Titelseite; oder es rückten die von ihm gelieferten Blätter einfach ins Innere der betreffenden Nummer, und unter dem Titel erschien ein anderer Zeichner. Dagegen ließ sich nichts sagen. Abwechslung mußte sein. Der Chefredakteur bedachte Imre mit Freundlichkeiten, und befragte ihn auch bezüglich seiner Meinung über die jungen nachrückenden Talente, denen man ,Raum geben müsse', und ob es nicht sehr richtig sei, dies zu tun? Imre bejahte durchaus. Den Weilguny hatte er einmal im Treppenhaus mit Levielle gesehen, als dieser aus den Büro's der Wangstein und Oplatek herabgestiegen kam. In den Redaktionen der Blätter sah man übrigens den Kammerrat nie. Er besuchte, wenn auch sehr selten, nur die Verwaltung. Weilguny stieg dann unten mit Levielle in dessen Wagen.

Dies alles nun war freilich noch nicht greifbar und deutlich, denn das Honorar für Imre's Zeichnungen hielt sich in der gleichen Höhe, ob sie nun im Titel oder weiter rückwärts in der betreffenden Nummer erschienen. Bedenklich blieb hier zuletzt nur das Benehmen des Herrn Weilguny, der es auch weiterhin nicht für erforderlich hielt, sich mit Gyurkicz bekanntzumachen; allerdings erschien Weilguny keineswegs bei jeder Wochenkonferenz; dafür erschienen jetzt häufiger von ihm Zeichnungen in anderen Blättern des Konzernes.

Fast gleichzeitig blieb einiges von dem, was Imre abgeliefert hatte – seine Tätigkeit als Presse-Zeichner beschränkte sich freilich auch nicht auf jenes eine Witzblatt mit dem klassischen Namen – durch längere Zeit liegen. Und ganz zuletzt geschah es erstmalig, daß eine Nummer der satirischen Wochenschrift ohne jeden größeren oder kleineren Beitrag von Imre herauskam.

Nun standen die Sachen eindeutig alarmierend.

Der Rückgang seiner Einnahmen war bereits fühlbar geworden.

Aus solchen Gründen also versuchte Imre in letzter Zeit das Zeitungsgewerbe zu verlassen – obwohl hier seine vordringlichsten Talente lagen! – und mit solchen Bestrebungen hing auch jene Sache bei der Transportfirma zusammen, in der Höpfner sich befand, der dann im Zuge dieser Angelegenheit Imre's Papiere zu sehen bekam, was zu der schon erwähnten Bemerkung führte, die Imre erst viele Wochen später eigentlich traf, nämlich jetzt und hier in der Liechtensteinstraße. Es war inzwischen dunkel geworden. Die Gaskandelaber brannten. Auf der anderen Straßenseite zeigte sich ein ganz kleines Haus, das gut 200 Jahre alt sein mochte. Es war frisch getüncht und trug die Aufschrift ‚Hotel'. Imre, über die Straße blickend, sah das an, ohne es aufzufassen. Er war stehengeblieben. Wohl, die Sache mit Höpfner war in's Geleise gekommen. Er hatte Plakate geliefert und lieferte sie weiter. Er bemühte sich sehr um diese Entwürfe und man war zufrieden mit ihnen und bezahlte sie. Aber das blieb für sich allein ganz ungenügend. Und weiter zeigte sich zunächst nichts. Imre war als Presse-Zeichner bekannt, nicht als ‚Gebrauchsgraphiker' (wie man das späterhin genannt hat). Ja, es drückte ihn förmlich zurück zur Allianz.

Dabei hatte er die donau-nahe Praterstraße dort unten, seine gewesene Geliebte Anita, und manchen früheren Umgang nicht ohne tiefere Hoffnung verlassen, als er sich mit Quapp vereinigte: in ihr erblickte er eine junge Dame aus gutem, ja, einst großem Hause, und in ihrem Bruder eine analoge Charge (keinen Schriftsteller). Es war, als würde ihm ein Tau zugeworfen, als zöge man ihn an Bord. Und er fühlte sich wohl unter dieser Besatzung. Aber das Schiff fuhr einen anderen Kurs als den vermeintlichen, mochten da auch ein Herr von Eulenfeld mit dabei sein und ein Herr René von Stangeler. Nun gut, die bolschewikischen Auslassungen dieses jungen Herrn kränkten Imre wenig. Er billigte ihm derlei Spleens gerne zu. Aber Quapp – er nannte sie ‚Lo' – mit welcher er bald, in einem Kahne sitzend, vom großen Schiffe der ‚Unsrigen' wieder abzustoßen trachtete: sie erzwang einen Kurs, den er wahrlich nicht meinte.

Denn in ihm war ein ehrlicher Wille nach Solidität und Ordnung (das sagte er jetzt auch argumentierend zu sich selbst, obwohl eigentlich nur wir so etwas über ihn sagen dürfen). Er war kein Hochstapler; und das mit seiner ‚ehrlichen Arbeit, mit welcher er sich durchbrachte', es stimmte, es traf ganz zu. Er wollte wirklich ein Imre Gyurkicz von Faddy und Hátfaludy werden (glücklich, im magyarologischen Sinne, war der Name nicht eben gewählt). Hierin lag das eigentliche Geheimnis seiner Existenz (sein ἡγεμονικόν, hätte ein stoischer Philosoph gesagt). Er wollte durchaus korrekt, honorig, schneidig, bescheiden-distinguiert werden. Und – zum Teufel! – er war es ja eigentlich längst. Manchmal schlug die Solidität schon über die Stränge. Um – besonders als Modezeichner, und hier lag eine große Chance für Imre! – stets up to date zu sein, setzte er sich wöchentlich zweimal nach Tisch in ein anständiges Café, und studierte, mit Brillen auf der Nase, alle einschlägigen Journale durch und ganze Stöße von ,Illustrierten'. Sein Notizblock lag daneben. Er arbeitete eifrig und schnell, nach der Uhr.

Eine Stunde und Minute waren festgesetzt für das Wieder-aufnehmen seiner Arbeit im Atelier; und bis neun Uhr abends hatte eine Zeichnung für die satirische Wochenschrift fertig vorzuliegen.

Was will man mehr?

Morgens stand er früh auf.

Nur Lo verschlang viel Zeit. Ihre endlosen Erörterungen; ihre Unpünktlichkeit ohne Grenzen.

Es war kein eigentliches Atelier mehr, darin er jetzt arbeitete. Nicht wie einst in der Praterstraße, viele Stockwerke hoch über ihrem Lärme, von welchem man dort oben auch bei geöffneten Klappfenstern wenig empfunden hatte; und hinabsehen konnte man gar nicht, die schräg zurückgeneigte hohe Glaswand verhinderte es. Ja, es kam vor, daß Imre, so sehr er getrachtet hatte, ,über den Berg' zu gelangen, nach jenem Raum noch eine Art Sehnsucht empfinden konnte, wie nach einer unbeschwerteren Welt, die nicht prüfte, keine Beweise verlangte, eigentlich kein Ziel kannte, und also auch keine Durchkreuzungen eines Weges. Anita und er waren längst in jeder Weise ihre eigenen Wege gegangen, ohne sich gegenseitig zu behindern, ja, ohne Beobachtung des anderen oder überhaupt Kenntnisnahme von seinem Tun. Er hatte reichlich genug verdient, für sich, und Anita ebenso, durch eine jener Beschäftigungen, mit welchen sich schon damals weiblicher Müßiggang nicht ohne Anmut an der Peripherie der Künste anzusiedeln pflegte, und in jedem Fall ertragreicher als das im Zentrum wäre möglich gewesen: sie modellierten was, sie entwarfen was, sie schrieben was oder sie vertrieben von anderen Geschriebenes, und schrieben noch am Rand was dazu, vor allem aber: sie tanzten was, sie lehrten Gymnastik und Rhythmik, es entstanden Tanzschöpfungen und mancherlei blühendes Kunstgewerbe. Kurz, sie waren immerhin Intellektuelle. Wer von ihnen über besondere Protektion verfügte, war ‚sozial tätig‘ (damals begann’s) und befürsorgte irgendwen oder was, in fixer Stellung. Anita, für ihr Teil, turnte, lehrte Gymnastik, tanzte (eine ihrer Schöpfungen war auf Johann Sebastian Bachs Solo-Sonaten für Violine aufgebaut), und obendrein modellierte sie, übrigens auch porno-plastisch.

Jetzt also war es kein eigentliches Atelier mehr, in welchem Imre arbeitete; sondern ein Gartenzimmer in einem schmalen zweistöckigen Hause, das von der Straße hinter eine kleine Rasenfläche zurücktrat. Imre’s Zimmer aber sah nicht auf die Straße. Es war ganz vom Grün großer Baumwipfel durchflossen, welche die Aussicht vom breiten Fenster schon in nächster Nähe schlossen. Es war dieses Zimmer ein tief zurückgezogenes, von lichter und dichter Stille beherrscht, und vom durch die Baumkronen gefilterten Licht mit einer Art klarer Unterwasser-Farbe erfüllt. Es gab nur wenige und einfache blaue Gartenmöbel mit Kissen; dies machte den Raum wieder atelierartig; auch alles, was hier von Imre’s Sachen lag und stand, wirkte im selben Sinne. An den blauen Schrank waren aquarellierte Blätter flüchtig mit Reißnägeln geheftet. Anderes, von moderiert neuzeitlicher Art, schmückte in Rahmen die ockergelben Wände. Auf einem Rauchtischlein, ebenfalls aus blaugestrichenem weichem Holz, lag verschiedenerlei rings um eine Holzkassette, welche in der Mitte stand, ganz durcheinander, jedoch sah es hübsch aus: drei englische Pfeifen; eine Bernsteinkette; eine lila-farbene seidene Quaste, die zu jener Kette gehörte. Am Fenster stand ein breiter, blauer Gartentisch für die Arbeit. Geräte zum Zeichnen und Malen lagen links und rechts, die Mitte war frei und von einem kleinen Reißbrett bedeckt; weiterer Vorrat an Pinseln und Stiften fand sich auf einem Taburett links vom Tische. Unsauberkeit schien es hier nicht zu geben. Kein Staub, keine eingetrockneten Farben, keine Flecken. Ein blanker schwerer Aschenbecher von Messing in Gestalt einer weiträumigen flachen Schale stand auf dem Tisch. Zigarettenreste schienen jedoch nie darin gewesen zu sein. Ein Totenschädel lag auf einem Wandbrett. Er hatte eine Zigarette zwischen einigen noch vorhandenen Zähnen stecken und trug einen Stahlhelm. Von dem Wandbrett hingen mehrere Puppen herab, mit Köpfen, die Imre geschnitzt hatte: konfiszierte Galgenvogelgesichter (eines war beinahe dem ‚Geierschnabel‘ ähnlich). Alle trugen Zuchthauskleidung mit großen Nummern und hatten das Strickchen, daran sie hingen, um den Hals geschlungen. Unter dem Wandbrett zeigte sich, über einen kräftigen Haken in der Wand geworfen, ein militärischer Gürtel, ein sogenannter ‚Überschwung‘, mit einer schönen Kartentasche daran und einem Bajonett. Wir haben jetzt eigentlich fast alles aufgezählt, was an Gerät und Schmuck in Imre's Zimmer damals vorhanden und sichtbar gewesen ist. Es war immerhin ein merkwürdiges Zimmer. Die leichten Möbel, die beiläufig hingelegten Dinge ließen es wie ein labiles Quartier erscheinen, und dazu trug am meisten der militärische Gürtel an der Wand bei; er hing da, als könne es jederzeit einen Alarmfall und Abmarsch geben. Was den Totenkopf betraf, so hatte Imre aus Unachtsamkeit gleich zwei Versionen über dessen Herkunft in Umlauf gesetzt; einmal, daß es der Kopf eines Schwerverbrechers sei, den er auf der Budapester Anatomie, wo die Kunstakademiker Vorlesungen hören mußten, entwendet habe; ein andermal aber bezeichnete er diesen Schädel als mit Riemen, Tasche und Bajonett zusammengehörig, nämlich als den seines besten Kameraden aus dem Kriege, eines Leutnants, der gefallen sei, und dem auch jene Sachen gehört hatten; aber es war kein Offizierskoppel, und auch kein ‚Offiziers-Bajonett‘ (das hat Eulenfeld bei einem gelegentlichen Besuche festgestellt, denn er kannte auch die österreichischen Dinge dieser Art genau).

Wahrscheinlich ist, daß Imre von Gyurkicz beide Versionen abwechselnd selbst geglaubt hat.

Da ihm ein Innenleben, wie wir gesehen haben, nicht eignete, denn immer waren doch bei ihm die anderen irgendwie dabei, und eben das hat Valéry so scharf verurteilt! – so saßen auch die Dinge der Außenwelt nicht fest auf ihrer Unterlage und unverrückbar als Tatsachen auf ihrem Platze, sondern es wurde die äußere Welt sozusagen zu einer Frage des Arrangements. Da er sich selbst nicht zu ändern vermochte und auch weit davon entfernt war, solches zu versuchen oder auch nur zu wünschen – niemals noch hatte er nach Vorbringung seiner verschiedenen Histörchen ein schales oder deprimiertes Gefühl gehabt! – so trachtete er bloß, die Insignien zu wechseln; und gerade das verstand Imre eigentlich unter einer Änderung seiner Person, nicht aber irgendeine Verwandlung. Embleme wirkten auf ihn am stärksten. Man könnte darin auch ein Zeichen primitiv-magischen Glaubens bei Gyurkicz erblicken.

Er war ein ‚Emblematiker‘. Er hatte sich einen Siegelring machen lassen, dessen breite goldene Druckfläche das Wappen der Herren von Faddy (und Hátfaludy) zeigte: ein Arm, dessen Faust ein krummes Schwert senkrecht emporhielt. Aber Imre war wirklich kein Hochstapler, kein kluger, listiger Täuscher, der's aus seiner eigenen Feilheit weiß, daß mit möglichst billigen, eingängigen, sozusagen populären Mitteln geschwindelt werden muß: also gleich ein Grafentitel; und ein Monokel; und ein geliehenes Auto. Feil wäre Imre vielleicht auch genug gewesen. Aber er war zu sehr verliebt in seine Embleme, er gebrauchte sie nicht als ein Handwerkszeug, mit welchem man sich ausstattet; er verschmolz mit ihnen. Und auch mit allen Geschichten, die er gelegentlich erzählte; sie waren Bausteine einer Welt, in die er hineinwollte, ja, die er selbst sein wollte. Da ihm kein eigentliches inneres Leben Abstand verlieh von den äußeren Fakten seiner Vergangenheit – und die Fakten müssen dazu vor allem einmal handhaft wiederkehren, das erst schafft jenen Abstand! – so konnte er diese, mochten sie wie immer dahinten vorliegen, nicht wirklich in sich aufnehmen. Tatsächlichkeiten genügen nicht, um zu überzeugen: sie müssen auch rezipiert, und das heißt, plastisch aufgefaßt werden. Dazu gehört mindestens eine gewisse Distanz. Gyurkicz hatte keine Distanz von seinen ‚Emblemen‘. Der Totenschädel etwa stammte von einem Kameraden, er stammte von einem Schwerverbrecher, er stammte von einer Budapester Studentin der Medizin, die ihn einst, vor dem sogenannten ‚Knochen-Colloquium‘ (das einen Bestandteil des ersten Rigorosums bildet), sich gekauft hatte, um auch außerhalb des anatomischen Institutes und beim häuslichen Studium die schwierig zu merkenden Knochen der Schädelbasis jederzeit anschaulich memorieren zu können. Dieses Mädchen unterhielt ein Verhältnis mit Imre. Und Jahre später, nach ihrer Doktor-Promotion, schenkte sie Imre den Schädel. Dieser ganze Sachverhalt wurde zwar von Höpfner einmal in Budapest durch Zufall in Erfahrung gebracht – und Gyurkicz gegenüber nie erwähnt. Wäre dies jedoch geschehen:

jenen beiden anderen Versionen, der vom Kameraden oder der vom Schwerverbrecher, hätte dessen ungeachtet für Imre weit mehr Anschaulichkeit geeignet, als einer Richtigkeit im Tatsächlichen, welche zu erfassen ihm die Organe fehlten und auch eine unbedingt erforderliche Mindest-Distanz von den Fakten, die dann erlaubt hätte, solche Organe zu betätigen und eine genügend tiefe trennende Rille zwischen Erfindung und Tatsächlichkeit einzukerben. Zudem: es war dem Herrn von Gyurkicz gar nicht darum zu tun. Vielmehr verlangte der ,emblematische' Haushalt seines Innern – soweit davon die Rede sein kann – ein genaues Gegenteil, nämlich fließende Grenzen zwischen dem, was wirklich war, und dem, was eigentlich hätte sein sollen und sich ,emblematisch' nach außen schlug.

Im ganzen: er hatte kein Gedächtnis, der Imre, oder er hatte nur ein solches, wie es die Frauen haben, die alles hintnach verdrehen und sich selbst dazu, Schwindlerinnen und zugleich willig Beschwindelte.

Imre's Zimmer, leer und still im klaren Unterwasserlichte liegend, spiegelte also emblematisch seinen Bewohner (wie übrigens die meisten Zimmer), und zwar mit einer gewissen Vollständigkeit. Es gab auch eine Pistole; Marke ,Parabellum', wie man sie im ersten Weltkrieg hatte. Sie hing in ihrer Ledertasche an dem Koppel (das kein Offizierskoppel war). Aber sie gehörte als Emblem eigentlich anderswohin, etwa in die Abteilung: Spielschulden, Konsequenzen ziehen, Selbstmord. Imre und Spielschulden! Er hatte nie welche gehabt. Die Pistole war in der Tat rein emblematisch. Nein, es fehlte hier im Zimmer kein wesentlicher Zug. Es war eine kleine Welthöhle. Sie hatte jedoch rückwärts, der Türe schräg gegenüber, noch einen zweiten Ausgang, wenn auch nur vergleichsweise, im übertragenen Sinne: ihn bildeten jene mit Reißnägeln auf den blauen Schleiflack des Kleiderkastens gehefteten Aquarelle.

Alte chinesische Legenden berichten, daß große Meister in ihre Bilder hineingegangen seien und dann verschwunden blieben. Imre war kein großer Meister. Aber es gelang ihm doch, durch seine Bildchen wie durch eine Hintertüre aus der sonstigen ,Emblematik' seines Lebens zeitweis zu verschwinden. Freilich beherrschte er das Technische seines Fachs, er hatte ja das Handwerk gelernt, sehr gut sogar, muß man sagen.

Es waren übrigens, genau genommen, keine ,Aquarelle' (wie wir das laienhaft nannten), sondern eher kolorierte Federzeichnungen; die graphische Grundlage der kleinen Blätter war eine solide. Imre scheute keineswegs schwierige Perspektiven und Überschneidungen; er meisterte sie. Sein Zeichnen, welches er hier als eine Privatsache übte, ließ jedoch jede Beziehung zu dem Presse-Zeichner Gyurkicz vermissen; es gebrauchte nicht dessen abkürzende, andeutende und anspielende Mittel; es ging nicht von vornherein auf's Zusammensehen aus, und schon gar nicht auf irgendeine Pointe. Die Blätter waren genau. Sie bemühten sich um's Objekt, ja, sie mühten sich wirklich darum; und weil Streben und Mühen lateinisch ,studere' heißt, konnte man sie mit vielem Rechte als ,Studien' bezeichnen. Sie waren nicht mehr, aber auch nicht weniger, und sie wollten mehr gar nicht sein. Seit Imre ,über den Berg' gezogen war, kamen auch Einzelheiten der näheren Umgebung hier zur Darstellung. Wenn er auf seinem Feldstühlchen saß oder auf einem Stein oder Baumstamm, die Brillen auf der Nase, mit Ausdauer arbeitend und die freie Zeit wohl benützend, dann sah er ähnlich aus wie im Café, bei seinem pflichteifrigen Durchforschen der illustrierten Zeitungen. Übrigens hatte Imre längst bemerkt, daß seine besten und friedlichsten Stunden mit Quapp sich meistens dann ergaben, wenn er, bei schwindendem Lichte von einem zeichnerischen Ausfluge heimkehrend, sie aufsuchte.

Es versteht sich bei alledem am Rande, daß Gyurkicz bei seinem Zeichnen nach der Natur auch was Tüchtiges lernte; und fast möchte man sagen, daß jenes für ihn eine Art Ausgleichssport war gegenüber der immer ein wenig am Rande der Hochstapelei sich bewegenden Strichtechnik, wie die Zeitungen sie nun eben einmal benötigen.

Aber die durchaus private Kunstübung war bei Imre keine Sache von gestern, und er hatte sie nicht erst begonnen, seit er im Frühling dieses Jahres 1927 ,über den Berg' gezogen war, sondern lange vorher schon, und zwar im verwichenen Nachsommer, also 1926; solches geschah im Burgenlande. Was ihn ursprünglich gerade dorthin geführt hatte, ist wohl in einem einzigen Zuge kaum zu umschreiben.

Es mag die, und nicht nur östlich des Neusiedlersees, teilweise bereits ungarische Landschaft gewesen sein, die ihn – den ja seine politische Vergangenheit jenseits der damals noch immer

‚königlich ungarischen' Grenzen verwies – anzog: die breit geöffneten Dörfer, die uferlosen Dorfstraßen, schmal besäumt nur
von niederen Häusern, unregelmäßig von vereinzelten Bäumen
bestanden, um welche die Wagengeleise in flachen Bogen ausweichen, bewatschelt von den Wanderzügen der Gänse; so etwa
in Frauenkirchen, das dennoch ein deutsch redendes Dorf ist,
östlich vom Nordteil des großen Sees. Am Wirtshaus ‚Zum
Storchen-Nest' zeigt sich der Adebar doppelt: einmal gemalt
im Schilde, und gerade darüber im vollen Familienleben, mit
Beute ankommend, die Fittiche zusammenlegend, stelzend, füt-
ternd, klappernd, wieder entschwebend mit beachtlichem Auf-
schwung. Gegenüber steht als pausbäckig geblasene Barock-
Fanfare die Wallfahrtskirche Unserer Lieben Frau. Der Kal-
varienberg links daneben ist schon beinahe so etwas wie ein
Angsttraum, denn der ganze Kreuzweg mit allen seinen Statio-
nen ist auf einen kleinen Raum zusammen- und übereinander gedrängt, man geht in Grotten und Bogen darin herum.

Imre zeichnete überall, wenn auch nicht gerade die zuletzt genannten barocken Architekturen.

Er zeichnete im Süden, im sogenannten ‚Seewinkel', die
sehr merkwürdigen, nach uralter Weise ganz aus Schilf gebauten
Scheunen, deren Dächer bis nahe an den Boden herabreichen;
viele sind im zweiten Weltkrieg zerstört worden, manche auch
danach noch verschwunden, weil man sie durch moderne Bauten
ersetzte. Damals aber sah man sie noch verhältnismäßig häufig,
nicht nur bei dem Dorfe Apetlon, sondern auch anderwärts in
jener Gegend der ‚Langen Lacke', wo zur Herbstzeit die Wild-
gänse Rast halten auf ihren Wanderzügen. Hier wandert umgekehrt von Ost nach West allezeit, in allen Zeiten des Jahres,
die Steppe herein aus Ungarn, besonders aber im Sommer, wo
es über der Ebene so still sein kann, wie sonst nirgends auf der
Welt (möchte man fast glauben). Es ist keine leere Stille, die alles
auf sich beruhen läßt, starr und statisch, wie man sie oft um große
Gebäude gebreitet findet und auch in deren Innerem. Sondern
diese Stille ist geteilt und akzentuiert und dadurch summend
hörbar. Sie lockt. Sie lockt hinaus an den Rand des Himmels
und tiefer in die Pußta hinein. Man ist hier nie ganz und nur
dort wo man steht, man ist gezogen, man ist in Ziehung, mit
den Fasern des Herzens beginnt es, aber der Leib möchte nach-
folgen, und bleibt doch in Ohnmacht mit den kleinen Schritten

seiner Beine. Es ist ein Land, wo nur der berittene Mann ganz bei sich sein kann und zugleich ganz bei der Welt: er ist's auch, wenn er sein Pferd schont und den Galopp nicht aus dem kraftvollen Leibe unter sich läßt. Er hat ihn doch als Möglichkeit. Er kann gegen den Himmelsrand davonbrausen.

Imre konnte das freilich nicht. Auch gelang ihm nicht, ganz in seine Bilder hinein und bei der Hintertüre hinaus zu verschwinden. Er war kein großer Meister. Er brachte keine Verwandlungen fertig. Und bei den Veränderungen der Insignien und Embleme blieb jene Hintertüre eben doch mit breitem Spalt offen, durch den Gyurkicz einen Faden nachzog vom klebrigen Stoffe seiner Vergangenheit.

Die Fahrten in's Burgenland, welche Gyurkicz zur privaten Kunstübung unternahm, waren im Kollegenkreise, im Allianz-Kreise, sollte man sagen, nicht verborgen geblieben: und auf welche Weise dies eigentlich bekannt geworden war, hätte Imre zu sagen nicht vermocht. Er war dort unten niemand begegnet, den er kannte, der ihn gekannt hätte. Schon im späten Herbst des Jahres 1926 hatte man sich ganz beiläufig an ihn gewandt – da er denn diesmal gerade nach Draßburg zu fahren gedachte und dies sogar in unvorsichtiger Weise auf eine Frage zur Antwort gab – und ihm eine Botschaft an Thomas Preschitz mitgegeben, also geradewegs und mitten hinein in jenes Vorfeld politischen Lebens im damaligen Österreich, in jenen Aufmarschraum, wo man abseits der starken Wiener Polizei seine Kräfte zu messen und sich ein wenig aneinander zu reiben pflegte. Man verlangte den Botendienst ohne weiteres von Imre und mit der größten Selbstverständlichkeit, ja, in einer Weise, die den Gedanken an eine etwa mögliche Ablehnung seinerseits gar nicht kannte. Es war wirklich ein Zwang und er vermochte dagegen nicht das geringste zu tun. Er mußte auch die politische Aufmerksamkeit des alten Zdarsa auf dessen Schwiegersohn lenken. Es blieb ihm gar nichts anderes übrig. Daß er dort unten – teils nur um die Muttersprache wieder einmal zu reden, teils aus (,emblematischer') Sympathie – mit Personen wiederholt zusammenkam und sprach, die ihm auf ihrem eigenen Boden, also ,innerhalb königlich ungarischer Grenzpfähle' wahrscheinlich ein verdammt anderes Gesicht gezeigt hätten – derartiger connationaler Umgang änderte praktisch an seiner Lage gar nichts, und er vermochte nicht auf solche Weise ,den Graben zu wechseln', so gern er's aus emblematischen Gründen getan hätte. Jedoch, als Imre am Vorabend des 30. Januar nach Schattendorf gekommen war, belastete ihn nicht der geringste Auftrag, hatte er niemand was auszurichten; sondern er wollte lediglich einen bestimmten Blick von der Schattendorfer Friedhofsmauer – nach Ungarn, das hier mit dem welligen Terrain jenseits der Mauer beginnt – einmal auch im Winter tun, wenngleich es damals kein rechter Winter war, sondern verhältnismäßig warm und dabei ganz trocken. Er wollte gerade diesen Blick haben und gar keinen anderen, ihm schien hier sozusagen eine Hintertüre aufgehen zu wollen (obwohl er noch gar nicht ‚überm Berg' wohnte und in dem blauen Zimmer), ein rückwärtiger Ausgang, aus allem und jedem, auch aus dem Atelier in der Praterstraße: gerade hier, am Schattendorfer Friedhof, noch dazu im Winter. (Man sieht schon: das waren wirklich die ersten Schritte in der Kunst.) Er wollte zeichnen. So nah der Grenze stand er. Und am Sonntagmorgen hatte er im Gasthaus Moser gefrühstückt, während man sich am Bahnhof beinahe schlug – freilich mußte es das sozialdemokratische Gasthaus Moser sein, ganz einfach allianz-halber. Aber von der bevorstehenden Ankunft eines Oberstleutnant Hiltl war ihm nichts bekannt gewesen, und er hatte niemand irgend etwas gesagt, und niemand irgend wohin geschickt, und niemand von irgend etwas verständigt oder gar jemanden herbeigeholt. Und den ‚Geierschnabel' hatte Imre nie in seinem Leben gesehen, und wußte überhaupt nicht, wer das Scheusal gewesen war, das ihn heute fast in den Bauch gestochen hätte.

In ihren diesbezüglichen Vermutungen irrte sich also Licea vollständig.

Auch hier und jetzt, sachte bergan gehend gegen den Liechtenwerder Platz, fand Imre nicht den Ausgang nach rückwärts aus seiner verklemmten inneren und zum Teil auch äußerlich vertrackten Lage. Aber es gibt aus jeder einen solchen Ausgang, in welchen man hineinfinden kann, bedächtig rückwärts gehend, wie ein Krebs in sein Schlupfloch zurückweicht; nur muß man den Hintergrund kennen, man muß ihn zur Kenntnis nehmen wollen, den Hintergrund und Urgrund des eigenen Mißbehagens; man muß in dieses schauen wie in ein tiefes Wasser, und ganz ohne zu strampeln: dann tritt er herauf. Es gehört schon was dazu, und gerade angenehm ist solches Stillhalten nicht: doch liegt in ihm allein das Heil, in ihm allein eine Möglichkeit, die Wahrheit zu sehen. Gyurkicz war dessen gänzlich unfähig, teils weil ihm die anderen ja immer dreinredeten, wenn er allein war, teils auch, weil ihm seine ‚Emblematik‘ alles und jedes verstellte.

So reichte seine Einsicht bei weitem nicht hinab bis an den Quellgrund eines jetzt so zerstückten und dumpfen Befindens, in welchem er befangen war, gleichsam abgeworfen von der plötzlich und bedrohlich unter ihm sich rührenden Fahrbahn seines Lebens: und jetzt lag er daneben im Graben. Was ihn aber ursprünglich so profund erschreckt und aus der Bahn geworfen hatte, das bekam nicht Namen, Sitz und Stimme in seinem Bewußtsein; es wirkte nur wie ein stumpfer und dumpfer, schütternder Stoß unterhalb desselben: und das war gar nichts anderes gewesen, als das Auftreten einer Imre völlig fremden Art des Reagierens bei ihm selbst: daß er nämlich gar keine, ja, nicht die leiseste Spur einer Befriedigung empfunden hatte, angesichts des in Gegenwart von zwei ‚jungen Damen‘ gut bestandenen kurzen Kampfes mit dem Geierschnabel. Ihm war da gleichsam sein halbes Leben abgebrochen, und die halbe Freude am Leben dazu. Licea war es gewesen, die irgendeinen Vorgang solcher Art bei Imre wohl gespürt haben mochte; und von daher ihr Wunsch, ihn zu provozieren. Gyurkicz von einer jungen Dame provoziert! Na, das fehlte noch. Meistens pflegte er selbst zu provozieren, wie wir bei seinem ersten Zusammentreffen mit Lotte Schlaggenberg gesehen haben. Aber diesmal – er hatte einfach nur ‚genommen‘, wie die Boxer sagen, von seiten Licea's, ohne Deckung, ohne Parade, ohne Riposte; nur müde, weiter nichts. ‚Was der Lebende liebt, haßt der Sterbende.‘ Er hatte nichts anderes wollen, als sich verabschieden, sich ablösen, allein sein. Und das nach einem, wenn man will, sportlichen Erfolge, der sich immerhin sehen lassen konnte; und war ihm dieser auch – nämlich sein durchaus richtiges und sehr zweckmäßiges Verhalten dabei – wie eine Eingebung gekommen und wie von außerhalb seiner selbst her: niemals früher hätte Gyurkicz im allergeringsten gezögert, das Ganze einfach der eigenen Tüchtigkeit zuzurechnen. Und er hätte den Auftritt in Freud's Branntweinschank sicher auch erzählt und geschildert, vielleicht hinzufügend, daß er wohl gewußt habe, wer ihm gegenüber stehe: nämlich einer der gefährlichsten Berufsverbrecher von Wien. Jetzt aber war alles derartige weit ab. Er wußte es nicht, daß er diese Geschichte mit dem Geierschnabel nie erzählen würde: und doch gehörte gerade das schon zum Urgrund seines Unbehagens, den er nicht kannte und erkannte. Nur das Gefühl lag ihm in den Knochen von irgendeiner grundbrechenden Veränderung, von irgendeiner hereinlastenden, überhängenden Schwere.

So kam er auf den kleinen Platz mit dem Café linker Hand und der Aussicht nach rechts hinab in eine künstliche Eisen-Rauch-und-Kohlen-Landschaft; aber sie war jetzt in der herabgesunkenen Dunkelheit unbestimmter geworden, geöffnet nur durch ihre nahen und weiten, kalten und bleichen Lichter.

Bei Imre war es zudem so weit, daß er jetzt wirklich einen Schnaps brauchte.

Im Café vergaß er den Mantel abzulegen, saß nieder und warf den Hut rechts von sich auf die Polsterbank. Im vorgebeugten Sitzen bemerkte er nun an dem hellen Stoffe seines Überziehers die Spur von des Geierschnabels Messerspitze. Zweifellos hatte auch der weite Mantel den gegen seinen Bauch geführten und rechtzeitig parierten Stoß noch unwirksamer gemacht. Im Mantel befand sich ein geringes Löchlein in der Form eines Schnittes, etwas im Dreieck eingerissen. Als Emblem wäre das für Gyurkicz zweifellos wertvoll gewesen, nach seinem Sinne, und zu begrüßen: es gehörte etwa in jene Klasse von Emblemen, wie von einer Kugel durchlöcherte Militärmützen oder von einem Granatsplitter gestreifte Stahlhelme. Aber Imre betrachtete die schneidige Zier an seinem Mantel mißmutig und ablehnend.

Eben war er im Begriffe, noch einen zweiten Schnaps kommen zu lassen, da trat von rückwärts jemand heran – Gyurkicz bemerkte das schon ein paar Augenblicke hindurch, bevor er sich noch rührte und aufsah: und solches bedeutet wohl, daß seine Müdigkeit und sein Wunsch, allein zu bleiben, größer waren, als seine Vorsicht, wie immer die Erlebnisse des heutigen Nachmittages Vorsicht hätten erwecken können. Nun grüßte ihn eine volle und warme Stimme sehr freundlich in ungarischer Sprache und mit Nennung seines Namens.

„Guten Abend", sagte Imre, ebenfalls ungarisch, erhob sich und nahm die dargebotene Hand. „Wie geht's denn?" fügte er nach. Ihm war nur dieses eine gegenwärtig: es galt jetzt, sich ganz leichthin zu geben, und vor allem zu erfahren, wer denn dieser Mensch überhaupt sei. So wies Gyurkicz auf die Polsterbank gegenüber und lud damit zum Platznehmen ein. Er wußte wohl, daß er den hübschen, schwarzhaarigen und kräftigen Mann kenne: so weit hielt er bald; indessen blieb Imre, infolge der augenblicklichen Verstopftheit seines Zustandes, außerstande, auch schon zu wissen, woher, und damit fehlte ihm auch alles weitere, samt dem Namen.

Aber es wurde ihm jetzt leicht gemacht.

„Ich bin sehr beglückt über die Gelegenheit, Herr von Gyurkicz, Ihnen endlich einmal zu danken für die freundliche Warnung in meiner Hütte bei Mörbisch", sagte Pinta in geläufigem Ungarisch, wenn auch mit einem Akzent, der den Kroaten spüren ließ.

„Hat sich diese Warnung als begründet erwiesen?"

„Durchaus, Herr von Gyurkicz. Nur ist dann alles anders gekommen als ich gewünscht hatte."

Pinta erzählte alsbald den Verlauf der beiden Überfälle wahrheitsgemäß, sowohl das verhältnismäßig harmlose Erscheinen des ‚Republikanischen Schutzbundes', als auch den Angriff der ‚Magyaronen', hervorgerufen durch das aufgestoßene rückwärtige Fenster der beleuchteten Hütte. „Auf jeden Fall haben die Roten Prügel gekriegt", fügte er jovial hinzu.

Gyurkicz, der ihm sehr aufmerksam zugehört hatte (er überwand dabei für einige Minuten sein übles Befinden), sah auf Pinta's Stirn. „Man sieht's noch immer", bemerkte er.

„Na, das macht nichts", sagte Pinta. „Nur war mir's unangenehm, wie ich mit dem Verband nach Hause gekommen bin. Ich wohn' in Stinkenbrunn. Mein Schwiegervater ist ein Roter. Ich bild' mir ein, seit damals hat er was gekneist."

„Was haben Sie denn gesagt, woher die Verletzung ist?"

„Gefallen, hab' ich gesagt, zwischen die Geräte gefallen, in der Hütte, im Dunklen."

„Und hat er Ihnen das geglaubt?"

„Ich weiß nicht. Er hat nichts gesagt. Ich hab' nie mit ihm darüber gesprochen; und das Politische vermeid' ich dem Alten gegenüber ganz. Sie müssen wissen, wir sind im gleichen Geschäft, wir haben Weinberge, auch bei Mörbisch; deswegen war ich ja dort."

Gyurkicz gewann die Gegenwart des Geistes bei diesem Gespräch einigermaßen wieder. Man möchte sagen, er legte sich gut in die Kurve, die sich hier plötzlich eröffnet hatte, mochte sie immerhin bedenklich aussehen: er mußte sie befahren.

Und hier half ihm, was sonst ihn blind machte gegen eigene innere Sachverhalte: die falsche Bilanzierung, die ganz unberechtigte allzu frühe Entlastung seiner selbst, kurz: die Frechheit. Was bei Pinta möglicherweise damals hatte aufkeimen wollen oder noch immer keimte, ergriff er, zog es hervor, nannte es beim Namen. Jede wirkliche und wirksame Frechheit besteht nicht, wie die Grobheit, in einer Anrempelung, wobei doch gleichsam nur die Körperwand des anderen belümmelt wird, sondern in einem Eingriff, einem Griff in's Geweid.

„Nach der ganzen Sachlage sind Sie damals wahrscheinlich, Herr Pinta, in eine zweideutige Beleuchtung geraten", sagte Imre, „wenigstens stell' ich mir das so vor, nach Ihrem Bericht, es war ja unvermeidlich. Sowohl unsere Leute wie die Roten konnten glauben, von Ihnen in eine Falle gelockt worden zu sein, die Roten deshalb, weil Sie, Herr Pinta, sich ja ganz freundlich, sogar gastfreundlich, benahmen, indem Sie die Bande zum Wein und damit zum Bleiben einluden, bis die Unsern durch das Öffnen des Fensterladens ein vereinbartes Zeichen erhielten."

„Es war, wie Sie sagen, Herr von Gyurkicz. Aber die Roten haben das dann doch nicht geglaubt, weil ich als der erste und einzige wirklich verletzt worden bin. Ich blieb ja auch liegen. Die Unsern aber hab' ich, sobald ich wieder zu mir gekommen war, über die Vorkommnisse aufgeklärt. Ich hab' auch von Ihrem Besuch erzählt, Herr von Gyurkicz. Leider mußte ich dabei sehen, daß man sogar Sie für zweideutig hielt, oder noch hält. Und obendrein ist das, soviel ich mich erinnern kann, vor alledem der Fall gewesen."

„Selbstverständlich", sagte Imre in voller Ruhe. „Jedermann, der einer Sache wirklich nützen will und nicht nur irgendwas nachplappert, wird früher oder später von den durchschnittlichen Anhängern der Richtung für zweideutig gehalten werden: und das nur, weil er kein Simpel ist. Ich bin durch meinen bürgerlichen Beruf als Presse-Zeichner und politischer Karikaturist heute noch fast ausschließlich auf die nicht-konservativen Zeitungen angewiesen: und also naturgemäß mit den Roten rein beruflich in Verbindung: wäre das nicht der Fall – dann würde ich allerdings nie etwas erfahren, dann hätte ich Sie, Herr Pinta, auch nicht warnen können. Jedoch gerade durch die Position, die ich einnehme, glaube ich für unsere Sache wertvoll zu sein, nicht aber zweideutig. Immerhin mag man mich dafür halten: es ändert bei mir nichts. Ich bin bereit, auch dieses Opfer zu bringen. Es wäre nicht das erste."

Man sieht da, bis zu welchen ganz zutreffenden Feststellungen, bis zu welchen soliden Argumenten, bis zu welchem Grade der Loyalität sich die Frechheit erheben kann, der mitunter wirklich etwas innewohnt wie eine faszinierende Dämonie – oder, bescheidener ausgedrückt: für einen Pinta langte es weitaus. Über jene Klippen, die sich da gezeigt hatten, war man – durch das geringe spezifische Gewicht, welches keinen gefährdenden Tiefgang erzeugte – recht gut hinweggeglitten; ausgezeichnet sogar. Wie ein Sportsmann eben. Ein Kurvenfahrer.

„Kennen Sie den Grafen?" fragte Pinta.

„Wer würde ihn nicht kennen?!" antwortete Imre gar nicht dumm. „Ist es am Ende der Graf, der gegen mich Mißtrauen hegt?"

„Leider", sagte Pinta. „Ich hab' aber schon versucht, dagegen aufzutreten. Ich bin Ihnen Dank schuldig, Herr von Gyurkicz. Deshalb möchte ich Ihnen gerne einen Rat geben."

„Und der wäre?"

„Sie sollten hier in Wien trachten, Anschluß an die Unsern zu erhalten, und nicht so sehr im Burgenland unten. Hier ist das viel wichtiger. Sie könnten gerade vermittels Ihrer früher erwähnten beruflichen Beziehungen gegebenenfalls außerordentlich wichtige Dienste leisten: durch Informationen. Da würde sich das dumme Mißtrauen recht bald aufhören." Pinta hatte sich warm geredet. Sein Ton war offen, ja zutraulich, Imre sah geradezu eine Strickleiter herabgelassen an sonst unübersteiglicher Wand. Er bewahrte indessen Besonnenheit.

„Können Sie mir eine Persönlichkeit nennen?"

„Freilich. Ein Landsmann von Ihnen. Vielleicht kennen Sie ihn sogar. Ich kenne ihn zwar nicht, aber ich weiß es vom Grafen. Es ist Herr Géza von Orkay, jetzt hier auf der Legation."

Diesmal langte es für Gyurkicz weitaus. Die Wirkung war etwa so wie jene, welche ein Pferd spüren mag, dem man auf der flachen Hand statt eines Stückes Zucker eine Zitronenscheibe dargeboten hat, und das von dieser Gabe Gebrauch macht. Aber durchaus gleichzeitig erkannte Imre mit einer bemerkenswerten Klarheit – fast so klar, wie er den bloß gefinteten Kinnhaken des Geierschnabels erkannt hatte und das Messer in der anderen Hand – daß es jetzt galt, die Zitronenscheibe glatt zu schlucken, während die bewußte Strickleiter schon wieder hochgezogen und verschwunden war.

„Ich danke Ihnen, Herr Pinta", sagte er. „Ich kenne Herrn von Orkay zwar nur sehr flüchtig, werde aber gelegentlich mit ihm sprechen. Ich habe mich außerordentlich gefreut, Sie wiederzusehen, Herr Pinta." Imre bezahlte dem Kellner alle von ihm und Pinta getrunkenen Schnäpse, und wehrte den Einspruch des Kroaten lachend ab. Sie schüttelten einander kräftig die Hand.

Imre trat hinaus und begann wieder zu gehen; zu wandern, würde man besser sagen: gleichmäßigen Schrittes, sachte bergan, dann weiter, den Geleisen der Straßenbahn folgend, die Hauptstraße des Viertels entlang. Er ging ruhig. Er stolperte nicht mehr. Es war ein Frühjahrsabend, wenn auch kein besonders schöner; immerhin ein Abend im Mai: also doch eine ständige Anfrage und Anspielung von lauer Luft an Schläfen und Wangen, ein Umgebensein von Gärten mit vielfach blühendem Gewächs in der schon dicht herabgesunkenen Dunkelheit. Jedoch Imre befand sich im Zustande gänzlicher Unzugänglichkeit, für alles und jedes, und schon gar für die zarten Stimmen, welche da etwa aus der Umgebung hauchen oder flüstern wollten. In ihm sammelte sich – seit die Strickleiter wieder emporgezogen worden war und er wirklich vor einer fugenlosen Wand stand – die Wut wie schwarzes Grundwasser in einem Loche. Plötzlich fiel ihm ein, daß Quapp erst jüngst wieder seine auf Ehestand und gemeinsame Häuslichkeit gerichteten Pläne zurückgewiesen hatte. Gut denn! Man wollte ihn nicht haben, weder da noch dort. Aber er konnte auch anders! Er würde verdammt anders können, und seine Ehre wahren, wenn man ihm Mißtrauen entgegenbrachte. Er würde besser wissen, was sich für einen Ehrenmann gehört, als dieses ganze Gesindel, dieses anmaßende, die ‚Unsern' und die ‚Unsrigen'!

Jedoch im Grunde war dieser Gyurkicz ein gutmütiger Bursche.

Jetzt kam er schon über den Berg. Er dachte an Lo. Er wurde ruhiger. Er schritt an zwei Waggons der Straßenbahn entlang, welche dort oben, wo die Geleise endeten, zur Abfahrt bereitstanden, erleuchtet, beinahe leer. In jedem Wagen saßen nur drei oder vier Fahrgäste. Sie sahen vor sich hin oder beim Fenster heraus. Gebüsch und Bäume des absinkenden Parkes wölbten sich grün gegen den Weg, wo die elektrische Beleuchtung sie anstrahlte. Nun wurde der Weg wieder eben, über den Kinderspielplatz unten. Imre dachte an Lo. Ob sie wohl noch üben würde, jetzt, oder ob er gleich zu ihr gehen könne? Es wehte ihn der Wunsch durch Augenblicke heftig an, sie gleich in die Arme zu nehmen. Aber sie übte meistens abends, und, wie er längst heraus hatte, nicht aus übergroßem Fleiß, sondern eigentlich aus Faulheit: weil sie den ganzen Tag nicht geübt hatte, wieder einmal ‚nicht in Form' gewesen war, und irgendwelchen Nebensachen, die ihr aber ganz unerläßlich erschienen, hatte nachlaufen müssen, stets in Eile, weil sie überall viel zu lang verweilte, viel zu umständlich verfuhr und auch zu umständlich redete. Dazu kamen oft noch stundenlange Diskussionen mit René Stangeler in irgendeinem Café. Auch das hatte Imre längst heraus. Von dorther kamen dann jene Anfälle plötzlichen Interesses für das oder jenes Gebiet, sei's Altertumskunde, Geschichte oder Literatur: gemeinsam war dem allen, daß es von der Geige wegführte. Lo lief auf Bibliotheken oder stöberte in Buchhandlungen.

Imre hielt Lo für keinen wirklichen, keinen geborenen Geiger. Ein tieferer Instinkt sagte ihm, daß Lo eigentlich gar nicht gerne geige, sondern eine Verpflichtung dazu aus irgendwelchen ihm unverständlichen theoretischen Anschauungen ableitete, über welche sie dann stundenlang mit René Stangeler sprach, statt zu üben. Auf diese Art konnte man kein Musiker sein oder werden, das stand für Gyurkicz fest; er zumindest, der doch auch in einem künstlerischen Beruf tätig war, hätte bei solcher Methode nie zeichnen und sein Brot verdienen gelernt. Kam er indessen Lo mit derlei sicherlich vernünftigen Erwägungen auch nur in die Nähe: dann war sie äußerst gequält, ja, tief verfinstert, behandelte ihn schlecht und sagte ihm ein über das andre Mal, es sei ein Jammer, daß sie sich mit ihm über die eigentlich wichtigen Dinge ihres Lebens überhaupt in keiner Weise zu verständigen vermöge; und es wäre besser, er ließe sie gleich ganz allein. An diesem Punkte lenkte dann Imre meistens ein, teils aus plötzlicher und wirklicher Angst, sie zu verlieren, teils aus Gutmütigkeit, weil er sah, daß sie litt.

So ging er denn bald auch den einen oder den anderen Schritt weiter, bis zu philosophischen Gesprächen mit Lo. Diese Gespräche waren fürchterlich. Es kamen darin Begriffe vor, die von Schlaggenberg's Lehrer Scolander gefunden, an Stangeler durch Kajetan blank weitergegeben, von diesem neuerlich aufgerauht und wieder geglättet worden waren, von Quapp alsbald auf ihr höchstpersönliches Dasein angewandt wurden, obgleich dieses Dasein und Denken unterhalb jeglichen Begriffs-Kanons sich abspielte, ja, eigentlich schon ganz und gar unter der Kanone. Aber sie schoss doch zugleich wieder mit dieser, und zwar auf den armen Gyurkicz. Was sie redeten, war oft in ganz unwürdiger Weise töricht, und nur dazu gemacht und geeignet, einander zu verletzen.

Wie an so manchem, war auch an diesem allen niemand anderer schuld als der Herr René: und eben das war es, was Imre genau wußte, ja, mit einer Intensität wußte, die ihm geradezu in's Fleisch schnitt, in die seelischen Weichteile, sollte man sagen, wofür der Wiener das Wort ‚Beuschel‘ mitunter sogar im übertragenen Sinne gebraucht, das sonst eine Bezeichnung für genießbare und beliebte Eingeweideteile, etwa vom Kalb, darstellt, für Herz und Lunge nämlich. Stangeler aber lebte seine Theorien in längeren Darlegungen Quapp gegenüber ganz hemmungslos aus, erstens, weil jeder gern einen Zuhörer hat (und schon gar einen so ehrfürchtigen wie Lotte Schlaggenberg), zweitens, weil er sich mit seinen langen Reden nicht selten vor seiner eigenen Arbeit drückte (und gerade dadurch ließ er Quapp aus einer letzten Endes vergifteten Quelle trinken), drittens aber, weil er ernstlich für zutreffend hielt, was er da sagte. Auf irgendeinen objektiven Wert seiner Meinungen kommt es hier für uns gar nicht an, mag der nun vorhanden gewesen sein oder auch nicht: die Wirkung bei Quapp war durchschlagend (wenigstens in der Theorie), einfach deshalb, weil sie ihre ganze Kindheit unter der Fiktion irgendeiner in ihr selbst gelegenen und unbedingt zu erfüllenden Aufgabe verbracht hatte. Es wäre möglich, anzunehmen, daß derlei von dem alten Herrn Eustach von Schlaggenberg ihr eingeimpft worden war, wenn auch ohne Absicht, der vielleicht mit irgendeiner verqueren Privat-Theologie umging, während er sich von Levielle um seine Wälder betrügen ließ. Jedoch bleibt das ganz ungewiß. Man hat von Kajetan nie was rechtes über seinen verstorbenen Vater erfahren können; er sprach immer nur äußerst zärtlich von ihm, niemals aber in Form eines Urteiles oder mit einer Darstellung des Charakterbildes. Es machte jedesmal, wenn er ihn erwähnte (was übrigens selten genug geschah) den Eindruck, daß er seinen Vater ganz abseits stellte, gleichsam in eine ihm geweihte Nische, und daß er ihn noch niemals mit irgend jemand anderem verglichen hatte, womit jede Charaktererkenntnis freilich beginnen muß. „Mein Vater", sagte er einmal, „das war ein ganz besonderer Fall. Er war ein wandelndes Herz, und ein kluges Herz obendrein. Der brauchte gar nichts im Kopfe. Mir scheint's manchmal fast, als sei er der einzige wirkliche Mensch gewesen, den ich gekannt habe."

Stangeler dozierte, daß der Ausdruck ‚schöpferisch', auf einen Menschen angewandt, lächerlich sei, und berief sich dabei auf Gerhart Hauptmann, der einmal gesprächsweise die Frage, wie er denn seine Figuren erfinde, dahin beantwortet haben soll, daß niemand eine Figur erfinden könne, sondern daß man eine solche nur zu porträtieren vermöge. Alles ‚Schöpferische' sei nur nachschaffend, folgerte René, und der ganze ‚produktive Akt' sei nichts anderes als eine bis zur äußersten Unverstelltheit gebrachte, gänzlich freie Apperzeption: ein atem-tiefes Eindringen der Welt in den Menschen. Diesem Eindringen aber jedes Hindernis aus dem Wege zu räumen, sei die Grund-Leistung, aus der alles übrige von selbst sich ergebe, auch die Begabungen.

Damit kam jetzt das dicke Ende für Quapp. Da René das ‚Schöpferische' beim Menschen sozusagen nur als ein metaphorisches anerkannte, als ein Schöpfen in sehr übertragenem Sinne, so mußte er freilich jenen Unterschied, den nach wie vor jeder vernünftig Denkende zwischen den produktiven und reproduktiven Künsten macht, weitgehend einebnen, als unerheblich hinstellen, negieren.

Nun, man sieht schon. Quapp nahm zunächst die mit solchen Anschauungsweisen verbundene Rangerhöhung hin.

Es war fast eine Art Experiment, was René sich mit dem Mädchen erlaubte, das ihn als solches nicht ansprach, und dessen Weiblichkeit er als einen ganz unerheblichen und nicht in Anschlag zu bringenden Umstand einfach beiseite schob (ein rechter ‚Apperzeptions-Verweigerer').

Bei alledem sah doch Gyurkicz auf seine Art richtig (ein rechter ‚simplificateur terrible'). Es fehlte das handfest Musikantische bei Quapp. Freilich dürfte sich Gyurkicz unter einem Geiger eher etwas wie einen zigeunerischen Natur-Musikanten vorgestellt haben, wohl ohne sich dieses Untergrundes seiner Vorstellungen bewußt zu sein. Einiges von solcher Art wäre Quapp zu wünschen gewesen. Sie war technisch schon gut ausgebildet, und der Professor hatte bei ihr bereits mehrere Mängel behoben und einige Verkrampfungen gelöst; der Erfolg nach so wenigen Monaten schien erfreulich. Was der Meister gar nicht wußte, weil er sich so etwas wahrscheinlich gar nicht vorzustellen vermochte – übrigens einer der Begründer jener ‚Wiener Schule', die in der klassischen Kammermusik jahrzehntelang unumschränkt geherrscht hat – das war die Unfähigkeit Quapp's zu einem eigentlichen, mit Sicherheit immer wiederkehrenden und leicht provozierbaren geigerischen Affekt, der zu gar keinem Teile geistig, zum geringeren Teil musisch und zum allergrößten Teil motorisch ist: die Lust am Geigen (hierin also sah Imre richtig). Das In-Eins-Fließen all der vielen hochkomplexen und schnellen Verrichtungen beider Hände, das Reiten auf dem Melos wie auf einem Wogenkamm, das Hineinsinken in die Brillanz, das Gefühl der Macht über einen ganzen Saal voll Menschen, welche die Musik wohl musisch genossen, unter denen aber ganz gewiß keiner sich befand, dem sie zur körperlichen Eigentümlichkeit geworden war in solchem Maße wie dem Spieler: nichts von alledem war Quapp jemals durch die Eingeweide gefahren. Sie geigte korrekt, genau – las übrigens ausgezeichnet vom Blatt – sie geigte mit Ernst und tiefer Entschlossenheit; aber solches hat noch niemanden berauscht. Die Geige hatte keine Macht über Quapp, und deshalb hatte Quapp mit der Geige keine Macht über Menschen. Sie fühlte sich nie ihren Zuhörern als Interpret weit überlegen. Sie trug vor, sie spielte nicht. Vielleicht eben darum hatte sie bei dem einen oder andern Vorspiel, deren zwei oder drei nur bisher von ihr absolviert worden waren, und stets in privatem Kreise, an äußerster Aufregung gelitten. Mehr als das, weit schlimmer als das: am Trema, wie man es zu nennen pflegt, am Zittern der Finger, das den Ton zunächst getrübt nur erscheinen läßt, oder bestenfalls charakterlos, und erst nach einigem Spielen verschwindet, wenn die Hand sich erwärmt; ja, man würde vielleicht besser sagen: wenn ein unheimlich tiefes schlechtes Gewissen, das aus der inneren Zwiespältigkeit heraufsteigt, endlich betäubt wird, und das Herz sich wieder ermannt. Die Erfahrung des Tremas war die tiefsitzendste, die dunkelste in Quapp's bisherigem Leben, eine schwarze Narbe im Kern der Person, ein Dämon zugleich, der wie ganz von außen, wie ein Objekt der äußeren Welt auf sie zukam, sobald sie ihre Kunst zeigen sollte. Sie schwieg darüber. Sie wußte immer vom Trema, bei Tag und bei Nacht, bei jedem Atemzuge fast, und, vor allem: in jedem Traum. Es war eine Schmach, eine Scham, eine Angst, eine Geschlagenheit; alles das zusammen wurde erlitten beim bloßen Daran-Denken: wie ihre Finger der linken Hand gallertig wurden und mürbe in den Knöcheln und geradezu pelzig und schwammig an den Spitzen; und wie der Bogenhand plötzlich das Gelenk fehlte und zwischen Unterarm und Bogenhand nur eine Art Schlauch voll Übelkeit hing.

Von dem Grade dieses Übels wußten freilich weder Stangeler noch Gyurkicz.

Nun ging er über den Pfarrplatz. Sein Verlangen nach Quapp war plötzlich erstorben. Er empfand dieses Aussetzen des Gefühls als Verlust: ganz so, als wäre ihm etwas aus der Tasche gefallen, was er eigentlich bei sich haben müßte, ganz so, wie einer den erschreckten Griff an die Brust macht, wo die Brieftasche oder das Notizbuch fehlen. Zugleich – noch immer! – hoffte er jetzt sehr, daß sie heute abend nicht mehr geigen würde, daß er nicht mehr die einzelnen dünnen Töne ihrer Strichübungen hören müsse, bei der Annäherung an das Haustor ... seine Antipathie gegen diese Töne, gegen ihr stets verspätetes abendliches Üben, wurde außerordentlich stark und überflutete ihn. Er betrat die enge Biegung, mit welcher die Eroica-Gasse beginnt, unten vor Beethovens Fenstern. Eine grüne Gasse, im ganzen, jetzt im Schein der Gaslaternen. Imre schritt rechts entlang, an dem großen Garten vorbei, der zu einem weit rückwärts stehenden, immer etwas ungepflegten Gebäude gehörte. Nun näherte er sich dem Hause, in welchem Lo wohnte. Er blieb stehen. Es blieb still. Keine Übungen in den verschiedenen Lagen. Dies fiel weg. Schon wollte er sich dieser Erleichterung hingeben: da kam etwas ganz anderes. Es war, als betrete ihn selbst, unwiderstehlich eindringend, ein fremder Mensch, der aber aus Lo hervorging, aus einem ihrer Gesichtsausdrücke bei bestimmten Anlässen – wenn sie ihn verächtlich zu behandeln begann nämlich, bei den schrecklichen endlosen Gesprächen (die ihr und ihm Kopfschmerzen hinter den Ohren machten). Aber diese Verachtung traf Imre von Gyurkicz nicht an jener Stelle, der sie vermeint war, dort wo seine falsche innere Bilanz gemacht wurde, wo er allzu früh sich entlastete, wo seine Frechheit sich ernährte: sondern sie traf ihn dort, wo er wirklich empfindlich war, wo die mit Emblemen bemalten Blenden das Zweifelhafte seiner Herkunft und Vergangenheit abschirmen wollten: und wenn Quapp in diese Gegend einen Stein warf, klang es wie Pappendeckel und hohl. Die Selbstverständlichkeit seines Zugehörens zu ihrer Schichte war dann gelüpft, gelockert, erschüttert, ohne daß von solchen Dingen auch nur mit einem einzigen Wort die Rede gewesen wäre; und Gyurkicz stand oft nahe daran, ihr zu sagen: wer sie denn schon sei, genau genommen?! Was sie denn schon anderes oder mehr sei als die Tochter eines ehemals fast zugrunde gegangenen Gutsbesitzers, die hier kümmerlich lebe, ihrer verwitweten Mutter das Notwendige entziehe und sich mit wenig Talent auf eine – Virtuosenlaufbahn – ausgerechnet! – vorbereite, die in ihrem Alter längst mit Erfolg betreten sein müßte, um zu einem wirklichen Aufstiege führen zu können! Aber alles das konnte Imre ihr nicht sagen, denn sie bot durchaus niemals eine Klinge, auf welche man in solcher Weise hätte schlagen können, und sie zielte bei keinem einzigen Gespräch in eine solche Richtung, in welche für Gyurkicz ihre Steine doch jedesmal unweigerlich flogen. Ja, es waren nicht nur geworfene Steine – sie nahmen ihren Weg indirekt, wie Billardbälle, und eben das brachte Gyurkicz zur Wut – sondern Quapp schien selbst wie von Stein zu werden dabei, mit einem fremden Gesicht weißgottwoher; und gerade dieses stand jetzt in ihm tief drinnen, ein grauenvolles Bild: sie sah darauf hübsch aus, sehr hübsch sogar, mit den schwarzen Flechten um die weiße Stirn, eine wirklich hübsche Person; aber der Ausdruck des Hohnes und der Härte sprang Imre aus dem Antlitz geradezu entgegen, dazu Nichtigkeit und Frechheit, wie ihm schien (freilich, er genoß ja das Glück, sich selbst nicht zu erkennen, worauf übrigens nicht nur die dämonische Kraft der Frechheit beruht, sondern auch die Macht vieler gründete, die vor der Geschichte als ‚Große' galten). Imre hätte dieses Gesicht einschlagen mögen, wie man eine Glasscheibe zertrümmert. Lo's Augen, die sehr weit auseinanderstanden, schienen jedesmal in solchen Verfassungen enger zusammenzurücken, und diese Erscheinung war es, die Gyurkicz dabei am meisten erschreckte – auch jetzt, in der bloßen Vorstellung! – weil ihm als Zeichner die Veränderung natürlich nicht entging, während sie ja zugleich in irgendeiner Weise Imre's ganze naturalistische Zeichnerei über den Haufen warf ... Aber, als er Lo jetzt innerlich in solcher Gestalt erschaute, war es merkwürdig, daß sie auf diesem ‚Bilde' nicht ihre gewöhnlichen Kleider anhatte, sondern große Gesellschaftstoilette – ein Kleid, das sie besaß (als einziges dieser Art), ein Kleid, das ihm wohl bekannt war; bei einem der ersten schweren Auftritte, die er mit ihr gehabt hatte, eben da war es von ihr getragen und von ihm zum ersten Male gesehen worden: und dazu, auch zum ersten Male, jenes ihm fremde und schreckliche Gesicht, jene, wie es schien, enger zusammenrückenden Augen. Jetzt, während er da allein in der dunklen Eroica-Gasse stand – niemand ging vorbei, keine Schritte klangen – suchte er sich bereits selbst gut zuzusprechen (so unheimlich war ihm zumute und so unglücklich war er!) und er flüsterte tatsächlich vor sich hin: ,,Es ist ja selten, es kommt ja selten aus ihr hervor" – und eben als er dieses sein einsames Flüstern dann recht eigentlich erst bemerkte, streifte er für Sekunden am untersten und dunkelsten Grunde des inneren Elends.

Von jedem Nullpunkt an geht es aufwärts (wohin denn sonst?), und so schritt Gyurkicz bis zu Lo's Haustüre gewissermaßen bergan. Er konnte Lo dabei durch Augenblicke sogar sehen – und in diesen Augenblicken vermochte sein vorhin verlorengegangenes Gefühl sich wieder zu beleben: als er an ihren erleuchteten Fenstern vorbeikam, die ja zu ebener Erde lagen, erblickte er Lo vor ausgebreiteten Papieren an ihrem kleinen Schreibtisch sitzen. Der Vorhang war nur halb zugezogen. Das Teetablett schien am Fensterbrette zu stehen. Lo's dunkler Kopf hob sich scharf ab von dem grell beleuchteten Weiß der Blätter auf der Platte des kleinen Sekretärs.

Imre klingelte und wartete ein Weilchen vor der Türe. Dann kamen ihre Schritte.

Sie erschien ihm sofort, als sich nur die Tür öffnete, und danach in dem kleinen weißen Vorzimmer, durchaus anders als er sie vorweggenommen hatte, anders als er sich heute Lo beim Denken an sie vorgestellt hatte – anders im guten und zugleich in einem abkühlenden, ja, enttäuschenden Sinne. Nur wenige Sekunden lang, im Vorraum noch, war eine Befürchtung in ihm vorhanden, bei ihr wieder jenen ‚engen Blick‘ zu sehen. Aber es gab keinen solchen, nein, durchaus nicht. Sie schien eher heiter und sicher zu sein; dieses letztere schmerzte Imre – nur einen schnellen Gedanken lang – woher nahm sie ein Recht auf Heiterkeit und Sicherheit . . .? Lo war heute anders gekleidet, als sie sonst sich daheim antreffen ließ. Sie trug ihr Trikot-Kleid mit den großen Karos in gelber, brauner und roter Farbe; es stand ihr gut, sie sah sehr vorteilhaft aus, eine wirklich hübsche Person. Das Kleid ließ ihre schöne, hohe Brust stark hervortreten und zeigte auch sonst ihren guten Wuchs. Dazu war Lo sorgfältig frisiert. Sie war eine Frau, um die man schon beneidet werden konnte (immer sahen doch bei diesem Imre die anderen zu – und schon gar in solchen Sachen). Ob er Tee trinken wolle, fragte sie. Seine Antwort auf diese, von ihrer Seite bei Imre's Erscheinen nie ausbleibende Frage, hing weit weniger von dem bei ihm vorhandenen oder nicht vorhandenen Bedürfnis nach dem Teetrinken ab, sondern von der jeweils größeren oder kleineren Spannung, die zwischen ihm und Lo herrschte. Sie sah es gern, wenn er nach seiner Rückkehr aus der Stadt bei ihr Tee trank; sie hielt dabei mit, und es war ihr angenehmer als mit ihm gewissermaßen auf dem Trockenen zu sitzen. Überdies war es ihr geradezu unsympathisch, daß jemand, aus der Stadt und von seiner Tätigkeit kommend, gar kein Bedürfnis nach einer Tasse Tee empfand; das erschien ihr – inhuman, und hinter dieser Antipathie steckte bei Lo wirklich so etwas wie die Kraft einer Überzeugung. Jedoch Imre dankte diesmal für Tee, das heißt, er lehnte ihn ab. Nun gut. Sie saßen, sie nahmen eine Zigarette. „In der Stadt gewesen?" fragte er, ihre äußere Erscheinung betrachtend; ihm war dieses Kleid ja bekannt, sie trug es bei Stadtgängen. „Hütchen gehabt dazu?" fragte Imre. Sie wies leichthin auf's Klavier, wo die kleine Toque von braunem Filz (Solé) lag, die sie dort abgelegt hatte. Imre erhob sich; er fand für gut, den Fachmann in Bewegung zu setzen, wenn schon ansonst hier nichts in Bewegung kommen wollte. Nachdem er die Toque behutsam vom Klavier genommen hatte, näherte er sich Lo und setzte sie ihr geschickt auf, rechts heruntergezogen. Sie hielt mit dem Kopfe still und lächelte. Sie erhob sich sogar und präsentierte sich mit dem Hütchen. „Neu?" fragte er. Sie nickte. „Sehr gut", sagte Imre, „in Ordnung. Heute gekauft?" „Ja", sagte sie lachend, „bei der Pauli in der Schulerstraße." Er verwunderte sich. Sie hatte doch Geldsorgen gehabt. Imre hatte sich schon den Kopf zerbrochen darüber, wie man etwas herbeischaffen könnte. Jedoch er äußerte nichts. „Irgend etwas Neues von Bedeutung für dich in der Stadt?" fragte er beiläufig. „Nein, ich war im Auftrag der Mama bei jemandem." Aha, dachte er, da hat sie bissel was gekriegt, vielleicht von dieser aristokratischen Tante, der Baronin . . . wie heißt sie nur . . .? Er ließ seine Augen durch das bescheidene Zimmer wandern. Die Platte des Sekretärs, grün bespannt, war leer; es lagen keine Papiere mehr darauf. Lo hatte das Hütchen wieder abgenommen. Sie setzte sich zu Gyurkicz und fragte nach seinen Geschäften. Imre sprach. Er wünschte wirklich, ihr etwas zu sagen, darüber, daß er nach und nach von der Presse-Zeichnerei abzurücken trachte, und zwar auf jenem Wege, den Höpfner ihm schon gewiesen hatte, nur ging das eben sehr langsam. Die Pressezeichnerei aber beginne ihm mehr und mehr zu widerstehen (von den äußeren Widerständen, bei der ‚Allianz‘, sprach er nicht), erstens aus rein künstlerischen Gründen, und, darüber hinaus, wegen der damit verbundenen Haltung im Geistigen, oder Ethischen (was ritt ihn denn? warum wagte er sich immer weiter vor?!), und es sei eben insbesondere seit dem vorigen Herbst so, seit er wieder angefangen habe, nach der Natur zu arbeiten, unten im Burgenland, sogar im Winter, vom Schattendorfer Friedhof aus . . .

„Das kann ich mir sehr gut vorstellen", sagte sie ruhig, „diese langsam wachsende Abneigung, seit du wieder nach der Natur arbeitest. Ich glaube das zu verstehen . . ."

Sie veränderte sich gar nicht. Ihr Gesicht blieb ganz ruhig. Sie wurde anscheinend nicht im geringsten gereizt. Sie griff nicht an. Sie zeigte Festigkeit. Griff sie aus Stärke nicht an? Plötzlich wußte er mit dem sicheren Instinkt aller Frechen für das Positionsspiel des Lebens, für den psychologischen Stellungskrieg, daß sie bisher immer nur – aus Schwäche angegriffen hatte. Jetzt tat sie das nicht. Es war also besser, wenn sie angriff . . . Wußte sie etwas, was auch er – wußte? Was war es? Oder hatte sie etwas erfahren, wovon ihm überhaupt nichts bekannt war?

Sie saßen einander gegenüber, aber eigentlich saßen sie aneinander vorbei, vom Reden ganz zu schweigen. Er hatte wirklich gewünscht, ihr etwas von den ihn bewegenden Sachen zu sagen, er hatte es in einer Art plötzlicher innerer Aufweichung gewünscht; aber alles fiel dann wie auf fremden Grund, wie Äpfel, die vom geschüttelten Baum hinunterfallen hinter des Nachbars hohen Bretterzaun; man hört sie wohl aufschlagen, aber wohin sie zu liegen gekommen sind, das kann man nicht sehen.

Sie sprachen nicht viel, Lo und Imre. Sie schwiegen durch eine ganze Weile. Gyurkicz fühlte jetzt unabweisbar eine Festigkeit von ihr her gegen sich heranstehen, mit der sie ihn geradezu abdrängte. Er gab auf. Die Distanz spannte sich; nicht von ihm geschaffen, sondern von ihr aus zwischen sich und ihn gelegt. Es traf ihn wie ein Stich, daß eine solche Distanz in jeder Weise sehend machen konnte, sichtbar machen konnte, klar anleuchten konnte, was er hinter allerlei Emblemen sogar vor sich selbst verbarg: eine Wunde, eine dunkle Narbe im Kern seines Lebens, sein ,Trema', wenn man will. (Und auch Lotte Schlaggenberg wußte ja nicht, wie schmerzhaft tief dieses ,Trema' bei ihm eingefressen war, so wenig, wie er solches von ihr wissen konnte.) Und alle Reden blieben freundlich. Was ist jeder Streit doch besser, als einander aus den Augen zu verlieren, und in ein Niemandsland zu schauen, statt auf einen zweiten Menschen hin, und sei's gleich im Zorne! Es war hier nichts mehr zu machen. Sie entglitten einander heut abend, wie zwei in verschiedenen Zügen sitzende Passagiere sich gegenseitig entgleiten. Eben noch sind die Waggonfenster genau gegenüber gewesen: jetzt zieht es sie beide fort, den einen dahin, den anderen dorthin.

Er ging. Der Abschied war sehr freundlich.

Er querte im Dunklen die Eroica-Gasse schräg zu seinem Haustor hinüber: wie watend im grünen tiefen Wasser; ja, mehr als das: es reichte ihm bis an den Hals.

Nun gut; und doch darf man sich den Imre nicht zu arg verzweifelt und düster vorstellen: man denke an sein geringes spezifisches Gewicht! Zudem: nur wir wissen's, er für sein Teil wußt' es ja nicht, wie sehr er der Wahrheit entfremdet und in jeder Weise verblendet war: mit emblematischen Blenden. Er lebte an einer Art innerer Oberfläche.

Anders die beiden Mädchen, die er vor Freud's Branntwein-schank verlassen hatte. In ihnen waren Intelligenz und Tiefsinn der Jugend straff aufgerichtet wie Tulpen im taufrischen Beet. Traf ein erschlaffender Wind ein, drückte ein Mißbehagen: sie erlebten's wirklich, keine schützenden Blenden gab es, alles ging bis auf den Grund, der glatt und rein war wie ein bei beginnen-der Ebbe vom Wasser verlassener Sandstrand. So war der Grund ihrer Seelchen noch nicht verkritzelt vom Linienwerk zahlloser Vergleiche, wie bei den Erwachsenen, sondern alles Eintreffende zeichnete seine Kerbe immer, als wär' sie die aller-erste und sie stand allein und überdeutlich in der reinen Fläche, und störte und beschwerte diese empfangende Fläche über jedes Maß.

Darum auch hatte des fremden Herren kurzer Kampf mit dem Geierschnabel in Licea und Sylvia gleichermaßen einen schweren und dunklen Ton hinterlassen, der tagelang anhielt. Und würde man's ganz genau betrachten, so war es nicht eigentlich der von Imre knapp siegreich beendete Kampf in der Schenke gewesen, was den drückendsten Eindruck in den Mädchen hinterließ, sondern weit mehr noch die Art seines Abganges, mit dem Schritt eines alten und plumpen Menschen, der gesenkten Haup-tes dahingeht.

Auch die Kaps begann jetzt mit gesenktem Haupte zu gehen, oder meistens zu sitzen; bei ihr zeigten die Zeichen in merk-würdiger und zunehmender Weise auf ein Ende, alles neigte sich bei Frau Anna diesem zu – so wurde es von Licea geahnt, deutlich gewußt, schließlich klar erkannt. Dann sagte es der Arzt den beiden Mädchen gelegentlich: man müsse hier jederzeit auf alles gefaßt sein. Er bemerkte noch, daß die populäre Aus-drucksweise ,an gebrochenem Herzen sterben' nicht nur eine Redensart sei. Frau Anna aber starb gleichsam jetzt schon ab, bei lebendem Leibe. Sie ,versteinte', es war wirklich so; und es war nicht aufzuhalten. Zum ersten Male in ihrem noch kurzen Leben fühlte Licea das unabwendbare, das unwiederbringliche Entgleiten eines lieben, ja teuren, freundlichen Teils ihres eige-nen Daseins. Von nun ab, sie wußte es, würde sie selbst nicht nur Gegenwart und Zukunft, sondern eine Vergangenheit haben: zum erstenmal ward deren Memnons-Klage gehört im Leben der Mädchen – denn auch Sylvia fühlt' es ähnlich in ihrem guten Herzchen – zum erstenmal, wo dieses Vergangen-heit-Haben in paradoxer Weise noch als Zukunft heranstand.

Es blieb nicht lange so. Als der Bub des Grünzeughändlers gegenüber dem Haus ‚Zum Blauen Einhorn' bei Sylvia im Vorzimmer stand, wußte sie alles, bevor sie noch die eilige Botschaft vernommen hatte. Aber Licea und Sylvia – jene telephonisch von Sylvia sogleich in die Liechtensteinstraße dirigiert – trafen Frau Anna nicht mehr lebend an. Sie sah sehr schön und gütig aus; man hatte das weiße Haar geglättet. Der Priester und der Arzt waren schon gegangen. Man ließ die Mädchen für ein kurzes allein bei der Toten. Beide küßten Frau Anna. Dann beteten sie gesammelt das Requiem aeternam. Es war ein Brief an die Mädchen da, er lag auf dem ‚Nachtbuch', und war hier schon während der letzten Tage gelegen, wie die Hausmeisterin sagte; diese und auch den Arzt hatte Frau Anna wiederholt gebeten, das Schreiben sowohl wie das ‚Nachtbuch', wenn ihr ‚was Menschliches zustoßen sollte', sogleich nach ihrem Ableben an Sylvia und Licea zu übergeben, ebenso von nebenan das Schiffsmodell – in welchem noch ein kleiner Brief für das Fräulein Licea stecke – und auch den Bogen und die Pfeile, weil diese Dinge Eigentum des Fräulein Licea seien. Das alles stand dann auch im Briefe, den man auf Anraten der Hausbesorgerin jetzt öffnete; dazu noch ein Segenswunsch ‚für meine lieben Kinder, die mir die letzten Tage verschönt haben'. Sie gingen in's anstoßende Zimmer, jenes, das Krächzi hätte bewohnen sollen. Es fand sich sogar noch die Schachtel, darin einst Licea das Schiff gebracht hatte. In diesem stand jetzt Frau Anna's kleines Brieflein, es war an die Kombüse gelehnt. Die Hausmeisterin kam mit viel Zeitungspapier und Bindfaden. Sie wickelten auch den Bogen und den Köcher mit den Pfeilen ein, um auf der Straße nicht mit diesen Dingen aufzufallen. Die Hausmeisterin erzählte dabei, es sei ein ordnungsgemäßes Testament von Frau Anna errichtet worden, für ihre Verwandten im Burgenlande, die Eltern des toten Krächzi. Die Ersparnisse Frau Anna's seien gar nicht gering, außerdem habe sie einen hohen Barbetrag hier in der Wohnung zuletzt aufbewahrt, das stünde auch im Testament, das Geld sei vorhanden. Die Hausmeisterin war einer der Zeugen bei der Errichtung dieses letzten Willens gewesen. Licea und Sylvia mußten mit den Papieren rascheln, es tat ihren Ohren weh, hinter ihre Stirnen war eine weiße Leere gefallen, in diese hinein sprach die Hausmeisterin und erwähnte noch, daß sie bereits in's Burgenland telegraphiert habe, es werde wohl heute noch jemand kommen. Bei einem Blicke durch's Fenster bemerkte Licea mit seltsamem Befremden, daß draußen ein heller, sonniger, blauer Tag stand. Es war ihr das auf dem Wege hierher gar nicht zum Bewußtsein gekommen. Durch diese Sonne sollten sie nun auf der Straße gehen, mit dem Schiffchen, dem Bogen, dem Köcher, dem Nachtbuch ... war es nicht eine ungeheuerliche Zumutung? Sie fühlte Frau Anna's Briefchen in der Brusttasche ihrer Sportbluse.

Sie schritten die Alserbachstraße aufwärts mit der Schachtel und den beiden langen Gegenständen beladen – diese waren auf der Straße etwas ungefüge, und man mußte zusehen, daß niemand hineinlief und sie beschädigte. Licea trug das große ‚Nachtbuch' unter dem Arm. Hier, wie überall in den Straßen und Gassen der Groß-Städte, schwebten noch die zerstäubten Reste zehntausendfacher Vergangenheiten über Örtern ebensovieler Erinnerungen, zu denen niemand mehr gesammelt war, hauchten die Gespenster von Leid und Freud am hellen Tag aus dunklen, kühlen Treppenhäusern durch die Haustore auf den sonnigen Gehsteig.

Und sie tauchten schließlich selbst in ein kühles Treppenhaus, das erfüllt war von zutraulichen Miasmen, wie eben jeder Schauplatz einer Jugend (auf welchem gespielt wird, was man erst so viel später erfährt), und alle Etappen eines Schulweges, der sich schon hier teilte, und zwar in die einzelnen Stockwerke: die Wohnung der Frau Tarbuk im Hochparterre entließ durch ihre geschlossene Tür mit dem blanken Metallschild stets einen parfümiert sauberen Duft, dies aber nur ahnungsweise. Kam man jedoch beim Doktor Schedik vorbei, so war die ärztliche Atmosphäre eines Wartezimmers auf der Treppe eindeutig-desinfektiv zu spüren. Hier brannte auch während der Sprechstunden stets ein elektrisches Licht, das die große Namenstafel des Arztes scharf beleuchtete.

Nur das Mädchen war da, die Alten waren ausgegangen.

Sylvia ging mit Licea in deren Zimmer. Sie setzten die Sachen ab. Das Rascheln des vielen Zeitungspapieres dann beim Auspacken war beiden Mädchen unangenehm im Gehör.

Und beiden mit einer leisen, aber doch tief fühlbaren Verwunderung: was machte ihr Gehör so empfindlich, wie verletzt und schmerzend? Hatten sie zu viel gehört? Sylvia hängte Bogen und Köcher über einen freien Bilderhaken, den es da in der Wand neben der Türe gab. Allmählich stieg derweil das Schiffchen aus der Schachtel und aus seinen papierenen Hüllen. Die Zeitungsblätter schienen weiter zu rascheln, obwohl sie nun stille lagen. Neben dem Köcher an der Wand wurde ein rotgoldnes Band breit und breiter vom Widerschein der abendlichen Sonne.

Licea hatte den Brief aus der Tasche der Bluse genommen und ihn auf die Platte ihres Schreibtisches gelegt. Dort lag er schon die ganze Zeit. Jetzt endlich griff sie nach ihm. Sylvia raffte das viele Zeitungspapier zusammen und trug es in die Küche. Licea las:

Mein liebes Kind! Wenn die Kaps nicht mehr ist, soll das Fräulein Licea gleich das Buch nehmen und behalten, das ich vollgeschrieben habe. Es liegt am Nachtkastel. Auf dem Buch liegt ein Brief. Im Buch bissel lesen. Es steht viel drinnen. Mein liebes Kind! Bitte, bitte, nimm das Schifferl und auch die Bogenpfeile, bitte, gib auf das Schifferl sehr gut acht, nicht verschenken oder am Dachboden stellen, sondern immer bei Dir behalten in Deinem Zimmer, dort soll es sein. In dem Schiff fahrt die Kaps mit dem Krächzi. Wir sind glücklich. Leg' das Brieferl da in das Schiff. Es segnet Dich, mein gutes Kind, Anna Kapsreiter.

Wie ein Geysir emporsprudelnd, unwiderstehlich, quoll ein Tränenstrom aus Licea, es war, als stiege eine Flut in ihr, unerschöpflich. Sie schwamm im Schmerz wie in reißendem Wasser: das Genie der Jugend – welches ebenso Ehrfurcht verdient wie das Alter! – ermöglichte solchen Schmerz, der sich seine Bahn grub, wie ein Wildbach. Sylvia trat ein. Licea reichte ihr den Brief, ohne aufzusehen. Nachdem Sylvia gelesen hatte, tat sie ein paar Schritte gegen das Fenster und blieb mit dem Briefe in der Hand da stehen. Draußen zerfloß der weiträumige Prospekt im Lavendelblau beginnender Dämmerung; merkwürdig war's, wie in einer bereits undeutlichen Ferne noch da und dort ein grüner Baum wie ein Büschel oder Besen zwischen den grauen Häusern steckte.

Man würde sich irren, wenn man etwa vermeinte, daß zwischen Didi und dem Geierschnabel eine feindselige Beziehung herrschte. Wohl, sie wußte von ihm einiges. Es hätte vielleicht für mehr als vier oder fünf Jahre ‚Häfen' gelangt. Sie wußte unter anderem genau – und hatte das Beweisstück in ihrer an der Schraubenzwinge hängenden Tasche, nämlich Hertha Plankl's letzte Zeilen, mit wenigen Worten von der Gräven ihr zugesandt – wer jene Hertha wirklich umgebracht hatte, nach deren Mörder die Polizei nun seit vorigem Sommer vergeblich suchte. Didi und der Geierschnabel aber hatten eine letzte Einheit ihrer Gesinnungen auf bemerkenswerte Art entdeckt. Einmal, während (wie gewöhnlich) der gute, alte Freud rückwärts im ganz unbeschreiblichen – von uns aber doch schon beschriebenen – Zimmer sein Greisenschläfchen machte, hatte Didi den Geierschnabel gefragt ... Na, es klingt senkrecht dumm: sie hatte ihn also gefragt, warum er nicht – Sozialdemokrat sei? Wo er doch auf die reichen Leut' so eine Wut habe.

Wut – nun gut. Ein unbeschreiblicher Wutanfall Meisgeiers aber war hier die unmittelbar nächste Folge. „Die Ratzen!" schrie er. „Du bist nicht einmal ein Roß, Didi, du bist ja geradezu das A ... ch von solch einem Tier" (wir erinnern daran: er war dem Dialekt nicht ganz verhaftet). „Du saublöde Fummel!" schrie er. „Diese Ratzen, diese Volks-Speichel-Lecker, diese roten! Na, bei denen wären wir ausg'schmiert, wie man in Bayern sagt" (dort war er also auch schon gewesen?!). „Die möchten nichts als Ordnung machen, daß nur jeder schön sein Teil hat – ein Schafstall! Und wo bleib' ich?! Wo bleibst du? Huren-Nabel noch einmal! Schamst dich nicht in deine – – daß d' so blöd daher redst?! Die Sozi – das sind die größten Feinde von unsereinem, die's gibt und überhaupt von jedem, der kein Haderwachl oder Lamperl ist. Die Roten, die kommen bei mir gleich nach der Höh' (Polizei)!"

Didi's grüne Augen leuchteten wie eingeschaltete Schwachstrom-Lämpchen. Der Verbrecher ist ja der einzige Mann, der den Weibern nicht die vor Zeiten von der Männerwelt erfundenen und im Laufe der Jahrtausende immer närrischer und lästiger formulierten sittlichen Sachen (bis zum ‚kategorischen Imperativ'!) entgegenhält, sondern höchstens das, was ihnen entgegengehalten gehört. Er ist ihnen also gleichgeordnet. Denn auch er ist unterdrückt. Er ist ihnen gleichgeordnet – und nicht etwa wie der Päderast oder der Kastrat ein männerähnlicher Überläufer aus einem völlig fremden Terrain, den sie gutmütig und doch mit Verachtung behandeln, als einen Deklassierten und ungefährlichen Gegner.

„Und der Fittala?!" sagte sie listig.

„Der Fittala!" brüllte er. „Redaktionsdiener ist er, und von denen hat er sich's abkaufen lassen! So ein Tepp! Der hat einmal zu uns gehört. Aber dem, na, dem . . . in's G'sicht! Bei Versammlungen stänkert er, wenn wer da ist, der den Roten nicht paßt. Das ist ein Hund. Der g'hört dertreten."

„Hast recht", sagte Didi und lächelte befriedigt. „Magst einikemma?" fügte sie nach und wies mit einem kleinen Ruck des Kopfes nach rückwärts, „der Alte schlaft eh fest, und wann er nicht schlaft, hat er a Freud'."

„Meinetwegen", sagte Meisgeier und erhob sich.

Heute nacht habe ich einem gewissen Kubitschek, den ich aber nur im Traum kenne, denn im Wachen kenne ich niemanden, der Kubitschek heißt, zwei Ohrfeigen gegeben, warum, weiß ich nicht mehr. Er ist durch diese Ohrfeigen ‚versteint‘ worden, wie es im Traum geheißen hat, also zusammengegangen oder eingegangen, wie etwas beim Kochen zusammengeht, aber gleich so sehr, daß er nur einen halben Meter mehr groß war, und ist deshalb mit einem großen Zorn auf mich weggegangen, der Kubitschek, und hat dabei wütend auf mich geschaut, aber ohne sich umzudrehen, sondern er hat rückwärts ein rotes Auge gehabt, wie ein Auto, und hat laut gesagt: „Das übrige werden Sie auf dem Klosett sehen, glauben Sie ja nicht, daß ich mir von Ihnen etwas gefallen lasse. Sie werden es noch bitter bereuen." Mir war dann fürchterlich schlecht (nur im Traum, denn wie ich aufgewacht bin, war mir ganz gut). Nachdem ich wieder eingeschlafen war, ist es von vorne wieder angegangen mit den Kavernen. Die Räume waren aber diesmal trocken. Ich habe nur Klopfen gehört und bin gräßlich erschrocken, weil ich gemeint hab', das Klopfen kommt wieder von solchen hörnernen Greif-Krallen, wie sie manchmal am Ende von den langen Armen sich bewegen. Aber es ist diesmal nichts gekommen, ich bin von Zimmer zu Zimmer immer höher gegangen, und es ist immer trockener und noch heller geworden. Da bin ich auf der Straße, vor meiner Haustüre, gestanden und war also schon durch das Kanalgitter durch.

Aber ich soll mir nicht einbilden, daß wir sicher sein können, weil es heroben trocken ist: so ist mir im nächsten Traum ausdrücklich gesagt worden. Ich hab' nur furchtbare Angst um den Krächzi gehabt, denn das hat doch bedeutet, daß auch etwas heraufgreifen könnte und mir den Buben nehmen. Das könnte ich nicht überleben. Diesmal war ich nicht unten. Ich bin hier geblieben. Aber ich hab' es eben hier auch schon gehört, wie es unten patscht und im Dreck wühlt. Wenn ich unten war, in den trockeneren Gängen, aber auch in den feuchten, den nassen, wo einem doch schon so was begegnen kann, da hab' ich die Gefahr gar nicht so arg empfunden, wie hier heroben, wenn ich den Buben bei mir hab'. Unten hab' ich noch dazu jedesmal das große Küchenmesser vergessen gehabt. Ich war da, ohne irgend etwas in der Hand. Ich wär' verloren gewesen. Und doch bin ich auch in die nassen Kavernen (das Wort hab' ich immer so geträumt) hineingegangen. Einmal direkt am Wasser gestanden. Da hat's gerauscht. Aus ist's, denk' ich mir. Der Ekel war so groß, daß ich gestorben wär', wenn die Fangarme wirklich gekommen wären.

Aber heroben hab' ich wirklich Angst, die Angst ist ernster wie unten, denn hier ist es kein Abenteuer, unten bin ich aber aus Neugier. Beim Einschlafen hab' ich gestern an das Messer gedacht, ganz fest, und dann hab' ich's wieder nicht gehabt. Es ist auch eine schlechte Gegend hier, so tief an der Donau, und ich wohn' doch nur im ersten Stock. Durch den Abort wollt' ich nicht hinuntergehen, es ist ungehörig. Ich möchte es gern vergessen, was da unten ist, und daß dort das Zeug herumkriecht, aber wir sind eben alle unterwandert (das Wort war so im Traum), und wenn es nur Ratzen wären, dann wär's schon gut. Aber es ist anders, wenn etwas auf so langen Armen wandert und auf so vielen. Dann hab' ich geträumt, der Bub ist am Klosett und kommt nicht wieder. Nein, er kommt nicht wieder. Er kommt nicht wieder, denn er müßt ja längst wieder im Zimmer sein. Hier ist es ja auch wirklich sicher! – damit hab' ich mich entschuldigt dafür, daß ich ihn hab' allein auf's Häusl hinausgehn lassen. Aber was soll ich denn machen, er ist doch schon ein großer Bub und kommt bald in's Gymnasium. Er ist nicht gekommen, er kommt nicht wieder! schrei ich, es ist ganz furchtbar gewesen, dann bin ich aufgewacht.

Der Kubitschek hat Gitter angebracht, Siebe, damit nichts durch kann. Ich denke mir, wie kann er denn das, er ist zu klein, und vorn hat er keine Augen. Dafür hat er viele Arme. Zäh wie Draht. Das ist mir verdächtig geworden, ich lauf' was ich kann, damit er mich nicht einsieht (so hat's im Traum geheißen), daß ich ganz unten bleiben muß. Schere hab' ich wieder keine gehabt. Was macht der Bub ohne mich?! Ich bin noch durch's Kanalgitter gekommen. Draußen steht der Kubitschek und sagt: „Was machst' hier, Anna, die Siebe sind längst fertig."

Der Kubitschek sagt mir, wenn sie ein großes Haus anzünden würden, da käm' alles herauf, damit tät' man's an's Licht treiben, und würden sich durch alle Löcher heraufstrecken, weil der Boden wird dann heiß, und das halten sie nicht aus. Ich hab's im Traum eingesehen, und frag' ihn, wann man denn endlich anzünden wird, daß es unter der Stadt wieder rein wird. Sagt er: Im Sommer vielleicht, da gibt's auch mehr aus, weil's da eh schon heiß ist. Im Winter müßt erst der Schnee schmelzen, das macht denen unten noch eine bessere Feuchtigkeit.

Der Kubitschek hat den Buben wieder mitgenommen, er wickelt ihn ganz in seine Drahtarme ein, das kann ich nicht leiden. Er lacht und sagt, der Bub soll nur überall mitgehen, das schad't ihm nicht, wenn er die Welt sieht, und wenn der Bub Himbeerkracherl trinkt, dann kann ihm überhaupt gar nichts passieren. „Ja, soll er denn am End' auch Wein trinken?!" sag' ich, „und überhaupt ist das ein blödes Reden! Hast ihm vielleicht schon einmal einen Wein gegeben?" Und ich sag' ihm, er darf den Buben durchaus nicht mitnehmen, wenn das große Haus angezündet wird. Er lacht so grauslich, und ist dabei nicht viel größer als ein Wandkasterl. „Du dreckiges Kasterl!" sag' ich, „du darfst mir den Buben nicht mitnehmen, wenn ihr anzündet, auch unten nicht!" „Wer zünd't unten an", sagt er, „dort ist es viel zu naß." Ich hab' aber gar nicht gemeint, unter der Stadt, wie ich ‚unten' gesagt habe, sondern die Gegend, wo sie zu Haus sind, dem Krächzi seine Eltern, bei Schattendorf. Aber das hab' ich nicht sagen können, im Traum, ich hab' das nicht herausgebracht. Es war grad so, wie ich nie hab' die Schere mitnehmen können.

Vor verschlossenen Türen

Am Montag morgen, den 16. Mai – den Abend vorher hatte
ich mit dem Prinzen Croix und Mucki Langingen verbracht – erwachte ich in einer Art und Weise, die ich nicht besser als durch
die Wörter ‚mit Abstand‘ zu bezeichnen vermag. Mein Zimmer erschien mir größer als sonst, auch sehr hell. Ich lag da gewissermaßen korrekt in meinem Bett und wie aufgebahrt.

Noch war ich nicht klar wach. Die Sinnfolgen der Träume
zwar hatten sich schon verscheucht zurückgezogen in's Ungreif-
bare, aber die Kette von Ursache und Wirkung, an der unser
heller Tag liegt, war noch nicht gespannt: sie lag halb versunken in jenem Niemandsland zwischen Wachen und Traum, wo
dieser letztere nicht mehr einleuchtend ist und, gestört von einer
noch halb gelähmten Logik, nur mehr ein leichtes Gerölle vermischten Unsinns zurückläßt. Aber an diesem seichten Rande
der Nacht strandend wußte ich doch eines mit voller Evidenz:
daß zwischen meinem gestrigen Erwachen am Sonntag morgen
und meinem heutigen ein tiefes Tal von Unterschied lag.

Es lag wie im Schatten.

Gestern hatte ich an Cornel Lasch gedacht, und daß ich ihn
‚zum Gegner haben würde‘ (in welcher Sache? und warum
überhaupt?!).

Heute dachte ich an Renata Gürtzner-Gontard, an die Begegnung im halbdunklen Vorzimmer, oben bei dem Hofrate.

Wie in Dämpfung lag alles, was ich von dem Wachtmeister
Gach erfahren hatte, fast wie eine Verletzung, die sachgemäß
behandelt worden ist und sich jetzt unter ihrem sauberen Mull-
verband beruhigt hat.

Aber das Tal selbst wurde eigentlich gebildet von meinem
Beisammensein mit Alfons Croix und Mucki. Dies war die tiefste
Senkung, eine sanft leuchtende Höhlung, in welcher der gestrige
Tag abends zur Ruhe gekommen war. Daß dieser Hohlraum,

eingeschlossen in den vielen, großen, grauen Gesteinsmassen des Daseins rundum, von mir plötzlich und ohne Absicht erbohrt worden war, versicherte mich eines immer wieder unbekannten Werts der Welt, die mich umgab, ihres immer wieder möglichen ganz neuen Duftes, ja, das gab mir im Augenblick wirkliches Leben, wirksame Hoffnung.

Mit diesem Schwunge sprang ich aus dem Bett. Er blieb einen Teil des Tags bei mir. Ich sah meine Chronik an, mein Steckenpferd, von dem ich jetzt wußte, daß ich in sein komisches Sättelchen nicht mehr steigen würde.

Und, hier Abschied nehmend, begann es zugleich in mir: ‚es muß etwas geschehen, es muß etwas geschehen‘. Da war er also, der Gach, oder eigentlich nicht er selbst, sondern die alte Neuigkeit, welche er mir gebracht hatte. Aber was sollte denn geschehen? Was sollte ich denn tun, oder veranlassen, daß es getan werde? So verging der Tag – ein Tag von eher kühlem, schattigem Charakter – freilich ohne daß irgendetwas geschah. Aber ich zehrte, immer mehr nachdrängend, überlegend, um Quapp's Erbschaftsangelegenheit kreisend und schließlich kreiselnd – für mich war es jetzt eben schon eine Angelegenheit! – gleichsam die Vorräte an Sammlung, an neu-artigem Wohlbefinden auf, die gestern bei dem Prinzen in mich eingeströmt waren, und mich vom Aktuellen und von irgendeinem etwa nötigen Zugriff und allen dahin zielenden Überlegungen getrennt hatten. Ja, mich begleitete immer noch eine Art widersinniger Gewißheit, daß mit dem bei Croix verbrachten Abende alles eigentlich geordnet sei, wenn auch auf eine ganz andere Art, als durch irgendeine äußere Aktion, die mir jetzt schon durchaus erforderlich dünkte. Alles und jedes überhaupt war da als geordnet erschienen, und das plötzliche Herauftauchen Ruthmayr's – Quapp's Vater, wie ich jetzt befremdlicherweise wußte! – sowie der grauslichen Gräfin Charagiel, die doch bei mir längst in irgendeiner verstaubten Urne der Erinnerung in halb verschüttetem Gewölb ruhte, hatte mir gar keinen Eindruck machen können innerhalb dieser sanft leuchtenden Senkung, in welcher der gestrige Tag schließlich beendet worden war.

Aber am folgenden Tage, Dienstag, erwies sich, was ich da mitbekommen hatte, als verbraucht. Einmal noch wollte mein Zimmer mich mahnen, mit der gleichen abstandsvollen Erweiterung, die es am Montag morgen gezeigt hatte – während ich nach dem Erwachen wie aufgebahrt gelegen war – ja, es übertrug sich diese Mahnung hinaus und auf die fernen Baumkronen, zwischen denen jetzt das Rot eines Straßenbahnwagens erschien, als säße er in denselben, wie eines jener rotgefärbten Ostereier in dem Neste sitzt, das man mitunter dazu macht. . . . Jedoch, dann ging's dahin. Sogar der Jurist trat späterhin aus mir hervor, der Herr Dr. iur. G-ff, wenn dieser sich auch besser in den Fragen des Verwaltungs- als des Privat- oder gar im besonderen des Erb-Rechtes auskannte (nun, geerbt hatte ich eigentlich ganz genug, wenn auch nach Ansicht des Kammerrates Levielle mit Verlusten, welche nicht ohne weiteres hätten hingenommen werden sollen. . . .).

Ich begann also die Sache im weiteren Verlauf auch von dieser Seite her zu überlegen. . . . An allem, was sich aus dem Zusammentreffen mit Gach ergeben hatte, war nicht zu zweifeln. Hier lag auch eine Gegenprobe vor für jene Entdeckung, die ich einst im Halbschlaf gemacht hatte, an dem Morgen, als der Überfall Kajetans bei mir erfolgt war: die Ähnlichkeit zwischen dem Rittmeister Ruthmayr und Quapp, seiner Tochter. Auch Gach hatte diese Ähnlichkeit entdeckt, hatte sie ausgesprochen. Das war also ein objektiver Sachverhalt, nicht nur eine Verbindung von Vorstellungen in mir allein. Jetzt fiel die Masche, jetzt sah ich den Faden laufen durch's ganze Geweb, er wurde einzeln sichtbar: der Himmel spiegelte noch grünlich hinter dem Turm von St. Stephan, und über der Straße und den Läden schwebten schon die leuchtenden Kugeln der Bogenlampen . . . ein weit und langsam ausgeschwenkter Hut, der weiße Kopf darunter, das weiße Schnurrbart-Bürstchen. . . .

Ich aber hatte mich über jene Ähnlichkeit recht ausführlich dem Kammerrate gegenüber vernehmen lassen.

„Wie?! Was?!"

Er schrie mich geradezu an. Sein Gesicht war gerötet. Er sah gewöhnlich aus. Der sorgsam zurechtgelegte Faltenwurf, à la englischer Lord, den dieses Antlitz sonst zeigte, war profund in Unordnung geraten.

Da hatte ich ihn also, den Alarmschuss. Ich selbst hatte ihn abgegeben, am Tage Mariae Verkündigung, am 25. März, und, merkwürdig genug, fast an derselben Stelle auf dem Graben, wo Gach vorgestern, obendrein ungefähr zur selben Tageszeit, bei einfallender Dämmerung nämlich, zu der gleichen Beobachtung und zu ganz derselben Äußerung – mir gegenüber gelangt war.

Hier also lag die Wurzel, die eigentliche Haupt- und Pfahl-wurzel für Schlaggenbergs neueste Allianz-Karriere, und nicht in den unfreiwilligen Zeugenschaften des allezeit vierfüßigen und langohrigen Herrn René bei des Kammerrates und Cornel Lasch's Gesprächen im Siebenschein'schen Musikzimmer, mochten sol-che ,Belauschungen' noch so erbitternd gewirkt haben, ins-besondere auf den famosen Herrn Cornel: den neuerlich aufzu-scheuchen Kajetan und ich nicht verfehlt hatten durch unseren verständnisinnigen Blick, sogleich nach meinem Erscheinen auf dem Tischtennis-Tee bei den Butzenscheiben, als Stangeler pero-rierte und ihm plötzlich ein erinnerter Brocken aus einem jener Kammerrätlich-Cornel'schen Gespräche in die Rede floß.

Vielleicht war bei diesen Gesprächen nicht nur von bank-mäßigen Transaktionen die Rede gewesen.

Vielleicht auch von einer Erbschaft.

Das fiel mir beiläufig ein. Doch es blieb übrig, ich ließ es beiseite. Den Schlüssel zur Lage, alias zum plötzlichen Allianz-Segen, welchen Kajetan und ich vergeblich gesucht hatten wäh-rend unseres langen Gespräches im Café – unter mancherlei Scherzen – ich hielt ihn in der Hand. Mehr als das: ich hatte ihn selbst gemacht.

Evident: aus war's mit der Chronik.

Ich war jetzt Akteur.

Und alsbald ergriff mich die Aktivität. Zunächst in Gedanken. In juristischen Gedanken. Ich kramte meine mangelhaft gewor-denen Kenntnisse zusammen. Die Hintanhaltung der Testa-mentsvollstreckung hinsichtlich des allerletzten Willens Ruth-mayr's, kurz, die Unterschlagung jenes Dokumentes, das Alois Gach aus dem Felde gebracht hatte, blieb – falls sie wirklich er-folgt war – ein strafbarer Tatbestand, auch wenn die darin ver-machte Sache inzwischen als entwertet angesehen werden mußte, mit der alten Währung: immerhin hatte selbst diese noch über den Krieg hinaus einen gewissen Bestand behalten. Aber Gach hatte ja – und recht klug für einen einfachen Mann – anders und genauer berichtet: von englischen Werten, ja, von einem gesonderten Depot. Sollte Levielle als Testamentsvoll-strecker trotzdem den allerletzten Willen Ruthmayr's nur im Interesse von dessen Witwe unter den Tisch haben fallen lassen?

Denn ein Recht, eine letzte Willenserklärung zu bestreiten, stand ihm – nach § 601 des Allgemeinen Bürgerlichen Gesetzbuches – keinesfalls zu. Hätte Quapp's Erbe vielleicht doch vom weit größeren Friederikes abgezweigt werden müssen? Und wußte Friederike von einer unehelichen Tochter ihres Mannes? Letzteres erschien mir unwahrscheinlich. Mir war nicht bekannt, aus was für einer Familie sie stammte, aus welchen Kreisen im besonderen. Doch hatte ich im Frühjahr, als wir in der Konditorei Gerstner gesessen waren – späterhin mit dem Edamer Käse und dem unverschämten Frigori, der im übrigen vielfach ‚der Fregoli' genannt wurde, denn es hieß, er trage ein Mieder von jener Art, die man ‚Fregoli' nennt – damals, bei Gerstner, hatte ich es Frau Friederike die ganze Zeit hindurch gleichsam an der Nasenspitze angesehen, daß sie aus Kreisen stammte, in welchen das Weitergeben von blinden Flecken im inneren und das stellenweise Vermauern des Horizontes im äußeren Leben für eine der vornehmsten Leistungen traditionsreicher Erziehung gehalten wird. Nur der Überdruck einer gewaltigen Intelligenz bricht aus einem solchen Kreise (ganz ebenso wie etwa aus jenem Leonhard's) und von einer solchen Intelligenz konnte bei Frau Ruthmayr keine Rede sein. Der Rittmeister hatte ihr also wahrscheinlich ein Wissen um Quapp nicht zugemutet. Mir fiel plötzlich Kajetan's Äußerung ein – bei jenem langen Gespräche damals im Café – daß Levielle ‚gewisse Angelegenheiten' in der Familie Schlaggenberg geordnet habe, über die er, Kajetan, verpflichtet sei, ebenso wie Levielle ‚bis zu einem bestimmten Zeitpunkte' zu schweigen, nach dem letzten Willen des alten Eustach von Schlaggenberg, und daß von diesen Sachen außer dem Kammerrat und ihm nur seine Mutter wisse. . . .

Dabei handelte es sich doch wohl um Quapp. Ich fühlte es geradezu, daß Frau Ruthmayr von deren Existenz keine Kenntnis habe, ich brauchte nur an sie zu denken, wie sie da in der Konditorei Gerstner gesessen war.

Es gibt Menschen, die sind geradezu ihrem Typus nach Unwissende von vornherein schon, und sie bleiben es auch immer. Zu diesen Leuten gehörte gleich einmal Quapp. Sie staunte, daß es in Carnuntum römische Reste gab. Sie staunte später maßlos, als sie erfuhr, was eigentlich zu dem Brand des Justizpalastes in Wien am 15. Juli 1927 geführt hatte. Sie erfuhr nie etwas. Sie besaß keinerlei Kenntnisse.

Ganz ebenso kam mir jetzt Frau Friederike vor.

Natürlich hatte sie nichts gewußt.

Und Ruthmayr hatte in letzter Stunde jenes Testament an Levielle geleitet, und wohl ohne jede Absicht, seine Frau noch sozusagen posthum aufzuklären.

Fast schien mir danach auf der Hand zu liegen, daß der allerletzte Wille Ruthmayr's – nach Gach's Angaben war das ein durchaus rechtsgültiges Testamentum militare gewesen, gemäß § 600 des Allgemeinen Bürgerlichen Gesetzbuches ,mit mindrer Förmlichkeit errichtet' – ein besonderes Depot, zweifellos in England, erschließen sollte, das wohl längst vordem schon für Quapp ausgeschieden worden war, und das in Ruthmayr's vorher deponiertem letzten Willen in keiner Weise erschien, weder als Legat noch sonstwie, denn dieses sein eigentliches Testament mußte ja unter Frau Friederike's Augen kommen, ja, es war ihr wahrscheinlich längst bekannt gewesen.

Jedoch, um ein solches Depot zu erschließen, genügte keineswegs jenes Testamentum militare, es genügten dazu auch nicht die Depot-Scheine – solche bestätigen bekanntlich nur das Erliegen eines Effektenbestandes. Diese Depotscheine befanden sich ja aller Wahrscheinlichkeit nach in den Händen des Verlassenschafts-Kurators, also in diesem Falle des Kammerrates Levielle. Soweit meine Kenntnisse noch reichten, war da außerdem mindestens ein Gerichtsbeschluß erforderlich, und eine sogenannte Erbserklärung, durch welche der Bewidmete oder dessen Vormund ihren Willen bekanntgeben, die Erbschaft überhaupt antreten zu wollen.

Und im selben Augenblick war mir auch schon klar, daß eine ungesetzliche Erschließung der für Quapp erliegenden Werte ohne mindestens zwei Urkunden-Fälschungen sich außerhalb der Möglichkeit befand.

Einen derartigen Akt traute ich dem Kammerrate Levielle nicht zu. Das befand sich für einen Mann seiner Art in zu klarer Weise außerhalb des Gesetzes-Randes. Hier war nichts schummrig, hier gab es kein Niemandsland zwischen Kriminalität und Nicht-Kriminalität, keine juristisch neutrale Zone, keinen Raum im Windschatten des Strafrechtes sozusagen. Mochte gleich der Zeitpunkt für die Liquidierung eines österreichischen Depots in England jetzt durchaus gekommen sein – da die königlich britische Regierung solche Werte ja freigegeben hatte – so glaubte ich doch alles andere eher als daß er sich in jener Weise festlegen würde, wie es einer tut, der ein gefälschtes Dokument aus der Hand läßt. Er mußte andere Mittel haben, um sich in den Besitz von Quapps Vermögen zu setzen.

Vielleicht durch Vorschieben eines Strohmannes –

Ich fühlte jetzt, daß ich in meinen sprungartig vorschnellenden, ganz unkontrollierten Kombinationen zu weit gegangen war und längst den Boden unter meinen eiligen Gedankenschritten verloren hatte.

Vielleicht überhaupt, dachte ich jetzt, weiß Quapp's Mutter dort unten in Steiermark längst von alledem, ja vielleicht auch Quapp selbst. Vielleicht überhaupt ist die Sache im legalen Gange.

Es galt, Quapp zu fragen.

Vorher wollte ich mit Kajetan sprechen.

Da saß ich nun, wie eine Spinne im Zentrum des Netzes. Aber konnte ich für Quapp die dicke Fliege fangen, für Quapp, die kein ausgewachsener Frosch war, sondern mit bald sechsundzwanzig Jahren noch immer ein Wesen im Entwicklungs-Zustande? Jedoch, was sollte da eigentlich entpuppt werden? Manche Leute machen von dem bissel Recht, das wir vielleicht haben, um die Gültigkeit des Lebens hinauszuschieben – und das will doch der ganze Schwindel, den man ‚Entwicklung' nennt – einen allzu ausgiebigen Gebrauch. Stangeler gehörte auch zu denen.

Dennoch, die Beschäftigung mit Angelegenheiten, die mir zuwuchsen, die nicht meine waren und es doch schon wurden, erzeugte mir ein merkwürdiges Wohlgefühl. Als Chronist war ich erledigt. Als Akteur sah ich mich mit Vergnügen, und wie auf einer höheren Ebene des Lebens, wo man bereits geruhig vor dem Schaltbrette steht und zwischen den Hebeln wählt, um etwa die oder jene Verbindung herzustellen. Hatte ich als Chronist ganz vergeblich mich bemüht in's Zentrum der Sachen zu kommen – auch durch ‚Tratschereien' (Schlaggenberg) – so wehte mir jetzt eine Ahnung entgegen von sozusagen höheren Formen des Handelns, ja, vom eigentlichen Handeln überhaupt: und dahin war ich durch Schreiben gelangt. Primum scribere, deinde vivere. Erst schreiben und dann leben. Die umgekehrte und ursprüngliche Form dieses Sprichwortes war nur eine Maxime für Reporter, bestenfalls für krüde Naturalisten. Sie entsprach nicht der Mechanik des Geistes.

Jetzt aber genoß ich sie und sie tat mir wohl, die Sorge um Fremdes, das zum Eigenen wurde, zum Fremd-Eigenen, während das ursprüngliche und mitgegebene Eigentum schon beinahe befremdlich hersah. Werde dir selbst erst befremdlich, und bald wird nichts mehr dir fremd sein! Hat man bis nun Meinungen und Einstellungen wie Stecklinge auf Beeten gezogen (etwa derart wie Schlaggenberg seine neuesten sexuellen Appetits), ja sogar Geschmäcker und selbst Sympathien und Antipathien, ist man am Ende, auf dieser ganzen fragwürdigen Ernte obenauf sitzend, erst zu den richtigen Hämorrhoiden des Geistes gelangt, den sogenannten ehrlichen Überzeugungen oder gar Idealen – so erweisen sich jetzt alle diese einstmaligen Würzelchen als recht seicht in eine Erde gewachsen, die ebenso bereitwillig und gleichgültig auch vollends andere ernährt hätte. Ich für meinen Teil verzichtete gerne auf meine Spezialitäten samt der ,Chronik' und vertrat sie nicht mehr. Die Sorge um Fremdes – nichts anderes als eine Form der Aneignung, der Eroberung, der Besitz-Ergreifung! – die Sorge um Fremdes, die cura aliena, sie galt mir jetzt höher.

Sie belebte mich, sie beglückte mich. Sie ersetzte mir fast den, wie es schien, ganz und gar verflüchtigten Duft jener sanft erleuchteten Höhlung, in welcher der sehr bewegte Sonntag, der 15. Mai, abends zur Ruhe gegangen war.

Doch galt es nun Kajetan zu finden.

Das Telephon hatte ich damals im Vorzimmer.

Ich ging hinaus.

Es stand ein kleiner geblümter Fauteuil neben dem Apparat, man konnte beim Sprechen bequem sitzen. Ich ließ mich nieder. Ich fühlte mich plötzlich in einem höheren Grade gegenwärtig als sonst, und nicht nur mich selbst, sondern auch die nähere und weitere Umgebung hier, das Villenviertel, den ganzen Stadtteil, hinüber über den Berg und bis zur Donau hinunter, und hinab auch gegen das Innere der Stadt und gegen die schon geschlossenen Häuserzeilen zu, am Franz-Josephs-Bahnhof etwa und in Liechtenthal, bei der Pfarrkirche zu den Vierzehn Nothelfern. Ich sah diese Gassen wie von innen, aus den alten Häusern heraus, aus engen Zimmern, die doch von so vielen schon verlassen wurden, weil eine ununterbrochene und unmerkliche Völkerwanderung stattfand aus solchen unzureichenden oder eigentlich nur ,modernen Anforderungen nicht mehr entsprechenden' Quartieren in die mächtigen Wohnhausbauten der Gemeinde Wien, menschensammelnde Riesenburgen, in Heiligenstadt etwa oder draußen am Stadtgürtel in Margareten. Für die Kinder vor allem war das besser, sie wuchsen in Licht und Luft hinein und in eine freundlicher umfangende Umgebung, mit Spiel-Plätzen und Plantschbecken im Sommer. Sicher war das gut so. Noch schöner wär's gewesen, wenn die Zeitalter sauber voneinander sich abgesetzt hätten. Aber die alten Gassen und die ,modernen Anforderungen' gingen ineinander über, weil die Leute ihren ganzen Kram mit in die neuen Wohnungen nahmen – Kasten und Häferln und alte Drähte und Lampen – und am Ende war alles wieder gleichzeitig, das frühere und das jetzige, ganz und gar durcheinander gestellt, und das Neue wurde mit dem Alten alt und verrottete ebenso.

Durch Augenblicke erfüllten mich solche Vorstellungen mit Schwermut. Ich war vielleicht eine halbe Minute auf dem kleinen geblümten Fauteuil gesessen, ohne nach der Sprechmuschel des Telephons zu greifen. Jetzt tat ich's, sogar aufschreckend, denn ich hatte mich zuletzt, in meinen nicht eben freundlichen inneren Bildern versunken, wie von einer fremden Wesenheit bewohnt gefühlt.

Solches in meinem Heim in Döbling.

Dienstag, am 17. Mai 1927, vormittags.

Ich war für Sekunden in irgend einer Weise aus mir ausgewandert gewesen.

Schlaggenbergs Hausfrau teilte mir mit, daß der ,Herr Doktor' verreist sei; zu seiner Mutter, nach Steiermark.

Nun denn, Quapp: ,,Das Fräulein von Schlaggenberg ist verreist. In's Burgenland, soviel ich gehört hab'.''

Rebellion in mir: was soll denn das jetzt heißen?! Daraufhin ein gar nicht in diesen Zusammenhang gehörender, völlig unprogrammatischer Anruf bei – René Stangeler. Nicht etwa am Institut für Geschichtsforschung; sondern bei ihm daheim. Eine Stimme mit tschechischem Akzent sagte:

,,Ist wegg'fahrn gestern abend, nach Kärnten, hat gesagt.''

Man reise also plötzlich in alle österreichischen Bundesländer zugleich.

Was Schlaggenberg betrifft: ich vermag mich heute nicht mehr zu erinnern, ob er seine bevorstehende Abreise mir gegenüber nicht erwähnt hatte bei den sieben Scheinen. Jedenfalls hatte ich's vergessen, denn es überraschte mich jetzt.

Ich war alles in allem irgendwie aufgeprellt hier im Vorzimmer beim Telephon.... Eben wollte ich Eulenfeld in seinem Büro anrufen, um mich bei ihm sozusagen über die eingetretenen befremdlichen Verhältnisse zu beklagen. Da, eben als ich die Hand nach der Muschel ausstreckte, ertönte die schrille Klingel des Apparates.

„Hier spricht Cornel Lasch. Bitte kann ich mit Herrn Sektionsrat G-ff sprechen?"

„Ich bin selbst am Apparat", sagte ich.

Ich hatte mit meiner ‚Aktivität' gleichsam auf den Busch geklopft, nun sprang der Bock heraus (man hatte ihn übrigens auch zum Gärtner gemacht, wie sich später zeigen sollte). So also empfand ich's. Er bat mich sehr respektvoll und freundlich um eine kurze Unterredung, um die Möglichkeit, bei mir für eine Viertelstunde vorzusprechen.

Am Mittwoch nachmittag war er da.

Ich hatte ihn zum schwarzen Kaffee gebeten.

Es bestand kein Grund für mich, ihn übermäßig zu distanzieren. Ich wollte ja von ihm was erfahren.

Das war mir inzwischen klar geworden, ich hatte Zeit genug dazu gehabt. Es galt nicht, sich ihm gegenüber zu verwahren oder gar sich zu verteidigen, als wäre er nun mein Gegner. Alles Unsinn! Er würde hierher kommen als ein Aufgescheuchter, der bei mir irgendein Wissen vermutete. Wahrscheinlich ein größeres, als ich wirklich hatte: und vielleicht sogar ein solches in ganz anderer, nur von ihm vermeinter Richtung. Er war alarmiert worden durch Stangelers zweimal ges läppisches ‚Belauschen' – es mußte ja wirklich diesen Eindruck gemacht haben! – und zuletzt durch die verständnisinnigen Blicke, welche Kajetan und ich ,bei den Butzenscheiben' getauscht hatten, am verwichenen Samstage, bei Siebenschein. Ob aber der erste und eigentliche Alarm-Schuss, den ich – völlig unwissend – am 25. März abgegeben hatte, auf dem Graben, im Gespräch mit dem Kammerrat Levielle, ob diese Äußerung meinerseits über die Ähnlichkeit Quapp's mit ihrem natürlichen Vater auch für Lasch irgendeine Bedeutung haben konnte, ja, ob er überhaupt davon wußte, das blieb ganz offen.

Ich hatte beschlossen, mich improvisiert zu verhalten. Mutete er mir irgendein Wissen zu – wohlan, ich gedachte ihn nicht zu enttäuschen, mir keine Blöße zu geben, welche etwa anzeigen könnte, daß meine Kenntnisse hinter dem mir bereits zugebilligten Maße zurückblieben; und vielleicht konnte ich jene gerade auf solche Weise gewinnen oder ergänzen.

Es war halb drei, ich lehnte in der tiefen Fensternische, als Lasch unten den Wagen um die Ecke der Straße warf und gleich danach mit scharrenden Reifen vor dem Haustore hielt.

Während ich ihm zusah, wie er ausstieg und absperrte, dachte ich – dessen erinnere ich mich heute noch – an etwas von den Gegebenheiten dieser Augenblicke völlig abseits Liegendes. Erst an das Familienhaus der Stangelers im Semmering-Gebiete – von dem Leben dort und von den Ausflügen in's Höllental und nach Wildalpel hinüber hatte ich am Sonntag zu dem Sektionschef Gürtzner-Gontard gesprochen – dann aber an den Semmering selbst, ja, geradezu an die Terrasse des Südbahn-Hotels dort (stand das etwa mit dem luxuriösen Anblicke von Lasch's mächtigem Wagen im Zusammenhang und ging davon aus?). Die in den Wald gefleckten Kalkstein-Felsen hatten, sei's nun im Frühjahr oder im Sommer, immer etwas Herbstliches an sich, an ihnen lag die rosige Sonne oft wie ein lautlos hingehauchtes Wort, und eine gegen das sanftere Hügelland geöffnete Gebirgswelt zeigte eine südliche Süße, die den harten und hohen Bergen an und für sich gar nicht eignete. Weiß gedeckte Tische, hübsch gekleidete Menschen. Ein Pfiff des Zugs, der im Tunnel verschwand, ein kleiner Gruß vom Rauch in die Nase – schon mischte sich das mit dem moderierten Parfüm der Nachbarin oder dem Wölkchen einer Zigarre – und am Ende schien dies alles zusammen ebenso in die Ferne zu deuten und dort hinüberziehen zu wollen wie die sonnenbehauchten Kalkriffe, die aus den moosig-dichten Wäldern starrten.

Durch Augenblicke war ich in diese Bilder versunken, und wie von einer fremden Wesenheit bewohnt.

Ich hörte das böhmische Stubenmädchen im Vorzimmer.

Ich blieb herinnen. Sie würde Lasch schon öffnen.

Jetzt klingelte er. Ich stand noch in der Fensternische. Es klopfte an der Türe. Ich rief ‚herein!‘ und ging gegen die Mitte des Zimmers. Lasch trat ein.

Erstens: mir gefiel der Mann. Ganz unumwunden.

Er betonte eine Unbeweglichkeit, ja Schwerfälligkeit, die ihm gewiß nicht eignete. Die ganze untersetzte Person war sozusagen den breit und fest aufeinander liegenden Kinnbacken nachgebildet. Das begann schon mit der dicken Hornbrille.

„Mein Kompliment, Herr Sektionsrat", sagte er langsam, verbeugte sich und lächelte in einer offenen Weise, die gewinnend war: es lag eine Art Selbstironie darin, sie schien geschickt am Grunde dieses Lächelns plaziert, welches – und das war durchaus zu erkennen – seiner eigenen Anwesenheit hier galt, daß er nämlich überhaupt zu mir gekommen war.

„Freut mich sehr, Herr Lasch", sagte ich und reichte ihm die Hand. Wir setzten uns dann bequem. Das Mädchen brachte passierten türkischen Kaffee, den er sehr begrüßte, doch bat er, ihn vom Cognac zu dispensieren, und sagte gleich danach:

„Ich bin zu Ihnen gekommen, verehrter Herr Sektionsrat, um einmal an einer absolut integren und über jeden Zweifel erhabenen Stelle eine Wahrheit zu deponieren, die in solcher Weise und gerade an solchem Orte einmal niedergelegt werden muß, wie mir scheint. Um so mehr bei Ihnen, Herr Sektionsrat, als Sie von vielen Dingen Kenntnis haben, wie wir beide wohl wissen, da erübrigt sich jedes Wort. Mir ist es in der Tat nur um jenes – Depot zu tun, an einem Orte, den ich für den besten und unzweifelhaftesten halte."

Ich war auf diese Wahrheit nicht neugierig. Es ging mir um die Ermittlung eines Sachverhaltes. Den konnten solche taktischen Wahrheiten nur verdunkeln, nicht klären. Immerhin blieb wichtig, wohin hier ein Schatten geworfen werden sollte.

Ich hatte einen sehr starken Eindruck von Cornel Lasch, einen geradezu entscheidenden: derart, daß ich plötzlich zwei Arten, ja Klassen von Gesprächspartnern, von dialektischem Gegenüber, ja, von Menschen überhaupt zu sehen vermeinte. Erstens solche, die in ihren festliegenden Geringfügigkeiten, blinden Flecken im inneren, vermauerten Stellen am äußeren Horizont vollends befangen blieben, und das bei all ihren sonstigen Vortrefflichkeiten, so daß sie niemals mehr jene blindgewordenen Stellen des inneren Spiegels, jene vermauerten Teile des äußeren

Gesichtskreises wieder zum Leben erwecken und sichtig machen würden: und heran trat als Beispiel Frau Friederike Ruthmayr. Sie war eine Art Sozialprodukt, nicht im volkswirtschaftlichen Sinne dieses Wortes, sondern in ihrer Bedingtheit, im endgültigen Festliegen ihrer determinierten Geringfügigkeiten, die ebenso gut ganz andere hätten sein können, und auf welche man im Gespräch wohl achten mußte, wollte man Frau Friederike oder andere Menschen, Frauen und Männer von ihrer Art, nicht verletzen. Diese Sorge hob jede Dialektik auf. Denn jedes wirkliche Gespräch bricht Tore in's Hier und Jetzt, in's So und So, ein Vorgang, der zur größten Unhöflichkeit, ja, Lieblosigkeit ausartet, gegenüber jedem, der nun einmal entschlossen ist, alles andere eher zu tun als durch ein solches Tor zu gehen. Es sind das also Menschen, mit welchen man überhaupt nicht reden kann, da seien sie, wer sie sein mögen, die liebsten, die anständigsten, die energischsten, die intelligentesten. Man muß ganz einfach zu viel achtgeben. Ihr Gegenteil sind die völlig offenen Individuen. Mit ihnen könnte man über alles reden, da seien sie sonst wie sie sein mögen, die verschlagensten, die korruptesten, die zweifelhaftesten. Ein solcher war Lasch. Er blieb sicher immer von allen Seiten her ansprechbar und dabei völlig ungeniert. Um ihn lagen Welt, Leben und Gesellschaft zweifellos wie ein an den Rand gedrängter Ringwulst, und was inmitten sich befand, das war eine Fülle von Relativierungen. Im Zentrum aber saß das gesunde und allezeit erektionsfähige Organ für den Profit.

Mit Lasch konnte man reden.

Ich hatte nicht die Absicht, davon Gebrauch zu machen. Aber seine Personsverfassung erschien mir als eine bequeme, ja, wohltuende.

Man findet sie mitunter bei großen Geschäftsleuten, auch bei Ärzten.

„Und welches ist jenes Depot?" fragte ich jetzt freundlich und leichthin, die Mokkatasse in der Hand. „Ich werde es jedenfalls zu treuen Händen bewahren."

„Wird gar nicht verlangt", sagte er gemütlich. „Keinerlei Diskretion nötig. Was ich Ihnen hier mitteilen werde, Herr Sektionsrat, können Sie jedem Menschen weitererzählen, und dazu auch noch, daß ich Ihnen dieses Weitererzählen ganz freigestellt habe."

„Also in diesem Sinne zu treuen Händen, im kommunikativen Sinne", sagte ich.

Er lachte behaglich, ja herzlich.

„Aber ohne Obligo", fügte ich hinzu.

„Ganz ohne", sagte er, noch immer lachend. „Sie sollen's nur wissen. Ich bin mit dem Kammerrat Levielle nicht identisch oder nicht mehr identisch. Das ist alles. Ich weiß, daß hierüber eine allgemeine Ansicht besteht. Sie war nie so ganz richtig. Heute ist sie falsch. Es gibt einen bekannten jüdischen Ausdruck für den Tempeldiener und weiterhin für untergeordnete Organe überhaupt – also, um es so zu sagen: ich bin nicht der ‚Schammes' des Herrn Kammerrates."

„Ist eine indiskrete Frage erlaubt?" sagte ich und lachte; das ganze Gespräch wurde überhaupt lachend und lächelnd geführt.

„Nur los, verehrter Herr Sektionsrat, und ohne Obligo für mich."

„Haben Sie denn mit dem Alten eine Differenz oder Unannehmlichkeiten gehabt?"

„Kann man leicht haben. Da ist jetzt die Sache mit den Holzhäusern für Australien, das wissen Sie ja aus der Zeitung, Herr Sektionsrat" (ich hatte keine Ahnung und nie davon gehört, auch zuletzt kaum mehr die Zeitungen gelesen, wußte also überhaupt nicht, wovon er sprach). „Nun, wenn man das sehr vornehm ausdrücken würde: ‚es war keine Einigung zu erzielen über die Methoden der Kapitalbeschaffung' – oder, wie ich schon sagte, ich bin nicht der ‚Schammes' des Herrn Kammerrates Levielle."

Natürlich war ich ratlos, ich ‚schwamm', wie man zu sagen pflegt, ich sah wieder einmal, daß ich überhaupt nichts wußte (und dabei hatte ich ein Chronist sein wollen!), daß ich hier nichts besaß, als eine ganz unbestimmte Voreingenommenheit, kaum eine Vermutung zu nennen, die irgendwie aus meinen früher durchlaufenen unkontrollierten Kombinationen stammen mochte.

„Ich verstehe", sagte ich, wohlwollenden Tones, wirklich verständnisinnig.

„Häuser können von Holz sein, und Papier auch, zum Beispiel das Zeitungspapier. Ich will nicht hoffen, daß der Herr Kammerrat und ich uns beide auf dem Holzwege befinden. Es gibt Leute, die sich sozusagen dem Materiale nach, aus dem sie gemacht wurden, frappant ähnlich sehen, aber weder verwandt sind, noch irgendwas miteinander zu tun haben. Keinesfalls kann bei Levielle und mir von verwandter Tätigkeit gesprochen werden oder von einander ähnlichen Arbeitsgebieten. Vielmehr scheinen sich unsere Wege zu trennen. Das ist alles, was ich sagen wollte."

„Und bedauern Sie das?" sagte ich, nur um irgendetwas zu sprechen, um Zeit zu gewinnen, um ihn hinzuhalten, denn er wollte jetzt, wie mir schien, bereits gehen. Das Spiel der Gedankenverbindungen in seinem Reden zuletzt berührte mich doch eigentümlich, und ich dachte ganz klar, daß es ebenso wohl unwillkürlich sein konnte – geschöpft aus naheliegenden Inhalten des Bewußtseins – als beabsichtigt, um mich gewissermaßen zu beklopfen, zu auskultieren. Aber ich meine fast mit Sicherheit, daß ich damals keine wie immer geartete sichtbare Reaktion gezeigt habe. Er beobachtete mich auch keineswegs in irgendeiner fühlbaren Weise, er sah ganz beiläufig zu mir herüber. Jetzt schien's ihm zu genügen, er stand auf und sagte:

„Verehrter Herr Sektionsrat, es hat mir außerordentlich wohl getan, einmal ein offenes Wort sprechen zu dürfen – man hat nicht oft dazu Gelegenheit – und gerade zu Ihnen. Ich danke Ihnen auch für die große Freundlichkeit, mit der Sie mich empfangen haben."

Er verbeugte sich langsam, lachte, wir reichten einander die Hand, und ich begleitete ihn hinaus in's Vorzimmer. Als die Tür hinter ihm in's Schloß gefallen war, blieb ich davor stehen – nun, wie man eben vor einer verschlossenen Türe steht. Es war die meiner eigenen Wohnung.

Für heute hatte ich genug. Ich erledigte einige Korrespondenzen, und dabei fiel mir Camy Schlaggenbergs Brief in die Hand, den ich am Sonntag morgen gelesen hatte, er lag offen auf dem Schreibtisch. Ich sah wieder in dieses Schreiben hinein, eigentlich nur in diese Schrift, zunächst wenigstens, ohne dem Sinn der Sätze zu folgen. Ich kannte Frau Camy's Schrift. Für jeden Menschen, dem diese Schrift nicht vertraut war, wäre sie prima vista unlesbar gewesen. Über eine ganze Reihe von Zeichen, darunter etwa ein doppeltes m – also sechs Mittellängen – ward oft mit einem einzigen Bogenstriche hinweggewischt. Plötzlich erfaßte mich das Gefühl, daß in dieser Art zu schreiben nicht nur eine Zumutung für den Empfänger des Briefes, sondern eine ebenso ungeheuerliche wie unbewußte Anmaßung an und für sich lag. ‚Ein billig erstandenes Selbstbewußtsein', dachte ich. Sie hatte keine Achtung vor den Charakteren der Schrift, und also keine Achtung vor dem Wort und der Sprache und damit überhaupt vor nichts in der Welt. Mit solchen Gefühlen war ich freilich nicht imstande, den Brief jetzt zu beantworten. Ich schob ihn beiseite.

Ich ging. Es war noch hell. Ich wollte weit zu Fuß gehen, mir Bewegung machen. Das Gespräch zuletzt, die gehabten Gedanken und Kombinationen, das alles lag jetzt quer durch mich, wie die Oberfläche gestockter Flüssigkeit in einem Gefäß. Nicht Schwermut erfüllte mich – die fast wieder Belebung sein kann, wenn sie stark und tief ist! – sondern Abgeschlagenheit. Mir kam jetzt alles und jedes abhanden. Ich gedachte des Sonntagabends, als ich durch die Reisner-Straße im sogenannten Gesandtschaftsviertel gegangen war, um später von Alfons Croix und Mucki arretiert zu werden, wirklich so, als hätten sie mich festgeklemmt zwischen dem Automobil und der Mauer ... Hier war der tiefe Einschnitt einer Gürtelbahn; ich schritt daran entlang. Noch immer hatte die ganze Gegend hier irgendeinen Reiz der Neuheit für mich. Reist man viel, dann stumpft man in dieser Hinsicht ab, man kann aus so bescheidenen Anlässen, wie dem Wechsel der Wohngegend innerhalb der gleichen Stadt, nichts Neues mehr gewinnen (und für mich stand doch, seit ich hier wohnte, hinter jeder Villenzeile, die etwa hügelan und gegen den Himmel führte, ein neuer Schein). Die fremden Länder aber fliegen uns auf den Schienen und Straßen entgegen und quirlen durch uns hindurch, und oft bleibt fast nichts davon zurück.

Ich dachte an Stangeler. Er hatte mir einmal von fremden Gegenden in der eigenen Stadt gesprochen, von ‚Fremd-Gängen', wie er sagte, von ganz neuen Beleuchtungen (‚Fremd-Gänge im neuen Licht'), nicht etwa im Wienerwald und mit schönen Aussichten, sondern in gestreckten, geräumigen Vierteln der Peripherie mit langen Straßen, eine, sagte er, habe schon einen ganz weißen Namen gehabt, die Hellwag-Straße war es.

Ich beschloß gleichwohl, zu reisen.

Ich war doch ein wohlhabender Junggeselle.

Ich war eine lächerliche Figur. Ich konnte nicht reisen, weil Levielle ein Testament unterschlagen hatte und Lasch – der vielleicht hier die Kastanien aus dem Feuer holen sollte – mit ihm ,keine Einigung erzielen konnte bezüglich der Methoden der Kapitalbeschaffung'.

Ich konnte wirklich nicht reisen, in nächster Zeit. Ich sah es ein. Oder machte ich mich nur wichtig? Ich kam durch die Döblinger Hauptstraße. Ich hätte irgendwo eintreten können, vielleicht in einen Bäckerladen oder in ein Café, aber ich fühlte mich überall abgewiesen, Haus nach Haus, ich ging, wie an die Luft gesetzt. Wenn nun Eine neben mir gegangen wäre, Arm in Arm, ich hätte doch gleichsam ein Haus mit mir getragen, ein Schneckenhaus. So kroch ich nackt dahin, langsam, immer noch mit vorgestreckten Fühlhörnern, obwohl ich nicht mehr mit Cornel Lasch beim Kaffee saß. Es waren die vorübergehenden schwachen Minuten des Junggesellen, eines wohlhabenden Junggesellen, der nicht reiste, der wirklich nicht reisen konnte. Jeder Stand hat seine Fallgruben.

Es begann zu dämmern. Da und dort zeigten sich erste Lichter. Ich kam an das Ende der Döblinger Hauptstraße, in jene Grenzgegend, wo ein neuer Zeitraum meines persönlichen Lebens zusammenfiel mit einem äußeren Raum, einer neuen Gegend des Wohnens. Hier endete eine Bezauberung, die mich nun seit bald einem halben Jahr umfing.

Ich wollte vielleicht irgendeinen Haken schlagen, einen Abschnitt setzen, einen Knick in die Sachen bringen, die mich einnahmen, gleichsam aus einer Rinne heraustreten, oder auch die gerade Zimmerflucht der Jahre unterbrechen, die sonst von ihren letzten Räumen durchsehen läßt bis in die Kindheit (im Grunde führen ja ältere Menschen ständig den eigenen Tod spazieren, fast wie ein Hündchen an der Leine . . .), kurz, ich wollte aus alledem heraus – und das hatte äußerlich nur den Reflex zur Folge, daß ich, unter dem Viadukt der Hochbahn hindurchgehend, mich gleich nach links wandte, statt die Richtung gegen die Innere Stadt beizubehalten. Ich trollte hier eigentlich wie ein Stück Wild im Wald, es wurde mir plötzlich bewußt; man sah diesen zwar vor lauter Bäumen nicht, und doch irrten wir alle darin herum. Ich kam jetzt in jene Gegend, welche man heute noch ,Liechtenwerd' nennt, was eigentlich soviel heißt wie eine helle Aue. Das Gelände brach ab, man sah über die zahllosen Gleis-Stränge des böhmischen Bahnhofes weit hinaus. In diesem Gesträhn und Gewirre saßen viele Lichter, teils kalte und hochschwebende, von Bogenlampen, teils bunte.

Es war eine Art Terrasse, auf der man hier stand, mit Geländer, etwa vier bis sechs Meter über dem Güterbahnhof.

Auf diesem gab es sogar vereinzelte große Bäume, ihre Kronen hatten noch lichtes Grün, wie es im Frühjahr eben ist.

Nein, es war keine helle Aue mehr, es war eine kohlenrauchige weite Erstreckung, und das Auge ging an langen Reihen rostbrauner Güterwaggons entlang, die dort links drüben standen, wo auch der ockerfarbene Viadukt der Hochbahn sich entfernte.

Ich wandte mich ab von diesem Blickfeld und tauchte gleichsam wieder unter in der Stadt, ich ging die Liechtenstein-Straße hinab, ich versank darin. Das war nun eine Gegend, die ich noch selten betreten hatte. Neben öden Zinshäusern sah ich ein niederes gelbes Gebäude, das uralt sein mochte, seiner Bauweise nach, vielleicht war es einmal ein Einkehr-Gasthof gewesen, zu einer Zeit, als hier noch offene Landstraße lief. Eine Tafel verkündete ‚Hotel', und was das für ein Hotel war, ließ sich leicht erraten. Aber das Haus selbst – fest, flach, einstöckig – blieb doch seltsam, es war besser wie die anderen Häuser hier, trotz seines vielleicht minderen Zweckes, es mußte den Blick eines der Zeitalter und Baustile im Stadtbilde auch nur einigermaßen kundigen Menschen auf sich ziehen.

Das tat es denn auch. Auf der anderen Straßenseite, in der Gegenrichtung, kam ein Herr in weitem Sommermantel und mit hellen Handschuhen, den grauen Hut korrekt aufgesetzt, genau in der Mitte, ohne Neigung nach links oder rechts. Er hielt an und blickte zu dem alten Hause hinüber, einfach vor sich hinsehend, nicht irgendwie betrachtend, dazu währte sein Anhalten auch zu kurz. Schon schritt er weiter. Langsam, fast schwer, mit gesenktem Kopf. Ich erkannte ihn, den Imre von Gyurkicz, erst als er bereits vorbei war. Er seinerseits schien mich überhaupt nicht bemerkt zu haben.

Die Straße wurde enger, ihr Niveau ungleich, das rechte Trottoir, auf welchem ich dahinschritt, lag weit höher als das linke. Ich ging an alten kleinen Häusern entlang. Ich sah ein Haustor, das vielleicht der Zeit vor 1800 noch angehören mochte, aber ich hielt mich nicht auf, trollte wie das Wild im Wald, auch am Haus ‚Zum blauen Einhorn' vorüber, das ich zu jener Zeit noch gar nicht kannte; ich bemerkte nicht das Bildwerk in Stockwerkshöhe, an der Ecke der kleinen Seitengasse. Nun kam Verkehr, Straßenbahn, Getute, Geklingel. Ich wandte mich nach rechts. Als ich zur Ringstraße kam, war es schon dunkel geworden. Die Straße brauste gleichmäßig wie ein Wasserfall.

In der Inneren Stadt schlug ich mich seitwärts, durch ein paar stillere Gassen. Da war die ungarische Gesandtschaft, Bankgasse. Ich schritt durch das Portal des alten Palastes, trat an das erleuchtete Glashaus des Torwartes und legte ihm meine Karte auf das Pult. Ob Herr von Orkay zuhause sei? Ja, der sei da, hieß es; der Portier telephonierte nach oben, und eine Minute später kam Géza die breite Treppe herabgelaufen. „Gyuri bácsi!", rief er, „das ist ja reizend!"

Ob ich nicht hinaufkommen wolle, zu ihm. „Hast du was vor, für heut abend?" fragte ich. „Gar nichts", sagte er. Er sprang wieder zurück nach oben, holte Hut und Überzieher, und wir gingen essen: im alten Keller drei Stockwerke tief unter der Hofburg. Hier gab es im Getäfel der Wand eine lächerliche Uhr, die statt eines Kuckucksrufes altväterische Jagdfanfaren von Stunde zu Stunde hören ließ; unter solchen Klängen ward unser Essen gebracht; schon lachten wir. Noch dazu waren es Hirschfilets. Ich vermeinte jetzt ernstlich sozusagen aus der Rinne herausgelangt zu sein, in welcher ich bis jetzt gelaufen war (noch die Liechtenstein-Straße erschien mir hintnach als ein Teil davon).

Ich bemerkte bald nach dem Essen, daß Géza mir irgend etwas zu sagen hatte. Fast immer spürt man das schon vorher: wie ein sich heranwölbendes Gebiet von Überdruck, dem einer schließlich nachgibt, indem er spricht.

„Hab' dich schon anrufen wollen, Gyuri bácsi" (‚Onkel Georg' hieß das, obwohl ich ja nicht sein Oheim war, sondern nur ein, allerdings weit älterer, Vetter), „ich wollt' einmal mit dir reden. Denk' dir, ich möchte mich neuerlich verändern, ich möcht' von Wien wieder weg. Was sagst du jetzt?"

„Erstaunlich, Géza", antwortete ich. „Wien ist doch ein bevorzugter Posten. Hast Glück gehabt."

„Weiß ich, Schorsch", sagte er. „Hab Glück gehabt, und bin hier unglücklich."

„Aber Géza, was ist denn los?" (Der Ausdruck seiner Züge machte mich betroffen.) „Du kannst doch ruhig ganz offen über alles zu mir sprechen, das weißt du ja."

„Weiß ich und danke dir", antwortete er, „und ich mache hiermit von deiner Güte Gebrauch. Also, zuerst einmal, ganz kurz: die Stellung hier als Attaché" (wir hatten uns umgesehen, aber es saß niemand in unserer Nähe) „diese Stellung ist mit gewissen Belastungen politischer Art verknüpft. Mehr brauche ich dir nicht zu sagen. Wirst schon wissen. Der Gesandte hält sich davon frei, so gut er kann, und so fallen diese Sachen auf mich: gerade mich nämlich hat er sich ausgesucht für solche Agenda. Das bringt mich in Berührung mit gewissen Kreisen hier in Wien, vor welchen mir jetzt schon mit zunehmender Beschleunigung das Kotzen herausgeht. Insbesondere, seit Ende Jänner die ganze Richtung ihr wahres Gesicht gezeigt hat und in Schattendorf ein kleiner Bub erschossen worden ist: du mußt bedenken, daß mir diese Sachen erst seit meiner Anwesenheit in Wien allmählich genauer bekanntgeworden sind. Na, du weißt schon. Da geh' ich nicht mehr mit. Habe manches sehr anders sehen gelernt. Da müßte einer ja auf sein bisserl Hirn gefallen sein, wenn er nicht merkt, daß diese Fleischhacker – ich nenne keine Namen, du verstehst, einer von ihnen schaut aber auch wirklich so aus – sich wollen gewissermaßen in Permanenz erklären, weil man diese Hausknechte einmal hat benötigt zum Ordnung machen. Das sind aber keine Methoden für einen zivilisierten Staat, und schon gar keine Sachen, mit denen ein Diplomat sich abzugeben hat. Das ist erster Grund, warum ich mich versetzen lassen will."

„Hast du eine Möglichkeit?"

„Ja."

„Und das wäre wohin?"

„Bern. Weit vom Schuss. Dort kommt derartiges nicht in Betracht. Aber hier ist heißer Boden."

Ich schwieg. Mir waren die Dinge freilich nicht ganz unbekannt, von welchen er sprach. „Und der zweite Grund?" fragte ich schließlich.

„Grund Nummer zwei", setzte Géza fort, „ist, daß ich steinunglücklich bin hier in Wien. Eine ganz aussichtslose Liebe. So. Jetzt ist das gesagt. Mich frißt das auf. Ich muß von hier fort."

„Wer ist das?" fragte ich. „Darf ich wissen –?"

„Darfst du wissen", sagte er. „Die kleine Quapp."

Ich lehnte mich zurück. Das Gefühl eines kompletten Versagthabens – durch einen blinden Fleck in meiner Optik! – erschlug mich geradezu: ich hatte nie etwas von alledem bemerkt. Nein! Nichts! Jetzt und hintnach wollte sich das und jenes vordrängen ... Géza's stets gezeigtes besonders achtungsvolles Benehmen gegenüber Quapp etwa... ,Nichts hast du bemerkt, rein gar nichts!' rief ich mir selbst zu. Daß ich ein ,Chronist' hatte sein wollen – daran wagte ich jetzt nicht einmal mehr zu denken.

Wir schwiegen beide.

Aus dem aufgebrochenen und entblößten Raume meines Nicht-Wissens stieg nun – wie eine Art von Schöpfung aus dem Nichts – eine Kombination fertig heraus, die sich im wesentlichen auf eine standesgemäße Heirat, unterfüttert von einem doch wohl bedeutenden Vermögen, und bekrönt von der Position eines Legationsrates bei der königlich ungarischen Gesandtschaft in Bern stützte. Arme Quapp.

Ich wußte zunächst überhaupt nichts zu sagen. Ich war hier einfach stecken geblieben. Endlich brachte ich als Notbehelf die Frage heraus:

„Hast du zu Kurt" (ich meinte meinen Neffen Dr. Körger) „von deiner Absicht gesprochen, dich versetzen zu lassen?"

„Nein", sagte er. „Ich glaube, er hätte für meine Gründe wenig Verständnis, in jeder Beziehung. Der Rittmeister und Kurt stecken jetzt viel beisammen. Die haben sich sehr genähert einander. Ähnliche Auffassungen. Zum Beispiel in bezug auf Schattendorf, soviel ich bemerkt habe. Etwas obenhin, scheint mir, mehr so, sagen wir einmal, à la Feschak."

„Und von Quapp ...?" fragte ich.

„Habe ich Kurt natürlich kein Wort gesagt. Das kann man auch gar nicht. Zuviel würstel-förmige Vitalität und obendrein total unsensibel. Aber eben gerade dadurch war Kurt die ganze erste Zeit hindurch eine Art Stütze für mich. Aber es geht nicht mehr. Nein, jetzt geht es nicht mehr."

Jedoch plötzlich, angesichts dieser Lage ohne Ausweg, dieses vermauerten Tores ohne Durchgang – jede uns fremde Leidenschaft erscheint unter solchem Bilde, das zutiefst falsch ist! – blitzte es in mir auf, daß ich zu handeln hätte: ja, in eben jener Weise zu handeln, die mir am gestrigen Dienstage als verkrachtem Chronisten wie eine sozusagen nächsthöhere Stufe der Intelligenz erschienen war. Eben noch hatte ich – erstaunt über die eigentliche und wohl wesentliche Rolle des Vetters Kurt in Géza's Leben während der letzten Zeit – klar zu erfassen versucht, daß jeder für jeden anderen ganz offenbar eine Funktion zu erfüllen hat, und so viele Funktionen wir haben, so viele Gesichter auch tragen wir – eben noch hatte ich mir dies recht bis zum Grunde ausschöpfend vor Augen führen wollen: da griff mich plötzlich ein neues Pathos beim Genick, und ich wurde meinem eben erst ansetzenden Denken sogleich untreu. Vielleicht nicht ganz ohne einen Anhauch von schlechtem Gewissen und dem Gefühle einer Art von Aufweichung. Aber nun war ich einmal untreu geworden. Zum wirklich tiefen Denken gehört durchaus, wie zum wirklich hohen Handeln, eine tüchtige Portion Selbstlosigkeit. Ich aber sah mich jetzt schon am Schaltbrette stehen (ganz wie Dienstags), und das begeisterte mich. Nur stand mir Imre von Gyurkicz etwas im Wege. Arme Quapp!

Unter alledem imponierte es mir nicht wenig, daß mein Vetter weiterhin über Quapp gar nichts sagte: Géza erging sich in keinerlei Betrachtungen über ihre Person, die vielleicht, bei durchaus akademischer und objektiver Rede, doch nichts anderes gewesen wären, als eben ein Verweilen bei dem schmerzhaft-süßen Bilde, und etwa gar noch – das erlebt man nicht selten! – unter dem stets ein wenig nach Karbol duftenden Mäntelchen der Psychologie. Jedoch Géza zeigte keine verdächtigen Züge dieser Art, und keinerlei Aufweichung. Noch behauptete er das Feld; doch bekannte er sich bereits als geschlagen und bereit zur Flucht. Armer Vogel Turul!

Er wechselte selbst das Thema. Ich kam nicht in die Lage, irgend etwas weiteres darüber äußern zu müssen. Er sagte: „Die Auswertung der Ermordung eines unschuldigen Kindes für klassenkämpferische, also politische Zwecke, beweist das Vorhandensein eines Abgrundes von Plattheit – verzeih diese widerspruchsvolle Metapher, contradictio in adjecto, würde der Rittmeister sagen, weil er ein humanistischer Husar ist und auf alles ein lateinisches oder griechisches Sprüchel weiß. Aber die Plattheit kann abgründig sein, ja, das ist ihr eigentliches Geheimnis: daß sie so platt ist und dabei doch am Leben bleibt! Zweidimensional mitten in der Dreidimensionalität! Verzeih, wenn ich philosophisch werde. Nach der Ansicht gewisser Kreise und sogar hochgestellter Persönlichkeiten allerdings darf ja ein Ungar statt eines Hirns nur einen Knödel aus Paprika-Speck im Kopf tragen: das scheint sozusagen die offiziöse Auffassung zu sein. Im gegebenen Fall hätten die Herren übrigens genau so wenig Anstand genommen, eine Kindesleiche propagandistisch zu verwursten, wie es die Roten gemacht haben: du wirst dich vielleicht wundern über meine Informiertheit, aber ich bin jetzt acht Tage auf der Bibliothek gesessen und habe die ganze Tagespresse von Anfang Februar studiert. Wenn wer glaubt, daß in irgendeiner dieser beiden Richtungen, oder überhaupt in einer Richtung von dieser Sorte und auf solcher Ebene, auch nur der leiseste Schein von Hoffnung sein kann, dann wird dem mit Recht ein Ziegelstein auf die Birne fallen, der für jeden derartigen Dummkopf irgendwo in der Zukunft schon bereithängt, wenn das gemeinsame Dach einmal einbricht, unter dem sie heute noch ihre weltanschaulichen Wirtshausraufereien veranstalten. Mein Pessimismus aus sehr persönlichen Gründen trifft sich mit meinem Pessimismus aus sehr allgemeinen. Ich sehe wirklich keinen Ausweg. Impavidum ferient ruinae.''

Wir verließen den Keller und stiegen langsam über die vielen alten Steinstufen.

Als wir in die Schauflergasse hinaustraten, wurde es mir schwer, mich von Géza zu trennen. Ich wußte, daß einen Mann in seiner Lage – des Gefühles nämlich, nicht der Gedanken – die Einsamkeit keineswegs duftend umschließt, wie ein leichtes Gewand, das zugleich ihn trägt: sondern drohend umlagert sie die Atemnot des Herzens. Was dann gedacht wird, ist ein Rauch, der sein trübes Feuer verleugnet.

Am folgenden Tage, Donnerstag, versuchte ich noch einmal Quapp zu erreichen, und kriegte sie gleich an den Apparat. Ja, sagte sie, nachdem sie mich hocherfreut, ja, geradezu lärmend begrüßt hatte – ich sah im Geiste den breiten Mund von einem Ohr bis zum anderen gehn! – sie sei wirklich im Burgenland gewesen. Und nun kam gleich überhaps einiges bezüglich Carnuntum, das ja gar nicht im Burgenland liegt. Ich unterließ es jedoch, diesen geographischen Irrtum richtig zu stellen, und wartete, bis sie abgeschäumt haben würde, was nach einer Weile eintrat. Ihre Art zu sprechen schien mir von irgendeiner Erregung grundiert, deren Quelle ich nicht kannte. Es sprang und schäumte dieses Wasser über mir fremde Steine. Wann Kajetan zurückkommen werde? fragte ich. Nächste Woche erst, hieß es, er sei bei der Mutter unten. Als nun ihr Hervorsprudeln nachließ, schob ich, mit sorgfältiger Vorbereitung, den eigentlichen Zweck meines telephonischen Anrufes in einen sich bietenden freien Raum.

„Quappchen", sagte ich, „hören Sie mich einmal an. Ich brauche von Ihnen eine für mich wichtige Auskunft. Sie müssen mir nur auf eine Frage antworten, wenn sie Ihnen auch möglicherweise sehr dumm vorkommen wird."

„Ja, ja! Bitte, bitte, Herr Sektionsrat."

„Sagen Sie, Quappchen, sind Sie in letzter Zeit etwa von einer Erbschaft benachrichtigt worden, die Sie gemacht haben?"

„Das will ich meinen!" schrie sie in den Apparat und lachte. „Glanz in meiner Hütte! Kolossale Ereignisse! Kajetan wird nur so schaun, wenn er zurückkommt! Jetzt sind wir aus dem Wasser!"

„Meinen allerherzlichsten Glückwunsch, liebes Quappchen", sagte ich. „Aber Sie müssen mir alles das ganz ausführlich erzählen. Das geht nicht am Telephon. Wann und wo kann ich denn mit Ihnen zusammenkommen?"

„Famos!" trompetete sie. „Übrigens, noch etwas: wissen Sie, wen ich gestern in Deutsch-Altenburg getroffen habe, auf der Straße? Den vortrefflichen Wachtmeister von den Dragonern, mit dem Sie Sonntag am Graben gegangen sind, den Namen weiß ich nicht mehr –"

„Alois Gach", sagte ich.

„Ja, ganz richtig. Denken Sie, der hat mich in Altenburg aus einer sehr unangenehmen Situation befreit. Das muß ich Ihnen auch noch ausführlich erzählen."

„Wußten Sie Sonntags am Graben schon von der Erbschaft, Quappchen?" fragte ich.

„Gar keine Rede", sagte sie. „Erst seit Dienstag abend weiß ich davon. Aber, um alles in der Welt, wieso wissen denn Sie es schon?"

„Da kann ich nur sagen: weiteres mündlich, Quappchen. Aber wann?"

„Ja, das ist eben die verflixte Sache", sagte sie, und ihr Ton sank, wurde schwächer, fast wie gebrochen. „Ich hab' am Montag ein sehr wichtiges Vorspielen bei einem Dirigenten. Heut ist doch schon Donnerstag. Mir bleiben kaum vier Tage zum Üben. Ich bin noch nicht bereit, nicht fertig. Vor Montag möchte ich gar nicht aus meiner Bude heraus. Bitte, verstehen Sie das, Herr Sektionsrat! Es würde mich ja so ungeheuer freuen, mit Ihnen zusammenzutreffen! Aber es soll dann nachher sein, zur Belohnung. Können Sie's verstehen, lieber, guter Herr Sektionsrat?"

„Aber freilich, ganz und gar, Quappchen", sagte ich beflissen. „Nur weiß ich nicht, was das für eine Belohnung sein soll – mit mir zusammenzutreffen . . .?"

Wir vereinbarten dann, daß ich am Dienstag vormittag, also am 24. Mai, ihren telephonischen Anruf erwarten könne. Nun gut. Ich hatte mich verständnisvoll gestellt, ihren Übungsnöten gegenüber, aber in Wahrheit verstand ich die Situation nicht ganz. Wollte sie in diesen vier Tagen das Geigenspiel erlernen oder darin eine höhere Stufe erreichen? Die paar Instrumental-Künstler, welche ich gekannt hatte, wären zu jeder Stunde, und auch überraschend aus dem tiefsten Nachtschlafe geweckt, imstande gewesen, ihren ganzen Glanz zu entfalten.

Da stand ich nun, mit meinen Kombinationen, mit meiner Entschlossenheit zu einer ‚höheren Form des Handelns' (verflixt: auch das ‚Schaltbrett' fiel mir obendrein noch ein!) wie die Kuh vorm Scheunentor. Denn alles hatte sich ja ganz von selbst gemacht. Ich war eine lächerliche Figur. Ich konnte getrost verreisen.

Man wird leicht verstehen, daß ich Quapp, nach allem, was mir durch Alois Gach bekannt geworden war, nunmehr für Kajetans Halbschwester hielt. Daß zwischen den beiden überhaupt nicht die geringste Blutsverwandtschaft bestand, blieb mir zur Zeit noch verborgen. Auch jetzt, während ich über Levielle nachdachte, ging es mir ähnlich, wie bei den ersten Kombinationsversuchen: ich verlor den Boden unter meinen eiligen Gedankenschritten. Diese waren für nichts und vergebens getan. Ich hielt am Ende meiner Bestrebungen: sowohl als Chronist, wie auch als Akteur. Damit war eine Art von Bankrott bei mir offenbar geworden. Ich gelangte alsbald zu dem merkwürdigen Ergebnis, daß ich gar keine Berechtigung gehabt hatte, schon als Sektionsrat meinen Abschied zu nehmen. Der Pensionismus als Lebensform prüft den Menschen unerbittlich durch Gewährung eines kreisrunden ganz unbeschnittenen Horizontes von Freiheit. Ich hatte als aktiver Beamter meines Wissens nie wirklich versagt. Jetzt erst versagte ich: als Pensionist.

7

KURZE KURVEN I

Mary erwachte. Zunächst schien es ihr noch ganz dunkel. Danach erst bemerkte sie, daß die Dunkelheit gebrochen und ergraut war. Sie blieb am Rücken mit offenen Augen liegen. Neben ihr schlief Trix. Sie lagen in Ehebetten, wie daheim, so auch hier, in der kleinen Pension am Semmering. In einem großen Hotel hatte Mary keinesfalls wohnen wollen. Doch tranken sie nachmittags fast täglich den Kaffee beim Panhans auf der Terrasse, unter aller Welt, mit aller Welt. Man sah in die letzten abstürzenden Kulissen der Berge gegen das Hügelland. Oft lag rosiger Schein an einzelnen Kalkriffen, die aus den moosigen Wäldern starrten, und die Wolken standen still im südlichwarmen Himmel, wie Gedanken, die man weiterzudenken vergessen hatte, und die nun dort oben schwebten, ganz reglos geworden, und als sollten sie immer dort über dem Horizont bleiben.

Trix atmete, Mary hörte ihren Atem mit Zärtlichkeit.

Es war noch kaum heller geworden.

Die verglaste Doppeltüre zum Balkon stand offen.

Mary empfand einen Schmerz, eigentlich nur ein Unbehagen, dort wo nichts mehr war, wo sich einst das rechte Knie befunden hatte. Sie tastete mit der Hand unter die Decke. Sie umfaßte den warmen Stumpf des Oberschenkels. Diese Bewegung war keine ungewohnte: meistens gelang es sogar auf solche Weise, den gleichsam in der Luft hängenden Schmerz zu vertreiben, ihn als bloße Einbildung zu erweisen. Auch jetzt war das so. Der Stumpf war glatt. Sie ertastete kaum noch Narben. Der Stumpf war glatt und warm. Mary ging gut, während des ganzen Aufenthaltes hier am Semmering, obwohl sie das Bein kaum berücksichtigte, und auch viel bergan stieg.

Jetzt kehrte ein Traum wieder, der zunächst erloschen gewesen war nach dem Erwachen, als sie in das Dunkel geblickt hatte: nun aber kam ein Bruchstück davon wieder herauf. Die

Plätze des Tennis-Clubs ‚Augarten‘, dem sie einst angehört hatte. Der helle sandige Kies. Die weißen Linien. Sie lief. Eigentlich hatte sie gerade das wieder erreichen wollen mit all ihrer gesammelten Anstrengung, zu München besonders, in jener entscheidenden Zeit. Genug, daß sie nun gehen konnte, gut sogar! Ein Fehlendes war wettgemacht. Erreicht war, was ihr vorgeschwebt hatte. Damit, so hatte Mary im Grunde geglaubt, mußte die zweite große Veränderung eintreten, welche jene vom 21. September 1925, dem Tag ihrer Katastrophe, zum Teile wieder ausgleichen würde. Leonhard trat ein. So ist das also. Sie begriff plötzlich, ganz weiß-leuchtend hell, daß jede wirkliche Veränderung nicht im Wegfallen von irgendwas allein bestehen konnte. Jetzt, in fast unbegreiflicher Verquickung, durchdrang Leonhard geradezu den Raum, wo sich einst das fehlende Glied befand. Das also war, was sich eigentlich am 21. September 1925 vor dem Franz-Josephs-Bahnhof vollzogen hatte; das Unglück war nur ein Teil; mit Leonhard war es ein Ganzes; man konnte nichts davon abtrennen. Sie versuchte, mit einer Frage heranzukommen an die eisernen Ohren des Lebens, und an diese nahen und dunklen Augenblicke hier: ob es nicht glücklicher gewesen wäre, das gesunde Glied zu behalten, Leonhard aber nie zu sehen. Die eisernen Ohren öffneten sich nicht; auf die Frage folgte Schweigen, zuletzt fiel sie als Unsinn ab; denn hier gab es keine Wahl, beides war ein Teil von einem und demselben: und diese Tröstung schien unendlich und gewaltig. Nun wurde es grau im Zimmer. Der dreibeinige, sezessionistisch geformte Stuhl vor dem ebenso altmodischen Toilette-Tisch begann wieder hervorzutreten. Mary kam ohne Mühe aus dem Bett, sie griff nach der Prothese, welche daneben lehnte, und stieg hinein. Die Riemen und Riemchen glitten und gehorchten, das alles war hundertmal und viel öfter noch geübt. Sie stand. Sie ging. Sie trat auf den Balkon, mit übergeworfenem Kimono. Noch war Nacht. Der Osten, durch Bäume teilweis verdeckt, ließ doch auch zwischen den Stämmen die Dunkelheit schon fahl werden. Aus der Finsternis des Hochwaldes tönten zarte, die Stille schlitzende Pfiffe in vollkommen gleichmäßigen Pausen. Während allmählich dem verschlissenen Samte der Nacht immer mehr Einzelnes entfiel und in die Sichtbarkeit geriet, nahmen die Pfiffe, neben welchen bald komplizierte Kadenzen hörbar wurden, rasch anschwellend zu, bis knapp vor

jenem Augenblick, da der glühende Sonnenball über den Waldkuppen im Osten hervorkam: es schien jetzt fast so etwas wie
eine Generalpause eingehalten zu werden; denn als das Gestirn
sich in den lackreinen Himmel hob, war es im Walde durch
einige Sekunden vollkommen still.

Nachmittags, auf der Terrasse, erschien Weilguny. Man
hörte Saxophon und whistling-pipe einer kleinen Kapelle, die
drinnen spielte. Mary hatte einen bequemen Korbstuhl. Weilguny wurde von Trix mit Geduld hingenommen, mehr war es
nicht. Er blieb ein Requisit des Vordergrunds. Sie sah ihm über
die Schultern, nicht nur beim Tanzen, sie sah hinter ihn. Sie
wußte, was in ihrer Mutter vorging, immerwährend. Sie wußte
alles. Als Williams und die Drobila herankamen, bedeutete dies
eine Erleichterung, man konnte sich jetzt sozusagen wirklich
und ernstlich unterhalten, zu fünft. Daß Williams Mrs. Libesny
kannte, kam auf's Tapet, als das Gespräch einen Abstecher nach
London machte, was freilich durch Weilguny veranlaßt wurde.
Trix tanzte auch mit Williams, und die Drobila mit Weilguny.
Immer blieb ein Paar bei Mary, Williams blieb zuletzt ganz da:
allein mit Mary. Er sagte ihr kurz von dem Bild im drawingroom
der Mrs. Libesny in der Albertstraße zu London, Battersea: nur,
daß er ihr Bild dort gesehen, und Mrs. Libesny ihm von ihr erzählt habe. Ein Zug pfiff: ein Ruf der Ferne. Die Lage hier war
ein lichtes Gitter, gekreuzt aus Bezügen, die sich noch überblicken ließen. Mary empfand das, sogar wohltuend. Sie wußte
aus einem tieferen Erraten von ihrer Bedeutung für Williams,
von welcher er freilich geschwiegen hatte. Sie sah dies klare,
frische Wasser jetzt aufgerührt, in Wirbeln, es konnte ihr nicht
entgehen. Aber sie war ganz ohne Neugierde. Auf ihre Art sah
sie Williams auch gleichsam über die Schultern, aber nicht so,
wie Trix dem Weilguny, sondern freilich ohne jede Geringschätzung. Der Himmel war schwindelnd blau und hoch. An
fernen Felsen lag rosiger Schein. Die Lage hier war ein lichtes
Gitter, was jedoch dahinter stand, war in keiner Weise zu übersehen, es drang nach vorn, es drängte sich auf: die Einheit Leonhards mit dem Unfall am Althanplatze, vor dem Franz-Josephs-
Bahnhof. Diese Einheit war evident, und doch nicht zu überblicken. Nicht ihr, Mary's, Triumph über jene furchtbare Leere,

die bis oberhalb des einstmaligen rechten Knie's hinaufreichte, war das eigentliche Ziel gewesen; und die letzten Wochen mit den Geselligkeiten, dem Rittmeister von Eulenfeld, den Gymnasiasten, das stand als ein kurzer Rausch nur dahinten, schon peinlich im Rückblicke: und wahrscheinlich hatte der Bub, Hubert, ganz recht mit seiner kalten Ablehnung alledem gegenüber. Die Drobila und Weilguny kamen von der Tanzfläche. Wieder pfiff ein Zug, er enteilte in der Gegenrichtung, rasch baute sich eine Dampf-Fahne waagrecht hin, wie ein Strich unter alles, was Mary eben noch gedacht hatte.

Um diese Zeit, gegen Ende Mai, lernte Leonhard in Wien einen hübschen, geraden Polizeibeamten kennen, den Oberwachmann Zeitler. Er war mit Leonhard etwa gleich alt. Zeitler, der lokalhistorische Interessen hatte – nämlich in bezug auf den 20. Stadtbezirk, die Brigittenau – war der lateinischen Sprache nicht mächtig, und so blieb ihm ein Urkunden-Text verschlossen; hier sprang Leonhard ein; die simple mittelalterliche Latinität bot jenem keine Schwierigkeiten, alter Scheindlerianer, der er nun schon war.

Zeitler's nicht unwesentliche Vorarbeiten und Sammlungen sind später von dem schon erwähnten Brigittenauer Heimatforscher Heinrich Jasomirgott Zwicker (auch er ein Angehöriger des Polizeikorps) anerkannt und von ihm erst recht eigentlich sachgemäß verwertet worden.

Die Bekanntschaft hatte sich kurzerhand bei einem Fußball-Wettspiel ergeben, wo Karl Zeitler – in Zivilkleidung – und Leonhard nebeneinander als Zuschauer zu sitzen gekommen waren. Sie gingen dann zusammen vom Platze. Dabei bemerkte Leonhard kurz und zwischendurch, daß eine hochgezüchtete Übung im Laufen, der dementsprechende Atem und die Fähigkeit, sich unmittelbar nach dem Lauf mit voller Kraft in den Kampf zu werfen, einstmals von weltgeschichtlich entscheidender Bedeutung geworden seien, ja, man könne sagen, geradezu in der Geburtsstunde Europas: und er tat nun der Schlacht von Marathon Erwähnung, und sagte etwa das, was er einst von dem Buchhändler Fiedler (und dessen Tochter Malva, aber ihrer gedachte er jetzt gar nicht) gehört hatte. Mit alledem wurde Zeitlers ständiges Interesse für geschichtliche Dinge berührt, denn dieses war auch ein ganz allgemeines und ging über den lokalhistorischen Rahmen hinaus. Und so kamen denn die beiden Gelehrten in's Gespräch, das ein längeres wurde. Auch Leonhard lernte manches. Später ergänzten sich glücklich ihre Wissensgebiete, wie schon erwähnt wurde.

Diese ganze Zeit – wir meinen geradezu den runden Monat, während dessen Frau Mary von Wien abwesend war – ging für Leonhard still hin und mit einer In-Sich-Gekehrtheit, von welcher er selbst am allerwenigsten wußte. Erst, als jener Zeitabschnitt abgelaufen war, wurde Leonhard sich des Werts dieser wenigen Wochen recht bewußt, ihrer emportragenden Kräfte, ihres ungebrochenen Bogens.

Stangeler, der auf die Universitätsbibliothek nur kam, um im Katalogzimmer Signaturen nachzuschlagen – die Bestellungen besorgte dann Pleban, der Amtsdiener des Institutes – traf eines Abends, etwa eine Woche nach seiner Rückkehr aus Kärnten, dort den Leonhard an, der um diese Zeit im Lesesaal selten fehlte. Sie gingen später miteinander heim; das heißt, Stangeler ging zu Grete Siebenschein, also zum Althanplatz (ob er dort wirklich schon daheim war, bleibe hier offen), und hatte bis dahin mit Leonhard den Weg – sie machten diesen zu Fuß – gemeinsam.

Es wurde der tägliche Gang als ein gemeinsamer den beiden bald zur feststehenden Gepflogenheit, ja, zur Gewohnheit. Und, merkwürdig genug, für Kakabsa bestand im abendlichen Gehen mit Stangeler – wenn er später an die Wochen ohne Mary zurückdachte – das eigentlich Bezeichnende jener Zeit. Sehr bald schon warteten die beiden, einer auf den anderen, unten an der Bibliotheks-Stiege; sodann verließen sie das Gebäude der Universität durch ein kleines Pförtchen in die Reichsratstraße. Fehlte einmal Stangeler oder fehlte einmal Kakabsa – dann fehlte er dem jeweils anderen wirklich.

Längst blieb es länger hell. Um die Zeit, wenn Leonhard und René durch die Universitäts-Straße und die Alserstraße gingen, um sich dann nach rechts und bergab in die lange Spital-Gasse zu wenden, herrschte noch Zwielicht, oft perlmutterfarbener Himmel, bei schon eingeschalteter Straßenbeleuchtung.

Zwischen den zwei Burschen – auch Stangelers Jugend war so groß noch, daß der in solchen Jahren sonst sehr bedeutsame Unterschied des Alters fast ganz dahinfiel – bestand zur Zeit eine Beziehung, welche, tief unter den mehr-weniger fachwissenschaftlichen Gesprächen, die beiden verband, als griffen genaue Zahnräder ineinander. Stangelers durch die Einigung mit Jan Herzka gründlich gewandelte Lage im Leben setzte jenen in den Stand, nunmehr vermöge seiner Wissenschaft auch die äußere Existenz zu behaupten, in aussichtsreicher Weise, muß man sagen, wenn man an den zu Neudegg gemachten Fund denkt (mit seiner Auswertung war René emsig beschäftigt) und etwa noch an die von Dr. Williams angedeuteten Perspektiven. Allmählich gewöhnte sich René doch an den fester gewordenen Boden und trat munterer auf. Wäre er vordem mit Leonhard in einen häufigeren Umgang gekommen: es ist so gut wie gewiß, daß dessen Unabhängigkeit durch eine praktische und nützliche Arbeit auf René sozusagen revolutionierend gewirkt hätte, als ein von ihm verfehlter richtiger Weg. So fiel das, zum Glück für Stangeler, dahin. Leonhard wieder, mehr und mehr Feuer fangend an den Gegenständen seiner Wahl und durch den Mangel an Zeit unter Druck gesetzt, sah doch ein ganzes Stück begehrenswerter Freiheit da neben sich spazieren; und, wenn ihm auch jeder Neid unbekannt war – der offenherzige René hatte übrigens aus den allgemeinen Bedingungen, unter welchen er lebte und arbeitete, kein Geheimnis gemacht – so wäre es Leonhard vielleicht doch schon schwerer gefallen, den Stand der Sachen bei ihm selbst und das Verhältnis zwischen Berufsarbeit und Neigung mit solchem Schwunge zu verteidigen, wie er das einst dem Buchhändler Fiedler gegenüber vermocht hatte, damals, als noch etwas ‚zu beweisen war'. Heute aber führten von Pico della Mirandola Anschlüsse nach allen Seiten – obendrein wies René noch welche! – und die allerersten eigenen Pläne und Gedanken zuckten schon mit den Flügeln, wie es manchmal die Vögel tun, wenn sie auf einem Aste sitzen und schlafen.

Aber René selbst wieder war es, der Leonhard den hohen Wert der eigenen Lage im Leben lebhaft, ja, mit Feuer vor Augen führte. Jede wirklich heroische Leistung – so äußerte er sich – müsse unter Überdruck und Zusammenpressung geschehen; wird jener Leistung schließlich einmal der ihr zukommende Raum auch im äußeren Leben zugebilligt, dann gehe zunächst einmal die Spannung verloren. So René. „Jeder Triumph kassiert", sagte er. Und verstummte sodann. Denn er mußte freilich erkennen, daß ihm fremde Worte in den Mund geraten waren, noch dazu die eines situierten Gelehrten mit geordneter Karriere, Auto und Braut, kurz, die des Herrn Dr. Williams.

„Andererseits", fuhr er dann fort – und man kann hier sehen, mit wie engen Spiralen das Egozentrische eines jungen Mannes zu sich selbst zurückkehrt – „anderseits: jeder sogenannte Erfolg stellt das Gleichgewicht wieder her. Wir werden da rehabilitiert, kommen außer Obligo: das bedeutet im Grunde nichts geringeres als eine Möglichkeit, die Welt neu zu sehen. Weil wir jetzt leichter von uns selbst wegkommen, gleichsam aus unserem Gravitations-Felde heraus. In dieser Richtung muß man einen Erfolg verfolgen, scheint mir, da liegt erst der Erfolg des Erfolges. Und nicht darin, daß man sich noch einen weiteren dazu wünscht. Sie werden das alles sicher noch in irgendeiner Form erleben, Herr Kakabsa, und dann denken Sie an mich. Jedenfalls ist Ihre Ausgangs-Situation eine fast idealische."

Und man kann hier sehen, wie das Egozentrische der Jugend – wenn nur die Mechanik des Geistes dabei so halbwegs normal ist – über sich selbst hinauszielt. Es ist wie beim Bogenschuss, wo die Sehne bis auf's äußerste, nämlich fast bis zur ganzen Länge des Pfeiles, gespannt wird, wobei sie freilich auch vor dem Ziel zurückweicht: dann schließlich mag sie an Spannung verlieren, im Augenblicke des Schusses, und melancholisch nachklingen wie die leicht gezupfte D-Saite eines Violoncellos (so ein Ton bleibt hinter dem Bogenschuss und hinter aller heroischer Leistung einer Jugend): der Pfeil ist nun einmal hinausgeschwirrt mit voller Kraft, und vielleicht sitzt er wirklich im Ziele.

Nun, man sieht schon. Sie blieben auch unterwegs einmal sitzen, oder sie traten irgendwo ein, und Stangeler telephonierte an Grete, daß er mit Kakabsa sei und etwas später kommen werde. Sie war klug genug, die Siebenschein, um diesen Umgang René's in hohem Grade zu billigen (sie wußte sogar, daß sie sich andernfalls die glatte Verachtung ihres zweifelhaften Bräutigams zugezogen hätte). Sie sagte sogar einmal, René möge doch den Leonhard mit zu ihr heraufbringen: und das wurde gar kein übler Abend, sogar ein aufschlußreicher noch dazu, denn Kakabsa trat bescheiden aber fest mancher aufgeklärter und sozialisierender Anschauungsweise des Fräuleins entgegen: und das, ganz ohne zu wissen, welches Gewicht das Wort eines ‚Mannes aus dem Volke' damals bei solchen ‚Gebildeten', wie Grete, haben mußte, die mit dem Strome schwammen, neun Jahre lang schon, nämlich seit 1918, und womöglich schneller noch, in einer Zeitgemäßheit, die sich bereits überschlug.

Es war halb zehn Uhr, als Leonhard das Haus am Althanplatz verließ und heimging. Das Haus war ihm erschienen wie eine Nuß ohne Kern, im Siebenschein'schen Stockwerk dort, unterhalb von Mary's Wohnung.

Aber die flachhin über dem Donaukanal liegende Brücke: sie wölbte sich hochauf, und hoch über ihr noch flog frei der junge Mond im tiefblauen Nachthimmel. Vom Wasser herauf kam, den feuchten und hier heroben schon staubigen Geruch schneidend, ein schwerer, reifer Duft vom dichten Grase an den Böschungen des Ufers.

Zeitler war bis vor einem Jahr nicht in der Brigittenau, sondern beim Kommissariate Alsergrund in Verwendung gestanden. Doch wohnte er unweit von Leonhard, bei seinen Eltern. Der Vater, ein sogenannter Zertifikatist – so nannte man in Österreich die längerdienenden Unteroffiziere, wenn sie ihre Zeit erfüllt und damit Anspruch auf eine zivile Stellung und Versorgung erworben hatten – war bis zum Ober-Offizial vorgerückt und dann in den Ruhestand getreten. Sein Sohn, Karl Zeitler, war mit Begeisterung Polizeimann. Die gute Tradition des Wiener Korps fand bei ihm einen schon im gleichen Sinne – vom Vater her – vorbereiteten Boden, und der alte Zeitler, welcher ja noch in der glorreichen k. u. k. Armee gestanden war, ermangelte nie eines ernsthaften Nachdruckes, wenn er von der Kameradschaft sprach, die seiner Meinung nach keine würdige Verzierung des Dienstes, sondern geradezu dessen Fundament zu sein hatte. Der gleichen Meinung war man und ist man heute noch beim Wiener Präsidium. Doch muß hier eines in's Auge gefaßt werden, um nämlich nicht unvermerkt aus unserer Zeit genommene Vorstellungen in die damalige zu übertragen: jene Polizei war keine Truppe. Wir haben inzwischen mancherlei Arten von Polizei erlebt, die immer militär-ähnlicher wurden, so daß schließlich der Unterschied etwa zwischen hundert Soldaten und hundert Polizisten fast verschwunden schien. Und doch ist dieser Unterschied ein grundlegender. Hundert Polizisten sind hundert voll verantwortlich handelnde einzelne Beamte, mögen sie auch gelegentlich – und eben gerade in den schlimmen Fällen! – einheitlichem Kommando gehorchen. Hundert oder zweihundert Soldaten aber sind stets ein geschlossener Körper, der von seinem Kopfe her, dem Hauptmann, bewegt wird: ein Syntagma, wie's die alten Griechen nannten; nicht eine Summe von Einzelnen, sondern ein Wesen höherer, wenn auch nicht sublimerer Art, das den Einzelnen einverleibt: daher die Stoßkraft. Die Wiener Polizei aber erfüllte den Begriff eines Polizeikorps 1927 noch ganz und gar. Sie war keineswegs ein Militär, sie war durchaus ein Instrument des Friedens, ein Korps von verantwortlichen, wenn auch waffenmäßig geschulten, einzelnen Beamten. Ihr fehlte naturgemäß das militärische Entweder-Oder, die breitschlagende, die vernichtende Wirkung. Darin erblickte man damals nicht den Sinn eines Polizeikorps; es war ein solches zu jener Zeit wirklich noch, was es sein sollte. Doch zu seinem eigenen Unglück, als die Tür einer neuen Zeit sich in den Angeln drehte. Und das war 1927, im Juli, der Fall, während die Flammen aus den Fenstern des Justizpalastes schlugen, und ein heißer Sommertag nicht Wind genug hatte, aus dem Qualm Rauchfahnen zu machen.

Karl Zeitler sprach selten vom Dienste, dem er doch ganz ergeben war: nur einzelnes davon schien ihm zum eigentlich persönlichen Erlebnis geworden zu sein. So der Unfall einer Dame, welcher sich vor dem Franz-Josephs-Bahnhof ereignet hatte, im September des Jahres 1925, an einem warmen Tage. Zeitler hatte eine halbe Stunde vorher erst seinen Posten auf dem weiten Platz vor dem altmodischen Bahngebäude bezogen. Es sei eine sehr schöne Frau gewesen – so erzählte Karl – und sie sei in ganz unbegreiflicher Weise geradezu in einen herankommenden Straßenbahnzug hineingerannt. Das rechte Bein überm Knie ab. Sie sei nur gerettet worden durch das blitzschnelle und geschickte Eingreifen eines Herrn – ein Major war es, wahrscheinlich ein alter Kriegssoldat – der ihr sofort mit dem Gürtel, den er mit seinem Spazierstock zusammendrehte, den Oberschenkel abschnürte. Sonst wäre sie bis zum Eintreffen des Sanitätswagens längst verblutet, es sei eine ganze Lache von Blut gewesen. Ein junges Mädchen habe sehr schneidig dem Major geholfen, er,

Zeitler, freilich auch. An jenen Herrn müsse er manchmal denken, fast wie an ein Vorbild. So ein Typ aus der alten Armee noch, großartig. Er habe für den Herrn Major dann noch ein Taxi anhalten müssen, weil seine Kleider, und auch die der jungen Dame, die geholfen hatte, ganz voll Blut gewesen seien, die beiden konnten in diesem Zustand nicht auf der Straße weitergehen. Er denke oft an den Mann, sagte Karl. Man müsse so einer werden, man müsse es dahin bringen, meinte er.

Solches ward dem Leonhard in den Donau-Auen bei Kritzendorf erzählt, wohin sie des Sonntags einen Badeausflug gemacht hatten, Karl und er; das Jahr wurde früh warm. Sie waren an breiten durch die Wälder gewundenen Wasserarmen entlang gegangen, über welchen doch die Kronen der hohen Bäume einander fast berührten: dazwischen lag schräg die Sonne herein und ließ den moorigen leuchtend braunen Grund des Wassers herauftreten, wo dieses seicht stand. Stimmen hallten unter dem Waldgewölbe, dessen feinste Ästchen sich dort oben im goldenen Schein schon aufzulösen schienen. Man lagerte in Gruppen und bei Zelten da und dort, auf einer Halbinsel, auf einer Lichtung. Während sie dem Pfad am Wasser folgten, sah Leonhard in Abständen die schlanken Windungen kleiner Ringelnattern mit gelben Backen vom Ufer hinaus in's freie Wasser fliehen. Häufiger noch plantschte ein Frosch. Der Pfad stieg auf und ab oberhalb der Böschung des unebnen Ufers.

Gelegentlich hatte Trix dem Leonhard die Umstände des Unfalles ihrer Mutter geschildert; sie wußte auch den Namen jenes Majors, dessen Verhalten Karl Zeitler als so vorbildlich empfand, sie kannte ihn flüchtig. Die junge Dame war seine Braut gewesen. Das Paar hatte Frau Mary späterhin ein oder das andere Mal besucht. Leonhard sagte nichts zu Zeitler, als er Mary aus dessen Erzählungen erkannte. Übrigens erinnerte er sich dabei an Alois Gach, an seine Schilderung des Reitergefechtes, an das Wirtshaus ‚Zum Storchennest' in Fraunkirchen, und an die Fahrt auf Niki's zweitem Sattel nach Wallern. Nun fuhr man nicht mehr nach Stinkenbrunn, sondern nach Kritzendorf, und nicht mit Niki, sondern mit Karl, und nicht mit dem Motorrad, sondern auf eben jener Linie, die von dem Bahnhof ihren Ausgang nahm, vor dessen Gebäude Mary ihr rechtes Bein verloren hatte. Der Wachtmeister Gach aber war auch so eine Type wie jener Major (Leonhard hatte den Namen vergessen). Diese Leute von früher.

Alle haben ein Geheimnis. Sie sind gar nicht dumm, auch die Magazineurs-Witwe ist nicht dumm. ‚I' bet' für Ihna.' Leonhard empfand die räumige Waldestiefe. In ihr stand so etwas wie seine Vergangenheit, ganz rückwärts im für den Blick undurchdringlichen Grün, auch Stinkenbrunn stand dort, Elly Zdarsa, der Geißbart, der Buchhändler, Malva. Er hatte jetzt eine Vergangenheit, alles war kein Jahr her, die Vergangenheit war funkelnagelneu, doch stand sie schon als eine dicker gewordene Schicht dort in der Waldestiefe. Auch die Gegenwart war dicker geworden, dichter wie das grüne Dickicht hier: eben das hatte Leonhard empfunden, als er Mary aus Zeitler's Erzählung wieder erkannte. Jenes Netz! Was für ein Netz? Darin er hing; das ihn doch auch zugleich fester machte, sicherte. Er ging die Alserbachstraße hinauf. Es war einsam, ein Sonntag. Das ‚Café Kaunitz'. Das Konversations-Lexikon, Pico della Mirandola. Es hatte eine Zeit gegeben, gar nicht lange her, da ihm die Universitätsbibliothek noch unbekannt gewesen war. Sie lag jetzt ebenfalls in der Waldestiefe, diese Zeit, als eine Schicht unter den anderen Schichten dort: sein sich ansammelnder Schatz. ‚Ich bin etwa ein Jahr alt', dachte er jetzt, ‚mit diesem einen Jahr steh' ich aus dem übrigen heraus.'

Es hob ihn fast. Seine noch anonyme Möglichkeit hob ihn, er wünschte heftig, ja, fast wild, sie in einem einzigen Entschlusse zusammenfassen zu können, wie man etwas in die Faust kriegt und zusammenpreßt. Der Auwald hatte ein Ende. Hier war der Strom. Der Wind. Gleichhin ging das Wasser. Weithin fiel der Blick.

Längst lagen die Mädchen, Lily Catona und Fella Storch, am Donnerstag um sechs Uhr wieder im Fenster – wenn das Paukieren und Repaukieren der mathematischen Formeln, der Aoriste, der Schlacht bei Chaironeia (Löwe, Denkmal!) beendet war – denn die warmen Tage waren wieder da. Nur Trix erschien zur Zeit nicht dort unten. Sie entstieg nicht der Straßenbahn. Sie war mit ihrer Mama am Semmering. Und wenn sie dort auch nicht im ‚Südbahnhotel' wohnte – was Trix gleich offenherzig vor der Abreise zugegeben hatte – so blieb das doch für Lily und Fella ein starkes Stück. Dieses verdammte Gymnasium!

Auch Leonhard ward kaum mehr gesehen. Allerdings wußten sie hier nicht warum. Nun freilich, Fella hatte sich damals von dem ‚Matrosen' alsbald wieder distanziert. Jetzt aber hätte sie schon mit ihm und Lily Catona beim Konditor Freudenschuss wieder einmal mitgehalten. Lily wünschte sich das geradezu. Weil sie daran festhielt, kam es auch so weit.

Allerdings erst nach einiger Zeit.

Leonhard war ja allabendlich auf der Bibliothek.

Um rasch dorthin zu gelangen, benützte er nach Betriebsschluß die Straßenbahn. Er streifte vorher seinen blauen Arbeitsanzug ab und fuhr in seinen Rock; den hatte er beim nahen Betriebs-Tischlermeister Krawouschtschek hängen. Der gemütliche Böhm' pflegte um diese Zeit Kaffee zu trinken. Immer mußte Leonhard im Stehen auch eine halbe Tasse voll nehmen. Er merkte die vorteilhafte Wirkung davon dann auf der Bibliothek. Keine Müdigkeit suchte ihn mehr heim. Solches Aufgepulvertsein erhöhte sich noch, wenn Leonhard zu Krawouschtschek's starkem Kaffee ein paar Züge aus einer Zigarette nahm. Um sich nun bei dem Tischler gewissermaßen einzubürgern, brachte er ihm eines Tages ein ganzes Kilogramm bester Kaffeebohnen. Der Tscheche dankte ihm herzlich. „Nazdar!" grüßte Leonhard jedesmal, wenn er eintrat. Krawouschtschek lachte. Das internationale Einvernehmen war ein gutes, wie man sieht, ein vorbildliches sogar.

Doch eines Donnerstags, nach seinem schon obligaten Kaffee, fühlte sich Leonhard nicht solchermaßen gestimmt, daß er sogleich auf die Bibliothek hätte enteilen mögen. Noch eignete ihm nicht genug geistes-mechanische Erfahrung, um zu wissen, daß unsere Anlage durch gewisse Grenzen, die einer absolut regelmäßig wiederkehrenden Anspannung gesetzt sind, den Raubbau verhindert. Und Leonhard hätte unbedenklich solchen Raubbau getrieben. Man muß erwägen, daß er dort auf der Bibliothek nicht gelehrter Muße oblag. Wir müssen seine tägliche Leistung als eine verhältnismäßig schöpferische ansehen, die, in eine knappe Stunde gepreßt, an's Licht heben sollte – und darunter verstand Leonhard schon ein recht scharfes! – was ihm die jeweils letzten vierundzwanzig Stunden im Wachen und im Schlafe aus dem Grundsumpfe des Denkens trieben, und dazu noch, was seine Autoren hier auf der Bibliothek mit sicher treffenden Pfeilen an Reizstoffen in seine Blutbahn brachten. Wenn die Diener im Saale „Schluß, bitte!", Schluß, bitte!" riefen, dann war Leonhard oft wirklich erschöpft. Vielleicht hat ihm ein gütiges Schicksal damals keine längeren Übungen erlaubt.

Bei alledem also konnte es nicht ausbleiben, daß ihn eines Abends schon bei Krawouschtschek die Spannung verließ, noch bevor er seine Zigarette geraucht hatte (die übrigens immer der Tischler zu Ende rauchte, denn Leonhard nahm sich nicht genug Zeit dazu), und so ging er denn langsam seines Weges, und sein dickes steifgebundenes Notizbuch blieb für heute in der Rocktasche. Nun den früher gewohnten Weg nehmend, sah er Lily und Fella am Fenster. Er blieb unwillkürlich stehen. Sie winkten. Sie zeigten an, daß sie herabkommen würden. Leonhard war darauf nicht gefaßt gewesen. Nun waren sie da. Nun ging man wie einst. Nun hatte sich aus der Waldestiefe einer jungen aber höchsteigenen Vergangenheit eine dort schon anliegende Schichte gelöst und schwebte wieder nach vorn. Obendrein stand Malva Fiedler in der Türe der Buchhandlung. Leonhard grüßte, als er mit den Mädchen vorbei ging, ohne auch nur im entferntesten in jene Provinz des Lebens zu blicken, in welche einzig und allein die Malva ihre Blicke gerichtet haben dürfte, als sie ihn zwischen der insektenhaft zarten Fella und der beachtlichen Lily Catona herankommen sah. Es gehört hierher, daß Leonhard bei diesem Venus-Durchgange offenbar blind war für einen diesbezüglichen überaus schönen Bauch, der einst am Donau-Kanale und dann auf der Brücke ihn fast zu einem sublimen Selbstmord verlockt hatte.

Und beim Fahren in der Straßenbahn auf dieser Strecke war es dem Leonhard jetzt nie in den Sinn gekommen, daß er etwa an der Buchhandlung Fiedler eben vorbei sauste; und schon gar nicht hatte er des Eckhauses an der Jägerstraße gedacht, auch an Donnerstagen nicht.

Nun, so ging man. Die Konditorin erkannte nicht nur die Mädchen, sondern auch Leonhard wieder. Fella war sachfällig in hohem Grade, denn Lily Catona hatte in riskierter, ja, halsbrecherischer Weise auf einen total zum Outsider Gewordenen gesetzt, daß der nämlich heute, gerade heute, dort unten auf der Straße erscheinen würde: und Leonhard war prompt erschienen. Drei Indianer, zwei Rum-Törtchen mit Schnapskirschen! Die beachtliche Lily verstaute das mit Leichtigkeit. Eine Inhaberin magischer Wunschkräfte war sie ganz offenbar, es lag heut zutage. Leider gebrach es ihr an Zeit, die Situation voll und ganz auszukosten, denn sie mußte mit den Eltern in's Theater gehen und hatte die Absicht, sich recht schön zu machen. Jetzt aber plätscherte sie noch in schnell hinfließendem munterem Geschwätze. Leonhard lud sehr belustigt Fella zu Indianern ein, was angenommen wurde. Er war indessen der einzige wirklich echte Kindskopf hier, die Mädchen trieben's doch längst nur mehr als Manier.

Als Lily gegangen war, begleitete er den ‚Glasflügler' noch gegen die Brücke zu: ja, sie stiegen sogar die Stufen hinab und schritten an der Lände entlang, wo mancherlei Leben herrschte: man hatte Röcke und Blusen abgelegt und sie am grünen Grase ausgebreitet, sogar Karten-Partien waren im Gange. Noch immer schien die Sonne. Im Gehen hier mit Fella war's dem Leonhard, als befinde er sich mit ihr auf einem flachen Dache, auf einer platten Ebene, in welcher schließlich alles Aufgewölbte zusammengefallen war: Malva, Trix, Elly Zdarsa vor allem: sie waren sozusagen Fella geworden. Er ging mit ihr hier wie auf dem Dache eines ganzen Jahres.

Sie stiegen wieder hinauf. Leonhard schickte sich an, Fella bis nach Hause zu begleiten. Aber mitten auf der Brücke – als wollte sie ihn von solcher Pflicht freundlich entbinden – gab sie ihm lachend die Hand, wandte sich um und schritt davon.

Daheim fand Leonhard eine Karte Mary's vor. Sogleich erkannte er, daß die Adresse von Trix geschrieben worden war. Die Karte stand aufrecht und auffällig gegen die kleine Bücherreihe gelehnt, welche Leonhard's Schreibtisch zierte. Solchermaßen hatte ‚I' bet' für Ihna' das seltene Einlangen eines Poststückes zur Anschauung gebracht.

‚Recht herzliche Grüße aus der schönen Gebirgswelt hier von Ihrer getreuen Mary K.'

Drunter: ‚Trix'.

Eine wild aufbrausende Welle von heißer Treue erwiderte aus Leonhard auf das kleine Wörtchen, das doch hin und her tanzte zwischen dem Konventionellen und einem so sehr ersehnten Hintersinn, hin und her tanzte wie ein Sternchen im geschwenkten Glase. Er zog die Zeilen von dem kleinen weißen Kartonblatt tief in sich hinein, als wollte er sie wegtrinken

von dort, als sollte dann eine unbeschriebene Fläche zurückbleiben.

Das ‚K.‘ war nicht ganz geschrieben, ja, kaum angedeutet.
Aber der Name ‚Mary‘ stand groß gemalt. Es war diese Schrift
ganz anders als jene aus Trixens leichter, spitz hinfliehender
Feder. Es war eine offene Schrift, ja, fast eine Kinderschrift,
deren Buchstaben ordentlich daherkamen und sich nebeneinander stellten. Es war eine brave, eine wackere Schrift.

Leonhard beugte sich vor, immer mehr. Schließlich lag er mit
der Stirn auf der Tischplatte, die Lippen auf Mary's Zeilen.
Dieses Herz, nicht weniger gesund als das eines dreijährigen
Pferdes, stieß wie ein Hammer.

Géza von Orkay hatte seinen Chef, der nach Budápest gerufen worden war, im Wagen von der Bankgasse zum Ostbahnhof
begleiten müssen, um auf der Fahrt noch einige Anweisungen
zu erhalten, übrigens Sachen betreffend, die für Géza nicht zu
den erwünschten gehörten. Nun verließ er den Perron. Vor dem
Hintergrunde des weiten Platzes, der sich bis zu dem alten Gebäude des Südbahnhofes überschauen ließ – beide Hallen graue
Stauwerke der offenen Ferne, die mit den Geleisen in den Kern
der Stadt hereindrang – vor diesem räumigen Prospekte stand
der Gesandtschaftswagen und daneben der Fahrer Szilágyi Rajmund in seiner Livree. „Fahr' in die Stadt", sagte Orkay beim Einsteigen, „fahr' langsam über Kärntnerstraße." Der Luftzug tat gut.
Es lag ein verborgener Druck in der Wärme, als habe dieser Nachmittag sozusagen eine innerliche Geschwulst; es war nicht außen.

Es war eben föhniges Wetter.

Es war, als sei man von Kissen umgeben, eingepolstert.

Es war eine erhöhte Befangenheit, hätte ein Psychologe vielleicht gesagt, bei relativ geringem Helligkeitsgrade des Bewußtseins. Nun gut. Nun ja, man sieht schon.

Die Schnelligkeit des großen Wagens fraß sich in die Distanz
ein, wie Brocken fielen die Häusergevierte des Stadtteiles bei
den Bahnhöfen ab und zurück. Der Wind zog. Ein künstlicher
Wind, etwas Kühlung. Die Baumassen der Karls-Kirche, hochauf buckelnd, ein Säulenturm vor dem teilweis blauen Himmel.
Das Gewimmel begann, dicht, klingelnd, tutend, man sah's bis
zum Ring, und weiter, rechts von der Oper zog es sich zusam-

men, eine Vielfältigkeit, woher kam sie eigentlich nur? Es war wirklich zu viel. Es sah aus, wie eine senkrecht aufgestellte Wand, ein hängender Wandteppich voll krabbelnder Bewegung. Géza blickte erschreckt voraus. Erstmalig erkannte er eigentlich seinen Zustand, unabweisbar, die Folgen des immer wieder erzwungenen Sich-Zusammen-Nehmens, das aushöhlend wirkte, unentrinnbar und ohne jede Hoffnung.

Freilich, er wußte nicht, daß Szilágyi Rajmund, der manches Wort hörte, mit Pinta sehr befreundet war; und so kamen die Dinge am Ende auch zum Grafen: der allerdings keinen Gebrauch davon machte. Von Pinta kann man das aber nicht sagen. Hinter dem Haarwuchs an seiner Nasenwurzel saß seine Art zu sein wie ein Kern der Haselnuß in der harten Schale. Ihm und anderen galt Géza von Orkay zwar nie als ,unverläßlich' – wie etwa Gyurkicz – jedoch sehr bald als nachlässig ,in diesen Sachen', wenn nicht geradezu als faul. Der Gesandte hatte ihm auf dem Weg zum Bahnhof im Wagen gesagt: „Mein lieber Géza, diese Dinge sind heute nationale Pflicht, der du dich nicht entziehen darfst. Eine Person, wie die Frau Hamburger, die uns dort drüben entwischt ist, hätte hier besser überwacht werden müssen, mindestens das; und da hätte es schon noch Mittel gegeben, ihre Schreibereien zu unterbinden. Jetzt auf einmal kommt diese Broschür' heraus, ,Der Fall der Frau Hamburger'. Ist mir mehr als unangenehm. Jetzt kann man den Dreck aufkaufen. Was der Pronay und der Szefcsik machen, ist so gut wie Staatssache. Leider geht es nicht anders, mit dieser ganzen Bagage." So wurde es dem Pinta berichtet, wenn auch nicht wörtlich, weil Szilágyi ja nur dann und wann Bruchstücke hören konnte, immerhin dies: daß eine derartige Ermahnung an Orkay schon vom Chef ergangen war; und vielleicht hatte er nur zu solchem Zwecke sich von dem Attaché auf die Bahn bringen lassen, des zu erteilenden Nasenstübers wegen, der auf diese Art ganz zwischendurch und harmlos versetzt werden konnte; oder aber, weil man im Drang der Geschäfte vorher nicht dazu gekommen war. . . .

Höchste Zeit für Bern.

Von jedem Gesichtspunkte aus.

Armer Vogel Turul.

Ein Vogel pfiff. Er war der erste. Es klang wie halb im Schlaf. Die Gasse war noch dunkel. Jenes Fenster, darin man bei Tag manchmal Wäschestücke hängen sehen konnte, und das zu Ludwig van Beethoven's einstmaliger Wohnung gehörte (eine von seinen ungezählten Wohnungen in Wien), war noch nicht zu erkennen. Es blinkte nicht. Noch war kein Tagesschein. Noch war Nacht, eine warme Sommernacht, wenngleich man vor dem Morgen des 23. Mai, Montags, stand. Übrigens sollte Quapp heute nachmittags dem Kapellmeister vorspielen. In der grünen Gasse, zwischen den zum Teil niederen Häusern, lag die unbewegte, laue Luft wie ein Bett. Vom Bahnhof Nußdorf herauf ließ sich gedehntes Heulen hören, bald danach zweimal das kurze Tuten eines Dampfers, der den Strom herab und nach Wien herein kam.

Es wurde grau.

Sie erwachte, gegen ihre sonstige Gewohnheit am Rücken liegend, und erkannte den kommenden Tag.

Sie erkannte ihn an.

Quapp hielt sich still. War es eine Möglichkeit, die sie aus dem Traum mitgebracht hatte, die Dinge ihres Lebens (auch das bevorstehende Probespiel ebenso wie die bereits gemachte Erbschaft) da und dort hin gestellt zu sehen in einem größeren Raume und von ihm umgeben, ja, umflutet, und wie spärlich verteilte Möbelstücke in einem weitläufigen Zimmer? Augenblicklich war sie der Erbschaft sich wohl bewußt, welche ihr waches Leben hier nach jenem des Traumes anzutreten vermochte. Was da einzeln steht, um das kann man herumgehen. Es hat keine unbekannte Rückseite, die aus bedrohlichen Gründen erwächst, dort angewachsen ist, von dort genährt wird. Auch das Vorspielen-Müssen war entzaubert und wurde zur Sache unter anderen Sachen, vereinzelt dastehend, umschreitbar, begreifbar. Auf diese Weise konnte freilich alles und jedes hingenommen werden: zunächst mindestens, wenn sie hier liegen blieb, traumgehorsam, in der Verlängerung des Traumes, wie eine Magnetnadel, die nicht mehr schwankt, sondern still geworden ist, ruhig weisend, und gestreckt zwischen den Polen.

Sie verblieb noch so, während vom nahen Pfarrplatze das Gebet-Läuten wie wolkiger Opferrauch in die Frühe stieg.

Dann schien ihr der Augenblick gekommen.

Sie sprang aus dem Bett, wie man über eine Barrière springt.

In der Tat war dies erst die Barrière zwischen zwei Reichen. Nun stand sie, verwuschelten Kopfes in ihrem Schlafanzug, mit den bloßen Füßen auf dem Teppich und rieb sich die Augen. Sie schaltete das Licht ein, sah aber nicht auf die Uhr. Sie begann sofort, sich fertig zu machen, sprang in die Küche, wegen des Teewassers, verschwand danach in's Badezimmer, und während ein Griff fließend den anderen gab, suchte sie zu innerst unausgesetzt noch jene waagerechte Lage festzuhalten, in welcher sie erwacht war, und den Reichtum von Raum, der umgeben hatte, was dann in ihr Bewußtsein einfloß, Aufgeräumtheit, Räumigkeit verleihend, vom Traum herüberragend, Traum-Erbschaft, reicher als alles, was dieser Tag bringen konnte, der letzten Endes nur durch jenes Erbe Bestand zu haben vermochte. Noch lag Quapp innerlich waagrecht, vielleicht ein wenig gesenkt gegen die Füße zu, so etwa, wie die Geige unter dem Kinne liegt. So wie jetzt. Sie zog eine Tonleiter, langsam, mit einem weiten, ausholenden Strich, der ebenfalls ruhig liegend war, und aus dem Bauch, ja, wie aus dem Eingeweide des italienischen Meister-Instrumentes eine Fülle hinter sich her brachte – sie hing fest am Bogen, bewegte die rechte Hand ihn nur, dann orgelte es schon – eine Tonfülle, welche Quapp seit dem ersten Übungstage hier in Wien, noch in ihrer alten Wohnung, nicht mehr erlebt hatte, seit damals, als es ihr gelungen war, den Kampf mit irgend einem elektrischen Motor zu bestehen, der unten im Hause einer sicherlich sehr nützlichen Werkstatt-Arbeit diente.

Sogleich heran: Kreutzer und Fiorillo. Es geschah etwas Unglaubliches. Quapp wurde in eine Bewegung hereingenommen, die unaufhaltsam, mühelos und genußreich war. Nicht sie selbst setzte da etwas in Gang, sondern Arme und Bogen und linke Hand erschienen als monströse Gliedmaßen der Geige, die jene Glieder wie durch einen in ihr befindlichen Motor bei fließender Bewegung hielt, in einer Bewegung von fast absoluter Gleichmäßigkeit. Man mußte nur mitkommen, ohne zu ermüden. Quapp beschränkte sich auf die Obsorge, keinerlei Hemmung zu bieten, keine Unregelmäßigkeit hineinzubringen.

Sie schloß das Spiel, nach zwei Etüden, und bemerkte, durch's offene Fenster blickend, daß jenseits des schmalen Vorgartens sich mehrere Personen angesammelt und ihr bis zum Ende zugehört hatten. Nun, da die Geige schwieg, gingen sie.

In der Gasse lag schon die Sonne und mit ihr das seltsam Beklemmende jedes sehr warmen Morgens. Ein solcher umschließt die verschiedenen bald nach Aufgang des Tagesgestirns hörbar werdenden vereinzelten Geräusche nicht mit jener gemütvoll grundierten Selbstverständlichkeit, die uns sonst das hallende Abladen der Milcheimer beim nachbarlichen Krämer, das ‚Hüh!' und ‚Hott!' eines frühen Fuhrwerks, das Aufbrummen eines Auto-Hornes, ja, sogar das hoch über alles drüber rollende Motorengeräusch des bekannten und für diese Stunde gewohnten Verkehrsflugzeuges als vertraut empfinden läßt. Ganz anders bei morgendlicher Schwüle und der eingepolsterten Verfassung, welche sie bringt. Ein vorbeigerollter Karren mit Brettern erzeugt Unlust im Gehör, das Gequietsche seiner Räder quält, und das ganze Vorübergehen der lästig lärmenden Ladung dauert viel zu lange. Das Heulen von Fabriksirenen, welches den Beginn des Arbeitstages in wenig reizvoller Weise unterstreicht, wirkt auch nicht gerade befeuernd.

Jedoch – sollte man meinen! – Quapp hatte ja die geigerische Probe auf's Exempel heute schon hinter sich, und nach dieser wäre wohl dem Vorspielen am Nachmittage in aller Ruhe entgegen zu sehen gewesen. Wenn schon immer an irgendeine Art von Diät gedacht werden soll – beim Künstler ist es leider nötig, und das trennt ihn mitunter in gefährdender Weise vom harmlosen Leben! – so wäre das für Quapp jetzt angemessene diätetische Verhalten jedenfalls dieses gewesen: bis heute nachmittag nicht mehr zu geigen, sondern etwa in's Grüne zu gehen, ein wenig zu schwimmen (die Donau war ja nicht weit) oder – da sie denn dazu befähigt war – einer sonst sehr geliebten Lektüre die Zeit zu widmen, was sich mit dem Aufenthalt im Grünen und mit ein paar Tempi im moussierenden Wasser des Stromes recht gut hätte verbinden lassen.

Nun, zunächst geigte sie ja nicht weiter. Sie frühstückte.

Jedoch beabsichtigte Quapp (wie sie eben nun war) noch weiter zu geigen.

Diese Absicht festzuhalten, fiel ihr jetzt schwer. Sie trieb sich dazu an.

Betrachtet man ihre augenblickliche Lage ganz von außen, so muß man sagen, daß eine ihr stets eigene Unwissenheit diesmal zum glücklichen Umstand für sie wurde. Jene Unwissenheit, die wir hier meinen, war allerdings keine in bezug auf die für jeden Künstler unbedingt notwendige Diätetik – freilich auch hierin haperte es bei Quapp! – sondern vor allem eine solche hinsichtlich des Herrn Hofrates Tlopatsch und seiner Importanz. Quapp war sich nicht bewußt, daß sie im musikalischen Wien seit dem 14. Mai 1927 erledigt war, und umwallt von fast unübersteiglichen Hindernissen, ohne daß man den Ton ihrer Geige noch jemals vernommen und daran Kritik hätte üben können. In einer solchen wäre zudem auf jeden Fall der Mißton von Samstag abend nachgeklungen, der schlechte Einstieg, der fehlende Kontakt mit dem Hofrate, oder wie immer man das nun nennen mag, was eben in solchen Fällen auf den ersten Anhieb da sein muß. Sie wußte also nicht, wie es stand. Auch war ihr – da ihr denn nie was bekannt wurde – nicht zu den Ohren gedrungen, daß jener Dirigent populärer Symphonie-Konzerte, vor welchem sie heute spielen sollte, der vielleicht einzige Mensch des musizierenden Wien war, welcher sich um den tschechischen Musik-Papst nicht kümmerte, und es im stillen als Empfehlung nahm, wenn jemand ohne eine solche von Tlopatsch zu ihm kam. Er hatte sich seinen guten Namen tatsächlich unabhängig von jener Siebenschein'schen Hausgottheit geschaffen. Und, was die Musik-Rezensenten der Tageszeitungen betraf, so hatten die von Tlopatsch gezogenen Fäden für ihn keine Bedeutung, sie konnten ihn nicht in's Fleisch schneiden: denn begreiflicherweise wurden die allsonntäglich wiederkehrenden populären Symphonie-Konzerte keiner besonderen kritischen Wertung gewürdigt. Das Ganze war eine Angelegenheit zweiten Ranges, kein Zweifel. Aber dafür eine fest unterbaute Sache, denn der Besuch jener Veranstaltungen war durch die Jahre gleichbleibend lebhaft. Ebenso fest unterbaut wäre die Stellung eines Geigers in jenem Orchester gewesen. Quapp dachte freilich an's erste Pult. Mit einem Ton, wie dem von heute morgen, würde das gar nicht als abseitig erscheinen. Auf jeden Fall aber hätte sie ihr äußeres Leben sozusagen durch und durch ordnen können, mit der nach einer gewissen Probezeit erreichten Stellung – sei's an welchem Pulte immer. Quapp aber dachte nur halben Herzens an das ganze, auch an das erste Pult. Sie dachte an die Virtuosenlaufbahn. Ein Sitz in jenem Orchester aber hätte ihr eine feste Basis und Praxis gegeben; sogar genügend Unterrichtsstunden. Der Dirigent – ein etwas wilder Bursche, der auch im populären Rahmen so manches mit Erfolg wagte, sowohl was die Programmgestaltung wie die Interpretation betraf – war bekannt dafür, daß er seinen Herren und den wenigen Damen gern an die Hand ging und sie vorwärts brachte. Es herrschte dort so etwas wie ein Corpsgeist, und das außerhalb von Tlopatsch's untergründiger Machtsphäre. Vor allem aber, um das ganze brutal zusammen zu packen: es war – nach dem Malheur vom Samstag, den 14. Mai – Quapp's letzte Chance in Wien. Ganz einfach.

Sie wußte das nicht; und dies war vielleicht doch von Vorteil.

Jetzt fiel es ihr übrigens auch nicht ein, daß sie Gyurkicz oft beneidet hatte, weil er ,von seinem Kunsthandwerk leben konnte', oder wie immer sie das sonst auszudrücken pflegte. Dahin stand nun auch ihr der Zugang offen.

Sie hätte doch, das muß man in's Auge fassen, mit einer Stellung im Orchester und mit dem kleinen Neudegg'schen Vermögen im Hintergrunde, eine Position gewinnen können, die der Unsicherheit und Atemlosigkeit, dem innerlich wie äußerlich Dubiosen ihrer Existenz – was beides vielfach schon in ihren Träumen umging, und das ist immer ein Zeichen für einen verhältnismäßigen Ernst der Lage! – sie hätte doch, da gibt es keinen Zweifel, durch die jetzt offen stehende Tür alledem entweichen können.

Noch saß sie beim Frühstück. Ohne Behagen. Auf dem Sprunge, wie man das zu nennen pflegt. Gyurkicz war für heute verbannt worden. Sie befand sich sozusagen in Klausur. So weit reichte ihr Wissen noch in bezug auf Fragen der Diät: ihr galt doch zutiefst als selbstverständlich, daß in Ernstfällen alle falschen Gemeinsamkeiten vor die Türe fliegen mußten, und die echten obendrein. Aber sie hätte jetzt Behagen haben sollen, bei ihrem Frühstück, eine abgerundete Sorglosigkeit und Leichtigkeit, zu der nach so gelungener morgendlicher Generalprobe aller Anlaß bestand. Statt dessen drängte sie sich innerlich fast gewaltsam auf die Geige hin, entwarf noch ein Übungsprogramm für diesen Vormittag, blieb aber beim Tee sitzen: zum Glück.

Zunächst wenigstens zum Glück. Aber weil sie ihre Arbeit ansonst meistens nur verspätet und halb getan hatte, vermochte sie jetzt nicht glatt und ganz davon zu lassen, so nötig das im gegenwärtigen Fall gewesen wäre. Was hier geschah – Quapp saß noch immer auf dem Sofa – war im Grunde eine künstliche, ja, ganz raffinierte Erzeugung von schlechtem Gewissen, während der Vormittag sich draußen mit feuchter Hitze einpolsterte und aus der leeren Gasse allmählich so etwas wie das Innere eines Treibhauses machte; ein grüner Tunnel, vielleicht auch dem Grunde eines Aquariums nicht ganz unähnlich. Allmählich gewann für Quapp ihr blendendes Spiel vom frühen Morgen einen unheimlichen Aspekt, ein Vorübergang, dem sie ausgeliefert gewesen war, wie anderen Vorübergängen auch, wie jenen kommenden des heutigen Tages. . . . Noch beherrschte sie die Lage. Was sie aber danach vormittags auf der Geige trieb, war unwesentlich und überflüssig. Tief im Innern, wie ein paradoxer, nämlich dunkler Blitz, drohte ihr die Einsicht, daß es überhaupt nicht am Geigen lag bei ihr, sondern an ihrer Art zu leben, welche dem Geigen – das ihr stets hätte bereit sein müssen, um darauf aller Angst, aller Not zu entreiten – einen nur verhältnismäßig seltenen Zutritt gewährte. Meist aber wehrte sie solche Möglichkeit ab, mit den verschiedensten Mitteln, hießen die nun Imre, oder Vermögens-Sachen, oder eine Tante. . . . Heute hatte sie nicht abgewehrt, und aus der Weisheit des Schlafes und Traumes gehorsam in's Wachsein herübergebracht, was ihr dort drüben aufgetragen worden war. Nun aber langte es schon nur mehr für dieses Zimmer, für diese grüne Gasse – wo sie jetzt gerne ganz verblieben wäre! – und kaum das mehr. Die erste Grenze war glücklich überschritten worden. Jenseits der zweiten aber zeigte sich eine Außenwelt, die alles verdorren ließ, was ihr über die Grenze des Erwachens hinaus noch frisch mitgegeben worden war und als Wirklichkeit an diesem frühen Morgen sich bewährt hatte.

Es hieß endlich zu Mittag essen, sich fertig machen, in die Stadt fahren.

Alles das ging schnell, fast befremdend geläufig (für ihre Verhältnisse). Es war, als fiele sie rasch durch einen Stoff von geringerer Dichte, der sie kaum trug, der sie hindurchsinken ließ in beschleunigtem Falle. Es war befremdlich. Nichts hielt sie auf, aber es hielt sie auch nichts mehr. Doch war alles von fein verteilter Angst erfüllt, die gewissermaßen anonym blieb, sich kaum als Akzent irgendwo niederließ, für einen Augenblick vielleicht am Gesicht eines böse dreinsehenden knebelbärtigen alten Mannes in der Straßenbahn, oder, in verteilterer Weise, auf der einhellig grauen Front eines vielstöckigen Hauses. Quapp fühlte sich als noch halb in der grünen Gasse, im grünen Tunnel be-

findlich, und schon stand sie, solcher umschließender Hilfe entkleidet, in einem geräumigen Wartezimmer, wo nicht wenige
Personen anwesend waren, alle mit Geigenkasten, wie sie selbst.
Sofort beim Eintreten sammelte sich ihr Blick auf dem Gesicht
einer ganz jungen Person – sah man dann näher hin, so erwies
dieses Antlitz sich als älter, und sogar unterbaut schon vom An-
satze eines Doppelkinnes – die mit einer durchaus geraden Nase
spitz vor sich hinstach, was aber ihrem frappant hübschen Äußeren keineswegs Eintrag tat. Ihre Hübschheit lag auf der flachen
Hand. Das Mädchen verhielt sich ganz ruhig, sah nicht herum,
redete mit niemand, saß still neben ihrem Geigenkasten und ordnete sich glatt in die Reihe der übrigen Prüflinge ein, unter denen
auch einige junge Männer sich befanden, wie Quapp jetzt bemerkte.

Sie saß. Es war hier warm (zu warm) und still. Durch eine
Polstertür konnte man vereinzelte Geigenstriche hören. Von
Zeit zu Zeit – etwa in Abständen von fünf bis sieben Minuten –
öffnete sich der eine von den grüngepolsterten Türflügeln, entließ den Prüfling mit der Geige unter dem Arm, der alsbald sein
Instrument wieder in den Kasten bettete, welcher heraußen
stehen geblieben war, sich fertig machte, grüßte, und ging. Andere dagegen nahmen ihre Geigen hervor (so auch Quapp); der
jeweils mit Namen Aufgerufene – dies geschah in sehr höflichem,
ja, freundlichem Tone – begab sich nach nebenan. Welche Reihenfolge dabei eingehalten wurde, blieb undurchsichtig, nach
dem Alphabet ging es jedenfalls nicht. Man mußte eben rechtzeitig dagewesen und bereit sein. Quapp war rechtzeitig dagewesen (wir wissen das sehr zu würdigen!!!) und war auch bereit.
Sie konnte durch einige Zeit noch nicht erkennen, wer eigentlich die Türe öffnete und hereinbat, denn der Türflügel entzog
ihr die Sicht, sie wußte also nicht, ob es der Maestro selbst sei.
Aber beim sechsten oder achten Male trat er ein wenig weiter
vor. Sie sah ihn mit einem kurzen und energischen Kopfnicken
grüßen. Hinter den Damen schloß er selbst die Tür. Als nächste
kam Quapp an die Reihe. Der Raum, in welchen sie trat, war
sehr groß und weit; ganz rückwärts eine Menge Notenpulte;
warum hatte sie eigentlich eine Art Kabinett erwartet? Dem
Maestro zunächst stand ein einzelnes, ja, einsames Pult, eines von
den zusammenlegbaren, wie sie es auch besaß, aus Metall. Es
war ein wenig schief. Der Dirigent legte sogleich Noten auf,

sagte ‚bitte‘ und trat ein paar Schritte nach rückwärts. Fast für jedes Instrument gibt es Sammlungen der schwierigsten Orchester-Stellen. Quapp kannte das natürlich, auch die Passage, auf welche der Maestro kurz mit dem Finger getippt hatte. Es war nichts besonderes. Sie hätte es vom Blatte zu lesen vermocht, auch wenn's ihr ganz neu gewesen wäre. Aber nun hatte sie keine Hände mehr. Die Finger der Linken waren schwammig und dick, die Rechte war sozusagen nah am Sterben. Außerdem fehlte ein Teil des rechten Arms. Er bestand aus Luft. Mit einer wahrhaft furchtbaren und verdüsterten Anstrengung setzte sie ein, die Tonhöhe freilich rein treffend, aber ihr Strich war ganz nichtig; der Einsatz geschah sozusagen fast zweimal, zwischen der allerersten Intonation und dem folgenden – obendrein war es zunächst eine ganze Note – lag ein winziges Vacuum. Sie wußte es, sie fühlte es nach, während sich jetzt ihr Spiel etwas erkräftigte. Die folgende Stelle – Staccato – wurde wahrlich von ihr beherrscht, aber der fast heisere kranke Einsatz vergiftete nachwirkend alles durch und durch, sie befand sich einmal nur linienbreit davon entfernt, etwas ganz Falsches zu spielen, oder Sinnloses zu tun, die Geige fallen zu lassen. Allmählich trat das Blut wieder in Finger und Arm. Die Passage war zu Ende. Sie setzte ab. Sie verwunderte sich, daß der Dirigent sie so lange überhaupt hatte spielen lassen. Er mußte alles bemerkt haben. Ihr Körper war voll Schweiß, aber sie empfand diesen wie einen schmachvollen Brei, der unter ihrer Wäsche an ihr herabrann. „Nein, das geht nicht, Fräulein von Schlaggenberg“, sagte der Dirigent jetzt dicht neben ihr. „Sie geigen ja am Rand eines Abgrundes, möchte ich sagen. Das ist geigerische Epilepsie.“ Sie sagte: „Trema“, auf das Notenblatt hinsprechend, ohne die Augen davon zu wenden. „Ja“, sagte er. „Damit können Sie diesen Beruf nicht ausüben. Es ist ganz und gar unmöglich. Sie müssen sich das klarmachen. Bitte, hören Sie die nächste Bewerberin hier mit an, bitte, nehmen Sie hier rückwärts Platz. Ich gebe dem Fräulein Gagler – die hab' ich übrigens schon einmal gehört – die gleiche Stelle wie Ihnen. Sie wird ebensowenig falsch spielen, wie Sie, aber sie wird – spielen. Darauf kommt es nämlich an. Ich glaube fast, sie ist die beste.“ Danach trat die gerade spitze Nase ein, packte die Orchesterstelle ohne besonderen Aufwand an – die auszuhaltende ganze Note am Anfang klang wohl etwas derb, wie von einem Bläser, fast schneidend, frisch getutet: und das Staccato war nur eine Art Spaziergang, ein Sonntagsvergnügen. „Haben Sie ein Telephon, Fräulein Gagler?" fragte der Maestro. Sie reichte ihm ein Kärtchen. „Ich muß Sie jetzt auch bei den Proben mitspielen lassen, ich werde Sie anrufen, ja?" Gagler ging. Quapp hatte sich erhoben. „Es tut mir sehr leid", sagte der Dirigent. Quapp ging hinaus, sie legte das Instrument langsam in den Kasten, den Bogen an den inneren Deckel und schob die kleinen Riegel von Holz davor. Durch eine Sekunde, während des Passierens der Tür, hätte sie gewünscht, noch bei dem Dirigenten bleiben zu können. Nun war ihr mit grünem Segeltuche überzogener Geigenkasten geschlossen. Sie dachte an die Art, wie dem Maestro bei seinen kurzen und heftigen Bewegungen des Kopfes zwei schwarze Haarsträhnen in die Stirne gefallen waren. Von dieser Vorstellung noch begleitet, trat sie jetzt auf die Straße. Sie ging, mit ihrem Geigenkasten, aber in einer eigentlich falschen Richtung, nicht auf jene Straßenbahnhaltestelle zu, wo sie einzusteigen gehabt hätte, um heim zu fahren. Nun plötzlich empfand sie die Wärme, und dabei zugleich fühlte sie merkwürdigerweise Kühle auf ihrer Haut: sie wußte diese jetzt als schlüpfrig. Um eine Ecke tretend, plötzlich umflutet, umwimmelt von Menschen, erkannte sie nun erst den Verkehrs-Strom der Kärntnerstraße, in welchen sie geraten war. Sie trieb darin weiter, stumpf, langsam, behindert, eingepolstert in eine Wärme, die jetzt schon zur Hitze wurde, Hitze auf der schlüpfrigen Haut. Es scharrte rechter Hand, irgendeine Masse hielt an, sie sah nicht hin, ein Wagenschlag sprang ein wenig in's Trottoir vor. „Fräulein von Schlaggenberg!" rief Orkay. „Ich küss' die Hand, gnädiges Fräulein! Wohin darf ich Sie denn führen, mit diesem Geigenkasten?"

Im Augenblick erkannte sie erst, daß der Dirigent irgend etwas von ihr glatt abgeschnitten hatte, ein Ding wie einen Kropf, oder ein Geschwür oder etwas dergleichen, woran sie mit ihrem ganzen Leben, ja, wirklich schon seit der Kindheit, festgewachsen gewesen war. Sie gab Orkay die Hand. Nun war sie erst frei. Richtig wäre gewesen, den Geigenkasten einfach auf dem Pflaster stehen zu lassen. Aber sie nahm ihn doch noch mit in den Wagen. „Nach Döbling?" fragte Orkay. Sie nickte.

Alsbald zog die rasche, kühlende Fahrt auf einer ganz anderen Ebene dahin, nicht nur für Quapp, auch für Géza, für beide junge Menschen also, die da, jeder auf seine Art aus erheblichen Nöten kommend, zusammengeweht worden waren. Wahrlich, es grenzten zwei Jenseits im Diesseits aneinander in diesem Automobil, das jetzt durch einen heißen Nachmittag im Mai glitt und durch's Gewimmel der ‚Inneren Stadt', zwei Jenseits: jeder war es für den anderen. So verschieden eingebettet waren sie in Zuständlichkeiten, von denen das Gegenüber – schon saßen sie einander zugewandt – nichts wußte; und hätte es gewußt, dann wär's nicht viel mehr gewesen als bloße Benennung dessen, was den anderen erfüllte, kein Wissen also, nur Orientiertheit. Aber sie hatten nicht einmal dies in bezug auf einander; nur die Anrainung, die Gegenwart: in Géza kochend, drängend, und wiederum beherrscht unter einer vollends glatten, aber beängstigend dünnen Oberfläche. Nicht weit darunter stak schon wie ein Pfeil mit Widerhaken: der Imre Gyurkicz von Faddy und Hátfaludy. Und sie war versetzt, fast atemversetzt und begriff zunächst nur, daß man sich in rascher, windziehender Fahrt immer mehr von jener Stelle in der Kärntner-Straße entfernte, wo am Rande des Trottoirs ihr Geigenkasten stehen geblieben war, der sich doch hier im Wagen befand. Aus der Fahrt in die Eroica-Gasse, in die grüne Gasse, in den Tunnel, dem Quapp jetzt entschlüpft war, wie eine Forelle im tiefgrünen Wasser der Höhlung zwischen den Steinen entschlüpft, und einmal sich wendet, noch einmal, jetzt schießt sie schon dahin – nein, aus der Fahrt in die Eroica-Gasse wurde nichts. Géza hatte diesen Wagen, der heute nicht mehr benötigt wurde, von dem Gesandten für den Abend zur Verfügung erhalten, für solche Fahrten war, wie üblich, nur das Benzin zu bezahlen. Allerdings erhielt Szilágyi Rajmond danach stets ein Kavaliers-Trinkgeld, das er gerne annahm, und auch von solchen Herren der Legation, mit deren politischer Haltung oder Praxis er und Pinta sich nicht ganz einverstanden erklären konnten. Die Straßen wurden gerader, länger, leerer, grüner links und rechts an ihren Rändern, jetzt brauste man durch die Grinzinger Allee, und dann gemäßigter durch den alten Weinort selbst, mit seinen Buschen an der Stange, den kleinen Café's und Konditoreien, und an der alten Kirche vorüber, die wie keine andere bis zu den Fenstern in lauter Wein und Wirbel steht und an welcher ein chaotischer

Strom von beiläufiger Lust manchmal recht reißend vorbeigeht (jeden Samstagabend Hochwasser); und doch ist es in dem kleinen uralten Kirchenschiffe so still wie nur in irgendeinem andern. Mit martialischem Dröhnen begann der Motor die Steigung und die Kurven der Autostraße zum Kobenzl hinauf zu bezwingen. Weil Quapp es so wünschte, fuhren sie oben bei der Meierei vor, und nicht bis zur luxuriösen Terrasse des Schlosses.

Von hier aus konnte man die Stadt dort unten liegen sehen, wie auf der flachen Hand. Die Wärme war heroben nicht geringer; jedoch das umgebende Grün und die unmittelbare Nähe der waldigen Berge machten sie weniger drückend und einpolsternd, und was in den Straßen und Gassen föhnige Schwüle gewesen, trug hier, bei blauem Himmel, den Namen eines schönen Wetters. Dessen Klarheit, als er Quapp jetzt gegenüber saß, ließ Géza den Schmerz vom Pfeil mit Widerhaken, der in ihm stak, gleichsam auch klarer und frischer fühlen – als wäre das Geschoss jetzt erst eingedrungen, als habe er eben erst von Quapps Beziehungen zu Imre von Gyurkicz erfahren – und nicht so wie bisher, schon lange entzündet und dick verschwollen. Aber ein Schmerz, besonders ein frisch eintreffender, kann auch Zorn erzeugen; und dieser hier erhob sich jetzt bitter, und wollte Quapp von ihrem Postamente stoßen, ihre in der Mitte des Herzens errichtete Denksäule stürzen: weil sie doch mit einem solchen (für Géza) grauslichen und schlüpfrigen Burschen andauernd zusammen lebte. Die Abwertung, welche sogar die beste und die schönste Frau aus solchen Gründen erfahren kann, ist eine tiefe und – außer bei einem Manne, der sie eben liebt – irreparable, ja, für's ganze Leben: und nicht vollends ungerecht, in letzter Konsequenz. Sie, Quapp, empfand seine Verdüsterung, den einfallenden Wolkenschatten. Aber, die Gute, sie hat, wenn überhaupt, immer sehr spät erst was gewußt. Indessen kamen die beiden mit Fragen aneinander heran, höflichen Fragen, beiläufigen Fragen, doch damit trat man jetzt schon in's knackende Unterholz am Saum des unbekannten Waldes, der da gegenüber am Tische begann, dickstes waldiges Jenseits im Diesseits.

Das Knacken war verräterisch. Es ließ manches ahnen. Schon mit diesen Tönen oder Geräuschen des Randgebüsches begannen eigentlich die Konfidenzen in nuce. Géza wich tief und erschrocken zurück, als er das bei sich selbst bemerkte. Denn einmal war er alles eher als plump oder ein Geradezu-Trampler, und zum zweiten hatte er für solches Zurückweichen allen Grund, gute Gründe. Zudem drückte der Pfeil.

Mit merkwürdiger Freiheit und Sachlichkeit, welche Quapp selbst befremdete, berichtete sie von dem Entscheidenden des heutigen Tages, von ihrem Zusammenbruch.

Seine Aufmerksamkeit klaffte, wie ein Rachen. Plötzlich streifte es ihn, daß diese Minuten entscheidend sein könnten. Géza muckste nicht, er rührte sich nicht. Allmählich bemächtigte sich seiner die Verfassung eines Schützen, eines Jägers, dem jede Bewegung versagt ist und der doch unruhig wandernden Augs das Schussfeld erforscht und den richtigen Augenblick sucht zum Losdrücken.

Mit bemerkenswerter Genauigkeit wußte er jetzt etwa dies: daß sie sich so, auf diesem Tiefpunkte, nicht würde – – einheimsen lassen, von einem gerade dahergelaufenen Tröster, der die Schwäche ihrer augenblicklichen Lage in sozusagen vulgärer Art zu deuten und zu verwerten wußte. Dies lag gewiß, so vermeinte Géza, unterhalb des Grades, den Quapp einnahm (man sieht, auch ein Diplomat kann naiv sein). Hier war ein ganz anderes zu leisten: aus dem eigenen brennenden Hause zu fliehen nämlich, als träte man nur einmal zwischendurch vor die Türe und ginge ein paar Schritte, sich Bewegung zu machen, und hörte dann einen entfernteren Nachbarn an.

Da Orkay aber sich mit Anstrengung ganz so verhielt, als verhielte es sich gar nicht anders mit ihm, da er die Haltung eines Teilnehmenden wirklich mimte, geriet er ganz unversehens in die Teilnahme selbst hinein: und so durchschritt er zunächst, sachte und ohne viel Rauschens, das Randgebüsch des angrenzenden fremden Waldes, das schon hinter ihm verschwang, und sah jetzt, da er drinnen stand, wohl nicht den Wald selbst und als ganzen, immerhin manchen einzelnen Baum. „Es muß eine Art Wende für Sie bedeuten", sagte er. Hier zeigte sich doch, daß eine behelfsmäßig angenommene Attitüde, eine Pose, wie jene des altruistischen Interesses bei Orkay, unversehens gerade in die Haltung übergehen kann, welche hat dargestellt werden sollen! Pose als Vorform der Haltung! Ein ganz leichtes Berühren und Teilen des Gebüsches, man tut, als träte man in den Wald: und nun geht man schon wirklich darin. Géza begriff bereits, daß diesem Quapp-Leben heute ein fiktives Rückgrat, eine

Art verschluckter Stock, herausgezogen war, wie man das beim Zerlegen einer Sardine macht. Er ging also bereits ziemlich tief im Walde spazieren. Freilich in der, wenn auch unterdrückten, Erwartung eines neuerlichen heranschwirrenden Giftpfeiles.

Sie aber begann jetzt endlich zu begreifen, weil sie sich so begütigend begriffen fühlte, und vielleicht wollte sie schon wohltun, und dadurch danken, als sie sagte: „In vieler Hinsicht. Nein: in jeder Hinsicht überhaupt. Nur dann wäre es eine Wende. Sie muß auf alles anwendbar sein. Nur dann ist es eine solche."

Vielleicht hatte auch Quapp ihre Worte zunächst nur vorausgeworfen, um sie einzuholen: genug, hier und jetzt, in dieser Stunde eines späteren Nachmittages, dessen Abendgold rasch schwoll, wie eine nicht einzudämmende Überschwemmung, während der in die Landschaft leckende tintige See der Stadt dort unten zum Stahlblau erkühlte – hier, zum ersten Mal, steckte sie ihre Nase über den Rand eines neuen Horizontes, während sie bisher, seitdem der Geigenkasten dort auf das Trottoir gestellt worden war, nur einen alten verloren gehabt hatte.

Sie gingen. Szilágyi Rajmund erschien rasch aus der Schank und lief zum Wagen, aber Géza empfahl ihm, ruhig noch ein Glas zu trinken, man wolle ein paar Schritte spazieren gehn (nun also wirklich, und im wirklichen Wald, oder ist der am Ende gar auch ein Jenseits im Diesseits?).

Der wirkliche Wald schwieg tief zwischen seine Stämme hinein, an welche die rote Abendsonne ein schönes, aber unverständliches Wort richtete. Hier, als der gleiche Wald sie nun beide schon umschloß, sprachen sie offener, besonders auf einem beinah eben hinführenden Teil des Pfades. Quapp nannte sogar Imre's Namen. Sie sagte zugleich, daß dieser für sie schon ein Vergangenheits-Name geworden sei, aber nicht erst seit dem heutigen Nachmittag. Sie gedenke übrigens ihre Wohnung zu wechseln. Orkay sprach. Nichts gegen Imre, obwohl sie einiges zu seinen Gunsten erwähnt hatte, die guten und treuherzigen Seiten seiner Person betreffend: vielleicht bestrebte sich Quapp jetzt nur mehr, das Verdikt abzuwehren, welches ihr von Géza gedroht hatte, wegen ihrer andauernden und engen Beziehung zu Gyurkicz: und jene Gefahr hatte sie doch nach und nach gespürt. So drehte und wandte sie jetzt den Gyurkicz herum, als sei er ein Prisma auf einer Achse und als sollten nun auch freundlicher gefärbte Seiten seiner Person nach vorn und zur Anschauung gebracht werden. Orkay sprach, wenn auch von etwas anderem: „es gibt keine rein negativen Ereignisse", meinte er, in bezug auf ihren Zusammenbruch bei dem Probespiel, und damit, so fuhr er fort, daß etwas wegfalle und ab-breche, wie etwa jetzt – ihrer Meinung nach – die Geige weggebrochen worden sei von ihrer übrigen Person, damit sei der Schwung des Geschehens noch nicht erschöpft und die Verwandlung, von der sie gesprochen habe, noch keineswegs vollzogen. „Es gibt im Leben keine bloßen Amputationen, solange es eben noch Leben ist, also Hervorbringung, wenn ich so sagen darf." Nun sprach er wirklich ganz ruhig, mit längst echter Teilnahme, hinter welcher er doch seine Absichten sanft voranführte. Sie empfand es, und mit außerordentlicher, plötzlich ihr geschenkter Klarheit und Deutlichkeit. Wenn Géza ruhig und langsam sprach, dann machte er im Deutschen kaum Fehler, vermochte sogar sich einigermaßen eindringlich auszudrücken. Aber der ungarische Akzent, jedem gelernten Österreicher als etwas geradezu heimatliches vertraut, blieb freilich auch bei Géza stets erhalten. Quapp liebte diesen Akzent. Während die Sonne eben dem Horizont sich genug genähert hatte, um hier durch eine Waldeslücke zu dringen und einen niederen Erlenbusch rechts des Weges in so roten Brand zu setzen, daß sein Grün fast verschwand, lauschte Quapp eigentlich nur jenem ungarischen Unterton in Géza's Sprache, und ihr war, als höre sie solchen Tonfall und solche Färbung zum ersten Male überhaupt rein, ganz entzückend rein: während im Zurück-Lauschen und Zurück-Fühlen ihr jetzt Imre's Sprech-Tonart wie getrübt vorkam, aus irgendeiner minderen, ja, fast unappetitlichen Quelle kommend, fremd und dubios: das alles, während die Abendglut den Erlenbusch fraß, das alles, während Quapp den Blick nicht von diesem Schauspiel wenden konnte, von der jetzt schon trüber rötenden Glut. Auch in ihr war ein Feuer herabgebrannt. „Bitte", hörte sie jetzt neben sich sprechen, „sagen Sie mir nicht mehr ‚Herr von Orkay', sagen Sie mir Géza, ich bitte Sie darum", und die ungarischen Namen hatte er jetzt ausgesprochen, wie es eben nur ein Ungar vermag (für einen solchen vermöchte sich übrigens in Wien ein Nicht-Ungar niemals auszugeben, obwohl doch die Wiener kein Ungarisch sprechen, aber sie kennen den Ton, wie sie eben schon sind, in Tönen feinhörig, sonsten aber oft taub). „Gerne, Géza", sagte Quapp, „aber Sie müssen mir ‚Quapp' sagen, so werde ich genannt." „Quappchen!" rief er – und nun war die glatte und zuletzt schon ganz dünne Oberfläche bei ihm durch, und in den lächerlichen Namen schoss eine Protuberanz und füllte dessen gemütliche Kaulquappen-Rundlichkeit mit einem Hitze-Kern – „Quappchen! So wird sie genannt!" Er nahm ihre Hand und küßte sie lange. Der Abend war inzwischen zu Ende gebracht. Sie verließen den Wald. Géza schwieg. Die Hinabfahrt über die Kehren geschah schon im bläulichen Lichte der Dämmerung. Der Wagen durfte, so wollte es Quapp, nicht in die Eroica-Gasse einbiegen, sondern mußte am Pfarrplatz halten. Diese Heimlichkeit schlug einen tiefen verfinsternden Schatten über Orkay's Gesicht, als er jetzt Quapp aus dem Wagen half und den Geigenkasten heraushob. Aber sie standen durch ein paar Augenblicke noch am Wagenschlage, den Szilágyi Rajmund offen hielt; ein Blick verband sie wieder – lindernder Verband zugleich – ein Blick des Einverständnisses, dem der Druck der Hand erst nachkam. „Darf ich telephonisch anrufen?" sagte Géza, und es schien ihm zugleich überflüssig und irgendwie abgebrochen von der Art ihres Beisammenseins bis jetzt, auf welches man zuletzt kein konventionelles Hütchen setzen konnte. Aber er hatt' es vor dem Scheiden plötzlich mit der Angst bekommen, alles könnte verschwinden, vergehen wie ein Impromptu . . . Sie nickte. „Auf bald", sagte sie. Während er abfuhr, blieb sie am Flecke stehen und winkte ihm ein wenig, der im Wagen ganz zurückgewandt saß. Dann bog sie in die Gasse. Ein Blick sprang hinauf zu jenem Fenster, wo sonst die kleinen Wäschestücke zu hängen pflegten. Es war ein ganz kurzer, doch ein bemerkenswerter Blick: als erflehe sie damit einen Herzschlag lang gütige Nachsicht und Einverständnis.

Dem Doktor Neuberg konnte es nicht ganz verborgen bleiben, was Stangeler da neuestens bearbeitete: benachbarte Schreibtische waren hier umgeben von einer beiden fast gleichermaßen fremden, und wenn schon nicht feindseligen, so doch obstinaten Atmosphäre; denn unseren Doktoren, dem René ebenso wie dem anderen, fehlte das rechte landsmannschaftliche Mit-Eingeschlossensein. Sie gehörten ganz einfach nicht dazu, wenn auch aus sehr verschiedenen Gründen.

Stangeler hatte unmittelbar nach seiner Rückkehr aus Kärnten die Neudegger Handschrift zweimal photokopieren lassen. Nun übertrug er den Text in der üblichen Weise, teils daheim, teils im Institut. Diese Arbeitsweise war bequem. Daheim ging alles gleich sauber in die Schreibmaschine, auf doppelte Art, einmal regelrecht, einmal etwas modernisiert: für Herzka. Das Original der Niederschrift Ruodlieb's bewahrte Stangeler in einem Bank-Safe auf, das er zu diesem Zweck gemietet hatte, ,unter eigenem Verschluß der Partei', alias, er allein hatte den Schlüssel, und die Handschrift blieb ihm jederzeit zugänglich. Dort im Safe also lag sie jetzt, seitdem das Photokopieren durchgeführt worden war. René war mit der Übertragung und den sachlichen Anmerkungen schon weit vorangekommen. Den Namen des Ruodlieb von der Vläntsch als Kryptogramm aufzulösen gelang nicht. Diese Annahme war vielleicht unzutreffend. René meinte nun doch, daß jener Herr Johann Chrysostomus von Neudegg, der das Manuskript 1518 zu Augsburg an sich gebracht hatte, den richtigen Namen des Verfassers wohl vermerkt hätte, wenn ein solcher zu wissen gewesen wäre – und die Kenntnis davon durfte in diesem Falle bei Herrn Johann Chrysostomus vielleicht noch vorausgesetzt werden. Also stimmte es anscheinend mit Ruodlieb von der Vläntsch? René paßte das nicht in den Kram seiner mitunter eigensinnigen Einbildungen.

Daß Neuberg – der übrigens seit einer Reihe von Tagen nicht mehr am Institut erschienen war – von den Sachen wußte, wenn auch ganz beiläufig, beschwerte Stangeler wenig. Sie waren beide sozusagen Outsider. Peinlicher dagegen war ihm der Umstand, daß er sich einem ,Troupisten' gegenüber – es war der Spezialist für moderne Tanzmusik Bill Frühwald mit den dicken Schuhsohlen, der sich in seinen Kleidern immer so offensichtlich wohlfühlte – zu einigen Mitteilungen hatte hinreißen lassen, in einem Park nahe bei der Universität, wo er unvermutet auf jenen gestoßen war: seiner Sachen voll; und obendrein befragt, was er denn immer treibe, woran er arbeite. Sie gingen auf einem breiten Weg in der grünen Fläche, welche den Straßenlärm ringsum weit weg und an ihren Rand drängte; dieser Umstand beförderte die Mitteilsamkeit. Das Gesagte wurde mit einer befremdlichen Begeisterung aufgenommen, die Stangeler veranlaßte, sich sogleich mit dem Rest der Mitteilungen, der ihm noch nicht entschlüpft war, zurückzuziehen. ,,Ein Schlager!" sagte Frühwald. „Damit ist was zu machen! Da wär' einmal Geld zu verdienen. Ich wüßte Ihnen eine blendende Möglichkeit der Verwertung. Da erscheint jetzt eine Buchreihe, ‚Sexualwissenschaftliche Bibliothek‘, ich kenne sogar den Verleger . . ." „Nein", sagte Stangeler, der jetzt unbedingt diesen von ihm selbst angesponnenen etwas schleimigen Faden wieder abreißen wollte, „für die Verwertung ist schon gesorgt, das macht keine Schwierigkeit, zunächst muß ja eine wissenschaftliche Ausgabe der Quelle veranstaltet werden." „Na ja, das wäre ja am besten in der ‚Sexualwissenschaftlichen Bibliothek‘ zu machen. Außerdem zahlen die blendend. Haben Sie sich schon nach irgendeiner Seite mit der Sache endgültig gebunden?" „Nein", sagte René (hier wieder sein oft unzweckmäßiges Verhalten: er hätte ,ja' zu sagen gehabt, da er doch diesen Bill Frühwald jetzt nur los werden wollte; aber er sprach die Wahrheit, wo's nicht nötig war, und log anderswo wieder in vollends überflüssiger Weise). „Ich werde jedenfalls dem Direktor Szindrowitz von der Sache sagen, Herr von Stangeler. Er ruft Sie dann eventuell an."

René kam endlich und glücklich von Frühwald los, und dieser schlenderte mit langen Beinen über den breiten Parkweg davon. Stangeler kehrte in das Universitätsgebäude zurück.

Seit bald einer Woche fehlte nun Doktor Neuberg am benachbarten Schreibtisch. Jetzt sah ihn René etwas weiter oben die schon dämmrigen Treppen hinaufsteigen und holte ihn ein. Neuberg schien über diese Begegnung offensichtlich erfreut, als er Stangeler sein breites Gesicht zuwandte. Aber der Eindruck, den René jetzt empfing, war ein erschreckender und ging dem Stangeler besonders tief, weil er, nach seinem zweifelhaften Gespräch im Park, nicht gefaßt genug war für einen wirklichen Ernst der Lage. Neubergs Gesichtsausdruck zeigte eine ganz offenkundige Zerrissenheit an, die da und dort aus seinem Antlitz klaffte, das sich kaum mehr beisammenzuhalten schien; und diese unmittelbare und erste Empfindung Stangelers wurde noch verstärkt durch den breit angelegten Bau dieser Physiognomie; zudem schien der Blick übernächtig und die Augen waren von dunklen Ringen umgeben. Neuberg sah ihn an, ohne zu sprechen. „Was ist mit Ihnen?" sagte René und griff nach Neubergs Arm. „Ich wollte hinaufgehen, um wenigstens noch eine Stunde zu arbeiten", antwortete Neuberg, der gar nicht versuchte, sich irgendwie zu verstellen und seine verzweifelte Fassade zu glätten, „aber ich kann es nicht. Gehn Sie noch hinein?" setzte er hinzu, und wies mit einer müden Kopfbewegung in die Richtung, wo der Eingang des Institutes lag. „Ich wollte", sagte Stangeler, „aber jetzt möchte ich schon lieber von Ihnen hören, was geschehen ist." „Haben Sie etwas Zeit?" sagte Neuberg. „Natürlich", antwortete René, „ich muß nur drinnen meinen Schreibtisch abschließen und meine Tasche holen. Ich war ein paar Schritte spazieren im Rathauspark. Bleiben Sie so lange hier?" „Ja", sagte Neuberg, und blieb an Ort und Stelle stehn, mit herabhängenden Armen, ohne sich zu bewegen. René lief den hallenden Gang entlang und zog dabei schon seinen Schlüssel aus der Tasche.

Sie stiegen sodann über die breiten Treppen hinunter und schritten in den offenen Bogengängen um den Arkadenhof auf und ab. Hier war es fast ganz leer. Beziehungslos und regelmäßig wiederkehrend begleiteten die Hermen und Gedenktafeln berühmter Gelehrter der hiesigen Universität ihr Gespräch. Der Abendhimmel warf einen tiefblauen Blick in das Grün des Gartens. Dieser Hof war ein Stück vom Süden, südlicher Gesittung, südlichen Maßes. Davon zeigte sich jetzt nichts bei Neuberg. „Ich habe mich von Angi getrennt", stieß er hervor. Er meinte seine Braut, Angelika Trapp. Dem Stangeler, der in Trennungen schrecklich erfahren war – deren hatte es ja zwischen Grete und ihm gerade genug gegeben! – drang dies Wort tiefer in die Brust, als selbst Neuberg vermeint hätte, obwohl der, wie eben jeder junge Mensch, weitaus zuviel Anteilnahme voraussetzte. Aber hier stimmte die Sache ausnahmsweise einmal. René, der das in Rede stehende Kapitel des Lebens-Unterrichtes mehrmals hatte repetieren müssen, zeigte sich wirklich bestürzt. „Um Gotteswillen!" rief er, „welch ein Grund, welch ein Anlaß?" „Im Grunde nur ein Grund und gar kein Anlaß. Ich komme gegen die fortgesetzten stillen Bohrungen dieser Spießerfamilie nicht auf, und schon gar nicht, wenn Angelika selbst obendrein noch Verrat übt und zur anderen Seite übergeht. Es ist besser, sie wird eine Frau Dulnik." „Dulnik –?" „Ja. Papierfabriks-Direktor. Bedruckt das Closett-Papier mit Reklame-Sprüchen." „Der –!" rief Stangeler. „Aber, Herr Kollege, alles, was Sie jetzt erzählt haben, ist doch normal, kann doch kein Grund sein, es ist ja sozusagen der Untergrund, auf

dem alle diese Sachen nun einmal ruhen!" „Immer", sagte Neuberg, „bei jedem und jeder. Es ist wesentlich. Und darum muß ein wesentliches Opfer einmal gebracht werden." „Erlauben Sie mir", sagte René, „dann hätten Sie also doktrinär und ohne jeden Anlaß gehandelt?" „Natürlich nicht", stieß Neuberg hervor, „es ist alles auf einen nicht mehr erträglichen Punkt gekommen. Um ganz offen zu sein, Herr von Stangeler, den letzten Anlaß bildete – – Ihre Braut, Fräulein Siebenschein. Sie wissen, daß ich Fräulein Grete außerordentlich hochschätze und sie ja dann und wann auch sehe. Wir sind einander – es wird noch im April gewesen sein – zufällig auf der Ringstraße begegnet und haben uns in ein Café gesetzt, um zu plaudern . . ."
„Ja", sagte Stangeler, „das hat sie mir erzählt, aber was hat das mit Fräulein Trapp zu tun –?" „Warten Sie, warten Sie", sagte Neuberg, leicht unwillig wegen der Unterbrechung (und, wie es schien, so zerrüttet, daß ihm kaum das Sprechen gelang), „dort also, in dem Café, hat uns jemand gesehen –" Er stockte, und warf nach: „Nun, ganz gleichgültig, wer es war. Jedenfalls wurde es Angelika erzählt. Sie hat mir Vorwürfe deswegen gemacht. Wieso aber der alte Trapp zu einer Kenntnis davon kommt, daß ich mit Ihrer Braut, Herr von Stangeler, in einem Café gewesen bin – ich weiß es nicht. Das kann nur Angelika selbst gewesen sein, die es ihm erzählt hat, oder . . .?"
Sie gingen immer lebhaften Schrittes unter den Arkaden dahin, an drei Seiten des Hofes entlang – die vierte wurde von der Säulenhalle gebildet – und wieder zurück. René erinnerte sich jetzt, daß er vor gar nicht langer Zeit mit Herzka hier ebenso auf und ab geschritten war. (,In katastrophalen Fällen spaziert man seit neuestem um den Arkadenhof', dachte er, und: ,Der Kakabsa wird leider bald von der Bibliothek weggehen. Schade.') Es war fast dunkel geworden. Unter den Bogen lag da und dort ein wenig elektrisches Licht. Der Himmel über dem Hofe wandelte sich in das tiefste Blauschwarz.
„Der alte Trapp sagt mir", stieß Neuberg jetzt hervor, „er sagt mir: ,Hören Sie, Neuberg' – so redet er mich an – ,Sie dürfen nicht glauben, daß ich's Ihnen übel nehme, wenn Sie mit jener Dame, Fräulein Siebenstein, oder wie immer, einen geistigen Meinungs-Austausch' – so sagte er! – ,haben, vielleicht einen besseren als mit meiner Angelika. Sie können ganz offen zu mir reden. Schließlich könnt' es ja sein, daß dieses Fräulein

Siebstein, oder wie immer, gewissermaßen die geeignetere Verbindung für Sie sein könnte, na ja, aus mehr als aus einem Grunde, na ja' . . . Und das mit dem ,geistigen Meinungs-Austausch', das kann er ja nur von der Angi haben. Mit einem Wort: ich weiß, was da schon wieder für ein Wind weht."

„Kenne ihn, diesen Wind", sagte René traurig. „Ich kenne ihn sozusagen in umgekehrter Richtung. Mich nennen sie bei Siebenscheins den ,Totenkopf', wegen meiner tiefliegenden Augen halt. Und die Titi Lasch, die nennt mich noch ganz anders."

„Schindluder treiben, das ist aber schon das einzige, was die alle zusammen mit unsereinem anzufangen wissen!" brach Neuberg jetzt aus. „Ach, verzeihen Sie, Sie sind ja, wenn ich so sagen soll, Sie sind ja noch verlobt, oder –?"

„Ja, doch", antwortete René. „Bei mir haben sich die Sachen irgendwie zurechtgezogen. So etwas kommt immer gleichsam über Nacht. Siebenscheins scheinen beruhigt."

„Da werden Sie also früher oder später heiraten."

„Ja", antwortete René.

„Und in Ihrem Elternhaus, wie weht da der Wind?"

„Wie bei Trapps; etwas schärfer."

„Und Professor werden Sie vielleicht auch noch werden, irgendwo, nach der Entdeckung jetzt in Kärnten. Ein guter Einstieg jedenfalls, ein guter Auftakt, mein' ich, für eine wissenschaftliche Laufbahn. Wie weit sind Sie mit der Sache?"

„Noch drei Wochen", sagte Stangeler.

Aber Neuberg sprang alsbald wieder von diesem Thema ab, wie er denn für René's Entdeckung überhaupt wenig echtes Interesse zeigte („vom späten Mittelalter versteh' ich nicht viel", hatte er damals gesagt und sich wieder seinen Karolingern zugewandt). Sie wechselten noch einige Reden, hin und her, über die Trapps und Stangelers einerseits und die Siebenscheins andererseits. Dann verließen sie das Gebäude der Universität. Neuberg stieg in die Straßenbahn. Stangeler, der ihm nachblickte, begriff plötzlich und anschaulich durch Sekunden, daß er selbst das mindere Los gezogen hatte. Jener war unglücklich. Er selbst war schön brav, mit Erfolg sogar, der dem Doktor Neuberg gleichfalls fehlte, trotz seines hervorragenden Könnens. Man war neuestens nicht nur bei Siebenscheins mit René zufriedener, sondern auch im Elternhause. (Seit sechs Jahren kannte Stangeler nun den Siebenschein'schen Kosmos – auch so ein Jenseits im Diesseits! – ohne dahintergekommen zu sein, daß es zunächst einmal gar keiner Erfolge bedurfte, damit jene Welt freundlich um ihn kreise, sondern nur eines glücklichen Gesichts von seiten der Grete, will sagen, daß er sie nicht schikaniere – eigentlich waren diese Leute höchst bescheiden, leider in einer von dem Herrn von und zu René anscheinend noch nicht entdeckten Dimension, der des Gemütes nämlich.) Durch Augenblicke gab es einen kleinen Quirl in René, alles drehte sich jetzt als ein läppisches Karussell um ihn, darauf die Figuren saßen, welche um diesen geringen, ja, unwürdigen Horizont liefen, sie saßen auf Pferdchen, Williams, die Drobil, Herzka. Auch die Mama Siebenschein ritt. Als Transparent war zu lesen: ‚Ich denke gering von der Beseelung der Welt durch die Glücklichen.‘ (Ein Wort Kyrill Scolanders.)

René ging langsam gegen den Alsergrund zu, schräg über den weiten Raum vor der steifleinen-neugotischen Votivkirche; die hing auch mit seiner Familie zusammen; irgendein Onkel oder Großonkel; Architekten und Professoren. Man erwartete etwas derartiges offenbar von ihm, auch Neuberg schien es zu erwarten. Nun nach rechts, die Alserbachstraße hinab. Er hatte diesmal einen anderen Weg genommen als gewöhnlich (mit Kakabsa). Was Grete wohl sagen würde, zu der Trennung Neubergs von Angelika Trapp? Es ging immer was vor, meistens Unsinn. Neuberg war nun frei. Kein Karussell drehte sich um ihn. Er konnte alles hinwerfen und neu aufheben. Darauf allein kam es an. René wurde angst und bang. Ja, Umstände, das sind eben alle Dinge, die um einen herumstehen. Alles stehn und liegen lassen, wie es liegt und steht: damit fällt's ab. Man braucht es gar nicht hinzuwerfen. Ihm wurde leichter. Er verwunderte sich jetzt über sich selbst, wie er hier dahin schritt, auf dem Wege zu Siebenscheins; an dem rückwärtigen Eingang zum Liechtenstein'schen Park vorbei. Dort drüben waren die engen Gassen. René kannte sie gut. Grete war ihm jetzt vollständig gleichgültig. Das Haus ‚Zum blauen Einhorn‘. Die alten Stadt-Teile stehen gleichsam tief im Sumpf, oder in einer Art von Guano: durchwühlter Boden. Überbewohnt, durchfault (René begann sozusagen unorthographisch zu denken). Man müßte hinaus, wo es heller ist, wo die großen neuen Bauten stehen. ‚Achtung! Hier ist das Haustor. Nimm dich zusammen. Mach' freundliche Nasenlöcher. Dann geht alles gut.‘

Nicht allzu lange nach der Begegnung Stangelers mit Williams und der Drobil am weiträumigen Donaukai gab Grete Siebenschein einen kleinen Tee, zu welchem sie, außer dem Amerikaner und seiner Braut – die ihr ja beide seit der Gesellschaft bei Mary bekannt waren – auch noch Neuberg einlud, von dessen Mißgeschick sie freilich sogleich durch René erfuhr und von dessen karolingischer Unschädlichkeit in Sachen René sie wußte. Bei Siebenscheins genossen solche halb und halb rationelle Anstalten Grete's stets die vernünftige Unterstützung beider Elternteile, und selbst Frau Irma stellte in derartigen Fällen ihre sonst üblichen Erkrankungen zurück: und überhaupt. Geselligkeiten wie diese sind bei Siebenscheins immer mit Geschick und Chic in Szene gegangen.

Williams, den man zunächst englisch anredete, bis sich sein Deutsch als philologisch überlegen erwies, war bei bester Laune, brachte eine ganze Wolke von frischem Birnenduft mit in's Zimmer und begrüßte sehr respektvoll Grete's Eltern, die für ein kurzes sich sehen ließen. Und Frau Irma konnte sich wohl sehen lassen; ihr Kleid saß bestens auf der schlanken Figur, und ihre bewegliche Intelligenz – schätzungsweise mit mehreren Hundert Flimmer-Tentakeln ausgestattet – ermöglichte es ohne weiteres, mit ihr Kontakt zu kriegen. Wäre unsere Mama Siebenschein, so trefflich sie sich zu geben wußte, imstande gewesen, den Rattenblick ihrer an sich hübschen Augen ganz zu kontrollieren, man hätte sich sehr wohl mit ihr amüsieren mögen. So aber erkannte wenigstens männiglich den Ernst der Lage.

„Ich hab' dem Doktor Bullogg geschrieben", sagte Williams zu René beim Händeschütteln. „Der wird vermutlich bald einen langen Brief an Sie loslassen."

Frau Irma Siebenschein ließ sich informieren.

Als man dann unter sich war, blieb die Rede noch bei jenem Neudegger Manuskript.

„Herr Achaz von Neudegg war ein sehr moderner Mensch", sagte René.

„Inwiefern das?" fragte Williams.

„Weil bei ihm schon auftritt, was unsere Zeit beherrscht: eine zweite Wirklichkeit. Sie wird neben der ersten, faktischen, errichtet und zwar durch Ideologien. Die des Herrn Achaz war eine sexuelle: reife Frauen, keusche Witwen, Zerbrechen dieser

Keuschheit, und so weiter. Sadismus ist nur ein Wort. Aber die Psychologie ist nicht dazu da, Beruhigungspillen in Form von Fachausdrücken auszuteilen, durch die jedermann dann glaubt, der Sachen mächtig zu werden. Herr Achaz war ein Ideologe, einfach deshalb, weil er seine Hand ausstreckte nach Erlebnissen, die nur – hinzugegeben werden können. Das tun alle Ideologen. Die Weltverbesserer gehen direkt auf eine Änderung aller Umstände los, statt bei sich selber anzufangen, denen dann schon eine neue Wirklichkeit zuwachsen würde, wenn sie damit voran kämen: eine Wirklichkeit ersten Ranges, keine Gespensterwelt, etwa wie die gemachte und arrangierte Sexualität des Herrn Achaz. Er hatte ein Programm. Unsinn natürlich, zu glauben, die politischen Ordnungsprogramme seien eine Art verschlagener Sexualität, oder sozusagen ein Derivat von ihr. Ideologie kommt nicht von der Sexualität, sie ist kein Ersatz für diese. Aber sie steht im gleichen und bleichen Gespensterlicht, wie des Herrn Achaz festgerannte Vorstellungen. Deswegen sagte ich, er sei ein moderner Mensch. Übrigens kenn' ich einen gut, der heute lebt, und auch eine Art Sexual-Ideologie entwickelt, eine von entfernt verwandter Art wie der Herr Achaz von Neudegg."

„Wer ist das, René . . .?" fragte Grete. Ihre Augen waren groß geöffnet auf Stangeler gerichtet. Es ist nicht anzunehmen, daß sie seine Ausführungen eigentlich verstanden hatte, was man halt so Verstehen nennt im philosophischen Sinne. Aber sie vermeinte zu fühlen, und zwar überaus deutlich, daß hinter Stangelers Darlegung durchaus etwas stand – was sie eben nicht verstand. Doch blieb es vorhanden. Dies konnte, ja, mehr als das, dies durfte ihr genügen.

„Kajetan", sagte René einfach.

Neuberg hob für einige Augenblicke den Kopf.

„Denken Sie, Herr Doktor", wandte sich René jetzt Williams zu, „an jene Stelle in dem Manuskript, von welcher ich Ihnen am Donaukai unten erzählt habe, wo dieser junge Ruodlieb von der Vläntsch, oder wie er schon wirklich geheißen haben mag, im Traum vermeint, er sei zur Hälfte von Holz: da stoßen die zwei Wirklichkeiten aneinander. Noch entsinnt er sich der ersten, schon hat ihn die zweite. Am Schluß dieser ganzen Erzählung Ruodlieb's steht er neben seinem Herrn auf der ‚Letze' über der Zugbrücke, und Achaz sagt zu ihm – das hab' ich mir wörtlich gemerkt, weil es so überaus bezeichnend erscheint: „. . . mir ist als wuerd ich aus zwei halbeten mannern wyder ain ainiger und gantzer; und war von den halbeten der ain von holtz.' Und Ruodlieb erschrickt, weil er ganz das gleiche erlebt hat, wie sein Herr, anders: Ruodlieb erschrickt, weil damit ein allgemeines sichtbar geworden ist, ein allgemeiner Sachverhalt, der gilt. Es ist der moderne Sachverhalt, der Zusammenstoß zwischen einer ersten und einer zweiten Wirklichkeit, zwischen denen es eine Brücke nicht gibt, und keine beiden gemeinsame Sprache, mögen auch alle einzelnen Wörter gemeinsam sein. Herr Achaz drückt es in der folgenden Weise aus: ‚Ain gebild, wann dich daz ueberkom, und du pist damit allainig und verslozzen, entgehet dir all anders, bist verlân.'"

„Damals nannte man's einen Dämon", sagte Williams.

„Und richtig: Heute deklariert man das falsch, als ob es vernünftiger Herkunft wäre: eine Weltanschauung. Jedoch der wechselseitige Haß allein, welcher zwischen diesen verschiedenen Weltanschauungen immer wieder hervorbricht, sollte uns doch dessen belehren, daß sie aus ganz anderen Quellen fließen, denn aus verschiedenen Meinungen darüber, wie der ‚Menschheit' zu helfen wäre, oder irgendeiner Klasse oder Rasse, gehupft wie gesprungen, und ähnlicher Blödsinn."

Aber Williams sprach wenig an auf das, was Stangeler sagte, obwohl er doch, etwa zum Unterschied von Grete, ihm dialektisch wohl zu folgen vermochte. Der Westen stand dazumal weit außerhalb noch von des Ostens Krankheiten, roch soigniert nach unreifen Birnen oder sonstwie frisch und bitter, und kannte in sich selbst noch nicht jene Grenze, die gesund von krank trennt, oder, wenn man will, Leben von Holz, jenes Intervall, das erst die wesentlichen Empfindungen schafft, und den wesentlichen Schmerz.

So wurde denn bald das Neudegger Thema verlassen. Grete saß durch Minuten ganz in sich selbst versunken, ja ihrer Hausfrauenpflichten vergessend, deren vornehmste ist, die Gäste zu unterhalten, viele und möglichst genaue Fragen an sie zu stellen, immer in der Richtung ihres vermutlichen Interesses, und mit deutlicher Exhibition einer in's einzelne gehenden Kenntnis dessen, was jedem einzelnen von ihnen gerade am Herzen liegt (nur bei Neuberg konnte man darüber jetzt und hier nicht sprechen). Nein, sie schwieg, die Grete, und sie hatte auch vorher weder Widerspruch noch Zustimmung zu alledem geäußert, was von Stangeler vorgebracht worden war. Sie schwieg; es fiel jedoch nicht auf. Die Gäste sprachen durcheinander, und, waren es gleich nur drei, so erzeugten sie doch schon eine Art Stimmengewirr. In ihm ging der Gedanken-Keim Stangelers (mehr war's ja nicht) unter. Neuberg bemerkte – freilich treffend – daß die einheitliche Bezeichnung ‚das Mittelalter‘ für Zeiträume mit gänzlich verschiedener Seelenlage glatt abzulehnen sei, sie stamme von einem deutschen Professor im siebzehnten Jahrhundert, eben damals habe man begonnen, sich mit alten Urkunden überhaupt zu beschäftigen, nicht etwa aus wissenschaftlichen, sondern aus juristisch-polemischen Gründen, zur Verfechtung überkommener Rechte . . . und so weiter, und so fort. Neuberg behauptete auch, daß ein Verhalten, wie jenes des Herrn Achaz von Neudegg, etwa im achten oder neunten Jahrhundert noch außerhalb des Möglichen gelegen wäre. Williams wollte das aber durchaus nicht einsehen.

Nun, man sieht schon. Die Unterhaltung verlief also recht gebildet, und die beiden Frauen, Grete und die Drobil, verhielten sich sehr klug, und auf diese Weise konnte das Niveau gehalten werden. Dem amerikanischen Gaste zu Ehren wurde Whisky-Soda serviert, aber Doktor Williams zeigte eigentlich mehr Interesse für die Wiener Mehlspeisen. Als man aus dem fünfzehnten Jahrhundert sich zurückgezogen hatte und wieder Gegenwärtiges beliebte, schlich sich auch das Politikum in's Gespräch, aber nur leicht und eher lahm, etwa die inneren Zustände Österreichs betreffend, oder ähnliches von dieser Art. (Der Vorfälle zu Schattendorf im Winter tat niemand Erwähnung, sie waren um diese Zeit schon allgemein vergessen.) Neuberg äußerte sich zur Lage übrigens in einer eigentümlichen, ja, man könnte sagen, bemerkenswerten Weise. –

Es war schon im Juni, als dieser Tee bei Grete Siebenschein stattfand (ohne Tischtennis). Madame Libesny ward nicht erwähnt, es bestand ja auch kein Anlaß dazu. Schlaggenberg hingegen hatte die Erwähnung seiner Person (durch René) nur den Monstrositäten zu verdanken, die er kultivierte. Zu jener Zeit war das übrigens gar nicht mehr der Fall. Die ‚Dicken Damen‘ waren kurzlebig, wir sagten es schon. Und ein Telegramm von Kajetans Mutter – es langte kurz vor dem Tischtennis-Tee ein – hat genügt, um ihnen das Lebenslicht vollends auszublasen. Als

Kajetan in seinem Elternhause wenige Tage später im Gartensaale stand, aus welchem man durch eine verglaste Doppeltür auf die Terrasse treten konnte – sie lag kaum einen halben Meter höher als der total verbuschte und verwilderte Garten – war diese zweite Wirklichkeit bereits geplatzt, sie war unverständlich geworden. Jede zweite Wirklichkeit muß platzen, und auch dem Musterstaate Platon's wär' es – hätte man ihn je verwirklicht – gar nicht anders gegangen. Der Gartensaal in Kajetans Elternhause war grün, nicht nur was das Leder der Fauteuils, die Tapete oder etwa eine riesige Bowle betraf, die auf der schweren Kredenz stand, und um welche sich viele grüne Gläser scharten wie eine Nachkommenschaft (es gab noch andere Prunkstücke solcher Art hier, die alle schon durch ein halbes Jahrhundert ihren Platz inne hatten), der Saal war nicht nur mehr oder weniger grün eingerichtet, sondern er schwamm geradezu wie in Moos und Wasser, immer mehr darin versinkend, immer tiefer mit den Jahren, wie es schien, während welcher ja auch die Baumkronen im Garten höher und dichter wurden, und durch die vom Boden bis fast zur Decke gestreckten Fenster nun kaum mehr ein Stück des Himmels sehen ließen. Auch Frau von Schlaggenberg, Eustach's Witwe, schien vermoost, mochte sie gleich immer noch eine schöne Frau sein. Nun, Kajetan ist am Dienstag, den 24. Mai, nach Wien zurückgekehrt.

In Grete Siebenschein's Zimmer – in der Ecke war eine bunte Lampe eingeschaltet, welche den Teetisch freundlich belebend bestrahlte, obwohl es doch noch taghell war – schwebte eine schräge Rauchfahne gegen die Fenster zu; diese Fenster waren hier rundbogig, nur hier in Grete's Zimmer, sonst in der Wohnung nirgendwo; es blieb das ein schließlich nicht zu übersehender Sachverhalt, der nicht anders wurde dadurch, daß man ihn niemals erwähnte. Die Rauchfahne stammte aus Williams' Londoner Restbeständen und roch süß.

Neuberg behauptete deutlich zu fühlen, daß in den letzten Wochen ganz geheim ein kürzerer Rhythmus des Lebens eingetreten sei, daß alles sich in kurzen und knappen Kurven bewege, in vielen verschiedenen und einzelnen, und immerfort wechselnd, und nicht gleichhin gedehnt durch Wochen und Monate. Was seinem Ende lange schon nahe gewesen sei, das ende eben jetzt, oder werde bald enden; und alles zur Verwirklichung und Perfektionierung bestimmte würde jetzt perfekt werden, oder aber nie (und dieser Rhythmus umfasse bestimmt auch die sogenannten öffentlichen Dinge). Die Grete Siebenschein bemerkte freilich, daß Hans Neuberg pro domo sprach, oder mindestens, sozusagen, ex domo. Aber, was hatte sie damit eigentlich schon entdeckt oder festgestellt? Es kommt in diesem Falle auf das Haus, auf den Domus an, aus welchem gesprochen wird, ob der nämlich ein Stadel am Waldrand ist oder ein auf der Höhe gelegenes Schloß. Und bei dem Doktor Neuberg war es keinesfalls ein Stadel. Stangeler, überhaupt weniger geneigt und befähigt, irgendeine Setzung eines andern gleich psychologistisch und ad hominem zu erledigen (also ein miserabler Kritiker) schien mit irgendeinem der Bilder seines unorthographischen Denkens sich herumzuraufen, und platzte dann leise los. Er gehörte zu jenen Leuten, die stets laut auftreten, wenn sie doppelten Boden unter den Füßen haben, also beim Lügen, während die Wahrheit von solchen Menschen stets mit höchster Dezenz vorgebracht wird, wahrscheinlich ihrer relativen Seltenheit und Ungewohntheit wegen. Sie erregt da geradezu Scheu beim Sprecher.

„Es stimmt, Herr Kollege", sagte er. „Es ist, wie über einem Teich im Sommer. Kleine Tiere schießen an der Oberfläche herum. Lauter kurze, rasche Wege. Dann hält so ein Geschöpf wieder ganz still. Kurze Kurven. Gut. Ein Herumschießen. Ich sah einmal lang in's Wasser. Es war nicht tief. Kaum einen halben Meter tief. Das Herumschießen wurde immer lebhafter. Ich konnte bis auf den braunen Grund sehen. Da bemerkte ich, daß dort unten ein großer Krebs herankroch. Die Tierchen an der Oberfläche hatten keinen Anlaß, sich vor ihm zu fürchten, ein Krebs nährt sich ja nicht von solchen. Sie flohen nicht. Sie schossen nur eilfertiger herum. Sie zeigten ihn nur an. Sie zeigten ein Kommendes und ihnen Unbekanntes unten in der Tiefe an. Sie haben recht, Herr Neuberg."

Die Drobila betrachtete René, wie man einen herankriechenden Krebs betrachtet. „Never mind", sagte Williams. „Symbolisch kann das schon genommen werden. Zoologisch doch wohl nur in vereinzelten Fällen." Es ist immerhin möglich, daß Williams im stillen damals vermeint hat, sich unter kompletten Narren zu befinden. Gleichwohl schien er sich dabei sehr wohl zu fühlen. Grete spritzte Soda in den Whisky, und stellte dann den Siphon wieder zurück in den Eiskübel, wobei ein muschliges und gaumiges Gereibe und Geklapper entstand. Der Tag, der lange Tag des kommenden Sommers, hielt noch immer an, schon bläulich, gleichwohl noch hell. Die Gräven zum Beispiel begann ihr Geschäft jetzt immer später und später. Vom Prater-Stern klang Brausen, das jetzt in die Franzensbrückenstraße das ordinäre Geratter eines Leiterwagens entließ, der hier mit seinen eisernen Reifen auf dem Pflaster dahin fuhr. Die Gräven lag auf dem Sofa. Sie war angetrunken. Seitdem Leonhard ausblieb, rutschte sie irgendwohin, sie wußte selbst nicht wohin, sie ging mit Leuten um, welche sie früher gemieden hätte. Freilich lagen ihr solche Sachen, wie die blöde Hertha sie gemacht hatte, fern. Den Meisgeier sah man übrigens kaum mehr.

„Hoffentlich zwickt uns kein Krebs", sagte Grete und ließ die Flasche los, nachdem diese in den Sekt-Kühler eingesunken war. Jener Wunsch Grete's war kein frommer und fiel in's Leere. An der nun folgenden Unterhaltung war weit mehr als irgendwer von den Gesprächspartnern vermeint hätte („quam quisquam ratus esset', sagt Sallust) der Whisky beteiligt, auch bei Williams; am meisten indessen bei dem Doktor Neuberg. Ihm wurde da gewissermaßen unter die Arme gegriffen und es lieh sich ihm eine Kraft, so lange wenigstens, als man hier beisammensaß, und hielt ihn über dem Abgrunde seiner Trennung von Angi, der jedenfalls weit unter die Wurzeln seines Verstandes hinabreichte, so daß jene wie im Leeren hingen und keine Kraft sogen, so wenig wie im Saugrohr einer Pumpe, das man aus dem Wasser genommen hat, dieses noch steigt. Jedoch ist das absolute Nicht-Können, wenn es als solches durch einige Zeit nur eben zur Not noch ertragen wird, oft schon der Anfang des Könnens recht eigentlich gewesen, wie sich dann später gezeigt hat (und nicht nur bei Liebesgeschichten). Für Jan Herzka aber gilt das in gar keiner Weise. Während ein um diese Jahreszeit bereits lange hinauszögernder Abend vor allen Menschen in der Stadt zurückwich wie der Hintergrund eines weiten Saales, den man aber beim Eintreten für so lang und groß gar nicht gehalten hat, während die Dämmerung noch immer mehr stand als eigentlich einfiel, war Herzka aus der Stadt und vom Geschäft gekommen und hatte sich im Badezimmer erfrischt. Hier blieb er. Es lag ihm gänzlich ferne, das in Kärnten sozusagen unter der Führung des René Stangeler erlebte abseitige Abenteuer als solches sich einzufügen, und nach jenem Stoße – ursprünglich ja doch vom Notar Dr. Krautwurst geführt! – das Gleichgewicht wieder anzustreben und den auf seine Art zweifellos unleugbaren Wert der ganzen Sache zu kassieren: wir meinen nicht nur den materiellen Wert. Vielmehr schuf er jetzt eine Art Ressort, einen Belang, ein Fach-Referat, und das war ja schon in dem Vertrags-Abschluß mit René zum Ausdruck gekommen. So wurde aus einer eingetretenen Explosion etwas Kontinuierliches gemacht, was widersinnig genug erscheint. Nun, dem Jan Herzka eigneten als Kaufmann freilich organisatorische Fähigkeiten. Zudem sah er die Agnes Gebaur täglich im Büro. Doch nahm er diese Hürde zur Zeit noch nicht, ja, Herzka hielt nicht einmal darauf zu. Agnes blieb nur eine Art Bild-Zeichen für's ganze, eine Hiero-Glyphe könnte man sagen, was gut paßt, weil es auf deutsch so viel heißt, wie eine geheiligte Kerbe: diese da aber war durch den Splint ganz hindurch und dem Jan bis in's Kernholz gegangen. Sie bildete eine Mitte, die Gebaur. Aber diese selbst auszuheben, war dem Herzka noch nicht in den Sinn gekommen. Hiezu bedurfte es zunächst noch einiger Erfahrungen.

Wir wollen diese Erfahrungen mit Jan nicht ganz mitmachen. Bei Spaziergängen in einer zweiten Wirklichkeit fällt nie was ab (außer man macht sich als Fachmann wichtig, wie der René in Kärnten); und es ist kennzeichnend für alles Dämonische, daß es zwar ungeheures Aufhebens macht und viel Bewegungen schafft, niemals aber noch irgendwem irgendwas danach in der Hand gelassen hat.

Herzka stand im Badezimmer (dieses war im oberen Stockwerk) und unten lag der Garten, flach, nur wenig ansteigend in seinem rückwärtigen Teil, wo das Grundstück noch am Hang hinaufreichte. Es war eine Wiese mit weit auseinanderstehenden kleinen Obstbäumen, die noch der Alte hatte einsetzen lassen. Beete oder sogenannte Rabatten gab es hier keine, nur da und dort wurden ein paar Blumen gezogen. Keine gärtnerischen Liebhabereien, Sorgen und Belästigungen, kein Herumlaufen mit Gießkannen. Jan, im Badezimmer, hatte jetzt das Gefühl, als sei draußen alles braun, wie im Herbst. Es wurde ihm diese

Vorstellung nicht eigentlich bewußt, sie war gleichsam nur die Spiegelung seiner tiefen Abgeschlossenheit. In der Wirklichkeit, der ersten giltigen Wirklichkeit, nicht jener zweiten, die wir oben streiften, war dagegen im höchsten Grade Frühling, die Vögel führten sich jetzt, gegen Abend, in den benachbarten hohen Baumkronen lärmend auf, und zwei Meisen schwangen sich noch einmal herab und flogen mit blitzartigen Wendungen über die Wiese und zwischen den kleinen Bäumen hin, kaum einen Meter über dem Boden. In benachbarten Villen streckte man die Beine unter den Teetisch und führte Gespräche, die, ohne Whisky, ungefähr ebenso zerfahren waren, wie jene Unterhaltung, die eben jetzt in Grete Siebenschein's Zimmer geführt wurde.

Aber Herzka war für Wahrnehmungen aus der Umwelt ganz unzugänglich. Er hatte Pläne, Vorsätze, Erwägungen, Praktiken im Kopfe. Zu Neudegg unten konnten die von dem Kastellan Mörbischer geleiteten Arbeiten so rasch nicht vorschreiten, als es Jan wohl gewünscht hätte. Auch fehlte ja allen diesen Anstalten noch die Seele, wenn auch nicht im Sinne der Beseelung, sondern der eigentlichen Mitte, so etwa, wie man von der ‚Seele' eines Kabels spricht, zum Unterschiede von den vielen Schichten, welche jene bloß umhüllen. Die Seele der Sachen jedoch, Agnes Gebaur, war ja Herzka's Sekretärin geworden. Ein bürgerlicher Mensch wie er ist immer durch Diskontinuität gekennzeichnet: der geborene Wochenendler – Montag bis Samstag Geschäft, sodann ‚das Höhere', Naturgenuß oder künstlerische Interessen oder wie man's immer nennen mag. Am Montag, acht Uhr morgens, fällt die Katze jedenfalls wieder auf ihre vier Beine, so daß wirklich alles für die Katz' war. Geistige Impulse kann niemand im Alltag haben, der da vermeint, es gäbe auch etwas ‚Höheres'. Aber es gibt nur einen Alltag, es gibt außer ihm durchaus gar nichts: und hier und jetzt muß man sich bewähren. Das mit dem ‚Höheren' wäre durchaus bequemer. Aber, alles ‚Höhere' ist nun einmal verdächtig. Mit René hätte sich Herzka nicht über solche Sachen verständigen können, vor allem schon deshalb nicht, weil René gerade dem Herzka gegenüber jene Technik des schweigenden Entgegnens erfunden hatte, von der früher gelegentlich erzählt worden ist. Die angedeutete Verwandlungsfähigkeit des bürgerlichen Menschen eignete also auch dem Herrn Jan (in Wien sagt man ‚Schan'), und sie ermöglichte ihm, der Gebaur ihr Chef zu sein, wenn er ihr gegenüber saß, und sie Hieroglyphe sein zu lassen, wenn er sie nicht sah: und das war sie dann höchst intensiv; eine tiefe Kerbe. Warum er ihr gegenüber alles andere mied? Gar keine Fühler vorstreckte? Vielleicht wären ihm ebensolche entgegengekommen. Manchmal glaubte er fast, das zu fühlen. War es nur die Scheu vor der ,Angestellten', also eigentlich die Geschäftsklugheit? So sehr diese auch jeden Kaufmann regiert und bis in ganz unkaufmännische Organe – hier erscheint's denn doch nicht als glaubhaft.

Nein, ihn hemmte etwas ganz anderes: die Scheu vor der Wirklichkeit nämlich, vor jener ersten und eigentlichen, die wir früher meinten: und in deren Geleise wäre alles unverzüglich gefallen, ohne Einhaltung der strengen Trennung zwischen Chefrolle und Hieroglyphe; und vielleicht nicht nur bei Herzka; auch bei ihr, auch bei Agnes, aus manchen, aus verschiedenen Gründen, aus gröberen und feineren. Ganz simpel: sie war ihm sympathisch, über allem drüber noch, außer allem, neben allem. Er wußte auch einiges über sie. Ihr Vater war Oberstleutnant gewesen und im Kriege gefallen. Einmal hatte die Mama Gebaur im Geschäft angerufen und zufällig gerade den Jan Herzka an's Telephon bekommen: sie bat, man möge ihrer Tochter bestellen, daß ihre Lohnsteuerkarte, welche in Verlust geraten war, bereits gefunden sei (und das ging schließlich auch die Firma an). Die Stimme und die Sprache der Frau Oberstleutnant Gebaur waren die einer Dame, für Herzka genügten die wenigen Worte vollends, um das zu erkennen, es schien sogar eine sehr sympathische Dame zu sein. Vielleicht war Agnes ihr ähnlich. Alles das aber führte bei geringster Berührung schon hinaus aus jener Abgeschlossenheit, jener luftdichten Isolierung, in welcher Jan seine neuen Belange, Pläne, Praktiken und Anstalten von vornherein hielt, ausbaute, ordnete, systematisch förderte. Die Kavernen von Neudegg, könnte man sagen, lagen für ihn außerhalb von Welt und Leben (was jedoch keineswegs zutraf, und hier hing der Haken), ganz ebenso wie das ,Höhere' für den bürgerlichen Menschen.

Wenn Herzka nun begann, sich nachts herumzutreiben, so ist das als eine versuchte Umgehung der Agnes Gebaur zu werten. Die Gräven wurde dabei merkwürdigerweise indirekt zur Ehestifterin zwischen Jan und Agnes, wie man noch sehen wird, freilich ohne das geringste davon auch nur zu ahnen, und das hätte sie auch dann nicht vermocht, wenn sie weniger angetrunken gewesen wäre, als sie es jetzt zu sein pflegte, und zwar täglich. Wer nachts in einer Großstadt umtreibt, ziellos oder so vage Ziele verfolgend, wie etwa Jan, der fällt wirklich von Stufe zu Stufe, so wie das Wasser in Kaskaden fällt: die fallende Tendenz, welche dem Leben ja überhaupt eignet, stellt sich dann in solcher Weise rapide dar. Es läuft da einer seinen eigenen Vorstellungen nach und dabei unvermeidlich mit dem Kiel auf den Grund, nämlich immer wieder auf den einer Außenwelt, die mit jenen Phantasmagorien nicht das mindeste zu tun hat. Nur die Gebaur hatte eigentlich damit zu tun. Das aber wäre verbindlich gewesen: womit wir den Herrn Herzka erwischt haben. Denn er wollte sich ja keineswegs verbinden, er wollte sich in den Kavernen von Neudegg und mit diesen Kavernen isolieren. Ein Kavernen-Mensch. (So was ähnliches wie Pinta oder Pinter, der Schwiegersohn des alten Zdarsa in Stinkenbrunn, freilich auf einer anderen Ebene, gehupft wie gesprungen.)

Stangeler wurde bei den Streifzügen selbstverständlich nicht hinzugezogen, und, genau genommen, was hätte er Jan dabei nützen können, der ‚Fachmann‘, so nahe an den höchstpersönlichen Kern der Sachen herangeführt? Sicher jedoch ist, daß nicht die Scheu vor irgendeiner möglichen Infamie René's den Jan Herzka abhielt, jenen auch bei nächtlicher Suchjagd mitzunehmen. Denn in diesem einen Punkte war Herzka zu besserer Einsicht gekommen: er hatte jetzt und hintennach René's grenzenlose Toleranz erkannt und auch schätzen gelernt. Die Jacke auf der Säule in den Kavernen von Neudegg war vergessen, ja, sie wurde im Rückblick für ebenso harmlos gehalten, wie jener damals auf den Boden geworfene Zigarettenstummel: es hatte dort unten ja ebenso wenig einen Aschenbecher wie einen Kleiderhaken gegeben. Wir sind unsererseits, mindestens was die Jacke betrifft, von Renés' Harmlosigkeit nicht so ganz überzeugt wie Herzka. Immerhin, es war ja gut so.

Die Gräven hörte zu, wie Herzka einer dicken Frau mit Quellaugen auseinander zu setzen suchte, worum es ihm ging, weit in's Kulturhistorische ausholend und noch ziemlich entfernt von des Pudels Kern. Er befand sich mit den beiden Frauen allein in einem Zimmer (man konnte solche im alten Gemäuer, wo die Gräven wohnte, mieten). Es war auf Wunsch der Gräven und auch der anderen ein erhebliches Quantum Wein heraufgebracht worden, der, stark mit burgenländisch-ungarischem Gewächs verschnitten, den beiden Weibern sehr zu schmecken schien. Herzka fand das Gesüff abscheulich, bedurfte dessen aber, um seine Zunge zu netzen, denn er sprach sehr viel; und Wasser war nicht zur Hand; freilich gab es einen Schwenkhahn über dem großen Waschbecken und sogar zwei Wassergläser standen auf der Glasplatte, wohl zum Zähneputzen gedacht, obwohl sich in diesem Zimmer gewiß noch niemals jemand die Zähne geputzt hatte; man kann das mit fast absoluter Sicherheit behaupten. Aber die Schrecklichkeit dieses Raumes – wo es im ganzen sauber, ja, fast spitalsmäßig aussah – blieb für Herzka so groß, daß ihm sogar der Wasserhahn verdächtig wurde und er ihn nicht einmal hätte zum Händewaschen benutzen mögen. Das sehr hohe Fenster zeigte sich mit dichten Laden von Holz vollkommen abgeblendet. Diese waren innen grau – wohl durch's Alter des Holzes, nicht von einem Anstrich – und schienen hier alles so absolut von der Außenwelt abzuschließen, als befände man sich tief unter der Erde. Die Stille war vollkommen. Das war ja nun gut so. Außer zwei Betten, anscheinend frisch und weiß, und dem Tisch, um welchen man saß, gab es hier noch ein altes, mit Wichsleinwand bespanntes Sofa, über welches man ein neu hervorgenommenes Leintuch gelegt hatte, dessen scharfe Plättbüge in's Auge fielen; es sah aus, wie für eine chirurgische Operation vorbereitet.

Die Gräven hörte zu, bei Jan Herzka's abseitigem Vortrag über Hexenprozesse und gewisse dabei sich ergebende Situationen (unterrichtet war er, denn er hielt ja einen eigenen Referenten), aber sie horchte zugleich bemerkenswert tief in sich hinein und erfuhr hier, daß die mit ihr vorgegangene Veränderung unmittelbar nach dem Tode der Hertha Plankl begonnen hatte. Seither auch trank sie stärker als je vorher. Noch genauer: sie hatte sich verändert, während Meisgeier geklettert war, während ihres Zuschauens dabei. Gerade da war es geschehen, und gerade deshalb hatte sie den von der Toten hinterlassenen Zettel genommen und an die Didi geschickt. Sie hatte damals endgültig einen Weg betreten, auf welchem sie bis dahin nur ganz zufällig weitergerutscht war: die Bewunderung für Meisgeier, ja, eine tief-innerliche Sympathie für seine Kühnheit waren das entscheidende gewesen, bei aller Angst und allem Schrecken, den er ihr verursacht hatte, und trotz der Ermordung ihrer liebsten Freundin. Ja, selbst ihre mitunter heftige Sehnsucht nach Leonhard, der nun, seit dem verwichenen Herbst etwa, ganz ausgeblieben war, starb auf jenem neu betretenen Wege dahin. Sie gedachte jenes Herrn, mit welchem sie die Nacht verbracht hatte, in der Hertha erstochen worden war: seine Geschichte von der Schwester, die in Wirklichkeit von ganz anderen Eltern stammte, weshalb man sie um ihr Erbe betrügen konnte ... Die Gräven wußte in bemerkenswerter Weise, nämlich mit zwar ungeprüfter aber voller Gewißheit, daß ihr damaliger Kunde keineswegs erlogene Sachen erzählt hatte; sicher war alles das wahr und richtig gewesen; und er wahrscheinlich ein Dummkopf, der sich leicht über's Ohr hauen ließ. Denn Anny wußte zu gut, wie sich das verhielt, wenn man log, wie man redete beim Lügen; sozusagen in einer ganz anderen Sprache. Sie selbst log ja meistens. Die Erinnerung an jene Nacht mit dem Herrn auf ihrem Zimmer war nicht unangenehm. Die Weingläser am Taburett beim Diwan. Sie hatte von da durch's Fenster gegen den Prater sehen können, auf einige blaue Lichter, bei der Gürtelbahn drüben. Er war im Zimmer auf und ab gegangen, die Hände in den Taschen. Sie hatte mehr solcher Herren gekannt; in den letzten Monaten hatten sich die irgendwie verlaufen, sie waren ihr abhanden gekommen. Der hier saß und auf die blöde Kuh einredete, die ihn auf keinen Fall verstehen würde, war auch so einer. Und Anny hatte ihn längst begriffen. Es war ganz einfach. Es lief auf ein paar Posen hinaus, die man stellen mußte, auf ‚Lebende Bilder' oder so etwas. Da war gar nichts dabei. Auch konnte man mit diesem Herrn da ruhig gehen, wohin immer er wollte, auch zu ihm in seine Wohnung. Der tat einem nichts. Vielleicht hatte er schon das ganze Theater irgendwie hergerichtet. Und obendrein: der ließ sich gewiß nicht lumpen. Es wäre schon das richtige, und ein solides Geschäft. Die Gräven erkannte ihre Chance. Aber sie blieb wie gelähmt, obwohl jetzt Herzka Hilfe suchend zu ihr herüber sah. Die Gräven wußte sogar, daß dies hier und jetzt irgendwie ihre letzte Chance war, der letzte Herr, von dieser Art nämlich. Sie hätte Herzka mit dem kleinen Finger an sich ziehen, und dann um diesen wickeln können. Aber sie wollte nicht mehr. Sie wollte niemand mehr von der Art dieses Herrn hier, oder jenes anderen mit der Schwester, die keine Schwester war. Sie wollte auch den Leonhard nicht mehr.

Das erkannte sie plötzlich. Es war doch zum Staunen! Sie trank das volle Weinglas auf einen Zug hinunter. Sie hätte sich am liebsten selbst auf einen Zug hinunter getrunken. Und dann Schluß, und ganz. Die Hertha war zu beneiden. Die feinen Herren konnten ihr gestohlen werden; und der Leonhard dazu. Sie wollte sich höchstens einfach auf den Rücken legen. In dem Café, wo sie leidenschaftlich ‚Bucki-Domino' und ‚Einundzwanzig' spielte, war ein Grieche, der ihr die ersten Anfangsgründe davon beibrachte, wie man das besser und weit einträglicher machen konnte. Sie kam damit voran. Der Grieche gefiel ihr; nicht etwa weil er hübsch gewesen wäre – er war jung, das war alles – sondern weil er diese Tricks und Sachen beim Spiel konnte, und so gut, daß ihm niemand dahinter kam. Er gewann oft viel, und per Saldo gewann er immer. Manchmal ließ er sich den halben oder gar den ganzen Gewinst wieder abnehmen, verspielte alles, saß mit einem lieben dummen Gesicht da; und dann bot man ihm Revanche, er ließ sich nötigen, und zwei Stunden später war die Hälfte von allem vorhandenen Geld bei ihm versammelt. Dann war es meist so spät, daß nun das Café geschlossen wurde, Sperrstunde.

Während so die Gräven, ganz ohne das eigentlich zu wollen, träge und gleichsam nur aus dem Augenwinkel in die Anatomie einiger entscheidender Augenblicke ihres Lebens hineinsah, zwischen den warmen Schleiern des Weines hindurch, die in ihrem Kopfe wallten, während dieses immerhin beachtlichen Bewußtseins-Aktes, an welchen sich die Anny später noch einmal erinnern sollte, bohrte Herzka unermüdlich weiter, mit Erklärungen und Voraussetzungen und Beschreibungen, mit gelegentlichen Versprechungen, die er durchblicken ließ, und mit beruhigenden Zusicherungen, unaufhaltsam und mit immer neuen Anläufen, dann und wann sich an Anny wendend, und als suche er bei ihr Hilfe. Aber wenn die Quelläugige, Dicke nur vor sich hin klotzte und glotzte, so blieb unsere recht bewegliche und verständnisinnige Anny diesmal vollends undurchsichtig, undurchdringlich. Sie lächelte nur; wie ein Chinese; oder wie von einem anderen Stern, wenn man will; sie lächelte herüber aus ihrem Jenseits im Diesseits, und sie sagte kein Wort. Herzka's Zustand war ein ganz unbeschreiblicher und unsere Anny wußte es, sie erkannte es: unaufhörlich redend, wie ein Agitator, der irgendeine Parole in die Bauernschädel seiner Zuhörer hineinhämmern will, lief er auf dem doppelten Boden seiner zweiten Wirklichkeit eigensinnig im Kreise, den Lärm davon im Ohr, während doch die Außenwelt deshalb nicht nachließ, unaufhörlich dieselbe zu bleiben und sozusagen auf ihrer ersten Wirklichkeit zu bestehen und gegen jene zweite heranzudringen. Aber Herzka sah nichts, ihm war wirklich Hören und Sehen vergangen. Er sah nichts und konnte also nichts treffen, nicht einmal irgend etwas zweckmäßig anzielen. Aber er konnte getroffen werden. Auch das wußte Anny. Er hätte getroffen werden können, etwa von dem Anblick oder dem Geruch des verschütteten Weines hier – die Sinneseindrücke gingen ja doch bei ihm weiter – ebensowohl aber konnte ihn auch irgend etwas treffen, das seiner Manie direkt entgegen stieß, sei's auch unabsichtlich: so etwa, daß seine dicke Zuhörerin vollständig betrunken war (jedoch Herzka faßte dies nicht auf, besser, er vermochte es abzuwehren). Anny dachte noch einen Schritt weiter und streifte den Gedanken, daß man ihn geradezu aufprellen lassen könnte. Es mußte ganz leicht sein. Da geschah es schon; wenn auch nicht von seiten Anny's.

„Geh'", sagte die dicke Anita mit schwerer Zunge, „du erzählst mir lauter so interessante Sachen. Die Geschichtsstund' hab' ich schon in der Schul' gern mögen. Erzähl' mir jetzt was vom Napoleon."

Sie erhob sich, ging etwas schwerfällig zu dem großen Waschbecken, setzte sich halb hinauf und verunreinigte es. Dann benützte sie den Wasserhahn, noch immer oben sitzend.

Die Gräven sah nur auf Herzka. Seine plötzliche Blässe war viel tiefer noch als es Anny sogleich in diesen Sekunden erwartet hatte. Er tat einen Griff unter den Rock an die Brust, es sah fast so aus, als tastete er nach seinem Herzen. In diesem Augenblicke, von einem ihr selbst unbegreiflichen Grimm und Haß gepackt, leistete Anny ihren Beitrag zur Liquidierung der Lage. Als Jan mit den beiden Frauen vor einer Stunde hier herauf gekommen war, hatte er sie gleich recht freundlich gebeten, ihm zuliebe jenes Singen und Trällern von sogenannten ‚Schlager-Liedern' zu unterlassen, das alle Straßenmädchen in der Gewohnheit haben: diese ist nicht ganz bedeutungslos; sie verhalten sich da ähnlich wie jemand, der allein im Dunkeln ist und singt; zweifellos beschwichtigt jenes Trällern anfallsweise Unbehagen. Es ist also sozusagen biologisch begründet. Tatsächlich hatten beide Frauen sich bis jetzt des Singens enthalten. Nun aber, als Jan Herzka seine Brieftasche unter dem Rock hervorbrachte (er hatte also nicht nach seinem Herzen gegriffen, sondern nach seinem Geld) und sowohl Anita und Anny je einen größeren Schein reichte (es war erheblich – von Anita, die noch immer auf dem Waschtisch saß, hielt sich Jan dabei abgewandt), nun also legte Anny los: „Wie hab' ich nur leben können – ohne dich – ohne dich . . ." und sie blickte der Wirkung des Liedes gleichsam nach; es war wirklich so, als hätte sie was ausgespuckt und das ränne nun an seinem Gesicht langsam herab. Er stülpte den Hut auf den Kopf – seinen leichten Mantel hatte er anbehalten – und ging zur Türe, aber nicht schnell, sondern irgendwie stelzend, ungeschickt, gläsern, brüchig. Anny sang und sah ihm auf den Rücken. Sie wußte, daß sie noch immer ihn hätte zurückrufen können. Sie wußte, daß sie noch immer mit dem kleinen Finger der rechten Hand ihn an sich zu ziehen imstande gewesen wäre: allein dadurch, daß sie ihm dieses eine entdeckte: ihr Wissen davon, worum es ihm ging, ihr ganz weitgehendes und bis in's Einzelne reichendes Verständnis für seine Phantastereien, denen zu entsprechen ihr ein leichtes gewesen wäre. Ihr schmales, stets blasses Gesicht eignete sich gar sehr für eine solche Rolle. ,Ein bissel weißes Puder auflegen müßte ich noch, und mit dem schwarzen Stift unten etwas um die Augen gehen und das verreiben. Die Haare ganz schlicht.' Das dachte sie noch, während Herzka schon die Tür öffnete. Er ging. Mit ihm gingen Leonhard, dann jener Herr mit der Schwester, die nicht seine Schwester war, und noch einige von seiner Art. Ganze Jahre versammelten sich auf Herzka's Rücken. Aber das war nun nichts mehr. Anny wollte es nicht mehr, die feinen Herren waren ihr öde geworden, untrinkbar wie lauwarmes Wasser. Ihr grauste davor. Sie wollte jetzt gleich in's ,Café Alhambra' gehen. Der Grieche war schon dort. Sie wollte spielen. Neuestens arbeiteten sie schon zu zweit, nicht nur im ,Alhambra', auch in anderen Café's, es ging immer besser. Er wußte ganz genau, wann es Zeit wurde, wieder einmal etwas zu verlieren. Anny vermochte sich nur mehr mit ihm und seinen Freunden wohl zu fühlen. Sie verabscheute Herzka. Nun war er draußen. Sie hörte zu singen auf.

Anita, noch immer halb auf dem Waschbecken sitzend, glotzte zur Tür, die sich geschlossen hatte: „Du – warum is' denn der jetzt davong'rennt?! Der spinnt ja!"

„Und du bist teppat", sagte die Gräven, „wann's d' den renna laßt. Jetzt is' zu spät. Bei dem hätts d' können a paar Tausender machen im Handumdreh'n."

„Na hörst?! Der erzählt mir da was vom Napoleon . . ."

„Der hat dir gar nix vom Napoleon erzählt", sagte Anny. Die Quelläugige hatte sich endlich vom Becken herabgelassen, stand wieder auf ihren Füßen, wenn auch unsicher, und brachte ihre Kleider in Ordnung. Anny Gräven, welche plötzlich jede Geduld verlor – nicht nur in bezug auf Anita oder auf irgendwas bestimmtes, sondern überhaupt und ganz allgemein – legte los. Sie lud gewissermaßen bei Anita ab, sie wurde damit einer letzten lästigen Last ledig. „Du Kuah, du damische!" sagte sie laut, „wenn du einmal an Herrn kriagst, der ka' Pülcher net is, sondern a feiner Mensch, der di g'wiß tadellos zahlt hätt', wann der a paar Faxen hat, was er sich halt wünscht: statt daß d' ihm zuhörst, saufst dich an, und nacha setzt dich da auf'n Waschtisch, du alte Sau! Spinnat bist höchstens du, net er. An dem seiner Stell' wär i' genau so davong'rennt."

„Warum hast denn nacha du dich net um ihn ang'nommen?"

„Weil i' dei' Freundin bin und dir net a Partie schnappen werd'!" rief die Gräven über die linke Schulter zurück und ging. Schon war sie draußen und hatte die Tür hinter sich geschlossen. Ihr Abgang war sozusagen blendend, so weit etwas blenden und glänzen kann in solch' einer grauen unteren Welt, grau auch das uralte Holz von den altertümlichen Fensterladen, grau der Fußboden; nur das Leintuch auf dem Operationsdiwan leuchtete weiß mit scharfen Plättbügen. Die dicke Frau saß am Tische, auf dessen fleckiger Decke die Gläser standen. Sie trank ein Glas Wein hinab und lehnte sich zurück. Ihre Knie fielen weit auseinander. Sie schlief ein. Nach einer halben Stunde trat der Nachtportier durch die unversperrte Türe – da inzwischen das Zimmer wieder benötigt wurde – weckte Anita auf und ersuchte sie, das Feld zu räumen. Das Feld mit den scharfen Plättfalten. Man wechselte dieses Leintuch nicht. Es war ja unberührt. Nur die Weingläser und die Flasche wurden entfernt, die Aschenbecher entleert. Das Stubenmädchen trank den noch übrigen Wein aus.

Die Gräven war, nachdem sie jenen letzten großartigen Patzen hatte fallen lassen – mit welchem sie sich selbst und ihre ganze Vergangenheit fälschte, und die Zukunft dazu, denn später hat sie, trotz lebhafter Erinnerung an Meisgeiers Kletterei und ihre eigenen diesbezüglichen Empfindungen dabei, doch ernstlich vermeint, sie habe auf jenen feinen Herrn und auf alle feinen Herren überhaupt nur der Anita zuliebe verzichtet – die Gräven also war jetzt schnellfüßig stöckelnd die alten ausgetretenen Treppen hinabgelaufen, unten durch den Schankraum geschritten, sich rasch umsehend (aber hier gab es jetzt nichts, was auch nur einen Blick über die linke Schulter gelohnt hätte), und nun trat sie auf die Straße, wo inzwischen Feuchtigkeit eingebrochen war: ein schwach und mit zerstreuten Tropfen fallender Frühjahrsregen, eigentlich schon ein frühsommerlicher Regen, sprach sie von oben an, aus dem Luftraume über der Stadt, welcher zahllose Kilometer hoch ist, und entfremdet über ihr steht. Die breite leere Fahrbahn der Praterstraße glänzte ein wenig. Anny kreuzte diese Hingedehntheit schräg. Sie strebte zum ‚Café Alhambra‘, zu ihrem Griechen, zu den Karten.

Dies fand sie denn beides, und außerdem noch anderes und andere dazu, im rückwärts gelegenen Spielzimmer, in welchem die Luft ebenso verbraucht und verraucht stand wie in den vorderen Lokalitäten, wo eine Zigeunerkapelle tätig war. Jedoch blieb es hier verhältnismäßig leer. Als die Gräven das Spielzimmer betrat, nahm man von ihrem Kommen doch Kenntnis, trotz der hier herrschenden offensichtlichen und mitunter fast brutalen Spannung, und räumte ihr einen Sessel neben dem Hellenen Protopapadakis ein. Dieser war eben gänzlich abgeräumt worden und weigerte sich daher mitzuspielen mit der Begründung, daß er kein Geld mehr habe. Die Gräven erklärte sich alsbald bereit, ihm welches zu leihen, jedoch das lehnte er entrüstet ab und sah eine Stunde lang nur zu. Erst nach dieser Zeit nahm er nach mancherlei Zureden einen geringen Betrag von Anny an, gewann, verlor gleich wieder, und dann endlich nahm alles jenen Verlauf, den wir schon kennen, immerhin diesmal nicht so ganz; eine halbe Stunde vor der Sperrstunde – Polizeistunde kann man in diesem Zusammenhange nicht gut sagen, denn das Glücksspiel war ja polizeilich zu jeder Stunde verboten, weshalb man vorn im Lokal einige Aufpasser hatte – eine halbe Stunde vor Schluß allerdings wurde Protopapadakis einen Teil seines Geldes wieder los, infolge einiger äußerst leichtsinniger Einsätze, die am ganzen Tische beinah ein Art Gruseln hervorriefen.

Keineswegs nur ‚Berufs-Spieler' gab es hier, davon kann keine Rede sein, denn wer hätte da wem das Geld abgenommen?! Es gab zum Beispiel den Pianisten aus einem gegenüberliegenden Lokale, einen eigensinnigen alten Musiklehrer in Pension, der nicht schlafen konnte und auf diese Art dann hieher geraten war. Sein Verhalten schien von einer ganz nüchternen, ja, geradezu schamlosen Sachlichkeit, er überwachte unaufhörlich den ganzen Tisch (unserem Griechen fiel er natürlich trotzdem herein) und schwitzte dabei, das heißt, er kam eigentlich schon verschwitzt hierher, weil er ja den ganzen Abend Trotts, Steps und Wiener Walzer gepaukt hatte. Seine bräunliche Haut war immer feucht. An sich waren Kopf und Antlitz gut geschnitten, er hatte in der Jugend vielleicht hübsch ausgesehen. Aber sein mißtrauisch-wachsames Wesen war schon, alles zerfressend, an die Oberfläche gedrungen. Niemand mochte ihn hier leiden, aber er gehörte nun einmal dazu und war einer von jenen, die jeden Abend, oder eigentlich jede Nacht kamen. Es gab welche, die seltener waren. Protopapadakis kam nicht täglich. Er spielte auch in anderen Lokalen und in einem geheimen Klub. Wenn er seinen Landsmann Xidakis hier im Café antraf, taten die beiden ganz fremd. Meist gingen sie dann nach Schluß mit der Gräven in deren Wohnung. Xidakis, den man kurz Herrn Kaki nannte – während der noch weitaus unaussprechlichere Protopapadakis von allem Anfange an Herr Prokop genannt worden war – Xidakis also war der weitaus ansehnlichere: er gab beinahe wirklich einen Hellenen ab, mit einem schmalhüftigen Körper in guter Mittelgröße und der breiten Brust. Obendrein eignete ihm so etwas wie eine griechische Nase; man wußte freilich nicht gleich, ob es eine solche sei oder ein Schafsgesicht; erst bei genauerem Hinsehen, wenn man nämlich den jungen Mann von seitwärts in's Blickfeld bekam, offenbarte sich das letztere. Es gab noch den Herrn Rucktäschl; dieser war sehr klein aber breit, mit enormen Händen ausgestattet, deren Unterbringung ihm stets irgendwelche Schwierigkeiten machte, so daß er oft damit am Tische herumfuhr, was man nicht eben gerne sah. Er war von Beruf Schriftsetzer bei einer Zeitung – bei jener, in deren redaktionellem Vorzimmer der von Meisgeier so sehr gehaßte Fittala beschäftigt war, als Redaktionsdiener – und sofern dieser Schriftsetzer im Handsatz arbeitete, also stehend, mußte er auf einen Schemel steigen, so klein war er. Rucktäschl kam stets erst nach Satz-Schluß und Umbruch hierher, also nicht lange vor Mitternacht. Er brachte dann etwas von dem ölig-petroligen Geruch der Säle mit, in welchen er gearbeitet hatte. Eigentümlich war an ihm, daß er niemand in die Augen sehen wollte, und bei solch einer sich ergebenden Gelegenheit sofort mit den Händen herumzufahren begann und wegblickte. Seine Fingernägel waren stets tiefschwarz gerändert. Meist neben Rucktäschl saß ein bürgerliches Ehepaar in den Fünfzigern, die Hadinas, zwei Monde, käsig aufgehend, wenn sie das Lokal betraten, und stets eine Aura von nahrhaften Gerüchen mitbringend, nicht nur nach Käse, sondern auch nach Selchfleisch, Wurst, Heringen, Anchovis, Butter, Salami, Schnittlauch und allem nur erdenklichen, was in ihrem Geschäfte durcheinander roch als verworrenes Getön, aber in der Nase. Diese Aura nun schnitt sich zuerst immer recht fühlbar mit der petroligen des Herrn Rucktäschl. Im Anfang spürte man's stärker, später ward es vom hiesigen Lokalgeruch besser gedeckt. Es gab noch die Frau Ria, eine ältere Prostituierte, recht gut hergerichtet – sie war sehr wirtschaftlich, verschleuderte nie Geld, gab es höchstens auf produktive Art aus, etwa für einen neuen Mantel – jedoch des Laufens schon etwas müde, fand sie hier herein, spielte mit ganz kleinen Einsätzen, ohne auch nur daran zu denken, die Sache bis an ihre respektabeln Ersparnisse kommen zu lassen. Ria war eine beinah elegante Erscheinung, wenn man sie auf der Straße aus nicht allzu großer Nähe sah, in Wirklichkeit aber längst ein klapperndes Skelett. Die Griechen ließen sie manchmal erheblich gewinnen, ob nun ‚Frische Viere‘ gespielt wurde oder ‚Einundzwanzig‘; beim letzteren Spiel hielt Xidakis fast immer die Bank.

Es gab noch andere. Der Prinz Alfons Croix hat einmal dem Georg von Geyrenhoff gegenüber geäußert: „Selbst die unmöglichsten Personen mit ihren sicher indiskutabeln Verhaltensweisen sind immerhin Konkretion geworden, haben, von sich selbst aus betrachtend, immer recht – sobald sie daran zweifeln, sind sie eben keine unmöglichen Personen mehr – und man muß mit Aufmerksamkeit jene anschauen, welche so undankbare Rollen spielen: denn diese Rollen sind unentbehrlich." Nun gut. Es ist allerdings daran zu zweifeln, ob unser Sektionsrat den Prinzen wirklich verstanden hat. Geyrenhoff war stets etwas langsam. Zudem, er hatte wenig selbsterlebte Gegensätze in sich, und kannte wahrscheinlich in seinem Inneren keineswegs jene

Grenze, die gesund von krank trennt, oder, wenn man will, Leben von Holz, jenes Intervall, das erst die wesentlichen Empfindungen schafft und den wesentlichen Schmerz. Was ihm eignete, war ein bis zur Salonfähigkeit moderierter gesunder Menschenverstand, der also nicht mehr aufdringlich und hausmeisterisch wirken konnte – und mit so etwas kann man dann leicht gerecht sein. Nun genug. Der Herr von Geyrenhoff klagt oft über Unverschämtheiten in diesem Manuskript.

Es gab noch andere Erscheinungen im Hinterzimmer des Café Alhambra. Wenn man übrigens fragt, wie es möglich war, daß sich ehrsame Geschäftsleute, wie die Hadinas, mit ‚Frauenspersonen‘ von der Sorte einer Anny Gräven oder Ria an einen Tisch setzten, so muß gesagt werden, daß hier Spannung und Gier leichtlich das Standesbewußtsein beiseite drängten, obwohl dieses ja bekanntlich immer vordringlicher wird, je weiter man den Blick auf der gesellschaftlichen Stufenleiter absteigen läßt: bei Leuten wie den Hadinas ist es schon ganz erheblich, und sie versäumen nie, auch irgendeinen fast Fremden bei Gelegenheit wissen zu lassen, daß sie etwa einen Neffen hätten, der Reserveoffizier gewesen sei, oder daß die Schwester der Frau alle Klassikerausgaben besitze und überhaupt sehr schöne Bücher. Ein Akademiker aus der Provinz wird auf seinen ‚ehrlich erworbenen Grad‘ nie verzichten, während der vorhin genannte Herr von Geyrenhoff den Doktortitel nicht einmal auf der Visitkarte stehen hatte, schon deshalb, weil man zu seiner Zeit für gewisse gehobene Karrieren – zum Beispiel den Außendienst – einen akademischen Grad sogar vermied und das Studium mit den Staatsprüfungen abschloß. Er tat so, als wäre er gar kein Doktor, wenngleich er ja nicht Diplomat gewesen war, sondern nur Verwaltungsbeamter. Wir wollen ihn jedoch nicht neuerlich ärgern.

Es gab also noch andere Erscheinungen, auch einen solchen Akademiker aus der Provinz gab es; er war der Sohn eines Gastwirtes in Troppau und hatte an der Technischen Hochschule zu Brünn das Studium eines Maschinen-Ingenieurs ordnungsgemäß hinter sich gebracht. Ein Diplom-Ingenieur also, ein ‚Voll-Akademiker‘, wie man neuestens oft sagen hört. Hier in Wien befand sich der nun etwa fünfzigjährige Junggeselle – es ist übrigens auffallend, daß die Hadinas in diesem Kreise die einzigen Eheleute waren! – seit über zwei Jahrzehnten in gesicherter Stellung. Sein Einkommen war gar nicht gering. Wie kam er hierher? Man mußte sein hübsches und auch gutartiges Gesicht genauer gesehen haben, um seine Anwesenheit verständlich zu finden. Das Antlitz zeigte tiefe Rillen; in ihnen lag Schmutz; Unsinn, natürlich, der Mann war rasiert und gewaschen! Dennoch, es schien, als habe sich aus der Atmosphäre so vieler verschiedener Lokale in so vielen Nächten irgend etwas im Laufe der Zeit zwischen den Falten seines Antlitzes festgesetzt, ein Niederschlag gleichsam des Lokal-Geruches, von dem wir früher sprachen, und der sich immer nach einiger Zeit als stärker erwies wie die unterschiedlichen professionellen Geruchs-Auren der Eheleute Hadina und des kleinen Schriftsetzers Rucktäschl.

Nicht alle, welche die Fallsucht haben, sind medizinisch Epileptiker; das gilt auch für jenen Herrn Diplom-Ingenieur Riedener aus Troppau. Mehr als das: nur das Fallen ist eigentlich normal: als wehte es die Menschen schräg durch's Gesichtsfeld wie die Blätter. Der Fall ist meistens sanft. Mancher vermeint, er brauche nur einen Zug an den imaginären Hebeln seines Willens zu tun, und der leise Fall würde angehalten. Aber er macht ihn keineswegs, diesen Zug. Warum soll er abends nicht an seinen Stammtisch gehen? Freilich, er kann längst nicht mehr einschlafen, ohne vorher zu trinken. Eines Tages mischt sich dann die Leber in's innere Gespräch. Es gibt indessen gleichwohl solche, die nicht fallen, die nie gefallen sind, die auch keine internen Gespräche führen (was zum Beispiel bei dem Herrn Diplom-Ingenieur Riedener täglich der Fall war, nur wurden diese Gespräche einander immer ähnlicher, sie sackten daher in eins zusammen und das ganze wurde grau und staubig und bekam Risse und Sprünge). Es gibt welche, die immer unten gesessen sind, auf dem festen Grunde, dem Felsgrunde, an welchem sich die zu rasch Herabfallenden mindestens erhebliche und ganz überraschende Prellungen zuziehen können. Für diese Grundbewohner, die da herumgründeln, hat nichts anderes wirklichen Bestand als ihr eigener Nährboden (die zahlreich Eintreffenden scheinen es ja auch immerfort zu bestätigen); und man muß zugeben, es hat ihn immer gegeben, diesen Nährboden, zu allen glor-reichen und glor-armen Zeiten, wie die immer wechseln mochten: die ‚Galerie' bleibt (ebenso wie die Büros), ob sie nun bei einem römischen Schankwirt (caupo) sich niedergelassen hatte, um die dummen Leute vom Land zu betrügen, oder 1927 im Café Alhambra, um ihrerseits von der Firma Prokop & Kaki über den Löffel balbiert zu werden; und das passierte ihnen nämlich, so klug sie waren, der Vater Rottauscher (werden wohl einmal Roßtäuscher gewesen sein, die diesfälligen Herren Vorfahren!) und sein ihn verehrender Schüler Zurek.

Ein alter Galerist und ein junger.

Der Vater Rottauscher war es gewesen, der vermittels einer einzigen echten goldenen Uhr fünfzig falsche im Lauf von zwei Jahren abgesetzt hatte. Sie waren bei einer Strafexpedition gegen einen Juwelierladen irrtümlich mitgegangen, und dann dem Vater Rottauscher zugewiesen worden, samt jener einen ganz gleich aussehenden echten, welche allein für Rottauscher das Geschäft überhaupt realisierbar machte, wenn auch der Einkaufspreis sich erhöhte.

Zurek sagte einmal zu einem Herrn (es war jener, der hier manchmal die unverschämten Bemerkungen über den Sektionsrat Geyrenhoff fallen läßt, woraus man gleich unter einem sehen kann, in welcherlei Kreisen sich die Romanschreiber herumtreiben): „Wissen Sie, verehrter Herr Doktor, in rein technischer Hinsicht glaube ich schon, den alten Rottauscher einmal zu erreichen, ich lerne jetzt drei und ein halbes Jahr bei ihm; ich war ja bei vielen Sachen dabei. Aber gerade bei der Geschichte mit den Uhren hab' ich gesehen, was uns jungen Leuten fehlt. Trauen täten wir uns schon. Aber die Sicherheit von diesen älteren Herren fehlt uns, dieses Vertrauenerweckende, das Solide. Er weiß sofort, wie er mit jedem reden muß. Dann hat er so was Biederes, das ist unnachahmlich . . ."

„Woher stammt der Herr Rottauscher?" fragte der Romancier.

„Aus Imst. Das ist in Tirol."

„Aha."

„Ich hab' mir oft gedacht, wir jungen Leute müßten eben ganz andere Methoden finden, die auf uns und unsere Fähigkeiten zugeschnitten sind. Vorläufig aber kann ich nur das Alte, Bewährte lernen, und das ist ja auch sicher gut so. Aber, was ihn betrifft: ich bin überzeugt, daß viele von denen, die was die falschen Uhren gekauft haben, heute noch glauben, es sind echte, und sich weiter gar nicht davon überzeugt haben, weil das eben anständige, solide Menschen sind, die ihre Uhr nicht auf's Versatzamt tragen . . ."

„Hm, hm", machte der Doktor.

Er war ein starker, großer Bursche, der Zurek, und mochte damals etwa einundzwanzig Jahre gehabt haben. Einige geringere Vorstrafen. Seine Stirn war breit, das kräftige Gesicht von gerundeten Formen. Er befliß sich mitunter einer gebildeten Sprechweise, die er jedoch nicht immer durchhielt. Man hatte bei ihm sehr oft den Eindruck, er sei verschwitzt, auch wenn dafür gar kein verständlicher Anlaß bestand. Aber er war nicht verschwitzt. Ihm eignete eine enorm fette Haut. Es war ein sogenanntes ‚Salbengesicht‘. Manche Psychiater wollen ein solches bei geistig defekten Menschen beobachtet haben, und es unter Umständen als symptomatisch ansehen. Doch sind dem Verfasser dieser Seiten gar nicht wenige Individuen bekannt geworden, die geistig (soweit davon die Rede sein kann) weit defekter waren als der Zurek, jedoch gänzlich trockene Gesichter zeigten. Unter ihnen befanden sich mehrere Voll-Akademiker.

So also, im großen und ganzen, waren die Kulissen und die aus ihnen tretenden Figuren desjenigen Lebensabschnittes beschaffen, den die Gräven jetzt erst recht eigentlich begann, nachdem durch sie, und gerade durch sie Herzka's letzter Versuch zur Umgehung der Gebaur blockiert und vernichtet, und Anita allein im Hotelzimmer zurückgelassen worden war. Nun, im Frühjahrsregen, der mit zerstreuten Tropfen aus der Höhe des Luftraums über der Stadt auf die feucht glänzende Fahrbahn herabkam, ging die Anny Gräven, während sie schräg die altgewohnte Praterstraße kreuzte, in Wahrheit schon auf einer anderen Ebene als vordem.

Neues tritt ein, altes bleibt aus. Von dieser Nacht an hat Anny nicht mehr an jenes Briefblatt im Umschlag gedacht, das sie einst der Didi, der Diwald, geschickt hatte – Freud's Branntweinschank, Wien IX., Liechtensteinstraße (sie wußte die Nummer) – jenes Briefblatt, darauf Hertha Plankl's letzte Worte standen. Darunter: ‚Gut aufheben, Didi. Näheres mündlich. Anny Gr.‘ Früher hatte die Gräven dann und wann den Wunsch empfunden, diesen Brief wieder zu besitzen, ihn zu holen. Ohne besonderen Zweck. Oder? Wollte sie ihn irgendwem geben? Wollte sie das Papier samt dem Couvert mit dem Poststempel darauf vernichten? Warum? Der Antrieb, zu Anna Diwald zu gehen, um sich das Ding zu holen, wurde einmal so stark (eigentlich rätselhaft), daß Anny wirklich am Nachmittag in die Liechtensteinstraße fuhr. Sie traf dort die Diwald auch an. „Natürlich kannst du's haben, jederzeit", sagte diese, ging nach rückwärts, wo der alte Freud einen nicht appetitlichen Schlaf des Gerechten schlief, und kam mit ihrer dicken Handtasche zurück, von welcher schon der Redakteur Holder, auf dem Spaziergange der Unsrigen', erzählt hat, als einem typischen Requisit der Diwald. Diese bewahrte darin alles auf, was sie an Dokumenten oder Zeugnissen, Briefen oder Photographien besaß; und sie trug diese Tasche auf jedem Gange bei sich. „Hier", sagte Didi, nachdem sie das Schriftstück gefunden und hervorgenommen hatte, „hier ist es. Aber mach' keine Dummheiten. Gib es niemand. Gib es nicht aus der Hand. Und tu's nicht vielleicht verbrennen. Sei gescheit. Komm morgen noch einmal her. Laß es bis morgen noch bei mir, ich heb' dir's ja gut auf. Schlaf' noch einmal darüber, Anny." Diese empfand, daß solcher Rat gut sei. Sie ging ohne den Brief weg. In der folgenden Nacht hat sie stark getrunken, tags geschlafen, danach wiederum getrunken und noch dreimal so herum. Aber sie hielt an ihrem Vorsatze fest, sie wollte das Ding haben. Jetzt nicht mehr. Sie vergaß es ganz. Es war ihr gleichgültig geworden, und sie dachte daran kaum mehr.

Die ‚Verhülltheit' der Gebaur war eine Tatsache, keine Phantasmagorie Herzka's. Sie hatte wirklich erhebliches zu verhüllen, nicht nur körperlich (das übrigens auch), sondern in einem anderen Sinne. Sie liebte seit Jahr und Tag glühend ihren Chef, der sie am 16. Mai seinerseits zum ersten Mal bemerkt hatte.

Seither war sie ihm, wie wir schon berichtet haben, zur Hieroglyphe geworden, zum Kurz-Zeichen und Kernpunkt, zur schwarzen Zentral-Sonne einer zweiten Wirklichkeit. Nach jenem beschriebenen, schock-artigen Zusammenbruch seines letzten Umgehungs-Manövers, wurde er zum ersten Mal aus der Ferne der Möglichkeit gewahr, durch die für ihn gewaltige Kraft der Gebaur alles, was wie ein zerspellter Lanzenschaft und wie rein von außen eingedrungen war und in ihm steckte, aus einer zweiten in eine wirkliche und erste Realität herüberzuheben. Als er's erstmals dachte, war's gleichfalls ein Schock: jedoch dieser heilte sofort den früheren, welcher ihm lange genug nachgegangen war mit grauer und leimiger Anwesenheit, auch wenn er in Gedanken gar nicht dabei verweilt hatte.

Alsbald verstauchte sich die Gebaur leicht (wie sie vermeinte) den Fuß, als sie nach Büroschluß vor Herzka die Treppen hinabging, aber ziemlich weit vor ihm, mehr als ein Stockwerk tiefer war sie schon. Sie konnte ihn gar nicht bemerkt haben, sollte man meinen, wenn man's nicht besser wüßte: nämlich, daß die Frauen auch am Hinterkopfe zwei Augen haben (fast wie der Meisgeier!), mit welchen sie ebenso um alle Ecken zu schauen vermögen wie mit den vorderen.

Sie hielt sich am Geländer und hatte das eine Bein ein wenig angezogen, als Herzka herab kam. Schon war er bei ihr.

Jan brachte Agnes vorsichtig in den Fahrstuhl, und dann in seinen Wagen. Die Gegend, in welcher die Frau Oberstleutnant Gebaur wohnte, war Herzka fast völlig fremd: ,am Neubau' – ein sehr alter Stadtteil – Kandlgasse. Man fuhr an einer großen Kirche und an einem Park vorbei, die Jan beide überhaupt noch nicht gesehen hatte; es verwunderte ihn, daß Franz, der Chauffeur, hier offenbar ganz vertraut war und den Weg wußte.

Herzka, der, als er Agnes Hilfe geleistet hatte, von einer Ahnung ihrer Körperlichkeit geradezu durchbohrt worden war – also schon mehr ein kräftiger Rippenstoß, als eine Ahnung, die ja eher leisem Windhauche gleicht – Herzka also hatte schon im Fahrstuhl alles überhaupt gewußt: daß es ihn erwischt hatte, kurz und gut. Daß man nichts außerhalb des Lebens treiben könne, weder in der Praterstraße noch in den Kavernen von Neudegg. Nun wurde er zurückgeholt. Nun stieg er wieder in's Boot. Vielleicht wär's ihm anders gar nie mehr gelungen. Er empfand, wie jetzt alles wieder Fahrt bekam, nicht auf der Stelle kreiselte, in einem abgeschlossenen Hohlraum. Von dem ersten Augenblick an, da er rasch zu Agnes getreten war, um sie zu stützen, trug er eine glühende Wunde gleichsam tief in den Balsam hinein, der sie alsbald von allen Seiten umgab: aber freilich, er bezog sich auf sie, mochte er sie zunächst auch unsichtbar und unfühlbar machen.

In der Kandlgasse brachte er das Fräulein Gebaur hinauf, mit Hilfe des Chauffeurs.

Die Frau Oberstleutnant war sehr erschrocken.

Franz stieg langsam die Treppen hinab und setzte sich wieder in den Wagen.

Herzka stand in der Mitte eines nicht sehr geräumigen Speisezimmers. Man hatte Agnes nebenan auf einen Diwan gebettet,
und eben war ihre Mutter damit beschäftigt, das Gelenk in einen
Umschlag mit gelöster essigsaurer Tonerde zu legen, von Herzka
mitgebracht, der unterwegs vor einer Apotheke hatte halten
lassen. Der Hausarzt war verständigt worden und wurde schon
erwartet. Der Raum hier, so bescheiden er war, gehörte nicht zu
einer Wohnung kleiner Leute, auch das Vorzimmer nicht, auch
die Luft im Vorzimmer nicht: dies am allerwenigsten. Die Anrichte mochte Biedermeier sein. Es roch überhaupt ein wenig
nach altem Holz hier, vielleicht auch nach Parkettwachs, und
einer Spur irgendeines Parfüms, Heliotrop etwa, das ältere
Damen lieben. Neben der Anrichte hing eine große Reproduk-
tion von Liotards ‚Wiener Schokoladenmädchen' in einem
schmalen Mahagoni-Rahmen. Die Frau Oberstleutnant Gebaur
war aber keine ältere, sondern bereits eine alte Dame, sogar
schon etwas gebeugt und kontrakt, übrigens winzig klein und
ganz schlank und zart, ein graues Mäuslein. Jan hatte das überrascht, seine Erwartung war auf eine weit jüngere Mutter eingestellt gewesen, Agnes war mit ihm selbst gleich alt, er hatte
ja ihre Papiere gesehen. Sie war also ein Spätkind. Nun klingelte
der Arzt. Jan ging, um zu öffnen, da er hier kein Stubenmädchen
erblickt hatte. Eben als er sich anschickte, erschien die Frau Oberstleutnant im Türspalt und bat ihn, den Medizinalrat einzulassen.

Dieser, ein alter Praktiker, lachte über die ‚Verstauchung',
sagte „Oho!" und daß man den Fuß sogleich einrenken müsse;
weiteres werde man dann aus dem Röntgenbild sehen. (Agnes
hatte ihre Sache viel zu gründlich gemacht, das Abrutschen von
der Treppenstufe war also ein ehrlich gemeinter Unfall gewesen,
wenn auch sicher von tiefster weiblicher Weisheit geleitet.) Der
Arzt sagte, daß jemand die Patientin jetzt ein wenig halten müsse,
und „ich glaube nicht, daß Sie das machen werden, Frau Oberstleutnant. Wer ist der Herr nebenan?" Als er hörte, wer jener sei,
bemerkte der Medizinalrat gemütlich, „da werden wir halt
Ihren Chef ein wenig bemühen", ging hinaus zu Jan, machte
sich mit ihm bekannt und bat ihn um seine Assistenz. Agnes, die
dem Arzt mit den Augen gefolgt war, sah nun erschrocken auf
die Tür: durch welche alsbald Jan Herzka eintrat. Dieser erblickte sie jetzt auf dem Diwan liegend, verhüllt wie eh und je,
aber den einen Fuß entblößt. Der Fuß war schmal und mager,

das Gelenk schien etwas geschwollen, das Bein darüber, von dem man nur ein geringes Stück sah, zeigte sich glatt, weiß und kräftig. Jetzt mußte Agnes sich am Diwan aufrecht setzen, Herzka nahm hinter ihr Platz und sie lehnte sich mit etwas zurückgeneigtem Oberkörper an ihn; so wollte es der Arzt. „Sie fassen, bitte, das Fräulein Gebaur um die Taille und halten fest", sagte er, „ich muß jetzt einen kleinen Zug ausüben." Er nahm den bloßen Fuß in beide Hände, hob das Bein ein wenig an, Agnes stieß ein halblautes Ächzen aus. „Schon vorbei, mein Kind, und in Ordnung", sagte der Medizinalrat. Man hatte kein Knacksen oder etwas dergleichen gehört. Der Arzt befühlte das Gelenk. „Ja, der ist reponiert", sagte er. „Nehmen Sie das da gleich, wozu sollen Sie Schmerzen leiden. Und jetzt kommt noch eine feste Kalikobandage drauf. Morgen zum Röntgen." Er wickelte die Binde, welche er der Instrumententasche entnommen hatte, zog dann seinen Block hervor und schrieb die Anweisung für das Röntgenbild. Der rechte Fuß der Agnes Gebaur trug jetzt eine Art knapper Manschette; ein zarter, magerer Fuß, mit langen schmalen Zehen; die große war stark aus der Mittellinie des Fußes gedreht. Darüber war vorhin ein rundes weißes Bein noch mehr sichtbar geworden, als der Arzt es angehoben hatte, durch das Zurückgleiten des unmodisch langen Rockes. Jener Fuß der Agnes Gebaur aber war Herzka bekannt, mehr als das, tief vertraut: von dem alten Buche her, das er besaß, am selben Abend gekauft, an welchem er danach mit der Güllich im Zirkus gewesen war. Die eine der Märtyrerinnen hatte die gleichen Füße wie Agnes Gebaur.

Und die gleiche, ein wenig übermäßig betonte Geformtheit der Hüften: er hatte sie gefühlt, als er Agnes hielt bei ihrem kleinen Martyrium.

Ein schwer alkoholisierter Mensch kann seiner selbst kaum weniger mächtig sein wie Jan, als er sich empfohlen hatte – morgen wollte er wieder kommen, um Agnes zum Röntgen zu fahren – und glücklich unten beim Wagen angelangt war, wo jetzt auch jener des Arztes stand, der Herzka dankte und gleichfalls einstieg.

Es ist hier der Ort, zwei Paare miteinander zu vergleichen, von denen jedes in bezug auf das andere eine Art Jenseits im

Diesseits darstellte: nämlich Mary und Leonhard mit Agnes und Jan. Ihnen beiden eignete Außerordentliches, welches wir jedoch am allerwenigsten in Herrn Herzka's anfallsweisen und im Grunde harmlosen Perversitäten erblicken können. Am allermeisten indessen sehen wir es im völligen Fehlen jener Fragestellung bei Mary und Leonhard, mit welcher so viele Leute ihre ohnehin matten Neigungen noch verkümmern, die Frage nämlich: was soll denn daraus werden, wohin soll denn das führen? Als ob der Gott (Lausbub mit dem Köcher) erst einer Legitimation bedürfte für sein Auftreten, durch das Vorhandensein einer Drei-Zimmer-Wohnung mit Bad und davon gesondertem W. C., oder etwa durch bestehende Pensions-Ansprüche. Danach erst also, nach dem wirklich vortrefflichen Verhalten jenes durchaus und von allen, die wir kannten, bemerkenswertesten Liebespaares, Mary und Leonhard, kommt die Bestleistung der Gebaur.

Nun freilich, man sieht schon, die Sache konnte nur auf eine Verlobung hinauslaufen (auf solchen Füßen!, von den übrigen Beachtlichkeiten zu schweigen). Es ging sehr rasch, bald durften Grete und René gratulieren, und das neueste Brautpaar nahm bei Siebenscheins den Tee, welche Geselligkeit auch diesmal unter Assistenz der beiden Alten mit Geschick und Chic in Szene ging. Der Fuß war längst gut geworden. Sein erster Zweck, außer dem Gehen, war erfüllt. Die zweite Mission dieser Füße rückte näher. Und hier bewies die Gebaur, daß sie ein ganzes rundweg zu leisten vermochte, und in großzügiger Weise. Sie tat gut daran. Für ein paar Wochen saß sie übrigens Herzka zu Liebe noch im Büro: schon war hier die Agnes Gebaur fast ebenso schwer zu ersetzen wie die seinerzeitige und jetzt in Graz als Filialleiterin residierende Frau Christine Schnabel.

Es gehört zu den wenigen im eigentlichen Sinne des Wortes beispiellosen Vorgängen unserer Berichte hier, daß die Gebaur, als Herzka ihr – geradezu in Form eines Geständnisses – seine Geschichte und die ganzen Geschichten überhaupt erzählte, nach einigem Besinnen in aller Bescheidenheit und in aller Ruhe geäußert hat: „Warum nicht. Ich würde mir das ohne weiteres zutrauen. Wenn ich mich ein wenig hineindenke, so ist gar nichts dabei." Unmittelbar nach diesen ihren Worten hatte Jan die Empfindung, als verließen ihn alle seine seltsamen Vorlieben: sie wurden ihm während einiger Augenblicke vollends unverständlich. Nun schaute er auf Agnes. Sie lächelte. Die künftige Herrin von Schloß Neudegg lächelte. Allmählich kehrte die Glut wieder in Jan, brannte neuerlich die empfangene Wunde: jetzt aber tief im Balsam gebettet, ja, in einer Art Kaverne, welche sie von allen Seiten mit dem heilenden Balsame der Wirklichkeit umgab, schützend vor jener Leere, die noch außerhalb des leeren Weltraumes ihren Ort zu haben scheint. Das Gespräch fand etwa vierzehn Tage nach dem Unfall der Gebaur statt.

Es wird damit wohl im Zusammenhange gestanden haben – und es stimmt auch der Zeit nach – daß Stangeler von Jan gebeten wurde, nach Neudegg hinunterzufahren, wozu Herzka jetzt aus geschäftlichen Gründen nicht in der Lage war, um dort den Kastellan Mörbischer ein wenig anzuleiten und sich zu überzeugen, wie dieser vorankomme; vor allem aber, da er, Herzka, schon in allernächster Zeit sich zu verheiraten gedenke, müsse in's Auge gefaßt werden, was dort unten für den Komfort einer Dame zu geschehen habe, da ja die Burg seit sehr langer Zeit stets ohne eine solche gewesen sei. Jan wandte sich geradezu an Grete Siebenschein und bat sie, ihren Bräutigam nach Kärnten zu begleiten und ihrerseits der zuletzt berührten Frage ein Augenmerk zu schenken. Man sieht: Stangelers Agenden spannten sich über sein eigentliches Fachreferat bereits hinaus – diesfalls sogar mit Hilfe seiner Grete – und er begann sozusagen schon die Obliegenheiten eines Privat-Sekretärs wahrzunehmen. „Die Burg ist wirklich sehenswert", sagte Herzka zu Grete.

Sie war mit Begeisterung dabei.

So sahen sie denn zwei Tage später, gegen elf Uhr vormittags, die Burg Neudegg über den hier noch mäßigen Höhen erscheinen. Der Kutscher des leichten Jagdwagens, der das Paar vor dem kleinen Bahnhof erwartet hatte, deutete der Dame den Punkt mit dem Peitschenstiele in der Landschaft. Die Straße machte indessen einen Bogen, und das Schloß verschwand wieder. Grete hatte, außer einem beträchtlichen Turm, nicht viel gesehen.

Von ihr war diese ganze Expedition schon zu Anfang ,die Hochzeitsreise' genannt worden, wenngleich man ja noch gar nicht geheiratet hatte, ja, nicht einmal irgendein auch nur beiläufiger Termin dafür in's Auge gefaßt worden war. Seit René das Steuer herumgelegt und seinen grundsätzlichen Widerstand aufgegeben hatte, machte sie sich sehr wenig Gedanken, was jenen Punkt betraf. Bei ihren Eltern verhielt sich das in bemerkenswerter Weise jetzt ebenso. Man war zufrieden, Grete glücklich zu sehen, nicht nur dann und wann einmal, sondern auf eine befestigtere Art. Man fand zudem, daß bei Stangeler alles ja eben erst in Fluß gekommen und die Zeit noch gar nicht reif sei, um sich im einzelnen und äußerlichen bereits in Programmen zu ergehen.

Mit dem Ausdrucke 'Hochzeitsreise' aber hatte Grete diesmal wesentlich das richtige getroffen, und sie hatte damit die Grundtonart dieser Tage, wenn schon nicht selbst geradezu angeschlagen, so doch erkannt und benannt. Das Wetter paßte dazu. Als sie das steile Sträßlein durch den Laubwald hinauffuhren, hauchte es würzig allenthalben rundum in der Wärme vom dicht wuchernden Gewächs.

Mörbischer empfing, der alte routinierte Lakai. Der Luftraum stürzte dunstig ab von der Brustwehr in einer beginnenden sommerlichen Weichheit und Weite, die Stangeler bei seiner ersten Anwesenheit freilich noch nicht empfunden hatte. Sie traten zurück und gingen in den 'Pallas' hinauf. Grete erhielt das Zimmer, welches Jan Herzka inne gehabt hatte, und René wohnte wie früher, schräg gegenüber auf der anderen Seite des breiten Ganges.

„Um diese Stellung hier bist du zu beneiden. Ich meine, daß du tatsächlich hierher gehörst, in diesen Traum."

„Träumen wird hier nur der Herzka, mit der tugendhaften Gebaur. Ich habe zu tun. Du kannst hierherkommen mit mir, wann immer du willst. Er hat es mir ausdrücklich und mehrere Male gesagt. Der schönste Sommeraufenthalt."

Aber das eigentliche Entzücken Grete's bildete die Bibliothek mit den bunten leichten Möbeln und dem blitzblauen Wandbehang im Hintergrunde. Sie saßen hier nach dem Essen. Vor den Glaswänden der hohen und fast bis zum Boden herabreichenden Fenster lag Grete in einem Kanadier und sah hinaus, nach Norden, gegen die Straße und die Grenze zu.

Das Bild der Gräfin Charagiel übrigens – sie hatten es zusammen im Arbeitszimmer des verstorbenen Barons besichtigt – fand Grete ganz grauenvoll; sie war von René, der ihr zunächst nichts darüber sagte, davor hingeführt worden. Auch jene Photographie kramte er hervor, die er durch einige Augenblicke für ein Kinderbild Quapp's gehalten hatte; Grete indessen konnte hier keine Ähnlichkeit entdecken. Es war ein dummes dickes Kindergesicht, wie viele andere auch.

Nun freilich, nachdem sie die Burg eingehend besichtigt hatte, wollte sie auch die Unterwelt kennenlernen. Irgendeine Gruselei schien die Siebenschein doch anzukommen, als sie, am Tage nach ihrer Ankunft, von René geführt, hinabstieg. Er war schon am Vormittag eine halbe Stunde mit Mörbischer unten gewesen und hatte, nicht ohne Staunen, dessen geschickte Anstalten betrachtet, die sich in so kurzer Zeit bereits erheblich vorgeschritten zeigten. Die elektrischen Lampen mit ihren offen verlegten Kabeln an der Decke waren verschwunden. Das Licht kam aus zwei senkrechten Schlitzen in den Ecken links und rechts des Eingangs; man sah Spuren der Arbeit, Staub und Brocken vom herausgestemmten Mauerwerk; in der Mitte, bei der Säule, standen sechs große neue elektrische Heizkörper, die man bereits hierher gebracht hatte. Sie nahmen sich (vom Gesichtspunkte Herzka's) wohl noch viel befremdlicher aus, als einst Stangelers Jakett, als es kapuzenartig die Säule bekrönte. „Ausgezeichnet!" sagte René zu dem Kastellan, der ihn begleitete. „Man muß Verständnis haben", erwiderte der alte Lakai (mit dem Wahlspruche ‚nil admirari'). „Die beiden Kamine werden jetzt auch gerichtet, hier und drinnen", sagte er noch und zeigte auf den Eingang zu dem kleineren Raum. Stangeler empfand alles hier wie eine höchst fragwürdige Basis, auf welcher nun zu stehen er doch genötigt war, vorläufig wenigstens. Ein kurzer Gedanke an Professor Bullog streifte ihn und an alles was Dr. Williams ihm gesagt. Hier lag der Rückhalt dieser ganzen Sache, nicht in Herzka's Verrücktheiten; diese bildeten nur ein Vorläufiges. Als sie wieder in den Gang traten, betrachtete Stangeler noch einmal ein neues Stieglein aus festen Bohlen und eine ebensolche Türe, vor der von ihm entdeckten Öffnung. „Der Gang rückwärts wird auch heizbar gemacht und beleuchtet", sagte Mörbischer. René hätte beinahe den Kopf geschüttelt, besann sich jedoch rechtzeitig und unterließ jede Äußerung.

Beim Mittagessen sprach er zu Grete von seiner kurzen Überlegung dort unten, Herzka betreffend und auch den Harvard-

Professor. Sie äußerte die gleiche Auffassung von diesen Sachen wie René, aber nicht von einer augenblicklichen Stimmung geleitet, und bloß anfallsweise, wie er, sondern vernünftig. Und, was die gegenwärtigen Beziehungen zu Jan Herzka betraf, sagte sie unter anderem: „Was man hat, das hat man. Du hast eine für deine Verhältnisse sehr in's Gewicht fallende Summe bereits erhalten; und wirst wohl noch einiges kriegen, auf Grund deines Vertrages. Von dem wird er natürlich in absehbarer Zeit zurücktreten, der Herzka, was man ihm nicht übelnehmen kann, denn wie er ihn abgeschlossen hat, war er irgendwie in einer anderen Welt."

„In einer zweiten Wirklichkeit", sagte René.

„Ja", sagte sie. „Der Ausdruck ist wahrscheinlich zutreffend."

Nach dem Essen und dem schwarzen Kaffee stiegen sie hinab.

Der breite und lange elektrisch beleuchtete Gang mit dem Tonnengewölbe wurde durchschritten, ebenso der linsenförmige Raum zwischen den Fundamenten des Turms. René machte Grete nur wenige Bemerkungen über die Anlage. Er hielt eine starke Taschenlampe in der linken Hand, ähnlich jener, die Franz, Herzka's Chauffeur, stets im Wagen zu haben pflegte. Denn er wollte Grete unten auch den rückwärtigen übereck führenden Gang zeigen; indessen hatte er ja von Mörbischer erfahren, daß dort die Beleuchtung noch nicht installiert war. Sie stiegen vom Turmgemach hinab und sahen über sich die Schießscharten mit dem Auftritt, wo einst des Herrn Tristram böhmische Söldner mit gespannter Armbrust postiert gewesen waren.

René schaltete unten die Lichter ein und zeigte Grete alles.

Sie blieb zunächst verdutzt, ja, eingeschüchtert von einer Welt, die für sie so vollends fremd war, daß selbst ihre Neugierde davon abglitt und davor zurückwich.

René ließ sie aus dem hinter den Kammern übereck führenden Gang durch die Schlitze blicken. Das war nun gewissermaßen zuviel, es kippte über. Als sie dann nach vorne kamen, zurück in den Raum, wo die Säule stand und daneben die sechs Heizkörper, fand die Siebenschein endlich zu sich selbst und saß nun wieder im Sättelchen:

„Der war doch verrückt, dieser alte Ritter!" rief sie. „Sich durch die Gucklöcher da ausgezogene alte Weiber anschauen – auch ein Vergnügen!"

„Programm-Sexualität. Sexuelle Montagen und Bastel-Stunden. Der Kajetan mit seinen dicken Damen macht im Grund genau das gleiche. Errichtung einer zweiten Sexualität. Man kann übrigens auf diese Weise, ganz unabhängig vom Sexuellen, noch andere Sachen verdoppeln: zwei Sprachen, zwei Rechte, zwei Literaturen . . . Hier wird also die Gebaur amtieren."

„Gemeinheit! Man sollte ihr das sagen!"

„Er hat es ihr schon gesagt."

„Woher willst du das wissen?"

„Ich weiß es von ihm."

„Schamloses Individuum, dieser Herzka! Und du bist nur ein feiler Knecht seiner Lüste."

Sie spielte mit Charme ihre eigene Entrüstung weit über den Grad hinaus, den jene wirklich in ihr erreichte. Stangeler wußte es bereits. Er gab ihr Stoff, warf ihr einen neuen Ball zu.

„Feil für vierhundert Schilling im Monat und ein erhaltenes Expertisenhonorar von fünfzehnhundert", sagte er, mit Genuß an das früher von ihr gebrauchte Eigenschaftswort anknüpfend. „Und noch einiges andere dazu. Und die Handschrift des angeblichen Ruodlieb von der Vläntsch. Die Gebaur ist einfach ein Opfer der Wissenschaft. Ihre erste Peinigung kann hoffentlich bald stattfinden. Zudem wird sie ja nicht gepeinigt. Sie braucht nur so zu tun als ob. Ich weiß alles. Übrigens werde ich dieser Tage, oder etwas später, wenn hier einmal alles fertig ist, eine Probe-Peinigung vornehmen . . ."

„Die Gebaur . . .?!" fragte Grete und platzte mit dem Lachen heraus.

„Nein. Selbstverständlich mit dir."

„Dann werde ich dir ein paar derartige Ohrfeigen geben, daß dir das Peinigen für alle Zeiten vergeht."

Sie mußten sich vor Lachen auf die Reste des einen Kamins niederlassen. Sie krümmten sich und winselten nur mehr leise. Die Unterwelt umgab stur und schweigend und gänzlich humorlos das Paar und sein Gespräch, in welchem alle ihre Reize und Schrecken einfach platzten wie Wursthäute und gänzlich wirkungslos und nur mehr lächerlich wurden.

Sie verließen die ernste Unterwelt, innerhalb deren sie ein so wenig passendes Benehmen gezeigt hatten, und stiegen langsam in die Höhe des Turms empor, auf dessen Plattform Grete noch nicht gewesen war.

Der Sommertag lag gewaltig da, kühlte und distanzierte sich zugleich durch die enormen Entfernungen, in welche man sah. Es war fast mehr geographisch als landschaftlich oder gar poetisch. Kein Ave-Läuten (vier Uhr nachmittags). Was in Stangeler vorging, hätte Kyrill Scolander wahrscheinlich als ,Gedärm-Symbolik' ironisiert. Wir nennen es ,unorthographisches Denken'. In der Tat war ihm zumute, als enthielte er die Hohlräume dieser Burg in sich, bis hinab zu den untersten Kavernen, und als wär' er hier aus den Tiefen der eigenen Leibeshöhle emporgestiegen, um nunmehr oben herauszuschauen. Die verhältnismäßige Wichtigkeit dieser Augenblicke und eine damit endgültig vollzogene Wendung wurde ihm freilich nicht bewußt. Nur etwa, daß sich zugleich hinter ihm die Sachen geschlossen hatten wie eine Wand.

Freilich klopfte manches mahnend an bei Mary. Aber sie war durch ihr Leid – dessen verhältnismäßige Größe ermessen zu können, uns gar nicht zusteht – endgültig aus den Schmalspur-Geleisen besorgter Richtlinien geworfen worden. Einmal Distanz gewonnen vom Leben durch den Einhieb der Katastrophe: nie mehr wird ein entwicklungsfähiger Mensch mit dem Ungeheuer wieder ganz intim, zurückfallend in's kleine Lotto, in die fallweisen Kniffe.

Es war Sommer, als sie vom Semmering nach Wien zurückkehrte.

Das Frühstückszimmer war hell. Die Fenster geschlossen, wegen des Staubes, der sonst allzu sehr sich auf die Polituren der Möbel legte. Überall in den Dimensionen des Raumes stand die Vergangenheit auf zwei eigenen Beinen. Abends sollte Leonhard kommen. Die Kinder gingen aus, zu Küffers. Es klingelte. Er blieb lange über ihre Hand gebeugt, fast wie man über einem Schmerz sich zusammenbeugt oder unter einer Last. ,,Nun, Leonhard, wie geht's denn?" sagte Mary. Sie sah ihn an, ihr Lächeln zeigte Sprünge, durch die es anders sickerte. ,,Ich danke recht sehr, gnädige Frau, gut", antwortete er, aber die Brüchigkeit des Tones war zu groß, als daß er auch nur diese wenigen Worte richtig getragen hätte. Marie brachte den Tee und verschwand wieder. Es ist bemerkenswert, daß Mary den Leonhard jetzt nicht zum Niedersetzen aufforderte, daß sie diese kleine Brücke, die sich doch anbot, nicht beschritt, über die auseinanderweichenden Augenblicke hinweg, welche den tickenden Zeitfluß bereits stocken ließen und anhielten. Damit lag sie in seinen Armen und überließ ihm den Mund. Er ließ noch während des Kusses ein tiefes Seufzen hören und sank dann langsam vor ihr zusammen in die Knie und blieb so kniend und ohne Berührung mit ihr. Sie nahm den Sessel, und dann seinen Kopf auf ihren Schoß, während er ihre Hände suchte. Im nächsten Augenblick stieß ihn ein schweres Schluchzen, dann redete er wirr: „Zuviel, immer nur die Bibliothek, Stangeler. Nie bist du da. Immer ohne dich. I bet für Ihna. Eripe me e necessitatibus. Mit Stangeler durch die Spitalgasse. Alles immer ohne dich. Unter der Brucken is' schon grün."

Pause. Dann: „Ich liebe dich."

Sie: „Ich liebe dich."

8

Auf der Schanze

Gegen die Brigittenau und die Donau bricht Unter-Döbling steil ab, in einer sehr hohen natürlichen Böschung, die nur durch lange Treppen-Gänge überwunden werden kann. Es sieht aus, wie eine mächtige Schanze, und wäre als solche höchst geeignet; doch ist es meines Wissens nie eine gewesen, auch in der Türkenzeit nicht. Jener Teil des Terrainabfalles, den ich im besonderen meine, wird bequem von oben durch eine oder die andere Seitengasse der Döblinger Hauptstraße erreicht, rechter Hand, wenn man der Stadt den Rücken kehrt.

Ich entdeckte den Ort nicht lange nach meiner Übersiedlung.

Es gibt Tage, an denen man ungewohnt früh erwacht, und man ist am Abend vorher doch keineswegs zeitig ins Bett gekommen. Man erwacht, es ist noch dunkel. Aber die glimmenden Zeiger und Ziffern der Armbanduhr auf dem Nachttisch sprechen uns überraschend zu und sagen von einer schon morgendlichen Zeit. Man liegt im Dunkeln auf dem Rücken, in jenem merkwürdigen Zustande der Wahl- und fast Willensfreiheit, als wäre man aller seiner habituellen Schwächen durch den Schlaf über Nacht ledig geworden – oder als schliefen diese eben noch, und nur ganz man selbst im höchsten Grade sei wach. Man ist wirklich ausgeschlafen; und wie aus allen üblen Gleisen gesprungen, deren man ja täglich welche befährt, mit den fahrplanmäßigen Zügen des Charakters. Man ist wachsam, und ist aus jenem inneren Kleinbahnverkehr wie ausgestiegen. Man wagt es jetzt, den frischen Tag und diese Gelegenheit zu ergreifen, man weist den Einwand zurück: ‚es ist doch erst halb fünf‘, und jetzt wirft man mit der Decke zugleich seine Gewohnheiten ab, und springt heraus und auf den Bettvorleger, und wie in das Zentrum eines neu sich geöffnet habenden Horizonts hinein. Und es erfreut dich jetzt, daß die kleine elektrische Lampe mit ihrem scharfen Scheine noch allerseits in dichte Dunkelheit vorstößt.

Ja, man hat Möglichkeiten.

Man ist wirklich aufgestanden wie Egydius, der sich ‚zeitig erhob, um sein Heil besorgt‘.

Vielleicht liegt es auch am Alter und kommt nur bei älteren Leuten vor. Ich kann mich nicht erinnern, als junger Bursch morgens um halb fünf hellwach auf dem Rücken gelegen zu haben. Um mich zu solcher Zeit aus dem Bette zu bringen, wäre Brachialgewalt erforderlich gewesen; späterhin wurde es dann durch die üblen Methoden bewirkt, welche das Militär in seiner Torheit ersonnen hat, statt den Pferden das Frühstücken zu nachtschlafender Zeit nach und nach abzugewöhnen.

Es war also nicht lange nach meiner Übersiedlung in die Gartenvorstadt, und ich war also schon ein älterer Mann, und seit 1926 Pensionist (wenn auch ein etwas vorzeitiger, besonders nach der Meinung des Kammerrates Levielle!), als ich im Vorfrühling 1927 zum erstenmal ‚die Schanze entdeckte‘, oder eigentlich ihr Beachtung schenkte, denn so ganz unbekannt wird mir der Ort ja kaum gewesen sein. Und am 24. Mai lag ich dann, sogar lange noch vor halb vier, hell wach auf dem Rücken, stand schließlich, um mein Heil besorgt, in der schon beschriebenen schwungvollen Weise auf, machte eilends eine flüchtige Toilette und ging – freilich nicht ohne schwarzen Kaffee rasch bereitet und stehenden Fußes genossen zu haben! – durch die zuerst noch dämmrigen Gassen: die Zigarette, welche ich dabei rauchte, zeigte den Glutpunkt scharf abgesetzt. Die Straßenbahngeleise lagen leer.

Damals also begannen die Schanzen-Gänge.

Für heute vormittag übrigens stand Quapp's telephonischer Anruf zu erwarten.

Nun, da würde ich längst daheim sein.

Hallenden Schrittes durch die Pokornygasse. Der Himmel im Osten war hoch erhellt, durch diese Gasse ging, infolge ihrer Lage, schon das volle Morgenlicht. Ich kam an's Ende. Der Blick fiel hinaus. Die Sonne war noch nicht sichtbar. Mir war eben gewesen, als hätte der Lärm, den die Vögel hier allenthalben in den Gärten mit ihrer Kunstpfeiferei unterschiedlich vollführten, vorhin für ein kurzes ausgesetzt, als sei es dabei vollkommen still geworden, als habe es eine Art kurzer Generalpause gegeben. Jetzt wieder konnten sie sich nicht genug tun. Sie überpfiffen sich gegenseitig. Der Himmel war rein wie Lack. Die

Sonne schoss den ersten Strahl über einen lang hingestreckten Häuserblock, auf dessen Dachkante sie im Augenblick ihres Erscheinens wie ein Stückchen hellglühender Kohle zu sitzen schien. Zwischen die Bäume der Gartenanlage hier und quer über den breiten Weg legte sich ein rotes Band.

Ich sah in ein Schlachtfeld. Warum ich das damals empfand, ist mir ganz unbegreiflich, denn ich war doch ganz und gar außer den Stand gesetzt, Späteres (und Tatsächliches) hierherein zu interpretieren. Aber der lautlose Tumult, den es hier gab, erweckte bei mir diesen Eindruck: Häuserblocks, quer und schräg in den Mittelgrund geworfen, Kirchengetürm rechts, und dahinter ein Gasometer, da und dort wie Flammen das noch helle Grün, der steile Absturz des Terrains vor mir, alles verschärft in den Konturen durch die fast waagrecht, also rasant, herschießenden Lichtpfeile: zusammengenommen war dies stille Bild des Morgens ein wild bewegtes.

Ja, als sollte diese Sonne jetzt alsogleich eine schwere Entscheidung in's Licht rücken.

Etwa wie bei Lützen oder Königgrätz.

Auch vor diesen Schlachten war an einem bestimmten Tage und zu einer heute noch errechenbaren Zeit die Sonne aufgerückt, und sie zog das Tuch der Nacht weg, unter welchem schon die geladenen Geschütze bereit standen (und Wallenstein hatte die Straßengräben vertiefen lassen, und in ihnen lauerten gedeckt seine Schützenketten). Bei Vercellae auf den Raudischen Feldern rückten die Legionen exerziermäßig (nach dem neuen Reglement des Marius) in fester Haltung in den Morgennebel hinein.

Und da war er, der Feind! In Reihen von Riesengestalten.

Was hat eine Stunde nicht da und dort alles entschieden!

Hat man nicht manche Stunde, ja, ungezählte, verloren, zwischen Tür und Angel, Konversation und Langeweile. Und dann wieder, plötzlich ... Bei Vercellae und Lützen kam es auf Viertelstunden an.

Ich trat an die Brüstung. Hier gab es eine Mauerkrone. Vom Bahngelände weit drüben stieg eine Dampfsäule auf, kam ein langer Pfiff. Der Sonnenschein nahm jetzt die ganze kleine Parkanlage hier ein. Der Tag war da. Und ich ging heim.

Nach Rasieren, Bad und Frühstück fiel es mich plötzlich wie eine Gewißheit an, daß der Besuch des Cornel Lasch bei mir von seinem Standpunkte ein Fehler gewesen war, von vornherein unter einem verfehlten Zeichen stehend. Und er mußte dies jetzt wohl schon wissen. Lasch war keineswegs aus vernünftigen Gründen und aus Überlegung bei mir erschienen, sondern aus Aufgescheuchtheit, aus Besorgnis, ja vielleicht schon unter dem Zwange der Furcht. Wohl, er hatte durch seinen Besuch Gelegenheit gewonnen, mich zu beklopfen, zu auskultieren gewissermaßen – und vielleicht war eben dieses Vorhaben die vernünftige Begründung, welche er seinem Besuche bei mir vor sich selbst gab. Aber er täuschte sich selbst. Ein alter Schieber glaubte wohl noch, hier eine Sache zu schieben, und ward doch längst von ihr geschoben: wobei ihm dann der Apparat seines Assoziierens durchging; stärker als er selbst, als seine Schlauheit, als wir alle überhaupt – weil naturgesetzlich. Das mit der Ähnlichkeit von Leuten, ,die sich sozusagen dem Materiale nach, aus dem sie gemacht wurden, frappant ähnlich sehen, aber weder verwandt sind, noch irgendwas miteinander zu tun haben' – das hätte ihm nicht passieren dürfen. Unsereiner überschätzt Leute wie Lasch leicht. Wohl haben sie einen weitaus gesicherteren Besitz ihrer selbst und fühlen ihr eigenes Innere als einen allseits abgeschlossenen, wohlvertrauten Hohlraum, aus welchem unmöglich irgend etwas ihnen selbst noch Unverständliches, also etwas geradezu Neues, kommen und sie antreten könne (so hat Camy Schlaggenberg den Sachverhalt einmal beschrieben!). Dennoch: auch dieser im ganzen gekannte und gesicherte Raum enthält Fehlerquellen.

Wenn es bei den ,Methoden der Kapitalbeschaffung', bezüglich derer Lasch sich mit Levielle nicht einigen konnte, um Quapps Erbe ging – dann hatte ich Lasch tatsächlich in gewissem Sinne zum Gegner bekommen (was mir bisher immer als Unsinn erschienen war), wenn auch an einem ganz anderen Punkte der Front, als ich bisher vermeinte, immer irgendeine halbe und vage Gedankenverbindung zu Altschul und seiner Bank dabei herstellend. Nein, jetzt sah ich's klar: wir waren nicht sachlich, sondern in der Tiefe des persönlichen Lebens gegeneinander gestemmt. Es ging nicht um irgendwelche bankmäßige Transaktionen und etwa um die Finanzierung fauler Industrien. Es ging um meine Freunde, es ging hier um unseren

Kreis, die ‚Kolonie', den ‚Döblinger Montmartre' (so kurzlebig, wie ich heute weiß!), es ging um Quapp, und auch um
Kajetan. Der Direktor Altschul – ‚mag er fallen, hinunter mit
ihm!' – war mir ganz zufällig auf dem Ring begegnet (in Gedanken sah ich jetzt das Lanzengitter des Burggartens vor mir),
nachdem ich Frau Friederike Ruthmayr in der Konditorei Gerstner verlassen hatte. So nun war er in diese Gedankenverbindungen mit hinein vermahlen worden, könnte man sagen; denn am
Nachmittag hatte ich das lange Gespräch mit Schlaggenberg geführt, die Allianz betreffend; dies freilich berührte wieder den
Kammerrat Levielle, sogar recht gründlich, an manchem Punkte.

Quapps Klingeln blieb aus. Gegen elf Uhr aber meldete sich
Kajetan: er sei morgens eingetroffen. Ob er um drei zu mir
kommen dürfe? Ob ich so gut sein wollte, Quapp anzurufen
und ihr zu sagen, sie möge auch kommen, aber erst später, um
fünf etwa? Er habe sie nicht erreichen können und sei in Eile.
Es sei einiges unter vier Augen zu besprechen. Ja? Jetzt müsse
er auf die Redaktion. Nun gut.

Um drei Uhr – punkt drei Uhr, Kajetan war, sehr zum Unterschiede von seiner Schwester, extrem pünktlich – gelangte er
also bei mir zum Durchbruche, sah sich um, wie es seine Art
war, entnahm der mitgeführten Aktentasche ein Konvolut, das
etwa dreihundert Seiten haben mochte, legte es auf die Platte
meines Schreibtisches und sagte:

„Ich will nicht verlangen, daß dies alles ausnahmslos in Ihre
Chronik aufgenommen wird. Ich will einräumen, daß eine gewisse Zensur unumgänglich sein wird. Möge sie nicht zu eng-
herzig ausfallen!"

Er war vor meinem Schreibtische stehengeblieben und sah
nachdenklich auf dessen Platte und das Manuskript hinab. Mir
ist damals nicht präsent geworden, daß dort ja auch Camy von
Schlaggenbergs Brief aus London sich befand; seit Tagen lag er
auf dem Sekretär herum und war noch immer nicht beantwortet.
Überhaupt wurde mir allmählich klar, daß ich seit dem ‚Sturz
vom Steckenpferd', seit dem Zusammenbruche meiner Chronik, den Schreibtisch mied. Ich war kaum mehr daran gesessen;
ja, ich vermied es; auch jetzt. „Geben Sie mir das Ding, bitte,
herüber, Kajetan", sagte ich vom Fauteuil aus.

Es mochten wirklich gegen dreihundert Seiten sauberes Manuskript sein, davon allerdings viele Blätter halb leer waren, oder nur mit wenigen Bleistift-Notizen flüchtig beschrieben. Wo der Text zusammenhängend hinlief, wies er vielfach die für Kajetans Manuskripte bezeichnenden sehr korrekt und unmißverständlich eingefügten Verbesserungen. Ich blätterte. Dann sagte ich:

„Ein sauberer Galimathias."

„Gewiß", erwiderte Schlaggenberg sogleich und leichthin. „Es kommt mir vor wie eine geplatzte dicke Wurst, eine Blunzen etwa. Jede errichtete zweite Wirklichkeit muß einmal platzen. Sie hält sich nur beisammen und in einiger Form, so lange die Scheidewand, alias Wursthaut, hält. Mit dem Leben aber in direkten Kontakt gebracht, zerfällt sie sofort. Sie wird sogar ganz unverständlich. Jede geplatzte zweite Wirklichkeit ist unverständlich."

„Das alles hab' ich Ihnen, Kajetan, heuer schon einmal gesagt – in jenem Café, Sie erinnern sich wohl! – wenn auch mit wesentlich einfacheren Worten."

Ich wunderte mich im übrigen, wie vielfach René Stangelers Ausdrucks- und sogar Anschauungsweisen sich auf andere Menschen übertrugen. Er infizierte geradezu seine Umgebung.

„Einfachere Worte wohl; aber viel mehr Wörter, Herr Sektionsrat. Allein was Sie über die Pedanterie sagten, war fünfmal so lang. Und dann kam – ‚das Leben', und ‚Sie hassen das Leben!' Kurz, Sie wurden feierlich. Feierlich wird, bei wem's zur Genauigkeit nicht langt; und wer sich in seinem Gebrauche der Sprache vom Konventionellen nicht zu entfernen vermag, braucht fünfmal so viel Wörter als einer, der's epigrammatisch knapp abmacht. Zwei ordentliche Schrauben halten ein Wandbrett besser als fünfzehn kleine Nägel. Ich sprach rein formulativ."

„Formulativ ist gut", sagte ich, „meinetwegen auch epigrammatisch! Sie scheinen in irgendeinem Depot sich wieder ausreichend mit Fremdwörtern eingedeckt zu haben."

Wir lachten beide. Wir fanden rasch miteinander in unseren Ton, dessen gelegentliche Unartigkeit jedoch ganz von Schlaggenberg ausging. Ich schlug die Titelseite des Konvolutes auf und las:

Nun, man kennt schon Pröbchen.

„Und wie ist's damit jetzt?" fragte ich.

„Aus", sagte er. „Fluchtweg zu Ende. Ich biege wieder – in's ‚Leben' ein, wie Sie so feierlich sagten. Zum Kotzen."

„Zum Kotzen", wiederholte ich und legte gleichsam als Bekräftigung des Abschlusses jenes ganzen Blödsinns, das Konvolut beiseite auf ein kleines Tischlein an der Wand.

„Es gibt Wichtigeres", sagte er – und schien also allen Ernstes die ‚Dicken Damen' liegen lassen zu wollen, wie leere Wursthäute! – „es gibt Wichtigeres, worüber wir sprechen müssen. Ein Ereignis ist eingetreten – ich hab's jetzt erst unten von meiner Mutter erfahren – das mich einer gewissen Schweigepflicht entbindet, von welcher ich Ihnen einmal gesprochen habe."

„Und welches ist dieses Ereignis?" sagte ich; und nun war ich freilich alarmiert.

„Die Gräfin Charagiel ist in Morgins gestorben, schon im Februar", antwortete er.

„Wie?!" rief ich. „Ich weiß es schon. Aber wie kommt das hierher?!" Und ich sprang dabei auf. Maruschka, die gute hübsche Böhmin, trat eben mit Mokka, Soda und Whisky ein (Schlaggenbergs Wünsche waren mir geläufig). Ich hatte ihr Klopfen gar nicht gehört. Sie stand erschrocken mit dem Tablett in der Türe (das ‚Herein!' war von Kajetan gerufen worden). „Postav to a jdi pryč!" (Stell' ab und geh!) sagte ich. Sie setzte das Tablett auf das niedere Tischchen, zwischen den Fauteuils, knixte vor uns beiden und ging.

„Quapps Mutter", sagte Kajetan ruhig.

„So", erwiderte ich, mich sammelnd, „ich glaubte, Ihr hättet die Mutter gemeinsam. Quapps Vater war ja der Rittmeister Ruthmayr."

„Und woher wissen Sie es?"

„Zuerst träumte mir das, wenn auch mit offenen Augen, an jenem Sonntag morgen, noch im Winter, als Sie, Kajetan, bei mir sozusagen zum Durchbruch gelangten, und sich natürlich ungezogen aufführten – wie denn anders – beispielsweise antworteten Sie auf meine Frage, ob Sie Tee zu trinken wünschten: ‚Natürlich will ich Tee, was denn. Unterlassen Sie, bitte, solche überflüssigen Zwischenfragen.' Nett war das. Zuerst also träumte mir die Sache, soll heißen, nur die penetrante Ähnlichkeit zwischen Quapp und dem toten Rittmeister, welche zwei Personen doch, für meinen damaligen Blickpunkt, vernünftiger Weise in keinen Zusammenhang zu bringen waren. Haben Sie eigentlich Ruthmayr gekannt?"

„Nein. Weder ihn, noch die Neudegg, spätere Charagiel."

„Aha", sagte ich. „Zu dieser Ähnlichkeit, die mich ja gewissermaßen nur von innen her berührt hat, kam dann später – genau: am Sonntag, dem 15. Mai heurigen Jahres – ein handfester äußerer Erweis."

Ich erzählte ihm ausführlich von meinem Zusammentreffen mit Alois Gach. Ich erwähnte auch das Auftauchen jenes Herrn auf dem Graben, den ich beinahe für Levielle gehalten hatte.

„Das wird der Oberstabsarzt oder Generalstabsarzt, oder was der schon war, gewesen sein, der Bruder vom Kammerrat. Sehen sich eigentlich gar nicht so sehr ähnlich, aber im Auftreten, in der Art, wie sie daherkommen, sind sie fast identisch, und deswegen verwechselt man sie. Der Kerl erschien einmal mit dem Kammerrat bei meinen Eltern, als auch ich anwesend war. Diese arroganten Gesichter sollte man einhauen wie eine Fensterscheibe. Man fragt sich wirklich, wie solche Leute das machen, was sie sich dabei denken, und wozu sie diese ganze Frechheit nötig haben."

In diesen Augenblicken sah ich wiederum tief hinab in den Schacht des Vergangenen, tief unter mich hinab, und, paradox genug: eben dort schaute ich eine noch heute offen stehende Wunde. Ja, sie war kaum beruhigt. Sie glühte noch immer. Ich hatte die Claire Neudegg im Hause meiner Mutter einmal hinab zur Gartentüre geleiten müssen, ein Gymnasiast, freilich sehr verehrungsvoll hinter der duftumwogten Schönheit hergehend. Und dann war es gekommen: diese grausliche sinnlos-anmaßende Art ... Mir schien jetzt, als sei am Abend des 15. Mai auf dem Graben, als mir der Pseudo-Levielle (und gleich danach Alois Gach) begegnete, die Claire Neudegg ebenfalls mit anwesend gewesen, nur sozusagen ohne Namensnennung.

Kajetan hörte meinen Bericht sehr aufmerksam an und schwieg ein Weilchen. Auch ich sprach nichts mehr.

Ich sah von meinem Fauteuil bis zum Ende der Döblinger Hauptstraße hinab; mitunter saßen die roten Straßenbahnwagen,

hinter den Allee-Bäumen dort an dem Einschnitt der Gürtelbahn sichtbar werdend, wie rote Eier zu Ostern in einem Nest.
Noch war das Grün, jetzt zu Ende des Mai, recht hell. Nun war
ich also schon mit geheimen Einzelheiten – die Charagiel! – in
die Sachen verstrickt. Ja, wirklich verstrickt. Ich spürte den
Zug sozusagen schon in den Grundfasern. Hier war ein Gespinst, das ich hatte beherrschen wollen. Nun durchwuchs es
mich. Zuerst war ich einfach nach Döbling übersiedelt und hatte
Schlaggenberg auf dem winterlichen Wege zwischen den Weinbergen getroffen; noch im alten Jahr.

„Sie wollen freilich wissen, wie sich das mit der Charagiel, der
Claire Neudegg, verhält", sagte Kajetan. „Ganz einfach. Ihr ist
als jungem Mädel ein Malheur passiert, mit Ruthmayr, der natürlich gewußt hat, was nun zu geschehen habe: er ging zum alten
Neudegg und bat um die Hand der Tochter. Der Alte, der ja
die Claire wohl hat kennen müssen, soll ihm sogar abgeraten
haben; ob das freilich wahr ist, weiß ich nicht. Ich hab' es von
meinem Vater. Jedoch kommt es mir recht unwahrscheinlich
vor. Nun, Nebensache. Hauptsache also: sie, die Claire, hat
nicht mögen. Weil er bürgerlich war. So etwas gibt es! Dummheit ist von Eisen. Nicht einmal die äußerste Nötigung kann sie
brechen. Mein guter Vater, der allen Leuten immer geholfen hat,
nur nicht sich selbst, hat nun die Sache in die Hand genommen,
und zwar durchaus rechtzeitig. Die Eltern sind mit dem Mädel
auf längere Zeit verreist, man hat diese Reise nach Marokko –
ich glaub' sie waren auch in Ägypten und sonstwo – ein wenig
lanciert und publiziert in der Gesellschaft, und natürlich von
sich hören lassen. Und schließlich ist meinem Elternpaar in einem
südfranzösischen Nest, wo kein Mensch hinkommt – in der Gegend von Mont de Marsan – ein Töchterchen geboren worden,
was man nicht verfehlte, nach allen Seiten anzuzeigen. Es war
das Kind der Claire Neudegg, es war Quapp. Die Geburtsdoku-
mente mußten allerdings richtig ausgestellt werden, so weit
konnte man nicht gehen, das wäre in Frankreich ebensowenig
möglich gewesen wie hier. Jedoch ist alsbald ein Adoptionsver-
fahren durchgeführt worden. Bei diesem – mein Vater kam mit
derartigen Dingen nie zurecht – und bei der Inszenierung und
Lancierung der ganzen Sache überhaupt ist Levielle tätig gewesen, zwar nicht als maître de plaisir, wohl aber als maître de
complication et de camouflage; und mit Erfolg, muß man sagen.

Es sollen sich angeblich keinerlei Zweifel erhoben haben, es soll keine Gegenversion im Umlauf gewesen sein. So sagten meine Eltern wenigstens; ich kann es nicht wissen, weil ich damals ja noch ein Bub war, und natürlich daheim oder eigentlich im Konvikt gelassen wurde, des Gymnasiums wegen. Die Neudegg soll ein paar Wochen nach ihrer Entbindung in Mentone den alten Grafen Charagiel eingefangen haben. Er hat es nicht gar lang überlebt. Nun, Quapps Papiere lauten heute freilich auf den Namen Schlaggenberg, und vom wahren Sachverhalt weiß niemand mehr außer meiner Mutter, Levielle, mir – und jetzt Ihnen."

„Und die französische Geburtsurkunde", sagte ich, „ist die noch vorhanden?"

„Ja", antwortete Kajetan, „ich hab' sie erst vor ein paar Tagen bei meiner Mutter wieder gesehen. Der Mama geht es jetzt besser: ich meine vor allem in finanzieller Hinsicht. Die Belastungen, welche mein Vater hinterlassen hat, sind endlich getilgt. Ich bin fest überzeugt davon, daß mein Vater nur an den Holzgeschäften mit Levielle zugrunde gegangen ist, seien die wie immer gewesen, da mag man mir erzählen, was man will. Die Hauptsorge der Mama bildet jetzt Quapp. Nun, die schwört auf ihren Lehrer. Er hinkt wie Hephaistos, hat ein ungeheuer gescheites Buch über die Technik des Geigenspiels geschrieben – aber staatsgültige Zeugnisse kann er keine ausstellen. Das meinte die Mama ungefähr. Sie ging im Gartensaal auf und ab, also durch einen sehr langen Raum hin und her, während sie sich so äußerte, und ich saß in der Mitte in einem Fauteuil und trank steirischen Sliwowitz. Vor dem Saal ist eine kleine Terrasse mit Säulen und Dach, eine Loggia oder Pergola, oder wie man da schon sagt, dann geht der Garten leicht bergab. Er ist völlig verwildert. Die Laubbäume vor dem Haus sind so hoch geworden, daß sie dem Saal das ganze Licht wegnehmen; ich bildete mir sogar ein, es sei feucht, was kaum möglich ist, das Haus liegt auf einer Anhöhe, der Boden ist dort zum Teil sogar sandig. Aber das Licht im Saal war grün wie Moos, ich sah plötzlich durch Augenblicke überall Moos, an den Wänden und an einem mächtigen eichenen Buffet wuchs es wie in Bärten, und auf dem Buffet selbst war alles moosgrün, besonders eine riesige Bowle mit zahllosen Gläsern herum, eine Generation von grünen Gläsern, oder mehrere Generationen. ... auch meine

Mutter schien Moos auf dem Scheitel zu haben. Sie ist noch immer eine große, schöne Frau. Auch auf ihr lag dieses grüne moosige Licht, ein solches, wie es unter der Oberfläche von Waldtümpeln herrschen mag, auf denen die Wasser-Linsen dick schwimmen. . . ."

Er unterbrach sich.

Ich ließ das Sodawasser vorsichtig in ein Glas mit Whisky zischen.

Draußen lag die Sonne des Nachmittages, genau und vielfältig verteilt, hervor hebend, unberührt lassend, zwischen Bäumen oder Gebäuden durchfallend, leuchtend an Flächen gelehnt, blasser in der Ferne der Aussicht. Der Himmel war seit morgens wolkenlos geblieben. Ein Fenster meines Zimmers stand offen. Man empfand die schon wachsende Wärme der Jahreszeit.

„Ich bemerkte meiner Mutter, daß ich Quapp selbstverständlich nunmehr in jeder Weise unterstützen würde", setzte Kajetan endlich fort, „und sie sagte auch gleich, daß es ihr jetzt auch weit eher möglich wäre, als bisher und früher. ‚Aber', fügte sie hinzu, ‚das Unrecht an dem armen Mädel wird damit nicht kleiner. Da hat dieses Kind einen reichen Großvater gehabt, den Neudegg mein' ich, eine wohlhabende Mutter, und einen Vater mit einem enormen Vermögen – und hat sich fretten müssen, und muß es heute noch. Ich verstehe Ruthmayr nicht, Gott hab' ihn selig. Die Charagiel hat alles irgendwelchen Stiftungen vermacht, na, von der war nichts anderes zu erwarten. Für die hat ihr eigenes Kind nie existiert. Sie war ein Reptil mit aufrechtem Gang, könnte man sagen. Und der alte Neudegg, der ja nicht lange nach ihr heuer im Frühjahr gestorben ist, soll einfach gesponnen haben, sicherem Vernehmen nach. Wer da wohl wieder alles kriegt, Schloß, Herrschaft, Vermögen! Das von der Charagiel und ihren Stiftungen hab' ich mit Sicherheit erfahren, durch einen alten Doktor Gürtler aus Wien, der war einmal auch Rechtsanwalt vom Papa, und vertritt gerade jetzt eine Wiener Firma, ich glaub', es ist die Harrach'sche Glas-Manufactur, gegen die Verlassenschaft der Charagiel, weil da noch Forderungen sind. Der Doktor Gürtler war hier in der Gegend und hat mich bei dieser Gelegenheit besucht, wir sind dann ganz zufällig darauf zu sprechen gekommen. Von dem also weiß ich das alles. Dein Papa hat ihn sehr geschätzt.' Meine Empfindungen bei solchen Reden meiner Mutter kann ich Ihnen kaum beschreiben, Herr Sektionsrat, wie ich da saß, und einen Sliwowitz kippte, im grünen Unterwasser-Licht, während auf meinen Schultern und über meinem Kopf ganze Türme von schlechtem Gewissen wuchsen, das doch – und dies war das übelste! – auf ein konkretes Versäumnis sich gar nicht beziehen konnte! Ich hielt nur Ruthmayr nicht, wie es meine Mutter tat, für einen unverständlichen Menschen, sondern seinen Testamentsvollstrecker, den Kammerrat Levielle, für einen Gauner. Aber wie, um alles in der Welt, war an diese ganze Sache heranzukommen? So trug ich das alles wohl in mir herum, schob es aber zugleich tief zurück. Meine Mutter hatte durch die Jahre für gut gehalten, mich dann und wann an meine Schweigepflicht zu erinnern, an ein diesbezügliches Versprechen, das ich ganz zuletzt noch einmal meinem Vater hatte geben müssen, und das mich band, so lange diese verdammte Charagiel lebte. Ich war bis jetzt wie gelähmt."

Kajetan schwieg. Ich nahm die Gelegenheit wahr und erzählte von meinem Alarm-Schuss, den ich ohne Ziel abgegeben hatte, zu Mariä Verkündigung, auf dem Graben, als ich Levielle gegenüber die offenkundige Ähnlichkeit Quapps mit dem toten Rittmeister erwähnte.

„Das wird es gewesen sein", sagte Kajetan, jetzt lebhafter sprechend, „und nicht etwa, daß der René Stangeler zweimal Gelegenheit hatte, den alten Gauner im Gespräch mit Cornel Lasch zu belauschen – obwohl das freilich auch mitgewirkt haben mag. Denn vielleicht haben die beiden bei jenen durch Stangeler – in Wirklichkeit hat ja der Esel gar nichts gehört! – belauschten Unterredungen geradezu von dieser Erbsache gesprochen. Dann hat das eben mit Ihrer großartigen Äußerung vom 25. März am Graben zusammengewirkt und das hat nun freilich genügt, um mich mit dem Allianz-Segen zuzudecken zwecks Herstellung einer Abhängigkeit. Die Charagiel hat damals ja nicht mehr gelebt, bitte das wohl zu beachten, und von meiner somit erloschenen Schweigepflicht wußte der Alte. Sie war ihm von meinem Vater ebenfalls auferlegt worden und wird ihm unter den gegebenen Umständen recht willkommen gewesen sein. Sie aber sind am Graben von dem Kammerrate ohne Zweifel sozusagen für meinen Agenten und für von mir inspiriert gehalten worden, ebenso wie er in Stangeler meinen Spion erblickte: das hat er mir ja selbst gesagt. Ihm sollte irgendwie gedroht werden: dergleichen hat er nach Ihren famosen Äußerungen unbedingt glauben müssen: auf welche, als auf das eigentlich wichtigste, Sie freilich, Herr Sektionsrat, bei unserem denkwürdigen langen Gespräch im Café, nicht mehr verfallen und zurückkommen konnten. Es lag dieser kleine Umstand damals für uns gleichsam unter dem Horizont. Und hätten Sie's auch zufällig erwähnt: mir wäre da wohl alles klar geworden – aber ich hätte Ihnen nichts davon sagen dürfen."

Ich sagte noch immer nichts. Ich sagte nicht, was ich von Quapp schon durch's Telephon erfahren hatte. Ich wollte hören. Mit Leidenschaft – wenngleich nicht mehr Chronist! – ergriff mich der Wunsch, ja eine heftige Sehnsucht, über mich hinauszugehen, über mich hinwegzukommen, in's Jenseits im Diesseits, in den anderen Menschen, in das Gespinst seiner Verschlossenheit.

„So trug ich das ganze mit mir herum", fuhr er fort, „und mit der Zeit erschien mir der Sachverhalt immer abseitiger und monströser, verkröpft oder verhärtet und verhornt. Um so mehr, da ich doch zu niemandem davon sprechen, die ganze Angelegenheit nie in räsonabler Weise vor einem vernünftigen Menschen lüften konnte, wie es jetzt und hier geschieht. Aber sehen Sie, Herr Sektionsrat – einmal hab' ich's doch getan, sozusagen nur zur Kontrolle – gewissermaßen, um festzustellen, ob ich nicht selbst schon spinne, wie weiland der alte Neudegg. Es geschah an einem sozusagen namenlosen Orte und freilich ohne jede Nennung jedes Namens. Es war während meiner schlimmsten Zeit, voriges Jahr, schon im Konflikt mit Camy. Ich glaube im Nachsommer war es, das Wetter war mild, dessen entsinne ich mich. Ich erzählte die ganze Geschichte einer sympathischen und klugen kleinen Prostituierten – Anny hieß sie – in ihrer Wohnung. Daß ich's überhaupt konnte, daß es überhaupt möglich war, jemandem, der keinerlei Voraussetzungen besaß, diesen Galimathias in Kürze mitzuteilen, allein das schon beruhigte mich, und rückte die ganze leidige Geschichte wieder zurück auf den Boden der Wirklichkeit, der alle leidigen Geschichten trägt und erträgt und mit seinen Gesetzen durchdringt. Nein, es gibt nichts eigentlich Abstruses, außer im rein klinischen Raum."

Er endete und schwieg jetzt.

Sein Experiment jenem Mädchen Anny gegenüber erschien mir eigentlich ganz begreiflich und vernünftig.

„Und was sagte sie denn, das Mädchen Anny, zu der ganzen Geschichte?" fragte ich jetzt.

„Ihr Gutachten war geradezu lapidar und vollends eindeutig. Sie sagte: ‚Da wird a Schwindel dabei sein'."

„Bravo, Anny", rief ich.

„Bravo, Anny!" fiel Kajetan bei, ich griff zu den Flaschen, und wir stießen auf diese Anny an.

„Nun gut", fuhr er sodann fort, „aber das famose Gutachten bot gleichwohl keinen Schlüssel der Sachen, keinen clavis rerum. Denn was sollte ich denn tun? Was sollte denn geschehen? Jenes ‚Reptil auf zwei Beinen' oder ‚mit aufrechtem Gang', wie sich die Mama ausgedrückt hat, es war annoch am Leben. Übrigens bin ich einmal auf den Gedanken gekommen, daß Levielle seinerzeit eine Art Affinität zu dieser Person empfunden haben muß, und sich gerade deshalb für ihre Affären so eifrig und eilfertig eingesetzt hat . . . und wer weiß, was ihm sonst noch für ein reptilischer Lohn winkte. Genug. Der alte Neudegg soll übrigens vor einigen Jahren den Kammerrat bei der Türe hinaus komplimentiert haben, auf seiner Ritterburg in Kärnten unten, als jener erschienen war, um ihn zu einer Teilnahme bei der Gründung der ‚Österreichischen Holzbank' zu bewegen. Also damals hat der alte Neudegg bestimmt noch nicht gesponnen! – Nun gut. Die Charagiel lebte also noch. Dennoch bin ich mir schon damals darüber klar geworden, daß es einen immerhin möglichen, wenn auch etwas konstruierten Fall hätte geben können, der mich zweifellos befähigt hätte, über jenes meinem guten Vater gegebene Versprechen glatt hinwegzugehen. Das gestand ich mir ein. Jener Fall ist nicht eingetreten. Aber, Herr Sektionsrat, wollen wir ihn nicht, rein aus Liebe zur Wissenschaft, aus Liebe zur Wissenschaft vom Leben, ein wenig in's Auge fassen?"

„Ich weiß nicht, wo Sie hinaus wollen, Kajetan", sagte ich.

„Sie werden's gleich wissen, Herr Sektionsrat", erwiderte Schlaggenberg, verließ seinen Sessel und begann jetzt im Zimmer auf und ab zu gehen; Raum war ja bei mir genug vorhanden. Ich sah ihm zu. Sonst, wenn einer im Hin- und Herlaufen spricht, deutet das auf einen verengten, eigensinnigen oder gar manischen Zustand: wer rennend redet, verrennt sich. Bei Kajetan war's für diesmal ganz anders. Schon der Schwung, mit welchem er den Fauteuil verlassen hatte (eben jenen, in welchem kürzlich Cornel Lasch gesessen war), war leicht und elegant gewesen, voll Lust gewissermaßen. Eine Lust dieser Art empfinden jene (zeitweiligen) Maniaken nie, ihre Seele rüttelt am Gitter, von welchem sie aber sofort in die Tiefe des Käfigs zurückweichen würden, wollte jemand (etwa durch vernünftige Einwürfe) versuchen, es ihnen zu öffnen . . . Kajetan aber genoß jetzt seine Bewegungen, jeden seiner gelockerten Schritte, jede Geste der Hand, und erst recht die Wörter und Worte, die er sprach, oder eigentlich bequem fallen ließ und gleichsam auf den Teppich streute. Es war eine seiner Improvisationen. In irgendeiner Weise war er für mich dabei unwiderstehlich, und ich pflegte dann (wie man wohl weiß) auch seine gelegentlichen Unverschämtheiten hinzunehmen. . . .

Was er nun daherbrachte, war überraschend, und fast jener Bewegung zu vergleichen, die man im alpinen Skilauf einen ‚Quersprung‘ nennt (damals war er stark in Übung, man fuhr noch mit sehr langen Doppelstöcken). Er schilderte erst, wie er Quapp ‚kennen lernte‘ – denn nach seiner Rückkehr aus dem Kriege hatte er sie 1918 daheim nur kurz als Halbwüchsige gesehen. Nun, vor einem oder dem anderen Jahre sei da plötzlich dieser ‚der Kleidung nach weibliche Mensch‘ zu Wien in seinem Zimmer gestanden und habe ‚Bruder‘ zu ihm gesagt. Wenn auch besser unterrichtet, wäre ihm sogleich bewußt geworden, daß er ihr Bruder wirklich sei, und nichts anderes. Ein Wintermorgen war’s. Man sah auf Dächer im Schnee. Ein Zug puffte bergan im Einschnitte der Gürtelbahn. Wie aber (und hier begann seine Kasuistik), wenn er diesen jungen Menschen nicht nur den Kleidern nach als weiblich empfunden, wie aber, wenn der kleine Gott in diesen ersten und immer entscheidenden Augenblicken den Pfeil von der Sehne geschnellt hätte? (‚oder was es da schon für Metaphern geben mag – ich weiß auch unanständige, und Sie werden mir das glauben, da Sie mich kennen. . . .‘).

„Wenn dem so gewesen wäre, Herr Sektionsrat, ich sage Ihnen, daß ich jenes meinem Vater gegebene Wort glatt gebrochen hätte, im einschlagenden Fall, im Ernstfall, und bei quicklebendiger Gräfin Charagiel in Morgins – um die hätte ich mich keinen Teufel geschoren – und daß ich schon dafür gesorgt hätte, die Legende, Quapp sei meine leibliche Schwester, in die Luft zu sprengen, so angenehm aus guten Gründen diese Legende dem Herrn Kammerrat Levielle durch die ganzen Jahre gewesen sein mag: von diesem alten Falotten hätt' ich mich glatt einen ‚Wortbrüchigen' nennen lassen – wenn es um die Ermöglichung einer Verbindung zwischen Quapp und mir gegangen wäre. Und welch' eine Rettung wäre das gewesen aus der Verstrickung mit Camy! Dann hätte ich auch gekämpft um Quapp's von mir stets gemutmaßtes Erbe, und vielleicht hätte ich sogar Wege gefunden, den alten Gauner unter Druck zu setzen. ‚Da wird a Schwindel dabei sein –' jener Ausspruch der famosen Anny faßte ja meine Ansicht von den Sachen auf's beste zusammen! So aber: mir fehlte hier der Motor. Und wenn man irgendwo nicht wirklich anpacken will, dann sieht man auch die Stelle nie, wo es wirksam getan werden könnte. Es liegt hier einer jener nicht häufigen Fälle vor, wo man erfahren durfte, was nicht geschehen ist, wo man über die Weiche in ein Gleis und eine Strecke sieht, die nie befahren wurden. Wir aber dürfen jetzt auch erkennen, was uns erspart blieb."

Ich bemerkte ihm, daß Levielle die vorhin angedeutete, sozusagen leer gebliebene Möglichkeit, wohl auch einmal in's Aug' gefaßt haben dürfte.

„Na, zweifellos!" rief Kajetan. „Er traf uns ja noch dazu an, als wir, der Not gehorchend, gemeinsam auf einem Zimmer hausten. Er erwähnte das sogar bissig, wie Sie mir sagten, Ihnen gegenüber. Auch das hat ihn gescheucht. Natürlich hat er diese Eventualität überlegt. Was ich mir denke, das denkt sich der schon lang. Aber am meisten wurde er wohl von dem ‚Spion' und Voll-Idioten Stangeler gepiesackt – und am allermeisten von einem sehr hochweisen Herrn Sektionsrat: jedoch von diesem letzteren ebenfalls im Stande der Unschuld."

So, dacht' ich bei mir, drücken sich uns Waffen in die Hand, die wir nicht geladen haben.

Doch lösen wir den Schuss.

Kajetan sagte dann noch einige erschreckend pessimistische Dinge über Quapp. Daß er so scharf, ja ätzend, die Schwester zu sehen vermochte, hatt' ich bisher eigentlich nicht gewußt.

Etwa:

„Wenn Quapp nicht irgendwie und irgendwo von einem sozusagen überraschenden Griffe des Lebens noch zusammengeklaubt wird – und wem passiert das schon?! – ich weiß nicht, was aus ihr und mit ihr werden soll. Ihr Mißerfolg bei Tlopatsch ist übrigens vernichtend. Man dürfte sie ab da am Anfange eines Abstieges sehen, und sie meiden wie eine Pestkranke."

„Bissel übertrieben", sagte ich. „Aber zu dem früheren noch etwas. Wie war das? Man darf unter Umständen erkennen, was einem erspart geblieben ist? Ihnen ist ja gar nichts erspart geblieben. Denn erstens liegt Quapp als Frau außerhalb Ihrer Möglichkeiten –"

„Wie man sieht, aber mindestens innerhalb des Denkmöglichen."

„Aha."

„Ja, ja, aha. Außerdem: wenn man etwas wirklich nicht will, dann läßt man sich gar nicht drauf ein: und siehe, die Mechanismen des Lebens bleiben still. Darauf beruht vieles, was in der Kirche Tugend genannt wird. Es gibt eine sehr leise und fast noch unbenannte Art der Enthaltung, lange vor aller Askese; diese selbst ist für mich gar nie noch in Frage gekommen. Es gibt eine Enthaltung vom Wort, das man etwa zu sprechen wohl berechtigt wäre, ja, von einer Bewegung, die man ohne weiteres tun könnte; selbst gegenüber dem eigenen dinglichen Eigentum, das man etwa so oder so anordnen könnte oder sollte, gibt es eine Art Enthaltung, nämlich Enthaltung von der Selbstverständlichkeit und Sicherheit des Besitzens. Es kann sein, daß auf diese Weise gar nichts geordnet wird und alles an seinem Platze bleibt, wie es war. Was jedoch dabei gewonnen wurde, ist eine Art feiner Randkluft zwischen uns und der dinglichen Welt, der Anfang einer Distanzierung: bereits ein enormer geistiger Fortschritt, der, in seiner Verlängerung gedacht, einen Menschen neu sehend machen könnte. Solcher Gewinn würde den durch das Versäumen einer Neu-Anordnung etwa möglichen Schaden weitaus aufwiegen. Einem Typus aber, wie er damals – im Café mein' ich – von Ihnen als Bild des Pedanten nicht übel entworfen worden ist, würde jener Gewinn meilenfern bleiben, er läge wirklich außerhalb der Möglichkeiten eines solchen Typus: weil dieser seiner dinglichen Umgebung gegenüber keine Diskretion kennt. Ihren Pedanten kann ich mir ohne weiteres als geradezu rohen und schweren Asketen vorstellen. Als einen diskrete und leichte Enthaltung Übenden niemals."

Ich muß gestehen, ich staunte ihn ein wenig an; er war doch ‚sein Geld wert', wie man zu sagen pflegt, und hatte mir wirklich nicht übel repliziert; mit einem feinen Stich noch dazu, nicht mit einem Hiebe. Hier gab's nur mehr ein Argument ‚ad hominem', und ich zog es hervor:

„Na, wissen Sie, Kajetan, wenn der bewußte Pfeil Sie beim Anblicke Quapps getroffen oder der Bock Sie gestoßen hätte – ich glaub's gern, daß Sie auch viele sehr ordinäre Ausdrücke für einen solchen Sachverhalt bereit haben! – dann hätte Ihnen Ihre ‚diskrete und leichte Enthaltung' einen großen Schmarrn geholfen. Obendrein ist es mehr als seltsam, gerade Sie derartige Dinge reden zu hören. Was dort rückwärts auf dem Tisch liegt – ich meine Ihre ‚Chronique scandaleuse' – ist doch sicherlich eine Pornographie –"

„In der Hauptsache schon", warf er leicht und heiter ein, tauchte den Strohhalm in's Glas und sog daran.

In solchen Augenblicken hatte ich ihn wirklich gern. Man konnte ihm unglaublich viel sagen, ja eigentlich alles: er hörte es an, nahm es hin, erwog es sogar ernstlich. Er war einer der ansprechbarsten Menschen, die ich gekannt habe, ja, genau genommen, der einzige wirklich ansprechbare.

„Wenn sich das so verhält", erwiderte ich, „dann werde ich natürlich nur wenige Probeseiten dieses glorreichen Elaborates in meine Chronik aufnehmen, falls es jemals noch zu ihrer Fortsetzung, Redaktion und Vollendung kommen sollte. Und auf ‚starke Stellen' oder ‚große Situationen' wird überhaupt verzichtet, verstandibus, Mussjöh Kajetan? Was Sie nur für merkwürdige Vorstellungen von ‚Größe des Augenblickes' und ‚Größe' überhaupt mitunter haben . . ."

„Na ja", sagte er, lächelte wirklich gewinnend und setzte, auf das Tischlein an der Wand weisend, wo sein Manuskript lag, in bescheidenstem Tone fort:

„Na ja, freilich sind hier die Maßstäbe schon einigermaßen gehobene. . . ."

„Aus!" schrie ich, „aus! Kein Wort weiter! Ich will nichts hören. Fort mit dieser indiskreten Sexual-Pedanterie! Was ich jedoch wissen möchte, ist, warum Sie vermeinen, daß Ihnen etwas erspart geblieben sei. Sie wären vielleicht von Frau Camy losgekommen und hätten sie gar nicht geheiratet. Bei der ist Ihnen dann nichts erspart geblieben. Und daß bei Ihnen und Quapp das Fundament der persönlichen Beziehung und Bindung tragfähiger erscheint für eine Ehe und jene Aufgaben, die sie mit sich bringt, ungleich tragfähiger als das bei Ihnen und

Ihrer gewesenen Frau der Fall war, darüber kann es ja gar keine Debatte geben."

Er war stehen geblieben, gerade vor mir, Glas und Strohhalm in den Händen und beides sachte schwenkend, in aufmerksamem Zuhören. Ich endete. Kajetan schwieg. Er ‚ebbte'. Auch ich sagte nichts. Ich wartete darauf, daß er sprechen würde. Denn immer, wenn er nicht unverzüglich antwortete, sondern vorher ‚ebbte', dann geriet sein Reden gut, das wußte ich aus vieler Erfahrung. Was er nun sagte, war allerdings von äußerster Knappheit; es schien ihm zudem gar nicht leicht zu fallen; er sprach so, als geize er mit den Wörtern, als sei ihm jedes schon zu viel:

„Fundament, Ehe, Aufgaben: zum Kotzen! Ähnlich wie ‚das Leben' und ‚Sie hassen das Leben'! Na, Herr Sektionsrat wissen schon. Kein Mensch von einigem Adel kann die Beziehungen zwischen den Geschlechtern optimistisch betrachten, auch die eigenen, und seien sie die glücklichsten, nicht. Aus einem Kreuz, an das wir geschlagen sind, eine Couch zu zimmern, ist das Geschäft der Plattköpfe. Für solche ist das Geschlechtsleben freilich eine Art gehobener Konditorei, Pathétrisie statt Patisserie."

„Na, Sie selbst haben sich aber von dort in letzter Zeit einige recht fette Krapfen geholt."

„Und dabei das eben vorhin Gesagte endgültig erfahren. Den fettesten Krapfen haben Sie mir obendrein vorenthalten. Ich habe Frau Steuermann noch immer nicht kennen gelernt. Na gut, erledigt. Sie meinen vielleicht, daß ich mit Quapp ‚glücklich' geworden wäre. Abgesehen von dem Subalternen dieses ganzen Begriffes von ‚Glück' – ‚ich denke gering von der Belebung der Welt durch die Glücklichen' hat mein Lehrer Scolander einmal zu mir gesagt – abgesehen also von diesen Fragwürdigkeiten: ich wäre mit Quapp niemals glücklich geworden."

„Und woher wissen Sie das so genau?"

„Das weiß ich genau seit dem späten Herbst des Jahres 1918", sagte er, setzte sich wieder in den Fauteuil, trank aus und hielt mir sein leeres Glas hin. Als ich es neuerlich gefüllt hatte, fuhr er fort, jedoch in einem vollends anderen Tone als bisher im Auf- und Abgehen: jetzt redete er wie bei einem Selbstgespräche, halblaut und ohne mich anzublicken, tief im Fauteuil liegend, gerade vor sich hin:

„Ich blieb 1918, als der Krieg aufhörte, nach meiner Rückkehr vom Militär, nur ein paar Monate daheim. Ich bin schon im Spät-Sommer zurückgekehrt, weil ich längeren Erholungsurlaub hatte, und dann gar nicht mehr eingerückt. Es gab dort bei meiner Mutter eine Miß Rugley, das heißt, es gibt sie noch heute, als Haushälterin, früher war sie meine und danach auch Quapps Gouvernante gewesen. Eine gute Spitzmaus. Ich erinnere mich, daß sie damals, 1918, von Quapp angeschnauzt oder irgendwie abgefertigt worden ist; vielleicht war es so, daß sie Quapp Vorhaltungen gemacht hatte, wahrscheinlich wegen deren Unpünktlichkeit oder wegen irgendeiner dummen Verschwendung; das hat Quapp heute noch mitunter an sich. Ich bin im Verlauf der kleinen Szene dazu gekommen, wußte nicht, worum es sich handelt: aber ich kann Ihnen sagen, daß Quapp dabei eine Anmaßung und eine sinnlose und häßliche Arroganz hervorkehrte – und zwar irgendwie, ich möchte sagen: meisterhaft verletzend! – die mir damals wie ... wie das Auftreten eines schrecklichen Fremdkörpers im Hause erschien. Das Mädchen war höchstens siebzehn, dabei eigentlich noch eine Halbwüchsige, fast ein Kind, bedenken Sie das, Herr Sektionsrat! Ihr Gesicht – das gute, breite, runde Kindergesicht – schien förmlich herabgefallen, und ein fremder steinerner Mensch sah dahinter hervor. Dabei hatte Quapp zu jener Zeit sonst noch einen geradezu babyhaften Zug. Sie hat sich sehr verändert. Vielleicht hat sie sich allzu bewußt entwickelt. Herr Sektionsrat, wenn Sie ein Kinderbildnis von ihr sehen könnten, ich habe leider keines, eine Photographie aus ihrem sechsten oder achten Lebensjahre: sie würden schwerlich auf den Gedanken kommen, daß dieses Photo unsere Quapp vorstellt; solch ein dummer Quak-Frosch war das, ungemein herzig allerdings. Nun also. Und aus solch einem Antlitz – denn sie hatte es zu jener Zeit wesentlich immer noch, mit siebzehn noch – sah ich plötzlich ein Maximum kalter Frechheit hervorspringen. In den folgenden Tagen lag mir das gleichsam im Marke. Ich sagte nie etwas über diese Erscheinung."

„Ich kann es mir nicht vorstellen", entgegnete ich.

„Natürlich nicht. Quapp hat Ihnen wohl nie ein solches Antlitz zugekehrt. Mir ebenso wenig: nicht daß ich wüßte. Und wäre es je gewesen: ich wüßte es. Wir alle sind vielseitige Prismen: so viele Menschen uns kennen, so vielmal verschieden existieren wir. Man sagt ja auch etwa – und Sie hätten's vorhin ähnlich sagen können! – ‚den oder den kannt' ich gar nicht von einer solchen Seite'. Was ich 1918 bei Quapp gesehen habe – ein einziges Mal – das war so etwas wie die Rückseite des Mondes, welche ja unserem Blicke entzogen ist. Jedoch, Herr Sektionsrat, und nun hören Sie mich wohl an, denn das führt jetzt geradezu in's Hauptgeleis unseres Gespräches zurück! – jedoch ich vermag mir Umstände zu denken, unter welchen sich bei Quapp diese Rückseite des Mondes nach vorne kehren könnte."

„Bewahre!" rief ich.

„Doch", sagte er. „Quapp brauchte nur reich zu werden."

Ich schwieg. Ich hielt mich zurück. Eine Ahnung stieg in mir auf und lief wie ein fahler Blitz über einen Zusammenhang, ohne noch dessen Einzelheiten herauszuleuchten.

„Ja, so ist es", fuhr Kajetan fort. „Wir aber, Sie und ich, wir vermögen jetzt wirklich zu erkennen, was uns da erspart geblieben ist: von seiten Quapps nämlich. Weil sie uns liebt. Ganz einfach ist das, und es gilt für Sie und für mich. Liebe oder Schmerz treiben das Beste, was einer hat, auf die Spitze: es ist diese vorgeschrittenste Seite in Quapps Wesen gerade diejenige, welche sich uns zukehrt. Glauben Sie jedoch keineswegs, daß Quapp immer nur daraus allein besteht! Schon gar, wenn sie allein ist, wenn wir sie nicht sehen ... und gerade darum würden wir, unter bestimmten eingetretenen Umständen – die Rückseite eines um seine Achse schwingenden Mondes zu schauen bekommen, anders: Quapps bisher noch gar nicht zum Durchbruch gelangte, sozusagen zweite Biographie. Und ich glaube fest, zu der gehört der Reichtum, mindestens die Wohlhabenheit. Ich habe weder Quapps Vater, noch die Mutter gekannt. Ruthmayr war reich. Aber, nach der Schilderung meiner Eltern, könnte ich mir diesen Mann auch ohne sein großes Vermögen denken, sogar recht angenehm denken. Anders die Mutter: zu ihr gehörte sicher das Geld, das viele Geld. Sie hat es sich auch zu verschaffen gewußt, sie hat zu erben verstanden. Was ich im Herbste 1918 bei Quapp gesehen habe, ist meiner Meinung nach – dies wenigstens das Ergebnis meines Nachdenkens – das Gesicht der Claire Neudegg gewesen, das Gesicht der Charagiel."

Ich erhob mich langsam, blieb stehen, und sagte nichts als laut und deutlich:

„Ja."

Das Licht des Nachmittags hatte sich abgewandelt, es begann durch alle Tonarten sich zu ändern, fiel durch seinen ganzen

Quintenzirkel gegen den Abend zu, um im Dunkel der Nacht dann wieder anzuschließen an seinen Ausgang. Jetzt lag eine breite, goldrote Bahn im hellen Grün einiger Baumwipfel und schloß diese mit ganz andersartigem zusammen; ein Teil der Wiese und eine Parkmauer drüben gingen auch noch mit drein. Kajetan lag im Fauteuil, hatte den Kopf gehoben und sah von unten her zu mir herauf.

„Ja", sagte ich nach einigen Augenblicken des Schweigens, „es war das Gesicht der Charagiel, was Sie gesehen haben. Ich kenne es."

So also ereilte sie mich, von meinem fünfzehnten Jahre herkommend, ereilte mich weit wirksamer als Gach, der meiner Chronisterei ein Ende gemacht hatte; denn danach war ich ja noch des Glaubens gewesen, gewissermaßen souverän handeln zu können (Schaltbrett!). Jetzt aber mußte ich wohl sehen, mit wie feinem Faden ich an das Ganze der Sachen hier angenäht gewesen war von Anbeginn: nun war er herausgezogen worden, und tief und schmerzhaft spürte ich den schneidenden Zug in der Naht: sie lief zurück bis in die Zeit meiner frühen Jugend, die einzig wahrhaft entscheidende Zeit, die der Mensch durchlebt, da mag er mit seinen späteren Entschlüssen rasseln, wie immer er will: sie fassen doch nur eine ‚materia signata', einen vorbezeichneten Stoff, wie das die Scholastik nennt.

Ich war auch einer von den ‚Unsrigen', nichts weiter.

„Erlauben Sie mir einen Gedankensprung", sagte Schlaggenberg jetzt ruhig, und senkte den Blick wieder auf die ockerfarbene Fläche des Fußteppichs. „Mein Schwiegervater, der Medizinalrat Schedik, einer der besten und gerechtesten Menschen, die ich je gekannt habe – wie ich heute wohl weiß – hat bei einer unserer letzten Unterredungen zu mir gesagt: ‚Kajetan, nichts will ich dir verübeln, über nichts will ich richten. Aber daß du aus meiner guten Camy eine aufgehetzte, fanatische Jüdin gemacht hast: dieser Schaden bleibt dein Werk.'"

„Das erzählten Sie mir gar nicht, damals im Dezember, als wir uns nach so langer Zeit wieder trafen, auf dem Weg an den Weinbergen entlang. Ja. Es war noch im alten Jahr. Aber worauf wollen Sie jetzt hinaus mit diesem sicher zutreffenden Worte des Medizinalrates?"

„Es war nicht zutreffend. Das möchte ich gleich sagen. Camy war nie ‚aufgehetzt und fanatisch', nicht einmal in ihrer schlimmsten Zeit. Sie war nur friedliebend. Sie wollte und mußte ihren Frieden kaufen, um jeden Preis, auch um den von Kompromissen innen und außen, die immer neu meinen Verdacht erregten. Sie mußte ihren Frieden so kaufen. Sie mußte, verstehen Sie?! Die Arme. Sie war Aufregungen überhaupt nicht gewachsen; und was geistige Spannung ist, blieb ihr ja unbekannt. Sie wußte nichts davon, und hätte sie's gewußt, sie hätte es nicht wollen. Ihr Arzt – der Alte hat sie nie behandelt, wenn sie krank war – sagte einmal, Camy habe, anatomisch gesehen, für ihren Körper ein zu kleines Herz. Merkwürdig genug. Jedoch, nun komm' ich erst auf den springenden Punkt und damit auf Quapp. Es scheint, nach allem, in mir eine Fähigkeit, oder sagen wir meinetwegen die Sucht zu sein, einen anderen Menschen auf das zurückzuwerfen, was er wirklich und im tiefsten Grunde ist: das stelle ich gleichsam von vornherein als polemische Konstruktion auf und möchte dann eine Entscheidung erzwingen. Bei Camy war jene Konstruktion falsch, und ihr ‚endliches Farbebekennen‘, wie ich's wollte, nichts als ein desperater Krampf, dessen Erscheinungen, meiner Ansicht nach, der alte Herr zu direkt aufgefaßt hat ... Jedoch, allen Ernstes, bei Quapp meine ich auf der rechten Spur zu sein, seit jenem Tag da unten in der Steiermark, im Spätherbst oder Frühwinter 1918. Seit damals lieg' ich gleichsam auf der Lauer, tief in mir drinnen ist es nämlich so. Es gilt nicht, die Charagiel zu vergessen, und es genügt mir keineswegs, wenn ich sie bloß nicht zu sehen bekomme. Im Gegenteil. Sie muß herausgetrieben werden. Alles andere muß einmal beiseite fliegen, die Geige und die Geschwisterliebe. Sehen Sie, deshalb wünsche ich jetzt in diesem Augenblick wirklich heftig, daß Quapp in den Reichtum gerate: damit sie Farbe bekennt; und wären's gleich die Charagiel'schen Farben, die dabei sichtbar würden. Seien Sie, Herr Sektionsrat, versichert, daß egoistische Wünsche bei mir in diesem Falle eine nur untergeordnete Rolle spielen: wenngleich ich sehr genau weiß, daß Quapp mich im Reichtum trotz allem nicht vergäße, ja, dann erst recht nicht und sehr im Gegenteile."

Noch wunderte ich mich in bezug auf das, was er über seine gewesene Frau gesagt hatte: irgend etwas schien da mit ihm vorgegangen zu sein ...? Fast nur um Zeit zu gewinnen, äußerte ich das Folgende:

„Ihre Sucht, Kajetan, den anderen Menschen auf sein eigentliches Wesen zurückzuwerfen, wie Sie sagen, scheint mir aber stark auf's Negative gerichtet zu sein."

„Ja", erwiderte er unverzüglich. „Nur die volle Präsenz dieses Negativen ohne alle Retouchen ermöglicht die Entscheidung."

Ich zuckte mit den Achseln. Was sollte ich auch sagen. Er wußte auf alles eine Antwort.

Ich stand noch immer vor ihm, zwei Schritte von seinem Fauteuil, die Hände in den Taschen, und blickte zu ihm hinunter.

„Quapp soll also reich werden. Ja, sie muß es. Ja!" Kajetan erhob sich. Er sprach jetzt lebhafter, lauter. Wir standen einander gegenüber. „Ich sage Ihnen, Herr Sektionsrat, es ist einfach unerläßlich zur Komplettierung dieser Figur! Fort mit dem Vor-Charakter! Von nun an wird mein Interesse stärker sein als meine Trägheit: ich hab' meinen Motor gefunden. Aber sagen Sie mir nur dieses eine: wir wissen jetzt weit, weit mehr als vor Wochen und Monaten; zudem durfte ich offen zu Ihnen sprechen; und obendrein haben wir Gach: und das ist wohl am wichtigsten! Aber: was sollen wir jetzt tun? Was ist wirklich und wirksam zu tun?!"

„Gar nichts", antwortete ich langsam. „Durchaus nichts. Quapp ist bereits bezüglich der Erbschaft verständigt worden. Das hat sie mir selbst am Donnerstag telephonisch mitgeteilt."

Schlaggenberg sagte kein Wort. Im Vorzimmer klingelte der Apparat. Man hörte Maruschka's Stimme, dann kam sie zu meiner Tür gelaufen und klopfte:

„Herr Sektionsrat werden S' an den Telephon verlangt. Eine Herr Kak."

„Wie heißt der?!" rief mir Kajetan nach, als ich hinausging.

Es war Alois Gach. Er rief an, wie er am Sonntag vor acht Tagen versprochen hatte, da er sich heute wieder für kurz in Wien befinde. Zwei Einzelheiten seien ihm hintnach eingefallen, zu seinem Bericht, jenen Herrn Kammerrat betreffend, die könnte er mir noch erzählen. Leider sei's bei ihm etwas knapp, was die Zeit beträfe. Ich ersuchte den Wachtmeister, sich auf meine Kosten ein Taxi zu nehmen und herauszufahren, meine Wohnungsadresse habe er ja; und den Wagen möge er gleich unten vor dem Haustore warten lassen. So ließe sich wohl eine halbe Stunde erübrigen. Gach war's zufrieden.

„Es war Alois Gach", sagte ich, in's Zimmer zurücktretend, zu Kajetan, „Lupus post fabulam. Ich habe ihn hierher bestellt. Hoffentlich ist's Ihnen recht."

„Na, freilich", sagte Kajetan. „Den muß ich doch kennen lernen."

„Jetzt eines, bevor er kommt: denn bald wird auch Quapp kommen, wenngleich mit ihrer Unpünktlichkeit gerechnet werden darf. Wie weit soll Quapp unterrichtet werden, Kajetan, was soll sie wissen?"

„Alles. Wahrscheinlich hat sie's schon von dem Notar oder Rechtsanwalt gehört, der sie verständigt hat. Und wenn nicht, dann werden wir ihr alles sagen. Übrigens wurde das auch von der famosen Anny empfohlen, und die ist mir in dieser Sache irgendwie kompetent."

„Schnell, bevor Gach kommt: Sie haben mir eigentlich nichts darüber gesagt, wie es mit Ihren verdammten ‚Dicken Damen' so rasch zu Ende gegangen ist, oder: wie diese Wursthaut einer zweiten Wirklichkeit plötzlich platzte, um mit Stangeler zu reden; denn Sie wissen ja wohl, daß Sie vorhin Stangelers Ausdrucksweise für einen solchen Sachverhalt gebrauchten?"

Während des Sprechens schob ich zwei Banknoten in einen Briefumschlag, die etwa dem Fahrpreis eines Taxi von der Haltestelle der Lokalbahn nach Schwechat – Gach hatte mir gesagt, daß er sich in dieser Gegend befinde – bis hierher und wieder zurück entsprachen.

„Freilich weiß ich das", sagte Schlaggenberg. „René besitzt mitunter jene epigrammatische Kürze, deren Sie ermangeln. Ihr Stil ist allermeist ganz aufgekraust, wie eine mündliche Erzählung. Warum soll ich nicht eine von Stangeler gefundene Formel verwenden? Ich lege keinen so gesteigerten Wert auf Originalität."

„Gut", sagte ich, „formulativ" (alsbald fuhr er rasch mit dem Zeigefinger um den Hals, mit Verlängerung nach oben). „Aber sagen Sie mir: hat sich jene Wandlung unten, als Sie bei Ihrer Mutter waren, vollzogen? Ich glaub' ich wußte es gar nicht, daß Sie reisen wollten. Hatten Sie diese Absicht schon am Samstag beim Tischtennis-Tee?"

„Ja. Sie haben es wohl überhört. Meine Mutter hat mir geschrieben, ich möge zu ihr kommen. Sie hatte nicht lange vorher von dem Ableben der Charagiel erfahren – also nach einem

Vierteljahr erst – und wollte offenbar auch über diese ganzen Sachen mit mir sprechen."

„Und dort, den Heimatboden unter den Füßen, also erdverbunden, lösten Sie sich von den ,Dicken Damen' los?"

„Alles Unsinn", sagte er. „Der Brief meiner Mutter ist nur a tempo eingetroffen, er hatte mir sozusagen gerade noch gefehlt. Darin schrieb sie auch schon von der Charagiel. Ich hatte überhaupt den Eindruck, daß die Mama von mir erwartete, ich würde nunmehr etwas für Quapp tun; offenbar mußte da ihrer Meinung nach irgendwas geschehen: jetzt nämlich, nach dem Tode der Gräfin. Das war aus ihren Reden da und dort herauszuhören, wenn sie es auch nicht geradezu aussprach. Dabei: eigentlich kein Wort gegen Levielle. Nun, jetzt ist das überflüssig. Es braucht nichts mehr getan zu werden, weil alles schon geschehen ist. Der Herr Sektionsrat haben das schon zu Mariae Verkündigung auf dem Graben besorgt, durch Abgabe eines Schreckschusses gegen den Kammerrat Levielle. Nun zu den ,Dicken Damen': Abschluß der ,Chronique Scandaleuse', eigentlich Nach-Bericht zu dieser. In aller Kürze: es gibt eine Dame, sie heißt Frau Mary K. und wohnt im gleichen Haus wie die Siebenscheins, ist auch mit der Grete befreundet" (es folgte nun eine, wie ich später gesehen habe, recht zutreffende Charakteristik). „Ich werde im übrigen dafür sorgen, daß Sie im Hause der Frau K. eingeführt werden, Herr Sektionsrat, es ist der Mühe wert, sage ich Ihnen. Ich selbst bin vor einiger Zeit dorthin gekommen, als ich noch ganz zwischen meinen Dicken Damen steckte und sehr mit ihnen beschäftigt war, ich hatte alle Hände voll zu tun –"

„Kajetan", sagte ich, „Ihre Ausdrucksweise ist manchmal indiskutabel. Wenn das in jenem Manuskript, welches Sie mir gebracht haben, sich auch so verhält, werde ich ja fast alles streichen müssen und nur winzige Proben aufnehmen können."

„Streichen Sie", sagte er. „Es verhält sich dort meistens noch weit ärger. Groß- und Nah-Aufnahmen, verstehen Sie? Die Objekte sind ja auch nicht eben geringfügig –"

„Aufhören!" rief ich.

„Gut, aufhören. Streichen Sie. Sie können auch das Ganze in den Papierkorb werfen. Mir ist's gleichgültig. Es hat seinen Lohn dahin. Als ich Frau Mary zum ersten Mal erblickte, erkannte ich eine tiefe Trübung meines Auges. Ich wußte um ihre

Vortrefflichkeit, ich wußte diese anwesend, ich wußte, wen ich vor mir hatte: dennoch konnte ich sie nicht eigentlich sehen. Verstehen Sie das? Die Apperzeption blieb flach, etwa wie ein flacher, hastiger Atem. Das Wahrgenommene drang nicht durch, es drang nicht in mich ein. Ich fühlte mich wie verhornt, wie verkrustet. Jede wirkliche Apperzeption ist nicht nur eine Berührung und oberflächliche Vermischung zwischen Innen und Außen: sie ist vielmehr eine Durchdringung beider, ja, mehr als das, ein chemischer Vorgang, eine Verbindung, eine ‚chymische Hochzeit' zwischen uns und der Welt, bei welcher wir eigentlich die weibliche Rolle spielen müssen. . . . Ich aber vermißte in eben diesen Augenblicken die Fähigkeit, noch durchdrungen zu werden. Es war nur eine Art Angrenzung oder Anrainung: in dieser Form nur mehr vermochte ich zu apperzipieren. Und ich mußte erkennen, daß ich meine geschlechtliche Unvoreingenommenheit verloren hatte und in einer zweiten Wirklichkeit – oh Stangeler! – lebte, wie eben jeder, der einem ‚Typ' nachjagt, dem Popanz seiner eigenen nach außen verlegten Sexualität: eine ständige Vorwegnahme, die niemals eingeholt werden kann. Es hat schon seinen Sinn, warum ich die Frau Steuermann nicht habe kennen lernen dürfen! Und wahrscheinlich wäre es mir – nehmen wir einmal an, sie sei wirklich ein Ideal- oder besser Real-Bild meiner Wünsche – ihr gegenüber ganz ebenso gegangen: ich hätte sie nicht im eigentlichen Sinne wahrgenommen, ja, ich hätte sie nicht erkannt. Die ‚lusterstarrte Brücke zur Außenwelt', wie Scolander einmal sagt, sie wäre nie geschlagen worden. Denn das Geschlecht – es ist unser gewaltigstes Ausfalls- oder eigentlich Einfallstor der Apperzeption, und bei wem sich dieses Fenster trübt, bei dem werden auch alle anderen bald den grauen Star kriegen, und er wird in allen Sachen nur mehr durch den verquer ausgeschnittenen Schlitz irgendwelcher Programme blicken, irgendwas vorwegnehmend, was sein soll. Am Ende nennt er's ein Ideal. Nein, ich werde Frau Steuermann nie kennen lernen, und ich will es auch gar nicht mehr. Nein, ich habe im Kampfe schmählich versagt, bei Camy, und auf der Flucht erst recht. Das alles hat mich die Begegnung mit Frau Mary K. gelehrt. Wohl, der Unsinn dauerte dann noch weiter, sozusagen aus Pedanterie, aus Vollständigkeitswahn, wie er bei den Briefmarkensammlern herrscht. Und am Schlusse wurde es ganz schlimm. Ich war da in eine Art Idioten-Hölle geraten –

siehe Manuskript! Oh, Scolander! Wie sagt er? ‚In Wahrheit wissen wir den mahnenden Reiz sehr wohl zu würdigen, welcher in der Gegenüber-Stellung des Unbelehrbar-Materiellen und des spirituell Gesonnenen liegt.' Und dann kam der Brief meiner Mutter. Damit platzte die Blase ganz, welche ich über meinen Kopf gezogen hatte. Nicht, daß ich dies alles schon ganz und gar hinter mir hätte! Ich denke oft an Frau Steuermann. Aber durchaus als an ein Ziel, zu welchem ich den Weg mir selbst für immer verlegt habe."

„Das alles hörten Sie von mir an einem Frühlingstage im Café." Ich war rechthaberisch genug, ihm das noch einmal zu sagen.

„Ja", antwortete er. „Aber Sie wurden, statt genau, feierlich, und das verträgt unsereiner unter gar keinen Umständen."

„Mag sein", sagte ich; und ich sah's jetzt wirklich ein.

In diesem Augenblick fuhr unten ein Auto vor, und bald danach klingelte Gach an der Wohnungstür. Ich eilte ihm in's Vorzimmer entgegen (Maruschka hatte schon geöffnet), und nachdem ich dem Wachtmeister rasch meinen Briefumschlag mit dem Fahrgeld aufgenötigt hatte, begleitete ich ihn hinein.

Ich machte ihn alsbald mit Schlaggenberg als Bruder Quapp's bekannt, und beobachtete, wie Gach beim Händeschütteln Kajetan ansah: vielleicht fiel ihm das Fehlen jeder Familienähnlichkeit auf.

Da dem Wachtmeister der Whisky nicht zu lächeln schien, brachte ich ein Glas Wein herbei.

Bei diesem erzählte Gach sodann zwei Einzelheiten, unwichtig genug, wie er vermeinte, mir indessen schien's nicht so, was den ersten Punkt betraf. Es seien, sagte er, ein paar Jahre nach dem Kriege bei allen jenen Kameradschaftsverbänden der alten Regimenter, die sich überall gebildet hatten, zahlreiche Anfragen durchgelaufen nach gefallenen, vermißten und gefangenen Kavalleristen. Da habe es nun auch eine solche gegeben von seiten eines Generalstabsarztes mit dem gleichen französischen Namen wie jener Kammerrat; gefragt sei worden nach einem Unteroffizier namens Lach vom 7. Dragoner-Regiment, und zwar ohne genaue Angabe der Charge. Er, Gach, habe dann, gelegentlich eines kurz danach stattgehabten Kameradschaftsabendes, dem Schriftführer gesagt, er wisse mit Sicherheit, daß dieser Mann beim Dragoner-Regiment Nummer 7 gefallen sei, denn man habe es ihm damals zufällig geschrieben. Er selbst sei ja zu jener Zeit schon wieder bei seinem alten Stammregiment, Nummer 4, gestanden, wo er vor dem Kriege aktiv gedient habe. Der Schriftführer, sagte Gach, wollte diese Mitteilung bald danach schon weitergeleitet haben. Hintnach erscheine ihm, meinte der Wachtmeister, doch merkwürdig, daß der Kammerrat ihn im Vorzimmer stets mit ‚Lach' angeredet habe, und daß dann nach einem Lach gefragt worden sei, der ja auch auf dem überbrachten Testament als Zeuge unterschrieben habe. Dieser Korporal Lach, ein Wiener, sei des Herrn Rittmeisters Ruthmayr Eskadrons-Trompeter gewesen.

Kajetan hörte Gach mit der größten Aufmerksamkeit zu, was ja verständlich erscheint.

Dann, erzählte Gach, sei ihm noch etwas in die Erinnerung getreten: nämlich wie der Kammerrat das Testament eingeschlossen habe, und wo. Er habe das wartend vom Vorzimmer aus sehen können, denn die Türe, welche nicht ganz zugemacht worden sei, habe ihren Spalt allmählich wieder erweitert, und durch diesen sei der Herr Kammerrat zu sehen gewesen, im anliegenden Raum am Ende des Vorzimmers: und zwar vor einem riesigen altertümlichen Sekretär stehend – „so ein rechtes und echtes antikes Stück", sagte Gach. Auffallend wäre es gewesen, daß eine kleine Lade heraussprang – ganz schnell – rechts an dem Möbel, als der Kammerrat die Hand nur einfach an die schmale Seite etwa in halber Höhe gelegt habe. „Solche alte Handwerks-Stücker, das sind oft reine Wunderwerk'. Wird schon was von der Art g'wesen sein."

Nun gut. Seine Zeit war abgelaufen, er mußte gehen, und wir verabschiedeten uns auf das herzlichste von ihm, ich meinerseits mit der Bitte, mich wiederum telephonisch anzurufen, wenn er nach Wien käme. Als ich mit Gach in's Vorzimmer trat, klingelte es, Maruschka öffnete vor Quapp die Tür und knixte.

Kajetans Schwester und der Wachtmeister tauschten einen herzlichen Gruß. Sie waren ja einander seit dem 15. Mai noch einmal begegnet. Als die Wohnungstür hinter Gach sich geschlossen hatte, gingen wir hinein und sahen in meinem Zimmer Kajetan mit dem Rücken gegen uns stehen, an meinem Schreibtisch, augenscheinlich in sich versunken, denn er beachtete unseren Eintritt nicht sogleich.

Als er sich herumwandte und Quapp erblickte, begann er zu lachen, trat auf sie zu, umarmte sie und fragte: „Na, Quapp-Frosch, wieviel hast geerbt?"

„Zweihundertundfünfzigtausend Schilling", erwiderte sie prompt, und ihr Mund ging dabei fast vom einen Ohre bis zum andern. Kajetan fragte mit einem kurzen Blick bei mir an, was ich denn dazu meine. Aber ich war durch die, im Verhältnis zu meinen Annahmen, ganz unglaubhafte Geringfügigkeit des Betrages vollends aus jedem Konzept gebracht.

„Und von wem hast geerbt?" fragte Schlaggenberg.

„Von einem Freiherrn Achaz von Neudegg, eine mir ,im höchsten Grade unbekannte' Persönlichkeit."

„Der ,lupus' war doch nicht ,post fabulam'", sagte Kajetan zu mir, und zu Quapp: „Der Baron Neudegg war dein Großvater."

Sie begann schallend zu lachen. „Meinetwegen meine Urgroßmutter – die Hauptsache ist: wir sind zunächst außer Sorgen gesetzt."

Noch standen wir. Ich nötigte zum Sitzen und schenkte ein. Das Eis, zum größten Teile schon geschmolzen, gab kaum mehr gaumig-muschlige Laute im Kühler. Quapp hatte es wirklich vermocht, ihre Verspätung fast bis zum Einbruche der Dämmerung auszudehnen. Sie trank auf einen Zug den Becher leer, und noch einen: Whisky hat sie immer gern gemocht. Es begann grau zu werden. Ich schaltete das Licht ein und ließ das Fenster offen.

Wir sagten ihr dann alles. Es schien übermäßigen Eindruck auf sie nicht zu machen. Vielleicht verblieb alles das für sie noch im Unanschaulichen, prallte ab von der Oberflächen-Spannung der Gegenwart. Neuigkeiten müssen erst mit uns schlafen, um es recht eigentlich zu werden, die guten wie die schlechten. Quapp's Mund öffnete sich nicht vor Staunen – was sonst bei ihr nicht selten war. Sie sagte zu Kajetan:

„Deswegen bleibst du doch mein Bruder."

„Na freilich, Quapp-Frosch", sagte er, stand auf, ging zu ihr und küßte sie.

Was zu geschehen hätte? Und ob etwas geschehen könnte? – das wurde nun allerdings erörtert, und ohne Ergebnis, wie man sich leicht denken kann. Quapp, wenngleich zunächst alles von ihr abgeprallt zu sein schien, saß jetzt doch bereits wie unter einem Gusse. Auch mit uns war es ähnlich. Sie fragte mich nach der Höhe jenes vermutlichen Erbes; was konnte ich schon wissen? Jedenfalls mußte es sich um Millionen handeln; vielleicht sogar um einige; um viele; um zwölf bis fünfzehn meinetwegen. Nun war der Eindruck bei ihr unverkennbar: die phantastische Vorstellung wirklichen Reichtums schien sie anzuwehen. Ihre Gesichtszüge erstarrten ein wenig, sie blieben gleichsam stehen wie eine Pendel-Uhr etwa, die man für Augenblicke anhält. Vielleicht steckte bei ihr noch irgend etwas anderes dahinter, ein geheimer, ein mir ganz unbekannter Gedanke.

„Kajetan", sagte sie, „dann wirst du der ‚Allianz' was pfeifen, und lieber dein großes Buch fertig schreiben, für das du in Deutschland schon den Verleger hast."

„Es wird nichts anderes übrig bleiben", sagte Schlaggenberg. „Denn die ‚Allianz' wird mir ihrerseits bald etwas pfeifen, ja, sie wird mir sogar, wie die Deutschen zu sagen pflegen, ‚einen Marsch blasen', meinen Ausmarsch nämlich, mein Exit. Dafür würde der Herr Kammerrat schon sorgen. Und selbst wenn er das nicht geradezu täte – ohne den Rückhalt von seiner Seite bin ich dort auf jeden Fall erledigt, und fliege weit rascher hinaus, als ich hineingelangt bin. Ich glaube, das wird auf jeden Fall geschehen: und wäre sogar ein gutes Zeichen in unserer Sache."

„Durchaus", sagte ich.

Sodann fragte ich Quapp nach ihrem gestrigen Vorspiel bei dem Dirigenten, wie denn das verlaufen sei und mit welchem Ergebnis? Es war geradezu so, als hätte ich mit meiner Frage eine andere Beleuchtung in ihrem runden Gesicht eingeschaltet und aufgehen lassen: Quapp wurde träumerisch, ja, elegisch; dabei sagte sie mir glatt und wie nebenhin, daß sie gestern einen totalen Mißerfolg gehabt, eigentlich eine Art Zusammenbruch erlebt habe; einen solchen ihrer ganzen bisherigen Geigerei. (Auf Kajetan schien das alles wenig Eindruck zu machen.) „Es hat sich viel für mich geändert, gestern", sagte sie und schwieg eine Weile. Übrigens wolle sie übersiedeln, die Eroicagasse verlassen. „Diese Eroicagasse war nichts als ein bestechender Traum." „Das könnte man vom ganzen ‚Döblinger Montmartre' sagen", meinte Schlaggenberg. „Und von Ihren Dicken Damen", bemerkte ich ungeniert. Quapp lachte. „Wohin willst' denn übersiedeln?" fragte Kajetan. „Na, es gibt hier überall genug Zimmer." „Ich will nicht in Döbling bleiben", antwortete

Quapp. „Am liebsten würd' ich in's Hietzinger Villenviertel ziehen." „Also ganz soigniert bürgerlich", sagte Kajetan lachend. „Ja", bestätigte Quapp, wie abschließend, und fügte nichts mehr hinzu. Eine derartige Bemerkung Kajetans hätte sie vor ein paar Monaten noch alarmiert, zu einem Widerspruch und einer Verteidigung veranlaßt, ja, in Harnisch gebracht. Es schien sich bei ihr in der Tat viel geändert zu haben.

Ich erlaubte mir noch einiges zur Sache zu erinnern, denn Quapp hatte natürlich überhaupt keine blasse Ahnung von jenen Dingen – der Valorisierung in England freigegebener Vermögenswerte nämlich – und bei Kajetan sah's fast ebenso aus. Ich aber hatte mit diesen Sachen ja zu tun gehabt, wie man weiß, und meine nicht eben ungünstige materielle Lage beruhte auf ihrer 1925 und 1926 bereits erfolgten Erledigung. Bei alledem lag ein österreichisches Gesetz vom Jahre 1921 zugrunde, das seinerseits auf den Artikeln 248 und 249 des Staatsvertrages von St. Germain beruhte, und einem heute, im Rückblick, fast wie einer der Anfänge totalitären Regimes erscheinen kann . . . nun, genug: es hat sich zum Glück ein Grazer Rechtsgelehrter gefunden, Herr Doktor Kronegger – ein Wohltäter aller mit diesen Sachen Befaßten! – der den Text kommentiert und diese ganze ‚noch sehr flüssige Rechtsmaterie' (so drückt sich jener Jurist in seinem Aufsatze treffend aus) erstmalig übersichtlich für die Praxis dargestellt hat. Ihm folgte ich, ja, fast wörtlich (ich hatte die Abhandlung zur Hand, wo England an erster Stelle behandelt war), und zitierte:„, , . . . England hat für den Clearing nach Artikel 248 des Staatsvertrages von St. Germain optiert. Das Wesen dieses Clearingsystems besteht darin, daß ein Staat vom anderen den Saldo aus den Schulden und Forderungen seiner Angehörigen gegenüber den Angehörigen des anderen Staates zu fordern oder zu bezahlen hat. Durch dieses System wird der Kontakt zwischen inländischen Gläubigern beziehungsweise Schuldnern und ausländischen Schuldnern beziehungsweise Gläubigern unterbrochen, an ihre Stelle treten nach außen hin kollektiv die beiden Staaten, zwischen welchen die Geldverbindlichkeiten geregelt werden sollen. Die Privatschuldner und -gläubiger werden somit Schuldner und Gläubiger des Staates, welchem sie angehören . . . . Die Anmeldung von Vorkriegsschulden und -forderungen ist unter Strafsanktion gestellt, der österreichische Staat hat das größte Interesse, insbesondere die Vorkriegsforderungen voll zu erfassen, um dadurch eine Verbesserung seines Saldos zu erreichen ...' Und jetzt, Kajetan", sagte ich, „möchte ich wissen, wie er da durchkommen soll, der Herr Kammerrat! Wenn er gleich selbst in der Handelskammer sitzt oder im Österreichischen Abrechnungsamt säße, und weiß der Geier wo sonst noch! Durchkommen, meine ich – zu einem Privatclearing. Er hat lange gezögert und jahrelang gewartet, um die geübte Praxis zu studieren: das versteht sich von selbst. Er hat sicher seine Exponenten auch in England sitzen. Aber ich sage Ihnen, so ein paar Urkundenfälschungen wären dabei das wenigste, und auch die wären unumgänglich, obwohl er den unerhörten Vorteil hat, Testaments-Vollstrecker und Verlassenschafts-Kurator zu sein, oder wie man da schon sagt. ... Freilich kann man einen Gerichtsbeschluß fälschen, eine Erbserklärung fälschen, technisch ist das ohne weiteres möglich, und wahrscheinlich gar nicht sehr schwer. Aber, obwohl ich nicht den Vorzug genieße, mit dem Herrn Kammerrat näher bekannt zu sein: dieses eine glaube ich mit Sicherheit zu wissen, daß er nie etwas aus der Hand geben wird, das man irgend gegen ihn dann gebrauchen könnte. Wenn irgend etwas dieser Art geschehen soll, dann wird es ein Strohmann machen müssen: ein desperater Strohmann, möchte ich fast sagen; nur ein solcher wird es tun. Lasch, als er hier war, hat mir fast diesen Eindruck gemacht. Jedoch kann der das gar nicht. Das kann nur ein bestallter, praktizierender Jurist. Und an diesem Punkt bin ich mit meinem Latein zu Ende, um so mehr, seit ich von Gach weiß, daß Quapp's Vermögen ein gesondertes Depot bildet, daß es als solches in dem ergänzenden Testament erwähnt worden ist, daß es anderswo liegt. Es ist also nicht mit der großen Ruthmayr'schen Erbmasse valorisiert worden, und etwa Frau Friederike, der Witwe, zugute gekommen. Genug. Es ist ganz unmöglich, das Loch zu sehen, durch welches der Herr Kammerrat schlüpfen will."

Kajetan, der mich wohl verstanden hatte, wie ich aus einigen seiner nun folgenden Bemerkungen erkannte, verstummte bald. Quapp hatte den Mund offen: allerdings wortlos, nur staunend. Sie begriff von alledem nichts. Ihre sozusagen habituelle Unwissenheit bewährte sich wieder einmal. Wir sprachen sodann fast nichts mehr; will sagen: wir zerredeten die Sachen nicht. Solches war unmöglich. Es fehlte uns jede Grundlage dazu. Wir befanden uns gegenüber einem gähnenden schwarzen Loch eigener Unkenntnis.

Die Geschwister gingen, um irgendwo das Abendessen einzunehmen. Ich wollte nicht mithalten, sondern jetzt allein sein. Ich blieb. Ich begleitete die beiden zur Tür und kehrte in mein Zimmer zurück.

Durch's offene Fenster war das Jaulen eines Straßenbahnzuges zu hören, der gegen die ‚Hohe Warte' zu bergan fuhr.

Ein Windhauch belebte ein wenig die Platte des Schreibtisches, er ließ die Papiere wippen.

Die Luft war warm.

Ich sah gegen die Zimmerdecke, dort wo sie mit der Wand zusammenstieß, in die obere Kahlheit des Raumes, wohin man ja nicht eben häufig schaut: und in diesen Augenblicken bewohnte mich etwas wie ein befremdlicher Anflug, und zugleich doch wie eine Erinnerung aus den Tiefen der eigenen Kindheit. Es hatte in der Villa meiner Eltern neben der großen Waschküche und dem Trockenboden zwei leere Zimmer gegeben, in welchen man die Plättbretter, die ‚Bügelladen' aufzustellen pflegte, um die Wäsche zu bügeln. Auf diese kahlen Räume bezog sich ein Traum meiner Klein-Buben-Zeit, und in diesem Traum waren es zahllose solcher Kammern, durch die ich eilends irrte: in einer von ihnen aber mußte – etwa so wie der Minotaurus in einem der Gänge des Labyrinths auf Kreta! – ein Geschöpf hausen, das wie eine mächtige Spinne an der Decke oben saß, grad wo diese mit der Wand zusammen stieß. Das Geschöpf bestand jedoch aus Holz und Drähten. Es hatte auch einen Namen. Ich rang danach, ihn jetzt wieder zu finden, ganz vergeblich. Mir wurde aber dabei doch mehr und mehr so zumute, als hätte mich etwas ganz Fremdes betreten, was durchaus nicht von mir her kam, und also gar keine Kindheitserinnerung sein konnte. Ein Fremd-Gang. Jetzt fiel mir ein, daß René Stangeler seine seltsamen Exkursionen in entlegene Stadt-Teile so zu nennen pflegte. Damit war alles verschüttet. Es versank.

Am Schreibtisch blätterte sich durch einen stärkeren Luftzug mein Notizblock ein wenig auf. Als ich hintrat, sah ich daneben den Brief liegen, den Camy von Schlaggenberg an mich aus London geschrieben hatte. Jedoch lag das Schreiben in seinem Umschlag nicht mit der Anschrift nach oben, sondern verkehrt, so daß es die Absender-Adresse wies (kein Engländer schreibt übri-

gens diese rückwärts auf einen Brief): Camy von Schlaggenberg, 110 (so etwa war die Hausnummer), Albert Bridge Rd.,
London S. W. 11, England.

Nun, meinetwegen denn: jetzt wußte er ihre Adresse. Mich
hatte er nie danach gefragt. Und ich hätte sie ihm auch nicht
gegeben.

Am folgenden Tage traf ein Billet Frau Friederike Ruthmayr's
bei mir ein, darin sie mich zum Tee bat, für Montag.

Dieser Tag – es war der 30. Mai – fand mich morgens auf
der Schanze, überaus zeitig, denn obwohl sich doch das Jahr
der Sonnenwende näherte, war's noch nicht recht hell. Ich stand
an der Mauerkrone und blickte hinaus. Was ich dabei vor Augen
hatte, sah ich wie eine Erinnerung an meine erste morgendliche
Anwesenheit hier, und nicht so sehr als ein von außen gegen
mich heranstehendes Bild. Der Himmel war diesmal nicht lack-
rein, die Sonne brach schließlich durch gekraustes kleines Gewölk, das dabei ungemein kompakt und plastisch erschien. Wiederum war's, als hätten die Vogelstimmen im Augenblicke des
Aufganges eine Generalpause gemacht, um dann noch kräftiger
einzusetzen.

Es blieb übrigens der letzte meiner ‚Schanzen-Gänge'.

In den ersten Sonnenstrahlen stehend, bemerkte ich, daß ich
heute hier nicht allein sei.

Etwa dreißig Schritte rechts von mir sah jemand gleichfalls
dem Sonnenaufgange zu.

Als dieses Schauspiel dann erblaßte, kam der Mann langsam
die Schanze entlang, gegen das Ende der Pokorny-Gasse, wo
ich stand, und passierte mich schließlich im Abstande von etwa
zehn Schritten, ohne mich zu beachten. Es war Stangeler. Ich
rief ihn an und hatte den Eindruck, daß er über die Begegnung
erfreut sei.

Was er denn hier mache zu so früher Stunde? fragte ich.

„Und Sie, Herr Sektionsrat –?" entgegnete er.

„Na ja . . .", sagte ich, „ich wohne hier in der Nähe, Sie aber
haben doch über eine Stunde zu gehen vom dritten Bezirk herüber. . . ."

Er könne sich ja nach Tisch heute hinlegen, meinte er, nichts
hindere ihn daran; in der Tat sei er sozusagen kurz nach Mitter-

nacht aufgestanden. Man müsse eben mitunter den Augenblick ergreifen (was das für ein Augenblick gewesen sei, sagte er mir nicht). Die Sonne war neuerlich durchgebrochen, und wir begannen in ihrem angenehmen Scheine entlang der Mauerkrone auf und ab zu gehen. Die Streifen vom Rauch unserer Zigaretten rochen seltsam frisch und rein in der Morgenluft.

Ich wußte – durch meinen vergeblichen Anruf bei ihm – daß er verreist gewesen sei, und befragte ihn. René erzählte mir dann knapp alles, was schon bekannt ist – von Herzka, der Burg in Kärnten, der Entdeckung, dem Honorar und seinem Vertrag. In bezug auf Jan Herzka (dessen ich mich vom Tischtennis-Tee bei den Butzenscheiben genau entsann) sprach er ganz offen, beziehungslos, ich möchte sagen ‚klinisch'. Er bemerkte auch unter anderem: „Diese Sache kann keinen Bestand haben, sie wird platzen, wenn sie einmal ihr Maximum an Detaillierung und sozusagen phantasmagorischer Ordnung erreicht hat. Die Hauptsache bleibt jene Handschrift." Dann sprach er von Williams und von Professor Bullog. Schließlich von Grete.

Auch hier schien sich viel geändert zu haben. „Mit Lasch geht es bergab", sagte er. „Dieses leuchtende Beispiel der Erwerbstüchtigkeit und der Fähigkeit zur Versorgung einer Tochter wurde mir sozusagen immer stumm entgegen gehalten. Daß es dort jetzt ganz bedrohlich hapert, ist für mich von Vorteil." Während seiner Abwesenheit, so erzählte Stangeler dann, habe es am Althanplatze ein paar erhebliche Krachs gegeben, mit Titi natürlich, die ein Geschrei erhoben habe, weil Lasch den Wagen verkaufen wolle, und dann zwischen dem alten Ekel Levielle und dem Lasch, der eine Finanzierung von jenem verlangt habe, und so weiter, und so fort. . . . Einen Rechtsanwalt Doktor Mährischl gebe es da: wunderbarer Name. Eigentlich ein Neutrum: das Mährischl, ein Diminutiv, wie zum Beispiel das ‚Fischl' oder das ‚Gerüchl' . . . irgendwas wollen sie in England, oder sie sollen etwas dort, und wollen oder können das nicht. . . Was weiß denn ich? Die Gretl hat lauter solches Zeug aufgeschnappt und versteht es selber nicht."

Wir gingen von der Schanze. Ich beglückwünschte ihn herzlich zu den beruflichen und auch finanziellen Erfolgen. Mich erfreuten diese Nachrichten. Im Grunde mochte ich Stangeler gern. In diesem Leben schien ein neu betretener Weg bereits sein ganz solides Pflaster zu zeigen.

René wandte sich gegen die Stadt und marschierte ab. Noch fuhr keine Straßenbahn. Ich sah ihm nach. Sein Gang war langsam, wiegend, gemächlich. Er ‚hatschte‘, wie man zu Wien sagt. Vielleicht war das noch jener Schritt, mit dem er einst auf der Flucht aus Sibirien die Kirgisen-Steppe durchwandert hatte. Nun war er aus meiner Sicht entschwunden.

Ich nahm nicht den kürzesten Weg nach Hause. Hier aber war es für ein Frühstück noch zu zeitig, alles geschlossen. Ich ging gegen die Hohe Warte. Die Luft stand windstill und warm, fast dampfig: bereits ein Sommermorgen. Jede Jahreszeit ist in der vorhergehenden enthalten. Es gibt Herbsttage im Hochsommer. Der Flieder in den Gärten hielt zum Teile noch auf der höchsten Höhe seines Erblühens, Schaum und Bausch, in Weiß und Lila, erstarrte Explosionen. Ich wandte mich dann nach links, ging auf einer nahezu ebenen schmäleren Straße, über den sogenannten ‚Haubenbigl‘, und am ‚Hungerberg‘ dahin. Hier war es, daß ich Schlaggenberg getroffen hatte, nach langer Zeit wieder, noch im endenden vorigen Jahr. Nun schien alles, und bei allen, anders geworden; bei Quapp, bei Géza, bei Stangeler und Grete Siebenschein, bei Kajetan auch. Doch spürte ich – und nur dieses eine und einzige Mal, weder vorher oder nachher hab’ ich das jemals so deutlich empfunden – die anhaltend uns alle umschließende gemeinsame Aura: noch waren wir einander beigeordnet – auch Körger und Höpfner und Gyurkicz und Neuberg und die Trapp und – – noch zog es uns nicht davon und in die Beziehungslosigkeit zu einander, noch waren wir alle zusammen eine Art Sternbild in einer Art von Weltraum, den gleichsam eine feine durchsichtige Haut wie eine Membrane einschloß.

Es war noch lange nicht sechs.

Kein Fabrikhorn ertönte, keine Trambahn klingelte herüber von der Grinzinger Allee.

Ich ging sehr langsam heim.

Die Aktion, welche ich am Nachmittag durchführen sollte – noch vor dem Tee bei Frau Ruthmayr – stand seit dem Morgen klar und einfach in mir, ohne der Gegenstand irgendwelcher Überlegungen oder des geringsten Zweifels zu sein.

Nach Bad und Frühstück wartete ich bis zu schicklicher Zeit, und als es halb neun Uhr geworden war, rief ich Quapp an. Wie immer hocherfreut, wenn es einer der ‚Unsrigen' war (nun, ein solcher war ich jetzt schlechthin geworden, und weiter gar nichts!), begrüßte sie mich am Apparat mit Geschrei, und gleich einmal mit der Nachricht, daß sie schon eine reizende Wohnung in Hietzing an der Hand habe, die von ihr neulich bereits besichtigt worden sei: die Vermieterin bleibe ihr im Wort, eben war's ihr telephoniert worden. Es schien ihr lebhaft um diese Übersiedlung zu tun, sie platzte gleich mit der Sache heraus. Ich fragte dann, ob sie um vier Uhr nachmittag für mich Zeit erübrigen könne? Ja? Um Punkt vier Uhr – ,,geben Sie mir Ihr Ehrenwort, Quapp, diesmal pünktlich zu sein" (mit so was kriegte man sie) ,,es handelt sich um die bewußte Sache, von gestern. Ja?!" Wir verabredeten dann uns zur angegebenen Zeit an der Ecke der Schottengasse und Helffersdorferstraße zu treffen.

Die Adresse der Kanzlei des Dr. Mährischl hatte ich dem Telephonbuch entnommen.

Ich beschloß sodann – zu schlafen. Die Nacht war zu kurz gewesen. Und nachmittags würde ich wacher Aufmerksamkeit bedürfen.

Ich machte mir's bequem, legte mich auf den Diwan und ließ den Teewagen mit dem Frühstücksgeschirr durch Maruschka hinausrollen. Sie sah heute wieder besonders putzig aus, mit ihrem böhmischen Kindergesichtl. Wie gut erst stand ihr die schöne tschechische Nationaltracht – Maruschka besaß eine vollständige, und ich hatte sie einmal darin gesehen, im Vorzimmer, als sie eben im Begriffe war, zu einem Tanzfeste auszurücken, das ihre in Wien lebenden Landsleute alljährlich zu veranstalten pflegten.

Man sollte – so dachte ich – wäre man ein Seigneur, alle Dienerschaft nur Nationalkostüme tragen lassen, nicht die gleichmacherische Livree: der Jäger steirisch, das Kammermädel böhmisch, der Reitbursch im verschnürten ungarischen Rock.

Solche Nichtigkeiten gingen mir durch den Kopf, während ich schon bequem auf dem Rücken lag. Des Vorhabens für heute nachmittag gedacht' ich nicht. Hier war auch nichts zu denken. Auf der Wiese drüben lag die Sonne. Es war vollkommen still. Ich hatte die Fenster geschlossen. Die Gartenvorstadt rundum, mit jedem einzelnen aus Busch und Baum in die Sonne hinausbiegenden Weg, das Zimmer hier, der Diwan; das alles trug mich wie Wasser. Ich schlief. Ich schwamm, wie ein Blatt über der reglosen Tiefe des Weihers.

Quapp war pünktlich. Wenn's um's Geld geht, wird's den Leuten ernst, dacht' ich. Eines Gedankens Länge streifte mich die Erinnerung an die Charagiel, an Schlaggenbergs Erzählung aus Quapp's früher Jugend, und an seine Meinung in bezug auf ihr kommendes Gesicht und Geschick.

Ich bereitete sie darauf vor, daß wir nun zu jenem Rechtsanwalte hinaufgehen würden.

Sie brauche oben nichts zu sprechen oder zu tun. Nur dabei zu sein.

Dr. Mährischl werde möglicherweise sagen, daß er von der ganzen Sache nichts wisse und einen darauf bezüglichen Auftrag niemals erhalten habe.

So war es denn auch. Ich setzte mein dümmstes Gesicht auf, unschwer, denn ich war ja wirklich unwissend: allerdings wußte ich das. Das Wissen um die eigene Unwissenheit ergibt per Saldo eine Art von Überlegenheit. Er kam uns durch das Sprechzimmer entgegen, massig, aber ein wenig schlappig, er gehörte zu den Menschen mit geringem Haut-Turgor, also auch geringer Spannung der Epidermis, wobei die Oberfläche der Person etwas Hängendes bekommt, und bei sehr korpulenten Individuen geradezu eine Neigung zum Faltenwurf. Dr. Mährischl, den ich ja hier zum zweiten Mal erblickte – das erste Mal hatte ich ihn beim Burgtheater gesehen, mit seiner Frau und Frau Rosi Altschul, nachdem ich den Direktor Altschul am Lanzengitter des Burggartens eingeholt hatte, und mit ihm die Ringstraße entlang gegangen war – der Dr. Mährischl also war, wie ich jetzt deutlich ausnahm, keineswegs ein unsympathischer oder irgendwie abstoßender Mann. Vielmehr sah er intelligent und obendrein kultiviert aus (später habe ich erfahren, daß er ein großer Sammler von Einblatt-Drucken gewesen ist). Doch war bei ihm alles von Resignation und Melancholie umgossen. Die tiefen dunklen Ringe unter den Augen wirkten wie stehende Tümpel, auf welchen sein Blick schwamm.

Auch heute trug er um das eine Handgelenk sein goldnes Kettchen.

Ich machte ihn mit Quapp bekannt und erinnerte zwischendurch ganz beiläufig an jene erste Begegnung zwischen ihm und mir. Nun hätte ich die junge Dame herauf begleitet, sagte ich, weil sie ja früher oder später hier in der Kanzlei erscheinen müsse, „denn Sie führen doch, verehrter Herr Doktor, diese Sache mit dem nachträglich aufgefundenen Testament oder dem Nachtrag zum Testament, oder wie das schon war, von dem im Krieg gefallenen Rittmeister Georg Ruthmayr? Und das Fräulein von Schlaggenberg hier ist ja in Wahrheit seine Tochter."

Es war wirklich nicht das mindeste zu bemerken. Die Tümpel blieben völlig unbewegt. Ich begriff, daß diese dickflüssige Melancholie und Resignation ein vollendetes Mittel darstellte, um von allem und jedem zunächst einmal Abstand zu gewinnen. Nur das goldne Kettchen hatte leicht gezittert.

„Erstaunlich", sagte er. „Nein, einen solchen Akt hab' ich gar nicht, Herr Sektionsrat. Das muß ein Mißverständnis sein."

Er fragte mich nicht nach der Quelle meiner Information. Er ließ sich in keiner Weise ein.

„Ganz offenbar ist das ein Mißverständnis", sagte ich, und erhob mich, „ich bitte Sie deshalb um Entschuldigung, verehrter Herr Doktor, wegen der Störung." Er komplimentierte Quapp und mich bis zur Türe, und wir nahmen auf's freundlichste Abschied.

Es war kaum zwanzig Minuten über vier Uhr geworden. Quapp drängte nach Hietzing, zur Entscheidung ihrer Wohnungsangelegenheit. Ich setzte sie am Schottentor in die Straßenbahn, sie winkte lebhaft, der Zug entglitt.

Ich hatte Zeit genug.

Um fünf Uhr sollte ich bei Frau Ruthmayr auf der Wieden sein.

Ich ging langsam zu Fuß, und nicht den kürzesten Weg.

Mein zweiter Warnungsschuss, diesmal bewußt abgegeben, war aus dem Rohr.

Mehr konnte nicht geschehen. Der Rückstoss warf mich aus diesen ganzen Zusammenhängen heraus – die ich mir gewissermaßen angemaßt hatte – und in meine eigenen hinein. Ich war auf dem Wege zu Frau Ruthmayr. Nichts weiter. Und ich gestand mir das ein.

Ich brach durch zu dieser Einsicht, ich verschloß mich ihr nicht mehr. Alle meine Handlungen und Haltungen während der letzten Zeit zweigten in unbegreiflicher Weise von jenem Wege her und liefen dahin zurück: meine irrtümlich-besorgte Anteilnahme an dem, wie ich vermeint hatte, persönlich gefährdeten Direktor Altschul, ebenso wie an Lasch's Aktionen, und an der ganzen Erbschaftsangelegenheit. Alles das war nichts anderes.

Leville war's: mein Konkurrent und Nebenbuhler, mein persönlicher Feind, wenn auch auf einer gänzlich anderen Ebene als der juridisch-finanziellen. Wir beide, der Kammerrat und ich, der ‚kleine Sieghart' und ich, wir waren die Hauptpersonen. Und da hatte ich ein Chronist sein wollen! ‚Jeder sein eigener Sektionsrat!' Ja, Schnecken! Mir war's, als lebte ich seit vielen Jahren zum ersten Male wieder. Hier begann ein neues Spiel in mir, ein neuer Rhythmus, eine neue Bangigkeit: und, mich innerlich gleichsam umwendend, und durch die Zimmerflucht meiner vergangenen Jahre blickend, erkannt' ich schlagartig, daß es die alte Bangigkeit war, jene, die ich als Fünfzehnjähriger empfunden hatte, hinter der Claire Neudegg auf dem Gartenwege gehend und in ihrem Dufte, sie zur Gittertüre geleitend, um ihr diese zu öffnen, wie meine Mutter mir befohlen hatte. So ging ich jetzt Friederike entgegen. Ich fiel wahrhaft in meine Geleise und aus allen anderen heraus.

Ja, sie allein, Friederike, konnte mich trösten, konnte mir den Wespenstachel ziehen, den giftigen, der damals in mein jugendliches Gemüt gefahren war, am Wagen, als die Neudegg sich umgewandt hatte. Sie allein, Friederike, würde die mütterliche Hand haben, ihn tastend zu finden, den die anderen Menschen ganz unachtsam, doch für mich so schmerzhaft, dann und wann berührten. Ich vermeinte jetzt sogar zu wissen, warum ich so lange Junggeselle geblieben war. Nun aber zerwich es vor mir wie eine kristallne Wand, wie eine Glasscheibe, die sich in der Luft auflöst, und von dahinten her hauchte es mich an mit einer nie verspürten Wärme und mit einer auch schon für Sekunden hervorbrechenden und rasch wieder verdeckten Glut.

Ich war in die stillen Gassen jenes Viertels gekommen, wo das Palais Ruthmayr stand.

Ich zögerte nicht, ich verhielt nicht, ich ging sogar rascheren Schrittes, und ohne irgendwas zu überlegen: dies hier war ganz fertig aus mir herausgefallen, wie ein fester Kern aus der Schale, nicht anders fertig als mein Entschluß heute am Morgen, nämlich mit Quapp zu jenem Rechtsanwalt zu gehn: ein zweites Mal, doch diesmal mit Absicht, in's Blaue zielend – in's Schwarze vielleicht treffend?

Ihr Haar war schwarz wie Ebenholz. Daran dacht' ich jetzt.

Es war nicht des toten Rittmeisters Zimmer, darin sie mir entgegen kam, sondern ein kleiner Salon – ich erinnere mich noch des Empire-Paravents rechts vom Eingang – und dieses Zimmer war für sie zu klein, es war, als trüge Friederike ein zu knappes, zu enges Gewand. Ja, so stand es mit mir. Sie schwebte heran, wie ein edler Zierfisch aus dem grünen Hintergrunde des Aquariums heranschwebt: nun hält er hinter der Scheibe von Glas und sieht uns aus seinem Element heraus an, wesentlich stumm und gut.

Die Glasscheibe war also immer noch da, durchsichtig, aber fest.

Übrigens war auch äußerlich eine Glaswand vorhanden, die sich jedoch nicht zwischen Frau Ruthmayr und mir befand. Sie schied diesen kleinen Raum von einem weit größeren, der im Halbdunkel lag – wohl ein Empfangsraum über der Halle, so viel ich mich erinnerte – so daß der Empire-Salon hier dazu nur eine Art Adnex bildete. Durch den großen Raum kam dann das Mädchen (die Ludmilla), welches den Tee servierte, und trat durch eine lautlos schwingende Klapptüre von Glas.

Und also saßen wir an dem Teetisch, und sie schien Freude an meiner Anwesenheit zu haben. Ich war durch einige Augenblicke wirklich das, was man ‚glücklich‘ nennt (und wovon Kajetan anscheinend sehr wenig hielt) und schwebte mit Friederike in einer Art Freiballon über und abseits von allem und jedem: holde Täuschung dieser bei mir überraschend zu Besuch gekommenen Minuten des Trostes.

Als wäre er heraufzitiert worden durch mein flüchtig anstreifendes Denken an seine überspannte Verneinung des ‚Glückes‘ – so fiel jetzt von seiten Friederike Ruthmayr's der Name Kajetan von Schlaggenbergs: ob ich ihn kenne? – Ja, sagt' ich, er ist einer meiner Freunde. Sie habe einiges von ihm gelesen: das und das. Sie würde ihn gerne kennen lernen. Vor dem Hochsommer noch – sie bleibe heuer länger als sonst in Wien – finde bei ihr ein Empfang statt, eine garden-party, abends, und so weiter. Sie würde Schlaggenberg einladen, wenn er damit einverstanden sei; dessen zum Zeichen möge er nur im Laufe der nächsten vierzehn Tage seine Karte hier beim Portier abwerfen, das genüge vollkommen. Ob ich's ihm sagen wolle?

Ein sich drehender Quirl widersprechender Gefühle erhob sich in mir.

„Selbstverständlich, gnädige Frau", sagte ich.

Sie trug ein Kleid von dunkel glänzendem Stahlblau, vielleicht nicht ganz das richtige für ihre Haarfarbe. Dieser kleine Umstand weckte in mir das Gefühl, als schliefe in ihr gleichsam ihre Frauenmacht, als wisse sie davon nicht. Ihr reiches Haar war von unsagbarer Finsternis. Aus den kurzen gepufften Ärmeln sprangen die Arme leicht polstrig hervor und mit einem makellosen blendend weißen Satz bis zu den sehr zarten Handgelenken herab, wo ein Bracelet diesen Gletscherfluß anhielt. Oben umgab er ihre Kehle. Der Ausschnitt war knapp. Das, wie mir jetzt bereits schien, fast unvorteilhafte Kleid war über dem Busen gebauscht, aber diese Mittel konnten die machtvolle Aussage der Natur nicht ganz vertuschen, welche anderwärts ja oft noch unterstrichen wird. Ich erinnere mich, während aller dieser Wahrnehmungen und während der Verwirrung, welche der Gedanke an Kajetan jetzt in mir hervorrief, einen ganz leichten Duft von Kampfer oder Lack empfunden zu haben (gleichsam statt eines Parfüms, wie es zu Friederike gepaßt hätte, etwa Heliotrop, aber ein solches ging von ihr nicht aus). Es steckte wohl in den Möbeln hier. Es war sehr frisch. Heute, im Rückblick, ist es für mich der Duft eines neu begonnenen Lebensabschnittes.

Indem trat ganz lautlos, als ginge sie auf Filz-Schuhen, Ludmilla durch die Glaswand und sagte, der Herr Doktor Mährischl sei am Telephon (ich hatte kein Klingeln gehört) und frage, ob der Herr Kammerrat Levielle heute noch zu der gnädigen Frau komme, er könne ihn nirgends erreichen.

„Ja", sagte Friederike, „in einer halben Stunde. Der Herr Doktor soll halt noch einmal anrufen."

Ludmilla verschwand.

Das war also die zweite Dusche.

Ich schüttelte mich innerlich wie ein Pudel, der aus dem Wasser kommt.

Kein Zurück! Meine Entschlossenheit fiel mir wie etwas Fertiges zu, sie kam wie von außen, ein Faktum, unwidersprechlich. Ich erkannte zugleich, daß ich auch hier in einer Art Zentrale saß – ähnlich wie damals beim Prinzen Alfons – wo jederzeit jeder Anruf eintreffen konnte. Wir sprachen über Döbling, ‚wo Sie jetzt wohnen', über verschiedene Villen und ihre Inhaber – durchaus Glieder einer Gesellschaft, in der ich schon lange nicht mehr verkehrte – und in diesen Minuten lag jener Stadtteil, die ganze Gartenvorstadt, in merkwürdiger Vorwegnahme für mich überglänzt von einer goldigen Rostfarbe, wie sie nur am längst Vergangenen haftet: die lange, grüne, gerade gezogene Straße zur Hohen Warte hinauf (wo die Trambahn ein jaulendes Geräusch beim Bergan-Fahren erzeugt), der absinkende Heiligenstädter Park, Nußdorf mit kleinen Häusern und den großen, noch bäuerlichen Toren. Hinab zum Strom! Er eilte, lag quer und grau-grün, schlierte, schwemmte dahin in seiner Kühle, schob uns das andere Ufer weit hinaus, gegen Spillern und Jedlesee zu. Man stand, man mußte ja stehen bleiben, man sah über das Wasser, und hatte links drüben den Bisamberg, der sich durchaus wegwandte und einen gänzlich anderen Horizont ansprach.

Nach einer halben Stunde etwa fragte der Doktor Mährischl zum zweiten Mal telephonisch nach Levielle, und Ludmilla meldete das.

„Es kann nicht mehr lange dauern", meinte Friederike, „der Herr Kammerrat ist ja immer pünktlich. Sag' dem Herrn Doktor, er soll sich halt in einer Weile noch einmal bemühen."

Wenige Minuten später trat Levielle ein und schien nicht überrascht, mich hier zu finden: Friederike hatte ihn also von meinem Kommen unterrichtet. Diese kleine Überlegung erzeugte durch Augenblicke in mir eine richtige Wut. Sie war also ständig in Kontakt mit ihm. Sie teilte ihm alles mit. Wie eine Gattin. Ich muß hier sagen, daß ich noch nie auf die Annahme verfallen war, es könnten zwischen Friederike Ruthmayr und dem Kammerrat nähere Beziehungen bestehen – auch jetzt war mir dieser Gedanke fern. Ich hatte ihn stets verworfen. Es lag das Unsinnige eines solchen Vermeinens in irgendeiner Weise geradezu auf der Hand, in ganz ähnlicher Weise, wie das für mich in bezug auf Quapp und Kajetan der Fall war. Es ist bezeichnend genug und gehört hierher, daß es über Frau Ruthmayr und den Kammerrat – die man doch in der Öffentlichkeit häufig genug miteinander sah – in Wien damals eigentlich keinen Tratsch gegeben hat (und das will schon etwas heißen!). In puncto puncti empfindet die Gesellschaft meist richtig: ihn, Levielle, ortete sie als eine Art gehobenen Lakaien Friederikens: vielleicht als einen Lakaien mit Expektanz. Mehr nicht, wenigstens ist mir persönlich nie eine andere Version als diese begegnet.

Man begrüßte einander zeremoniös. Levielle hatte kaum die Teetasse unter sein weißes Schnurrbart-Bürstchen geführt, als Ludmilla wieder aus der Tiefe des Raums und durch die Glaswand schwebte, um dem Kammerrate zu melden, daß Herr Doktor Mährischl am Telephon sei und ihn zu sprechen wünsche; der Herr Doktor habe vorher schon zweimal angerufen, weil er den Herrn Kammerrat nirgends habe erreichen können. . . . Levielle, der die Ausführlichkeit und gewissermaßen Vertrautheit oder Zutraulichkeit dieser Meldung für überflüssig zu halten schien – wenigstens zeigte sein Gesichtsausdruck etwas dergleichen an – erhob sich, trat durch die Glastüre, welche Ludmilla vor ihm offen hielt, und durchschritt den langen Raum nebenan. Das Telephon schien ziemlich weit weg angebracht zu sein. Ich blieb nun mit Frau Friederike durch einige Zeit allein.

Diese hatte den Formfehler Ludmilla's mit einem ganz leisen und wohlwollenden Lächeln quittiert. Das Mädchen wurde offenbar hier im Hause mehr wie eine Schutzbefohlene denn als eine Bediente gehalten.

Mein Blick fiel durch den halb durchsichtigen Vorhang und das breite Fenster, und jetzt erst bemerkt' ich recht, daß dieser Salon gegen den Park zu lag und dahin die Aussicht gewährte. Ich sah jenseits der Gartenflächen und Baumwipfel – der Ausdruck ‚Park' war hier nicht zu hoch gegriffen – die fensterlosen Mauern von Häusern, welche sie diesem Garten halb zuwandten, die sogenannten Feuer-Mauern höherer Gebäude, mit denen sie benachbarte Dächer überragten. Einiges davon war von der Sonne umfaßt, die noch mit nachmittäglich vollem Scheine darauf lag. Jetzt erst senkte sich mein Blick in das längst dicht gewordene Grün und die abbiegenden Wege unten zwischen einigen verspäteten Fliederbüschen, weiß und violett. Näher her zum Hause ging ein grüner Tunnel, ein Laubengang, daran vielfach außen, infolge der sonnigen Lage, sich schon die ersten Kletterrosen zeigten.

Ich hatte mich erhoben und stand am Fenster, den Vorhang mit der linken Hand ein wenig beiseite haltend.

Friederike trat neben mich. „Der Laubengang", sagte sie, „ist voriges Jahr gründlich ausgebessert worden. Der Bruder von der Ludmilla hat das sehr schön gemacht." Ich fühlte, daß sie mich ansah, während ich hinaus und in den Garten hinab blickte. Ich wagte es, folgendes zu beschließen: die Art ihres Blickes auf mich jetzt ganz unvermutet zu erforschen. Mit dieser Absicht wandte ich mich ihr zu. Sie errötete. Ich vermochte nicht, meinen Augen zu trauen, und schaute hinab auf den Teppich. Dann sah ich wieder auf. Sie stand vor mir und sagte nichts, während der Anhauch in ihrem Gesichte schwand und sich wieder beruhigte. Jetzt eben kam der Kammerrat vom Telephon zurück.

Er nahm seinen Platz wieder ein und machte irgendeine belanglose Bemerkung – aber gleich erkannt' ich, daß er an der äußersten Grenze seiner Selbstbeherrschung stand, und daß ein bitterer Ärger, ja, Wut, ihn aushöhlte und innerlich geradezu ausfraß. Ich dachte daran, wie er mich am Graben zu Mariae Verkündigung angeschrien hatte („Wie?! Was?!"), und ich wußte, daß er ganz knapp davor sich befand, jetzt ebenso auszusehen wie damals.

Zum Glücke öffnet sich mitunter zwischen uns und der gegenwärtigen Lage eine Art Randkluft, aus welcher Kühle steigt, wie aus einer Gletscherspalte. Nicht Quapps Erbsache hatte ich im Auge, o nein, keineswegs. Meine eigene, unvermutet und wie aufgeklappt offenbar gewordene Situation – wie lange und unter wieviel Gestalten hatte ich sie doch vor mir selbst verborgen! – erforderte jetzt den Dienst der kühlen Überlegung. Angesichts der hier bestehenden Spannung konnte jeder beliebige kleine glatte Kiesel am Wege der Konversation diese zum Ausgleiten und mich selbst mit ihr zu Fall bringen. Ein offener Konflikt mit dem Kammerrat, irgendeine ‚Meinungsverschiedenheit', mußte mir im höchsten Grade unerwünscht sein, verfrüht und verquer kommend, und noch dazu in Gegenwart Friederikes. Ich beschloß, diesen Fall einfach auszuschließen. Ich erhob mich, ich schützte irgendwas vor (ich glaube einen gemeinsamen Abend mit den Herren meines einstmaligen Regiments – in der Geschwindigkeit fiel mir wohl nichts anderes ein), und so empfahl ich mich von Friederike – deren Bild ich schon schmerzhaft vermißte, während ich die Treppen hinab und am Portier vorbei ging – und auf's freundlichste auch von dem Kammerrat, der wirklich am Ende seiner Kraft angelangt zu sein schien, und mir in den letzten Sekunden noch durch Blick und Miene jeden Zweifel nahm, daß es für mich höchste Zeit gewesen sei, zu gehen. Das Haus verlassend aber fühlte ich lebhaft mein Inneres geradezu aus einem festeren Stoffe gemacht wie zwei Stunden vorher, als ich das Palais Ruthmayr betreten hatte.

Kurze Kurven II

Es ist heute nicht mehr herauszukriegen, wer den Prinzen Alfons Croix zu Frau Mary K. hinaufgebracht hat. Doch ist es aller Wahrscheinlichkeit nach wohl der Graf Langingen gewesen, der ja am 14. Mai schon bei Siebenscheins gesichtet worden war (am Türpfosten lehnend). Von da zu Frau Mary war's ja nur ein Schritt, genauer, ein Stockwerk.

Jedenfalls ist der Prinz um die Mitte des Juni – am 10. war Frau Mary vom Semmering zurückgekehrt – dort erschienen und alsbald mit Leonhard Kakabsa und René Stangeler in einer Ecke seßhaft geworden, wo die drei offenbar ein komplizierteres Gespräch führten, das fast eine Stunde dauerte, und wobei es sonst niemand aushielt: denn nachdem erst Trix – nur wenige Minuten lang – bei ihnen gesessen war, gab auch Hubert auf, der's immerhin auf eine Viertelstunde gebracht hatte, von Bill Frühwald und Fella Storch gar nicht zu reden: insbesondere Sesia myopaeformis L., die hier sehr bald nach des Prinzen Erscheinen angeschwirrt war, wurde in Kürze wieder verscheucht. Es muß gesagt werden, daß Croix in einigen Richtungen enttäuschte.

Mary jedoch sah sehr wohl (wie hätt' es ihr entgehen können!), daß Prinz Alfons seine Aufmerksamkeit auf Leonhard konzentrierte. Sie horchte sogar hinüber und bemerkte zu ihrem Staunen, daß die beiden den René Stangeler lediglich zu Auskünften benützten (der schiefäugige Scholar blieb sie nicht schuldig), und also gleichsam in ihm nachschlugen wie in einem griffbereit stehenden Handbuch der alten und mittleren Geschichte, und etwa auch der Latinität.

Schließlich aber war's der Prinz, welcher das Konventikel aufhob und sich zu Mary setzte. Diese beobachtete nun an ihm zwei sehr merkwürdige Phänomene: erstens, daß er ihr gegenüber in einer Art und Weise bescheiden, ja, fast schüchtern war, wie man das etwa einem bedeutenden Manne gegenüber sein kann, von dessen außergewöhnlicher Leistung man weiß. Zweitens aber – und das war noch viel eigentümlicher – brachte er Mary mit einer Art sanfter, aber unwiderstehlicher Gewalt zum Reden. Sie bemerkte es, sie war sich dessen ganz bewußt: und doch unterlag sie dieser Wirkung. Seinen Zweck erreichte Prinz Alfons voll und ganz: denn Mary erzählte ihm an diesem Abende ihre Geschichte, die Geschichte ihres Unfalles und seiner Folgen – etwas bagatellisierend, ja, leicht ironisch, so weit das bei solchem Gegenstande möglich war – ausführlich und vollständig.

Zuletzt saßen auch Kakabsa und Stangeler dabei. Dieser hatte sehr bald nach Frau Mary's Rückkehr seinen dem Doktor Williams gegenüber geäußerten Vorsatz wahr gemacht: nämlich Mary und Trix gradaus um Verzeihung gebeten. Solches hatte den Damen sehr wohl gefallen, und so traten denn René und Grete hier wieder zu zweit auf; diese saß jedoch jetzt im rückwärtigen Raume, wo das Klavier stand; sie unterhielt sich lachend mit dem Schmetterlings-Professor, seiner Braut, und dem guten Grafen Mucki, der hier keinen Miniatur-Eckermann abzugeben hatte, sondern blödeln durfte, so viel er wollte, deutsch, englisch und sogar (mit der Drobila) tschechisch durcheinander. Der Grete gefiel er übrigens besonders gut, und daß hier mit dem harmlosen Mucki sogar geflirtet worden ist, steht außer Zweifel.

Stangeler – der sich heute besonders wohl befand, wozu er allen Grund hatte – beobachtete derweil nebenan interessiert des Prinzen Croix Methode, mittels welcher dieser Frau Mary aufschloß, konnte jedoch der Sache nicht ganz auf den Grund kommen. Es verhielt sich etwa so, daß der Prinz zunächst sehr anteilnehmend, ja, beinahe zärtlich eine Frage stellte, dann aber dem Bericht höchst aufmerksam folgte: und nunmehr waren seine Zwischenfragen ganz eingehend und nur sachlich. Bevor aber der Faden dieser Art von Interview noch abriß, kam Croix wieder von einer ganz anderen Seite behutsam und zärtlich an den Gegenstand heran – etwa von der persönlich-psychologischen – und nun begann das Spiel von neuem. Es war wirklich schwer, sich dem zu entziehen. René hatte die Empfindung, daß der Prinz Croix immerfort etwas um sich verbreite, was man (wir gebrauchen jetzt René's spätere Äußerung darüber) ‚eine mit der Reißfeder nachgezogene Anschaulichkeit' nennen könnte. ‚Der Kerl will ja alles stereometrisch sehen, wie von allen Seiten, daß man förmlich darum herum gehen kann', so dachte er, während der Prinz zuhörte und fragte. ‚Eigentlich vorbildlich. Er atmet Deutlichkeit aus wie eine Aura. Man könnt' bald glauben, daß der Raum hier tiefer wird und die Sachen, die da herum stehen, schärfer konturiert daraus hervortreten.'

Heute war am Morgen ein vier Schreibmaschinenseiten langer Brief von Professor Bullog aus Cambridge, Mass., im Spalt von René's Zimmertüre gesteckt. Der Professor schrieb sehr angelegentlich, ja, dringend. Übrigens in deutscher Sprache, die er jedoch nicht eigentlich als eine fremde zu gebrauchen schien, sondern auf ganz vertraute Art. (Später stellte sich dann heraus, daß er einst Balogh geheißen hatte, und in Budapest Gymnasial-Professor für Geschichte und Deutsch gewesen war.) Seine Anschauungsweise in bezug auf den gesamten Komplex ‚Hexenprozesse' entsprach nun wirklich fast ganz jener, die Stangeler dem Jan Herzka auf der Burg Neudegg in Kürze vermittelt hatte; und für eine Theorie von dieser Art mußte die von René aufgefundene Handschrift in der Tat einen höchst willkommenen Beleg bilden. Professor Bullog wünschte denn auch gar sehr, den Text so bald wie irgend möglich vollständig kennen zu lernen, ebenso aber auch René Stangelers Kommentar dazu; dies letztere wurde betont; vielleicht wollte der Professor dort drüben sich zugleich ein Urteil über die fachlichen Qualitäten seines Wiener Korrespondenten bilden; solche Qualitäten können, nebenbei bemerkt, immer auch schon aus der Art, wie ein derartiger Text druckfertig gemacht und mit Sach-Erklärungen versehen ist, einigermaßen entnommen werden. Die Behandlung der Quelle in einem Aufsatze mußte dann darüber hinaus den Verfasser sowohl wissenschaftlich wie geistig eindeutig orten. René war immerhin intelligent genug, um zu erkennen, daß ihm von seiten Bullog's hier Gelegenheit zu einer Legitimation geboten wurde. Auch eröffnete der Brief schon praktische Aussichten in eventualer Form: die Möglichkeit einer Publikation an erstrangiger Stelle und auch jene eines Stipendiums (ganz wie Dr. Williams angedeutet hatte!).

Grete wußte natürlich schon alles. Daher auch ihre gute Laune heut abend.

Und weiter:

„Ursprünglich wollte ich um diese Zeit jetzt schon in Wien sein. Aber ich habe meine Frau vorausfahren lassen müssen, nach

London, wo sie ihre Mutter (übrigens eine geborene Österreicherin) besucht hat, auch um dieser das Enkelkind wieder einmal zu bringen, ein Bub von zehn Jahren. Meine Frau ist dann nach Paris gefahren und wird wohl jetzt bereits in Wien eingetroffen sein, zusammen mit meiner Schwester aus Chicago, Mrs. Garrique, und deren Kindern; sie waren für Paris verabredet. Doch weiß ich noch nicht, wo die Damen in Wien jetzt wohnen. Meine Schwiegermutter aber ist in London geblieben, obwohl sie ebenfalls ihre Heimat besuchen wollte, zusammen mit einer Wiener Freundin, die bei ihr lebt; diese Reise hat sich aus irgendeinem Grunde auf unbestimmte Zeit verschoben. Mein Schwager, Herr Dr. Franz von Gürtzner-Gontard, fährt jedoch eben jetzt direkt von hier nach Wien, mit seiner Frau, um dort seine Eltern zu besuchen. Ihm gebe ich jedenfalls Ihre Adresse mit und mache ihn gleichzeitig darauf aufmerksam, daß Sie, werter Herr Dr. von Stangeler, auch am Institut für Geschichtsforschung zu finden sein werden. Ich selbst kann, da ich Prüfungen abzuhalten, an verschiedenen Sitzungen und Kongressen teilzunehmen habe, unmöglich vor Mitte Juli in Wien eintreffen. Mein Brief, Herr Doktor, hat nun vor allem den Zweck, Sie zu bitten, bis über die Mitte des Juli, wenn irgend möglich, in Wien zu bleiben, da ich begreiflicherweise das allergrößte Interesse daran habe, jenes Original der Niederschrift des Ruodlieb von der Vläntsch zu sehen, das sich in Ihrer Verwahrung befindet. Sogleich nach meiner Ankunft in Wien werde ich Sie zu erreichen trachten, am besten wohl durch Professor Dr. Williams, der mir schrieb, daß er den ganzen Juli in Wien verbleibt. Ihr Manuskript erwarte ich mit nicht geringer Spannung, wie Sie leicht sich denken können. . . .''

So weit, so gut.

Mit Grete und Dr. Williams war alles besprochen.

Die Arbeit aber befand sich in einem so vorgeschrittenen Stadium, daß innerhalb der nächsten Tage die Sendung an Dr. Bullog hinausgegeben werden konnte.

Es brach die ganze bei Mary versammelte Gesellschaft (übrigens war Kajetan von Schlaggenberg diesmal nicht dabei) gleichzeitig auf, etwas nach zehn Uhr. Man stand dann noch in einem Grüppchen vor dem Haustor, das Hubert aufgesperrt hatte, auch Grete, Fella und Trix waren mit herunter gegangen, obgleich sie alle drei hier im Hause wohnten. Man wollte jedoch

Lily Catona (deren kindlich-fettes Gelächter an diesem Abende dann und wann zu hören gewesen war) das Geleit geben und auf diese Art noch einen kleinen, vielleicht sogar ausgedehnteren Abendspaziergang machen: dem langen Bill Frühwald schien das willkommen, denn er war für heute bei der milchig-kälbernen Lily vor Anker gegangen. Die anderen rechneten wohl bei diesem Spaziergange auch auf Kakabsa, der ja ein Stück des Heimweges mit Lily gemeinsam hatte. Jedoch Leonhard empfahl sich rasch, fast überraschend, und schon war er in der Richtung auf den Donaukanal davongegangen.

Der Prinz sah ihm nach.

„Ein hervorragender Mann", sagte er.

Das war nun freilich für Hubert K. der Höhepunkt jener Enttäuschungen, die Croix heute abend gebracht hatte.

„Wissen Sie denn, Prinz", sagte er, „was der von Beruf ist?"

Nun geschah etwas Schreckliches.

„Ja", antwortete Croix, „dieser Herr ist ein Arbeiter." Der Prinz blickte Hubert dabei nur kurz an und wandte sogleich die Augen wieder ab von ihm, jedoch nicht so, wie man von einer Belanglosigkeit wegsieht, sondern etwa derart, wie man das von einem Hunde fallen gelassene Würstchen am Rande des Rinnsteins alsbald wieder aus den Augen läßt. An Hubert K. rann dieser Blick wie kalter und zäher Brei herab. Es war, als hätte ihm Croix was in's Gesicht geschüttet. Prinz Alfons grüßte die Anwesenden durch Lüften des Hutes, wandte sich und ging gegen die Brücke davon.

Die Reaktion der Zurückbleibenden war eine unterschiedliche. Jedoch zeigte das Schweigen, welches wie eine leere Schale sich breit machte, unzweifelhaft an, daß hier wirklich was passiert sei. Dies war nicht zu verbergen. Der Graf Mucki sah drein, als ob ihm die Hosen heruntergefallen wären. Ob Williams bei der Sache mitkam, bleibt zweifelhaft, trotz seiner Sprachkenntnis. Er hatte dem Leonhard noch keine besondere und forschende Aufmerksamkeit gewidmet, und war vielleicht deshalb nicht gleich im Bilde. Wohl aber die Drobila. Für sie war Hubert von vornherein ein Übel gewesen, man möchte sagen, ein Übel à la Santenigg. . . . Auch René gönnte jenem die lautlose Ohrfeige, die er von dem Prinzen hatte einstecken müssen, und nach welcher jetzt durch mehr als nur einige Augenblicke niemand was sagte, so wie im Wald nach gefallenem Schusse das Zwitschern und Geschwätze der Vögel schweigt. Bill Frühwald grinste ganz ungeniert, Grete und Trix hatten vor Schreck etwas weiter geöffnete Augen als sonst. Hubert selbst war blaß geworden, jedermann sah es, dazu reichte die Straßenbeleuchtung aus. Auf ganz anderer Ebene jedoch als bei den anderen hier, wurde der Vorgang bei Fella Storch interpretiert: Croix war ihr Rächer. Hier war dieser Hubert einmal an den Unrichtigen gekommen! Und jede Enttäuschung in bezug auf den Prinzen Alfons war verflogen. (Übrigens war sie bei Mary K. nur deshalb wieder erschienen, weil ihr Trix gesagt hatte, daß diesmal ein Prinz Croix erwartet werde.) Aus dem Abendspaziergange der kleinen Gesellschaft wurde nichts. Die drei Mädchen und Hubert traten in das Haus zurück, die andern gingen ihrer Wege. Bill Frühwald begleitete allein die dicke Lily heim, was ihm nur recht sein konnte.

Croix nahm, als er etwa dreißig Schritte von der Gruppe vor dem Haustor sich entfernt hatte, die Lungen voll, die Ellenbogen an den Leib und begann zu laufen, des Aushaltens wegen in mäßigem Tempo.

Er hatte Leonhard schon aus den Augen verloren. Zur Brücke gelangend, erblickte er ihn jedoch auf dieser. Leonhard schritt jetzt gemächlich dahin, in seinem etwas wiegenden Gang (deswegen war er ja einst ‚der Matrose‘ genannt worden!).

„Herr Kakabsa!“ rief der Prinz, noch bevor er ihn ganz erreicht hatte.

„Haben Sie ein klein wenig Zeit für mich?“ sagte Croix dann. „Oder ist es schon zu spät? Ich hätte einigermaßen Wichtiges mit Ihnen zu reden.“

„Gern“, sagte Leonhard. „Morgen ist Sonntag. Da kann ich schlafen, so lang ich mag.“

Auf den Prinzen schien diese Zustimmung Leonhard's geradezu belebend zu wirken. „Ich will meinen Wagen kommen lassen“ sagte er, „wir fahren zu mir nach Hause, wenn's Ihnen recht ist. Heut am Samstag sind alle Lokale voll, man hat ja nirgends Ruh. Ich muß aber mit Ihnen reden, Herr Kakabsa. Wir geh'n jetzt hier in irgendein Tschecherl, einen Sliwowitz trinken – den brauch' ich nach dieser Gesellschaft – und von dort telephonier' ich um den Wagen.“

„Ja, manchmal braucht man da wirklich einen Sliwowitz",
sagte Leonhard ganz ernsthaft.

Sie waren die Wallensteinstraße entlang gegangen, fanden ein
Lokal, kippten den Schnaps, und der Prinz ging zur Telephonzelle.

„Es handelt sich um folgendes", sagte er, gleich nachdem er
wieder an den Tisch zurückgekehrt war, „darum nämlich, daß
ich seit langem auf der Suche nach einem Bibliothekar bin. Dieser muß einige Bedingungen erfüllen: erstens muß er ein gentle-
man sein; zweitens darf er kein bürgerlicher Akademiker sein
und nicht nach Allgemeinbildung riechen; drittens muß er Lust
haben, zu studieren, meinetwegen bis zum Doktor, und zwar
historisch-philologische Sachen, aber innerhalb dieses Rahmens
was immer ihm paßt; natürlich auf meine Kosten und mit meiner
Hilfe. Sie, Herr Kakabsa, erfüllen durchaus alle von mir gestellten Bedingungen. Es ist sehr schwer, jemand von dieser Art zu
finden. Sonst hätte ich ihn längst. Ich biete Ihnen das, was man
eine Lebensstellung nennt, als Fideikommiß-Bibliothekar, und
ich biete Ihnen die unentgeltliche Ausbildung zu diesem Berufe
und eine volle Versorgung. Sie werden im Palais in der Reisner-
Straße zwei Gartenzimmer haben, Ihre Verpflegung und Bedienung, und, vor allem, viel Zeit und ein monatliches anständiges
Stipendium. Wir treffen dann miteinander die ersten Vorbereitungen zur Erfassung und Ordnung der Bibliothek hier in Wien. Es
gibt noch zwei. Eine auf einem Schloß in Niederösterreich und
eine in Böhmen. Nach einem halben Jahr, wenn Ihnen die Sache
behagt, machen wir einen richtigen Vertrag. Sie hätten jetzt nichts
anderes zu tun, als Ihren Arbeitsplatz zu kündigen und in die
Reisner-Straße zu übersiedeln, so bald wie möglich. Das kann für
Sie keine Schwierigkeit bedeuten, da Sie ja, wie Sie mir erzählten,
gänzlich ungebunden sind. Ich habe Ihnen nun gesagt, worum es
sich handelt. Ich mußte diesen Augenblick ergreifen. Wenn wir
jetzt zu mir nach Hause kommen, wollen wir uns gehörig stärken und die Sache von allen Seiten betrachten. Hier, in diesem
Lärm, macht das Sprechen Mühe. Ich stehe Ihnen dann mit jeder
Auskunft zur Verfügung. Sie können die Bibliothek besichtigen
und sich auch gleich Ihre Zimmer ansehen."

Aber trotz des Lärms vieler stiller Zecher im Lokale eroberte
des Prinzen Rede auch hier wie mühelos ihren Wortbereich.
Dies war das erste, was der in Sprachsachen schon als einiger-

maßen abgebrüht zu bezeichnende Leonhard fühlte. Der Prinz drang durch. Leonhard wußte sogar mit einiger Genauigkeit warum: er drang durch, weil er nicht vordrang, auf den Zuhörer nicht eindrang, nicht drängte – sondern nur einen versuchsweisen Wurf tat, bei welchem er selbst in ganz ungestörtem Gleichgewichte verblieb; ja, dessen ständige Übung und Befestigung beim Sprechen – so wehte es Leonhard durch Sekunden an – schien der eigentliche Hauptzweck seiner Rede zu sein, noch tief unter und noch lange vor allem, was er sagen und eigentlich mitteilen wollte.

„Es gibt hier einen einzigen wirklichen Einwand", sagte Leonhard nach einigem Schweigen – während diesem schlug der Lärm im Lokale, den eben vorhin noch des Prinzen Rede wie ein gespanntes Zelt abgehalten hatte, über den beiden wieder zusammen – „er betrifft mich allein, dieser Einwand. Ich war bis jetzt der Meinung, ein Beispiel darstellen zu müssen, dafür nämlich, daß unter den für mich bestehenden Lebensumständen Freiheit möglich sei. Ändere ich diese Umstände, so fällt das dahin. Ich würde den Berufswechsel als Untreue ansehen; nicht als eine solche gegen meinen Beruf: sondern gegen jene Lage im Leben, innerhalb deren ich eben berufen wurde, das erwähnte kleine Beispiel aufzustellen."

Nein, er dachte nicht zurück an den Spaziergang mit dem Buchhändler Fiedler am Donaukanal vor grad einem Jahr, und das Gespräch dabei, dessen Rollen ähnlich verteilt gewesen waren, wenn auch gar sehr auf einer anderen Ebene. Leonhards Bauch-Aufschwung in die deutsche Grammatik! Und: ,es ist zu beweisen . . . es ist zu beweisen . . .' Nun, inzwischen war alles bewiesen worden (das meinte, wie man gleich sehen wird, auch der Prinz Croix). Jene Zeit damals war für Leonhard samt ihrer Sprache schon prähistorisch geworden. Urlaute, mythische Kämpfe einer Urzeit. Jetzt stand man im Licht der Geschichte und in der Ordnung gesetzter Rede.

Auch vor Leonhards Rede wich der Lärm zurück.

Vielleicht empfand jetzt der Prinz Alfons das ebenso, wie Kakabsa es früher empfunden hatte.

Die Entgegnung war vorsichtig, ja, behutsam:

„Nicht Sie ändern Ihre Umstände; auch ich nicht; sie ändern sich eben. Sie haben von solcher Änderung der Umstände nie etwas abhängig machen wollen. Sie haben nie gesagt: ,hätt' ich nur die Zeit dazu, ich würde studieren'. Oh nein, keineswegs! Wer nichts von einer Änderung seiner Umstände abhängig macht, der wird auch von geänderten Umständen nicht abhängig werden. – Zweitens: ein Beispiel muß einmalig und sozusagen punktförmig sein. Exemplum docet, exempla obscurant. Ein Beispiel wird gesetzt, ein Exempel statuiert. Man wiederholt es nicht zahllose Male, man streckt es nicht, zieht es nicht in die Länge."

Leonhard besann sich und sagte:

„Beide Argumente erkenne ich an und ziehe meinen Einwand als nicht stichhaltig zurück."

(Der Autor erhebt sich hier, als Ehrenbezeigung vor seiner Figur, für einen Augenblick vom Schreibtische. Der Zilcher Karl hat ganz recht gehabt, als er, vor Leonhard's ad hoc hergerichtetem Schreibtische stehend, sagte: ‚Da wird er also studieren, unser Dokter'. Für uns ist er's jetzt schon. Wir nehmen keinen Anstand, ihn zu promovieren. Herr Doctor philosophiae Leonhard Kakabsa, fürstlich Croix'scher Fideikommiß-Bibliotheks-Direktor. Wohlan! Denn das ist er später alles geworden. Man muß nicht unbedingt unanständige Handschriften aus dem fünfzehnten Jahrhundert entdecken, um was zu werden.)

Leonhard hatte kaum die letzten Worte gesprochen, als eine Croix'sche Livree (es war der Chauffeur) durch die Drehtür kam, kurz im Lokale umhersah, und, links hinter dem Sessel des Prinzen sich vorbeugend, halblaut meldete:

„Durchlaucht, der Wagen ist da."

Mary war es, nicht Leonhard, welche sogleich die Bedeutsamkeit jener Wendung erkannte, die nun alle Dinge bei dem jungen Manne nehmen wollten. Doch blieb ihr Blick auf die Verschiebung äußerer Fakten gerichtet. Auch hier kam eine späte Kenntnis daher, daß Mary, bei all ihrer Intelligenz, doch nur aus Tatsachen wirklich was zu entnehmen vermochte, aus den Tatsachen, die hintennach rennen, ja, zu einer Lawine von Schotter anschwellen können, wenn, was sie hervorgebracht hat und jetzt nach sich zieht, bereits geschehen und eigentlich vergangen ist. In Wahrheit hatte Leonhard längst vordem schon wirklichen Ruhm gewonnen. Die Durchschnittsköpfe freilich sehen auch sonst und in allen Sachen immer erst dann etwas, wenn sie nahe daran sind, eingeschlagen zu werden: eine solche Lage wird gerne feierlich ein ‚historischer Augenblick' genannt.

Der ist dann immer schon vorbei. Wir aber erinnern uns genau, wie das war, als Leonhard Kakabsa in einer bestimmten Nacht die Dialekt-Grenze überschritt.

Jetzt, in einigen wiederkehrenden Augenblicken, bangte ihm vor einer neuen Verstrickung, in die er geraten könnte (nun, wir kennen ihn ja!), durch die Verbindung mit dem Prinzen und all das Neue, was nun beginnen sollte. Es war das jene falsche Furcht um die ‚Freiheit' (eigentlich nur um eine verblasene Vorstellung von ihr), die manchen angerührt hat, der irgendwo hinaus treten sollte, und dabei vermeinte, er müsse nun hinein in etwas, das ihn umschließen würde. Im Grunde war's bei dem René von Stangeler nicht anders gewesen (in bezug auf seine Verbindung mit Grete). Aber Leonhard sah sich wieder auf jener Selbstmörder-Brücke gehen, vor Jahr und Tag, und wie unter vielen weiterlebenden Selbstmördern, die in einen der ihnen sich bietenden Rachen gerutscht waren, und in seinem Falle hatte das Malva Fiedler geheißen: als gestaute Wasserswucht über ihm, brüstelnd, katzäugelnd, venusbäuchelnd, bewohnt von kalten Stürmen. Nein, von alledem war hier nicht die Rede, auch nicht von Elly Zdarsa mit ihren Finsternissen, und nicht von Trix im rosigen Scheine. Dies hier verstrickte nicht, es verband: ganz plötzlich kam ihm das, gerade in diesen Worten, die ihm jetzt in gleicher Weise von Frau Mary zu gelten schienen, wie von dem Prinzen.

Indessen, und in jener Weise, die man sich später so schwer in's Gedächtnis zurückrufen kann (wie man das alles damals nur gemacht hat?!) löste Leonhard hier schon die Kupplungen in der Mechanik des äußeren Lebens, hielt deren Karussell an und hängte davon ab. Wer auszieht, der stirbt gewissermaßen, wenigstens für den Bezirk, wo er bisher gewohnt hat. Leonhard trat bei Rolletschek aus, schied durch den Berufswechsel von seiner Gewerkschaft und kündigte bei der Magazineurs-Witwe das Zimmer.

„Und jetzt haben S' Ihna erst den Tisch machen lassen."

Bald stand Leonhard hier gleichsam frei im Raume, wie in einem labilen Gleichgewicht, ohne die Spreizen und Verstrebungen, die ihn bisher gehalten hatten. Sein Kabinett in der Treustraße, darin er doch noch lebte, bewohnte er jetzt schon so als erinnerte er sich nur mehr daran. Er wurde hier zu seinem eigenen Nachklang.

Eben als seine letzte Woche bei Rolletschek zu Ende gegangen war, erhielt er eine Vorladung vom Polizei-Kommissariat, die etwa folgendermaßen aussah:

Euer Wohlgeboren (vorgedruckt)

werden hierdurch ersucht, an einem der nächsten Tage zum Zwecke einer Auskunftserteilung beim hiesigen Kommissariate vorzusprechen.

Als Leonhard dort seinen Zettel hinlegte, wies man ihn zur Kriminalpolizei; und alsbald, in einem kleineren, nicht unbehaglichem Amtsraume, sah er sich einem Herrn mittleren Alters und mit mehreren goldenen Kragen-Sternen gegenüber, der eine Virginier-Zigarre rauchte und auf einen Sessel neben seinem Schreibtisch zeigte, wo Leonhard Platz nahm.

„Ja, Herr Kakabsa", sagte der Beamte, „gegen Sie liegt eine Anzeige vor, übrigens anonym, worin Sie beschuldigt werden, Beziehungen zu minderjährigen Mädchen zu unterhalten. Ich muß Sie bitten, sich dazu äußern zu wollen, beziehungsweise zu erwägen, worauf sich eine solche Anzeige gegen Sie gründen könnte."

Leonhard war nur erstaunt, nichts weiter.

„Da muß ich nachdenken", sagte er, und, nach einer kurzen Pause, „ich hab' es schon."

Er berichtete nun von Trix – „die sieht aber schon ganz erwachsen aus, wie siebzehn oder achtzehn" – und von dem Hause ihrer Mutter am Althan-Platz, wo er mitunter eingeladen sei, ebenso wie Trixens Freundinnen, die Tochter des Herrn Professor Storch, und jene des Herrn Doktor Catona in der Wallensteinstraße. Er selbst, Leonhard, gehöre zum Kreise von Trixens Mutter, die er sehr verehre (hier erwähnte er kurz ihren Unfall). Wohl sei er ein oder das andere Mal mit den Mädchen auf der Straße gegangen, übrigens auch mit ihnen beim Konditor Freudenschuss gesessen. Im ganzen bekäme er die jungen Damen selten zu Gesicht, und nur bei Geselligkeiten im Hause der Frau Mary K. Das sei nun alles. Mit anderen jungen Mädchen aber habe er keinen Umgang.

„Wie alt sind denn diese Gymnasiastinnen?" fragte der Beamte.

„Das weiß ich nicht", antwortete Leonhard. „Sie besuchen die sechste Gymnasialklasse."

„Na also. – Die Frau Mary K., ja, die ist im September 1925 verunglückt, da war ein junger Oberwachmann dabei, der jetzt zu unserem Kommissariat gehört."

„Ja, der Zeitler Karl."

„Ganz richtig. Sie kennen ihn?"

„Ja, er ist ein Freund von mir. Wir studieren manchmal zusammen. Er beschäftigt sich mit Geschichte."

„Ja, ja! Der Zeitler. Ein sehr strebsamer junger Beamter. Herr Kakabsa, ich will Ihnen etwas sagen. In der Sache sind natürlich auf unauffällige Weise Erhebungen gepflogen worden, denn schließlich handelt es sich hier um eine schwere Beschuldigung, noch dazu gegen einen völlig unbescholtenen Mann mit bestem Leumund, wie Sie. Wir haben auch nicht mehr und nichts anderes beobachten können, als das eben vorhin von Ihnen Mitgeteilte. Damit ist die Angelegenheit erledigt. Wenn ich Ihnen meine Meinung über die Sache sagen darf, so ist es diese: das Ganze sieht nach einem Frauenzimmer aus. Vielleicht haben Sie irgendeiner den Gefallen nicht getan. Sie werden schon daraufkommen, wer das sein kann, wenn Sie ein bissel nachdenken. Aber am besten ist's, Sie zerbrechen sich nicht mehr den Kopf darüber."

Der Kommissar lachte. Leonhard erhob sich. „Ich zieh' übrigens weg von hier und in den dritten Bezirk", sagte er und erwähnte knapp seinen Berufswechsel, die neue Stellung und seine Studienpläne.

„Ah, da schau' ich ja!" sagte der Beamte und stand gleichfalls zur Verabschiedung auf. „Ich gratuliere! Also, alles Gute für die Zukunft, Herr – Herr Doktor!" Er gab ihm lachend die Hand, und Leonhard ging.

Aber, trotz solcher polizeilicher Weisheit und recht eigentlich tief-österreichischer Einsicht in die Natur der menschlichen Dinge, spürte Leonhard doch jetzt, auf der Straße und in der Sonne, die Berührung des dunklen Stachels, der da für Augenblicke nur gegen ihn hergefahren war und schon wieder zurückgezogen in ein Jenseits im Diesseits, ohne wirklich verletzt zu haben: doch brannte ein fallengelassener Tropfen vom Gift des Hasses noch auf der Haut. Hier war nichts zu begütigen, nichts zu schlichten entlang der geraden Linie von Wahrheit und Loyalität; und diese fühlte er durch einen winzigen Augenblick jetzt in sich stehen, ganz in der gleichen Art wie voriges Jahr in der Weinstube, als er geäußert hatte, er sei ‚zufrieden‘, worauf ihn ein älterer Arbeiter mit sanfter Gewalt in Schutz hatte nehmen müssen. Jedoch, diese Mauer des Mißverständnisses hier, zwischen Malva und ihm, sie war nicht zu durchbrechen, noch konnte sie aus gefälligerem Stoffe errichtet werden, wie es jenem trefflichen Biedermann in der Schenke am Ende doch noch zugunsten Leonhards gelungen war. Er gedachte jetzt seines Vorbeigehens mit den Mädchen an der Fiedlerschen Buchhandlung, und wie Malva ihn mit Fella und Lily erblickt hatte: eben dieses Bild war vor seinem inneren Auge gestanden, während er dem klugen Polizeibeamten geantwortet hatte.

Dies alles war ein Teil auch des Abschieds. Hier flogen schon Pfeile aus dem nächsten Busch. Er gehörte nicht mehr hierher und fühlte sogar, in einem tieferen Sinn, der ihn jetzt anrührte, daß ein noch längeres Verweilen in einer eigenen abgeschlossenen Vergangenheit, ein allzu langes Nachklingen, Gefahr bringen mußte. Exemplum docet, exempla obscurant. Der Prinz sah recht.

Aber aus dem sozusagen notorischen Dunkel, darin Anny Gräven lebte, war ihm nie etwas Böses gekommen.

Er blieb stehen, gedachte ihrer mit Innigkeit und den besten Wünschen: doch auch als eines Punktes, von dem er durch viele Wendungen des Weg's schon getrennt war, eines wirklich vergangenen Punktes, der nun als Lichtpünktlein erlosch.

Am nächsten Tage war es so weit. Die Freunde fehlten nicht. Sie packten ein.

Die Magazineurs-Witwe sah zu.

„Jetzt haben S' Ihna erst den Tisch machen lassen.“

Sie erhielt ihn zum Geschenk. Vorher saßen die drei jungen Männer noch daran, als das Gepäck schon bereit stand, bei einem Liter Wein.

Aber Krawouschtschek's Bücherhalter hatte Leonhard mitnehmen wollen, trotz der Bleiplatten, die unten darangeschraubt waren. Ebenso die elektrische Studierlampe, dem Zilcher Karl billig abgekauft. Sie war nicht eingepackt, nur in einen Papiersack gesteckt, und konnte so in den Wagen genommen werden. Denn freilich war's am schnellsten und einfachsten, die ganze Übersiedlung mit einem Schlage durchzuführen, indem man sich in ein Taxi setzte, samt dem Gepäck; es war nicht groß; ein Koffer und eine kleine Kiste. Niki hatte beim Einpacken geäußert, daß Leo eigentlich nur sehr hübsche Sachen habe, Schuhe, Hemden, den dunklen Anzug. Die doppelt vorhandene Arbeitskleidung war gewaschen, ausgebessert und geplättet worden: Niki und Karl konnten diese Garnituren gut brauchen.

So trank man noch eins.

„Alsdann, prost, jetzt wird er wirklich a Dokter, der Leo!" sagte Karl.

„Weißt, Leo", meinte Niki, „eigentlich hab' i mir des immer denkt, daß mit dir irgendwas extrig's is. Du bist ka so a Mensch wie wir. Unt' in Fraunkirchen, wie ma war'n, mit dem alten Wachtmasta, waßt eh, wia's d'eam ganz stad zug'hört hast, da hab' i ma dös a denkt."

Leonhard sah durch das Fenster auf die Front des gegenüberliegenden Hauses, die nicht besonnt war, sondern matt und verschlossen in ihrem grau-gelben Tone lag; sie hatte plötzlich etwas eingetrocknetes an sich. Es war, als schwinde hier alle Umgebung. Nun würde er in einen Park blicken. Seine Zimmer, die er noch in jener Nacht mit dem Prinzen gesehen hatte, waren klein, weiß, glatt und neuzeitlich. Sie schwebten wie Gondeln über den alten Räumen des Palais Croix. Das Stockwerk war neu draufgebaut. Die Fenster lagen knapp an den Kronen der Bäume im Garten. Einen Augenblick lang ritzte Leonhard die Empfindung, daß er nun ein Normal-Maß verlasse, ein gutes Gegengewicht, gleichsam einen soliden Ballast über dem Kiele; nur mit sehr erhöhter Vorsicht konnte er in der neuen Lage sich bewähren. Es hieß jetzt, sich an Pico halten, zurück zu Pico, und von da wieder ausgehen, zurück zu Pico della Mirandola. Zurück zum Ursprung, zu den kleinen köstlichen Schätzen einer noch so kurzen Vergangenheit.

Sie nahmen die Sachen auf. Niki lief voraus zum Taxi-Standplatz und kam alsbald mit dem Wagen vors Haus. An der Wohnungstüre stand die Magazineurs-Witwe. „Gengan S' auch amal in die Kirchen, Herr Kakabsa", sagte sie. Leonhard gab ihr die Hand, ohne etwas zu antworten. „Na, is guat, i' bet' für Ihna." Die Tür klappte, man hörte die Alte drinnen abschlurfen. Sie gingen die Treppen hinab. Leicht ward das wenige Gepäck untergebracht. Am Schlage stehend, schüttelte Leonhard den Freunden die Hand. In diesen Augenblicken, und also ganz zuletzt, wurde die einzige schmerzhafte Stelle fühlbar bei seinem Abschiede von der Brigittenau, hier gab es einen kleinen Einriß, ein Tröpfchen Blut.

„Kommst doch bald wieder amal, Leo, was?!" sagte Niki; in der Stimme war etwas wie ein ängstlicher Unterton.

„Ja freilich, das versteht sich doch von selbst."

Aber die eigenen Worte beruhigten ihn nicht, beruhigten nicht sein Gewissen, möchten wir fast sagen. Zu tief schon war er in's Leben hineingezogen worden – und das ganz ohne jede Verstrickung! – um nicht zu ahnen, daß er von jenen, denen er hier in diesem Stadtbezirke beigeordnet gewesen war, so Karl und Niki, wie der Magazineurs-Witwe, dem Tischler Krawouschtschek, dem Buchhändler Fiedler und sogar Malva, jetzt hinausfiel in einen anderen Raum, ja, daß er an diesem Nachmittage herausgebrochen wurde aus einem Sternbild, und nun gleichsam hier eines lokalen Todes starb. Als der Wagen um die Ecke der Treustraße bog, glaubte er hintnach noch wahrzunehmen, daß Karl Zilchers Gesicht einen ungewöhnlich ernsten Ausdruck zeigte, ja, als sehe es seinem hiesigen Sterben zu.

Die Sonne des Sommerabends überflutete in der Wallensteinstraße alles, und bis zur Brücke schwand jede Deutlichkeit. Auf dieser selbst, auf der Selbstmörderbrücke der Weiterlebenden – während rechts die dreifachen Buckel der Waldberge die Entfernung erstellten und vom Wasser ein kühl-grüner Hauch kam – in der Mitte der Brücke sprang es Leonhard an, daß allein Malva als ein wahrhaft turmhohes Hindernis an diesem durchmessenen Wege seiner so kurzen Vergangenheit aufgeschossen war, alle anderen unter sich, hinter sich lassend. Sei's! Er war ihr entronnen. Nicht durch eigene Kraft. Alea iacta est, dachte Leonhard, und wußte freilich schon, bei welcher Gelegenheit dies Wort geprägt worden war, vom unvermeidlichen Caius Julius. Dieser hatte den Rubikon überschritten. Leonhard aber fuhr im Taxi über die Brigittabrücke und querte so den Donaukanal, ein wenig auf die Studierlampe achthabend, die neben ihm am Sitze lag, damit sie nicht herabkollere. Im Nu ging es schon an Mary's Haus vorbei; und hier, jenseits des Rubikon, meldete sich auch wieder das Bleiben.

In der ersten Hälfte des Juni war Kajetan mehrmals bei mir. Ich sagte ihm freilich gleich von meinem Besuche bei Doktor Mährischl – Quapp hatte er seitdem durch einige Tage nicht gesehen und gesprochen – und überbrachte ihm auch die Einladung Frau Ruthmayr's. Er hat sehr bald danach seine Karte dort abgeworfen.

Es gibt Zeiten, die im Rückblick dem Gedächtnisse keinen Halt bieten. Sie haben keine Nenn-Seite, keinen Henkel, den die Erinnerung greifen kann. Dennoch sind gerade solche Wochen oder Monate – ja, unter Umständen kann's Jahr und Tag sein – wie Schalen, in welchen sich anonyme Depots gesammelt haben, an die wir noch nicht herandurften (loci intacti). Irgendwann einmal werden auch sie zur Ausschüttung kommen, und vielleicht einen glänzenderen Namen haben als jene, die den ihren von vornherein als Handgriff darboten, der nun freilich längst abgewetzt ist.

Wir warteten. Zu tun blieb nichts mehr übrig. Während schon der heraufkommende Sommer am Himmel lehnte, überlegte ich alles noch einmal, zum letzten Male, dann verblaßte es, schwand aus meinem Blick, und je mehr Tage vergingen, um so weniger Wirklichkeit behielt Quapp's ganze Erbschafts-Sache. Ja, sie flog mir davon wie ein frei gewordener Kinder-Luftballon, und gesellte sich im Blau den Sommerwölkchen, die ich jetzt schon in einem weißen und heißen Leuchten regungslos am Himmel stehen sah, ungefähr über Heiligenstadt; denn in diese Richtung sahen meine Fenster. Es waren zwei. Das eine stand offen. In ihm saß, am Fensterbrett und die Füße auf einen Sessel gestellt, am 22. Juni nachmittags Schlaggenberg, mit aufgekrempelten Hemdärmeln und eine kurze Pfeife rauchend.

Wir sprachen nichts von den vorhin erwähnten Dingen. Es war damals eigentlich so, daß ich diese nicht ungern noch bei mir festgehalten hätte. Denn was dahinter hervorkam, war eine neue Macht und warf alles beiseite. Der Paravent aus Schlußfolgerungen und Erwägungen, mit welchen ich immer noch sehr sachlich hatte umgehen wollen (letzter Rest meiner verspielten Chronisterei), fiel jetzt in sich zusammen, hier war nichts mehr, hier war vielleicht überhaupt nichts (das glaubte ich zeitweis, widersinnig genug).

Dahinter stand Friederike. Ich stand ihr gegenüber: und schaudernd bis in's Mark oft durch Sekunden: als breche ein

Jenseits in mein Diesseits. Sie schwebte heran, sie schwamm an die Glasscheibe. Sie trat durch ...! Sie war errötet, als ich sie angesehen hatte. Jetzt stürzte ich in den Gletscher-Fluß ihrer Arme.

Es dauerte immer nur Augenblicke. Aber in solchen trommelte wirklich mein Herz, so gesund es war.

Seit wann eigentlich? fragte ich mich.

Seit ich mit ihr bei Gerstner gesessen war?

Seit jeher, mußte ich antworten.

Seit mich die Charagiel gestochen, den Fünfzehnjährigen, so mußte ich mir in Wahrheit sagen. Hier, bei Friederike, war mein einziger Trost, meine einzige Möglichkeit einer Heilung.

Sie war errötet, als ich sie angesehen hatte.

Ich mußte mich im Fauteuil vorbeugen, mein Gesicht zu verbergen.

Dann machte ich mir mit dem Whisky und den Siphon-Flaschen zu schaffen.

Draußen lagen Sonne und Sommer, ein herabgestürzter und nun stehender Katarakt von Licht.

Von der Straße unten tönte ein kurzer Pfiff, wie man ihn machen kann, wenn man zwei Finger in den Mund steckt.·

Schlaggenberg, am Fensterbrett herumgewandt, stützte sich, ein wenig hinausgebeugt, mit der Hand, und rief hinab:

,,I'm coming in a few minutes. Go up this road, please", und er deutete mit der Linken die Scheibengasse bergan.

Mein Zimmer lag im ersten Stockwerk. Man konnte über den schmalen Vorgarten hinweg bequem mit jemand sprechen, der auf der Straße stand. Ich hatte mich erhoben, näherte mich dem Fenster, jedoch ohne mich zu zeigen, und lugte hinab. Auf der drüberen Seite der Scheibengasse setzte sich ein kleines Trüppchen junger Menschen eben wieder in Bewegung. Zehn Schritte voran zockelte ein etwa zehnjähriger, dicker Bub, dann folgte ein schlanker, hochbeiniger Bursche mit dunklem Haar, der einen Pullover und weite graue Hosen trug; neben ihm ein viel kleineres Mädchen, tiefschwarzen Wuschelkopfes; dahinter kam Renata von Gürtzner-Gontard mit einem zweiten Mädel (die Sylvia war es, wie ich alsbald erfuhr). Neben ihnen ging noch einer, etwa fünfzehnjährig, in Pfadfinder-Uniform, mit dem breitkrempigen Hute der Scouts. Dieser angehende Jüngling war von überaus schlanker, aber breitschultriger Figur. Er führte einen langen Sport-Speer mit sich. Jetzt hatten sie uns alle schon den Rücken gewandt und zogen die Scheibengasse aufwärts, gegen die Wallmodenstraße zu.

Schlaggenberg, ohne eine Frage von meiner Seite abzuwarten (die ich nun freilich gestellt hätte), stieg vom Fensterbrette herab und sagte:

„Das ist jetzt meine Bande, meine ‚Platte‘, wie man in Wien sagt, meine ‚gang‘. Ich heiße ‚the chief‘. Ein Mädel wird ‚der Falke‘ genannt, die Sylvia Priglinger. Noms de guerre.“

„Und woher?“

„Durch Stangeler eigentlich. Den hab’ ich vorige Woche am Institut für Geschichtsforschung ausgraben wollen, weil der Kerl ja überhaupt nichts mehr von sich hören und sehen läßt. Sitzt er dort im Bibliotheksgang mit Folianten und Papieren an einem Arbeitstisch und braut irgend etwas zusammen, sagt, es ist eine für ihn sehr wichtige Arbeit, die er da zu vollenden im Begriffe sei. ‚Es bringt auch was ein‘, wurde von seiner Seite dazu bemerkt. Irgendwie geheimnisvoll, ich fragte aber nicht weiter. Er war quietschvergnügt, anscheinend gebesserte Verhältnisse . . .“

Bei dieser Gelegenheit also stellte sich heraus, daß René dem von ihm doch so verehrten Kajetan von Schlaggenberg kein Wort von seiner Entdeckung in Kärnten, von seinem Vertrage mit Herzka, und nur ganz beiläufiges von den amerikanischen Möglichkeiten gesagt hatte. Der Bursche verstand es also seit neuestem zu schweigen, sogar Schlaggenberg gegenüber, den er obendrein kaum mehr sah, wie ich nun erfahren hatte. Auch hier schien sich ja einiges geändert zu haben. Ja, ja. ‚Denn es bleibt unter Freunden der nämliche Geist nicht der gleiche‘, sagt der griechische Tragiker.

„Es ist irgendeine Chronik“, fuhr er fort, „die der René da bearbeitet, und es soll sogar bei einem Universitäts-Professor in Amerika Interesse dafür vorhanden sein, sagt er. Nun, zufällig, wie’s halt manchmal so geht, hab’ ich gleich an Ort und Stelle den Beweis dafür erhalten, daß er nicht geflunkert hat, der Stangeler. Ein Herr ist auf dem Institut erschienen, ein Arzt, aus Chappaqua, U. S. A., das liegt im Staate New York. Der ist, so viel ich verstanden habe, von einem Geschichtsprofessor drüben, seinem Schwager, ersucht worden, bei Gelegenheit dieser Europa-Reise, den Herrn Dr. René von Stangeler am Institut aufzusuchen, ja, ich hatte fast den Eindruck, ihn bei dieser Visite ein wenig zu inspizieren; er hat auch sehr angelegentlich gefragt, ob das Manuskript – eine Abschrift von jener Chronik und eine Abhandlung darüber – schon fertig sei und bald an Professor Bullog, so heißt der Professor drüben, abgehen könne. Stangeler hat daraufhin mitgeteilt, daß er fertig sei, und nur noch einiges nachprüfen müsse. In drei oder vier Tagen werde das Ding auf die Post kommen."

„Ganz brav, der René", sagte ich, „aber was hat das mit den jungen Leuten da unten zu tun?"

„Warten Sie nur. Ja, der René ist brav. Auch brav verlobt. Wird vielleicht vertrotteln. Die Grete wird haben wollen, daß er Karriere macht. Weiber vergiften alles, selbst das reinste Streben. Das allerwiderlichste überhaupt ist mir jedoch, wenn eine Frau ihren Mann ‚macht'. Wer sich ‚machen' läßt, der gehört freilich auf den Mist. – Also, dieser amerikanische Arzt – der übrigens ein Wiener ist, der Sohn von einem österreichischen Hofrat, Gürtzner-Gontard heißt er – ist dann mit uns in's Buffet der philosophischen Fakultät hinuntergegangen, wir haben dort einen Kaffee getrunken. Es war gegen halb zwölf Uhr mittags. Nun weiß ich nicht, wie sich das im einzelnen so rasch ergeben hat, kurz und gut, ich bin mit dem Gürtzner-Gontard sehr lebhaft in's Gespräch gekommen, wir haben uns gut verstanden, und er hat auch am René offenbar großen Gefallen gefunden. Dieser Herr von Gürtzner-Gontard ist bemerkenswert. Baudelaire sagt einmal irgendwo in seinen späten, schon zu Brüssel niedergeschriebenen Aufzeichnungen, daß, wer was wert sei, auch in der Fremde die Erde des Vaterlandes an den Sohlen behalte. Na, der hätte an dem Dr. Gürtzner seine Freude gehabt. Ein leicht grantelnder Wiener. Auf der Straße hat er dann seinen Hut so am Kopf getragen, daß man ihm seine hiesige Herkunft sogleich auf diesen Kopf hätte zusagen können. Hat auch pünktlich geraunzt: das oder das hat ihm früher viel besser gefallen, ‚warum haben s' denn das geändert' – er hat den Milchpavillon im Votivpark gemeint – und: ‚schau dir die grauslichen Reklamen an, schon bald so arg wie drüben!' Man hat gewisse Leute gekannt, die nach zwei Jahren England das r rollten (tut höchstens ein Schotte!) und nach deutschen Wörtern suchten . . . na, die Sorte kennt man. Einen hab' ich erlebt, der aus Afrika zurückgekommen ist, und, nach der Tsetse-Fliege und der Schlafkrankheit befragt, zur Antwort gegeben hat: ‚Ja, die Tsetse-fly ist noch immer da und dort eine ernsthafte Gefahr' (mit gerolltem r). Großartig, was? Der Dr. Gürtzner ist das genaue Gegenteil. Es kommt eben doch nur darauf an, wo einer herkommt, aus was für einer Schachtel. Er hat den René und mich zum Essen eingeladen, und wir sind mit ihm in's Hotel Krantz am Neuen Markt gegangen, wo er mit seiner Frau wohnt, und mit einigen Verwandten. Sehr bemerkenswertes gemeinsames Mittagessen. Die Frau hat eine wienerische Mutter, die in London lebt. Price heißt die Frau, ursprünglich Fräulein Libesny. Rollt das r und sucht nach Wörtern, wenn sie deutsch redet; also eine Tsetse-fly. Dann war da ihre ältere Schwester, die Frau Professor Bullog: beide Frauen bildhübsch, die ältere hat einen zehnjährigen fetten komischen Buben. Ferner Madame Garrique, die Schwester von dem Professor. Mit einiger Sicherheit für eine Budapester Jüdin zu halten, sehr herzig, dick und klug und lustig. So was für mich – Sie wissen schon. Passons – sagt der Kammerrat Levielle in solchen Fällen. Alles das ist vorbei, geplatzt! Die ganzen Verwandtschaften von den genannten Herrschaften untereinander hab' ich freilich erst hintennach so genau erfahren. Monsieur Garrique war auch da. Franzose mit Henri quatre-Bart, ein Weinhändler aus Bordeaux, der erst nach Kanada und dann in die U. S. A. gekommen ist. Konnt' ihm die fesche Frau schwerlich gönnen. Wenn man sich das mit dem Bart vorstellt. ... Na ja. Vor ein paar Wochen wär' mir das noch sehr nahe gegangen, sagen wir, nicht gerade zu Herzen... Immerhin. Es hätte mich in's Fleich geschnitten. Der Bart hätte mich gewissermaßen gestochen. Die Garriques haben zwei beinah erwachsene Kinder: den Gaston, ein langer, schlacksiger Lulatsch von sechzehn, und seine Schwester, Lilian, die viel kleiner ist, mit dicken schwarzen Haaren. Als wir in's Hotel kamen, war da auch die Renata von Gürtzner, die wird ungefähr sechzehn sein, ein sehr süßes, aber irgendwie kühnes Geschöpf. Samt-Augen, schöne intelligente Höckernase; und ihre Freundin, die Sylvia, war auch dabei. Mit dieser ganzen Gesellschaft haben wir dann zu Mittag gegessen. Die Garrique-Kinder sprechen kein Deutsch. (Frau Garrique kann es freilich, mit ungarischem Akzent und ohne Tsetse-fly; zu gescheit für so etwas.) Nur der kleine fette Bub vom Professor Bullog hat von seiner Mutter deutsch gelernt, beherrscht es perfekt. Aber wegen der Garriques rede ich mit meiner ‚Bande‘ englisch. Das können auch Renata, Sylvia und der lange Pfadfinder, den sie dabei haben, so halbwegs. Sie werden ihn ja gesehen haben, mit dem Sport-Speer. Beim Essen war ein großes Geschrei, das hauptsächlich die jungen Leute vollführt haben. Wir Erwachsenen sind kaum zu Wort gekommen. Immerhin kam dabei heraus, daß die Eltern Garrique und auch Frau Professor Bullog wünschten, ihre Kinder möchten doch bei Besichtigung der Sehenswürdig-keiten von Wien jemand haben, der sie ein wenig an die ‚Kultur-werte‘ (sic!) heranführe, mit Sachkenntnis. Der René rührte sich nicht bei solchen vorgebrachten Wünschen. Ich aber war merk-würdigerweise mit den jungen Leuten schon derart verständigt, als das Gespräch auf diesen Punkt kam, daß mir Lilian unter dem Tisch einen ermunternden leichten Tritt in's Schienbein versetzen konnte, der auch von mir alsbald richtig aufgefaßt worden ist. Ich erklärte mich also gerne bereit, die jungen Leute auf einigen Rundgängen und Fahrten unter meine Obhut zu nehmen (Lilian sagte mir nach dem Essen: ‚den kleinen Bully‘ – sie meinte den Zehnjährigen – ‚nehmen wir mit; er ist sehr verwendbar‘). Dr. Gürtzner meinte, daß Renata mit Sylvia sich anschließen sollte. So geschah es auch. Die Mädchen haben dann den Pfadfinder mitgebracht. Wir besuchten sozusagen schandenhalber die Hofburg, Schönbrunn und das Kunsthisto-rische Museum. Sonst aber treiben wir uns herum, auch im Wiener Wald, und haben schon ganz nette Sachen gemacht, so-wie einigen Unfug.‘‘

,,Das läßt sich denken‘‘, sagte ich. (Mir war das Ganze keines-wegs recht geheuer.) ,,Na ja. Erst wollten Sie so etwas wie ein Pascha mit dicken Harems-Damen werden; indessen scheinen Sie sich jetzt für die Karriere eines Indianer-Häuptlings entschie-den zu haben.‘‘

,,Ich muß jetzt gehen‘‘, sagte er und lachte. ,,Die warten dort oben auf mich. Ist es Ihnen recht, wenn ich Sie morgen punkt halb neun Uhr abends abhole? Ich komme gleich in einem Taxi, wegen unserer Frack-Pracht.‘‘

Ich war's zufrieden. Seine Pünktlichkeit kannte ich ja. Nun ging er. Ich trat an's Fenster. Er winkte mir von der Straße noch einmal zu, und pantherte sodann eilig bergan.

Ich sah ihm nach. Ich sah ihm auf den Rücken. Kajetan hatte Renata ganz offenbar nicht erkannt, dies war für mich der erstaunlichste Inhalt dieser letzten Minuten. Sie hatte auf Skiern unsere Spur gekreuzt, sie war am Hügelkamme unweit von ihm gestanden, bei jenem Ausfluge der ,Unsrigen', als Schlaggenberg dort oben gewartet hatte; sie war an ihm vorbeigegangen und mitten zwischen uns durch, die ganze Gesellschaft gleichsam teilend. Und dann erschien sie ja noch einmal, bei den klapprigen zermorschten grauen Bänken, als Stangeler perorierte! ... Kajetan aber hatte sie nicht wiedererkannt, als er ihr dort im Hotel Krantz am Mehlmarkt begegnete, unter den Amerikanern. Wie merkwürdig war das doch: ich konnte seine Blindheit fühlen, ja, als wär' es einst meine eigene gewesen. Und er selbst hatte diesen Zustand beschrieben, wie er ihn erlebt, Frau Mary K. gegenüber; hier aber erlebte er so etwas gar nicht; er wußte es nicht, daß er blind war. Ich gedachte seiner Reden in bezug auf Quapp, und was ihm ,erspart geblieben' sei. Ganz anders hier: Kajetan sah da überhaupt nichts; so wie wir den hellsten Stern, der uns aufginge, nicht sehen könnten, hinter einem schwer im Dunste schwimmenden Horizont.

Die Last des Sommers fühlt' ich jetzt auf mir, während ich da beim Fenster hinaus und die Scheibengasse bergan sah, den unaufhörlichen Hagel von Licht; man hätte meinen mögen, daß es prassle. Wird man älter, dann scheinen die Sommer kürzer, das Zeitmaß bilden die Winter, sie haben nur Sommer-Pausen. Diese beängstigen oft; ein wattiertes Schweigen liegt um das Herz. Es scheint der Sommer, welcher doch in der Jugend endlos, ja, fast unendlich war, uns jetzt mit stummem Drucke zuzusetzen, daß wir ihn gleichsam anhalten mögen, und zupacken und etwas ergreifen; aber was wäre das? Wo bietet sich der Hand ein Halt?

Ich dachte nicht an Friederike, während dieser Minuten, das war's. Irgendwo stand sie wohl dahinten, hochgestaut, eine Wucht. Aber ich sah sie im Augenblicke nicht. Ich war selbst blind. In mir wurmisierte irgendeine Besorgnis herum, wegen dieser Bande, die Kajetan sich da neuestens zugelegt hatte. Ich kannte seine Skandalsucht. Aber kam es denn bei ihm jemals wirklich zu Skandalen? ,Es muß alles auf die Spitze getrieben werden.' Dann aber wurden ihm die Spitzen immer vorzeitig abgebrochen. Nein, es war nur eine Sucht. Eine süchtige Neigung zu grotesken Vorstellungen. Im Falle der Grete Siebenschein hatte er sicherlich irgendeinen Skandal inszenieren wollen, im Verein mit dem Rittmeister und meinem Neffen Doktor Körger noch dazu (dem ich jetzt und hintnach fast eher so etwas zutraute als Kajetan selbst). Aber es war nichts daraus geworden, oder eigentlich: es war alles ganz anders gekommen. Die ‚Allianz‘. Und die ‚Dicken Damen‘. Weg mit ihnen! Aufhören! Indem ich hier am Fenster stand, fühlt’ ich fortwährend ganz andere Teile dieser Gartenvorstadt in mir, und nicht nur, was ich vor Augen hatte; die tiefe Schlucht dort unten im Wertheimstein-Park etwa, mit dem Bächlein, das sich in Becken staute, und den duckenden und spritzenden Wasservögeln . . . Nun, was würde er schon tun mit seiner Bande? Jedenfalls, ja, ganz gewiß nur Überflüssiges: überflüssige Dummheiten. Noch sah ich Kajetan; jetzt erst verschwand er dort oben, in eine schmale Gasse tretend, die links und rechts von dichten Gärten gesäumt war.

Der Empfang bei Friederike fand am folgenden Tage statt, dem 23. Juni, es war ein Donnerstag. Das Wetter hatte umgeschlagen. Vormittags regnete es heftig; und während gestern mittags in der Sonne 30 Grad Réaumur gemessen werden konnten, fiel das Thermometer jetzt auf 13 Grad herab. Erst nach halb fünf Uhr nachmittags trat eine gewisse Aufheiterung ein, und es gab keinen Regen mehr.

Meiner Ansicht nach hatte Friederike mit dem Wetter Glück, das jetzt als ein ganz eindeutig trübes, ja kaltes, ihrer ganzen Veranstaltung eine gewisse Zwiespältigkeit nahm (die eigentliche Bedeutung dieses Festes erfuhr ich erst hintennach). Denn eine Garden-party hätte das nie genannt werden können – ganz abgesehen davon, daß man solche zu Wien schon vor 1914 meist in der sommerlichen Nachsaison gab, wenn alles aus den Bädern und Bergen wieder in der Stadt eingetroffen war – einfach deshalb, weil der ‚protokollarische‘ Vermerk links in der Ecke der Einladung auf den Frack hinwies. Aber auch rein technisch wäre eine vielköpfige Garden-party in Friederikes hinter dem Palais gelegenen Parke überhaupt undurchführbar gewesen; denn dieser war von Mietshäusern umstanden, was Musik und etwaigen Tanz ab zehn Uhr ausgeschlossen hätte.

So freilich, wie heute, fügte sich alles; das Wetter allein würde die Gesellschaft aus dem feuchten Parke in’s erleuchtete Haus verweisen, und keine Hitze konnte das Tragen des Fracks zur Last machen.

Über solcherlei Umstände Bemerkungen tauschend, glitschten Kajetan und ich – er war mit präzisester Pünktlichkeit um halb neun im Wagen angerollt, und wir hatten uns geruhig noch mit einem Whisky stärken können – in dem bequemen Gefährt durch die noch feuchten Straßen der Gartenvorstadt und dann gegen die Wieden zu. Es war etwas nach neun Uhr und schon dunkel, als wir vor die in allen Fenstern hell erleuchtete Front des Palais Ruthmayr rollten.

Fast gleichzeitig noch andere, Wagen auf Wagen; der Portier stand heraußen, öffnete Schläge, half den Damen, ordnete die Auffahrt.

Wir legten ab und traten, während einige eben gekommene Herrschaften noch im Vestibüle zurückblieben, in einen kleinen leeren Salon von im ganzen weißer Farbe, ich erinnere noch die ovalen violetten Polster-Einsätze an den Sesselchen, die hier standen. Es gab vor uns eine breite zweiflügelige Glastür mit vielen kleinen würfelförmigen Scheiben. Dahinter war es überaus hell, fast grell, ja, man vermeinte eine Art Druck zu fühlen von der durch die Glastüre noch von uns getrennten vielfältigen Bewegung und dem übermäßigen Lichte. Jetzt wichen die Flügel, zwei Stubenmädchen – keine von beiden war Ludmilla – zogen sie auseinander, und wir machten die ersten Schritte in den unteren Teil der Halle, wo sich jetzt außer uns und den beiden Dienerinnen niemand befand. Mein Blick sprang empor über die wie eine Lyra geschwungene rote Freitreppe und in die dichte Bewegung hinein, welche im oberen Teil der Halle zwischen den Säulen herrschte. Kajetan und ich stiegen aufwärts. Über den Stufen oben in der Mitte stand Friederike in einem Katarakt von weißer Seide.

Der Augenblick schoss zu Kristall und wurde zum Auftritt. Es war ein Zufall, daß sich vor uns niemand auf den roten Stufen befand; ein Zufall auch, daß gerade jetzt eine Musikkapelle, die ich nicht sehen konnte, mit jenem schäumenden Marsch einsetzte, der in ‚Hoffmanns Erzählungen' den Einzug der Gäste im Hause des Professors Spalanzani begleitet. Es gab kein Zurück: ich mußte diese Treppe beschreiten, mit Kajetan, gerade mit Kajetan, und sie führte uns empor. Da waren wir. Ich stellte ihn Friederike vor. Er blieb über ihre Hand gebeugt, eine Sekunde vielleicht, eine und eine halbe Sekunde über den feinen Rand der Etikette hinaus. Damals war es, daß ich auf Friederikes Füße blickte, auf ihre unschuldigen Mädchen-Füße. Dann kam ich an die Reihe. Als ich mich wieder aufrichtete, sah ich, daß Kajetan offenbar den Kammerrat grüßen wollte, der links hinter Friederike stand, mit jemand ein paar Worte wechselnd, ein klein wenig zur Seite gedreht. Schlaggenberg ließ es denn mit einer auf jeden Fall gegen Levielle hin ausgeführten leichten Verbeugung gut sein.

Mich aber begrüßte er, der Kammerrat, zeremoniös, sich aber sogleich wieder in etwas betonter Weise abwendend. Ich war's sehr zufrieden und tauchte alsbald, von Schlaggenberg bereits getrennt, in's Gewühle. Jemand nahm mich unter dem Arm und sagte zu mir: „Denk dir, Schorsch, ich hab' schon meinen Bibliothekar gefunden, einen ganz ausgezeichneten Mann." Es war Alfons Croix. Ich wußte augenblicklich nicht, wovon er eigentlich sprach und sagte: „Gratuliere!" Während er noch einiges von dem Bibliothekar erzählte (und nun freilich erinnerte ich mich an den Abend bei Croix am 15. Mai), sah ich dem Direktor Altschul in ein ganz unvorbereitetes Gesicht, durch eine Sekunde nur – dann begrüßten wir einander schon. Er war an eine der Säulen gelehnt gestanden, welche die Decke trugen; dieser befand man sich hier im oberen Teil der Halle weit näher als unterhalb der Treppe, und deshalb waren die Säulen nicht sehr hoch und weniger dick. Dem Direktor war vorhin das Gesicht durch einen Augenblick gleichsam herabgefallen gewesen (es hätte am Boden liegen müssen) und dahinter zeigten sich ganz formlose Bündel von Vorstellungen, die ihn eben beherrscht haben mochten, Unschlüssigkeit, Trauer, Sorge (vielleicht ist doch mit dieser Bank irgendwas los? dachte ich). Nun schüttelten wir einander die Hand. Schon war auch Frau Rosi heran, neugierig, kindlich, lachend; sie überfiel mich sogleich mit Fragen, warum man mich denn gar nicht mehr in der Bridge-Stube sehe, und ähnliches. Es war gut, daß ich bei ihrem vielen und raschen Sprechen nicht dazu kam, eine Antwort zu geben, denn ich hätte gar keine gewußt. Aber ich sah durch Augenblicke mit Entsetzen den Stein in ihrer Brust, das harte Herz der gutmütigen und ahnungslosen Dummheit. Schon begrüßten mich die Trapps samt Tochter Angelika. Der mit Schmuck geradezu barbarisch behangene Edamer Käse – vielleicht aber waren diese

Spangen, Diademe, Perlenhalsbänder und Armreifen erforderlich, um ihn überhaupt beisammen zu halten, daß er nicht auseinanderlaufe – stellte mir unverzüglich den nunmehr bereits offiziellen Bräutigam Angelika's vor, den Direktor Dulnik, den künftigen Schwiegersohn, groß wie ein Ofen, die Frackbrust aber ein beschneiter Dachfirst.

So ging das weiter, ich mußte die Menschen sackweise vermahlen, mir wurde aufgeschüttet wie einer Mühle. Von den Söhnen Levielle's, dem Baron Fregoli, dem Mucki Langingen will ich hier gar nicht reden. Zwischendurch machte mich Schlaggenberg mit dem Doktor Franz von Gürtzner-Gontard bekannt und mit seiner Frau Price. Ich gedachte meines alten Hofrates mit Herzlichkeit; nun hatte der also seinen Buben wieder und, wie ich jetzt erfuhr, sollte der andere, der Anatol, auch bald herüber zu Besuch kommen. Es war eine Wohltat, einmal etwas von dieser Art zu hören; zugleich eine Wohltat, jetzt und hier, in dieser gleichmäßigen Vermahlung oder Verwurstung von Menschen und Beziehungen, einem durchaus echten Faktum, einem wirklichen Ergebnisse zu begegnen.

Aber zugleich – während mich zunehmend Trauer beherrschte, weil ich ja bei alledem Friederike gar nicht mehr zu sehen bekam – blieb der wesentliche Inhalt rasch vergehender Zeit für mich ein anderer, und heute ist er das Brett, auf welches ich all die Figürchen jenes Abends stelle: ich hatte bereits den oberen Teil der Halle mit den schwächeren Säulen verlassen, welche die hier weit nähere Decke trugen, und war durch zwei Salons gegangen – fast leer – einen großen, und nach dem Passieren der jetzt nach links und rechts zurückgeschobenen Glaswand, durch einen kleineren, den ich nun wieder erkannte und als einen Teil nur des größeren Raumes sah. ... Da kam es: mich befremdete lebhaft und unbegreiflich, jetzt und hintnach, daß ich während all jener Gespräche im oberen Teil der Halle immer wieder und wie unter Zwang zur Decke zwischen den Säulen hatte hinaufblicken müssen, als suche ich etwas dort, gerade dort, wo die Säulen an die Decke stießen, in der oberen Kahlheit des Raumes, wohin man ja sonst nicht eben häufig schaut. Nun, während dies unwiderstehlich sich mir aufdrängte, verließ ich den kleinen Salon durch eine rückwärtige offenstehende Türe – nicht jene also, neben welcher der Empire-Paravent stand – und betrat einen für mich neuen Raum. Es war eigentlich ein

Gang, ein längliches Kabinett, man hätte das einen Bibliotheksgang nennen können: links und rechts hohe schwarze Bücherschränke, von altmodischer Art, darin sich aber nur wenige
Rücken von großen dunklen Bänden zeigten. Es gab Nischen
und Bogen, der Bücherkasten rechter Hand wies eine ganze
Galerie; Wunderwerke der Tischler-Kunst, Exzesse ,altdeut-
schen' Stils. Das Licht war sanft und matt, es kam von der
Decke her. Die offene Flügeltür am anderen Ende führte zu
weiteren Gesellschaftsräumen. Ich hörte Stimmengewirr. Doch
kam niemand hier herein. Ich war stehen geblieben und sah zur
Decke empor, dort wo diese mit der Wand zusammenstieß. Mir
erschien dieser Raum so, als gehöre er gar nicht zu Frau Friederikes
Hause, sondern als habe er sich jetzt erst hier geöffnet, für mich
sozusagen, ein unbekanntes Gelaß, von mir entdeckt. Ich suchte
irgend etwas an der Decke, während ich an leere, nicht täglich
betretene Räume meiner Kindheit dachte, Kammern, die man
gar nicht oft zu sehen bekam, solche etwa, darin die Wäsche
gerollt oder gebügelt wurde. Es waren im Grunde Räume, die
ich nur geträumt hatte, als Bub, durch die ich nur im Traume
geeilt war, und nie ohne Furcht.

Auch dieser Raum war geträumt.

Ich habe ihn später nie wieder gesehen, nie mehr betreten,
nie mehr gefunden, nie mehr erblickt.

Sie hat gegen Ende des Juli in diesem Jahre 1927 eine kleine
bauliche Veränderung durchführen lassen. Der dunkle, fensterlose Bibliotheksgang war ihr nie angenehm gewesen: aber es
bedurfte erst einiger Bewegung in ihrem Leben – die es aus dem
soignierten Stillstand seit dem Tode ihres ersten Mannes drängte
– um ihr Auge für die Möglichkeit zu öffnen, etwas schon lange
mißfällig Empfundenes einmal einfach zu ändern.

Früher hätte sie diesen Anlauf nie zu Ende gebracht, so sagte
sie mir dann.

Es sind genau achtundzwanzig Jahre vergangen, seit ich im
,Bibliotheksgang' gestanden bin. Heute ist der 23. Juni 1955,
auch ein Donnerstag, denn nach achtundzwanzig Jahren fallen
die Wochentage wieder auf das gleiche Datum.

Tritt auf im ,Bibliotheksgang', von rechts aus dem kleinen
Salon kommend, Kajetan, wirft sich in Positur:

„Ha, Elender. Hier find' ich Euch zuletzt,
der mich mit Selma in die Irre steuert,
und sich geheim an einem Stern ergetzt.
Ja, selbst Frau Selma ward mir vorenthalten!
Summa summarum: alles blieb beim alten."

Wahrscheinlich hielt er das für Jamben. Zwischendurch:
„Gehn Sie doch zum Buffet, Herr Sektionsrat, man hat schon
den Speisesaal geöffnet, und ich habe Languste genachtmahlt,
und Chablis. Der Whisky bei Ihnen war ja ganz gut, aber davon allein kann man nicht leben."
Mir allerdings wurde jetzt klar, warum in diesen kleinen Räumen solche Stille und Leere herrschte: man strömte in größeren
zusammen, um sich massiven Genüssen hinzugeben. Dabei
konnte Schlaggenberg nicht fehlen. Unverzüglich erwiderte ich:

„Grauslicher Lüstling, blind von fetten Krapfen,
was Ihr erschautet wird Euch nie zum Bild,
was Ihr vorwegnahmt, sollt Ihr nie erreichen,
des saht Ihr heut ein unzweideutig Zeichen,
gehabt Euch drum hier nur nicht gar zu wild."

Kajetan, im Davongehen mit beiden Händen immerfort
schnelle, kleine abwinkende Bewegungen vollführend:

„Betrug und List! Das ist mir ein Chronist!
Dem ich die eigne Feder oftmals lieh!
Selma ist ein Phantom! Sie lebte nie!
Doch platzten längst mir zweite Wirklichkeiten,
und sollen fürderhin mich nicht begleiten." (Ab.)

Niemand hatte unsere Affereien gestört. Ich blieb allein. Fast
fühlt' ich so, als wär's nicht eigentlich Kajetan gewesen, der jetzt
den matt erhellten Raum verlassen hatte, sondern als sei eine
Erscheinung verschwunden, eine solche, die unvermutet in
einem jener leeren ‚Bügelzimmer' meines Elternhauses vor mir
auftauchen hätte können, wo ich sie als Bub im Grunde meines
Herzens auch immer erwartet hatte – deshalb nicht minder erschreckend, dennoch eben erwartet. Auch hier war ein neuer

Raum, der sich für dieses eine Mal geöffnet hatte wie durch ein Weichen der Wände.

Levielle trat ein. Er kam ebenfalls von rechts her, aus dem leeren Salon, sah sich indigniert um, und dann erst, sozusagen als zweites, erblickte er mich: mit hochgezogenen Augenbrauen ein Phänomen in's Auge fassend, dem die Unverschämtheit eignete, in seiner Nähe überhaupt zu erscheinen.

„Aha", sagte der Kammerrat, „freut mich, Sie anzutreffen, Herr, Herr – Sektionsrat. Ich hätt' Sie eigentlich was zu fragen, nämlich das folgende: finden Sie es denn so ganz außerordentlich und extrem passend und angebracht, einen Herrn in das Haus der gnädigen Frau hier einzuführen, von dem bekannt ist, daß er ein Verhältnis mit seiner eigenen Schwester hatte?"

„Erstens, Herr Kammerrat", erwiderte ich in aller Ruhe, „hat er niemals ein ‚Verhältnis', wie Sie das nennen, mit ihr gehabt, zweitens ist Charlotte nicht seine Schwester, wie Sie wohl am besten wissen dürften, sondern die Tochter des seligen Herrn Georg Ruthmayr und der Baronesse von Neudegg, spätere Gräfin Charagiel. Und drittens habe nicht ich ihn eingeführt, sondern Frau Ruthmayr hat den Wunsch ausgesprochen, ihn hier zu sehen. Weil ihr seine Bücher gefielen, wurde ich befragt, ob ich ihn etwa persönlich kenne. In summa: mir blieb gar nichts anderes übrig, als den Herrn von Schlaggenberg zum Abwerfen seiner Karte zu veranlassen. Er hat das getan, und so wurde er denn eingeladen. Voilà tout."

„Natürlich gemeinsamer Auftritt mit Ihnen", sagte er. „Gerne hätte ich Sie außerdem, Herr Sektionsrat, einmal gefragt, so ganz beiläufig, was Sie eigentlich veranlaßt, sich dauernd in Angelegenheiten einzumischen, die auch ohne Ihre Interventionen einen geordneten Verlauf nehmen würden. Das muß ein Spleen von Ihnen sein. Ich hörte neulich auch, daß Sie irgend etwas schreiben." Bei den letzten Worten lächelte er zu offenkundig; es ging ein paar Linien breit zu weit: bereits ein Angriff.

Ich hatte einen einzigen Schuss im Rohre, und der war eigentlich zu schwer für diesen Anlaß, und sozusagen auf diese geringe Entfernung. Jedoch, ich drückte unverzüglich ab:

„Mich veranlaßte zu meinen Interventionen, wie Sie das nennen, Herr Kammerrat, lediglich die Besorgnis, Sie könnten mit Herrn Cornel Lasch am Ende doch noch über die Methoden der Kapitalbeschaffung einig werden."

Es war ein Volltreffer. Ich sah es sofort. Sein Gesicht hielt sich nur ganz an der Oberfläche noch beisammen, sozusagen mit der äußersten Haut. Er sagte:

„Sie phantasieren. Na ja, seit Sie ein Dichter geworden sind. . . . Guten Abend."

Ab.

Wieder blieb ich allein. Ich dachte nichts. Ich genoß diesen Raum, den es doch gar nicht gab, darin sich doch alles fügte. Als von links, wo es zum Speisesaale ging, ein Katarakt von weißer Seide einbrach, wußte ich endlich, warum ich hier stand.

Friederike war allein.

„Oh!" rief sie, mich erblickend, und blieb vor der finsteren Galerie des Bücherschrankes mir gegenüber stehen, „hier find' ich Sie, Herr von G-ff, ja, waren Sie denn nicht beim Buffet, es gibt doch so gute Sachen . . ."

Sie verstummte, fast möchte ich hier sagen: sie verzagte. Vielleicht hat sie wirklich in diesen Augenblicken erkannt, wie es um mich stand; so sagte sie wenigstens später einmal. Ich faßte merkwürdigerweise gerade jetzt auf, daß ihre Toilette ein wenig hinter der Mode war, nein, anders: sie hielt sich überhaupt abseits davon. Der untere Teil dieses großen Abendkleides fiel breit, reich in Falten, irgendwie krinolinen-artig, es hatte gewippt um sie beim Eintritte. Der gewaltige Ausschnitt, die freien gleißenden Schultern schlugen meinen Blick jetzt mit Macht nieder, es war, als stieße er geradezu vor Friederikes Füßen am Boden auf, vor den silbernen Pumps, die sie trug.

Wir begrüßten uns gegenseitig nochmals, als wären wir einander an diesem Abende noch gar nicht begegnet, und da sie mir – näher auf mich zuschwimmend, bis ganz dicht an die Wand ihres unsichtbaren kristallnen Gefängnisses – beide Hände reichte, nahm ich diese und versuchte dabei (weil es ganz einfach für mich zu viel war) meinen Blick so einzustellen, daß er nicht auf ihre Schultern traf; aber das wollte mir nicht gelingen.

„Ich suchte Sie, Herr von G-ff", sagte sie. „Weil ich eine große Bitte an Sie habe."

„Ganz Ihr Diener, verehrte Gnädige."

„Ich werde Sie bitten, mit mir in einer für mich sehr, sehr wichtigen Sache zu sprechen und mir Ihren Rat zu geben. Würden Sie die große Güte haben, bei mir am Samstag, also übermorgen, um fünf Uhr, Tee zu trinken? Wir werden da selbstverständlich allein bleiben."

„Ja, gnädige Frau", sagte ich und verbeugte mich. Eine ganz schlimme, eine widerliche Angst kroch mir dabei in die Brust. Sie wollte mich doch nicht etwa fragen, ob sie . . .

„Übrigens hat ja dieses Fest außerhalb der Saison heut abend eine bestimmte Bedeutung, von der Sie vielleicht gar nicht wissen" (jetzt vereiste mich die Angst bereits). „Der Kammerrat Levielle verläßt Wien, er übersiedelt ganz nach Paris. Morgen reist er. Sein Hausstand in der Johann-Strauß-Gasse wird aufgelöst. Es ist gewissermaßen sein Abschied heute, Abschied mit bissel Dekorum . . ."

Ich schwankte innerlich wie ein Schiffsboden, jetzt wieder zurück in die frühere Lage. Ein von mir blitzschnell hervorgebrachtes wahrhaft gräßliches Gespenst hatte mich ebenso rasch wieder verlassen.

Noch immer hielt ich ihre beiden Hände. „Auf Samstag", sagte ich, „und ganz und gar zu Ihren Diensten, gnädige Frau. Und ich bitte Sie recht herzlich, mich jetzt in aller Stille beurlauben und zurückziehen zu dürfen."

„Wie?! Sie wollen schon gehen?"

„Ja", antwortete ich, „ganz unauffällig."

„Nun, wie Sie es wünschen, lieber Herr von G-ff, wie Sie es wünschen . . .", sie lächelte. Ich küßte ihre rechte Hand, und, da ich denn die linke ebenfalls hielt, auch diese.

Auf der dunklen Straße, die feucht und kühl war, rasch dahingehend, empfand ich, der ich die ‚guten Sachen‘ verschmäht hatte, nach einer Weile heftigen Hunger; und trat deshalb in ein großes, fast leeres, anständiges Café. Ich legte den Abendmantel ab und ließ mir Eier und Cognac geben. Im Augenblick wurde mir klar, daß ich etwas anderes jetzt gar nicht zu genießen vermöchte.

Es war zu viel, es riß jetzt ab, der gespannte Zug platzte. Dieser Abend ward plötzlich aus jeder Bedeutung entlassen, er zerfiel in Atome. Sie kreiselten auf der Stelle wie Holzsplitterchen in kleinen Wirbeln eines Bächleins. Hier saß ich in meinem Frack, Respekt einflößend für den diskreten Ober. Wahrscheinlich wußte er, woher ich kam. Ein Ober weiß alles. Das Bächlein kadenzierte durch die tiefe Schlucht im Wertheimstein-Park herab. Ich war dort neulich spazieren gegangen. Einige ganz bescheiden, aber hartnäckig wiederkehrende Brocken aus heut abend geführten Gesprächen besuchten mich jetzt, es war gleich zu Anfang gewesen, im oberen Teil der Halle. Die Ozeanflieger Chamberlin und Levine. Sie waren am verwichenen Sonntag bei strömendem Regen und gleichwohl ungeheurem Zulauf am Asperner Flugfeld gelandet, heute nachmittags aber, und ebenfalls bei Regen, in aller Stille, überraschend nach Prag gestartet. Die Unwetter-Katastrophe in Payerbach am Ende der vorigen Woche. Der Kurpark total vermurt. Das hatte der Direktor Altschul erzählt. Frau Rosi und er waren Augenzeugen. Pioniertruppen seien eingesetzt worden. Jetzt die fast leere Halle bei meinem Weggange. Diesmal war's Ludmilla, die mir in den Mantel half. Ich schlief nun beinahe ein. Ich ließ ein Taxi herbeirufen ...

Auch Samstags regnete es wieder, am Morgen. Der Tag blieb kühl. Um fünf Uhr war ich bei ihr. Es ergriff mich sehr, als ich sah, daß sie über mein Kommen sich wirklich freute. Ich hatte des Freitags mit Entschlossenheit einen ganzen Mückenschwarm von Illusionen niedergeschlagen, welcher in der Folge jener im Bibliotheksgang mit Friederike verbrachten Minuten sich erhoben hatte – insbesondere eben am nächsten Tage. Die Sümpfe meiner Hoffnungen oder eigentlich nur Träume waren aber nun ausgetrocknet, und ich stieß wieder mit einer klaren Kante an die Kräfte des äußeren Daseins.

„Es ist sehr lieb, daß Sie gekommen sind, Herr von G-ff", sagte Friederike.

Sie trug das gleiche stahlblaue Kleid mit dem knappen Ausschnitt, wie am 30. Mai, dem Tage, da ich morgens zum letzten Mal auf der Schanze gewesen. Die Glaswände waren vorgeschoben und machten den kleinen Salon wieder zu einem selbständigen Raum, und der genius loci sprach mich zart an mit einem kaum spürbar feinen Hauche von Kampfer – am Donnerstag hatte ich beim Hindurchgehen dergleichen nicht bemerkt – und grüßte mich so mit dem Dufte eines neuen Lebensabschnittes, der ja immer ein Jenseits im Diesseits ist, und wie mit einem sehr leisen, aber eindringlichen Stimmchen.

Alsbald jedoch wurde es übertönt von Friederike's Stimme, die sagte, was ihr am Herzen lag; es war, wie ich jetzt erfuhr, eigentlich eine Geldangelegenheit. Mit dem Abgange Levielle's aus Österreich war sie ihres Beraters, Mentors oder, wenn man das so nennen will, geradezu ihres Vermögensverwalters verlustig gegangen. „Ich habe ihn ja von Georg" (sie meinte den toten Rittmeister) „sozusagen geerbt", sagte sie, und: „Ich verstehe rein gar nichts von den Dingen, ich habe keine blasse Ahnung."

„Wo liegt Ihr Vermögen, wenn ich fragen darf, Gnädige?"

„‚Boden'", antwortete sie und meinte damit die ‚Bodencreditanstalt'.

Eigentlich hörte ich heute ihre Stimme zum ersten Mal in längerer Rede und ganz ungestört, unter vier Augen. Es kam dieses sehr weiche, leise und eher dunkle Organ in bezwingender Weise aus ihrer Körperlichkeit hervor, es repräsentierte sie, es bildete den optischen Eindruck, den ihre Persönlichkeit machte, in unübertrefflicher Weise akustisch ab. Auch diese Stimme war einsam. Sie schien längeres zusammenhängendes Sprechen gar nicht gewohnt, seiner nicht eigentlich mächtig zu sein. Im Grunde blieb sie stumm. Sie schwebte nur nahe heran an die kristallene Wand ihres Gefängnisses, wesentlich edel und gutartig, und bewegte den Mund, man sah es fast mehr, als daß man's hörte.

Und nun bat sie mich geradezu, ich möge in jenen Sachen ihr zur Seite stehen, ihr helfen, sie beraten.

Doch ich scheute zurück. Den Platz Levielle's bei ihr einzunehmen, schien mir unerträglich: vielleicht als gehobener Lakai mit Exspektanz .... Es entstand eine außerordentlich schwierige Lage für mich. Sie erzählte mir auch, daß Levielle gewisse Vollmachten von ihr gehabt habe. Diese erschienen mir sogar als sehr weitgehend. Zum Beispiel in Fällen ihrer Abwesenheit von Wien dringende börsenmäßige Transaktionen durchzuführen, auch ohne ihre eingeholte Genehmigung. Nun, als urteilsfähig in solchen Belangen kam sie wohl niemals in Betracht, und wahrscheinlich war durchaus immer geschehen, was er ihr jeweils vorgeschlagen hatte. Ob sie die Vollmachten zurückerhalten habe?

„Ja, natürlich", sagte sie. „Hier hab' ich's."

Sie reichte mir diese Papiere. Ich staunte. Über gewisse Fonds hatte der Kammerrat ein direktes Verfügungsrecht besessen.

Während ich die Schriftstücke durchsah, traf mich wiederum der zarte Duft vom Kampfer. Dieses Stimmchen entschied. Das Hindernis mußte genommen werden. Ich konnte ihre Bitte nicht zurückweisen. Es war unmöglich. Ich sagte ihr also, daß ich ihr ganz und gar zur Verfügung stehe. Ich empfand stärkste Zärtlichkeit für Friederike in diesen Augenblicken. Und ich faßte den Vorsatz, mit Umsicht und größter Genauigkeit die Dinge zu prüfen, das Beste darin zu tun. Ich bemerkte zuletzt, daß so weitgehende Vollmachten, wie Levielle sie von ihr erhalten und innegehabt, von mir nicht gewünscht würden und für mich entbehrlich seien. Zuletzt erbat ich die Erlaubnis, mit dem Herrn Direktor Edouard Altschul über die ganze Angelegenheit und diesen meinen Pflichtenkreis zu sprechen.

„Aber der ist doch gar nicht von der ‚Boden‘“, sagte sie.

„Nein“, sagte ich, „aber er hat der ‚Bodencreditanstalt‘ durch viele Jahre angehört.“

„Sprechen Sie mit ihm, Herr von G-ff“, sagte sie, „wenn Ihnen das gut scheint. Er ist ja ein Freund meines Hauses.“

Wir schwiegen dann.

Sie streckte ihren Arm herüber, gab mir die Hand und sagte: „ich danke Ihnen“. Während ich ihre Hand küßte, war ich maßlos glücklich nur durch diesen einen Umstand: daß ich jetzt Gelegenheit haben würde, sie öfter zu sehen, mit ihr eine ständige Verbindung zu halten. Die Brücke war geschlagen.

Um die Mitte der folgenden Woche, also schon an der Wende des Juni zum Juli, während ich fast den ganzen Tag eifrig studierend über Friederikes Depot-Verzeichnissen und Konto-Auszügen saß, erhielt ich einen Brief Schlaggenbergs, von welchem ich seit dem Empfang im Palais Ruthmayr nichts mehr gehört hatte. Ich öffnete das dicke Schreiben etwas befremdet; es trug den Poststempel Wien; aber der Weg zu mir wäre ja von Kajetans Behausung wahrlich nicht weit gewesen, und schließlich gab es auch ein Telephon.

„Sehr verehrter, sehr lieber Herr Sektionsrat!

Falscher Chronist, widriger Geheimniskrämer und Krypto-Selmist!

Warum sind S’ denn gar so häßlich-still verschwunden am Donnerstag? Ich hab’ dann noch einmal genachtmahlt, Roastbeef mit Mayonnaise, und Burgunder. Champagner mag ich nicht, wie Sie wissen, ziehe Whisky mit Soda vor, das ist sozusagen der Champagner des kleinen Mannes. Das Buffet war großartig. Übrigens: Krypto-Selmismus und Chronisterei scheinen irgendwie in der Tiefe zusammen zu hängen. Sie sollten aufhören. Oder, besser: sammeln Sie nur Notizen." (Ich tat's übrigens jetzt wieder, und mit Eifer, wie denn anders könnte ich heute, nach achtundzwanzig Jahren, den Text hier erstellen!) „Dieses Herumschriftstellern gehört abgeschafft. Zur Sache, ad rem, zu den Sachen, ad res (nebenbei, ätsch: mit Ihrem Stern hab' ich mich am Donnerstag, gegen 12 Uhr, noch lange unterhalten, wäre dabei am liebsten vor ihr auf dem Boden gesessen, süße Füße, Silberpumps, aber das ging nicht, ich bin eine Viertelstunde mit ihr beisammengestanden, unbeschreiblich, weil ich doch etwas größer bin als der Stern, als diese Zentral-Sonne, göttlich-furchtbarer weiß-gleißender Schein, sah verzweifelt immer nur in mein Glas. Sie hat drei Bücher von mir gelesen. Ich bin ein unmöglicher Mensch).

Ad rem: prodigia et eventa simul inciderunt würde der Rittmeister sagen; die Vorzeichen trafen gleichzeitig mit dem Ausgange der Sachen ein. Gestern begann mein Flug bei der ‚Allianz'. Man legte mir nahe, von meinem Vertrage zurückzutreten und bot mir dafür sogar eine Entschädigung an. Ich war's zufrieden. Gleichzeitig waren fünf Redakteure gekündigt worden, wie ich dann erfuhr: also weitgehende Veränderungen! Auch Cobler wird nicht mehr Chefredakteur sein. Gyurkicz ist als Zeichner geblieben, ein gewisser Weilguny aber, sein Konkurrent, ist gleichfalls geflogen. Kaum den Allianz-Boden, auf dem ich wahrlich nicht lange gefußt hatte, verlassen habend, kam Quapp in Eile und grinsend, mit dem Briefe eines Notars Doktor Philemon Krautwurst (sic!) – die Döblinger Eroica-Hausfrau, der sie zum Glück ihre neue Adresse gesagt hatte, schickte ihn gutwillig weiter – grinsend also kam sie, weil ihr was Gutes ahnte, denn wegen der Neudeggschen Erbschaft war sie gleichfalls von jener Krautwurst zitiert worden. Wir gingen zusammen hin.

Trinken Sie einen Whisky, Sektionsrat und Krypto-Selmist, halten Sie sich an ihrem Fauteuil fest!

Der Doktor Krautwurst hat die bewußte Sache schon am 2. Juni übernommen gehabt, nämlich im Auftrage des Kammerrates Levielle das ‚wiederaufgefundene (!) Militär-Testament des im Kriege 1914 gefallenen Rittmeisters d. R. und Gutsbesitzers Ruthmayr' durchzuführen; zugleich als Verlassenschafts-Kurator und Testamentsvollstrecker in einem, denn der Kammerrat sei wegen seiner unmittelbar bevorstehenden gänzlichen Übersiedlung in's Ausland (wußten Sie das etwa?) nicht in der Lage, diesen Pflichten zu genügen. So ungefähr schrieb er dem Notar, wenn auch freilich weit genauer und ins Einzelne gehend. Dr. Krautwurst hat mir und Quapp diesen Brief gezeigt. Und wissen Sie, was ich noch gesehen habe, in der Hand gehalten habe? Das Original jenes ‚Testamentum militare' vom Jahre 1914. Darauf ist als einer der beiden Zeugen ein Anton Lach unterschrieben, Korporal, Eskadrons-Trompeter. Dann steht drinnen ausdrücklich das Bankhaus in London, bei welchem Quapp's Vermögen liegt, und dort heißt es auch ‚zum Unterschied von dem, was meiner Frau als Universalerbin zusteht, sobald diese Werte wieder frei werden, erliegend bei –' und nun nennt er ein anderes Haus in London" (ich kannte es bereits aus den Akten, die Friederike mir übergeben hatte). „So zutreffend hat Ihr famoser Wachtmeister berichtet, Herr Sektionsrat, was sagen Sie jetzt dazu?! Der Notar hat vom Kammerrat bei Übernahme der Sachen das Original verlangt und erhalten. Die beiden müssen die Dinge ausführlich besprochen haben, das ging aus einigen Bemerkungen des Dr. Krautwurst hervor. Jener erste Brief – vom 31. Mai war der – stellte wohl nur eine Anfrage Levielle's an den Notar vor, ob der nämlich bereit sei, die Sache zu führen. So etwa las ich's.

Aber nun, wie schon gesagt: Trinken Sie einen Whisky!

Als Quapp von Dr. Krautwurst um ihren Besuch gebeten worden war, hatte jener die Sachen schon erheblich weit vorangetrieben gehabt, was vor allem bedeutete, daß die in Ruthmayr's ergänzendem Testament gemachten Angaben über das Erliegen der Werte in England bereits verifiziert dastanden. Depotscheine und Nummernverzeichnis der Wertpapiere gelangten gleichzeitig mit dem Original des Testamentes durch Levielle in des Notars Hände. Jetzt, nachdem das Londoner Bankhaus affirmativ geantwortet hatte, leitete Dr. Krautwurst sofort die notwendigen Schritte beim österreichischen Abrechnungsamte im Gebäude der Handelskammer am Stubenring ein, beantragte gleichzeitig einen Gerichtsbeschluß, und nun erst zitierte er Quapp. Nach alledem ist es jetzt bereits möglich, eine beiläufige Schätzung von Quapp's Vermögen vorzunehmen, um so eher als bei der Sequestrierung in England das Ganze ja zu englischer Kriegsanleihe gemacht worden ist – ebenso wie in Ihrem Falle – deren Kurs leicht in Erfahrung gebracht werden konnte. Natürlich wird auch Quapp die bei allen diesen Transfers üblichen Verluste erleiden. Alles in allem aber und alles abgerechnet – ungünstig gerechnet – wird Quapp über ein Vermögen von mindestens zehn Millionen Schilling im kommenden Jahre bereits verfügen, denn so lange, heißt es, wird die Abwicklung wohl dauern.

Genug. Sie dürften inzwischen, verehrter Herr Sektionsrat, von Ihrem Fauteuil gefallen sein, trotz Festhaltens, und hoffentlich ist dabei Ihrem Whiskyglase nichts passiert. Gleichwohl waren gerade Sie es, der – Sie erinnern sich doch?! – ganz ex abrupto ungefähr so hoch taxierte. Woher Sie das nur hatten?

Nun, Quapp ist ja jetzt schon durch das Neudeggsche Erbe für's erste versorgt, zudem zeigt sie neuestens einen Hang zur Sparsamkeit, ja, man könnte schon bald sagen Knickerei. . . . Was die Liebe, Gute jedoch keineswegs gehindert hat, mir per sofort 50 000 zur Verfügung zu stellen. Ich mußte ihr versprechen, wenn dann die große Geldflut käme, einen Teil auf mich ableiten zu lassen. Aber sparen tut sie gleichwohl; sie ging neulich dort draußen in Hietzing – wo sie ganz reizend wohnt – in die Küche, um ihre Zigarette anzuzünden, weil gerade unterm Teekessel die Gasflamme brannte. Sie geht einen halben Kilometer weit – und Quapp ist, wie Sie wissen dürften, nicht gar gut zu Fuß – um den Schinken billiger einzukaufen. Sie vermeidet Lokale überhaupt und seit neuestem verabscheut sie Konditoreien, was doch früher wahrlich nicht der Fall war. Zudem raucht sie jetzt schlechtere Zigaretten und behauptet, diese seien der größeren Schärfe wegen für sie weitaus befriedigender. . .

Es zeigen sich Zeichen. Wohl, ein Teil davon geht auf allgemein-menschliches zurück. Wer Substanz gewinnt, lebt vorsichtiger, niemand schlenkert mit einem vollen Gefäß herum, sondern trägt es behutsam. Aber auf den Akzent kommt es an, auf die Betonung, auf die Überbetonung in diesem Falle. Die Zeichen weisen darauf hin, daß der Mond sich um seine Achse drehen und seine fremdartige Rückseite zeigen wird – Sie verstehen mich wohl. Quapp's Vor-Leben, ihre Vor-Biographie ist beendet. Alle begabteren Frauenzimmer haben eine solche: und niemals kann ein Mann den heroischen Träumen seiner Knabenzeit so profund, so ausrottend und umstürzend untreu werden, wie ein Weib jenen ihrer frühen Jugend; ja, manche Mannsbilder setzen ihre Vor-Biographie bis in's letzte i-Tüpfelchen in die Realität um, womit sie beweisen, daß es gar keine Vor-Biographie war, sondern die eigentliche, wenn auch in nuce: doch stand sie von Anfang an komplett da. Quapp aber hat zu erben verstanden. Wie ihre Mutter. Das ist eine persönliche Eigenschaft. Es gehört in die gleiche Kategorie wie Glück oder Unglück im Spiel, Beliebtheit oder Unbeliebtheit. Das sind Zeichen, unter welchen ein Leben steht. Sie hat zu erben verstanden. Jetzt beginnt ihr Leben recht eigentlich erst.

Nun gut. Ich flog bei der ‚Allianz'. Laus Deo. Sogleich habe ich mich gewendet, und fast unmittelbar danach einen Brief nach Stuttgart geschrieben, mein Kommen ankündigend: an jenen großen Verlag, der sich für die Beendigung eines umfangreichen Buches von mir interessiert, das dort zu erheblichen Teilen schon gelesen worden ist – Sie erinnern sich vielleicht, daß Quapp die Sache erwähnte, an jenem Nachmittag, als der vortreffliche Alois Gach da war, dem wir so viel zu danken haben. Die Verhandlungen in Stuttgart werden leicht sein, da ich ja, für die nächste Zeit zumindest, unabhängig bin, und mich nicht mit Vorschüssen zu belasten gedenke: ich werde solche auf keinen Fall verlangen. Nun endlich zerfällt jede Zersplitterung. Keine ‚Allianz'-Artikel. Kein Selmismus. Diebisch freut's mich, daß mein Roman, den sie dort in einem der ‚Allianz'-Blätter so groß angekündigt hatten, mit seinen Fortsetzungen immer noch weiter läuft, sie können wohl nicht mitten darin aufhören. Die zweite Hälfte des Honorars sollt' ich erst nach Erscheinen der letzten Fortsetzung erhalten, ich konnte sie aber, durch ‚besonderes Entgegenkommen', schon zusammen mit der (für meine Verhältnisse halt) recht erheblichen Entschädigung beheben, welche mir das Zurücktreten vom Vertrage brachte. Alles vollzog sich übrigens in den kollegialsten Formen, man bedauerte tief, sprach auch einmal von den völligen Umstellungen in der Verwaltung des ganzen Konzerns, und so weiter, was man halt bei solchen Anlässen sagt.

Ich bin im Begriffe zu reisen.

Ich begrüße Sie, hochverehrter Sektionsrat. Mein Dank begleitet immer Ihr Bild, das nicht selten mit kryptischen Zügen und selmischem Lächeln vor mir aufsteigt.

Leben S' recht wohl.

Kajetan S.

P. S.

Gletscherfluß. Eine Explosion. Wie
wird mir? In solchen Fällen kann man
nur in sein Glas schauen. Sie sprach über
die Bücher eines Menschen, der doch
als ein unmöglicher vor ihr stand. Die
Sterne verdunkeln sich. Ein furchtbarer
Verdacht steigt in mir auf, der sich auf
einen Kryptiker bezieht."

Ich ging natürlich gleich zum Telephon. Jedoch, er war schon abgereist, so sagte mir seine distinguierte Hausfrau. Für wie lange? Sie konnte es nicht sagen, sie vermutete nur, daß es für länger sei, denn „Herr von Schlaggenberg hat die Miete für drei Monate im voraus erlegt . . ."

Erlegt, na gut. Ein unangenehmes Wort, ein sozusagen aufdringlich hochanständiges Wort.

Mir war nicht wohl bei seiner so überaus plötzlichen Abreise, da mochte diese sachlich noch so gut begründet worden sein: das Ganze sah nach einer Handlung im Affekte aus.

Alsbald rief ich Quapp an (ich besaß schon ihre Hietzinger Nummer). Warum, dacht' ich indessen, ist er nicht mehr zu mir gekommen? Setzt sich hin, macht sich die Mühe eines langen Briefes? Das heißt doch, mich vermeiden! Meine Gegenrede vermeiden vielleicht? Meine Rede gegen was? Der Brief enthielt nichts, dem zu widersprechen gewesen wäre.

So saß ich denn wieder über meinen Depot-Verzeichnissen, Kontokorrent-Auszügen, Korrespondenzen, Büchern.

Ich kannte den Gouverneur – dieser Titel war ihm zugebilligt worden – der ‚Boden‘ persönlich, und ich hätte ihm sogar vor kurzem eigentlich begegnen müssen, auf dem Empfang bei Friederike nämlich, zu welchem er gebeten worden war; doch hatte er sich am Tage vorher wegen neu herangetretener dringender Geschäfte entschuldigen lassen.

Es gehörte dieser Mann zu den wenigen Gestalten, die man aus dem Vordergrunde jener Jahre kaum wegzudenken vermöchte. Doch will ich keineswegs behaupten, daß sie Schlüsselfiguren des Zeitalters waren, die, hätte man sie nur einmal begriffen, jenes aufschlössen. Die Schlüsselfiguren stehen nie im Rampenlicht. Eher waren solche Menschen Schlösser am Tor der rein äußeren Zukunft, in welche das Schicksal allerdings ebenso gerne wie lautlos seine recht grob materiellen Schlüssel schob.

Die Funktion der ‚Bodencreditanstalt‘ im Wirtschaftsleben gerade jener Jahre war mir bekannt, laienhaft, ungefähr. Doch um diesen Punkt zogen sich meine Besorgnisse und Gedanken jetzt nicht zusammen. Sie galten vielmehr dem Gouverneur selbst.

Man möge daran denken, daß ich nach Sicherheit strebte, nach Sicherheit für Friederike, nach nichts anderem. In diesen recht eng gezogenen Gedankenkreis aber wollte die Persönlichkeit des Gouverneurs sich mir nicht fügen. Sie ragte aus ihm heraus und sie wies ganz wo anders hin: auf Wirkung, ja, mehr noch: auf Geltung. Das interessierte mich aber in diesem Falle ganz außerordentlich wenig, und ich wünschte mir gar keine glänzende oder blendende Erscheinung an der Spitze eines Institutes, dem Friederikes Wohl und Wehe anvertraut war. Des Gouverneurs Vorzüge, seine stupende Karriere in wenigen Jahren – das alles lag für jetzt außerhalb meines eng geschnittenen Seh-Schlitzes, ja, ich war dafür blind.

Ich habe damals mit einer ganzen Reihe von kompetenten und vertrauenswürdigen Leuten gesprochen, die ich kannte – ich trieb mich tagelang geradezu herum, von einem zum anderen – aber niemand von allen jenen hat mir etwas gesagt, was meine Unruhe niedergeschlagen und gelöst, oder aber mich zu einschneidenden Entschlüssen und Veränderungen vermocht hätte.

Merkwürdig war's: bei den wenigen Malen, da ich den Gouverneur aus der Nähe gesehen, ohne freilich ein irgendwie belangreiches Gespräch mit ihm zu führen, kam mir jedesmal ein doch sonst von ihm gänzlich verschiedener Mann in den Sinn: der Erz-Journalist Cobler, bis vor kurzem Chefredakteur im ‚Allianz'-Konzern. Ich habe ihn einmal durch Kajetan kennen gelernt.

Wie schon gesagt, habe ich, gleich nachdem Kajetans Brief eingelangt war, Quapp angerufen. Sie zeigte sich von seiner Abreise unterrichtet, lachte und trompetete im übrigen am Telephon. Ich sagte ihr, daß ich alles schon wisse, Kajetan habe mir geschrieben. Ich beglückwünschte sie. Ihre so liebe vortreffliche Artung sprang jetzt ganz und gar und voller Wärme in ihre Stimme, als sie rief: „Ihnen verdanken wir alles, Herr Sektionsrat. Ich umarme Sie!" Nun brachte ich mein Anliegen vor. Ob ich sie einmal zu Dr. Krautwurst hinaufbegleiten dürfe, sozusagen als alter Freund, sie möge dies dem Notar sagen und ihn bitten, wenn er einverstanden sei, Tag und Stunde festzusetzen. Es sei mein dringender Wunsch, das Original des Testamentes zu sehen. „Ich sah es freilich", sagte sie und ihre Stimme verdunkelte sich, „wissen Sie, als ich den Namen las: zu wissen: dies ist die Schrift deines Vaters, denken Sie, Herr von G-ff, in letzter Stunde ..." Sie brach ab, wir schwiegen beide durch einige Sekunden am Telephon.

Der Besuch bei dem Notar fand in der folgenden Woche statt. Um diese Zeit übersah ich das meinem Rat anvertraute enorme Vermögen schon zur Gänze. Es hatte tatsächlich seit 1914 eine nennenswerte Verminderung nicht erfahren, wenn man von den ziemlich hohen Zeichnungsbeträgen auf österreichische Kriegsanleihe absah; doch fiel dies dem Gesamt-Vermögen gegenüber nicht in's Gewicht. Hinzu kam noch das Gut. Es war lastenfrei, und auf zehn Jahre verpachtet. Diese Sache blieb zu prüfen. Die Anlage des Effekten-Vermögens konnte meisterhaft genannt werden: bei zum Teil sehr heterogenen, aber durchaus soliden Werten, deren etwaige Bewegungen sich gegenseitig gewissermaßen ausbalancieren mußten. Alle Achtung vor Levielle! Selbstverständlich hatte ich auch auf der Bank schon vorgesprochen und mich entsprechend ausgewiesen. Der Kreis, innerhalb dessen ich Rat und Erkundigung einziehen konnte, war vollends ausgeschritten, ohne eigentliches Ergebnis, wie man weiß; blieb nur Edouard Altschul; ihn wollte ich noch hören, und zwar als den letzten.

Genau an der gleichen Stelle und zur selben Zeit wie am 30. Mai vor unserem Gange zu Dr. Mährischl trafen Quapp und ich einander, um gemeinsam zum Notar Dr. Krautwurst zu gehen. Auch diesmal kam sie pünktlich. Vielleicht war sie überhaupt im Begriffe, sich profund zu verändern, und nicht nur sparsam, sondern auch pünktlich zu werden? Vielleicht war ihre Mutter, die den Kanarienvogel des Kastellans mit einem Flaubert erschossen hatte – ich erinnerte mich seltsamerweise gerade jetzt an die Erzählung des Prinzen Alfons – ebenfalls pünktlich gewesen?

Eine Viertelstunde später lag in der Kanzlei des korrekten Herrn Dr. Philemon Krautwurst der Nabel dieser ganzen Sachen – vor mir auf dem Tisch. Man verzeihe diese wilde Wendung. Aber es war wirklich so. Es war das Testament Georg Ruthmayrs. Der Notar war mit Quapp zu einem anderen Schreibtische getreten. Ich las diese korrekte Kurrentschrift eines k. u. k. Unteroffiziers, und erkannte einmal gleich, daß Gach sich etwas zu diskret ausgedrückt hatte mit seinen Worten: ‚ich hab' den Eindruck gehabt, der Herr Rittmeister muß eine uneheliche Tochter gehabt haben, offen zu sprechen . . .' Nein, hier wurde ganz offen gesprochen. Es war durchaus in dieser Weise von Quapp die Rede, als von einer natürlichen Tochter. Alle Angaben waren genau. Auch über die Mutter Quapps. Auch die, von welchen Kajetan mir geschrieben hatte. Am Ende gab es einen typischen kleinen ‚Diktatfehler', wie das die Urkundenforscher nennen: „ . . . Dies mein letzter Wille und auftrags er verehrter Herr Kammer-Rat." Es hätte selbstverständlich heißen müssen: „Dies mein letzter Wille und Auftrag, sehr verehrter Herr Kammer-Rat." Danach kam schon die eigenhändige Unterschrift samt Charge und Regiment: „Georg Ruthmayr, Rttm., D 7." Ruthmayr hatte fast unmittelbar vor seinem Tode noch gut leserlich geschrieben.

Ich folgte nicht dem Gespräche, das Quapp und der Notar halblaut im rückwärtigen Teil des Zimmers führten, ich faßte es nicht auf, ja, ich hörte es gar nicht mehr. Was hier vor mir lag, ließ mich die Verwandlung einer ganz unanschaulichen, wenn auch zwingenden Annahme in einen konkret vorliegenden Sachverhalt erleben (ja, es war wieder wie im Obergymnasium,

wenn bei dem Rechnen nach Formeln – denen ich immer miß-
traut hatte – das richtige Resultat am Ende heraussprang). Und
plötzlich geschah da ein Wechsel der Ebene, ein Abreißen der
Spannung, ja, recht eigentlich eine Art Tod. Es war das Ende.
Der Anfang lag auf dem Wege zwischen den winterlich kahlen,
in großer Zahl und in grauen gittrigen Reihen bergan wandernden Weinstöcken, wo mir Schlaggenberg wieder begegnet war,
noch im alten Jahr. Hier war mir ein Sternbild aufgegangen aus
fremden Lebens-Sternen, auf denen man wahrlich anders lebte
als auf dem meinen, ein Jenseits im Diesseits: das kuriose Sternbild meiner Chronisterei, die zu nichts geführt, mich aber so
viel gelehrt hatte. Nun zerfiel es. Jetzt schon riß es Den, riß es
Jenen hinweg, aus dem einander Beigeordnet-Sein hinaus in die
Beziehungslosigkeit. Mit Quapps kommendem Reichtum (mit
ihrer eigentlichen, jetzt beginnenden Biographie?), mit Kajetans
plötzlicher Reise, mit – – mit meiner geheimen Liebe, mußte
ich fortfahren, die sich geschäftig machte, ihrer selbst zu vergessen (vergebliche Hoffnung), mit alledem zerriß eine gemeinsame Aura, versank eine Zeit, deren Schönheit viel später erst
mir aufgehen würde – ich fühlt' es damals, vor des toten Rittmeisters Testament sitzend – wie der besinnliche Vollmond, der
so unversehens wie lautlos und schnell über den Hügelkimm
steigt. Und so ist es heute.

Wir sprachen noch einiges mit dem Notare. Quapps französische Geburtsurkunde war eingelangt, Kajetan hatte sogleich
an seine Mutter um diese geschrieben. Dr. Krautwurst ließ ganz
beiläufig fallen, daß die so späte Auffindung des Testamentes
eine sehr merkwürdige Tatsache sei. Mehr sagte er nicht, und
ich sagte auch nichts. Denn diese Sache, die doch lange Zeit den
Inhalt vieler Überlegungen bei mir gebildet hatte, sie war tot.
Sie hatte schon im ‚Bibliotheksgang' des Palais Ruthmayr am
23. Juni ihr Ende erreicht. Auch Quapp sagte nichts.

Zweifellos hätte das von Levielle dem Eustach von Schlag-
genberg, Kajetans Vater, gegebene Versprechen, das Geheim-
nis von Quapps Herkunft strikte zu wahren, so lange die Gräfin
Charagiel lebte, vor dem Strafgesetz für den Kammerrat eine
Entschuldigung für die dreizehn Jahre lange Hintanhaltung von
Ruthmayr's Militärtestament nicht gebildet. Wohl aber mag er

diese Entschuldigung sich selbst gegenüber haben gelten lassen. Die Seichtheit der sogenannten ,sehr gescheiten' Menschen ist auch dem tiefsten Denken ganz unerreichbar, weil sie hoch darüber an der Oberfläche schwimmt.

Die Geschichte mit dem Aktenbündel, das sich auf gänzlich andere Dinge bezog, und wo man niemals das Original von Ruthmayr's Testament gesucht hätte – und es sei lange gesucht worden, weil noch keine legalisierte Abschrift existierte! – diese Version Levielle's, und sein Bericht, daß jüngst aus einem weit davon abliegenden Anlasse jenes bewußte Faszikel geöffnet und das verschwunden gewesene Stück samt den bereits beigelegten Depotscheinen und Verzeichnissen darin entdeckt worden sei: diese Motivierung von Levielle's Herantreten an Dr. Krautwurst noch vor Anfang des Monats Juni scheint der Notar ohne jeden Kommentar hingenommen zu haben – vielleicht etwas betont ohne jeden Kommentar. Jedoch, auch Quapp und ich verhielten uns jetzt durchaus nicht anders. Die Sache ging glatt und klar ihrer Erledigung entgegen: wozu ein Hindernis auftürmen, bremsen, Sand in's Getriebe der Formalitäten streuen?

Am Rande bemerkt, hätte es vor dem Gesetze für Levielle auch keine Entschuldigung bedeuten können, daß die Freigabe sequestrierter ,feindlicher' Guthaben von seiten der königlich britischen Regierung ja erst um 1926 in Fluß gekommen sei. Nicht einmal der Kriegszustand hätte den Kammerrat daran hindern dürfen, sogleich den letzten Willen Ruthmayr's beim Verlassenschafts-Gerichte zu präsentieren. Nach Levielle's Darstellung freilich schien ja das Testament fast unmittelbar, nachdem es in seine Hand gelangt war, schon in Verlust geraten zu sein, als noch nicht einmal eine amtlich beglaubigte Abschrift bestand.

,,Diese arroganten Gesichter sollte man einhauen wie eine Fensterscheibe!" hatte Schlaggenberg neulich einmal in bezug auf den Kammerrat und seinen Bruder, den Generalstabsarzt (,Pseudo-Levielle') gesagt. ,,Man fragt sich wirklich, wie solche Leute das machen, was sie sich dabei denken, und wozu sie diese ganze Frechheit nötig haben."

Ich fragte mich anders: wie nämlich der Kammerrat es eigentlich mit sich allein mache?

Erst vierzehn Jahre später wurde mir der Schlüssel zu dieser Frage gereicht. Auf halbem Wege zum Heute also.

Ich hatte im zweiten Weltkrieg als ehemaliger österreichischer Reserve-Offizier bei den Deutschen einrücken müssen, und fuhr, in der Uniform damaliger Luftwaffe, von Mont de Marsan nach Biarritz, dessen Flugplatz ich übernehmen sollte. Es war im Jahre 1941. Als mein Auto das Thermalbad St. Pierre de Dax passierte, geriet es in einer engen Straße in eine gestaute Kolonne von Fahrzeugen, deren Lenker es alle außerordentlich eilig hatten, wahrscheinlich mehr aus Motorbesessenheit und Wichtigtuerei als aus wirklichen Anlässen (solche hat es damals kaum gegeben). In der unaufhörlich hupenden Kolonne haltend, sah ich aus meinem Wagen direkt in's Schaufenster einer Buchhandlung und erblickte genau in der Mitte der Auslage ein neues Buch von Paul Valéry, mit der Schleife ‚Vient de paraître'. Es war übrigens das letzte Werk, das noch zu seinen Lebzeiten erschienen ist: Tel Quel. Ich sprang aus dem Wagen und in's Geschäft, verlangte rasch das Buch und erhielt es von der sehr freundlichen Dame im Laden (die 's vielleicht freute, daß der ‚Feind' die Literatur des Landes zu schätzen wußte). Als ich wieder auf die Straße eilte, hatte der vor meinem Auto befindliche Teil der Wagenreihe schon freie Fahrt gewonnen, jedoch mein bei der Buchhandlung stehendes Fahrzeug hielt alle dahinter befindlichen auf, weshalb das Hupenkonzert bereits einen fanatisierten Ton angenommen hatte. Es klang kindisch, ja eigentlich irrsinnig. Ich sprang in den Wagen und nun ging's dahin.

Auf freiem Felde ließ ich dann halten, und sah den Schatz an, den ich erstanden hatte. Das Buch war unverpackt, ich hatte es der Dame im Laden geschwind aus der Hand genommen, während sie mir ebenso schnell das Wechselgeld zuschob. Ich schlug den broschierten Band auf, und im Nu stieß ich auf die Schlüssel-Stellen bezüglich des Kammerrates:

Le comble de la vulgarité me semble être de se servir d'arguments qui ne valent que pour un public – c'est-à-dire pour un spectateur ou auditeur réglé necéssairement sur le plus sot – et qui ne résistent

Als der Gipfelpunkt des Ordinären erscheint mir, sich solcher Argumente zu bedienen, die nur vor einem Publikum gelten – also vor einem Zuschauer und Zuhörer, der notwendigerweise nach dem

pas à un homme froid et seul
. . . .
. . . Il ne faut jamais user à
l'égard de l'adversaire – même
idéal – d'arguments ni d'in-
vectives que soi-même, seul
avec soi, on ne supporterait
pas d'émettre, qui ne se peu-
vent véritablement penser,
qui n'ont de force que publi-
que, qui font honte et misère
dans la nuit et la solitude . . .

jeweils Dümmsten der Anwesenden ausgerichtet ist – und
die keinen Bestand haben vor
dem kühlen und einsamen
Menschen . . . .
. . . .
. . . Man darf niemals im Hinblick auf einen Gegner – auch
auf einen angenommenen
nicht – Argumente gebrau-
chen und Ausfälle machen,
die man, mit sich allein, vorzubringen nicht ertragen würde, die nicht wirklich gedacht
werden können, die nur pu-
blikumswirksam sind, aber in
der Nacht und der Einsam-
keit uns in Schande und Elend
stürzen . . .

Bestimmt hätte er, der Kammerrat, Kajetan pathetisch einen
‚Wortbrüchigen‘ genannt, wenn der je vor dem Tode der Charagiel gegen ihn vorgegangen wäre. Und mich hatte er im – nun
schon lange nicht mehr existierenden – ‚Bibliotheksgang‘ ge-
tadelt, weil ich ‚einen Herrn in das Haus der gnädigen Frau‘
einführte, von dem bekannt sei, daß er ein Verhältnis mit seiner
eigenen Schwester unterhalten habe. . . .

Die Frechheit wird ermöglicht durch ein Leben auf der eigenen inneren Oberfläche bei andauernden Fälschungen der Bilanz
des Ich. Das sind die Levielle, Pseudo-Levielle und Charagiel.
Sie machen sich's leicht. Man kann sich's ihnen gegenüber gar
nicht leicht genug machen.

Aber den Gipfelpunkt der Frechheit bildete jetzt in meinen
Augen doch jener Besuch, den der Kammerrat in Begleitung
seines Bruders gelegentlich einmal, noch zu Lebzeiten des Herrn
Eustach von Schlaggenberg, auf dem Gute dort unten in Südsteiermark gemacht hatte: ohne damals oder vorher oder später
den Eltern Schlaggenberg je ein Wort von dem, sagen wir einmal, existenten aber derzeit in Verlust geratenen Testamente
Ruthmayr's zu sagen. Das Auftreten der Brüder scheint ja

nicht kleinspurig gewesen zu sein, wie aus Kajetans darauf bezüglicher Bemerkung hervorging. Hier erreichte die Frechheit denn doch die Höhe des Cimborasso, den Gipfel in Nebel gehüllt, und so wieder jedes Erklärungsversuches spottend.

Ich ging neben Quapp durch das altmodische Treppenhaus hinab, und wir traten in die Wipplingerstraße, die vor Zeiten ,Wildwercherstraß" geheißen, weil dort die Kürschner ihre Werkstätten und Buden hatten (solche Sachen bezog man immer von Stangeler). Ob ich jetzt gleich anschließend etwas zu tun habe? fragte Quapp. Nein, sagt' ich. ,,Oh, lieber, guter Herr Sektionsrat", rief sie, ,,da könnten wir uns doch zusammen noch irgendwo ein bissel hinsetzen? Ja? Famos! Ich hab' erst um halb sechs Uhr –" sie brach ab.

,,Was haben Sie denn um halb sechs, Quappchen?"

Ich blickte in ihr Gesicht. Ihre Augendeckel waren ganz aufgeklappt, sie sah mich groß an, mit einem von Mundwinkel zu Mundwinkel gespannten Lachen, und platzte heraus:

,,Ich hab' ein Rendez-vous."

,,Bravo", sagte ich. Wir ließen uns in einem kleinen und damals noch ganz altmodischen Café nieder, das ,Zum alten Rathaus' hieß. Hier kam der Nachtrab unseres Besuches beim Notar, so könnte man wohl sagen, zur Erörterung. Nein, hier war so kurz nicht abzubrechen, die Sache mußte sich sozusagen erst setzen, noch flog der Staub, noch war alles in Unruhe und der Wirklichkeit nicht vollends eingefügt.

Sie wollte mir danken, sie sah das Geschehene so an, als ob es mein Werk wäre. Wem anders denn sei es zu verdanken?! rief sie, als ich das zurückwies. Ohne Gach wäre mir ein sicheres Wissen nie zuteil geworden, so sagte ich, aber auch ihm, als einem Ahnungslosen, sei der glückliche Ausgang der Sachen nicht zu verdanken; er sei nur ein Schlüssel gewesen, der, in's Schloß der Situation geschoben – in's Schloß der gegenwärtigen Lage, welche immer die Zukunft zugleich enthält und versperrt, weil jene sich kaum jemals interpretieren lasse – als ein passender Schlüssel eben aufgesperrt habe. Das Schloß aber hätten wir alle zusammen gebildet, auch Kajetan, auch Levielle, auch Lasch, auch – – – ich hätte bald gesagt ,die Charagiel'. Ich schwieg. In diesem Augenblick fühlte ich Hoffnung, in bezug auf Friederike, wie eine lichtgrüne Schwinge schlug es in mir einmal auf und nieder. Warum nur jetzt?

Sie erzählte mir alsbald, daß ihre Mutter – „ich müßte jetzt sagen ‚Kajetan's Mutter', wie?!" – welche sich über die Neu-degg'sche Erbschaft Quapps ganz außerordentlich gefreut habe, dem Fall, der nunmehr vorliege, anscheinend überhaupt keinen Glauben entgegenbringe; das gehe aus einigen Zeilen hervor, die in den Umschlag geschoben waren, der, als eingeschriebe-ner Brief, das Original von Quapps Geburtsurkunde gebracht habe. Immerhin aber sei Miß Rugley, die Gesellschaftsdame, vorher noch zum nächsten Bezirksgericht geschickt worden, um zwei beglaubigte Abschriften anfertigen zu lassen. Ja, es war in der Bezirksstadt sogar ein Photograph gefunden worden, der eine Aufnahme, eine Photokopie jenes Dokumentes, zu machen imstande gewesen sei. Das alles habe die Engländerin besorgen müssen. Um so merkwürdiger sei im Briefe folgender Satz der Mama: ‚. . . ich glaube zwar kaum, daß bei dieser ganzen phan-tastischen Geschichte auch nur das geringste herauskommt, aber immerhin mußte doch Vorsorge für den möglichen Fall getrof-fen werden, daß dieser Brief mit dem einmaligen Dokumente verloren geht.' So ungefähr habe die Mama geschrieben.

Ich sagte: „Die Mama hat sehr richtig gehandelt, und zugleich eben damit bewiesen, daß sie im Grunde ihres Herzens weit da-von entfernt ist, die ganze Sache für phantastisch zu halten. Aber wenn uns etwas sehr lange bewohnt und wir es enthalten wie ein fest verschraubtes Gefäß seinen Inhalt, dann fällt es gewisser-maßen aus dem Leben, und ist dann so geschwind nicht an die-ses anzustücken. Leben bedeutet Kommunikation, Kontakt, Intervall zwischen Inhalten. Intervall ist natürlich Schmerz. Der Schmerz ist die psychische Erscheinungsform von Inter-vallen . . ."

Ich brach alsbald ab, ich hatte monologisch gesprochen zu-letzt. Aber sie folgte. Ihre Augen, groß, weit auseianderstehend und im ganzen wie die eines dicht heranschwirrenden Insektes – (ach, wo bleibt dein stummer fischiger Blick hinter dem Inter-vall, hinter der Wand von Kristall!) – starrten fasziniert auf mich, ja, wie aus einer Art von ganz unverbesserlicher, unheil-barer Einsamkeit.

Wir schwiegen. Dann sagte sie:

„Ich gehöre jetzt eigentlich nirgends mehr hin."

„Welch' kostbare Lage!" rief ich – und eine plötzlich in mir wie mit Lärm ausbrechende Verzweiflung ließ mich so offen sprechen – „die einzige Lage, aus welcher man jemals erfahren kann, wohin man wirklich gehört!"

War sie noch hier? War sie schon drüben? War sie augenblicklich so ortlos, daß sie selbst es bemerken mußte, und würde sie in dieser nächsten Sekunde schon in ihr eigentliches Leben kippen, in dessen Bahn einschießen, ab da von deren Elementen ganz ausschließlich beherrscht? Durch einen winzigen Augenblick vermeinte ich's fast zu fühlen, wie es sie dahinriß.

Schon vorbei. Ihr Blick erdunkelte – er verlor seinen Insekten-Charakter, sein knopfartiges Vorstehen – eine samtige Welle erwärmte das groß aufgeschlagene Auge.

„Darf ich's Ihnen anvertrauen, Herr von G-ff, mit wem ich jetzt ein Rendez-vous habe? Nur Ihnen."

„Ich hör' und schweige, Quappchen", sagt' ich.

„Mit Ihrem Cousin Géza."

Ich legte meine Hände auf die ihren, und mit herzlichem Druck. So machten wir durch ein paar Augenblicke recht artig die Figur eines wirklichen Liebespaares.

Ja, Sternbilder zerspringen und fahren auseinander, und fast unwahrscheinliche, wenn auch überzeugende Konstruktionen oder schlechthin schwebende Wunschträume, fallen erfüllt als ganz triviale Tatsachen zur Erde, fast möcht' ich sagen mit einem Klatsch, einem Plauz. Ich dachte jetzt freilich an mein Beisammensein mit Géza im Burgkeller, an mein Bedauern angesichts des damaligen Standes der Sachen, die doch, wie ich zu jener Stunde schon meinte, so günstig sich hätten fügen können. Nun, sie hatten sich so gefügt, sie waren mindest eben im Begriffe, in einer Art sich zu fügen, die zu jenem Zeitpunkte wahrlich nicht hatte erhofft werden dürfen. Aber das Sternbild war dahin. Dies Döblinger Gestirn versank für immer. Und mochte noch so großer Anlaß zur Freude bestehen: der genius loci dort draußen verhüllte trauernd sein Antlitz. Jetzt schon fiel die leuchtende Rostfarbe des längst Vergangenen ein. Und dieser Schmerz, den ich vorwegnahm – selbst doch in die Zukunft gespannt, also wieder jung, und voll geheimer Träume, ja, gewagter Hoffnungen! – er überwog augenblicklich in mir alles ganz und gar; und ich sah in das liebe Gesicht mir gegenüber bereits wie in eine aus fernen Jahren heraufbeschworene Erinnerung voll süßer Melancholie, gar nicht anders als ich heute in das gleiche heraufkommende Bild blicke, achtundzwanzig Jahre danach.

Wir hatten, gleich zu Anfang und auf dem Wege zum Notar, über Kajetans Abreise gesprochen, und dabei sah ich, daß sie dieses Faktum einfach respektvoll und wahrlich ohne Kommentar hinnahm, sozusagen als einen autoritären Akt und überdies mit Bewunderung für die rasche Entschlußkraft ihres Bruders; auch freute sie sich von Herzen darüber, daß nun das Ende aller Abhaltung und Zersplitterung für ihn gekommen war und daß er alsbald Anstalten traf, einer größeren, zusammenhängenden Arbeit sich ganz zu widmen. Ich sagte nichts weiter.

Nachdem ich mich vor dem Café ‚Altes Rathaus' von Quapp getrennt hatte – ihr geschwind und leise viel Glück zum Rendezvous wünschend, worauf sie mit weit aufgeklappten Augen lachte und dabei fest meine Hand hielt – ging ich die Wipplingerstraße entlang, gegen den Ring zu, Quapp's Nachbild vorm inneren Blicke: so erkannte ich in befremdlicher Weise jetzt erst und hintnach, wie hübsch sie eigentlich heute aussah, ja, mehr als das, ihre ausgezeichnet abgestimmte Tournure, Hütchen, Sommerkleid und Handschuh; sogar ihren hervorragend gepflegten olivenfarbenen Teint bemerkt' ich sozusagen jetzt erst und roch im nachhinein ihr Bois-des-Îles. Solang ich mit ihr beisammen gewesen, hatte dies alles für mich nur die Veränderung grundiert und bedeutet, den wendenden Punkt, darauf sie sich in meiner Vorstellung befand. Jetzt freilich schien's im Rückblicke durch ihr unmittelbares Vorhaben ganz genügend erklärt. Ja, sie war übersiedelt; von der Döblinger Eroicagasse in die Hietzinger Fichtnergasse. Und sie würde wohl noch viel weiter übersiedeln.

Ich kam zur Börse, wandte mich nach links und schritt die Ringstraße entlang. Ich hatte nichts mehr vor für diesen Abend. Das Wetter war ein ganz durchschnittliches. Keine übermäßige Wärme, ein wenig leichter Wind. Mit ihm geradezu wehte es mich an – da nach diesem eben erlebten Abschlusse wahrlich alle meine Fenster offen standen – daß es ganz in meinem Belieben stehe, nach Paris oder nach Italien oder Südfrankreich zu übersiedeln, an die Côte d'Azur etwa, in das Bergnest Cagnes-sur-mer, wo, wie man hörte, sogar bedeutende Menschen jetzt nicht selten sich niederließen; zuletzt hatte ich vernommen, daß auch Kajetans Lehrer dort lebe (zu ihm hätte er fahren sollen, dies wär' am gescheitesten gewesen!). Sollte ich hier in Wien immer weiter einen Leville II. machen, mit oder ohne Exspektanz, und vor der Kristallwand stehen, um Friederike in die stummen Augen zu blicken? Ich verstand nicht die Sprache der Fische. Aber sie hatte keine andere, so schien es. Ich war zwei- oder dreimal jetzt bei ihr gewesen.

Es wankte die Geduld. Es wankte die Geduld auch mit mir selbst. Und gerade dadurch, daß ich mich eben – bei dem Notar und dann mit Quapp – von manchem schon abgelöst hatte. Ich ging durch Augenblicke – immer weiterschreitend hier auf dem Ring und schon am Volksgarten entlang – wie neben mir selbst her, und sah bei vielen merklich erweiterten Schlitzen hinaus; durch sie strömte zugleich eine Luft ein, welche man jene der guten Gelegenheiten nennen könnte. Wohl, ich war zerstreut. Aber in jener Weise nur, welche man besser als gesammelt bezeichnen würde.

Wie zwischen zwei beiseite geschobenen Vorhängen heraustretend, kam mir, als ich schon am Lanzengitter des Burggartens entlang ging, der Bankdirektor Edouard Altschul entgegen, den Spazierstock am Rücken tragend, den Kopf gesenkt, ich konnte kaum sein Gesicht sehen; doch jetzt blickte er auf, erkannte mich, grüßte und blieb alsbald stehen. Es war deutlich, daß er die Ansprache nicht mied, daß er sie vielleicht suchte, jedenfalls nicht an mir vorbeizukommen bestrebt war.

„Mein Kompliment, Herr Direktor", sagte ich, wir lüfteten die Hüte und reichten einander die Hände.

„Sind Sie in Eile?", fragte ich sogleich.

„O nein, keineswegs", sagte Edouard Altschul. „Ich hatte jetzt im ‚Bristol' eine Konferenz mit einem englischen Kommittenten, mußt' ich übernehmen, der Mann spricht kein Wort deutsch. Immerhin wichtige Sache. Bei Whisky, den ich nicht mag. Ich schickte den Wagen weg, wollt' mir ein wenig Bewegung machen, unterwegs ein' Káffe trinken. Denn muß ich nochmal in's Büro."

Seine Redeweise war rein westdeutsch, aber ohne die Klangfarbe der hessischen Heimat, des Frankfurter Dialektes im besonderen. Ich empfand ihn als überhaupt westlich schlechthin, nicht einmal so sehr als Reichsdeutschen. Er hatte, jetzt mit mir sprechend, irgendeine Bedrücktheit beiseite geschoben, vielleicht gar nicht ungern, aber ich fühlte sie noch, sie klang nach. Ich wünschte sehr, gerade dahin mich vorzutasten, obgleich ich jenen Gedanken – der mich im oberen Teile von Friederikes Empfangshalle gestreift hatte – keineswegs mehr ernstlich bei mir bewahrte: daß nämlich irgend etwas los sein könnte bei dem Geldinstitut, dem Altschul als einer der Direktoren angehörte. Nun, ich hatte inzwischen genug erfahren können, um derlei zu verwerfen. Dennoch interessierten mich die Gründe seiner Depression, der vom 23. Juni, in der Halle, und der heutigen, die aus seinem Gange allein schon gesprochen hatte; und beides war wohl ein und dasselbe.

„Darf ich Sie, Herr Direktor, ein Stückerl begleiten?" sagte ich.

„Das wird mir ein besonderes Vergnügen sein, Herr von G-ff", entgegnete er.

Wir setzten uns also gemächlich in Bewegung. Ich teilte ihm sogleich mit, daß ich ein Anliegen bei ihm vorzubringen habe. Er ließ das offensichtlich ruhig an sich heran, als ein Mann, der seiner eigenen Sachlichkeit und ihrer Abwehrmittel sicher und mächtig ist. ... Nun, ich sagte ihm, daß ich eine bedeutende Vermögensverwaltung übernommen habe; die Ruthmayr'sche nämlich. „Das ist doch ,Boden'", sagte er. Dennoch, meinte ich, sei es mein großer Wunsch, ihm bald einmal, bei sich bietender Gelegenheit, einiges vortragen zu dürfen und ihn um seinen, freilich ganz unverbindlichen, Rat zu bitten. „Ja, gerne, Herr von G-ff", sagte er, und „hier könnte man ein' Káffe trinken." Dabei wies er auf die Tische, welche ein großes Café gegenüber dem einen Seitentrakte des Burgtheaters aufgestellt hatte. „Aber gehen wir hinein", meinte der Direktor, „ich sitze nicht gern im Straßenlärm." Drinnen herrschte sommerliche Leere. „Ja, die ,Boden'", meinte er beiläufig, als wir uns niederließen, „das ist eine Industriebank".

„Was versteht man darunter eigentlich, genau genommen, Herr Direktor?" fragte ich, denn ich wollte es wirklich genau wissen, nicht so, wie ich es wußte, und ich wollte gerade von ihm die Erklärung haben.

„Jede Bank kann einer Industrie Kredite einräumen. Damit ist der besondere Fall hier noch gar nicht berührt. Die Auslands-kredite, welche nach dem Krieg für Österreich zu haben waren, stellten durchgehends kurzfristige Kredite vor. Um die Umstellung der Industrie auf die Friedensproduktion, um die Modernisierung und den Wiederaufbau zu ermöglichen, bedurfte es langfristiger Kredite. Die waren aber nach 1918 vom Auslande im allgemeinen nicht zu erlangen. Die Funktion der ‚Boden‘ war und ist die Verwandlung kurzfristiger Auslands-Kredite in langfristige Industrie-Kredite, durch Prolongierung, Überbrückung, und so weiter. Auf diese Weise entstand ein Bank-Typus, den es im Westen gar nicht gibt. Eine österreichische Spezialität sozusagen.‘‘

„Und was wäre, Herr Direktor, das strikte Gegenstück zu einer Industriebank?‘‘

„Die Effektenbank, selbstverständlich‘‘, sagte er.

Ich hatte den Eindruck, daß er seine Erklärungen so kurz und einfach gegeben hatte, wie nur möglich, durchaus für das Ohr eines Laien; aber doch nicht eigentlich oberflächlich oder obenhin.

„Die Effektenbank kann sich freilich auch jederzeit an Industrien beteiligen, nach Maßgabe ihrer Kapitalreserven. Sie kann dabei auch Verluste erleiden. War auch schon da. Aber der Spielraum ihrer Liquidität ist naturgemäß ein weitaus höherer als bei einem Institut vom oben geschilderten Typus.‘‘

Nun gut. Der Auftakt war passabel. Noch befand ich mich weit davon entfernt zu wissen, was ihn drückte: es war aus unserem sachlichen Gespräche geflüchtet. Ich sprang ab:

„Waren Sie, verehrter Herr Direktor, wieder einmal daheim, im ehrwürdigen Frankfurt?‘‘

„Ja, vor kurzem sogar‘‘, antwortete er. „Übrigens, Herr von G-ff, Sie wollten wegen jener Ihnen übertragenen Pflichten der Vermögensverwaltung meinen Rat hören – mir fällt eben ein, daß ich jetzt für eine gute Stunde unbesetzt bin. Das ist sonst leider höchst selten der Fall, und vielleicht vermöchte ich gar nicht so bald Ihnen zur Verfügung zu stehen. Wenn's Ihnen recht ist, könnten Sie nach dem Kaffetrinken mit mir in mein Büro kommen, dort spricht man ungestört, hier kann doch jeden Augenblick wer in unserer Nähe Platz nehmen oder vorbeigehen. Haben Sie denn irgend welche Aufzeichnungen einstecken?‘‘

„Ja, alles‘‘, antwortete ich. „Ich hab' mir ein eigenes Taschenbuch angelegt mit der kompletten Aufstellung; das führ' ich stets bei mir. Ich danke Ihnen, Herr Direktor, daß Sie mir gestatten, Sie jetzt noch in Ihr Büro zu begleiten."

„Ist mir ein Vergnügen", sagte er. „Sie fragten wegen Frankfurt. Nun, Sie wissen, daß ich seit mehr als zwanzig Jahren in Wien lebe. Meine Frau, Sie kennen ja die Rosa, ist Wienerin. Nun, ich kann wirklich nicht sagen, daß mir hier alles so gut gefällt, daß ich etwa kritiklos einverstanden wäre. Aber in einem gewissen Punkte, sehen Sie, da ist mir allmählich ein Licht aufgegangen, und das gerade bei meiner letzten Anwesenheit in der alten Heimat, eben in Frankfurt. Im Westen dort – – – die Leute strampeln sich ganz einfach zu Tode, aber nicht aus Fleiß, aus Tüchtigkeit, aus Freude an der Arbeit, oder aus einem Muß, weil's anders gar nicht ginge. Oh nein, is' nich', is' nich' wahr. Im Gegenteil. Es geschieht aus Schwäche, aus 'ner Art neurotischem Zwang. Aus Krankheit. Ja. So ist es. Das ist die Wahrheit, die unverhüllte, da mögen vernünftige Begründungen und Zweckmäßigkeiten vorgeschützt werden wie immer. Jeder zappelt schon, während er Ihn' das auseinandersetzt. Zappeln ist nicht zweckmäßig. Na gut, 's is' nich' anders. Knapp vor meiner Reise nach Frankfurt hatt' ich ein Buch von Kyrill Scolander zu lesen begonnen, nahm's auch mit mir" (er nannte den Titel), „da ist mir ein Satz unvergeßlich geblieben, wenngleich ich mit dem Werk sonst nicht viel anzufangen wußte, wohl etwas zu hoch für mich. Jener eine Satz indessen –"

Zu meinem Erstaunen langte er in die Brust-Tasche, zog ein Notizbuch hervor, und in dieses hatte er jenen einen Satz hinein geschrieben, den er mir alsbald vorlas:

„. . . der so viel gepriesene starke, in Wahrheit aber von seiner einzigen Leistung ganz affizierte, moderne, also schwache Mensch . . ."

Es war demnach nicht einmal ein Satz, was er sich da notiert hatte, sondern nur ein Ausdruck, fast im mathematischen Sinne, eine Formel.

„Daher kommt alles", bemerkte Edouard Altschul und steckte sein Notizbuch wieder ein. „Daher kommt auch unser, wollen wir mal sagen, habituelles Übelbefinden, ganz abgesehen von besonderen Anlässen. Auch bei mir." Er schwieg. Dann setzte er hinzu: „Sehen Sie: das hat mich Wien gelehrt. Dort im Westen wär' ich des Zustandes gar nie inne geworden, hätte auch, wohl möglich, die Stelle in Scolanders Buch nicht verstanden. Aber wenn man sich aus der Krankheit in eine – freilich nur sehr relative! – Gesundheit begibt, und dann wiederkehrt, so wie ich oft von Wien nach Frankfurt wiederkehre, dann sieht man, wie's steht."

Ich jedoch schaute jetzt über eine Kluft, nahm aber sehr genau aus, was da drüben war. Dieses Leiden erkannte ich als ein mir fremdes, zu welchem gleichwohl in mir eine Möglichkeit gegeben sein mußte, anders hätte ich es nicht verstanden. So lag es doch innerhalb meines Horizontes, der bei jedem Menschen bestimmt wird durch die Anzahl der Steckdosen, die in ihm bereit sind, auch wenn niemals der Kontakt eingeschoben wird; dennoch besteht eben die Leitfähigkeit für einen Stromstoß, mag der auch aus einem rechten Jenseits im Diesseits kommen. Intelligenz ist, idealisch genommen, nichts als Leitfähigkeit, Leitwilligkeit. Dennoch war dies da drüben mein Leiden nicht, ich war anders geortet: im Pensionismus nämlich. Ihn erkannte ich hier, neben Altschul sitzend, als eine wirkliche Ortung, auf welche alsbald – hier und jetzt, sofort! – die ganze Wucht ihrer besonderen Aufgabe stürzte, die keine leichtere war als mit jener unheimlichen, den Träger in Gestalt von lauter Vernünftigkeiten berennenden Krankheit des Geistes fertig zu werden, von welcher Altschul gesprochen hatte. Ihr gegenüber stand ich auf einem – verdienstlos mir zugewiesenen – archimedischen Punkte. Der Pensionismus, eine Lebensform, zu welcher der Franzose und der Österreicher angeborene Dispositionen besitzen, ist in Wahrheit eine strenge Prüfung und es kann ein Mensch dabei durchfallen, der im aktiven Dienste nie versagt hat. Ich aber hatte als Pensionist und Chronist schon einmal versagt, darüber bestand kein Zweifel. Ein zweites Mal durfte es nicht sein.

So, innerlich gespannt, erblickte ich ihn jetzt, den Kyrill Scolander.

„Da ist er!" rief ich, und legte meine Hand auf des Direktors Altschul Arm.

Ganz vom Hintergrunde des endlos langen Raumes her, wo er an einem der Marmortischlein gesessen haben mochte, kam ein Herr gemütlich durch das Lokal geschritten. Die Baskenmütze auf seinem Haupt (damals eine in Wien nicht eben übliche Kopfbedeckung) war ein wenig zurückgeschoben, und von ihrem glanzlosen Schwarz setzte sich ein beinahe glänzendes tief schwarzes Haar ab. Der Rock des hellen Sommeranzuges stand

offen, ließ so ein sehr buntes Hemd sehen und ein festes Embonpoint sich andeuten. Über dem bunten Hemdkragen und einer
kleinen, nachlässig gebundenen, schmalen Masche saß das bräunliche Antlitz eines Südländers, gespannt und glatt, nicht ohne
Fett, angeführt aber von einer messerscharfen, geraden und sehr
spitzen Nase.

Diese ganze Anstalt schien jedoch, etwa wie ein Leuchter für
die Kerze, nur bestimmt, die Augen voranzutragen. Ich habe
niemals jemand gekannt, der es vermocht hätte, in einem so
hohen Grade anwesend und wahrnehmend zu sein wie Scolander. Er stellte ständig das äußerste Gegenteil von Abwesenheit
und Zerstreutheit, von Versunkenheit oder Träumerei dar, die
im gemeinen Verstande dem Künstler gerne zugebilligt werden,
gerne deshalb im Grunde, weil man dann sicher sein kann, daß
er nicht mit seinen überlegenen Kräften in das Gehudel der Affären eingreifen werde. Bei Kyrill Scolander gab es eine derartige
Sicherheit nie, und darauf beruhte es vielleicht letzten Endes, daß
er sich so vielfach unter der Kategorie der Unbeliebtheit bewegen, ja, das bekannte ‚oderint dum metuant' (‚mögen sie mich
hassen, so lange sie mich fürchten') zur Devise wählen mußte.

Jene Augen waren die Präsenz selbst. Es waren große, weit
geöffnete, leere und gut durchlüftete Doppel-Stollen der Apperzeption, durch welche, was gesehen wurde, sich glatt und gänzlich unverändert, wie es eben war, in's Mahlwerk des Denkens
ergoß. Auch das Lächerliche. Auf dieses schien die spitze Nase
sich spezialisiert zu haben, aus offenbarer Vorliebe, ja, sie bemerkte es vielleicht noch früher als die Augen, welche es dann
– und gerade durch ihr ganz und gar widerspruchsloses Eintrin-
ken von allem und jedem – noch lächerlicher machten. Ein lausbübischer Zug war's geradezu, was mich an diesem doch so
verehrungswürdigen Antlitz immer auf's neue in Erstaunen gesetzt hat.

Präsent wie er war – außerdem sah er sehr gut – bemerkte und
erkannte Scolander den Direktor und mich sogleich und wandte
sich aus dem Mittelgange zwischen den Tischen gegen uns her.
Alsbald erhoben wir uns beide von den Sitzen.

Ja, er wolle gerne noch für eine Viertelstunde bei uns Platz
nehmen, länger sei's leider nicht möglich. Die Begrüßung war
zeremoniös gewesen, sozusagen nach altösterreichischem Ritus
(also auch herzlich und gemütlich) mit ‚mein Kompliment' und

‚meine Verehrung' und ‚außerordentlich erfreut', und mit den Fragen, wie's denn gehe? An diesem Punkt aber sprang Scolander bereits von der bloßen Connivenz ab; denn während er fragte, wie's denn gehe, sah er es schon durch und durch, ja, man konnte es vor ihm gar nicht verbergen; auch war seine Frage um eine kleine Tonlage eindringlicher als sie sonst gestellt wird, und sogar sein Warten auf Antwort ein gespanntes, als erwarte er wirklich eine, als wäre er jederzeit darauf vorbereitet, daß jemand etwas ganz anderes sagen würde als das übliche ‚danke, gut'. Ich erzählte ihm sogleich, daß er eben zitiert worden sei, aus des Herrn Direktors Notizbuch, und Altschul holte es gar hervor und zeigte ihm die Stelle. „Ich finde es ganz außerordentlich, Herr Direktor", sagte er, „daß Sie bei Ihrer Tätigkeit noch Zeit finden, in meinen Büchern zu lesen." „Das muß sein", antwortete Altschul. „In Deutschland, besonders in Westdeutschland, woher ich ja stamme, wie Sie wissen, ist man sich weit mehr im klaren darüber, wie hier, daß Bücher, wenn ich so sagen darf, Lebensmittel sind. Deswegen werden die Deutschen auch an ihren enormen Betrieb nie ganz verloren gehen." „Nein, das glaube ich auch nicht", sagte Scolander. „Der Deutsche wehrt sich aus helleren Schichten, aus seiner Intelligenz, gegen jenes Verlorengehen, der Österreicher aus dumpferen, aus den Geweben sozusagen. Die Mittel sind verschieden. Erst die Zukunft wird erweisen, wer bei dieser Belastungsprobe der Humanität besser abschneidet, das heißt, mehr von ihr behält. Die Fehlerquellen sind in beiden Fällen enorm, denn erst beide Formen der Reaktion zusammengefaßt, könnten eigentliche Intelligenz genannt werden. – Herr von G-ff" (so wandte er sich dann zu mir), „ich bin sehr glücklich, Sie hier zu treffen, auch deshalb, weil ich Sie im Besitze der Wohnungsadresse unseres gemeinsamen Freundes Kajetan von Schlaggenberg hoffe. Ich habe von ihm sehr lange nicht gehört, er hat mir nur einmal – das ist nun mindestens ein halbes Jahr her – geschrieben, daß er im Begriffe sei, zu übersiedeln; und dann kam nichts mehr. Ich bin nur für kurz hier, für eine Woche, gestern bin ich aus Cagnes-sur-mer gekommen, wo ich wohne, ein Bergnest an der Côte d'Azur, lange Fahrerei über Ventimiglia nach Italien hinein, und so weiter. Ich muß dann nach München, wegen einer Inszenierung in den Kammerspielen, das ist dieses schöne kleine Riemerschmidt-Theater in der Maximilianstraße; ich war dort einmal durch drei

Jahre Regisseur und hab' jetzt wieder etwas übernommen. Hier in Wien möchte ich Herrn von Schlaggenberg unbedingt treffen. Ich bin zum Teil sogar deshalb hieher gekommen."

Ich mußte ihm sagen, daß Kajetan vor kurzem abgereist sei, nach Stuttgart; Scolander meinte, ob er ihn nicht etwa in Deutschland treffen könne. Aber unglücklicherweise wußte ich nicht einmal den Namen der Verlegerfirma, mit welcher Schlaggenberg jetzt wohl schon in Verbindung getreten sein dürfte, jener größeren zusammenhängenden Arbeit wegen, der er sich nun ganz zu widmen gedächte. Das letztere schien Scolander zu interessieren, ja, zu erfreuen. Er notierte sich Kajetans Wiener Anschrift.

Aber für mich fiel in diesen Augenblicken erst der entscheidende Akzent auf Schlaggenbergs Reise, die sozusagen damit begann, daß er bei einem der seltenen Aufenthalte Scolanders in Wien nicht zugegen war. Mochten die Dinge in Stuttgart so vorteilhaft sich anlassen wie immer: von da ab würde er sicher weiterfahren – statt verrichteter Dinge zurückzukehren und hier noch Scolander zu sehen: ja eigentlich hätte er schon wieder heimgekehrt sein müssen! Aber die Miete, sie war für ganze drei Monate im voraus ,erlegt', wie mir die hochanständige Hausfrau telephonisch mitgeteilt hatte, und es sei ungewiß, wie lange der Herr Doktor ausbleiben würde.

Vielleicht sehr lange. Scolander wirkte auf mich wie eine Tinktur, durch welche eine bislang noch trübe Lösung niedergeschlagen und geklärt wird. Nun wußte ich alles. Die so glücklich sich fügende Anwesenheit von Kajetans Lehrer – und seine eigene Abwesenheit gerade um diese Zeit (hätte er nicht acht Tage später reisen können!), das stieß auf mich herab wie ein unseliges Omen, und ich sah im Geiste Schlaggenberg von Stuttgart aus, wo er gewiß alles sehr vernünftig geregelt hatte, eine Reise des Wahnsinns antreten: nach London. Jetzt schoss alles in mir zu Kristall, ich sah ihn in meinem Zimmer am Schreibtische stehen, bei meinem Wiedereintritt, ganz versunken, und nach seinem Weggange hatte ich Camy's Brief umgekehrt auf der Platte des Sekretärs liegend gefunden, mit der Rückseite nach oben, auf welcher die genaue Adresse vermerkt stand.

Aber war sie denn in London?! So kam es mir jetzt blitzschnell und erleichternd; hatte sie nicht geschrieben, sie würde kommen, aber nicht in Wien bleiben, sondern mit dem Vater irgendwohin in Österreich auf's Land gehen? Jedoch war von ihr eine weitere Nachricht nicht eingelangt. Hatte ich sie gekränkt, durch die Nichtbeantwortung ihres Briefes ...? Vielleicht war sie überhaupt schon im Lande, ja, vielleicht war sie zu dieser Stunde in Wien, und Kajetans Abreise mußte unter einem sehr glücklichen Sterne stehend und als zur sehr rechten Zeit getan angesehen werden ...

Auf jeden Fall mußte ich ihren Brief nochmals lesen.

Und vielleicht ihr nach London schreiben?

Sie warnen?

Nein, es war zu spät. Alle diese Vorstellungen durchzogen mich mit äußerster Geschwindigkeit, es dauerte nur Sekunden. Doch konnte ich Scolander nicht entrinnen. Daß er sehen konnte, mir gehe etwas durch den Kopf, das war verständlich, offenkundig, es lag auf der Hand. Auch der Direktor Altschul sah es wohl. Daß aber Scolander auch schon wußte, was es war, und gar, an welchem Ziptel er die Sache gleich aufhob, dies berührte mich denn doch nahezu unheimlich.

„Haben Sie, Herr von G-ff, etwas vernommen, ob die Ehe des Herrn von Schlaggenberg nicht wiederhergestellt werden könnte?"

„Nein", sagte ich. „Seine gewesene Frau lebt übrigens in London." Und jetzt, fest entschlossen, meine gehabten und von Scolander erratenen Gedanken sozusagen hintennach noch zu verbergen, ihr Zutage-Treten unkenntlich zu machen, sie zu verwischen – das Sich-Verstecken ist ja unser allerältestes Erbe, jener Zug, mit welchem der Beginn einer eigentlichen Biographie bei Adam und Eva gekennzeichnet ist! – jetzt sprang ich meinerseits entschlossen ab. Denn wenn ich mich hier schon einer so vieldeutigen Figur gegenüber befand, einem Omens-Träger, einer Pythia vielleicht: dann auch sollte sie mir Auskunft geben, sollte ein Akzent, ein deutender, fallen, nicht nur auf Kajetans Reise, sondern auf Sachen, die mir im Augenblick immer noch wichtiger waren, immer noch näher lagen.

„Ich bedaure es außerordentlich, Herrn von Schlaggenberg nicht in Wien anzutreffen", sagte Scolander.

„Für ihn dürfte seine Abwesenheit zum jetzigen Zeitpunkt, wo er Sie hier sehen und sprechen könnte, noch viel bedauerlicher sein", entgegnete ich. Es war keineswegs nur eine Höflichkeitsfloskel. Unmittelbar danach gab ich dem Gespräch die mir erwünschte Wendung in direkter Form und in ganz unverhüllter Weise.

Ich sagte:

„Verehrter Herr Professor, ich hätte eine Bitte an Sie. Nämlich, daß Sie über einen Gegenstand, der Ihnen persönlich ganz fern liegen dürfte, die Güte hätten, mir Ihre Meinung zu sagen."

„Gern. Nur über solche Gegenstände können wir eine vernünftige Meinung haben."

„Darf ich Ihnen erst – sozusagen unter der Kontrolle oder Oberaufsicht des Herrn Direktors Altschul – in äußerster Kürze den Unterschied zwischen einer Industriebank und einer Effektenbank exponieren?"

„Wohlan!" sagte er. „aber ich muß Sie darauf aufmerksam machen, daß ich von derartigen Dingen ungefähr so viel verstehe, wie ein Krokodil von der Qualität eines Einsiede-Pergamentes."

„Immerhin –" entgegnete ich, und wiederholte dann alles früher von dem Direktor Gehörte. „Ist's recht?" fragte ich. Altschul, den dieses Laien-Colloquium zu amüsieren schien, sagte: „Doch, stimmt!" und autorisierte mich mit einem Kopfnicken.

Scolander bot einen bemerkenswerten Anblick. Er lehnte sich immer mehr im Sessel zurück, so wie es die Weitsichtigen tun, wenn sie ein Bild oder Schriftstück betrachten wollen, das sie in Händen halten, und wobei ihnen sozusagen die Arme zu kurz werden. Dann aber beugte er sich wieder ein ganz klein wenig näher gegen mich her. Es schien, als suche er den richtigen Abstand vom Objekt, von mir nämlich samt meiner Darstellung und bevorstehenden Frage, die er ja noch nicht kannte; und ich hatte durch Sekunden – während immer seine Augen auf mich gerichtet blieben, klar und kalt wie ein Forellenbach – die groteske Empfindung, als schraube er an sich selbst wie an einem Perspektiv, ständig seine Optik korrigierend.

Ich schloß.

„Verstanden", sagte er und schwieg.

„Darf ich jetzt um Ihre Meinung bitten in bezug auf das Folgende: angenommen, Sie besäßen ein großes Privatvermögen" (diese Vorstellung schien ihn zu belustigen, denn er lachte alsbald über's ganze Gesicht in lausbübischer Weise), „welchem von den beiden Banktypen würden Sie es lieber anvertrauen?"

„Das liegt doch auf der Hand", erwiderte Scolander nach einigen Augenblicken des Schweigens. „Da es mir nicht um die Macht ginge, oder um Einfluß bei irgendeiner Gruppe, sondern lediglich um das unscheinbare Grau der bloßen Sicherheit, so würde ich mein Geld in die Effektenbank tragen, welche doch zweifellos – nach allem, was Sie eben sagten – den verschiedentlichen Schwankungen des Wirtschaftslebens gegenüber den elastischeren Typus darstellt."

Ich bemerkte, daß Altschul ihn mit einem ernst zu nennenden Interesse betrachtete. Doch alsbald, nachdem die Pythia gesprochen hatte, verabschiedete sie sich von uns in der charmantesten Weise und schritt, ihr festes Embonpoint vor sich her tragend, munter zwischen den Tischen davon.

Wir hatten uns wieder niedergesetzt und riefen den Kellner, um zu zahlen. „Scheint fast", sagte der Direktor, „als gründe alle Urteilsfähigkeit nur im Nehmen der richtigen Distanz zu jeder Sache" (hatte er etwa auch Scolanders Manöver mit dem Oberkörper in dieser Weise gedeutet?!). „Die Einzelkenntnisse finden sich dann schon, ja, sie würden in solchen Fällen einer Art Gravitation unterliegen, sie würden in einen derart glücklich erstellten Distanzraum geradezu einschießen. Hier zeigt sich eines der Geheimnisse dessen, was man Universalität nennt. Aber gerade die Leute, welche gern ,mehr Goethe!' sagen, scheinen von solchen Anfangsgründen wenig mitgekriegt zu haben."

Ich muß gestehen, ich hatte Altschul von dieser seiner geistigen Seite nicht gekannt. Wohl wußte ich, daß er, als Sohn eines sehr alten und vornehmen Frankfurter jüdischen Geschlechtes, nicht sozusagen von gestern sein konnte, wie ein Lasch oder Cobler. Aber mir hatte, wie ich jetzt erkannte, die Primitivität seiner Frau die Sicht auf den Mann verstellt, und ich war – und das ganz abgesehen von allen Zwecken, die ich verfolgte – froh, ihm einmal allein begegnet zu sein.

Wir gingen gemächlich durch die Teinfaltstraße und an der ,Bodencreditanstalt' vorbei, die hier in einer Art kolossaler Nachgeburt des Palazzo Pitti untergebracht war, und näherten uns, das Palais Harrach rechter Hand lassend, dem Bankhause.

Alsbald, nach dem Eintritt in dieses, und während die innere Glastür hinter uns ausschwang, welche der Torwart des Direktionstraktes bei unserem Hindurchgange offen gehalten – nun eilte er voraus zum Aufzug – umfing uns eine fast vollkommene Stille, jetzt nur wie von einem kleinen parallelen Rinnsal begleitet vom leisen Singen des Lifts, das abbrach, als dieser mit weichem Rückstoß beim gewünschten Stockwerk ansetzte und stand. Es war diese Stille – auch hier und jetzt auf dem breiten Gang mit dem grünen Läufer – physikalisch und obenhin ganz die gleiche, welche etwa in den uralten Räumen des nahen Schottenstiftes herrschte, oder im barocken Saale der Nationalbibliothek. Doch war sie künstlich, per sofort vom Baumeister schallabdichtend hergestellt, von den gepolsterten Türen durch den Tapezierer noch gesichert, mit dem glatten Schnitt von zweckdienlichen Maßnahmen aus dem Lärm der umgebenden Welt herausgenommen, herausgesetzt. Sie war, diese Stille, nicht eine Frucht der Geduld und der Jahrhunderte, während welcher sie immer mehr sich anreicherte, so daß ein einzelnes Lärmen sie gar nicht mehr hätte aufzuheben vermocht, so wenig wie der Axtschlag des Holzknechtes die Stille im Hochwald. Diese hier hatte einen Zweck, war ein Kunstprodukt, und wäre vor jedem auftretenden stärkeren Geräusche – das dann nackend und skandalös gewirkt hätte – sogleich ganz zersprungen, wie die Scheibe unterm Steinwurf.

Wir hatten indessen Altschuls Arbeitszimmer betreten, uns in Fauteuils niedergelassen, und der Direktor zog eine Zigarrenkiste heran, was seinen deutschen Gewohnheiten mehr entsprach als unsere südländische Zigarette im Mundwinkel. Ich bediente mich gern. In kindischer Weise – ich weiß es noch heute genau! – erschienen mir bei einer derartigen Besprechung Zigarren als eher passend.

Jetzt erst kam ich – etwas naiv, dies sei angemerkt – dahinter, daß ich ja für den Direktor Altschul immerhin auch einiges repräsentierte. Und diesmal vielleicht nicht so sehr eine andere Welt als die seine (etwa den Pensionismus), sondern ganz kurz und geradeaus: die Ruthmayr'sche Vermögensverwaltung.

„Herr Direktor", sagte ich und reichte ihm jenes Taschenbuch mit der Übersicht, welches ich angelegt hatte, „würden Sie die außerordentliche Güte haben, dies einmal zu überfliegen, und mir ein Wort über die Werte sagen, welche da als Anlage gewählt wurden."

„Vielen Dank für Ihr Vertrauen, Herr Sektionsrat", sagte er und nahm das große, steif gebundene Notizbuch entgegen, „obwohl man ja im großen und ganzen da schon lange Bescheid weiß, nun, Sie können sich denken, wie das ist. Übrigens war ich ja selbst bei der ‚Boden', wie Sie wissen. Immerhin, dem Gedächtnis hilft's nach."

Damit schwieg er durch fast zehn Minuten und verblieb hinter seiner Zigarre und den Notizen.

Ich war mir des Entscheidenden dieser Stunde einigermaßen bewußt. Der Doppel-Akzent, welchen Scolander gesetzt hatte – sowohl auf den Stand der Sachen bei Schlaggenberg wie auf meine eigenen verantwortungsvollen Affären – jener Akzent klang in mir nach wie ein heller kleiner Lichtkeil, der in diesen Nachmittag eingeschlagen hatte. Es schien mir jetzt eine sehr lange Zeit vergangen zu sein, seit ich vor des toten Rittmeisters Testament gesessen war.

„Diese Sache scheint mir recht gut zu sein", sagte Altschul endlich. „Die Anlage, meine ich. Hat das der ‚kleine Sieghart' gemacht?"

„Wahrscheinlich", sagte ich.

„Der kann also auch anders, wie man sieht", sagte er; unter diesen Worten war eine gewisse Bitterkeit fühlbar. „Na, wissen Sie, auf dem Dache eines solchen Kapital-Gebäudes spazieren zu gehen, ist jedenfalls ein Vorteil, auch wenn einem nichts davon gehört. Ein Vorteil zum Beispiel auf der Börse. Ich glaube, der Herr Kammerrat wird sich da nicht geschadet haben. Ist das Depot von Ihnen geprüft worden?"

„Selbstverständlich", antwortete ich. „Man war in der Teinfaltstraße übrigens von größtem Entgegenkommen."

„Ja, wie denn anders," sagte er. „Das wär' noch schöner. Nun, diese Anlagen sind gut" (er hatte das Büchlein vor mich auf den Rauchtisch gelegt), „und ich sehe nichts, bei diesem flüchtigen Durchblicke wenigstens, was daran zu ändern wäre. Bemerkenswert, wie sowohl Franc-Spekulation als auch der Holzbank-Krach an diesem Stock da berührungslos vorübergegangen zu sein scheinen, sonst müßte ja hier eine Minderung ersichtlich werden gegenüber dem mir von früher bekannten Status. Da hat er sich also strikte fern gehalten, der Kammerrat. Ruthmayr übrigens war immer bei der ‚Boden'. Schon lange vor dem Krieg. Nun aber, verehrter Herr Sektionsrat, welchen Rat brauchen Sie eigentlich von mir? Hier bedarf es eines solchen ja gar nicht."

„Verehrter Herr Direktor", sagte ich langsam und mich etwas vorneigend – mich beugte in diesen Augenblicken gleichsam die verhältnismäßige Gewichtigkeit der Sache – „der Rat, um welchen ich Sie bitten möchte, betrifft nicht die Anlage des Ruthmayr'schen Vermögens, vielmehr die Frage seiner gänzlichen Transferierung von der ‚Boden' hierher."

Altschul schwieg zunächst. Nach einigen Augenblicken sagte er dann in liebenswürdigstem Tone:

„Herr Sektionsrat, Sie wissen, daß ich in meiner Eigenschaft als Mitglied des hiesigen Direktoriums nichts anderes Ihnen sagen darf und kann, als daß unser Institut eine solche Transferierung sehr begrüßen und selbstverständlich keine Mühe scheuen würde, um sich des damit bezeigten Vertrauens durch sorgfältigste Verwaltung wert zu erweisen. Das versteht sich von selbst. Nun aber möchte ich Sie, verehrter Herr Sektionsrat, gleich ausdrücklich bitten, als Privatmann zu Ihnen sprechen, das heißt eigentlich, meinerseits Sie etwas fragen zu dürfen."

„Ich bitte Sie darum, Herr Direktor", sagte ich eindringlich.

„Dieses ist's: wie kommen Sie überhaupt zu derartigen Erwägungen, aus welchen ja offensichtlich auch Ihre Fragestellungen vorhin im Café hervorgegangen sind?"

„Herr Direktor", antwortete ich, „wenn wir für jetzt auch von jener Raison absehen, welche Kyrill Scolander vorhin als gänzlich Außenstehender formuliert hat – dann bleibt für mich immer noch der eigentliche letzte Grund aller meiner so gerichteten Erwägungen: die Persönlichkeit des Gouverneurs. Nichts anderes. Das also ist's, offen gesprochen."

Daraufhin sprach durch eine Minute keiner von uns beiden ein Wort. Endlich äußerte Altschul das folgende:

„Ja – Bismarck sagt einmal: ‚Jeder ist so viel wert, als er leisten kann, abzüglich seiner Eitelkeit.' Ich wüßte hier nichts besseres zu sagen. Ich verstehe Sie sehr wohl, Herr Sektionsrat. Nun, Sie fragen mich, ob eine solche Transferierung rätlich wäre, ob sie verantwortet werden kann. Vielleicht werden Sie jetzt erstaunt sein, wenn ich auf diese durchaus sachliche Frage mit einigen sehr persönlichen Mitteilungen reagiere. Anders: ich muß hier leider von mir selbst sprechen, was man ja im allgemeinen nicht tun soll. Wir werden dann gleich beim Thema sein. Bis dahin bitte ich Sie um etwas Geduld."

Ich war mehr als erstaunt. Sollte mir in den Schoß fallen, woran ich bisher nicht hatte herankommen können, wollte er mir wirklich ein Vertrauliches sagen, würde ich hier vielleicht den Grund oder Anlaß jener Depressionen erfahren, in welchen ich ihn gleichsam ertappt hatte, sei's auf der Straße, sei's in der Halle Friederike's? Oder war, was er eben geäußert hatte, nur redensartlich zu nehmen?

„Am 14. Mai", sagte Altschul, „fand hier in diesem Zimmer eine Besprechung statt, welche mir bereits den ganzen Ernst meiner persönlichen Lage klar machte. Sie wissen vielleicht, daß der Kammerrat Levielle heuer um Neujahr plötzlich als Hauptaktionär der Allianz-AG – des Zeitungskonzernes – in Erscheinung trat: gerade um diese Zeit wurde er von einer Freundin meiner Frau, der Gattin des Rechtsanwaltes Dr. Mährischl, an unser Institut hier, zunächst an mich persönlich, herangebracht. Die Beziehungen zwischen den Banken und der Presse waren ja schon zu Anfang des Jahres tiefgehend gestört, durch das Auffliegen einer angeblich herrschenden Korruption in Gestalt von ‚Zuwendungen', die einzelne Blätter oder eigentlich die Redakteure des Wirtschaftsteiles dieser Zeitungen erhalten haben sollten, und zwar aus Fonds, die bei der oder jener Bank oder auch Industrie nur zu diesem Zwecke gebildet worden seien, und so weiter, und so weiter. Ihnen, sehr verehrter Herr Sektionsrat, wird ja die Sache auch bekannt geworden sein. Sie wurde unmäßig aufgebauscht, um so mehr, als die Wiener Presse-Organisation sich genötigt sah, einzugreifen, allein schon, um das Gerede, welches in's Phantastische ging, auf den eigentlichen und bescheidenen Wahrheitskern zu reduzieren. Nun, es handelte sich hier, genau genommen, nur um Usancen; solche sind nie vorschriftsgemäß und irgendwelchen Buchstaben entsprechend. Sonst wären sie ja keine Usancen. Zieht man nun solch eine Usance hervor und sondert sie vom übrigen Organismus des Lebens ab, dann wirkt sie krumm. Das ist selbstverständlich. Aber dieses Hervorziehen war nun einmal erfolgt – wahrscheinlich durch irgendeinen Unzufriedenen veranlaßt – und nun wußte man einfach nicht mehr, woran man eigentlich sei. Bei solchem Stande der Dinge – ich darf voraussetzen, Herr Sektionsrat, daß Sie sich der schwerwiegenden Bedeutung von

Presse-Sachen für eine Bank bewußt sind – erschien bei uns der Kammerrat sozusagen mit beiden Händen voll Zeitungen und stellte sich uns zur Verfügung. Verlangt hat er eigentlich nichts weiter, als die Finanzierung, oder sagen wir besser Rangierung mehrerer mittlerer Industrien, die zwar bilanzmäßig in Ordnung und aktiv, wenn auch nicht gerade in einem überwältigenden Status waren. ... Nun, ich vertrat den Standpunkt, daß hier vermittels von Kapital-Einsätzen, die für eine Großbank als nicht erheblich bezeichnet werden mußten, jenes auf einer ganz anderen Ebene liegende Problem befriedigend und dauernd mit einem Schlage zu lösen sei, wobei doch noch keineswegs feststand, daß unsere zur Stützung jener Industrien – nennen kann ich sie jetzt begreiflicherweise nicht – aufgewendeten Kapitalien ganz unverzinst bleiben oder gar eine Minderung ihres Wertes erfahren müßten. Man hat mir damals im Direktorium zugestimmt – wenn auch nicht ausnahmslos. Es gab eine fühlbare Strömung gegen Levielle, die übrigens ganz allgemein zugenommen hat seit dem Zusammenbruche der Holzbank im Jahre 1925. Nun, nicht allzu lange nachdem wir mit Levielle übereingekommen waren, gab es schon zwei Konkurse – sie hätten es eigentlich sein müssen, doch unser Institut hat in beiden Fällen einen diskutablen Ausgleich ermöglicht. Sie können sich leicht vorstellen, daß dies meine Stellung nicht stärkte. So weit war's also Mitte Mai. Das übrige, was Levielle uns an Unternehmungen gebracht hat, schleppt sich so hin, mehr schlecht als recht, woll'n wir mal sagen. Der Hauptschlag aber traf mich erst vor kurzer Zeit. Levielle ist plötzlich aus der ganzen Allianz-Geschichte herausgegangen – wohlgemerkt sans dire un mot, und vor allem: ohne uns seine Aktien-Pakete zum Kauf anzubieten. Es läßt sich heute noch nicht einmal ganz genau sagen, wer dort jetzt eigentlich maßgebend ist. Wahrscheinlich wieder die frühere Prager Gruppe. Geblieben ist unserer Bank von der ganzen durch mich eingeleiteten und vertretenen Aktion nichts als eine faule Erbschaft."

Altschul schwieg.

Ich saß vorgebeugt, zog an meiner Zigarre und bemühte mich geradezu, die gespannte Aufmerksamkeit nicht allzu offenkundig werden zu lassen. Meine ganz deutliche und untrügliche Empfindung, daß er keineswegs aus Mitteilungsbedürfnis mir dies alles sagte – was zu sagen er wahrhaft nicht nötig hatte! –

drängte mir die Frage nach der Raison dieser Offenherzigkeit auf. Eine solche mußte es geben. Aber zu meiner Schande – dies aber gar nicht redensartlich genommen! – will ich gestehen, daß meine Intelligenz damals nicht ausgereicht hat, um an dem Punkte, wo wir jetzt hielten, jene Raison schon zu erkennen. Was ich wußte, und zwar mit Sicherheit, war nur, daß keineswegs sein Mund überging von dem, wessen sein Herz voll war. Seiner Sprache fehlte diese Art von Schub, diese Art von Gedrängtheit, die wir alle sofort erkennen, und auf welche in uns eine gewisse zuwartende Toleranz antwortet.

„Ja, sehen Sie, verehrter Herr Sektionsrat" – so fuhr Altschul jetzt fort und im gleichen referierenden Tone wie bisher – „das ist der Stand der Dinge bei mir, und, nebenbei bemerkt, auch die Ursache, warum ich jetzt in Wien bin und nicht in Gastein, wo ich eigentlich zur Zeit hingehören würde. Noch sehe ich in der früher berührten Presse-Angelegenheit nicht klar. Es sind Artikel erschienen und Notizen, die für uns hier nicht gerade angenehm sind. Einiges davon betrifft auch mehr oder weniger direkt jene Industrien, die ich der Bank durch Levielle eingewirtschaftet habe. Es sieht fast so aus, als ob wir gewissermaßen für die Unbeliebtheit Levielles büßen müßten, der sich ja nach Paris begeben hat. Man könnte auch sagen, er sei verdunstet. Für uns leider nicht spurlos. Allerdings hat sein Verschwinden auch eine andere Seite, denn Sie, verehrter Herr Sektionsrat, verdanken ja eben diesem Umstande jene immerhin recht beachtliche Position, die er früher inne hatte, nämlich als finanzieller Berater der Frau Ruthmayr."

Also bereits abgestempelt als Levielle II.! dachte ich und sagte:

„Nur gedenke ich für meine Person von dieser Lage keinen Gebrauch zu machen."

„Das versteht sich bei Ihnen, Herr Sektionsrat, von selbst, ebenso wie bei ihm das Gegenteil davon. Ich bitte Sie, Verehrtester, von Herzen, mich nicht mißzuverstehen" (hier, zum ersten Male, war sein Ton etwas bewegt). „Und nun komme ich zum Thema", fügte er kurz hinzu.

Er verschob seinen Fauteuil ein wenig, so daß er mir genau gegenüber an dem Rauchtischlein saß, und beugte sich beim Sprechen ein klein wenig vor; ich konnte gerade in seine Augen sehen.

„Ein Vermögen, wie das der Frau Ruthmayr, gehört auf eine große Effektenbank. Sie hörten es heute schon einmal, denn die Pythia hat es gesagt. Auch ich gebe Ihnen diesen Rat, ausdrücklich, und würde ihn geben auch ganz abgesehen von der persönlichen Artung des derzeitigen Gouverneurs der ‚Boden‘. Ich spreche zu Ihnen als Privatmann, denn was ich als ein Direktor der hiesigen Bank im vorliegenden Falle, Herr Sektionsrat, zu sagen hätte, das habe ich gleich anfangs vorgebracht. Das Ruthmayr’sche Vermögen lag lange vor 1914 schon auf der Bodencreditanstalt. Aber deren Charakter hat sich inzwischen mit allen übrigen Verhältnissen weitgehend verändert; ihre heutige Funktion im Wirtschaftsleben haben wir früher gestreift. Ruthmayr war Großgrundbesitzer; vielleicht war er auch deshalb Kommittent jener Bank. Die Geschäfte der ‚Boden‘ sind heute andere. Im übrigen, allgemein und beiläufig gesprochen, wenn eine Sache, welche Sache immer, ihrer Beschaffenheit nach sich zu weit von ihrem Namen entfernt, so verdient das unsere Beachtung. Musterfall: die Österreichische Holzbank. Nun, dies nur nebenbei. Ich muß Sie jetzt, verehrter Herr Sektionsrat, sehr um Ihre geneigte Aufmerksamkeit bitten. Denn ich habe Ihnen den eigentlichen Grund mitzuteilen, warum ich vorhin von mir selbst sprach, das heißt, Ihnen eine gewisse Problematik meiner persönlichen Lage eröffnete, wozu an sich anscheinend gar keine Notwendigkeit bestand.“

Er unterbrach sich und sah mich an, und schien dabei so ruhig und gesammelt wie nur möglich.

„Meine Stellung“, sagte er, „bei diesem Institute hier ist schwer erschüttert. Nicht etwa infolge der materiellen Einbußen, die durch meine in der Angelegenheit Levielle vertretenen und schließlich durchgesetzten Dispositionen entstanden sind: jene Einbußen sind zu geringfügig, um bei einer Kapitalskraft und Liquidität, wie sie hier vorliegen, in’s Gewicht zu fallen. Der Schaden ist ein sozusagen psychologischer. Er erreichte vor kurzer Zeit erst in diesem Sinne seine volle Höhe, als klar wurde, daß meine Aktion bezüglich der Presse-Sachen ein Schlag in’s Wasser gewesen war. Nun aber: wenn durch meine Vermittlung ein Kommittent wie Frau Ruthmayr dem Institute zugeführt würde, so besteht für mich gar kein Zweifel – mag da selbst das Ruthmayr’sche Vermögen innerhalb des Rahmens, darin wir uns befinden, meritorisch niemals von entscheidender

Bedeutung sein können – so besteht doch, sag' ich, kein Zweifel, daß seine Transferierung von der ‚Boden' hierher, durch mich angebahnt, den psychologischen Schaden, meinen erlittenen Prestige-Verlust, ausgleichen und meine Stellung neu befestigen würde. Das Facit ist nun: mein Ihnen gegebener Rat dient meinen höchstpersönlichen Interessen. Das könnte mich selbst gegen meinen eigenen Ratschlag skeptisch machen. Dennoch kann ich sachlich keinen anderen erteilen. Sie aber, verehrter Herr Sektionsrat, sind zur Skepsis nicht nur berechtigt, sondern auch verpflichtet. Ich zeige Ihnen hiemit den Ansatzpunkt zu dieser Skepsis, ich gebe Ihnen diesen Ansatzpunkt an die Hand. Ihnen gegenüber mich anders zu verhalten, wäre mir unmöglich. Wir sind hier unter uns."

„Wahrhaftig, Herr Direktor", sagte ich, erhob mich vom Sitze und warf den Rest meiner Zigarre in den Aschenbecher, „wir sind hier unter uns! Und gleichsam in einem Klub von äußerster Exklusivität, der augenblicklich nur zwei Mitglieder hat. Mein Entschluß ist gefaßt. Ich werde Frau Ruthmayr die Übertragung ihres Vermögens hierher vorschlagen, und es besteht einige Wahrscheinlichkeit, daß sie meinem Rate folgen wird. In diesem Falle gedenke ich dann freilich kein Hehl daraus zu machen, daß die Transferierung durch Sie, Herr Direktor, angebahnt und erreicht worden ist. Sie werden im Laufe der nächsten Tage von mir einen endgültigen Bescheid erhalten."

Auch er hatte sich, während ich sprach, erhoben. Wir reichten einander die Hand. Als er die Polstertür hinter mir schloß, nickte er mir durch den Spalt noch einmal kurz und herzlich zu.

Ich ging in der künstlichen Stille über den grünen Läufer des breiten Ganges, in der absoluten Geräuschlosigkeit, im ausgesparten Lärm-Vakuum. Ich erkannte, daß jeder wirklich anständige Mensch eine Art Edelstein im Gehäuse seiner Person trägt: und das sind die Rubine, auf welchen des praktischen Lebens Uhrwerk ruht, das seinen Gang nicht behalten kann, wenn diese unentbehrlichen Widerlager ausfallen.

Man weiß, daß wenige Jahre später die Bodencreditanstalt zusammengebrochen ist. Die Auslösung des blitzartig sich vollziehenden Sturzes wurde durch ein Telegramm bewirkt, das ein bis heute Unbekannter von einem Postamte im dritten Wiener

Stadtbezirk abgesendet hat, nach Frankfurt, wo es sogleich an der Börse bekannt wurde. Das Direktorium der Österreichischen Nationalbank erklärte sich zu einer Stützungsaktion bereit, änderte aber in der folgenden Nacht seinen Entschluß. Für die Kommittenten der Bodencreditanstalt folgte ein schlimmes halbes Jahr. Dann endlich stand fest, daß die große Effektenbank den Stoß auffangen werde. Man nannte es damals eine ,Fusion'.

Friederike ist dieser ganze Schreck erspart geblieben.

Ich beschloß, während ich jetzt die breite Treppe im Direktionstrakt hinabstieg, nicht sogleich sie aufzusuchen, und heute überhaupt nicht mehr. Über der Sache war noch einmal zu schlafen.

Aber schon jetzt, hier auf der Treppe, konnte ich mir kaum verbergen, daß den eigentlichen Ausschlag für mich nicht der kompetente Mann vom Fache, also Altschul, gegeben hatte, sondern der vollends Außenstehende, nämlich Kyrill Scolander: immer noch in mir anwesend mit jenem kleinen scharfen Lichtkeil, den er in diesen Nachmittag geschlagen hatte. 1932, als längst alles vorbei war, habe ich ihn einmal auf der Straße getroffen und ihm damals gerade heraus gedankt. Es schien ihn das bedeutend zu amüsieren, denn er lachte herzlich und sagte, dies sei ihm das Neueste, bei großen Vermögens-Transaktionen die Rolle eines Experten gespielt zu haben, denn er verstehe davon noch erheblich weniger als eine Kuh von der Astronomie.

In diesen Tagen lernte ich allmählich doch die Sprache der Fische verstehen und die Bewegungen eines redenden Munds, der wesentlich stumm blieb hinter dem schmerzlichen Intervall, das uns trennte, der Wand von Kristall. Sie schwebt heran, die Augen sind auf mich gerichtet, sie spricht, und doch bleibt sie stumm. Gesetzter, zusammenhängender Rede ist sie nicht mächtig, und findet nicht in's Wort wie die Hand in den Handschuh findet. Und während ein feiner Kampferduft – wie ein strichzarter Geist – mich wieder mahnt im kleinen Salon mit der breiten Glaswand, seh' ich Friederike in der Glastür (oder am Fenster?) der Terrasse stehen, tief in der Nacht, ohne jedes Erschrecken und ohne Furcht vor der Bande, die da zum Teil über das Gartengitter gestiegen war, unter den Klängen von Beppo Draxlers Guitarre; und man reichte ihr eine halbvolle Cognac-Flasche hinauf. Sie hat sicher nur so getan, als ob sie daraus trinke; aber sie hat doch die Flasche entgegengenommen und wieder zurückgereicht. Sie trug noch ein (diesmal nicht braunes) Seidenkleid von dem Besuch ihrer Loge in der großen Oper her; und hinter ihr fiel durch die offene Glastür das Licht aus des toten Rittmeisters Zimmer auf die Terrasse. Und plötzlich waren alle weg, war alles weg, verstummte die Guitarre, hörte sie ein Auto anfahren. Nein, es blieb der ganze Vorfall anders nicht zu erklären, als durch zwei Umstände: durch eine Revolte, in welcher Friederike sich während jener Nacht befunden hatte, und das Geöffnetsein ihrer Instinkte, eben infolge der Revolte und der Einsamkeit; wodurch ihr möglich wurde, ohne weiteres zu erkennen, daß es sich hier keineswegs um Gesindel, sondern um eine gänzlich harmlose Gesellschaft von etwas beschwipsten Herren gehandelt hatte, die sich wohl hintennach wegen ihrer Aufführung nicht wenig genieren würden, und vielleicht eben drum und mitten drin so blitzartig verschwunden waren.

Nein, meine Zeugenschaft bei jenem lächerlichen und zugleich bemerkenswerten Auftritt – einen Augenblick hindurch war ja die Kristallwand dabei zerwichen! – konstituierte nicht ein Jenseits im Diesseits zwischen Friederike und mir. Es bestand auch ohne dem. Es bedurfte dieser Anekdote gar nicht mehr: daß ich es wußte, daß sie davon nichts ahnte.

Als ich ihr die Sachen wegen der Transferierung ihres Vermögens vortrug – und im Augenblick wurde ich doch weit pessimistischer als ich es Altschul gegenüber diesbezüglich gewesen war, und erwartete schon irgendein unübersteigliches Hindernis – als ich diesen ganzen Komplex mit größter Vorsicht langsam in den Raum ihrer geöffneten Aufmerksamkeit schob, da erlebte ich die vielleicht größte Überraschung jener Tage.

„Gottseidank!" rief sie und schlug die Hände zusammen. „Mir ist dieser Sieghart seit jeher unheimlich! Aber beim Kammerrat hat man ja gegen ihn nichts sagen dürfen, er hat ihn ja maßlos bewundert. Machen Sie das, lieber Herr von G-ff, machen Sie das mit Herrn Direktor Altschul. Ich bin jetzt hintennach irgendwie froh, daß der Gouverneur am 23. Juni nicht hier war. Verstehen Sie, ich hab' keine eigentliche Antipathie gegen ihn. Er ist mir nur unheimlich. Unheimlich."

Sie schwieg.

Ich schwieg.

Sie sah in ihren Schoß und sagte:

„Tief widerlich, so eine dicke alte Frau, ohne Mann und Kinder, mit dem vielen Geld."

Sie wich von der Kristallwand zurück, sie entfloh, tief hinein zwischen das Grün und die Algen. Ich erkannte jetzt, daß ich einen Augenblick wie diesen schon irgendwie hatte kommen gefühlt. Doch war ich nun meines Teils des Wortes nicht mächtig, und es hätte auch nichts genützt. Ich mußte sogar noch mehr sehen, nach diesem, was ich eben gehört. Es blieb ihr Kopf tief gesenkt, und nun fielen sie, ein Tropfen, und noch einer, auf ihr Kleid. Vielleicht hätte ich jetzt auf die Knie sollen vor ihr. Nein, ich blieb gelähmt. Es war zu schrecklich. Was sichtbar wurde, war der Boden ihrer Existenz, und darunter der Abgrund, über welchem er gelegt war: die Hilflosigkeit des Reichen, die in manchem Betracht schrecklicher sein kann als die des Ärmsten, weil sie jenen weit mehr mit Verlassenheit ummauert und ohne Gefährten läßt, und ohne jeden leisesten Anspruch auf Mitgefühl oder gar auf Hilfe, die doch dem Ärmsten der Armen mitunter sogar wirklich begegnen.

„Liebe, liebe, verehrte gnädige Frau . . ." sagte ich. Das war alles, was ich damals geleistet habe. Sie faßte sich, nahm rasch ihr kleines Taschentuch. Dann blickte sie vor sich auf den Boden.

Aber während ich Friederike in solcher Hilflosigkeit sah, und in der Not ihrer Existenz, in einer Not, die des Anlasses schon entbehren konnte, um hervorzubrechen, weil ihr Grund immer vorhanden und eben jetzt wieder frei gelegen war, während ich sie derart erblickte – damals weit entfernt davon ihrer Bewegtheit eine andere Deutung zu geben – erwartete ich doch meinerseits Hilfe von ihr und eine lindernde Hand. Die Ereignisse, immer wieder und in unbegreiflicher Weise in mein fünfzehntes Jahr und zu jener Gräfin Charagiel, geborene Neudegg, mich zurückführend, hatten auch den kleinen Giftpfeil herausgelokkert, den jene in mir hinterlassen, den Stachel einer profunden Kränkung. Das war's, was ich innerlich Friederike ständig antrug . . . damit aber zugleich eine Kenntnis vom Vorhandensein Quapps, eine Kenntnis ihrer Vorgeschichte und Geschichte, die für mich damit unlöslich verknüpft blieben: das erkannte ich jetzt, augenblicklich, während Friederike noch ihr Taschentüchlein gebrauchte und ich meine ganz hilf- und sinnlose Phrase aussprach (sie erinnerte mich später oft in peinlicher

Weise daran, daß in ähnlich bewegten Augenblicken unter Männern gern jemandem die Hand auf die Schulter gelegt wird).

Zugleich auch erkannte ich durchdringend die Aufgeweichtheit und Verlogenheit, welche darin lagen, zu denken: ‚ich will vor ihr keine Geheimnisse haben‘. Das sollte nur meinem Mitteilungsbedürfnisse die Mauer machen und ihm eine reputable Folie geben. Nein, ich wollte aus durchaus egoistischen Gründen mit dieser Sache an Friederike heran, und nur daher kamen jene zentrifugalen Neigungen, daher geriet ich auf die schiefe Bahn, ihr ‚alles sagen‘ zu wollen, was Georg Ruthmayr ihr nie gesagt hatte, der sie doch wohl noch besser gekannt haben mußte, als ich sie kannte (und obendrein fiel mir jetzt ein, daß selbst ich über Friederike einst klarer zu denken pflegte, über ihren sozusagen verbauten Horizont, über ihre habituelle Unwissenheit, die fast an Quapp erinnern konnte . . .). In seinem eigentlichen Testament hatte Ruthmayr Quapp keineswegs erwähnt, doch aber für sie vermögensmäßig schon Vorsorge getroffen – vielleicht war bei jenem gesonderten Depot in London von ihm wirklich seit jeher an Quapp gedacht worden! – und erst in letzter Stunde hatte er den noch immer fehlenden und notwendigen Akt gesetzt: auf eine Weise allerdings, die seine Frau auch weiterhin von jeder Kenntnis ausschloß. Er mußte wohl gewußt haben warum. Nur wäre der Wachtmeister Gach eben nicht zu dem finanziellen Faktotum Levielle nach Wien, sondern zu Herrn Eustach von Schlaggenberg nach Steiermark in Marsch zu setzen gewesen. . . . Nun, um 1914, da sah die Sache anders aus: Schlaggenbergs stellten damals reiche Grundbesitzer vor, und nach allem, was ich über seinen Vater von Kajetan gehört habe, war jener kaum der Mann gewesen, um ein Ruthmayr'sches Erbe für Quapp von vornherein in's Auge zu fassen. Was er meines Erachtens hätte tun müssen. Mit dieser Meinung will ich gar nicht zurückhalten.

Da saß ich also, und nicht dumm genug, um mir zu verhehlen, daß jede Mitteilung in bezug auf Quapp gegenüber Friederike vor allem einmal dieses eine sein mußte: total überflüssig, ohne jeden vernünftigen Grund, und, wenn überhaupt von einer Wirkung, dann von einer schädlichen.

„Verzeihen Sie meine Unbeherrschtheit, Herr von G-ff“, sagte Friederike. „Dieser 23. Juni war irgendwie ein Stichtag. Alles ist seitdem anders. Natürlich auch, weil der Kammerrat weg ist. Sie können sich nicht vorstellen, was das für mich bedeutet: wirklich so etwas wie ein großes Glück, seine Abwesenheit allein schon. Keine Ergebenheit, keine Verehrung. Kein ununterbrochenes stummes Sagen: dicke, alte Frau, dumm, lebensunfähig, schutzbedürftig – Pietätspflicht gegen den toten Freund. Ich habe nie versucht, Levielle loszuwerden. Der bloße Versuch wäre über meine Kraft gegangen. Vor dreizehn Jahren ist Georg gefallen, nun geht's bald in's vierzehnte. Während dieser Zeit bin ich alt geworden, ohne zu leben. Seit dem 23. Juni will ich in's Leben zurückkehren. Diese Rückkehr ist ein Schmerz. Sie ahnen es nicht, Herr von G-ff, wie schmerzhaft das ist, in's Leben zurückzukehren."

Damit verstummte sie. Ich hatte Friederike zum ersten Mal sprechen gehört, und nicht nur mit gleichsam stummen Bewegungen des Munds hinter Kristall und Intervall. Plötzlich packte mich ganz wild der Gedanke – wild, weil sich eben vorhin mein Zorn auf Levielle gestürzt hatte – daß es gar keine Kristallwand gebe, daß mich nichts von Friederike trenne, als die Charagiel: daß eben sie jene Wand sei, nicht anders. . . .

„Vielleicht kommt alles nur daher, daß ich mit Ruthmayr keine Kinder hatte. Ich bin eine primitive Person. Vielleicht hat er Kinder hinterlassen, möglicherweise sogar viele, es wär' durchaus möglich. Ich habe immer die Augen zugemacht, aber sozusagen durch die geschlossenen Lider ganz gut gesehen. Ich habe ihn niemals gestört. Ich habe ihn nie geliebt: das ist die Wahrheit, ich weiß es heute. Ich habe niemals –"

Sie brach ab.

Am folgenden Tage nahm der Direktor Altschul den Tee bei Friederike im Laubengang des Parks, dessen Blätter so dicht schon wuchsen, daß man von außen hätte vermeinen können, sie bildeten eine Art dicker Schichte. Auch ich war zugegen. Wir saßen nicht auf Gartensesseln, sondern in bequemen Fauteuils, zwischen welche Ludmilla einen geräuschlos über den Kies fahrenden Teewagen mit Gummirädern rollte.

Zur Sache ward wenig gesprochen. Der Direktor blieb nicht lange. Seine Person schien für Friederike tiefe Beruhigung zu wirken, ich bemerkte es unzweideutig: sie wurde fast heiter. Die von Sonnenflecken gesprenkelte duftige Schattigkeit, darin wir in diesem breiten Tunnel von lauter Gewächs saßen, ließ eine Ahnung heranwehen, als seien wir in eine andere Welt gesetzt, in dieser Abgeschlossenheit, um welche man den sonnigen Park doch wußte. Sie sagte, daß sie gern hier sei, im Sommer, und sie habe ihren Aufenthalt in Gastein verschoben, denn sie wolle eine kleine bauliche Änderung im Hause vorbereiten, aber der Architekt, mit dem dies zu besprechen sei, käme erst in der zweiten Hälfte Juli nach Wien zurück.

Der Direktor empfahl sich, und ich blieb bei Friederike. Als er sich verabschiedete, geschah etwas kaum wortbar zu machendes, und doch war es überaus deutlich. Man könnte sagen: er sah uns zusammen, er vollzog eine Synopsis, und mit fühlbarem Wohlwollen. Mich ließ das verwirrt zurück. Ich befand mich, wie ich hier neben Friederike saß – gegenüber dem jetzt leeren dritten Fauteuil – viel näher, als ich es Wort haben wollte, an den wiederkehrenden Augenblicken, da ich mit Fünfzehn hinter der Duftigkeit einer Claire Neudegg zum Gartentor geschritten war, noch vor dem giftigen Stich, und wie zum Abfluge bereit in ein Unerhörtes und Niegeschautes, wahrlich in ein Jenseits im Diesseits. Nicht nur Friederike kehrte zum Leben zurück: auch ich. Wir betraten es beide im gleichen Augenblick.

Sie sagte: „Wenn es Georg Ruthmayr ähnlich sehen würde, so ein Kind: ich glaube, ich würde es lieb haben können. Ich habe doch mit ihm gelebt."

Es hätte der Kälte und der sublimen Neugier eines perfekten Philosophen bedurft, um hier dem sich mühenden Leben die letzte leichte Hilfe vorzuenthalten, nur um zu sehen, ob es selbst mit den Sachen zurechtkommen würde, und wie. So erzählte ich knapp von Quapp. Die Vermögenssachen ganz in Levielle'scher Version: vom ‚wiederaufgefundenen' Testament; nichts mehr, nichts darüber. Und von Quapps Mutter, von der Charagiel, und daß diese Sache sich abgespielt habe, als Ruthmayr und sie, Friederike, einander wohl noch gar nicht gekannt hatten. Während mir solchermaßen gleichsam der Boden herausfiel, geschah etwas Ungeheuerliches: er riß den Stachel der Charagiel mit und mir aus dem Fleische. Noch während ich sprach, wurde ich in dieser Sache empfindungslos, ja, geradezu neutral. Ich konnte es kaum fassen. Mein Körper im Fauteuil gesundete wie in seiner tiefsten Tiefe, im Kerngehäuse des Lebens irgendwo da drinnen.

„Ja, er war nobel, Georg", sagte sie. „Nobel und schlampig. Alles hinausschieben. Alles im letzten Augenblick, im allerletzten, weiß Gott! Natürlich muß ich sie unbedingt kennen lernen, dieses Fräulein von Schlaggenberg! Die Schwester, soit disant, von Ihrem Freund, dessen Bücher ich seit Jahren lese! Ja, jetzt seh' ich's: ich habe wieder zu leben begonnen. Jetzt gehen wir ein wenig in den Park", fügte sie lebhaft hinzu und erhob sich, „und dann wird das Fräulein von Schlaggenberg von Ihnen angerufen und mit ihr abgemacht, wann sie mich besuchen will. Was hat sich nicht seit dem 23. Juni alles geändert! Dies vor allem: ich lebe wieder."

Ihre dunklen Augen blitzten auf. Ich sah es zum ersten Male bei ihr und hätt' es bisher mir nicht vorstellen können.

Wir verließen den Laubengang. Die Sonne schmolz alles wie in einem Tiegel, das Grün zerlief, das schon schräge Abendgold überwältigte auch den Vordergrund. Wir kreuzten einen Wiesenplan und traten zwischen die Bäume. Es war in irgendeiner Weise wie ein Triumphzug, und ich habe heute noch die Erinnerung, daß Friederike mir dabei größer erschien als sonst. Ich sah jetzt zwischen den licht stehenden Bäumen, den Sonnenglast im Rücken, die auf und ab kantenden Profile der Häuser jenseits des Parks.

Drinnen dann, als ich zum Telephon ging, mußte Ludmilla mir dieses erst zeigen – und doch hatte der Apparat einmal eine Rolle gespielt, bei den vergeblichen Anrufen des Dr. Mährischl, dem es nicht gelungen war, den Kammerrat rasch zu erreichen. Ich verstand jetzt, daß ich damals kein Klingeln gehört hatte; das Ding war weitab von dem kleinen Salon mit der Glaswand; es befand sich in einer Nische neben dem Eingang zum Speisesaal.

Mit Quapp wurde Freitag, der 15. Juli, vereinbart: um sechs Uhr wollte sie hier sein. Mir fiel ein, daß ich am gleichen Tage zum Frühstück bei dem Hofrat Gürtzner-Gontard gebeten war, für neun Uhr: das stellte die neueste Form seiner Einladungen vor; er hatte für diese sogar gewisse, man könnte sagen, methodische Begründungen. Doch davon später. Friederike bat mich, am gleichen Tage um fünf Uhr zum Tee zu kommen und mit ihr gemeinsam dann Quapp zu erwarten.

Dem Sommergotte, dem großen Pan, wird in der Stadt mit Kampfer und Naphthalin geopfert. Es ist der kühle Einsamkeits- duft in den verlassenen und halb verdunkelten Behausungen, der als strich-zarter Geist um die verhüllten Möbel zieht, wäh- rend die Bewohner solcher Räume in den wirklichen Wäldern gehn, oder in Gärten stehen und auf ganz schmalen Kieswegen zwischen Beeten mit bunten Glaskugeln. Die dunklen Wälder sieht man liegen wie ein fallengelassenes Gewand am Fuß des entfernteren Hochgebirges, das mit schon nacktem Fels milchig- mild leuchtet im hohen Sommerhimmel, und da oder dort noch den weißen Akzent eines Schneefeldes gesetzt hat.

Die Wohnung der Kaps war im Frühling wieder bezogen worden, von dem Ehepaare Mayrinker: dessen Möbel und Dinge standen nun da oder dort passend verteilt, sehr schöne Möbel und Sachen, ein Empire-Pfeilerschrank, ein barocker Sekretär mit ‚Tabernakel‘, wie das genannt zu werden pflegt; auch sah man in kleinen Vitrinen echte alte böhmische und Wiener Gläser, kurz, der Graf Mucki hätte eine Freude gehabt und wäre aus seiner ‚Indolenz‘ erwacht, was sonst nur der Fall war, wenn er blödeln durfte, wie etwa auf der Gesellschaft bei Frau Mary K. mit Dr. Williams, der schönen Drobila und der noch schöne- ren Grete Siebenschein, englisch, tschechisch und deutsch durch- einander. Mucki hätte hier bei Mayrinkers übersehen, daß es zwischen den alten auch neue Dinge gab, Bilder unter Glas und Rahmen, rechte Faustschläge, Farbdrucke außer Diskussion und Wettbewerb. Einer, in niederem, aber sehr breitem Quer-For- mat hing über den Ehebetten, und stellte die Flucht des heiligen Paares nach Ägypten dar, umschwirrt von zahllosen geflügelten Putto’s, etwa so, wie man sommers in den Donau-Auen von Schnaken umschwirrt ist, die hierzulande Gelsen heißen.

Er war Vorstand einer Wiener Bezirksfiliale der ‚Öster- reichischen Creditanstalt für Handel und Gewerbe‘.

Dem kinderlosen Paare eignete etwas schlechthin vollkom- menes, etwa wie in Glas eingegossenen Blumen – irgendwo gab es auch derartiges in ihrer Wohnung – oder als schwebten sie im Innern einer Seifenblase, genau in deren Zentrum. Mayrin- kers Tätigkeit endete jeden Samstag um ein Uhr und begann wieder am Montag um halb neun. Frau Mayrinker, nah an den Fünfzig, ungefähr gleichaltrig mit ihrem Mann – sie sagte von ihm ‚mein Gatte‘ – war eine eigentlich auffallend hübsche rundliche Blondine, die jedoch nicht auffiel, weil sie sich so nicht instrumentierte, und weil sie überdies ein ganz ausgesprochen gutartiges Gesichtel hatte, was die reizvollen Überschärfungen fraulicher Natur immer diskret moderiert. Die zärtlichen und lebhaften ehelichen Beziehungen des Paares – wahrhaftig, diese Zwei waren ein solches! – wurden von beiden Teilen durch die siebenundzwanzig Jahre ihrer Ehe nicht als ein besonderes und ausnahmenhaftes Glück gewußt und empfunden, sondern als etwas ihnen durchaus Zustehendes geübt. Niemand denkt daran – und den Mayrinkers lag es am fernsten! – welche Verrenkungen, Vermeidungen und Umgehungen das Leben, bei seiner doch überaus wilden und gefährlichen Natur, vollführen muß, um immer wieder Einbrüche in solch einen Mayrinker-Raum hintanzuhalten, und oft im allerletzten Augenblick, und den sich herumtreibenden Schwärmen der unglücklichen Zufälle zu wehren, oft ganz hart an der Grenze, damit sie nicht über den Rand einer solchen Aussparung, Lichtung und Schonung springen. Wenig Dank weiß man dafür, wenig Dank für eine so widernatürliche und daher schwierige Veranstaltung. Bedankt wird nur was geschieht, nicht was unterbleibt. Horizonte wie die des Kajetan von Schlaggenberg sind nicht häufig. Solche umfassen auch das nicht begangene und benannte, das anonym gebliebene Segment.

Herr Mayrinker, ein lieber, sehr bescheidener Mann, brachte in die Wohnung der Kaps aber auch, außer den alten Möbeln und den neuen Bildern, eine Liebhaberei mit, von welcher er an Samstag-Abenden, etwa wenn sie sommers im Grünen saßen bei einem Gläslein Wein, in Nußdorf oder Sievering, zu seiner Gattin sprechen durfte, die ihm freundlich zuhörte, denn die Ehefrau war in jeder Hinsicht tolerant. Zudem bekam gerade diese Sache, um welche es hier geht, im Hochsommer 1927 einen lebhaften Auftrieb, als nämlich die ‚Illustrated London News‘ Bilder und Berichte von der Expedition des Doktors Douglas Burden nach Komodo veröffentlichte, die bisher nur im Organ des New Yorker Naturhistorischen Museums erschienen waren.

Kurz, der Herr Mayrinker interessierte sich ausschließlich für Drachen und Lindwürmer. Was das nun eigentlich wieder heißen soll, ist schwer zu sagen; aber man gewöhnt sich an vieles, und das Nil admirari wird einem geradezu eingepaukt. Manche hingegen besitzen es ab ovo (das wär’ wieder eine Gelegenheit für den Sektionsrat Geyrenhoff, diesen bei ihm so beliebten Ausdruck zu gebrauchen), zum Beispiel kann man das wohl von dem Kastellan Mörbischer auf Burg Neudegg behaupten.

Natürlich regte Herrn Mayrinker die Entdeckung der Drachen von Komodo erheblich auf, seine Frau mußte darüber vielerlei anhören; denn wenn ihr Mann schon bisher sehr erfüllt gewesen war vom Gewürm: nun ging er davon über; und oft betrachtete er Komodo auf der Landkarte, das unter den östlichen Sunda-Inseln aufzufinden war, zwischen Flores und Soembawa ganz klein gelegen, in Wirklichkeit aber nicht viel weniger ausgedehnt als der Bodensee. So löste denn der lebende Riesenwaran von Komodo – mehrere Meter lang, dem Krokodil ganz unähnlich, am Lande lebend und rasch laufend, mit Schuppen, gespaltener Schlangenzunge, scharfem Gebiß, ebensolchen Krallen, gereizt sich auf die Hinterbeine setzend und in der Wut Fürchterliches auf den Feind speiend, nämlich den pestilentialisch stinkenden eigenen Magen-Inhalt: man sieht, alles war da, was eines Drachenliebhabers, eines Drakontophilen oder auch Drakontomanen Herz nur begehren kann! – so löste denn diese ‚Brückenechse‘ den heimischen Tatzelwurm ab, über welchen Herr Mayrinker stets alle fragwürdigen Nachrichten gesammelt hatte. Und ebenso wurden die riesigen Drachen aus dem mittleren Erdalter in den Hintergrund des Interesses gedrängt, freilich nur vorübergehend, diese Lieblinge. Was den Tatzelwurm anlangt, so hatte übrigens einmal die hübsche Frau Mayrinker mit geradezu salomonischem Spruche dieses Unruhe schaffende Problem umrissen: „Es bestehen hier drei Möglichkeiten" – so lautete ihr Diktum – „entweder gibt es ihn, den Tatzelwurm, oder aber, zweitens, es gibt ihn nicht. Am meisten hat aber die dritte Annahme für sich: daß du es nämlich selbst bist, Pepi." Solches abends und im Ehebett.

Es enstand mitunter in Herrn Josef Mayrinker schon geradezu eine Verschlingung von Drachenleibern. Auch sah er die mächtigen Arten der Vorzeit durch den Urwald rauschen und brechen, mit dem Schweife beim Hindurchstampfen das Wasser von See oder Sumpf zu meterhohen Wellen aufpeitschend, den riesigen Tyrannosaurus etwa, seinen gewaltigen Schädel mit dem Vernichtungs-Gebiß sechs Meter hoch über dem Boden tragend, oder die schwerhin wandelnden Dach-Echsen mit dem hochansteigenden Rückenkamme, Stegosaurus ungulatus – Herr Mayrinker hatte nie Latein oder Griechisch gelernt, aber er behielt alle diese Namen – welche Art, um ihren Riesenleib zu steuern, gleich dreier Gehirne bedurfte, eines im Kopfe, eines über den vorderen, eines über den rückwärtigen Extremitäten (das im Kopfe war das weitaus kleinste). Er gedachte auch des gedrungenen Triceratops, dreifach gehörnt, mit dem schweren Schutzschild aus dicken breiten Knochenplatten hinter dem Schädel; und Herr Pepi sah dieses Geschöpf in einer offenen, pampasartigen Gegend stehen, zwischen vereinzelten Bäumen eines tropischen Klima's, und im sehr reinen Lichte eines noch frühen Schöpfungstages in einer ureinfachen Landschaft, die sanft und flach abfiel zum von keinem Kiele noch geteilten Meer: nicht selten wuchs aus diesem ein langer Schlangenhals von sieben und mehr Metern, den das an der Oberfläche hinziehende Drachen-Ungeheuer hoch erhoben trug: ein Plesiosaurier, ein Hydrotherosaurus, zur Familie der Elasmosauridae gehörig. Die Mosasaurier aber, wie etwa der Tylosaurus, hatten keinen bootsförmigen Leib, über welchen ein Schwanenhals mit kleinem Schädel in die Luft tastete, sondern waren richtige Schlangendrachen der See; schnell und rauschend schossen sie dahin.

All das bewohnte Herrn Josef Mayrinker, wie einen anderen die Briefmarken bewohnen oder die Gärtnerei.

Und er gedachte dieser sich nach allen Seiten windenden Schlangenleiber, und sah etwas abwesend empor, dorthin, wo Wand und Zimmerdecke zusammenstießen, in die obere Kahlheit des Raumes (des Mayrinker-Raumes), wohin man sonst selten schaut.

Aber nicht lange nach dem Beginn des Juli schon lag der Mayrinker-Raum im kühlen Kampfer, in der Dämmerung herabgelassener Jalousien, durch die allabendlich an einer bestimmten Stelle ein Sonnenlichtstab gelegt ward, sehr dünn, aber absolut gerade, und mehrere Meter lang; er stützte sich mit seinem Ende auf eine Schmalseite des ‚Tabernakel-Schrankes', ungefähr in halber Höhe, als sollte dort etwas angezeigt werden. Mayrinkers waren in Pottschach. Das ist noch weit vom Semmering und vom Hochgebirge. Dennoch, schon hier schmeckt beim Aussteigen die mit dem Rauche des Zuges gemischte Luft vollends anders wie in Wien; auch Hall und Schall sind verändert, man merkt es sogleich, etwa wenn der Schaffner die Station ausruft.

Diese Sommerfrische liegt noch im Hügelland, ja, fast in der Ebene.

Ruhig und rasch fließende, aber tiefe Kanäle von Industrien haben ein fast lautloses Wasser mit eilenden Schlieren.

Es ist sehr heiß. Im Garten duften die Rosen kräftig, die bunten Glaskugeln leuchten fast blendend.

Der Mayrinker'sche Raum ist hierher verlegt, mit allem, was sich halt von selbst versteht. Man schläft dann besonders tief bei offenen Fenstern. Die Stadt ist unter den Horizont gesunken. Sie sinkt in der Hitze in sich selbst ein und wird einsam, weil so viele sie verlassen haben, und wird einsamer über dem dunstenden Asphalt, wenngleich da hunderttausende Menschen noch herum fahren und rennen. Sie neigt zur Meditation. Sie hat viele Hohlräume dazu, Cavernen, Cavitäten: es sind die verhangenen, die kühl gekampferten. Endlich kommen die Möbel auch einmal zu ihrem eigenen Leben. Die Meditationen der Stadt aber vollziehen sich nicht nur in solchen abgeschlossenen Räumen. Vor einem kleinen Wirtshause stehen in einer Seitengasse die Tische auf dem Gehsteig. Man sieht da blanke Bierseidel. Aus dem Lokal riecht es ein wenig kellrig, vielleicht nach Fässern, Weinfässern, Bierfässern. Jetzt erst bemerkt man, daß inzwischen der Mond über die Gasse getreten ist, der Abend ist noch sehr warm. Der Mond wird am 14. Juli voll sein.

Eine kleine kreisrunde rote Scheibe erscheint plötzlich über den hochsommerlich dichten nahen Kuppeln der Laubbäume unterhalb des Hügels; sie steigt rasch, sehr rasch. Sofort ordnen Renata von Gürtzner-Gontard und Lilian Garrique ihre Pfeile auf den schon gespannten Bogensehnen, heben an, ziehen, und dann sind die Pfeile draußen. Durch einen Augenblick sieht man sie wie zwei Gedankenstriche in der Luft; fast in derselben Sekunde ist die rote Scheibe verschwunden, weggeputzt. Der kleine dicke Bully kugelt, aus Leibeskräften rennend, den Abhang hinunter und taucht in's Gebüsch und zwischen die Bäume.

„We got it", sagt Lilian.

Die Schießleistung der Mädchen – welche von beiden den entflohenen Luftballon getroffen hatte, ließ sich ja nicht sagen

– war denn doch eine solche, daß sie nichts anderes zur Folge haben konnte als ein kurzes Schweigen. Der Pfadfinder, auf den Speer gestützt, welcher senkrecht in den Boden gestoßen war, hielt mit beiden Fäusten den Schaft und sah vollends überwältigt auf Renata. Sylvia, der Falke, äugte scharf vor sich hin, als sollte der Treffer noch ein Nachspiel haben.

Ein solches kam auch. Denn eben als sich jetzt Gaston Garrique endlich vernehmen ließ und sagte: „Wie die Indianer-Häuptlinge; es ist eigentlich beinah widerlich", brach Bully unten durch die bewegten Büsche und kam herauf gerannt, hoch über dem Kopf die beiden Pfeile haltend, an denen irgendwas hing; es sah aus, als wären sie zusammengebunden.

Beide Geschosse offenbar hatten den Ballon durchschlagen. Seine geplatzte Hülle aber war wie ein Ring rückwärts vor der Fiederung hängen geblieben – noch hing sie da, ein welkes zähes Häutchen – die Schäfte bindend. So konnten die Pfeile ihrer Flugbahn nicht weiter folgen und waren abgestürzt, von Bully dabei scharf beobachtet. Zu diesem sehr wahrscheinlich richtigen Ergebnis gelangte die kommissionelle Untersuchung bei zusammengesteckten Köpfen.

„Es sind unsere Freundschaftspfeile, Licea", sagte Lilian, die für Renata immer diesen Namen des Kriegspfades verwendete. „Jeder bekommt eine ganz feine Strich-Kerbe hinten an der Nock, damit wir sie wieder erkennen. Wir behalten sie für immer im Köcher, oder, noch besser, wir geben sie daheim an die Wand, über zwei kleinen Nägeln, waagrecht ʻund die cock-pen nach vorne, und verwenden sie nie mehr. Aber du nimmst den meinen, und ich nehme den deinen. Das ist noch mehr wie eine Blutsbruderschaft." Sie tauschten die beiden Geschosse, welche in der Fiederung und in der Farbe des Lacks, mit dem drei Ringe vor den Federn gemalt waren, eine Verschiedenheit zeigten. Dann schüttelten die Mädchen einander kräftig die Hände. Niemand lachte, auch Gaston Garrique nicht.

Sie verließen den Hügel in der Gegenrichtung der Pfeilschüsse und gelangten alsbald an die Mauer eines Parkes, welche sie unverzüglich überstiegen, und zwar mit Hilfe von Gastons Rücken, der dann allein nachkam und dabei gezogen wurde. Als erster kletterte Bully hinauf und entfernte oben die Glasscherben, welche man dort in freundlicher Weise entlang gestreut hatte, um das Überklettern der Mauer zu erschweren, was freilich Krieger vom Stamme der Sioux nicht aufzuhalten vermochte.

Der Park, in sich selbst, in dem Hochsommertag und vielleicht in einige Träume versunken, welche es von der Stadt herauf wie fliegende Spinnenfäden geweht haben mochte, verfrühter Altweibersommer, der im Gebüsche und zwischen den Stämmen hing, dieser Park empfing die Rothäute nicht wie ihre heimischen Forste, durch welche sie lauernd schlichen, sei's auf der Jagd, oder auf dem Kriegspfade, sondern offen daliegend, ohne Dickicht, und mit einem an der Parkmauer innen entlang führenden gepflegten Wege, dem sie alsbald folgten. Die Mädchen trugen ihre Bogen, deren Sehnen noch immer eingelegt und gespannt waren, nachlässig unter dem Arme. Nach einigen Schritten sah man für kurze Augenblicke tief unten das weiße Leuchten eines Hauses. Sonst war hier nichts, keine Spur von Belebung, nur eine weit geöffnete fremde Stille.

Als sie jedoch bei einer Wendung der Mauer und des Wegs um eine dichte Baumgruppe traten, erblickten sie unmittelbar vor sich ein einfaches offenes Gartenhäuslein von jener Art, die man in Österreich ‚Salettln‘ nennt, aus dünnen Baumstämmen zusammengefügt und mit Rinden gedeckt. Darin saß an einem Tische, darauf Bücher und aufgeschlagene Hefte lagen, kummervollen Angesichts ein kleiner, dicker Bub, so sehr in seinen Kummer – der wohl mit den vor ihm liegenden Heften zusammenhing – versunken, daß er den herankommenden Stamm gar nicht bemerkte. Der Kleine sah nicht auf.

Diesem also boten sie den Friedensgruß. Sie setzten sich um ihn herum und untersuchten seine Tätigkeit, was ihm gar nicht unwillkommen zu sein schien, denn, zwischen Licea und Sylvia sitzend, klagte er alsbald sein Leid, welches sich vornehmlich auf die richtige Verwendung von ‚shall‘ und ‚will‘ beim Futurum im Englischen bezog, weiterhin aber auch darin gründete, daß ihm, wohl infolge irgendeiner fehlerhaft eingeschnappten Gedankenverbindung, ein sehr einfacher Sachverhalt nicht aufgegangen war: daß nämlich ein Trapez ja auch aufgefaßt werden könne als ein Rechteck mit zwei rechtwinkligen Dreiecken dazu, oder als ein Rhomboid mit einem darangeschobenen gleichschenkligen Dreieck, und daß man also des Trapezes Flächeninhalt auch ermitteln konnte, wenn man ihn bei jenen Figuren herausbrachte und die Addition vollzog: gerade das aber wollte der sehr nervöse Herr Papa, bei dem morgen nachmittags wieder eine Ferien-Nachhilfe-Stunde statthaben sollte, gerade das (vielleicht wünschte er dem Buben beizubringen, was ein Trapez eigentlich sei, damit dieser ein solches planimetrisch zu konstruieren endlich erlerne). Aber man getraute sich nie zu fragen, wenn man etwas nicht verstanden hatte, und das Fragen nützte auch nichts. Zweitens aber war es dem Kleinen nicht gelungen zu erfassen, wann man eigentlich ‚shall' und wann ‚will' sagte, was ein quälendes Moment der Unsicherheit schuf, denn gerade dies setzte der Papa eigentlich schon voraus.

Sogleich nahmen sich Licea und Sylvia der Sache an, und ihrer wahrscheinlich dem Kleinen weit verständlicheren Ausdrucksweise – der Herr Papa drückte sich wohl allzu rein begrifflich aus – gelang es alsbald, beide Knöpfe beim Schüler zu lösen, sowohl den planimetrischen, wie den anglistischen. Die anderen rund um den Tisch hielten schön stille und hörten zu. Am Schlusse wurde der Schüler kommissionell geprüft, nämlich reihum von jedem (bis auf Bully), man ließ ihn zeichnen mit Lineal und Zirkel, rechnen, wobei darauf gesehen wurde, daß er auch die Formeln wirklich verstand, und schließlich aus dem Deutschen in's Englische übersetzen.

Nach einer Stunde ging alles herrlich, und der Kleine machte sich mit Eifer daran, die vom Vater gegebenen Aufgaben bereits in's Reine zu schreiben.

Der Stamm brach auf.

Dies alles geschah ja nur zwischendurch.

In Wirklichkeit befand man sich auf dem Kriegspfad gegen eine Baronin Haynau.

Deren Haus sahen die Krieger – nach nochmaligem Überklettern der Parkmauer durch das dichte Getrüpp lugend, in welches sie jenseits abgestiegen waren – gerade gegenüber liegen und etwa dreißig Meter entfernt, mit seiner offenen Holzveranda, die in der Hitze dörrte. Gut gedeckt hielt man Rat und prüfte mit Sorgfalt die Möglichkeit eines ebenso gedeckten Ausschusses. Dann bereitete man das Geschoss vor.

Zunächst wurde der Brief des Stammes auf ein kleines Blatt geschrieben. Er lautete: ‚Von jetzt ab über vierzehn Tage wird der erdbeerfarbene Jumper nicht mehr geduldet. Wird er noch einmal während dieser Zeit auf der Holzveranda gesehen, trifft ihn der Sioux Pfeil.' Sodann ward dieses Zettelchen zusammengelegt und unmittelbar hinter der Spitze eines scharfen Pfeiles mittels dünner Schnüre – die Bully aus seinen Taschen hervorpraktizierte – derart befestigt, daß es der Pfeil-Länge und also auch dem spannenden Zuge nicht viel mehr als einen Zentimeter wegnahm. Lilian und Renata wählten kleine Hölzchen, und da Renata das kürzere zog, erhielt Lilian den Schuß.

Sie trat an die vorbestimmte Stelle und hob den Bogen. Schon im nächsten Augenblick hörte man ein leises Dröhnen von drüben wie von einem schwachen Paukenschlage, und sodann sahen alle, durch den Ausschuss lugend, den bunten Pfeil in der getäfelten Rückwand der Veranda stecken.

Alsbald verließen sie diese Gegend, noch immer gedeckt vom Gebüsche gehend, einer hinter dem anderen. Außerhalb Sicht gelangt, spannten beide Mädchen ihre Waffe ab; die Bogen wurden sorglich in lange leinene Futterale geschoben; Köcher und Pfeile verschwanden in ähnlichen Hüllen, die Bully in seinen fast leeren Rucksack bekam, welcher nur die Schwimmtrikots enthielt. Die verpackten Pfeile standen oben heraus.

Die Baronin Haynau – eine hagere große Siebzigerin – hat, wie sich allerdings erst zwei Jahre später aus ihrer eigenen Erzählung ergab, ohne jeden Widerspruch dem drohenden Befehl des Stammes Folge geleistet. Sie erhob kein Geschrei und lief schon gar nicht auf die Polizei; sie trug ganz einfach vierzehn Tage lang statt des erdbeerfarbenen einen grünen Jumper. Vielleicht war auch irgendein Aberglaube bei ihr im Spiel, der sie bewog, dieser angeflogenen Botschaft Gehorsam zu leisten. Sie hat, wohl möglich, vermeint, das Tragen des erdbeerfarbenen Jumpers während der kritischen Zeit könnte ihr zwar keinen zweiten Pfeil, aber sonst irgendein Unglück oder Pech bringen. Zur Krüppel-Transzendenz ist jeder gleich bereit, und schon gar alte Damen. Im übrigen beschattete der Stamm sie gar nicht, ja, er kam nie mehr in diese Gegend. Die Baronin hätte ruhig den Erdbeerfarbenen tragen können.

Nach einer Viertelstunde Weges schlug sich der Stamm bei einer sogenannten ‚Erfrischungshütte‘ nieder, einer Bretterbude mit ebensolchen Tischen davor, wo man eisgekühlte Getränke genießen konnte, Limonaden und Himbeerkracherln. Gewaltig war, nach den oben beschriebenen Taten, der Krieger Durst.

„We have terrorized her", platzte Lilian plötzlich heraus und fiel vor Lachen mit dem Gesicht auf die ungehobelte Tischplatte; alsogleich wirkte die Vorstellung, daß die alte Haynau von ihnen terrorisiert worden sei, ansteckend, und nicht einmal Gaston Garrique, ein doch eher langweiliger Lulatsch – wenngleich er bei allem stets gerne, ja, seit Schlaggenbergs Verschwinden, als Anführer dabei war – konnte sich des Lachens erwehren. Nur Bully verstand eigentlich nicht, worum es hier ging, nämlich um den grotesken Zauber des Wortes ‚terrorisieren‘, wenn man es in Zusammenhang mit einer ganz und gar harmlosen vornehmen alten Dame brachte.

Nach gelöschtem Durste zogen sie sich tief in den nahen Wald zurück – es gibt unmittelbar vor Wien noch dichte, gestrüppige, ganz wild wachsende große Wälder, und darin beruht der eigentliche Reiz und Kontrast seiner Umgebung – und hier ließ man sich ungestört zur Ratsversammlung nieder, nachdem Bully und der Pfadfinder den Ort umkreist hatten, um jedes Belauschtwerden auszuschließen. Auch hatte man wohl acht darauf, daß niemand sich anschleichen könne.

Denn es galt dieser Kriegsrat dem bedeutendsten Unternehmen des Stammes: jenem gegen den Kammerrat Levielle nämlich.

Sogleich, nachdem man sich bequem niedergelassen hatte, nahm der lange Lulatsch das Wort und sagte:

„Ihr Krieger. Die Sache bei diesem Kammerrat, Testamentverfälscher oder Erbschleicher, oder was dieses alte Stinktier schon ist, ich hab' mir all das Zeug nicht merken können, Gauner jedenfalls – diese Sache scheint mir also genügend ausgekundschaftet zu sein. Das Verschwinden des Chiefs bildet keinen Grund, sie unausgeführt zu lassen. Man kann erstens durch den Nachbar-Flur in den Garten gelangen, der hinter dem Hause liegt, denn das kleine Gittertürchen zu dem benachbarten Hof ist kaputt und ohne Schloß, nur mit einem Draht angehängt. Aber die Glastür zur Terrasse wird natürlich versperrt sein. Andererseits steht die Türe vom Stiegenhaus in die Wohnung oft lange Zeit offen. Bully und ich haben das beobachtet. Wir sind am ersten Stockwerk vorbeigegangen, als ob wir weiter hinauf wollten, und haben dann von oben hinuntergeschaut. Ein Frauenzimmer ist herausgekommen mit einem Eimer und die Treppen hinuntergegangen. Die Wohnungstüre hat sie offen gelassen hinter sich. Wir haben eine Weile dort oben gewartet, dann sind wir wieder hinuntergegangen, da ist diese Person im Hausflur gestanden mit einer zweiten, der Portiersfrau, die wir schon kennen, und hat mit ihr geschwätzt, den Eimer hat sie neben sich stehen gehabt, es war Mist darin, irgendwelcher Abfall. Wir hätten während des Gespräches der Reinemach-Frau mit der Hausmeisterin ganz leicht die Sache aus der Wohnung herausholen können. Jetzt war es freilich zu spät. Allerdings bestand die Gefahr, noch andere Menschen in der Wohnung anzutreffen. In dieser Bude scheint irgendwas gearbeitet zu werden. Lilian und ich haben einmal Männer mit Leitern und Eimern hineingehen gesehen."

Freilich konnte Gaston Garrique nicht wissen, daß der Kammerrat seine Wiener Wohnung neu herrichten ließ, weil er sie zu vermieten gedachte, bis auf jenen einen Raum in der Verlängerung des Vorzimmers, in welchen einst Alois Gach vom Antichambre aus geblickt hatte, und wo der schöne Barock-Sekretär stand: dieses Zimmer wollte Levielle sich für gelegentliche Wiener Aufenthalte reservieren.

Der Wald, in welchem unser Stamm sich hier niedergelassen hatte, an jener Flanke des Kahlengebirges, die von der Donau abgekehrt ist, stand hochgekuppelt im dichten Laube und hielt den größten Teil der Sonnenlast dieses Tages ab. Jetzt regten sich die Kronen, ein leichter Wind strich vom Kamme, vielleicht überwehte er diesen, aus dem Donau-Tale herkommend.

„Nach der Beschreibung jenes alten Reiter-Sergeanten gelangt man vom Ende des Vorraumes gradaus in das Zimmer, wo der bewußte altertümliche Sekretär steht. Das hat uns ja der Chief genau erklärt. Man muß sich sodann vor das Möbel stellen und mit der rechten Hand an der Schmalseite langsam herab streichen: dann wird man irgendeine kleine Unebenheit spüren, eine Vertiefung oder Erhöhung, eine sehr schwache allerdings, die man gar nicht sehen kann: dort ist der geheime Druckknopf, der rechts vorne die Lade herausspringen läßt. Wir werden alles nehmen, was sich darin befindet, denn zum Durchsehen von Papieren ist keine Zeit. Wichtig erscheint mir, daß jeder alles weiß und jede Gelegenheit zum Handeln beim Schopfe packen kann."

„Klar", sagte Lilian.

„Nun stimmt ab", sagte Gaston, „ob wir morgen diese Sache starten wollen."

Keine Gegenrede erfolgte, jedermann war einverstanden. „Nun gut", sagte der Lulatsch abschließend, „damit uns die Alten oder die Tanten nicht morgen mit irgendwas daherkommen, daß wir im Auto mitfahren sollen, ein Schloß besichtigen oder eine Kirche, so schlage ich vor, daß wir heute beim Abendessen gleich sagen, für morgen sei von uns ein großer Badeausflug geplant, nach – wohin, Licea?"

„Nach Klosterneuburg", sagte Renata Gürtzner.

„Gut, nach Klosterneuburg. Und wir sagen, es sei uns ganz einfach zu heiß in der Stadt, und wir wollten schon zeitig hinaus. Wenn wir länger im Hotel bleiben, kommt wieder irgendwer auf irgendeine Idee, was man mit uns gemeinsam unternehmen könnte, oder es hängt uns der Onkel Franz die Tante Price an, wie es schon einmal gewesen ist. Daher: Treffpunkt halb acht Uhr, vor Licea's Haustor. Und zwar anständig und nett angezogen – nicht so wie wir heute sind – das ist wichtig, vertrauenerweckend auszusehen, mit gutem Benehmen, und so weiter; auch für den Fall, daß man uns erwischen sollte. Natürlich morgen ohne alle Waffen oder Werkzeuge."

Sie erhoben sich, nahmen ihre Sachen auf und überschritten weglos den Kamm, um an die Donau hinunter und zum Schwimmen zu gelangen. Bei einer Waldschneise zeigte sich, noch tief unten zwischen den zurücktretenden Bäumen, der Strom, dessen Fließen man freilich auf eine so große Entfernung nicht sehen konnte; und so lag er als ein regungsloses, ein stehendes Band, ein wenig in der Sonne glänzend, in seinem weithin sich dehnenden geräumigen Tale.

Am gleichen Nachmittag, da der bunte Pfeil in die Holzverschalung der Haynau'schen Veranda geschlagen hatte, fehlte René bereits im kühlen Bibliotheksgang des Institutes – die Arbeiten dort waren von ihm für diesen Sommer abgeschlossen worden, nicht nur jene vor dem 20. Juni schon nach Amerika gesandte für Professor Bullog, nicht nur die Fassung des alten Textes für Herzka'schen Gebrauch, sondern auch seine eigenen Merowinger-Sachen – und eben darum befand sich Stangeler jetzt daheim. Er hatte schwimmen gehen wollen. Aber, wie eine helle Schwinge, die sich von der Zimmerdecke herabschlug, traf ihn ganz plötzlich so fühlbares Wohlbefinden, daß ihm eine glitzernde Wasserfläche, der Lärm des Schwimmbades, der erforderliche Weg dorthin als bereits überflüssige Veranstaltungen, ja, als nur störend erschienen. Er blieb. Es war verhältnismäßig kühl im Zimmer, das nach Norden lag und gegen einen weiträumigen von Häusern umgebenen Hof – Miethäuser mit hingedehnten Fenster-Reihen – und etwa in der Höhe einiger alter Baumkronen, die sich bis herauf zum dritten Stockwerk streckten. Vor Stangelers Fenstern – beide standen offen – lief ein schmaler Balkon hin mit einem eisernen Geländer.

Er hatte manchen Sommer in Wien erlebt, der René, während die Eltern sich auf der Villa im Raxgebiet draußen befanden, die ihnen zum Glücke noch verblieben war, trotz des finanziellen Zusammenbruches durch die Katastrophe von 1918. Natürlich wurde seine Anwesenheit dort gewünscht; aber Stangeler hielt sich oft wochenlang hier in Wien, schlecht oder recht und bis ihm das Geld ganz ausging, nicht selten belastet und bedrückt von irgendeiner rückständigen Arbeit: und die beiden zuletzt genannten Umstände wirkten wechselweise aufeinander, nicht eben vorteilhaft, wie sich leicht denken läßt. Hinzu traten einige schwere Konflikte mit Grete während der letzten Jahre, merkwürdigerweise meist im Sommer; kurz, es kam das heraus, was ein (recht harter) Urteiler über René dessen ,in Fetzen gerissene Art zu leben' einmal genannt hat. Sicherlich nicht ganz mit Unrecht.

Jetzt und hier aber blickte er nicht ohne Erstaunen auf das krause und, aufgekrauste, ja, zerschründete Bild seiner jüngeren Vergangenheit.

Es war ihm heute, am 14. Juli 1927, bereits fremd geworden wie eine Mondlandschaft.

Daß man so hatte leben mögen!

Aber die Kluft von Unterschied, die ihn von alledem trennte, war unauslotbar, weil unbenennbar, und nicht meßbar mit dem Maß und Namen einzelner gebesserter Umstände: sie öffnete sich jetzt eigentlich nur in der Art, wie er dieses Zimmer sah, und die darin umher stehenden oder liegenden Dinge, und das Gitter des Balkons draußen, und die sehr großen und regungslosen Baumkuppeln über dem Hofe: ja, sogar darin lag's, wie sich ein fernes Klingeln der Straßenbahn anhörte oder ein kurzer gedämpfter Hupenton – und lang nach alledem erst traten jetzt jene ja wirklich veränderten und gebesserten Umstände wie von allen Seiten zugleich an René heran: von Geldnöten war überhaupt keine Rede mehr, er hätte ohne weiteres auf eine Woche zum Beispiel nach Venedig fahren können (Grete's Vorschlag für Stangeler), sein Paß war in Ordnung (sie hatte die Verlängerung empfohlen, damit René für Jan Herzka bereit sei); aber jene Reise nach Venedig wäre jetzt ganz in der gleichen Weise eine überflüssige Veranstaltung gewesen wie der Weg in's Schwimmbad. . . .

Von allen Seiten standen geradezu schwindelnde Räume der Freiheit heran (die sich merkwürdig gut mit seiner nun festen Bindung an Grete vertrugen, aber diese Merkwürdigkeit bemerkte er nicht, der Herr von und zu René).

Aus irgendeinem Grunde und mit irgendeinem Auftrag lagen hier die Schlüssel zum ersten Stockwerk des Hauses, zur Wohnung seiner Eltern. Ja, dies war es: er hatte noch einmal die Gashähne und Lichtschalter zu überprüfen. René stieg hinab und tat mit Sorgfalt das Befohlene.

Als er oben wieder den Vorraum betrat, schlug das Telephon schrillend an. Es war fast wie ein Hundegebell, das ertönt, wenn jemand eintritt.

Stangeler hob die Muschel, und sogleich hatte er die Empfindung, als werde aus dieser mit einer Art winzigem Maschinengewehr knatternd in sein Ohr geschossen:

,,Herr Dr. Stangeler persönlich, ja?! Hier spricht Verlag und Druckerei Pornberger und Graff, Direktor Szindrowits mein Name. Herr Dokter, eine Ihnen nahestehende Persönlichkeit, Ihr Freund Herr Bill Frühwald, hat sich bei uns sehr nachdrücklich und verdienstvoll für Sie verwendet und eingesetzt, und unsere Firma wäre unter gewissen Umständen und Bedingungen möglicherweise bereit, Ihr Werk über mittelalterliche kriminelle Geheim-Folterungen in Verlag zu nehmen, hiebei müssen Sie sich natürlich darüber im klaren sein, Herr Dokter, daß dies vornehmlich zur Förderung der wissenschaftlichen Zwecke in's Werk gesetzt werden würde, ohne Hinblick auf einen geldlichen Gewinn, und Sie müssen desgleichen in Betracht ziehen, daß ja von Ihnen vor allem eine Drucklegung anzustreben ist, in Ihrem Interesse, damit Ihr Name im Zusammenhange mit derartigen Angelegenheiten einem erweiterten Leserkreise bekannt wird, bei bescheidenen Honorarforderungen Ihrerseits wären wir, trotz der Schwierigkeiten, die sich hier bieten, bereit, die Sache in Erwägung zu ziehen, obwohl die Kosten, die wir bei Drucklegung Ihres Werkes zu tragen hätten, wahrhaftig nicht als unerheblich bezeichnet werden könnten, sind wir geneigt, die Angelegenheit unverzüglich in Angriff zu nehmen, das heißt, in Gestalt einer Vorbesprechung wären Herr Direktor Abheiter und ich, Direktor Szindrowits mein Name, bereit, Sie jetzt aufzusuchen, in etwa einer halben Stunde, die genaue Adresse hat uns Ihr Freund, Herr Bill Frühwald, bereits mitgeteilt, und wären wir also geneigt, uns zu Ihnen zu begeben, indem wir Sie gleichzeitig ersuchen, sich diesfalls bereit halten zu wollen."

„Ja . . ." (‚Ja, wie kommen Sie denn eigentlich dazu . . .?' hatte Stangeler sagen wollen, aber er kam nicht dazu).

„Gut, geht in Ordnung. Wir kommen."

Es ward alsbald aufgelegt und das Gespräch auf solche elegante Art beendigt. Stangeler wußte nun zumindest dieses eine: daß er in einer halben Stunde die zwei Kerle, will sagen die beiden Herren Direktoren von Pornberger und Graff – eine René im höchsten Grade unbekannte Verlagsanstalt – hier auf dem Halse haben würde.

Er versuchte, den Zwischenfall zu deuten. Das Meritorische selbst erwog er keineswegs. Aber den fettigen und im Grunde eigentlich rohen Ton, in welchem der Mann in seiner wirksam glatt überrennenden Art unaufhörlich in's Telephon geredet hatte, wollte Stangeler jetzt in sein Gehör zurückrufen, zugleich mit dem fürchterlichen und geradezu beleidigenden Deutsch. . . René verfiel, wie so oft schon, in den Fehler, das unmittelbar Gegenwärtige, das ihn Anspringende oder Überrennende, sogleich auch interpretieren zu wollen. Es mißlang freilich auch diesmal. Was blieb, war ein tiefes Unbehagen in bezug auf jenen telephonischen Anruf überhaupt, genauer: daß ein solcher Anruf möglich gewesen und auch erfolgt war.

Eine halbe Stunde später betraten die Direktoren Szindrowits und Abheiter – Männer um die Fünfzig, allzu modern angezogen und überaus stark parfümiert – unaufhörlich teils gleichzeitig, teils abwechselnd in der schon angedeuteten Art redend, Stangelers Zimmer. Sie sprachen gehenden, sie sprachen stehenden Fußes, sie setzten sitzend alsbald fort, und ließen keinen Zweifel darüber, daß jede wissenschaftliche Betätigung heutzutage eine an sich ganz aussichtslose Sache bleiben müsse, fänden sich nicht eben doch immer wieder Idealisten, die solche

Zwecke zu fördern bereit wären. Allmählich, und nicht ohne ein Staunen, welches nun wirklich jeden Versuch einer Interpretation ausschloß, bemerkte Stangeler, daß beide Herren nahezu ganz gleich gekleidet waren, und, obwohl sie sonst einander keineswegs ähnelten, war dies doch beim alternierenden Sprechen wieder in sehr hohem Grade der Fall: es ging im unaufhörlichen Reden des einen Stimme in die des anderen derart glatt über, daß Stangeler einmal vermeinte, es rede noch der Abheiter, während längst der Szindrowits sprach; und war ihr Wechselgesang an sich ertötend, so spielte jener zuletzt erwähnte Umstand doch schon geradezu auf das Gebiet des irgendwie Unheimlichen hinüber.

Der alternierende Vortrag beider Herren hatte inzwischen das Thema der Volksbildung, der Aufklärung, der Popularisierung wissenschaftlicher Ergebnisse angeschnitten, wovor auf keinem Gebiete halt gemacht werden dürfe, wie sie besonders betonten. Und so müsse denn auch ein wissenschaftliches Material, das von der historischen Seite her für einen der modernsten und aktuellsten Zweige der Forschung, für die Sexualwissenschaft nämlich, fruchtbar werden könne, weitesten Kreisen zugänglich gemacht werden, was allerdings nur auf dem Wege ,eines in dieser Spezial-Branche gut eingeführten und renommierten Verlagshauses am hiesigen Platze' möglich sei. Und nun bekam Stangeler auch die bebilderten Prospekte einer mit acht Bänden bereits erschienenen ,Sexualwissenschaftlichen Reihe' zu sehen, deren Titel und Texte sowie die Illustrationsproben gar keinen Zweifel darüber aufkommen ließen, daß die Firma Pornberger und Graff auf diesem Gebiete ein wirklich leistungsfähiges Institut genannt werden durfte.

Jedoch muß andererseits gesagt werden, daß die Herren Szindrowits und Abheiter sich hier, vom geschäftlichen Standpunkte gesehen, falsch benahmen und somit als Akquisitoren eines für die Verlagsproduktion von Pornberger und Graff möglicherweise sehr wichtigen Manuskriptes über mittelalterliche kriminelle Geheim-Folterungen (hätten sie es gekannt, wären sie nie gekommen) eigentlich recht wenig taugten. Denn sie waren weit davon entfernt, aufzufassen, daß ihr Gerede sich just an der Grenze eines Jenseits im Diesseits breit machte, und noch viel weniger ahnte ihnen etwas davon, wie sich das von dort drüben aus anhören mochte. Aber die dämonische Kraft ordinärer Aufdringlichkeit, Zudringlichkeit und schließlich sogar Eindringlichkeit beruht ja geradezu darauf, daß sie in bezug auf den Raum dort drüben, in welchen sie sich hineinflegelt, vollkommen unwissend ist; indem sie ihn nämlich ihrem eigenen ohne weiteres für gleich beschaffen hält. Hiedurch entstehen immer wieder Lagen wie jene, in welcher sich etwa Levielle dem René gegenüber, und einmal auch der Chefredakteur Cobler gegenüber Schlaggenberg befunden hat, als dieser ihm gestehen mußte, daß er wirklich nicht wisse, warum der plötzliche Allianz-Segen sich gerade jetzt auf ihn herabsenke. . . . .

Stangeler ward von den beiden Herren aus der ganzen Situation hier geradezu hinausgedrängt. Je mehr jene sich als grob-indiskutabel erwiesen, desto leichter wurde die Lage für René zu meistern, da er gar nicht in die Gefahr geriet, sich überhaupt in ein Gespräch einzulassen. Zunächst allerdings boten Abheiter und Szindrowits, selbst redend, einer Entgegnung keinen Wortbereich. Aber schließlich einmal machten sie doch eine Atempause und warteten ein wenig, ob Stangeler was sagen würde. Dieser, nach derart breitschlagendem Eindrucke, vermochte zunächst kaum seine Trägheit zu überwinden und zu sprechen, so erdrückend wirkte auf ihn die von vornherein bestehende Sinnlosigkeit jedes Wortes.

Endlich sagte er, sehr beiläufig: „Ich gedenke die von mir entdeckte Quelle in Amerika zu veröffentlichen, nicht hier."

„Aber Herr Dokter!" rief Abheiter, „wie stellen Sie sich denn das vor?! Da müßte die Sache ja erst in's Englische übersetzt werden, da bleibt für Sie nicht viel Gewinn übrig!"

„Nein", sagte Stangeler. „Eine Übersetzung kommt hier gar nicht in Frage, bei einer Quellenpublikation für kulturhistorische oder germanistische Zwecke. Übersetzt wird höchstens mein Kommentar."

„Das kann ich mir schwer vorstellen", bemerkte der Direktor Szindrowits. „Auf diese Weise können Sie doch ganz unmöglich breitere Leserschichten erreichen."

„Das ist auch in diesem Falle völlig nebensächlich", ließ Stangeler fallen.

Die letzte Äußerung René's war in einem so gleichgültigen Tone herausgekommen, daß dessen Echtheit über die Schranke in's Jenseits im Diesseits drang und dort die kommerziell-taktischen Instinkte schließlich doch berührte, wobei die Herren sich wahrscheinlich erst bewußt wurden, daß sie erheblich über den Rand gefahren waren, ja, den ganzen Auftritt überhaupt und von Beginn falsch angelegt hatten.

Daher sagte also jetzt Szindrowits:

„Unbeschadet alles dessen, was Sie in Amerika machen, Herr Dokter, das berührt unsere Interessen nicht. Und es sollte Sie das nicht hindern, am hiesigen Platze in Form einer populärer gehaltenen Publikation den verdienten Vorteil aus Ihrer vielen Mühe und Arbeit zu ziehen. Wenn ich früher gesagt habe, bei bescheidenen Honorarforderungen Ihrerseits, so war das natürlich im Maßstabe eines großen Verlagshauses, wie des unsrigen, gemeint, wobei es sich, im Rahmen der Kalkulation, noch immer um recht respektable Beträge handeln wird. Wollen Sie also, Herr Dokter, freundlichst zur Kenntnis nehmen, daß wir, nach Prüfung des Manuskriptes und bei allfälligem Abschlusse eines Verlagsvertrages, Ihnen mit Vorschüssen auf die Band-Tantiemen – errechnet auf Grund des broschierten Exemplares – mit einem Betrage bis zu dreitausend Schilling per sofort zur Verfügung stehen würden."

Direktor Abheiter nickte dazu.

Als Szindrowits eben geendet hatte, hörte René in der hohlen Stille des Vorzimmers draußen das stoßweise Klingeln des Telephons.

Stangeler hat später einmal offenherzig eingestanden, daß er in diesen Augenblicken geschwankt hatte, und dies trotz seiner genauen Kenntnis des Umstandes, daß eine derartige Publikation, auch wenn sie nicht unter seinem Namen erfolgte, ihn früher oder später in der wissenschaftlichen Welt erledigen und unmöglich machen würde (so weit langte sein Verstand damals denn doch bereits). Aber er schwankte eben nur während jener wenigen Augenblicke, deren er bedurfte, um aus seinem Zimmer durch den langen Gang bis zu dem läutenden Apparate zu gelangen.

Es war Grete: und mit Neuigkeiten. Eben hätte der Dr. Williams angerufen. Professor Bullog sei eingetroffen, und habe sich sofort an ihn gewandt mit der Bitte, ihm ein Zusammentreffen mit Dr. Stangeler zu vermitteln. „Er bittet dich", sagte Grete, „morgen zwischen zehn und elf Uhr in's Hotel Krantz, ‚Ambassador' heißt es jetzt, zu kommen, und, wenn es dir möglich sein sollte, das Original gleich mitzubringen. Jetzt denke dir, René, der Professor Bullog, so sagt Williams, ist geradezu schwer begeistert von deinem Kommentar und von der Genauigkeit deiner einzelnen Erklärungen – er hat geäußert, du müssest ja ein ganz erstklassiger Fachmann sein, und der Essay, den du vorangestellt hast, sei geradezu großartig, und so weiter, und so weiter – was sagst du jetzt? Bist halt ein gescheites Bubengeschöpf . . .‟

Und so weiter, und so weiter. Sie vereinbarten dann, sich heute einmal im Prater unten zu treffen, wo es kühler sei, bei der Endstation der Straßenbahn. Grete's Stimme klang ganz hell, manchmal wie der Schrei eines Vogels. Nun wirklich, sie flog über die Höhen ihres Lebens, so schien es.

Langsam kehrte Stangeler in sein Zimmer zurück und bemerkte, daß sich die beiden Herren darin nach allen Seiten umsahen. Sie gingen die Wände entlang. Aber es gab eigentlich nichts zu sehen. Der Schreibtisch war leer.

René drückte sein Bedauern zugleich mit seiner endgültigen Ablehnung aus, und wurde nun also die Direktoren los.

Alsbald schlug die Stille hier wieder über Stangeler zusammen, und aus ihr tauchte, ohne daß irgendeine Interpretation versucht worden wäre, die eigentliche Bedeutung des ganzen Zwischenfalles rund und wie rauschend herauf. Denn es war ihm ein solcher Erweis des Wandels der Dinge zwischen Grete und ihm noch nicht zuteil geworden, wie dieser ihr telephonischer Anruf jetzt und gerade in diesen Augenblicken. Nun erst begriff er, was in den letzten zwei Monaten, seit der Reise mit Herzka nach Kärnten, sich eigentlich vollzogen hatte: daß sie bei ihm eingemündet war und nicht mehr nur von Fall zu Fall mit ihm im Bett lag – und auf dieses allzu deutliche von Fall zu Fall sah er jetzt zurück wie auf ein primitives Stadium seiner eigenen Geschichte – sondern daß sie mit ihm in einem und demselben Bette dahinfloß. Auch, daß kein Einblick in sich selbst und keine tiefste Erforschung, von Gefühlen ganz zu schweigen, und seien die gleich die größten, jene unbezweifelbare und handhafte Gewißheit schenken können, wie die aus dem äußeren und dinglichen Leben herantretenden Tatsachen, denen allein wirkliche, entscheidende und durch nichts zu erschütternde Autorität eignet. Facta loquuntur. Nur die Tatsachen sprechen. Die Tiefe ist außen.

‚Die Tiefe ist außen.' Er sprach diesen Satz des Kyrill Scolander laut vor sich hin.

Und machte sich fertig, um in den Prater zu fahren.

Als Stangeler an der Endstation aus der Straßenbahn stieg,
war es noch hell, ja, es lag noch das Rotgold der Abendsonne
da und dort zwischen den hohen Baumkronen und im wuchernden Grün der Au. Schon kam Grete auf ihn zu, mit dem vorhergehenden Zuge angelangt. Sie trug ihre gesamte weibliche
Waffenrüstung Stangeler entgegen, aber die friedliche Absicht
dabei war doch unverkennbar: diese Bastionen sollten ihn nicht
bedrohn, diese Spitzen ihn nicht durchbohren, vielmehr luden
alle herabgelassenen Zugbrücken zum Eintritte. Zwei Monate
hatten genügt, um den Frieden ihr zur zweiten Natur werden
zu lassen . . . .

Nicht doch, er war ihre erste; das erkannte René jetzt. Dieser
Frieden war echt. Der Krieg aber war ein sehr kunstvolles und
vielleicht unentbehrliches Stadium zwischen Grete und ihm gewesen: dennoch sah dieses Positions-Spiel, von jetzt und hier
gesehen, schon fast eben so primitiv aus wie die einstmaligen
Vereinigungen von Fall zu Fall.

Sie hatten jetzt wahrlich Wichtigeres im Auge. Zweifellos ist
schon damals von der Siebenschein die weittragende Bedeutung
klarer erkannt worden als von René, welche der Sache zukam,
die Williams eingeleitet hatte und die nun ihrer Verwirklichung
rasch entgegen ging; ganz ähnlich wie nicht lange vorher Frau
Mary K. das Bedeutsame der Wende im Leben Leonhards,
durch den Eintritt des Prinzen in dieses Leben, handhafter erfaßt hatte als unser Leonhard selbst. Auch hier, in bezug auf
Stangeler, wäre ein bei jenem anderen Anlasse schon Gesagtes
fast ebenso zu wiederholen.

Doch das Paar, welches jetzt langsam die sogenannte ‚Hauptallee' entlang ging und gegen den ‚Konstantin-Hügel' zu, erscheint aktueller als solche Profondeurs, und nimmt den Vordergrund ganz ein. Dahinter breitet sich dieser tiefliegende Teil der
Umgebung Wien's aus, der Prater, vom Strome bestimmt, von
enormen, weithin offenen Wiesen durchzogen, darauf da und
dort wahre Riesenbäume ganz isoliert sich erheben, dann wieder im Auwald verschwindend, der über hineinleckenden Was-

serarmen tief herabhängt, ja, sie oft ganz einwölbt. Wird der Spiegel breiter und zum Teiche, dann sieht man etwa drüben, über dem anderen Ufer, die fernen Feinästligkeiten eines kaum glaublich hohen Baumwipfels gegen den Abendhimmel stehen. Dies hat mit dem wuchernden Gewächs, seinem tiefen, ja fast sonoren Geruch, dem sumpfigen Aushauche des Wassers, und mit den Gelsen, die es da wohl auch gibt, nichts mehr gemein. Es gehört der Ferne an, dem Winde, der offenen windziehenden Breite des Stroms, den davongleitenden Schiffen, der vergehenden Zeit, wohl auch den Abschieden und dem Schmerze.

Auf der Hauptallee, zumindest in jenem Teile, wo Grete und René langsam dahingingen, gibt es keine Gelsen. Wir hören die Siebenschein noch sagen, daß Williams ihr geradezu gedankt habe, denn Professor Bullog sei für ihn ein wichtiger Mann in Cambridge, soll heißen, an der Harvard University. Übrigens habe Williams in seiner offenherzigen Art auch gesagt: „Ihr Bräutigam, Fräulein Siebenschein, das ist ein lieber Mann, und von großen Fähigkeiten, ich schätze ihn sehr." Versteht sich, daß die Grete darüber sich freute, wie die Sachen nun lagen. Wir sehen später das Paar, das jetzt unter solchen Gesprächen den Fahrdamm der Allee kreuzt – sie ist einige Kilometer lang und schnurgerade, von der Mitte des Fahrdammes sieht man nach beiden Seiten wie in ein verkehrt gehaltenes Perspektiv hinein, ein Augenschuss in's Weite – wir sehen später das Paar im Garten eines der Prater-Wirtshäuser sitzen, deren Gebiet hier beginnt und allmählich in den Herrschbereich des bekannten ‚Wurstelpraters‘ übergeht, der nachts eine mächtige Höhlung von Helligkeit in die Auen schlägt, eine Höhlung, deren Wände bekrochen sind von zahllosen bunten Lichtern, drehenden und stehenden, wo es klingelt und schallt von den Karussellen, deren einige damals noch sehr anmutig, ja fast biedermeierisch waren, mochten sie auch erst am Ende des neunzehnten Jahrhunderts gebaut worden sein: mit Hochzeitskutschen, mit Feen und Genien; jenes bunte ‚Ringelspiel‘ mit dem Brautwagen steht und dreht sich sogar heute noch. In einem der Praterwirtshäuser gab es die ‚Damenkapelle Hornischer‘, alle in den gleichen weißen Kleidern mit bunter Schärpe, sehr honett, ein Orchester von gut zwanzig Köpfen, und sie spielten auch ausgezeichnet. Dennoch bleibt der Name ‚Hornischer‘ für jeden an den damaligen Zeitläuften Beteiligten unangenehm im

Gedächtnis, denn jener Name ist ein im Grunde roher und wirkt peinlich – auch wenn man nicht an Hornissen denkt – peinlich in ähnlicher Art wie gewisse andere zu Wien (in jedem Sinne) gemeine Namen, etwa Rambausek. Hornischer aber hat doch schon etwas von versteckter Gewalttätigkeit und nach innen gekehrter Brutalität an sich, daran konnten auch die recht hübschen zwanzig Damen in den weißen Kleidchen und mit den bunten Schärpen nichts ändern: der Name brachte in Harnisch. Als Grete und René einmal vom Essen aufsahen, hing ganz tief etwas ungeheuer Großes und Gelbes zwischen den Bäumen am Himmel, das sie erst in der nächsten Sekunde recht als den Mond erkannten. Es war der Vollmond des heutigen 14. Juli. Vom Wurstelprater herüber schlug die Glocke eines Karussells an, dann klang das breite Blasen und Dreschen eines Orgelwerkes, welches den kreisenden Gang der Sachen begleitete. Die altmodischen Karusselle mit den Feenwagen und Hochzeitskutschen aber haben eine klingelnde Glöckchenmusik. Die Anny Gräven, sonst gerne im ‚Wurstelprater‘, war um die Zeit, als Grete und René sich wieder auf den Heimweg machten – nicht lange nach neun Uhr, denn für morgen stand ja Wichtiges bevor – schon sehr betrunken. Sie ging nicht aus. Sie lag in ihrem Zimmer in Kleidern auf dem Bett, bei ausgeschaltetem Licht, und überlegte im Dunkeln sozusagen organisch, also weniger im Kopfe als im Leib, im Zwerchfell (wie die alten Griechen), ob sie jetzt sich erheben solle, um über dem Eimer zu erbrechen, oder ob ihr die Überwindung solchen Stadiums durch Einschlafen noch möglich wäre, ohne das Bett zu besudeln. Mit den Augen hielt sie sich bei diesen Deliberationen – um der drehenden Bewegung, welche sie empfand, entgegen zu wirken – an einigen fernen blauen Lichtern drüben bei der Gürtelbahn fest, die durch den halb beiseite geschobenen hohen bleichen Vorhang blickten. Auch fiel von der Straßenbeleuchtung ein Schein in's Zimmer.

Nachtbuch der Kaps II

Wenn ich mich abends zurückleg', ich schlaf' immer am Rükken ein, dann ist grad in dem Augenblick, wo ich mit dem
Hinterkopf auf die Pölster komm, die vorige Nacht wieder da.
Es geht auch weiter. Wie der Bub damals vom Klosett ewig
nicht zurückgekommen ist und es war so schrecklich, weil ich
gemeint hab', er wär' hinuntergezogen und versaugt worden,
da bin ich in derselbigen Nacht die Sorge nicht mehr losgeworden, und der Krächzi ist erst in der nächsten Nacht wieder her-
eingekommen. Ich leb' eigentlich zweimal, hab' auch doppelt
Sorg. Nicht alles ist doppelt. Der Kubi war doppelt. Das Fräulein Licea nie. Aber die Weinschläuche doppelt. Das Feuer bis
jetzt einfach, rotes Wimmerl. Die Scher' einfach, leider, ich hab'
sie niemals hinüber bringen können, man sollt's nicht glauben.

Manchmal lieg' ich da wie unter einem Wasserspiegel, so
tief in der Stadt drinnen, aber es ist nicht, weil die Donau vielleicht gestiegen ist, sondern es ist ein lila Nebel, ein Nebel-See,
der alles bedeckt. Mein Mann war im Krieg gegen die Italiener
und hat diesen großen Angriff bei Flitsch-Tolmein mitgemacht,
wo die Österreicher im Tal unten bis zu den Hüften durch das
grüne giftige Gas haben müssen, wie sie vorgegangen sind, das
haben sie zuerst selbst losgelassen, und dann hat es sich unten
gesammelt. So ist dieser lila Nebel, aber nicht giftig, sondern
gut und duftig, und alles ist viel schöner, wenn er steigt, man
sieht alles in ihm eigentlich viel besser, es ist so, wie wenn sich
lauter Flieder aufgelöst hätt' darin. Heute nacht war nur Flie-
der-Nebel, auf die da unten hab' ich ganz vergessen, auch nicht
zum Plafond geschaut, ob vielleicht ein Kubi-Kastl da sitzt. Der
Krächzi und ich sind im Flieder nur so geschwebt.

Jetzt, nachdem ich aufgewacht bin, hab' ich bald gewußt, daß
er tot ist, nicht viel geweint, nur bissel. Das Lila war so gut.

Ich weiß schon, daß ich in einer engen Gassen wohn', und daß jetzt die großen Häuser gebaut werden, dort wo es sehr hell und immer windig ist, siehst den Hermannskogel oder den Cobenzl, draußt am Gürtel ist es. Und für den Krächzi wär' es schon besser gewesen. Aber die Leut' haben doch nix dahint liegen lassen und sind in die hellen Häuser durch die weißen Türen überall eingezogen, und ihren ganzen Dreck aus den Gassln haben s' mit hinein geschleppt, Kastln und Häferln und alte Dräht' und Lampen. Am End' schaut alles aus wie ein sauberes Teller, auf das die Fliegen gekackt haben. Mit dem Übersiedeln wär' gar nix getan, deswegen kralln s' hier unterisch genau so weiter und patschen im Schlamm herum. Und dabei gibt's doch hier in Liechtenthal noch ein paar gute Geister auch, so daß die Oberhand nicht ganz gewonnen werden kann von denen da unten, und daß sie nicht heraufkönnen, wär' auch schrecklich, so nackat und schleimig am hellichten Tag, und der Schrecken dann, vor alle Leut ihre Augen.

Ich hab' mich oft gewundert, daß ich so tief unten leben muß und auch da geboren bin und nicht an den hellen und trockenen Leiten oben, wie am Leopoldsberg zum Beispiel, hab's oft gedacht, wie mein Mann noch gelebt hat, wenn wir am Sonntag draußen waren auf einer Landpartie. Andere aber haben nicht nur draußen, sondern auch drunten trockener gelebt, ja, sogar mein eigener Mann auch, das war mir besonders unheimlich, wegen mir selbst, versteht sich. Wir haben im gleichen Händlstall gelebt, aber immer auf verschiedenen Spriesseln[1] sind wir gesessen. Aber mir war schon recht, daß es ihm besser geht, und ich allein hab' unten in der Feuchten leben müssen. Daß nach ihm nix greift. War mir recht. Die Gassen hier ist schon meine Gassn, und muß ich zufrieden sein. Nur das mit die Weinschläuch' war unanständig. Zuletzt hat sich einer bewegt, ich hab's deutlich gesehen. Gestern träumt mir, ich war bei dem Professor, wollt' sie alle auszementieren lassen, daß er's mit dem Beton anfüllt; und wenn kein Wein mehr durchkann, so ist das dem Wirt seine Sachen. Ich war bis vor paar Jahr noch eine hübsche Frau. Man kann mich zu solchen Sachen nicht zwingen

---

[1] österreichisch für Spreize, waagrechtes Stänglein.

auf der Gassen, auch der Herr Wirt nicht, sollen sie's halt nicht herauslegen beim Keller-Loch, die grauslichen schwarzen Viecher. Das heißt doch wirklich vom Schlimmsten, was geheim bleiben müßte, am hellichten Tag reden. Und am Schluß steigen s' noch beim Zwölf-Uhr-Läuten aus alle Kanalgitter zugleich, da hat man's dann, den nassen schwarzen Schrecken, freilich rennt dann alles, rette sich wer kann, und das Schießen nützt dann auch nichts mehr. Das kommt aber alles nur von dem Herumspielen mit solchen Sachen.

Aber, wenn er oben in meinem Zimmer grad dort sitzt, wo der Plafond mit der Wand zusammenstößt und seine Arme nach allen Seiten auseinander gespreizt hat, und dort klebt, wie eine Spinne, die sich festhält, dann kann ich gar nichts gegen ihn machen, obwohl ich doch die Schere im Zimmer hab. Es ist eigentlich nicht so ganz recht mein Zimmer; und ich hab' die Schere dadurch nicht gleich bei der Hand. Freilich kann ich den Kubi nicht herunterschneiden, auch wenn ich auf einen Stuhl steigen würde, könnt' ich ihn nicht erreichen, weil es zu hoch ist. Ich fürchte mich auch viel weniger vor ihm, wenn er so klein dort oben sitzt, fast viereckig, wie ein Kastl, mit der krummen Nasen wie ein Papagei mitten im Gesicht. Ich kann ihm ja übrigens gar nix tun, denn ich lieg' doch im Bett. Es ist immer ganz still, wenn er da ist, der Kastl-Kubi. Dann, wenn ich ihn sehe, da fällt mir jedesmal ein, daß ich ihn unten in den Kavernen eigentlich noch niemals wirklich gesehen hab', es ist zum Glück nichts aus dem Wasser gekommen. Das wär' freilich nicht so kubi-klein gewesen, wo es einem vielleicht nichts tun kann, sondern sehr groß, auch kein Kastl, sondern schlangenweich und voll Schleim. Ich wär' gestorben, wenn es wirklich aus dem Wasser gekommen wär', ein Teil davon vielleicht, ein Arm, der saugen will. Ich wär' gestorben, wenn es näher gekommen wär', ich hätte das nie überleben können. Wenn das Kubi-Kastl aber bei mir oben am Plafond gepickt ist, hat das Zimmer doch wie eine Kaverne ausgesehen, ganz kahl, oder wie eine Waschküche oder das Zimmer daneben, wo man bügelt. Und weit weg von meiner Wohnung. Aber ich bin im Bett gelegen.

Oft bin ich so bedrückt hier in dieser Gegend und denke, warum so tief wohnen, fast schon an der Donau, da kann das alles viel eher an unsereinen heran. Viele Leute wohnen heller. Sie sind darum auch schneller. Ich würde mich schämen, wenn herauskäme, was für langsame Schwierigkeiten ich immer wieder mit dem Kastl-Kubi habe. Das Fräulein Licea sagt, es heißt ‚Kubus‘, aber was soll ich damit machen? Wenn er nahe beim Plafond sitzt und sich mit seinen Draht-Armeln festgekrallt hat wie ein Spinnerich, so ist es eben doch der Kubi im kahlen Zimmer.

Wie ein rotes Wimmerl geht das Feuer auf, erst war es noch ganz klein, nur an einer einzigen Stelle, ein Stückerl glühender Kohle; ist auf dem Haus gesessen wie ein Wimmerl auf der Nasen. Aber es ist reif, es muß platzen. Jetzt haben sie den Krächzi umgebracht. Da kann man nicht mehr zurück. Hintri geht's nimmer. Nicht die dort unten waren es, und grad vor denen hab' ich immer Angst gehabt, daß sie den Krächzi holen und sogar herauflangen, wenn er wiescherln geht auf den Abort. Aber doch war es dieser Kastl-Kubi, der ihn dorthin mitgenommen hat, wo sie ihn erschossen haben. Und der Kastl-Kubi war doch auch eigentlich von unten: die grauslichen Arme waren aber aus Draht, von Drähten waren sie alle. Das Fräulein Licea hat damals gemeint, man müßt' sie doch alle lassen, weil man nicht weiß, in welchem noch Strom ist und in welchem nicht mehr. Man hätt' sie ihm alle abzwicken sollen. Jetzt hat er den Buben damit erwischt, und dorthin gebracht, und so ist das Unglück geschehen, nicht nur für mich. Den Buben hätten sie nie umbringen dürfen. Denn jetzt halten sie's nicht mehr auf. Jetzt natürlich wird es brennen müssen, wird das Feuer sein, und ich möcht' wissen, wie die da jemals noch herauskommen wollen, denn das Kind macht keiner mehr lebendig.

Das Feuer

Als der Vollmond untergegangen, genauer gesagt, hinter den hohen Bergen ganz verschwunden war, verfinsterte sich die Nacht gegen den Morgen zu immer mehr, trotz der Sternklarheit, die aber im tiefen Forste nur selten einen Blitz zwischen die Äste schoss. Endlich war alles in dichteste Dunkelheit gepackt. Ein fallendes dürres Blatt, das den bescheidenen Wipfel eines der hier zwischen die hohen Tannen eingedrungenen Birkenstämmchen verließ, hätte in diesem vollkommenen Geräusch-Vacuum deutlich gehört werden können, noch mehr das Vorschnellen einer kleinen Eidechse aus einer verrotteten Blätterschicht, worin sie sich für die Nacht geborgen: nun aber war sie durch das Rascheln erschreckt worden. Diesem antwortete weiterhin nichts mehr, und kein Zweiglein rührte sich. Der Wald schwieg wie ein Grabgewölbe. Auch auf dem Wege draußen, der waagrecht am Hange entlang lief, parallel mit dem bergseitigen Parkzaun des Erholungsheimes – hier befand sich auch jenes Türchen, durch welches Leonhard einst getreten war, und bald mehr in den Wald hinein, als aus dem Park heraus – auch auf jenem Wege lag dick die Dunkelheit. Man konnte weder ihn noch den Zaun oder gar das Türchen darin sehen, man sah von alledem gar nichts, nur ein paar Sterne über dem Scheitel, weil die Äste den Weg nicht ganz übergriffen.

Aber ein Kundiger hätte auch ohne Uhr in der tiefen Finsternis hier das Heraufkommen des Morgens erkannt. Es gab einen feinen Luftzug, der weitaus noch kein Geräusch erzeugte, überdies bald wieder aufhörte. Und nicht lange nach diesem ertönte von rückwärts, aus der schwarzen Tiefe des Waldes – die's also als erste wußte! – der erste Pfiff. Noch blieb er ohne Antwort aus anderen Wipfeln. Aber wenn man jetzt scharf zwischen den Bäumen im Park des Erholungsheimes nach Osten gelugt hätte, dann wäre dort über dem Kimm der Berge die grüne Verfärbung des Himmels bereits zu bemerken gewesen.

In die Pokornygasse hinein floh schon in langen Fluchten das Tageslicht, vom Gestirne weg, das eben scharf abgesetzt und grell strahlend in den Himmelsrand schnitt, der rein war wie frisch hingestrichener Lack. In diesen Augenblicken hatten die Amseln und die anderen zu Ehren des Apollon bestellten Trompeter und Pauker ihre übliche Generalpause gehalten. Gleich danach aber ging's derart los, daß, hätte da wer zu so früher Morgenstunde auf der Gasse ein Gespräch führen wollen, ihm zweifellos etwas schwerer geworden wäre sich zu verständigen. Es ward gepfiffen, kunstvoll gesungen und kadenziert, geantwortet und überboten.

Doch verschwand der neue Sonnenball für Augenblicke hinter Rauch und ausgestoßenen Dampfsäulen vom Bahngelände. Als die ersten breiten und noch immer leicht rötlichen Bänder auf der ‚Schanze' und dem kleinen Parkstreifen lagen, stand die Sonne, rein mathematisch genommen, schon erheblich über dem Horizonte. In der Pokornygasse rührte sich noch nichts. Es ist das ein Viertel, wo man so früh nicht aufsteht.

Doch in der tief eingerissenen Schlucht, die von der Döblinger Hauptstraße in den Wertheimstein-Park absinkt, schnatterte man schon lange, plusterte sich auf und brachte lächerliche quakende Töne hervor, wie man das eben nur kann, wenn man einen breiten Schnabel besitzt. Auch wurde zum Bächlein gewatschelt, dann aus diesem wieder heraus, und zuletzt, gesammelt und nicht ohne Geschrei, zum Rand des Teiches, auf dessen Oberfläche man alsbald in Gruppen und in Gravität davonzog, nach rückwärts kokett mit wackelndem Pürzel winkend.

Inzwischen hatten des Gottes Strahlengeschosse das Laub und die Schlucht bis zum tiefsten Grunde durchdrungen, noch immer rötlichen Scheins, und grünglühende Grotten in den Gebüschen höhlend.

Es war eine süße Zeit für Quapp, seit sie in Hietzing wohnte, in einer sozusagen gespensterlosen Welt, bis auf dies eine vielleicht, daß in ihr ein unwiderstehlicher Zwang aufgetreten war, sich mit Geldangelegenheiten zu befassen. Augenblicklich ohne Sorgen, verließen diese sie doch nicht: die große Sache, welche der Sektionsrat und Kajetan am 29. Mai ihr mitgeteilt hatten, wurde ab da zum unterdrückten Hauptinhalte ihres Lebens.

Täglich fast sah sie Géza.

Und Gyurkicz sah sie nicht mehr.

Sie war in jedem Sinne übersiedelt.

Nach dem Besuche bei dem Notar jedoch, und insbesondere, seit der Sektionsrat Georg von Geyrenhoff mit ihr dort oben gewesen und sie mit ihm danach im Café ‚Altes Rathaus‘ gesessen hatte – durch die Anwesenheit des Sektionsrates war für Quapp alles recht eigentlich erst besiegelt worden! – zerriß gleichsam ihr ganzer bisheriger Horizont, sank in weichen und welken Flächen herab, wie Plakate, die sich von einer Bretterwand gelöst haben. Jedoch auch diese selbst – und als nichts besseres erschienen ihr jetzt Inventar und Gesichtskreis ihres bisherigen Lebens – brach ein, und sie sah sich einer ungeheuren Geräumigkeit des Daseins gegenüber, durch nichts anderes erschlossen, als durch die Tatsache allein, daß ihrer in nächst absehbarer Zeit dasjenige wartete, was man wirklichen Reichtum nennen kann, bezogen auf die bescheidenen Abmessungen des privaten Lebens einer jungen Dame nämlich.

So auch empfand sie's in der heutigen Morgenstille, einer Rosenstille, denn vom Balkon ihres Zimmers im Hochparterre sah sie auf Gartenbeete hinab, in welchen ein erblühter Stock neben dem anderen stand, dunkles und helles Rot, Weiß und Gelb und die Farbe des Tees. Ein Strauß dieser letzten Art befand sich auf dem Tische, von einer hohen Vase zusammengehalten.

Es war die Sorglosigkeit, es war das Blicken in einen erweiterten Raum des Lebens (was noch keinen erweiterten Horizont bedeuten muß!), es war die Entschluß-Freiheit ohne Nötigung zu Entschlüssen, wovon Quapp jetzt getragen wurde: und nicht zuletzt die augenblickliche Unbehindertheit. Sie konnte den kommenden Reichtum bequem erwarten.

Die an Kajetan gegebenen Fünfzigtausend gingen ihr nicht ab.

Dies war sorgfältig errechnet worden.

Es gab einen Finanzplan.

Quapp aber unterschritt im großen und im kleinen die Beträge, welche ihr jener Plan zubilligte, sie blieb dahinter zurück, sowohl in ihrer täglichen Lebensführung, als auch in den Anschaffungen; diese betrafen vornehmlich ihre Garderobe. Sie hatte vor einigen Tagen der Modistin Pauli fünfzehn Schilling vom Preis eines Modellhutes abgehandelt. Alles war ergänzt worden, Wäsche, Schuhe . . . Sie freute sich auf heute nachmittag, auf den Tee bei Frau Friederike Ruthmayr. Freilich wußte sie schon genau, wer das sei, vom Sektionsrat. Er hatte ihr unmittelbar nach seinem telephonischen Anruf noch geschrieben. Nicht viel schrieb er, der Herr von Geyrenhoff, einen leichten Hinweis nur, eine Art von andeutungsweiser Gebrauchsanweisung für Friederike Ruthmayr: ,. . . Sie werden, Quappchen, eine sehr liebe, gute und schöne Frau kennen lernen, welche mehr als ihr halbes Leben hindurch die Gattin Ihres Vaters gewesen ist. . . .'

Also doch gewissermaßen auch meine zweite Mutter, dachte Quapp.

Im selben Augenblicke schlug – flüchtig nur, wie die Schwinge eines vorbeischießenden Vogels – eine rasche Vermutung in bezug auf den Herrn von Geyrenhoff ihre nicht ganz verfehlte Richtung ein. . . .

Nun denn, auf heute abend, dachte sie, dies beiseite schiebend. Mittags sollte sie gegen ein Uhr Géza in einem Restaurant der Inneren Stadt treffen, wo man gemeinsam speisen würde, um dann vielleicht den Nachmittag ganz oder teilweise miteinander zu verbringen. Und während Quapp – in tiefster Befriedigung – erwog, was das hieße, nicht als ein armes Ding bei dieser Frau Ruthmayr zu erscheinen, sondern ganz frei und unabhängig und gleichgestellt, und freilich auch in entsprechender Tournure, fühlte sie sehr lebhaft Géza's Art zu sein (eben ihr gegenüber), der mit größter Empfindlichkeit – ja, wie eine Magnetnadel so empfindlich, könnte man sagen – die Führung und Regelung der wechselseitigen Beziehungen ganz und gar Quapp überließ, jede Zögerung oder Förderung, wie sie's jeweils angab. . . .

Ja, sie dachte an ihn. Aber den wie an feinen Fäden ziehenden Schmerz in den inneren Nähten, den Schmerz des Verliebtseins, ihn kannte sie jetzt aus zweimaliger Erfahrung: und beim dritten Male machte sie daraus fast schon ein mit Interesse betrachtetes Objekt.

Es gab einen Blitz, einen Wink bis an den Rand des nun so erweiterten Daseins-Kreises: vor diesen stellte sie jetzt Géza. Würde er da genügen? Konnte sie jetzt nicht ganz anderes noch erwarten?

Doch, er genügte, er konnte sich halten, sehr gut sogar.

Géza war als Legationsrat nach Bern versetzt. Vorgestern hatte er's erfahren.

Es fügte sich alles. Sie fühlte das. Géza fügte sich in den neuen Horizont. Er paßte dorthin, als sei für ihn dort ein Platz frei gehalten.

Es war notwendig, mittags schon in jenem Nachmittagskleid in die Stadt zu fahren, in welchem sie dann um sechs Uhr bei Frau Ruthmayr erscheinen wollte. Das Hütchen war gewählt worden. Ein leichter Mantel, vielleicht?

Sie könnte den Geigenmacher besuchen. Dort war die Amati seit Wochen zur Überprüfung und eventuellen Nachbesserung.

Auch sollte das Instrument geschätzt werden.

Keineswegs gedachte Quapp die Geige zu verkaufen.

Doch wollte sie wissen, was sie wirklich besitze. Ein Angebot allein vermochte hier Klarheit zu bringen.

Die Stille, die Rosenstille, war so außerordentlich, daß Quapp anhaltend unter dem Eindrucke blieb, es müsse sehr früh am Tage sein. Sie hatte noch gar nicht auf ihr Ührchen geblickt. Ihre Toilette war beendet – bis auf das Kleid, welches sie freilich jetzt noch nicht anzog – und sie hatte sogar schon gefrühstückt. Quapp trat nochmals auf den Balkon und sah auf die Rosenboskette hinab. Dabei kam eine Beobachtung in ihr hervor, die sich nun, nach mehreren Wochen, nicht mehr abweisen ließ:

Seit sie nicht mehr geigte, stand sie morgens weit leichter auf, zeitig und immer zeitiger, was den Tagesablauf zunehmend in geregelte Bahnen verschob. Sie kannte nicht mehr jenes vormittägliche Dasitzen – in einem stützigen Nicht-Wollen vor der Übungsarbeit – während zunehmende Trägheit allmählich die Glieder mit Blei ausgoß. Sie gestand sich jetzt das ein. Es war dieses Eingeständnis für Quapp – für ihre Verhältnisse eben – ein bedeutsamer Augenblick. Dabei fühlte sie fortgesetzt die dichtgepackte Stille des, wie sie noch immer vermeinte, sehr frühen Morgens. Gleichzeitig auch wurde ihr angenehm, ja, wie ein Balsam, der in's Gemüt floß, bewußt, daß die Wohnung leer sei, daß niemand sich mehr außer ihr darin befand: sie war seit gestern allein. Die Hausfrau, welche wohl ganz gut wußte, wer Quapp sei (vielleicht hatte sie sich auch erkundigt), war auf's Land gefahren, nachdem sie für ihre Untermieterin sich der Fürsorge und Bedienung von seiten der Portiersfrau versichert hatte.

Quapp sah endlich auf ihre Armbanduhr. Es war hoch am Tage: ein Viertel vor Neun.

Der Anny Gräven war es am 14. Juli etwas nach neun Uhr abends doch gelungen einzuschlafen, ohne sich vorher noch übergeben zu müssen. Ihr Bett blieb unbesudelt. Gegen zwei Uhr erwachte sie, fand sich angekleidet liegen im dunklen Zimmer, kam endlich auf und dann wieder in's Bett, aber ordnungsgemäß. Ihre Übelkeit war verschwunden. Auch war der Kopf nicht schwer oder dumpf. Sie hatte nur Wein zu sich genommen (offenbar einen guten), aber nichts anderes dazwischen oder danach. Es sind immer die Mischungen, welche die elendigsten Katastrophen erzeugen. Vor dem Einschlafen trank Anny jetzt nicht mehr, sondern nahm vorsorglich ein starkes Kopfwehpulver, das eine Spur Codein enthielt, um einem allenfalls am nächsten Morgen drohenden Kater schon jetzt zu begegnen.

Sie stand zwecklos früh auf; sie hatte fast elf Stunden geschlafen und konnte es nicht mehr. Nach ein paar Tassen schwarzen Kaffees, zu welchem sie nichts aß, war ihr recht wohl, sie ging zigarettenrauchend in ihrer kleinen Wohnung umher, prüfte vor dem großen Spiegel den Teint ihrer gesamten Körperoberfläche, nahm ein Bad, kramte in ihrem Wäscheschrank und inspizierte die Garderobe. Neben ihrer Handtasche auf dem Tischchen beim Bett, das noch offen war, lag ein kleiner Wurstel mit Gummi-Zappelbeinen, den ihr bei der gestrigen Trinkerei irgendwer in's Täschchen gesteckt hatte; Anny ließ ihn zappeln und lachte. Sie lachte noch immer, und über alles, und das trotz ihres eigentlich depravierten Zustandes, der ein solcher nicht nur durch den Alkohol war. Denn die Griechen etwa, Xidakis und Protopapadakis, tranken kaum. Sie hatten auch gestern nicht teilgenommen. Verdient hatte Anny an diesem Abend nichts.

Sie lachte noch immer und war arglos; dieser Zauber ihres Seins, der einst auch Leonhard angezogen, war ihr erhalten geblieben. Ihre Verfassung, mochte sie sein wie immer, war der Düsterkeit unvermögend; während doch viele Menschen, wenn der Weg nur etwas abschüssig und glitschig zu werden beginnt – ganz genau besehen neigt er alltäglich dazu – eine Art warnenden Gewissensdruck schon im voraus und sozusagen auf Vorschuß empfinden für noch gar nicht begangene Verfehlungen:

was niemals jemand an ihnen gehindert hat. Aber man hat es doch gewußt. Das Üble liegt oft nur als ein dunkler Knödel noch anonym im Menschen, und ungewiß bleibt, welche Formen und Namen er annehmen werde. Ob solcher Sachverhalt der bessere ist, sei dahingestellt. Der Anny auf jeden Fall waren derartige Expektorationen fremd. Sie wurde nie gewarnt und so lebte sie denn leichter. Freilich liegt hierin eine Gefahr.

Nachdem das Bett in Ordnung gebracht war, schloß sie das Fenster wieder. Schon war zu fühlen gewesen, wie die beginnende Hitze heran und herein drang.

Es bleibt in irgendeiner Weise immer rührend zu sehen, wie auch in einer Zweiten Wirklichkeit, in einem rechten Jenseits im Diesseits – und in solcher Sphäre stand ja unsere Anny mit ihrem gesamten Inventar – alle bekannten Handgriffe doch getan werden müssen, ganz ebenso wie in der höchsten Realität. Nein, die Materie zerweicht nicht so bald, sie klingt lange und treu nach, auch wenn ihr eigentlich schon der Seinsgrund entzogen worden ist. Ja selbst in den schrecklichsten Formen des sogenannten Idealismus muß sich morgens einer noch die Zähne putzen, bevor er die Welt in den Sägespänen ihres Neubaues versinken macht, wenn er sie nicht überhaupt als Ganzes anzündet, mit dem Beifügen, daß jedermann nur für die künftigen Generationen zu leben habe. Das augenblickliche Zähneputzen bleibt doch, wenn auch gewissermaßen nur geduldet.

Bei der Gräven aber langte das Nachklingen, die Epiphonie der Materie von der einst bestandenen Realität her, noch durchaus. Als mit dem weichen Handballen – nicht mit dem Fingerknöchel – an ihre Türe gepumpert wurde, wußte sie, daß es die quelläugige dicke Anita sei, öffnete und fragte hinaus:

„Was willst, Grammerl?"

„Es san a paar unt' in der Schank, kimm' aba, in der Stadt is a Wirbel, mir gengan alle hin."

Die ‚Grammel'[1] war besoffen, Anny erkannte das sofort, und es erheiterte sie. Das fast unverständliche Dialekt-Gebrabbel bedeutete etwa, daß in der Schank unten eine Gesellschaft versammelt sei, die besonderer Vorfälle wegen in die Innere Stadt zu spazieren gedenke.

---

[1] österreichisch für die beim Auslassen von Schweinefett entstehenden Röst-Stückchen.

Es war fast halb elf geworden. Und Anny langweilte sich bereits. Darum war der Anlaß willkommen. In der Schank saßen der alte Rottauscher – der Anny sehr herzlich begrüßte – mit ihm sein Schüler Zurek, genannt der ‚Salbenschädel‘, die betrunkene Anita, merkwürdigerweise beide Griechen (die sonst nie hierher in die Schank kamen) und einige andere Burschen und Frauenzimmer, die nicht ‚zur Gesellschaft‘ gehörten, sich aber der Expedition in die Stadt gleichfalls anschlossen. Anny kriegte den ersten Doppelsliwowitz zur Hand; er stand kristallhell, rein und duftend im flachen Glase, und schmeckte hervorragend gut. Dem sogleich sich meldenden Hunger kam eine Portion Schinken mit Buttersemmeln entgegen und ein weiterer Sliwowitz nach. Noch hatte Anny nicht erfahren, was eigentlich in der Stadt los sei. Weder fragte sie, noch hörte sie den Gesprächen zu. Sie aß und trank. Beim Bezahlen erwies sich, daß der alte Rottauscher schon alles für Anny geregelt hatte. Ja, so war er. Anny ging dann mit ihm und dem ‚Salbenschädel‘. Die breite Praterstraße lag fast leer. Die Hitze stand sofort wie eine Mauer aus Tuchenten um Anny, nach der Kühle des Schankraumes. Es fuhr keine Straßenbahn. Der ‚Salbenschädel‘ machte darauf aufmerksam. Anny hätte es gar nicht bemerkt.

Es war, als ob man in einem hell-lackierten Kahn über dunklem und ruhigem Wasser fahre: so verhielt es sich mit den Räumen, in welchen Leonhard jetzt wohnte, und die als Fremdenzimmer auf das sehr große und massige Palais Croix in der Reisnerstraße aufgestockt waren. Es gab noch andere Zimmer dieser Art hier heroben. Leonhard hatte ihrer zwei inne; im einen, mit dem Bad nebenan, schlief er; das zweite war sein Schreibzimmer; es besaß einen Vorraum; beide Zimmer sahen auf den Park hinaus, etwa in Höhe der großen Baumkronen, sogar ein wenig darüber.

Vielleicht lag es an der verhältnismäßig sauerstoffreichen Luft aus dem Garten, die Leonhard hier atmete: sein Schlaf war besonders tief und daher ausgiebig, so daß er meist sehr zeitig am Morgen erwachte. Gleich danach trat er jedesmal auf eine Terrasse hinaus, die es hier gab, eine sehr breite sogar, denn die aufgestockten Fremdenzimmer waren alle zusammen mit ihrer Bodenfläche viel geringer als das weitläufige Dach.

Wenn er hier herauf kam, aus der Bibliothek etwa oder dem Speisesaal, war es, als verließe er das Haus, aber nach oben. Während das Palais Croix ihn zweifellos beherrschte, mit Wucht umschloß, ihn seine Breite und Tiefe auf Schritt und Tritt sehen ließ – ganz abgesehen davon, daß Leonhard in der ersten Zeit immer noch neue Räume entdeckte, etwa zwei kleine Salons und einen Gang, der aus dem hintersten Winkel des zweiten Bibliothekszimmers, durch die Bücherregale fast verdeckt, dort hinüber führte – während er unten sich behaupten mußte, ja, mitunter fast bedrückt und wie an die Wand gedrängt sich fühlte, war es hier, zwischen diesen neuen und glatten, noch nie benützten Möbeln, ein Vacuum, eine Hohl-Welt, die ihn sofort zu ihrem natürlichen Mittelpunkt machte, und als Folie bescheiden in die Distanz wich. War er unten beherrscht, hier heroben herrschte er.

Die Sonne kam auf die Terrasse. Leonhard streckte sich ganz unbekleidet in ihrer Wärme. Die Häuser hinter dem Park waren nieder; ihn deckten die Baumwipfel. Hier, auf dem Dache, kam immer ein gleiches Gefühl: das einer mächtigen Aufwölbung unter ihm, als trüge ihn dieses große Haus jetzt übermächtig empor, anlaufend und sich hebend wie eine Woge. Nun wurde ganz gegenwärtig, was da unter ihm war: die doppelt geschwungene Aufgangstreppe von rotem Marmor; der erste Empfangsraum; die Bibliothek, nicht die kleineren Bücherzimmer, sondern der Saal. Alles sehr leer, ja, öde. Es gab meist riesige Möbelstücke, fast gar keine kleinen. Die beiden Salons, zu welchen der Gang führte – ein schmaler Gang, ein verglaster Gartengang, aus dem man in den Park sah – blieben offenbar ganz und gar unbetreten. Ein kühler Kampferduft war in sie zurückgelehnt. Hier allerdings gab es einige kleine Ziermöbel, Schränkchen, Tischlein, die Leonhard geradezu bezauberten: Rokoko nannte man das.

Mit dem Palais Ruthmayr hatte dies alles nicht das mindeste gemeinsam.

Hier etwa sich nützlich zu machen und irgendwas reparieren zu wollen und herumzuklopfen, kam überhaupt nicht in Betracht.

Der Sommerhimmel war an diesem frühen Morgen von absoluter, lackhafter, fast toter Reinheit. Die Hitze ließ sich schon jetzt gewissermaßen ernst an; sie war noch nicht eigentlich da, aber bereit, in die rundum herrschende Leere einzubrechen, deren Gewicht zu erhöhen. Leonhard fühlte das und sah zu, rasch in die Badewanne, vor den Rasierspiegel, in seine Kleider und an ein Morgen-Exerzitium zu gelangen. Immer blieben vom Tage vorher und den Stunden in der kühlen Bibliothek irgendwelche unausgefüllte Lücken, ungeklärte widerstreitende Empfindungen, Ansätze von Gedanken übrig: alles derartige ganz auszufüllen – wie man die Finger vollends in einen Handschuh bringt – behielt er dieser frühen Stunde vor. Eine Mahnung sagte ihm, daß er dabei jetzt der Wärme des kommenden Tages voraus sein müsse: einen aus erwachtem Körper zu seinen jeweils vordersten Möglichkeiten ganz erwachten Geist konnte jene dann nicht mehr mit Dumpfheit umschließen. Leonhard saß im Schreibzimmer. Es trug sich dieser Raum wie ein sehr leichtes Kleid. Die neuen glatten und einfachen Möbel wichen an die Wand, wurden zu hellen Schatten.

Der junge Mann hier, verborgen und allein, nach Kräften an seiner Ausbildung arbeitend, der wahrlich nichts im Wege mehr zu stehen schien, bewohnte eine jener Gipfelzellen im Wabenbau des Lebens, deren Glück nicht laut und allgemein gepriesen zu werden pflegt, weil es sehr wenige nur erfahren durften.

Aber, was er mit seinen allmorgendlichen konzentrierten Übungen, die eigentlich nichts anderes waren als Übungen der Konzentrationsfähigkeit, nicht aus der Tiefe heben konnte, in welcher es ihn bewohnte, war eine merkwürdige Desorientiertheit, ein beständiges Sich-Irren-Wollen in bezug auf die Jahreszeit, in welcher man sich jetzt befand. Ihm war der Hochsommer gleichbedeutend geworden mit dem zweiten großen Abschnitte in seinem Leben, den er ja gebracht hatte: und damit eben war diese Jahreszeit vorbei. Der Herbst stand heran. Man war im Begriff, aus einem Hohlweg in ein offenes Gelände zu treten, erfüllt von außerordentlicher und verschiedenartiger Buntheit, grundiert von einem gekühlten, jedoch rein blauen Himmel. Die abgelaufene Jahreszeit aber hatte mit jener Nacht begonnen, während welcher von Leonhard in aller Stille eine neue Sprache betreten worden war. Zwischen dieser Nacht (die jetzt Jahr und Tag zurücklag, aber das fühlte er nicht wirklich) und dem heutigen Tage, oder bereits dem Tage seiner Übersiedlung hierher, lag der Sommer. Dessen Ergebnisse, die sich nun ausgebreitet zeigten, gehörten durchaus schon dem Herbste an, ja, sie machten ihn eigentlich aus.

So im Grundgeflechte, in der eigentlichen Anatomie einzelner Augenblicke. Richtig denken ließ sich das nicht. Leonhard versuchte es vergeblich.

Im Grunde aber war es ganz das gleiche Gefühl, mit welchem einst ein neues Schuljahr immer begonnen hatte.

Man frühstückte hier auf den Zimmern und gab, wenn man sein Tablett wollte, ein Klingelzeichen.

Heute erschien das Frühstück, ohne daß Leonhard auf den Knopf gedrückt hatte. Im Vorraum gab es Schritte, dann klopfte jemand an die Tür. Es war der Leib-Lakai des Prinzen, ein würdiger Alter von über siebzig Jahren, der sich eigentlich schon in Pension befand, jedoch als Majordomus fungierte und sich die persönliche Bedienung der Durchlaucht – die er schon im Bubenalter gekannt hatte – vorbehielt. Er hieß Josef Schindelka; Croix pflegte ihn ‚Pepi-Vater‘ zu nennen und ließ sich unter vier Augen von ihm duzen, wobei der Alte ihn sehr zärtlich ‚Fonserl‘ benannte.

„Guten Morgen, Herr Schindelka“, sagte Leonhard und erhob sich.

„Entschuldigen der Herr Doktor“, sagte Pepi-Vater, „daß ich ungerufen komme“, stellte das Teebrett auf einen Tisch an der Wand und rückte den Stuhl davor zurecht.

„Daß Sie sich persönlich heraufbemühen! – Ich dank’ Ihnen verbindlichst, Herr Schindelka“, sagte Leonhard. Freilich pflegte sonst ein Mädchen oder ein Diener den Morgentee zu bringen.

Der Ansprache mit ‚Herr Doktor‘ war hier im Hause nicht zu entgehen gewesen. Die gesamte Dienerschaft redete Leonhard so an, obwohl dieser es anfänglich abzuwehren versucht hatte. Vielleicht ging diese Titulatur sogar auf eine Anordnung des Prinzen zurück; wie immer, sie wurde unentwegt beibehalten.

„Ich hab’ nämlich eine Post von Seiner Durchlaucht an den Herrn Doktor auszurichten. Das Haustelephon geht nicht, und keine Klingeln, weil wir keinen Strom haben, auch kein Licht funktioniert, und wie ich am Heumarkt vorne war – ich bin eigens nachschauen gegangen – hab’ ich gesehen, daß die Tramway nicht fahrt. Muß eine größere Störung sein. Und zu allem Unglück, obendrein, fahrt unser Wagen auch nicht, der wird erst bis nachmittag aus der Werkstatt wiederkommen. Durchlaucht muß vormittags in der Metternichgasse sein, das ist ganz in der Näh', bei der Frau Gräfin, der Tante von Durchlaucht, da ist ein Familienrat heut. Haben sich heute auch sehr zeitlich erhoben, Durchlaucht. Läßt also bitten den Herrn Doktor, sich im Laufe des Vormittags auf die Universitätsbibliothek begeben zu wollen, weil dort vier Werke im Lesesaal reserviert sind für seine Durchlaucht, die möcht' der Herr Doktor prolongieren, und nach Belieben dabei durchsehen, weil's drei Tage schon nicht benützt sind, und da würden s' heute eingestellt werden. Hab' mich eh gewundert, daß Seine Durchlaucht die Bücher nicht hierher genommen hat, ich hätt sie ja mit der Entlehnkarte holen können, aber Durchlaucht will sie dort haben, weil ein Herr Dozent sie mit ihm gemeinsam benützt, die Herren lesen dort mitsammen. Da möchten also der Herr Doktor diese vier Werke auch anschauen, im Lauf des Vormittags, und gleich wieder reservieren lassen, denn das Neubestellen ist ein Umstand, Herr Doktor wissen eh."

Pepi-Vater erinnerte noch daran, daß der Prinz heute nicht zur gewohnten nachmittäglichen Arbeit mit dem Herrn Doktor in die Bibliothek kommen könne und wahrscheinlich auch noch den Tee in der Metternichgasse werde nehmen müssen, und der Herr Doktor habe ja, soviel ihm Durchlaucht gesagt hätten, über den Nachmittag und den Abend bereits anderweitig verfügt.

Damit ging er, der Pepi-Vater.

Leonhard setzte sich an den Frühstückstisch.

Nach halb sechs Uhr sollte er bei Mary sein.

Merkwürdig genug, als der Alte von der Stromstörung geplauscht hatte, war Leonhard als erstes der Besuch bei Mary eingefallen. Als ob ihn das Nicht-Verkehren der Straßenbahn daran hindern könnte! Er konnte ja zu Fuß gehen.

Leonhard wußte, daß sie heute allein sein würde, auch abends. Der Sohn und die Tochter befanden sich in Döbling draußen auf einer Villa, wo ein Fest gegeben wurde, mit Eröffnung eines neuen großen Privat-Schwimmbades im Park, eine Art Wasserfest also, mit Booten und Lampions am Abend, sehr passend bei dieser Hitze. . . .

Man vermeine nicht, daß er Mary gegenüber gedankenlos war. Durchaus bewußt blieb ihm immer, welch schweres Hindernis er hier zu nehmen haben würde: und nicht nur er, auch sie. Aber solche Gedanken hatten nichts zu bedeuten. Es schwemmte ihn einfach auf sie zu, und der Katarakt – sei er wie er wolle – er mußte befahren werden, da half alles nichts, weder ihm, noch ihr. Selten, in unserer lebensängstlichen Zeit, welche die Gegenwart dem Götzen einer immer fragwürdiger werdenden Zukunft andauernd opfert, lebt ein Paar so ganz in dieser jetzt seienden und atmenden Minute, im präsenten Glück und Unglück, ohne beides mit geheimen Erwägungen zu entwürdigen und zu vergiften, was denn daraus werden, wohin das alles führen solle („das führt doch zu nichts!'), womit im letzten Grunde ein fortwährender Verrrat am Partner geübt wird. Nein, Mary und Leonhard hatten den einmaligen Kranz, vom Leben ihnen, und nur ihnen beiden, zugeworfen, aufgenommen ohne Ansehn, ob aus Rosen oder Nesseln, oder aus beiden durcheinander gewunden, wie es denn zu gehen pflegt. Die meisten Liebesleut' aber klauben einander recht aus: das paßt nicht, und dies da paßt (wie im Schuhgeschäft), und passen wir denn zueinander, und wohin soll das führen? Auf diesem Wege kann dem Himmel das allergeistreichste einfallen, und bleibt doch alles Flickwerk. Während man die Nesseln aus dem Kranze klauben möcht', werden die paar Roserln matt und letschert, und im Grund ist dann eh schon alles ganz gleichgültig.

Unsere beiden waren schicksalsgesund. So wie der Doktor Williams etwa. Jedoch, um wieviel einfacher war sein Fall mit der drallen Drobil! Es war nicht einmal ein Fall, sie fielen keineswegs um, und blieben beide höchst stabil („ab ovo' hätte der Herr von Geyrenhoff gesagt).

Leonhard beschloß, gleich nach diesem vom Pepi-Vater in eigener Person gebrachten Frühstück, zu gehen. Die Morgenübung lag ihm noch in den Gliedern, buchstäblich, sein ganzer muskulöser Leib arbeitete oft konvulsivisch mit bei den befreienden Rucken des Denkens. Nur der Herbst im Juli blieb etwas Ungreifbares, unterleuchtete alles, beharrte auf seinem chronologischen Irrtum, als sei das die eigentliche Wahrheit. So auch im Treppenhause von rotem Marmor, so auch in der leeren Reisnerstraße: da und dort noch ein gekühlterer Streifen von der Nacht her, die Sonne noch nicht ganz durch, milchigen Scheins zwischen Kühle und Hitze leuchtend, beim Verdampfen der letzten Reste vom Tau in den Gärten. Im Stadtpark hatte die Sonne schon stärker gewirkt, sonderlich in jenem für die Kinder bestimmten Teile diesseits des Wienflusses, mit dem weiten

Spielplatz und den Sandhaufen, und mit den lichter stehenden, nicht so alten und hohen Bäumen wie drüben. Leonhard spürte, dahingehend, immer noch sein neues Heim im Rücken, das er jetzt allmählich erst belebt und besetzt und durchsetzt hatte, mit persönlichen Depots, möchte man sagen, in diesem weiten, schweren, großen Hause, in den beiden kleinen Salons hinter der Bibliothek, wo der kühle Kampferduft zurückgelehnt in den Ecken lag, und auch im verglasten Gartengange, von wo man in den Park sah, dessen kurzgeschorener Rasen die dicken schwarzen alten Stämme wie ein Teich umfloß. Das neue Heim war Schmerz. Oder war es der Schmerz noch des Abschiedes vom alten Inventar seines Lebens, der im so überraschend und schnell aufgestellten neuen Inventar nachsummte, der Schmerz des Abschiedes – der uns auch beim Wechsel zwischen tiefster Ungunst zu höchster Gunst hinüber im Grunde nie erspart bleibt – der Schmerz des Abschiedes noch in der Ankunft? Das Kabinett in der Treustraße, wie zeigte es sich jetzt erst, welch' vornehmen Stammes es gewesen war, Schauplatz nimmermüden Ringens um die Freiheit! Ein Abschuss-Punkt, ja, mehr als das, ein edler Bogen, der den Pfeil geschnellt hatte, der jetzt im blauen freien Himmel dahinflog. Doch der Schmerz war ein anderer noch, ein sehr herbstlich geweiteter, der diesen ringenden Morgen unterleuchtet hatte, gedämpft, milchig: denn nur einmal die Grenze zwischen einem Diesseits – sei es wie es wolle, diesfalls bei der alten ‚I-Bet'-Für-Ihna' – in ein Jenseits im Diesseits überschritten habend, sei es wie es wolle, diesfalls im tiefen, großen Hause, im kleinen Salon, im strichzarten Kampferdufte: solcher Wechsel, und nicht nur des Inventars, machte mit einem Schlage sichtbar, daß es zahllose Jenseits im Diesseits gab, Häuser, Paläste, Villen, Gartenwege, Schwimmbassins oder Weiher, Althanplätze oder Treustraßen. –

Er war an das tief eingesenkte breite gemauerte Bett der Wien gelangt und auf die Brücke darüber und sah hinab auf die beiden Promenaden links und rechts des Flusses und in den Prospekt hinein, der den Park auseinanderlegt. Hier, und gerade vor diesem Bilde, gelang ihm, was der Anny Gräven gegenüber ihm so ganz verschlossen geblieben war: nicht nur sich zu sehnen um der Entzückungen der Süßigkeit willen, sondern nach ihrem, Mary's, Jenseits im Diesseits, ja, nach einem Sitze hinter dieser zarten Stirn, einem Blicke aus diesen zum ersten Mal wie von innen gesehenen Augen. War sie heute am Morgen von den, für Leonhard's Verhältnisse, enormen Anstrengungen der Intelligenz, abgehalten worden, wie von einem allseits gespannten Ringe: jetzt trat sie nicht heran von irgendeiner Seite seines Innern, geleitet am Geländer der Gedankenverbindungen: sie brach rundum herein wie das Wasser in ein Schaff, welches man unter die Oberfläche gedrückt hat.

Pünktlich um halb acht Uhr morgens traf Kajetans' Bande, die jetzt unter der Führung des Gaston Garrique stand, vor dem Hause Schmerlingplatz Nr. 2 zusammen, wo Renata von Gürtzner-Gontard wohnte: es erschienen alle fast absolut gleichzeitig: Sylvia Priglinger, schon in Begleitung des Pfadfinders (in hübschem Sport-Zivil, ohne Speer) von der Lerchenfelder Straße herüberkommend, Gaston Garrique mit Lilian und dem dicken Bully Bullog von der inneren Stadt her; und eben als diese anlangten, trat Licea aus dem Haustor.

Sogleich setzte der ,Stamm' unter Vorantritt Gastons sich in Bewegung. Nun, man sah heute gar nicht abenteuerlich aus (,ohne Waffen und Werkzeuge'). Lilian trug ein weißes Hemd mit kurzen Ärmeln, Licea hatte einen sehr hübschen schottischen Rock, und den langen Lulatsch Gaston kleideten hellgraue, sogar frisch gebügelte Flanellhosen und ein ockerfarbenes Hemd mit aufgenähten Taschen auf's beste. Bully, fast so dick wie hoch, war mit Khaki angetan in kurzen Hosen. Er allein trug was in der Hand, nämlich ein elegantes gelbes Lederköfferchen mit den Schwimmsachen; jene Licea's waren gleich vor dem Haustor ebenfalls da hineingegeben worden; auch die bezüglichen Dinge, welche Sylvia und der Pfadfinder unter dem Arme mitbrachten.

Die Stunde war, nach Ansicht Gastons, noch zu früh für das Unternehmen gegen den Kammerrat; man hatte sie ja nur gewählt, um rechtzeitig den Eltern und Häuslichkeiten zu entwischen, bevor andere Pläne und Anordnungen der Erwachsenen heranzutreten vermochten. Man schlug sich also in der mit zahllosen Reflexen blitzenden und unter einem wolkenlosen Himmel schon heißer glastenden Sonne langsam gegen den IV. Bezirk, die Wieden, aber noch nicht in die Gegend der Johann-Strauß-Gasse. Sodann wurde in einem kleinen Café, wo es kühl war und das Licht gedämpft, zunächst eine Art Hauptquartier bezogen.

Freilich hatten sie längst heraus, daß heute irgend etwas los sei in der Stadt, auch war ja das Fehlen des Straßenbahnverkehrs von ihnen bemerkt worden. Sylvia wußte sogar ganz Genaues: daß man Arbeiter-Demonstrationen befürchte (sie sagte auch warum, aber das beachtete niemand). Gaston schien derlei in aller Stille für vorteilhaft zu halten im Hinblick auf das Unternehmen. Er sagte sogar einmal: „A riot in town will be all right for us." Er meinte also, daß ein Wirbel in der Stadt die Aufmerksamkeit auf sich ziehen und von ihnen ablenken könnte. Gar nicht so dumm. Jede Art von Desorganisation war einem Handstreiche immer förderlich, sei's einem kleinen oder einem großen. Der Lulatsch wartete also noch zu.

Gegen halb zehn brach er allein mit Bully auf, der sein Köfferchen bei den anderen im Café ließ. Sie wollten nur rekognoszieren, sagte Gaston. Nachdem sie in einem großen Teil des Bezirkes umhergewandert waren, um die allgemeine Lage zu erkunden, wußten sie um zehn Uhr schon, daß diese keineswegs normal war: der Straßenverkehr zeigte sich ganz gering, dafür standen die Leute in Gruppen vor den Haustoren und besprachen offenbar die Situation. Schon schnappte Bully im Vorübergehen auf, daß angeblich beim Parlament bereits geschossen werde (zu hören war freilich hier nichts). Vor dem Haus in der Johann-Strauß-Gasse, durch welche sie zuletzt hindurchstrichen, sahen sie von weitem schon mehrere Leute in angelegentlichem Gespräch: alsbald wurde von Gaston Garrique und Bully unter ihnen jene Reinemachfrau erkannt, welche sie kürzlich beobachtet hatten, wie sie, einen Eimer in der Hand, aus des Kammerrates Wohnung gekommen war, die Türe hinter sich offen lassend. Doch konnte mit diesem damaligen und zufälligen Umstande heute kaum gerechnet werden. Gaston und Bully schritten nicht an der Gruppe vor dem Haustor vorbei: denn in wortlosem Verständigt-Sein schwenkten sie beide zugleich schon beim Nachbarhause, wo niemand stand, vollends unbeachtet unter das Tor, gingen bis in den Hof, lösten die Drahtschlinge des Gittertürchens in den Levielle'schen Garten ohne Mühe und zogen jenes hinter sich zu. Nun war der entscheidende Schritt getan: sie fühlten sich wie abgeschossen und in einer festen

Bahn fliegend. Schon schritten sie durch den Garten, der nicht gar groß war, auch wenig Büsche und Bäume hatte. So sahen sie denn jetzt, und ebenfalls beide zugleich, die Flügel der Glastüre oben gegen die Terrasse geöffnet.

Sie bewegten sich rasch auf dem Rasen, neben dem Kies der Wege, leise und zielstrebig, nahmen die Treppe, betraten ein helles, fast leeres Gartenzimmer mit einer geöffneten Flügeltür im Hintergrund. Kurz anhaltend, lauschten sie, ließen die Stille in den Ohren kochen; und sie bemeisterten sich trefflich, zwangen sich selbst zu fast vollkommener Ruhe. Dann gingen sie über den Teppich. Im nächsten Raum sahen sie sogleich den mächtigen Barock-Sekretär.

Unverzüglich nahm Gaston, während Bully ihn mit höchster Spannung beobachtete, vor dem riesigen und komplizierten Möbel Aufstellung, und führte sodann die rechte Hand tastend an der Schmalseite herab. Weil er dabei die Linke hängen ließ und keinen auffangenden Gegenhalt gab, sprang die kleine Lade mit einem hörbaren Schlag ganz hervor. Sofort schauten sie hinein. Es fand sich nichts anderes darinnen als zwei auf dünnem Papier gemachte Durchschläge von maschingeschriebenen Briefen, und ein Brief im Original. Gaston schob alles in die Rocktasche, drückte sorgfältig die kleine Lade zurück, welche klingend wieder einschnappte und jetzt wirklich spurlos verschwunden schien. Schon auch hatten sie den Rückzug genommen, durch die Sonne des Gartens, das Gittertürchen wieder an die Drahtschlinge gehängt, und nun gingen sie langsam durch den Hausflur und nach rechts ab, während ein kurzer Blick nach links zu der jetzt aufgeregt sprechenden Gruppe vor dem Tor des Levielle'schen Hauses die Gewißheit gab, daß ihnen keinerlei Beachtung geschenkt worden war.

Auf der Straße lag dann die Sache doch irgendwie sowohl dem Gaston wie dem Bully noch in den Knochen. Sie nahmen nicht den kürzesten Weg zu dem kleinen Café. Zwei oder dreimal, an Straßenecken, blickten sie kurz hinter sich. Doch, wie nicht anders erwartet, es folgte ihnen niemand.

Beim Eintritt in das Hinterzimmer des Cafés', wo die übrige Bande saß – zur Zeit die einzigen Gäste – gebot Gaston zunächst Schweigen, indem er für einen Augenblick den Finger über die Lippen legte. Dann sagte er nur kurz und halblaut: „We have got it."

Sie zahlten und gingen in der Richtung gegen den Südbahnhof davon. Erst im Maria-Josepha-Park, den die Republik von 1918 ‚Schweizer Garten' benannt hat, erfolgte Gastons Bericht, wurden auch die Schriftstücke angesehen: sie erschienen als unbedeutend. Das erste stellte einen Auftrag vor, der schon zu Anfang des Jahres einem Rechtsanwalte Doktor Mährischl erteilt worden war, eine Erbsache betreffend, die jener gebeten wurde, zu übernehmen, und die sich hier in großen Zügen dargestellt fand (sie lasen das keineswegs ganz durch). Der zweite Durchschlag war ein fast gleichlautender Brief, jedoch erst vom 30. Mai, in welchem ganz die gleiche Sache einem Herrn Notar Dr. Krautwurst (dieser Name belustigte sehr!) aufgetragen wurde. Das dritte Stück war ein Brief im Original, und zwar die Antwort des Herrn Notars Dr. Krautwurst vom 1. Juni, darin dieser sich bereit erklärte, die Angelegenheit zu bearbeiten, und den Herrn Kammerrat zur Besprechung in seine Kanzlei einlud.

„All right", sagte Gaston.

„Was tun wir mit dem Zeug?" fragte Lilian.

Gaston sagte nichts. Er zog sein Portefeuille und entnahm diesem einen großen beschrifteten und doppelt frankierten Briefumschlag, in welchen er die Papiere schob.

„Das kriegt der Chief", sagte er dann. „Soll machen damit, was er mag." Gaston befeuchtete den Klebstoff des Couverts; mit dem gelben Lederkoffer als Unterlage ward es dann verschlossen. Sie gingen zum Südbahnhof hinüber und fanden dort einen Briefkasten. Nachdem Gaston das Stück eingeworfen hatte, meinte er, daß man eigentlich gleich von hier wegfahren könne.

„Nach Klosterneuburg? Nein. Da müßten wir am Franz-Josephs-Bahnhof einsteigen", entgegnete Licea. „Wir haben doch gesagt: Klosterneuburg."

„Tut nichts", sagte Gaston. „Ich will ohnehin in's Hotel telephonieren. Die machen sich vielleicht Sorgen, weil wir nicht da sind und irgendein Krawall in der Stadt losgegangen ist. Werde ihnen sagen, daß wir jetzt hier einsteigen und hinausfahren – wohin, Licea?"

„Nach, nach – Vöslau, in's Schwimmbad."

„Gut, Vöslau."

„Sie werden dich fragen, was wir so lange in der Stadt gemacht haben."

„Kleinigkeit. Waren am Franz-Josephs-Bahnhof, Riesen-gedränge, kein Taxi gekriegt, zu Fuß hier herüber. Dabei bleibt dann jeder von euch. Außerdem werd' ich die Alten auch bitten, die beruhigende Nachricht weiter zu telephonieren, an deine Eltern, Licea, und an die Mutter von der Sylvia."

„Sehr gut!" rief die kleine Priglinger. „Die sagt es dann gleich auch deiner Mama", fügte sie, zu dem Pfadfinder gewandt, hin-zu. Und zu Gaston: „Wir wohnen nämlich im gleichen Haus."

„Well", sagte Garrique, ging, um ein Telephon zu finden, und blieb dann lange weg; die anderen warteten in der Schalter-halle. Endlich wiederkehrend, teilte er mit, daß alles erledigt sei, jedoch mit größter Mühe und Geduld: das Telephon funktioniere nicht mehr richtig, es gebe da irgendwelche Stockungen. Wer weiß, ob man späterhin überhaupt noch telephonieren könne, habe ihm ein Bahnbeamter auf englisch gesagt; es sei erlaubt worden, von einem Büro aus anzurufen (,gegen Fremde sind sie hier sehr freundlich'), denn von der automatischen Sprech-stelle, die nach ein paar Minuten wieder abschnappt, wär' es ihm überhaupt nicht mehr gelungen, das Hotel zu erreichen. So aber habe er mit seiner Mutter gut sprechen können.

Nun war also durchgeführt, was geplant gewesen, und getan worden, was hatte getan werden können. Von Vöslau kamen sie am gleichen Tage nicht mehr zurück, denn inzwischen war der Verkehrsstreik auf der Eisenbahn eingetreten. Am Samstag nahm ein Lastkraftwagen die sechs jungen Leute mit nach Wien. Sie hatten im Hotel Stefanie zu Vöslau übernachtet, und diesmal überhaupt alles auf ,noble Tour' gemacht (,ohne Waffen und Werkzeuge'), im Hotel soupiert, in der Bar getanzt; zu vorge-rückter Stunde ging dort Bully Bullog auf den Händen sehr ge-schickt über die Tische, ohne auch nur ein einziges Glas umzu-werfen. Lilian und Gaston aber glänzten im Step-Tanz und als Duett mit amerikanischen Songs (die der Barpianist mühelos be-gleitete), alles zum größten Gaudium und Entzücken mehrerer Damen und Herren aus Wien. Die Texte einiger von den Songs waren fragwürdig.

Als Leonhard beim Schottentor zum zweiten Mal den Ring überqueren wollte, sah er gegenüber und noch entfernt einen sehr großen Zug von Menschen langsam gegen die Ringstraße herankommen wie eine sich vorschiebende Wand, welche die Straße sperrte. Schon war zu erkennen, daß auf Stangen ausgespannte Spruchbänder oder, wie man auch zu sagen pflegt, ‚Transparente‘ getragen wurden. Leonhard konnte noch nichts davon lesen. Es herrschte keinerlei Lärm oder auch nur Unruhe, die Prozession oder Demonstration schritt ruhig vor. Leonhard hatte zugleich den Eindruck, daß auch über die Ringstraße selbst, von rechts her, sich ein solcher Zug bewege; doch konnte er das nicht deutlich sehen; es waren vielleicht nur viele Neugierige, oder von der Verkehrspolizei aufgehaltene Passanten, die sich dort stauten.

Dieser Tag ist reich gewesen an sogenannten ‚Instinkt-Handlungen‘, denen man gern was Positives und Unnachahmliches nachsagt; aber es gibt auch durchaus abträgliche, und solche werden sogar sehr leicht und gerne nachgeahmt.

Wilde Muskel-Beschlüsse, die ganz selbständig auftreten.

Ja, fast wie ein außen Geschehendes.

Meist sind sie sehr befremdlich auch für denjenigen, der sie ausführt.

Was Leonhard sofort tat, war allerdings niemandem nachgeahmt und auch ganz unschädlich. Er rannte schräg über den Ring. Ein Polizist rief ihm was zu und wandte sich nach ihm um. Als er jedoch Leonhard die Rampe der Universität hinauflaufen sah und im Portale verschwinden, hielt er ihn vielleicht für einen Studenten, der verspätet zum Unterricht sauste, und sah wieder weg, dem herankommenden Zuge entgegen.

Wie gewöhnlich war nur eines von den mächtigen Toren in die Säulenhalle geöffnet, die anderen ließ man nahezu immer verschlossen und verriegelt, sie waren sozusagen blind, auch undurchsichtig mit ihrem dicken grünlichen Draht-Glas und dem schmiede-eisernen Gitterwerk.

Leonhard mäßigte den Schritt beim Eintritt. Was er tat, gehörte noch immer durchaus nicht ihm, lief aber (eben darum?) völlig geordnet und ganz reibungslos ab. Es bewegte sich präzise in der Richtung des geringsten Widerstandes, wie Wasser sich den Weg sucht. „Meine Herren“, sagte Leonhard zu einer kleinen Gruppe, die gleich hinter dem Eingang stand – darunter der Torwart, Ernst Mayer, ein kleiner Mann, das Käppi auf’s Ohr gedrückt, und noch ein Universitätsangestellter – „ich möchte mir erlauben, darauf aufmerksam zu machen, daß sich von der Alserstraße ein großer Demonstrationszug nähert. Vielleicht wäre es empfehlenswert zu schließen."

Statt dessen trat der Torwart mit einigen der Anwesenden auf die Rampe, um Ausschau zu halten. „Sind Sie Student?" fragte ein Herr mittleren Alters, der herinnen stehen geblieben war. „Nein", antwortete Leonhard. „Erst ab nächstem Jahr vielleicht. Ich bin ein Bibliotheksangestellter des Prinzen Alfons Croix." „Ah!" rief der andere. „Von Ihnen habe ich doch schon gehört! Kommt der Prinz heute? Mein Name ...."

Er machte sich Kakabsa bekannt. Leonhard, obwohl er den Namen kaum verstehen konnte, und nur das Wort ‚Privatdozent' aufgefaßt hatte, wußte jetzt, daß dieser Mann von dem Prinzen Alfons schon einmal erwähnt worden war. „Nein, der Prinz kann heute nicht kommen, und eben deshalb muß ich auf die Bibliothek ...."

Noch erklärte er den Zweck seiner Anwesenheit, als von draußen erst eine ganz diffuse, aber dann rasch anschwellende Unruhe spürbar wurde. Die hinausgetreten waren, sprangen urplötzlich zurück, und schon setzte man eilends den hohen Torflügel in Bewegung; dieser schloß sich nur schwerfällig; die Aktion war so einfach nicht; auch der Dozent und Leonhard sprangen herzu. Endlich war alles vorgelegt und gesichert. „Herr Fessl", sagte der Dozent zu einem Beamten der Gebäudeverwaltung, „es wäre vielleicht gut, auch die kleine rückwärtige Pforte gegen die Reichsratstraße zu schließen." Fessl, der sich beim Zumachen des großen Tores, zusammen mit dem Universitätsportier Mayer, als kaltblütig und geschickt erwiesen hatte – ja, nur den beiden schien es zu danken, daß dies rechtzeitig gelang – war noch nicht enteilt, als der Lärm unmittelbar herandrang, mit Laufen und hallendem Getrappel unter den hohen Bogen der Anfahrt, schon sah man Schatten und heftige Bewegung durch das dicke Glas, und dann erfolgten mehrere schwere Schläge gegen das Portal, die jetzt einzelne Stückchen und dann beträchtliche Brocken des Glases ausspringen ließen.

Erst jetzt geriet Leonhard eigentlich aus den glücklichen Gleisen eines automatischen Handelns und Sprechens. Und dabei, als diese Linie brach, kollerte gleichsam aus dem zerfallenden Automatismus sein eigentlicher Beweggrund hervor: auch für das Rennen schräg über die Ringstraße eben vorhin.

„Man hätte gleich schließen müssen", sagte er halblaut zu dem Dozenten, und das Folgende stieß er in einzelnen Portionen hervor, ohne Verbindung: „Die Bibliothek – solche Schätze – Pico della Mirandola –"

Der Gelehrte, den wohl möglich ein gewisses Befremden anwehte, ließ davon nichts merken, maß den verglasten Flügel des Portals von oben bis unten (als wollte er dessen Festigkeit ermessen) und sagte: „Ja, freilich, freilich –"

Indessen war es draußen ruhiger geworden. Vielleicht hatten die Ordner der Demonstranten eingegriffen. Leonhard verabschiedete sich mit den Worten: „Ich muß jetzt auf die Bibliothek." „Freilich, freilich . . .", sagte der Dozent noch einmal, und reichte Leonhard die Hand. „Bitte, empfehlen Sie mich dem Prinzen", fügte er freundlich hinzu.

Leonhard ging durch die Säulenhalle nach rückwärts, rechter Hand über die Stufen, und betrat die Arkaden. Es ist der weite Hof, welchen sie umgeben, ebenso wie das ganze ausgedehnte Gebäude, im Grunde nichts anderes als ein Ferstel'scher Renaissance-Angsttraum (es gibt ja auch noch genug Gotisches oder Griechisches dieser Art) und eines der Beispiele von en masse angewandter Kunstgeschichte, wie sie heute noch unsere Städte allenthalben füllt, im verwichenen Jahrhundert aber für Kunst gehalten wurde, ebenso wie die Ferstel, Schmidt und Förster als Baukünstler galten. Aber über einer Kopie, wie etwa jener der Loggia dei Lanci zu München, oder über dem Renaissance-Hof, an dessen Längsseite Leonhard nun unter den hallenden Arkaden dahinschritt, scheint der Himmel tiefer blau und wärmer zu werden, ja, das Gebäude hat ihn gleichsam mitgebracht aus dem Lande seiner eigentlichen Herkunft; sieht man ihn so jahrzehntelang diese Pfeiler und Bogen hoch übersteigen, diese Giebel an Sommertagen säumen, so hat beides wie zu einem Dritten zusammengefunden, welches nun wirklich schön ist, ohne daß man dies eben dem Genie eines Baumeisters zuschreiben müßte, dem ein solches gar nicht zu eigen war: die Zeit, die Erinnerungen, der blaue Sommerhimmel und die leichte Verwitterung, die solcher Gebaulichkeiten Anspruch mindert, haben sachte und sanft ersetzt, woran's ursprünglich fehlte. In dem weiten Hofe war es still, auch schon sehr warm; jenseits des grünen Gartens in der Mitte saßen, wo es noch Schatten gab, Studenten mit Büchern oder Schriften, die sie zum Teil neben sich auf die rundum laufenden Stufen des Wandelganges gelegt hatten.

Leonhard wußte es wohl, welche abrupte Sprache vorhin – wie aus einer in der Erregung heraufgekommenen tieferen Schichte seiner Vergangenheit – ihm in den Mund gedrungen war: jener Sprechton, den er einst gehabt, damals bei dem Spaziergange am Donaukanal mit dem sozusagen scharfgeladenen Buchhändler Fiedler, als er diesem die Fundamentalien seiner eigenen Existenz hatte darlegen wollen (bei vergeblichem Bauchaufschwunge in die deutsche Grammatik!), unaufhörlich wiederholend ,es ist zu beweisen' – ,es ist zu beweisen'. Dies war noch lange vor Mary gewesen, weit von Mary entfernt, unbegreiflich, ein Vor-Leben, eine erste Biographie, und bereits stark genug durch ihre augenblickliche Beglänztheit, um wieder eine Art von Schmerz oder Sehnsucht wie an feinen Fäden nach sich zu ziehen, wie heute schon einmal, am Morgen.

Doch sollte es heute zum ersten Male sein, daß er viele Stunden auf der Universitätsbibliothek verbringen durfte (wenigstens vermeinte er das im Augenblicke noch), nicht knappe, erkämpfte fünfzig Minuten, wie einst. Seither war Leonhard nicht hier gewesen, bestrebt, sich in des Prinzen weitläufiger Büchersammlung, so rasch und so tief wie nur möglich, gleich in der ersten Zeit zurechtzufinden. Nun, als er im hohen Saale hier, der erfüllt war vom reinen Aushauche der Bücher-Gebirge, wie von einer Art Alpen-Luft des Geistes, an der Barrière entlangschritt, bis an den Eingang zur philosophischen Abteilung, schien ihm der in so wenigen Wochen getane Fortschritt des Lebens ein derart ungeheuerlicher zu sein, daß er im neu gewonnenen Raume in einer Art Platzangst stand, nicht fest darin steckte, sondern, wie mit dem Blicke nach allen Seiten ausfallend, darin zu schwanken schien. Jetzt nannte er den Namen des Prinzen und sagte, daß unter diesem vier Werke reserviert seien – die Titel brauchte Leonhard nicht anzugeben, und wußte sie auch nicht – erhielt seine Bücher und zugleich die Sitz-Nummer, und ging auf dem immer etwas lauten Steinboden, der so zu einem leichteren Schritte zwang, zwischen den langen Lesetischen durch zu seinem Sessel.

Das erste Buch war ein Werk, das sich auf Pico della Mirandola bezog: der Mortetoni. Leider verstand Leonhard nicht italienisch.

Das zweite waren Texte Pico's: in deutscher Sprache (der Liebert).

Das dritte ebenfalls Texte, und zwar in einer Basler Gesamtausgabe von 1601, welche auch die von Leonhard zuerst bei dem glorreichen Weininger aufgeschlagene Stelle enthielt: gleich im allerersten Teile der Abhandlung oder eigentlich Rede ‚Über die Würde des Menschen' (De hominis dignitate), auf Seite 208 des ersten Volums.

Der plötzlich, wie in einem angeschriebenen Kurz-Zeichen, geronnene Sinn seiner ganzen letzten Lebenszeit schlug Leonhard geradezu nieder. Ihm war, als sei der Saal an jener Stelle, wo er saß, schwerer belastet, ja, als sinke sein Sessel ein wenig in den Boden ein.

An diesem Morgen erwachte ich sehr zeitig, wenn auch nicht so früh, wie damals bei den Schanzen-Gängen. Die Sonne war schon da. Die Uhr zeigte sechs. Das erste, was mir einfiel, war, daß ich um neun Uhr zum Frühstück bei dem Sektionschef Gürtzner-Gontard sein sollte. Ich war schon einmal Anfang Juni zu einem solchen Frühstück gebeten worden. Eine offenbare Marotte; er begründete dies natürlich irgendwie vernünftig, ja, sogar auf eine sozusagen humanistische Art: nur das Morgen-Gespräch sei erstrangig, meinte er, und man bringe dazu eine wirklich gute Dialektik mit, die nicht beeinträchtigt werde durch das Für und Wider des abgelaufenen Tages, während dessen ganzer Dauer man ja in Gegensätzen denke, Verzerrungen erleide, Abschürfungen am Geiste, so daß die Unvoreingenommenheit am Abend lange nicht mehr in solchem Maße vorhanden sei wie am Morgen. Nur früh am Tage verfüge man ganz über sich selbst, sei man noch unberührt, gewissermaßen jungfräulich. Nun, meinetwegen, sogar das. Ich besorgte meine Toilette, nahm nur eine Tasse schwarzen Kaffees, und beschloß meiner Jungfräulichkeit noch besser auf die Beine zu helfen, indem ich den Weg zu Fuß und mir damit einige Bewegung machte. Und also ging ich nach acht gemächlich weg, in einen knallblauen Sommermorgen hinein, der eine fürchterliche Hitze mit voller Sicherheit voraussehen ließ.

Ich befand mich in diesen Tagen im Zustande einer gewissen Abwesenheit und war dessen auch schon inne geworden. Genauere Nachbohrungen ergaben einen starken Energieabfall – bis zur Verträumtheit – von dem Tage an, da ich Frau Friederike die Transferierung ihres Vermögens von der Bodencreditanstalt auf die große Effektenbank vorgeschlagen und bei ihr eine so überraschend lebhafte Zustimmung gefunden hatte. Seit der Entscheidung dieser Sache – die nun bereits in ihre neuen Wege geleitet war – hatte ich begonnen nachzulassen. Es schien mir geradezu, als habe meine Auffassung der Umwelt etwas an Deutlichkeit verloren, und als sei ich nahe daran, das gerade Gegenteil von dem darzustellen, was Scolander war. . . .

Auch jetzt, im Dahingehen, verhielt sich's mit mir nicht anders. Nicht, daß ich etwa müde oder erschöpft gewesen wäre: woher auch. Aber ich befand mich in einer Art von milchiger Aura, die um Augen und Ohren lag, und in mir da drinnen gab es weit mehr sich vorwölbende runde Ahnungen als Kanten von klaren Gedanken. Ich wußte sozusagen, was mir an Wissen fehlte, was ich zu wissen gehabt hätte; aber eben dies konnt' ich nicht ergreifen. Nicht nur die äußere Welt, auch meine eigene innere hatte an Deutlichkeit verloren; ihren Bezugspunkt, wenn man's so nennen will, bildete die Tatsache, daß ich heute um fünf Uhr bei Friederike sein sollte, um mit ihr gemeinsam Quapp zu erwarten, deren Erscheinen für sechs Uhr vereinbart war. Hoffentlich würde sie pünktlich sein (oder war sie überhaupt schon pünktlich geworden?), ich hatte es ihr eingeschärft, sogar brieflich.

Also ging ich dahin, in meiner leichten Verschwommenheit und in der bereits spürbaren Wärme des Tages. Ich kann nicht sagen, daß mein neuer Zustand mir Unbehagen bereitete: sehr im Gegenteile. Es war eine Art von Wohlbefinden, die ich lange entbehrt hatte, immer mit Kombinationen irgendwelcher Art befaßt, mit zu fassenden Entschlüssen belastet. Jetzt endlich sank ich von alledem zurück und in ein vielfach verleugnetes eigenstes Leben wieder ein.

Es war leer und still. Ich trottete langsam dahin und dachte wieder daran, daß ich heute um sechs Uhr Quapp im Palais Ruthmayr vorstellen würde. Eine Art Akzent im nachhinein, ein pikantes Detail innerhalb der Wissenschaft vom Leben, die als anerkannte Disziplin nicht existiert, es sei denn bei den Romanschreibern. Ein Glanzlicht, weiter nichts. Denn es war alles vorbei. Es hatte längst etwas Neues begonnen, oder es war im Begriff zu beginnen, vielleicht am heutigen Tag. Erst gegen das Ende der Nußdorferstraße zu, schon bei der großen Kreuzung, begannen mir die Straßenbahnzüge wirklich zu fehlen, empfand ich die Geleise als ausgestorben daliegend. Man hat für solche Fälle als Normal-Schlüssel der Situation das Wort „Störung". Auch ich gebrauchte diesen Schlüssel, ohne einen Augenblick nur daran zu denken, daß in einem solchen Falle doch da oder dort einige der durch das Fehlen des Stromes zum Stillstand gebrachten rot-gelben Waggons zu sehen sein müßten. Nein: „Störung", und damit zur Genüge erklärt. Langsam ging ich die Spitalgasse bergan; hier war's schon recht heiß, der Asphalt schlug einem die Hitze wie in einer Welle von unten an's Gesicht. Die Alserstraße war leer, völlig leer (in diesen Augenblicken nämlich und sozusagen eigens für mich – später einmal brachte ich heraus, daß nicht lange vor meinem Eintreffen, und vielleicht auch nachher noch, geschlossene Züge von Arbeitern hier marschiert waren – ich ging also nur durch eine Lücke). Schon tauchte ich in die stillen alten Gassen der Josefstadt. Zehn Minuten später stand ich am Rande der Parkanlage, welche den größten Teil des Schmerlingplatzes mit Grün und Bäumen ausfüllt. Es war zu früh, um schon zu dem Sektionschef hinaufzugehen, und zu spät, um sich weit zu entfernen, in Fortsetzung dieser Morgenpromenade. Ich ließ mich auf einer Bank unter den Bäumen nieder, sah auf die Uhr, vertrödelte die Zeit. Ob ich von der Ringstraße her irgend etwas – Lärm oder viele Bewegung – dabei gehört hatte, vermag ich nicht zu sagen. Hintennach bildete ich mir's vielleicht nur ein. Ich erhob mich, ging über die Straße und in's Haus. Es war zwei Minuten vor neun. Der Hausmeister – ein Mensch, der Waschler hieß und durch seine Amtsmiene auf den Hofrat Gürtzner-Gontard stets erheiternd wirkte – stand neben dem Lift und gab seinem Bedauern darüber Ausdruck, mich nicht fahren zu können, da der Aufzug außer Betrieb sei, mangels Strom. Ich stieg hinauf.

Und nun trat ich in das große, gegen den Schmerlingplatz hinaus gelegene Zimmer, wo der ‚alte Türke' mit kühnem Blick von der Wand sah und diesfalls über einen gedeckten Frühstückstisch hin, der unterhalb des Bildes stand. Der Hofrat schritt mir von der Fensterseite des Raumes her entgegen, in einem weiten seidenen Schlafrock, den er gewissermaßen zu bewohnen schien – so kam es mir vor – und begrüßte mich erfreut. „Pünktlich wie beim Militär", sagte er. Die Troddel des Fez flog nach vorn. „Bei uns sind alle heute schon ganz zeitig aufgestanden. Unsere Renata ist zu einer Tagespartie losgezogen, mit den Garrique-Kindern, das sind Verwandte meiner Schwiegertochter aus Amerika, die mit dem Franz jetzt herüber gekommen ist. Sie sind den jungen Leuten ja begegnet, G-ff, das hat mir der Franz erzählt, auf dem Empfang bei der Friedl Ruthmayr."

„Ja, und ich hab' mich sehr darüber gefreut, das kann ich sagen", antwortete ich.

„Brav, mein Lieber", sagte Gürtzner, und drückte meine Hand, die er noch hielt. „Denken Sie nur, mein anderer Bub kommt heuer auch noch zu Besuch herüber, der Anatol."

Der Alte strahlte. Wieder rührte sich in mir – ähnlich wie auf dem erwähnten Empfang im Juni – ein tiefes Gefühl der Befriedigung darüber, daß doch irgendwo irgendwas in glückliche Geleise gefallen war. Es mußte nicht unbedingt alles schief gehen. Das Gegenteil erwies sich. Ich dachte einen Augenblick lang an Stangeler, an mein letztes Zusammentreffen mit ihm, auf der ,Schanze', am 30. Mai. Hier hatten sich gleichfalls Lösungen gefunden, für alles und jedes sogar. Von Quapp überhaupt zu schweigen. In diesen Augenblicken hoffte ich zutiefst für mich selbst.

„Ja, also unser Kind, die Renata, ist um halb acht losgezogen, und pünktlich sind die anderen schon vor dem Haustor gestanden. Ein ganzes Trüppchen. Ich hab' vom Fenster hinuntergeschaut. Alle waren sehr anständig angezogen, was sonst bei diesem Indianerstamm nicht immer der Fall ist. Sonst sind da auch immer Speere und Bogen und Pfeile mitgeführt worden, aber heute hat sogar die Unsre ,ihre Waffen', wie sie sagt, daheim gelassen. . . ."

Wir hatten inzwischen am Frühstückstisch Platz genommen, Tee und Eier waren gebracht worden. Ich saß mit dem Gesicht gegen die Fenster, und auch diesmal wieder schien mir – als Hintergrund zu dem langen hageren Antlitze meines einstmaligen Chefs unter dem roten Fez und der schwarzen Troddel – die weite Aussicht wie ein Wandteppich senkrecht aufgehängt: das Blaugrau ferner Häusermassen, weitab gelegenen Stadt-Teilen zugehörig, da und dort vom Grün einzelner Bäume unterbrochen, die wie hineingesteckte Büschel aussahen. Ich begriff in diesen Minuten – das ist mir lebhaft in Erinnerung geblieben – Ferne und Nähe zugleich, in seltsam wechselweiser Durchdringung, und ich genoß so vielleicht die besonderen Reize und Aufgeschlossenheiten, die eben nur einer solchen, sei's auch etwas verschwommenen Verfassung zufallen, wie es die meine damals war.

„Sehen Sie", sagte er, „die Art, wie unsere jungen Leute abgezogen sind, hat mich eigentümlich berührt. Ich sagte ‚Trüppchen'. Ja, es war wirklich eine kleine Truppe. Der junge Garrique hat sich an die Spitze gesetzt, und die anderen hinter ihm her. Sie sind richtig abmarschiert. Ich hatte merkwürdigerweise dabei die deutliche Vorstellung, daß alle Menschen, die in ein und dieselbe Zeit gehören – also die Zeitgenossen im strengsten Sinn – sich gegenseitig zu erkennen vermögen, ich möchte fast sagen, mit der Nase, wie die Hunderln: und also sind sie verständigt. Jede Zeit bringt gewissermaßen ihre eigene Rasse hervor. Diese jungen Leute zum Beispiel haben gar nichts miteinander geredet, sie sind gleich losgetrabt, der Gaston Garrique, der lange Lulatsch, voran. Ich glaube, wir hätten als junge Menschen beim gleichen Anlasse wahrscheinlich irgendein Gespräch begonnen."

Ich gab ihm recht, aber das Thema war mir jetzt gleichgültig. Wir hatten unser Frühstück beendet und die Zigarren entzündet – es war eben doch eine andere Welt hier, bei dem Alten, so fühlt' ich, in diesen hohen weiten Räumen, man war gleichsam tiefer von allem zurückgezogen als anderswo, wirklich, so verhielt es sich! – als ein Lärm von der Straße nicht mehr zu überhören war, den wir vielleicht schon durch eine Weile empfunden hatten, ohne ihm Beachtung zu schenken. „Na, na", sagte der Hofrat. Ich trat mit ihm an's Fenster. Zu sehen war nicht viel. Durch die Parkanlage unten am Schmerlingplatz rannten einige Menschen, ohne die Rasenflächen zu schonen, und von der Lerchenfelderstraße her strömte man nur so heran. Polizisten sahen wir augenblicklich keine (man denkt immer gleich an die Polizei, das muß eine Krankheit sein). Als der Hofrat die Fenster geöffnet hatte, drang das Geschrei einer ungeheuren Menschenmenge herauf, aus der Richtung vom Parlament her, aber auch schon von näher. Daß wir die Polizei jetzt nicht sehen konnten, wäre leicht zu verstehen gewesen, wenn wir gewußt hätten, daß sie eben mit sehr schwachen Kräften das

Hauptportal des Justizpalastes gegen die Menschenmenge verteidigte, damit diese nicht eindringen könne. Jenes Gebäude wies uns die Schmalseite. Der Polizei, die an dieser Stelle noch von keiner Waffe Gebrauch machte, gelang es übrigens nur bis gegen Mittag das Gebäude zu halten.

Gegen zehn Uhr verließ René Stangeler den Tresorraum jener Filiale der Österreichischen Credit-Anstalt für Handel und Gewerbe, welche an der Landstraßer-Hauptstraße liegt; dem Beamten, der wieder abschloß, sagte er freundlich: „Bitte dem Herrn Vorstand Mayrinker meine Empfehlung zu übermitteln." „Danke vielmals, Herr Doktor", sagte der angesprochene Herr, „der Herr Vorstand ist noch im Urlaub, in Pottschach draußen." René grüßte nach einigen Seiten und ging. Er trat in die Hitze auf der Straße nicht eigentlich hinaus, sondern geradezu hinein: Umschließung von allen Seiten. Die schweinslederne Aktentasche (Geschenk Gretes), darin sich die Handschrift des Ruodlieb von der Vläntsch befand, trug er unter dem Arm.

Es hieß auf jeden Fall zu Fuß gehen. Erstens war die Straßenbahnverbindung von hier zum Mehlmarkt oder Neuen Markt – und dorthin, nämlich in's Hotel Krantz, zu Professor Bullog, war René auf dem Wege – überhaupt umständlich; und zweitens verkehrte die Straßenbahn gar nicht (René erschloß leicht warum). Nun, gut denn; über die Brücke: die zahllose Male gesehenen Gleis-Stränge dort unten, die Waggon-Reihen und da oder dort eine wartende Lokomotive, die qualmte. Jede von Kindheit her gewohnte Umgebung ist bequem, weil das Wohlbekannte glatt funktioniert, und bedrückend, wegen seiner ausgeschliffenen Glätte; weder Auge noch Geist greifen mehr jene kleinen Rauheiten, die als Reizmittel so notwendig sind, und die jede beliebige fremde Stadt, ja, jedes Dorf und jede simple Fahrstraße bieten können, sofern man sie nicht kennt. Aber die vom täglichen Vorbei-Passieren glatt geschliffenen Bilder wieder aufzulösen, besser: zu zerschlagen, um an ihren glitzernden Bruchflächen neuen Halt zu finden: solches erfordert eine außerordentliche Leistung des Geistes; und mancher bleibt an seiner allerersten Umgebung gleich hängen, ja, er verharrt mit einer gewissen Renitenz in ihr, weil er vielleicht geheim hofft, jene Leistung doch noch zu vollbringen, jenes Zauberwort Mutabor oder Sesam zu finden, das aus einem kindgewohnten Stadtbezirk die wild zerklüftete Landschaft seiner eigentlichen Wirklichkeit macht; und auf die Erfrischungen durch das aufgesuchte Neue und immer wieder Neue zu verzichten, um gleich am ersten besten durch Geburt und Umstände Dargebotenen die eigene Verwandlungsfähigkeit, ja, die eigene Schöpferkraft zu bewähren, und ein für alle Male. Exemplum docet, exempla obscurant. Vielleicht hat der Prinz Croix wirklich recht gesehen.

So auch hier. Die in einer bestimmten Reihenfolge angespielten Empfindungen – Rauch der Eisenbahn, freier Blick weithin links und rechts durch das gemauerte Bett des Wien-Flusses, von links andrängende und weich in sich ruhende Grün-Masse des Stadtparks – sie können bei ihrer Wiederkehr manchmal in fast schon schmerzende Rillen und Gleise fallen. Nun, die Wollzeile hinauf, wurde es doch besser. Stangeler fand Geschmack an der Situation, welche er sozusagen unter dem Arme trug. Er vermochte sie – romantisch aufzufassen. Ja, das war sie; das war sie wirklich. Neudegg! Am 16. Mai war er mit Herzka hinuntergefahren. Was hatte sich seitdem nicht alles geändert! Er war nun ganz frei. Er konnte ruhig zu diesem Amerikaner gehen: als ein jüngerer Kollege.

Alles rauhte sich auf, wurde körniger.

Beim Portier, im ‚Ambassador‘, meldete er sich an, und wurde alsbald hinauf gebeten.

Es empfing ihn Madame Garrique, die er ja kannte, die sich aber nochmals als Schwester des Professors ausdrücklich zu erkennen gab: ihr Bruder werde sogleich erscheinen.

Es war ein Empfangszimmer, ein kleiner Salon (die Fenster sahen in die heute nicht sehr belebte Kärntnerstraße hinab) von graugrüner Farbe und glattem, konventionellem Gesicht. René hörte sofort wieder den ungarischen Akzent in Madame Garrique's Deutsch, das sie keineswegs wie eine Ausländerin sprach, sondern in einer Weise, die man zu Wien kennt und gewohnt ist. Beinahe hätte René sie gefragt, woher sie denn stamme, aber jetzt hielt ihn etwas davon ab, fast war es wie die Nähe eines, wenn schon nicht gefährlichen, so doch ungünstigen Terrains. Er mied es. Zudem: Frau Garrique gefiel ihm heute mehr als gut, und wie auf den ersten Blick, auf Anhieb, obwohl er sie ja nicht zum ersten Mal sah: und doch war es eigentlich so. Staunend bemerkte René, daß dies sogar auf Gegenseitigkeit zu beruhen schien, denn sie wurde lebhaft, lustig und kam René zugleich mit einem sehr fraulich und diskret durchscheinenden Respekte entgegen, als einem Gelehrten von Rang (!), das letztere ließ sie sogar in eine ganz nebenhin fallen gelassene Bemerkung einfließen. Stangeler – während er den Vermouth-Soda trank, der gebracht worden war – hatte plötzlich die ganz unmittelbare Einsicht, daß Madame Garrique hier von ihrem Bruder gewissermaßen delegiert war.

„Mein Bruder wird jeden Augenblick hier sein", sagte Madame Garrique. „Er ist nur ein wenig hinuntergegangen und auf die Straße, um zu sehen, was eigentlich heute los ist in der Stadt...."

Noch während sie die ersten Worte darüber wechselten, trat Doktor Bullog ein und begrüßte Stangeler erfreut und mit größter Freundlichkeit. Sogleich danach blickte er auf die Aktentasche, welche René auf einen Sessel gelegt hatte, und fragte in beziehungsvollem Tone:

„Haben Sie die Handschrift tatsächlich mitgebracht?"

„Allerdings", antwortete René. „Dort drinnen ist sie."

„Großartig!" rief Bullog und schlug die Handflächen zusammen. „Herr Doktor, ich bin Ihnen sehr verpflichtet!"

Sein Sprechton im Deutschen war etwas unabhängiger von der Herkunft geworden als es bei seiner Schwester der Fall war; doch hätte kein Österreicher ihn für einen Landsmann gehalten. René verbeugte sich leicht, und damit quittierte er Bullogs Dank. Daß diesem die Sache wichtig war, hatte aus seinem Ausrufe ganz eindeutig entnommen werden können, und mehr aus dem Tone noch als aus der Wahl seiner Worte. Er verbarg auch weiterhin keineswegs – ebenso wenig wie er's in seinem Brief getan hatte – die Bedeutung, welche Stangeler's Entdeckung für ihn besaß. Solche Offenheit war von René eigentlich nicht erwartet worden. Denn die Art der Leute vom Fach war ihm freilich schon geläufig: jede fremde Leistung, und gar die eines jungen und noch unbekannten Menschen, möglichst zu verkleinern, zugleich aber gerade aus Entdeckungen einer derartigen im Schatten stehenden Person nach Kräften Ruhm und Nutzen zu ziehen. Im Grunde war René (trotz des Briefes) auch hier auf so etwas gefaßt gewesen, ja, geradezu auf einen Versuch, den von ihm gemachten Fund als minder bedeutend erscheinen zu lassen und die Sache von oben herab zu bagatellisieren. Daß nun solches ganz und gar unterblieb, stellte die Beziehung zwischen Bullog und René sogleich unter ein fühlbar günstiges Vorzeichen. Zugleich gefiel dem Stangeler der kleine stämmige Mann vom ersten Augenblick an, da er eingetreten war.

Glattrasiert, mit dicken Hornbrillen und in einem bequemen Jakett, darunter er mit sichtlichem Behagen die Schultern zurechtschob, nachdem er Platz genommen hatte, schien Bullog in der vollkommensten Weise unter die stets euphorische und wohlgelaunte Oberfläche jener Neuen Welt gegangen zu sein, in welcher er jetzt lebte.

Professor Bullog berichtete von draußen. Angeblich schieße sich die Polizei beim Parlament schon mit demonstrierenden Arbeitern herum, einige Leute hätten behauptet, das Schießen bis hierher gehört zu haben. Er für seinen Teil hätte nichts davon bemerkt. „Daisy", sagte er zu seiner Schwester, „die Mamuschka hat Glück gehabt damit, daß sie nicht gereist ist. Na, nun wird sie's wohl ganz aufgeben – ich spreche von meiner Schwiegermutter in London, Mrs. Libesny", fügte er, zu Stangeler gewandt, erklärend hinzu. „Ich schrieb Ihnen davon, daß sie nach Wien kommen wollte, zusammen mit einer Freundin, die bei ihr lebt, der Tochter von einem Wiener Arzt. Man kann nicht wissen, was hier noch vorgehen wird. Keine Straßenbahn und kein Bus verkehrt, vielleicht wird die Eisenbahn auch noch streiken. Der Portier sagte, das Telephon funktioniere schon mangelhaft und unregelmäßig."

In diesem Augenblick klingelte der Apparat, welcher auf einem Tischchen in der Ecke stand.

„Gaston!" rief Madame Garrique freudevoll hinein. „Gott sei Dank! Wo seid ihr denn, Kinder?!"

Es wurde des längeren gesprochen. Danach erzählte Frau Garrique ihrem Bruder, die Kinder seien zu Fuß vom Franz-Josephs-Bahnhof, wo das Gedränge fürchterlich gewesen sei, auf den Südbahnhof gegangen, und wären eben im Begriffe, nach Vöslau in's Bad zu fahren. Gaston beabsichtige, mit ihnen erst nach Wien zurückzukehren, bis sie Nachricht hätten, daß hier nichts besonderes los sei.

„Ich hab' dir gleich gesagt, Daisy", meinte Bullog lachend, „daß die Kinder irgendwo draußen viel sicherer sind als hier in der Stadt, wo sie, nota bene, nicht zu halten gewesen wären vor lauter Neugier. Und mein Bully ist bei ihnen?"

„Ja freilich", antwortete Madame Garrique. „Der Gaston sagt, daß er sehr stolz den schönen kleinen Koffer mit den Badesachen trägt. Ich geh' nur hinüber, um es meinem Mann und Peggy (sie meinte Bully Bullogs Mutter) zu sagen, daß die Kinder telephoniert haben. Dann will ich versuchen, den Herrn Hofrat Gürtzner-Gontard zu erreichen und die Mutter von der kleinen Sylvia."

Damit entschuldigte sie sich bei René und verschwand (zu dessen Leidwesen, wie er sich eingestand). Der Professor hatte sein Zimmer nebenan. In dieses begaben sich nun beide Herren samt der Aktentasche, um bis zum Lunch gemeinsam zu arbeiten, und, falls nötig, auch nachher noch.

Gegen einhalb zehn Uhr fuhr der Generaldirektor Küffer – Hauptaktionär, ja, so gut wie Inhaber einer der bedeutendsten Brauereien, Seniorchef der Familie und vielfacher Großvater – vor dem Hause Nr. 6 am Althanplatz gegenüber dem böhmischen Bahnhofe vor, um Mary's Kinder mit nach Döbling zu nehmen, die für den ganzen Tag und den Abend in das Küffersche Familienhaus eingeladen waren, das schon mehr einem kleinen Schlosse als einer Villa glich, wozu auch der weithin erstreckte Park passte. Küffer kletterte mit lebhaften Bewegungen aus dem Wagen. Er war damals Mitte der Sechzig, stämmig aber nicht dick, und höchst agil. Er bewegte sich unter der Kategorie der Beliebtheit, die eine angeborene ist, hier noch grundiert durch den ererbten riesigen Besitz und eine schon in solchem purpurnen Schatten innerhalb eines großen Hauses verbrachte Jugend, die durch verbindliche Lebensart früh alle jene Verbindungen geschaffen hatte, welche als tragendes Grundgeflecht dann für die Wirksamkeit des Mannesalters schon bereit sind, und jene in einem Maße erleichtern, dessen Höhe eigentlich nur einer ermessen kann, der ihrer ursprünglich ganz entbehrt hat und dahin erst vordringen muß, wo solch ein anderer als grüner Junge schon seinen Klubsessel hat stehen gehabt.

Was hier das Glück voll machte, war zudem die Unverbrauchtheit des Mannes (die wohl auch einer früh geschlossenen glücklichen Ehe verdankt wurde). Da er jetzt, auf der Höhe des Lebens, zu jenen gehören durfte, die von niemand was wollen, denen man aber eben darum erst recht von allen Seiten entgegen kommt – so bot sich ihm reiche Gelegenheit, dies nun seinerseits zu tun: und er nützte sie. Es haben zudem die unter der Kategorie der Beliebtheit geborenen und lebenden Menschen ein unnachahmliches und nicht zu erlernendes Geschick, bei anderen ganz mühe- und stoßlos Bord an Bord anzulegen, selbst dann, wenn ihnen ein wesentlich wohlwollender Charakter gar nicht eignet: die Kategorie der Beliebtheit entscheidet hier a priori, und diese kann merkwürdigerweise im verschiedensten charakterlichen Materiale konkret werden. Paradox genug: die Beliebtheit hat keine Ursachen und wird nicht durch Umstände hervorgerufen; sie ist durch diese nur steigerungsfähig.

Das aber war ja bei dem Generaldirektor gar sehr der Fall.

Obendrein besaß er tatsächlich einen wohlwollenden Charakter.

Und nicht zuletzt: eine unausrottbare Vorliebe für junge Menschen, und eine Art Spleen, ihnen Vergnügen zu bereiten, wo immer er nur konnte.

Auch war er ein Kindskopf. Männer seines Alters wurden von ihm gern gemieden, so weit es eben anging. Vielleicht floh er die bei ihnen auftretende Skepsis, das schärfere Unterscheiden, das raffiniertere Urteil. Cordialität, eine ganz echte, hatte er nur den Jungen gegenüber. Es liegt nahe zu vermuten, daß er vielleicht nicht sehr intelligent gewesen sein mag und, was ihm hierin abging, gerne durch den Vorsprung der Jahre ersetzte. Wie immer: die Fähigkeiten reichten für seine Position vollends aus. Es ist nie was bekannt geworden, daß er etwa irgendeinen Fehlentscheid getroffen, geschäftlich daneben gehauen, Einbußen erlitten habe.

Seine Investitionen im Luxus waren bedeutende, aber genau kalkuliert und kontrolliert. Auch das neue Schwimmbad im Park. Dessen Ausdehnung war für ein Privatbad enorm. Es bot jede Bequemlichkeit und lag im ebenen Teile des Parks, der sich auf einer hochgelegenen Stufe des Geländes hinzog, abgewandt von der Stadt, mit dem Blick in die offene Landschaft. Obendrein war jene Wasserfläche mit einem von Küffer – in langem, liebevollem Planen – erdachten System seichter betonierter Kanäle in Verbindung, auf welchen man mit kleinen, zweisitzigen Elektro-Booten durch den ganzen Park gondeln konnte, am halben Weg etwa einen natürlichen Teich querend, der mit seinen vielen Seerosen zwischen überhängenden Weiden stand. Das Schwimmbassin sollte heute mit einem Sportfest für die sehr zahlreiche Jugend des Hauses Küffer und deren Freunde eingeweiht werden.

Der alte Küffer war von dieser Sache ganz ernstlich erfüllt.

„Es ist alles schon seit acht Tagen fertig und ausprobiert", sagte er zu Mary, gleich nach seiner überaus respektvollen Begrüßung, aus welcher ein fast zärtlicher Ton klang: er gehörte zu jenen Leuten, die Mary's Leistung im verwichenen Jahre zu München besonders hoch einschätzten. Begreiflich: das Leben liebend, mußte er jene Aktivität bewundern, mit welcher hier einer Macht entgegen getreten worden war, die aus dem Bereiche des Voll-Lebendigen hatte hinaus verweisen und daraus verbannen wollen.

„Und die Motorboote, sind die auch schon ausprobiert, Onkel Benno?" (So nannten Mary's Kinder den Generaldirektor.)

„Geh'n wie am Schnürl! Wirst sehen. Gestern, spät am Abend, haben wir noch alle Akkumulatoren aufgeladen. Großartig!"

Mary schlug lachend die Hände zusammen.

„Was Sie alles treiben, Herr Generaldirektor . . .!" rief sie. „Und nur, damit diese ganzen Fratzen, und auch meine, sich ja recht amüsieren!"

„Sie sollten sich's anschauen, Gnädige! Kommen Sie doch mit!" rief Küffer, voll Stolz auf sein Werk.

„Ein anderes Mal, Herr Generaldirektor, sehr gerne sogar", sagte Mary. „Ich hab' heut' nachmittags Besuch."

Trix sah zu ihrer Mutter hinüber. Dabei schienen ihre Augen dunkler zu werden, in jener ihr eigentümlichen Art, wenn eine tiefere Bewegung des Gemütes sie anrührte. Der Generaldirektor erkundigte sich dann mit einiger Eindringlichkeit, ob Mary denn bis nachmittags hier ganz allein bleiben werde, sie habe doch ein Mädchen bei sich? „Nein", sagte Mary, „die Marie ist auf Urlaub, daheim in Mähren. Aber ich hab' eine liebe Freundin hier im Haus, die will mich mittags ‚bekochen', wie sie sagt, und mir bissel Gesellschaft leisten, und mir an die Hand gehen, wenn mein Besuch kommt."

Trix sah vor sich auf den Boden. Der Generaldirektor erwähnte dann, daß es gut wäre, wenn Mary heute auf jeden Ausgang verzichten wollte. Es fänden in der Stadt Demonstrationen der Arbeiter statt. Der Straßenbahnverkehr sei eingestellt. . .

„Wir haben auch keinen Strom", bemerkte Hubert. „Ein Glück, daß ihr gestern eure Boots-Akkumulatoren geladen habt! Heut' wär's nicht mehr möglich."

„Wieso?" rief Mary. „Das hab' ich noch gar nicht bemerkt!"

Hubert ging zur Türe des Frühstückszimmers und betätigte den Schalter: ohne Erfolg. Man könne nicht wissen, meinte der Generaldirektor, was heute noch passieren würde. „Am liebsten hätte ich Sie mitgenommen, Gnädige. Aber bleiben Sie nur, bitte, den Tag über ganz zu Hause. Noch etwas wollte ich sagen. Wir haben abends erst das richtige Fest, da werden die Wogen hochgehen, ich meine nicht im Wasser: sondern die Wogen des Festes. Es wird sicher sehr spät werden. Um ihre Nachtruhe, verehrte gnädige Frau, nicht durch die Rückkehr der jungen Leute zu stören, dies vor allem anderen, würde ich vorschlagen, daß Sie mir erlauben, die Kinder über Nacht draußen zu behalten; Fremdenzimmer haben wir ja reichlich genug."

Trix sagte sehr lebhaft: „Ja! Ausgezeichnet! Das wär' lieb von dir, Onkel Benno, wenn wir draußen übernachten könnten! Und die Mama nicht stören müßten!"

„Wann mußt du morgen früh im Büro sein, Trixel?" fragte Küffer. „Ich tät' dich im Wagen hinbringen."

„Gar nicht", antwortete sie, „ich hab' für heute und morgen Nachurlaub bekommen. Darum bin ich ja heute daheim; ich mußt' mir für das Fest frei nehmen, da ist der halbe Tag morgen, Samstag, gleich mit drein gegangen."

„Prima!" sagte Küffer. „Und der Hubert hat Ferien. Da können wir alle miteinander morgen gemütlich auf der Terrasse frühstücken. Das wird was werden, heut' abend! Ich hab' im Auto eine ganze Kiste voll Kerzen, wer weiß, ob wir elektrisches Licht haben werden, darum hab' ich sie gekauft. Haben Sie Kerzen daheim, gnädige Frau?"

„Ja, reichlich", sagte Mary. „Ich hab' sie gern am Klavier, das erinnert mich an meine Mädchenzeit."

Sie mochte irgendeine verborgene Erinnerung bei Küffer berührt haben. Er verlor sich durch ein paar Augenblicke wie seitwärts, wie in einen nur ihm sichtbaren Raum. Dann ergriff er lebhaft wieder sein derzeit einziges Thema.:

„Um zehn Uhr steigt ein Feuerwerk. Dann fahren wir am Wasser mit Lampions durch den ganzen Park. Jedes Motorboot kann langsam zwei Ruderboote ziehen. Getanzt wird im Gartensaal, vielleicht bei Kerzenschein, unter Kerzen-Lüstern, dort gibt es sogar noch welche. Mit dem Wetter haben wir ja ausgesprochenes Glück."

Das sagte er schon im Aufbrechen. Mary war, was das Wetter betrifft, gleicher Meinung mit dem Generaldirektor. „Ich bin froh, daß ich nicht ausgehen muß bei der Hitz'!" bemerkte sie lachend.

Wirklich fügte sich alles auf's beste, alles stimmte, auch weiterhin. Nur mit dem Wetter war das so ganz nicht der Fall. Aber man wußte sich zu helfen; und als um neun Uhr abends dann der Regen einsetzte – es war eben das Souper beendet worden – disponierte man um, strich das Feuerwerk und die Lampionfahrt und gab sich im Gartensaale (bei Kerzenlicht), wo die Kapelle spielte, und in den angrenzenden Räumen ausgedehnten Unterhaltlichkeiten hin, wobei (dies sei immerhin erwähnt) besonders Hubert K. auf seine Rechnung gekommen ist, die er, wie man noch sehen wird, schon mittags zwiefach anlegte.

Dann und wann fiel ein Schuss, und nach einer verhältnismäßigen Stille wieder eine Reihe von Schüssen. Der Hofrat und ich standen am Fenster, als es klopfte, wir hatten hinuntergeschaut, sogar mit einem Feldstecher. Er lag am Fensterbrett. Als Frau von Gürtzner-Gontard eintrat, ging ich ihr rasch entgegen und begrüßte sie. Ihre Eltern waren böhmische Adelige, und ihre sehr gute deutsche Aussprache hatte doch jenen unsere Sprache gleichsam leicht ironisierenden slawischen Unterton, den gewiegte Feinschmecker in Sprech-Sachen sogar zu schätzen vermögen. Dem Prager Deutsch eignete diese Klangfarbe am schwächsten – sie besteht auch darin, daß die Vokale breit herauskommen – während sie auf dem Lande und beim Adel am meisten angetroffen wurde.

„Dazu liegt doch gar kein Anlaß vor, Melanie", antwortete ihr jetzt Gürtzner, „seien wir froh, daß unser Kind draußen ist; die jungen Leute waren spätestens um neun Uhr schon in Klosterneuburg. Dort sind sie sicher. Sicherer jedenfalls als hier. Wer weiß, was heute noch geschieht. Ich bin froh, daß unser Mädel das alles nicht zu sehen braucht. Die Neugierde wär' auf keinen Fall zu zügeln gewesen. Gut nur, daß ich ihr noch Geld mitgegeben habe. Wenn der junge Garrique klug ist, und das ist er, dann fährt er mit den Kindern überhaupt erst in die Stadt zurück, bis alles ruhig geworden ist, und übernachtet lieber andernfalls in Klosterneuburg oder sonst wo. Was in Wien los ist, geht doch wie ein Lauffeuer in die Umgebung hinaus. Nein, Melanie, ich mache mir keine Sorgen. Im Gegenteil, ich bin froh, daß Renata nicht hier in der Wohnung ist." (Im Hotel ‚Ambassador' war man zu der gleichen Anschauung gelangt.)

„Eigentlich hast du recht", sagte sie.

Während sie jetzt nickte, sah sie ein wenig schafsartig aus, was die Vornehmheit ihrer Erscheinung merkwürdigerweise unterstrich. Eine gewisse Hypertrophie von Nase und Lippen kann ein Gesicht sehr selbstgewiß und stark, ja, auch elegant aussehen lassen. Man sieht das nicht selten bei Angehörigen alter Familien. Ich wunderte mich über ihre Ruhe und anscheinende Furchtlosigkeit. Kein Getue und Gerede, kein Zusammenschlagen der Hände. Sie besaß Haltung, und keine solche, die nur eine Erziehungsfrucht darstellte. Als die Hofrätin uns verlassen hatte – begreiflicherweise begab sie sich bald und lieber in die nicht an dem Platze liegenden Zimmer zurück, woher sie gekommen war – trat ich an's Fenster und blickte wieder auf die Frau mit den Milchflaschen hinab. Sie lag regungslos mit dem Gesicht nach unten am Gehsteig bei der Parkanlage. Es war eine ältere Frau, wahrscheinlich sogar eine alte, dafür sprach auch ihr Eigensinn, mit welchem sie unbedingt gerade jetzt ihre Milchflaschen nach Hause hatte bringen wollen. Sie war offensichtlich tot. Vielleicht war sie schwerhörig gewesen, hatte das Schießen nicht vernommen und vermeint, hier sei nur irgendein zufälliger Wirbel los, und sie werde schon durchkommen. Ich nahm den Feldstecher und sah sie an. Sie trug derbe Schnürschuhe und schwarze Strümpfe, einen groben Rock, der bis zu den Knien hinaufgerutscht war. Das Kopftuch bedeckte zwar ihr Haar, jedoch zweifelte ich jetzt nicht mehr daran, daß hier eine alte Frau lag, und tot. Sie lag in einer weithin auf dem Pflaster zerronnenen weißen Lache, die glänzte, der Inhalt jener beiden großen Milchflaschen, welche sie in einem Netz getragen hatte: dieses, mit den Scherben, hielt sie noch in der Hand. Ihre Arme waren nach vorne geworfen. Gleich nachdem sie gefallen war (ich hatte es gesehen) – ob nun von einer Pistolen-Kugel der Polizei getroffen oder einem Geschosse ihrer Gegner blieb unerfindlich – liefen jene zwei Liter Milch schnell und strahlenförmig auf dem Pflaster auseinander. Danach aber quoll eine große Menge Blut unter ihr hervor und bald begannen die beiden Materien ineinander zu verfließen. Erst erschienen sie scharf abgesetzt: Rot – Weiß, Milch und Blut. Die Metapher blühenden Lebens und gesunder Jugend war durch einen einzigen Schuss in ihre grob-stoffliche Grundbedeutung zurückgestürzt worden (und jetzt troff die Milch schon in den Rinnstein, zusammen mit dem Blut). Aber jede vom Leben zerschlagene und bis auf den platten Sockel ihrer direkten Grundbedeutung abgeräumte Metapher bedeutet jedesmal in der Tiefe einen Verlust an menschlicher Freiheit – die ja nur dadurch bestehen kann, daß die Fiktionen und Metaphern stärker sind als das nackte Direkte, und so unsere Würde bewahren – ja, es ist jede zusammengebrochene Metapher nichts anderes als die in den Staub getretene Fahne jener Freiheit, diesfalls Rot – Weiß.

Man sage, was man will und meinetwegen, daß ich tüftle und zu viel mit Leuten wie René und Kajetan verkehrt hätte: für mich war es dieser Sturz der Farben, untrennbar ab da verknüpft mit der alten Frau, die dort unten erschossen lag und mit dem Gesicht gegen den Boden, was mich die Schwere und Unwiderruflichkeit des heute, am 15. Juli 1927, Geschehenden drohend empfinden ließ, eine Schwere, die weit hinausfing über diesen Tag, und die mit ihrem spezifischen Gewichte mein eigenes vollends hinter sich ließ. Mein Gefühl war gleichsam schwerer als ich selbst, so möchte ich es sagen, während ich noch immer auf die Tote hinunter sah, die in ihrer Milch lag und zugleich in ihrem Blute, was beides nun schon, ganz durcheinandergelaufen und verschmutzt, in einer langen schmalen Zunge weit weg von ihr im Rinnsteine sich vorgetastet hatte.

Bei immerfort da und dort fallenden Schüssen liefen zwei Angehörige des ,Republikanischen Schutzbundes' herzu, hoben die alte Frau auf und trugen sie fort. Dabei konnte ich als ganz unzweifelhaft feststellen, daß sie tot war. Zurück blieb die Besudelung auf dem leeren Pflaster. Die dicke Stauung vor dem Eingange der Lerchenfelderstraße erkannte ich jetzt erst als besetzte Barrikade. Ihre Errichtung war mir entgangen. Ich hatte nur Augen für die Frau mit den Milchflaschen gehabt. Auch das fortwährende Schreien von Einzelstimmen drang jetzt erst richtig in mein Bewußtsein. Erstaunlich: man hielt auf dem Platze Reden. Von der Barrikade war eben vorhin noch ein Revolverschuss gefallen. Die Polizei hatte ihn nicht erwidert. Jetzt blieb es verhältnismäßig still, und deshalb hörte ich die Redner, oder eigentlich die Rednerinnen vor allem, denn es waren mehr Frauen als Männer. Ihre Stimmen klangen gellend, aber dünn herauf, es hörte sich an wie jene Laute, die jemand ausstößt, der den Schluckauf oder, wie man in Wien sagt, das ,Schnackerl' hat. Die Männerstimmen drangen etwas besser und hallender durch.

Ich richtete den Feldstecher hinab. Es waren drei Frauenzimmer und zwei Mannsbilder, welche auf die dicht und tief gestaute, den Justizpalast umschließende Menge einschrien. Natürlich konnte ich nichts verstehen. (Daß auf solche Weise die ,Massen' späterhin sogar dazu gebracht wurden, die Feuerwehr nicht an das Gebäude heranzulassen, als dieses schon brannte, habe ich erst in der folgenden Woche aus der Zeitung entnommen.) Von den Weibern – die übrigens alle damenhaft angezogen waren und gar nicht ,proletarisch' – erkannte ich die erste, welche ich in's Blickfeld des Glases bekam. Es war die Dichterin Rose Malik. Sie hatte von den ,Massen' einen Abstand von ungefähr zehn Schritten, gebärdete sich ganz wild und warf einmal beide Arme zugleich über den Kopf. Die Malik trug ein klein-getupftes Sommerkleid in Grün und Weiß, aber keinen Hut auf ihrem roten ,Bubikopf', während die beiden anderen Agitatorinnen Hütchen in einer damals eben üblichen Topfform hatten, die eine ein weißes, ich konnte sie gut sehen, es war eine ganz kleine zierliche Person mit tiefschwarzem Haar. Die Mannsbilder kannte ich gleich beide. Der eine paßte hierher wie ein englischer Schiffskapitän in ein ostgalizisches Dorf, oder ein Esoteriker zu einem Rugby-Match. Es war unser sanfter Redakteur Holder, der einstmals Imre von Gyurkicz's Überlegenheit in Dingen der sozusagen rohen Kraft so neidlos anerkannt hatte, auf dem Plenar-Spaziergange der ,Unsrigen'. Somit war die ,Allianz' hier auch nach Standsgebühr vertreten, wie denn anders. Holders machte mir einen armseligen Eindruck. Er war für die übernommene Rolle ganz und gar ungeeignet und konnte sie nur spielen, indem er sich selbst aus seinem literarischen Blumentopf herausgerissen hatte, und jetzt daneben stand und quäkte. Manchmal versuchte er große Gebärden zu machen. Sie waren eckig und verlegen und mit jenen der Malik nicht zu vergleichen, obwohl's da mit dem Echtheitsgrad auch nicht weit her war.

Der andere Mann war Gyurkicz. Dieser hielt sich weit besser als Holder, seine Stimme trug auch gut, während man von Holder wirklich nur dann und wann ein Quäken hören konnte. Ich vermeinte, zu fühlen, daß Imre am stärksten auf die angesprochene Menschenmenge wirkte, die meisten Rufe der Zustimmung wurden durchaus ihm zuteil. Er, als einziger, stand nicht auf dem Pflaster, sondern hatte einen erhöhten Punkt gewählt: den Deckel einer großen grau gestrichenen Kiste, die vielleicht Sand zum Bestreuen der Gehsteige im Winter enthielt, oder Kies für die Parkwege, oder Werkzeuge zum Pflegen derselben ... wie immer, Gyurkicz stand dort oben und redete, und ganz offenbar mit Erfolg. Die Kiste befand sich knapp am Rande des Trottoirs, noch innerhalb des Parks und seiner kaum fußhohen Einfriedung. Mir war evident, mit welchen Mitteln Gyurkicz hier wirkte: mit den plattesten und seichtesten (ich war durch Sekunden geradezu erfreut darüber, daß ich auf keinen Fall verstehen konnte, was er sagte, ich fühlte mich vor diesen Plattitüden gleichsam sicher, hier heroben am Fenster), mit solchen Mitteln also, welche seiner eigenen Natur ebenso entsprachen, wie der seiner Zuhörer. Ein alter Plakatierer, Reklame-Zeichner, Propagandist, der sozusagen seine ‚Pappenheimer‘ kannte, weil er selbst einer war. Auch Imre spielte. Ich wußte es mit voller Sicherheit. Er verwendete, was ihm bisher von ‚revolutionären Reden‘ zu Ohren und Augen gekommen war, er verwendete das als fertige glatte Versatz-Stücke, die keine Aufrauhungen eigenen Erlebens weisen und deshalb leicht weiterzugeben waren und in den Umlauf glitten.

Die Malik war eine galizianische Megäre.

Holder's Frechheit war künstlich, er hatte sich zu ihr erst ermannen müssen.

Die Frechheit Gyurkicz's aber war echt und naiv, und deshalb auch am meisten wirksam.

In das Keifen, Quäken und Schreien der Redner hinein fielen wieder Schüsse, einer, und dann zehn oder zwölf als Antwort; es war von hier nicht auszumachen, wer da schoss und wem es eigentlich vermeint war (den ersten Schuss des Tages soll ein gewisser Fittala abgegeben haben, von Beruf Redaktionsdiener, diese Ansicht setzte sich aber erst viel später fest). Es war vom Fenster aus, trotz des erhöhten Standpunktes – die Wohnung der Gürtzner-Gontards befand sich im obersten Stockwerk –

keineswegs möglich, die Situation zu überblicken. Die Hauptfront des Justizpalastes lag von uns abgekehrt, seine Schmalseite verlegte das Blickfeld (sonst hätte ich zum Beispiel späterhin die im Tumult steckengebliebene Feuerwehr sehen können). Ebenso deckten die Bäume des Parks einen Teil der Aussicht. Als die Schüsse fielen, waren die Redner verschwunden. Ich kann nicht sagen, daß ich gesehen habe, wie sie davonliefen, wie sie in die Menge zurückwichen; ich kann (wie eben in allem und jedem hier) nur meine sehr subjektiven Eindrücke wiedergeben: diesfalls, daß ich niemals im Leben, nicht im Krieg und nicht im Frieden, jemand so blitzartig von der Stelle verschwinden gesehen habe, wie alle, die eben noch geschrien hatten, Holder, die Malik und die beiden anderen Frauenzimmer.

Bis auf einen allerdings, und der war Gyurkicz.

Er blieb auf seiner Kiste oben stehen und wandte sich langsam in die Richtung, aus welcher geschossen worden war; dabei schob er die Hände in die Hosentaschen. So stand Gyurkicz auf seinem Postament. Ich betrachtete ihn durch den Feldstecher und sah, daß er wohlgekleidet war, wie immer, diesmal mehr sportlich, und den leichten hellen Sommerhut genau in der Mitte aufgesetzt trug, korrekt und ohne Neigung nach links oder rechts. Die Richtung, in welche Imre blickte, war für mich durch die Parkbäume verdeckt. Ich behielt ihn jetzt fest im kreisförmigen Gesichtsfeld des Glases und betrachtete ihn angestrengt, und durch die Vergrößerung des Triaeders wie aus ziemlicher Nähe. Als wieder Schüsse fielen, beugte er sich etwas vor, machte eine ruckartige Bewegung mit dem rechten Arm und im nächsten Augenblick hob er diesen samt der Pistole hoch empor und schoss. Daraufhin wurde hinter ihm, wo man sich deckte, so gut man konnte, ,Bravo!' gebrüllt. Imre schoss neuerlich.

Es war zweifellos die große Pistole aus seinem Zimmer, welche ich ja kannte (eine sogenannte ,Parabellum', wie man sie im ersten Weltkrieg gehabt hatte), also, ganz genau genommen, in erster Linie ein Emblem, ebenso wie der Stahlhelm, der dort hing, oder der Totenschädel des ,Kameraden' (oder des ,hingerichteten Schwerverbrechers', je nachdem), welcher auf der Kommode stand. Ein Emblem, das losging, das plötzlich in den direkten Gebrauch abstürzte. Es erschreckte mich tief. Mir hatte die Frau mit den Milchflaschen sozusagen in ihrem Tode die Augen geöffnet. Ich wußte durch Sekunden vorher bereits, was geschehen werde, es konnte nichts anderes kommen: Metaphern stürzten, Embleme brachen durch ihren doppelten Boden. Es konnte nicht anders kommen, auch für Gyurkicz. Jede konsequent bewanderte innere Oberfläche wird einmal von der Mechanik des Lebens zerschlagen.

Noch schoss er, als es wieder wie flatternd über den Platz knallte und Imre nach rückwärts von der Kiste riß.

Auch bei ihm, wie bei der Alten mit den Milchflaschen, erkannte ich sofort, daß er tot war. Was vom Podeste stürzte, zur linken Hand, also nach meiner Seite hin, war ein Sack, war unbelebt, und blieb auch ohne jede Bewegung liegen, nicht ausgestreckt, sondern etwas geknickt und erhoben durch das niedere Parkgitter, welches den Kopf nicht ganz zu Boden sinken ließ.

Was ihn getötet hatte, war für mich, in diesen hellsichtigen Sekunden, nicht die Kugel, sondern der Starkstrom des Lebens selbst, von Imre zum Kurzschluß gebracht. Es ist unmöglich, eine innere Oberfläche, einen doppelten Boden, durch viele Jahre mit Emblemen zu bestellen und zu schmücken, um dann mit einem von ihnen jenen doppelten Boden zu zerschlagen: der plötzliche Kontakt mit der nackten und direkten, gar nicht irgendwie gemeinten, sondern nur sich selbst bedeutenden Konkretion ist tödlich. Lügen, die eingealtet sind und im Haushalt der Seele ihre notwendige Rolle spielen, können nicht plötzlich durch die Wahrheit ersetzt werden. Jede zweite Wirklichkeit, von der ersten schlagartig verdrängt, führt nicht in diese, sondern in den Tod.

Hier aber war doch zugleich aus lauter Pose – die ja nichts anderes ist als vorausgeworfene oder vorweggenommene Haltung – eine wirkliche geworden. Ich war ganz bei ihm, ja, wie in ihm drinnen. Er fiel, wahrhaftig, als wär's ein Stück von mir: es waren diese Sekunden das eigentliche Resultat meiner Chronisterei. Was ich jetzt gesehen hatte und noch sah, war die ganze, und war eine gute, ja, eine erhabene Frucht von Imre's Leben, mochte er sie auch erst mit dem Tode zugleich geerntet haben: es war die Wiederherstellung seiner Ehre, die Behebung seines tiefsten und innerlichsten Schadens, die Austilgung seiner geheimsten Schmach. Der hier lag, hatte sich mit Recht einen Herrn Imre Gyurkicz von Faddy und Hátfaludy genannt.

Es bedeutete nicht nur ungefähr, sondern ganz genau dem Range nach das gleiche, wie wenn es etwa Quapp gelungen wäre

– was ihr nie gelang – den Krampf ihres Tremas aufzulösen, diese schwärzeste, tiefinnerliche, erniedrigende Schmach zu vernichten. Auch das dachte ich damals, auch das wirbelten die blitzschnellen Gedanken tief in ihren dahinschießenden Bach hinein: während mir hier vorgeführt wurde, wie rasch und reißend die Mechanik des Lebens jede Biographie jederzeit zu schließen vermag, so daß dabei ihr Zentrum gleichsam ausgeworfen wird, zutag springt wie ein runder Haselnußkern aus der zersprengten Schale, und nun für einen Augenblick glatt und glänzend ruhig zutage liegt. Nur für einen Augenblick. Denn ich gestehe, daß schon der nächste eine Gegenbewegung in mir brachte: die wahre Frucht meiner Chronisterei ist doch Friederike! – so dacht' ich. Heute, wo alles, und in jedem Sinne, vorbei ist, weiß ich's anders: daß ich jenen, der nun dort unten tot auf dem Rücken lag und vielleicht sein Emblem noch mit der Faust umklammerte – ganz deutlich konnt' ich das nicht sehen – derart verstand und von ihm wußte, und sogar das Ehrenvolle seines armen Sterbens begriff, und, wahrscheinlich als einziger von allen, die je um ihn gewesen, jetzt bei ihm war: dazu nur, und zu keinem anderen Ende, hatt' ich meine Schreibereien begonnen und aus ihnen gelernt, war ich mit ihnen gescheitert. Primum scribere, deinde vivere.

Ich wandte mich um. Auch der Hofrat sah hinaus, sah ernst auf den Toten hinab. „Dieser war ein Freund von mir", sagte ich (nun durft' ich es wirklich sagen!) und legte den Feldstecher auf das Fensterbrett. „Oremus", antwortete er, fügte die ersten zwei Versikel des De Profundis unmittelbar nach und ich fiel bei der dritten ein (‚si iniquitates observaveris, Domine: Domine, quis sustinebit?'). Es war auf dem Platze unten nach den letzten Schüssen stiller geworden. Nicht lange, nachdem wir geendet hatten, begann das Mittagsläuten. Ich verwunderte mich tief über die paradoxe Kälte, welche, unter den gegebenen Umständen, von diesem Malzeichen täglicher Ordnung jetzt ausging.

Kaum zehn Minuten, nachdem der Generaldirektor Küffer Mary's Kinder mit sich nach Döbling genommen hatte – also nicht lange nach elf Uhr – erschien Grete Siebenschein und teilte mit, daß sie den ganzen Tag über Mary zur Verfügung stehen könne, bis fünf, denn nach dieser Zeit würde René, der im Hotel Krantz-Ambassador mit dem amerikanischen Professor arbeite, zurückkehren; was natürlich kein Hindernis für sie, Grete, sein könne, späterhin noch einmal zu Mary heraufzusehen.

„Aber du erwartest dann wohl auch Besuch", fügte sie zärtlich hinzu.

Sie wußte alles. Mary war ihr gegenüber frei und offen. Auch Trix wußte alles, jedoch ohne daß ihr jemals ein Wörtchen gesagt worden wäre. Sie war das äußerste Gegenteil von habitueller Unwissenheit.

Grete sagte auch, daß sie mit Mary essen wolle, und freute sich jetzt schon darauf, die Mahlzeit komplett unten in der Wohnung ihrer Eltern fertigzustellen und dann hier heroben zu servieren.

„Heute darf ich dich bedienen", sagte sie.

Beim Kaffee nach Tische waren die beiden Frauen sehr glücklich: sie durften nach Herzenslust von dem reden, was ihnen am Herzen lag. Die Außenwelt brachte nichts herbei. Von der Familie Siebenschein war niemand ausgegangen. Es kam auch niemand. Auch zu Doktor Ferry nicht. Die einzige Neuigkeit hatte Küffer gebracht. Mary und Grete sprachen kaum darüber.

Frau K. war von der Art, wie Stangeler sie seinerzeit um Verzeihung gebeten hatte, schlechthin entzückt gewesen; dann hatte sie noch von den beruflichen Erfolgen vernommen (wie denn nicht!) und von seinem immer erfreulicher sich verändernden Verhalten gegenüber Grete. Mehr brauchte es nicht. René war bei ihr rehabilitiert. Frau Mary war zu gescheit, um ihr Urteil über den jungen Stangeler verhärten zu lassen. Zudem, seit sie Schlaggenberg kennengelernt hatte, sah sie in diesen ganzen Sachen anders und erkannte dabei, daß jemandem ein Bild vorausgetragen werden könne, welches von der Wirklichkeit einer Person völlig unabhängig existiert, von anderen entworfen und propagiert ist, und von der Realität durch eine so tiefe Kluft getrennt, daß es durch diese zum Unsinn nur werden kann für jemand, der sich mindestens in gleicher Distanz von einer solchen Darstellung und ihrem Objekte befindet.

„Wir werden warten", sagte Grete, „es ist der Hauptberuf der Frau."

Man hörte diese Sentenz nicht zum ersten Male von ihr. Jedoch, trotz der Länge der durchwarteten Zeit, hat sie es, unseres Erachtens, darin zu keinerlei Meisterschaft gebracht, also

– nach ihrer eigenen Theorie – den Beruf gründlich verfehlt. Denn kein wirklich Wartender piesackt das Erwartete herbei. Er verhält sich vielmehr passiv. Das liegt im Begriffe des Wartens. Nach fünf Uhr ging sie, höchst diskret, und küßte Mary.

Das eine von den beiden Fenstern des Zimmers, darin Professor Bullog und René Stangeler über Herrn Ruodlieb von der Vläntsch's schriftbedeckten Blättern saßen, stand zur Hälfte offen. Beide Herren rauchten, der Professor eine Pfeife, die so aussah, wie er selbst aussah und hieß, kurz und gedrungen. Sie nahmen mehrere Teile des Textes im Original durch. René half da und dort über paläographische Haken und Häkchen hinweg. Einmal trat er an's Fenster und sah aus dieser Höhe des dritten Stockwerks in die Kärntnerstraße hinab und dann, sich vorbeugend, bis hinaus zur Ringstraße und zur Oper. Kerzengrad zog sich die Schlucht der Straße mit ihrem Boden von Asphalt unter dem wolkenlosen Blau des Himmels hin, bei geringerem Verkehre als sonst um diese Zeit. René gedachte plötzlich, im Anblicke dieser geraden teilenden Zeile, der Burg Neudegg, des linsenförmigen Gelasses unter dem Turme, und jener merkwürdigen gesteigerten Anteilnahme für Herzka, die er dort gefühlt hatte, ja geradezu eine Ein-Sicht war es gewesen in den anderen Menschen, in seine dichte Eingeschlossenheit: während die scharfe gerade Grenze zwischen jener und einer hohen Freiheit, welche René dort unten genossen hatte, wie mitten durch ihn selbst gelaufen war als ein schmerzhaftes Intervall; und er gedachte jetzt auch des Herrn Achaz, der dies nicht nur gefühlt, sondern sogar ausgesprochen hatte, dem Ruodlieb gegenüber, auf der ‚Letze', dem Wehrgang über der Zugbrücke, nach Abreiten des Landsverwesers und seiner Stände: ‚Undt mir ist, als wuerdt ich aus zweien halbeten mannern wyder ein ainiger gantzer; undt war von den halbeten der ain von holtz'. René hörte Schüsse jetzt, fern, schwach, wie das Geräusch von Klatschrosen nur, jedoch deutlich. Bullog schien nichts zu bemerken. Schwankte nicht ständig diese Holzgrenze, vor und zurück, das Leben ertötend, wenn sie voran drang, daß es sich glattgeschliffen schloß, dem Aug' und dem Geist nicht eine einzige jener kleinen Rauheiten mehr bietend, die als Reizmittel so notwendig sind, und ohne welche man wie in fugenlos betonierten Kanälen dahingehen würde, einzig und allein dies eine wissend: was man nun zu tun habe, was nun das nächste sei; während Außen und Innen gegeneinander her starrten, getrennt durch jenes furcht- erregende Intervall, das sofort klafft, wenn sie einander nicht übergreifen?

Ihm schien, er wisse jetzt, was Wirklichkeit sei: und daß ihr Grad ständig schwanken müsse, der Grad von Deckung zwischen Innen und Außen. Hatte er nicht heute am Morgen solche Schwankung erlebt, im Heraufgehen durch die Wollzeile, da alles Öde sich aufrauhte, körniger wurde, sich belebte? Alle, die den starren Beton ihrer Ordnung erstreckt sehen wollten bis in's Unendliche der Zukunft: nichts anderes wollten und taten sie, als das fortwährende zarte Schwanken der Wirklichkeit an- zuhalten: und im selben Augenblicke stand auch schon eine zweite Wirklichkeit da: es war jene starre und eingeschlossene des Herzka und des Achaz, und aller jener auch, die genau wis- sen, was und wie es sein soll, und auf wen man zu schießen hat, und warum. Von daher kam auch das ferne leise Klatschen, der letzte ersterbende Hall der Schüsse, die man über so viele Dächer herüber noch hören konnte.

Fast sinnlos schien es René jetzt, Lesarten zu prüfen, wenn man nicht annehmen und in sich aufnehmen wollte, was in Wahrheit, und über alle erforderlichen Forschungs-Einzelheiten hinaus, sich aus dem Manuskripte anbot, das dort auf der Schreib- tischplatte vor dem Professor und unter dessen Brillengläsern lag. Durch Augenblicke wünschte Stangeler heftig, die gemein- same Arbeit mit Bullog hinter sich zu haben und davongehen zu können. Dem Doktor Williams gegenüber hatte er noch ver- sucht zu sagen, was er wußte. Hier aber war er nicht einmal ver- mögend zu einem bloßen Versuche; warum, blieb unbegreiflich. Zum Schreibtisch zurück sich wendend, fühlte er, beim letzten Blick hinab in die Straßenschlucht und auf die unregelmäßig wechselnden altmodischen Verzierungen der Häuserfronten – sie sahen aus wie schmutzig gewordene Konditor-Waren – das Ge- heimnis dieser Zeit hinter den verschlossenen Lippen im Munde liegen wie eine reife Beere, die er doch nicht zerbiß.

Die Umkleidekabine, in welcher die Frau Generalkonsul Fraunholzer, geborene Küffer – trotz ihrer pastosen Erscheinung

im Familienkreise immer noch ‚Mädi‘ genannt – ihr Schwimmtrikot von unten nach oben überstreifte, war weiß lackiert, wesentlich größer als derartige Gelegenheits-Gelasse sonst zu sein
pflegen, mit vieler Bequemlichkeit – einschließlich eines großen
Wandspiegels – versehen, und unerträglich heiß, obwohl man
die Reihe dieser Kämmerchen abseits des großen Schwimmbassins unter schattenspendenden alten Bäumen hatte errichten
lassen. Aber der 15. Juli 1927 erreichte Temperaturen bis zu
26½ Grad Celsius; für Wiener klimatische Verhältnisse zwar
weitaus noch nicht die höchsten; jedoch der Frau Lea trieb es
in dem abgeschlossenen Kammerl schon den Schweiß hervor,
als sie in das gelbe Trikot gestiegen war und noch in gebückter
Stellung verharrte, um es heraufzuziehen.

Es gibt Fälle – und sie sind in den letzten Jahrzehnten immer
häufiger geworden – wo das Bewußtsein einer unmodischen Erscheinung das Schamgefühl der Frauen enorm verstärkt.

So war es bei dieser fast orientalisch zu nennenden Schönheit
hier, die mit ihren zweiundvierzig Jahren unter der dichten
schwarzen Haarkrone kernig prangte, und so gar nicht im Sinne
der Modeschöpfer von 1927. Sie stieg in ein goldgelbes Röckchen, das über dem Trikot bis an die Knie herabfiel (dergleichen
konnte man damals bei reiferen Frauen noch sehen) und an der
Taille mit einem weißen, schmalen Gürtel abschloß. Trotzdem
sich auf diese Weise reiche Gaben der Natur – nur eben nicht
zeitgemäße – unter den breiten und lockeren Quetschfalten etwas
verloren, zögerte Frau Lea mit ihrem Heraustritte. Gegen die
weiß lackierte Tür schlugen Gelächter und Geschrei, laufende
Tritte bloßer Füße, die etwas klatschten, heftiges Aufrauschen
des Wassers vom Bassin herüber, und jetzt der dumpfe Plantsch
von einem Sprung, fast das gleiche Geräusch wie beim Entkorken einer Flasche, nur vielmals vergrößert.

Sie kreuzte die Arme vor der hohen Brust und stand durch
ein paar Augenblicke mit gesenktem Kopf innen an der Türe.
Eine kurze Welle von Vorstellungen schwappte durch diesen
Kopf, für uns eine Probe der außerordentlichen Dezenz ihres
inneren Lebens: die Wiederherstellung ihrer Ehe durch Etelka
Stangelers, der Konsulin Grauermann, tragischen Untergang
vor zwei Jahren, das Glück, dessen sie seither mit ihrem Gatten
Robert genoß, den die Tote durch mehr als ein halbes Jahrzehnt
ihr entfremdet hatte, das jetzt gemeinsame Leben in Belgrad

unten in der Kralja Milana. . . . Sie war hier auf Besuch bei den Eltern. Wie jung war ihr Vater noch immer! Ein neues großes Schwimmbassin mußte sein hier im Park, für die jungen Menschen, ein Sportfest zur Eröffnung. Sie hatte beim Springen und Schwimmen zugesehen und sich erst jetzt entkleidet; es ließ sich nicht mehr umgehen, alle waren im Wasser, auch der Papa.

Es sei hier angemerkt, daß die Runden im Brustschwimmen für Damen von der fetten Lily Catona unter allgemeinem Hallo überlegen waren gewonnen worden, welcher der Generaldirektor Küffer bei ungeheurer Akklamation den Preis überreicht hatte, den wahrhaft noblen: eine silberne Garnitur für den Toilettentisch.

Lea trat heraus.

Das Geschrei und Gelächter an dem großen Bassin war ungeheuerlich.

Darüber hinaus sah man in's offene Grünblau der Hügel donau-aufwärts.

Sie fühlte sich, nach der Hitze in der Kabine, etwas kühler, trotz der prallen Sonne. Von jedem Umkleidehäuschen führte ein Pfad aus glatten Steinplatten, die in den kurzgehaltenen Rasen gelegt waren, zu der Betonfläche am Rande des Wassers. Gerade neben der Einmündung des Wegleins, das Lea nun zu gehen hatte, stand Hubert K. Er war braun und schlank wie ein Strich; ein Knabe mehr denn ein Jüngling. Der Oberkörper war schwach entwickelt. Er hatte die Arme über der Brust gekreuzt und sah, ohne die geringste Bewegung zu machen oder zu lächeln, oder mit der auf dem Steinpfade Herankommenden, man möchte sagen, irgendeinen menschlichen Kontakt zu nehmen, auf Lea. Er betrachtete sie. Sein Blick wanderte an ihrem Körper langsam herab. Ihr wurde plötzlich bewußt, daß vordem, als sie noch bekleidet gewesen, während der Wettkämpfe, an welchen Hubert nicht teilgenommen hatte, er immer neben ihr gestanden war; auch wenn sie um das Bassin spazierte und von einem anderen Punkte dem Springen und Schwimmen zusah oder in die Ferne hinaus schaute, hatte er sich sehr bald wieder neben ihr befunden. Jetzt blickte er auf ihre Schultern, die ganz weiß waren, ebenso wie die Arme, sodann auf die Hüften, endlich auf ihre bloßen Knie und Beine. Was Hubert hier fertig brachte, wäre einem anders gearteten jungen Manne außerordentlich schwer gefallen, ja, unmöglich gewesen: er blieb vollkommen außerhalb der Situation, die also zwischen ihm und Lea Fraunholzer gar keine gemeinsame werden konnte, er schien keinerlei Bedürfnis oder Nötigung zu empfinden, eine Verbindung herzustellen; und dadurch machte er die teilweise unbekleidete Frau auf dem Steinpfade zu einem reinen Objekt. Daß er dies aushielt, war und blieb ungeheuerlich. Lea hielt es nicht aus. Sie kreuzte die Arme wieder vor dem Busen, so wie eben drinnen in der Kabine, hinter der Türe. In diesem Augenblick kam Fella Storch vorbei, stangendünn, insektenzart. Hubert wandte den Blick ruhig von der Frau Generalkonsul ab, nahm Fella unter dem Arm und schlenderte mit ihr zum Bassin. Dort warf er sie unversehens von rückwärts in's Wasser und sprang dann selbst hinein.

Trix, welche den Vorgang beim Badehäuschen beobachtet hatte, fühlte sich damit um eine Hoffnung ärmer geworden. Im geheimsten sogar um zwei. Denn nun war ihr Fella wie zum zweiten Male verloren, da sich ja deren tieferes Einvernehmen mit dem Bruder trotz allem neuerlich zu erweisen schien. Trix hatte allerdings bemerkt, mit welchen gierigen Augen die Generalkonsulin von Hubert verschlungen worden war, bei ihrem ersten und noch bekleideten Auftritte. Gefiel sie ihm jetzt nicht mehr? Doch zu dick? Aber mußte er sie deshalb gleich derart behandeln?

Mit Recht hätte Hubert entgegnet, daß er sie ja gar nicht behandelt habe, in keiner Weise.

Und er hätte sagen können „ich hab' ihr ja nichts getan" – ebenso wie damals, als er die auf ihn wartende Fella zur Belustigung aller Anwesenden in Nußdorf auf dem Platz vor dem Café hatte herumspazieren lassen.

Obendrein mißverstand die gute Trix ihren Bruder ganz und gar. Es ging ihm schon gar sehr um Lea Fraunholzer. Eben darum wandte er indirekte Methoden an.

Der Prinz Croix allerdings hätte nie geleugnet, Hubert sozusagen im Vorübergehen absichtlich mißhandelt zu haben, wenn überhaupt für ihn jemals ein Anlaß hätte gegeben sein können, den stummen Auftritt vor dem Haustore am Althanplatz nach jener Gesellschaft bei Mary noch zu streifen. An eben jenen Vorfall aber hatten sich Trixens Hoffnungen geknüpft, geheime, wenn auch nicht geheimste; Hoffnungen also, die Trix sich selbst eingestand, durchaus wohlwollende, also reputable Hoffnungen: solche nämlich in bezug auf den Bruder, und für den Bruder.

Daß dieser, so hatte sie gehofft, nun genug haben würde, nach der Abfuhr durch Croix (die ihr als eine ganz schreckliche erschienen war).

Daß Hubert nun endlich von einer gewissen Art seines Verhaltens lassen würde.

Daß er sich ändern würde.

Man sieht hier, wie der junge Mensch von einer der härtesten Tatsachen des Lebens noch gar nicht durchdrungen zu werden vermag: von der absoluten Konstanz der Charaktere. Unter den Erwachsenen zeigen nur die Pädagogen diesen infantilen Zug, der sie an die Möglichkeiten von Erziehung durch andere glauben macht. Solchen Typen fehlt allerdings eine geistige Pubertät. Dafür nehmen sie die körperliche bei ihren untauglichen Erziehungsobjekten um so ernster und wichtiger und erforschen sie mit den Methoden der Psychologie.

Trix wandte sich vom Lärme des Bassins ab und ging auf dem kurzen Rasen unter den hohen Bäumen.

Sie schritt tiefer in den Park hinein, weißhäutig und rothaarig, auf ihren bloßen Füßen im weichen Grase, in ihrem blauen Trikot, und mit ihrem kleinen Kinderbauch, der ein wenig vorsprang. Sie wußte alles (und doch nicht alles, wie wir eben gesehen haben, noch fehlten fundamentale Sachen, die erst viel später eingepaukt zu werden pflegen). Sie wußte unter anderem, wen ihre Mutter heute am Nachmittag erwarten würde. Und sie wußte auch, was ihre Mutter dann unweigerlich erwartete. Niemand würde sie stören. Hier sollte am Abend erst das Fest seine Höhepunkte erreichen; mit Booten und Lampions.

Sie schritt weiter. Es wurde stiller. Es gab hohe Gebüsche. Der Ausblick öffnete sich nach einer anderen Seite, auch in's freie Land, Weinberge im Vordergrund, und ein von der Hitze schon ganz blasser Himmel über den reihen- und scharenweis hinziehenden Stöcken.

Hubert und was ihn betraf stand wie eine Wand vor ihr.

Dahinter erst: was heute nachmittag daheim geschehen würde. Alles abgedämpft. Noch einmal das Sitzen am Strom, mit Leonhard. Sie lutschten Bonbons.

Fella war auch ein Stück Hubert.

Überall harte Wände.

Sie wandte sich zurück in den Parkwald, zwischen die Gebüsche. Hier lief der Kanal hin, mit klarem Wasser, man sah auf den glatten Grund, kaum einen Meter tief. Sie wollte hineinsteigen, plantschen, niederducken, sich kühlen, das Trikot naß machen. Ein starkes Summen wurde hinter der Biegung des betonierten Armes hörbar. Trix trat zurück. Eines von den kleinen Elektro-Booten glitt heran, ein schmuckes, poliertes braunes Fahrzeug. Am Volant saß Hubert und lehnte sich ein wenig nach links und ganz leicht gegen die Frau Generalkonsul, die gradaus vor sich hinsah, starr, mit einem wie verzweifelten Gesichtsausdruck. Fast im selben Augenblick sprang mit lautem Geschrei und Gelächter aus einem Gebüsche, schräg gegenüber jenem, hinter welchem Trix stand, Fella Storch, hüpfte in den Kanal, neben das Boot, legte die Hand auf den Rand und ließ sich mitziehen, die Füße in der Art bewegend, wie man es beim Krawl-Schwimmen macht. Trix wich zurück. Sie floh. Fast wäre sie gelaufen. Sie gelangte wieder an den Rand des Walds, wo sie früher gewesen war, und sah in die grünblaue Ferne. Wie Gewölk stieg der Glockenhall im Ohr. Es war zwölf Uhr mittags.

Der Staub hing in dicken Wolken über den Springenden und Laufenden, und die Gräven stand mitten im Wirbel und sah zu, ohne Düsterkeit zwar, aber auch ganz ohne Vergnügen. Da sie eigentlich nicht wußte, worum es sich jetzt und hier handelte, ging das Ganze sie nichts an. Irgendwelche Instinkte kamen bei ihr nicht in Bewegung. Es muß also doch nicht gar weit damit her gewesen sein bei unserer Anny. Nur der schneidig kletternde Meisgeier hatte vermocht, sie in Wallung zu bringen; dieser blöde Wirbel hier dagegen vermochte es nicht.

Die Situation, über welche der Anny Wissen und Überblick fehlten, war dadurch kritisch geworden, daß die Polizei sich hatte aus der Stadiongasse zurückziehen müssen – sie läuft bei der einen Schmalseite des Parlamentes vom Ring weg – wo am Tage vorher noch Straßenarbeiten im Gange gewesen waren, und also das Material umherlag. Die Straße war aufgerissen, es gab auch Steine genug. Aus diesem Grunde hatte man, so lang man's vermochte, die Stadiongasse abgeriegelt.

Nun flogen die kleineren Steine in dichtem Hagel und unter Geschrei, Pfeifen und Johlen der Polizei nach, aus den größeren hingegen sowie aus Holzteilen – den Abschrankungen der Baustelle vor allem – errichtete man Barrikaden, um den Polizei-Autos die Durchfahrt unmöglich zu machen.

Von jenem Trupp, der nach elf Uhr die Praterstraße verlassen hatte, war nicht viel beisammen geblieben: alle zerstreuten sich alsbald hochinteressiert nach den verschiedensten Richtungen. Der Vater Rottauscher zum Beispiel mischte sich sogleich unter das Volk, und zwar dort, wo das Gedränge am dichtesten war. Ihm gelang an diesem Tage, seiner Statistik nach, die Ausführung von siebenundzwanzig Taschendiebstählen, darunter zwei an Wachebeamten. Dem Schüler Zurek fehlte solcher Berufs-Stoizismus, der immer ein gewisses l'art pour l'art zur Voraussetzung hat. Und hierin erkennen wir seine entscheidende Schwäche, nicht so sehr in jenem Mangel an Sicherheit, an vertrauenerweckendem Auftreten und an biederer Art, in welchen Qualitäten der Zurek, anläßlich eines längeren Gespräches mit dem Doktor Döblinger (!), eben den uneinholbaren Vorsprung der älteren Generation hatte erblicken wollen, der man wohl im Technischen nachzulernen und nachzukommen vermöge, nicht aber in den entscheidenden Tugenden der Persönlichkeit. . . . Nein, nein. Nicht auf ein vorteilhaftes Auftreten kommt es vor allem an, nie, und auch hier nicht: sondern auf die wirkliche Liebe zum Beruf, und die aus ihr erfließende unerschütterliche Haltung, wie sie ja der Vater Rottauscher vor allem bewies, und das im dichtesten Tumult, wo er väterlich den Leuten die Taschen leerte, ohne sich in subalterner und direkter Weise darum zu kümmern, was dieser ganze Wirbel überhaupt bedeuten wollte. Der Zurek aber fiel gerade darauf herein. Er beteiligte sich an sozialen Auseinandersetzungen, indem er unaufhörlich Steine auf die zurückgehenden Polizisten warf, um so mehr, als diese zur Zeit noch nicht mit Karabinern bewaffnet waren und von ihren Pistolen, vielleicht aus beginnendem Mangel an Munition, einen verhältnismäßig sparsamen Gebrauch machten. Hinter dem in ganz standeswidriger Weise schreienden Zurek (dessen Beruf ja eigentlich ein lautloser war) stand die besoffene Grammel, schrie gleichfalls, und erzeugte zum Überflusse und Überdrusse immer wieder lange Pfiffe auf einer Trillerpfeife, die sie von irgendwoher hatte, vielleicht von einem der verwundeten und sodann verprügelten Polizisten. Man muß sagen, daß die beiden Griechen weit weniger aus der Rolle und kopfüber in's Politikum fielen. Sie plünderten nur Zivilisten aus, die da oder dort mehr oder weniger schwer verletzt lagen, wobei im dritten oder vierten derartigen Falle der eine von den beiden Hellenen, und zwar jener mit dem längeren Namen, gefaßt wurde, den die Polizei nun ihrerseits prügelte, woran sie unseres Erachtens sehr gut getan hat.

Der Gräven aber wurde es plötzlich zu dumm. Sie versetzte der unerträglich trillernden Grammel einen kräftigen Fußtritt in den fetten Hintern (wenn man will, mag man darin eine Instinkthandlung erblicken) und ging davon, bevor jene noch dazu gelangte, sich ganz auszuschimpfen. Es zeigte sich jetzt, daß man diese Hölle hier sehr wohl verlassen konnte, wenn man das wollte, und vor allem, wenn man wirklich unbeteiligt war. Die Anny kam durch den Rathauspark – obwohl sich in einem Teile desselben die Polizei mit vereinzelten Demonstranten herumschoss – und auch an der Universität vorbei. Auf dieser Strecke lief sie manchmal. Am Ring, gegen den Kai zu, latschte sie bereits wurstig dahin. Es war heiß. Unter dem blauen Himmel herrschte im ganzen Leere; erst recht am Kai und in der Praterstraße. Sie wunderte sich jetzt, wie sie mir nichts dir nichts da hineingeraten, und wie leicht sie wieder heraus gelangt war: mit einem gleichsam verabschiedenden Fußtritte. Jetzt fiel ihr ein, daß sie daheim noch zu trinken hatte, Wein und Schnaps. Nur heim. Nichts zu tun haben mit alledem, schon gar nicht mit der Polizei. Ihr Zimmer. Trinken und Zigarettenrauchen. Als sie endlich eintrat – sie war nicht durch die Schank gegangen, sondern durch das Haustor in der Franzensbrückenstraße, um nicht neuigkeitsgierig gefragt zu werden, um nichts erzählen zu müssen, Anny war jetzt viel zu faul zum Erzählen – als sie eintrat, empfand sie wirklich so etwas wie Glück. Sie schob die Vorhänge vor, zog sich ganz aus, warf auch das Hemdchen ab, sie wollte den schrecklichen Staub wegwaschen. Nein, nein, das alles war nichts für sie. Wo kam sie da hin! Erst trinken. Der Wein gluckerte in's Glas. Sie zog den Zigarettenrauch ein, stand bei dem Tischlein am Bett und ließ den kleinen Wurstel zappeln, der noch immer da lag. Sie lachte.

Den Vormittag verbrachte Quapp in der gleichen Stille und Abgeschlossenheit wie den Morgen, immer begleitet von der Empfindung einer hier so intensiv noch nie erlebten Lautlosigkeit. Es ist merkwürdig, daß sie teils für ein bloßes Gefühl und einen Zustand ihrer selbst hielt, was später sich als richtige Wahrnehmung erweisen sollte, teils es auf die Leere der Wohnung zurückführte. Diese Stunden von neun bis gegen zwölf Uhr waren von außerordentlicher Entbundenheit, entbunden auch von jedem Vorsatze oder irgend einer hinausgeschobenen Pflicht. Sie las mit Genuß in einem der Romane ihres Bruders, und vermeinte dabei dieses Buch jetzt erst richtig kennen zu lernen. Im ganzen aber kehrte Quapp während des Lesens – unter der Lese-Decke geht im Menschen verschiedenerlei vor, was mit dem jeweils benützten Buche nicht das mindeste gemein hat – in einer sehr weiten Schleife zurück in eine Zeit und Aura, die – – ‚vor alledem‘ gewesen war: vor ihrer ersten Anwesenheit in Wien, vor jenem jungen Musiker, vor den ‚Unsrigen‘, vor Gyurkicz, und lange vor der Eroica-Gasse, welch letztere jetzt bereits durchaus erstaunlich und befremdend erschien. Es war die Rückkehr in die Aura eines wohlfundierten und soignierten Elternhauses von einst, und es enthielt diese Rückkehr in bemerkenswerter Weise zugleich den Entschluß – ja, einen sehr starken Schub in dieser Richtung! – eine solche Aura wieder zu betreten, als eine selbstgeschaffene, wofür ab dem nächsten Jahre die Möglichkeit glatterdings gegeben war, und sie nie mehr zu verlassen.

Damit fiel jetzt alles, was seit jenem Verlassen oder Hinaus-Gedrängt-Werden geschehen war, eigentlich schon in die Kategorie des Unsinns und einer Entgleisung.

Sie erinnerte sich plötzlich eines Konfliktes mit der Gesellschafterin ihrer Mutter, einer Engländerin, Miß Rugley. Derartiges würde es dann in ihrem eigenen Hause nicht geben, die Möglichkeit etwa, von irgendwem zurecht gewiesen zu werden. Sie sah jetzt den Gartensaal ihres Elternhauses vor sich, das grüne Licht von den Baumkronen darin, wie moosig und unter Wasser, und auf der schweren alten Anrichte die große Bowle mit den zahllosen grünen Gläsern. Und im gleichen Augenblick empfand sie Géza von Orkay wie ein Tor, das Tor ihres eigenen Hauses – sie erblickte es jetzt, es lag in einer Hügel-Landschaft – und sie erkannte zugleich ganz klar, daß Géza geeignet war, ein solches Haustor zu bilden. Und Quapp dachte das wörtlich, das Wörtchen ‚geeignet‘ nämlich.

Diese Vorstellungen bewegten sie stark, sie ließ das Buch fallen und wandte sich gegen den Balkon.

Jetzt, als sie hinaustrat und wieder in die Rosenstille hinabblickte, sah sie zugleich wie durch ein umgekehrtes Perspektiv in die kleine und ferne Eroica-Gasse tief hinein, ja als höhlte ihr Blick jetzt die grüne Gasse noch tiefer und so, daß diese nicht wie von der Sonne erleuchtet war, wie sie da oder dort zwischen den Baumkronen hineinfallen mochte, sondern aus sich selbst und von innen erglühend. Nur durch den Bruchteil einer Sekunde noch erfühlte Quapp, aus so plötzlich geschenkter Distanz, die Erregungen und das Ringen – wie fremd war ihr schon das Ringen geworden! – ihrer Vor-Biographie, die damit und jetzt wie für immer versank. Der Anhauch, die eingelangte Botschaft hatten ihr einen Schmerz nur hintnach noch gebracht, als Nachhall. Schon war's vorbei.

Alles war vorbei. Noch während sie auf dem Balkon stand und in die Rosen hinabblickte, begann es zwölf Uhr zu läuten von den Kirchtürmen der Umgebung, von der Hietzinger Pfarrkirche, von Penzing herüber, ja, sogar das Glöckchen von Ober-St.-Veit vermochte sie zu hören. Quapp kannte ihre neue Umgebung bereits im einzelnen, von erforschenden Spaziergängen her.

Sie wandte sich alsbald in das Zimmer zurück und traf ihre Vorbereitungen, um in die Stadt zu fahren. Achtzehn Minuten nach zwölf Uhr verließ sie langsam die Wohnung, unter genauer Übung sämtlicher Kontrollen: Gas, Küche, Badezimmer, Strom und Licht, Aschenbecher ... die Hausfrau hatte Quapp in den ersten Tagen oft bei solchem Gehaben beobachtet; und vielleicht war sie gestern um so leichteren Herzens auf's Land gefahren.

Quapp passierte das altmodische Stiegenhaus. Derartige unländliche Treppen, in einem Villen- und Garten-Viertel, nicht weit von einer überhaupt ländlichen Gegend, repräsentieren eine Zeit, die sich auch in der sogenannten Natur und im Grünen stets repräsentierte, mit Krawatten und Manschetten, Zylindern und Volants. Quapp ging bis zur Hietzinger Hauptstraße vor, um dort die Straßenbahn zu nehmen. Die Sommerwärme war schwer; jetzt erst kam sie ganz an Quapp heran, denn bis nun hatten die Kühle der schattenseitigen Wohnung und die zuletzt noch im Badezimmer reichlich aus den Ballons gestäubten duftenden Wässer sie abgehalten. An der Trambahn-Haltestelle stand niemand, also war eben ein Zug davongefahren. Quapp trat in den Schatten, soweit es hier überhaupt einen gab, unter der nächsten aus einem Villengarten den Gehsteig übergreifenden Baumkrone. Aber es war auch hier kaum schattig, der Asphalt dunstete geradezu beängstigend.

Sie stand hier eine Weile. Es ging knapp auf halb ein Uhr. Endlich vollzog sich in ihr der Kontakt zwischen zwei Tatsachen der Erfahrung: daß nämlich in ihrer Wohnung kein elektrischer Strom gewesen war, und daß weder aus der gewünschten Richtung, noch aus der Gegenrichtung ein Straßenbahnzug auftauchte. Darum auch hatte niemand an der Haltestelle gewartet. (Quapp befand sich auch diesmal wieder unter den allerletzten, die etwas erfuhren.) Es gab also eine Störung. Jetzt erklärte sich auch die eindringliche Stille am Vormittag. Das Jaulen der Tramway, die auf der langen und geraden Hietzinger Hauptstraße stets sehr rasch dahin zu fahren pflegte, hatte gefehlt, die ansteigende chromatische Tonleiter, wenn ein Zug in raschere Fahrt kam, und das Klingeln.

Aber Quapp befand sich – und gerade das trat jetzt zutage, bei dieser Gelegenheit – in einer so tief ausgewogenen Verfassung, daß sie aus ihrem Gleichgewichte nicht gebracht werden konnte. Sie verließ die Haltestelle und begann gegen den Hietzinger Platz zu sich gemächlich in Bewegung zu setzen. Mit einem Taxi würde sie eher noch zu früh als zu spät einlangen. Der Gedanke an die Kosten dieser Fahrt flog sie mit nur leichtem Ärger an. Der erste Standplatz, zu dem sie kam, war leer. Sie ging langsam weiter, bestrebt, jede zu heftige Bewegung zu vermeiden, um nicht erhitzt und derangiert zu werden; so sehr war sie also doch auf das Rendezvous mit Géza gesammelt. Nach dreißig Schritten kam ihr um die Biegung beim Park-Hotel ein Taxi langsam entgegengerollt, das offenbar zum Standplatz zurückkehrte. Sie hielt den Wagen auf und sagte zu dem Chauffeur, einem alten mürrischen Mann, der nach rückwärts griff und den Schlag öffnete, „Zum Opernrestaurant". „Operndreher", wiederholte er und brummte etwas vor sich hin, das Quapp, schon im Fond des Wagens sitzend, nicht verstehen konnte; dann

wandte er um, gegen die Stadt zu, und fuhr alsbald sehr schnell
dahin, zunächst an den großen Parkflächen entlang, die es in
dieser Gegend gibt. Das Gefährt war altmodisch und stieß stark,
Quapp ward auf den gepolsterten Sitzen hin und her geworfen.
Es ging die äußere Mariahilferstraße entlang, wo auf der einen
Seite, tiefer als die Straße, ein Markt sich hinzieht, man sieht auf
die Dächer der Buden. Die Gegend des Westbahnhofes blieb
zurück, mit ihrem öden Weithin-Geöffnetsein in diesem sehr
reizlosen Teile der Stadt; und dann die Mariahilferstraße bergab, links und rechts die auseinander tretenden Häuserzeilen mit
einem unaufhörlich wechselnden Grind von Reklamen und Ge-
schäfts-Schildern überzogen. Endlich das letzte Stück, noch stärker abfallend, gegen die innere Stadt zu. Der Wagen bremste
plötzlich scharf. Links und rechts traten mehrere Männer heran,
die so etwas wie grünlich braune Windjacken trugen, wie Quapp
sie vom Skilaufen kannte. Es waren junge Männer und Quapp
faßte als erstes auf, daß sie anständige Gesichter hatten und ernst
dreinsahen. Einer öffnete den Wagenschlag und sagte zu Quapp:
,,Bitte aussteigen, der Wagen wird für Verwundeten-Transport
benötigt." Quapp sah ihn an und klappte mit den Augendeckeln.
Man kann sagen, daß bei diesem harmlosen Auftritte ihre habituelle Unwissenheit einen Glanzpunkt erreichte. ,,Aber zahlen
muß die Dame schon noch", sagte vorn der mürrische Chauffeur. Dies getan, stand Quapp am Rand einer sogenannten Verkehrs-Insel, während die Mitglieder des ‚Republikanischen
Schutzbundes' – einer von ihnen hatte sich neben den Taxi-
Chauffeur geschwungen und war mit ihm davongefahren – bereits einen weiteren Wagen anhielten. Es war eine große elegante
Limousine. ,,Exterritoriales Fahrzeug, königlich ungarische Gesandtschaft", sagte Szilágyi Rajmund in einem schönen, ruhigen
Baß. Géza sprang aus dem Wagen, trat auf den Führer der
Schutzbund-Gruppe zu und sagte ,,Legationsrat Orkay", während er gleichzeitig einen Ausweis hervorzog. Der Schutzbündler sah nicht auf den Ausweis, sondern erblickte jetzt das CD
(Corps diplomatique) an der Nummerntafel des Wagens. Géza
war schon bei Quapp. ,,Ja, Quappchen, Quappchen . . . nur
rasch einsteigen!" ,,Passiert", sagte der Schutzbund-Führer und
bedeutete seinen Leuten, zurückzutreten. ,,Heraus aus der Stadt,
Rajmund!" rief Géza in ungarischer Sprache nach vorn, ,,fahr
die Mariahilferstraße hinauf, und dann fahrst rechts hinein, und

durch die kleinen Gasseln, fahrst Neubau, über'n Gürtel nach Grinzing und am Cobenzl." Szilágyi Rajmund wandte um. Quapp erklärte kurz ihr Mißgeschick. Géza sagte, der Gesandte habe ihn losgeschickt, um zu sehen, was denn eigentlich in der Stadt vorgehe, die Kennzeichnung des Wagens werde ihn schon schützen, und wenn es allzu brenzlich würde, so daß Géza nicht mehr zur Gesandtschaft zurückkehren könne, dann möge er irgendwohin in die Umgebung fahren und warten, bis es in der Stadt ruhiger werde. Auf diese Weise hoffte der Gesandte bis abends einen allgemeinen Lagebericht zu haben. Den hätte er bereits haben können, denn Géza war überall kreuz und quer gefahren. Doch folgte er freilich jetzt mit besonderem Vergnügen der Anweisung seines Chefs, die nähere Umgebung von Wien aufzusuchen. „Möcht nicht grad Einschüsse im Wagen haben", sagte er lachend. „Ja, wird denn geschossen ...?" fragte Quapp mit aufgeklappten Augen. Aber – sie hatte es selbst gehört, nun wußte sie's. Sie hatte es nicht aufgefaßt, sondern gewissermaßen ignoriert. Es war weit weg gewesen, und hinter ihrem Rücken, während des Stehens auf der Verkehrs-Insel: kleine klatschende geschwätzige Laute. Jetzt, hintnach, vollzog sie eigentlich erst diese Sinneswahrnehmung ganz. Géza beugte sich vor. „Bleib' stehen Rajmund", sagte er. „Das gnädige Fräulein will schießen hören". Der Wagen hielt jetzt an der rechten Seite der nahezu leeren Mariahilferstraße. Einige jener hallenden, schwachen, klatschenden, geschwätzigen Geräusche waren jetzt über die hohen Häuser herüber vernehmbar. Es klang wie die Stöpselpistolen kleiner Buben. Quapp sah Géza mit aufgerissenen Augen an. „Warum – was ist geschehen ...?" brachte sie heraus. „Erklär' ich Ihnen später einmal, Quappchen. Ehrensalven für eine Kindesleiche." Ihr Verständnis riß nun ganz und gar ab. Der Wagen hatte indessen die breite Mariahilferstraße verlassen und fuhr, oftmals um Ecken biegend, durch den VII. Bezirk. Quapp bemerkte, daß vor den Haustoren Menschen in kleinen Gruppen standen. Géza saß im Fond des Wagens ganz zu ihr her gewandt, und sie zu ihm. Immerwährend hatte Quapp gegen jede Vernunft das Gefühl, auf der Verkehrs-Insel dort unten am Beginne der Mariahilferstraße ihren Geigenkasten stehen gelassen zu haben. Auch heute fuhr man vor allem davon, aus einer Schwierigkeit hinaus in's Freie. Géza strahlte sichtlich über das Glück dieser Begegnung. Jetzt brausten sie am ‚Gürtel' dahin, nun bergab. Die Kreuzung. Szilágyi verhielt, obwohl hier kaum ein Verkehr herrschte. Man hörte freilich längst kein Schießen mehr. Die Billrothstraße tat sich auf und leitete breit und leer vor ihnen aufwärts, nach Döbling.

Am Nachmittag erschien Meisgeier, eben rechtzeitig, um Didi noch anzutreffen, denn diese war schon fertig angeschirrt (samt geschwollener Handtasche), um in die Innere Stadt zu gehen und zu sehen, was es dort eigentlich gäbe: unter Protest des alten Freud übrigens, der bei so unruhigen Zeiten nicht gern wollte allein gelassen sein und sich noch dazu jetzt in den Laden stellen mußte, statt rückwärts sein Schläfchen zu machen.

„Kommst mit mir", sagte Meisgeier.

Er trug Schaftstiefel und einen leichten Rucksack.

„Wohin gehst?" fragte Didi.

„Wirst schon sehn", antwortete er. „Jetzt stellen wir der Höh an Bam auf." (Was ungefähr so viel bedeutete wie ‚jetzt werden wir die Polizei was anschaun lassen'.)

Warum sie ihm gefolgt war, ohne nur irgendeine weitere Frage zu tun, sollte ihr fünfzig Minuten später schon ganz unbegreiflich erscheinen.

Sie schritten bereits die Alserbachstraße hinunter, dann über den Platz vor dem Bahnhofe und bis zur Brücke; von dieser wandte sich Meisgeier rechts über den Treppen-Abgang. Auf der Lände unten angelangt, ging er voran, ohne sich nach Didi umzusehen, stieg rasch die Böschung hinab und eilte in die mächtig breite und hohe Öffnung hinein, welche vom – zur Zeit ganz trockenen – Überfall- und Regenauslauf der unterirdisch strömenden Als gebildet wird, die jetzt freilich kein Hochwasser führte.

Sie war einst, im Mittelalter, ein helles Flüßchen gewesen, das, von Neuwaldegg herabkommend, hier durch die grüne Gegend und ein freundliches Tal ging, darin nur wenige und dörfliche Häuser standen, jedoch auch ein verhältnismäßig größeres Gebäude, das ein vor den Toren der Stadt gelegenes Spital enthielt, weshalb man den Ort damals ‚Siechen-Als' benannte.

Jetzt und hier aber war es eine ausgedehnte Halle mit Steinboden, in welche Didi hinter dem eiligen Meisgeier eintrat, in's

Dunkel sich erstreckend und wie unter den Bauch der Stadt hinein, von wo eine kalte niederschlagende Luft entgegen hauchte, nicht eigentlich stinkend, wohl aber das äußerste Gegenteil jedes lebendigen und belebenden Dufts. Schon wurde es dunkel. Meisgeier, der zu Anfang und beim Eintritt sich ganz rechts an der Mauer gehalten hatte, um von der Brücke sogleich nicht mehr gesehen werden zu können, ging nun langsamer in der Mitte hallenden Schrittes dahin. Anna Diwald war nachgekommen. Sie folgte dicht hinter ihm. Einmal wandte sie sich um und sah den hellen Ausgang.

Sonst donnert es hier in dieser Halle regelmäßig wiederkehrend dumpf und gewaltig von oben. Es sind die Züge der ‚Stadtbahn' (wie man zu Wien die Hoch- und Untergrundbahn nennt). Sie brausen über ihren querlaufenden Viadukt, der an einer Stelle die Decke bildet. Man kann die schweren Träger von Stahl sehen. Heute war es still.

Meisgeier blieb in der Dunkelheit stehen, warf den Rucksack ab, und bald darauf blitzte die große elektrische Lampe auf, die er um den Leib geschnallt hatte. In ihrem weit vorausfallenden breiten Lichtkegel wurde eine Erhöhung sichtbar, die von rechts rückwärts in den weiten Raum hereinlief und sich nach links schräg und quer durch ihn hinzog. Sie schritten darauf zu. Es war das empor gemauerte Bett der Als mit dem Überfall für hohes Wasser. Eiserne Sprossen leiteten hinauf. Hier macht der unterirdische Fluß ein Knie und strömt dann parallel zum Donaukanal bis zur sogenannten ‚Überfallkammer' unter dem Ende der Ringstraße, wo diese in den Kai mündet.

Meisgeier wandte sich nach links.

Was er dann scharrend heranschleppte, war eine kleine, fast neue Zille, frisch gepicht, ein Boot, das zwei Personen gut zu tragen vermochte.

Jetzt erhob sich in Didi die Möglichkeit zum Protest. Hätte sie bedacht und gewußt, daß es ihre allerletzte war, und daß sie von hier ab sich vollends in des Meisgeiers Krallen befand: sie hätte dieser Möglichkeit wahrscheinlich Raum gegeben und wäre durch die unterirdische Halle wieder zurückgegangen, davon und an's Licht: was ohne weiteres sie vermocht hätte. Meisgeier dürfte die Bedeutsamkeit des Augenblickes besser erkannt haben als die Diwald: wissend, daß diese jetzt vielleicht zurückweichen wolle. So gab er ihr eine kleine Hilfe in der von ihm gewünschten Richtung und sagte: „Heb' an. Bist a schneidigs Madel."

Sie brachten mit außerordentlicher Anstrengung die Zille zum Wasser empor und auf dessen dunkel und eilig strömende Oberfläche, nachdem Meisgeier vorher noch Ring und Kette am eisernen Geländer festgelegt hatte. Über dieses hatten sie das Boot nicht heben müssen. Es gab oberhalb der Sprossen einen Ausstieg zum Wasser, das ja nicht selten in solcher Weise von den geschulten Mannschaften der städtischen Verwaltung mit Zillen befahren wurde. Die Schwierigkeit hier lag wesentlich in der Glätte, ja Glitschigkeit von allem und jedem, oben am Rande nämlich. Ein ganzer Knäul von Geflügeldärmen etwa zeigte sich dort angespült, und noch anderer Unrat aus den in den unterirdischen Fluß mündenden Hauskanälen. Didi mußte noch einmal hinabklettern. Meisgeier reichte ihr aus dem Rucksack ein paar Gummistiefel und Fußfetzen. Mit deren Hilfe saßen die Stiefel halbwegs fest, obwohl sie zu groß waren. Es zeigte sich diese Fußbekleidung später – beim Gehen in den Stollen – als nicht sehr vorteilhaft für die Diwald. Zwar reichten die Stiefel über die Knie und es lief kein Wasser ein. Der Meisgeier aber hatte mit seinen ledernen Sohlen besseren Tritt und Stand.

„Wie hast' das Boot herein'bracht?" fragte sie während des Anlegens der Stiefel.

„Ich hab' mir an Mann aufg'nommen", sagte er, und weiter nichts. Der entscheidende Augenblick kam. Es war nicht leicht. Es war mehr als schwank. Endlich saß die Diwald. Meisgeier hatte ein kurzes Ruder. Den jetzt fast leeren Rucksack warf er nicht in's Boot, sondern nahm ihn wieder auf den Rücken.

Alsbald ward Ring und Kette gelöst, und die Zille glitt sogleich dahin, jedoch weniger schnell, als man beim Blick auf das eilig fließende Wasser im voraus vermeint hätte. Didi sah fast nichts. Sie saß vorn im Boot, mit dem Rücken zur Fahrt, und das grelle Licht der Lampe, welche Meisgeier um den Bauch geschnallt trug, blendete sie. Der Geierschnabel blickte aufmerksam an ihr vorbei in die Fahrtrichtung und bewegte dann und wann das Ruder. Auch Didi wollte nach vorne sehen und wandte sich ein wenig auf ihrer Bank herum. Aber sie sah nichts außer dem eiligen Wasser und fühlte sich wie in einer Röhre, die nicht weiter war als der Lichtkreis; so ging es immer dahin; sie hätte nicht zu sagen vermocht, ob dieser Tunnel hoch und weit oder nieder sei. Ihr Gefühl von Eingeschlossenheit, ja, einer völligen Versetztheit aus ihrem ganzen Leben in eine andere Welt war ein so vollkommenes, daß sie hier zunächst gar keine Beängstigung empfand. Sie befand sich augenblicklich mit keinem kleinsten Teil ihrer Erinnerung mehr in der hellen Oberwelt, so daß ein Intervall in ihr vorhanden gewesen wäre zur jetzigen Lage und ihrem wahren Gesicht, und damit ein Schmerz, eine Angst, eine Sehnsucht zurück, nach oben. Nichts dergleichen. Die Fahrt glitt. Vielleicht war es schon eine halbe Stunde.

In Wirklichkeit ließen sie das Boot nach acht Minuten im ruhigen tiefen Wasser der Überfallkammer zurück. Das Aussteigen war nicht ganz einfach gewesen. Es galt dabei aus dem tiefliegenden Boot auf eine Art kleiner Mole zu gelangen, die höchstens sechzig Zentimeter breit war und zwei Bassins trennte. Auf ihr mußte man sechs bis acht Schritte dahingehen. Meisgeier half bei allem so gut er konnte. Sie nahmen dann beim scharfen Licht der Lampe mehrere glitschige Stufen einer sich wendenden Treppe.

Der Geierschnabel war hier kein habitué, er kannte sich nur sehr obenhin aus; niemals war er ja ein Kanal-Strotter gewesen (man wäre bei ihm schön angekommen mit solch einer Meinung – allerdings hatte er ja auch behauptet, nie als Fassaden-Kletterer gearbeitet zu haben). Unter der Ringstraße ziehen sich, im jetzt für unser Paar in Betracht kommenden Teile, zwei Stollen hin. Der rechte, wenn man in der Richtung zur Universität sich wendet, ist betoniert und hat ein sogenanntes ‚Podest', das heißt, die Strömung läuft in einem eingesenkten Bette dahin, neben welchem ein fortlaufender erhöhter Auftritt sich erstreckt, so daß man trockenen Fußes gehen kann. Dieser Kanal verläßt aber die Ringstraße noch vor der Universität und biegt gegen die Alserstraße ab. Der linke Stollen – als der weitaus ältere – ist mit Ziegeln ausgemauert und hat kein Podest. Wenn man ihm folgen will, muß man im Wasser gehen, das rasch entgegen kommt und bis zu den Knien aufrauscht, während der Fuß auf dem glitschigen Grunde nicht immer den festesten Stand faßt. Dieser alte Ziegelkanal verläßt die Ringstraße erst später und führt direkt unter den Schmerlingplatz. Ihm folgte unser Paar.

Es war eine recht langwierige und gleichmäßige Arbeit, dieses Gehen im fließenden Wasser und gegen die Strömung. Meisgeier empfahl der nachkommenden Diwald, ihre Hände leicht auf seine Schultern zu legen: sie gewann hiedurch das Gefühl eines einigermaßen sicheren Gleichgewichtes. Mit der einen Hand war sie dabei durch den ledernen Henkel ihrer Tasche geschlüpft. So marschierten sie denn im gleichen Schritt und Tritt. Sonst, wenn man in solchen Stollen unter dem brausenden Straßenverkehr geht, und es öffnet sich seitwärts eine jener Nischen, durch welche es möglich ist, über eiserne Sprossen zu einem Kanalgitter empor zu gelangen, wo das Tageslicht einfällt: jedes dahinsausende Kraftfahrzeug wirft einen kurzen Donner, einen Guß von Lärm herab, und unter einer Verkehrsader wie der Ringstraße geht ein solcher Schauer nach dem anderen in ruheloser Folge dort oben dahin. Sehr wenig dergleichen gab es heute, und im letzten Stück dieses Marsches unter der Straße überhaupt nicht mehr. Als sie jedoch im von der Ringstraße bereits abgebogenen Schlauch sich wieder einer Nische näherten, durch die es hereinschimmerte, ging oben drüber ein anderer Braus: der von zahllosen rennenden und trappelnden Schuhen und eine ungeheure und bis zur höchsten Fistel der Weiberstimmen ansteigende Woge des Geschreis, immer das gleiche ,Pfui Pfui!' Und dann trat augenblickliche Stille ein, kam nichts mehr über das Gitter. Ein rhythmisches Klopfen war jetzt wieder zu hören, jetzt schlug's direkt auf's Gitter, nun war's darüber hinweg, und gleich danach ratterte der schwere vielgeteilte Schlag einer Gewehrsalve herunter, gegen die sich von weither wieder brandend die Woge des Geschreis erhob.

Meisgeier war in der Nische bis zu dem Gitter hinaufgestiegen. Didi, gleichfalls aus dem Wasser getreten, stand unter ihm. Schon beim Marsch durch den Stollen hatte sich wieder Protest in ihr erhoben, der nur niedergehalten werden konnte durch ihre zunehmende Spannung, ja, geradezu schon rasende Neugier, die auf einen einzigen Punkt hin sich sammelte: was denn dieser schweigsame Meisgeier unternehmen, was er nun eigentlich der von ihm so ingrimmig gehaßten Polizei antun würde. Einzig und allein um dies zu sehen und zu erleben, stak Didi hier in der Enge – noch immer willig, wenn auch jetzt eine Beängstigung in ihr aufquoll, als stiege das schmutzige Wasser unaufhörlich im engen Schachte. Die Spannung hielt aufrecht; unterhalb ihrer aber wollte die Diwald nichts anderes als nur: heraus. Ja, schon war etwas in ihr bereit zum Ausbruche, etwas vollends Furchtbares und Zerstörendes, eine Art stummes Gebrüll der Verzweiflung, könnte man sagen.

Der Geierschnabel über ihr hängte den Rucksack ab und brachte aus ihm einen Gegenstand hervor, bei dessen Anblicke – während er das Ding noch einmal prüfte – in der Diwald jedes auch nur geringste Erkennen ausblieb, was das nun sei und wozu es dienen mochte: es waren an einer etwa dreiviertel Meter langen dünnen Stahlrute, oder einem sehr elastischen Drahte, schmale aber feste Handgriffe an beiden Enden angebracht. Sie sah, wie Meisgeier den Draht zusammendrückte und derart durch das Gitter schob, daß er knapp unter diesem die Handgriffe hielt. So stand er frei auf der Sprosse, mit hoch erhobenen Armen. Eben vorhin war neuerlich gelaufen und getrappelt worden, im schreienden Braus über das Gitter: nun kam, nach kurzer Stille, wieder der Marschtritt der Wache. Im Augenblick als dieser, bei kleiner Verschattung des durchfallenden Sonnenlichtes, über das Gitter hinweg ging, hing sich der Meisgeier in die Griffe, ließ dann den einen los und zog das Ganze blitzschnell ein: mit der anderen Hand hielt er sich schon fest an der Sprosse. Über ihm geschah Sturz, Gepolter und Gerumpel, ein fallender Polizei-Karabiner klapperte laut. Jedoch folgte bald danach die ratternde und peitschende Salve.

Anna Diwald sah mit ganz nach oben gewendetem Blick und starrem Genick dreimal das beschriebene Manöver. Sie hielt ihre dicke Tasche vor die Brust gepreßt; und eben noch knapp hinter den Lippen hielt sie das bis jetzt stumme Geschrei und Gebrüll ihrer Verzweiflung und Wut. Nun zeigte ihr die Lage das wahre Gesicht: mit einem kindischen Geisteskranken zusammen eingemauert in diesen Schacht, ohne jede Möglichkeit eines Rückweges und einer Flucht durch die rauschende Finsternis hinter ihr, ohne Licht, ohne Kenntnis eines Ausganges. Wie eine Spinne klebte das Scheusal oben an der Sprosse. Der Atem ging ihr aus, nun kriegte sie die Brust wieder voll, nun war's zu Ende, nun hätte sie gellend geschrien: in diesem Augenblick aber geschah wieder eine Verschattung von oben, und ein furchtbarer Schlag erfolgte, der die ganze untere Welt mit seinem Hall zu zersprengen schien.

Nach ein Uhr wurde es verhältnismäßig ruhig um das in den Flammen schon prasselnde und knackende Riesengebäude, dessen Brandgeruch wir auch hier am Fenster jetzt zu spüren vermochten, obwohl kein Windhauch die Schwüle des Tages lüpfte; irgendein Luftzug mußte doch den jetzt schon etwas stärkeren Rauch auch hier herübergezogen haben, und allmählich durchdrang der bedrohliche Stank des Hofrates Schreibzimmer. Was dort drüben verbrannte, war vor allem Papier – welches man schon in hohen Funkengarben emporstieben, in schwarzen und zahllosen Aschenflanken sinken sah – Kubaturen von Akten aus Jahrzehnten; solche hatte man ja auch, in Verbindung mit Petroleum, benützt, um den Brand zu legen. Unter anderem wurde das Wiener Grundbuch vernichtet.

Die Leiche des Imre von Gyurkicz hatten Männer des ‚Republikanischen Schutzbundes‘ bei noch währendem Schießen hinweggetragen. Es schien diese doch ursprünglich als militant gedachte Parteigarde sich allmählich in Samariter zu verwandeln, die auch Verwundete bargen, den Verletzten die erste Hilfe angedeihen ließen, Frauen und Kinder, die von den Ereignissen überrascht worden waren, aus dem Feuerbereich lotsten, und dergleichen mehr (die meisten anwesenden weiblichen Personen allerdings taten durchaus mit und hetzten mit gellendem Geschrei). Aus Samaritern wurden dann allmählich Prügelknaben, uniformiert, aber – wenigstens überwiegenden Teils – unbewaffnet, wie sie waren: der Polizei ein Gegenstand schussbereiter Aufmerksamkeit, denjenigen aber, die sehr bald immer mehr an die Stelle der ursprünglichen Demonstranten, der Arbeiter, traten – ‚schnell wie die Laus und der Pfeil‘, sagt ein türkisches Sprichwort, aber das Gesindel ist noch schneller, und nichts übertrifft seinen Nachrichtendienst – ein Gegenstand unermeßlichen Hasses, denn jene wollten Beruhigung und Wiederherstellung der Ordnung, sie wollten helfen, und halfen jedem, ob der nun ein verwundeter Polizist oder Zivilist war. Aber der Feuerwehr konnten sie den Weg zum brennenden Justizpalast doch nicht bahnen.

Ich habe an diesem Tag zwei rätselhafte Erscheinungen gesehen, die erste unten vor dem Hause, kurz bevor ich von den Gürtzner-Gontards zum Mittagessen gebeten wurde. Etwa um halb zwei Uhr, die Straße zwischen dem Haus und der Parkanlage war fast leer – Polizei war zuletzt immer weniger gekommen und jetzt schien sie ganz verschwunden – machten sich zwei etwa sechszehn- oder siebzehnjährige Burschen an eine hohe

Bogenlampe heran, die vor dem Hause stand und mit ihrem abwärts gekrümmten Schwanenhalse bis zum zweiten oder dritten Stockwerk heraufreichte. Die jungen Leute trugen Geräte, unter anderem eine zugeschärfte Eisenstange, wie man sie zum Ausheben von Pflastersteinen gebrauchen kann: alsbald gingen sie umständlich und ohne Eile an's Werk. Ich beobachtete noch, wie sie begannen, den Boden um den Fuß des Lichtmastes herum frei zu legen. Man sah schon Sand und Erde. Frau von Gürtzner rief zu Tische.

Wir gingen durch das weite und dunkle Vorzimmer und durch einen Salon mit Vitrinen und Fauteuils und einem großen Ölgemälde, welches ich etwa in die manieristische Nachfolge eines Guido Reni eingereiht hätte, und das eine Grablegung darstellte. Die Luft war hier still und abgeschlossen und ein wenig von dem Leder der Fauteuils parfümiert, und jetzt, während wir schon unter die Türe des anliegenden Raumes traten, wo der gedeckte Tisch stand, wurde mir mit wirklichem Schmerze fühlbar – eben während im Salon eine strichzarte Ahnung von Kampferduft mich streifte – daß eine ganze in Aufruhr geratene Stadt mich von Friederike trennte, bei der ich ja um fünf Uhr sein sollte: und wie in einer anderen Welt. Ja, ich würde diese da draußen auf dem Platze, und jede überhaupt, bedenkenlos liegen lassen, um dort hinüber zu gelangen. Während wir speisten, ging es immerfort wie das Ticken einer Uhr in mir, daß ich nun jene eingetretene verhältnismäßige Ruhe benützen sollte, um davonzukommen, hinüber auf die Wieden, in die Gegend des Palais Ruthmayr.

Es hat sich später erwiesen, daß ich gut getan hätte, wenn ich dieser inneren Alarmklingel gefolgt wäre.

Wir blieben lang bei Tisch sitzen. Wir hatten genug von dort vorne. Frau von Gürtzner war nun vollends beruhigt. Gegen elf Uhr hatte der Portier des Hotels ‚Ambassador‘ noch eine telephonische Verbindung zustande gebracht (es dürfte wohl eine der letzten dieses Tages gewesen sein): Madame Garrique teilte mit, daß die Kinder telephoniert hätten, und sie wollten draußen bleiben, bis es wieder ganz ruhig sei. Auch hier im Speisezimmer, als wir zuletzt den schwarzen Kaffee nahmen, spürt' ich einmal wieder den kühlen strichzarten Duft von Kampfer. Nun ja, es war Hochsommer. Allenthalben hing dieser Duft in den Wohnungen, die sich tief nach innen und von der heißen und lauten Straße abgekehrt hatten. Es war fast, als wollte solcher Duft eine Art Heilsbotschaft der Abgekehrtheit zart vermitteln, noch tiefer hinein einladend. Einmal gingen der Hofrat und ich zwischendurch wieder nach vorne, um zu schauen, was dort geschehe. Aber es geschah nichts. Eine Kette von unbewaffnetem ‚Republikanischen Schutzbund' umgab das teilweise schon wirklich in Flammen und Rauch eingehüllte Gebäude. Ich sah jetzt senkrecht hinab, nach meinen beiden jungen Leuten bei der Bogenlampe. Sie waren noch da und gut vorangekommen. Niemand störte sie. Der Platz lag hier leer. Rund um den Lichtmast stand bereits eine Grube offen, so daß der mehrere Meter lange konische Zapfen, mit welchem solch ein Ding in die Erde eingelassen ist, zu einem großen Teile bereits entblößt und sichtbar war. Es schien den Burschen jetzt schon zu genügen, denn sie legten ihre Werkzeuge ab. Alsbald kamen, gerufen, noch andere herbei, und nun wurde rhythmisch und mit ‚Hoh-Ruck!' der Lichtmast aus seinem letzten Halt im Erdreich herausgelockert. Sehr bald sah man, daß er begann, sich gegen die Fahrbahn zu neigen. Und plötzlich ‚zog' er, wie das die Holzfäller bei einem Baum nennen. Es war aufregend, dabei zuzuschauen. „Jetzt!" sagte der Hofrat. Dort unten waren alle von dem Fuß des Lichtmastes mehrere Meter weit weggesprungen. Als habe einer mit einem langen Arm zum Schlag ausgeholt und führe ihn nun, so begann die hohe schlanke Säule zu fallen, schneller, und zuletzt mit Wucht und mit einem donnernden Aufprellen am Asphalt, während gleichzeitig ihr Fuß ganz aus dem Boden sprang, das Pflaster noch mehr aufriß, Erde in die Luft warf. Der Gipfel des gefällten Baums von Eisen lag drüben beim Parkgitter, von der Lampe sah man keinen Rest mehr. Ich überlegte nicht, daß dieser gewaltige und schwere Stamm den Grundstock für eine Barrikade abzugeben wohl geeignet war, daß er etwa auch jedem Mannschaftswagen der Polizei die Straße sperrte, wie er da jetzt lag, lang und grau und plump im Brandgeruche, im brenzlichen Stank. Ich überlegte nicht den Zweck der Maßnahme. Ich sah das völlig losgelöst davon. Es war für mich keine zweckmäßige Veranstaltung von seiten jener, welche das Ding zu Fall gebracht hatten, sondern ein Beweis sehr tiefen Instinktes bei ihnen. Was hier gefallen war, bildete ja – als Teil der Straßenbeleuchtung – nichts anderes denn ein Stück der Kontinuität täglichen Lebens, des Alltages eben, und es war dieser Lichtmast ein Posten gewesen an unseren gewöhnlichen Wegen, der darüber wachte, daß wir sie gut sahen. ... Nun wollte man sie gar nicht mehr sehen, ja, man wollte sie nie mehr betreten, nie mehr entlangtrotten; wenigstens wollten das die jungen Menschen nicht mehr, durch deren Mühe der Lichtmast gefallen war. Sie hätten eben so gut nach jenem Mittagsläuten die Kirchtürme zerstören können (und ich selbst hatte deren geruhig aufsteigendes Schallgewölk zur Stunde als paradox, ja, eigentlich als unangebracht und geradezu als taktlos empfunden!), nur war die Bogenlampe leichter erreichbar, und das im Raume dastehende Sinnbild des sich weiter erstreckenden Alltags aufreizender als jenes in der Zeit.

„Produktive Veranstaltungen der Revolution", sagte der Hofrat hinter mir, der gleichfalls dem Sturz des Kandelabers zugesehen hatte.

Er entschuldigte sich dann für ein paar Minuten, da er in den Hausflur hinabsteigen wolle. Waschler, der Portier, wisse bestimmt Neuigkeiten. Ich blieb allein.

Inzwischen brannte das riesige Gebäude gegenüber immer lichter und loher, Justitia in Flammen, mit verhältnismäßig wenig Rauch, doch begann der Feuerschein auch schon hinter Fenstern zu irren, deren Scheiben noch nicht zersprungen waren. Andere, schon schwarze Löcher, zeigten sich in ihrem oberen Teile ununterbrochen von eilendem Qualm überwandert. Die Schornsteine auf dem zum Teil bereits brennenden Dache sahen merkwürdigerweise ganz so aus wie glühende Kanonenrohre.

Ich sah auf den gestürzten eisernen Baum hinunter, der ganz verlassen dalag, um den sich niemand kümmerte. Jetzt erst, als der Lichtmast gefallen war, durchblitzte es mich, daß er nun einen Weg versperrte, den ich vor genau zwei Monaten, nach einem Besuch hier bei meinem einstmaligen Präsidialchef gegangen war, und zwar der Lösung fast aller schwebenden Fragen entgegen, denn danach hatte ich auf dem Graben den Wachtmeister Alois Gach getroffen, und knapp vorher den Pseudo-Levielle gesehen, jenen Stabsarzt, oder was er schon beim Militär gewesen sein mochte; und obendrein, und zu allem noch, war uns Quapp begegnet, in Eile ... Nun lag hier der eiserne Baum, wahrhaftig, ein gefallenes Malzeichen der Zeit, zugleich ihr Vergehen anzeigend, eine durchfahrene Blockstrecke des Lebens nunmehr hinter uns sperrend wie der Arm eines Semaphors. Und auf diese selbe Bogenlampe mit ihrem gekrümmten Schwanenhalse hatte ich während des Gesprächs mit dem Hofrat damals hinuntergeblickt, bei einfallender Dämmerung, der gläserne Ballon war schon erleuchtet gewesen, aber das Licht blieb um ihn zusammengedrückt, da noch die Tageshelle herrschte ... Ich war danach lange vor dem Haustor gestanden, wie unter einem schweren Überhange widersinniger Gedanken. Herauf schwebte er jetzt wieder, der Embryo, der sich die Augen mit den Händchen bedeckte, das Licht zu erblicken sich weigern wollte, das Leben nicht sehen wollte und den hingestreckten Alltag. Und eben hatte er deshalb sogar eine Bogenlampe entwurzelt, für vergehende Augenblicke wenigstens eine zweite Wirklichkeit errichtend, in welcher gestürzte Lichtmaste galten, und gesperrte Straßen, in die sogar das Zwölf-Uhr-Läuten befremdend hereinklang. Ich glaubte durch Augenblicke zu wissen, warum ich am 15. Mai so lange zögernd vor dem Haustor gestanden hatte, welches mir damals fast etwas wie eine lastende Balustrade zu haben schien über der Einfahrt, aber es war nur meine eigene Last gewesen, die ich da gespürt hatte, während ich auf den Asphalt des Fahrdammes hinaussah, den irgendeine niedergeschlagene Feuchtigkeit wie Fischhaut glänzen ließ.

Ich schrak plötzlich zusammen, ich wandte mich weg vom Fenster und ging aus des Hofrates Zimmer, und vermeinte jetzt auch im Vorraum schon einen leichten Kampferduft zu spüren (freilich, hier gab es Jagdtrophäen des Großvaters und einen schönen Teppich an der Wand), und beim Passieren des Salons ließ ich mich hingebend von jenem wiedergefundenen Dufte begrüßen und liebkosen, ja, bis in's Herz hinein; und dann saß ich wieder bei Frau von Gürtzner-Gontard am Tische und nahm dankend eine zweite Tasse Kaffee.

Nach einer Weile ging auch ich die Treppen hinab, teils um zu sehen, wo der Hofrat bleibe, teils aus Neugier. Der erste Mensch, den ich im geräumigen, sehr breit und als Einfahrt gebauten Hausflur sah, war Kajetans ehemaliger Schwiegervater, der Medizinalrat Dr. Schedik, der ja im Haus wohnte. Dieser hatte hier eine Art Hilfsplatz errichtet und rannte im weißen (und, wie ich sehen konnte, blutbespritzten) Ärztemantel umher, zusammen mit seinem Ordinations-Fräulein.

Der Flur war voll Verwundeter, darunter zwei Wachleute, die man übel zugerichtet hatte, und ein Schutzbündler mit einer Schussverletzung im Arm. Rückwärts lagen mehrere Personen auf herbeigeschafften Matratzen, zum Glück nicht schwer, aber an den Beinen verletzt, und so, daß sie nicht sitzen konnten. Für andere waren Stühle geholt worden. Eine von den Damen im Hause hatte einen Topf Kaffee gekocht und mit einer Anzahl von Tassen heruntergebracht. Der Hausmeister Waschler verstand es bei alledem doch in irgendeiner Weise die Hauptperson zu bleiben, mindestens als Spiritus Rector, als obschwebender Geist. Er traf auch Anordnungen. Später, als wir wieder oben waren, erzählte mir der Hofrat, den dieser Punkt nicht wenig amüsierte, daß Waschler, als einige Rowdies – auf der Suche nach versprengten Wachleuten – in den Hausflur hatten dringen wollen (Waschler hatte eben bei der vorsichtig zum Spalt geöffneten Haustüre hinaus gelugt), in diesen Augenblicken zur vollen Person, ja, zur Amtsperson erwuchs und sie mit den Worten empfing: „Hier wird nicht hereingegangen. O nein! Dieses Haus ist Eigentum der Gemeinde Wien, und da bin ich verantwortlich." Das mit dem Eigentum traf zu. Entscheidend war doch allein Waschlers autoritative Amtsmiene gewesen. Eine solche behält in Österreich, wenn sie nur richtig aufgesetzt wird (und darauf verstand sich der Waschler), ihre magische Gewalt auch mitten in Mord und Brand, und sogar der Unterwelt gegenüber.

Jedoch, durch diesen Zwischenfall belehrt, bei dem seine Autorität noch heil davongekommen war, und angesichts des Fehlens eines Guckloches in den mächtigen Flügeln des Haustors – das nun freilich versperrt gehalten wurde – verfiel Waschler auf andere Anstalten, die in jeder Weise seinen Zwecken dienten, denn sie schufen ihm zugleich eine erhöhte und überblickende Position: vermittels einer im Hause befindlichen sehr großen Stehleiter, die oben eine Art Sitzbrett hatte – sie diente zum Abkehren der Wände und zum Reinigen des Oberlichtes – konnte er durch eben diesen verglasten halbkreisförmigen Ausschnitt bequem hinaus und über den Platz blicken, und auf solche Weise, als einziger der sah, was draußen geschah, von Zeit zu Zeit ein Bulletin zur Lage bekannt geben, während er zugleich, aus der Höhe redend, den eigenen Autoritäts- und Herrschbereich überblickte. Das Ganze stellte eine für einen Hausmeister zweifellos ungewöhnliche Lage dar, und Waschler verstand sie auszunützen, zum nicht geringen Vergnügen des Herrn von Gürtzner-Gontard, versteht sich.

Dieser hatte die zwei angeschlagenen Wachleute, deren Köpfe zum Teil in Verbänden steckten, mit herauf in die Wohnung genommen, wo sie in der Küche sich etwas waschen konnten und Kaffee und Butterbrot zur Stärkung einnahmen. Die beiden Beamten waren sichtlich deprimiert, beide honette und wohlerzogene Männer. Sie vermochten, wie sich zeigte, überhaupt nicht zu begreifen, was vorgegangen war, und sprachen, völlig erschöpft, sehr wenig. Der eine war von etwa zwanzig Burschen entsetzlich geschlagen worden. „Ich bin doch selbst Sozialdemokrat," sagte er zu dem Hofrat, „ich weiß nicht, was in die Leut' gefahren ist. Es waren auch keine Arbeiter, das waren bestimmt keine Arbeiter." „Kaum", sagte der Hofrat. „Mit dem Sozialismus hat das nichts mehr zu tun." (Es möge immerhin angemerkt werden, daß an diesem Tage Wohnungen, in welche verwundete und flüchtende Wachleute aufgenommen worden waren, gestürmt und vollkommen verwüstet und ausgeplündert wurden – freilich wußten wir davon ja nichts, und dank Waschler ging alles gut.)

Noch saßen wir rückwärts um den Tisch, es mochte um drei Uhr herum sein, als das Schießen derart heftig wurde und rasch anstieg, daß der Hofrat und ich nach vorne und an's Fenster eilten. Was wir von dort sahen, konnte uns – weil der Standpunkt zwar erhöht war, aber doch eines uneingeschränkten Gesichtsfeldes ermangelte – kein solches Bild der Lage geben, daß wir alsbald gewußt hätten, was eigentlich und wesentlich vorging. Im ganzen erblickten wir eine ungeheure Rennerei – die Menschen fegten nur so durch die Parkanlage – und hörten pausenloses Schießen, das aus einer anliegenden Straße näher kam, und zwar ein sozusagen militärisches Schießen, in Salven. Die Polizei (es war der wichtigste Augenblick in der Geschichte des Wiener Korps seit dem ersten Weltkriege) war notgedrungen nunmehr zur Truppe geworden (ein irreversibler Vorgang), zu geschlossenen Syntagmen, die rottenweise feuernd vorrückten und alles vor sich hertrieben. Man sprang und rannte, man hüpfte über die gestürzte Bogenlampe, über das niedere Gitter des Parks, durch die Gebüsche, welche mit den Ästen um sich schlugen.

In der nächsten Woche erfuhr man dann aus der Zeitung, daß die Polizei am frühen Nachmittage sich in ihrer Kaserne am dritten Bezirk, in der Marokkanergasse, mit Karabinern versehen hatte. Noch nie hatte die erste Republik sie benützt. Der Schlüssel zu den Aufbewahrungsräumen soll eine Viertelstunde gesucht worden sein, hieß es später. Was weiß man denn?! Es gibt bei und nach solchen Anlässen immer Leute, die dem schrecklich blickenden Leben Sand in die Augen streuen wollen; um nicht in diese schauen zu müssen, verbreiten sie lieber Geschichterln. Immerhin, jene Viertelstunde wäre sozusagen ein kleines Bein gewesen, welches das Leben sich selbst stellte, um den eigenen Schritt noch für Minuten hinaus zu zögern.

Es hat mit alledem nichts zu tun, und doch gehört es für mich hierher und nirgends anders hin, daß ich, in den wenigen Augenblicken, während wir eilends von rückwärts wieder nach vorne in des Hofrates Schreibzimmer gegangen waren, an den Herrn Medizinalrat Doktor Schedik dachte, und daß ich ihn ja hätte nach Camy Schlaggenbergs derzeitigem Aufenthalt fragen können! Nein, es war nicht möglich, er war zu beschäftigt gewesen ... Nun hier standen wir also wieder am Fenster und hatten den Feldstecher zur Hand und sahen allmählich besser, was auf dem Platze vorging. Der Tumult wirkte jetzt durchaus wie ein Elementarereignis, eine ‚höhere Gewalt', wie man zu sagen pflegt ... Schon sahen wir nicht mehr nur die Fliehenden – beim Rennen löste sich die Menge in zahllose einzelne Punkte auf, sie wurde ‚pointillistisch', und der sehr grelle Sonnenschein unterstrich das noch – wir erblickten auch die ersten Fallenden, die plötzlich da oder dorthin gefleckt waren, patzen- und bündelgleich, dunkel im Sonnenlicht. Auch die Schutzbündler mußten laufen, ihre Kette um den brennenden Justizpalast verschwand. Wir sahen schon die Reihen aus Karabinern feuernder Polizisten erscheinen. Ihnen wurde entgegen geschossen – man machte auf beiden Seiten von der Feuerwaffe jetzt offen und ausgiebig Gebrauch – ich glaube die Schüsse kamen von der Barrikade vor der Lerchenfelderstraße her. Sie wurde dann von der Polizei genommen, und wir hörten aus der Gegend der Lerchenfelderstraße eine endlose, knatternde Schießerei, die sich ein wenig entfernte. Jetzt bemerkten wir erst die

Feuerwehr rundum bei dem brennenden Gebäude allenthalben in Tätigkeit (war sie schon früher da gewesen?!), ihre Motorspritzen standen zahlreich aufgefahren, man legte lange Schlauchlinien von den Hydranten her; auch in unserer Nähe befand sich ein solcher. Die Mannschaften der Feuerwehr wurden vielfach angeredet, man wollte offenbar Gespräche mit ihnen beginnen. Eine Gruppe dieser Art konnten wir unten linker Hand gut sehen. Von ihr gegen die Blicke der beiden Feuerwehrleute, die einen der mächtigen Schläuche anschlossen, gedeckt, sprangen durch das Gebüsch des Parkes drei etwa fünfzehnjährige Burschen auf den Schlauch zu, dem alsbald eine mächtige Wasserfontäne entstieg; er war mit irgendeinem Werkzeuge angestochen oder zerschnitten worden. Die Burschen verschwanden fast ebenso rasch wie früher die Malik und der Redakteur Holder.

Überhaupt wich man, nachdem die Polizei den Platz mit ihren unaufhörlichen Gewehrsalven gefegt hatte, keineswegs ganz und dauernd zurück: allmählich belebte sich's wieder. Man drang wieder vor. Dies war mir besonders erstaunlich. Mehr als das: es imponierte mir geradezu. Es fielen wieder Schüsse. Es folgten wieder Salven. Ich stand benommen am Fenster. Der Zustand vom Morgen schien wiedergekehrt. Wie eine milchige Aura lag es um Augen und Ohren. Meine Auffassung, so lebhaft sie sein mochte, war getrübt. Ich sah die Männer des Schutzbundes wieder auf dem Platze. Sie waren, so schien es, des Tages leidender Teil. Sie klaubten zusammen – die menschlichen Bündel nämlich, von denen einige reglos in der Sonne lagen, andere aber um sich schlugen – sie eilten mit Tragbahren, sie gerieten in's Feuer der Polizei, die es ihretwegen keineswegs zurückhielt. Wenn die Schutzbündler einen abgetragen hatten, blieb nur die rote Lache auf dem Plaster, anfänglich immer sehr rot, viel Rot, zu viel. Ich trat vom Fenster. Draußen begann es ruhiger zu werden. Der Hofrat und ich verließen das Schreibzimmer und gingen wieder in den Salon. Frau von Gürtzner-Gontard hatte sich ganz zurückgezogen.

Aber hier jetzt, ich konnte nicht bleiben! In die Nase, vom darin mitgebrachten schwachen, aber doch rohen und drohenden Brandgeruche erfüllt, drang in der Stille, während wir hier hinter verschlossenen Türen wortlos saßen, der strichzarte Duft des Kampfers: als die stärkere Macht. Heraus aus dieser Benommenheit, aus diesem Bausch, aus dieser Aura, die sich um Schläfen und Augen legte! Ich wollte zu Friederike. Ich wollte es jetzt darauf ankommen lassen. Mochten die Tatsachen entscheiden! Diese zweite anscheinende Ruhepause durfte nicht versäumt werden. Es ging auf halb fünf. Ich sagte dem Hofrat, daß ich es riskieren wolle, nun zu gehen. Herr von Gürtzner-Gontard zögerte ein wenig. „Nun", sagte er dann, „man wird Sie polizeilicherseits kaum für einen Demonstranten oder Rowdy halten." Mich streifte eine Ahnung, daß er die Lage noch immer verkannte. Was einer für möglich oder unmöglich hält, ortet ihn nicht nur gesellschaftlich, es ordnet ihn auch seinem Zeitalter zu. Wie immer, für mich gab es schon kein Zurück mehr. Der Hofrat geleitete mich hinab, um Waschler zu sagen, er möge mich hinauslassen. Dr. Schedik war augenblicklich nicht im Hausflur. Die Verwundeten erholten sich, sprachen halblaut. In der warmen Luft roch es nach Medikamenten. Waschler, nachdem er von seinem Observatorium die Lage begutachtet hatte – der Platz vor dem Hause war zur Zeit frei und ruhig – kam herab, sperrte rasch auf, ließ mich durch den Spalt, und alsbald hörte ich, wie hinter mir sich zweimal der Schlüssel im Schlosse drehte.

Am Donnerstag nachmittag war Frau Mayrinker mit den Obstkörben nach Wien gefahren: vornehmlich Beerenobst, jetzt, um die Mitte des Juli. Herr Mayrinker hatte seine Gattin in Pottschach freilich zum Bahnhof begleitet und ihr die Körbchen getragen. Der Tag strahlte in höchster Vollkommenheit und zeigte alle Einzelheiten bis zur äußersten Schärfe herausgearbeitet, jede Waldkuppe, ein Hoftor, bunte Glaskugeln im Garten, ein Ladenschild, und auch die ferneren hohen Berge in sauberstem Blau. Der Ansturm so vieler einzelweiser Überschärfe konnte unmöglich ganz aufgefangen werden. Er hätte rasch und gänzlich ermüdet. Man trug damals noch nicht bei jeder Gelegenheit Sonnenbrillen, sondern eigentlich nur auf Ski-Hochtouren. Auch die Mayrinkers hatten keine. Man mußte blinzeln.

Beim Bahnhof roch es kühl nach Bierfässern aus dem Keller eines Wirts und nach Staub von der Straße. Der Eisenbahnrauch aber war eigentlich nicht ein auftretender und herankommender Geruch, sondern die Aura des Orts. Man trat in sie ein.

Das Einsieden ist eine Zwangshandlung der Hausfrauen, welche nie unterbleibt, obwohl man ja meistens Marmeladen ißt, die vier bis fünf Jahre alt sind.

Am Südbahnhof in Wien nahm Frau Mayrinker einen Gepäckträger auf und weiterhin ein Taxi.

Es war nicht allzu heiß jetzt. Sie hatte es ärger erwartet. Freilich, die gute Luft draußen! Die Stadt wimmelte und rasselte.

Sogleich daheim, im Haus ‚Zum Blauen Einhorn‘, begann Frau Mayrinker mit der Arbeit. Sie nahm sich kaum Zeit zum Abendessen (alles mitgebracht, sie brauchte nicht auszugehen). Das Vorbereiten des Apparates – er war von einem Thermometer überstiegen, das gouvernantenhaft oben heraus sah – das sorgfältige Reinigen der Gläser, die dann am nächsten Tage der heiße Dampf noch sterilisieren sollte, vor allem aber die langwierige Arbeit am Obste selbst, das Abrebeln der Ribisl,[1] das Entfernen von unerwünscht langen Stielen und einzelner Blättchen von den Agrasseln,[1] dies alles dauerte durch Stunden. Die vielen Knödel und Bäusche vom Papier und Stroh, die aus den Obstkörben stiegen und sich gleich breit machten, ließ Frau Mayrinker zunächst einfach auf dem Boden der Küche liegen, samt den Körben selbst, obwohl ihr dieser unordentliche Anblick nicht genehm war. Aber sie kam gar nicht dazu, ihn zu beseitigen. Fast jede Arbeit, die man sich vornimmt, dauert ja länger als man vermeint hat. Als Frau Mayrinker endlich schlafen ging, war die Mitternacht längst vorbei. Sie machte ihre Toilette und entblätterte sich dazu, so daß ihre ganz weißen Rundlichkeiten sichtbar wurden, weiße Schultern und Arme, baby-haft. Darin lag der starke Reiz, den sie auf ihren Mann wirkte. Endlich stieg sie säuberlich in's Bett, im langen, frisch aus dem Schrank genommenen Nachthemd, dessen scharfe Plättfalten jetzt von durchaus sphärischen Gebilden da und dort aus der geraden Planimetrie gedrängt wurden. Sie lag am Rücken, öffnete plötzlich ein kleines Kindermäulchen, so weit es eben ging, und gähnte tief. Der Roman lag wohl am Nachttisch bereit (sie wählte jedes Jahr mit unfehlbarem Instinkt das jeweils dümmste aller neuen Bücher und wußte allem anderen aus dem Wege zu gehen, mit der Sicherheit einer Fleder-

[1] Ribisl, österreichisch für Johannisbeere; Agrassel, österreichisch für Stachelbeere.

maus, die den gespannten Draht vermeidet – und ihr Mann las ja nur Schriften, die sich auf seine Drachen-Puzzis bezogen). Heute ging es nicht mehr mit dem Lesen. Sie schaltete das Licht aus und rollte sich zu einem glatten weißen runden Ei unter dem Nachthemd zusammen, ein Ei der Apperzeptions-Verweigerung, aus dem sie niemals kroch. Sie blieb ab ovo in ovo (der Sektionsrat Geyrenhoff hat so einige Redensarten, aber Variationen darauf fallen ihm nie ein.[1])

Am nächsten Morgen erwachte Frau Mayrinker zeitig, ohne daß sie eine Weckeruhr gestellt hatte. Der Kaffee wurde zwar auf umständliche Hausfrauenart bereitet, aber dann, nach einer flüchtigen Toilette, rasch eingenommen. Sogleich begann die Arbeit, der Frau Mayrinker zunächst im Schlafrock oblag. Ein Teil des Obstes war noch zu putzen. Als jedoch dies getan, und schließlich auch die Gläser bereit waren, um gefüllt und in den Apparat gestellt zu werden – der erste Schub nur, denn alle auf einmal fanden nicht Platz – war durch das im Zuge befindliche Herdfeuer und die draußen schon prall scheinende Sonne bereits eine solche Hitze in der kleinen Küche entstanden, daß Frau Mayrinker alles bis auf ihr unterstes Hemdchen ablegte.

Um Mittag klärte sich die Lage. Eine Reihe von Gläsern stand mit den Glasdeckeln samt Gummiringen verschlossen und schon etikettiert auf dem Küchentisch (durch diese Etiketten wird die Zwangshandlung der Hausfrauen als solche nachweisbar, denn sie tragen immer eine Jahreszahl). Der dritte Schub war an der Reihe. Im Herde mußte häufig nachgelegt werden, denn dieser faßte nur wenige von den länglichen Briketts, die in sehr stark und anhaltend glühende Partikel zerfielen: öffnete man das Türchen des Herdes zu rasch, dann konnte einem ein rechter Unsegen entgegen strömen, eine körnige helle Lava, von der allemal was neben die Blechplatte unterhalb der Ofentür sprang, und da oder dort hin, überall hin. Bei einer solchen Operation nun fühlte sich Frau Mayrinker, während sie gebückt vor dem Herd kniete, plötzlich von rückwärts hoch überflackert, und im näch-

[1] Ich lasse auch diese Stelle unverändert stehen, weil sie bezeichnend für die Art erscheint, wie Kajetan sich erfrechte; ganz abgesehen von jener ‚Chronique scandaleuse‘, die sich ja als fast unreproduzierbar erwiesen hat. Sunt certi denique fines.

sten Augenblick schon ertönte hinter ihr ein Prasseln, das mit dem Feuer vor ihr nichts gemein hatte.

Sie schlug die Ofentür zu, sprang auf und zur Seite. Die Flammen flackerten etwa so hoch empor, wie bei einem Kartoffelfeuer im Herbst, aber hier in der kleinen Küche war das riesenhaft, eine Flammensäule, die fast bis zur Decke wirbeln wollte. Das Prasseln schwoll noch mehr an. Zwei von den Obstkörben waren nicht in der natürlichen Farbe des Weidengeflechts belassen, sondern bunt angestrichen, und vielleicht hatte man dazu Spirituslack verwendet.

So erklären wir uns die Physik der Sache. Aber Frau Mayrinker erklärte sich gar nichts, sondern ging sofort mit einer bemerkenswerten Wildheit zum Angriff auf das Feuer über.

Zwei nasse Aufreibfetzen neben dem Herd. Sie spannte den einen wie einen Schild aus und schlug ihn auf das Feuer. Es duckte sich darunter nur für eine Sekunde. Den zweiten. Die Flammen schlugen wieder auf. Der Eimer. Er war leer. Sie ließ die Wasserleitung hineinbrausen. Vor ihren Augen wuchs derweil das Feuer. Der Vorhang. Noch nicht erreicht. Die vielen Schachteln und Kartons oben auf dem Küchenschrank. Sie stürzte den Eimer. Das Feuer schoß daneben empor, es verhielt sich wie Wasser, dem man seinen Weg verlegt hat. Sie hieb mit den beiden unverbrannten Fetzen darauf, immer wieder, Rauch und Qualm stiegen auf, nun wieder die Flammen. Der dritte Korb prasselte bereits. Sie riß ihn vom Vorhange weg, sah, wie er immer heller aufbrannte, während der Eimer zum zweiten Male voll lief. Mit einem wilden Schlag stürzte sie den Kübel über den Korb, aus welchem eine hohe Lohe aufgeschossen war, vom Stroh und Papier darin. Der Eimer paßte auf den Korb, sozusagen, er deckte ihn. Während sie ihn zum dritten Male voll laufen ließ, gab es nur mehr kleine Flammen nah am Boden. Sie stürzte das Gefäß nicht mehr, sondern warf die Fetzen hinein, schlug das Feuer tot, wo es sich zeigte. Es kam nicht wieder. Die Küche schwamm in Lachen. Sie hatte gesiegt.

Sie hatte eine Handbreite neben dem Vorhange gesiegt.

Sie dachte nur eine Sekunde lang daran, was geschehen wäre, wenn sie nachgegeben hätte, aus der Wohnung gelaufen wäre, um einen Telephonautomaten zu suchen und die Feuerwehr zu rufen.

Alles hätte derweil gebrannt. Diese Vorstellung platzte und verschwand, so qualvoll war sie.

Jetzt brannte nichts. Sofort begann Frau Mayrinker die Ordnung herzustellen. Sie arbeitete flink, gleichmäßig, ohne jede Unterbrechung, und dabei begleitet von einem steigenden Staunen. Nachdem sie mit Hilfe von vier hervorgenommenen, fast neuen trockenen Reibtüchern die Nässe in der Küche beseitigt hatte – immer wieder die Tücher über dem Eimer auswringend – sammelte sie alle verbrannten und nassen Reste in den blechernen Müllbehälter, immer lauernd, ob sich da noch ein Fünklein zeige. Aber es zeigte sich keines. In den Müllbehälter schüttete sie noch Wasser, rückte ihn ab vom Herde, weitab von den Vorhängen, in einer zwangsläufigen, ja, ihr selbst schon beinahe verdächtigen Übervorsichtigkeit, bei welcher sie sich zweifelsohne nicht gerne hätte beobachten lassen. Zwischendurch war das Thermometer des Apparates, darin sich ja noch die dritte Partie vom Einzusiedenden befand, kontrolliert, und mit größter Sorgfalt, Langsamkeit und Vorsicht im Herde nachgelegt worden. Frau Mayrinker hielt sogar beim Öffnen der Ofentüre die blecherne Mistschaufel unter. Aber, genau genommen, was hätte schon passieren können, wenn ein glühendes Körnchen danebengesprungen wäre? Nichts Brennbares lag mehr auf dem Steinboden der Küche; als sie diesen endlich mit Besen und Wischtuch wieder blank gekriegt hatte, insbesondere dort, wo das verbrannte Zeug gelegen war – zwischendurch fiel ihr Blick auf die blanken Gläser mit fertigem Eingemachten am Küchentische, ein blinkender Trost – zeigte sich nun ein höchst erstaunlicher Sachverhalt, den sie während des Wiederherstellens der Ordnung schon auf sich hatte eindringen gefühlt, der jedoch jetzt erst in seiner planen Unleugbarkeit heraussprang; nichts war beschädigt, nichts war ruiniert, kein Verlust war eingetreten, und auch ihr selbst war nicht das geringste passiert, sie hatte bei der ganzen Löschaktion auch nicht die allerkleinste Brandwunde empfangen. Sie trat zu den Vorhängen, um hier einen Schaden zu suchen; jedoch diese waren vom Feuer vollends unberührt geblieben. Die Küche war blank und sauber, das Feuer im Herd brannte ruhig, das Thermometer zeigte die vorgeschriebene Temperatur, und der dritte und letzte Schub der Einsiedegläser würde bald fertig sein und zum Auskühlen auf den Küchentisch gestellt werden können.

Nur sie selbst, Frau Mayrinker, stand inmitten der still leuchtenden Sauberkeit von Schweiß überronnen, mit wirrem Haar, mit schwarzen Händen und in einem Hemdchen voll Schmutzstreifen.

Doch eben dieser Schaden konnte fast so rasch verschwinden, als er gekommen war. Sie lüftete den Raum gründlich und setzte einen Topf mit Wasser auf die Herdplatte (bevor Frau Mayrinker das Fenster öffnete, schlüpfte sie in ihren Schlafrock, weil man ja über die Gasse hereinzusehen vermochte). Während des Lüftens erledigte sie die dritte Partie vom Eingesottenen. Das Gesamtergebnis bedeckte dann den Küchentisch zu zwei Dritteln und sah seriös drein, mit jenem Ernst, der auch einem einzelnen Molekül des ‚Sozialproduktes‘ eignet (denn das war es ja, von der zwar platten, aber doch höheren Warte des national-ökonomischen Gesichtspunktes aus, also von einer Plattform, einer sogenannten ‚Ebene‘ her gesehen). Der auf dem Küchentisch auskühlende Vorrat an Eingesottenem allein dürfte den Mayrinker'schen Bedarf, bei vorsichtiger Schätzung, bis 1931 oder 1932 gedeckt haben. Man frühstückte bei Mayrinker zu jener Zeit ex 1923.

Der Apparat war inzwischen an seinen Aufbewahrungsort gebracht worden.

Das Wasser auf dem Herde zeigte sich als bereits warm genug. Nun endlich durfte das Feuer ausgehen.

Frau Mayrinker holte ein Lavoir, setzte dieses auf ein Küchenstockerl, das mit Seife, Bürste und Lappen ausgerüstet wurde, schloß sodann das Fenster, zog die Vorhänge zu und stellte sich selbst in eine kleine Blechwanne. Badezimmer gab es keine im Haus ‚Zum Blauen Einhorn‘. Sie zog das schmutzige Hemdchen über den Kopf und warf es beiseite.

Erst jetzt, während sie, nach dem Waschen nur mit Pantöffelchen bekleidet, sich anschickte, im Schlafzimmer frische Wäsche hervorzunehmen, überkam sie recht das Glück der augenblicklichen Lage, die Frucht des Sieges über das Feuer, zugleich mit dem letzten Schrecken vor allem, was ihr doch erspart geblieben war. Irgendwie war die Möglichkeit des Brandes zutiefst nicht ganz erloschen, hing herüber, überschritt jetzt noch beinahe jene Haaresbreite, die von ihr getrennt hatte.

Im Schlafzimmer herrschte gedämpftes Tageslicht, hier waren ja die grünen Jalousien herabgelassen. Frau Mayrinker öffnete den Schrank. Linker Hand befanden sich Fächer. Darin lag ihre Leibwäsche. Die rechte Abteilung war von einem großen Sack fast ganz ausgefüllt. Dieser enthielt Frau Mayrinkers eingekampferten Pelz, der in jenem Kasten, wo die Teppiche und sonstigen mottengefährlichen Sachen versorgt waren, nicht mehr

Platz gefunden hatte. Auch schien das kostbare Stück hier doch noch sicherer, denn dieses eichene Möbel war von solidester Tischlerarbeit und schloß fugenlos dicht.

Der große Schrank öffnete sich mit lautlos flügelnden Türen gegen den verhältnismäßig kühlen Raum.

Dabei erst, bei dem Anbranden einer Welle des bisher so in sich gekehrten Kampferduftes, wurde für Frau Mayrinker die Stille, welche im Zimmer herrschte, recht fühlbar.

Sie ließ die Wäschefächer und beugte sich mit dem Oberkörper derart tief in den Schrank hinein, daß sie mit den Händen sich links und rechts stützen mußte.

Und hier erst genoß sie ihr Glück: die Heimkehr in dieses nämlich (in den Mayrinker-Raum, würden wir sagen). Und hier erst schwand der Brand vollends, wichen seine letzten Spuren aus der Nase, verwischt, ja, getilgt vom kühlen Kampferdufte. Jetzt erst war Sicherheit, konnte das Feuer nicht wiederkommen, wich es, von dem nur eine Haaresbreite getrennt hatte, aus dem Raume der Möglichkeit tief in's Unmögliche zurück, aus welchem es vor gar nicht so langer Zeit noch prasselnd hervorgebrochen war.

Endlich. Sie war in diesen Kasten halb hinein verschwunden, wie der Photograph unters schwarze Tuch taucht. Und in der Kamera obscura hatte sie es wiedergefunden und erstrahlen sehen, das kleine Lichtlein, das nun wie eh und je den Mayrinker-Raum erhellte.

Als sie hervorkam, knickten die weißen Knie unter ihr weg vor Schwäche: der Hunger. Ein leeres weites Loch im Leib, von Körperwänden umgeben, die ganz dünn geworden zu sein schienen. Sie hatte seit dem schnellen Frühstück fast nichts genossen, nur zwischendurch zwei Butterbrote, etwa eine halbe Stunde vor dem Unglück. Es war dies und jenes zwar noch in ihrer Reisetasche vorhanden; aber sie mußte jetzt etwas Warmes haben. In der ‚Flucht nach Ägypten‘ drüben an der Alserbachstraße. Sie roch plötzlich den sauberen Speisenduft, wie er in jenem Restaurant zu herrschen pflegte, und ihr Appetit schnellte auf's Höchstmaß. Auch Bier trinken. Damit sie besser schliefe, nach der ganzen Aufregung.

In der Küche roch es nur nach Seife, durchaus nicht mehr nach Rauch. Die Tür des Herdes war geschlossen, die Briketts glühten wohl noch, es war fürchterlich warm. Sie wählte, in's Schlafzimmer zurückkehrend, ein Sommerkleid, und öffnete zuletzt, nach Beendigung ihrer Toilette und nach Beseitigung des improvisierten Waschtisches, die Küchenfenster weit. Die Dunkelheit fiel ein, mit ihr einzelne Regentropfen. Es war etwas kühler geworden.

Endlich kam sie weiter. Sie nahm ihr Täschchen, einen leichten Regenmantel und den Schirm. Sie fühlte sich ganz ausgehöhlt. Sie prüfte noch einmal den Herd, der kaum mehr Wärme von sich gab, den Verschluß seiner Türe. Sie war fest zu. Im Mülleimer standen die verbrannten Reste halb unter Wasser. Frau Mayrinker paßte den Deckel wieder darauf und schob das Ganze noch etwas weiter von den Vorhängen fort. Nun stand der Eimer zwei Meter davon entfernt. Sie stieg auf den weiß lackierten Hocker, darauf sie sich gewaschen, und betrachtete die Schachteln auf dem Küchenschrank, eine oder die andere emporhebend. Freilich zeigte sich kein Fünklein: sie hätte es in der Dämmerung unbedingt sehen müssen. Ihre Hände zitterten vor Schwäche. Nun schloß sie das Küchenfenster wieder, warf einen Blick in alle blanken Ecken. Beim Verschließen der Wohnung traf sie mit den zitternden Händen kaum das Schlüsselloch. Es dauerte lange. Die Tür war nun fest zu.

Sie ging unter ihrem Schirm die Liechtensteinstraße entlang und sah vor sich auf den Boden. Der Appetit war verschwunden, die Schwäche geblieben. Doch wünschte Frau Mayrinker sehnlichst, schon in der ‚Flucht nach Ägypten‘ am gedeckten Tische zu sitzen. Der Regen war sehr schwach, er hatte fast ganz aufgehört. Sie zögerte, schloß den Schirm, schritt weiter, trat in die Alserbachstraße hinaus, blieb stehen und blickte die Straße aufwärts und in den Himmel.

Dieser stand in hoher Brandröte. Sie erschrak furchtbar; einen Augenblick hindurch brach in ihrer Schwäche und Erschöpfung ihr ganzes Glück zusammen, entschwanden schon erreichte Rettung und der Sieg. Es war etwas geschehen. Sie mußte etwas übersehen haben. Noch vermochte sie unsinnigerweise nicht, jenes Feuer dort drüben wirklich zu trennen von dem kleinen in ihrer Küche, das doch längst erloschen war.

Gegen Mittag, am Philosophen-Buffet – wo man damals noch nicht essen, immerhin aber ein Schinkenbrot erhalten konnte, und dazu einen Kaffee, dem aber nirgends sonst in Wien dieser Ehrenname wäre zugebilligt worden – erfuhr Leonhard erst, was vorging, und gar nicht weit weg von hier. Der Dozent, mit welchem er morgens am Tor wenige Worte gewechselt hatte, stärkte sich gleichfalls; was ihn betraf, so war Leonhard inzwischen darüber in's klare gekommen, daß jener bei ihm eine Kenntnis hatte voraussetzen müssen von des Prinzen Croix Beschäftigung mit Pico und was das für Bücher seien, welche zu prolongieren er gekommen; anders hätte sich der Herr wohl noch mehr verwundern können als ohnehin schon der Fall gewesen war.

Man hörte augenblicklich kein Schießen, auch wenn man hinaustrat unter die Arkaden. Leonhard sprach mit niemandem, aber die überall umherschwirrenden Nachrichten nahm er auf. Rund um ihn war von nichts anderem die Rede.

So auch wurde ihm bekannt, daß es die Elektrizitätsarbeiter gewesen waren, vor deren herankommendem Demonstrationszuge er im letzten Augenblick die Ringstraße rennend überquert hatte. Ihr morgens ohne die gewerkschaftliche Leitung gefaßter Streikbeschluß hatte alles andere nach sich gezogen: das Stillstehen der Straßenbahn, die nicht fahren konnte, weil ihr der Strom fehlte, das Ruhen zahlloser Fabriken aus dem gleichen Grunde (auch Rolletschek ruhte). Die Arbeiter zogen in die Stadt, um gegen das Urteil eines Geschworenen-Gerichts zu protestieren, das die Mörder eines Arbeiterkindes und eines einäugigen Kriegsinvaliden freigesprochen hatte.

Leonhard erinnerte sich jetzt deutlich an diesen Mann von dort unten, aus dem Burgenlande, und wußte auch, wo er ihn gesehen hatte: im Beisl, ganz dahinten, in jenem umschrankenden Dreieck, das begrenzt gewesen war von Elly Zdarsa, Malva Fiedler und Trix.

Weitaus kürzer als sein Leben war seine eigentliche Vergangenheit. Und doch gab es darin schon unverständlich Gewordenes, ebenso auch Punkte, die sachte in einen neuen Glanz rückten, wie heute am Morgen. Die Wiederkehr jenes Einäugigen hier und jetzt trat ihn so knüppeldick nicht an wie seine heutige zweite Begegnung auf der Bibliothek mit Pico, mit den zum Teil gleichen Büchern, die er selbst dort benützt und jetzt unter dem Namen des Prinzen prolongiert hatte. Der Invalide zog nur einen schwachen Blitz auf sich und zurück in die Vergangenheit, da und dort aufleuchtend, wie Funken am schadhaft unterbrochenen Leitungsdrahte.

Aber was für Leonhard unverständlich bleiben mußte, war der aus den Reihen jenes ersten Demonstrationszuges erfolgte Angriff auf die Universität, dessen wahres Motiv alle jene bereits in bequemer Weise fälschten, die sich hier darüber unterhielten. Es war diese rasch wieder verebbende Aktion einzelner – mag man sie damals auch als ‚undisziplinierte, unbesonnene Elemente‘, oder wie sonst immer, bezeichnet haben – eine der wirklich bemerkenswerten ‚Instinkt-Handlungen‘ des Tages. Sie richtete sich für diesmal keineswegs gegen die Intelligenz – wie jene annahmen, die darüber im Buffet redeten, nicht ohne daß dabei einiges mildes Licht auf sie selbst fiel – sondern, ganz im Grunde: gegen einen Geruch. Gegen alle landsmannschaftlichen Stallgerüche – kein Sinnesgebiet reicht so in's Jenseits im Diesseits, ja, hängt geradezu in dieses über, wie dasjenige des Geruches, den man oft keineswegs mit der Nase mehr wahrnimmt, und doch ist er da, und doch ist es einer! – gegen die hierher delegierte ‚Provinz‘, gegen eine konservative Gesinnung, die man nicht besitzt, etwa weil man sie eingeholt und wieder erworben hat, sondern weit mehr physisch be-sitzt, weil man darauf sitzen geblieben ist: wodurch eine Fülle achtbarer Irrtümer entsteht, und je achtbarere, und je mehr sie sich sehen lassen können: desto schlimmere, gegen welche gehalten alle Laster – mit Schmutz als Warnung bezeichnet! – nur wie harmlose Kritzeleien von Narrenhänden sich ausnehmen. Was hier als ‚Intelligenz‘ sich zusammenhielt – und freilich mit Recht! – das war von jener Plattform auf welcher der geschichtlich handelnde Mensch steht, genau um so viele Stufen bereits abgestiegen, wie jene Stürmer dort draußen in's Bad der Masse, das alles löst und von allem entbindet: die einen nach rechts, und die anderen nach links, wie's denn genannt zu werden pflegt. Aber nie haßt man einander so inbrünstig, wie von verschiedenen Wegen des Abstiegs, die doch alle hinunter führen; und nicht einmal im Nichts dürfen solche Pfade zusammenlaufen: denn so würde offenbar, was zu verbergen ja einziges und letztes Ziel des Kampfes zu sein scheint.

Leonhard war niemals durch die Seminarien und Hörsäle gekommen. Ihm war nur die Bücher-Gebirgs-Luft der so würdigen Bibliothek vertraut.

So begriff er, bei all seiner Intelligenz, nicht, was ein vielfach schwerfälliger Dummkopf wie René Stangeler nach zahllosen wiederholten Erfahrungen schließlich hatte begreifen müssen.

Leonhard verließ das Buffet.

Er glaubte nicht, daß die Elektrizitätsarbeiter aus Haß gegen die Intelligenz das Tor hatten stürmen wollen. Aber daß er hier rein gar nichts begriff: es schlug ihn nieder.

Er setzte sich auf die Stufen unter den Arkaden auf einen schattigen Platz, er kehrte nicht mehr in die Bibliothek zurück (die man inzwischen geschlossen hatte, auch weil zu ihrem Betrieb das elektrische Licht in manchen Gängen und Räumen selbst bei Tage nicht entbehrt werden kann). Die Bücher für den Prinzen waren sichergestellt und mit dem heutigen Datum markiert, so daß sie mindestens bis Dienstag zur Benützung im Lesesaale bereit blieben.

Hier herrschte Stille. Sie herrschte nicht nur redensartlich: nein, sie war die wahre Herrscherin hier, die große Anfragerin unserer intimen Minuten. Das Blau legte sich über die Dachkanten tief herein, lehnte über ihnen, blickte in die Ferne, bis über den Wertheimstein-Park in Döbling hin, und bis zum Bisamberge, ja, es war – über alle Prüfungsängste hinweg, welche jahrzeitgemäß im Juli hier herrschten – sogar vertraut mit dem ansetzenden Hochgebirg, mit den ersten über die Widerriste der Berge hinauf staffelnden Tannenforsten, Baum über Baum steigend, wie einer spitzen Schrift, einer Kurrentschrift Zeilen, deren eine einzige am Schlusse übrig blieb, letzter Ausläufer des Waldes am steilen Grat; und nun folgt das Krummholz; und dann schweigen schon die Schrofen, wandet der nackte Fels in den Himmel, fallen die Geröllströme ab von ihm, wie das Gewand des Hochmutes von den Schultern.

Ja, auch er dachte dort hinaus, Leonhard, und an jenes Erholungsheim mit dem toten Springbrunnen und dem Türchen, das rückwärts aus dem Park geführt hatte, während, nach all dem Gehörten, ein dumpfer Druck wie ein wachsender Kloß, ein Knödel, ein Tumor, sich ausbreitete in seiner Brust. Ein Berg: der von Mary trennte. War ihm das Fehlen der Straßenbahn, von welchem der Pepi-Vater morgens erzählt hatte, nicht gleich emporgewachsen wie ein schwer übersteigliches Hindernis?

Wie lang saß er hier? Und was bohrte so furchtbar?

Ein heller Peitschenschlag flatterte in den Renaissance-Hof.

Es war die erste jener Gewehrsalven, welche die Polizei nun bis gegen fünf Uhr nachmittag, und fast ohne längere Unterbrechung, schoss.

Eine Gewehrsalve, auf solche Entfernung und über einige Dächer und Häuserblocks hinweg gehört, knallt freilich nicht stark; immerhin weit kräftiger als Revolverschüsse, die sich ein paar Gassen weiter nicht lauter mehr anhören als die Stöpselpistolen der Buben, kein Krach, sondern ein Klatschen nur, eine Art kleiner heller Fleck im Gehör.

Hier war es ein scharfer Strich, ein Gertenhieb.

Während ihn dieser traf, begriff Leonhard plötzlich, daß ihm solches hatte kommen müssen, und daß gerade jenes Fehlen jedes Hindernisses auf dem Wege der letzten Wochen eine Quelle war, aus welcher bereits das Grundwasser einer Art von Angst stieg. Der giftige Pfeil, der ganz zuletzt noch in der Brigittenau drüben aus dem nächsten Busche geflogen war – von Malva Fiedler geschnellt – er hatte fast etwas wie Beruhigung für Leonhard gewirkt. Jeder, der seinen Weg geht, muß solche Schützen im Rücken wissen; und voraus ein sich Auftürmendes, gleichgültig was; ein schweres Hindernis ... nicht nur für ihn; auch für Mary. ... Aber nun, hier war er eingeschlossen!

Es ist merkwürdig genug, daß Leonhard sich jetzt wirklich für eingesperrt hielt, hier in der Universität, ohne zunächst weiteres zu überlegen. So ganz unrichtig war es ja nicht. Man hatte alles dicht geschlossen, und während des Schießens wird kaum jemand das Gebäude betreten oder gerne verlassen haben. Wie immer: Leonhard erwog gar nicht diese Möglichkeiten.

Eingeschlossen blieb er zugleich ausgeschlossen von allem, was dort drüben geschah. Nun erst spannte sich das Trommelfell ganz in ihm, auf welchem die Schlegel der brutalen und gar nicht irgendwie gemeinten Tatsachen ihren Wirbel schlugen. Nun war er da, der Schmerz, auch er eine Tatsache, und wieder pfiff die Gerte und flatterte über diesen Renaissance-Hof, und auf wen man dort drüben schoss, das war leicht zu denken.

‚Niemand löst sich ungestraft von den natürlichen Örtern und Personen', sagt Scolander einmal.

Neuerlich schlug die Gerte herab.

Leonhard sprang auf.

Er wandte sich in die Arkaden. Von der Aula her kam jemand langsam unter den hallenden Bogen gegangen. Leonhard erkannte jenen Gebäudeverwalter, der beim eiligen Schließen des großen Tores so geschickt Hand angelegt hatte; und schon auch war der nur einmal gehörte Name da. „Herr Fessl", sagte Leonhard, indem er grüßte, „gäbe es vielleicht eine Möglichkeit, nach rückwärts durch den kleinen Ausgang in die Reichsratstraße zu gelangen? Ich habe einen nicht mehr aufzuschiebenden Weg." „Na, wir werden halt schauen, Herr Doktor", sagte Fessl (diese Titulatur war Leonhard bereits am Buffet begegnet, sie schien hier allgemein), „wenn's draußen still ist und keine Gefahr besteht, daß jemand eindringen will, kann ich Sie schon hinauslassen."

Er ging mit Fessl, der ein ruhiger und beherzter Mann zu sein schien und beides heute schon am Morgen bewiesen hatte. Ein Stieglein leitete abwärts zu dem kleinen rückwärtigen Ausgang, durch dessen gerippte Verglasung man jedoch nicht auf die Straße zu sehen vermochte. Fessl lauschte. Hier war kühle Luft der Unterwelt, etwas matt, ähnlich jener im Flur in der Brigittenauer Treustraße, wenn die Tür zur Wohnung des Hausmeisters offen gestanden war. Fessl zog einen Schlüssel, öffnete, sah hinaus, winkte Leonhard und ließ ihn durch den Spalt. Die Hitze über dem Asphalt legte sich, nach der Kühle hier unten, fühlbar an's Gesicht. Hinter ihm drehte sich zweimal der Schlüssel im Schlosse.

Von der Terrasse der Meierei beim Schlosse Cobenzl konnte man das Feuer in der Stadt wie auf einer flachen Hand sehen. Es saß im mittleren Hintergrunde der graublauen Häusermasse dort unten, die sich ausbreitete wie ein See, und es war durch den gewaltigen Sonnenglast klein gemacht, zusammengedrückt und auf sich selbst beschränkt wie eine Glühbirne, die am hellichten Tage brennt. „Schaut aus, als ob die Stadt ein rotes Wimmerl hätt'", sagte Géza. Doch zuckte der Brand dann und wann etwas, auch konnte man Rauchwolken sehen, durch die er mitunter sogar ein wenig verdunkelt wurde.

Sonst herrschte hier heroben tiefer Friede, vor allem aber die Sonnenhitze, die freilich nicht als Schwüle wirkte, wie auf dem Asphalt oder dem Granitpflaster in den Straßen, welche sie zwischen den hohen Häuserfronten unnatürlich verstärken. Die Luft war warm, aber leicht, frei. Man stand da wie auf dem Dache der Stadt, ja, auf dem Dache der Geschehnisse selbst, von denen nichts übrig geblieben war als ein trüb rötender und dann und wann flackernder Punkt nahe dem Horizont.

Mehrere Personen standen auf der Terrasse und weiter vorn, gegen den steileren Abfall des Terrains zu, Damen und Herren auch, denen wohl das eine oder das andere von den Autos gehörte, die draußen vor der Meierei hielten. Hatte man den Glutpunkt unten in der Stadt, das ‚rote Wimmerl‘ wie der Herr von Orkay es benannte, genügend betrachtet, dann gab es weiter hier – außer der schönen Aussicht auf Wien – nicht viel zu sehen. So kam es, daß – bei bereits lebhaft brennendem Justizpalaste, denn inzwischen war es zwei Uhr geworden – diese und jene, welche schon genug dort hinunter geschaut hatten, sich zum Mittagessen auf der Terrasse niederließen. Der Wirt mußte das wohl irgendwie improvisieren, denn an sich war die Meierei am Cobenzl auf größere Ansprüche in solcher Hinsicht damals nicht eingerichtet, schon gar an einem Werktage. Ein alter Ober schoss eilfertig und doch zeremoniös komplimentierend herum und verhandelte mit den Gästen. Der Zuspruch sei heute mittags ein ganz ungewöhnlich großer, sagte er, und die Herrschaften müßten halt ein kleines bisserl Geduld haben.

Im übrigen ging alles gut, und auch Quapp und Géza nahmen bei brennendem Justizpalaste ihr Mittagessen ein und warfen dann und wann einen Blick hinab auf das ein wenig zuckende ferne Feuer.

Es mochte zwischen drei und halb vier sein, und sie hatten auch schon nach Tische ihren schwarzen Kaffee genommen, als Géza und Quapp von der weit geöffneten Aussicht sich abwandten – sie reicht nach links, von wo das blaue Band des Stromes herkommt, bis gegen Nußdorf hinab, und ist rechter Hand begrenzter durch eine Anhöhe, welche ‚Am Himmel‘ genannt wird. Dieses Bild mit dem bläulichen See der Stadt unten, der so weit hinflieht, als der Blick geht, wird gern von jedermann betrachtet, der hier heraufkommt, ja, den Blick dorthin zurückzuwenden, ist fast etwas wie eine konventionelle Geste aller Ausflügler: vielleicht wird dabei der augenfällig gewordene Abstand genossen, den man hier auf der Höhe vom eigenen Leben genommen und gewonnen hat, welches sich ja dort unten im blauen Dunste sonst abzuspielen pflegt. Heute freilich waren solche Besinnlichkeiten und Sinnigkeiten erheblich gestört, das

Bild hatte einen sehr wenig idyllischen Mittelpunkt erhalten, der dann und wann Veränderungen zeigte, trüber oder heller flakkernd, mit oder ohne Rauchschwaden. Es gab Leute hier, die Ferngläser benützten. Aus der Stadt kamen weitere Autos, deren Insassen allerlei zu melden wußten.

Quapp und Géza hatten inzwischen den Cobenzl verlassen.

Sie gingen langsam auf der Straße dahin, die gegen den ‚Himmel‘ zu führt, und wandten sich dann nach rechts auf einen zunächst breiten Weg, der, bald schmäler werdend, das Paar in die Wälder oberhalb Sievering leitete.

Sie schwiegen seit längerem. Der Kuckuck war unter dem dichten Blätterdach in den Räumen des Waldes zu hören. Das Schweigen zwischen Quapp und Géza hatte schon bei Tische sich auszubreiten begonnen, ja, sie mochten, einmal hier heroben über der Stadt angelangt, beide gefühlt haben, daß diese zweite rasche Fahrt in's Freie, nach einer zweiten unvermuteten Begegnung, alles zwischen ihnen schneller gereift hatte, als sie etwa bei noch währender Fahrt vermeinten, unter dem Dröhnen des Motors, hier herauf über die Kurven der Straße. Nun aber, im Walde, stand schon alles auf dem Kimm, auf der Kippe. Das zweite, so merkwürdige Zusammentreffen – merkwürdig eben als Wiederholung, und für Quapp als wiederholte Befreiung aus mißlicher Lage, zuerst aus inneren, dann aus äußeren Schwierigkeiten – dieses zweite Zusammentreffen schuf oder bestätigte schon eine Bindung, ja, in gewissem Sinne weit intimer, als es vorgefallene Vertraulichkeiten vermocht hätten, die zur Stunde bei unserem Paare noch immer ausstanden.

Der Weg begann steiler zu werden, gegen die sogenannte ‚Kreuzeiche‘ zu.

Das Schweigen der Laubwälder ist leichter, weniger dicht lastend wie das der tiefen Tannenforste im Gebirg, deren Ernst die Flöte des Pan verstummen läßt, und die der Fels übersteigt, von welchem der Jagdschrei des Bussards widerhallt. Hier fielen die Sonnenstrahlen in Bündeln auf den vom Blätterschatten gefleckten Boden, und im Dunste von Gesträuch und Gewächs war schon der wilde Knoblauch zu spüren, dessen breite Blätter in ganzen Feldern diese Waldgebiete durchwandern.

Unweit der ‚Kreuzeiche‘ blieb Géza stehen und tat seinen ersten Griff nach dem Steuerrad des Liebes-Schiffes, von dem er seine Hand ab da nicht mehr ließ:

„Du sollst meine Frau werden, Quappchen", sagte er, „willst du?"

„Natürlich will ich", sagte sie.

Dann blieben sie bei der ‚Kreuzeiche' sitzen und holten Zärtlichkeiten nach, die sehr süß, weil längst fällig waren; diesen Baum der Küsse brauchte man kaum zu schütteln, es gab gleich den schönsten Platzregen.

Sie sagte ihm, daß sie um sechs Uhr bei einer Frau Friederike Ruthmayr sein müsse, auf der Wieden.

„Ich fahr' dich natürlich hin", meinte Géza. „Aber vorher müssen wir noch einmal zur Meierei. Es ist gar nicht ausgeschlossen, daß die einen Champagner haben. Und der wird jetzt getrunken."

Nun, sie hatten einen. Auf dem Rückweg wurde bereits Näheres erörtert. Géza wollte mit größter Beschleunigung heiraten, um Quapp gleich nach Bern mitnehmen zu können. „Bissel ungewöhnlich", sagte er. „Aber ich werd' mir das schon richten. Ich soll Mitte August abgehen. Am Montag telephonier' ich mit dem ‚Äußeren' in Budapest, dort hab' ich einen guten Freund. Es wird schon gehen. Du mußt gleich mit mir nach Bern. Wo werden wir heiraten?" Sie sagte, daß man wohl unten auf dem Gut bei ihrer Mutter die Hochzeit machen müsse. „Schreibst der Mama gleich alles, ja, und vor Ablauf dieser Woche noch, ja. Und ich lass' mich der Mama zu Füßen legen, ja?"

Sie sagte: „Ja, Géza. Versprich mir, daß ich punkt sechs auf der Wieden bei dieser Frau Ruthmayr sein werde. Es ist von Wichtigkeit. Ich werde dir später sagen, wer das ist."

„Ja, Quappchen, ganz bestimmt", sagte er. „Wir werden rechtzeitig wegfahren."

So blieben einige Erklärungen aufgeschoben: wer Frau Ruthmayr sei, und warum man heute in Wien ein öffentliches Gebäude in Brand gesetzt habe und mörderisch schieße. Sie gingen indessen noch im Walde dahin, bergab. Quapp sagte: „Für deine diplomatische Karriere wäre es sehr von Vorteil, wenn du eine wirklich reiche Frau heiraten würdest –"

Géza blieb stehen und sah sie entsetzt an.

„Ja", sagte Quapp ungerührt. „Sicher. Nun trifft sich das gut. Ich werde vom Anfang des nächsten Jahres an ein Vermögen von über zehn Millionen Schilling besitzen. Ich habe geerbt. Das hängt auch mit dieser Dame zusammen, bei der ich punkt sechs Uhr sein will –"

„Wenn schon –!" platzte er heraus. „Das ist mir doch ganz gleich! Ich habe alles, was wir brauchen!"

„Es ist nicht gleichgültig", antwortete Quapp in voller Ruhe. „Sag' das nicht. Ich weiß es besser. Wenn man unbedenklich Aufwendungen für gesellschaftliche und repräsentative Zwecke machen kann, kommt man auf jeden Fall ganz anders vorwärts."

„Das sicher", sagte er, einlenkend. Sie gingen weiter, gelangten auf den breiten Weg, in die Sonne, und folgten der Straße. Von hier wurde das Feuer in der Stadt bald wieder sichtbar. Es war wesentlich stärker geworden, ja, geradezu aufgeflammt. Am Rande der Terrasse standen etwa dreißig Damen und Herren, die das beobachteten. Géza und Quapp blieben nicht hier heraußen. Sie betraten den Speisesaal. Ein Wiener Oberkellner ist schwer in Erstaunen zu setzen. Diesem da war überhaupt nichts anzumerken. Der Champagner kam, die Flasche rutschte rauschend im Eiskübel. Quapp und Géza beugten sich vor, ihre Gesichter waren dicht beisammen, während die Kelche einander berührten.

Ich war zu früh von dem Hofrate weggegangen. Ich erkannte es zu spät. Die Pause war nur eine scheinbare, eine ganz kurze gewesen. Ich wandte mich nach links, obwohl mir, durch eine halbe Sekunde vielleicht, eine kleine Mahnung sagen wollte, ich möge einen Weg meiden, den ein offenkundiges Zeichen als einen abgetanen und vergangenen verlegte: schon sprang ich über die Bogenlampe. Ich lief. Schon auch sah ich mich fast unmittelbar einer vorgehenden Schützenreihe der Polizei gegenüber, die den Karabiner ,fertig' im Arm trug. Ich hatte mich an die Wand des Hauses gedrückt. Der mir nahe rechte Flügelmann richtete die Waffe drohend auf mich, ging jedoch vorbei. Ich sah den Mannschaften nach, die nun im Gleichschritt rasch vorrückten. Einer der mittleren Männer fiel plötzlich auf's Gesicht, aber er raffte sich samt seiner Waffe wieder auf, er war offenbar nur gestolpert. Ich blieb an die Wand gedrückt. Die geschlossene Rotte schwenkte nach links auf: dann rissen sie die Karabiner hoch und die Salve dröhnte und peitschte. Schon kam eine neue Abteilung. Wieder marschierten sie vor, wieder fiel ein Mann, raffte sich auf, reihte sich wieder ein. Gegenüber, am Park, stand ein junger Polizeioffizier, er schrie den Leuten das

Kommando zu, nach links aufzuschwenken. Es geschah. Sie schossen. Er sah danach auf die Stelle hin, wo die Leute gestolpert waren. Auch ich blickte dorthin, es war nichts zu sehen als ein Kanalgitter. Die nächste Salve von der nächsten herankommenden Schützenreihe wurde geschossen, als die Mannschaften sich zwanzig Schritte hinter mir auf der Fahrbahn befanden. Erst rückten sie vorbei und ich sah ihnen nach. Wieder stürzte beim Kanalgitter einer von den mittleren Männern und raffte sich samt seinem Karabiner auf. Unmittelbar danach sprang von drüben der Offizier mit zwei wahren Tigersätzen über die Fahrbahn und stieß den Lauf seiner Pistole in das Gitter des Schachtes. Er feuerte ein halbes Dutzend Mal hinab.

Ich raffte mich auf und lief wieder. Dann bemeisterte ich mich (das gelang mir), nun schritt ich normal dahin, ich dachte an den Hofrat, ich wollte mich sozusagen als ruhigen Bürger zu erkennen geben. Vielleicht wünschten das andere jetzt in meiner Nähe befindliche Personen gleichfalls, die sich aus irgendeinem Grunde, irrtümlich oder notgedrungen, auf die Straße gewagt hatten, und nun danach strebten, diesem Hexenkessel zu entrinnen. Sie vermieden die Polizei nicht, im Gegenteil, sie strebten auf die Wache zu, vielleicht vermeinend, daß ihnen dort Sicherheit winke. Im nächsten Augenblick riß uns eine Salve fast die Hüte vom Kopf. Jemand schrie auf. Ein Polizeioffizier, den blanken Säbel in der Faust, kam den Gehsteig entlang gestürmt. Ich hatte mich weit hinter die Ecke geworfen und entfernte mich so rasch wie möglich. Plötzlich war ich in Leere, in verhältnismäßiger Stille. Ich ging immerfort schnell dahin. Ich sah mitten auf der Fahrbahn einen jungen Polizeibeamten am Rücken liegen, wie ohne Bahre aufgebahrt, die Arme am Leib ausgestreckt. Er war offenbar tot. Ich erkannte ihn als Polizisten, obwohl er nur Hemd, Hose und Schuhe trug. Den dunkelgrünen Rock hatte ihm irgendwer zusammengelegt unter den Kopf geschoben. Der Gurt mit der Pistole fehlte. Ich befand mich, immer dahingehend, unversehens in Gassen, die ein ganz normales Bild boten. Ich war weit gegangen. Ich ging weiter. Ich blieb durch längere Zeit ganz und gar der Verfassung ausgeliefert, in welche mich das eben Erlebte und Gesehene gestürzt hatte. Wie zwei einander durchdringende Bilder sah ich immer wieder jenen mitten auf der Straße tot daliegenden jungen Polizisten – er hatte einen dichten dunklen Haarwirbel über der Stirne gehabt – und den in's Kanalgitter feuernden Offizier: es war das die zweite unverständliche Erscheinung dieses Tages, weit rätselhafter noch als jene beiden jungen Leute, die Zeit gefunden hatten, eine Stunde lang den Fuß einer Bogenlampe auszugraben. Ich fühlte mich nun zwischen den alten Häusern der Josefstadt allen diesen Vorgängen entrückt, einer Beschäftigung damit überhoben: schneller aus dem Hexenkessel heraus gelangt, als ich zu hoffen gewagt hatte. Erst in der nächsten Woche erfuhr ich, daß auch in diesem Bezirke furchtbar getobt worden war, zwei Zeitungsgebäude konservativer Blätter fielen dem zum Opfer. Es war leicht gewesen, genau genommen, aus dem Wirbel heraus zu kommen, wenn auch riskiert. Ich sah jetzt durch offene Flügel von Haustoren, in welchen ängstlich herauslugend die Menschen standen, in gewölbte Flure und in weite Gärten dahinter, wie sich solche oft überraschend in den älteren Wiener Stadtbezirken hinter verrunzelten und verhutzelten Fronten niederer Häuser eröffnen. Die wenigen Menschen in den Torbogen schienen auf dem Sprunge, zu verschwinden und alles zu versperren. Ich dachte, daß wohl fast jedermann in der Lage gewesen wäre, jenen Schauplatz dort zu verlassen, so wie ich es getan hatte: wer aber blieb, der wollte doch bleiben, wenn auch vielleicht nicht gerade kämpfen: so hielt ihn doch ein Bezug und Interesse fest. Ich war auf den ‚Neubau‘ gelangt, durchschritt dann die untere Mariahilf und stieg über eine Treppe zur Wienzeile hinab. Hier, auf den Stufen, überwältigte mich geradezu die Seligkeit bei dem Gedanken, nun kein plötzlich aufgeworfenes Hindernis mehr zu finden (wenigstens hoffte ich es innig) auf dem Wege zu Friederike.

Hier begann ja ihr Stadtbezirk. Es erhob sich kein Hindernis. Ich konnte ruhig dahingehen. Schon in die Nähe gelangt, betrat ich ein kleines Café – es war alledem gegenüber, was mich vor kurzem entlassen hatte, ein geradezu souveräner Raum – erfrischte mich, wusch die Hände, ordnete Haar und Krawatte und zog, tief über die Mokkatasse und ihren Duft gebeugt, den Rauch einer Zigarette ein. Das gewaltsam und von einer namenlosen Macht bis unter den Rand des Horizonts verjagte Leben kehrte wieder, ringweis schwankte es heran, grüßte mich.

Ich ging dann weiter auf der Straße, durch die Wärme; ein offenstehender Hausflur zeigte wieder sein Inneres, eine breite Glastür, durch die man rückwärts das Grün sah, oben waren bunte Rauten eingesetzt, rot, gelb, tief-violett. Als ich bei Friederike's Haus anlangte, begrüßte mich der Portier geradezu mit Freude, schon kam Ludmilla gelaufen: „Die Gnädige hat gar nicht mehr glauben wollen, daß der Herr Sektionsrat heut' wirklich kommt, aber ich hab' gesagt, der Herr Sektionsrat kommt ganz bestimmt! Die Gnädige wartete oben in der Halle, sie hat nicht wollen mehr gegen den Park hinaus sitzen, weil man das Schießen gehört hat. . . ."

Sie lief voraus und öffnete weit die Türe.

Ich wußte in diesem Augenblick – und geradezu aus der Gebärde Ludmilla's! – daß alles längst entschieden und daß ich hier daheim sei.

So stieg ich die Treppe durch die Halle empor über den roten Läufer.

Am oberen Ende erschien Friederike. Ich lief und nahm zwei Stufen auf einmal. Sie erhob ein wenig die Arme, als sie mich sah. Gerade in diesen Augenblicken auf der Treppe empfand ich strichzart den Geruch von Kampfer, vielleicht war es wegen der Teppiche und weinroten Brokatmöbel unten. Friederike wich in den Hintergrund des Raumes zurück, ich konnte sie jetzt nicht sehen, sie erwartete mich dort rückwärts. Ich sprang über die letzte Stufe, ging rasch auf Friederike zu, nahm sie an beiden Händen, und dann gleich in die Arme. Sie preßte mich kräftig um die Schultern und hielt mir mit geschlossenen Augen den Mund hin. Der Sog in ein Jenseits im Diesseits war so gewaltig, daß es mich wie Flocken dahinwehte. Wir saßen dann schön brav am Teetisch, da wir Ludmilla aus dem unteren Teil der Halle heraufkommen hörten; als sie gegangen war, kamen wir nicht zum Teetrinken; wie hielten uns an den Händen. Gesprochen hatten wir bis jetzt noch kein einziges Wort.

Neuberg, der nach jenem endgültigen Bruch mit Angelika sein Zimmer gewechselt hatte (das scheint die Art zu sein, in der manche Leute nach einem Zusammenbruch in Liebessachen aus der Haut fahren), war insoferne bei dieser Veränderung begünstigt, als er jetzt besser, bequemer und abgesonderter wohnte und zwei Vorteile hinzugewonnen hatte: ein Badezimmer und einen geräumigen Balkon, der ihm jederzeit zur Verfügung stand und welchen er vom Vorzimmer aus betreten konnte. Das

Haus lag in einem der höher gelegenen Stadt-Teile – in der oberen Josefstadt – und hatte weitaus mehr Stockwerke als alle anderen Gebäude in der Umgebung. Neuberg wohnte ganz obendrauf. Daher die Fernsicht über die Innere Stadt hin. Allerdings nur vom Balkone aus; des Zimmers Fenster sahen in anderer Richtung.

Ja, wäre es doch ein Zusammenbruch gewesen, ein eigentlicher, ein Nullpunkt, in dessen Begriff ja schon das Fortfallen jeder Spannung liegt, und auch die Möglichkeit eines neuen Anfangs! Jedoch unter den Trümmern regte sich's noch immer, und nicht selten – nein! man müßte sagen: täglich! – rumpelnd und mit wilden Zuckungen, statt daß sie allmählich eingesunken wären in die gleichmacherische Erde der Vergangenheit, aus welcher die Archäologie unserer Lebens-Erinnerungen sie viel später erst ausgräbt, und mit dem erstaunlichen Resultate, daß alle Frauengestalten einer gewissen Periode, gewisser Schichten, einander zum Verwechseln ähnlich sehen, was die ursprüngliche Fiktion um so unverständlicher erscheinen läßt, nämlich die von der Einzigartigkeit jeder einzelnen dieser Damen. Darin aber besteht ja das ganze Unglück. Exemplum docet, exempla obscurant, sagte einst der Prinz Croix.

Es rumpelte also konvulsivisch bei Neuberg, und er kam – mit wackligen Händen und erweichten Knien – kaum dazu, recht eigentlich und mit Freuden zu ergreifen, was sich auf ganz anderen Ebenen ihm anbot. Man kann sagen, das Glück begann ihn hartnäckig zu verfolgen. War ein Pfropfen (Angelika?!) heraus, war er verkorkt gewesen bisher?

Doch, er wußte alles. Noch konnte er nicht, was er zu können gehabt hätte, doch wußte er schon, was hier zu wissen war. Das ist eine gefährliche Lage. Trennen sich die beiden Hälften, in welche der Mensch dabei zerfällt, ganz und gar, wird das bloße Wissen zu einer Art zweiter Wirklichkeit, von der kein Steg mehr hinüber leitet in die erste, dann ist alles verloren. Jedoch, eine unbegreifliche Verschiebung im Innern, ja, geradezu im Inneren seines Leibes – die Neuberg also niemals zu bewirken oder zu provozieren imstande gewesen wäre – hatte ihn über eine Schwelle gebracht, die zwar gering war, eine ganz flache Stufe, welche aber genügte, jene katastrophale Trennung, von der eben die Rede gewesen, hintan zu halten. Der Zustand des absoluten Nicht-Könnens – als Vorstadium und Anfang des Könnens – war geduldig ertragen worden. Der Lohn war reich.

Das Ende jenes Stadiums – auch das wußte der Doktor Neuberg, weil ein rechter Doktor die Introspektion gelernt hat – war nicht lange nach jenem Fünf-Uhr-Tee erreicht worden, bei Grete Siebenschein, mit dem Amerikaner und seiner Braut (des Stangeler gedachte er jetzt gar nicht), ja, fast unmittelbar danach. Alkoholisiert weggehend, hatte er sich dann noch mehr betrunken – in einem Beisl, wo er vordem nie gewesen – und sodann daheim, in seiner alten Wohnung, eine ganz grauenvolle Übelkeit erlebt. Seitdem beherrschte ihn ein sofort heftig hervorbrechender Widerwille gegen jeden alkoholischen Geruch – vielleicht war es also damals schon eine beginnende Vergiftung gewesen – der ihm Wein oder Schnaps außerhalb des möglichen Genusses rückte, ja, nicht einmal ein Glas Bier zuließ, und sich sogar auf das sonst von ihm sehr geschätzte Kölnische Wasser erstreckte. Neuberg war sich freilich nicht bewußt, daß ihn hier weit weniger die Empfindlichkeit seines Magens über einem Abgrunde hielt, als seine rein jüdische Ahnenreihe, welche schon in den klassischen Vorfahren jede Gefahr dieser Art überwunden hatte, das Serum gegen sie im Blute hinterlassend.

Jenseits der geringen überschrittenen Schwelle – im Rausch und darauf folgenden Schlafe überschritten, so wie Odysseus schlafend auf Ithaka landete und Leonhard Kakabsa im Halbschlaf die Dialekt-Grenze überschritt, denn ganz wachend findet man nie ganz nach Hause – jenseits jener rein hinzugegebenen Verschiebung, die keiner selbst vermag (‚das kann ich doch nicht selbst!‘ hatte Leonhard einst laut vor sich hin gesagt, uns an Kürze weit übertreffend!), jenseits des absoluten Nicht-Könnens also stießen schon zarte Verbündete zu unserem Doktor und Introspektor (am Rande: wäre der Verfasser zum Beispiel Präsidentin einer internationalen Frauenliga – wozu er glücklicherweise ganz untauglich! – er ließe in den Parlamenten einen Gesetzentwurf einbringen, der den Mannsbildern das Meditieren verböte: denn allzu leicht können die Kerle dabei auf eine Art Archimedischen Punkt gelangen, wo man ihnen nicht mehr beizukommen vermag, alias, sie nicht mehr einseifen kann. Es müßte also denen Weibern das Recht zugebilligt werden, derartige Hochverrätereien gegenüber der Obmacht des Rosenpopo-Flügelgottes auf ganz konkrete Weise zu stören. Wozu allerdings die

Mitglieder von Frauenvereinen am allerwenigsten geeignet wären – hier beißt sich die Katz' in den Schwanz – und die anderen tun es ohnehin unaufhörlich und mit Erfolg, ja, sie tun im wesentlichen überhaupt nichts anderes, glücklicherweise).

Es fanden sich also zarte Verbündete. Neuberg befand sich zur Zeit allein in der Wohnung, die Hauptmieter genossen einen Sommeraufenthalt (Parallelität zu Quapp, nur benützte er's anders als sie, die auf den Cobenzl fuhr, er blieb eben daheim). Was er nach jener Whisky-Geselligkeit erlebt, nachdem er das Haus Siebenschein verlassen hatte und in die nächste Schenke gefallen war, erwies sich, von hier und heute gesehen, als bloße Vorwegnahme, als einzelner Ton eines noch inkompletten Akkordes neuer Tonart – die Musiker bezeichnen so etwas ähnliches mit dem Ausdrucke ,Vorhalt'. Doch fiel das Einsetzen jener neuen Tonart keineswegs mit der Übersiedlung zusammen, so sehr Neuberg das ersehnt und gewünscht, ja, in's Auge gefaßt, ja, statuiert hatte. O nein. Niemandem wird gewährt, den Taktstock über das eigene Leben zu schwingen, und wie lange eine Sequenz dauert, bestimmt nicht solch ein kleiner Dirigent, sondern nur ein großer Kompositeur. Es ging ihm auch hier, auf der Josefstadt, noch recht elend: Kopf in die Kissen gewühlt, wacklig, knieweich, Herzdruck (dabei war der Kerl ganz gesund), kurz, jene ganzen Vergiftungs-Erscheinungen, von denen die Wirte und die Weiber zu leben wissen.

Aber gerade hier griffen nun die zarten Verbündeten ein. Er kriegte es einmal mit der Angst in seinem neuen Zimmer, und da er wußte, daß er allein in der Wohnung sei und ihm niemand begegnen könne, benützte er sozusagen das Vorzimmer als Auslauf, und rannte also dort hinaus (die Präsenz der stummen Umgebung eines Einsamen, welcher sich doch der Straße und den ganz unbeteiligten Menschen dort nicht gewachsen fühlt und also hinaus nicht flüchtet, kann plötzlich eine drohende Spitze gegen den Unglücklichen richten, gegen die es keinen Schild gibt, weil an einem Bücherkasten, der Nachmittagssonne im Fenster und einem hier hängenden Bademantel nichts zu interpretieren ist – ein verstecktes, aber unausrottbares Wissen jedoch sagt das Gegenteil und macht alle diese Sachen zu sichtbar gewordenen Strängen vom Grundgeflechte des eigenen Lebens). Neuberg also kam in's Vorzimmer und lief an der verglasten Balkontüre vorbei. Auf der anderen Seite befanden sich, linker

Hand, drei jetzt versperrte Türen in die übrige Wohnung. Es mochte die Familie für ihre Teppiche oder Pelze, oder was sie schon hatten, gut gesorgt haben: denn als er anhielt, kühlte ein einsamer Strich von Naphthalin oder Kampfer alles in ihm tief ab, alles und jedes, es fiel aus ihm, als verlör' er den unteren Boden, und in's augenblickliche Vakuum stürzte mit Macht, was eben wirklich da war, keine Gespensterwelt, nicht die schrekkende, sondern eine die Sinne füllende Präsenz, welche ihnen was zu vermahlen gab, ein Korn aufschüttete: und so sah er's zum ersten Male, dieses Vorzimmer, hellgrün und im sezessionistischen Stil oder Jugend-Stil, wie man's auch nennt, ex anno 1907 etwa. Der Kampferduft lag diskret in sich selbst gesammelt, Halbinsel und Vorgebirge eines tiefen kühlen Hinterlandes. Neuberg sah mehr, als mancher auf einer Reise nach Neapel oder Apulien sieht. Zugleich konnte er's fast so deutlich fühlen, wie man die zerkaute Nahrung den Schlund hinunterrutschen spürt: daß sein über den Rand hinausgekollerter Mittelpunkt zurückkehrte. Und nun rastete der an seinem Orte ein.

Es geschah das am Morgen des 15. Juli. Neuberg war sich der verhältnismäßigen Wichtigkeit dieser Augenblicke bewußt. Während er rasch in sein Zimmer ging, fiel auf den vollzogenen Akt noch das Petschaft von Tatsächlichkeiten, die, waren sie ihm auch seit mehr als vierzehn Tagen bekannt, bisher in ihm nur eine Art zwischendingliches Fledermaus-Dasein geführt hatten: nun stürzten sie prompt über den wieder an seinen Ort gelangten Mittelpunkt: vom 1. Januar an würde er eine Anstellung im Staatsarchive haben, und ab 1. September bereits ein Stipendium als Mitarbeiter an der bedeutendsten Quellen-Publikation unserer Zeit, an jener, die man ,Monumenta Germaniae' nennt, und welche, nach der Unterbrechung durch den Krieg, allmählich wieder in Schwung gekommen war. Beides ging ja nun auf die Dauer nicht zusammen. Aber beides war gleichzeitig eingetroffen. Ihm ahnte jetzt, daß er in der letzten Zeit schon an einem kleinen Verfolgungswahn gelitten hatte, in puncto ,Stallgeruch' und was da hereingehört. Denn, da ihm jedwede Protektion fehlte, so lag's auf der Hand, daß hier nur seine fachliche Qualifikation entschieden haben konnte.

Sogleich in seinem Zimmer griff er nach dem zugeworfenen Tau und knotete es sich fest um die Brust: ihm galt jetzt nur eines: alle Anschlüsse an seine zum Teil liegengebliebenen Arbeiten wieder herzustellen. Er warf sich mit einem ungeheuren Kraftaufwand in diese Sachen, als ginge es um sein Leben (etwa nicht?) und wartete auf einen zähen Widerstand. Jedoch es erfolgte überhaupt keiner, was zum Teil wohl auch einen rein technischen Grund haben mochte: die Materialien, vom Institut hierher gebracht, weil er's dort schon gar nicht mehr ausgehalten hatte, lagen geordnet da, und es waren seine karolingischen Sachen zudem in einem vorgeschrittenen Stadium und an einem guten Punkte von ihm verlassen worden.

Nach drei Stunden trat fürchterlicher Hunger ein.

Neuberg erinnerte sich nicht, auch nur ein einziges Mal Appetit empfunden zu haben, während der letzten Wochen.

Schon gar nicht am Morgen.

Jedoch dieses fast mittägliche Frühstück artete zur Freß-Orgie aus, zu der alles herangezogen wurde, was er nur daheim hatte. Danach erst eigentlich konsolidierte sich die Lage ganz. Einmal blickte er in jener Art über seinen Schreibtisch hin, wie es Brillenträger machen, die, bei gesenktem Kopfe aufschauend, über die Gläser hinweg sehen. Eine solche Art zu schauen wirkt prüfend und zugleich irgendwie despektierlich, mindestens sehr anzweifelnd. Ganz so blickte nun der Doktor, wenn auch ohne Brillen, über seinen mit Büchern und Papieren bedeckten Tisch auf das Brautpaar – nämlich den Direktor Dulnik und die Angelika Trapp – das Ganze als eine unwürdige, ja, lächerliche Angelegenheit empfindend, an welcher man zum Glücke nicht mehr beteiligt war.

Nach zwei weiteren Stunden erfolgte ein Knüppelschlag auf den Kopf, den sämtliche schlaflose Nächte der letzten Zeit, die sich hier zum Protest versammelt zu haben schienen, gleichzeitig und mit Wucht führten.

Vielleicht ahnte ihm in der Tiefe des Gemütes, daß keiner anders als durch das Tor des Schlafes ganz in sein Ithaka kommt. Wie um die Sachen auf die Spitze zu treiben, trank er eine Flasche Bier aus (die seit vierzehn Tagen unberührt in der Ecke stand), nachdem er das Getränk im Badezimmer auf den Boden der Wanne gestellt und das kalte Wasser aus dem metallnen Schlauch der Brause lange genug darauf hatte zischen lassen. Widerwillen gegen das Bier wurde von ihm nicht empfunden. Es mundete vortrefflich. Sodann warf er die Schuhe ab, löste den Hosenriemen, und fühlte, am Rücken auf dem Diwan liegend, noch, wie sein Schiff sich vom Ufer trennte und den ruhigen Kurs der Heimreise nahm.

Als Neuberg erwachte, war es dunkel im Zimmer, und zunächst wähnte er sich am frühen Morgen. Nicht selten in den Nächten der letzten Wochen, wenn er, nach stundenlangem Auf- und Abwandern, sich für ein Kurzes nur hatte auf den Diwan werfen wollen – Pause in einem schon entschiedenen Entscheidungskampfe, darin es ja gar nicht auf ein Erkennen mehr ankommen konnte, das er noch immer suchte, sondern auf's Einholen-Können der gefallenen Entscheidung, das er noch immer mied – nicht selten war er dann am frühen Morgen in seinen Kleidern erwacht, mündend in den wie zähes Blei fließenden Tag. Heute jedoch, kaum war er wach, sah er den See der Freiheit glitzern, sprang hinein mit einem Frosch-Platsch, jetzt auch schon um die wirkliche Tageszeit wissend, ja auch um die Wiederanknüpfung der Arbeit. Dieses Zimmer war ein Genuß. Neuberg fühlte und füllte es aus, wie einen bequemen Rock.

Und schon jetzt, noch im Dunklen. Als er Licht machen wollte, ging das nicht. Auch beim Schreibtisch knackste der Druckknopf an der Lampe in eine unverändert bleibende Dunkelheit. Neuberg, der wohl noch etwas verschlafen gewesen sein dürfte, fand zum Waschtisch hinüber (auf dessen Marmorplatte der elektrische Kocher stand), in der schon geradezu trotzigen Absicht, seinen Kaffee – denn diesen wollte er nun unbedingt haben! – eben im Dunklen zu bereiten; was ohne elektrischen Strom ebensowenig möglich war, wie das Einschalten der Beleuchtung. Es galt zu sehen, ob der Kurzschluß sich auf die ganze Wohnung, auf das Vorzimmer und die Küche erstreckte; denn, daß es hier zwei Stromkreise gab, war ihm von einem neulich eingetretenen derartigen Falle her bekannt.

Der Doktor Neuberg ging gemächlich hinaus und war dabei, trotz der Wärme im Zimmer, von einer tiefen inneren Durchkühlung erfüllt. Dieser Empfindung erinnerte er sich. Er hatte sie immer nach langem Schwimmen in der Donau gehabt.

Plötzlich schien ihm, unsinnigerweise, als sei irgendetwas mit dem elektrischen Kocher passiert, der doch gar nicht eingeschaltet war. Hinter der Glastür des Balkons sah er Rot, trat hinaus in die verhältnismäßige Kühle, fühlte am Geländer noch Nässe vom Regen und schaute in die Pforte des Brandes, welche dort in die Stadt gebrochen war wie mit Zinnen und roten Wänden, und sogar an einzelne Gewitterwolken des Himmels den Widerschein warf. Der ferne, sehr ferne Brand Troja's, gesehen von Neubergs Ithaka aus: und die schöne Helena, sollt' heißen Angelika, ging dabei gleich mit perdü, was sicherlich auch schon damals das gescheitere Ende der Sachen gewesen wäre.

Während Leonhard noch durch Sekunden vor dem kleinen Ausgang an der Rückseite des Universitätsgebäudes stand – jetzt erst wurde er dessen inne, daß er seinen Hut auf den Stufen vor den Arkaden hatte liegen lassen – sah er mit einer ihn befremdenden plötzlichen Überdeutlichkeit den Weg nach rechts in die Universitätsstraße und diese selbst frei und leer liegen, ohne jedwedes Hindernis. Nach links blickte er kaum, hörte jedoch einzelne Schüsse, Geschrei, und nur im Augenwinkel sah er etwas von der Röte des Brandes und eine Art großen Hut vom Rauch über den Dächern. Er ging nach links. Das war nicht nur befremdlich, sondern mehr: er wurde sich selbst entfremdet in diesen Augenblicken. Doch nahm er den Weg nach rechts, zu Mary, gleichsam unter den Sohlen mit als etwas, das ihm durchaus vorbehalten blieb.

Werde dir selbst erst befremdlich, und bald wird nichts mehr dir fremd sein. Das rasche Dahinschmettern über die Weichen unseres Geistesschicksals ist zwar heftig und nimmt ganz ein, aber jene werden dabei als solche nicht erkannt. Weder wenn man im Bette die Dialektgrenze überschreitet (ein zweiter Odysseus, der auch schlafend auf Ithaka landete), noch wenn man plötzlich dahinter kommt, daß man ja bereits Latein kann.

Nicht etwa, daß er irgendwas überlegte, dachte, sich vorstellte.

Er ging nach links.

Er war schon bei der Ecke des Rathauses.

Sodann schritt er den ganzen schmidtisch-gotischen Angsttraum entlang.

Im Traum ist alles selbstverständlich. Man wundert sich da nicht. Vielleicht ist gerade dieser Umstand das einzige kriterielle Unterscheidungsmerkmal zwischen Traum und Wachen. Zum Wundern fehlt in der Traumwelt die Distanz, jener Spalt zwischen uns und dem Leben, der das Wachsein ausmacht, und über den unser kritischer Pfeil fliegt. Hier flog kein kritischer Pfeil. Auch nicht, als Leonhard sah, daß Polizisten, in einem Glied aufgestellt, die Karabiner verkehrt gebrauchten, ob aus Mangel an Munition oder aus Raummangel oder Rücksicht, blieb offen.

Sein Gehen wurde zum Sturz. Er wußte es nicht, daß er lief, ja, rannte, dahinfegte. Der Körper sagte nichts dazu, wandte nichts ein: was Wunder, mit dem Herzen eines dreijährigen Pferdes und Lungen, wie sie etwa die Hellenen bei Marathon gehabt haben dürften, als sie unter Miltiades die Perser in's Meer warfen.

Jetzt erst wurde Leonhard äußerlich und faktisch von der Möglichkeit des anderen Weges, nach rechts, zu Mary, endgültig getrennt: jedoch ohne daß er dessen eigentlich inne ward; denn er behielt jenen Weg nicht nur im Herzen, sondern einem durch nichts zu verscheuchenden Gefühle nach auch unter seinen Sohlen, die doch ganz wo anders hin eilten.

Doch sein Lauf ward angehalten (auch das merkte er eigentlich kaum). Eine Woge warf sich über seinen Weg, erst vor ihm, dann hinter ihm, und schnitt jenen ab. Das Gebrüll, welches die einzelnen noch fallenden Schüsse wie helle Akzente über sich trug – peitschende Salven gab es jetzt nicht mehr – schien Leonhard wie eine Brandung wieder aus dem ganzen hinauszuwerfen, und während er eben noch einen jungen Menschen neben sich sah, mit einem großen fettglänzenden Gesicht, der unaufhörlich Steine warf, und neben ihm eine dicke zerlassene Person, die dazu auf einer Trillerpfeife ohne Unterbrechung pfiff – fand er sich auch schon in eine fast leere Gasse gelangt, in deren Mitte etwas hingelegt worden war, hingelegt, nicht hingeworfen, der Gegenstand schien parallel zu den Gehsteigen geordnet, und Leonhard schritt rasch darauf zu. „Leo! Leo!" wurde hinter ihm gerufen. Er bezog es nicht auf sich. Dann noch einmal – er ging immer weiter – dann Getrappel, und dann packte man ihn links und rechts an den Armen, es waren Niki Zdarsa und Karl Zilcher, die sich geradezu an Leonhard festkrallten, anklammerten und festhielten, während sie rasch mit ihm weiterschritten. Ihre vom Schweiß nassen Gesichter hatten viel Ähnlichkeit mit jenen verloren, die er eigentlich kannte. Sie stammelten irgend etwas. Er verstand es nicht. Sein Glück, die beiden gefunden zu haben, den Peitschenhieben entronnen zu sein, ertaubte im Augenblicke noch das Ohr, und während Niki und Karl an seinen Armen hingen, war er es, der sich an ihnen hielt. Sie sagten, und immer wieder: ,,Führst' uns aussi, Leo, mir können des nimmer mit anseh'n. Der Ruass is' los, der ganze Ruass aus'm Prater. Siechst ja kan Arbeiter mehr. Du waßt g'wiß, wie ma' durchkommt, du waßt es." Ja, er müsse den Ausweg wissen, so meinten sie, und warum gerade er, Leonhard, das war nicht die Frage. Aber die Zumutung der beiden – jene Führung, die sie ihm ganz offenkundig zuschoben – das drängte Leonhard alsbald auf einen erhöhten Punkt, auf den der Übersicht. Sie waren ihrer nicht mehr fähig, und er mußte sie jetzt also haben. Es galt auch den Dank dafür abzustatten, daß die beiden aufgetaucht, daß sie überhaupt da waren! So gingen die drei jungen Männer, fest untergefaßt, im Sturmschritt durch die leere Gasse und auf den Gegenstand zu, der dort an ihrem Ende grad ausgerichtet in der Mitte lag. Das Toben dessen, was Zdarsa und Zilcher eben den ,Ruass' genannt hatten – ein trefflicher Wiener Volksausdruck für das Unterste vom Untersten, das Letzte vom Letzten, daran man nicht im leisesten anstreifen könne, ohne sich fettig zu beschmutzen, wie an einer rußigen Platte – das Toben dieser Salbengesichter, Prater-Huren und ihrer Zuhälter – blieb jetzt dahinten zurück.

Was in der Mitte auf den Fahrdamm hingelegt worden war, erkannten sie bald als einen Toten. Er lag auf dem Rücken, die Arme am Leib ausgestreckt, die Augen waren geschlossen. Unter dem Haupt befand sich seine zusammengefaltete Polizeijacke, die Kappe dahinter. Über der Stirn ein dicker schwarzer Haarwirbel. Das Schreckliche kam hier von der Schönheit des jungen Mannes. Noch war die Brust gewölbt, und das etwas eigensinnige Bubengesicht Karl Zeitlers gehörte noch ganz diesem Tage an, nur etwas nach innen gewandt, ein klein wenig vertrotzt. Hier war kein elend zusammengefallenes, von der Gewalt des Schusses hingehauenes Bündel, verkrümmt und verzerrt im Todesschmerze, Rest eines Menschen, von dem man nicht eigentlich Abschied nahm; dieser wird in solchen Fällen nicht vom Toten, sondern vom Lebenden genommen, wie man ihn eben gekannt hat. Als solcher aber lag der Oberwachmann Karl Zeitler hier, hinter einer ganz reinen und klaren Kristallwand zwischen Zeit und Ewigkeit, die sein Bild nicht im allermindesten verzerrte. Wer weiß, wer ihn hier so säuberlich mochte gebettet haben. Vielleicht diejenigen, die seine Dienstpistole gestohlen hatten.

Leonhard kniete neben Zeitler am Boden.

Daß ihm dieser genommen worden war, hing hoch im Unbegreiflichen.

Noch betrachtete er Zeitlers ganz nahes, ganz unverändertes Antlitz, als ein schweres Trappeln in sein Gehör drang, ohne daß er's beachtete: noch saß er im Ring dieser Trauer, wie in einem Zauberkreis. Dann schrie jemand:

„Ihr Lumpen! Den habt's ihr um'bracht!"

Niki und Karl Zilcher standen mit erhobenen Händen vor den auf sie gerichteten Mündungen der Pistolen. Auch auf ihn selbst war eine angeschlagen. Jedoch hob Leonhard nicht die Arme. Er blieb neben dem Toten knien und sah nur auf. Mit der Trauer brach die Wahrheit aus seinem Gesicht wie aus einem Tor, dessen Flügel klaffen. Es hätte seiner Worte nicht bedurft. Die ganze Gruppe – Niki und Karl mit erhobenen Armen, Leonhard kniend, der Tote, der Polizei-Inspektor, ein älterer Mann, mit seinen beiden Wachleuten, alle drei die Pistolen in Händen – diese ganze Gruppe blieb regungslos stehen, als wär's im Wachsfigurenkabinett gewesen.

Endlich sagte Leonhard:

„Der Zeitler Karl vom Kommissariat Brigittenau. Mein bester Freund. Wir haben immer zusammen studiert."

Der Inspektor beugte sich über den Toten. „Meiner Seel', ja," sagte er dann und sicherte seine Pistole.

Die beiden anderen taten ebenso.

„Sind Sie der Herr – na, wie war nur der Name – mit Ka –"

„Leonhard Kakabsa."

„Ja, von Ihnen hat er oft gesprochen."

Leonhard hatte sich erhoben, Niki und Zilcher ließen ihre Arme sinken. Niemand sprach, es herrschte Stille, kein Schuss fiel in diesen Augenblicken, auch von weitem hörte man nichts.

Als der Inspektor endlich sprach, kamen die paar Worte hölzern hervor, wie unpassend, wie auf linken Füßen:

„Können Sie irgendwelche Angaben machen? Waren Sie Augenzeugen?"

„Eben jetzt haben wir ihn gefunden, wie er da liegt."

Auf den Dialekt und seine anbiedernde tierische Wärme hatte Leonhard völlig vergessen zu dieser Stunde. Vielleicht war es gerade dieser Umstand, der zunächst sicher befremdete, dann aber Distanz schuf und zum Bewußtsein der Lage erweckte.

„Sind die Herren Arbeiter?" fragte der Inspektor, sich jetzt an alle drei wendend.

„Ja," antwortete Leonhard. Eine andere Antwort – in bezug auf seine eigene Person – kam ihm gar nicht in den Sinn.

Ganz plötzlich jedoch veränderte sich das Gesicht des Rayons-Inspektors, er fiel aus der Rolle oder eigentlich mitten in diejenige hinein, welche ihm hier zugedacht war:

„Sagen Sie mir nur, meine Herren, wie war das möglich. Wie war das alles möglich."

Die beiden jüngeren Beamten, welche bisher düster und erschöpft auf den Toten gestarrt hatten, sahen auf. In ihren Gesichtern lag schwer und stumpf der schreckliche Bodensatz dieses Tages.

Leonhard, der auf den Kopf Zeitlers blickte, dessen blasses Gesicht noch Spuren vom schweißgebundenen Staub zeigte, während der schwarze Haarwirbel sich auf die Stirn gesenkt hatte und daran zu kleben schien, spürte in diesen Sekunden seine Augen heiß werden, und dann brachen die Tränen wie eine fremde Macht hervor, der nicht zu wehren war.

„Ich weiß es nicht", sagte er.

Am Ende der Gasse erschien jetzt der große Dulder des Tages, der ,Republikanische Schutzbund', in Gestalt dreier uniformierter Männer, die eine leere Tragbahre mit sich führten. Vielleicht wollten sie nur für ein kurzes verschnaufen; man hörte schon wieder Schüsse fallen und Geschrei. Der Inspektor jedoch rief ihnen zu, winkte sie heran.

„Herr Inspektor", sagte Niki, mit einem Knödel im Halse kämpfend, und mit schon aussetzender Stimme, „ich hab' kan Arbeiter mehr g'sehn. Der Ruass war los, der ganze Ruass aus'm Prater."

Der Beamte nickte. Die Schutzbündler waren herangekommen. „Meine Herrn, nehmt's unsern Kameraden mit", rief er ihnen zu. Sie hoben Zeitler auf und legten ihn auf die Bahre. Leonhard, noch einmal hinzutretend, strich dem Toten das Haar aus der Stirn. Dann ruckte die Bahre empor. „Auf a besseres Wiedersehen", sagte der Inspektor und reichte Leonhard die Hand. „Auf a bessers!" sagten Niki und Zilcher. Nun setzte sich der kleine Konvoi in Bewegung. Rückwärts an der Bahre ging ein junger Bursch vom Schutzbund, der ganz offenkundig weinte, vielleicht waren seine Nerven den wechselnden Lagen dieses Tages nicht mehr gewachsen. So wurde Zeitler von jenen getragen, die ein Samariter-Korps und eine Leichenbrüderschaft geworden waren aus einer militanten Parteitruppe. Als schlüge jemand einen roten Mantel auseinander, innen atlasgefüttert mit jetzt aufglänzendem Weiß. So jene, anima humana, natura autem christiana, so wenig sie dessen Wort haben wollten. Der Leichenzug verschwand um die Ecke.

Noch waren unsere drei jungen Männer weitaus nicht aus der Gefahrenzone gelangt. Schüsse und Geschrei kamen wieder ganz nahe. Aber es war, als hätte der Tote ihnen eine breite Lücke in die Lage gebrochen, durch welche sie wie im Traume gingen, jetzt rechts sich haltend gegen das Landesgericht (von dem alles ausgegangen war) und gegen den Alsergrund. In der Schwarzspanierstraße dann verwunderten sie sich bereits, wie leicht sie jenem Hexenkessel entronnen waren, in welchem andere doch noch verblieben (aber es wurde um diese Zeit schon ruhiger um den brennenden Justizpalast).

Die Tore der Freiheit stehen oft sperrangelweit offen, und niemand sieht sie.

So weiter, durch die Währingerstraße und Bolzmanngasse, wo die einstmalige k. u. k. Konsular-Akademie von dieser Zeit hinter ihre eigene Front zurückgetreten stand: unvorhanden, ein erstorbenes Jenseits im Diesseits. Allen Dreien, und nicht nur Leonhard, war's, als trügen eigentlich sie den Toten mit sich. Sie wohnten im Bergabgehen, in ihren schweißnassen Kleidern und Haaren, im furchtbaren Bodensatz dieses Tages – jeder Tag hat ihn, nur heute war er aufgewirbelt worden – und bei alledem blieb es dem Leonhard vorbehalten, ein wirkliches Glück zu empfinden, weil diese beiden an seiner Seite schritten: wie ein Verband lagen sie über einer einst gerissenen Wunde des Abschiedes, die darunter jetzt schon geheilt war. Und die Wege nach links und nach rechts, sie fielen zusammen jetzt, er hatte sie beide zugleich unter den Sohlen: dieser hier führte zu Mary. Rasch und willig glitt Leonhard den Aquädukt entlang, der ihn hier leitete, und auf den unvermeidlichen Katarakt zu, von dem er seit heute am Morgen wußte.

Es war wie ein grünes Tal in tiefem Frieden, wie's einst gewesen sein mochte vor vielen Jahrhunderten, da der kleine Fluß, die Als, noch in der Sonne sich zwischen den Wiesen und Feldern zur Donau hingezogen hatte, weit außerhalb der Stadt. Heut ging sie innerhalb dieser, ja, unter ihrem Bauche, in einer rauschenden, patschenden Finsternis, daraus Geschöpfe steigen konnten, die der plätschernde Bach von einst nicht hätte ernährt. Etwas von solchem freien Dufte schien für Leonhard diesen Weg jetzt zu umspielen, und vielleicht kam er wirklich von damals, hintnach lebendig aus des Zeitler Karl Erzählungen, der ja mancherlei historischen Studien obgelegen.

Sie gelangten in die Alserbachstraße, folgten ihr und gingen nun gleichsam auf der Talsohle dieses Tages dahin, der links und rechts über ihnen noch mit wild zerklüfteten Türmen starrte. An der Ecke, wo die Porzellangasse einmündet, blieb Leonhard stehen. Eben sah er drüben den René Stangeler langsam daherkommen, der eine Aktentasche trug, aber nicht am Träger hängend, sondern unterm Arm und an die Brust gedrückt; jetzt wandte er sich um die Ecke und schritt am Althanplatz entlang, zum Haustor Nummer 6 natürlich, zu seiner Braut; Leonhard wartete ein wenig, bis jener weit genug voraus sein mochte; dies war nicht die Stunde der Begegnung und des damit verbundenen Aufenthaltes; die Brücke der Beziehung konnte jetzt und hier unmöglich erstellt werden. Niki und Zilcher Karl blieben einfach links und rechts neben Leonhard stehen. Sie fragten nicht, was dieser Halt bedeute. Es gibt ein Überdehnt- oder Überlastetsein, das auf kleinere Anlässe und Reize mit keiner Reaktion mehr antwortet. Stangeler ging so gemächlich dahin, als habe er noch einige Hundert Kilometer zu marschieren. Die Unbegreiflichkeit des Burschen grenzte für Leonhard in diesen Augenblicken schon an's Furchtbare. Er griff sich in's Haar. Es war feucht vom Schweiß. Das dicke Haar zwischen seinen Fingern schien ihm jetzt dasselbe zu sein, wie jenes, das er zuletzt noch dem Zeitler Karl aus der Stirne gestrichen. Einen Augenblick war's ihm, als wollte sich das Hirn rühren unter der Schädeldecke, und der Schmerz wegen Karl fiel ihn durch diese Sekunde derart an, daß er's mit der Angst kriegte. Stangeler war verschwunden. Sie gingen weiter. Vor Mary's Haustor blieb Leonhard stehen. „Ich geh' da hinein", sagte er. Niki und Zilcher erwachten jetzt zu ihrer eigenen Verdutztheit. Nun mochten sie begreifen, warum er überhaupt diesen Weg mit ihnen gegangen war. Sie hatten es vollends vergessen gehabt, daß Leo ja nicht mehr in der Brigittenau wohnte. „Kommst amal zum Rolletschek nach Betriebsschluß, wann ma' wieder arbeiten?" fragte Zilcher. „Ja, ich komm'", antwortete Leonhard. „Kommst g'wiß?" sagte Niki. In seiner Stimme war ganz genau der gleiche ängstliche Unterton, wie damals beim Abschiede, als Leonhard dann im Taxi den Rubikon überschritten hatte. Beide Burschen lächelten jetzt. Im Händeschütteln geschah noch ein letzter zärtlicher Nachdruck. Sie wandten sich. Er sah ihnen nach, so lang er sie im Aug' behalten konnte, ein kurzes Stück nur. Freilich drehten sich die beiden nicht mehr um, sie vermeinten ihn ja in's Tor getreten. Nun waren sie um die Ecke. Leonhard trat ein, ging durch den protzigen Flur, lauschte an der gewundenen Treppe. Nichts rührte sich. Stangeler war längst bei der Braut. Jetzt setzte Leonhard wie zum Sprunge an, und dann flog er die gewundenen Treppen hinauf, so rasch, daß er sich beim Laufen nach innen legen mußte, ein Mal, zwei Mal um die Spindel des Lifts. Dann bremste und bemeisterte er sich. Sein Lauf war zu laut. Er passierte gemessen und sittsam das Siebenschein-Storch'sche Stockwerk.

Der einigermaßen dumpfe Zustand des René Stangeler an diesem 15. Juli 1927 unterschied sich doch auch heute ganz und gar von Persons-Verfassungen wie etwa jener Quapps mit ihrer habituellen Unwissenheit. René wußte genau, warum die Arbeiter demonstrierten, und konnte sich später auch so ungefähr vorstellen, wie es da zum Schießen gekommen sein mochte. Aber es fehlte bei ihm etwas, was wir am liebsten mit Leichtigkeit der Auffassung bezeichnen würden, und was eben einmal erforderlich ist, damit einer klar sieht, und schon gar, damit er sich auskennt. Wem die Auffassung selbst schon zu einer Sache wird, die mehr oder weniger gut oder auch gar nicht gelingen kann, der wird sich nur in wenigen Ausnahmefällen der Außenwelt wirklich zu bemächtigen vermögen (wie der René etwa im Arkadenhofe der Universität beim Gespräche mit Herzka, und auch später auf jener Kärntner Burg).

Aber, obwohl jene Ausnahmefälle seit den dort unten auf Neudegg verbrachten Tagen sich bei René eigentlich ständig vermehrten und bereits so häufig wurden, daß solche einzelne Punkte, dichter zusammenrückend, schon drauf und dran waren, so etwas wie eine Linie zu bilden, und ein Kontinuum erkennen zu lassen, und obwohl gerade sein heutiger Zustand ein sehr guter genannt zu werden verdiente und jenes werdende Kontinuum schon um einen solchen Punkt wieder vermehrte – er war sich selbst doch auch heute eine rechte Last geblieben, und war mit ihr unter dem hellen und, trotz allem, heiteren Spiegel dieses zum größten Teil im Hotel ‚Ambassador' verbrachten Tages gelegen, wie der moorige und von mancherlei dunkler Fauna belebte Grund eines Teichs weit unter der sonnigen Oberfläche liegt.

Sein Aufbruch geschah dann kurz bevor sich Professor Dr. Bullog, Mrs. Bullog und das Ehepaar Garrique zum Tee niederließen, woran René freilich hätte teilnehmen müssen. Und das wurde von ihm vorausgesehen. Jedoch die Arbeit mit dem Professor war schon eine halbe Stunde vorher beendet. Und René hatte genug von hier. Es war nicht vordringlich der Umstand, daß kein Telephon funktionierte, und er Grete nicht länger in Sorge lassen wollte, was ihn von hier weg trieb. Sondern er hatte genug. Aber, in beginnender Anpassungsfähigkeit (etwas spät!) hatte er doch schon gelernt, sich solche Motive von anderen auszuleihen, welche diese anderen im gegebenen Falle wahrscheinlich wirklich bewegt haben würden, nur um ihnen verständlich zu sein, keinen Anstoß zu erregen und sich ihre Billigung seines Verhaltens zu sichern. Wir beobachteten ja ein ähnliches Bestreben schon vor Jahr und Tag bei ihm (und damals hatte sich das sehr gelohnt!) gegenüber der uns inzwischen ganz entschwundenen Frau Professor Storch. Auch hier bewährte sich die Methode. Die gescheite Frau Garrique, deren Auge an diesem Tage schon mehr als einmal mit mütterlichem Wohlwollen auf Stangeler geruht hatte, fand es geradezu rührend, daß er es nicht ertrug, seine Braut in Sorge oder mindestens Unruhe zu lassen, sondern sich lieber auf den Weg machte, obwohl doch noch keineswegs Ruhe eingetreten war (bei offenem Fenster hatte man hier die Gewehrsalven hören können), und sich lieber einer doch immerhin vorhandenen Gefahr aussetzte, als Fräulein Siebenschein warten zu lassen (den Namen hatte René ihr gesagt). Mme. Garrique äußerte sich auch in solchem Sinne unmittelbar nach Stangelers Abgang.

Das Manuskript des ‚Ruodlieb von der Vläntsch' nahm er mit. (Auch dem Professor gegenüber ward zäh die Ansicht vertreten, daß dieser Name nicht der wirkliche des Verfassers sei.

Bullog vermochte das nicht recht einzusehen, und fand den Namen Ruodliebs gar nicht so ungewöhnlich für das südliche Österreich zu jener Zeit.)

Die Handschrift nahm er also mit. Es lag nahe, ihm zu sagen, daß, an einem so unruhigen Tage wie dem heutigen, es nicht eben rätlich sei, mit einem einzigartigen Stück unterm Arm allein durch die Stadt zu marschieren. Dem Professor lag solches geradezu auf der Zunge, und Mme. Garrique hätte es auch beinahe wirklich gesagt. Doch unterblieb es. Stangeler wurde nur für Dienstag zum Speisen in's ,Ambassador' eingeladen, wobei man nach Tisch Gelegenheit haben würde, etwa inzwischen bei dem Professor noch auftauchende Fragen zu klären.

Warum nun eigentlich weder der Doktor Bullog, noch Mme. Garrique – Mrs. Bullog schaltete sich hier nicht ein, ihr fehlte die Beziehung zur Sache, und anscheinend auch die Möglichkeit eines Kontaktes mit René – warum also jene beiden Herrschaften es nicht wirklich fertig brachten, den René am Mitnehmen der Kostbarkeit zu verhindern, bleibt eine zwielichtige Sache. Einmal wollten sie vielleicht nicht ein Vertrauen fordern, dessen sie nicht von selbst gewürdigt wurden. Zum zweiten aber ging von Stangeler die Sicherheit eines Schlafwandlers aus (auf diese Art etwa mochte das Idiotische in René sich ihnen darstellen), den zu wecken vielleicht das Verkehrteste wäre, was man tun könne: jedenfalls war es, wie sie später eingestand, bei Mme. Garrique so gewesen. Hinzu kam, daß Professor Bullog Gelegenheit gehabt hatte, bei diesem, wie ihm schien, sehr wohlerzogenen jungen Manne, einen an irgendwelche kleinen Einzelheiten verhafteten Eigensinn kennen zu lernen. Bullog hatte auch bei René's Zweifeln an der Echtheit des Namens ,Ruodlieb von der Vläntsch' bald nichts mehr entgegnet und auch René's abschließende Behauptung hingenommen, der Name sei ein Kryptogramm (was ebenso wenig einzusehen war), und man müsse es nur herausbringen.

Obendrein empfand der Professor den Eigensinn des jungen Kollegen als geradezu sympathisch, nicht einmal als kindisch, sondern eher schon als kindlich, ja, als ein so inniges Verschmelzen mit dem Gegenstande, der ihn ausfüllte, wie man ein solches sonst nur bei spielenden Kindern beobachten kann.

René hatschte ab. Mit dem gleichen Schritt, mit welchem er fünfhundert Kilometer marschiert war, auf der Flucht aus Sibirien, durch die Omsker Steppe und über den Ural. Stangeler hielt sich immer nach rechts: nicht nur, weil sein Ziel, der Althan-Platz, es erforderte; auch nahm er nicht durchgehends den aller-kürzesten Weg; sondern, weil es ein Umgehungs-Marsch war. Er hatte, vom Hotel Krantz-Ambassador aus, das Schießen mit Aufmerksamkeit angehört, taxiert und lokalisiert, und dabei festgestellt, daß dies keineswegs ein ‚größerer Wirbel‘ sein konnte: diesen Ausdruck hatten seinerzeit ein Fähnrich Preyda und er stets für sich ausbreitende Gefechts-Handlungen ge-braucht, besonders für solche bei Nacht: wenn sich ‚größerer Wirbel‘ entwickelte, zog man die Stiefel an. Jener Preyda – er und Stangeler hausten gemeinsam in einem Unterstande des vorderen Grabens – vermochte Teile der Ilias nicht nur grie-chisch, sondern auch tschechisch auswendig zu sprechen, und trug solches dem René vor, zu dessen Gaudium. Also, dachte dieser, ‚größerer Wirbel‘ ist es keiner, und Salven schon gar sind beinahe unverdächtig, da kann nicht viel los sein. Es ist kaum glaublich, und doch wahr, daß er einen so ganz und gar unzuständigen Maßstab anlegte, und sich dabei beruhigte, und nicht bedachte, daß fünf Gewehrschüsse in den Straßen einer friedlichen Großstadt eine weitaus bedeutungsvollere Tatsache sind, als ein verschossener halber Munitionsverschlag im Felde, den die Horchposten allein schon deshalb verbrauchten, um zu zeigen, daß sie nicht schlafen. So hatschte er geruhig dahin, Plankengasse, Dorotheergasse, Graben, Trattnerhof, Bauern-markt, Wipplinger-(‚Wildwercher‘-!) Straße. Es hieß halt zu Fuß gehen heute, da kann man nichts machen. Dagegen brachte es ihn auf, daß er die ganze Zeit bei diesen Bullog-Garriques dort oben traurig gewesen war; eigentlich war er's auch jetzt noch. Der Teufel hole alles! Warum traurig?! Der Professor hatte ihm Dinge so gut wie fest zugesagt, welche sich Stangeler vordem niemals hätte träumen lassen: Publikation, Dollars, Harvard.... Warum traurig?! Einfach deshalb, weil jene dort im Hotel alle miteinander vernünftiger waren als er selbst, besser und leichter lebten, überhaupt richtiger, schien ihm. .... Sie nahmen in aller Ruhe und mit Leichtigkeit, was sie besaßen, Professur, Geld, Auto, sie trauten sich das ohne weiteres zu. Er war eigentlich jetzt noch nicht einmal imstande zu begreifen, daß Jan Herzka ihm wirklich fünfzehnhundert Schilling gegeben hatte, von Stan-geler gehütet, auf ein Bankkonto gelegt, auf welches jeden

Monatsersten Herzka auch das Gehalt überweisen ließ. Er konnte seine Traurigkeit nicht begreifen, seine Getrenntheit von all diesem doch ganz Handhaften und Tatsächlichem, welches Grete, gewissermaßen stellvertretend, so viel besser begriff. Sie freute sich. Er eigentlich nicht. Es war ein tauber, blöder, lichtloser Abgrund.

Jedoch, der Fähnrich Preyda – längst tot, bei einem Gegenangriff gefallen – der zog jetzt etwas nach sich, eine silberglänzende Last zog er im Netze herauf, eine noch nie geschaute! Nicht lange vor Preyda's Tod war Stangeler in seinen ersten Fronturlaub gefahren, um den Anfang des Juni 1916 (es blieb auch gleich der letzte, denn dann ging's nach Sibirien). Ein Ritt zum nächsten Bahnhof, dreißig Minuten Galopp auf einem reizenden Huzulen-Pferdchen. In Lemberg stand dann der Schnellzug nach Wien, mit einem Speisewagen. René fuhr als Fähnrich – in der k. u. k. Armee war das eigentlich ein Unterleutnant – zweiter Klasse. In Wien gleich in's Bad. Noch während er in der Wanne lag, rief der kleine E. P. an, der zum Ulanen-Regiment Nr. 13 gehörte, das ganz woanders an der Front stand, als die Infanterie-Division, der Stangeler damals zugeteilt war; René hatte ihn rechtzeitig wissen lassen, daß er Urlaub bekommen werde: und schon war E. P. da! Es kam wenige Tage später zu einem Ausfluge nach Sievering. E. P. brachte eine junge Dame mit, die Stangeler keinerlei Eindruck machte, ein blasses Fräulein mit tiefschwarzem Haar.

Es war Grete Siebenschein gewesen.

Natürlich hatte René immer gewußt, daß er Grete schon seit damals kannte (erst nach seiner Rückkehr aus Sibirien war dann gerade wegen ihr der Bruch zwischen ihm und E. P. erfolgt). Dennoch: jetzt war es ihm neu. Wohl befand es sich seit elf Jahren eingefügt in den Grundrost von Tatsächlichkeiten, der uns beruht, in unser Bewußtsein herauf jedoch eine bloß verzeichnende Kenntnis sendet. Nur wenn man lügt und Sachen ganz anders erzählt, als sie wirklich gewesen sind, oder solche, die überhaupt nie waren, dann spannt und staucht sich dieser Rost ein wenig, und es entsteht eine Art Schwellung, ein Tumor der Lüge, welcher den redenden Mund als solchen isoliert und ihn von seinen Quellen und einer eigentlichen Sprache trennt. Viele Menschen neigen in solchen Fällen auch zu einer wirklich geschwollenen Redeweise, hinter der natürlich die Wahrheit ganz verschwindet. Niemandem ist recht wohl dabei, manche – Hellsichtigere – kriegen hintnach davon einen Katzenjammer; nur bei Leuten wie Imre von Gyurkicz ist das in keiner Weise der Fall.

Stangeler aber hatte jenes Umstandes – daß er Grete schon 1916 gesehen – niemals gedacht, sondern sie dann durch E. P. im Jahre 1921 neu kennen gelernt: in jedem Sinne.

Nun also sah er sie um fünf Jahre früher schon geortet in seinem Leben (fünf Jahre sind in der Jugend eine sehr weite Zeitspanne!); und obwohl sie damals nur blaß und flach ihn angeschienen hatte, wie's bei einem Blicke auf Perlmutter oder auf den flüchtig geschauten abnehmenden Mond sein mag: in jenen unwandelbaren Grundrost des einstmals Heilig-Gegenwärtigen war sie damit eingefügt, und es ist kein Wunder, daß sie's jetzt noch mehr wurde und fast, möchte man sagen, für René gesteigerte Gültigkeit gewann.

Denn jetzt sandte jener Grundrost, jenes Gitterwerk, das dann bei vorschreitenden Lebensjahren immer mehr im wachsenden Aschenhaufen verbrannter und konsumierter Tatsächlichkeiten verschwindet, nicht eine bloß verzeichnende kataloghafte Kenntnis herauf in's Bewußtsein René's, sondern ein Teil solchen Rostes erglühte selbst, leuchtete her wie ein Stückchen besonders weiß und hell glühender Kohle, das in den Aschenfänger des summenden Samowars gefallen war und jetzt hinter den Schlitzen lag und erstrahlte. Ja, so war es drüben gewesen, in Sibirien, des Abends, wenn man noch studierte, oder mit den Freunden sprach: in dieser glücklichsten Zeit seines Lebens, wie René jetzt wohl erkannte. Zeit der Stille, des Abstands, des reinen Lernens, des Adoptiert-Werdens vom Geiste, während dieser Adepten-Jahre; und ganz ohne beängstigend geschickte Leute, die sich was trauten und sich was zubilligten, ein Auto oder eine Professur. Dies kleine Zimmerchen in Ost-Sibirien drüben, mit seinem matten und doch tief eindringenden Lichte, das bis hieher und mitten in die Wipplinger-Straße strahlte, wie zeigte es jetzt erst, welch vornehmen Stammes es gewesen!

Aber jenseits, was ist's, was geht dahinter auf wie ein grün leuchtender Morgenstreif, ja, der helle Tag selbst? Ein Wiesenabhang zum Rande des Laubwalds hinauf. E. P. wollte photographieren, erst sie, dann sollte René drankommen. Da stand sie nun. Jetzt erst, heute erst! Ihr Hütchen hatte einen breiten

Rand, er war durchsichtig, vielleicht war's damals die Mode gewesen, durchsichtig wie etwa Organtin oder Libellenflügel. Sie lächelte. René wußte es genau: sie hatte gelächelt. Ihr großer schöner Mund lächelte. Die Baumkronen schäumten hoch über ihr in den Sommerhimmel.

Er war wolkenlos gewesen wie heute. Am Rückwege, bei der halb verwitterten Statue eines heiligen Nepomuk, hatten sie aus den dort aufgestellten Körben einer Obstlerin Ananas-Erdbeeren gekauft.

Damit wurde der Grundrost wieder eisengrau und unverrückbar, nichts erglühte mehr weiß, Asche fiel zu Asche. Als letztes Aufzucken nur mehr dies, daß er sie ja noch hatte, die Damalige in der Heutigen, die Damalige, die er heute zum ersten Male gesehen: daß sie nicht abgeschieden war in den tauben, blöden, lichtlosen Abgrund.

Damit löste sich alles auf. René ging die Porzellangasse entlang. Schon fiel er ab in den Strom von Einzelheiten, in welchen jeder fällt, der aus einer Spannung entlassen ist und daher zur Welt ohne Mittelpunkt wird, durchschwemmt von dem kettenweis treibenden Plankton der Assoziationen, die der Psychologismus für das Geheimnis des Lebens selbst hält und daher sehr ernsthaft und ausführlich beschreibt. Wir fischen nur eine Probe: der Professor Bullog war anscheinend paläographisch nicht so ganz sicher, denn daß es gerade in dieser Zeit mehrere verschiedene Schreibungen des kleinen Buchstaben ‚s' gab, schien ihm nicht selbstverständlich gewesen zu sein, er wollte darin eine Besonderheit erblicken. Ferner: Pfund Pfennige – etwa XXII lib. ₰ – da fehlt vor Pfennigen die Ziffer, hatte Bullog bemerkt. Dabei ist doch ‚denariorum' ein Genitiv, hat ja auch im Original die Schlinge für ‚orum', Genetiv Pluralis, also 22 Pfund der Pfennige, so etwa wie ein Viertel-Kilo Zwetschgen. Er schien sich auch nicht im klaren darüber gewesen zu sein, daß Schillinge und Pfunde damals ja keine Münzen, sondern nur Rechnungseinheiten waren. ‚Hat in Budapest studiert. Sind halt nicht so gehunzt worden, wie wir am Institut in Wien.'

Und solchergestalt trat er um die Ecke, von Leonhard gesehen.

Alsbald bei Siebenscheins oben wurde Stangeler (samt seiner Aktentasche) zum Helden des Tages. Grete flog ihm durch's

Vorzimmer entgegen. Sie dürfte damals den Höhepunkt ihrer Schönheit erreicht haben, freischwebende, ganz vom Dochte gelöste Flamme, rauchlose reine Glut. Sie warf ihre Arme um René und den Kopf an seine Schulter. „Bubenkind!" sagte sie, und sonst nichts.

Wir aber erblicken eigentlich in Doktor Ferry das Prachtstück des Auftrittes.

Er schloß die Türe wieder, bei welcher er herausgesehen, während der eben beschriebenen Begrüßung des Paares. Erst als dies vorbei sein mochte, und er im Vorzimmer wieder Grete's und René's Stimmen und Schritte hörte, kam er zum Vorschein. „Da ist er ja, unser Historicus. Hast dich den ganzen Tag geplagt mit dem Amerikaner?!" Er nahm ihn, den er jetzt spontan und zum ersten Male geduzt hatte, an den Schultern. „Hast du's am End' da drinnen, in der Tasche?!" „Ja, ja", sagte Stangeler. „Das müssen wir anschau'n!" „Ich hab' es noch nie gesehen!" rief Grete ihrem Vater zu. „In's Badezimmer mit ihm!" sagte Doktor Ferry. „Herunter mit dem heißen Zeug, mach dir's bequem! Grete – so circa fünfzehn Tassen Tee für ihn. Die Kostbarkeit trag' ich derweil hinein. Anseh'n tun wir's erst miteinander."

So kam es, daß Stangeler bald danach, in einen lila Bademantel gehüllt und mit Hausschuhen (alles aus Doktor Siebenscheins Garderobe), in Grete's Zimmer saß, dort in die Teetasse kroch, und dann den Zigarettenrauch trank, oder beides zugleich, oder auch umgekehrt. Glücklicherweise erschien Frau Irma erst nach diesem sehr intensiven Vorgang. Sie blinzelte wie eine Ratte, die sich hat einfallen lassen, über den Rand des Kellerlochs in die Sonne zu lugen. Es gibt Augenblicke, wo selbst über wirklich Mechantes das Himmelslicht eines Charmes fällt: und hier fiel es, so weit eben möglich. Später, nach dem Betrachten von Herrn Ruodliebs Niederschrift, als René und Grete allein waren, beugte diese noch einmal sich über das Manuskript. „Denke doch", sagte sie, „daß er geradezu in unser Leben eingegriffen hat. Wann ist er gestorben?" „1518, in Augsburg", antwortete René. „Das sind . . ." „Vierhundert und neun Jahre", sagte Stangeler.

Vor diesem aber war René noch des längeren am Teetische geblieben, während man die Handschrift zum Betrachten herumreichte, unter beiläufigen Erklärungen des Fachmannes. Man umsaß ihn mit erheblichem Respekte. So war denn aus dem armen Tropfe für diese Augenblicke so etwas wie ein Pascha geworden, ein Pascha in einem lila Bademantel. Doch fort nun mit ihnen allen. Wir kriegen es jetzt mit Bedeutenderem zu tun.

Fünf Uhr dreißig Minuten übersiedelte Mary K. in's Vorzimmer und in einen Fauteuil, den ihr Grete Siebenschein, zum Zwecke der Ausübung des Hauptberufes, dort hinausgestellt hatte. Denn Mary wünschte beim Läuten Leonhards rasch zu öffnen, damit er nicht lange vor der Türe verweilen müsse; durch die weiträumigen Zimmer zu laufen, das vermochte sie nun doch nicht. Schon während der letzten halben Stunde, die Grete hier verbracht hatte, war Mary einer seltsamen Art von Abwesenheit erlegen: als liefe tief in ihr, wie in ein geräumiges Becken sprudelnd, der ganze bisherige Fluß ihres Lebens zusammen, unter der Benennung dieses Tags, dieser bevorstehenden Stunde vereinigt: alles wurde anwesend, dennoch blieb diese Stunde das Größere, worin sich's versammelte.

Für wenige Sekunden nur – während Grete schon durch die Tür schlüpfte – richtete sich das jetzt bevorstehende augenblickliche Alleinsein wie eine hohe Last vor Mary auf, und fast hätte sie die Freundin zurückgerufen: aus Schwäche. Sie wußte es. Sie wußte alles. Nicht nur, was jetzt bevorstand, wenn Leonhard eintreffen würde; auch alles viel Spätere, das unweigerlich blieb. Freilich war dieser Schmerz nur gewußt als ein sicherlich kommender, so etwa wie man vom dereinstigen Sterben immer weiß, nicht aber noch als seiender, als schneidender, als tobender gefühlt. Wer ermißt den Abgrund solchen Unterschiedes?! Auch Mary ermaß ihn nicht, obwohl sie doch alles wußte, was sie zu wissen hatte. Auch, daß ihr nie ein anderer Mann noch nahe gekommen war, als ihr 1924 verstorbener Gatte Oskar. Dies war ihr jetzt durchaus präsent, samt allem, was doch nur hierher, in diese Stunde leitete. Es war die fast einzigartig zu nennende Lage, in welcher sie sich heute und hier befand – einzigartig durch ihre nahezu peinvolle und bis in die Einzelheiten gehende Schwierigkeit, einzigartig auch als eine unwahrscheinlich überhöhte Krönung ihres Sieges, ihres siegreichen Kampfes zu München im verwichenen Jahr – es war diese Lage erhellt durch einen gebieterischen Akzent, einen einschlagenden scharfen Lichtkeil, der ein Zurückweichen ausschloß. Zum ersten Mal in

ihrem Leben vielleicht fand Mary sich bereit, in ein Entscheidendes ohne Zögern und Gegenwehr einzutreten, das jeder vernünftigen Verlängerung ganz und gar ermangelte.

Von ihrem Sessel im Vorzimmer sah sie auf Höfe, Mauern,
einen grünen Baumwipfel, und auf viele Fensterreihen, die wie
Ausmündungen von Röhren dunkel in's Freie starrten. Alles
schien durch die heiße Sonne noch regungsloser – dies hier war
jene Seite der Wohnung, welche Sonne hatte, in der Zimmerflucht fehlte sie fast ganz, bis auf das Schlafzimmer am Ende des
langen Vorraumes, dessen Fenster gleichfalls nach rückwärts sich
öffneten: es mußte jetzt von breiten Sonnenbalken durchlegt sein.

Aber die Vorhänge dort waren ja dicht zugezogen, das fiel
ihr noch ein.

Sie richtete sich auf, saß mit hohlem gespanntem Kreuz und
schloß die Augen. Nun trieb sie mit ihrer ganzen Person dicht
auf den Katarakt zu. In diesen Augenblicken hörte sie Leonhards Lauf vom Treppenhause hell in die Stille schlagen. Ihr
Herz ging fühlbar stark, wenn auch kaum beschleunigt. Sie erhob sich langsam, ja, man kann sagen, mit Würde. Der Lauf
brach ab. Noch einmal, durch eines Atemzuges Länge nur, sammelte sich alles wie unter der Möglichkeit einer letzten, als bloße
Denkbarkeit aufleuchtenden Entscheidung, die doch längst gefallen war. Die gemäßigteren Schritte kamen draußen. Die Klingel riß Mary wie durch den Leib, sie schnitt und schlitzte. Leonhard schlüpfte durch den geöffneten Spalt, warf sich vor Mary
nieder und küßte ihre beiden Füße. Auch den unechten.

Um diese Zeit hatten zwei Schlachtenbummler den Kriegs-
schauplatz schon verlassen, nachdem sie ihn vorsichtigerweise
nur an seiner Peripherie betreten; nun zockelten sie nebeneinander zu Fuß in die Gartenvorstadt hinaus: Eulenfeld, lang und
schlacksig, neben ihm der Doktor Körger mit wurstförmig wegbaumelnden Armen, ein perfekter Genickler. Sie langten draußen trocken an, am späten Nachmittage, lange bevor der Regen
zu fallen begann, welcher gegen neun Uhr abends mit vereinzelten Schauern einsetzte. Beide Herren gehörten nicht zu jenen,
die da naß werden. Den in der Stadt nur von weitem gesehenen,
und mehr angenommenen als wirklich geschauten Vorgängen
gegenüber empfanden sie eine fast vollkommene Überlegenheit:

nicht nur jene, welche Leute haben, die das Gras wachsen hören. Denn der Rittmeister und des Herrn von Geyrenhoff Neffe hörten geradezu Gottes Mühlen, ja, sie vermeinten sogar zu wissen, wie man die langsam mahlenden dereinst noch besser werde in Schwung setzen können.

Schon gegen Ende des Weges, auf der langen Grinzinger Allee war es, wandte sich Eulenfeld nach links, sagte „gedenke hier ein' zu heben", und betrat ein kleines Café, wo er mitunter einsprach, wenn er aus der Stadt kam. Körger, der keineswegs ein ‚Heber' war, folgte ihm doch da hinein. Mag sein, daß ihm jetzt ein Kaffee erwünscht schien, nach all dem Geschauten (nun, gar viel war's nicht gewesen) und am Wege hierher mit dem Rittmeister Erörterten („habeant sibi" –so etwa hatte dieser sich geäußert – „mögen sie einander die Köppe einschlagen. Um so besser für uns. Tant mieux pour nous. Duobus certantibus, et cetera, et cetera"). Aber auch, abgesehen von diesem, vom Kaffee nämlich: Körger folgte ihm meistens, dem Rittmeister, welcher fast immer Richtung und Ton angab, wenn die beiden beisammen waren. Und vielleicht doch nicht nur als der ältere. Auch die Genickler haben ihre schwachen Seiten. Dieser da, der höchst bürgerlich aussah – der Genickler ist ja ein rein bürgerlicher Typus, ja, die Quintessenz aus einem solchen – folgte jenem, der schon drauf und dran war, gar nicht mehr aristokratisch auszuschauen. Körger folgte ihm und trug dabei immer ein merkwürdig unerlöstes Hundegesicht zur Schau, das aber gar keinen Zug von Ergebenheit zeigte, sondern viel eher von einem Bullterrier genommen zu sein schien. Nur in einem folgte der Doktor Körger dem Rittmeister nicht: daß er nicht soff. Viele soffen um des Rittmeisters willen, um seine Gesellschaft besser genießen zu können. So auch Stangeler bei solchen Gelegenheiten. Der Umgang mit einem Alkoholiker ist für jemand, der da nicht mithält, außerordentlich erschwert, erfordert auch viel Geduld. Körger vermochte solches, ja, noch mehr: nämlich den Rittmeister durch die eigene Abstinenz nie beim Trinken zu stören. Im Gegenteil: Körger munterte ihn dazu auf. Das ist schon nicht ganz einfach, wenn man selbst nicht in's Glas guckt, nicht durch ‚Hebungen' und Prostungen in eine gehobene Stimmung kommt, jedoch diejenige des Gegenüber um so hervorgehobener sieht, und ihr beginnendes Gebrabbel anhört, ganz ohne selbst ein solches von sich zu geben.

Erklärlich bleibt die Sache nur durch Körgers außerordentliche Kälte, die sich an den nicht selten ruinösen Zuständen Eulenfelds geradezu erbaute und erfreute, und daher kam es denn auch, daß er ihm daheim die Schnapsflaschen zuschob – die von ihm nur des Rittmeisters wegen gehalten wurden – hier aber gegen dessen laufende Bestellungen keinerlei mahnenden Einwand erhob.

In der bereits angedeuteten politischen Beurteilung des Tages waren die beiden Herren einig. Eulenfeld schüttelte sich jedesmal nach einem gekippten Glas (auch das beobachtete der Doktor Körger mit Interesse). Es schien, als zucke dieser schon erschütterte und ursprünglich so vortrefflich verfaßte Körper unter jedem neuen Stoß des Giftes.

Und so begann Eulenfeld allmählich, und nach dem vierten Kippen immer rascher, zu entschwinden, ein blinzelndes schwaches Sternchen im dichten Nebelfleck. Körger sah sich im Lokale um, das sehr hell und freundlich war, und in dessen rückwärtigster Ecke sie saßen, in einer Art Nische, gedeckt und verborgen, augenblicklich sogar die einzigen Gäste des kleinen Café's. Es war dieses Stadium und diese Form des Beisammenseins mit dem Rittmeister – von anderen, zum Beispiel dem René Stangeler, fast gefürchtet – für Körger immer das fruchtbarste, ja im geheimen erwünscht. Er pflegte es das ‚Petrifizieren', das Versteinen des Rittmeisters zu nennen (‚magister equitum petrificatus'). Und nur einem steinernen Rittmeister gegenüber verließ den Doktor Körger ein sonst ununterbrochen anwesendes Gefühl – auf Schritt und Tritt, beim Wählen eines Wegs oder Lokales, beim rascheren oder langsameren Gehen, je nachdem, wie Eulenfeld das Tempo angab – ein Gefühl von der Überlegenheit des anderen. Die Empfindung davon saß ganz tief drinnen in Körger und er hatte ihr noch niemals erlaubt, an die Oberfläche des Bewußtseins zu steigen und dort wortbar zu werden. Aber wenn sie wich, wenn sie verschwand, fühlte er sogleich das Fehlen ihres leichten Druckes, der doch zugleich wie von außen zu kommen, von der Raumverdrängung des Rittmeisters auszugehen schien, und am meisten von dessen mitunter sehr offensichtlichem Behagen.

Auch heute genoß Körger in jeder Hinsicht Erleichterung. Seine Stunde war wiederum da, die ihn ganz und gar von Eulenfeld befreite; und bei dessen sotanen Zuständen empfand er eine

Art dankbares Wohlwollen für ihn und gönnte ihm den Schnaps, den sich jener vergönnte, von Herzen. Was ihn an Eulenfeld wirklich band, war gar nichts anderes als die früher berührte kleine Qual, ein geringes Unbehagen nur, ein Behindertsein, als legte sich ganz leicht eine Hand an ihn, ja, recht eigentlich an sein Inneres, sein Geweid. Was ihn belohnte, war die Auflösung dieses Unsegens, dieser schwachen Schmach, durch des Rittmeisters Auflösungen.

Während solcher pflegte er Eulenfeld – der ihm nun gewissermaßen als seiner selbst beraubt erschien – in Gedanken herumzuschieben, mit ihm zu verfahren als mit einem bloßen Mittel zum Zweck; und so setzte er den Rittmeister ganz nach Belieben in seine Entwürfe einer neuen Daseins-Ordnung ein, mit welchen er ständig umging und darin er herumspazierte, wie in einer zweiten Wirklichkeit, die seiner Kälte einen gehobenen Rechtsboden abgab, so daß er über das Provisorium der ihn umgebenden Welt von hier aus die Achseln zucken durfte: als Baumeister über eine Baracke. (Noch immer und fast täglich zeichnete Körger seine kleinen architektonischen Entwürfe, Einfamilienhäuser, Zweifamilienhäuser, Villen).

‚Altes Schwein‘, dachte er jetzt und betrachtete den Rittmeister, vermeinend, dieser wäre eingeschlafen (das war ein Irrtum), ‚solche Leute, wie der da, sind natürlich erledigt und unbrauchbar für uns. Aber, man muß ihnen einiges noch abknöpfen, denn Front-Erfahrung und militärisches Wissen, von der Ausbildung und diesem ganzen Zeug, das haben sie eben, da mag man sagen, was man will. Uns fehlt das. Sollen sie ausbilden, wenn’s so weit einmal ist. Dann fort mit ihnen. Verstehen können sie uns nie.‘

Der steinerne Rittmeister jedoch sprach plötzlich, mitten aus seiner scheinbaren Abwesenheit heraus:

„Sollen sich die Köppe einschlagen. Mich könn’ se alle beide, die einen wie die anderen. Securitäten. Hat sich was. Denn wird auch mal der ganze intellektuelle Mist vor die Hunde gehen, den wo der Kajetan verzapft, und der Fähnrich desgleichen. Zusamt denen Securitäten, wenn so’n neuartiger ganz seltsamer Aufstand beginnen wird. Vivant sequentes.“

„Zweifellos“, sagte Körger.

Der Rittmeister räusperte sich profund, fast donnernd, und grunzte.

Niemand beachtete das hier. Der Eigentümer des Lokales und der alte Kellner kannten ihren Baron.

Nun schien dieser endgültig eingeschlafen. Man hätte eben vorhin eigentlich die Säge am eigenen Aste hören müssen. Aber man hörte sie nun einmal nicht. Durch eine gute Weile noch ward der Schläfer, der übrigens in ganz korrekter Haltung auf der Polsterbank saß, von Körger betrachtet. Wie immer, veränderte sich dessen Gesicht dabei – dies konnte bei Körger auch beobachtet werden, wenn der Rittmeister in Gesellschaft trank und jener seinen Zuständen zuschaute. Der unerlöste Zug verschwand. Nun blickte er heiter, zufrieden und wohlwollend. Als er sich satt gesehen hatte, ging er, aus Büberei – wie er vermeinte – das Bezahlen seines Kaffees dem Rittmeister überlassend, in dessen weit größerer Rechnung der kleine Posten als bedeutungslos verschwand. Aber es war keine Büberei. Es war weit ernster: eine immer wache Sparsamkeit. Dem Kellner empfahl Körger die Obsorge über den Freund, jedoch ganz unnötigerweise.

„Herr Doktor können beruhigt sein" sagte der Ober, „der Herr Baron machen manchmal ein kleines Schlaferl. Wir erlauben uns dann immer in geziemender Façon zu wecken, wenn's gegen die Sperrstund' geht. Meistens beliebt der Herr Baron dann noch ein Paar Würstel."

Drei Minuten vor sechs Uhr wurde das Anfahren eines Wagens vor dem Palais Ruthmayr hörbar, und gleichzeitig mit der zarten Glöckchenstimme einer Uhr, die sich hier irgendwo in der Halle befinden mußte, kam Quapp über den roten Läufer der Treppe herauf, charmant in Kleid und Hütchen, sie sah außerordentlich putzig aus. Auch Friederike hatte sich erhoben. Quapp erwies sich, wie immer, als ein ritterliches Gemüt. Als sie der schönen Frau ansichtig wurde, sank sie in einen tiefen Knix. „Mein Gott!" hatte Friederike gerufen beim Anblicke Quapps; dann hob sie dieses Fräulein von Schlaggenberg auf, umarmte und küßte sie, zog einen Stuhl dicht neben den ihren und setzte Quapp hinein. „Es ist nicht zu glauben, wie sie ihm gleicht!" sagte Friederike zu mir.

Dann zu Quapp: „Wie du nur hast so pünktlich hier sein können. . . ."

„Ich bin in einem Gesandtschafts-Auto gefahren", sagte Quapp. Sie sah mich an, und ich lächelte. Ihre Augen waren weit aufgeklappt. „Wollen wir es ihr sagen?" fragte ich Friederike. Sie nickte. „Wir haben uns vor einer halben Stunde verlobt", sagte ich. „Oh, das ist – das ist – herrlich, famos!" rief sie, griff mit der linken nach meiner und mit der rechten nach Friederike's Hand. Dann platzte sie heraus: „Ich hab' mich auch verlobt, heute. Mit dem Cousin vom Herrn Sektionsrat, dem Orkay Géza." Ich erklärte Friederike, wer das sei. „Quappchen", sagte ich dann, „wir sind jetzt eigentlich verwandt und müßten uns ‚Du' sagen." „Und wie gern", rief sie. „Servus Gyuri bácsi!" „Welch ein Tag!" sagte Friederike und schlug die Hände zusammen, „wirklich keiner, um Feste zu feiern, und doch feiern wir eines!" Ihre Augen blitzten wieder auf, so wie damals im Park, groß und dunkel. „Jetzt hab' ich eigentlich, außer meiner guten Mama, noch ein Elternpaar bekommen . . ." sagte Quapp belustigt. „Du, das soll aber wirklich so sein!" rief Friederike. Sie zog Quapp an sich. „Ich werde also dein Stiefvater", sagte ich „und gleichzeitig der Schwiegervater meines Cousins. Komplizierte Verwandtschafts-Verhältnisse. Das kann ja gut werden."

Nun, es ist trotzdem gut geworden! Um jede Spitze des Lebens, auf die ein ewig wandernder Akzent fällt, lagern wie ein unbeleuchtetes Gewölk die Abwesenden und die Toten, was mitunter fast auf ein Gleiches hinausläuft: in diesem Falle waren es Levielle und Gyurkicz.

„Trink deinen Tee, mein Kind, und iß etwas", sagte Friederike.

Wir blieben dann bei ihr auch zum Abendessen, ja, Quapp ward überhaupt nicht mehr auf den weiten Heimweg gelassen, angesichts so unruhiger Verhältnisse; diese erlaubten auch nicht, sie in den großen Daimler zu setzen; sie mußte bei Friederike übernachten. Ich selbst brach gegen Mitternacht auf, nach einem Gewitter, das nahezu eine Stunde gedauert hatte. Die Bezirke Mariahilf, Neubau, Josefstadt, Alsergrund und gar Döbling erwiesen sich als ruhig (in Ottakring ging es während dieser Nacht wild zu). Erstaunlicherweise fand ich unterwegs bald ein Taxi.

Nach Tisch haben wir – bei Kerzenschein, denn es gab ja kein elektrisches Licht – eine Flasche Champagner getrunken. Wir blieben uns des Unpassenden dieses Festes ebenso bewußt, wie der Fülle von Anlaß, welche für uns dazu bestand. Friederike war es dann, welche von der Terrasse gegen den Park noch einmal Ausschau halten wollte, des Feuers wegen. Wir stiegen in die Halle hinunter und gingen nach rückwärts hinaus. Der Regen hatte aufgehört. Noch tropfte es von Blatt zu Blatt. Der Feuerschein war gewaltig. Er spiegelte sich in der Dunkelheit an einigen Gewitterwolken, die noch am Himmel standen. Ich zog die feuchte, vom wuchernden Gewächs durchduftete Luft ein: zugleich im Nachgefühl den kühlen Kampfer aus dem eben durchschrittenen unteren Teil der Halle immer noch empfindend. Aber was gleich danach herankam, von einem kaum fühlbaren Lufthauch getragen, das kam von dem hohen Rot dort drüben her: es war der unversöhnliche Geruch des Brandes. Wir standen auf der tropfenden Terrasse und sahen hinüber wie Menschen, die von den Quadern des Hafen-Quai's auf ein wild erregtes Meer hinausschauen.

So endete für uns dieser Tag, der ganz nebenhin das Cannae der österreichischen Freiheit bedeutete. Aber das wußte damals niemand und wir am allerwenigsten. –

Es ist hier und heute ergänzend nachzutragen, daß die Leichen der Anna Diwald und des Meisgeiers am Montag, den 18. Juli, aus dem Kanalschacht gezogen wurden. Sie lagen übereinander, die Anna mit den Beinen bis an den Leib im Wasser. Sie hätte leicht noch mehr gegen die Mitte der Strömung fallen können und wäre dann möglicherweise mitgeschwemmt worden, bis in die Überfall-Kammer unterm Ende des Schottenrings, beim Donaukanal; dabei wäre die große Tasche vielleicht verloren gegangen (jene, die dem Redakteur Holder einmal aufgefallen ist), welche die Anna auch im Tode noch an sich gepreßt hielt mit sämtlichen Papieren, Photographien, Briefen darin, und allen ihren Schätzen überhaupt. Das alles hätte schließlich auch allein davonschwimmen können, ohne die Anna.

Es bestand kein Zweifel darüber, daß bei beiden Personen der Tod sofort eingetreten war: der Schuss, welcher dem Meisgeier das Licht ausgeblasen hatte, war von oben genau senkrecht in seinen Schädel gedrungen; bei der Obduktion ergab sich, daß die Schädeldecke, durch die Gewalt des Schusses aus so großer Nähe, drei vom Einschussloch ausgehende und völlig symme-

trisch angeordnete Sprünge zeigte. Den Kopf der Anna hatte
das Projektil von der Schläfe her durchbohrt; obendrein fand
sich bei ihr ein Stahlmantelgeschoss in einer Herzkammer, welches das Schlüsselbein passiert und zerschlagen hatte.

Den Meisgeier kannte die Polizei freilich gut.

Die Anna Diwald wurde vermöge ihrer Papiere leicht identi-
fiziert.

Die Anny Gräven wurde am folgenden Tage um sieben Uhr
früh von der Kriminalpolizei in ihrer Wohnung verhaftet.
Man tat sich keine unnötige Mühe an wegen ihr. „Schaun S',
Gräven", sagte bei ihrer ersten Einvernahme der Beamte,
„machen S' uns keine Schwierigkeiten. Machen S' keine Umständ. Was hab' ich da?!" Es waren die wenigen Wörter, welche
Hertha Plankl knapp vor ihrem Tode auf jenes Briefblatt geschrieben hatte, das dann von Anny Gräven sogleich mit einem
ergänzenden Vermerk an die Diwald weitergeleitet worden war.

„Alsdann sagen S', Gräven, wie die Sache vor sich gegangen
ist."

Nun, sie sagte.

„Na alsdann", schloß der Beamte, als Anny ihr Protokoll
unterschrieben hatte. „Jetzt können wir den Akt gleich abtreten,
daß S' uns nicht so lang da herumsitzen" (er meinte im Polizei-
Gefangenenhaus). „Das ist ein Paragraph 6, Hilfeleistung nach
verübtem Verbrechen, beziehungsweise ein Zweihundertelfer.
Die Straf' werden S' nach 213 kriegen, na ja, Gräven, a sechs
Monat Häfen wird's schon werden."

Es wurde. Jedoch die Fülle der meist kleinen Strafprozesse,
welche jene Julitage nach sich zogen, ließ Anny's Fall erst in
der zweiten Hälfte des Januar zur Verhandlung gelangen. Die
sechs Monate waren durch die Untersuchungshaft verbüßt, und
Anny wurde, als das Urteil in Rechtskraft erwachsen war, alsbald auf freien Fuß gesetzt.

Als sie herauskam, erlebte sie einige Überraschungen. Auf der
kalten, grauen, rasselnden Straße stehend – es war dieser Winter
strenge, wenn auch der Tag verhältnismäßig mild – empfand
die Gräven eine ganz erschreckende Gedrücktheit, vor allem in
Gedanken an ihre Wohnung (die lagen bei solcher Jahreszeit
nahe!), deren Miete nun über sechs Monate lang nicht bezahlt
worden war. Sie hatte in der Sache nichts tun können, mangels
aller Reserven (des guten Leonhards Ratschläge in dieser Rich-

tung waren stets verhallt). Sie fror. Sie war ja auch keineswegs der Jahreszeit entsprechend gekleidet. Es blieb nichts übrig, als mit der Straßenbahn heimzufahren – obwohl's vielleicht gar kein Daheim mehr dort gab. Am ‚Praterstern' angelangt, betrat sie nicht von der Franzensbrückenstraße her den weitläufigen alten Gebäudekomplex, sondern durch das Hotel in der Praterstraße und durch den Schankraum, wo man die rasch nach rückwärts Verschwindende vom Schanktisch etwa so begrüßte, als hätte man sie gestern und vorgestern und überhaupt ununterbrochen hier gesehen: es war eine erste kleine Ermutigung, die allerdings nichts bedeutete, nichts zu besagen hatte. Die Stelle, wo Glück und Unglück warteten, blieb auch hier der Hausmeister des ausgedehnten alten Gemäuers, zugleich Portier des fragwürdigen Hotels. Anny trat aus einem einzigen Grunde jetzt gerne bei ihm ein: weil ihr entsetzlich kalt war, nichts als kalt. Die Portiersloge war so stark geheizt, daß Anny geradezu erschauerte. „Ja, grüß' Ihna Gott, Frau Anny!" sagte der Torwart, „sind S' wieder da, haben S' es überstanden?! Na ja, es kommt immer was vor, es kommt immer was vor." Sein Zigarrengeruch hier war ihr unheimlich, erinnerte an die Polizei, wo auch einer Zigarren geraucht hatte. Sie setzte sich erschöpft und ohne weiteres auf einen Sessel neben seinen Fauteuil, und durch die Wärme belebt, wurde sie jetzt eher fähig, diesen Stier an den Hörnern zu nehmen. „Ja, sagen S' mir nur, Herr Ladstätter, wie ist denn das jetzt mit meiner Wohnung?" „Was soll sein mit der Wohnung?" „Ich hab' doch sechs Monat nix gezahlt." „Alles geregelt", sagte Herr Ladstätter. „Das haben ja die Herren gleich gemacht, Sie wissen eh, Frau Anny, die was halt die Regelmäßigen waren."

Sie empfand eine Art Auflösung, ein Zerlaufen, ein Auseinander-Laufen in diesen Augenblicken. Jetzt, wo sie anscheinend gar keiner Energie mehr bedurfte, verschwand auch gleich der allerletzte Rest davon, welchen sie noch besessen hatte. Aus dem Ton des Portiers war für das kundige Ohr einer Anny Gräven deutlich zu entnehmen gewesen, daß die von ihm genannten Herren nicht nur ihr gegenüber generös-fürsorglich sich verhalten, sondern es auch verstanden hatten, sich bei Herrn Ladstätter in gehörigen Respekt zu setzen. Das lag so klar auf der Hand, wie das, was er empfangen hatte, auf seiner Hand gelegen haben mochte. Herr Ladstätter schob rasch das Guckfenster hoch und sagte durch dieses zu einer eben vorbei schlumpenden älteren Person: „Die Frau Anny ist da, Frau Rambausek, gehn S' amal glei' auffi und hazen S' urntli ein bei ihr, is alls oben, Holz und Kohlen." Dann zu Anny: „Gelten S', bleib'n S' noch a bissel da, Frau Anny, die Zimmer sein ja eiskalt, Sie verkühl'n Ihna auf'n Tod. A Post hab' i' auch noch für Sie."

Er wandte sich nach rechts zu seinen Regalen und kramte ganz Erstaunliches daraus hervor. Inzwischen war Frau Rambausek, die Bedienerin, für ein kurzes eingetreten, und begrüßte Anny Gräven mit vielen Worten, bewegt und beredt.

Was die Rambausek ihr dann in die durchwärmte Wohnung hinauf trug, waren 3 Flaschen Rotwein, 1 Flasche Cognac, 5 Schachteln Zigaretten, eine große Bonbonniere, ein Freßkorb mit Konserven aller Art und Südfrüchten sowie eine Kassette mit Parfums und Dingen der Toilette. Aus der Schank schickte man noch eine Literflasche offenen Wein. Vier Briefe hatte Anny gleich an sich genommen. Sie waren sämtlich beim Portier abgegeben, nicht durch die Post gebracht worden. Jeder enthielt einen Geldbetrag, einer davon einen ganz erklecklichen. Die ersten Schritte, welche die Gräven in ihrem Schlafzimmer tat, als sie nun allein war, führten sie vor den großen Spiegel.

Sie betrachtete überrascht ihr Bild, wie sie hier in der Einsamkeit sich selbst gegenüber stand, in ihrem sommerlichen Jackenkleid, das wahrlich nicht mehr sehr gepflegt aussah. Aber die Jugendlichkeit der eigenen Erscheinung setzte sie in ein Erstaunen, wie sie ein solches vielleicht noch niemals erlebt hatte. Das Gesicht war glatt, wenn auch nicht voll. Sie sah nun, was ein halbjähriges regelmäßiges Leben ohne Nachtwachen, ohne Alkohol und Zigaretten-Mißbrauch aus ihr gemacht hatte.

Sie nahm etwas von dem Wein aus der Schank und rauchte. Sowohl der Alkohol wie das Nikotin gelangten jetzt zu so machtvoller Wirkung, daß sie ihr halbgeleertes Glas stehen ließ, die Zigarette ablegte. Jedoch in diesen Augenblicken, während sie in ihrem Armsessel sitzend nach links zu dem Viadukt hinüber sah, zwischen den zurückgeschobenen Vorhängen – und vielleicht gerade durch den Rauschzustand, welchen diese so maßvollen Quanten bereits hervorriefen – kam ihr plötzlich die Zeit vor ihrer Verhaftung zu außerordentlich gegenwärtiger Anschauung, etwa in Gestalt eines Tales, in das sie einsehen konnte, oder einer offenen Mulde, und jetzt schon wie ein klaffender Schoß. An seinem jenseitigen Rande, Abbruch oder Ufer stand die Nacht, da sie vom Abortfenster aus dem Meisgeier zugesehen hatte, wie er im Lichthofe meisterhaft und spinnengleich emporgeklettert war: von da an öffnete sich das tiefe Tal, sank sie wie in einen finsteren Schoß hinab, gerade seit jener Nacht, welche sie dann mit einem Herrn verbracht hatte – auch hier in diesem Zimmer – der so ganz war, wie manche von ihren ‚Regelmäßigen‘. Sie erinnerte sich noch gut an seine Geschichte mit der Schwester, die man um ihr Erbteil geprellt hatte. . . . Danach waren ihr dann solche Herren immer gleichgültiger geworden, sie hatte begonnen, derartige Kundschaften zu vernachlässigen, mehr und mehr . . . und doch hatten die jetzt vom Portier alles herausgebracht, von ihrer Haft, und zuletzt, daß sie entlassen werden würde. Es war auch ein Doktor dabei gewesen, ein Rechtsanwalt. Die hatte sie alle eine Zeit lang nicht mehr mögen. So wenig, wie sie jetzt einen von diesen Griechen jemals mehr würde wieder sehen wollen, den Xidakis und den Protopapadakis, und den Salbenschädel und diese ganzen Sandler[1] übereinander. . . . Heute wüßte sie schon, wie sie den Herrn zu bedienen hätte, der damals mit den Hexen-Geschichten gekommen war, der war ihr leider durch die Finger gerutscht, und der hätte ihr jetzt sicher einen ganzen Korb Wein geschickt, wie der schon war, und tausend Schilling dazu. Das war aber nur der Anita, dem Trampel, zuliebe geschehen. . . . Mit dieser Lüge nickte die Gräven ein.

Denn gelogen muß allemal werden. Der Sessel war bequem. Sie schlief fest. Als sie erwachte, war es dunkel im Zimmer, sie sah die blauen Lichter drüben bei der Gürtelbahn gegen den Prater zu und dachte noch einmal an Schlaggenberg. Im Lauf des Abends kam dann einer ihrer alten Kunden, um nach ihr zu sehen. Es war jener, der die großen Banknoten in seinen Briefumschlag geschoben hatte. Anny kleidete sich um, und als sie pickfein genug war, fuhr sie mit dem Herrn in seinem Wagen zur Schöner, um dort zu soupieren. Sämtliche Lokale der Umgebung hier versanken für die Gräven von da ab in's Nichts, bis auf jenes, wo sie, nach einem jeweiligen Beisammensein mit Leonhard, immer Würstel und Bier genommen hatte. An Leonhard dachte sie, während das Auto jetzt dahinfuhr und der Herr neben ihr am Steuer saß, mit großer Innigkeit.

[1] Unterste Klasse kleiner, angehender Falschspieler.

Schlaggenberg's Wiederkehr

Der Prinz schrieb aus Paris: ‚Mein Aufenthalt hier wird länger dauern. Sie werden, lieber Freund, gut daran tun, jetzt auf's Land zu gehen, denn für den Herbst steht viel bevor.' Hier in Paris bilde sich eben ein Consortium, so hieß es weiter im Brief, um eine kritische Gesamtausgabe aller Schriften des Pico della Mirandola (auch jener auf Kabbala und Astrologie bezüglichen), an der es ja fehle, zu finanzieren und in die Wege zu leiten. Hervorragende Kräfte seien zur Mitwirkung bereit. ‚Sie können jederzeit in Jaidhof Aufenthalt nehmen.' Das war ein kleines Jagdschloß des Prinzen im Steirischen.

Das Einbrechen eines chronologisch widersinnigen Herbstes mitten in den Hochsommer war für Leonhard noch viel stärker geworden als bisher. Er lebte jetzt ganz allein, in seinen hellen lackierten Schachteln über der braunen Tiefe des Palais Croix schwimmend. Zum Essen stieg er in den Speisesaal hinab. Pepi-Vater erkundigte sich täglich nach Leonhard's Befinden und Wünschen. Dieser ging oft nach Tische sozusagen verloren: aus der weiten Bibliothek in das rückwärtigste der Bücherzimmer, und von da durch den schmalen verglasten gartenseitigen Gang – seine Einmündung in den Bibliotheksraum war halb verborgen, eine kleine Tapetentür – und so gelangte Leonhard in die Rokoko-Salons: schwacher Kampferduft. Ein grüner Schein fiel vom Parke herein, dessen alte schwarze Stämme der Rasen umfloß wie ein Teich. Das Licht war gleichsam feucht, besonders in den ersten Tagen nach der Juli-Mitte, deren Wetter sich eintrübte. Als es besser wurde, fuhr Mary noch einmal auf den Semmering, für acht Tage. Am Wochenende sollte Trix zu ihr kommen. Ansonst aber würde sie allein sein. Wenn Leonhard jetzt aus dem verglasten Gange in den Park sah, war das Licht nicht mehr feucht und grünlich-teichig, sondern es lagen breite Platten der Sonne auf dem Rasen, golden aufblendend, wie der Klang der Bleche jach aus dem Orchester steigt.

Das Erholungsheim, darin Leonhard noch einen vollen Urlaub gut hatte, lag in der Semmering-Gegend; ein Marsch von zwei und einer halben Stunde nur trennte dort von Mary.

Es muß festgestellt werden (auf Grund eigener späterer Aussagen Leonhards), daß dieses Motiv zur Wahl des Orts – also zu seiner Bevorzugung gegenüber dem Schlößchen Jaidhof, das er später wohl noch aufsuchen wollte – zwar für ihn das am meisten auf der Hand liegende war, das handhafteste, und doch nicht das eigentlich entscheidende.

Zurück zum Anfang: zurück zu Pico della Mirandola, hieße das, in der Sprache von Leonhard's geistigem Haushalt, möchten wir sagen. Es war nicht so, daß er vermeinte, dort im Erholungsheim (eigentlich jenseits des Zaunes am bergseitigen Ende des Grundstücks, also schon im dunklen Hochwald) etwas vergessen oder liegengelassen zu haben (und was hätte das gewesen sein können?), etwa wie Quapp einst in fiktiver Weise ihren Geigenkasten stehen ließ, einmal in der Kärntnerstraße und, genau genommen, eigentlich noch einmal, am Anfang der Mariahilferstraße nämlich. Nein, hinter sich gelassen hatte er dort nichts, wohl aber etwas vor sich: wie eine zu vollziehende Verrichtung.

So zeigten die ‚Kolleginnen' wieder ihre Beine in den Liegestühlen auf der Terrasse, und das Teichrund war noch immer ausgetrocknet, und in der Mitte des Bassins stand ein Aufbau aus naturbelassenen Blöcken, sozusagen ein Denkmal des Springbrunnens, der da einst geplätschert hatte, und dessen Rohr noch oben zwischen den staubigen Steinen stak.

Leonhard sagte es dem Hausmeister, daß er morgen noch bei Dunkelheit aufbrechen wolle, um auf den Semmering zu gehen. Nun wußte er, wo der Hausschlüssel einzuwerfen war, wenn er von außen wieder abgesperrt haben würde. Als er dann – ohne Wecker – erwachte, hatte sich eine ambrosische Nacht voll Würze durch's offene Fenster tief in sein Zimmer gelegt. Alles leise. Nun stieg er frisch und sauber in seinen neuen guten Sportanzug.

Das Türchen rückwärts aus dem Park hinaus oder eigentlich in den Wald hinein war bei Nacht versperrt; das hatte ihm der Hausmeister freilich zu sagen vergessen. Leonhard kletterte in der tiefen Finsternis über den Zaun. Dann die Böschung hinauf. Der Wald schwieg wie ein Grabgewölbe.

So stand er denn jetzt am ebenhin querenden Weg, wandte sich aber diesmal nach links und nicht gegen die lichter verteilten Bäume zu und gegen die Wände der Raxalpe; sondern ungefähr nach Osten. Das an die Dunkelheit gewöhnte Auge faßte auf, wie der Nacht schwarzer Samt schon zerschliß, nicht alle Einzelheiten mehr an sich hielt. Die Stämme traten auseinander. Jetzt schlitzten kräftige Pfiffe den finsteren Wald, ließen ihn hallen, und damit seine Geräumigkeit offenbaren, und daß er nicht fugenlos platt war und schwarz. An einer Biegung des Weges zeigte sich die grünliche Lüpfung des Himmels, und während Leonhard dort hinüber sah, setzten die ersten kühnen und kunstvollen Kadenzen in der Waldestiefe, aber auch schon nah und links und rechts ein. Der konzentrierte, ja, wie eherne Vorgang ließ Leonhard tief atmend stehen, und lange. Es hob ihn fast. Seine noch anonyme Möglichkeit hob ihn – halb im Chaos der Nacht – er wünschte heftig, ja, fast wild, sie in einem einzigen Entschluß zusammenfassen zu können, wie man etwas in die Faust kriegt und zusammenpreßt . . . . ach, was ist es?! Der Anfang des Anfangs vom Anfang, dumpfer Entwurf zum Helden, den jedes Leben meint. In früher Jugend bereits fühlt es sich aufgelegt, große Handlungen zu verrichten.

Nun hielten die Vögel den Gesang ein, einem gewaltigeren und lautlosen den Hörbereich lassend.

Während solcher Generalpause brach der Himmel auf wie die Schale einer Frucht und gebar den glühenden Gott. Schon ist er da über den dunklen Kämmen der Berge, zusammengedrängt in seiner Kraft, wie niemals zu späteren Stunden des Tags, den er verteilter erleuchtet. Jetzt aber ein Auge, ein Augen-Pfeil: und zielt gerade in's Herz.

Dort draußen stauben schon die Straßen weiß und ein einzelnes Fenster eines Gehöfts sammelt etwa – plötzlich entbrennend! – alle Weißglut in seine Scheibe, die quer über Maisfelder und Äcker durch die Ebene blitzt, bis zu dem ersten Hügelschwung hinüber und bis an die beginnenden Berge, die schon höher und verschleiert ansetzen.

Die Stadt sinkt in den Sommer wie in ein auflösendes Bad. Hochauf werfen sich die Nächte: Steinmassen, nach oben in die Helle des Mondes gewandt, streben ihnen nach, wachsend, stei-

gend, entfliehend jener engen Pressung, die im grauen Winter
ihre Natur war. Ein wilder Aufstand pflanzlich-dufthauchenden
Lebens ist allenthalben zwischen ihnen ausgebrochen, drängt
und wogt in den Gärten um bunte Lichter und Musik, läuft
durch die breiten Straßen mit ineinanderschattenden Bäumen,
die unter ihrem dichten Laub eine Mondnacht in Schwarz verwandeln können und sie außerhalb wie gleißende Panzer hervortreten lassen. Und die meisten Nächte sind hell und dünn,
sie umschließen die Menschen nicht dicht genug zum Schlaf,
diese werden wie Häuser, deren Fenster nach allen Seiten offenstehen, und so sind nächtlicherweile Gassen und Gärten belebt.

Doch schlief ich tief.

Bei offenen Fenstern freilich.

Früh floß die Morgenhelle in's Zimmer.

Ich wandte mich herum, halb im Schlaf. Mich grüßte bele-
bender neuer Anhauch. Maruschka war tätig gewesen in meinen
Räumen, hatte amtsgehandelt gegen die Motten, meines Pelzes
wegen, meiner Ski-Sachen wegen, Wollhandschuhe, Sweater,
Seehundsfelle . . . . Ich lag am Rücken. Es wurde hell.

Friederike war in Gastein.

Bald würde ich sie dort besuchen.

Im Palais waren die Arbeiten schon im Gang.

Um ihr darüber Bericht tun zu können, fuhr ich am Vormittag auf die Wieden und kam in die stille Gasse, die mir jetzt so
vertraut war, daß es wie eine Welle Honig durch mich hinging,
wenn ich sie betrat. „Küß die Hand, Herr Sektionsrat", rief
Ludmilla und lief mir entgegen, mit Kopftuch, und auch sonst
in jener Rüstung, die man tragen muß, wenn die Professionisten
hereinbrechen. Sie führte mich. Im kleinen Salon und im größeren hinter der Glaswand war alles beiseite geschoben, mit
Tüchern bedeckt, die Möbel standen in resignierter Trauer, verhüllten Hauptes sozusagen.

Dann trat ich in's Freie und sah den Himmel, und vor diesem
zwei Paar Beine von Maurern, die auf einem kleinen Gerüst
standen.

Hier, wo einst der finstre Bibliotheksgang gewesen, war ein
ungeheurer Rammblock von Licht niedergegangen. Jetzt machte
ich zwei Schritte. Mauerbrocken lagen herum. Alles war weit.
Ich sah in den Park. Luft war geworden. Durch Sekunden hatte
ich das Gefühl, als sei das ganze Palais aufgebrochen, zertrüm-

mert, mit seinem Innern nach außen gekehrt. In den Salons mit den vermummten Möbeln hatte mir der Kampferduft gefehlt. Während ich in den Park hinausblickte, in einem seltsamen Gefühl von Erweiterung, als hätte man mich selbst aufgemacht, beherrschte mich ein tiefsitzender Irrtum – chronologischer Art. Ich vermeinte, es sei Herbst. Unabweisbar war die Empfindung, ja, als träte ich aus einem Hohlweg in ein offenes Gelände, erfüllt von außerordentlicher und verschiedenartiger Buntheit, grundiert von einem gekühlten, jedoch reinen Blau.

Ich legte eben die Feder hin, und fuhr wieder auf die Wieden, achtundzwanzig Jahre danach, und ging durch die gleiche Gasse, wo einst das Palais Ruthmayr war. Der Krieg hat es zerstört. Jetzt steht dort ein Volkswohnhaus der Gemeinde Wien. Friederike hat den zweiten Weltkrieg nicht mehr erlebt. Ihr Herz versagte den Dienst. Vielleicht war sie zu unbeweglich, zu stark geworden. Es ging durchaus sanft mit ihr. Man versteht nach alledem jetzt wohl, warum ich in Schlaggenberg's ‚Letztem Atelier' wohne und schreibe, und nicht in jenem Wiedner Palais, darin ich die glücklichste Zeit meines Lebens verbringen durfte.

Ja, schon im Hochsommer 1927 war ich ein Glücklicher (wir haben erst im Herbst geheiratet), allein in Wien, und die Umbauten in Friederikes schönem Hause inspizierend, und bereits auf dem Sprunge, zu ihr nach Gastein zu fahren, wenn diese Sachen weit genug vorgeschritten sein würden. Ja, ich war ein Glücklicher. Doch verstand ich es vielleicht noch nicht so gut wie später, im Glücke zu atmen, dieses tief in mich einzuziehen. Auch das will gekonnt sein.

Die Zeit wollte damals stehen, wie ein vom Wind vergessenes Wölkchen allein und hoch im Himmel steht. Nicht lange nach der Juli-Mitte brach die Hitze wieder ein; erst war's durch ein paar Tage trüb und kühler gewesen.

Es gab einen bestimmten Grund, warum ich mich geradezu darüber freute, daß Friederike und ich unsere offizielle Verbindung etwas hinausgeschoben hatten. Fast schien's nämlich, als ginge, nach abgelaufenen Ereignissen, ein ganzer Platzregen von Banalitäten nieder. Täglich brachte die Post welche daher: Herr

Jan Herzka und Frau Agnes geb. Gebaur empfahlen sich als Vermählte, die Eltern Trapp gaben Nachricht von der Verlobung ihrer Tochter mit Herrn Direktor Dulnik, auch Herr Dr. Williams und die Drobil schienen es auf einmal eilig zu haben, und am eiligsten hatte es ja, wie man schon weiß, mein Cousin Géza gehabt: diese Hochzeit war zu Anfang des August in der Steiermark gefeiert worden – unter großer Assistenz, möchte man sagen, auch von seiten der Orkays, ja sogar in Anwesenheit von Géza's Chef, dem Gesandten, jedoch in Abwesenheit des verschollenen Kajetan, und auch meiner Person. Ich hatte mich auf die ‚Bauarbeiten im Hause meiner Braut‘ ausgeredet, die mich unabkömmlich machten. Inzwischen waren die Neuvermählten nach Wien zurückgekehrt und wohnten im Hotel Krantz, soll heißen ‚Ambassador‘, wie sich's für ein Diplomaten-Ehepaar gehörte. Übrigens waren schon für den heutigen Abend ihre Schlafwagenplätze nach Basel belegt, wo sie Station machen wollten, um dann nach Bern zu reisen. In Basel war das Ehepaar bei irgendwelchen reichen Leuten eingeladen, wohl zu rauschenden Festen auf dem neu zu betretenden Boden der Eidgenossenschaft, und sie hatten zugesagt.

Wir waren's zufrieden, Friederike und ich, außerhalb dieses ganzen Schubes und Revirements zu bleiben, oder wenigstens in einigem zeitlichen Abstande davon. Was wir vorhatten, war ja am Ende auch banal. Aber man wird gerade bei dergleichen nicht gern in allzu großer Zahl accompagniert: denn das macht die Fiktion von der Einmaligkeit und Einzigartigkeit des Ereignisses fast unvollziehbar; jene Fiktion gehört aber halt doch irgendwie dazu.

So war's. Das vergessene Wölkchen blieb bei allem geruhig im Blau stehen. Ich tat nichts, es sei denn, man ließe das Erlernen des Glücklich-Seins als Tätigkeit gelten (ich halte es für eine sehr ernste). Der Kampferduft zog tief in sich gekehrt durch meine Räume. Die Fenster standen offen. Ich hörte schwach das Klingeln der Trambahn von der Döblinger Hauptstraße her, und dann fuhr der Zug mit einer ansteigenden chromatischen Tonleiter zur Hohen Warte hinauf. Ich lag auf dem Diwan. Am Schreibtisch blätterte sich bei leichtem Luftzuge der leere Notizblock etwas auf. Frau Camy's Brief war nicht mehr dort. Ich hatte ihn weg getan.

Doch machte ich in dieser Zeit auch einige ausgedehnte Spaziergänge im näheren Wienerwald und sah als ein Glücklicher in eine glückliche Landschaft, mit ihr ja noch lebend, sie immer noch ganz besitzend, im geründeten Grün des hohen Sommers, und ohne die einfallende braune Rostfarbe des Vergangenen und des späten Herbstes. O nein! Ich liebte ja. Und heute? Was verbindet den alten Mann noch am tiefsten mit dem Leben? Welch' eine Frage! Doch, ich wag's zu antworten, aus meiner persönlichen Erfahrung freilich nur.

Die Wehmut ist's. Die ‚schöne Melancoley', wie es bei Herrn Ruodlieb von der Vläntsch heißt. Sie ist der letzte, unausrottbarste Bezug; der feinste Faden, der in's Herz schneidet, und der Zug an ihm zugleich ist sie.

Ich steh' in Schlaggenberg's ‚Letztem Atelier', und die Nachmittagssonne fällt herein; das doppelt verglaste Oberlicht überdacht mich hell; und jetzt greif ich nach meinem Herzen, plötzlich, das doch gesund ist und ruhig schlägt, und das nie krank war, höchstens metaphorisch, damals vor achtundzwanzig Jahren, als die Wand von Kristall mich von Friederike trennte, und ich die Sprache der Fische noch immer nicht verstand.

Auch an dem Tage, da Quapp und Géza abends reisen sollten, unternahm ich einen weiten Spaziergang, und kam um etwa fünf Uhr in jene Gegend, wo der Kamm und Mugl zwischen Agnes- und Jägerwiese am höchsten sich erhebt.

Es ist einer der ernsteren Punkte des stadtnahen Wienerwaldes, und man kann hier leicht die Empfindung haben, auf einem richtigen Berge zu sein. Der ungewöhnlich steile Abbruch des Terrains gegen Weidling hinab, der Wildwuchs des Forstes, die Ausgesetztheit, was den Wind betrifft – von ihr ist eine ganze Reihe der Bäume am Abbruche gezeichnet – das alles rückt den Spaziergänger plötzlich tief in die eigensinnige und verstocktschweigende Erhabenheit der Waldesnatur, und weit ab von seinen gewohnten Straßen und Gassen. Auch im Winter, wenn man auf Skiern diese Stelle kreuzte – wo oft der Wind ernsthaft pfiff – verlor man für Augenblicke ganz den Bezug zu der so unmittelbar nahen Großstadt.

Am Kamme stand ein Mann, er war schon die ganze Zeit regungslos dort gestanden, vom Steilrand des Geländes in die Ferne schauend.

Als ich näher kam, war es dann Kajetan.

Wir fanden uns, hatten wir uns gleich seit dem 23. Juni nicht mehr gesehen, keineswegs in jener Verlegenheit, in die alle Leute immer wieder geraten, denen ein wirklicher Bezug zueinander fehlt und deren eigentlich angemessene Form des Verhältnisses doch stets das Entfernt-Sein bleibt, wenn man auch gelegentlich einmal zusammentrifft und sich gegenseitig ins Bild zu rücken trachtet, das doch nie eines werden kann. Das hatten wir nicht nötig. Ich sagte ihm nur, daß Quapp und Géza in Wien seien und heute abend zu reisen gedächten (und daß wir zusammen auf den Westbahnhof fahren könnten). „Weiß ich schon alles", sagte er, „war heut' vormittag im ,Krantz', gleich nach meiner Ankunft. Hab alles gehört. Auch von Ihrer Verlobung, grauslicher Kryptiker." (Sollte das etwa seine Gratulation sein?) „Und woher wußten Sie, wo die Orkays wohnen?" „Hab' einen Antwortbrief von der Mama auf der Rückreise bei meinem nunmehrigen Verleger in Stuttgart gefunden, wo ich die Fahrt unterbrochen hatte. Die Mama ist sehr bös auf mich. Weil ich nicht bei der Hochzeit war und nicht gratuliert habe. Natürlich. Wußte ja nichts." „Und von wo kamen Sie da, auf der ,Rückreise', die Sie unterbrochen haben?" „Das wissen doch Sie ganz genau", sagte er, und: „mit dem Verlag in Stuttgart ist übrigens alles geordnet."

Ein warmer Wind fuhr über den Kamm, der Wald rauschte weithin. Wir gingen zur Jägerwiese hinab. In London, erzählte Kajetan, habe er am Sloane-Square gewohnt, und sei am nächsten Vormittage nach seiner Ankunft schon die Kings-Road entlang gegangen und dann links hinein nach Chelsea.

„Sie kennen die Gegend?" fragte er.

„Ja, gut", sagte ich.

Er hatte keineswegs erwartet, ihr gleich am ersten Tage zu begegnen, ja, er mußte dies überhaupt für ganz zweifelhaft halten. Als er von Chelsea nach Battersea hinüberging, auf der rechten Seite der Prinz-Albert-Brücke, schon weit drüben, kam sie ihm geradewegs entgegen. Sie wäre beinahe an ihm vorbeigegangen, ohne ihn zu erkennen. Er lüftete den Hut, verbeugte sich und trat auf Camy zu. „Ihre Augen rissen sich ganz groß auf", sagte Kajetan, „sie wurde buchstäblich weiß vor Wut und sah aus wie erfroren. Sie winkte mit dem ganzen Arm jemandem, der sich offenbar drüben auf der anderen Seite der Brücke und in meinem Rücken befand. Ich drehte mich nicht um. Ich zog noch einmal den Hut, verbeugte mich knapp, und jetzt erst wandte ich mich und ging gleich rasch in die Richtung, aus der ich gekommen war. Kein Wort war gewechselt worden. Im Abgehen sah ich erst, wem Camy gewunken hatte. Es war ein Polizeibeamter. Er ging auf der anderen Seite der Brücke gegen Battersea zu, sah vor sich auf den Boden, und befand sich vielleicht gar nicht im Dienst. Bei Tag gibt es in dieser Gegend keine Posten. Der Polizist hatte Camy und mich nicht beachtet. Das Ganze geschah vormittags um elf. Gegen zwei Uhr reiste ich von der Viktoria-Station ab, mit Schiffsanschluß in Dover."

„Sie waren also wie lange in London?"

„Kaum einen Tag. Eigentlich nur über Nacht."

„Und wann?"

„Vor vier Tagen."

„Und die übrige Zeit? Vorher?"

Er verdüsterte sich tief. Wir waren auf dem zerschründeten Wege zur Jägerwiese stehengeblieben; man sah auf die weite Fläche in der Sonne hinaus, die drüben glastig und mattgrün gegen den Wald des Hermannskogels anstieg.

„Abgesehen von Stuttgart . . . . ich war . . . . ich war auch in Paris eine Zeit. Ich schwankte immer noch, vor der Reise nach London. Ich habe stark getrunken."

„Man sieht es Ihnen an, Kajetan", sagte ich.

„Das Reptil hat mich arretieren lassen wollen!" stieß er hervor.

Wir standen einander auf dem Wege gegenüber. Ich wußte, daß ich nun meinen Mann zu stehen haben würde, und sagte in ruhigem Ton:

„Sie werden dieses Wort, Kajetan, das Sie eben in den Mund genommen haben, augenblicklich wieder ausspucken."

Wir hielten uns mit dem Blicke, Aug' in Auge.

„Ja", sagte er. Dann wandte er wirklich den Kopf zur Seite und – – spuckte aus.

Wir schwiegen. Er berichtete weiter. Seine Stimme war beim Folgenden sehr gedämpft.

„Ich überschritt die Brücke. Ich ging immer rasch vorwärts, weil ich glaubte, hinzufallen, wenn ich stehen bleiben würde. Aus irgendeinem Grunde nahm ich nicht den Weg nach Chelsea hinein, den ich gekommen war, sondern hielt mich rechts, und gelangte auf den Cheyne Walk. Hier, in dieser aufgetanen Freundlichkeit, am Rasen entlang – fast döblingerisch ist das! – wurde mein Gehen langsamer, und schließlich stand ich, und spürte tief unter mir, und so, als ob ich ganz und gar darauf beruhen würde, ja, dies ruhig dürfe, etwas wie eine Kreuzung, oder eine zarte, grüne Einrast, eine Angel, aus der ich noch gehoben war: das Einrasten geschah alsbald dadurch, daß ich eine Wahrnehmung nachholte, die ich zu ihrer Zeit gar nicht gemacht hatte: sie bezog sich merkwürdigerweise auf ein Kind. Auf jene kleine Renata Gürtzner-Gontard – für uns ist sie ja ein Kind – die ich da bei meiner Bande gehabt hatte, mit ihrer Freundin Sylvia, und dem Pfadfinder und den Garriques: jetzt erst erfaßte ich – wahrlich lange Leitung! – daß dieses Mädel die gleiche war, welche wir beim Skilaufen im Walde schon gesehen hatten, und dann auf dem Plenar-Ausflug der ‚Unsrigen‘, nun Sie wissen schon, als ich dort oben stand: da ging sie ja vorbei .... Und sofort erkannt’ ich den Zustand, in welchem ich fast Jahr und Tag gelebt hatte. Jetzt sprang er von mir ab. Camy hatte ihn mir amputiert. Es war ein Zustand, in welchem nicht einmal Tatsachen mehr überzeugen können. Weil sie keineswegs wahrgenommen werden. So hatte ich gelebt. Unmittelbar nach jenen Augenblicken am Cheyne Walk wurde mir außerordentlich wohl zu Mute. Ich fuhr nach Stuttgart und unterschrieb meinen inzwischen schon ausgefertigten Vertrag.“

„Gut“, sagte ich, und sah beim Sprechen jetzt auf die Jägerwiese hinüber, in den milchigen Sonnenglast. „Ihre zweite Wirklichkeit, die haben Sie erst am Cheyne Walk liegen lassen. So weit mußte es kommen. Halten Sie sich fest auf der ‚grünen Kreuzung‘. Auf ihr sprießt Ihre Zukunft. Denken Sie gesammelt an Camy. Sie werden Camy hier und augenblicklich – nicht verzeihen, sondern auf der Stelle einsehen, daß es da gar nichts zu verzeihen gibt: höchstens von der Gegenseite. Und Sie werden unverzüglich einen für Ihr ganzes Leben entscheidenden Akt setzen: nämlich den glatten und endgültigen Verzicht darauf, Ihre gewesene Frau abzuschieben – nun, sagen wir, nach der Methode Körger-Eulenfeld, und mit einem von dort erborgten Wort. Es gibt nichts Ordinäreres, als mit sich selbst in einer Sprache zu verkehren, die ihre wirksamen Wurfgeschosse danach wählt, ob sie auch anderen plausibel wären“ (dabei hatte ich damals die schon zitierte Stelle aus dem Valéry noch gar nicht gelesen – ich weiß wirklich nicht, welch eine Biene der Erleuchtung mich in jenen Augenblicken stach).

„Sie sind ein Unmensch", sagte er.

„Meinetwegen. An Ihnen aber wäre es nun, einen Unmenschen zu produzieren und ihn auf sich selber loszulassen, um ein Mensch zu werden."

Ich behielt ihn jetzt wieder scharf im Auge. Er schwankte ein wenig (fast wie einst, auf jener Verkehrsinsel, als ihm der ‚untere Deckel herausgefallen' war).

„Ja", sagte Kajetan, „ja." Er atmete hörbar aus. Die Wölbung der Brust fiel zusammen, sein Kopf sank langsam herab.

Nach unserem Abendessen auf der Terrasse jener Meierei, die zum Schlosse Cobenzl gehört – man hat, von hier hinunterblickend, einen großen Teil der Stadt wie auf der flachen Hand – schob mir Kajetan einige Papierln über den Tisch, die er hervorgezogen hatte. „Ja, ja", sagte ich, nachdem ich sie durchgesehen, „immer korrekt und gedeckt, der Herr Kammerrat. Aber am 30. Mai hat er sozusagen aufgegeben. Woher haben S' den Schmarrn?" „Meine Bande hat's mir herausgeholt. Aus dem alten Sekretär offenbar, von dem Gach erzählt hat." „Außerordentlich geistreiche Veranstaltung", sagte ich, „aber werfen Sie das nicht hier weg, sondern stecken Sie's daheim in den Ofen."

Die Dämmerung kam. Die ersten kranken Erdensterne begannen unten im tintigen See der Stadt zu blinzeln. Wir tranken noch Wein und schwiegen. Endlich machten wir uns auf den Weg. Er war ja weit.

Am Bahnsteig sah ich sie denn noch einmal versammelt, die ‚Unsrigen', nur Angelika und Grete Siebenschein fehlten. Die Konterhonz war mit Höpfner erschienen. ‚Na also', mochte sich Kajetan denken. Das war auch eine von den Neuigkeiten, die er hier vorfand. Sie begrüßte ihn übrigens sehr damenhaft und etwas von oben herab: er schien's wohl zufrieden; dadurch ward es freilich noch lächerlicher.

Die Unsrigen umstanden dicht das elegante Paar (Quapp war in ausgezeichneter Tournüre). Sie suchte und fand Gelegenheit, dem sie umschließenden Ringe freudiger Anteilnahme zu entwischen, und wir gingen dann etwas weiter vorn am Perron miteinander auf und ab. Sie erzählte von der Hochzeit, warf aber kaum einen Blick zurück in das letzte halbe Jahr. Merkwürdig berührte mich, daß die Mama Schlaggenberg es offenbar als zu den Hochzeitsvorbereitungen gehörend angesehen hatte, die sämtlichen hohen Bäume vor dem Gartensaale umlegen zu lassen. „Ein ganz neuer Block von Helligkeit steht jetzt in das Haus hinein." (Ich habe mir ihre damalige Ausdrucksweise bis heute gemerkt.) „Dann gab es dort so eine riesenhafte grüne Bowle mit zahllosen Gläsern. Sie wurde bei der Hochzeit benützt, ist aber nicht mehr auf den alten Platz gestellt worden. Das Licht im Saal ist jetzt ein gänzlich anderes." Es schien also auch die Mama Schlaggenberg jene Begabung zu besitzen, Epochen durch äußere verändernde Maßnahmen zu markieren. Indessen konnte Quapp das schwerlich von ihr geerbt haben.

Sie fragte mich nicht nach Gyurkicz.

Sie sprach von Basel, von einigen hervorragenden Familien dort, Burckhardt und Ehrenzeller und von anderen noch. Es war jetzt und hier zweifellos die letzte Gelegenheit für Quapp, von Imre's Schicksal zu erfahren. Oder wußte sie's, und es fiel ihr nur eben nicht ein, den Toten zu erwähnen? Ich sah ihr Gesicht an und es wollte mir scheinen, daß ihre habituelle Unwissenheit sich auch hier, und gewissermaßen in extremis, bewährte.

Ich sagte ihr nichts von Gyurkicz.

Das De profundis war gebetet worden von zwei Mann, während sein Leib noch warm gewesen, sein Blut noch floß. Was ging das die Frau Legationsrat Orkay an? Sie war für mich keiner von den ‚Unsrigen' mehr. Wohl, auch ich hatte – zu erben verstanden. Aber mir eignete nicht das Gedächtnis eines Huhnes und dazu – nein! daher! – ein Herz von Stein. So behielt ich alles hinter dem Gehege der Zähne; und bewahrte eisern das in mir errichtete Epitaph des Freundes – wahrlich in den allerletzten Augenblicken war er's geworden! – vor der sonst unvermeidlichen Berührung durch ihr nichtiges Wort.

Man rief zum Einsteigen. Der kurze Zug stand etwas vorgezogen, nicht ganz in der Halle. Hinter dem Schlafwagen, darin das Ehepaar Orkay sein Abteil hatte, befand sich noch ein Waggon erster Klasse. Auf dessen Plattform traten nun die beiden und konnten so durch die verglaste Tür nach rückwärts und auf uns blicken, auf die Gruppe der ‚Unsrigen'. Wir aber sahen das junge Paar dort im erhellten Rahmen stehen. Mit jener schleichenden Lautlosigkeit und Langsamkeit, mit der jeder Expreßzug die Halle verläßt, um bald mit neunzig Stundenkilometern dahinzubrausen, glitt auch dieser hinaus und entzog uns rasch das Bild, welches vor uns in die Dunkelheit der Nacht zurückwich, während die geschwenkten Tüchlein zappelten wie Kohlweißlinge in der Luft über einem Beet. Noch konnte ich Quapp deutlich ausnehmen, klein, Bewohnerin eines Fünkchens, das im Finstern entschwand. Mir war in diesen Augenblicken, als sollte ich weder sie, noch irgendjemand von der Gruppe, die mit erhobenen Armen und winkenden Tüchlein auf dem sonst fast leeren Bahnsteige stand, jemals im Leben wiedersehen.

INHALTSVERZEICHNIS